제 4 판

株式會社法大系

株式會社法大系

III

[한국상사법학회 편]

재무와 회계
주식회사의 공시
조직개편과 기업인수
주식회사의 소멸
상장회사에 대한 특례
외국회사
벌 칙

발 간 사

　『주식회사법대계』의 편찬사업은 한국상사법학회가 상법제정 50주년 기념사업으로 2013년 1월 초판을 출간하면서 시작되었습니다. 상법 회사편 중 주식회사의 각 조문에 관해 축조의 형식으로 중요 쟁점을 중심으로 학설 및 판례를 망라하여 해설한 것입니다. 이 해설서를 통해 기업실무나 법조실무에 종사하는 실무가나 대학원생 등 연구자에게 종합적이고 체계적인 이론을 제공하여 도움을 주고자 함이 본 사업의 취지였습니다. 특히 주식회사법 영역에서는 자본시장법, 공정거래법 등과 같은 관련법령은 물론이고 거래소의 상장규정이나 스튜어드십 코드처럼 기업실무에 영향을 미칠 수 있는 연성규범이나 거래 관행도 매우 중요합니다. 본서에는 주식회사법뿐만 아니라 이러한 관련법령 등에 대해서도 충실하게 다루고 있습니다. 그런 점에서 주식회사 관련법제 전반에 관한 해설서라고 자부해봅니다.

　초판이 발간된 이래 지금까지 총 4판이 출간되었습니다. 특히 제4판은 제3판 이후 축적된 판례와 학설 그리고 2020년 상법개정에서 새로 도입된 다중대표소송, 감사위원분리선출제도 등에 관한 해설을 추가하고 기존의 내용을 수정·보완한 것입니다. 2020년 상법개정에서는 주주총회 분산개최와 소수주주권 행사에 관한 개정도 함께 이루어졌습니다. 이러한 사항들은 기업실무나 법무실무에 지대한 영향을 미칠 수 있는 내용들이어서 서둘러 출판을 하기에 이르렀습니다.

　제4판의 경우 집필위원만 85분이 참여하였습니다. 이러한 방대한 분량의 해설서 편찬에는 많은 분들의 헌신과 열정이 없이는 불가능합니다. 특히 초판의 기획에서부터 제4판의 발간에 이르기까지 제22대 회장으로서 그리고 '주식회사법대계 간행위원회' 위원장으로서 많은 수고를 해주신 최준선 전 회장님을 비롯한 간행위원님, 간사로서 어려운 일을 도맡아 해주신 김영주 교수님, 그리고 짧은 집필기간임에도 불구하고 본서의 발간 취지에 동의해주시고 옥고를 집필해주신 집필위원 여러분에게 제31대 회장으로서 심심한 감사의 말씀을 드립니다.

앞으로도 지금처럼 『주식회사법대계』가 우리나라 주식회사 법제의 발전에 기여하고 기업실무와 법조실무 그리고 연구에 있어서 큰 도움이 되는 지침서로서 그 역할과 기능을 다 하기를 소망합니다. 아울러 존경하는 회원님 여러분들의 많은 관심과 성원을 부탁드립니다.

2022년 2월
제31대 회장 권종호

머 리 말

이 책은 2012년 한국상사법학회가 상법제정 50주년을 기념사업으로 시작하여 2013년 1월에 초판이 발간되었습니다. 필자가 제22대 학회장으로 선임되어 상법 제정 50년을 맞이하였으며, 이에 학회는 상법제정 이후 50년의 역사를 정리하는 것, 상법제정 50주년 기념 국제학술대회를 개최하는 것, 그리고 우리 학계의 50년간의 연구성과를 본서 『株式會社法大系』로 집대성하는 작업을 진행하였습니다. 『株式會社法大系』는 상법학계의 50년간의 총결산이자 대통합의 상징입니다. 대통합의 상징이란, 이 책의 초판을 저술함에 있어서는 이 시대 한국을 대표하는 학자 77명이 집필에 참여하였다는 것을 말합니다.

2015년 2월 이 책에 출판된 지 3년이 되자 그간의 개정 법률과 새로 나온 판례를 반영한 개정판을 발간할 필요가 생겼습니다. 이에 우리학회 제25대 학회장이신 신현윤 회장께서는 이사회를 거쳐 학회의 산하기관으로 항구적인 조직으로서 '주식회사법대계 간행위원회'를 설치하시고 본인을 초대 위원장으로 임명하셨습니다. 제2판에는 집필위원의 소폭 교체가 있었고, 총 79명의 집필위원이 참여하였습니다.

2018년에 이르러 간행위원회는 그간에 생산된 중요한 판례를 반영하여 제3판을 발간하기로 결의하고 우리학회 제28대 학회장이신 김선정 회장님의 승인에 따라 2019년 제3판을 발간하게 되었습니다. 제3판의 집필에는 총 80명의 집필위원이 참여했습니다.

2020년 12월 9일 국회는 상법 일부 개정안을 통과시켰고, 이 법률은 같은 달 29일 공포 즉시 시행되었습니다. 이번 개정에서는 다중대표소송제도, 감사위원 분리선임과 같은 매우 중요한 제도들이 도입되었습니다. 간행위원회는 개정 상법의 주요 내용과 2018년 이후 생산된 중요 판례를 반영한 제4판을 간행하기로 결의하였으며, 2021년 우리 학회 제31대 권종호 회장님의 승인하에 2022년 제4판을 발간하게 되었습니다. 제4판에는 집필위원이 소폭 교체되었고 공동집필위원 포함 총 85명의 집필위원이 참여하였습니다.

이 책을 출판함에 있어서 가장 어려운 점은 원고 내용의 균질성을 확보하는 것이었습니다. 이를 위하여 우리 학회의 중견 학자들로 편집위원회가 구성되었으며, 편집위원들이 각 논문을 철저히 심사하여 '게재가능' 판정을 받은 논문만을 게재하였습니다. 이번 제4판에도 원고를 철저히 심사해 주신 간행위원 여러분께 깊이 감사드립니다. 한편, 집필에 참여하지 못한 회원들께서도 차후 개정판에서 집필기회를 드릴 것을 약속드립니다. 기존의 주제에 대하여 보다 참신하고 수월성 있는 논문을 제공해 주셔도 좋고, 신규 주제를 개발하여 참여하여 주셔도 좋습니다.

이 책은 상법 회사편 중 주식회사에 관한 거의 모든 조문을 빠짐없이 해설하고, 동시에 주식회사법에 관한 거의 모든 논의를 포괄하여야 한다는 목표하에 집필되었습니다. 이에 따라 현대 주식회사법의 쟁점이 되는 모든 분야에 걸쳐 주요판례와 논문, 저서 등을 종합하여 충실한 해석론을 전개하고 있습니다. 이 책은 로스쿨 학생보다는 실무가 및 대학원생 이상의 연구자를 독자로 상정하고 집필되었습니다. 따라서 회사법 실무나 학술연구에 매우 유용할 것으로 생각되며, 활용도는 매우 클 것으로 자부합니다.

臨事而懼!

孔子가 말한 '임사이구'는 '어려운 때일수록 신중하고 치밀하게 지혜를 모아 일을 성사시킨다'는 뜻입니다. 많은 분들이 자발적으로 도와주시지 않으셨다면, 이 일은 완성될 수 없었을 것입니다. 그러므로 이 작품은 집필위원 및 도움을 주신 여러분 모두의 것입니다. 집필위원 여러분께 감사를 드립니다. 무엇보다도, 2012년 상법제정 50주년을 기념사업 수행과 2013년 이 책의 초판 및 2016년 제2판을 출판함에 있어서 원고료를 포함한 재정문제의 해결에 큰 도움을 주신 전국경제인연합회, 한국상장회사협의회의 서진석 상근부회장님, 한국예탁결제원 김경동 사장님, 김·장법률사무소의 한상호 대표변호사님, 현대자동차(주), 법무법인(유) 정률의 김교창 고문변호사님, 한국해사문제연구소의 박현규 이사장님, 한국거래소의 김봉수 이사장님, 국민대학교 전총장이신 김문환 교수님, 건국대학교 이철송 석좌교수님께 깊이 감사드립니다. 법무부 상사법무과에 감사드리고, 일일이 열거하지는 않지만 많은 도움을 주신 여러분께 진심으로 감사드립니다. 끝으로 주식회사법 대계 간행위원회 간사로서 초판부터 제3판까지 온 힘을 기울여 주신 성균관대학교 한석훈 교수와 제4판 발간에 있어 최선의 노력을 기

올여 주신 김영주 대구대학교 교수님께 아무리 말해도 모자랄 만큼의 감사를
드립니다. 법문사 편집부 김제원 이사님과 기획영업부 장지훈 부장님의 노고에
도 깊은 감사를 표합니다.

2022. 2.

주식회사법대계 간행위원장

성균관대학교 법학전문대학원 명예교수 최준선 근배

[집필진] (가나다 순)

강대섭(姜大燮)
　부산대학교 법학전문대학원 교수
고창현(高昌賢)
　김·장 법률사무소 변호사
곽관훈(郭管勳)
　선문대학교 경찰행정법학과 교수
구대훈(具垈勳)
　법무법인(유) 광장 변호사
구회근(具會根)
　서울고등법원 부장판사
권윤구(權倫九)
　김·장 법률사무소 변호사
권재열(權載烈)
　경희대학교 법학전문대학원 교수
권종호(權鍾浩)
　건국대학교 법학전문대학원 교수
김건식(金建植)
　서울대학교 법학전문대학원 명예교수
김교창(金敎昌)
　법무법인(유) 정률 고문변호사
김동민(金東民)
　상명대학교 지적재산권학과 교수
김두환(金斗煥)
　한경대학교 법경영학부 교수
김범진(金範鎭)
　법무법인(유) 광장 변호사
김병연(金炳淵)
　건국대학교 법학전문대학원 교수
김병태(金秉台)
　법무법인(유) 세종 변호사, 미국(뉴욕주)
　변호사
김병태(金炳泰)
　영산대학교 법학과 교수, 미국(뉴욕주)
　변호사
김상규(金相圭)
　한양대학교 법학전문대학원 명예교수
김선정(金善政)
　동국대학교 법무대학원 명예교수

김성용(金性龍)
　성균관대학교 법학전문대학원 교수, 변호사
김순석(金淳錫)
　전남대학교 법학전문대학원 교수
김연미(金延美)
　성균관대학교 법학전문대학원 부교수,
　변호사
김영주(金暎住)
　대구대학교 경영학부 교수
김재범(金在範)
　경북대학교 법학전문대학원 교수
김정호(金正皓)
　고려대학교 법학전문대학원 명예교수
김주영(金柱永)
　법무법인 한누리 변호사
김지환(金知煥)
　경남대학교 법학과 교수
김태진(金兌珍)
　고려대학교 법학전문대학원 교수, 변호사
김홍기(金弘基)
　연세대학교 법학전문대학원 교수, 한국 및
　미국(뉴욕주) 변호사
김효신(金孝信)
　경북대학교 법학전문대학원 교수
김희철(金希哲)
　원광대학교 법학전문대학원 교수
남궁주현(南宮珠玄)
　성균관대학교 법학전문대학원 조교수,
　변호사
노혁준(魯赫俊)
　서울대학교 법학전문대학원 교수, 변호사
맹수석(孟守錫)
　충남대학교 법학전문대학원 교수
문상일(文翔日)
　인천대학교 법학부 교수
박세화(朴世和)
　충남대학교 법학전문대학원 교수
박수영(朴洙永)

전북대학교 법학전문대학원 교수

박영욱(朴咉昱)

　법무법인(유) 광장 변호사

박철영(朴哲泳)

　한국예탁결제원 전무이사, 법학박사

서완석(徐琓錫)

　가천대학교 법과대학 교수

손영화(孫永和)

　인하대학교 법학전문대학원 교수

송종준(宋鍾俊)

　충북대학교 법학전문대학원 명예교수

신현탁(申鉉卓)

　고려대학교 법학전문대학원 교수, 변호사

심 영(沈 㵐)

　연세대학교 법학전문대학원 교수

안성포(安成飽)

　전남대학교 법학전문대학원 교수

안수현(安修賢)

　한국외국어대학교 법학전문대학원 교수

안택식(安澤植)

　동국대학교 대학원 대우교수,
　전 강릉원주대학교 교수

오성근(吳性根)

　제주대학교 법학전문대학원 교수

유주선(俞周善)

　강남대학교 공공인재학과 교수

육태우(陸泰旴)

　강원대학교 법학전문대학원 교수

윤영신(尹榮信)

　중앙대학교 법학전문대학원 교수

이동건(李銅鍵)

　법무법인(유) 세종 변호사

이미현(李美賢)

　연세대학교 법학전문대학원 교수

이수균(李秀均)

　법무법인(유) 세종 변호사

이숙미(李淑美)

　법무법인(유) 세종 변호사

이영철(李泳喆)

　전 한국열린사이버대학교 교수

이재혁(李在赫)

　한국상장회사협의회 정책2본부장, 법학박사

이철송(李哲松)

　건국대학교 법학전문대학원 석좌교수

이형규(李炯珪)

　한양대학교 법학전문대학원 명예교수

이형근(李亨根)

　법무법인(유) 광장 변호사

이효경(李孝慶)

　충남대학교 법학전문대학원 교수

임재호(林載鎬)

　부산대학교 법학전문대학원 명예교수

임정하(林廷昰)

　서울시립대학교 법학전문대학원 교수

임중호(林重鎬)

　중앙대학교 법학전문대학원 명예교수

장경찬(張慶贊)

　변호사장경찬법률사무소 변호사

장근영(張根榮)

　한양대학교 법학전문대학원 교수

정 대(丁 大)

　국립한국해양대학교 해사법정학부 교수

정명재(鄭榆在)

　김·장 법률사무소 변호사

정수용(鄭秀蓉)

　법무법인(유) 세종 변호사

정준우(鄭埈雨)

　인하대학교 법학전문대학원 교수

정준혁(鄭俊赫)

　서울대학교 법학전문대학원 교수,
　미국(뉴욕주) 변호사

정진세(鄭鎭世)

　전 홍익대학교 법학과 교수

정찬형(鄭燦亨)

　고려대학교 법학전문대학원 명예교수

정쾌영(鄭佒夬永)

　신라대학교 공무원법학과 교수

조성호(趙成昊)

　한국상장회사협의회 변호사

천경훈(千景塤)

　서울대학교 법학전문대학원 교수, 한국 및
　미국(뉴욕주) 변호사

최문희(崔文僖)

　강원대학교 법학전문대학원 교수

최민용(崔玟龍)
    경북대학교 법학전문대학원 교수
최병규(崔秉珪)
    건국대학교 법학전문대학원 교수
최수정(崔琇晶)
    중소벤처기업연구원 연구위원, 법학박사
최승재(崔昇宰)
    세종대학교 법학부 교수, 변호사
최완진(崔完鎭)
    한국외국어대학교 법학전문대학원

    명예교수
최준선(崔埈璿)
    성균관대학교 법학전문대학원 명예교수
한석훈(韓晳薰)
    성균관대학교 법학전문대학원 교수, 변호사
황남석(黃南奭)
    경희대학교 법학전문대학원 교수, 변호사
황현영(黃鉉英)
    대법원 재판연구관, 법학박사

[편집위원] (가나다 순)

권재열(權載烈)
    경희대학교 법학전문대학원 교수
김태진(金兌珍)
    고려대학교 법학전문대학원 교수, 변호사
김홍기(金弘基)
    연세대학교 법학전문대학원 교수
    한국 및 미국(뉴욕주) 변호사
노혁준(魯赫俊)
    서울대학교 법학전문대학원 교수, 변호사

서완석(徐琓錫)
    가천대학교 법과대학 교수
장근영(張根榮)
    한양대학교 법학전문대학원 교수
최준선(崔埈璿)
    성균관대학교 법학전문대학원 명예교수
한석훈(韓晳薰)
    성균관대학교 법학전문대학원 교수
    변호사

[편집간사]

한석훈(韓晳薰)
    성균관대학교 법학전문대학원 교수, 변호사

[범 례]

○ 본문 중 목차번호는 [장, 절, Ⅰ. 1. 가. 1) 가) (1) (가) ① ㉮]의 순으로 한다.
○ 국내법령 인용시 '상법' 표기는 생략하며, 그 밖의 법령은 공식 법령 명칭을 표기한다. 다만, 법령 명칭이 긴 경우에는 재인용을 위하여 약어를 사용할 수 있다. 이 경우에는 처음 인용할 때 괄호 안에 약어를 표기한다.
  예: * 상법 제123조 제1항 → 제123조 제1항
    * 민법 제123조 제1항 제1호
    * 자본시장과 금융투자업에 관한 법률(이하 '자본시장법'이라 한다) 제12조 제1항 제1호 … → … 자본시장법 제15조 제1항 제1호
○ 문헌 인용시 공저자는 '·'(가운데 점)을 사용하여 표기하고 주 저자를 앞에 기재한다.
○ 각주에서 동일 논문을 재인용할 때에는 [전게서, 전게논문, 전게 "논문명"]으로 표기한다.
○ 각주 번호는 각 집필자의 집필부분별로 독립적으로 일련번호를 붙인다.
○ 국내 판례는 예컨대 '대법원 1995.1.1. 1993다1111' 방식으로 표기하고, 각주에서 판례를 연속하여 표기할 경우에 같은 법원 표시는 생략한다.
○ 외국 문헌 또는 외국 판결을 인용할 때에는 그 나라의 표준적인 방법에 따라 표기하는 것을 원칙으로 한다.
○ 일본의 논문명, 서명(書名), 법령 명칭은 원어로 표기하고, 면수는 '面'으로 표기한다.
○ 일본 판례의 연호는 서기 연도로 환산하여 표기하는 것을 원칙으로 한다.

총 목 차

세부 목차

제 5 장 재무와 회계

제6장 주식회사의 공시

제 7 장   조직개편과 기업인수

제 8 장 주식회사의 소멸

제 9 장　상장회사에 대한 특례

제11장 벌　칙

제 **5** 장

재무와 회계

제 1 절   신주발행

정 명 재*

I. 개   관

1. 주식회사의 자본조달 방법

단순 금전 차입을 제외하면 주식회사의 중요한 자금조달방법은 자본시장 (capital market)을 통한 주식과 사채의 발행이라고 할 수 있다. 주식과 사채는 ① 총액이 일정한 단위로 세분되고(제329조, 제474조 제2항 제5호), ② 유통성 제고를 위하여 유가증권으로 화체되어 발행되며(제355조, 제356조, 제478조), ③ 그 발행절차는 원칙적으로 이사회가 결정한다는 점(제416조, 제469조[1])에서 유사하지만 다음과 같은 차이점이 있다.

구 분	신주 발행[2]	사채 발행[3]
법적 성질	단체법적 성격(구조변경적 성질)[4]	개인법적인 거래(금전소비대차 성질)
자본	자기자본을 구성[5]	부채(타인자본)를 구성[6]

---

* 김·장 법률사무소 변호사
1) 단 사채의 경우 정관으로 정하는 바에 따라 이사회는 대표이사에게 사채의 금액 및 종류를 정하여 1년을 초과하지 아니하는 기간 내에 사채를 발행할 것을 위임할 수 있다(제469조 제4항).
2) 종류주식의 경우 그 내용에 따라 의결권, 이익배당권 등에 차이가 있을 수 있다.
3) 전환사채, 신주인수권부사채 및 2012. 4. 15. 시행된 상법에 따라 비상장회사도 발행할 수 있게 된 교환사채, 상환사채, 이익참가부사채, 파생결합사채 등 특수한 형태의 사채의 경우 해당 사채의 내용에 따라 회사의 주주구성, 이익배당 등에 영향을 미칠 수 있을 것이다.
4) 신주의 발행은 물적회사인 주식회사의 자본을 증가시키므로 기존 주주들의 인적 구성에 영향을 미치지 않는 방법인 주주배정방식으로 발행되어도 회사의 규모를 바꾸는 것으로서 구조변경적 성격을 띤다. 나아가 신주가 기존 주주가 아닌 제3자에게 배정되면 이 경우에는 주식회사의 사원이 변경된다.
5) 한국채택 국제회계기준 하에서는 상환주식의 경우 그 내용에 따라 부채로 취급될 수 있다.

- 3 -

인수의 효력	효력발생과 더불어 회사의 사원권인 주식이 귀속	일정률의 이자와 원금상환만을 기대하는 채권자[7]
이익의 종류	배당가능이익의 존재를 전제로 이익배당을 받음	회사의 영업성과와 관련 없는 일정률의 이자와 원금상환이 있을 뿐임[8]
인수인의 지위	원칙적으로 출자의 환급이 불가하고 회사 해산시에도 회사채권자를 만족시킨 후 잔여재산이 있는 것을 전제로 이를 분배 받을 수 있음(제542조 제1항, 제260조)	상환기가 도래하면 주주에 우선하여 일반 회사채권자와 동일 순위에서 원리금의 상환을 받고 회사해산의 경우에는 주주에 우선하여 채권의 변제를 받음
납입방법	전액납입의 방법만 가능 예외적으로 회사의 동의가 있는 경우 상계에 의한 방법으로 납입을 할 수 있음(제421조)	분할납입 가능 (제474조 제2항 제9호, 제476조 제1항)
발행가액	원칙적으로 액면미달발행이 불가함(제330조, 예외 제417조)	원칙적으로 액면미달가액 발행 가능(제474조 제2항 제6호)
상계의 효력	납입시 회사의 동의가 없는 한 상계로 대항할 수 없음(제421조 제2항)	상계로 회사에 대항할 수 있음

　이와 같은 기본적인 차이에도 불구하고 주식과 사채의 권리 내용이 점점 근접하는 것이 추세이다. 예를 들면, 회사가 일정 기간 후에 이익으로 소각하는 상환주식은 실질적으로 사채에 접근한다고 볼 수 있으며, 종류주식의 구성을 통해 의결권, 이익배당권 등의 내용을 달리하여 사채의 지위와 유사해질 수 있다. 반대로 전환사채, 신주인수권부사채, 교환사채와 같은 특수사채는 전환권, 신주인수권, 교환권 등의 행사로 그 보유자로 하여금 주주의 지위를 취득하도록 할 수 있고, 이익참가부사채의 경우 사채의 이율에 따른 이자지급 외에 그 보유자가 이익배당에도 참가할 수 있어 회사의 영업실적에 따른 초과수익을 분배받고자 하는 측면에서 주식과 같은 효용을 누릴 수 있다.

　위와 같은 주식과 사채의 근접 현상에도 불구하고 회사의 자본금을 구성하고 회사에 대한 지배권의 단위가 되는 주식의 중요성은 여전하다. 이하에서는 회사의 자본단위 및 소유권 단위를 구성하는 주식에 한정하여 논의를 진행한다.

---

6) 한국채택 국제회계기준 하에서는 사채 형식의 신종자본증권의 경우 그 조건에 따라 그 발행금액의 전부 또는 일부가 자본으로 계상될 수 있다.
7) 마찬가지로 위 전환사채 등의 경우 단순한 채권자 지위에 있는 것만으로 볼 수는 없다.
8) 이익참가부사채의 경우에는 배당을 받을 수 있다.

2. 구별개념 및 논의의 범위: 통상의 신주발행과 특수한 신주발행

신주발행은 자금조달을 목적으로 하여 신주의 인수인으로부터 새로운 납입이 이루어져 실무에서 유상증자라고 불리는 통상의 신주발행과 자금조달 외 다양한 목적 달성을 위한 특수한 신주발행으로 구분된다.

상법은 제416조 이하에서 통상의 신주발행에 대하여 규정하고 있다. 이 경우 신주의 인수인으로부터 새로운 납입이 이루어지기 때문에 발행주식의 액면총액만큼 자본금이 증가하게 되며[9] 이때 총 발행가액과 액면총액의 차액은 주식발행초과금의 명목으로 자본준비금으로 적립된다.

한편 통상의 신주발행 외에 ① 실무에서 무상증자라고 불리는 준비금의 자본금전입(제461조) 및 이익잉여금이 자본금으로 전입되는 주식배당(제462조의2), ② 전환주식(제346조 이하), 전환사채(제513조 이하)의 경우처럼 전환증권이 주식(전환주식의 경우 다른 종류의 주식)으로 전환되는 경우, ③ 합병·분할·주식교환·주식이전 등 회사의 구조변경을 위해서 신주가 발행되는 경우 및 ④ 주식분할(제329조의2), 주식병합(제440조 이하) 등 구주를 대체하기 위해서 신주가 발행되는 경우와 같이 각 목적에 따라 실질적으로 회사에 새로운 자본금의 유입 없이 신주가 발행되는 경우를 특수한 신주발행이라고 할 수 있다. 특수한 신주발행의 경우 ① 주주의 신주인수권, ② 회사 내부적인 의사결정 절차, ③ 실제 자금 유입 여부, ④ 신주의 효력발생시기 등에서 통상의 신주발행과 차이가 있다.

이하에서는 여러 신주발행 중에서 회사의 자본조달이라는 측면에서 상법과 실무상 중요한 '유상증자'에 해당하는 통상의 신주발행에 대하여 주로 논의를 진행하기로 한다.[10]

---

9) 무액면주식을 도입한 경우에는 발행가액의 1/2 이상의 금액으로서 이사회에서 자본금으로 계상하기로 한 금액이 자본금이 된다(제451조 제2항).

10) 이와 관련하여 무상증자와 주주배정 유상증자를 결합하여, 주주가 납입하지 않으면 신주도 잃게 함으로써 신주인수권행사를 적극 유도하는 소위 포괄증자에 대한 논의가 존재하나 주주에게 출자를 강요하고, 출자에 응하지 않은 주주의 경우 자본전입에 따른 신주도 인수하지 못하게 되어 주주권을 침해하는 효과가 있어 명문의 규정이 없는 상법 하에서는 허용될 수 없다는 것이 통설이다. 현재 일부 상장회사는 유상증자 납입기일 직후 특정일을 기준으로 무상증자를 병행하는 사실상의 포괄증자를 운영하고 있는바, 이 역시 사실상 주주의 출자를 강요한다는 면에서 주주유한책임에 반하는 측면이 있다는 비판이 있다. 이철송, 「회사법강의」 제29판(박영사, 2021), 903면; 정찬형, 「상법강의(상)」 제24판(박영사, 2021), 1147~1148면.

Ⅱ. 신주인수권

1. 의   의

신주인수권(preemptive right)이란 '회사가 신주를 발행하는 경우 다른 자에 우선하여 신주를 인수할 수 있는 권리'를 의미한다. 제418조 제1항은 원칙적으로 주주에게 각 주주가 보유하고 있는 주식 수에 비례하여 신주인수권을 부여하고 있다. 이는 회사가 발행할 주식 총수의 범위 내에서 신주발행과 관련된 사항을 원칙적으로 이사회가 결정하도록 하면서도, 이사회의 이러한 권한남용을 방지하기 위하여 주주에 대하여 신주인수권을 인정한 것으로 해석된다.[11]

상법에서 신주인수권은 두 가지 의미로 사용된다. 먼저 제418조 제1항에서 규정한 "신주의 배정을 받을 권리"는 법률상 당연히 인정되는 것으로서 다른 사람에 대하여 우선하여 신주를 인수할 수 있는 주주의 권리를 의미하고, 통상 추상적 신주인수권이라고 한다. 이는 주주권의 내용을 이루는 것이므로 주식과 독립하여 양도될 수 없다.

반면 상법은 회사에 대하여 신주의 인수를 청구할 수 있는 채권적 권리의 의미로 구체적 신주인수권도 규정하고 있다(제416조 제5호, 제419조 제1항, 제420조 제5호, 신주인수권증서에 대한 제420조의2 이하, 신주인수권부사채에 대한 제516조의2 이하 등). 구체적 신주인수권은 주주와 제3자 모두 가질 수 있으며, 원칙적으로 주식과 독립하여 양도가 가능하다.[12]

---

11) 정찬형, 전게서, 1149면.
12) 상법상 구체적 신주인수권은 이사회의 주주배정 또는 제3자 배정의 결의에 의하여 비로소 발생한다. 이에 대비하여 회사에 대하여 신주의 발행을 청구할 수 있는 독립적 권리로서의 신주인수권 또는 그 권리를 표창하는 증권을 워런트(warrant)라고 부른다. 현행 상법상 워런트는 ① 주식매수선택권(stock option)처럼 특수한 목적이 있는 경우와 ② 신주인수권부사채(bond with warrant, BW)에서 매우 제한적으로 인정되고 있을 뿐이다. 2012년 회사의 자금조달의 편의를 위하여 상장회사에 한하여 주식과 함께 발행하거나 금융기관으로부터 금전을 차입하면서 발행하는 등의 일정한 경우 "신주인수선택권"이라는 이름으로 이러한 워런트의 발행을 허용하는 "자본시장과 금융투자업에 관한 법률"(이하 '자본시장법'이라 한다) 개정안이 국회에 제출되었으나(자본시장법 개정안 제165조의7), 독립 워런트는 발행기업의 대주주 등이 편법적인 경영권 승계 수단 등으로 남용할 우려가 있다는 이유로 추후 대주주의 악용방지 등을 위한 보완방안 등을 논의 후 도입 여부를 검토하기로 하고, 현 자본시장법상으로는 도입되지 않았다.

2. 주주의 신주인수권에 관한 외국의 입법례[13]

앞서 본 바와 같이 상법은 주주의 신주인수권을 보호하기 위하여 주주는 그가 가진 주식 수에 따라서 신주의 배정을 받을 권리가 있다고 규정하고 있다(제 418조 제1항). 다른 나라에서도 대부분 주주의 신주인수권을 인정하고 있는 것으로 생각된다. 한편 영국의 경우 과거 전통적으로 주주의 신주인수권이란 것을 인정하지 않았지만, 같은 법계인 미국에서는 신주인수권을 주주의 고유한 권리이자 회사법상의 공리(axiom in corporation law)로 받아들였으며,[14] 독일에서도 주주에게 주식 수에 비례한 신주인수권을 인정한다.

그럼에도 불구하고 일부에서 이와는 다른 태도가 감지되기도 하는데, 근래 미국에서는 정관으로 주주의 신주인수권을 제한할 수 있게 함은 물론 나아가 정관의 규정이 없으면 주주는 신주인수권을 갖지 못하는 것으로 규정하는 주법도 다수 존재하여 관심을 끈다.[15]

일본의 경우 주주에게 고유의 신주인수권을 원칙적으로 인정하지는 않으며, 우리와는 반대로 모집발행을 원칙으로 한다. 즉, 일본 회사법상 모집주식의 발행은 회사 성립 후의 신주의 발행과 회사의 자기주식 처분을 포함하는 개념인

---

13) 이철송, 전게서, 912면 참조.

14) "Preemptive rights developed in common law to address concerns about dilution. Dilution of the voting power in the corporation of an existing shareholder is where that shareholder's shares represent a lower percentage of the corporation's outstanding stock due to the sale of additional shares to other investors. Through preemptive rights, shareholders were given the opportunity to prevent dilution of their voting power in the corporation." Jeffrey D. Bauman, Alan R. Palmiter and Frank Partnoy, Corporations Law and Policy: Materials and Problems, 6th Ed., West Publishing Co., p.214. (2007).

15) MBCA (Model Business Corporation Act) §6.30(a): "The shareholders of a corporation do not have preemptive right to acquire the corporation's unissued shares except to the extent the articles of incorporation so provide."
현재 미국에서 MBCA를 도입한 주는 Alabama, Arizona, Arkansas, Colorado, District of Columbia, Florida, Georgia, Hawaii, Idaho, Indiana, Kentucky, Maine, Maryland, Massachusetts, Mississippi, Montana, Nebraska, New Hampshire, New Mexico, North Carolina, North Dakota, Oregon, Rhode Island, South Carolina, South Dakota, Texas, Utah, Virginia, Washington, Wisconsin, and Wyoming 등이며 이러한 주들의 경우 신주인수권(preemptive right)에 대하여 이를 인정할 수는 있으나 의무적인 것은 아닌 것으로 규정하고 있으며 앞서 밝힌 MBCA와 마찬가지로 정관의 규정이 있는 한(if the company 'opts in') 인정한다는 태도를 보이고 있다.
http://corporations.uslegal.com/basics-of-corporations/state-corporation-laws

바, 모집주식이란 모집에 의하여 주식의 인수를 신청한 자에 대하여 배정하는 주식을 의미하고, 일본 회사법은 신주발행의 원칙적인 방법으로 모집발행을 규정하고 있다(일본 회사법 제199조 제1항).

일본 회사법에 의하면 회사가 설립 후 신규로 발행하는 주식을 인수하는 자를 모집할 때는 그 때마다 주식의 수, 납입금액 또는 그 산정방법, 현물출자의 경우 그 취지와 해당 재산의 내용 및 가액, 납입기일 또는 납입기간, 증가하는 자본금 및 자본준비금에 관한 사항을 결정하여야 한다(일본 회사법 제199조 제1항 제1호 내지 제5호). 모집발행은 주주에게 주식의 배정을 인수할 권리를 주는 경우, 제3자에게 주식의 배정을 인수할 권리를 주는 경우, 어느 누구에게도 주식의 배정을 인수할 권리를 주지 아니하는 경우로 나눌 수 있다. 이때 주식의 배정을 인수할 권리가 일부 주주에게만 주어지거나, 주주가 소유한 주식 수와 관계없이 주어지는 경우에는 주주배정이 아닌 제3자 배정에 해당한다. 어느 누구에게 주식을 인수할 권리를 주지 아니하는 경우를 일반모집이라 하는데, 이는 모집 범위를 종업원, 거래처 등 일정한 자로 한정하는 경우인 연고모집과 이에 한정하지 아니하고 일반투자자를 대상으로 모집하는 경우인 공모로 다시 나눌 수 있다. 결국 어느 경우든 제3자 배정과 같은 절차로 신주를 발행하므로[16] 이러한 측면에서 본다면 제3자 배정과 연고모집, 공모 등을 구별할 실익은 없다고 할 수 있다.[17]

반면 독일,[18] 스위스[19] 등 대부분의 유럽 국가들은 여전히 주주의 신주인수권을 유지하고 있으며, 전통적으로 주주의 신주인수권을 인정하지 않았던 영국 역시 EU 제2회사법지침(제29조[20])을 받아들여 1980년 이래로 주주의 신주인수권을 인정하고 있다(Companies Act 2006, S.549).[21] 이를 종합하면 신주인수권을

---

16) 前田庸, 「会社法入門」 第12版(有斐閣, 2011), 275~276面.

17) 戸嶋浩二(森濱田松本法律事務所[編]), 「株式・種類株式, 新会社法実務問題シリーズ 2」(中央経済社, 2012), 10面.

18) 독일 주식법(Aktiengesetz) 제186조(인수권) ① 각 주주에게는 그 청구에 따라 종전의 자본에 대한 그의 지분에 상응한 비율의 신주가 배정되어야 한다. 이때 인수권의 행사를 위하여 2주 이상의 기간이 정하여 져야 한다.

19) Federal Act on the Amendment of the Swiss Civil Code (Part Five: The Code of Obligations) of 30 March 1911, Art. 652b: 1 "Every shareholder is entitled to the proportion of the newly issued shares that corresponds to his existing participation."

20) "Whenever the capital is increased by consideration in cash, the shares must be offered on a pre-emptive basis to shareholders in proportion to the capital represented by their shares."

주주의 공리적 권리라고까지 할 수 있는지 여부에 대하여서는 논의의 여지는 있으나, 여전히 주주권의 본질적인 내용의 하나라고 볼 수 있다고 생각된다.

3. 신주인수권 보유자를 기준으로 한 유상증자의 분류

가. 유상증자의 분류

회사의 신주발행에 있어서 구체적 신주인수권을 보유하는 자가 누구인지에 따라 해당 신주발행의 방식을 주주배정, 제3자 배정, 일반공모증자로 구분할 수 있다. 일반공모증자의 경우 주주배정이 아니라는 점에서 제3자 배정에 포함시키는 견해도 있으나, 본고에서는 이를 구분하도록 한다.[22]

먼저, 주주배정은 제418조 제1항에 따라 기존 주주가 보유하고 있는 주식 수에 따라서 신주의 배정을 받을 권리가 있는 경우 이에 따라 기존 주주를 대상으로 이루어지는 신주발행 방식을 의미한다. 다만, 신주인수권의 양도, 실권에 따른 실권주의 처분 등의 결과 주주배정의 경우에도 실제 신주발행 이후 기존 주주들의 지분율은 달라질 수 있다. 이 때 신주발행을 위한 결의에 따라 특정 주주에게 소유주식수에 비례한 자기 몫을 초과하는 구체적 신주인수권이 부여된 경우 이는 제3자 배정으로 보아야 할 것이며 등기 실무 역시 그러한 것으로 보인다.

다음으로, 제3자 배정은 제418조 제1항의 규정에도 불구하고 특별한 경영상 목적이 있는 등의 경우에 정관이 정하는 바에 따라 주주 외의 자에게 신주를 배정하는 방식을 의미한다. 일부 견해는 일반공모증자도 제3자 배정에 포함시키는 경우가 있다는 점에 관하여는 앞의 논의와 같다.

마지막으로, 일반공모증자는 주주의 신주인수권을 배제하고 불특정 다수인(해당 법인의 주주를 포함함)을 상대방으로 하여 신주를 모집하는 방식을 의미한다(자본시장법 제165조의6 제1항 제3호).

---

21) 영국은 특별배당주(bonus share)가 아닌 금전출자에 의한 자본증가의 경우 일반적으로 모든 주주에게 비율에 따라 신주인수권을 분배한다. 통상적인 신주인수기간은 21일이며, 결의를 통해 14일까지 축소될 수 있다. 영국 회사법(Companies Act 2006) 제561조 내지 제565조 참조.
22) 자본시장법의 하위 규정인 증권의 발행 및 공시 등에 관한 규정에서도 일반공모증자와 제3자배정을 구분하고 있다(증권의 발행 및 공시 등에 관한 규정 제5-18조 제1항 등).

주주배정 방식의 신주발행과 제3자 배정 방식의 신주발행은 ① 정관에 근거 규정이 필요한지 여부, ② 배정기준일 공고 절차(주주배정 방식의 신주발행), 일정한 사항의 통지 또는 공고(제418조 제4항, 제3자 배정방식의 신주발행) 등의 절차를 거쳐야 하는지 여부, ③ 상장회사의 경우 발행가격 결정의 제한이 있다는 점(제3자 배정의 경우 원칙적으로 기준가격에 적용되는 할인율이 10%로 제한됨. 증권의 발행 및 공시 등에 관한 규정 제5-18조[23]) 등에서 차이가 있고, 실무상으로 발행회사의 이사의 민·형사상 책임이 문제되는 경우 그 평가라는 차원에서도 차이가 있다.

나. 판례가 제시하는 주주배정, 제3자 배정의 구분

어떠한 신주발행이 주주배정인지 제3자 배정인지에 따라 위와 같은 차이가 있으므로 그 구분이 중요하다. 이와 관련하여 저가발행한 전환사채를 제3자에게 배정한 것이 문제되었던 사안에서 대법원은 전원합의체 판결을 통하여 주식 또는 전환사채의 발행이 주주배정인지 제3자 배정방식인지에 관한 판단기준을 제시하였다.[24] 이 판결에서 대법원의 다수의견과 반대의견은 모두 회사가 신주 등을 발행하는 때에 원칙적으로 주주들에게 그들의 지분비율에 따라 신주 등을 우선적으로 인수할 기회가 부여되었는지 여부에 따라 주주배정인지 제3자 배정인지 여부가 판단되어야 한다는 점에 일치된 의견을 보인 바 있다.

그러나 반대의견의 경우 주주배정방식으로 발행되는 것을 전제로 하여 신주 등의 발행가액을 시가보다 현저히 저가로 발행한 경우에, 그 신주 등의 상당 부분이 주주에 의하여 인수되지 아니하고 실권되는 것과 같은 특별한 사정이 있는 때에는 그와 달리 보아야 한다는 전제하에서 형식상 주주배정 방식을 취했다고 하더라도, 이와 같은 사정이 있는 경우에는 제3자 배정에 해당한다고 보았다. 이와 관련하여 보다 자세한 논의는 아래 제3자 배정에서의 발행가액과 관련된 부분에서 살펴보도록 한다.[25]

---

23) 다만, 금융위원회 위원장의 승인을 얻어 해외에서 주권 또는 주권과 관련된 증권예탁증권을 발행하거나 외자유치 등을 통한 기업구조조정을 위하여 국내에서 주권을 발행하는 경우 등 일정한 경우에는 할인율 제한이 적용되지 않는다(증권의 발행 및 공시 등에 관한 규정 제5-18조 제4항).
24) 대법원 2009.5.29. 2007도4949 전원합의체: '에버랜드 전환사채' 판결.
25) 전환사채의 저가 발행 자체가 회사의 손해가 되지 않는다는 견해로는 이철송, "자본거래와 임원의 형사책임의 재론," 「법조」제55권 제12호(법조협회, 2006. 10.), 160면 이하 참조.

4. 주주의 신주인수권의 배제[26]

가. 법령에 의한 배제

법령에 의하여 기존 주주의 신주인수권이 배제되는 경우로는 먼저 ① 전환주식 또는 전환사채의 전환, 신주인수권부사채의 신주인수권 행사, (신주발행형) 주식매수선택권의 행사 등 신주인수권자가 법률로써 구체적으로 미리 특정되어 있는 경우와, ② 유가증권시장 상장법인 또는 유가증권시장에 주권을 상장하고자 하는 법인이 주권을 공모할 때 원칙적으로 우리사주조합에 발행주식의 20% 범위 내에서 신주를 우선 배정하도록 하는 것과 같이(근로복지기본법 제38조, 자본시장법 제165조의7) 정책적 이유에 기하여 주주의 신주인수권을 제한하는 경우를 생각해 볼 수 있다.

나. 제3자 배정

정관의 규정에 의하여 특별한 목적을 위하여 주주의 신주인수권을 배제하고 제3자에게 신주를 배정하는 제3자 배정 방식에 의한 신주발행은 앞서 본 바와

---

26) 회사의 자기주식의 처분 경우에도 기존 주주의 입장에서 제3자 배정 방식의 신주발행과 크게 다를 것이 없다는 점에서, 신주인수권법리가 적용되어야 할 것인지 활발한 논의가 진행되어온 바 있다. 이에 대하여 신주발행의 경우 단체법적 법리가 적용되어야 하는 영역이나, 자기주식의 처분은 회사가 보유한 자기 재산의 처분에 지나지 않는다고 보는 부정설과, 제3자 배정과 크게 다를 것이 없다는 실질에 주목하여 제한적으로나마 신주인수권 법리가 적용되어야 한다는 긍정설이 대립하며, 이에 대하여 엇갈린 입장의 하급심 판례들이 존재한다(서울중앙지방법원 2012.1.17. 2012카합2; 서울북부지방법원 2007.10.25. 자 2007카합1082; 수원지방법원 성남지원 2007.1.30. 자 2007카합30; 서울서부지방법원 2006.3.24. 2006카합393, 2005카합8262 등). 그러나, 최근 삼성물산과 제일모직의 인수합병 건에서 우호적 제3자에 이루어진 자기주식처분 사례 등에서도 알 수 있듯이, 자기주식처분의 경우 특별한 사정이 없는 한 신주인수권법리가 적용되지 않는다고 보는 것이 실무로서 확립되어 가고 있는 것으로 보인다.
관련 논문으로는 신우진, "경영권 방어를 위한 자기주식의 제3자에 대한 처분의 법적 문제점," 「기업법연구」 제21권 제1호(한국기업법학회, 2007. 3.); 문일봉, "자기주식처분과 가처분 - 수원지방법원 성남지원 2007.1.30. 자 2007카합30 결정을 중심으로 -,"「BFL」 제23호(서울대학교 금융법센터, 2007. 5.); 송옥렬, "개정상법상 자기주식취득과 주식소각,"「BFL」 제51호(서울대학교 금융법센터, 2012. 1.); 이훈종, "회사지배권의 변동과 자기주식의 처분에 관한 판례 평석,"「한양법학」 제22집(한양법학회, 2008. 2.); 채동헌, "주식회사 대주주가 경영권 방어를 위하여 회사의 자기주식을 자신에게 처분한 경우의 효력,"「상장」 제392호(한국상장회사협의회, 2007. 8.); 김순석, "미국의 배당규제와 자기주식 제도,"「비교사법」 제13권 제2호(한국비교사법학회, 2006. 6.) 등 참조.

같이 상법상 인정되는 주주의 핵심적인 권리인 신주인수권이 배제된다는 점에서 그 요건과 절차를 충족하는지 여부가 중점적으로 논의된다. 특히 신주의 제3자 배정으로 인하여 기존 주주들 사이에 지분관계가 변화될 수 있고, 그 결과 경영권의 변경을 초래할 수도 있으므로 그 실행에 있어서 실무상 주의를 요하며 실제 많은 경우 이를 둘러싸고 분쟁이 발생하고 있다. 이하에서는 제3자 배정 방식의 신주발행의 요건, 절차에 관하여 간략히 검토하기로 한다.

1) 정관의 근거규정

회사는 경영상 목적을 달성하기 위해서 필요한 경우에는 정관으로 주주의 신주인수권을 배제할 수 있다(제418조 제2항).[27] 이는 회사의 자금조달의 편의를 위한 조치로서 학계의 다수 견해는 정관에 규정을 둔다면 주주의 신주인수권을 완전히 박탈하는 것도 가능하다고 보고 있는 것으로 파악된다.[28] 이와 함께 정관에 규정이 없더라도 정관변경과 같은 요건인 주주총회 특별결의로 제3자 배정을 할 수 있는지 여부에 대하여 긍정설[29]과 부정설[30]이 대립하고 있다. 살피건대 상법상 정관의 규정을 요건으로 하는 다른 제도들과의 관계 및 주주의 예측가능성이라는 측면 등에 비추어, 제3자 배정의 경우에도 법령상 근거 없이 정관의 규정을 주주총회 특별결의로 대체할 수 있다고 해석하기는 어렵다고 생각된다.

2) 경영상 목적

제3자 배정에 경영상 목적이 필요한지 여부에 대하여 경영상 목적을 요구하는 것이 다수의 견해 및 실무의 태도였고, 이에 따라 2001년 개정상법부터 경영상 목적을 명문으로 요구하고 있다. 제418조 제2항은 신기술의 도입, 재무구조의 개선 등을 경영상 목적으로서 열거하고 있으나 실무상 회사에 추가적인 자

---

27) 정관에 한 번 정해 놓으면 언제든지 신주인수권의 배제가 가능하다고 하는 현실이 과연 정당한지 의문이며 추가 논의가 필요하다는 견해로 최준선, "주주의 신주인수권에 관한 연구,"「상장협」제43호(한국상장회사협의회, 2001), 192면 이하 참조; 최준선,「회사법」제16판(삼영사, 2021), 643면.
28) 김정호,「회사법」제4판(법문사, 2015), 647면; 송옥렬,「상법강의」제8판(홍문사, 2018), 1132면; 이철송, 전게서, 916면; 정찬형, 전게서, 1151~1152면; 최기원,「신회사법론」제14판(박영사, 2012), 770면.
29) 이철송, 전게서, 916면.
30) 송옥렬, 전게서, 1132면; 최기원, 전게서, 776면; 최준선, 전게서, 645면.

본확충이 요구되는 상황 하에서 주주배정 방식의 신주발행으로 이를 달성하기 어려운 경우라면 달리 특별한 사정이 없는 한 위 요건을 충족한다고 볼 수 있다고 생각된다.

경영상 목적과 관련하여 특히 중요하게 문제가 되는 것은 회사의 경영권에 관한 분쟁이 벌어진 상황에서의 '경영권 방어 목적'이 제3자 배정과 관련하여 '경영상 목적'에 해당한다고 볼 수 있는지 여부이다. 이에 대하여 제3자 배정에 경영상 목적이라는 요건이 없었던 과거에도 경영권을 방어하기 위해서 우호적인 제3자에게 전환사채 또는 신주를 발행하는 것은 본래 자금조달을 위해서 마련된 제도를 남용한 것이라고 보아 무효라는 하급심 판결이 있었으며,[31] 대법원 역시 경영권 방어는 제418조 제2항에서 말하는 경영상 목적에 해당하지 않는다는 점을 분명하게 판시한 바 있다.[32] 따라서 경영권 방어 목적만으로는 신주 또는 전환증권의 제3자 배정을 이용하기는 어려울 것으로 보인다.

3) 주주에 대한 공시

제3자 배정이 기존 주주의 이해관계에 중요한 영향을 미친다는 점에 주목하여 2011년 개정 상법에서는 회사가 제3자 배정 방식으로 신주를 발행하는 경우, 발행할 신주의 종류와 수, 발행가액과 납입기일, 인수방법 등을 납입기일로부터 2주전까지 주주에게 통시 또는 공고하도록 하였다(제418조 제4항). 이는 기존 주주가 미리 제3자 배정의 조건을 알고 주식을 처분하거나 신주발행유지청구권을 행사하는 등 기존 주주의 이익을 보호할 수 있도록 하기 위함이다. 다만, 미리 총 주주의 동의가 있는 경우에는 제418조 제4항에 따른 통지 또는 공고를 하였음을 증명하는 대신 통지 또는 공고 생략에 관하여 주주 전원의 동의가 있음을 증명하는 서면을 첨부하여 변경등기를 신청할 수 있다는 것이 상업 등기를 주관하는 법원의 태도이다.[33] 또한, 상장회사의 경우 신주발행에 대하여 주요사항보고서를 제출하여 금융위원회와 증권거래소에 공시한 때에는 위 통지 또는 공고 의무가 면제된다(자본시장법 제165조의9). 반면 기존주주에 대하여 신주를 발행하는 경우, 기존 주주의 신주인수권 행사여부에 대한 최고 목적으로 이루어지는 2

---

31) 서울고등법원 1997.5.13. 97라36.
32) 대법원 2009.1.30. 2008다50776; 2015.12.10. 2015다202919.
33) 법원행정처 2012. 4. 23.자 유권해석 참조.

주의 기간을 둔 통지의 경우(제419조) 주주 전원의 동의가 있는 경우에도 생략될 수 없는지 여부에 대하여 명확하지 아니한 측면이 존재한다. 배정일의 공고는 주식을 양수한 자가 명의개서를 하여 신주인수권을 행사할 기회를 확보해 주기 위한 것이므로, 여기서 '2주간'의 의미는 명의개서를 할 수 있는 기간인바, 강행법적 제도라고 보아 총주주의 동의로도 생략할 수 없다는 견해가 존재하는 반면, 등기실무상으로 주주배정 방식의 신주발행의 경우 총 주주의 동의로 신주인수권자에 대한 실권예고부 최고기간을 단축할 수 있는 것을 전제로 하는 듯한 상업등기선례(상업등기선례 제2-63호)도 존재하는바, 제3자 배정의 경우와 달리 보아야 하는지 의문이다.

4) 제3자 배정 신주발행시의 발행가격

제3자 배정 방식에 의한 신주를 발행하는 경우 신주의 발행가격에 대하여 상법이 별도로 규정하고 있지는 않다.[34) 그러나 제3자 배정에 의한 신주발행은 기존 주주의 지분율에 변동을 가져오는 등 기존 주주의 이익을 침해할 수 있다는 점을 중시하여, 정관상 명확한 근거와 제3자 배정에 의한 신주 발행에 대한 합리적인 필요성이 인정되어 제3자에게 신주인수권을 부여하는 경우에도 그 발행가가 현저히 낮으면 기존 주주의 이익을 침해하게 되므로, 발행가는 공정해야 한다고 보고 있는 것으로 이해된다.[35) 다만 이때 '공정한 가액'이 무엇인지 문제되는바 실무에서는 공정한 발행가격은 통상 시가를 의미하고, 주식의 객관적 교환가치를 적정하게 반영하는 실제 거래사례가 존재하지 않는 때에는 주식의 실질가액을 의미하는 것으로 보고 있다.

다만 상장회사의 주식은 시장에서 거래되는 가격이 존재하므로 시장에서의

---

34) 상장회사의 경우 제3자 배정 신주발행시 할인율의 제한에 관하여는 증권의 발행 및 공시 등에 관한 규정 제5-18조 제1항 및 제4항을 참조.

35) 이철송, 전게서, 921면; 권기범, 「현대회사법론」 제7판(삼영사, 2017), 1049면도 같은 취지. 청주지방법원 2010.7.22. 2009고합42은 비상장회사의 이사가 제3자 배정 방식으로 신주를 저가발행하였다는 이유로 특정경제범죄가중처벌등에관한법률위반(배임)죄로 기소된 사안에서 "회사가 제3자 배정 방법으로 신주 등을 발행하면서 제3자에게 시가보다 현저하게 낮은 가액으로 신주 등을 발행하는 경우에는 시가를 적정하게 반영하여 발행조건을 정하거나 또는 주식의 실질가액을 고려한 적정한 가격에 의해 발행하는 경우와 비교하여 그 차이에 상당한 만큼 회사의 자산을 증가시키지 못하게 되는 결과가 발생하는데, 이 경우에는 회사법상 공정한 발행가액과의 차액에 상당하는 자금을 취득하지 못하게 되는 손해를 입힌 이상 이사에 대하여 배임죄의 죄책을 물을 수 있다"고 판시하여 발행가격이 현저히 공정하지 않은 경우에는 이사의 업무상배임죄가 성립할 수 있다고 보았다.

가치의 확인이 용이하고 관련 규정에 따른 기준가격 및 할인율의 제한 등을 준수하면서 제3자 배정 방식의 신주발행이 이루어지게 된다면 발행가격의 공정성에 관한 시비는 많지 않을 것으로 생각된다. 반면 비상장 주식의 경우에는 시가 또는 그 실질가액을 판단하기 위한 명확한 기준이 없어 실무적으로 상당한 난점이 있다.

이에 대하여 앞서 살핀 바 있는 전원합의체 판결 등 제3자에 대한 신주발행에서 이사의 배임이 문제된 사건 및 주식매수가액결정사건 등에서 대법원은 비상장주식의 공정한 가치에 관하여 "비상장주식의 객관적 교환가치가 적정하게 반영된 정상적인 거래의 실례가 있는 경우에는 그 거래가격을 시가로 보아 주식의 가액을 평가하여야 하나, 그러한 거래사례가 없는 경우에는 보편적으로 인정되는 시장가치방식, 순자산가치방식, 수익가치방식 등 여러 가지 평가 방법들을 고려하되 거래 당시 당해 비상장법인 및 거래당사자의 상황, 당해 업종의 특성 등을 종합적으로 고려하여 합리적으로 판단하여야 한다"고 설시하고 있는바,36)37) 이를 비상장주식의 공정한 가액산정에 관한 일응의 기준으로 삼을 수 있다고 할 것이다.

그러나 아직까지 이러한 기준 하에서 구체적으로 어떠한 방법을 쓸 경우 공정한 가액으로 인정받을 수 있을 것인지에 대한 선례가 충분히 집적되어 있지 아니한 상황이므로, 실무적으로 구체적인 사안에 있어서 구체적으로 어떠한 평가방법을 사용할 것인지를 정하기는 반드시 용이하지만은 않은 것 또한 사실이다. 결국 비상장회사의 제3자 배정 신주발행의 경우 현재로서는 개별 발행시마다 발행회사의 재무상황, 발행회사가 속한 산업의 특성 등 제반 사정을 종합적

---

36) 대법원 2008.5.15. 2005도7911; 대법원 2006.11.24. 2004마1022; 대법원 2005.10.28. 2003다69638; 대법원 2006.11.24. 2004마1022 등.

37) 위 청주지방법원 판결에서는 "비상장주식의 가치 평가 시 시장가치방식, 순자산가치방식, 수익가치방식 등 여러 가지 평가방법을 활용하는 경우 어느 한 가지 평가방법이 항상 적용되어야 한다고 단정할 수는 없고, 여러 평가 요소를 종합적으로 고려하여 매수가액을 산정하고자 하는 경우에는 당해 회사의 상황이나 업종의 특성, 위와 같은 평가요소가 주식의 객관적인 가치를 적절하게 반영할 수 있는 것인지, 그 방법에 의한 가치산정에 다른 잘못은 없는지 여부에 따라 평가요소를 반영하는 비율을 각각 다르게 하여야 한다"고 하여 기존 대법원의 일반론을 인용하면서 "당해 사건에 있어서와 같이 미래의 수익가치를 산정할 객관적인 자료가 제출되어 있지 않거나 수익가치가 다른 평가방식에 의한 요소와 밀접하게 연관되어 있어 별개의 독립적인 산정요소로서 반영할 필요가 없는 경우에는 주식매수가액 산정시 수익가치를 고려하지 않아도 된다"고 판시하였는바, 구체적 적용례로써 참조할 만한 것으로 생각된다.

으로 고려하여 그 발행가격의 공정성을 판단할 수밖에 없을 것으로 이해된다. 향후 제3자 배정 신주발행시 발행가격을 비롯한 비상장주식의 가치평가 논의의 발전을 주목할 필요가 있겠다.

5) 포이즌필의 형태를 통한 신주발행의 유효성

포이즌필은 일반적으로 어느 특정한 기업을 상대로 적대적 인수합병 시도가 있는 경우 적대적 인수자가 회사의 주식을 일정한 비율 이상 취득하는 경우에 이사회가 대상회사의 주주들을 적대적 인수자와 차별적으로 취급하여 대상회사의 주주들에게 대상회사의 주식을 저렴한 가격으로 인수할 수 있는 선택권을 부여하거나, 또는 공개매수자가 대상회사를 흡수 합병하여 존속회사로 남는 경우에 대상회사의 소멸 전에 대상회사의 주주에게 존속회사의 주식을 낮은 가격으로 매수할 수 있는 권리를 부여하고, 적대적 인수합병 상황에서 그 권리를 행사하게 함으로써 적대적 주식취득자가 보유하는 주식의 가치를 희석하고 그 비용부담을 가중시켜 적대적 인수합병을 방어하는 수단을 말한다.[38]

미국의 경우 포이즌필이 일반적인 경영권 방어수단으로 활용되고 있으며, 일본 역시 2001년 상법개정에 의하여 신주예약권이 도입된 이후 이를 이용하여 포이즌필을 구성하여 활용하고 있다. 이에 대한 도입이 국내에도 가능할 것인가에 대하여 2011년 상법개정 과정에서도 소위 "신주인수선택권"의 도입과 관련하여 많은 논의가 있어 왔으나, 포이즌필 제도가 주주의 신주인수권을 일반적으로 배제할 수 있다는 점, 우리나라 특유의 회사지배구조하에서 기존 소유주들의 이해관계에 따라 기존 주주의 이익이 침해될 수 있다는 점 등 비판에 따라 결국 도입되지 않았다.[39]

---

38) 최완진·고동호, "포이즌필의 도입에 따른 상법개정안에 관한 고찰,"「기업소송연구」Vol. 2010(기업소송연구회, 2011), 41면. 이 외 포이즌필에 대한 주요 논문으로 권재열, "포이즌필의 도입에 관한 연구,"「중앙법학」제9집 제1호(중앙법학회, 2007. 5.); 권종호, "적대적 M&A와 회사법개정,"「기업법연구」제20권 제3호(한국기업법학회, 2006. 6.); 김재형·최장현, "미국의 Poison Pill에 관한 동향,"「기업법연구」제20권 제1호(한국기업법학회, 2006); 김태진·이동건, "미국 법제하에서의 적대적 M&A 방어방법의 한국법제하에서의 활용 가능성,"「증권법연구」제8권 제2호(한국증권법학회, 2007); 김화진, "M&A법제의 현황과 과제,"「저스티스」통권 제101호(한국법학원, 2007); 송옥렬, "포이즌필의 도입에 따른 법정책적 쟁점,"「상사법연구」제27권 제2호(상사법연구회, 2008) 등이 있다.
39) 송옥렬, 전게서, 1260면.

다. 일반공모증자: 경영상 목적 필요 여부

상장회사는 정관에 규정을 두는 경우 일반투자자를 상대로 주식을 공모할 수 있다(자본시장법 제165조의6 제1항 제3호). 그런데 자본시장법은 "상법 제418조 제1항 및 같은 조 제2항 단서를 적용하지 아니한다"고 하여 경영상 목적을 일반공모증자의 요건으로 규정하지 않고 있다(자본시장법 제165조의6 제4항). 이러한 자본시장법의 태도는 상장회사의 자금조달의 편의를 도모하고, 상법상 제3자 배정의 요건인 '경영상 목적'의 불확정성에 따라 제3자 배정시 적법성 여부가 다투어지는 경우가 잦다는 점이 반영된 것으로 보인다. 그러나 경영권 방어는 제418조 제2항의 경영상 목적에 해당하지 않는다는 판례에 비추어 볼 때 상장회사가 경영권 방어의 목적으로 제3자 배정을 하지는 못하지만 일반공모증자는 할 수 있다는 것에 대하여 기존주주에게 미치는 이해관계의 측면에서 제3자 배정과 크게 다르지 않다는 측면에서 비판하는 견해도 있다.[40] 다만 이와 같은 비판에도 불구하고 현재 법령의 문언만 놓고 보았을 때, 상장회사가 일반공모증자를 하는 경우 '경영상 목적'이 필요하지 않는 것으로 해석할 수 있을 것으로 생각되며, 하급심 판례 역시 경영권 분쟁 상황에서 회사가 경영권방어를 위하여 일반공모증자를 추진한 것을 두고 경영상 목적이 요구되지 않는다고 해석한 바 있다.[41]

라. 현물출자

현물출자의 경우에도 주주의 신주인수권이 적용되는지 여부에 대하여 다수설[42] 및 판례[43]는 현물출자의 경우 회사가 출자된 재산을 평가하여 그 가액에 해당하는 주식을 배정하기 때문에, 다른 주주에게 배정해야 할 주식수를 계산하는 것이 쉽지 않고, 회사로서는 특정 재산의 보유가 목적이므로 다른 주주에게 굳이 출자를 강요할 이유가 없다는 점에서 현물출자의 경우에는 주주의 신주인수권이 적용되지 않는다고 해석하고 있다.[44]

---

40) 송옥렬, 전게서, 1133～1134면.
41) 서울중앙지방법원 2009.8.19. 2009카합2887.
42) 최기원, 전게서, 772면; 최준선, 전게서, 635～636면 등.
43) 대법원 1989.3.14. 88누889.
44) 송옥렬, 전게서, 1134면.

그러나 신주발행시 현물출자에 관해서는 정관에 근거를 요하는 규정이 없다는 이유로 이사회 결의만으로 현물출자를 받을 수 있고 주주의 신주인수권을 무시한 채 이에 상응하는 신주발행을 할 수 있다고 풀이하는 것은, 신주인수권은 법률이나 정관의 규정만으로 제한할 수 있다는 원칙(제418조 제2항)을 이사회의 결의로 무력화시키는 중대한 예외가 생긴다는 점에서 위 판례와 다수설의 태도를 비판하는 견해도 존재한다.[45] 이러한 비판에 따르면 주주의 신주인수권에 변동을 가져오는 현물출자는 정관의 규정 등 제3자 배정에 준하는 절차가 필요하다는 것이다.[46]

이와 관련하여 위 대법원 판결의 경우, 회사의 주주 중 1인이 현물을 출자하면서 신주 전부를 인수할 당시 나머지 주주들이 신주인수권을 명시적으로 포기한 것이 실질적으로 위 현물출자를 한 주주에게 증여를 한 것이라고 간주하여 증여세를 과세한 처분의 적법성이 쟁점이 된 사안이라는 점에 비추어, '단지 그 방식이 현금출자가 아니라 현물출자라는 이유만으로 그와 같은 불이익을 입을 우려가 있는 기존 주주의 신주인수권에 대한 보호가 약화된다고 볼 근거가 없다'고 보거나, '결과적으로 현물출자제도를 통하여 기존 주주의 신주인수권을 무력화시키는 탈법의 수단으로 악용될 소지'를 지적하며, 현물출자의 경우에도 일반적인 제3지 배정에 준하는 절차가 필요하다는 취지로 판시한 하급심 판결들도 존재하는바, 향후 계속하여 추이를 주목할 필요가 있을 것으로 보인다.[47]

마. 종류주식

회사는 종류주식을 발행하는 경우 정관으로 각 종류주식의 내용과 수를 정하여야 하고(제344조 제2항), 회사가 그 내용이 다른 종류주식을 발행한 경우에는 정관에 다른 정함이 없더라도 신주의 인수에 관하여 서로 다르게 정할 수 있다

---

45) 이철송, 전게서, 913~915면.
46) 이철송, 전게서, 913~915면.
47) 서울남부지방법원 2010.11.26. 2010가합3538; 청주지방법원 2014.11.20. 2014가합1994; 2010가합3538에서는 위 88누889 판결의 의미를 달리 해석하여, 현물출자자에 대한 신주배정의 경우에도 제418조 제2항의 '경영상 목적'이 필요하다고 보았다. 한편 위 2014가합1994는 현물출자에 의한 신주배정의 경우 원칙적으로 주주의 신주인수권이 배제된다고 하면서도, 기존 주주의 비례적 이익을 보호하고, 기존 신주인수권을 무력화시키는 탈법 수단으로 악용되지 않기 위해서 일정한 제한이 필요하다고 하여 이 경우에도 제418조 제2항의 '경영상 목적' 요건이 적용된다고 보았다.

(제344조 제3항). 그러나 종류주식을 발행하는 경우 이와 같이 새로 발행되는 종류주식의 인수에 관하여 서로 다르게 정할 수 있는 범위가 문제된다. 이에 대하여 종류주식이 발행된 경우에는 이사회가 신주발행시 신주인수권의 부여 여부, 신주인수권을 부여하는 경우의 내용 등까지 포괄적으로 결정할 수 있다는 견해도 성립할 수 있고, 종류주식의 내용(예를 들면 보통주식과 완전히 동일하지만, 상환권만 부여된 주식 등)에 따라 비례적 의결권, 이익배당참가권 등은 유지를 해야 하므로 위 조항은 종류주식별로 비례적 지분은 유지하되 배정하는 신주의 종류를 달리할 수 있을 뿐이라는 견해도 성립할 여지가 있다. 2012년 개정상법 시행 이후 종류주식과 관련된 실무가 활성화되고 있으며, 특히 자본시장법상 기관전용 사모집합투자기구(개정 이전 "경영참여형 사모집합투자기구"; 소위 'PEF') 등을 중심으로, 다양한 종류와 내용의 종류주식이 투자에 활용되고 있는 상황이다. 관련하여 살펴보면, 실무상 종류주식을 발행하는 경우 거의 예외 없이, 그 핵심 조건으로 향후 발행회사가 신주를 발행하는 경우 그 구체적인 발행방식(유상증자 또는 무상증자)에 따라 어떠한 방식으로 해당 종류주주에게 신주인수권이 발행되는지 정하고 있는 것으로 보이는바, 종류주식의 내용으로 이사회가 향후 신주발행시 신주인수권의 부여 여부, 신주인수권을 부여하는 경우 그 내용 등까지 포괄적으로 결정할 수 있다는 점을 전제로 하는 것이 실무상 확립된 것으로 생각된다.

5. 실권주의 처분

가. 실권주의 의의

회사가 주주배정 방식으로 신주를 발행하는 경우에 주주가 처음부터 신주의 인수를 포기하거나, 비록 신주를 인수하더라도 납입을 하지 않으면 실권하게 된다(제419조 제3항, 제423조 제2항). 이때 인수나 납입이 되지 않은 주식을 실권주(rump shares)라고 한다.[48]

---

[48] 자본시장법 제165조의6 제2항은 "신주를 배정하는 경우 그 기일까지 신주인수의 청약을 하지 아니하거나 그 가액을 납입하지 아니한 주식"을 실권주로 규정하고 있다.

나. 상법상 실권주 처리에 관한 규정의 미비

현행 상법은 실권주를 어떻게 처리할 것인지에 관하여 명문의 규정을 두고 있지 않다(실권주의 처리에 관한 자본시장법 개정내용은 후술한다). 이에 따라, 통설은 실권주가 발생한 경우 원칙적으로 이를 이사회의 결의에 따라 처분할 수 있다고 보고 있으며, 판례도 같은 취지로 판시하고 있다.[49]

그런데 통설과 판례와 같이 회사가 이사회의 결의로 임의로 실권주를 제3자에게 배정하는 것이 가능하다고 보는 경우, 결국 실질적으로는 신주를 처음부터 제3자에게 발행한 것과 동일한 경제적 효과가 발생하지만, 명목상 주주가 스스로 신주인수권을 포기한 것이므로 미리 정관의 규정이 없더라도 제3자에 대하여 신주를 배정할 수 있게 되는 것인바, 이사회가 실권주 및 단주를(경우에 따라서는 이의 발생을 유도하여) 특정인에게 배정함으로써 주주 구성에 변동을 초래하는 것도 이론상으로 가능하다. 따라서 이러한 형태의 우회적인 제3자 배정이 허용되는지 여부, 허용된다고 보는 경우에도 그 구체적 범위에 대하여 논란의 여지가 있어 왔다.

다. 최초 신주발행 당시의 발행조건과 실권주의 처분조건

통설과 판례가 실권주를 이사회 결의에 따라 처분할 수 있다고 보고 있는 것은, 일반적으로 신주발행을 진행하던 중 실권주가 발생하더라도 이사회가 그 처분 관련 결의를 하면서 기존의 발행조건으로 처분하기로 하는 경우 회사의 자본충실에는 영향이 없으며, 오히려 신주의 인수를 원활하게 하여 신주 발행의 목적 달성을 용이하게 할 수 있다는 점 등이 반영된 것으로 생각된다.

따라서 위와 같은 통설 및 판례의 태도는 경영권 분쟁 등이 있어 기존 주주의 지분 비율의 변동이 매우 큰 의미를 가지는 등의 특별한 사정이 없는 한 문제가 될 가능성은 크지 않은 것으로 생각된다. 그런데 주주에게 배정된 신주를 주주가 인수하지 아니함으로써 생기는 실권주를 제3자에게 배정하는 경우에, 특히, 최초의 발행가액이 공정한 가격에 비하여 상당히 저가였던 경우, 비록 기존 주주가 신주인수권을 스스로 포기한 것으로 볼 수 있는 경우라도, 기존 주주의

---

49) 대법원 2012.11.15. 2010다49380; 대법원 2009.5.29. 2007도4949 전원합의체의 반대의견 역시 실권주는 이사회가 처리할 수 있다는 점을 전제로 하고 있다.

지분이 희석되고 보유하고 있는 주식의 가치가 상대적으로 하락하게 되는 등 이익이 침해될 수 있으며, 특히 이와 같은 방식이 경영권 승계 또는 기존 경영구도 변동에 이용될 수 있다는 점에서 논란의 여지[50]가 있어 왔고, 학설은 ① 발행가보다 시가가 높은 경우에는 실권주의 발행가액을 시가로 하여야 한다는 견해,[51] ② 당초의 신주발행의 경우보다 유리하게 실권주 발행을 하는 경우에만 다시 기존 주주에게 기회를 주어야 한다는 견해,[52] ③ 실권주의 발행가액을 이미 인수, 납입된 주식의 그것보다 낮게 정하는 경우가 아닌 이상 별다른 문제가 없다는 견해[53] 등이 존재하여 왔으나, 이미 살펴본 바와 같이 위와 유사한 쟁점이 문제된 사안(주주배정 절차에 따른 전환사채 발행 과정에서 주주의 97%가 실권하자 발행회사가 이를 동일한 가격으로 제3자에게 처분한 사안)에서 대법원은 "처음부터 저가로 제3자 배정이 이루어진 것이라면 발행회사 이사의 임무위배가 있다고 할 것"이지만 주주배정에서 실권된 전환사채를 처분한 것이라면 "단일한 기회에 발행되는 전환사채의 발행조건은 동일하여야 하므로", 주주배정으로 전환사채를 발행하는 경우에 주주가 인수하지 아니하여 실권된 부분에 관하여 이를 주주가 인수한 부분과 별도로 취급하여 전환가액 등 발행조건을 변경하여 발행할 여지가 없는 것이므로 이사의 임무위배가 아니라고 보았다.[54] 다만, 반대의견은 위와 같이 대량으로 발생한 실권분에 대하여 발행을 중단하고 추후에 그 부분에 관하여 새로이 제3자 배정방식에 의한 발행을 모색할 의무가 있고, 그렇게 하지 아니하고 그 실권분을 제3자에게 배정하여 발행을 계속할 경우에는 그 실권분을 처음부터 제3자 배정방식으로 발행하였을 경우와 마찬가지로 취급하여 발행가액을 시가로 변경할 의무가 있다고 보았다는 점은 참조할 필요가 있다. 이에 따라 상장회사의 경우에는 아래와 같이 자본시장법이 개정되었으나, 비상장회사에 대해서는 달리 명확한 기준이 여전히 존재하지 않는바, 실권주의 처분에 있어서는 상당한 주의를 요한다고 하겠다.

---

50) 구체적으로는 회사의 이사가 해당 실권주를 처음부터 제3자 배정 방식으로 발행하였을 경우와 마찬가지로 취급하여 그 발행가액을 시가 또는 공정한 가액으로 변경할 의무가 있는지 여부.
51) 정찬형, 전게서, 1155면.
52) 최기원, 전게서, 807면.
53) 권기범, 전게서, 1061면; 이철송, 전게서, 934면.
54) 대법원 2009.5.29. 2007도4949 전원합의체: '에버랜드 전환사채' 판결.

라. 상장회사의 실권주 처분에 대한 제한: 자본시장법 제165조의6 제2항

위 사례 이후 실권주의 처분으로 인하여 주주의 이익이 침해될 수도 있다는 지적에 따라서 자본시장법은 2013. 5. 28.자 개정을 통하여 실권주의 처분에 대한 규제를 도입하였다(자본시장법 제165조의6 제2항). 이에 따르면 상장회사는 유상증자 과정에서 실권주 발생시 원칙적으로 그 부분에 관한 발행을 철회하여야 하며, 다만 신주발행가액이 금융위원회가 정하는 일정 수준(예컨대, 주주배정 방식의 경우 청약일로부터 과거 제3거래일부터 제5거래일까지 사이의 거래량가중평균주가에 40%의 할인율을 적용하여 산정한 가액. 증권의 발행 및 공시 등에 관한 규정 제5-15조의2 제1항) 이상인 경우로서, ① 발행회사와 계열관계에 있지 아니한 투자매매업자가 인수인으로서 그 실권주 전부를 취득하기로 하는 계약을 미리 체결한 경우, ② 주주배정에 한하여 일정한 한도(20%. 자본시장법 시행령 제176조의8 제2항)에서 초과청약을 한 주주에게 미리 위 한도 내에서 실권주를 배정하기로 하는 합의가 있는 경우, ③ 기타 상장회사의 자금조달의 효율성, 주주 등의 이익보호, 공정한 시장질서 유지 등을 종합적으로 고려하여 시행령으로 정한 등의 경우(소액공모 등. 자본시장법 시행령 제176조의8 제3항 참조)에 한하여 실권주를 제3자에게 처분할 수 있다. 두 번째 사유에 관하여는 한도에 관하여 규제하고 있는바, 이는 초과청약한 주주에게 특혜를 인정할 경우 사실상 제3자배정과 같은 효과를 가져오기 때문이다.[55]

6. 구체적 신주인수권의 양도 및 신주인수권 증서

가. 구체적 신주인수권의 양도에 관한 논의들

제416조 제5호, 제6호는 구체적 신주인수권을 양도할 수 있다는 점을 명문으로 규정하고 있다. 이와 같이 주주는 신주인수권을 양도함으로써 주식인수 및 추가출자를 강요당하는 부담에서 벗어날 수 있는 것이다. 주주는 정관 또는 이사회의 결의로 신주인수권의 양도에 관한 사항을 정한 경우, 정해진 절차에 맞

---

55) 송옥렬, 전게서, 1138면.

춰서 신주인수권을 양도할 수 있게 된다. 다만, 상장회사는 주주배정방식의 유상증자를 하는 경우 반드시 신주인수권증서를 발행하여 주주로 하여금 신주인수권을 양도할 수 있도록 해야만 한다(자본시장법 제165조의6 제3항).

그런데 상장회사가 아닌 주식회사가 정관 또는 이사회의 결의에서 이러한 정함을 하지 않은 경우에는 신주인수권을 양도할 수 있는지 여부에 대하여 학설의 대립이 있으나,56) 판례는57) 정관 또는 이사회의 결의로 양도에 관한 사항을 정하지 않은 경우에도 지명채권양도의 방법에 따라 신주인수권의 양도가 가능하다고 보고 있다.58)

한편 제418조 제2항에 따라 회사가 제3자 배정을 하기로 한 경우 제3자가 구체적 신주인수권을 양도할 수 있는지 여부에 대하여도 논란이 있으며, 구체적 신주인수권이 회사에 대한 채권적 권리라는 점에서 양도성을 긍정하는 견해도 있으나,59) 제3자의 신주인수권은 회사에 대한 특별한 관계에서 인정되는 권리이므로 양도할 수 없다고 보는 견해가 좀 더 타당한 것으로 생각된다.60)

나. 신주인수권증서61)

신주인수권증서란 '주주의 신주인수권을 표창하는 비설권, 무기명의 유가증권'이다. 따라서 신주인수권증서가 발행된 경우 주주는 구체적 신주인수권을 증

---

56) 신주인수권의 양도는 주주의 이익을 보호하기 위한 것으로서 이사회 결의로 좌우되는 것이 아니며, 제416조 제5호는 양도성을 창설하는 규정이 아니라는 견해로는 이철송, 전게서, 924면; 최준선, 전게서, 639면 등.
57) 대법원 1995.5.23. 94다36421.
58) 신주인수권 증서 이외의 방법에 의한 양도를 인정하는 것은 제420조의3 제1항의 문언에 반한다는 점을 들어 그러한 신주인수권의 양도는 회사에 대항할 수 없다고 보는 견해로는 김정호, 전게서, 648~649면; 정찬형, 전게서, 1156~1157면; 최기원, 전게서, 790면; 송옥렬, 전게서, 1140면 등.
59) 정찬형, 전게서, 1161면; 최준선, 전게서, 641면.
60) 이철송, 전게서, 923면; 김정호, 전게서, 655면; 최기원, 전게서, 777면.
61) 2011년 상법개정으로 제420조의4는 신주인수권의 전자등록 제도를 마련하였다. 전자등록을 하게 되면 신주인수권의 양도 입질은 전자등록으로 해야 하고, 전자등록에 의하여 선의취득도 가능하다(제420조의4, 제356조의2 제2항 내지 제4항). 그런데 신주인수권 증서에 의한 청약을 규정한 제420조의5 제1항이 전자등록의 경우에 대한 예외를 정하고 있지 않아서(예외규정으로 제516조의7 신주인수권부사채의 전자등록 참조), 신주인수권을 전자등록한 경우 신주의 청약을 어떻게 하는지 문제된다. 입법의 미비라고 할 수 있으나 신주의 청약을 위하여 전자등록에도 불구하고 신주인수권증서를 발행해야 한다는 것은 생각할 수 없다. 제도의 취지에 비추어 신주의 청약도 전자등록을 가지고 이루어져야 한다고 본다. 실무의 발전을 검토할 필요가 있다.

권의 교부만으로 양도할 수 있다. 한편 신주인수권증서는 주주에게 발행되는 것
으로서, 신주인수권부 사채권자에게 발행되는 신주인수권증권(제516조의5)과도
구별되며, 원칙적으로 청약기일 전 약 2주간 동안만 유통될 수 있는 단명의 유
가증권이다.62)

　　정관 또는 이사회결의로 신주인수권을 양도할 수 있다고 정한 경우 회사는
신주인수권증서를 발행해야 하며(단, 주주의 청구가 있는 때에만 신주인수권증서를
발행한다고 정한 때에는 주주의 청구가 있는 경우에 한하여. 제416조 제5호 내지 제6
호, 제420조의2 제1항), 상장회사의 경우에는 주주배정방식의 유상증자를 결의하
는 때에는 반드시 신주인수권증서를 발행하여야 하고, 신주인수권 증서를 증권
시장에 상장하거나 둘 이상의 금융투자업자(발행회사와 계열회사의 관계에 있지 아
니한 투자매매업자 또는 투자중개업자)를 통하여 신주인수권증서의 매매 또는 그
중개·주선이나 대리업무가 이루어지도록 하여 신주인수권증서가 유통될 수 있
도록 하여야 한다(자본시장법 제165조의6 제3항).

　　신주인수권증서는 신주의 청약이나 신주인수권을 양도하는 경우에 이용되는
데 신주인수권은 신주인수권증서의 교부만으로 양도할 수 있으며(제420조의3 제1
항), 신주인수권증서의 점유에는 권리 추정력이 인정되므로 그 결과 선의취득도
인정된다는 점에 가장 큰 의의가 있다(제420조의3 제2항). 또한 신주의 청약은
신주인수권증서에 의하여 한다(제420조의5 제2항). 한편 신주인수권증서를 상실
한 경우에는 주식청약서로 청약을 할 수 있다(제420조의5 제2항).

　　한편 실무에서는 2002년 신성이엔지 사례 이후 2009년 신한금융지주가 주주
배정 방식의 유상증자에서 신주인수권증서를 상장한 바 있고 이후 이러한 사례
들이 늘어나는 추세이며,63) 이러한 신주인수권증서의 상장을 통하여 신주인수권
의 유통이 원활해지면서 회사의 원활한 자금조달에 기여하고 있는 것으로 평가
된다. 이와 더불어 신주발행에 응하고자 하지 않는 주주들의 경우 신주인수권의

---

62) 정찬형, 전게서, 1157면.

63) 각 공시일 기준으로, 에스엔유프리시젼(2010. 7. 19.), 동양메이저(2011. 2. 21.), KDB 대
우증권(2011. 10. 10.), 애경유화(주)(2011. 10. 19.), (주)에이엔피(2012. 4. 17.), (주)삼에
스코리아(2012. 5. 9.), (주)케이아이씨(2012. 5. 7.), 파미셀(주)(2012. 5. 25.), 우리들제약
(주)(2012. 6. 14.), 진성이티씨(2012. 6. 29.), 엔에이치엔엔터테인먼트(주)(2015. 2. 27.),
(주)대한항공(2017. 2. 13.), 현대상선(주)(2017. 11. 16.), (주)에스티아이(2018. 2. 22.),
삼성중공업(주)(2018. 3. 22.), 현대일렉트릭(주)(2019. 11. 25.), (주)티웨이항공(2020. 7.
10.), 두산중공업(주)(2020. 11. 18.), 한화솔루션(주)(2021. 2. 5.), 대한해운(주)(2021. 5.
24.) 등.

원활한 유통을 통하여 실권으로 인한 지분율 희석이라는 불이익을 일정 범위에서 상쇄할 수 있다는 장점이 있다.[64] 신주인수권증서의 상장은 유가증권시장 상장규정 및 시행세칙에 따라 신주인수권증서상장신청서 및 첨부서류를 제출하여 이루어지며(유가증권시장 상장규정 제150조 제1항), 동 규정 제150조 제3항의 기준에 따라 그 심사가 이루어진다.[65]

Ⅲ. 신주발행시 발행가액

1. 발행가액의 규제

주주배정 방식으로 신주를 발행하는 경우 액면가 이상으로 발행하기만 하면 이사의 책임, 신주발행의 유효성 등이 문제될 가능성은 낮을 것으로 생각된다.[66] 따라서 주주배정 방식의 신주발행에 있어서는 저가 발행으로 인한 책임이 문제될 여지가 희박하다. 그러나 그 외의 방법으로 신주를 발행하는 경우에는 기존 주주의 지분율 및 주식의 가치가 부당하게 희석될 여지가 있으므로 발행가액을 어떻게 설정할 것인가에 대하여 주의를 요한다. 다만 상장회사의 경우 증권의 발행 및 공시 등에 관한 규정 등에 따라 제3자 배정이나 일반공모방식으로 유상증자를 할 경우 원칙적으로 시가를 바탕으로 산정된 기준가격에 일정한 할인율을 적용하여 산정한 가격으로 신주를 발행하여야 한다.

결과적으로 발행가액의 공정성은 비상장회사가 제3자 배정 방식으로 신주를

---

64) 박순표, "신주인수권증서 발행의 활성화,"「상장」7월호(한국상장회사협의회, 1996), 67면.

65) 이에 따르면 신주인수권증서는 유가증권시장 주권상장법인에 의하여 발행되어야 하며, 당해 증서의 상장주권이 주권상장폐지기준에 해당하지 않아야 하며, 신주인수권의 양도를 허용하고, 신주인수권을 갖는 모든 주주에게 신주인수권증서를 발행하여야 하고, 그 수는 1만 증서 이상, 거래가능기간은 5일(매매거래일 기준) 이상이어야 한다.

66) 에버랜드 전환사채 전원합의체 판결의 다수의견은 "회사의 이사로서는 주주 배정의 방법으로 신주를 발행하는 경우 원칙적으로 액면가를 하회하여서는 아니 된다는 제약 외에는 주주 전체의 이익, 회사의 자금조달의 필요성, 급박성 등을 감안하여 경영판단에 따라 자유로이 그 발행조건을 정할 수 있다"고 보았고, 반대의견 역시 "모든 신주를 주주들이 그 가진 주식수에 비례하여 인수하고 납입하는 것을 전제로 하는 한에 있어서는, 자본충실의 원칙상 그 발행가액을 액면 이상으로 정하기만 하면 그것으로 충분하고, 액면가보다 훨씬 고가인 시가로 정함으로써 그 차액만큼을 추가로 출자하도록 요구할 수 없고 이를 요구할 의무도 없으며, 그 결과 신주를 저가로 발행함으로써 이를 시가로 발행했을 경우에 비하여 적은 자금이 회사에 유입되었다고 하더라도 이를 회사의 손해로 평가할 수 없다."고 하였다.

발행하는 경우 주로 문제된다고 할 것인바, 비상장주식의 공정한 가액 결정에 관하여 실무상 난점이 있다는 점에 대하여는 이미 살펴본 바가 있다.

한편 제3자 배정방식의 저가 신주발행이 있는 경우 해당 발행의 결정에 참여한 이사들의 민사상, 형사상 책임이 문제될 수 있고, 더 나아가 인수인의 책임 또한 문제될 수 있다. 회사의 이사와 통모하여 현저하게 불공정한 발행가액으로 주식을 인수한 자는 회사에 대하여 공정한 발행가액과의 차액에 상당한 금액을 지급할 의무가 있고, 주주는 주주대표소송을 통하여 불공정한 가액으로 주식을 인수한 자의 책임을 추궁할 수 있다(제424조의2).

2. 액면미달발행

가. 의의 및 요건

액면주식을 발행하는 경우 신주발행의 결과 신주의 액면총액만큼 자본금이 증가하는바, 자본충실의 요청상 액면가액 이상의 순자산이 늘어나야 하므로 발행가액은 액면가액 이상이어야 한다.[67] 이에 상법은 특히 자본충실 원칙이 중요하게 작용하여야 하는 회사설립 절차에서는 액면미달발행을 금지하고 있다(제330조). 그러나 설립 이후에는 회사가 실적부진이나 시장의 침체로 신주에 대한 투자자의 수요가 낮은 경우 실질적으로 액면가액 이상으로 발행하여 자본을 조달하는 것이 어려울 수 있으며, 1997년 금융위기 당시와 같은 경우에 실제로 많은 상장회사의 주가가 액면가 이하로 하락하였던 경우를 생각해보면 최소한 회사가 설립된 이후에는 원만한 자금조달을 위하여 액면미달발행이 필요한 경우가 인정되어야 하겠다. 이에 제417조는 액면미달발행을 허용하면서 대신 엄격한 요건을 요구하고 있으며 상장회사의 경우 자본시장법 제165조의8에 의하여 액면미달발행이 가능하다.

회사의 액면미달발행은 ① 회사가 설립된 날로부터 2년이 경과할 것, ② 주주총회 특별결의, ③ 법원의 인가, ④ 법원의 인가로부터 1월내에 발행할 것을 그 요건으로 한다(제417조). 한편 상장회사의 경우 위와 같이 자본시장법 제165조의8의 요건에 따라 액면미달발행을 할 수 있으며, 이 경우에는 법원의 인가를

---

67) 이철송, 전게서, 907면.

요하지 않으나 원칙적으로 그 발행가격의 하한에 관하여 규제가 존재한다.[68]

나. 무액면주식과 액면미달발행

경영이 악화된 상태에서, 즉 해당 기업이 발행한 주식의 시가 또는 실질가액이 액면가 미만으로 떨어진 상태에서 원활한 유상증자를 가능케 하기 위한 방법으로 2011년 개정상법에서 도입된 무액면주식의 활용가능성을 제시하는 실무의 견해도 있는 것으로 이해된다. 즉, 정관 변경에 의하여 액면주식을 무액면주식으로 전환한 경우(제329조 제4항), 법원의 인가 없이도 기존 액면주식 하에서의 액면미달발행의 효과를 달성할 수 있는 점 등을 고려한 견해로 이해된다. 다만, 무액면주식의 경우 발행가액의 50% 이상을 자본금으로 계상해야 하므로(제451조 제2항), 액면주식의 할증발행에 비하여 등록세 감경 효과가 낮은 점 및 비록 주주총회 특별결의를 필요로 하지만 주식의 분할을 통하여 유사한 효과를 달성할 여지가 있다는 점을 고려하면 현재 상황에서 액면미달발행 효과를 쉽게 달성할 수 있다는 이유만으로 무액면주식 제도를 선택할 유인은 높지 않은 것으로 이해되며, 무액면주식 제도 도입 이후 실제 무액면주식이 활용된 사례도 거의 없는 것으로 보인다.

Ⅳ. 신주의 발행절차

그림[69]으로 요약하면 다음과 같다.

---

68) 상장회사의 경우 주주총회의 특별결의로 액면미달 발행을 할 수 있으나, 해당 주주총회에서는 최저발행가격을 정하여야 하고, 해당 최저발행가격은 일정한 기준(자본시장법 시행령 제176조의10)에 따라 산정한 가격 이상이어야 한다. 즉, 최저발행가격은 ① 주식의 액면미달가액 발행을 위한 주주총회의 소집을 결정하는 이사회(이하 "주주총회소집을 위한 이사회"라 한다)의 결의일 전일부터 과거 1개월간 공표된 매일의 증권시장에서 거래된 최종시세가격의 평균액, ② 주주총회소집을 위한 이사회의 결의일 전일부터 과거 1주일간 공표된 매일의 증권시장에서 거래된 최종시세가격의 평균액, ③ 주주총회소집을 위한 이사회의 결의일 전일의 증권시장에서 거래된 최종시세가격 중 가장 높은 가격의 70% 이상이어야 한다.
69) 이철송, 전게서, 905~906면. 이하 주주배정방식의 유상증자를 전제로 하여 서술함.

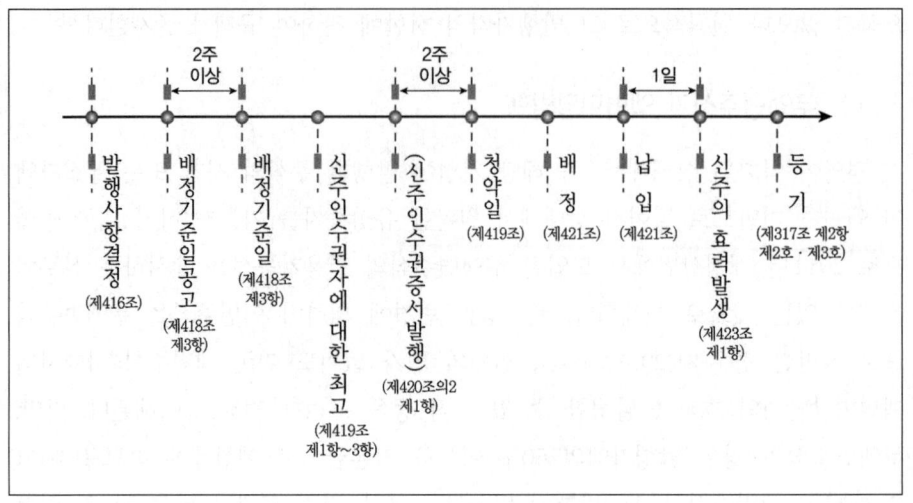

1. 발행기관

회사가 성립 후에 주식을 발행하는 경우, 정관에서 주주총회의 결의사항으로 달리 정하지 않는 한 이사회가 발행여부 및 구체적 내용을 결정한다(제416조). 이는 이미 본 바와 같이 자금조달의 기동성을 위한 것이다. 이사회는 위 사항을 대표이사 등에게 위임할 수 없으나, 자본금 총액이 10억원 미만으로서 이사를 1명 또는 2명을 둔 소규모 주식회사는 이사회가 없으므로, 이러한 이사회의 권한을 주주총회가 행사한다(제383조 제4항).[70]

2. 신주발행의 일반적인 절차(주주배정 방식의 경우)

가. 신주배정일 공고 및 청약최고

주주배정의 경우 신주인수권을 가지는 주주의 확정을 위하여 기준일을 정하고 그 내용을 기준일 2주 전에 공고하여야 하며(제418조 제3항), 실무에서는 통상 상기 기준일을 신주배정일이라고 한다. 반면 제3자 배정의 경우에는 이사회의 결의로써 신주인수권을 가지는 자가 확정될 것이다.

---

70) 정찬형, 전게서, 1162면.

신주인수권을 가지는 자가 확정되면 회사는 청약기일을 정하고 신주의 인수권을 가진 자에 대하여 그 인수권을 가지는 주식의 종류 및 수와 일정한 기일까지 주식인수의 청약을 하지 아니하면 그 권리를 잃는다는 사실 및 신주인수권의 양도 및 신주인수권증서와 관한 사항을 통지하여야 한다(제419조). 이러한 실권예고부 최고는 신주인수권자가 확정된 상태에서만 가능하므로 신주배정기준일 이후에 하여야 한다.[71] 따라서 신주배정기준일과 청약기일은 최소한 2주의 간격이 있게 된다.[72] 그리고 이와 같은 실권예고부 최고 기간은 단축될 수 없다는 점은 앞에서 서술한 바와 같다. 한편 제3자 배정의 경우에도 제3자 배정과 관련된 사항을 기존 주주들에게 통지 또는 공고하여야 한다는 점 및 그 의미에 대하여 앞에서 이미 살핀 바 있다.

나. 인수 및 납입

1) 인 수

신주인수권자가 주식청약서를 가지고 신주인수의 청약을 하고(제425조, 제302조 제1항) 이에 대하여 회사가 신주를 배정하면 주식인수가 이루어진다. 주식청약서에 기재하는 사항은 제420조에서 정하고 있다. 예외적으로 신주인수권증서가 발행된 경우에는 신주인수권증서를 가지고 청약을 하지만(제420조의5 제1항), 그러한 경우에도 신주인수권증서를 상실한 경우에는 주식청약서로 청약을 할 수 있다(제420조의5 제2항). 회사 설립시와는 달리 발행예정주식의 전부에 대한 청약이 없더라도 배정을 할 수 있다. 한편 주식인수의 법적 성격에 대하여 판례는 사원관계의 발생을 목적으로 하는 입사계약으로서 주주의 주식청약과 회사의 배정에 의하여 성립하는 것으로 해석하고 있다.[73]

2) 납 입

인수인은 인수가액을 납입할 의무를 지고(제425조, 제303조), 이사는 신주인수인으로 하여금 그 배정한 주수에 따라 납입기일에 그 인수한 각 주식에 대한 인수가액의 전액을 납입시켜야 한다(제421조). 그 외 납입장소, 납입금보관자의

---

71) 김정호, 전게서, 656면.
72) 송옥렬, 전게서, 1144면.
73) 대법원 2004.2.13. 2002두7005.

증명과 책임, 현물출자자의 이행방법은 모집설립시와 같다(제425조, 제306조, 제305조 제2항, 제3항, 제295조 제2항). 한편, 납입은 자본충실의 원칙상 회사에 실제로 금전을 제공하는 행위여야 하므로 대물변제, 경개 등은 허용되지 아니하며, 같은 이유에서 수표, 어음 등으로 납입되었을 때에는 지급인에 의하여 지급되어야만 유효하게 납입이 이루어졌다고 할 수 있다.[74] 현물출자의 경우에는 모집설립과 마찬가지로 납입기일에 출자의 목적인 재산을 인도하고 등기나 등록에 필요한 서류를 완비하여 회사에 교부해야 한다(제425조, 제305조 제3항, 제295조 제2항).

현물출자의 경우, 신주발행의 경우에도 현물출자에 대한 사항을 조사하기 위해서 검사인을 선임하여야 하는데(제422조 제1항), 판례는 이러한 검사절차를 거치지 않았다 하더라도 신주발행이나 그 변경등기가 무효가 되는 것은 아니라고 한다.[75] 회사설립 시와 마찬가지로 소규모 출자나 시세 있는 유가증권 등의 출자는 검사절차가 면제된다(제422조 제2항).

한편, 2011년 개정상법에서 회사가 동의한 경우 신주인수인이 회사에 대한 채권으로 납입의무와 상계할 수 있도록 하여, 종래 예외적으로만 인정되어 온 소위 출자전환을 명문으로 인정하였다는 점에 주목할 필요가 있다(제421조 제2항). 위와 같이 출자전환이 명문으로 허용되면서 회사의 동의에 의한 주금납입의무의 상계(출자전환)와 회사에 대한 채권의 현물출자의 관계에 대하여 살펴볼 필요가 있다. 경제적 측면에서 보았을 때 위 두 가지 출자방식은, 회사에 대한 채권자가 회사의 주주로 변경되고, 회사 입장에서도 채무가 출자금으로 전환된다는 측면에서 동일한 것으로 이해된다. 다만, 위 2가지 절차의 형식을 구분하는 것이 곤란한바, 형평 및 통일적인 규제를 위해서 출자전환에 대하여는 채권의 현물출자에 관한 규정이 중첩적으로 적용된다고 보아야 한다는 견해[76]도 있으나, 실무적으로는 2가지 절차를 별도의 조문에서 규정하고 있으므로 문언에

---

74) 대법원 1977.4.12. 76다943; 이철송, 전게서, 261면.
75) 대법원 1980.2.12. 79다509.
76) 이러한 견해는 출자전환의 경우에도 원칙적으로 검사인의 검사라는 규제가 적용되는 것으로 해석한다(정동윤 감수, 「상법 회사편 해설」(법무부, 2012), 72면). 다만 이러한 견해에 의하더라도, 검사인의 검사라는 틀이 적용된다고 하여 출자전환의 성격을 현물출자로 보아서는 안 된다고 본다. 송옥렬, "자본제도의 개정방향," 「상사법연구」 제28권 제3호(한국상사법학회, 2009), 284면 이하. 반면 실무상으로는 출자전환의 경우에 검사인의 검사절차를 요구하지 않고 있음은 각주 76에서 논의하는 바와 같다.

따라 법률적으로 다른 제도에 해당하는 것으로 취급되고 있는 것으로 보인다.[77]

다. 등 기

신주발행의 효력이 발생하면 회사의 등기사항인 발행주식총수, 주식의 종류와 수, 자본금액이 변동되므로 변경등기를 해야 한다(제317조 제4항, 제183조[78]). 변경등기는 신주발행의 효력발생과는 아무 상관이 없고 다만 공시의 효력밖에 없을 뿐이나, 변경등기를 하면 상업등기의 적극적 공시력(제37조 제1항)이 발생할 뿐 아니라 변경등기 후 1년을 경과하면 주식청약서 등의 요건의 흠결이나 신주인수인의 주관적 하자가 치유되는 효과가 있다(제427조). 또한 이사의 인수담보책임은 변경등기를 전제로 인정된다(제428조 제1항)는[79] 점에서도 그 의의가 있다.

3. 상장회사의 신주발행

가. 발행가격의 제한

상장회사가 주주배정 방식으로 신주를 발행하는 경우에는 그 발행가격이 액면가 이상이기만 하면 그 외 발행가액에 대한 특별한 제한이 없으나[80], 주주배정 이외의 방식으로 신주를 발행하고자 하는 때에는 원칙적으로 시가발행이 이루어져야 한다(자본시장법 제165조의16, 자본시장법 시행령 제176조의17, 증권의 발행 및 공시 등에 관한 규정 제5-18조). 구체적으로 살피면 상장회사가 일반공모증자방식 및 제3자 배정 증자방식으로 유상증자를 하는 경우 그 발행가액은 청약일전 과거 제3거래일부터 제5거래일까지의 가중산술평균주가를 기준주가로[81]

---

77) 실무상 주금납입채무의 상계가 있는 경우 신주발행으로 인한 변경등기신청서에는 상계를 증명하는 서면(소비대차계약서 등 회사의 신주인수인에 대한 채무부담사실을 증명하는 서면, 상계의사표시를 증명하는 서면, 신주인수인이 상계를 한 경우 회사의 동의를 증명하는 서면) 등을 첨부하도록 하고 있을 뿐이며(대법원 등기예규 제1450호), 검사인의 검사절차를 거쳤음을 증명하는 서류는 요구하고 있지 않다.

78) 본점 소재지에서는 2주 내에, 지점 소재지에서는 3주 내에 변경등기를 하여야 한다.

79) 송옥렬, 전게서, 1145면.

80) 다만, 전술한 바와 같이, 실권주를 발행하기 위해서는 발행가격이 일정한 가액 이상으로 정해져야 한다.

81) 다만, 제3자 배정증자방식의 경우 신주 전체에 대하여 제2-2조 제2항 제1호 전단의 규정에 따른 조치 이행을 조건으로 하는 때에는 유상증자를 위한 이사회결의일(발행가액을 결

하여 해당 회사가 정하는 할인율을 적용하여 산정하여야 하되, 그 할인율은 일
반공모증자방식의 경우에는 30%, 제3자 배정 증자방식의 경우에는 10%를 초과
할 수 없다. 다만, 기업구조조정을 위한 신주발행의 경우 등 특수한 사정이 있
는 때에는 위와 같은 제한이 면제되고 있다(증권의 발행 및 공시 등에 관한 규정
제5-18조 제4항 참조).

나. 공   시

상장회사는 신주발행에 관한 결정을 한 경우 그 당일에 그 사실을 한국거래
소에 신고하여야 하며(유가증권시장 공시규정 제7조 제1항 제2호 가목 (1), 코스닥시
장 공시규정 제6조 제1항 제2호 가목 (1)), 이사회에서 결의한 사항을 기재한 보고
서(주요사항보고서)를 이사회 결의일 다음 날까지 금융위원회에 제출하여야 한다
(자본시장법 제161조 제1항 제5호).

다. 증권신고서 제출

자본시장법상 공모는 모집과 매출로 구분되는바, 모집이라 함은 "대통령령으
로 정하는 방법에 따라 산출한 50인 이상의 투자자에게 새로 발행되는 증권의
취득의 청약을 권유하는 것"이라 정의된다. 다만 위 방법에 따라 산출된 청약권
유 대상자의 수가 50인 미만인 때에도 해당 증권이 발행일로부터 1년 이내에
50인 이상의 자에게 양도될 수 있는 경우로서 증권의 종류 및 취득자의 성격
등을 고려하여 금융위원회가 정하여 고시하는 전매기준에 해당하는 경우에는 모
집으로 간주된다(자본시장법 제9조 제7항, 자본시장법 시행령 제11조 제3항).

일반공모증자방식의 경우 당연히 모집에 해당할 것이고, 상장회사의 주주는
통상적으로 50인 이상일 것이므로 주주배정증자방식의 경우에도 일반적으로 모
집을 구성하게 될 것이다. 또한, 50인 미만의 자를 대상으로 한 제3자 배정 증
자방식의 경우에도 위 "금융위원회가 정하여 고시하는 전매기준"에 해당하는 때
에는 모집에 해당하는데, 지분증권의 경우에는 발행되는 증권과 같은 종류의 증

정한 이사회결의가 이미 있는 경우에는 그 이사회결의일로 할 수 있다) 전일을 기산일로
하여 과거 1개월간의 가중산술평균주가, 1주일간의 가중산술평균주가 및 최근일 가중산술
평균주가를 산술평균한 가격과 최근일 가중산술평균주가 중 낮은 가격을 기준주가로 하여
주권상장법인이 정하는 할인율을 적용하여 산정할 수 있다(증권의 발행 및 공시 등에 관한
규정 제5-18조 제2항).

권이 모집 또는 매출된 실적이 있거나 증권시장에 상장된 경우 위 전매기준이
충족되므로(증권의 발행 및 공시 등에 관한 규정 제2-2조), 제3자 배정 증자방식의
유상증자도 원칙적으로 공모에 해당하게 된다. 다만, 이 경우 신주발행일로부터
1년간 해당 신주를 한국예탁결제원에 보호예수하는 때에는 위와 같은 전매기준
에 해당하지 아니하여 공모규제를 받지 아니할 수 있다(증권의 발행 및 공시 등에
관한 규정 제2-2조 제2항 제1호).

위와 같이 신주발행이 모집에 해당하는 때에는 상장회사는 증권신고서를 금
융위원회에 제출하여야 한다. 증권신고서는 금융위원회에 제출되어 수리된 날로
부터 일정한 기간(원칙적으로 일반공모증자방식의 경우에는 10일, 그 이외의 경우에
는 7일)이 경과한 날에 그 효력이 발생하고(자본시장법 제120조 제1항), 이와 같
이 증권신고서가 발효하여야 비로소 발행회사는 발행되는 주식의 취득 또는 매
수의 청약을 승낙할 수 있게 된다(자본시장법 제121조 제1항). 그리고 발행회사는
투자자 모집에 앞서 소정사항을 기재한 투자설명서를 작성하여 일정한 장소에
비치하고[82] 일반인에게 공람하게 하여야 하며(자본시장법 제123조 제1항), 원칙
적으로 청약하고자 하는 자에게 이 투자설명서를 교부한 후가 아니면 청약을 받
을 수 없다(자본시장법 제124조 제1항).[83]

라. 납   입

실무에서는 실권주가 발생하는 것을 피하기 위해서 주식청약 단계에서 일반
투자자들로부터 청약증거금으로 발행가액의 100% 상당액을 예납 받은 다음 납
입기일에 납입금에 충당하는 것이 관행이다. 즉 주식청약시에 주식청약인으로부
터 납입금액에 상당하는 청약증거금을 징수하여 납입기일에 이를 납입금에 충당
하고 또한, 이 청약증거금에 대하여는 이자를 지급하지 않는 것이 일반적 관행
으로 되어 있는데, 이와 같은 관행은 납입을 확실히 하여, 납입해야할 자가 청
약기일까지 청약증거금을 첨부하여 청약하지 않은 경우에는 다른 인수인을 구하
는 등 회사의 자금조달계획을 예정대로 달성하기 위한 방법으로 실무상 성립한
것이다.

---

82) 발행회사의 본점, 금융위원회, 한국거래소 및 청약사무를 취급하는 장소(자본시장법 제123
조 제1항, 자본시장법 시행규칙 제13조 제1항).

83) 이철송, 전게서, 936면.

그러나, 기존 주주의 신주인수권에 비례하여 신주배정하는 주주배정방식 신주발행의 경우에는 이와 같은 청약증거금의 징수가 주주의 신주인수권을 침해하고, 신주발행에 관한 상법 규정에 반하는 것은 아닌가라는 점에서 그 적법성에 대하여 논의가 존재한다.

이에 대하여 주식청약의 단계에서 납입금과 동액의 청약증거금의 납입을 강요하고, 납입을 하지 않은 주식청약을 거부하는 것은 신주인수권의 행사에 '사전의 납입'과 같은 법정 외의 조건을 붙인 것으로서, 이는 제419조 제3항의 취지 즉, 신주인수권자는 청약기일까지 주식의 청약을 하지 않은 때에만 그 권리를 잃는다는 것에 반하는 것이므로 위법하다는 견해가 존재한다.

반면 신주의 인수인으로 하여금 그 배정한 주수에 따라 납입기일에 그 인수한 각 주에 대한 인수가액의 전액을 납입시키도록 규정한 제421조와의 관계를 특히 주목하여, 신주의 인수인이라면 신주인수권 없이 신주를 인수한 경우에도 동 조 '신주의 인수인'에 포함되는 것이라고 하면서 동 조가 '납입기일 전 납입'을 금지하는 강행규정이라고 본다면 통상 공모의 경우에 청약증거금으로 납입액 전액을 청약기일까지 납입시키는 것도 위법이라는 결론이 되므로, 동 조는 그러한 강행법규가 아니고 더 나아가, 동 조는 자본충실에 기하여, 늦어도 납입기일까지는 인수가액 금액의 납입을 할 것을 요구하는 것이며, 납입기일 전 납입을 금지하는 취지까지 포함한 것은 아니라는 견해가 있다.

명확한 결론을 내리기 어려우나 청약증거금의 적법성에 대한 위와 같은 견해 대립에도 불구하고 청약증거금의 관행이 사실인 상관습 또는 상관습법으로 성립되어 있다고 해석할 수 있을 것으로 생각되나, 어디까지나 이사회의 결의시 신주발행사항으로 포함되어야 함과 주주에 대한 통지를 전제로 하여 그 청약증거금이 합리성을 갖는 한에서 인정된다고 봄이 타당할 것이다.[84]

마. 발행 후 공시

공모 방식의 신주발행 후에는 증권발행실적보고서를 작성하여 금융위원회에 제출하여야 하며(자본시장법 제128조), 이 역시 공시한다(자본시장법 제129조).[85]

---

84) 박영길, "주식청약증거금에 관한 문제점," 「사법행정」 제31권 제11호(한국사법행정학회, 1990), 36~42면 참조.
85) 이철송, 전게서, 936면.

4. 이사의 인수담보책임

자본증가의 변경등기(신주발행의 등기)가 이루어진 후에도 아직 인수되지 아니한 주식이 있거나 주식인수의 청약이 취소된 때에는 이사가 이를 공동으로 인수한 것으로 본다(제428조). 주식을 공동으로 인수하는 경우 연대하여 주금액을 납입할 의무가 있으므로(제333조 제1항) 결국 이사들은 변경등기 이후까지 인수되지 아니한 주식에 대한 인수담보책임이 있는 것이다.

논의의 여지는 있으나 회사 설립시와는 다르게 신주발행시에는 인수되지 아니한 부분이 아무리 많다고 하더라도 신주발행의 효력에는 영향이 없고 모두 이사의 자본충실책임으로 해결할 수 있다고 본다.[86] 또한 이러한 책임은 발기인의 인수담보책임과 같이 무과실책임으로서 총주주의 동의로도 면책되지 않는다고 본다.[87] 한편 이사가 인수담보책임을 부담하는 '아직 인수되지 아니한 주식'에 인수가 유효하게 된 다음 납입이 되지 않아 실권된 주식도 포함된다고 해석된다.[88]

한편 이사와 통모하여 현저하게 불공정한 발행가액으로 주식을 인수한 자는 회사에 대하여 공정한 발행가액과의 차액에 상당한 금액을 지급할 의무가 있다(제424조의2 제1항). 통모인수인의 책임은 주주유한책임 원칙의 예외로 보아 회사는 통모인수인의 책임을 면제하거나 지급금액을 반환하여 줄 수 없다는 견해가 일반적이다.

V. 위법·불공정한 신주발행에 대한 구제수단

앞서 살핀 바와 같이 우리 상법은 주주의 신주인수권을 인정하면서도, 자본

---

86) 최준선, 전게서, 660면.
87) 송옥렬, 전게서, 1146면.
88) "인수하지 않은 주식이란 당초부터 인수되지 않은 주식뿐만 아니라, 첨부서면상으로는 인수가 있는 것으로 되어 있으나 실제로는 인수가 되지 않은 주식이 포함되어 있는 경우(주식청약서를 위조하여 인수를 가장한 경우 등)와, 인수를 하였으나 납입기일에 납입 또는 현물출자의 이행을 하지 않음으로써 실권한 주식(제423조 제2항)을 포함한다"는 견해, 최기원, 전게서, 810면.

조달의 기동성을 위하여 수권주식 한계 내에서 그 발행에 관한 사항의 결정은 원칙적으로 이사회 결의사항으로 규정하고 있다. 이로 인하여 기존 주주의 지분율의 변화 및 주식 가치의 희석 등 이익이 침해되는 경우 주주의 이익을 보호하기 위하여 상법은 위법 또는 불공정한 신주발행에 대하여 ① 사전적 예방조치로서 신주발행의 유지청구제도(제424조), ② 사후적 수단으로 신주발행무효의 소(제429조), ③ 나아가 불공정한 가액으로 주식을 인수한 통모인수인의 책임에 관한 규정을 두고 있다(제424조의2).

1. 신주발행유지청구권(제424조)

신주발행유지청구권은, 회사가 법령 또는 정관에 위반하거나 현저하게 불공정한 방법으로 주식을 발행함으로써 주주가 불이익을 받을 염려가 있는 경우 회사에 대하여 신주발행의 유지를 청구할 수 있는 권리이다.

즉, 이사회 결의를 거치지 않고 대표이사가 자의적으로 신주발행을 단행할 조짐이 있거나, 수권주식총수를 초과하는 신주발행, 주주의 신주인수권을 무시한 신주발행, 법정요건을 무시한 신주의 할인 발행, 특정인에게 부당하게 많은 신주를 배정하거나 현물출자를 과대평가하는 경우 등이 신주발행유지청구권을 행사할 수 있는 경우에 해당한다고 볼 수 있을 것이다.

유지청구의 당사자는 불이익을 입을 염려가 있는 주주이며 피청구자는 회사이다. 이 때 원고 주주는 소수주주가 아니라 단독주주라도 무방하며 신주인수권의 유무 또는 의결권의 유무를 묻지 않는다.[89] 한편 신주발행의 유지청구는 사전적 구제조치이므로 신주발행의 효력이 생기는 납입기일의 다음날(제423조 제1항) 이전까지는 행사하여야 할 것이다. 이와 같이 신주발행유지청구권은 그 시간적 한계가 존재하는바, 앞에서 검토한, 2011년 개정 상법을 통하여 도입된 제3자 배정 신주발행시의 주주에 대한 통지 또는 공고 제도는 신주발행유지청구권의 행사를 보장하는데 기여할 것으로 보인다. 신주발행유지청구와 관련하여 아래에서 몇 가지 검토를 하고자 한다.

---

89) 정동윤 대표편저, 「주석상법 회사(Ⅳ)」(한국사법행정학회, 2014), 140면.

가. 신주발행금지 가처분의 가능성

유지청구의 방법에 대하여 상법상 특별한 제한이 없으므로 주주는 회사에 대하여 직접적인 의사표시로 유지를 청구할 수도 있고, 회사를 피고로 하는 신주발행 유지청구의 소를 제기할 수도 있다. 신주발행유지청구의 소를 본안으로 하는 신주발행 유지의 가처분을 신청하는 것이 가능한지 여부가 문제되는데, 상법에서 유지청구의 방법을 특별히 규정하고 있지 않으므로 민사집행법 제300조의 임시의 지위를 정하는 가처분으로서 허용된다고 보는 것이 타당하다.[90]

나. 신주발행유지청구를 무시하고 신주발행에 나아간 경우의 효력

신주발행유지청구권 행사의 효력과 관련하여 먼저 회사가 신주발행유지의 청구를 받아들이는 경우에도, 신주발행유지청구권은 단독주주권임에 비추어 단체법적인 신주발행절차를 모두 중단시키는 것은 회사에 대하여 지나치게 불이익한 것으로, 회사는 위법 불공정한 사항을 시정하여 신주발행절차를 속행할 수 있다고 보는 것이 다수의 견해이다.[91]

또한 회사가 주주의 유지청구에도 불구하고 아무런 시정조치 등을 취하지 아니한 상태로 그 절차를 속행한 경우의 효력에 대해서도 학설이 대립하는바, 경우를 나누어 신주발행유지의 소가 제기되어 이에 기한 유지의 판결이나 가처분이 내려진 경우에는 이에 위반한 신주발행은 무효로 볼 수 있고, 소 이외의 방법으로 유지청구를 한 경우에는 무효원인으로 처리되지는 않고 다만 이사의 책임(제401조)이 발생하는 것으로 볼 수 있다는 것이 일반적인 견해이다.[92]

2. 신주발행무효의 소

가. 의의 및 절차

신주발행의 무효라 함은 신주의 발행절차 모두를 포괄하여 일체로서 무효화

90) 송옥렬, 전게서, 1149면.
91) 김정호, 전게서, 659면; 정찬형, 전게서, 1175면.
92) 김정호, 전게서, 660면; 송옥렬, 전게서, 1150면; 정찬형, 전게서, 1175면; 이철송, 전게서, 940면.

하는 것을 의미한다. 상법은 신주발행의 단체법적 특성을 고려하여 신주발행이 법률이나 정관에 위반하여 무효인 경우 이를 상법에서 규정한 절차에 따른 형성소송으로만 그 무효 여부를 다투도록 제한하고 있다.

위와 같은 상법의 취지에 따라서 신주발행 무효의 주장은 주주(신주주 또는 구주주의 어느 쪽도 무방[93]), 이사 또는 감사에 한하여 신주를 발행한 날로부터 6월 내에 회사를 피고로 하는 소의 방법으로만 할 수 있다(제429조). 출소기간 경과 후 새로운 무효사유를 추가하여 주장하는 것은 허용되지 아니한다.[94] 한편 소의 전속관할, 소제의 공고, 소의 병합심리, 하자의 보완과 청구의 기각, 패소 원고의 손해배상의무, 무효판결의 등기 등에 관하여는 회사설립무효의 소와 같다(제430조, 제186조 내지 제192조(제190조 단서 제외), 제377조).

한편 주주가 소송 중 자격을 상실할 때에는 다른 주주나 이사·감사가 수권할 수 있는 것으로 보며(민사소송법 제237조 제1항), 판례 역시 주식의 양도 등으로 인하여 주주의 변동이 있더라도 새로운 주주가 소송을 수계할 수 있고(민사소송법 제81조) 요건을 충족하는 한 새로운 소송을 제기할 수도 있다고 한다.[95]

나. 요건으로서 무효의 원인

상법은 무효의 소를 제기할 수만 있다고 하고 있을 뿐, 구체적으로 어떤 사유가 무효 사유에 해당하는지에 대하여는 명확히 밝히지 않고 있다. 다만 신주발행의 단체법적 특성 등에 비추어 신주발행이 유효함을 전제로 형성된 법률관계의 안정과 제3자의 신뢰 보호 등 측면에서 신주발행이 완료되기 전 사전적 구제수단인 유지청구에 비해서는 인정될 수 있는 범위가 작을 것으로 생각할 수 있다. 이러한 측면에서 신주발행무효의 소에 대하여 재량기각도 인정되는 것으로 볼 수 있다(제430조, 제189조). 판례 역시 신주발행 무효의 소는 거래의 안전을 해칠 위험이 크기 때문에 그 무효원인은 엄격하게 해석해야 한다고 보면서, 신주발행의 하자가 주식회사의 본질이나 회사법의 기본원칙에 반하거나 기존 주주들의 이익과 회사의 경영권에 중대한 영향을 미치는 경우로서 거래의 안전을 고려하더라도 도저히 묵과할 수 없을 정도에 이르러야 무효를 인정할 수 있다고

---

93) 최준선, 전게서, 666면.
94) 대법원 2012.11.15. 2010다49380.
95) 대법원 2010.4.29. 2008다65860; 대법원 2003.2.26. 2000다42786 등.

보았다.[96)

그러나 판례의 입장에 따르더라도 결국 정관 또는 법령에 위반되는 행위의 정도가 어느 정도여야 무효사유에 해당한다고 볼 수 있는지 여전히 명확하다고 보기 힘들다. 따라서 기존의 판례들에 비추어 미루어 짐작할 수밖에 없을 것이므로, 이하에서는 각 유형별로 간략히 판례의 내용을 살피기로 한다.

1) 판례의 일반적 경향

우선 정관에서 정하는 발행예정주식총수를 초과하여 수권주식 제도의 근본취지에 어긋나는 경우, 제417조의 절차를 거치지 않고 액면미달발행을 하는 경우, 회사가 자기의 계산으로 회사의 주식을 인수하는 경우와 같이 자본충실의 원칙을 위반하는 경우 등 회사법상의 기본 원칙에 어긋나는 경우 판례는 이를 무효로 본다. 다만 현물출자의 검사를 거치지 않은 경우 출자된 재산의 평가가 부당하지 않은 한 유효한 신주발행으로 보았음은 이미 살핀 바 있다. 또한 주주의 신주인수권을 무시하고 위법하게 제3자에게 신주를 발행한 경우에도 주주권을 중대하게 침해한 법령 위반으로서 무효라고 볼 것이다.[97)

한편 신주발행에서의 법률관계의 안정성을 고려하여야 하므로 되도록 어느 하나의 사유만 가지고 신주발행을 무효라고 판단하지 않고, 관련된 하자를 종합적으로 평가하고 나아가 무효로 될 경우 기래의 안전에 미치는 영향까지 고려하여 무효 여부를 판단하는 것이 판례의 태도라는 점 또한 유의할 필요가 있다.[98)

이와 관련하여 대표이사가 이사회의 결의를 거치지 않거나 그 하자 있는 결의에 근거하여 신주를 발행하는 소위 전단적 대표행위에 의한 신주발행에 대하여 논의가 있다. 즉 대표이사가 함부로 신주를 발행하는 것은 수권주식의 한계를 넘은 것이라는 무효설과,[99) 신주발행을 회사의 업무집행으로 보고 거래의 안전을 중시하는 유효설이[100) 대립하고 있는바, 판례는 일반적인 전단적 대표행위에 있어서 상대방의 인식여부를 기준으로 삼아오면서도,[101) 신주발행의 경우에

---

96) 대법원 2004.6.25. 2000다37326 등.
97) 이에 대하여 신주인수권 침해의 정도에 따라 달리 보아야 한다는 견해로 홍복기, "신주인수권의 제한과 그 양도," 「고시계」 제48권 제4호(고시계사, 2003. 4.), 32면.
98) 대법원 2010.4.29. 2008다65860 등.
99) 이철송, 전게서, 945; 최기원, 전게서, 824면; 김정호, 전게서, 662면.
100) 정찬형, 전게서, 1180~1181면.

는 인수인 개개인의 인식여부에 따라 그 효력을 다르게 정할 수 없다는 점을 중시하여 신주발행에 관한 이사회의 결의는 회사의 내부적 의사결정에 불과하다고 보아 그 하자는 신주발행의 효력에 영향이 없다고 하여 유효설의 입장을 취하고 있다.[102]

2) 특수한 무효 원인

가) 현저하게 불공정한 방법에 의한 신주발행

신주발행 방법이 현저하게 불공정한 경우에 대하여도 거래의 안전을 중시하는 유효설, 주주이익의 보호를 중시하는 무효설[103] 및 현저히 불공정한 방법에 따른 신주발행의 결과 지배권에 변동을 가져오는 정도가 되면 무효가 된다는 절충설[104] 등이 대립하고 있으나, 무효설과 절충설의 경우 지배권의 변동을 가져오는지 여부는 결국 현저하게 불공정한지 여부와 관련이 있다는 점에서 결국 비슷한 견해로 보인다.[105]

판례는 신주인수가 범죄행위를 수단으로 하여 이루어진 경우,[106] 이미 이사의 선임과정의 위법을 이유로 신주발행금지 가처분이 내려졌음에도 불구하고 이러한 이사들을 동원하여 이사회를 진행한 자들만 신주를 인수한 경우,[107] 그 방법이 현저하게 불공정하여 무효라고 보았다. 반면 신주발행으로 인하여 주식의 매각협상이 더 어려워지는 정도로는 불공정한 방법에 의한 신주발행이라고 할 수 없다고 본 사례도 있다.[108]

나) 자본조달 이외의 목적을 가진 제3자 배정

판례는 이미 회사가 경영권을 방어하기 위해서 우호적인 제3자에게 신주를 배정하는 것은 주주의 신주인수권을 침해한 것으로 보아 경영권 방어의 목적은 제3자 배정에 필요한 "경영상 목적"에 해당하지 않는다는 점을 분명히 하였

---

101) 대법원 1995.4.11. 94다33903.
102) 대법원 2007.2.22. 2005다77060.
103) 최기원, 전게서, 774면; 최준선, 전게서, 666면.
104) 정찬형, 전게서, 1181면; 이철송, 전게서, 945면.
105) 송옥렬, 전게서, 1152면.
106) 대법원 2003.2.26. 2000다42786(대주주가 회사의 지배권을 계속 보유하기 위하여 회사의 해외자산을 처분하여 이를 횡령한 자금으로 새로운 회사를 설립한 다음, 새로 설립한 회사가 기존 회사의 신주를 인수한 사례).
107) 대법원 2010.4.29. 2008다65860.
108) 대법원 1995.2.28. 94다34579.

다.[109) 최근 주로 문제가 되고 있는 경영권 승계 목적의 제3자 배정의 경우 판례는 경영권을 승계하기 위한 목적만으로 무효가 될 수 없다는 취지의 언급을 한 바 있으나,[110) 해당 판례의 사실관계상 경영권의 승계 목적이 뚜렷하지 않았다는 점에서 판례의 입장이 명확하지 않고, 경영권 승계 목적 역시 무효사유로 보아야 한다는 지적이 다수 존재한다.

다. 무효판결의 효과 및 판결후의 처리[111)

무효의 판결이 확정되면 제3자에 대하여도 판결의 효력이 미치고(대세적 효력, 제430조, 제190조 본문) 신주는 장래에 대하여 그 효력을 잃게 된다(제431조 제1항). 따라서 신주발행이 유효함을 전제로 하여 행하여졌던 배당, 의결권 행사, 주식의 양도 등의 효력에는 영향이 없다. 그러나 회사는 신주의 주주에 대하여 납입한 주금액을 반환해 주어야 하며(제432조 제1항), 신주무효의 뜻을 공고하여 주권회수절차를 밟아야 한다(제431조 제2항). 그리고 반환하는 납입금액이 회사의 재산 상태에 비추어 현저하게 부당한 때에는, 법원은 회사 또는 신주의 주주의 청구에 의하여 그 증감을 명할 수 있다(제432조 제2항) 주주가 납입주금액을 환급 받는 경우에 신주에 대한 질권자는 주주가 받는 금액에 대하여 물상대위권을 갖는다(제432조 제3항, 제339조, 제340조 제1항, 제2항). 그리고 이와 관련하여 변경등기를 할 필요가 있음은 물론이나. 한편 무효가 되는 경우 비발행주식수는 다시 회복된다.[112)

3. 신주발행의 부존재[113)

신주발행에 있어 그 절차적·실체적 하자가 극히 중대하여 신주발행이 존재한다고 볼 수 없는 경우, 예컨대 신주발행을 위한 이사회결의 등 신주발행의 절차가 전혀 없었거나 설령 있었다 하더라도 신주의 인수·납입과 같은 실체적인 요소가 불성립한 상태에서 주권을 발행하거나 사기적인 방법으로 증자의 변경등

---

109) 대법원 2009.1.30. 2008다50776.
110) 대법원 2004.6.25. 2000다37326.
111) 최준선, 전게서, 668~669면.
112) 김문환, "신주발행무효판결의 효력," 「고시계」 제48권 제10호(고시계사, 1996), 55~56면.
113) 최준선, 전게서, 669면.

기를 한 경우에는 일반적인 신주발행의 무효와는 달리 신주발행의 부존재라는 개념을 인정할 수 있다.[114] 이는 주권발행의 실체가 없이 형성된 외관을 제거하기 위한 것이다.

신주발행의 부존재는 신주발행의 무효와는 달리 제429조의 규정에 따른 제한을 받지 않으므로 누구라도 그 기한 및 방법에 제한을 받지 않고 민사소송법상 부존재를 주장할 수 있으며, 소로써 주장하는 경우에는 형성의 소가 아닌 확인의 소로써 부존재확인의 소를 제기할 수 있는데, 일반적 확인의 소의 효력만 가진다는 것에 유의할 필요가 있다.

---

114) 대법원 2006.6.2. 2006도48; 2004.8.20. 2003다20060; 2004.8.16. 2003다9636; 1989.7.25. 87다카2316 등.

제 2 절 사 채

Ⅰ. 사채의 발행 및 유통

김 두 환*

1. 사채의 의의

가. 사채의 개념

사채(bond, debenture; Schuldverschreibung)[1]란 주식회사가 일반 공중으로부터 비교적 장기의 자금을 집단적·대량적으로 조달하기 위하여, 일정한 권면액으로 세분화된 채권발행의 방법으로 부담하는 단위화된 채무를 의미한다.[2] 사채를 발행할 수 있는 회사는 일반적으로 주식회사이며, 유한회사나 유한책임회사는 상법의 규정으로 사채를 발행할 수 없는 것으로 본다(제287조의4, 제600조 제2항, 제604조 제1항 단서). 합명회사와 합자회사의 경우에는 사채발행을 금지한다는 규정이 없어 사채발행을 할 수 있다고 보는 견해도 있으나, 사채를 발행한 예가 없기 때문에 의미가 없다.[3]

사채는 주식회사가 일반공중으로부터 채권발행의 방법으로 부담하는 채무이다. 사채는 비교적 그 규모가 거액이고 상환기간이 장기라는 점에서 불특정한 다수인 사채권자의 보호를 필요로 한다. 따라서 상법상의 사채와 관련된 규정은

---

* 한경대학교 법경영학부 교수
1) 일반적으로 bond는 담보부로 발행되는 사채를, debenture는 무담보로 발행되는 사채의 뜻으로 쓰이나, 이것을 구별하지 않고 양자를 포괄하는 개념으로 bond라 하기도 한다.
2) 한편 일본회사법 제2조 제23호에서는 사채의 정의를 "일본회사법 규정에 의해 발행회사의 배정으로 발생하는 당해 회사를 채무자로 하는 금전채권이며, 제676조 각호에서 정하는 사항에 따라 상환되는 것"이라는 정의규정을 두어 애매한 해석을 배제하고 사채관련 규정의 적용유무를 명확히 하고 있다. 미국 모범회사법은 사채에 대해 회사가 차입을 하고 사채 등을 발행할 수 있다는 회사의 권한에 관한 규정[미국모범회사법 §3.02(7)]과 의결권 부여를 금지하는 규정[미국모범회사법 §7.21(a)]만을 두고 있다.
3) 일본회사법은 사채발행주체를 주식회사에 한정하지 않고, 합명회사, 합자회사, 합동회사, 특례유한회사도 사채를 발행할 수 있다(일본회사법 제2조 제23호).

대부분 강행규정이며, 원래 계약자유의 원칙이 적용되어야 할 회사의 금전채무인 사채에 대해 강행규정을 둔 이유는 일반공중인 사채권자의 보호에 있다고 할 수 있다. 따라서 사채는 대량성, 유가증권성, 집단성, 장기성이 있다는 점에서 엄격한 법규제가 필요하게 되고, 상법은 제3편 '회사' 제4장 '주식회사' 제9절 '사채'라는 표제 하에 비교적 상세한 규정을 두고 있다(제469조~제516조의11).

나. 사채와 주식의 이동(異同)

사채와 주식은 모두 회사의 자금조달 기능을 수행하고, 증권발행이라는 방법에 있어 유사성을 지닌다. 그리고 발행절차는 원칙적으로 이사회 결정에 의하며, 일정한 형식을 갖춘 서면에 의한 청약이 필요한 점도 유사하다. 공모의 경우 모집액이 일정액을 초과하면 주식이나 사채는 모두 자본시장과 금융투자업에 관한 법률상 일정한 제한을 받는다.

주식과 사채의 차이점은 다음과 같다. 사채권자는 회사에 대한 채권자에 지나지 않지만, 주주는 회사의 경영에 참가하는 구성원이다. 사채권자는 회사가 이익을 내었는가와 상관없이 확정적인 이자를 받지만, 주주는 회사의 이익과 관련하여 가변적인 배당을 받는다. 또한 사채권자는 기한이 도래하면 사채원금을 상환받지만, 주주는 회사가 해산하기까지는 출자금의 반환을 구하지 못한다. 사채는 자본의 귀속형태가 타인자본에 속하지만, 주식은 회사의 자기자본을 구성한다. 그리고 사채는 분할납입이 가능하지만(제476조 제1항), 주식은 전액납입을 행한다(제305조). 사채에는 금전에 의한 납입만이 가능하지만, 주식에는 현물출자도 가능하다.

회사의 자금조달의 편의를 위하여 주식과 사채의 중간적 성질을 갖는 증권이 생기고 있다. 의결권이 없거나 제한되는 종류주식이나 상환주식은 주식에 사채의 성질을 가미한 것이고, 전환사채, 신주인수권부사채, 이익참가부사채, 교환사채는 사채에 주식의 성질을 가미한 중간적 성질의 증권이라고 볼 수 있다.

다. 사채의 현황

1) 회사채 발행시장의 현황

발행잔액 기준으로 국내 채권시장에서 가장 큰 비중을 차지하는 것은 국채로 2020년말 기준 805조원, 35.6%다. 한편 회사채 발행잔액은 2020년말 기준 약

323조원으로 전체 채권시장의 약 14.3%를 차지하고 있다. 특히 전체 채권시장에서 비중은 2007년 9%, 2017년 12.9%, 2020년 14.3%를 차지하고 있다. 또한 회사채의 발행종목수도 2007년 2,488종목에서 2014년 8,828종목, 2017년 10,331종목, 2020년 11,558종목으로 점차 증가하였다.[4]

회사채의 발행액은 점차 증가하는 추세를 보이고 있는바 이것은 기업대출수요의 회사채로의 대체, 선제적 자금확보를 위한 기업들의 수요 증가, 저금리 기조로 인한 회사채 투자수요의 확대 등으로 해석할 수 있다.

2) 회사채 유통시장의 현황

2020년에 채권은 거래대금 기준으로 총 5,403조원이 거래되었는데 그 중에서 국채는 2,495조원으로 약 51.3%를 차지하였다. 회사채는 총 179조원이 거래되었다. 회사채의 유통형태는 장외거래가 주류를 이루고 있는데 장외거래의 경우 메신저를 통해 이루어지는 거래관행 때문에 회사채시장 발전에 장애요인이 되고 있다. 또한 회사채거래에 있어서는 채권운용자들의 인적 네트워크가 중요시되는데 공정한 시장가격에 의해 거래되기보다는 지인들에 의한 폐쇄적 거래가 다수를 차지한다. 그리고 새로운 채권운용자들이 시장에 진입하는데 굉장히 어려운 구조를 지니고 있는 것이 우리나라의 채권시장의 현실이다.

한편 채권에 대한 수요기반 확충과 시장조성 기능 확대를 위하여 장외 채권시장에서 매수와 매도 양방향 호가를 동시에 제출해 시장을 조성하는 전문딜러인 채권전문딜러제도를 2000년 6월에 도입하여 당시 증권 13개사, 은행 6개사가 지정하였고, 2021년 현재는 12개사가 지정되어 있다.[5] 금융감독원은 매 상반기와 하반기 주요 평가항목을 중심으로 채권전문딜러의 지정·의무요건을 평가하고 있다.[6][7] 채권시장의 유동성과 투명성 제고를 위해 도입된 이 제도는 금

---

4) 자료 금융투자협회 www.kofiabond.or.kr 참조.
5) 2021년 8월 현재 교보증권, 대신증권, 유안타증권, 삼성증권, 신영증권, 신한금융투자증권, NH투자증권, 한화증권, 현대증권, SK증권 10개 증권회사와 도이치은행, HSBC은행의 2개 은행이 채권전문딜러이다. 2013. 8.29.부로 산업은행, 2014. 8.26.부로 대우증권, 2016.1.1. 부로 미래에셋증권이 채권전문딜러에서 제외되었다.
6) 채권전문딜러의 최근 실적(단위: 백만원).   자료: 금융투자협회

구분	2017년	2018년	2019년	2020년
시장조성실적(매수＋매도)	129,275,716	103,304,731	94,100,700	105,032,851
채권보유(평잔)	8,467,280	9,056,009	9,439,564	11,535,865

융투자회사들이 단순중개, 위탁매매업무에서 탈피해 적극적인 시장조성을 통한 딜러업무를 확대하도록 하는 것이 중요하다.

라. 사채의 종류

1) 보통사채와 특수사채

사채권자에게 특수한 권리가 부여되어 있는가에 따라 보통사채와 특수사채로 분류할 수 있다. 특수사채에는 전환사채, 신주인수권부사채, 이익참가부사채, 교환사채, 담보부사채, 상환사채, 파생결합사채 등이 있다.

2) 담보부사채와 무담보사채

담보부사채란 담보부사채신탁법(제정: 1962. 1. 20. 법률 제991호, 개정: 2021. 4. 20. 법률 제18120호)에 의하여 물상담보[8]의 설정이 이루어진 위에 발행되는 사채이다. 담보부사채는 담보부사채신탁법에 특별한 규정이 없는 한 상법의 사채에 관한 규정이 적용되고, 절차가 까다로워서 거의 발행되지 않는다. 이에 대하여 사채를 위하여 법정의 물상담보가 설정되어 있지 않은 사채를 무담보사채라 한다. 상법상의 사채는 대부분 이러한 무담보사채를 말한다.

3) 보증사채와 무보증사채

보증사채란 사채원리금의 지급을 경제적·사회적으로 신인도가 높은 제3자 보증기관이 보증하는 인적담보가 붙은 사채이다. 보증사채는 물적담보가 설정되어 있지 않고, 담보부사채신탁법에 의해 발행된 것이 아니므로 담보부사채와 구별된다. 무보증사채란 사채원리금에 대한 제3자의 지급보증이나 담보신탁이 없이 발행회사의 신용만으로 발행되는 사채인데, 보증사채와 담보부사채를 제외한 사채를 말한다. 우리나라는 외환위기 이전에는 보증사채가 주류를 이루었으나

---

7) 채권전문딜러는 보유하고 있는 채권에 대하여 매도수익률 호가 및 매수수익률 호가를 동시에 제시하는 방법으로 채권의 원활한 거래를 위해 시장조성을 하는 자로서 금융감독원장이 지정한다.

8) 담보부사채신탁법 제4조(물상담보의 종류) ① 사채에 붙일 수 있는 물상담보는 다음 각 호의 것으로 한정한다. 1. 동산질, 2. 증서가 있는 채권질, 3. 주식질, 4. 부동산저당이나 그 밖에 법령에서 인정하는 각종 저당, 5. 동산, 채권 등의 담보에 관한 법률에서 정하는 담보권, 6. 그 밖에 재산적 가치가 있는 것으로서 대통령령으로 정하는 담보권 ② 상법 제542조의2에 따른 상장회사가 아닌 회사가 발행한 주식을 물상담보의 목적으로 하려면 금융위원회의 인가를 받아야 한다.

그 후에는 거의 무보증사채가 발행되고 있다.

4) 기명사채와 무기명사채

사채권에 사채권자의 성명을 기재하느냐의 여부에 따라서 기명사채와 무기명사채로 나누어 볼 수 있다. 사채권자는 언제든지 기명식의 채권을 무기명식으로, 무기명식의 채권을 기명식으로 바꾸어 줄 것을 회사에 청구할 수 있다. 양도와 입질요건에 차이가 있다. 우리나라에서 발행되는 사채는 거의 무기명사채이다.

5) 등록사채와 현물사채

사채를 종래의 공사채등록법에 의한 일정한 등록기관에 등록한 사채9) 또는 상법에 의해 일정한 전자등록기관의 전자등록부에 등록한 사채를 등록사채(상법 제478조 제3항)라 한다. 이에 대하여 등록기관에 등록하지 않고 현실로 사채권이 발행되어 있는 사채를 현물사채라 한다.10)

마. 사채계약의 성질

사채는 발행회사가 일반공중인 투자자로부터 비교적 장기의 자금을 집단적·대량적으로 조달하기 위하여 채권발행의 형식을 의하여 부담하는 채무이다. 발행회사와 다수의 사채권자간에 사채계약에 의하여 채권채무가 발생한다. 그렇다면 이러한 사채계약의 법률적 성질에 대해서는 채권매매설, 소비대차설, 소비대차와 유사한 무명계약설, 절충설로 나누어져 있다.

채권매매설은 상법이 원칙적으로 채권(債券)발행을 전제로 규정하고 있고, 등록사채를 인정하는 경우에도 등록이 말소된 경우에는 채권의 발행을 청구할 수 있도록 한 점 등에서 볼 때, 채권이 발행되는 사채발행의 경우는 채권매매설이 가장 무난하다고 한다. 이 견해에서는 사채의 경우에는 소비대차와는 다른 분할

---

9) 공사채등록법은 「주식, 사채 등의 전자등록에 관한 법률(2016. 3. 22., 법제14096호)」의 시행으로 폐지되었는데(부칙 제2조 제1항), 「주식, 사채 등의 전자등록에 관한 법률」은 공포(2016. 3. 22.) 후 4년을 넘지 않는 범위에서 대통령령으로 정하는 날부터 시행하고(부칙 제1조), 공사채등록법에 의해 등록된 사채 등의 전자등록에 관한 경과규정을 두고 있다.
10) 전자단기사채란 「전자단기사채등의 발행 및 유통에 관한 법률」에 근거하여 발행 및 유통되는 사채로서 소정의 방법으로 전자식으로 등록된 사채를 말한다. 전자단기사채를 발행하고자 하는 자는 한국예탁결제원에 발행인관리계좌를 등록하고, 사채를 발행하고자 할 때에는 금액, 채권자 등 소정사항을 결제원에 통지, 등록하는 방법으로 한다. 이 제도는 2013년 1월부터 시행되고 있다.

납입이나 할증발행 등이 인정되는데 소비대차설과 소비대차에 유사한 무명계약설은 이 점을 설명할 수 없다는 점을 비판하고 있다.[11] 소비대차설은 사채의 발행과 인수에 있어 당사자의 목적은 경제적으로나 법적으로나 금전채권·채무를 발생시키는 데 있으므로 소비대차로 보아야 한다고 한다. 이 견해에서는 채권매매설에 대해 사채계약과 시기적으로 부합하지 않고, 인수자의 목적이 채권(債券)의 취득에 있다기보다는 회사에 대한 채권의 취득에 있으므로 적절한 설명이라 할 수 없다고 한다.[12]

그리고 채권의 발행은 사채계약 성립의 효과라고 할 수 있으므로 일반적으로 사채계약은 소비대차와 유사한 무명계약이라는 견해가 있다.[13] 이 견해에서는 매출발행의 경우를 특별법에 의한 예외적인 경우로 본다. 또한 절충설에서는 일반적으로 사채계약은 소비대차와 유사한 무명계약이지만, 금융채권에 관하여 인정되는 매출발행의 경우에는 채권의 매매로 볼 수 있다고 한다.[14]

2. 사채관련 규정의 개정 내용(2011년 개정)

상법 중 사채에 관한 규정은 신주인수권부사채와 전환사채에 관한 부분을 제외하고는 상법 제정 이래 한 번도 개정이 없었다. 그러나 2011년 상법 개정과 관련하여 상법 사채편의 많은 부분의 개정이 있었는데 다음과 같이 요약할 수 있다. 사채총칙 규정의 정리와 사채권자의 보호와 사채관리의 강화, 사채권자집회규정의 합리화로 나눠볼 수 있다. 자금조달 강화와 사채권자보호를 강화하자는 취지의 사채편 개정은 사채 총칙규정과 관련하여서는 사채종류의 다양화, 사채발행사항의 결정 위임 기준의 마련, 사채발행총액 제한의 폐지, 불합리한 사채발행 규정의 폐지가 있었으며, 사채관리회사를 도입하여 사채관리를 강화하였다. 또한 사채권자집회 규정과 관련하여 결의사항, 소집권자, 의결권, 결의방법, 결의의 효력 등과 관련한 개정이 있었다.[15] 다음에서는 사채관련 개정 내용을

11) 정찬형, 「상법강의(상)」 제24판(박영사, 2021), 1264면; 최준선, 「회사법」 제16판(삼영사, 2021), 675면.
12) 이철송, 「회사법강의」 제29판(박영사, 2021), 1043면.
13) 이기수·최병규, 「회사법(상법강의 II)」 제9판(박영사, 2011), 582면; 채이식, 「상법강의(상)」 개정판(박영사, 1996), 860면.
14) 정동윤, 「회사법」 제7판(법문사, 2001), 504면.
15) 관련논문으로 윤영신, "상법개정안과 사채제도의 개선방향," 「상사법연구」 제28권 제3호 통

간단히 살펴보기로 한다.

가. 사채 총칙규정의 개정 내용

1) 사채종류의 다양화

개정 상법은 제469조 제2항과 제3항을 신설하여 특수사채로서 전환사채 및 신주인수권부사채 외에 이익참가부사채와 교환사채를 포함하여 파생결합사채 등 다양한 사채를 발행할 수 있는 근거를 마련하였다. 즉 이익배당에 참가할 수 있는 사채, 주식이나 그 밖의 다른 유가증권으로 교환 또는 상환할 수 있는 사채, 유가증권이나 통화 또는 그 밖에 대통령령으로 정하는 자산이나 지표 등의 변동과 연계하여 미리 정하여진 방법에 따라 상환 또는 지급금액이 결정되는 사채(파생결합사채)[16]를 발행할 수 있는 규정을 두었다(제469조 제2항 제1호~제3호). 상법 제469조 제2항은 발행 가능한 증권을 예시하는 규정으로써 다양한 사채발행의 근거를 명시한 것이다. 이익참가부사채와 교환사채는 이미 상장법인에 대하여 자본시장법(현행 자본시장법 제165조의11, 동법 시행령 제176조의12, 제176조의13)에서 허용해 오던 것을 상법에서 수용하였다. 한편 다양한 사채의 내용 및 발행 방법 등 발행에 필요한 구체적 사항은 대통령령으로 정하도록 하였다(제469조 제3항).[17]

2) 사채발행사항의 결정 위임

회사는 이사회의 결의에 의하여 사채를 모집할 수 있다(제469조 제1항). 이사

권 제64호(한국상사법학회, 2009. 11.); 권종호, "사채관리회사제도의 운영상의 쟁점과 과제,"「상사법연구」제31권 제2호 통권 제75호(한국상사법학회, 2012. 8.).

16) 금리(FRN), 통화, 신용(CLN), 상품 등에 연계되는 각종 신종사채의 발행 근거를 명확하게 하기 위한 규정이 필요하였는바, 기준이 되는 자산 또는 지표를 한정적으로 열거하는 방식은 금융공학의 발전에 따른 새로운 신종사채의 발전을 따라가지 못할 우려가 있으므로 자본시장법상의 파생결합증권 규정과 연동하여 상법상의 개념도 발전할 수 있도록 한 것이다. 그러나 실무상 발행되는 ELS(Equity Linked Securities, 주가연계증권)는 상법상 파생결합사채에 포함되나, 원본이 없는 ELW(Equity Linked Warrant, 주식워런트증권)의 경우 상법상 파생결합사채에 해당된다고 보기 어렵다. 구승모, "우리나라 2012년 개정 상법 시행령(회사편)의 주요내용,"「상사법연구」제31권 제1호(한국상사법학회, 2012. 4.), 85면; 법무부,「상법 회사편 해설」(법조협회, 2012. 4.), 360면.

17) 상법시행령(대통령령 제31422호, 2021. 2. 1., 일부개정)에는 제21조(이익참가부사채의 발행), 제22조(교환사채의 발행), 제23조(상환사채의 발행), 제24조(파생결합사채의 발행)를 규정하고 있다.

회 결의사항에서 세부적인 결정사항은 대표이사에게 위임할 수 있다고 해석되는데, 이 경우 이사회에서 어느 정도 구체적인 기준을 정할 것인가가 문제되는데 개정법에서는 제469조 제4항을 신설하여 입법적으로 해결하였다. 즉 정관으로 정함이 있는 경우에는 이사회는 대표이사에게 사채 금액과 종류를 정하여 1년을 초과하지 아니하는 기간 내에 사채발행을 위임할 수 있게 되었다. 다시 말하면 자금조달의 기동성 확보와 사채발행의 효율을 최대화하기 위해서 사채발행사항의 결정권을 대표이사에게 위임할 수 있도록 하였고, 그 남용을 방지하기 위하여 1년의 기간과 발행총액범위를 정하도록 하였다.[18]

3) 사채의 전자등록제의 도입

유가증권의 무권화 추세와 더불어 사채를 실물로 발행하는 대신에 정관으로 정하는 바에 따라 전자등록기관에 등록하여 증권을 소지하지 않고도 권리행사가 가능한 전자등록제도를 도입하였다(제478조 제3항). 전자등록부에 등록된 채권의 양도나 입질(入質)은 전자등록부에 등록하여야 효력이 발생한다. 그리고 전자등록부에 채권을 등록한 자는 그 등록된 채권에 대한 권리를 적법하게 보유한 것으로 추정하며, 이러한 전자등록부를 선의(善意)로, 그리고 중대한 과실 없이 신뢰하고 전자등록에 따라 권리를 취득한 자는 그 권리를 적법하게 취득한다(제356조의2 제2항, 제3항).

4) 사채발행 규제 등

사채발행 규제의 완화책으로 구상법 제470조의 사채발행 총액 제한 규정은 발행제한을 폐지해 달라는 경제계 요구와 논리적인 근거가 미약하여 삭제하였다. 또한 기동적인 사채 모집을 인정하려는 개정 상법에서는 구상법 제471조를 폐지하고, 의결권 산정기준을 최저 권면액에서 잔존채권액으로 변경하였으므로 구상법 제472조는 폐지하였다. 그리고 회사의 재무건전성을 유지하는데 도움이 되지 않고, 상법이 규율하기에 부적당하다는 이유에서 구상법 제473조를 삭제하

---

18) 이철송, 전게서, 1046면에서는 사채발행과 같이 상법상 이사회의 권한으로 정한 사항은 상법 제408조의2 제3항 제4호에 따라 이사회가 집행임원에게 위임할 수 없기 때문에 집행임원을 둘 경우 집행임원에 대해서는 사채발행의 위임이 불가능하다고 하며 입법상 착오라고 지적하고 있다. 최준선, 「2011 개정상법 회사편해설」(한국상장회사협의회, 2011. 12.), 191면에서는 개정상법의 취지상 현재로서는 집행임원을 둔 경우에는 예외적으로 사채발행사항을 집행임원에게 위임할 수 있는 것으로 해석할 수밖에 없다고 한다.

였다.

나. 사채관리회사의 도입

회사는 사채를 발행하는 경우에 사채관리회사를 정하여 변제의 수령, 채권의 보전, 그 밖에 사채관리를 위탁할 수 있다고 개정 상법 제480조의2를 신설하여, 사채관리회사제도의 도입을 임의제로 하였다. 또한 개정 상법은 사채관리회사의 자격을 은행, 신탁회사, 그 밖에 대통령령으로 정하는 자이어야 하고, 사채의 인수인, 사채를 발행한 회사와 특수한 이해관계가 있는 자로서 대통령령으로 정하는 자는 사채관리회사가 될 수 없다고 규정하고 있다(제480조의3).[19] 그리고 개정 전에는 수탁회사가 없게 되는 경우에 사무승계자를 정할 수 있다는 임의규정을 두었지만 개정법은 사무승계자 선임을 사채발행회사의 의무사항으로 하였다.

사채관리회사의 법정권한을 구체적으로 규정하고, 사채관리회사에 공익적 입장에서 착안된 권리인 조사권한을 개정 상법에서는 규정하였다(제484조). 그리고 사채관리회사와 사채권자간에는 계약관계가 있지 않으므로 사채관리회사가 사채권자에 대해 공평·성실의무와 선관주의의무를 부담하도록 하고 있다. 또한 의무위반으로 사채권자에게 손해가 발생한 경우 사채관리회사의 손해배상책임을 규정하였다(제484조의2).

다. 사채권자집회 규정의 합리화

개정법 제490조에서는 결의사항과 관련하여 「이 법에서 규정하고 있는 사항

---

19) 미국의 경우에 신탁증서법(Trust Indenture Act of 1939)은 수탁회사의 결격사유인 이익상 반관계로 간주되는 경우를 한정적으로 열거하고 있다. 이익상반관계로는 (i) 이중수탁관계 [제310조(b)(1)], (ii) 수탁자 또는 그 이사나 집행임원이 발행회사의 인수인인 경우[제310조(b)(2)], (iii) 수탁자와 발행회사의 인수인 간에 직접 또는 간접의 지배·피지배관계 또는 공동지배관계(관련회사 관계)인 경우[제310조(b)(3)], (iv) 수탁자 또는 그 이사나 집행임원이 발행회사 또는 인수인의 이사, 임원, 종업원, 또는 대리인 등인 경우[제310조(b)(4)], (v) 발행회사 또는 인수인 혹은 그 이사 또는 집행임원 등이 수탁자의 의결권부증권을 특정비율(10~20%) 이상 소유하는 경우[제310조(b)(5)], (vi) 수탁자가 발행회사 또는 인수인의 증권을 특정비율(5~10%) 이상 소유하는 경우[제310조(b)(6)], (vii) 수탁자가 발행회사 관련회사의 의결권부증권을 5% 이상 소유하는 경우[제310조(b)(7)], (viii) 수탁자가 발행회사 모회사 증권을 10% 이상 소유하는 경우[제310조(b)(8)], (ix) 수탁자가 상기 (6),(7),(8)에 해당한 증권을 신탁으로 25% 이상 소유하는 경우[제310조(b)(9)], (x) 수탁자가 채권자지위를 겸유하는 경우[제310조(b)(10)]가 있다. 수탁자와 사채권자가 이익상반관계인 경우에는 그 상황을 해소하거나 사임해야 하고, 발행회사는 후임자 선임절차를 신속하게 개시해야 한다[제310조(b)(i)].

및 사채권자의 이해관계가 있는 사항」에 관하여 결의할 수 있다고 규정하여 법원의 사전허가에 관한 규정을 폐지하였다. 이것은 사채권자의 이해관련 사항을 폭넓게 결의의 대상으로 하는 것이 바람직하고, 결의가 유효하려면 사후에 법원의 인가가 필요하므로 이중 규제가 불필요하기 때문이다. 소집권자는 사채관리회사의 도입으로 사채발행회사 또는 사채관리회사가 소집하게 되었고(제491조 제1항), 서면 외에 전자문서로 소집 청구할 수 있게 되었다(제491조 제2항). 또한 의결권과 관련하여 사채권자의 개별적 상환청구가 가능하다는 점을 전제로 사채권자는 사채권자집회에서 사채금액 합계액(상환받은 액을 제외)에 따라 의결권을 보유하는 것으로 미비점을 보완하였다(제492조). 그리고 사채가 무기명식으로 발행되는 현실과 사채권자집회 결의 정족수 충족의 어려움 때문에 서면투표제도와 전자적 방법에 의한 의결권행사제도를 도입하였다(제495조). 결의의 효력에 대해 개정 상법에서는 그 종류의 사채권자 전원이 동의할 경우에는 사채권자집회의 결의는 법원의 인가가 필요하지 않는 것으로 규정하였다(제498조 제1항 단서 신설). 기한의 이익 상실규정은 개정법에서는 강행규정으로 해석될 여지가 있고 신속한 사채관리에 장애가 된다는 이유로 폐지하였다(제505조, 제506조 삭제).

3. 사채의 발행

가. 사채의 발행방법

사채발행 방법에는 여러 가지의 형태가 있다. 사채발행 형태의 분류에는 발행 상대방의 특정여부에 따라 총액인수와 공모로 나누고, 공모를 다시 직접모집, 위탁모집, 도급모집 및 매출발행으로 나누는 방법과 발행회사가 직접 일반대중에 대하여 발행절차를 취하는가 중개자를 이용하여 간접적으로 모집하는가에 따라 직접발행과 간접발행으로 나누고, 직접발행을 직접모집과 매출발행으로 간접발행을 위탁모집, 위탁인수모집 및 총액인수로 나누는 방법이 있다. 사채발행 형태를 총액인수와 공모로 대별하는 방법은 발행 상대방의 특정여부에 따라 당사자의 외면적 특징을 기준으로 분류하는 것으로 법률적으로 명확하다고 할 수 있다.

이에 대해 사채발행 형태를 직접발행과 간접발행으로 대별하는 방법은 발행회사가 직접 공모한 경우와 중개자를 이용하여 간접적으로 모집한 경우는 발행절차, 중개자의 지위, 공중보호의 필요성 등 여러 가지의 점에서 다르다는 것에 착안한 것으로 사채발행의 경제적·실질적인 상위를 중시한 것이다. 이하에서는 채권발행 시장의 실정에 적합한 직접발행과 간접발행으로 분류하는 방법에 따라 설명한다.

직접발행에는 직접모집과 매출발행이 있다. 직접모집이란 발행회사가 직접 사채를 모집하는 것으로 일체의 모집사무와 발행에 대한 위험부담을 발행회사가 부담한다. 상법은 직접모집을 중심으로 규정하였지만(제474조) 모집사무가 복잡하여 직접 모집하는 경우는 드물다. 매출발행은 사채의 발행총액을 확정하지 않고 일정한 기간을 정하여 사채를 직접 매출하는 방법으로 매출된 금액만큼 발행된다. 일반주식회사에 대하여는 이러한 방법에 의한 사채모집은 인정되지 않으나 특수은행에서는 직접 매출하기도 한다.

간접발행에는 총액인수, 위탁모집, 위탁인수모집가 있다. 총액인수란 특정인이 발행회사와의 계약으로 사채총액을 포괄적으로 인수하는 것이다(제475조). 즉 발행업무의 일체를 인수기관이 처리하고 발행총액을 일괄 인수한 후에 인수기관 책임하에 모집 또는 매출하는 방법으로 현재 우리나라의 사채발행은 대부분 이 방법을 이용하고 있다. 위탁모집은 발행회사가 수탁회사에 사채모집을 위탁하는 것이다(제476조 제2항). 사채의 모집 또는 매출액이 발행총액에 미달하는 위험을 발행회사가 부담하여야 하므로 일반적인 사채발행에는 거의 이용되지 않는다. 위탁인수모집은 발행회사가 모집위탁계약으로 수탁회사인 은행이나 신탁회사에 사채발행 사무를 위탁하고 증권회사와 인수 및 모집주선계약을 체결하여 모집주선과 응모잔액을 인수시키는 방법이다(제474조 제2항 제14호).

나. 사채발행의 절차

최근 발행되는 사채는 거의 무보증사채이므로 무보증사채를 중심으로 발행절차를 살펴본다. 다음에서는 주로 상장된 주식회사가 발행하는 사채에 대하여 상법과 자본시장법[20] 그리고 관련 법규에 의한 사채발행절차를 중심으로 검토해

---

20) 사채를 공모하여 발행하는 경우 소정의 방법에 따라 산출된 50인 이상의 투자자에게 새로 발행되는 증권의 취득의 청약을 권유하는 경우에는 자본시장법의 적용을 받는다(자본시장법 제9조 제7항, 동법 시행령 제11조).

본다.

1) 대표주관회사의 선정과 채권인수의뢰

사채발행을 위한 최초의 준비작업은 대표주관회사를 선정하는 것이다. 발행회사로부터 증권의 인수를 의뢰받은 자로서 주관회사를 대표하는 금융투자회사를 말한다.[21] 대표주관회사는 발행회사가 사채 발행요건에 합당한가를 검토한 후 사채 발행의 중요사항을 협의하여 결정한다. 보증사채를 발행하는 경우 발행회사는 보증기관과 원리금지급에 대한 보증계약을 체결하는데, 이것은 발행회사의 이사회결의 후에 체결되나 사전협의가 필요하다. 사전협의로 보증기관의 선정, 보증조건 등을 결정하고 이를 토대로 이사회결의를 해야 하기 때문이다. 이사회 결의 전에 사전협의를 통하여 사채 발행내용이 확정되면 발행회사는 대표주관회사에 채권의 인수를 의뢰한다.

2) 이사회 결의

대표주관회사와의 협의를 토대로 사채발행에 관한 이사회 결의를 한다. 실질적인 내용은 이미 대표주관회사와 사전 협의되므로 이사회결의는 현실적으로 이를 확인하는 의미가 있다. 그러나 이사회결의는 그 이후의 사채 발행절차를 구속하므로 회사의 의사결정으로 매우 중요한 설차이다.

회사는 이사회의 결의에 의하여 사채를 모집할 수 있다(제469조 제1항). 이 원칙은 모든 사채에 미친다. 전환사채와 신주인수권부사채의 경우 주주이외의 자에게 발행할 때에는 그 발행에 관하여 중요한 사항을 정관의 규정이나 주주총회의 특별결의로 정하게 되어 있다(제513조 제3항, 제516조의2 제4항). 이사회가 결의를 함에는 사채의 총액, 각 사채의 금액, 사채의 이율 등 중요한 사항에 대하여 이사회가 결정한다. 이사회가 사채발행의 결의를 하면 구체적인 사채발행사무는 대표이사가 집행한다. 한편 대표이사가 이사회 결의 없이 사채를 발행하거나 결의는 있었으나 그 내용에 위배하여 발행하면 이사가 회사에 대하여 책임을 지는 것은 별론으로 하고, 그 사채 자체의 효력에는 영향이 없다는 것이 통설이다. 사채발행과 같은 집단적 대량적인 거래에서는 사채권자를 보호할 필요

---

21) 발행회사로부터 증권의 인수를 의뢰받은 자로서 주관회사를 대표하는 금융투자회사를 말한다. 금융투자협회의 증권인수업무 등에 관한 규정(2021. 6.17. 개정) 제2조 제5호.

성이 크기 때문이다.

그리고 이사회 결의사항에서 세부적인 결정사항은 대표이사에게 위임할 수 있다고 해석되고, 이 경우 이사회에서 어느 정도 구체적인 기준을 정할 것인가가 문제되는데 개정법에서는 제469조 제4항을 신설하여 입법적으로 해결하였다. 즉 정관으로 정함이 있는 경우에는 이사회는 대표이사에게 사채 금액과 종류를 정하여 1년을 초과하지 아니하는 기간 내에 사채발행을 위임할 수 있게 되었다. 다시 말하면 자금조달의 기동성 확보와 사채발행의 효율을 최대화하기 위해서 사채발행사항의 결정권을 대표이사에게 위임할 수 있도록 하였고, 그 남용을 방지하기 위하여 1년의 기간과 발행총액범위를 정하도록 하였다.[22]

3) 사채의 신용평가

인수회사가 무보증사채를 인수하는 경우 자본시장법에 따라 인가를 받은 자 중에서 2이상의 자로부터 무보증사채에 대해 평가를 받아야 한다.[23] 우리나라에서 회사채를 평가하는 신용평가업자에는 구 한국신용정보가 물적분할한 NICE신용평가, 한국기업평가, 무디스사(Moody's Investors Service)의 계열사인 한국신용평가의 3개 회사가 있다.[24] 이들 3개사의 점유율은 매년 비슷한 수준을 유지하고 있는데 신용평가 시장을 대등한 비율로 점유하고 있다고 볼 수 있다.[25] 한편 신용평가업의 허가요건[26]은 상당히 까다로우며 새로운 신용평가회사가 이러한 시장에 진입하는 것은 거의 불가능에 가깝다.

---

22) 이철송, 전게서, 1046~1047면에서는 사채발행과 같이 상법상 이사회의 권한으로 정한 사항은 상법 제408조의2 제3항 제4호에 따라 이사회가 집행임원에게 위임할 수 없기 때문에 집행임원을 둘 경우 집행임원에 대해서는 사채발행의 위임이 불가능하다고 하며 입법상 착오라고 지적하고 있다. 최준선, 「2011 개정상법 회사편해설」(한국상장회사협의회, 2011. 12.), 191면에서는 개정상법의 취지상 현재로서는 집행임원을 둔 경우에는 예외적으로 사채발행사항을 집행임원에게 위임할 수 있는 것으로 해석할 수밖에 없다고 한다.

23) 금융투자협회 증권인수업무 등에 관한 규정(2021. 6.17. 개정) 제11조의2(무보증사채의 인수) ① 금융투자회사가 무보증사채를 인수하는 경우 자본시장법 제335조의3에 따라 인가를 받은 자(이하 "신용평가회사"라 한다) 중에서 둘 이상(「자산유동화에 관한 법률」에 따라 사채의 형태로 발행되는 유동화증권을 인수하는 경우, 금융투자업규정 제8-19조의14에 따라 선정된 신용평가회사로부터 평가를 받은 경우 또는 신용평가회사의 업무정지 등 부득이한 사유가 있는 경우에는 하나 이상)의 신용평가회사(외국법인등이 발행한 무보증사채의 경우에는 「증권의 발행 및 공시 등에 관한 규정」 제2-11조 제2항 제1호 마목의 금융감독원장이 정하는 국제신용평가기관을 포함한다. 이하 이 장에서 같다)로부터 해당 무보증사채에 대한 평가를 받은 것이어야 한다.

24) 국내 회사채 3대 신용평가사 현황

한편 공정거래위원회가 한국기업평가, 한국신용정보,[27] 한신정평가주식회사가 회사채 등의 평가수수료를 공동으로 합의하여 결정함으로써 국내 신용평가시장에서의 경쟁을 부당하게 제한하는 행위를 하여서는 안 된다는 심결을 하였다.[28] 이들 신용평가회사들은 평가수수료 인상 등과 관련하여 의사를 조율하였고, 회사채 등 평가수수료 최고한도 상향조정 등 평가수수료 인상 등에 대해 모임을 갖고 누구도 이견을 제시하지 않아 사실상 합의를 하였다.[29] 이러한 수수료를 담합하는 부당한 공동행위는 신용평가시장의 경쟁을 제한하여 금융시장의 건전한 발전을 저해하였을 뿐만 아니라 부당한 방법으로 비용을 전가하고 수익

구 분	자본금	설립일	평가 개시일	최대주주	기 타
NICE신용평가*	50억	'86. 9	'87.11	(주)NICE홀딩스 (100%)	R&I(일본)와 업무제휴
한국기업평가	244.5억	'83.12	'87.11	Fitch Ratings (73.55%)	2002년 코스닥 상장
한국신용평가	50억	'85. 2	'85. 9	Moody's(50%+1주)	국내최초 회사채 평가

주: (구)한국신용정보 → (구)한신정평가(물적분할, '07. 11) → (현)NICE신용평가(사명변경, '11. 9)
25) 금융투자협회 채권부, "2021년 신용평가기관 평가결과," 2021. 6. 참조. 금융투자협회 채권정보센터 홈페이지(www.kofiabond.or.kr). 2021년도 상반기의 채권 평가실적은 1,240개사인데 한국기업평가 413개, 한국신용평가 397개, NICE신용평가 430개를 평가하였다.
26) 자본시장법(법률 제17805호, 2020. 12. 29. 일부개정) 제335조의3(인가) 제2항에서는 다음 각 호의 요건을 모두 갖추어야 한다. 1.「상법」에 따른 주식회사, 그 밖에 대통령령으로 정하는 법인일 것. 다만, 다음 각 목의 어느 하나에 해당하는 자는 제외한다. 가. 상호출자제한기업집단에 속하는 회사가 100분의 10을 초과하여 출자한 법인, 나. 대통령령으로 정하는 금융기관이 100분의 10을 초과하여 출자한 법인, 다. 가목 또는 나목의 회사가 최대주주인 법인, 2. 50억 원 이상으로서 대통령령으로 정하는 금액 이상의 자기자본을 갖출 것, 3. 사업계획이 타당하고 건전할 것, 4. 신뢰성 있는 신용등급을 지속적으로 생산하기에 충분한 인력 및 전산설비, 그 밖의 물적 설비를 갖출 것, 5. 임원이「금융회사의 지배구조에 관한 법률」제5조에 적합할 것, 6. 대주주(제12조 제2항 제6호 가목의 대주주를 말한다)가 충분한 출자능력, 건전한 재무상태 및 사회적 신용을 갖출 것, 7. 신용평가회사와 투자자 또는 발행인 사이의 이해상충을 방지하기 위한 체계를 갖출 것. 자본시장법시행령(대통령령 제31784호, 2021. 6. 18. 일부개정) 제324조의3(인가요건 등) 제4항 제1호에서는 공인회계사 5명 및 일정 요건을 갖춘 증권 분석·평가업무 경력자 5명을 포함한 20명 이상의 상시고용 신용평가 전문인력을 갖출 것을 요구하고 있다.
27) 한국신용정보는 2007. 10. 31. 신용평가업 허가가 폐지되어 이 사건 공동행위를 중단하였다.
28) 공정거래위원회 2010. 1. 13. 제2010-004호 의결(2009카총2364) 참조. 한편 전원회의 의결 후 한국신용정보와 한신정평가는 이의를 신청하였으나 기각되었다. 공정거래위원회 2010. 4. 13. 제2010-008호 재결(2010소심0598).
29) 이 심결로 한국기업평가는 2,787백만원, 한국신용정보는 1,081백만원, 한신정평가는 463백만원의 과징금을 부과받았고, 한국신용평가는 독점거래및공정거래에 관한 법률시행령 제35조(자진신고자 등에 대한 감경 또는 면제의 기준 등) 제1항 제2호의 요건을 충족하여 4,441백만원의 부과과징금액 전액을 면제받았다.

을 증대시키는 공정한 경쟁을 제한하는 행위로서 자유로운 시장질서를 해치는
행위이며 회사채 시장의 활성화를 저해하는 것으로 반드시 근절되어야 할 것
이다.

4) 총액인수 및 매출계약과 사채관리계약

주관회사는 증권을 인수함에 있어서 인수회사를 대표하여 발행회사와 인수조
건 등을 결정하고 인수 및 청약업무를 통할하여 업무를 수행하는 금융투자회사
를 말하는데, 총액인수 및 매출계약이라는 이름으로 사채모집과 납입 등의 발행
절차에 관한 계약을 발행회사와 체결한다. 그리고 발행회사는 사채의 관리와 사
채권자보호를 위한 사채관리계약을 별도로 체결한다. 그런데 보증사채의 경우
보증기관이 원리금상환을 보증하면서 실질적으로 수탁기능을 수행하고 있으므로
별도로 사채관리회사를 선임하지 않고, 무보증사채의 경우에만 선임한다. 따라서
보증사채의 경우에는 총액인수 및 매출계약서만 작성하면 되나 무보증사채의 경
우에는 추가로 사채관리계약서를 작성하여야 한다.

5) 증권신고서 제출 및 투자설명서 작성

총액인수 및 매출계약과 사채관리계약이 체결되면 발행회사는 금융위원회에
증권신고서를 제출하여야 한다.[30] 신고는 소정의 사항을 기재한 증권신고서를
제출하는 것인데 자본시장법이 증권신고서를 요구하는 것은 상법 제474조에 의
하여 요구되는 사채청약서만으로는 투자자에 대한 공시자료로 부족하므로 발행
인으로 하여금 해당 사채에 대한 정보를 공시하게 하여 투자자를 보호하기 위한
것이다. 만약 증권의 발행인은 증권신고를 철회하고자 하는 경우에는 그 증권신
고서에 기재된 증권의 취득 또는 매수의 청약일 전일까지 철회신고서를 제출하
여 취소할 수 있다(자본시장법 제120조 제4항). 또한 금융위원회는 증권신고서의
형식상 불비 및 기재내용이 불충분한 경우 등으로 정정신고서의 제출을 명할 수
있으며, 발행인도 당해 신고에 의한 청약일 개시 전에 당해 증권신고서의 기재
사항에 변경이 있는 경우 정정신고서를 제출할 수 있다(자본시장법 제122조 제1
항, 제3항).

증권신고의 효력이 발생하는 날에 발행회사는 투자설명서를 작성하여 발행회

---

30) 자본시장법 제119조 제1항.

사의 본점, 금융위원회, 한국거래소 및 청약사무를 취급하는 장소 등에 비치·공시하여야 한다[31](자본시장법 제123조 제1항, 동법 시행규칙 제13조 제1항). 또한 누구든지 증권신고의 효력이 발생한 사채를 취득하고자 하는 자에게 투자설명서를 미리 교부하지 아니하면 사채를 취득하게 하거나 매도할 수 없다(자본시장법 제124조 제1항). 청약을 받기 전에 투자자에게 투자판단 자료를 제공하기 위함이다.

6) 사채청약·납입·배정과 사채권의 발행

회사가 사채를 직접 공모할 때에는 회사가 청약을 받지만, 실제로는 거의 주관회사를 통해 모집하므로 청약도 주관회사 명의로 받는다. 청약을 받은 때에는 청약자에게 소정의 법정기재사항이 기재된 청약서를 교부하고, 청약서 2통에 인수할 사채의 수와 청약자의 주소를 기재하고 기명날인하게 하여 청약을 받아야 한다. 청약장소는 통상 주관회사의 영업점이다.

사채의 모집이 완료한 때에는 이사는 지체 없이 인수인에 대하여 각사채의 전액 또는 제1회의 납입을 시켜야 한다(제476조). 이때의 이사는 대표이사를 말하고, 분납할 것을 정한 사채의 발행 예가 없으므로 실제로는 전액 일시납입이라고 보아야 한다. 사채금액의 납입이 완료되면 회사는 사채를 발행하여야 한다(제478조 제1항). 채권발행의 방식에 관하여 법은 그 기재사항을 정하고 있고 이에 발행회사의 대표이사가 기명날인 또는 서명할 것을 정하고 있다(제478조 제2항). 또한 회사는 사채권(社債券)을 발행하는 대신 정관으로 정하는 바에 따라 전자등록기관의 전자등록부에 채권(債權)을 등록할 수 있다(제478조 제3항).[32]

---

31) 투자설명서 표지에 유가증권신고서의 효력발생일, 해당 증권의 모집가액 또는 매출가액, 청약기간, 납부기간, 유가증권신고서의 사본과 투자설명서의 열람장소, 정부나 증권신고서의 기재사항이 진실 또는 정확하다는 것을 인정하거나, 해당증권의 가치를 보증 또는 승인하는 것이 아니라는 뜻 등을 기재하여야 한다(자본시장법 시행령 제13조 제2항).

32) 주식 및 사채의 전자등록제란 유가증권 집중예탁제도로 인하여 주식의 73%, 사채의 96%가 예탁되어 실물증권에 대한 수요가 미미한 실정임을 감안할 때 기업은 실물증권발행의 부담을 덜고, 주주나 사채권자는 손쉽게 권리행사를 할 수 있게 하기 위한 제도이다. 구승모, "상법 회사편 입법과정과 향후과제," 「선진상사법률연구」 통권 제55호(법무부 상사법무과, 2011. 7.), 131면. 사채의 전자등록제도에 대한 논문으로 박철영, "전자등록제도 하에서의 사채관리에 관한 검토," 「상사법연구」 제30권 제2호 통권 제71호(한국상사법학회, 2011. 8.).

4. 사채의 양도

가. 사채권의 양도

사채의 경우 투자자가 필요한 경우에는 언제라도 사채를 쉽게 양도하여 투하자금을 회수할 길을 마련하여 주어야 한다. 다시 말하면 사채의 양도방법을 간편하고 안전하게 주어야 한다. 사채는 주식에서와 같은 자기주식취득금지의 규정이 없으므로 발행회사도 취득할 수 있다는 것에 이견이 없다.

나. 사채의 양도방법과 대항요건

기명사채의 양도방법에 대해서는 상법에 특별한 규정이 없으나, 기명사채의 성질이 일종의 지명채권이라 할 수 있으므로 지명채권의 양도방법에 의한다. 양도는 의사표시만으로 할 수 있고, 채권이 발행되어 있는 경우에는 채권의 교부가 양도의 효력발생요건이라 할 것이다(통설). 기명사채의 양도는 양수인이 그 성명과 주소를 회사의 사채원부에 기재하고 그 성명을 채권에 기재하지 아니하면 회사 기타의 제3자에게 대항하지 못한다(제479조 제1항). 명의개서대리인 제도가 사채에도 활용되므로 주식에 관한 규정을 사채에 준용하고 있다(제479조 제2항). 오늘날 기명사채는 거의 볼 수 없다. 무기명사채는 오로지 채권의 인도만으로 양도가 되고(민법 제351조, 제523조), 회사에 대항할 수 있다. 다시 말하면 인도가 효력요건이고 대항요건이다. 양도에 관한 설명은 질권의 설정에도 동일하다. 상법에 의하여 전자등록기관의 전자등록부에 등록된 무기명사채의 양도나 입질은 전자등록부에 등록하여야 그 효력이 발생하고(상법 제478조 제3항, 제356조의2 제2항) 종래의 공사채등록법에 의해 등록된 무기명사채의 이전은공사채등록법에 따로 규정되어 있다(공사채등록법 제6조).

다. 기명채권, 무기명채권간의 전환

사채권자는 언제든지 기명식의 채권을 무기명식으로, 무기명식의 채권을 기명식으로 전환할 것을 회사에 청구할 수 있다. 그러나 채권을 기명식 또는 무기명식에 한할 것으로 정한 때에는 그러한 전환의 청구를 할 수 없다(제480조). 그러한 조건을 정하였으면 사채청약서(제474조 제2항 제10호)와 채권(제478조 제2항 제2호)에 회사가 그 뜻을 기재하여야 한다.

Ⅱ. 사채관리회사

1. 사채관리의 기본문제

사채는 상환기간이 장기이고, 발행회사 경제상태의 변화 가능성이 있으므로 사채권자는 원리금지급을 확보해야 한다. 그러나 일반 사채권자는 적절한 수단을 강구할 수 없으므로 법이 사채권자의 이익보호를 위해 특별한 조치가 필요하다. 사채관리는 사채권자와 발행회사의 이익을 고려해야 하므로 양자의 이해가 충돌할 경우에는 사채권자의 이익을 우선하는 경우에도 적절한 조화가 필요하다. 무담보사채의 관리문제를 중심으로 살펴본다.

가. 재무대리인

사채관리의 가장 단순한 형태는 발행회사와 사채권자만이 당사자이고 사채관리를 사채권자의 책임으로 실행하는 방식이다. 그 예로 유로채(Eurobond)에서 수탁자를 두지 않고 재무대리인(Fiscal Agent)만이 있는 경우가 있다. 재무대리인은 발행회사로부터 원리금을 사채권자에 지급하는 업무를 위탁받은 자로 지급대리인(Paying Agent)과 실질적으로 동일한 역할을 수행한다. 이것은 사채권자가 아닌 발행회사를 위해 서비스를 제공하는데, 발행회사를 위해 원리금 지급사무를 취급하거나 사채의 잔존기간에 사무대행을 한다. 유로채의 발행회사는 대개 우량회사이고 상환기한은 단기이고 무담보채이며 발행회사의 특약조항도 간단하다. 따라서 사채의 채무불이행은 생각되지 않고, 복잡한 사채관리의 필요성도 없으며, 원리금지급은 문제가 없으므로, 지급사무의 처리가 확실하게 되는 것이 중요하다. 따라서 수탁회사가 아닌 재무대리인으로 족한 것이다.

나. 수 탁 자

발행회사, 사채권자 외에 수탁회사가 존재하는 신탁법리[33]를 이용한 영미법에서는 사채관리는 전문가인 수탁회사가 담당한다.[34] 수탁회사는 형평법상 수탁자(Trustee)로서의 의무와 책임으로 사채권자를 위해 사채관리를 행한다. 미국에서는 수탁회사의 설치를 원칙적으로 강제하지만[35] 영국은 임의로 하고 있다. 미국에서 우량기업의 사채라도 원칙적으로 수탁회사의 설치가 강제된다. 재무대리인과의 차이점은 우량기업이라도 장기간에 영업실적이 악화될 가능성이나 특약조항의 위반 가능성을 어떻게 평가하느냐이다. 그 가능성을 중요시하면 수탁회사를 설치하여 사채권자의 이익을 보호하게 되며, 이 경우 재무대리인에 비해 발행비용은 증가하여 사채권자의 부담으로 전가된다.

다. 사채권자집회

대륙법계에서는 재무대리인(Fiscal Agent)을 기본으로 사채의 대량성·집단성을 고려하여 사채권자집회가 있다. 사채권자집회는 사채권자의 이해관계 사항을 결의하고, 공통의 이해관계인 사채권자의 총의를 결정하는 임시합의체로, 권한, 소집, 결의방법, 효력, 집행에 관해 법적규제를 하고 있다. 사채권자집회는 임시적이므로 집회가 필요하지 않으면 개최할 필요가 없다.[36] 그리고 무담보사채에서 수탁회사의 설치는 임의적이므로 수탁회사를 설치하지 않고 필요한 경우 사채권자집회로 대처하는 방식은 비용은 낮아지나, 문제가 발생한 경우 적시에 사채권자집회를 개최하여 적절한 조치를 취하기에는 어려움이 있다. 또 특약조항

---

33) 미국에서 수탁회사와 사채권자와의 관계에 대해 세 가지 학설이 있다. 과거 학설로 대리설은 수탁자를 사채권자의 대리인으로 보는 입장이고, 계약설은 신탁증서의 조항이 수탁회사의 권리의무를 모두 정하고 있다는 입장이다. 신탁설은 수탁회사와 사채권자와의 관계를 신인관계(信認關係)로 보는 입장이다. Johnson, Default Administration of Corporate Trust Indenture: The General Nature of the Trustee's Responsibility and Events of Default, 15 St. Louis U. L. J. 203(1970). 판례의 일반적 동향은 대리설→계약설→신탁설로 발전해 왔다. First Trust Co. v. Carlsen, 129 Neb. 118, 261 N. W. 333(1935) (대리설); Hazzard v. Chase Nat'l Bank, 159 Misc. 57, N. Y. S. 541(Sup. Ct. 1936)(계약설); York v. Guaranty Trust Co., 143F. 2d 503 (2d Cir. 1944)(신탁설).
34) 미국에서는 Indenture Trustee, 영국에서는 Trustee of Debenture를 둔다.
35) 미국신탁증서법이 적용되는 사채를 발행하는 경우에는 일정한 권한을 가진 책임있는 수탁자가 임명되어야 한다[미국신탁증서법 제302조(a)(1)(2)]. 그리고 상설된 수탁자 중 적어도 1인은 미합중국, 주, 속령, 또는 콜롬비아특별구의 법률에 근거하여 설립되어 사업을 운영하는 법인이어야 한다. 이 수탁자를 기관수탁자라 하는데, 기관수탁자는 미합중국, 주, 속령, 또는 콜롬비아특별구의 법률에 근거하여 사채의 수탁권한이 부여되고 당국의 감독과 검사를 받아야 한다[미국신탁증서법 제310조(a)(1)].
36) 프랑스 상사회사법은 사채권자단체에 법인격을 부여하고, 공모사채의 경우 인수개시 1년내 또는 제1회 상환기한 1개월전 사채권자단체 대표자(representant de la masse)가 선임된다. 그 대표자는 사채권자를 보호하는 관리행위를 하는데, 기능은 영미법의 수탁회사와 유사하다.

을 발행회사가 준수하는지를 개별적 사채권자가 감시하기는 곤란하다.

라. 사채권자의 의사확인

영미법의 수탁회사나 프랑스법의 사채권자단체 대표자를 보더라도 사채권자 권리에 중대한 영향을 미치는 사항은 사채권자의 의사확인을 요한다. 예컨대 미국 신탁증서법은 사채원본을 만기에 수령한 사채권자의 권리는 그 자의 동의없이 침해받지 않는다는 것을 신탁증서에 강행적으로 규정하고 있고, 프랑스 상사회사법도 이자지급연기, 상환방법의 변경 등 사채계약을 변경하는 모든 사항은 사채권자집회의 특별결의를 요한다. 이것은 권리에 중대한 영향을 미치는 사항은 권리자만이 결정한다는 것에 근거한다. 그러면 사채관리를 담당하는 기관설치를 강제하고, 권한을 법률상 확장하더라도 일정사항에 대해 사채권자의 의사확인이 필요하다. 그러나 다수의 사채권자가 일반공중이면 사채권자집회를 개최하여 개별적으로 동의를 얻더라도 곤란한 경우가 발생할 수 있다.[37]

마. 우리나라의 사채관리

우리나라는 대륙법계에 속하므로 사채관리체제로 사채권자집회를 두고 있다. 사채권자집회는 사채권자보호를 위한 사체관리를 기본적으로 담당하며 이와는 별도로 상법에서는 모집의 수탁회사를 두어 사채관리에 관한 몇 가지 권한을 인정하고 있었으나, 2011년 상법을 개정하여 사채관리회사 제도를 도입하여 사채권자보호를 강화하였다. 이 사채관리회사는 순수하게 사채권자 보호를 목적으로 기능한다고 할 수 있다.

2. 사채관리회사의 도입

회사는 사채를 발행하는 경우에 사채관리회사를 정하여 변제의 수령, 채권의 보전, 그 밖에 사채의 관리를 위탁할 수 있다고 2011년 개정 상법 제480조의2를 신설하였다.[38] 사채권자를 위해서 개정 상법은 사채관리회사제도를 도입하였

---

37) 결의요건을 엄격히 하면 사채계약의 변경은 되지 않아 회사재건도 불가능한 경우가 있으나, 요건을 완화하면 권리변경은 권리자의 승낙을 얻는다는 원칙이 무시되게 된다. 이것을 조정하는 것은 수탁회사와 사채권자집회의 권한분배의 문제로 생각할 수 있다.

지만 비용부담의 문제 등을 고려하여 임의제로 하였다.[39] 그러나 사채가 자본시
장법상 공모의 형태로 발행되면서 무보증사채인 경우에는 금융투자협회의 증권
인수업무 등에 관한 규정 제11조의2 제2항[40]에 의해 사실상 선임이 강제되고
있다. 그러나 채권시장에서 발행되는 사채는 대부분이 공모채이고, 상법이 사채
에 관한 규정을 두는 취지는 공중인 사채권자의 보호에 있으므로 금융투자협회
의 일부 규정이 아니라 상법에서 사채관리회사제도를 강제하는 것이 바람직하
고, 예외가 있다면 이 또한 상법에서 근거 규정을 마련하여야 할 것이다. 이렇
게 강제하지 않는다면 사채관리회사를 도입한 취지가 몰각될 위험성이 있다. 이
것은 최근 일본에서 신용 위험이 높은 회사의 사채발행을 촉진하기 위하여 사채
관리회사의 설치를 정착시킬 필요가 있다고 주장하는 것과 그 궤를 같이한다고
볼 수 있다.

한편 일본회사법에서는 각 사채의 금액이 일억엔 이상인 경우 기타 사채권자
의 보호를 결할 우려가 없는 경우로서 법무성령에서 정하는 경우를 제외하고 사
채관리자의 설치는 강제하였다(일본회사법 제702조).[41] 한편 미국의 신탁증서
법[42]은 신탁증서법이 적용되는 사채를 발행하는 경우에는 일정한 권한을 가진

---

38) 관련자료로 김두환, "일본의 사채관리제도와 우리 상법개정안에 대한 소고," 「금융법연구」
   제6권 제2호(한국금융법학회, 2009. 12.).
39) 따라서 사채관리회사를 두지 않는 회사는 종전의 수탁회사를 둘 수 있다고 해석할 여지가
   있다. 상법은 '사채모집의 위탁을 받은 회사'라는 표현을 제474조 제2항 13호, 제475조 제2
   문, 제476조 제2항, 635조 제1항에서 아직도 사용하고 있다. 동지: 최준선, "개정이 시급한
   상법(회사법) 규정에 대한 연구," 「기업법연구」 제26권 제1호 통권 제48호(한국기업법학회,
   2012. 3.), 40면.
40) '금융투자협회' 증권 인수업무 등에 관한 규정(개정 2021. 6. 17.) 제11조의2 ② 무보증사채
   를 인수하는 경우에는 무보증사채의 발행인과 사채관리회사간에 협회가 정한 표준무보증사
   채 사채관리계약서(이하 '표준사채관리계약서'라 한다)에 의한 계약이 체결된 것이어야 한다.
41) 일본회사법 시행규칙 제169조는 어떤 종류의 사채총액을 당해 종류의 각 사채금액의 최저
   액으로 나눈 수가 50을 하회하는 경우라고 규정한다. 이것은 사채권자가 다수가 될 여지가
   없는 경우로 사채권자 보호를 위해 사채관리회사의 설치를 강제할 필요가 없다고 생각되었
   기 때문이다. 또한 각 사채의 금액이 1억엔 이상인 경우는 사채에 관하여 전문적 지식과
   경험을 갖춘 거액투자가로 원리금 지급해태에 적절히 대응할 수 있는 경우다. 일본에서 사
   채 발행 실무는 예외규정을 활용하여 사채관리자를 설치하지 않는 것이 다수이다. 최근 이
   러한 사채관리자를 두지 않은 사채의 채무불이행이 발생하였고, 그 대비책을 논의하던 중
   2019년 일본회사법을 개정하여 사채관리보조자 제도를 신설하였다(일본회사법 제714조의
   2~7 신설). 이 6개 조항의 사채관리보조자 제도는 사채권자를 위해 파산절차 등에 채권신
   고가 가능하게 하고 사채권자를 위해 행위할 때 개별 사채권자를 현명할 필요가 없다. 사
   채보조자의 자격으로 변호사, 법무법인도 사채관리보조자가 될 수 있다(일본회사법 제714
   조의 3, 일본회사법시행규칙 제171조의2).
42) 미국에서 담보부사채와 무담보사채에 대해 발행회사와 수탁회사 간에 체결되는 계약을 신

책임 있는 수탁자가 임명되어야 한다[신탁증서법 제302조(a)(1)(2)]고 규정하여 그 설치가 강제된다. 수탁자의 설치 강제 문제는 법이 어느 정도 수탁자의 권한과 의무에 개입하는가와 관련된다. 법이 과도하게 개입해 고도의 의무를 부과하면 비용도 증가하므로 반대론이 증가한다. 반면에 법의 개입 정도가 약하면 설치 강제의 의미가 감소한다. 일본에서 설치 강제 반대론이 적지 않은 반면에 미국에서 반대론이 적은 것은 법의 개입 정도가 균형을 이루고 있다는 것을 시사한다.

3. 사채관리회사의 자격

상법은 사채관리회사의 자격을 은행, 신탁회사, 그 밖에 대통령령으로 정하는 자[43]이어야 하고, 사채의 인수인, 사채를 발행한 회사와 특수한 이해관계가 있는 자로서 대통령령으로 정하는 자[44]는 사채관리회사가 될 수 없다고 규정하고 있다(제480조의3). 사채의 인수인[45]은 발행회사의 경영자와 밀접한 관련이

탁증서(trust indenture)라 하는데 무담보사채의 수탁회사도 신탁법의 수탁자로서 의무를 부담한다. 미국에서 사채권자의 이익을 대표하고 사채관리를 하는 자를 수탁회사(trustee 또는 corporate trustee)라 한다. 1939년 신탁증서법이라 불리는 28개조로 구성된 연방법률은 공익과 사채투사사 보호를 위해 연방증권거래위원회의 보고에 의해 제정되어 형식적으로는 1933년 증권법을 수정하여 동법의 제3편으로 추가되었다. Sowards, Hugh L., Business Organizations-Securities Regulation, The Federal Securities Act, vol. 11 part 1A Chapter 8, M Bender (NY), 1990, pp. 8~10. 미국의 신탁증서법이 사적 자치에 맡기지 않고 신탁증서의 내용에 개입하는 것은 수탁자의 의무와 책임 등에 관한 것은 사채의 발행가격에 반영되기 어려운 정보이고 시장원리로 규율되지 않음을 의미한다.

43) 상법 시행령(대통령령 제28211호, 2021. 2. 1. 일부개정) 제26조(사채관리회사의 자격)에 따르면 은행, 한국산업은행, 중소기업은행, 농협은행, 수협은행, 자본시장법에 따라 신탁업 인가를 받은 자로서 일반투자자로부터 금전을 위탁받을 수 있는 자, 자본시장법에 따라 투자매매업 인가를 받은 자로서 일반투자자를 상대로 증권의 인수업무를 할 수 있는 자, 한국예탁결제원, 자본시장법에 따른 증권금융회사를 말한다.

44) 상법 시행령 제27조(사채발행회사와의 특수한 이해관계)에서는 사채권자의 이익보다 발행회사의 이익을 우선시킬 우려가 있는 특수한 이해관계를 (i) 사채관리회사가 사채발행회사에 대하여 경제적 이해관계를 가지는 경우, (ii) 사채발행회사가 사채관리회사에 대하여 영향력을 가지는 경우, (iii) 사채관리회사와 사채발행회사가 동일한 영향력 하에 있는 경우의 세가지로 유형화하여 규정하였다. 비교법적으로는 일본보다는 미국의 규정을 참고하였다고 한다. 구승모, "우리나라 2012년 개정 상법 시행령(회사편)의 주요내용," 「상사법연구」 제31권 제1호(한국상사법학회, 2012. 4.), 92~93면. 또한 사채관리회사의 자격에 대한 논문으로 윤영신, "회사법 개정안상 사채관리회사의 자격에 관한 연구," 「상사판례연구」 제21집 제4권(한국상사판례학회, 2008. 12.)가 있다.

45) 상법의 인수(subscription)는 증권의 발행시 그것을 발행인으로부터 원시적으로 취득하는 계약을 말하며, 이 계약으로 증권을 배정받은 자가 인수인이 된다. 자본시장법상의 인수

있고, 발행회사 주식의 시장조성자일 수도 있으며 발행회사가 채무불이행이 되기 전에 미리 소유주식을 처분할 수도 있기 때문에 결격사유로 한 것이다. 현재 증권사와 예탁결제원, 증권금융 등 30여개 회사가 사채관리업무를 하고 있다.[46] 미국에서는 보통 은행이나 신탁회사가 수탁회사가 되고 있고, 일본에서는 대개 은행이 사채관리자가 되고 있다.

발행회사와 은행인 사채관리회사 간에는 채권채무가 발생하는 자금대부가 발생할 수 있다. 발행회사에 자금을 대출해 준 은행을 사채관리회사가 될 수 없도록 한다면 대규모 은행은 사채관리회사가 될 수 없고 중소규모의 은행만이 사채관리회사가 되어 결과적으로 사채권자에게 바람직하지 않을 것이다. 따라서 일본회사법의 제710조 제2항, 미국 신탁증서법의 제311조[47]의 우선적 변제수령의 금지와 같은 규정을 두어 사채권자를 충분히 법적으로 보호하는 장치를 마련하여야 할 것이다. 또한 사채관리회사가 보유한 비공개정보를 부정이용하는 문제가 발생할 수 있는데 정보의 부정유용을 규제하는 조치가 필요하지 않은지 검토해 볼 문제이다.

(underwriting)는 제3자에게 그 증권을 취득시킬 목적으로 그 증권의 전부 또는 일부를 취득하는 것이며 여기서의 인수인은 자본시장법상의 인수인을 의미한다고 본다. 따라서 상법과 자본시장법 등에서 혼재된 인수의 개념을 통일하는 작업이 필요하다고 생각된다.

46) 박철영, "회사채 투자자 보호의 문제점과 개선책,"「증권법연구」제15권 제1호(한국증권법학회, 2014), 134면. 한국예탁결제원 사채관리회사 담당자와의 인터뷰에 의하면 2019년 6월말 기준으로 증권금융이 50% 정도, 한국예탁결제원이 25% 정도의 점유율을 차지하고 있고, 은행은 한 군데도 없다고 한다. 예탁결제원은 400여개 종목의 사채에 대해 사채관리회사를 맡고 있다고 한다. 우리나라에서 특별히 은행은 사채관리회사가 되는 것을 기피하고 있는데 그 이유는 의무와 책임이 가중되어 있음에도 불구하고 사채관리 수수료가 낮게 형성되어 있기 때문이다. 사채관리 수수료는 보통 건당 500만원을 기준으로 사채의 만기, 발행회사의 신용등급, 사채의 종류에 따라 변동 폭이 있다.

47) 미국신탁증서법(Trust Indenture Act of 1939) 제311조(a)는 사채발행회사에 대한 채권의 우선적 추심에 관한 원칙적 규정을 두고 있다. 사채원본이나 이자지급의 지체라는 채무불이행시를 기준으로 신탁증서에 다음과 같은 사항을 규정해야 한다. 발행회사의「채무불이행전 3개월 내 또는 채무불이행후」에 수탁회사가 채무변제를 받거나 담보제공을 받은 때는 적용제외인 경우를 제외하고, 수령금액과 담보재산을 분별하여 특별계정으로 보유하고, 특별계정은 수탁회사(고유재산)와 사채권자(신탁재산) 간에 채권액에 비례하여 배분되어야 한다 (Trust Indenture Act of 1939 §311(a)).

4. 사채관리회사의 법적 지위

가. 법정권한 관계

발행회사와 사채관리회사간에 체결되는 사채관리계약에서 사채권자는 당사자가 아니다. 사채관리계약의 당사자가 아닌 사채권자에 대해 사채관리회사는 어떤 근거로 법적 지위는 어떠한가의 문제가 있다. 상법 제484조 제1항과 제4항의 사채관리회사의 법정권한은 사채권자 전원을 본인으로 하는 법정대리권이라고 해석된다. 법정권한의 관계에서 사채관리회사는 사채권자의 법정대리인이고 권한과 의무는 상법의 규정으로 정해지게 된다.

또한 상법 제484조 제4항에 정한 행위는 사채권자집회의 결의가 필요한데 그 취지는 이러한 행위는 사채권자의 권리 처분적 성격이 있고 사채관리회사의 법정대리권 행사에 신중을 요하기 때문에 사채권자 의도를 반영하는 기회를 준 것으로 해석되며, 그 자체가 대리권수여행위가 되는 것은 아니다.

나. 약정권한 관계

약정권한은 발행회사와 사채관리회사 간에 정하게 되는데 발행회사가 일정한 사항을 준수할 것을 약정하고 이를 위반하는 경우 특약조항을 정하는 경우가 많다. 실무에서는 「금융투자협회」의 표준무보증사채 사채관리계약서(개정 2019.9.5, 이하 표준사채관리계약서)[48]에서는 다양한 약정 권한을 두고 있다. 이러한 사채관리회사의 약정권한 행사효과가 사채권자에 미치는 것에 대한 법리 구성을 어떻게 할 것인지의 문제가 있다. 이것에 대해 우리 대법원은 발행회사와 수탁회사 사이에 사채권자를 위한 일종의 제3자를 위한 계약을 체결한 것으로 해석할 수 있다고 판시하였다.[49]

한편 일본에서는 이에 대해 제3자를 위한 계약, 신탁과 유사한 계약, 3자간의 계약이라는 것이 주장되었는데 그 중에서 제3자를 위한 계약이라는 구성이 가장 유력하다. 그러나 일본회사법에서 사채관리자의 약정권한은 발행회사와 사채관리자간 사채관리위탁계약에 규정된 외에 모집사채 발행에 관한 사항으로 결

---

48) 동 계약서는 금융투자협회에서 2002. 1. 9. 제정되었다.
49) 대법원 2005.9.15. 2005다15550.

정되고, 원칙적으로 신청인에게 통지되며 사채원부에 기재되므로 발행회사와 사채권자간 사채 계약의 내용이라고 할 수 있다. 따라서 일본회사법의 사채관리자의 권리의무는 사채계약과 사채관리위탁계약에 규정되어 양자는 서로 관련을 가지므로 양 계약을 일체로 하는 3자간의 계약이라고 이해하는 것도 가능하지만,50) 이것을 해결하는 방안으로 약정권한에 대해서도 법정대리권으로 구성하는 것이 타당하다는 논의도 있다.51)

다. 비현명의 문제

사채관리회사는 사채관리에서 사채권자의 법정대리인으로 행위하지만, 사채권에 관한 재판상 또는 재판 외 권한 행사는, 사채권자에 있어 상행위에 해당되지 않기 때문에 비현명대리(제48조)의 적용은 없다. 따라서 사채관리회사가 사채권자를 위해 행위하는 경우, 본인인 사채권자를 위해 행위하는 것을 나타내야 한다(민법 제114조). 그러나 사채권자는 다수로 항상 변동하고, 사채권자를 표시하는 것은 복잡하며, 무기명사채의 경우에는 사채권자를 인지하기 어렵다는 점에서 개별적으로 본인인 사채권자를 위해 행위하는 것을 나타내는 것은 곤란하다. 이에 대해 우리 상법은 아무런 규정이 없다. 입법의 불비라고 생각된다.

한편 일본회사법 제708조는 사채관리자 또는 특별대리인이 사채권자를 위해 재판상 또는 재판 외의 행위를 할 때는 개개의 사채권자를 표시할 것을 요하지 않는다고 한다.52) 일본의 사채관리자의 지위가 실체법상 법정대리인이라는 입장

---

50) 사채관리자의 약정권한은 사채계약이 제3자를 위한 계약이고 사채관리위탁계약의 체결로 사채관리자가 수익의 의사표시를 하였다는 구성도 생각할 수 있다. 이에 대해 사채관리자 의무에 관해서 사채관리위탁계약은 사채권자를 수익자로 하는 제3자를 위한 계약이라고 구성할 수 있다. 다만 일본회사법 제704조 사채관리자의 의무가 약정권한 행사에도 적용된다고 해석하는 한 이 점에서는 검토할 실익은 없다.

51) 위 견해는 모두 약정권한의 행사에 대해 사채관리자는 사채권자의 임의대리인으로 하는 것이다. 그러나 임의대리인으로 하는 경우 사채의 특정승계인과 관련하여 대리권이 존속하나 사채권자가 사망한 경우에도 대리권이 소멸하지 않는 것에 대해 설명이 필요하다. 상속인의 법정대리인(일본민법 제1015조)인 유언집행자의 지위와 권한이 참고된다. 즉 유언집행자가 권한을 행사할 구체적 사항은 유언서 내용에 따라 다르지만 모두 일본민법 제1012조에 의해 유언집행자에 인정된 「상속재산의 관리 기타 유언 집행에 필요한 일체의 행위」에 해당한다. 마찬가지로 사채관리자의 권한은 「사채관리」이고 거기에는 일본회사법이 구체적으로 정한 법정 권한 외에 일본회사법의 절차에 따라 정해지는 약정 권한이 모두 포함되어, 사채관리자는 양자를 포함한 「사채관리」를 행하는 지위와 권한이 법률상 인정되므로 약정 권한의 행사도 법정대리인의 지위로 행하는 것이라 할 수 있다.

52) 각각 사채권자를 표시하지 않아 좋은 것뿐이며, 사채관리자·특별대리인이 행위할 때에는

에서는 소송상 지위도 법정대리인이라고 해석하는 것이 일반적이다(소송무능력자
는 일본민사소송법 제28조에 의하고 그 법정대리는 원칙적으로 일본민법 기타 법령에
따르므로 실체법상 법정대리인은 일본소송법상으로도 법정대리인이다). 이 입장에서
일본회사법 제708조는 일본민법 제99조(대리의 현명원칙), 일본민사소송법 제133
조 제2항(소장에서 당사자 표시)의 특칙이라고 이해된다.[53]

라. 사채관리회사의 권한행사와 사채권자의 개별적 권리행사

사채관리회사가 존재하더라도 개별 사채권자가 발행회사에 대해 원리금 지급
청구를 하는 것은 가능하지만, 사채관리회사가 총사채권자를 위해 원리금 지급
청구의 소를 제기한 때는 개별 사채권자가 별개로 소를 제기할 수 없다.[54] 또
제484조 제4항 제1호는 사채관리회사가 해당 사채 전부에 관하여 지급유예 등
을 하는 경우에 관한 규정이고 이것 때문에 개별 사채권자가 발행회사와 자기의
채권에 대해 개별적으로 지급유예 등을 하는 것은 가능하다. 제484조 제4항 제2
호에 언급한 행위에 대해 사채권자집회 결의가 있는 경우에는 결의에 반대한 사
채권자를 포함하여 총사채권자가 그 결의에 구속되며, 사채권자가 개별적으로
절차에 참가할 수 없다. 문제는 제484조 제4항 단서에 의해 사채권자집회 결의
가 불요한 경우인데, 제484조 제1항의 권한과 마찬가지로 사채관리회사가 총사
채권자를 위해 행위하기 전까지는 개별 사채권자에 의한 행위가 허용되지만 사
채관리회사가 행위를 한 후에는 개별 사채권자에 의한 행위는 허용되지 않는다
고 해야 할 것이다.

한편 사채관리회사의 존재 의의가 사채권자의 합리적 무관심에 대한 대처에
있다면 사채권자의 행동을 제한할 이유는 없을 것이고, 사채권자간에 발생하는
전략적 행동을 억제하는 기능에 있다면 사채권자의 개별적 권리행사를 제한해야
할 것이다. 미국의 신탁증서법은 개별적 권리행사를 제한하는 조항(no action

어느 사채에 대해 행위하는가를 당연히 나타낼 필요가 있고, 구체적으로는 ○○株式會社 第
○回 無擔保保社債 社債管理者○○로 표시하여 사채권자 전체를 특정하고 행위하게 된다.
구일본상법 제309조의5에 대해 上柳克郎·竹內昭夫·鴻常夫 共著, 前揭書, 209面.

53) 吉戒修一, "平成5年 商法改正法の解說(九)," 「商事法務」 第1333號(1993), 21~24面. 이에
　　대해 일본민사소송법은 대리에 의한 소송행위가 비현명으로 된다는 사정을 전혀 예상치 않
　　았다는 것에 근거하여 소송법의 입장에서 사채관리자의 소송법상 지위를 법정소송담당자라
　　고 하는 것이 있다.

54) 江頭憲治郎, 「株式會社·有限會社法」(有斐閣, 2006), 644面.

clause)을 두고 있으나, 우리 상법에서는 없다.

5. 사채관리회사의 사임 · 해임 · 사무승계자

가. 사채관리회사의 사임

사채관리회사는 사채발행회사와 사채권자집회의 동의를 받아 사임할 수 있다. 부득이한 사유가 있어 법원의 허가를 받은 경우에도 같다(제481조). 사채관리자가 사채관리라는 발행회사와 사채권자에 중요 사무를 행하는 것에 근거한 위임계약 해제의 특별규정이다. 사채권자의 이해에 중대한 관계가 있기 때문에 사임의 경우 사채발행회사와 사채권자집회의 동의를 받도록 하였다. 이 동의는 출석한 사채권자의 과반수를 얻으면 된다. 사채관리계약서에 이와 달리 미리 사임 또는 해임할 경우나 기타 계약을 종료할 사항을 정하는 것은 허용되지 않는다. 이런 특약은 본조의 취지에 어긋나기 때문이다. 부득이한 사유란 사채관리회사가 해산한 경우, 사무처리를 하기 어려운 사정이 발생한 경우가 있을 것이다. 사채관리회사가 사임하면 그 지위를 잃지만 권리관계는 제483조의 사무승계자에 승계된다.

나. 사채관리회사의 해임

사채관리회사가 그 사무를 처리하기에 적임이 아니거나 그 밖에 정당한 사유가 있을 때에는 법원은 사채를 발행하는 회사 또는 사채권자집회의 청구에 의하여 사채관리회사를 해임할 수 있다(제482조).[55] 사무를 처리하는 데 부적임한 때 기타 정당한 사유에 해당하는 것은 사채관리회사의 재력이 현저하게 악화된 경우나 신용이 저하된 경우다. 또한 공평 · 성실의무 및 선관주의의무의 법정의무위반이 해당되는 것은 말할 것도 없지만 기타 사채관리위탁계약으로 정해진 구체적 의무위반도 포함된다고 해석할 여지가 있다. 사채관리자의 해임을 법원으로 한 것은 사채권자의 이해에 중대한 영향을 미치기 때문에 사채관리의 위탁자인 발행회사의 의사만으로 해임하는 것은 타당하지 않기 때문이다. 해임으로

---

55) 사채관리회사는 사채권자의 법정대리인인데 그 지위를 발행회사가 일방적으로 상실시키는 것은 상당하지 않으므로, 사채관리자회사의 해임을 계약 자치에 의하지 않고, 일정한 해임 사유가 있으면 발행회사 또는 사채권자집회의 청구에 의해 법원이 해임할 수 있다.

사채관리자가 없는 경우 발행회사는 사무승계자를 정하는 절차를 밟아야 한다 (제483조).

다. 사채관리회사의 사무승계자

상법은 사채관리회사의 사임이나 해임으로 사채관리회사가 없게 된 경우에는 사채발행회사는 그 사무를 승계할 사채관리회사를 정하여 사채권자를 위하여 사채 관리를 위탁하여야 하고, 이 경우에 사채발행회사는 지체 없이 사채권자집회를 소집하여 동의를 얻도록 하였다(제483조 제1항). 개정 전에는 수탁회사가 없게 되는 경우에 사무승계자를 정할 수 있다는 임의규정을 두었지만 개정법은 사무승계자 선임을 사채발행회사의 의무사항으로 하였다.

또한 부득이한 사유가 있는 때에는 이해관계인은 사무승계자의 선임을 법원에 청구할 수 있다(제483조 제2항). 이 경우는 제1항에서 발행회사가 사채권자집회의 동의를 얻지 못하거나, 제1항 이외의 사유로 사무승계자를 정하는 것은 모두 이 방법에 의하게 된다. 여기서 이해관계인이란 발행회사, 사채권자집회 그리고 잔존하는 사채발행회사들이 해당된다. 사무승계자로 선임된 자는 본래의 사채관리회사가 가지고 있던 사채관리계약상의 지위를 그대로 승계하여, 동일한 권리와 의무를 가진다.

6. 사채관리회사의 권한

가. 사채권자집회의 결의를 요하지 않는 법정권한

1) 상법 제484조 제1항의 권한

사채관리회사는 사채권자를 위하여 사채에 관한 채권의 변제를 수령하거나 채권실현의 보전에 필요한 재판상 또는 재판 외의 모든 행위를 할 수 있다(제484조 제1항). 사채권자집회의 결의를 요하지 않고 자기의 판단으로 행사할 수 있다. 사채에 관한 채권의 변제란 사채상환과 이자지급을 받는 것이고, 채권실현을 보전한다는 것은 예컨대 발행회사에 대해 시효중단의 조치를 취하는 것 등이다. 사채에 관련된 채권에는 발행회사, 보증인, 제484조 제3항의 의무를 이행하지 않고 해임된 이전의 사채관리회사에 대한 것이 포함된다. 또한 채권의 변

제수령에 필요한 행위를 할 권한에는 변제를 실제로 수령할 권한도 포함된다.[56]

제484조 제1항은 강행규정이고 특약으로 제한할 수 없다. 이러한 권한을 행사하기 위해 법원의 허가를 얻어 발행회사의 업무재산상황조사권이 있고 사채관리회사는 이러한 권한행사에 대해 공평성실의무와 선관주의의무를 부담한다. 사채관리회사는 발행회사로부터 사채의 상환을 받은 때에는 지체 없이 그 뜻을 공고하고 알고 있는 사채권자에게 통지하여야 한다.

2) 사채관리회사에 의한 변제수령

사채관리회사가 사채에 관한 채권변제를 수령한 때에는 그 한도에서 발행회사 등의 채무는 소멸하고 사채권자는 사채관리회사에 대하여 사채의 상환액과 이자지급을 청구할 수 있다. 이 경우 사채권이 발행된 때에는 상환액에 대해서는 사채권, 이자에 관하여는 이권(利券)과 상환으로 청구하지 않으면 안된다(제484조 제3항). 사채권자의 사채관리회사에 대한 위 청구권은 10년의 소멸시효에 걸린다(제487조 제2항).

3) 발행회사의 현저한 불공정행위에 대한 취소의 소 제기권

발행회사가 어느 사채권자에 대하여 한 변제, 화해, 그 밖의 행위가 현저하게 불공정한 때에는 사채관리회사는 소(訴)만으로 그 행위의 취소를 청구할 수 있다. 그 행위가 다른 동종류의 사채권자와 비교하여 불공정한 경우를 말한다. 그리고 발행회사의 악의를 요하지 않는다. 이 소는 사채관리회사가 소의 원인이 되는 사실을 안 때부터 6개월, 행위가 있는 때부터 1년 내에 제기하여야 한다. 이 소는 발행회사의 본점소재지를 전속관할로 한다(민법 제186조).

나. 사채권자집회의 결의를 요하지 않는 법정권한

제484조 제4항 제2호에 언급한 행위, 당해 사채 전부에 대한 소송행위 또는 채무자 회생 및 파산절차에 속한 행위(제484조 제1항의 행위를 제외한다)에 관해

---

56) 上柳克郎·竹內昭夫·鴻常夫 共著(編輯代表), 「新版註釋會社法」 第2補卷(有斐閣, 1996), 186面. 일본에서는 원리금 감면에 대한 논의가 있는데, 우리 상법도 사채권자 전체의 이익을 고려하고, 도산절차의 실효성을 보장하며 사채발행회사의 존속을 유지하는 것이 사채권자가 보유한 사채권 가치를 최대화하는 데 기여할 수 있으므로 원리금 감면에 대한 규정을 상법에 명시하는 것을 검토해 볼 수 있다.

서는 원칙적으로 사채권자집회 결의를 요하지만 발행회사가 사채권자집회 결의
에 의하지 아니하고 할 수 있는 취지를 정했을 경우에는 사채관리회사의 독자적
판단으로 할 수 있다(제484조 제4항 단서). 제484조 제4항 제2호에서는 파산 등
법적 도산절차에 속한 행위 외에 해당 사채 전부에 관한 소송행위가 규정되었
고, 소송 중에 재판상화해를 하는 경우는 제1호는 아니고 제2호가 적용된다고
이해되고 있다.[57]

다. 사채권자집회 결의를 요하는 법정권한

제484조 제4항 제1호에 언급한 행위, 즉 당해 사채의 전부에 대한 지급유
예,[58] 그 채무불이행에 의해 발생한 책임면제 또는 화해는 사채권자집회 결의
에 의하여야 한다. 지급유예 등을 하는 것이 사채권자 전체의 이익에 일치하는
경우가 있지만, 사채권의 처분(계약조건의 개정)에서는 그때마다 사채권자집회 결
의를 요하는 것으로 하였다. 일부면제 등 사채권의 내용을 변경하는 갱생계획안
등에 동의하는 것이나 재판상화해가 제484조 제4항 제2호에 해당하여 발행회사
가 모집사채에 관한 사항으로 사채권자집회 결의에 의하지 않고 할 수 있는 취
지를 정한 경우에는 사채권자집회 결의를 요하지 않는다. 이것에 대해 동항 제1
호는 강행규정이고 사채계약이나 사채관리계약 등으로 다른 특약을 하여도 무효
이다.

라. 약정권한

발행회사 간에 사채관리위탁계약으로 사채관리회사에 법률의 정하는 외의 권
한인 약정 권한이 부여되는 것이 이전에도 많았고, 상법의 해석으로도 특약으로
사채관리회사의 약정 권한을 정할 수 있었고, 약정권한에 근거하여 사채관리회
사가 사채권자에 효과가 미치는 행위를 유효하게 할 수 있는 것에 대하여는 이
의가 없었다.[59] 약정권한의 예로는 재무제한 조항(담보제공 제한조항, 이익유지 조

---

57) 이 문제는 일본의 경우 법제심의회 회사법회의에서 처음 제기되었다가 소송행위를 포함한
다는 사무국 제안이 특별한 논의도 없이 이해되었다. 그러나 집단적·획일적 처리가 요구되
는 법적 도산절차와 통상의 소송절차를 동일하게 취급하는 것에 대하여는 의문이 남는다.
58) 미국 신탁증서법에서는 3년을 초과하지 않는 이자지급유예는 미상환사채 원본총액의 75%
이상의 사채권자의 동의가 필요하지만 3년을 초과하는 이자나 원본지급의 유예는 사채권자
의 다수결로 결정할 수 없고 각 사채권자의 개별 동의가 필요하다. 이러한 점에서는 우리
상법이 탄력적 규제를 하고 있다.

항 등)60)에 발행회사가 위반한 경우에 기한이익을 상실시키는 권한 등이 있다.

마. 업무재산조사권

사채관리회사는 관리 위탁을 받은 사채에 대해 법정권한을 행사할 필요가 있을 때에는 법원의 허가를 얻어 발행회사의 업무 및 재산의 상황을 조사할 수 있다(제484조 제7항). 법원은 결정으로 조사 권한이나 사항의 범위를 한정할 수 있지만 그 범위 내에서 사채관리회사는 조사를 효과적으로 수행하기 위한 일체의 권한을 갖는다. 필요한 경우는 변호사 등 보조자를 사용할 수 있다.61) 업무재산 조사권이 법정권한의 행사에 필요한 경우로 한정한 이유는 사채관리회사에게 필요한 최소한의 조사권을 규정할 목적으로 중요한 경우만을 적용대상으로 하였기 때문이다.62) 또한 필요한 경우 법원의 허가 없이 조사권한을 정하는 것은 당사자 간의 약정으로 가능하다.

문제는 약정권한을 행사하기 위해 조사권이 인정되는가이다. 예컨대 사채관리회사가 기한이익상실 선고권한의 행사여부 판단에는 기한이익상실 약관의 전제인 재무제한조항 위반유무 등 발행회사의 업무재산상황을 조사할 필요가 있다. 그러나 개정법은 약정권한에 대해 규정을 두지 않아 약정에 의한다고 해석되기 때문에 규정 문언상 부정하지 않을 수 없다. 따라서 약정권한 행사를 위한 조사는 당사자간 약정에 따라 할 수 있다.63)

59) 上柳克郎·竹內昭夫·鴻常夫 共著, 前揭書, 190面.
60) 재무제한조항이란 사채권자를 보호하기 위해 발행회사의 차입, 담보설정, 배당의 사외유출, 보증행위 등 기업 재무내용의 일정사항을 설정한 사채권자 보호규정이다. 재무제한조항은 법률적으로 발행회사가 이것에 저촉되면 기한이익상실의 효력을 갖는다.
61) 上柳克郎·竹內昭夫·鴻常夫 共著, 前揭書, 204面.
62) 2011년 개정전 상법과 비슷한 1993년 개정전 일본상법에서는 업무재산상황조사권은 법정되지 않았지만 발행회사와 모집의 수탁회사간에 사채모집위탁계약에 약정조사권이 규정되는 것이 통례이었는데 보통 전형적인 문언을 작성하였다. 그 문언에서 모집의 수탁회사의 권한이 너무 강하여 수탁회사인 은행이 사채시장을 억압하는 경향이 있다는 발행회사와 증권업계의 비판이 있었다.
63) 前田庸,「會社法入門」第11版(有斐閣, 2006), 623面.

7. 사채관리회사의 의무

가. 공평·성실의무

제484조의2 제1항은 사채관리회사의 사채권자에 대한 공평·성실의무를 정하고 있다. 공평의무란 사채권자를 보유하는 사채권의 내용과 금액에 따라 사채권자를 공평하게 취급하는 의무를 말한다.[64] 예컨대 발행회사가 동일한 사채관리회사를 두고 서로 다른 종류(예컨대 발행조건이 서로 다른 A 사채와 B 사채)인 사채를 발행한 경우, 발행회사가 채무불이행에 빠지면 한 종류(A 사채)의 사채권자의 요청으로 사채관리자에 의해 담보 설정이 요구되면, 사채관리자는 다른 종류(B 사채)의 사채권자로부터 공평의무 위반이 될 가능성이 있다. 성실의무란 사채관리회사(사채권자외의 제3자를 포함한다)와 사채권자간에 이익상반이 있는 경우 사채관리회사는 자기나 제3자의 이익을 도모해 사채권자의 이익을 해하는 것은 허용되지 않는다는 의미로 해석된다. 다만 그 내용에 대해 수탁자는 수익자와 이익상반의 지위에 있어서는 안 된다는 영미법상 충실의무와 다르고 이익상반인 경우에는 그렇지 않는 경우와 비교하여 엄격한 책임을 부담한다는 것에 지나지 않는다는 지적이 있다. 공평성실의무는 계약에 근거하는 것이 아니고 법정의무이다.

성실의무위반의 전형적인 예로 발행회사에 재무상 특약 위반이 발생한 상태에서 사채관리회사가 사채에 기한이익을 상실시키지 않고 있다가, 사채관리회사 자신의 대부채권에 관해서는 은행거래약정서에 근거하여 기한이익을 상실시켜 예금채무를 상계하고 그 후 발행회사가 도산하여 사채의 대부분이 회수불능으로 되는 경우 등을 들 수 있다. 사채관리회사가 발행회사로부터 변제를 받는 경우에도 구체적 사안에 따라서는 성실의무위반이 될 수 있다.

나. 선관주의의무

사채관리회사는 사채권자에 대해 선량한 관리자의 주의로 사채관리를 할 의무를 부담한다(제484조의4 제2항). 사채관리회사와 사채권자는 당연히 계약관계

---

64) 吉戒修一, "平成5年商法改正法の解說(八)," 「商事法務」 第1332號, 1993, 28面.

에 있지 않으므로 이러한 규정을 두어 사채관리회사가 사채권자에 대해 선관주의의무를 부담하게 된 점은 공평·성실의무와 마찬가지다.[65] 선관주의의무란 민법 제681조의 위임사무처리에 관한 수임자 의무와 동일한 것이다. 이것을 사채관리회사의 의무로 규정한 것은 위임계약은 발행회사와 사채관리회사간에 체결되므로 사채권자에 대해 선관주의의무를 부담하는 것은 위임계약 일반론에서 도출되지 않아 규정할 필요가 있었던 것이다.[66] 예컨대 사채관리위탁계약에 의해 사채관리회사에 기한이익상실 선고권한이 부여된 경우 선량한 관리자의 주의로 판단하면 기한이익 상실선고를 해야 하는데 주의를 태만하여 선고를 하지 않았을 경우 이 의무에 위반한 것이 된다.

사채관리회사는 선관주의의무에 위반한 경우 사채권자에 대하여 손해배상책임을 부담한다(제484조의2 제3항). 미국의 신탁증서법상 수탁회사는 채무불이행 전에는 선관주의의무를 부담하지 않는다는 점에서 우리의 사채관리회사가 더 무거운 책임을 부담한다고 할 수 있다.[67] 일본에서는 성실의무와 선관주의의무의 관계는 이사의 충실의무(일본회사법 제355조)와 선관주의의무(일본회사법 제330조, 일본민법 제644조)와 관련하여 논의되는 것이 있는데,[68] 다만 사채관리회사의 성실의무와 선관주의의무는 병렬적으로 규정되어 있으므로 선관주의의무와는 다른 의미로 해석하는 것이 일반적이다.

다. 적용범위

제484조의2에서 정한 사채관리회사의 사채권자에 대한 의무는 법정 의무이고 약정에 의해 경감·면제할 수 없다. 제484조의2의 의무는 이른바 약정 권한

---

65) 前田庸, "平成5年商法等の改正要綱について,"「商事法務」第1316號(1993), 19面.
66) 前田庸, 前揭書, 624面. 표준무보증사채 사채관리계약서(금융투자협회) 제4-4조 ② 사채관리회사는 선량한 관리자의 주의로써 본 계약상의 권한을 행사하고 의무를 이행하여야 한다.
67) 미국의 신탁증서법상 채무불이행 발생 전 수탁회사는 신탁증서에 특별히 명시된 의무의 이행을 제외하고는 책임을 부담하지 않는다. Trust Indenture Act of 1939 §315(a)(1).
68) 우리 상법에서는 이사의 충실의무(상법 제382조의3)와 선관주의의무(상법 제382조 제2항, 민법 제681조)에 대해 동질설과 이질설의 대립이 있으며 대법원 1985.11.12. 84다카2490에서는 「이사가 제3자에 대하여 연대하여 손해배상책임을 지는 고의 또는 중대한 과실로 인한 임무해태라 함은 이사의 직무상 충실 및 선관의무위반의 행위로서 위법한 사정이 있는 것을 의미한다」고 하였으나 판례의 표현만 가지고는 동질설이나 이질설을 취하였다고 단정하기는 어렵다. 일본에서는 이사의 충실의무는 선관주의의무의 일부에 지나지 않는다(日本最高裁判所 1971.6.24. 判決 民事判例集 第二四卷六號624面)하여 학설도 일반적으로 지지한다. 江頭憲治郎, 「株式會社·有限會社法」(有斐閣, 2006), 392面.

의 행사에도 적용된다고 해석된다.[69]

8. 사채관리회사의 손해배상책임

제484조의2 제3항은 사채관리회사의 의무위반으로 사채권자에게 손해가 발생한 경우 사채관리회사의 배상책임을 규정한 것으로 당연규정이라 할 수 있지만 사채권자와 사채관리회사간에는 계약관계가 없으므로 법정책임을 발생한다는 취지로 규정되었다.

가. 총   설

사채관리회사가 상법 또는 사채권자집회의 결의에 위반한 행위로 사채권자에게 손해를 발생한 경우 사채관리회사는 사채권자에 대해 연대하여 손해배상책임을 진다(제484조의2 제3항). 이것은 당연한 규정처럼 보이지만 그 존재의의는 다음과 같다. 사채관리위탁계약은 사채관리회사와 발행회사 간에 체결되지만 계약에 사채관리회사가 사채권자의 이익을 위해 행위 할 의무를 부담하면 제3자를 위한 계약이나 신탁적 관계[70]로 법리구성을 하면 사채관리회사와 사채권자간에 계약관계가 발생하고 사채관리회사가 그 의무에 위반하면 사채권자가 계약상 채무불이행책임을 추궁할 수 있다. 그러나 상법이 사채관리회사에 부담하게 하는 법정의무는 사채관리위탁계약에 그러한 규정을 둘 수 없어 의무위반이 발생해도 계약에 근거하여 사채권자가 사채관리회사의 책임을 추궁할 수 없다. 따라서 그러한 의무위반에 관하여 특별히 법정책임을 규정한 것이다.[71] 사채관리회사가 복수인 경우 권한에 속한 행위는 공동으로 하지만 사채관리회사의 손해배상책임이 당연히 연대책임으로 된다고는 할 수 없어 연대책임을 규정하였다. 이것은 강행규정이고 사채계약이나 사채관리위탁계약에 사채관리회사의 책임을 면제·경감하는 특약을 두는 것은 무효이다.

---

69) 江頭憲治郎, 前揭書(株式會社·有限會社法), 645面.

70) 鴻常夫, "無擔保轉換社債の發行について,"「社債法の諸問題Ⅱ」(有斐閣, 1987), 95面.

71) 吉戒修一, "平成5年商法改正法の解說(九),"「商事法務」第1333號(1993), 24面. 그러나 사채관리회사가 발행회사에 대해 대출채권을 보유한 은행이라면 발행회사의 경영상태가 악화된 경우 사채관리회사인 은행이 먼저 자신의 대출채권을 회수할 우려가 있다. 이러한 경우 대비책으로 미국 신탁증서법 제311조를 참조할 필요가 있다.

나. 손해배상책임의 요건

위반행위에는 부작위를 포함한다. 법위반행위에 중요한 것은 사채관리회사는 사채관리에 대해 부담하는 공평성실의무와 선관주의의무위반이다. 사채관리회사는 발행회사로부터 변제를 수령한 때에는 사채권자에 대해 채권과 상환으로 상환액의 지급의무와 이권(利券)과 상환으로 이자지급의무를 부담하므로 그러한 의무불이행도 법위반행위이다. 법위반의 예로는 적시에 발행회사의 업무재산상황을 조사하고 채권실현을 보전하는 행위를 하면 사채권회수가 가능했음에도 선관주의의무에 위반하여 하지 않은 경우, 발행회사의 경영상태를 오판하여 사채권자집회에 대해 화해를 권고하여 사채총액에 대한 기한이익상실 시기가 지연되어 사채권자에 손해가 발생한 경우 등을 들 수 있다.

또한 선관주의의무에 관하여 손해배상청구소송에서 사채관리회사가 주의의무를 다한 것의 입증책임을 부담한다는 견해가 있을 수 있지만 사채관리회사의 책임은 일종의 수임자 책임이므로 매매계약의 불이행과 달라 채무자(사채관리회사)가 무과실의 입증책임을 부담한다고는 할 수 없다.[72] 그러나 성실의무에 대해서는 이익상반이 의심받는 상황에서 사채관리회사는 손해배상청구소송의 입증책임에 대해서는 보다 엄격한 입장에 놓여질 것 같다.

사채관리회사가 배상해야 하는 손해는 (i) 사채관리회사의 당해행위가 없었다면 사채권자가 발행회사로부터 수령할 변제액과 (ii) 사채권자가 실제로 수령한 변제액의 차액이다. (i)의 금액 인정은 곤란한 경우가 있지만 제반사정을 감안하여 법원이 결정하는 수밖에 없다. (ii)의 금액은 발행회사의 파산절차가 종결한 시점에서 확정한다. 그러면 사채권자의 손해배상청구권의 시효기간은 파산절차의 종결시점에서 기산한다고 해석된다.

다. 손해배상청구권자

개별적인 사채권자가 자기가 받은 손해에 대해 행사한다.[73] 그러나 사채관리회사의 사무승계자가 총사채권자를 위해 배상청구권을 행사하는 것도 학설은 인정하고 있다.

---

72) 江頭憲治郎, "受託會社,"「商事法務」第1155號(1988), 15面.
73) 吉戒修一, 前揭論文,「商事法務」第1333號, 24面.

Ⅲ. 사채권자집회

1. 사채권자집회의 개념

가. 사채권자집회의 의의

사채권자는 공통의 이해관계에 서서 실질적으로 공동 이익단체를 구성하고 있다. 상법은 사채권자를 보호하기 위해 사채권자가 공동의 이익을 위해 집단적 행동을 하는 것을 인정하여 사채권자집회 제도를 두고 있다. 사채권자집회란 중대한 이해관계가 있는 사항에 대해 사채권자의 총의를 결정하려고 사채권자에 의하여 구성된 합의체이다. 이 제도에 의해 사채권자는 공동 이익을 위해 통일적이며 단체적인 행동을 취할 수 있고, 발행회사도 개별 사채권자를 상대로 교섭하지 않아도 되는 편리함이 있다.

사채의 경우 채권의 내용은 사채계약에 의하지만, 사채 발행회사가 원리금 지급을 지연하는 등 곤란한 상태에 빠진 경우, 사채계약의 내용을 변경하여 변제를 연기하거나 채권 일부를 포기하는 것이 사채권자 전체의 이익에 도움이 되는 경우가 있다. 이러한 경우 개별 사채권자 전부의 동의를 구해야 한다면, 일부 사채권자가 동의하지 않아 계약의 내용을 변경하지 못하여 사채권자의 이익을 해하는 경우가 있을 수 있다. 따라서 사채권자로 조직되는 사채권자집회에서 다수결로 사채권자 전체 이익을 위해 사채계약의 내용 등의 변경을 모든 사채권자에 강제하도록 한 것이다.

이처럼 사채권자집회 결의로 사채계약의 내용을 변경하는 것은 일정한 합리성이 인정되지만, 한편으로는 계약 내용의 불이익한 변경으로 사채권자의 이익을 해할 가능성도 있으므로, 사채권자집회의 결과 바로 결의의 효력을 인정하는 것이 아니라, 법원의 인가를 얻음으로써 효력이 발생되도록 하여 사채권자의 이익을 보호하고 있다. 그러나 현실적으로 다수의 분산된 사채권자가 단체를 이루는 경우에 구성원을 알기 어렵고, 번거로운 절차로 인해서 실제로는 많이 이용되지 않고 있다.

나. 주주총회와 차이점

사채권자집회는 임시기관이고 상설기관이 아니다(제491조). 상설기관이 아닌 점은 주주총회와 동일하지만 주주총회와 달리 사채권자집회에는 정기 집회는 없다.

사채권자집회는 법정 결의사항에 한해 사채권자의 의사를 결정하는 기관에 지나지 않고 그 결의의 집행은 사채관리회사 등이 행한다(제501조). 사채권자집회의 의결사항은 법정되어 있으며, 사채권자집회결의는 당연히 효력은 발생하지 않고 법원의 인가가 있어야 비로소 효력이 생긴다(제498조). 법원이 개입하므로 주주총회결의와 달리 결의부존재·무효의 소의 제도는 없다.

사채권자집회는 동일한 종류의 사채권자별로 별개의 집회가 구성된다(제491조). 종류 주식을 발행한 주식회사에서 주식의 종류별로 종류주주총회가 개최되는 것과 유사하다.

2. 사채권자집회의 권한

가. 결의의 대상

개정 전 상법에서는 사채권자집회는 상법에 규정이 있는 경우외에는 법원의 허가를 얻어 사채권자의 이해에 중대한 관계가 있는 사항에 대하여 결의를 할 수 있다고 되어 있지만(개정 전 제490조) 개정법에서는 「이 법에서 규정하고 있는 사항 및 사채권자의 이해관계가 있는 사항」에 관하여 결의할 수 있다고 규정하여 법원의 사전허가가 아니고, 사후인가로 결의의 유효성이 결정된다. 상법은 중요성의 판단에 대해 사전 요건을 설정하지 않고, 사채권자의 이해관계가 있는 사항이면 종전과 같이 중대한 것이 아니라도 결의를 할 수 있는 것으로 해석된다. 법정 사항이 아니라도 사채권자 전체의 이해관계가 있는 사항으로 사채권자집회의 결의가 있고 법원의 인가를 받은 사항은 사채권자 전체를 구속하는 효력을 가지게 된다(제498조 제2항).[74]

---

74) 成和共同法律事務所, 野村イソベスター・リレーショソズ(株), 會社法現代化要綱案のすべて, 「商事法務」(2005), 160面

나. 특별결의사항

상법이 규정한 법정결의사항 중 특별결의를 요하는 사항은 다음과 같다.

(ⅰ) 사채관리회사가 다음 각 호의 어느 하나에 해당하는 행위(사채에 관한 채권을 변제받거나 채권의 실현을 보전하기 위한 행위는 제외한다)를 하는 경우(제484조 제4항) 1. 해당 사채 전부에 대한 지급의 유예, 그 채무의 불이행으로 발생한 책임의 면제 또는 화해, 2. 해당 사채 전부에 관한 소송행위 또는 채무자 회생 및 파산에 관한 절차에 속하는 행위. 다만 사채 발행회사는 제2호의 행위를 사채관리회사가 사채권자집회결의에 의하지 아니하고 할 수 있음을 정할 수 있다. 사채의 불이행시 신속하게 사채관리회사가 소송절차 등을 할 수 있도록 하기 위함이다.

(ⅱ) 사채권자집회의 대표자의 선임(제500조 제1항),

(ⅲ) 결의집행자의 선임(제501조 단서),

(ⅳ) 사채권자집회의 대표자, 집행자의 선임 등(제504조),

(ⅴ) 자본의 감소 또는 합병에 대한 이의(제439조 제3항, 제530조 제2항),

(ⅵ) 사채권자집회의 연기 또는 속행(제510조 제1항, 제372조),

(ⅶ) 발행회사의 불공정행위에 대한 취소의 소(제512조)

다. 보통결의사항

보통결의를 요하는 사항은 다음과 같다.

(ⅰ) 사채관리회사의 사임에 대한 동의(제481조 전단),

(ⅱ) 사채관리회사의 해임청구(제482조),

(ⅲ) 사채관리회사의 사무승계자 선임(제483조 제1항),

(ⅳ) 사채발행회사 대표자의 출석 요구(제494조),

(ⅴ) 사채권자집회에서 의사진행에 필요한 결의.

라. 사채권자의 이해관계가 있는 사항

사채권자집회는 위의 법정사항 외에 사채권자의 이해관계가 있는 사항에 대해 결의를 할 수 있다. 개정 전 상법에서는 이러한 경우 사전허가를 받도록 되어 있었으나 사전허가는 불필요하다는 논란이 있어 폐지하였다. 이것은 사채권자집회가 사채권리의 균질성을 유지하는 제도이므로 사채권자의 이해와 관련된 사항을 폭넓게 결의의 대상으로 하는 것이 바람직하고, 결의가 유효하려면 사후에 법원의 인가가 필요하므로 이중으로 규제를 할 필요성이 없기 때문이다. 다만 사전 허가제도가 없어져 법원의 허가 없이 사채권자집회 결의를 하기 때문에 의안의 적법성과 유효성에 대해 의문이 있는 사안은 관할법원에 사전 상담을 실시하는 등 사채권자집회 소집 전에 확인할 필요가 있을 것이다. 사채권자의 이해관계가 있는 사항이란 사채원리금의 지급유예, 이율의 인하, 이행지체로 인한 책임의 면제 등과 같은 것이다.

3. 사채권자집회의 소집

사채권자집회 소집권자인 발행회사, 사채관리회사, 사채의 종류별로 해당 종류의 사채 총액(상환받은 액은 제외)의 10분의 1 이상에 해당하는 사채를 보유한 사채권자는 회의 목적 사항과 소집 이유를 적은 서면 또는 전자문서를 사채발행회사 또는 사채관리회사에 제출하여 사채권자집회의 소집을 청구할 수 있도록 하여 서면 외에 전자문서로 소집 청구할 수 있다(제491조 제1항, 제2항).[75] 이 청구를 받은 회사가 지체 없이 소집의 절차를 밟지 아니하면 소수사채권자는 법원의 허가를 받아 스스로 이 집회를 소집할 수 있다. 이 경우 사채권자집회의 대표자는 법원이 이해관계인의 청구나 직권으로 선임할 수 있다(제366조 제2항). 수종의 사채를 발행한 경우에는 사채권자 사이에 이해관계가 서로 달라 사채권자집회는 종류별로 열게 되어 있다(제509조). 수종의 사채가 발행된 경우 전체 사채권자집회를 열게 되어 있지는 않다. 이점은 사채와 주식의 차이점이 된다.

무기명식의 채권을 가진 자가 소수사채권자로서 사채권자집회의 소집을 청구하거나 스스로 소집하려는 경우에는 그 채권을 공탁하여야 하는데(제491조 제4항), 공탁공무원이나 대법원장이 정하는 은행 또는 신탁회사에 하여야 한다(부칙

---

75) 사채권자집회 소집청구 요건은 소수 주주에 의한 소집청구 요건인 100분의 3보다 가중되어 있어 그 요건을 완화하는 것이 바람직하다. 또한 사채권자집회 소집지에 대해 아무런 규정이 없으나 사채권자가 권리행사를 하는데 적당한 장소를 정해야 할 것이고, 일반적으로 사채관리계약으로 정하게 된다. 표준무보증사채 사채관리계약서(금융투자협회) 제5-3조(사채권자집회) ① 상법 제491조에서 규정하는 사채권자집회는 ○시(도)에서 개최한다.

제7조). 사채권자집회의 소집절차에 대하여는 주주총회의 소집절차에 관한 규정이 준용된다(제510조 제1항, 제363조).

일본에서는 특히 무기명 사채권자의 권리행사와 관련하여 증권회사가 보관하고 있는 무기명사채권에 대해 공탁절차가 번잡하고, 공탁소까지 운반하는 비용 등이 문제점으로 지적되었다. 그래서 무기명 사채권자가 의결권을 행사하기 위해 사채발행회사나 사채관리자에 대하여 사채권을 제시하는 것으로 하여 의결권행사를 용이하게 하고 있다(일본회사법 제718조 제4항). 이것으로 대량 무기명사채권을 증권회사가 보관하는 경우에는 사채발행자가 증권회사의 금고에서 제시를 받는 것이 가능하다.[76] 그리고 사채권을 증권회사에 맡긴 채로 증권회사 발행의 잔고증명서나 보관증명서를 제시하는 방법 등, 사채발행회사가 인정하는 방법이면 충분하다는 것이 일본에서 논의되고 있다. 또한 사채권을 실제로 제시하는 경우 이중 제시의 방지를 위해 사채권에 확인도장을 날인하는 것이 실무상 필요하다는 지적이 있다.[77] 우리나라에서는 복잡한 공탁절차로 인해서 사채권자는 많은 불편을 감수해야 하는데 그로 인해서 사채권자의 권리행사 의지가 저하될 가능성이 높다.[78] 전자등록된 무기명사채는 채권이 존재하지 않으므로 전자등록기관의 등록증명서를 공탁하거나 제시하도록 하는 것이 합리적이라는 제안이 있다.[79]

4. 사채권자집회의 결의

가. 의 사

사채발행회사 또는 사채관리회사는 사채권자집회에 이해관계를 가지므로 사채권자를 위해서도 대표자로 하여금 출석하여 의견을 진술하거나 서면으로 의견을 제출할 수 있도록 하고 있다(제493조 제1항). 여기서 대표자란 대표이사를 의미하는 것은 아니고 회사의 의견을 대표해서 말할 수 있는 권한을 부여받은 자

---

76) 江頭憲治郎, "會社法制の現代化に關する要綱案の解說[V]," 「商事法務」 第1725號(2005. 3.), 16面. 물론 이중제시의 방지를 위해 기록 등의 절차를 정비할 필요는 있다.

77) 相澤哲・葉玉匡美・郡谷大輔 編著・論点解説新会社法-千問の道標(2006), 646面.

78) 김종현, "국내 사채관리회사의 실무현황과 제도개선에 관한 의견," 「선진상사법률연구」 통권 제64호(법무부 상사법무과, 2013. 10.), 13면.

79) 박철영, "전자등록제도 하에서의 사채관리에 관한 검토," 「상사법연구」 제30권 제2호(한국상사법학회, 2011), 245면.

란 의미이다. 그것이 부실하거나 사실을 은폐한 것인 때에는 제재를 받게 된다(제635조 제1항).

사채권자집회를 소집하는 자는 사채발행회사 또는 사채관리회사에 소집통지를 하여야 한다(제493조 제2항). 통지의 방법에 대하여는 주주총회의 소집통지에 관한 규정(제363조 제1항, 제2항)이 준용된다. 제493조 제2항, 제3항의 규정에 위반하여 적법한 통지를 하지 아니하면 과태료의 제재를 받는다(제635조 제1항 제2호).

사채권자집회 또는 소집자는 필요하다고 인정하는 때에는 사채 발행회사에 대하여 대표자의 출석을 청구할 수 있는데(제494조), 결의를 하기 전에 발행회사의 업무나 재산 상황 등에 대한 설명을 듣고 의견을 물을 수 있다. 이 청구가 있으면 발행회사의 대표자는 출석할 의무를 진다. 출석하여 부실한 보고를 하거나 사실을 은폐한 경우에는 과태료의 제재를 받는다(제635조 제1항 제5호).

나. 의 결 권

개정 전 상법에서는 각 사채권자는 사채의 최저액마다 1개의 의결권을 갖는 규정이 있었지만(구상법 제492조), 이것은 사채가 일부상환이 된 경우에도 상환채무의 잔액에 관계없이 전 액면을 기준으로 의결권이 부여되는 점에서 타당하지 않다. 그래서 개정법에서는 사채권자의 개별적 상환청구가 가능하다는 점을 전제로 사채권자는 사채권자집회에서 사채금액 합계액(상환받은 액을 제외)에 따라 의결권을 보유하는 것으로 미비점을 보완하였다(제492조 제1항). 주주의 의결권에 관한 제369조 제1항과 대응하는 규정이다. 의결권의 대리행사, 특별이해관계자인의 의결권 행사의 제한, 자기주식과 의결권, 정족수, 의결권수의 계산, 집회의 연기·속행의 결의, 의사록 등에 관하여는 주주총회에 관한 규정이 준용된다(제510조 제1항, 제368조 제2항, 제3항, 제369조 제2항, 제371조, 제372조, 제373조).[80] 따라서 자기 사채의 의결권은 배제된다. 사채권자는 사채권자집회의 회일로부터 1주간 전에 채권을 공탁하여야 의결권을 행사할 수 있다(제492조 제2항). 무기명식의 주주에 관한 제368조 제2항과 대응하는 규정이다.

---

80) 상법 제368조의2의 규정인 의결권의 불통일행사는 준용되지 않는다. 일본회사법 제728조는 의결권의 불통일행사를 인정하고 있는 것과 대비된다.

다. 의결권의 행사방법

사채권자는 대리인으로 하여금 그 의결권을 행사하게 할 수 있고, 이 경우에는 대리인은 대리권을 증명하는 서면을 사채권자집회에 제출하여야 한다(제510조 제1항, 제368조 제2항). 무기명 사채권자는 사채권자집회일로부터 1주간전에 채권을 공탁하여야 의결권을 행사할 수 있다(제492조 제1항).

개정 상법에서는 주주총회에서 인정되는 서면투표제도를 사채권자집회에서도 인정하여 사채권자집회에 출석하지 아니한 사채권자는 서면으로 의결권을 행사할 수 있게 되었다(제495조 제3항). 그리고 서면에 의한 의결권행사는 사채권자집회 전일까지 의결권행사서면에 필요한 사항을 기재하여 소집자에게 제출하여야 하고, 서면으로 행사한 의결권 수는 출석한 의결권자의 의결권 수에 포함되도록 하였다(제495조 제4항, 제5항). 또한 전자적 방법에 의한 의결권의 행사 규정인 상법 제368조의4를 사채권자집회에도 준용하기로 하였다(제495조 제6항). 사채가 무기명식으로 발행되는 현실과 사채권자집회 결의 정족수 충족의 어려움 때문에 서면투표제도와 전자적 방법에 의한 의결권행사제도를 도입하였다.[81][82] 무기명식의 채권을 발행한 경우에는 집회의 3주(자본금 총액이 10억원 미만인 회사는 2주) 전에 사채권자집회를 소집하는 뜻과 회의의 목적사항을 공고하여야 한다(제491조의2 제2항). 서면투표나 전자투표를 이용하고자 하는 경우에는 그 내용을 소집공고에서 공고하여야 할 것이다.

라. 결의의 가결요건

사채권자집회의 결의방법은 주주총회와 마찬가지로 보통결의와 특별결의의 두 가지가 있는데, 원칙적으로 주주총회의 특별결의의 방법에 의한다. 사채권자의 지위가 불리하게 되는 사항에 대해서는 특별결의로, 경미한 사항에 대해서는 보통결의로 하도록 하고 있다. 사채권자집회의 특별결의란 출석한 의결권의 3분의 2 이상의 찬성과 총사채의결권의 3분의 1 이상으로 하는 것이고(제495조 제1

---

81) 법무부, 「상법(회사편)개정안 해설자료」(2008. 11.), 308면 참조.
82) 이철송, 「2011 개정상법 축조해설」(박영사, 2011), 233면; 이철송, 전게서, 1062면에서는 서면투표나 전자투표를 하려면 사채권자가 채권을 공탁하고 회사로부터 투표할 수 있는 서면을 받거나 전자투표를 이용할 수 있는 시스템을 제공받아야 하는데 일반적으로 이러한 번거로운 절차 때문에 그 이용도가 낮을 것으로 보고 있다.

항, 제434조),[83) 보통결의란 출석한 사채권자 의결권의 과반수의 찬성만으로 할 수 있다(제495조 제2항).

마. 의사록

소집자는 사채권자집회의 의사록을 작성하고, 사채발행회사는 그 의사록을 본점에 비치하여야 하고, 사채관리회사와 사채권자의 청구가 있으면 영업시간 내에 언제든지 열람을 할 수 있게 하였다(제510조 제2항, 제3항).

5. 사채권자집회 결의의 효력

가. 결의의 인가

사채권자집회의 결의는 법원의 인가를 받음으로써 효력이 발생하는 것이 원칙이고(제498조 제1항 본문), 2011년 개정법에서는 그 종류의 사채권자 전원이 동의할 경우에는 사채권자집회의 결의는 법원의 인가가 필요하지 않는 것으로 규정하였다(제498조 제1항 단서 신설).

사채권자집회의 결의의 효력은 그 종류의 사채를 가진 모든 사채권자에게 미친다(제498조 제2항). 법원의 인가를 받은 결의의 효력은 집회에 출석하여 결의에 반대한 자뿐만 아니라 집회에 출석하지 아니한 자에게도 미치며, 결의가 있은 후에 채권(債券)을 취득한 자에게도 미친다. 이처럼 사채권자집회 결의에 인가를 얻도록 한 것은 결의의 하자의 문제를 법원의 인가절차에 흡수시키고, 사채권자를 보호하기 위한 것이므로 사채권자집회결의의 하자의 소는 없다.

법원의 인가제도는 소수사채권자를 보호하기 위한 규정이나 결의의 시간과 비용을 증가시키는 문제가 발생한다. 그리고 사채권자집회 결의의 효력과 관련하여 인가제도를 폐지하자는 논의가 있는데 이번 개정법에서는 반영되지 않았다.

---

83) 참고로 일본의 2005년 회사법개정에서는 정족수를 폐지하고, 총사채권자의 의결권총액의 5분의 1 이상, 출석사채권자 의결권총액의 3분의 2 이상의 동의를 성립요건으로 하고 있다(일본회사법 제724조 제2항). 일본의 구상법도 현행 우리 상법과 같은 규정이었으나 정족수의 하한인 3분의 1에 결의요건의 하한인 3분의 2를 곱한 9분의 2(약 22.2%)의 찬성이 있으면 특별결의가 성립하는 것을 참고하여 개정한 것이다.

나. 인가의 청구

사채권자집회의 소집자는 결의한 날로부터 1주간 내에 결의의 인가를 법원에 청구하여야 한다(제496조). 인가의 청구를 할 자는 사채권자집회의 소집자이며, 공동으로 소집한 경우 일부가 청구에 협력하지 않으면 남은 소집자만이 청구할 수도 있다. 사채권자집회의 의사진행에 관한 것, 집회의 연기 및 속행, 발행회사 대표자의 총회출석청구와 같은 것은 의결기관의 자치에 맡겨야 하므로 인가를 요하지 않는다. 인가의 청구는 결의한 날로부터 1주간 내에 하여야 하나 이것은 주의규정이다. 청구 절차는 비송사건절차법[84]에 규정되어 있다(비송사건절차법 제109조, 제110조, 제113조).

상법은 법원의 인가·불인가의 기준을 법정하고 있는데, 절차상의 하자로 (ⅰ) 사채권자집회소집의 절차 또는 그 결의방법이 법령이나 사채모집의 계획서의 기재에 위반한 때,[85] (ⅱ) 결의가 부당한 방법에 의하여 성립하게 된 때[86] 가 있으며, 이러한 절차상 하자의 경우에는 법원은 결의의 내용 기타 모든 사정을 참작하여 결의를 인가할 수 있는데, 법원에 어느 정도 자유재량권을 주고 있다(제497조 제2항).

내용상의 하자로는 (ⅲ) 결의가 현저하게 불공정한 때,[87] (ⅳ) 결의가 사채권자의 일반의 이익에 반하는 때[88]가 있는데, 법원이 제반 사정을 살펴서 판단할 것이다. 제497조에서 열거하고 있는 결의의 불인가 사유외의 것은 인정되지 않으며, 제497조 제1항 제4호를 유연하게 해석함으로써, 법조문에서 열거하는 불인가 사유외의 것은 인정되지 않는다고 본다. 인가에는 불복의 길은 없고, 불인가에는 즉시항고를 할 수 있다(비송사건절차법 제110조 제2항, 제3항).

---

84) 비송사건절차법(법률 제12592호, 2014. 5. 20. 개정)은 제2편(민사비송사건) 제2장(사채에 관한 사건)에 제109조부터 제116조까지 8개 조문을 두고 있다.
85) 적법한 소집의 통지나 공고를 하지 아니한 경우, 특별결의의 방법에 관한 규정에 위반한 경우, 서면으로 행사된 의결권이 출석한 의결권자의 산정에 반영되지 않은 경우 등.
86) 의결권의 행사가 사기 또는 강박에 의해 이루어진 경우, 의결권 행사에 관하여 금품의 수수가 있는 경우 등.
87) 사채권자간에 불공평한 결과를 가져오는 내용의 결의가 있는 경우, 일부의 사채권자에게만 유리한 내용의 결의가 있는 경우 등.
88) 사채의 일부 면제, 이율의 인하 등을 필요한 한도를 넘어 지나치게 한 경우 등.

다. 결의의 공고

사채권자집회의 결의에 대해서 인가 또는 불인가의 결정이 있은 때에는 사채발행회사는 지체 없이 이를 공고하여야 한다(제499조). 왜냐하면 결의의 효력은 이해관계자에게 중요하고, 모든 사채권자에게 미치기 때문이다. 공고 방법은 발행회사의 정관에 따르고, 공고를 게을리하거나 부정(不正)한 공고를 한 경우 과태료의 제재를 받는다(제635조 제1항 제2호).

6. 사채권자집회의 대표자

사채권자 대표자의 필요성은 사채권자집회는 빈번하고 신속히 개최하는 것이 곤란하고, 비전문가인 사채권자에게 세부적 목표의 결정을 기대할 수 없어서 대표자를 선임하여 개개의 결정을 맡기는 것이 편리하다는 점에 있다.

가. 선임 및 해임

사채권자집회는 특별결의로 해당 종류의 사채 총액(상환받은 금액은 제외한다)의 500분의 1 이상[89]을 가진 사채권자 중에서 1명 또는 여러 명의 대표자를 선임하여 사채권자집회 결의사항의 결정을 위임할 수 있다(제500조 제1항). 사채권자집회는 특별결의로 언제든지 대표자나 집행자를 해임하거나 위임 사항을 변경할 수 있다(제504조). 대표자와 집행자의 사임에 대해서는 규정이 없으나, 일방적으로 사임할 수 없고, 사임하려면 사채권자집회에 해임을 구할 수밖에 없다.

나. 권 한

2명 이상의 사채권자집회의 대표자를 선임했을 경우 위임사항의 결정은 과반수로 한다(제500조 제2항). 사채권자집회의 대표자에 대한 결정의 위임은 일부만을 특정하여 위임할 수도 있고, 전부에 대해 포괄적으로 위임할 수도 있다. 위임으로 결정한 사항은 법원의 인가를 받아야 하고, 사채권자집회 대표자는 사채권자집회에 의해 언제든지 해임될 수 있고, 위임사항이 변경될 수 있기 때문에

---

89) 참고로 일본회사법은 1000분의 1 이상으로 규정하고 있다(일본회사법 제736조 제1항).

포괄적으로 결정의 위임을 하더라도 특별한 폐해는 생기지 않기 때문이다.[90]
사채권자집회의 결의가 있는 때에는 대표자는 발행회사가 어느 사채권자에게 한
변제, 화해, 그 밖의 행위가 현저하게 불공정한 때에는 소를 제기할 수 있다. 그
러나 행위가 있은 때로부터 1년내에 한한다(제512조).

다. 보수 등

사채권자집회의 대표자의 보수와 그 사무처리에 필요한 비용은 사채 발행회
사와 계약으로 약정한 경우 외에는 법원의 허가를 받아 사채 발행회사로 하여금
부담하게 할 수 있고, 사채권자집회의 대표자는 사채에 관한 채권을 변제받은 금
액에서 사채권자보다 우선하여 위의 보수와 비용을 변제받을 수 있다(제507조).

7. 사채권자집회 결의의 집행

사채권자집회의 결의에 대해서는 집회의 결의로써 따로 집행자를 정하였을
때는 그 집행자, 사채관리회사, 사채권자집회의 대표자의 순서로 집행한다(제501
조). 사채권자집회는 특별결의로 언제라도 집행자를 해임하거나 위임사항을 변경
할 수 있다(제504조).

사채권자집회의 대표자 또는 결의 집행자가 사채의 상환에 관한 결의를 집행
하는 경우 사채권자집회의 결의를 집행하는 경우 제484조, 제485조 제2항과 제
487조 제2항의 규정은 준용된다(제503조). 결의의 집행은 개별 사채권자를 표시
하지 않고 공동으로 사채권자를 위해 변제수령을 하거나 사채 관련 채권의 실현
을 보전하기 위해 필요한 모든 재판상·재판 외의 행위를 할 수 있고, 변제수령
을 한 때에는 사채권자에 대해 연대하여 당해 변제액을 지급할 의무를 진다. 또
한 사채권자집회의 결의가 있는 때에는 집행자는 발행회사가 어느 사채권자에게
한 변제, 화해, 그 밖의 행위가 현저하게 불공정한 때에는 소를 제기할 수 있다.
그러나 행위가 있은 때로부터 1년내에 한한다(제512조).

결의 집행자의 보수와 그 사무처리에 필요한 비용은 사채발행회사와의 계약
에 약정된 경우 외에는 법원의 허가를 받아 사채발행회사가 부담하게 할 수 있

---

90) 江頭憲治郎, 「株式會社·有限會社法」(有斐閣, 2006), 730面.

고, 결의집행자는 사채에 관한 채권을 변제받은 금액에서 사채권자보다 우선하여 위 보수와 비용을 변제받을 수 있다(제507조).

8. 사채권자집회의 비용부담

사채권자집회에 관한 비용(소집통지, 공고, 회의장의 임대료 등)은 사채 발행회사가 부담한다(제508조 제1항). 소수 사채권자가 법원의 허가를 얻어 사채권자집회를 소집했을 경우도 마찬가지이다. 사채권자집회는 사채권자 일반의 이익을 위해 개최되는 것이라 해석되기 때문에, 소집자의 여하를 불문하고 사채권자를 위한 공익적 비용으로 사채 발행회사의 부담이라 정하고 있다.

결의의 인가청구에 관한 비용도 사채 발행회사가 부담한다(제508조 제2항 본문). 다만 결의의 인정 여부의 재판에 관해 이해관계인의 다툼으로 비용이 증대할 가능성도 있으므로, 법원은 이해관계인의 신청에 의하여 또는 직권으로 그 전부 또는 일부에 관하여 따로 부담자를 정할 수 있도록 하였다(제508조 제2항 단서).

9. 기   타

개정 전 상법에서는 일정한 경우 사채권자집회 결의에 의해 사채총액에 관하여 기한의 이익을 빼앗을 수 있는 제도를 두었으나(개정 전 상법 제505조), 개정법에서는 강행규정으로 해석될 여지가 있고 신속한 사채관리에 장애가 된다는 이유로 폐지하였다.[91] 실무에서는 표준무보증사채 사채관리계약서에 의하여 기한이익을 상실시킬 수 있도록 하고 있다.

---

91) 사채계약에서 기한이익 상실사유를 정할 수 있고, 사채계약의 정함이 없더라도 발행회사와 수탁회사의 사채모집위탁계약에서 기한이익 상실사유를 정하고 사채권자를 위해 효력이 있음을 정한 경우에는 이는 제3자를 위한 계약이므로 사채권자가 수익의 의사표시를 하고 이 약정을 원용할 수 있다. 대법원 2005.9.15. 2005다15550. 민법상 수익자가 '제3자를 위한 계약'의 효과를 향수하려면 '수익의 의사표시'가 필요한데 사채 구입과 함께 묵시의 '수익의 의사표시'가 있는 것으로 보고 있다. 日本最高裁判所 2016年 6月 2日 判決 民集70券5号 1157面은 발행자와 관리회사간 관리 위탁계약을 제3자를 위한 계약으로 구성하고 채권보유자는 채권 구입과 함께 수익의 의사표시를 한 것으로 인정한다고 판시하였다.

Ⅳ. 특수한 사채

1. 전환사채

최 완 진*

가. 전환사채의 개관

1) 의 의

전환사채(convertible bonds; convertible debentures; obligations convertibles en actions; Wandelschuldverschreibungen)란 사채발행회사의 주식으로 전환할 수 있는 권리(전환권)가 인정된 사채이다. 즉 사채권자에 대하여 소정의 기간(전환기간) 내에 소정의 조건(전환조건)으로 당해 사채발행회사의 주식(보통주)으로 전환하는 권리를 부여받은 사채이다. 이것은 전환권이라고 하는 투기적 성질을 가지는 자극제(kick) 내지 감미료(sweetener)를 사채에 첨가한 것으로서,[1] 사채가 주식과 같은 시장성을 띠게 되어 보통의 경우보다 유리한 모집조건으로 사채를 모집할 수 있게 되는 것이다. 전환사채가 주식으로 전환되면, 신주발행으로 사채권자는 주주의 자격을 취득하고 회사의 채무가 감소되는 반면, 자본이 증가됨은 당연하다.[2]

전환사채는 다시 사채발행회사의 주식으로의 전환권이 부여된 사채와 널리 타증권으로의 전환권이 부여된 사채로 구별되는데, 전자를 협의의 전환사채라고 하고 후자를 광의의 전환사채라고 한다.[3]

전자는 우리 상법이 취하고 있는 것으로서 단순한 주식전환사채(Aktien-wandelobligation)를 의미하는 것이고, 후자는 미국에서 행해지는 경우와 같이 장기사채로의 전환권을 부여받은 단기사채, 또는 완전히 별도의 회사의 사채로의 전환권을 부여받은 사채 등의 경우를 말한다. 일반적으로 전환사채라 하면 협의의 것을 지칭한다.[4]

---

 * 한국외국어대학교 법학전문대학원 명예교수
 1) Benjamin Graham & David L. Dodd, Security Analysis, 3rd ed., New York: MacGraw-Hill Book Company, Inc., 1951, p. 521.
 2) 최완진, 「신회사법요론」(한국외대출판부, 2012), 291면.
 3) 鴻常夫, "轉換社債," 「株式會社法講座(5卷)」(1964), 1715面.
 4) 따라서 convertible bonds를 전환사채(Wandelobligation)라고 부르는 대신에 株式轉換社

전환사채는 전환권이 부여된 투자증권(investment securities)이라는 점에서 역시 전환권이 부여된 투자증권인 전환주식(convertible stock)과 공통점이 있다. 일반적으로 소지인의 선택에 따라서 정해진 기간 내에 정해진 조건으로 당해 증권발행회사의 보통주로 전환될 수 있는 사채 또는 우선주를 전환증권(convertible securities)이라고 하는데 이 중에서 전환권을 가진 자가 사채권자인 경우가 전환사채이고 전환권을 가진 자가 주주인 경우에는 전환주식인 것이다.[5]

전환증권은 실제상으로는 거의 예외 없이 우월적 조건을 가진 증권(상급증권: senior securities)으로부터 열후적 조건을 가진 증권(하급증권: junior securities)으로의 전환, 즉 하향전환(downstream conversion)이며 특히 보통주로의 전환이 행해지는 것이기 때문에 전환사채의 경우에는 사채로부터 보통주로의 전환이 인정되고, 전환주식의 경우에 있어서는 우선주로부터 보통주로의 전환이 인정되는 것이 일반적이다.[6]

이와 같이 전환사채는 전환증권의 일종이라는 점에서 그 본질을 파악하기 위해서는 전환증권 일반에 대한 이해가 필요하다고 하겠다. 이것은 전환사채와 전환주식 이라는 두 종류의 증권이 모두 투자의 안전성에 투기성을 가미하여 자금조달을 용이하게 하기 위해 고안된 것이라는 점에서 이미 전환증권으로서의 통일적인 고찰이 이루어지고 있을 뿐 아니라, 법률상으로도 전환사채와 전환주식은 증권의 발행, 전환권자의 보호, 전환에 의한 신주발행에 관하여 동일한 문제를 제공하고 있기 때문이다. 우리나라 상법도 전환주식에 관한 다수의 규정을 전환사채에 준용하여 양자에 대하여 동일한 취급을 하고 있다(제516조 제2항).

전환사채는 그 발행 이후 전환권을 행사하기 전까지는 채권적 유가증권이라고 할 수 있고, 그 이후에는 사원적 유가증권이라고 할 수 있다.[7]

債(Aktienwandelobligation)라고 부르는 것이 적당하다는 견해가 있다. 大森忠夫・矢澤 惇 編(7), 455面.

5) C. James Pilcher, "Rasing Capital with Convertible securities," 12 Michigan Bisiness Studies, No 2, Copyright by the Uinv. of Michigan(1955), p. 2. 상세는 최완진, "전환사채에 관한 법적 연구,"「상법논총」(박영사, 1985), 207~232면.

6) 하향전환에 대응하는 개념은 상향전환(upstream conversion)인데 상향전환은 미국 회사법상 인정되지 않는다. NY. Business Corporation Law §519 (a)를 그 예로 들 수 있다.

7) 최준선, 「회사법」 제16판(삼영사, 2021), 692면; 최완진, 「신회사법요론」(한국외대출판부, 2012), 289면.

2) 법률적 성질

전환사채는 주식으로의 전환권이 부여된 사채이지만, 전환이 있을 때까지는 법률상으로는 사채임에는 변함이 없으므로 전환사채는 사채의 일종이다. 그러므로 전환사채의 본질은 사채이고 특수한 사채로 파악된다.[8] 그러나 전환사채는 주식으로의 전환권이 부여되어 있어 사채권자의 청구에 의하여 장차 주식으로 될 수 있는 가능성이 있는 것이기 때문에 경제적으로는 전환 전에 있어서도 이미 주식화하고 있는 것이다. 즉 주식으로의 전환이 가능하기 때문에 전환사채 자체는 전환기간동안은 주가와 동일한 가격으로 매매할 수 있을 뿐 아니라 전환기간이 가까워지면 주가에 가까운 가격으로 매매할 수 있게 된다.

이와 같은 의미에 있어서 경제적으로 전환사채는 '잠재적인 주식'(potential stock)으로서 어느 정도 주식화한 사채라고도 볼 수 있다. 전환사채가 '사채의 주식화의 일표현', '사채와 주식과의 중간형태', '사채와 주식과의 교류형태'라고 하는 것은 이와 같은 이유에서이다. 그러나 보다 엄밀히 말한다면, 전환사채는 이념형에 있어서의 사채와 이념형에 있어서의 주식과의 중간에 위치하는 전환증권의 일종으로서, 투자증권 중에서 독자적 지위를 차지하는 것이라고 할 수 있을 것이다.[9]

3) 경제적 기능

전환사채의 경제적 기능은 발행회사, 투자자, 주주의 세 가지 입장에서 나누어 고찰해 볼 수 있다.

가) 발행회사의 입장

전환사채는 사채와 주식의 양자의 특성인 안전성과 투기성을 겸유하는 뛰어난 상품성을 지니고 있으므로 일반사채나 주식에 의한 회사의 자금조달이 불가능 또는 불리한 경우에도 이를 가능하게 하거나 유리한 조건으로 할 수 있게 하여 발행회사는 폭넓은 투자가층으로부터 다량의 자금을 필요한 시기에 조달할

---

8) 특수한 사채라고 하는 의미는 협의로서 타인자본인 사채의 법률적 성질, 즉 ① 확정이자의 지급을 받고 ② 원금의 상환이 약속되며 ③ 의결권을 가지지 않는다는 특질을 가지고 있다는 의미에서 주식화한 사채를 뜻한다.

9) 동지: 강희갑, "전환사채의 발행요건과 그 전환에 관한 상법상의 문제점," 「회사법의 현대적 과제」(법문사, 1981), 210면.

수 있게 된다.[10)]

예컨대 일반사채보다도 높은 발행가격으로 또는 저율의 이자로 이를 발행할 수 있으며, 적당한 담보가 없는 경우에는 무담보로 발행할 수 있고 별다른 감채기금(sinking fund)의 설정이 없이도 발행이 가능하여 회사의 자금 코스트가 경감된다. 또한 전환사채의 발행은 신주발행과 달리 일시에 주식이 대량으로 증가하는 것이 아니므로 부당한 배당압력이 발생하지 않고, 전환사채로서 조달된 자본은 당초에는 부채로서 사용하여 기업활동을 촉진하고, 이를 통하여 수익이 증가하여 주가가 상승한 시점에서 서서히 배당부담이 발생하므로 배당부담이 분산되는 효과가 있다. 또한 전환권이 행사되면 그 한도 내에서 사채라는 타인자본은 주식이라는 자기자본으로 전환되는 결과, 회사로서는 사채의 상환의무를 면하게 되어 자동적으로 회사의 고정부담이 경감하게 된다. 이 밖에도 회사 내부의 세력관계를 고려하여 필요한 신주발행을 잠시 늦추는 수단으로서도 이용될 수 있다.

이와 같이 전환사채는 발행회사의 입장에서 보면 주식발행에 의한 자기자본의 조달이 어려운 경우 회사가 사채발행을 통하여 간접적으로 자기자본을 조달하는 합리적인 수단이다. 더구나 시가전환사채의 경우에는 사채발행시의 주가를 상회하는 선에서 전환가액이 정해지므로 회사는 주식의 시가발행에 의하는 경우보다도 프리미엄 취득이 많아지게 된다.

또한 현재 그 회사의 주가가 약세권에 머물러 있어 투자대상으로서의 매력을 가지고 있지 못한 경우라도 만약 그 회사가 성장가능성이 있어서 가까운 장래에 고율의 이익배당을 할 수 있고 주가의 상승이 기대될 수 있다면 이와 같은 회사는 전환사채를 발행함으로써 유리하게 자본조달을 할 수 있게 되며 전환사채에 지급되는 이자는 경비로써 과세의 대상에서 제외되기 때문에 회사는 조세를 경감할 수가 있게 된다.

전환사채는 발행회사에 대하여 이와 같은 장점이 있는 반면에, '잠재적인 주식'의 발행이라는 관점에서 주식의 가격을 하락시켜 자본구조를 불확실하게 하고 전환으로 인하여 자기자본이 증가하게 되면 이익배당이나 주가 등에 영향을

---

10) 미국의 회사들이 전환사채를 발행하는 이유는 ① 주식발행에 의한 직접적인 자기자본의 조달이 어려운 경우 회사가 사채발행을 통하여 간접적으로 자기자본을 조달하기 위해서 또는 ② 몇 가지 점에서 열등한 내용을 가지는 상급증권(senior securities)의 시장성(marketability)을 높이기 위해서라고 한다(Pilcher, *op. cit.*, pp. 70~85 참조).

미쳐서 결국 금융상의 자기규제의 이완이 발생하게 되는 단점도 있다. 또한 전환사채권자는 전환권의 행사에 의하여 회사의 세력관계에 관여하여 회사경영권의 지배에 영향을 줄 수도 있다.

나) 투자자(전환사채권자)의 입장

전환사채권자의 입장에서 보면 전환사채는 투자의 안전성과 투기성과의 결합이 이루어지고 있는 점에서 묘미가 있는 투자증권이다. 즉 전환사채권자는 회사의 경영상태가 부진한 동안에는 사채권자로 있으면서 확정이자의 지급을 받고, 또 철도회사와 같은 장기건설사업에 있어서는 건설기간 중에도 주주에게는 이익배당이 없음에도 불구하고 안전하게 이자의 지급이 확보되기 때문에 마치 건설이자배당과 같은 효과를 맛볼 수 있다. 또한 청산의 경우에도 주주보다 우선적으로 투자의 회수를 받을 수 있는 안전한 지위에 있다.

더구나 회사의 경영상태가 호전되면 주식으로 전환하여 이자보다 유리한 이익배당을 받을 수 있게 되어 일거양득의 기회를 갖게 된다. 뿐만 아니라 전환권의 존재에 의하여 전환권을 행사하기 이전에도 전환사채의 시가는 전환으로 인하여 부여될 주식의 시가에 따르게 된다는 점에 있어서도 유리하고 전환사채권자는 전환권의 행사에 의하여 회사의 경영에 참여할 수도 있다. 이 이외에도 법률이나 정관에 의하여 주식의 보유가 금지 혹은 제한되어 있는 일부 기관투자가들도 전환사채를 살 수 있으므로 그만큼 투자가층이 넓어진다고 하겠다.[11]

그러나 반면 전환권 부여의 대상으로서 전환사채는 일반사채보다도 발행가격이 높고 그 이율은 일반사채의 경우보다도 낮음이 통례로 되어 있는데 만일 전환권을 행사할 기회가 없어 사채권자로 남아 있게 된다면 그 이율이 낮은 만큼 전환사채권자의 손실로 돌아가게 되는 것은 명백한 것이며, 전환사채의 발행으로 인하여 주가는 하락하는 경향이 있으므로, 전환에 의하여 취득하는 주식의 실질적 가치가 감소될 우려도 있다.

이 점은 이른바 전환권의 희석화(dilution of convertible privilege)의 문제로서, 이에 대하여 별도의 보호조치가 행해지지 않는 한 전환사채권자에게는 불리점이 된다.

---

11) William A. Kleim, "The Convertible Bond: A Peculiar Package," 123. University of Pennsylvania Law Review(1975. 1.), pp. 561~562.

다) 주주의 입장

발행회사의 주주의 입장에서 보면 회사의 이익과 주주의 이익이 합치한다고
도 하겠지만 양자의 이익이 상반되는 경우도 있다. 주주는 회사의 수익, 순자산
및 회사지배의 세 가지 측면에서 이해관계를 가지고 있고, 이것은 회사가 발행
한 주식에 대하여 그가 가진 주식의 수에 비례하는 것이다.[12] 따라서 전환으로
인하여 신주가 발행되어 주식수가 증가하면 회사의 경영이 호전되어도 이익배당
이 증가되지 않고 또 주식의 시장가격도 상승하지 않는 불이익을 받게 된다.

그러나 장기적으로 보면 발행회사의 이익은 주주의 이익으로 되므로 기업이
유리한 자금조달을 통하여 신장된다면 결국 주주도 무상주 교부나 배당의 증가
를 통한 이익을 누릴 수 있고 특히 발행되는 전환사채에 대하여 주주에게 우선
인수권이 인정되는 경우에는 가일층 주주의 이익은 확보된다고 할 수 있다.

지금까지 살펴본 바와 같이 전환사채의 발행에는 그 이해득실이 교차하는 것
으로 전환사채의 경제성은 발행회사, 전환사채권자, 주주라는 3가지 입장의 상
호이익의 조화 속에 존재하고, 전환사채는 안전성과 투기성을 구비한 이상적 증
권으로서 그 수요는 주식투자가층에서 창출되며 투기의 매력을 가하여 투자를
유인하는 것으로서 회사의 자금조달방법 중에서 주식과 사채와의 중간적 금융수
단으로서 창조된 것이라고 하겠다.

나. 전환사채의 발행

1) 이사회의 결정

1984년의 상법개정 전에는 정관 또는 주주총회의 특별결의로써 발행사항을
정하도록 되어 있었으나, 1984년 개정법에서는 정관에 규정이 없으면 이사회가
정하도록 하였다. 다만 정관으로 주주총회에서 결정할 수 있도록 하고 있다(제
513조 제2항 단서). 요컨대 개정법에서는 정관에 규정이 없으면 원칙적으로 이사
회가 결정할 수 있도록 하였다. 이사회에서 결정할 사항은 다음과 같다.

가) 전환사채의 총액(제513조 제2항 제1호)

회사가 구체적으로 일정한 시기에 발행하는 전환사채의 총액을 말한다. 전환

---

12) 양승규, "주식회사의 자금조달과 증권발행," 「상사법연구」 창간호(한국상사법학회, 1980),
   27면.

사채의 총액과 전환조건에 의하여 발행할 주식의 총수를 알 수 있다. 이것은 주주에게도 큰 이해관계가 있는 사항이며, 또 이에 의하여 수권자본의 범위 내이냐 아니냐를 알 수 있다.

나) 전환의 조건(제513조 제2항 제2호)

전환의 조건이라 함은 전환되는 사채와 이에 대하여 발행하는 주식의 비율을 말한다. 즉 사채의 액면금 얼마에 주식 몇 주라고 하는 것과 같이 정하는 것이다. 예컨대 전환사채의 액면 10,000원에 대하여 액면 5,000원의 주식 2주로 하는 것과 같다. 전환비율은 전환될 사채와 이에 대하여 줄 주식의 비례를 말하고, 전환가액은 전환에 의하여 발행되는 주식 1주에 대하여 요구되는 사채금액을 의미한다.[13)]

다) 전환으로 인하여 발행할 주식의 내용(제513조 제2항 제3호)

이것은 전환으로 인하여 발행할 주식의 액면, 주식의 종류, 의결권의 유무 등을 말한다.

라) 전환을 청구할 수 있는 기간(제513조 제2항 제4호)

이것은 사채를 발행한 때로부터 상환에 이르기까지에 전환권을 행사할 기간을 말한다. 이 선환청구기산은 선환사채가 투기성을 갖는다는 데서 중요한 의미를 가진다. 실무상으로는 사채의 발행 후 일정한 거치기간이 지난 후의 일정기간을 전환기간으로 정하는 것이 일반적이다.

마) 주주에게 전환사채의 인수권을 준다는 뜻과 인수권의 목적인 전환사채의 액(제513조 제2항 제5호)

이사회가 주주에게 인수권을 준다는 뜻을 정하는 경우에는 인수권의 목적이 되는 전환사채의 액도 이사회가 정하여야 한다.

바) 주주 외의 자에게 전환사채를 발행하는 것과 이에 대하여 발행할 전환사채의 액(제513조 제2항 제6호)

주주 외의 자에 대하여 전환사채를 발행함에는 정관에 규정이 없으면 주주총회의 특별결의가 있어야 하며(제513조 제3항), 이사회는 위의 결의에 의하여 승인된 경우에 한하여 그 범위 내에서 이에 대하여 발행하는 전환사채의 액을 구

---

13) 정찬형, 「상법강의(상)」 제24판(박영사, 2021), 1287면.

체적으로 정하여야 한다.

2) 주주총회의 특별결의

회사가 주주 이외의 자에 대하여 전환사채를 발행하는 경우에는 그 발행사항에 관하여 정관에 규정이 없으면 주주총회의 특별결의로써 정하여야 한다(제513조 제3항). 이 경우에 정하여야 할 사항은 발행할 수 있는 전환사채의 액, 전환의 조건, 전환으로 인하여 발행할 주식의 내용과 전환청구기간이다(제513조 제3항). 이것은 주주 외의 자에게 전환사채를 발행하는 때에는 기존 주주의 이해에 영향을 주므로 주주의 이익을 보호하기 위하여 정관에 정함이 없는 한 주주총회의 특별결의를 요하게 한 것이다. 그리고 주주 외의 자에 대한 전환사채의 발행을 결의하는 주주총회에서의 의안의 요령은 총회소집의 통지와 공고에 반드시 기재하여야 한다(제513조 제4항). 이것은 주주에게 위의 의안에 대한 판단자료를 제공하기 위함이다.[14)]

이와 관련된 판례로는 다음과 같은 것을 들 수 있다.

〈전환사채의 발행에도 정관에 따른 주주총회의 특별결의를 요하는지 여부 (적극)〉[15)]

"회사의 정관 제9조, 제20조에 의하면, 신주발행 및 인수에 관한 사항은 주주총회에서 결정하고 자본의 증가 및 감소는 발행주식 총수의 과반수에 상당한 주식을 가진 주주의 출석과 출석주주가 가진 의결권의 2/3 이상의 찬성으로 의결하도록 규정되어 있음을 알 수 있는바, 전환사채는 전환권의 행사에 의하여 장차 주식으로 전환될 수 있어 이를 발행하는 것은 사실상 신주발행으로서의 의미를 가지므로, 같은 취지에서 원심이 피고 회사가 전환사채를 발행하기 위하여는 주주총회의 특별결의를 요한다고 판단한 것은 타당하다."

---

14) 참고로 상법은 2001년 개정시 전환사채의 제3자 배정에 관하여 "주주외의 자에 대하여 전환사채를 발행하는 경우에 그 발행할 수 있는 전환사채의 액, 전환의 조건, 전환으로 인하여 발행할 주식의 내용과 전환을 청구할 수 있는 기간에 관하여 정관에 규정이 없으면 제434조의 결의로써 이를 정하여야 한다. 이 경우 제418조 제2항 단서의 규정을 준용한다"라는 규제를 추가하였다(제513조 제3항). 따라서 제3자배정에 의하여 전환사채를 발행하려면 정관의 규정이나 주주총회의 특별결의 등의 절차적 요건과 상법 제418조 제2항 단서의 "경영상 목적"이라는 실체적 요건이 모두 충족되어야 한다.

15) 대법원 1999.6.25. 99다18435.

〈주주총회의 결의가 있었던 것처럼 의사록을 허위로 작성한 경우, 그 주주
총회의 결의가 존재하는 것으로 볼 수 있는지 여부(소극)〉[16]

"주식회사에 있어서 총 발행주식을 한 사람이 소유한 이른바 1인 회사의
경우 그 주주가 유일한 주주로서 주주총회에 출석하면 전원 총회로서 성립하
고 그 주주의 의사대로 결의가 될 것임이 명백하므로 따로 총회소집절차가
필요 없으며, 실제로 총회를 개최한 사실이 없었다 하더라도 그 1인 주주에
의하여 의결이 있었던 것으로 주주총회 의사록이 작성되었다면 특별한 사정
이 없는 한 그 내용의 결의가 있었던 것으로 볼 수 있고(대법원 1976.4.13. 74
다1755 등 참조), 이 점은 한 사람이 다른 사람의 명의를 빌려 주주로 등재하
였으나 총 주식을 실질적으로 그 한 사람이 모두 소유한 경우에도 마찬가지
라고 할 수 있을 것이나(대법원 1992.6.23. 91다19500 등 참조), 이와 달리 주식
의 소유가 실질적으로 분산되어 있는 경우에는 상법상의 원칙으로 돌아가 실
제의 소집절차와 결의절차를 거치지 아니한 채 주주총회의 결의가 있었던 것
처럼 주주총회 의사록을 허위로 작성한 것이라면 설사 1인이 총 주식의 대다
수를 가지고 있고 그 지배주주에 의하여 의결이 있었던 것으로 주주총회 의
사록이 작성되어 있다 하더라도 도저히 그 결의가 존재한다고 볼 수 없을 정
도로 중대한 하자가 있는 때에 해당하여 그 주주총회의 결의는 부존재하다고
보아야 할 것이다."

다. 전환사채의 인수권을 가진 주주의 권리

1) 개 요[17]

제513조의2는 주주가 가진 전환사채의 인수권에 대하여 그 배정의 기준을
정하고, 배정 때에 생기는 단수(전환사채의 금액 중 최저액에 미달하는 단수)는 이

---

16) 대법원 2007.2.22. 2005다73020.
17) 개정전 상법 제513조의2 제2항은 주주가 전환사채의 인수권을 가진 경우에 제418조 제2항
을 준용하는 것으로 되어 있었으나, 이는 제418조 제3항을 오기한 것이므로 개정상법에서
는 이를 바로 잡아 제418조 제3항의 규정이 준용되는 것으로 하였다. 한편 개정상법에서는
제418조 제4항을 신설하여 "주주외의 자에게 신주를 배정하는 경우 회사는 제416조 제1호,
제2호, 제2호의2, 제3호 및 제4호에서 정하는 사항을 그 납입기일의 2주전까지 주주에게
통지하거나, 공고하여야 한다"라고 규정하여 제3자에게 신주를 발행하는 경우 주주들에게
통지하는 제도를 마련하였다. 그런데 이 사항은 전환사채를 제3자에게 발행할 경우에도 주
주보호를 위하여 긴요한 제도이므로 본조에서 같이 준용하는 것이 옳다고 본다.

를 무시할 수 있는 것으로 하고, 또 주주가 전환사채인수권을 가지는 경우의 이른바 배정일의 제도를 두어(제418조 제2항) 신주발행의 경우의 절차와 같게 한 것이다.

2) 주주의 전환사채인수권

정관 또는 이사회의 결의에서 주주에게 전환사채의 인수권을 주기로 정한 때에는 그 인수권을 가진 주주는 그가 가진 주식의 수에 따라서, 전환사채의 배정을 받을 권리가 있다(제513조의2 제1항 본문). 신주발행의 경우(제418조 제1항 참조)와 같다.

그러나 각 전환사채의 금액 중 최저액에 미달하는 단수에 대하여는 인수권이 없다(제513조의2 제1항 단서).

준비금의 자본전입에 따라 신주를 발행할 때에 단수가 생기면 복잡한 처리(제443조 제1항, 제461조 제2항 각 조문 참조)를 하게 되어 있는데 본조에서는 회사의 편의와 그 단수가 비교적 적다는 점을 고려하여 단수를 무시하게 한 것이다.

3) 배정일의 지정 · 공고

주주가 전환사채의 인수권을 가진 경우에는 사채발행회사는 일정한 날, 즉 배정일을 정하여 그 날에 주주명부에 기재된 주주가 전환사채의 인수권을 가진다는 뜻을 그 배정일(기준일)의 2주간 전에 공고하여야 한다(제513조 제2항, 제418조 제3항 본문).

그러나 그 배정일(기준일)이 주주명부 폐쇄기간 중인 때에는 그 기간의 초일의 2주간 전에 공고하여야 한다(제513조의2 제2항, 제418조 제3항 단서). 이것은 신주발행의 경우의 절차와 동일하다. 이 배정일을 일정기간 전에 공고하게 한 것은 이사회가 갑자기 전환사채 발행의 결의를 하고 결의 당일의 주주명부상의 주주에게 전환사채의 인수권을 준다면, 명의개서를 아직 마치지 못한 주주로서는 전환사채의 인수권을 부여받을 기회를 잃게 되기 때문에 이들을 보호하기 위함이다.

4) 위법 또는 불공정한 발행에 대한 조치

회사가 법령 또는 정관에 위반하거나 현저하게 불공정한 방법에 의하여 전환사채를 발행함으로써 주주가 불이익을 받을 염려가 있는 경우에는 그 주주는 회사에 대하여 그 발행을 유지할 것을 청구할 수 있다(제424조, 제516조 제1항). 일반사채의 경우에는 이러한 구제조치가 인정되지 않는다.[18]

이사와 통모하여 현저하게 불공정한 발행가액으로 전환사채를 인수한 자는 회사에 대하여 공정한 발행가액과 차액에 상당한 금액을 지급할 의무가 있다(제424조의2 제1항, 제516조 제1항). 이 경우의 전환사채인수인의 차액지급의무에 대하여 소수주주는 대표소송으로써 그 이행을 청구할 수 있다(제424조의2 제2항). 또 전환사채인수인의 이 차액지급의무와 대표소송의 제기는 이사의 회사 또는 주주에 대한 손해배상의 책임에 영향을 미치지 아니한다(제424조의2 제3항).

이와 관련된 판례로는 다음과 같은 것을 들 수 있다.

⟨상법상 전환사채발행무효의 소가 허용되는지 여부(적극)⟩[19]

"상법은 제516조 제1항에서 신주발행의 유지청구권에 관한 제424조 및 불공정한 가액으로 주식을 인수한 자의 책임에 관한 제424조의2 등을 전환사채의 발행의 경우에 준용한다고 규정하면서도, 신주발행무효의 소에 관한 제429조의 준용 여부에 대해서는 아무런 규정을 두고 있지 않으나, 전환사채는 전환권의 행사에 의하여 장차 주식으로 전환될 수 있는 권리가 부여된 사채로서, 이러한 전환사채의 발행은 주식회사의 물적 기초와 기존 주주들의 이해관계에 영향을 미친다는 점에서 사실상 신주를 발행하는 것과 유사하므로, 전환사채 발행의 경우에도 신주발행무효의 소에 관한 상법 제429조가 유추적용된다."

⟨전환사채발행무효의 소에 있어서 무효원인⟩[20]

"신주발행무효의 소에 관한 상법 제429조에도 무효원인이 규정되어 있지 않고 다만, 전환사채의 발행의 경우에도 준용되는 상법 제424조에 '법령이나 정관의 위반 또는 현저하게 불공정한 방법에 의한 주식의 발행'이 신주발행유지청구의 요건으로 규정되어 있으므로, 위와 같은 요건을 전환사채 발행의 무효원인으로 일응 고려할 수 있다고 하겠으나 다른 한편, 전환사채가 일단 발행되면 그 인수인의 이익을 고려할 필요가 있고 또 전환사채나 전환권의 행사에 의하여 발행된 주식은 유가증권으로서 유통되는 것이므로 거래의 안전

---

18) 정찬형, 전게서, 1291면.
19) 대법원 2004.8.16. 2003다9636.
20) 대법원 2004.6.25. 2000다37326.

을 보호하여야 할 필요가 크다고 할 것인데, 전환사채발행유지청구권은 위법한 발행에 대한 사전 구제수단임에 반하여, 전환사채발행무효의 소는 사후에 이를 무효로 함으로써 거래의 안전과 법적 안정성을 해칠 위험이 큰 점을 고려할 때, 그 무효원인은 가급적 엄격하게 해석하여야 하고, 따라서 법령이나 정관의 중대한 위반 또는 현저한 불공정이 있어 그것이 주식회사의 본질이나 회사법의 기본원칙에 반하거나 기존 주주들의 이익과 회사의 경영권 내지 지배권에 중대한 영향을 미치는 경우로서 전환사채와 관련된 거래의 안전, 주주 기타 이해관계인의 이익 등을 고려하더라도 도저히 묵과할 수 없는 정도라고 평가되는 경우에 한하여 전환사채의 발행 또는 그 전환권의 행사에 의한 주식의 발행을 무효로 할 수 있을 것이며, 그 무효원인을 회사의 경영권 분쟁이 현재 계속중이거나 임박해 있는 등 오직 지배권의 변경을 초래하거나 이를 저지할 목적으로 전환사채를 발행하였음이 객관적으로 명백한 경우에 한정할 것은 아니다."

〈전환사채 발행의 경우에도 신주발행무효의 소에 관한 상법 제429조가 유추적용되는지 여부(적극)〉[21]

"상법은 제516조 제1항에서 신주발행의 유지청구권에 관한 제424조 및 불공정한 가액으로 주식을 인수한 자의 책임에 관한 제424조의2 등을 전환사채의 발행의 경우에 준용한다고 규정하면서도, 신주발행무효의 소에 관한 제429조의 준용 여부에 대해서는 아무런 규정을 두고 있지 않으나, 전환사채는 전환권의 행사에 의하여 장차 주식으로 전환될 수 있는 권리가 부여된 사채로서, 이러한 전환사채의 발행은 주식회사의 물적 기초와 기존 주주들의 이해관계에 영향을 미친다는 점에서 사실상 신주를 발행하는 것과 유사하므로, 전환사채 발행의 경우에도 신주발행무효의 소에 관한 상법 제429조가 유추적용된다.[22] 상법 제429조는 신주발행의 무효는 주주·이사 또는 감사에 한하여 신주를 발행한 날로부터 6월 내에 소만으로 이를 주장할 수 있다고 규정하고 있으므로, 설령 이사회나 주주총회의 신주발행 결의에 취소 또는 무효의 하자가 있다고 하더라도 그 하자가 극히 중대하여 신주발행이 존재하지 아니하는 정도에 이르는 등의 특별한 사정이 없는 한 신주발행의 효력이 발생한 후에는 신주발행무효의 소에 의하여서만 다툴 수 있다.[23] 전환사채 발행의 경우

---

21) 대법원 2004.8.20. 2003다20060.
22) 대법원 2004.6.25. 2000다37326 참조.

에도 신주발행무효의 소에 관한 상법 제429조가 유추적용되나,[24] 전환사채 발행의 실체가 없음에도 전환사채 발행의 등기가 되어 있는 외관이 존재하는 경우 이를 제거하기 위한 전환사채발행부존재 확인의 소에 있어서는 상법 제429조 소정의 6월의 제소기간의 제한이 적용되지 아니한다."[25]

라. 전환사채의 인수권을 가진 주주에 대한 최고

1) 개　요

전환사채를 발행할 때 주주에게 전환사채의 인수권을 주는 경우에는 사채발행회사는 주주에게 그 권리의 내용을 알려 줌으로써 권리행사의 기회를 주어야 하고, 또 발행회사로서도 주주의 전환사채의 인수권이 제대로 행사되는가의 여부를 알아야 전환사채의 발행업무를 처리할 수 있다. 그리하여 발행회사는 각 주주에 대하여 권리의 내용에 관한 일정사항을 통지 또는 공고하여야 한다. 이 때 이 통지 또는 공고를 실권예고부로 하여 일정한 기일까지 전환사채의 청약을 하지 않으면 그 전환사채의 인수권을 잃는다고 한 것이 제513조의3의 취지이다. 신주발행에 따르는 신주인수권자에 대한 최고(제419조)와 같다.

2) 인수권을 가진 주주에 대한 실권예고부 최고(통지)

주주에게 전환사채의 인수권을 준 때에는 사채발행회사는 각 주주에 대하여 그 주주가 인수권을 가지는 전환사채의 액, 발행가액, 전환의 조건, 전환으로 인하여 발행할 주식의 내용, 전환을 청구할 수 있는 기간 및 일정한 기일(청약기일)까지 전환사채의 청약을 하지 아니하면 그 인수권을 잃는다는 뜻의 실권예고부 최고(통지)를 하여야 한다(제513조의3 제1항). 그리고 이는 청약기일의 2주간 전에 하여야 하고(제513조의3 제2항, 제419조 제2항), 이 통지에도 불구하고 그 기일(청약기일)까지 전환사채의 청약을 하지 아니한 때에는 전환사채의 인수권자는 그 권리를 잃는다(제513조의3 제2항, 제419조 제3항).

---

23) 대법원 1989.7.25. 87다카2316 참조.
24) 대법원 2004.6.25. 2000다37326 참조.
25) 대법원 1989.7.25. 87다카2316 참조.

3) 전환사채의 배정

전환사채의 인수권을 가진 주주가 실권예고부 최고(통지)에서 정한 청약기일 까지 전환사채의 청약을 한 때에는 회사는 이에 따라 전환사채를 배정하여야 한 다. 청약의 절차는 소정의 사채청약서에 일정한 사항을 기재하여 청약하고(제514 조), 이 청약이 있으면 회사는 사채납입기일을 정하여 납입을 시켜야 한다(제476 조 제1항).

주주가 인수권을 잃으면, 그 인수가 없는 부분에 대하여 이사회는 자유로 이 를 처리할 수 있다. 따라서 이사회는 전환사채인수권자의 실권으로 인하여 생긴 미인수전환사채에 대하여 전환사채 발행을 중지하거나 또는 새로 전환사채청약 인을 모집할 수 있다(공모 또는 연고 모집).

이와 관련된 판례는 다음과 같다.

〈전환사채의 인수 과정에서 대금의 납입을 가장한 경우, 상법 제628조 제1 항의 납입가장죄가 성립하는지 여부(소극)〉[26]

"상법 제628조 제1항의 납입가장죄는 회사의 자본에 충실을 기하려는 상 법의 취지를 해치는 행위를 처벌하려는 것인데, 전환사채는 발행 당시에는 사 채의 성질을 갖는 것으로서 사채권자가 전환권을 행사한 때 비로소 주식으로 전환되어 회사의 자본을 구성하게 될 뿐만 아니라, 전환권은 사채권자에게 부 여된 권리이지 의무는 아니어서 사채권자로서는 전환권을 행사하지 아니할 수도 있으므로, 전환사채의 인수 과정에서 그 납입을 가장하였다고 하더라도 상법 제628조 제1항의 납입가장죄는 성립하지 아니한다."

마. 전환사채발행의 절차

제514조는 전환사채를 발행할 경우, 사채청약서, 채권, 사채원부에 추가로 기 재할 사항을 규정한 것이다.

전환사채도 사채이므로 전환사채를 발행할 때에는 사채청약서(제474조), 채권 (제478조), 사채원부(제488조)에 다음의 사항을 추가로 기재하여야 한다.

① 사채를 주식으로 전환할 수 있다는 뜻(제514조 제1호)

---

26) 대법원 2008.5.29. 2007도5206.

② 전환의 조건(제514조 제2호)

③ 전환으로 인하여 발행할 주식의 내용(제514조 제3호)

④ 전환을 청구할 수 있는 기간(제514조 제4호)

⑤ 주식의 양도에 관하여 이사회의 승인을 얻도록 정한 때에는 그 규정(제514조 제5호)

이상의 다섯 가지 사항은 사채에 관하여 이해관계가 있는 모든 사람에게 중요하기 때문에 이를 기재하도록 한 것이다. 특히 본조 제5호는 1995년의 상법개정에서 신설된 조항으로서 주식의 양도에 관하여는 정관으로 이사회의 승인을 얻도록 할 수 있게 하였기 때문에(제335조 제1항 단서) 이와 같은 정관의 규정이 있는 회사가 발행하는 전환사채를 인수한 사채권자는 이러한 사실을 알아야 한다. 그리하여 사채청약서, 채권, 사채원부에 주식양도의 제한에 관한 사항을 기재하도록 한 것이다.

전환청구기간과 관련된 판례는 다음과 같다.

〈전환청구기간 경과 전에 전환권을 포기한 전환사채는 일반사채로 확정되는지 여부(적극)〉[27]

"전환사채를 주식으로 전환할 수 있는 전환권은 전환을 청구한 때에 그 효력이 생기고 별도로 회사의 승낙이 필요치 않는 형성권이므로 전환청구 행사기간이 경과하지 않았다고 해도 당사자가 전환권 포기의사를 밝혔다면 전환권이 인정되지 않는 일반사채와 동일한 성격의 사채로 확정된다. 전환청구권 행사기간 중 전환권을 행사하지 아니한 사채에 대하여 연 11%의 보장수익률과 사채의 이율과의 차이를 복리로 계산한 금액을 원금에 가산하여 일시 상환하기로 하고 전환사채를 발행한 회사에 대한 회사정리절차 개시 후에 위 전환사채에 대한 전환권을 포기한 경우, 위 전환권 포기에 의하여 위 전환사채는 전환권이 인정되지 않는 사채로 확정되었고, 위 이자채권의 발생원인은 정리절차 개시 전에 생긴 것이므로 위 전환권 포기가 정리절차 개시 후에 이루어졌더라도 채권자는 그 원금에 대한 이자채권에 대하여 정리채권의 확인을 구할 수 있다."

---

27) 서울지방법원 1999.2.4. 98가합69295.

바. 전환사채의 등기

1) 개 요

1984년의 상법 개정에서는 등기사무의 간소화를 위하여 통상의 사채의 등기를 폐지하였으나(제477조), 전환사채를 발행한 때에는 납입을 완료한 날로부터 일정기간 내에 등기를 하도록 하였다(제514조의2). 이것은 전환사채는 조건부 신주발행의 성질을 가진 것이기 때문에 장차 주식에 변동을 가져오고, 따라서 회사의 이해관계자들에게 중요한 영향을 주기 때문에 이를 등기사항으로 한 것이다.

제514조의2 제1항은 전환사채의 등기기간에 관한 규정이고, 제2항은 등기사항에 관한 규정이고, 제3항은 등기사항에 변동이 생긴 경우의 변경등기에 관한 규정이며, 제4항은 외채를 모집한 경우의 등기기간에 관한 규정이다.

2) 전환사채 등기의 절차

회사가 전환사채를 발행한 때에는 제476조의 규정에 의한 납입을 완료한 날로부터 2주간 내에 본점소재지에서 전환사채의 등기를 하여야 한다(제514조의2 제1항). 본항은 1995년의 상법 개정에서 개정된 것인데, 등기에 따른 회사의 부담을 덜어주기 위하여 개정 전의 지점소재지에서의 등기는 면제하고, 본점소재지에서의 등기만을 요구하고 있다.

3) 등기사항

전환사채를 발행한 때에는 다음 사항을 등기하여야 한다(제514조의2 제2항). (i) 전환사채의 총액, (ii) 각 전환사채의 금액, (iii) 각 전환사채의 납입금액, (iv) 사채를 주식으로 전환할 수 있다는 뜻(제514조 제1호), (v) 전환의 조건(제514조 제2호), (vi) 전환으로 인하여 발행할 주식의 내용(제514조 제3호), (vii) 전환을 청구할 수 있는 기간(제514조 제4호).

위의 전환사채의 등기사항에 변경이 있는 때에는 2주간 내에 본점 소재지에서 변경등기를 하여야 한다(제514조의2 제3항, 제183조).

4) 외채의 등기기간

외국에서 전환사채를 모집한 경우에 등기할 사항이 외국에서 생긴 경우의 등기기간은 그 통지가 도달한 날로부터 기산한다(제514조의2 제4항). 제514조의2 제1항의 기간에 따르면 그 기간이 너무 짧기 때문에 외국에서 전환사채를 발행한 경우, 등기할 사항이 외국에서 생긴 때에는 등기의 기간은 그 통지가 도달한 때로부터 기산하기로 한 것이다.

사. 전환청구의 절차 · 방식

전환사채는 사채권자의 전환청구, 즉 전환권의 행사에 의하여 비로소 주식으로 전환된다. 전환권은 사채권자의 일방적 의사표시에 의하여 전환의 효력이 발생하여 사채권자를 주주로 변경히는 것이므로 일종의 형성권이다.[28]

전환을 청구하는 자는 청구서 2통에 채권을 첨부하여 회사에 제출하여야 한다(제515조 제1항). 그리고 이 청구서에는 전환하고자 하는 사채를 표시하고, 청구의 연월일을 기재하고, 청구자가 기명날인 또는 서명을 하여야 한다(제515조 제2항). 따라서 전환의 청구는 요식행위이며, 이것은 신주발행의 경우에 주식청약서(제420조)를 필요로 하는 것과 같다.

그리고 청구서 2통의 작성을 요구하는 것은 그 중의 하나는 회사에 보존하고, 하나는 주식으로의 전환으로 인한 변경등기의 신청서에 첨부하기 위함이다. 제515조에서는 전자등록부에 등록한 전환사채의 전환을 청구하는 경우에는 해당 채권을 증명할 수 있는 자료를 회사에 제출하도록 하였다(제515조 제1항 단서 신설). 이것은 사채의 전자등록이 가능함에 따라 전환사채의 경우에 전환을 청구할 때 필요한 사항이다. 전환은 전환청구를 한 때 효력이 생기며(제350조, 제516조), 사채권자는 그 지위를 상실하는 동시에 새로이 주주가 된다.

아. 전환사채에 관한 기타 준용규정(제516조)

1) 개 요

제516조는 제1항에서 전환사채를 발행할 경우에 미발행주식의 유보를 요구하고 있는 제346조 제4항과 신주발행에 관한 유지청구권(제424조), 불공정한 가액으로 주식을 인수한 자의 책임(제424조의2)에 관한 규정을 전환사채에 준용하도록 하고 있다. 또한 제2항에서는 주식상의 질권의 물상대위에 관한 제339조의

---

28) 최완진, 「신회사법요론」(한국외대출판부, 2012), 291면.

규정과 전환으로 인하여 발행하는 주식의 발행가액(제348조), 전환의 효력발생시기(제350조), 전환의 등기(제351조)에 관한 규정을 전환사채에 준용하도록 하고 있다. 이는 전환사채와 전환주식은 동일한 전환증권이라는 점에서 공통성을 가지고 있기 때문이다.

2) 미발행주식의 유보(제516조 제1항, 제346조 제4항의 준용)

전환사채의 발행에는 미발행주식의 유보에 관한 제346조 제4항의 규정이 준용된다. 전환으로 인하여 발행하는 주식은 회사가 발행할 주식총수(제289조 제1항 제3호)의 범위 내이어야 한다. 따라서 회사가 전환사채를 발행할 경우에는 전환을 청구할 수 있는 기간 내에는 회사의 발행예정주식총수 중에서 장차 전환으로 인하여 발행할 주식의 수를 미발행주식으로 남겨두어야 한다(즉, 유보하여야 한다). 이와 같은 미발행주식을 남겨두지 않으면, 즉 유보하고 있지 않으면 전환의 청구를 받을 때에 회사가 주식을 발행해 줄 수 없는 사태가 발생할 것이기 때문이다. 그러므로 전환사채를 발행할 때 미발행수권주식의 유보분이 부족한 때에는 회사는 전환청구기간이 시작될 때까지 정관을 변경하여 전환청구에 응할 수 있을 만큼 수권주식을 증가하여야 한다. 만일 그렇지 않으면 사채권자는 전환사채의 발행을 청구할 수 없고, 회사 또는 이사는 손해배상의 책임을 지게 된다.

3) 주주의 유지청구권(제516조 제1항, 제424조의 준용)

회사가 법령 또는 정관에 위반하거나 또는 현저하게 불공정한 방법에 의하여 전환사채를 발행함으로써 주주가 불이익을 받을 염려가 있는 경우에는 그 주주는 회사에 대하여 전환사채 발행의 유지청구를 할 수 있다. 이 유지청구의 기회를 주기 위하여 전환사채발행의 통지 또는 등기의 제도(제513조 제4항, 제514조의2)를 두고 있다.

4) 불공정한 가액으로 전환사채를 인수한 자의 책임(제516조 제1항, 제424조의2의 준용)

이사와 통모하여 현저하게 불공정한 발행가액으로 전환사채를 인수한 자는 회사에 대하여 공정한 발행가액과의 차액에 상당한 금액을 지급할 의무가 있다(제424조의2 제1항). 이 경우 전환사채인수인의 차액지급의무에 대하여는 소수주주의 대표소송(제403조~제406조)으로써 그 이행을 청구할 수 있다(제516조 제1

항, 제424조의2 제2항).

　이와 같이 전환사채인수인에게 차액지급의 의무가 있고 소수주주의 대표소송 제기권(제403조~제406조)이 인정되더라도, 사채인수인과 통모한 이사는 이사대로 회사 또는 주주에 대하여 손해배상의 책임을 진다(제424조의2 제3항).

　이와 관련된 판례로는 다음과 같은 것을 들 수 있다

　　〈회사의 이사가 시가보다 현저하게 낮은 가액으로 신주 등을 발행한 경우 업무상배임죄가 성립하는지 여부, 삼성에버랜드사건〉[29]

　　"회사에 자금이 필요한 때에는 이사는 가능한 방법을 동원하여 그 자금을 형성할 의무가 있다 할 것이나, 이사는 회사에 필요한 만큼의 자금을 형성하면 될 뿐 그 이상 가능한 한 많은 자금을 형성하여야 할 의무를 지는 것은 아니고, 또 회사에 어느 정도 규모의 자금이 필요한지, 어떠한 방법으로 이를 형성할 것인지는 원칙적으로 이사의 경영판단에 속하는 사항이다. 그런데 신주발행에 의한 자금형성의 과정에서 신주를 저가 발행하여 제3자에게 배정하게 되면 기존 주주의 지분율이 떨어지고 주식가치의 희석화로 말미암아 구주식의 가치도 하락하게 되어 기존 주주의 회사에 대한 지배력이 그만큼 약화되므로 기존 주주에게 손해가 발생하나, 신주발행을 통하여 회사에 필요한 자금을 형성하였다면 회사에 대한 관계에서는 임무를 위배하였다고 할 수 없고, 신주발행으로 인해 종전 주식의 가격이 하락한다 하여 회사에 손해가 있다고 볼 수도 없으며, 주주의 이익과 회사의 이익을 분리하여 평가하는 배임죄의 원칙상 이를 회사에 대한 임무위배로 볼 수 없어, 배임죄가 성립한다고 볼 수 없다. 전환사채 발행을 위한 이사회 결의에는 하자가 있었다 하더라도 실권된 전환사채를 제3자에게 배정하기로 의결한 이사회 결의에는 하자가 없는 경우, 전환사채의 발행절차를 진행한 것이 재산보호의무 위반으로서의 임무위배에 해당하지 않는다."

　　〈경영권 방어를 위하여 기존 주주를 배제한 채 제3자인 우호세력에게 집중적으로 신주를 배정하기 위한 방편으로 한 전환사채의 발행을 무효라고 본 경우〉[30]

　　"전환사채의 발행이 경영권 분쟁 상황하에서 열세에 처한 구지배세력이

29) 대법원 2009.5.29. 2007도4949 전원합의체.
30) 서울고등법원 1997.5.13. 97라36.

지분 비율을 역전시켜 경영권을 방어하기 위하여 이사회를 장악하고 있음을 기화로 기존 주주를 완전히 배제한 채 제3자인 우호세력에게 집중적으로 '신주'를 배정하기 위한 하나의 방편으로 채택된 것이라면, 이는 전환사채 제도를 남용하여 전환사채라는 형식으로 사실상 신주를 발행한 것으로 보아야 하며, 그렇다면 그러한 전환사채의 발행은 주주의 신주인수권을 실질적으로 침해한 위법이 있어 신주 발행을 그와 같은 방식으로 행한 경우와 마찬가지로 무효로 보아야 하고, 뿐만 아니라 그 전환사채 발행의 주된 목적이 경영권 분쟁 상황하에서 우호적인 제3자에게 신주를 배정하여 경영권을 방어하기 위한 것인 점, 경영권을 다투는 상대방인 감사에게는 이사회 참석 기회도 주지 않는 등 철저히 비밀리에 발행함으로써 발행유지가처분 등 사전 구제수단을 사용할 수 없도록 한 점, 발행된 전환사채의 물량은 지배 구조를 역전시키기에 충분한 것이었고, 전환기간에도 제한을 두지 않아 발행 즉시 주식으로 전환될 수 있도록 하였으며, 결과적으로 인수인들의 지분이 경영권 방어에 결정적인 역할을 한 점 등에 비추어, 그 전환사채의 발행은 현저하게 불공정한 방법에 의한 발행으로서 이 점에서도 무효라고 보아야 한다."

5) 질권의 물상대위(제516조 제2항, 제339조의 준용)

전환사채의 전환이 있는 때에는 종전의 전환사채를 목적으로 하는 질권은 전환으로 인하여 사채권자가 받을 주식 위에 미친다. 물상대위에 의해 전환사채상의 질권이 전환으로 인해 발행되는 주식으로 옮겨가는 것이다. 전환사채의 질권이 설정되더라도 전환권은 당연히 사채권자에게 귀속되고 따라서 사채권자가 이 전환권의 행사를 자유로이 할 수 있다. 이 때에 질권의 물상대위적 효력을 인정하는 것이다.

6) 전환으로 인하여 발행하는 주식의 발행가액(제516조 제2항, 제348조의 준용)

전환주식에서 전환으로 인하여 신주식을 발행하는 경우에는 전환 전의 주식의 발행가액을 신주식의 발행가액으로 하도록 되어 있다(제348조). 이것이 전환사채에 준용되어, 전환사채의 전환으로 인하여 발행하는 주식의 발행가액은 전환사채의 발행가액으로 한다.

7) 전환의 효력발생시기(제516조 제2항, 제350조의 준용)

전환사채의 전환은 그 청구를 한 때에 그 효력이 생긴다(제350조 제1항의 준용). 그러므로 전환의 청구를 하면 회사의 승낙이 없어도 사채는 주식으로 변하여 전환사채권자는 사채권자의 지위를 잃고 바로 주주가 되어 주주의 권리를 행사할 수 있다. 따라서 이 전환권은 형성권이다.

제354조 제1항[주주명부의 폐쇄, 기준일]의 기간 중에 전환된 사채의 주주는 그 기간 중의 주주총회의 결의에 관하여는 의결권을 행사할 수 없다(제350조 제2항의 준용).

1995년의 상법개정 전에는 주주명부의 폐쇄(명의개서정지)기간 중에는 주식의 거래가 있어도 주주명부의 명의개서를 할 수 없음은 물론, 주식의 전환청구도 할 수 없었지만(개정전 상법 제349조 제3항), 개정법에서는 동조 제3항을 삭제하여 주주명부의 폐쇄기간 중에도 주주의 주식전환권행사를 제한하지 않음으로써 그 기간 중에도 전환을 청구하면 그 청구한 때에 효력이 생기도록 하였다(제350조 제1항). 다만 전환된 주식의 주주는 그 기간 중의 총회에서 의결권을 행사할 수 없다고 하였다(제350조 제2항). 따라서 이 규정을 준용하여 이 기간 중에 전환된 사채의 주주는 그 기간 중의 주주총회의 결의에는 의결권을 행사할 수 없다.

2020년 개정 상법은 일정한 시점을 배당기준일로 전제한 규정들을 삭제하여 배당기준일에 상관없이 구주와 신주의 동등배당을 가능하게 하였다.[31] 개정 상법은 전환사채의 전환(제516조 제2항)에 따른 이익배당과 관련하여 종래 준용되던 구상법 제350조 제3항을 삭제하여, 회사가 효력발생 시점을 자유로이 결정할 수 있게 되었다.[32] 전환 시점을 기준으로 이자지급과 이익배당을 결정하는 것이므로 전환의 효력이 발생하기 전까지는 일할로 계산하여 사채로서 이자를 지급하고, 주식의 이익배당에 대해서는 이후의 배당기준일에 다른 주식과 동등한 배당을 하면 된다.[33] 이와 관련하여 '전환사채에 대한 이자와 전환된 주식에 대한

---

31) 개정의 주된 목적은 기업 배당 실무의 혼란을 해소하고 주주총회의 분산 개최를 독려하기 위함이다. 법무부 보도자료, "법무부는 회사의 건강하고 투명한 성장을 위해 함께 하겠습니다.", 2020. 12. 9., 7면.

32) 심영, "2020년 개정 상법(회사법) 해석에 관한 소고," 「법학연구」 제31권 제1호(연세대학교 법학연구원, 2021), 60면.

33) 결과적으로 영업연도 후반부에 전환이 이루어질수록 이자는 증가하지만 이익배당은 차이가 없어 사채권자에게 이익이 된다. 송옥렬, 「상법강의」 제11판(홍문사, 2021), 1190면.

배당의 이중지급 문제'가 제기될 수 있으나,[34] 전환사채에서 사채 부분과 옵션 부분의 가치는 서로 독립적인 것이라 볼 수 있고,[35] '전환 전에는 사채로서 이자를 받다가, 전환 후에는 주식으로서 다른 주식과 동일하게 배당을 받는다'라는 취지의 문구가 정관에 명확히 규정되어 있다면 관계자들의 이해관계에 혼란이 발생할 여지는 없을 것이다.[36]

8) 전환사채의 전환의 등기(제516조 제2항, 제351조의 준용)

전환사채의 전환으로 인한 변경등기는 전환을 청구한 날이 속하는 달의 말일부터 2주간 내에 본점소재지에서 이를 하여야 한다.

이것은 전환사채의 전환이 있으면 전환사채의 감소, 자본의 증가, 발행주식총수의 증가 등 등기사항에 변경이 생기기 때문에 전환의 등기를 하게 한 것이다.

전환주식의 등기기간에 대하여 1995년 개정상법 이전에는 전환한 날로부터 본점소재지에서는 2주간 내, 지점소재지에서는 3주간 내에 이를 하도록 되어 있었는데, 이와 같이 각 주주가 청구한 날을 기준으로 개별적으로 등기하도록 하면 너무 번거롭고 또 등기에 따른 회사의 부담을 덜어주기 위하여 1995년 개정상법은 이와 같이 개정한 것이다.

2. 신주인수권부사채

가. 신주인수권부사채의 개관

신주인수권부사채(bond with stock purchase warrants, Aktienbezugs- anleichen)란 사채권자에게 기채회사의 신주인수권이 부여된 사채를 말한다. 따라서 신주인수권부사채권자는 보통사채의 경우와 마찬가지로 일정한 이자를 받으면서 만기에 사채금액을 상환받을 수 있는 동시에 자신에게 부여된 신주인수권을 가지고 필요에 따라(예컨대 주식시가가 주식발행시 가액을 상회할 경우) 회사측에 신주의 발행을 청구할 수 있다.[37]

---

34) 심영, 전게논문, 60면.
35) 송옥렬, 전게서, 1190면.
36) 천경훈, "2020년 개정상법의 주요 내용과 실무상 쟁점," 「경제법연구」 제20권 제1호(경제법학회, 2021), 36면.
37) 여기에서 말하는 신주인수권은 회사의 자본증가를 위한 신주발행시 신주배정을 받을 권리

이와 같이 신주인수권부사채는 투자의 안전성과 투기성을 결합한 새로운 제도로서 이미 상법상 인정되고 있는 전환사채와 경제적 기능면에서 기본적으로 유사한 형태를 띠고 있다. 즉 신주인수권부사채와 전환사채는 각기 신주인수권과 전환권이라는 감미료(sweetener)를 통해 일반투자자의 투자를 유인하는 동시에, 기채회사의 입장에서 보더라도 보다 유리한 조건(저리, 장기)으로 자금을 조달할 수 있다. 따라서 개정상법에서는 발행의 수권, 절차, 등기 등에 관하여 전환사채에 준한 구성을 하고 있다. 그러나 그 내용에 있어서는 전환사채의 경우 사채권자의 전환권행사로 인하여 사채권이 소멸되는데 비하여 신주인수권부사채의 경우에는 신주인수권이 행시되더라도 사채권은 소멸하지 않고 그대로 존속한다는 점에서 근본적인 차이가 있으며, 발행 및 투자상의 모든 절차에 있어 보다 복잡하고 고도의 전문성을 요하고 있다.[38]

한편 구상법에서도 신주인수권부사채에 관한 명문의 규정은 없었으나 정관에 의하여 제3자에게 신주인수권을 부여할 수 있었기 때문에(제418조, 제420조 제5호) 정관에 제3자인 사채권자에게 신주인수권을 부여한 경우 신주인수권부사채의 발행이 가능하였다.[39] 그러나 그 법률관계가 확실치 않았기 때문에 1984년 개정상법에서는 신주인수권부사채제도에 관하여 새로운 1개 관을 신설, 9개 조문(제516조의2 내지 제516조의10)에 걸쳐 상세하게 규정함으로써 그 내용을 정형화·일반화하고 있다.[40]

나. 형   태

신주인수권부사채는 발행형태에 따라 분리형(bond with detachable warrants)과 비분리형(bond with nondetachable warrants)으로 분리할 수 있다.[41]

(제418조)와 구별되며, 사채권자가 필요에 따라 신주발행을 청구할 수 있다는 점에서 일종의 형성권으로 볼 수 있다. 상세는 최완진, "신주인수권부사채에 관한 법적 문제점 고찰," 「현대상사법의 제문제」(법지사, 1988), 399∼418면.

38) 田中誠二, 「會社法詳論(下)」再全訂(1982), 1033∼1034面.

39) 우리나라 최초로 신주인수권부사채를 발행한 예로는 1978년 9월 신풍제지(주)가 사채권면액의 10%해당액만큼 보통주식을 액면가로 인수할 수 있는 조건으로 사채권자들에게 신주인수권을 부여한 신주인수권부사채 9억원을 발행한 것으로 되어 있다. 김병석, "신주인수권부사채에 관한 고찰," 「증권조사월보」제89호(1984. 9.).

40) 2011년 상법개정시 제516조의7에 신주인수권의 전자등록에 관한 조항을 신설하면서, 기존 제516조의7부터 한 조씩 이동시켜, 현재 신주인수권부사채제도는 제516조의2 내지 제516조의11에 걸쳐 10개의 조문에 규정되어 있다.

1) 분리형

분리형 신주인수권부사채는 신주인수권부사채의 발행결의시 신주인수권만을 양도할 수 있도록 정한 것으로(제516조의2 제2항 제4호), 이 경우 회사는 사채권을 표창하는 채권과 신주인수권을 표창하는 신주인수권증권을 각각 분리 발행하게 된다.

채권과 신주인수권증권은 각기 독립한 수개의 유가증권으로서 유통되며 신주인수권증권의 양도는 신주인수권증권의 교부에 의하여서만 할 수 있다(제516조의6 제1항). 또한 신주인수권증권의 점유자는 개정상법에 의한 주권의 점유자와 같이 적법한 소지인으로 추정되며(제516조의6 제2항, 제336조 제2항; 수표법 제21조) 선의취득이 인정된다. 따라서 신주인수권증권은 공시최고의 절차에 의하여 이를 무효로 할 수 있으며 이 증권을 상실한 자는 법원의 제권판결을 얻지 않는 한 회사에 대하여 재발행청구를 할 수 없다(제516조의6 제2항, 제360조).

한편 분리형의 경우 신주인수권자(신주인수권증권의 소지인)가 신주인수권을 행사하기 위해서는 소정의 절차를 밟아 신주인수권증권을 첨부하여 회사에 제출하여야 한다(제516조의8 제2항).

2) 비분리형

비분리형 신주인수권부사채는 채권 자체에 사채권과 신주인수권이 함께 표창되어 있어 양자의 분리양도가 인정되지 않는 것을 말하며 이 채권에는 신주인수권부사채라는 뜻, 사채에 부여된 신주인수권의 내용 및 행사기간 등에 관한 소정사항이 기재된다(제516조의4).

따라서 신주인수권은 채권의 교부에 의하여 사채권과 함께 유통되며, 채권소지인, 즉 사채권자 또는 채권양수인은 신주인수권을 행사할 수 있다. 이 경우 분리형과는 달리 신주인수권증권이 발행되지 않았으므로 소정의 절차와 함께 채권을 회사에 제시한 후(제516조의9 제2항) 되돌려 받게 될 것이다.

한편 비분리형의 경우에는 발행시부터 신주인수권의 행사시까지 사채권과 신주인수권은 일체이나 신주인수권의 행사 후에도 사채권은 그대로 존속하고 그 채권은 보통사채권으로서 유통된다. 따라서 비분리형은 보통사채와 증권화되지

---

41) 최완진, 「신회사법요론」(한국외대출판부, 2012), 293면.

않은 신주인수권의 복합체로 볼 수 있다.[42)

3) 1984년 개정상법의 입장

개정상법(제516조의2 제2항)에서는 분리형 신주인수권부사채 발행에 관하여는 정관의 정함이 있는 경우에 이사회가 아닌 주주총회에서 그 사항을 결정하도록 규정함으로써 해석상 비분리형을 원칙으로 하고 분리형을 예외적으로 인정하는 입장을 취하고 있다.[43)

그 이유는 분리형 발행시, 사채권과 신주인수권의 분리유통에 따른 권리상태의 불안정을 해소하고 기존 주주를 보호하기 위한 것이라고 할 수 있다. 그러나 신주인수권부사채가 본래 자금조달의 다양화 및 용이화를 위해 신설된 점을 감안할 때 오히려 분리형을 원칙적인 것으로 취급하는 것이 타당하다는 견해가 있고[44) 그 형태는 회사의 자유로운 선택에 따른다는 견해도 있다.[45)

다. 경제적 기능

1) 기능적 특징

신주인수권부사채는 무엇보다도 투자의 안정성과 투기성이라는 매력을 통해 회사의 자금조달을 보다 다양화할 수 있다는 점에서 다른 사채와 다른 기능적 특징을 찾을 수 있다. 즉 투자자인 사채권자의 입장에서 본다면 보통사채의 경우 단순한 사채권자의 지위를 가지며, 전환사채의 경우에는 전환권을 행사함으로써 주주의 지위를 갖게 되는데 비하여, 신주인수권부사채권자의 경우에는 신

---

42) 竹中正明, "新株引受權附社債の特異性,"「改正會社法の基本問題」(慶應通信, 1982), 95~96面.

43) 서정갑, "신주인수권부사채,"「사법행정」(한국사법행정학회, 1984년 5월호), 27면; 손주찬, "상법개정안의 신주인수권부사채제도,"「고시계」(고시계사, 1982년 2월호), 78면. 특히 일본상법 제341조의8 제4항에서는 분리형의 발행은 원칙적으로 정관에 이에 관한 정함이 있더라도 신주인수권부사채의 총액, 신주인수권의 행사로 인하여 발행할 주식의 발행가액총액내지 신주인수권의 행사기간 등에 관하여 주주총회의 특별결의를 거치도록 함으로써 분리형의 발행을 엄격히 제한하는 입장을 취하고 있으나, 우리 개정상법에서는 인수권을 주주이외의 자에게 부여하는 경우에는 사채발행 자체에 정관이나 주주총회의 특별결의를 요건으로하는 관계상(제516조의2 제4항) 이를 따로 규정하지 않았다. 박길준·이범찬, "주식회사의 자금조달,"「상사법연구」(한국상사법학회, 1984), 203면; 최준선, 전게서(주 7), 698면; 정찬형, 전게서(주 13), 1296면; 최완진, 「신회사법요론」(한국외대출판부, 2012), 294면.

44) 안동섭, "신주인수권부사채,"「법률신문」제1574호(1985. 1. 28.), 9면 참조.

45) 최기원, 「상법학신론(상)」(박영사, 2011), 1138면.

주인수권의 행사에 의해 사채권자의 지위와 주주의 지위를 동시에 향유할 수 있다는 점에서 투자의 매력을 가지게 된다.

한편 회사의 자금조달 및 구성면에 있어서 보통사채에 의존할 경우 자금조달이 유리하고 안정적인 자금원을 확보할 수 있으나 과도하게 사채에 의존한다면 기업의 자기자본비율이 저하되어 기업 자체의 활력을 잃게 될 가능성이 큰데 비해 신주인수권부사채를 발행할 경우에는 사채권자의 신주인수권행사에 따라 자기자본을 충실히 할 수 있다는 장점을 가지고 있다. 또한 전환사채의 경우 전환권을 행사하여도 추가자금의 납입은 요하지 않고 회사의 총자산도 변동이 없으나 신주인수권부사채에 있어서는 신주인수권의 행사에 따라 추가자금이 납입되어 그만큼 회사의 총자산이 증가하게 된다.

2) 투자의 촉진기능

신주인수권부사채는 투자의 안전성과 투기성을 가지고 있기 때문에 투자자인 사채권자의 투자를 촉진시키는 기능을 가지고 있다. 즉 안전성면에 있어서 전환사채의 경우에 전환권을 행사할 때와는 달리, 신주인수권부사채의 경우에는 신주인수권을 행사하더라도 사채는 소멸하지 않고 남아 있기 때문에 확정이자 및 원금을 확보할 수 있을 뿐 아니라 회사의 청산 또는 정리절차가 개시되더라도 보통주주에 앞서 투하자금을 회수할 수 있게 된다.

또한 투기성면에서 본다면 신주인수권은 사채권과는 별도로 행사할 수 있기 때문에 사채발행회사주가의 추이를 보아 가면서 투자자의 입장에서 유리한 시기에 신주인수권을 행사할 수 있으며, 신주인수권의 유통시장이 형성되어 있는 경우(분리형) 이를 처분하여 투하자금을 회수할 수도 있다. 특히 신주인수권부사채에 있어서 신주인수권은 이른바 지레작용현상(leverage phenomenon)에 따라 높은 투자효율을 얻을 수 있으며, 그 기대정도에 따라서 프리미엄도 형성되기 때문에 전환사채보다도 강한 투기적 기능을 가지게 된다.[46]

또한 주식시장에서 상승률이 큰 만큼 지레작용현상으로 상승적인 투자효율을 가지게 된다.

그러나 신주인수권부사채의 이와 같은 안전성 및 투기적 기능은 항상 투자자

---

46) Henry B. Reiling, "Warrants in Bond—Warrant Units: A Survey and Assesment" 70, Michigan Law Review, 1972, pp. 1417~1418.

인 사채권자에게 유리한 방향으로만 작용하는 것은 아니다. 즉 사채권자 및 신주인수권증권 소지인(분리형의 경우)이 신주인수권의 행사기간 내에 결국 신주인수권을 행사하지 못하고 신주인수권이 소멸한다면 보통사채보다 저이율만큼 또는 신주인수권 매입액 만큼 손실을 보는 것이 된다.

그럼에도 불구하고 주가가 아무리 폭락하더라도 신주인수권을 행사하지 않는 한 사채권자의 입장에서 사채원금과 이자를 확보할 수 있다는 이점은 여전히 남아 있는 것이고, 또한 신주인수권증권의 소지인의 입장에서도 일반투자자인 주주와 달리 신주인수권증권의 매입액 만큼만 손실을 부담한다는 점에서 주가상승 경우의 지레작용현상에 비교한다면 충분한 이점을 가지는 것이다.

3) 회사의 자금조달기능

신주인수권부사채는 사채에 의한 투자촉진을 통하여 회사의 자금조달을 보다 원활히 하는 기능을 가지고 있다. 더구나 전환사채에 비하여 신주인수권은 별도의 증권으로서 사채권으로부터 독립하여 유통될 수 있기 때문에 이러한 기능은 더욱 강화된다. 또한 신주인수권이라는 매력의 대가로 저리의 사채를 모집할 수 있으며, 신주인수권부사채를 발행할 경우에는 신주인수권행사에 따른 자기자본의 증가를 통해 재무구조의 개선을 도모할 수 있다.[47] 특히 기능이 유사한 전환사채의 경우에는 전환권이 행사되더라도 단순히 사채의 잔고가 감소하여 자본으로 전환될 뿐 추가자금의 유입이 없는데 비해 신주인수권행사의 경우 사채가 그대로 존속하면서 추가자금이 유입되어 그만큼 총자산이 증가하게 된다.[48] 또한 전환사채의 경우 자본조달액은 사채발행액에 한정되어 이에 따른 발행주식수도 사채발행액의 크기에 비례하여 거의 일률적으로 결정되지만, 신주인수권부사채의 경우에는 신주인수권의 행사대상으로 되는 주식의 총수, 배당비율을 어떻게 정하느냐에 따라 조달예정금액을 자유롭게 결정할 수 있다는 점에서 자금조달상의 기동성을 가지게 된다.

그러나 이와 같이 신주인수권부사채가 회사자금조달상 유리한 면을 가지고

---

47) 정찬형, 전게서, 1296면.
48) 다만 1984년 개정상법에서는 사채발행시 신주인수권행사자의 청구가 있는 때에는 신주인수권부사채의 상환에 갈음하여 그 발행가액으로 납입이 있는 것으로 본다는 뜻을 정할 수 있도록 하는 대용납입제도를 예외적으로 규정하고 있는바(제516조의2 제2항 제5호) 이러한 경우는 전환사채의 전환권행사와 동일한 결과가 된다.

있는데 반해 어떤 의미에서는 오히려 불건전한 금융수단(unsound financial device)으로 될 가능성도 있다. 즉 신주인수권의 행사기간을 장기화할 경우 잠재적 주주인 신주인수권행사자의 임의선택에 따라 회사의 보통주식을 일정한 가격으로 매입할 수 있다는 불안정한 상태가 계속됨으로써 그 기간동안은 회사의 신주발행 또는 기타 방법에 의한 자금조달에 지장을 줄 수 있다. 또한 발행회사가 자금을 긴급히 필요로 하는 때는 대부분 주가가 내려가 있는 상태이기 때문에 이 때에 신주인수권이 행사될 가능성은 적으며 오히려 회사가 자금을 가장 필요로 하지 않는 시기에 행사될 가능성이 크다. 특히 신주인수권행사로 인한 추가자금유입이 반드시 회사가 희망하는 시기, 규모로 이루어지지 않는 한 그 행사기간이 길면 길수록 회사의 자금조달상의 문제가 심화될 것이다.

라. 신주인수권부사채의 발행방법

1) 주주에게 인수권을 주는 경우

신주인수권부사채의 발행권은 전환사채와 마찬가지로 원칙적으로 이사회에 맡겨져 있다. 이 사채를 발행함에 있어서 이사회는 다음의 사항을 결정한다.

① 신주인수권부사채의 총액
② 각 신주인수권부사채에 부여된 신주인수권의 내용
③ 신주인수권을 행사할 수 있는 기간
④ 신주인수권만을 양도할 수 있는 것에 관한 사항
⑤ 신주인수권을 행사하려는 자의 청구가 있는 때에는 신주인수권부사채의 상환에 갈음하여 그 발행가액으로 제516조의9 제1항의 납입이 있는 것으로 본다는 뜻
⑥ 주주에게 신주인수권부사채의 인수권을 준다는 뜻과 인수권의 목적인 신주인수권부사채의 액
⑦ 주주 외의 자에게 신주인수권부사채를 발행하는 것과 이에 대하여 발행할 신주인수권부사채의 액

다만 정관에 이에 대하여 어떤 규정이 있거나 정관으로 위의 사항들을 주주총회에서 결정하기로 정한 경우에는 그러하지 아니하다. 이 부분은 전환사채에서 설명한 것과 같다.

위의 사항 중 특수한 것들에 대하여 간략히 설명한다.「신주인수권만을 양도할 수 있는 것에 관한 사항」이란 회사가 이 사채를 발행함에 있어서 이 사채에 부여된 신주인수권만을 이 사채와 분리하여 양도할 수 있도록 할 것인가 아닌가 하는 사항이다. 이를 분리하여 양도할 수 있도록 할 때에는 사채권과 별도로 신주인수권증권이 발행된다(제516조의5). 이를 분리형의 신주인수권부사채라 한다. 이에 비하여 사채권과 신주인수권이 동일한 유가증권 위에 표창되고 항상 함께 유통되도록 하는 것은 비분리형의 신주인수권부사채라 한다. 이번의 개정에서 주주에게 신주인수권을 양도할 수 있도록 한 것(제416조)과 괘를 같이 하여 신주인수권부사채에 있어서도 신주인수권만을 양도할 수도 있게 하였다.「신주인수권을 행사하려는 자의 청구가 있는 때에는 신주인수권부사채의 상환에 갈음하여 그 발행가액으로 납입이 있는 것으로 본다.」는 말은 이 사채권자가 신주인수권을 행사하면서 이 사채의 상환을 받는 대신에 이를 주금의 납입으로 갈음할 수 있다는 말이다. 회사측에서 보면 사채를 상환하는 대신에 주식을 교부하는 것이다. 이때에는 결과적으로 전환사채와 같게 된다. 사채의 상환과 주금을 납입하는 일을 일거에 처리하자는 것이다.

1995년 개정상법에서는 이익배당기산일에 관한 제2항 제6호가 삭제되었다. 그 이유는 이 인수권의 행사로 발행되는 신주의 배당기산일에 관하여 개정법은 개정법 제350조 제3항을 준용하도록 하고 있는데(제516조의10 후단) 이에 이 인수권을 행사한 때가 속하는 영업년도 말 또는 정관의 정함에 따라 그 직전 영업년도 말이 그 기산일로 된다. 그 결과 본조 제2항 제6호는 필요 없는 조항이 되었다. 따라서 이를 삭제하게 된 것이다.

각 신주인수권부사채에 부여된 신주인수권의 행사로 인하여 발행할 주식의 발행가액의 합계액은 각 신주인수권부사채의 금액을 초과할 수 없다(제516조의2 제3항). 즉, 신주인수권의 행사로 인하여 발행할 주식의 발행가액은 이 사채의 금액을 한도로 한다. 다시 바꾸어 말하면 사채의 금액보다 액면상 더 많은 신주의 인수권을 주어서는 안 된다는 뜻이다. 이러한 제한을 한 것은 혹시라도 소액의 사채에 다액의 신주를 취득할 수 있는 신주인수권을 부여하는 일이 없도록 하려는 것이다. 그렇지 않으면 사채는 명목일 뿐이고 실질적으로는 신주인수권만을 주는 셈이 되기 때문이다.

2) 주주 이외의 자에게 인수권을 주는 경우

주주 이외의 자에 대하여 이 사채를 발행하는 경우에는 정관 또는 주주총회의 특별결의를 요한다. 여기에서 정할 사항들은 그 발행할 수 있는 신주인수권부사채의 액, 신주인수권의 내용과 신주인수권을 행사할 수 있는 기간이다. 전환사채의 경우와 같다. 이에 관한 그 밖의 설명은 전환사채의 내용으로 대신한다.

이와 관련된 판례는 다음과 같다.

〈신주인수권부사채의 저가 발행이 이사로서의 임무위배에 해당하는지 여부 및 이로 인하여 회사에 손해를 입혔는지 여부〉[49]

"회사가 주주 배정의 방법이 아니라 제3자에게 인수권을 부여하는 제3자 배정의 방법으로 신주 등을 발행하는 경우에는 제3자는 신주인수권을 행사하여 신주 등을 인수함으로써 회사의 지분을 새로 취득하게 되는바, 그 제3자와 회사와의 관계를 주주의 경우와 동일하게 볼 수는 없는 것이므로, 만약 회사의 이사가 시가보다 현저하게 낮은 가액으로 신주 등을 발행하는 경우에는 시가를 적정하게 반영하여 발행조건을 정하거나 또는 주식의 실질가액을 고려한 적정한 가격에 의하여 발행하는 경우와 비교하여 그 차이에 상당한 만큼 회사의 자산을 증가시키지 못하게 되는 결과가 발생하는데, 이는 회사법상 공정한 발행가액과 실제 발행가액과의 차액에 발행주식수를 곱하여 산출된 액수만큼 회사가 손해를 입은 것으로 보아야 한다. 따라서 이와 같이 현저하게 불공정한 가액으로 제3자에게 신주 등을 발행하는 행위는 이사의 임무위배행위에 해당하는 것으로서 그로 인하여 회사에 공정한 발행가액과의 차액에 상당하는 자금을 취득하지 못하게 되는 손해를 입힌 이상 이사에 대하여 배임죄의 죄책을 물을 수 있다고 할 것이다."

마. 신주인수권부사채의 인수권을 가진 주주에 대한 최고

1) 실권예고부청약의 최고(통지)

제516조의3은 실권예고부최고에 관한 것이다. 신주인수권부사채의 인수권을 주주에게 주었으므로 이것도 신주발행의 경우와 같다.

---

49) 대법원 2009.5.29. 2008도9436.

배정일의 공고에 나아가 회사로 하여금 구체적으로 신주인수권부사채의 인수권을 가지는 주주에게 실권예고부 청약최고를 하게 한 것이다. 이 부분은 전환사채에서 설명한 바와 같다.

회사는 주주들에게 일정한 기일까지 사채의 청약을 하지 않으면 그 권리를 잃는다는 실권예고부통지를 하여야 한다. 이 통지에는 그 인수권을 가지는 신주인수권부사채의 액, 발행가액, 신주인수권의 내용, 신주인수권을 행사할 수 있는 기간과 일정한 기일까지 이의 청약을 하지 아니하면 그 권리를 잃는다는 뜻이 포함되어야 한다. 신주인수권만을 양도할 수 있도록 정하였으면 이 사항, 신주인수권을 행사하려는 지의 청구가 있는 때에는 이 사채의 상환에 갈음하여 그 발행가액으로 주금의 납입이 있는 것으로 본다는 사항을 정하였으면 그 사항도 아울러 이에 포함되어야 한다.

위의 통지는 청약일의 2주간 전에 하여야 한다. 회사가 이 통지를 해태한 때에는 5백만 원 이하의 과태료의 제재를 받는다.

2) 신주인수권의 상실

위의 통지 또는 공고에도 불구하고 주주가 그 청약기일까지 신주인수권부사채의 청약을 하지 아니한 때에는 주주는 신주인수권을 상실한다.

인수권의 대상이 되고 있었던 신주인수권부사채를 청약하지 않음으로써 인수권이 상실되면 이후 이사회는 이를 자유로이 처분할 수 있다. 실권분에 대하여는 발행을 중지할 수도 있고, 실권분을 재모집하는 것도 가능하지만 이 경우에는 정관에 규정이 없으면 주주총회의 특별결의가 있어야 한다(제516조의2 제4항).

바. 사채청약서·채권·사채원부의 기재사항

제516조의4는 신주인수권부사채를 발행할 경우에 사채청약서·채권 및 사채원부에 기재할 사항을 규정한다. 신주인수권부사채도 하나의 사채이므로 사채청약서·채권 및 등기에 관한 모든 규정이 이에 적용된다. 따라서 신주인수권부사채를 발행할 경우에도 이들 서류에 관하여 각 법조문(제474조, 제478조, 제488조)에 정해 놓은 기재사항들을 모두 기재하여야 함은 말할 것도 없다.

이 사채청약서와 사채원부에 기재하여야 할 신주인수권부사채에 특유한 기재사항은 다음과 같다(제516조의4).

① 신주인수권부사채라는 뜻(제516조의4 제1호)

② 각 신주인수권부사채에 부여된 신주인수권의 내용(제516조의4 제2호, 제516조의2 제2항 제2호)

③ 신주인수권을 행사할 수 있는 기간(제516조의4 제2호, 제516조의2 제2항 제3호)

④ 신주인수권만을 양도할 수 있는 것에 관한 사항(제516조의4 제2호, 제516조의2 제2항 제4호)

⑤ 신주인수권을 행사하려는 자의 청구가 있는 때에는 신주인수권부사채의 상환에 갈음하여 그 발행가액으로 신주의 납입이 있는 것으로 본다는 뜻(대용납입)(제516조의4 제2호, 제516조의2 제2항 제5호)

⑥ 신주의 납입을 맡을 은행, 기타 금융기관과 납입장소(제516조의4 제3호, 제516조의8)

⑦ 주식의 양도에 관하여 이사회의 승인을 얻도록 정한 때에는 그 규정(제516조의4 제4호)(1995년의 상법개정에서는 주식의 양도에 관하여 정관으로 이사회의 승인을 얻도록 할 수 있음을 규정하고 있으므로 <개정상법 제335조 제1항 단서> 이와 같은 정관의 정함이 있는 회사는 사채청약서, 채권, 사채원부에도 그 뜻을 기재하여야 한다. 신주인수권부사채권자는 신주인수권을 행사함으로써 신주의 주주가 될 수 있는데, 그 주식의 양도가 이사회의 승인을 요한다는 것은 신주인수권자로서는 중요한 사항이므로 이를 공시할 필요가 있으며, 사채청약서, 채권, 사채원부에의 기재는 이와 같은 필요에서 요구된다.)

이러한 사항들은 이 사채와 이해관계를 갖는 모든 사람에게 중요한 것이기 때문이다. 다만 신주인수권증권이 발행된 때에는 채권에는 이들 사항을 기재할 필요가 없다. 이 증권에 이들 사항을 기재하도록 되어 있기 마련이다.

사. 신주인수권증권의 발행

제516조의5는 분리형의 신주인수권부사채의 경우 신주인수권증권의 발행에 관한 규정이다.

신주인수권부사채를 발행함에 있어서 신주인수권만을 양도할 수 있도록 정하였으면 발행회사는 사채권과 함께 신주인수권증권을 발행하여야 한다. 이에 의하여 이 사채에 있어서는 사채권과 신주인수권은 분리되어 따로 유통될 수 있다. 분리형의 신주인수권부사채라고 불리는 것은 이 때문이다. 이 신주인수권증권은 신주발행시의 신주인수권증서(제420조의2)와 법률상 같은 성질의 것이다. 다만 다음의 몇 가지가 다르다. 첫째로 양자의 명칭이 조금 다르다. 둘째로 그 존속기간이 다른데 이 증권의 경우에는 상당한 기간임에 비하여 신주인수권증서의 경우에는 2주간이다. 셋째로 분실시의 처리가 다른데 이 증권의 경우에는 일반의 절차에 따라 공시최고의 절차를 거쳐 제권판결을 받아야 함에 비하여 신주인수권증서의 경우에는 (존속기간이 단기간이므로 공시최고의 절차를 밟기 어렵기 때문에) 주식청약서에 의하여 청약할 수 있다(제420조의4 제2항).

신주인수권증권에는 다음의 사항과 번호를 기재하고 발행회사의 대표이사가 기명날인 또는 서명하여야 한다.

① 신주인수권증권이라는 표시
② 회사의 상호
③ 각 신주인수권부사채에 부여된 신주인수권의 내용, 신주인수권을 행사할 수 있는 기간, 신주인수권을 행사하는 자의 청구가 있는 때에는 사채의 상환에 갈음하여 그 발행가액으로 주금의 납입이 있는 것으로 본다는 뜻

1995년 개정상법에서는 신주인수권의 작성방법에 서명이 선택적인 것으로 추가되고, 그 필요적 기재사항에 「주식의 양도에 관하여 이사회의 승인을 얻도록 정한 때에는 그 규정」이 추가되었다.

아. 신주인수권의 양도

1) 신주인수권의 양도의 방법

분리형의 신주인수권부사채에서 신주인수권증권이 발행된 경우에는 신주인수권의 양도는 신주인수권증권의 교부에 의하여서만 이를 할 수 있다(제516조의6 제1항). 분리형의 신주인수권부사채에서는 신주인수권이 사채권에서 분리되어 자유로이 양도되어야 하기 때문에 동 증권의 유가증권성을 부여하여 주권과 같이 교부 만에 의하여 양도할 수 있게 하였다.

신주발행시에 신주인수권의 양도방법을 신주인수권증서의 교부에 의하도록 한 것(제420조의3)과 같은 취지에서 이렇게 제한한 것이다.

여기서 「교부」라 함은 점유의 이전을 말하는 것으로서, 이것은 주권의 경우

와 마찬가지로 현실의 인도(민법 제188조 제1항)만에 한하지 않고 간이인도(민법 제188조 제2항), 점유개정(민법 제189조), 반환청구권의 양도(민법 제190조)의 방법에 의하는 경우도 당연히 포함한다.

2) 신주인수권증권의 자격수여적 효력

신주인수권증권의 점유에는 주권과 같이 자격수여적 효력이 인정되어 점유자는 적법한 소지인으로 추정된다(제516조의6 제2항, 제336조 제2항). 따라서 신주인수권증권의 소지인이 증권을 점유하고 신주인수권을 행사한 때에는 회사는 그 자가 무권리자임을 입증하지 않는 한 그 청구를 거절하지 못한다.

신주인수권증권의 점유자는 자격수여적 효력이 인정되므로 그 점유자로부터 중대한 과실없이 신주인수권증권을 취득한 자는 상대방이 무권리자일지라도 신주인수권을 선의취득한다. 따라서 앞의 신주인수권자는 신주인수권증권의 점유를 상실한 「사유의 여하를 불문하고」, 동 증권의 반환을 청구할 수 없다(제516조의6 제2항, 수표법 제21조).

신주인수권증권은 유가증권이며 증권의 교부에 의하여서만 양도가 가능하고 선의취득이 인정되므로, 유통의 안전을 보호한다는 취지에서 주권과 같이 공시최고의 절차에 의하여만 이를 무효로 할 수 있고, 이 증권을 상실한 자는 제권판결을 받아야만 회사에 대하여 이 증권의 재발행을 청구할 수 있다(제516조의6 제2항, 제360조). 이 점에서 신주발행에서의 신주인수권증서와 다르다. 즉 신주인수권증권은 존속기간이 비교적 장기간이므로 재발행에는 공시최고절차를 밟아야 하지만 신주인수권증서는 그 기간이 단기(2주간)이므로(제420조의2 제1항 후단) 동증서의 상실의 경우, 재발행에 관한 절차의 정함이 없고, 간편한 구제조치, 즉 주식청약서에 의하여 주식을 청약할 수 있다(제420조의5 제2항).

자. 신주인수권의 전자등록

제516조의7에서는 신주인수권증권의 전자등록에 관한 근거규정을 신설하였다. 신주인수권증서의 발행에 갈음하여 신주인수권을 전자등록할 수 있게 한 것(제420조의4)과 균형을 맞추어, 신주인수권증권도 발행에 갈음하여 전자등록기관의 전자등록부에 등록할 수 있게 한 것이다. 이 경우 신주인수권의 양도·입질은 전자등록부의 등록으로 한다.

차. 신주인수권부사채의 등기사항

신주인수권부사채는 전환사채와 마찬가지로 이의 발행으로 주식의 변동이 예정되는 것이다. 1984년 상법개정에서 사채의 등기제도를 원칙으로 폐지하였지만 전환사채와 신주인수권부사채의 발행만은 등기사항으로 규정하였다. 회사의 이해관계인들에게 중요한 영향을 주기 때문에 이를 공시할 필요가 있기 때문이다.

이 사채를 발행할 때에 등기할 사항은 다음과 같다.

① 신주인수권부사채라는 뜻
② 신주인수권의 행사로 인하여 발행할 주식의 발행가액의 총액
③ 각 신주인수권부사채의 금액
④ 각 신주인수권부사채의 납입금액
⑤ 신주인수권부사채의 총액, 각 신주인수권부사채에 부여된 신주인수권의 내용, 신주인수권을 행사할 수 있는 기간(제516조의2 제2항 제1호 내지 제3호)

여기에는 전환사채의 등기에 관한 규정이 준용된다.

등기기간은 전환사채와 같이 사채의 납입이 완료된 날로부터 본점소재지에서는 2주간 내, 지점소재지에서는 3주간 내이다. 위의 등기사항에 변동이 있는 때에는 그 변경등기를 하여야 한다. 외국에서 이 사채를 모집한 경우에 등기할 사항이 외국에서 생긴 때에는 등기기간은 그 통지가 도달한 날로부터 기산한다.

참고로 종전의 제516조의7은 개정상법상 제516조의8로 조문위치가 변경되었다.

카. 신주인수권의 행사

종전의 제516조의8은 개정상법상 제516조의9로 조문위치가 변경되었다. 사채의 전자등록(제478조 제3항)이 가능함에 따라 전자등록부에 등록한 신주인수권부사채의 경우에 해당채권이나 신주인수권행사시 이를 증명할 수 있는 자료를 회사에 제출하도록 하였다(제516조의8 제2항 단서).

1) 신주인수권의 행사방법

신주인수권을 행사하려는 자는 청구서(신주인수권행사 청구서) 2통을 작성하여

회사에 제출하여야 한다(제516조의8 제1항 전단). 청구서에는 인수할 주식의 종류와 수 및 주소를 기재하고, 기명날인 또는 서명하여야 한다(제516조의8 제4항, 제302조 제1항). 일반의 주식인수의 경우와 같다(제302조 제1항).

그리고 위의 청구서를 제출할 때 신주인수권부사채에 신주인수권증권이 발행된 때(분리형인 경우)에는 동 증권을 첨부하고, 이것이 발행되지 않은 때(비분리형인 경우)에는 채권을 제시하여야 한다(제516조의8 제2항).

신주인수권을 행사함에는 행사자는 인수한 신주의 발행가액 전액을 납입하여야 한다(전액납입주의)(제516조의8 제1항 후단). 이 전액납입에 대하여는 하나의 예외가 있는데, 그것은 신주인수권부사채의 상환에 갈음하여 그 발행가액으로 신주의 납입이 있는 것으로 보는 경우이다(대용납입).

주금납입은 채권(비분리형) 또는 신주인수권증권(분리형)에 기재된 은행, 기타 금융기관의 납입장소에 하여야 한다(제516조의8 제3항).

납입을 맡을 은행, 기타의 금융기관을 변경하거나 또는 납입금의 보관자를 변경할 때에는 법원의 허가를 얻어야 한다(제516조의8 제4항, 제306조).

2) 납입보관증명

납입을 맡을 은행, 기타 금융기관은 이사의 청구가 있는 때에는 그 보관금액에 관하여 증명서를 교부하여야 한다(제516조의8 제4항, 제318조 제1항). 또 은행, 기타 금융기관은 그 증명한 보관금액에 대하여는 납입의 부실 또는 그 금액의 반환에 관한 제한이 있음을 이유로 하여 회사에 대항하지 못한다(제516조의8 제4항, 제318조 제2항).

타. 주주가 되는 시기[50]

1) 시기와 납입방법

신주인수권부사채권자가 신주인수권을 행사하여 주주가 되는 시기는 신주의 발행가액의 전액을 납입한 때이다(제516조의10 전문, 제516조의9 제1항). 이때부터 주주로서의 권리·의무가 생긴다. 이것은 보통의 신주발행의 경우에는 납입기일의 다음날로부터 주주의 권리·의무가 생긴다(제423조)고 한 데 대한 예외가 된

---

50) 상법개정에 따라 인용조문이 변경되었다. 즉, 종전에는 「제516조의8 제1항의 규정에 의하여」로 되어 있던 것을 「제516조의9 제1항에 따라」로 수정하였다.

다.

주주가 되는 시기는 납입방법에 따라서 다음과 같다. (ⅰ) 현금으로 납입하는 경우에는 미리 정한 은행, 기타 금융기관의 납입장소에서 하여야 하므로(제516조의9 제3항), 주주가 되는 시기는 이 납입장소에 납입금이 현실로 납입된 때이다. (ⅱ) 대용납입(제516조의2 제2항 제5호 참조)의 경우에는 현금에 의한 납입은 하지 않고, 신주인수권행사자의 청구가 있으면 발행회사의 장부상 사채상환금으로부터 자본계정에 이체되는 데 불과하다. 따라서 그 효력이 생기는 시기는 대용납입의 청구를 회사가 수령한 시점이다.

2) 의결권의 행사

주주명부폐쇄(제354조 제1항)기간 중에 신주인수권을 행사하여 신주의 주주가 된 자는 그 기간 중의 주주총회의 결의에 관하여는 의결권을 행사할 수 없다(제516조의10 후문, 제350조 제2항).

3) 배 당

신주인수권부사채에 따른 신주인수권의 행사로 인해 발행되는 신주(제516조의10)에 따른 이익배당과 관련하여 신주인수권을 행사한 때가 속하는 영업연도말에 신주가 발행된 것으로 보거나, 정관으로 직전 영업연도말에 신주가 발행된 것으로 보았다.(구상법 제516조의10, 제350조 제3항) 그러나 2020년 개정 상법에서는 이 규정이 삭제되어 주금납입 완료시점 이후에는 다른 주식과 동일하게 배당하면 된다.[51)]

파. 신주인수권부사채에 관한 준용규정

1) 신주인수권행사로 인한 신주인수권부사채의 변경등기

신주인수권부사채에서의 신주인수권의 행사로 인한 변경등기는 신주인수를 청구한 날이 속하는 달의 마지막 날로부터 2주간 내에 본점소재지에서 이를 하여야 한다(제516조의11, 제351조).

---

51) 송옥렬, 전게서, 1194면; 다만 신주의 발행가액을 납입하는 대신에 신주인수권부사채의 상황에 갈음하여 그 발행가액으로 납입을 하는 대용납입(제516조의2 제2항 제5호)의 경우는 배당과 이자의 이중지급 문제가 발생할 수 있다는 견해도 있다. 심영, 전게논문, 60면.

2) 신주인수권부사채의 신주인수권을 가진 주주의 권리

신주인수권부사채의 신주인수권을 가진 주주는 그가 가진 주식의 수에 따라서 신주인수권부사채의 배정을 받을 권리가 있다(제516조의11, 제513조의2 제1항 본문). 그러나 배정한 결과 생기는 신주인수권부사채의 최저액에 미달하는 단수에 대하여는 그러하지 아니하다(제516조의11, 제513조의2 제1항 단서).

주주에게 신주인수권부사채의 인수권이 부여된 경우에는 회사는 일정한 날(배정일)을 정하여 그날에 주주명부에 기재되어 있는 주주가 인수권을 가진다는 뜻과 신주인수권을 양도할 수 있을 경우에는 그 뜻을 그 날의 2주간 전에 공고하고, 만약 그날이 주주명부의 폐쇄기간 중인 때에는 그 기간의 초일의 2주간 전에 이를 공고하여야 한다(제516조의11, 제418조 제3항, 제514조의2).

3) 기타사항

기타 전환사채에 준용되는 제346조(전환주식의 발행) 제346조 제4항(발행유보)·제424조(유지청구권) 및 제424조의2(불공정한 가액으로 주식을 인수한 자의 책임)의 규정이 신주인수권부사채에 관하여 준용된다.

즉 신주인수권부사채의 발행회사는 사채권자가 신주인수권을 행사할 기간 내에 회사가 발행할 각종 주식 중 사채권자에게 발행할 주식수는 발행을 유보하여야 한다(제346조 제4항).

또 이 사채를 발행하면서 회사가 법령 또는 정관에 위반하여 현저하게 불공정한 방법에 의하여 신주인수권부사채를 발행함으로써 주주가 불이익을 받을 염려가 있는 경우에는 그 주주는 회사에 대하여 그 발행을 유지할 것을 청구할 수 있다(제424조).

또 이사와 통모하여 현저하게 불공정한 발행가액으로 신주인수권부사채를 인수한 자는 회사에 대하여 공정한 발행가액과의 차액에 상당한 금액을 지급하여야 한다(제424조의2 제1항). 이 경우, 소수주주의 대표소송(제403조~제406조)의 규정이 준용되고, 또 이사의 회사 또는 주주에 대한 손해배상책임에 영향을 미치지 아니한다(제424조의2 제2항·제3항).

이와 더불어 신주인수권사채발행의 경우에도 전환사채발행의 경우와 마찬가지로 신주발행무효의 소에 관한 규정(제429조)이 유추적용된다.[52)]

3. 상법 시행령상의 특수사채

2011년 개정상법에서는 특수사채 발행과 관련하여 종래 상법에 규정되었던 전환사채 및 신주인수권부사채 이외에 이익참가부사채, 교환사채, 상환사채, 파생결합사채 등의 발행을 위한 개정상법 시행령을 새로이 마련하였다. 이에 따라 회사규모별로 더욱 다양한 종류의 사채가 발행되어지고 활용될 것으로 보인다. 이하에서는 이러한 상법시행령에서 마련한 다양한 특수사채에 대하여 살펴보고자 한다.

가. 이익참가부사채[53)]

1) 의 의

이익참가부사채(participating bond: PB)[54)]는 사채권자가 그 사채발행회사의 이익배당에 참가할 수 있는 사채를 말한다(제469조 제2항 제1호). 종래에는 자본시장법에 따라 주권상장법인만 이익참가부사채를 발행할 수 있었으나(자본시장법 시행령 제176조의12 제1항), 개정상법이 제469조 제2항 제1호에서 이익참가부사채를 규정함에 따라 모든 주식회사가 이익참가부사채를 발행할 수 있게 되었다.[55)]

이익참가부사채는 이익배당에 참가할 수 있다는 점에서 처음부터 주식의 성질을 가지며, 이 점에서 장래 주식으로 변할 가능성을 가지는 사채인 전환사채나 신주인수권부사채와 다르다.[56)]

---

52) 경영권 분쟁이 현실화된 상황에서 경영권 방어 목적으로 신주인수권부사채를 제3자에게 배정하는 것은 주주의 신주인수권 침해이고, 이 경우 신주발행무효의 소를 유추적용하여 신주인수권부사채발행무효의 소가 가능하다(대법원 2015.12.10. 2015다202919).

53) 이하의 내용은 필자의 『신회사법요론』(한국외대출판부, 2012), 296~306면의 글과 동일함을 밝혀둔다.

54) 자본시장법상 이익참가부사채는 "사채권자가 사채의 이율에 따른 이자를 받는 외에 이익배당에도 참가할 수 있는 사채"인데 비하여, 상법시행령상 이익참가부사채는 "이익배당에 참가할 수 있는 사채"로서 "사채의 이율에 따른 이자를 받는 외에"라는 요건이 없어서 자본시장법상 이익참가부사채에 비하여 보다 넓은 개념으로 규정하고 있다.

55) 이러한 이익참가부사채의 발행의 적법성에 관하여는 안동섭, "이익참가부사채와 교환사채," 『고시계』(고시계사, 1992년 11월호), 123~125면 참조.

56) 다만, 우리나라 기업의 이익배당정책은 결산실적에 연동된다기보다는 매년 관행적인 기준에 의하기 때문에 이익참가부사채는 아직까지 활성화되지 않고 있다.

자본시장법상 이익참가부사채는 "사채권자가 사채의 이율에 따른 이자를 받는 외에 이익배당에도 참여할 수 있는 사채"인데, 상법상 이익참가부사채는 "이익배당에 참가할 수 있는 사채"로서 "사채의 이율에 따른 이자를 받는 외에"라는 요건이 없어서 자본시장법상 이익참가부사채에 비하여 보다 넓게 규정하였다.

이익참가부사채의 발행 요건 및 절차에 관한 규정인 상법 시행령 제21조의 규정은 개정상법시행령 시행일인 2012. 4. 15. 이후 최초로 이사회의 결의로 이익참가부사채를 발행하는 경우부터 적용한다.

2) 법적 성질

이익참가부사채는 전환사채와 신주인수권부사채와 더불어 주식과 사채의 중간형태로서, 회사가 투자가들의 호기심을 자극하여 자금조달을 손쉽게 하기 위하여 고안된 제도이다.

그러나 이익참가부사채는 전환사채와 달리 장차 주식으로 전환되는 것이 아니고, 그렇다고 신주인수권부사채와 같이 사채권자의 신주에 대한 납입의무와 회사의 사채상환의무가 서로 대가적 관계에 있는 것도 아니다. 이익참가부사채는 사채의 내용이 소정이자 이외에 이익배당에도 참가할 수 있는 점에서 처음부터 주식으로서의 성질을 겸하고 있다. 다시 말하면 전환사채나 신주인수권부사채는 장차 주식으로 변하는 가능성을 가지고 있는 사채인 데 대하여, 이익참가부사채는 처음부터 주식으로서의 성질이 병존하고 있는 사채인 것이다. 따라서 이것은 주식(투자성)과 사채(안전성)의 양 성질을 겸하고 있는 명실상부한 주식과 사채의 혼합형태이다.[57]

3) 상법시행령상 이익참가부사채

가) 주주에게 발행하는 경우

(1) 발행사항의 결정

이익참가부사채를 발행하는 경우에는 다음의 사항으로서 정관에 규정이 없는

---

57) 독일주식법 제221조는 주주총회의 결의(결의시 출석한 주식의 4분의 3 이상의 다수결)에 의해서만 발행할 수 있고(유럽회사법 제60조 (a)항도 동일함), 수종의 주식이 발행된 경우에는 종류주주총회의 결의도 요하는 것으로 규정하여 이익참가부사채의 발행에 신중을 기하도록 하고 있다.

것은 이사회가 이를 결정한다. 그러나 정관으로 주주총회에서 이를 결정하도록
정할 수 있다(시행령 제21조 제1항).

① 이익참가부사채의 총액
② 이익배당 참가의 조건 및 내용[58]
③ 주주에게 이익참가부사채의 인수권을 준다는 뜻과 인수권의 목적인 이익
   참가 부사채의 금액

이익참가부사채의 인수권을 가진 주주는 그가 가진 주식의 수에 따라 이익참
가부사채이 배정을 받을 권리가 있다. 디만, 각 이익참가부사채의 금액 중 최서
액에 미달하는 끝수에 대해서는 그러하지 아니하다(시행령 제21조 제4항).

(2) 배정기준일공고

회사는 일정한 날을 정하여, 그 날에 주주명부에 기재된 주주가 이익참가부
사채의 배정을 받을 권리를 가진다는 뜻을 그 날의 2주일 전에 공고하여야 한
다. 다만, 그 날이 주주명부폐쇄기간 중일 때에는 그 기간의 초일의 2주일 전에
이를 공고하여야 한다(시행령 제21조 제5항).

(3) 실권통지·공고

주주가 이익참가부사채의 인수권을 가진 경우에는 각 주주에게 그 인수권을
가진 이익참가부사채의 액, 발행가액, 이익참가의 조건과 일정한 기일까지 이익
참가부사채 인수의 청약을 하지 아니하면 그 권리를 잃는다는 뜻을 통지하여야
한다(시행령 제21조 제6항). 회사가 무기명식의 주권을 발행하였을 때에는 제6항
의 사항을 공고하여야 한다(시행령 제21조 제7항). 제6항에 따른 통지 또는 제7
항에 따른 공고는 제5항에 따른 기일의 2주일 전까지 하여야 한다(시행령 제21
조 제8항). 제6항에 따른 통지 또는 제7항에 따른 공고에도 불구하고 그 기일까
지 이익참가부사채 인수의 청약을 하지 아니한 경우에는 이익참가부사채의 인수
권을 가진 자는 그 권리를 잃는다(시행령 제21조 제9항).

---

[58] 배당률이 가장 중요한 결정사항인데, 보통주의 배당률의 배당률에 일정률을 가감하는 방식
으로 정하거나 우선주식과 같은 방법으로 정하는 것도 가능하다.

나) 주주 외의 자에게 발행하는 경우

(1) 발행요건

주주 외의 자에게 이익참가부사채를 발행하는 경우에 그 발행할 수 있는 이익참가부사채의 가액과 이익배당 참가의 내용에 관하여 정관에 규정이 없으면 법 제434조에 따른 주주총회의 특별결의로 정하여야 한다(시행령 제21조 제2항). 이익참가부사채를 발행하면 결국 주주에게 배당할 이익이 줄어들게 되므로 주주의 이익을 보호하기 위한 것이다.

(2) 소집통지·공고

이익참가부사채 발행에 관한 결의에 있어서 이익참가부사채의 발행에 관한 의안의 요령은 주주총회의 소집통지·공고에 기재하여야 한다(시행령 제21조 제3항).

다) 사채청약서·채권·사채원부

이익참가부사채를 발행하는 경우에는 사채청약서·채권·사채원부에도 다음의 사항을 기재하여야 한다(시행령 제25조 제1호).

① 이익참가부사채의 총액
② 이익배당 참가의 조건 및 내용
③ 주주에게 이익참가부사채의 인수권을 준다는 뜻과 인수권의 목적인 이익참가부사채의 금액

회사가 이익참가부사채를 발행한 때에는 법 제476조의 규정[59]에 의한 납입이 완료된 날부터 2주간 내에 본점 소재지에서 다음 사항을 등기하여야 한다(시행령 제21조 제10항).

① 이익참가부사채의 총액
② 각 이익참가부사채의 금액
③ 각 이익참가부사채의 납입금액
④ 이익배당에 참가할 수 있다는 뜻과 이익배당 참가의 조건 및 내용

---

[59] 상법 제476조 [납입] ① 사채의 모집이 완료한 때에는 이사는 지체 없이 인수인에 대하여 각 사채의 전액 또는 제1회의 납입을 시켜야 한다.
② 사채모집의 위탁을 받은 회사는 그 명의로 위탁회사를 위하여 제474조 제2항과 전항의 행위를 할 수 있다.

이익참가부사채의 등기사항에 변경이 있는 때에는 본점소재지에서는 2주일 내, 지점소재지에서는 3주일 내에 변경등기를 하여야 한다(시행령 제21조 제11항, 제514조의2 제3항, 제183조). 그리고 외국에서 이익참가부사채를 모집한 경우에 등기할 사항이 외국에서 생겼을 때에는 그 등기기간은 그 통지가 도달한 날부터 기산한다(시행령 제21조 제12항, 제514조의2 제4항).

나. 교환사채

1) 의 의

교환사채(exchangeable bond: EB)는 "주식이나 그 밖의 다른 유가증권으로 교환할 수 있는 사채"이다(제469조 제2항 제2호).[60] 종래에는 자본시장법에 따라 주권상장법인만 교환사채를 발행할 수 있었으나(자본시장법 시행령 제176조의13 제1항), 2011년 개정상법이 제469조 제2항 제2호에서 교환사채를 규정함에 따라 모든 주식회사가 교환사채를 발행할 수 있게 되었다.[61]

2) 상법시행령상 교환사채

가) 발행사항의 결정

교환사채를 발행하는 경우에는 이사회가 다음 사항을 결정한다(시행령 제22조 제1항)[62] 사채청약서·채권·사채원부에도 다음의 사항을 기재하여야 한다(시행령 제25조 제2호).

① 교환할 주식이나 유가증권의 종류 및 내용

---

60) 이것은 과거에 프랑스·독일·스위스 등에서 발행되던 것을 1966년의 프랑스 상사회사법이 최초로 규정하였다(동법 제200조~208조). 교환사채는 앞에서 본 이익참가부사채와 함께 새로 입법화된 신종사채로서 사채와 주식의 접근경향을 더욱 가속화시키고 있다. 상세는 최완진, "교환사채에 관한 법적 고찰,"「상사법의 기본문제」(삼영사, 1993), 268~292면.

61) 기업이 자기주식을 대상으로 교환사채를 발행하게 되면, 일반적으로 보다 낮은 금리로 사채를 발행할 수 있고 자금부담을 줄이면서 효율적으로 주가관리를 할 수 있는 장점이 있다. 즉, 기업이 사채상환자금으로 자사주를 매입하고 취득 후 6개월이 경과한 시점에서 취득한 자기주식을 대상으로 교환사채를 발행하면 된다. 공모한 교환사채는 3개월 후부터 교환을 청구할 수 있는데 발행된 교환사채 전부가 즉시 주식으로 교환되지 않을 것이므로 주가관리에 도움이 된다.

62) 주주 외의 자에게 이익참가부사채를 발행하는 경우에 그 발행할 수 있는 이익참가부사채의 가액과 이익배당참가의 내용에 관하여 규정이 없으면 주주총회 특별결의로써 이를 정하여야 하는데(영 제21조 제2항), 이는 이익참가부사채의 발행으로 주주에게 배당할 이익이 줄어들기 때문인데, 교환사채는 이익배당에 참가하는 사채가 아니므로 이러한 규정이 없다.

② 교환의 조건

③ 교환을 청구할 수 있는 기간[63]

교환사채의 발행을 위하여 정관의 규정이나 주주총회의 결의는 요구되지 않는다. 교환사채의 교환으로 인하여 신주가 발행되는 것이 아니므로 주주의 이익을 침해하지 않기 때문이다. 주주 외의 자에게 발행회사의 자기주식으로 교환할 수 있는 사채를 발행하는 경우에 사채를 발행할 상대방에 관하여 정관에 규정이 없으면 이사회가 이를 결정한다(시행령 제22조 제2항).

나) 교환의 대상

교환의 대상은 "사채권자가 회사 소유의 주식이나 그 밖의 다른 유가증권으로 교환할 수 있는 사채"이다(시행령 제22조 제1항).[64] "회사 소유의 주식"이라는 표현상, 자기주식도 교환의 대상이다. 종래에는 회사의 자기주식보유는 원칙적으로 금지되었지만, 개정상법은 자기주식취득을 원칙적으로 허용하므로, 자기주식을 교환대상으로 하는 교환사채의 발행도 가능하도록 한 것이다.

상법 시행령 제22조 제1항 제1호의 "교환할 주식"에는 회사가 발행하는 신주는 포함되지 않는다. 교환사채의 교환으로 인하여 신주가 발행되는 것이 아니므로 정관의 주주총회의 결의는 요구되지 않는다.

국공채·회사채와 같이 이율에 의한 수익이 기대되는 증권은 교환의 대상이 될 의미가 없으므로, 결국 교환대상 증권은 주식·전환사채·신주인수권부사채·외국주식예탁증서(DR) 등인데, 현실적으로 주식을 교환대상으로 하는 경우가 대부분일 것이다.

다) 교환대상 증권의 예탁

교환사채를 발행하는 회사는 사채권자가 교환청구를 하는 때 또는 그 사채의 교환청구기간이 끝나는 때까지 교환에 필요한 주식 또는 유가증권을 한국예탁결제원에 예탁하여야 한다. 이 경우 한국예탁결제원은 그 주식 또는 유가증권을 신탁재산임을 표시하여 관리하여야 한다(시행령 제22조 제3항). 예탁결제원은 교

---

63) 교환청구기간은 사채상환기간 내에서 그 시기와 종기를 정한다.
64) 자본시장법상 교환의 대상은 상장증권으로 한정되었으나, 상법시행령상 교환사채는 비상장 증권도 교환의 대상이 될 수 있다. 자기주식을 교환대상으로 하는 교환사채를 발행하는 경우 자기 주식처분을 위한 이사회의 결의가 필요하다.

환사채의 상환기일 도래시 교환사채의 발행회사에 교환대상 증권을 인도한다.

라) 교환조건

교환사채와 교환 할 증권의 종류와 수량을 미리 정하여야 한다.[65] 교환사채의 발행가액에 관하여 법령에 아무런 규정이 없지만 교환할 주식의 액면금액 이상이어야 한다고 본다. 교환대상 주식의 발행회사가 주식배당을 하거나, 준비금의 자본금전입을 하거나, 교환가액보다 낮은 가액으로 유상신주를 발행하는 경우에는 교환가액을 조정하여야 한다. 이때 조정을 위한 계산방식은 전환사채의 전환가액의 조정방법과 같다.

마) 교환청구절차

교환을 청구하는 자는 교환청구서 2통에 사채권을 첨부하여 회사에 제출하여야 한다(시행령 제22조 제4항). 교환청구서에는 교환하려는 주식이나 유가증권의 종류 및 내용, 수와 청구 연월일을 적고 기명날인 또는 서명하여야 한다(시행령 제22조 제5항).

3) 프랑스 상사회사법상의 교환사채[66]

프랑스법도 상장법인에 한하여 교환사채를 발행할 수 있는 점은 우리 나라와 같으나(동법 제200조), 교환대상이 되는 주식을 기채회사가 사재발행과 동시에 발행하여 그 주식을 교환의무자가 보유하고 있다가 이 교환의무자가 사채권자의 요구에 의하여 사채와 주식을 교환하여 준다(동법 제201조, 제202조). 이는 사채의 발행에 의한 타인자본의 조달과 주식의 발행에 의한 자기자본의 조달을 동시에 충족시키는 기능을 갖는다.

이러한 교환사채의 발행에 관한 사항과 교환의무자와의 합의내용은 주주총회의 특별결의에 의한 승인을 받아야 한다(동법 제201조, 제202조). 교환사채의 발행가액은 사채권자가 교환할 때에 받을 주식의 액면가액 이상이어야 하며(동법 제203조), 교환의무자는 사채의 발행에서 주식교환기간이 만료될 때까지 인수한 주식에 관한 모든 권리를 행사하여야 한다(동법 제204조). 교환의무자는 사채권

---

65) 예를 들어 A회사가 소유하는 B회사 보통주식을 주당 1만원으로 평가하여 교환사채 1억원에 대하여 1만주를 교환해 주는 방식이다.

66) 이에 관한 상세는 최완진, "특수사채에 관한 법적 연구,"「법학박사학위논문」(고려대, 1987. 12.), 117면 이하 참조.

자의 청구에 의하여 수시로 사채를 주식과 교환해 주어야 할 의무를 부담한다.

이 교환사채는 수시로 교환이 가능하다는 점에서 전환기간이나 신주인수권의 행사기간이 정해져 있는 교환사채나 신주인수권부사채와 다르다.

교환될 주식은 그것이 교환사채와 교환될 때까지 기명식이어야 하며 또 명의개서도 하지 못한다. 명의개서는 교환의 증명에 의하여서만 할 수 있다(동법 제205조).

참고로 프랑스와 같이 교환사채에 관하여 상세한 규정을 둔 나라에서도 전환사채가 주로 이용되고, 교환사채는 거의 이용되고 있지 않은 실정이다. 다만, 모자회사간에서 예컨대 모회사가 교환사채를 발행하면서 자회사의 주식을 교환하기로 하여 이를 교환의무자에게 보관하게 하는 경우에 가끔 이용되고 있다.

다. 상환사채

1) 의 의

상환사채는 회사가 소유하는 주식이나 그 밖의 유가증권으로 상환할 수 있는 사채를 말한다(시행령 제23조 제1항). 교환사채는 주주가 교환을 청구할 수 있는 사채이고, 상환사채는 회사가 상환을 청구할 수 있는 사채이다.[67]

2) 발행사항의 결정

가) 주주에게 발행하는 경우

상환사채를 발행하는 경우에는 이사회가 다음 사항을 결정한다(시행령 제23조 제1항). 정관의 규정이나 주주총회의 결의는 요구되지 않는다.

1. 상환할 주식이나 유가증권의 종류 및 내용
2. 상환의 조건
3. 회사의 선택 또는 일정한 조건의 성취나 기한의 도래에 따라 주식이나 그 밖의 다른 유가증권으로 상환한다는 뜻

나) 주주 외의 자에게 발행하는 경우

주주 외의 자에게 발행회사의 자기주식으로 교환할 수 있는 사채를 발행하는 경우에 사채를 발행할 상대방에 관하여 정관에 규정이 없으면 이사회가 이를 결

---

67) 전환주식에 있어서 주주전환주식과 회사전환주식의 관계와 같다고 할 수 있다.

정한다(시행령 제23조 제2항).

다) 사채청약서·채권·사채원부

상환사채의 발행사항은 사채청약서·채권·사채원부에도 기재하여야 한다(시행령 제25조 제3호).

3) 상환사채의 예탁

상환사채를 발행하는 회사는 조건이 성취되는 때, 또는 기한이 도래하는 때까지 상환에 필요한 주식 또는 유가증권을 한국예탁결제원에 예탁하여야 한다. 이 경우 한국예탁결제원은 그 주식 또는 유가증권을 신탁재산임을 표시하여 관리하여야 한다(시행령 제23조 제3항). 예탁기간은 조건성취 여부가 확정될 때 또는 소정의 기한이 도래한 때까지이다.

4) 상환사채의 상환

상법과 시행령에는 상환사채의 상환에 대한 규정을 두지 않고 있는데, 회사의 상환통지와 사채권자의 채권제출 등의 절차가 필요하다. 회사는 상환사채에 대하여 반드시 회사가 소유하는 주식이나 그 밖의 유가증권으로 상환하여야 하는 것이 아니고, 회사의 선택에 따라 금전으로 상환할 수 있다.

라. 파생결합사채

1) 의 의

파생결합사채란 유가증권이나 통화 또는 그 밖에 대통령령으로 정하는 자산이나 지표 등의 변동과 연계하여 미리 정하여진 방법에 따라 상환 또는 지급금액이 결정되는 사채를 말한다(제469조 제2항 제3호). 자본시장법상 파생결합증권은 "기초자산의 가격·이자율·지표·단위 또는 이를 기초로 하는 지수 등의 변동과 연계하여 미리 정하여진 방법에 따라 지급금액 또는 회수금액이 결정되는 권리가 표시된 것"을 말한다(자본시장법 제4조 제7항).

2) 발행주체

상법상 파생결합사채의 발행주체에 대하여는 아무런 제한이 없다. 이와 관련하여, "자본시장과 금융투자업에 관한 법률"의 규정을 살펴보면 투자매매업은 누구의 명의로 하든지 자기의 계산으로 금융투자상품의 매도 매수, 증권의 발행 인수 또는 그 청약의 권유, 청약, 청약의 승낙을 영업으로 하는 것을 말하는데(동법 제6조 제2항), 금융위원회로부터 투자매매업인가를 받아야 투자매매업을 할 수 있는 것으로 되어 있다. 그런데 주식회사가 발행하는 파생결합사채는 금융투자상품이므로 위 규정상 투자매매업의 인가 없이 이를 발행할 수 없다고 보아야 한다.

그러나 기업이 자금조달을 목적으로 증권을 발행하는 경우에 자본시장법이 규제대상으로 하는 투자매매업으로 보기는 곤란하다. 따라서 자본시장법도 자기가 증권을 발행하는 경우에는 투자매매업으로 보지 아니한다고 규정하고 있다(동법 제7조 제1항). 따라서 비상장회사도 투자매매업인가를 받지 않고 파생결합사채를 발행할 수 있다.

다만, 계속적이고 반복적으로 영리를 목적으로 증권을 발행하는 경우에는 투자자보호를 위하여 투자매매업에 포함시켜야 할 필요가 있다. 이에 자본시장법은 ⅰ) 투자신탁의 수익증권, ⅱ) 파생결합증권 중 대통령령으로 정하는 것, ⅲ) 투자성 있는 예금, 보험 등의 경우에는 자기가 증권을 발행하더라도 투자매매업에서 배제하지 않는다고 규정하고 있다. 따라서 이러한 증권을 발행하려는 회사는 상장 여부를 불문하고 투자매매업인가를 받아야 한다.

3) 발행사항의 결정

파생결합사채를 발행하는 경우에는 이사회가 다음 사항을 결정한다(시행령 제24조). 사채청약서, 채권, 사채원부에도 다음의 사항을 기재하여야 한다(시행령 제25조 제4호).

① 상환 또는 지급 금액을 결정하는 데 연계할 유가증권이나 통화 또는 그 밖의 자산이나 지표
② 제1호의 자산이나 지표와 연계하여 상환 또는 지급 금액을 결정하는 방법

4. 자산담보부 사채 이 미 현*

사채발행을 통한 자금조달은 자금수요자가 자본시장에서 자본제공자로부터

---

* 연세대학교 법학전문대학원 교수

직접 자금을 조달하는 직접금융이므로, 간접금융의 일환인 금융기관 대출에 비해 자금조달비용을 낮출 수 있다는 장점이 있다. 따라서, 자금을 필요로 하는 모든 기업에게 사채발행을 통해 자금을 조달할 수 있는 기회가 가능한 한 골고루 부여되는 것이 바람직하다.

사채발행을 통한 자금조달비용 중 가장 큰 비중을 차지하는 이자비용을 결정 짓는 이자율은 시장금리라는 객관적 요소와 발행기업의 신용도라는 발행자의 주관적인 요소의 영향을 받는다. 결과적으로 발행기업의 신용만을 토대로 발행되는 무담보, 무보증 사채(이하 '무담보사채')는 발행기업의 신용도가 낮을수록 상대적으로 더 높은 이지비용을 부담할 수밖에 없다. 하지만, 무담보사채의 더 큰 문제는 신용도가 낮은 기업의 경우에는 투자자들의 기피로 인해 높은 이자를 부담하겠다고 하더라도 발행 자체가 성사되지 못하는 경우가 많다는 점이다. 그러므로, 신용도가 낮은 기업이 사채시장에 진입하기 위해서는 신용보강을 통해 사채의 신용등급을 상향시키는 것이 필수적이다.[1] 사채의 신용등급상승을 위한 방법은, 크게 발행자보다 우량한 신용등급을 보유하고 있는 제3자가 사채의 지급을 보증하는 방법과 우량한 자산을 이용하는 방법으로 나눌 수 있는데, 본고에서는 편의상 후자의 방법에 의해 신용이 보강된 사채들을 통칭하여 자산담보부 사채라고 지칭하기로 한다.

자산담보부 사채 중 가장 전통적인 유형은 발행회사 또는 제3자가 제공하는 자산위에 사채권자를 위한 물적담보권을 설정된 담보부사채이다. 하지만, 현실적으로는 사채에 담보를 붙임으로써 향상시킬 수 있는 신용등급의 폭은 그리 크지 않다. 사채의 신용등급평가에 영향을 미치는 주된 요소는 부도발생시의 예상손실액(expected loss given default)과 부도발생확률(probability of default - 해당 사채의 원리금이 약정된 지급기일에 지급되지 못할 확률)인데, 이 중 결정적인 역할을 하는 것은 후자이다.[2] 그렇기 때문에 부도발생확률 자체를 낮추지 못하면,

---

1) 무담보사채는, 기업체의 신용과 사업전망을 토대로 하는 장기자금조달수단이라는 사채의 본래기능에 전적으로 부합하는 매우 바람직한 금융상품이다. 하지만, 기업에 대한 장기적인 전망의 어려움, 기업분석능력의 한계 및 경제 불황에 따른 선진국의 경험들을 고려할 때, 무담보사채의 인수에는 적지 않은 위험이 수반될 수밖에 없다. 그렇기 때문에 투자자 보호를 위해 무담보사채의 발행에 대해서는 발행자를 최우량기업으로 한정하는 등 엄격한 제한을 부과할 수밖에 없다. 따라서, 채권발행시장이 무담보사채 일변도로 운용되면, 최우량기업에 속하지 못하는 대다수 중견기업들은 사채시장으로부터 자금을 조달할 수 있는 기회를 사실상 박탈당하는 셈이 되어 문제가 많다.

큰 폭의 신용등급향상을 기대하기는 어려운 것이다. 하지만, 담보부사채의 부도발생확률을 결정하는 가장 중요한 요소는 결국 사채 원리금 상환에 대한 1차적인 지급의무를 부담하는 발행회사의 지급능력이다. 담보가 제공되었다는 사실은 부도발생확률 자체를 낮추는 데에는 별 도움이 되지를 않고, 다만, 사채권자들이 담보자산에 대해 우선적으로 집행할 수 있는 길을 열어줌으로써 부도시 손실액을 감소시키는데 기여할 뿐이다. 즉, 일반적인 담보제공은 부도발생시 예상손실액을 감소시키는 데 기여할 뿐 부도발생확률 자체를 낮추는 기능은 거의 없기 때문에, 담보제공에 의해 사채의 신용등급을 높이는 것은 한계가 있다. 따라서, 사채의 신용등급을 한층 더 상향시키고자 한다면, 사채 원리금상환을 발행자의 도산절차로부터 완전히 절연시킴으로써 사채 원리금지급이 발행자의 부도에 영향을 받지 않도록 확보할 필요가 있다. 이러한 목적으로 고안된 새로운 유형의 자산담보부 사채들이 바로 유동화증권의 일종인 유동화사채와 통상 커버드본드라고 불리는 이중상환청구권부 채권이다. 이하에서는 이 세 가지 유형의 사채에 대하여 살펴보기로 한다.

가. 담보부사채

1) 담보부사채의 기본구조

「담보부사채 신탁법」에 따라 발행되는 담보부사채란, 단순히 사채원리금의 지급을 담보하기 위한 담보권이 설정된 것에 그치지 않고, 그러한 담보권이 사채와 결합함으로써 사채원리금반환청구권과 담보권을 함께 표창하고 있는 사채를 말한다. 「담보부사채 신탁법」은 이를 두고 '사채에 물상담보를 붙인다'는 표현을 사용하고 있다. 담보부사채는, 이와 같이 사채와 담보권이 결합되어 있는 까닭에 사채가 양도되면 담보권은 별도의 담보이전절차 없이 자동적으로 사채양수인에게 이전된다.

일반적으로 물적 담보는 제3자에게 직접적인 영향을 미치는 까닭에 그 존재가 공시될 필요가 있으므로3) 물적 담보의 설정과 양도는 반드시 공시절차를 거

---

2) 신용등급은 부도발생확률에 부도발생시의 예상손실액을 곱한 값인 기대손실률(expected loss)에 따라 결정된다. 김동규, "담보부사채의 신용도 제고 방안," 「신평이슈」 21(한국신용평가, 2001. 4.), 23~24면. http://www.kisrating.com/research/specialreport.asp; 권기혁, "담보부사채 Notch Up 가이드라인," 「KIS Credit Monitor」(한국신용평가, 2013. 2. 25.), http://www.kisrating.com/research/specialreport.asp

치도록 요구하는 것이 원칙이다. 하지만, 담보부사채와 관련하여 이러한 원칙을 그대로 고수하면 사채의 유통성이 심각하게 저해될 위험이 있다. 이에 「담보부 사채 신탁법」은 신탁이라는 법적 장치를 이용하여 별도의 담보 이전절차 없이도 담보권의 혜택이 사채의 양수인에게 자동적으로 이전되는 거래구조를 상정하고 있다. 즉, 사채발행회사가 위탁자로서 담보물에 대해 설정된 담보권을 총사채권자들의 이익을 위하여 신탁업자에게 신탁하도록 한 것이다(동법 제3조). 따라서, 법적으로는 담보권은 신탁업자에게 귀속되지만, 신탁업자는 총사채권자를 위하여 담보권을 보존하고 실행할 의무를 부담하기 때문에,[4] 사채권자는 그 채권액에 따라 평등하게 담보의 이익을 누릴 수 있다.[5] 여기서 수익자인 사채권자란 현재 사채에 관한 권리가 귀속되는 자를 가리키는 것이다. 그 결과 사채가 양도되어 양수인이 사채권자로 변경되면 자동적으로 담보수익자도 양수인으로 변경되므로, 담보공시원칙을 침해하지 않으면서도, 사채양수인은 별도의 담보 이전절차 없이 담보권의 혜택을 누릴 수 있게 되는 것이다. 이와 같은 점을 고려할 때 「담보부사채 신탁법」은 그 성격상 강행법규이며, 사채에 물적 담보를 붙인 담보부 사채는 이 법에 따라서만 발행되어야 한다.[6]

---

3) 담보공시의 주된 목적은 (i) 채무자의 무담보채권자들로 하여금 허울뿐인 자산(false wealth)을 파악함으로써 집행가능자산의 범위를 정확하게 판단할 수 있도록 하는 동시에 (ii) 동일한 담보물을 놓고 경쟁하는 다른 담보채권자나 해당 자산의 매수인 등으로부터 해당 담보물의 담보채권자를 보호하기 위함이다. Philip Wood, *Law and Practice of International Finance* (Sweet & Maxwell, 2011), p. 267.

4) 「담보부사채 신탁법」 제60조 제1항 및 제2항.

5) 「담보부사채 신탁법」 제61조.

6) 금융실무에서는, 「담보부사채 신탁법」에 의하지 아니하고, 특정 사채권자가 보유하고 있는 사채원리금채권을 피담보채권으로 하는 개별적인 담보설정계약에 따라 담보권을 설정하는 경우가 종종 있다. 이러한 관행에 대하여, 강행법규인 「담보부사채 신탁법」의 잠탈이므로 무효라는 견해도 있으나, 대부분의 실무가들은 문제가 없다는 입장이다. 이 경우에는 사채 자체는 무담보사채로 발행되는 것이며, 단지 이러한 사채권을 소지한 특정 사채권자가 보유하는 원리금상환청구권을 피담보채권으로 해서 민법에 따라 해당 사채권자를 위한 담보권이 개별적으로 설정된 것에 불과하다고 보는 것이다. 이렇게 특정 사채권자와의 개별적인 담보계약에 따라 형성된 담보권은 해당 사채권자에게 직접 귀속되고 해당 사채권자의 채권만을 담보할 뿐이어서, 사채 양도시 추가적인 담보 이전절차를 밟지 않으면, 사채양도와 동시에 소멸된다. 따라서, 「담보부사채 신탁법」의 규율대상인 담보부 사채, 즉 사채와 담보가 결합된 경우와는 명백한 차이가 있으며, 이런 종류의 거래를 허용한다고 해서 담보공시원칙이 훼손되거나 거래의 안전을 해할 위험이 있는 것도 아니므로, 계약자유의 원칙상 금지할 이유는 별로 없다고 생각한다. 따라서, 굳이 「담보부사채 신탁법」의 잠탈이라는 이유로 이러한 거래를 무효로 볼 필요는 없다고 생각한다.

2) 신탁계약의 체결

담보부사채를 발행하려면, 발행회사는 담보부사채에 관한 신탁업을 하는 신탁업자와 신탁계약을 체결하여야 한다(동법 제3조). 담보부사채에 관한 신탁업자란, 「자본시장과 금융투자업에 관한 법률」(이하 '자본시장법')에 따른 신탁업자 또는 은행법에 따른 은행으로서 금융위원회에 담보부사채 신탁업의 등록을 한 자를 말한다(동법 제5조). 다만, 외국에서 담보부사채를 모집하고자 하는 경우에는, 금융위원회의 인가를 받아 외국회사와 신탁계약을 체결할 수 있다(동법 제11조). 신탁계약은 신탁증서에 의하여 체결하여야 하며, 다음의 사항들이 기재되어야 한다(동법 제12조 및 제13조).

1. 위탁회사와 신탁업자의 상호
2. 사채의 총액
3. 각 사채의 금액
4. 사채 발행의 가액(價額) 또는 최저가액
5. 사채의 이율
6. 사채 상환의 방법과 기한
7. 이자 지급의 방법과 기한
8. 채권(債券)에 적을 사항의 표시와 이표(利票)를 붙인 채권일 때에는 그 사실의 표시
9. 담보의 종류, 목적물, 순위, 선순위의 담보를 붙인 채권의 금액, 그 밖에 목적물에 관하여 담보권자에게 대항할 수 있는 권리의 표시
10. 합동사채의 발행인 경우에는 그 사실과 각 회사의 부담 부분

3) 허용되는 물상 담보

과거에는 「담보부사채 신탁법」 제4조는 사채에 붙일 수 있는 물상 담보를 부동산 저당 기타 법령의 인정하는 각종 저당, 동산질, 증서가 있는 채권질, 및 주식질로 한정하고 있었기 때문에 이 네 가지 종류에 속하지 않는 물상담보를 설정하고 담보부사채를 발행하는 것은 허용되지 않았었다. 그런데, 이러한 네 가지 종류에 속하는 담보만을 활용하여 담보부사채를 발행하는 것은 현실적으로 또는 법적으로 상당한 문제가 있었다. 이것은 그 동안 금융시장에서 담보부사채

의 발행이 저조했던 중요한 원인 중 하나라고 할 수 있다. 2018년 개정된 「담보부사채 신탁법」[7]에서는 담보부사채 발행시 활용가능한 물상담보로서 「동산·채권 등의 담보에 관한 법률」에서 정하는 담보권과 그 밖에 재산적 가치가 있는 것으로서 대통령령으로 정하는 담보권이 추가되었으며, 상장주식에 대한 질권설정의 경우에는 금융위원회 인가대상에서 제외되었다.[8] 이러한 개정을 통해 그 동안 다양한 담보활용을 사실상 가로막고 있던 기존의 제약들이 상당부분 해소되었으므로 앞으로는 담보부사채의 발행이 보다 활성화되리라고 기대된다.

가) 부동산 저당 기타 법령의 인정하는 각종 저당

부동산 기타 법령이 인정하는 각종 저당의 경우에는, 이러한 목적물을 사채의 담보로 붙이는데 대한 법적인 장애물은 없다. 문제는, 오늘날 기업이 보유하고 있는 부동산 기타 저당권의 목적인 자산들은 대부분, 은행차입 등 여타 차입금담보로 이미 제공되어 버려 사채 발행에는 담보로 제공할 수 없는 상황이거나, 또는 후순위담보로밖에 제공할 수 없어 사채의 신용등급을 높이는 데는 그다지 기여하지 못하는 상황이라는 점이다. 마땅한 담보물이 없다면, 담보부사채 발행제도를 개선하는 것만으로 담보부사채발행의 활성화를 기대하기는 어려울 것이다.[9]

물론, 「담보부사채 신탁법」 제정 이후 진행되어 온 경과를 고려한다면 담보부사채의 발행부진의 원인이 오로지 담보부족 현상 때문이라고 할 수는 없다. 동일한 부동산을 담보로 자금조달함에 있어, 금융기관으로부터 담보부 차입보다 담보부사채의 발행이 더 효율적이라면, 자금이 필요한 기업이 굳이 담보부 차입을 선택할 이유는 없다. 그러니까, 금융기관으로부터 담보부 차입으로 인해 담보부사채 발행시 제공할 부동산 담보가 부족하다는 것은 상당히 오랜 기간 동안 자금조달방법이 담보부 차입으로 편중되었기 때문에 초래된 결과적인 현상일 뿐, 그것이 담보부사채 발행 부진의 근본적인 원인이라고 할 수는 없을 것이다.

1968년 「담보부사채 신탁법 시행규칙」이 제정됨에 따라 담보부사채의 발행

---

7) 법률 제15413호. 2018. 2. 21. 일부개정. 2018. 8. 22. 시행.
8) 개정 「담보부사채 신탁법」 제4조 제1항 제5호와 제6호 및 동조 제2항 참조.
9) 사채를 발행하기 위해 기본적으로 수반되는 비용 때문에, 사채발행은 그 규모가 일정 수준 이상이어야 경제성이 있다. 담보로 제공할 부동산이 별로 없는 한계상황에서는 발행규모를 키울 수 없기 때문에 경제적 효용성 확보가 어려워 그나마 얼마 남아 있지 않은 담보물조차도 담보부사채 발행보다는 금융기관으로부터의 담보부 차입에 우선 사용될 수밖에 없다.

을 위한 법적 제도는 이미 오래전에 구비되었고[10] 또 실제로 발행된 사례들도 있다.[11] 또한 이 시점은 아직 우리 경제가 아직 본격적인 성장기에 진입하기 전이므로, 담보가 부족했었기 때문에 담보부사채가 발행되지 않았다고 할 상황은 아니었다. 적어도 1970년대 초반 무렵에는, 단지 담보활용방법이라는 면만 고려한다면, 담보부사채발행과 금융기관으로부터의 담보부차입은, 양자 모두 선택가능한 기업의 자금조달수단으로써 공존하고 있었다고 하겠다. 그럼에도 불구하고, 담보부사채의 발행이 우선적으로 선택되지 않았던 것은, 담보가 부족했기 때문이 아니라, 당시 존재하던 사채발행에 대한 여러 가지 규제, 채권시장의 미발달로 인한 높은 조달비용 및 시장에서의 낮은 소화가능성 등을 고려할 때 담보부사채는 그다지 효과적인 대안이 아니었기 때문이다. 적어도 1970년대 초반까지는, 담보가 부족해서 담보부사채가 발행되지 않았다기보다는, 여러 가지 여건상 담보부사채가 효율적인 자금조달수단으로 기능하지 못하였기 때문에 기업의 자금조달수단이 금융기관으로부터의 담보부차입으로 편중되었던 것에 불과하다고 하겠다. 문제는 그런 상황이 지속되는 상태로 상당한 세월이 흐르고 나니, 1980년대 이후 실시된 다양한 채권시장 활성화조치로 채권시장이 활성화되고 담보부사채 발행에 대한 규제도 대폭 완화됨으로써 80년대 후반에는 담보부사채 발행에 필요한 여건이 조성되었음에도 불구하고, 막상 이 시점에는 담보로 제공할 부동산들이 이미 소진되어 버린 까닭에 부동산을 담보로 하는 담보부 사채 발행은 사실상 어려운 상황이었다는 점이다. 어쨌든, 현재 기업들의 부동산보유상황은, 담보부사채 발행 시 1순위 저당권을 설정해줄 만한 여력이 크지 않다는 것은 부인할 수 없는 사실이다. 따라서, 이러한 상황에서 기업의 담보부사채 발행을 활성화하려면, 결국 부동산이 아닌 다른 자산을 담보로 하여 사채를 발행할 수 있는 길이 마련될 필요가 있는바, 2018년 개정은 이런 면에서 긍정적인 효과가 기대된다.

나) 동산질 및 동산담보권

'동산질'이라는 용어는 본래 민법에 따라 동산에 설정된 질권을 염두에 두고 사용된 것으로 보인다. 기업이 보유하고 있는 동산은 크게 영업활동에 사용 중

---

10) 「담보부사채 신탁법」은 1962년 1월 20일 법률 제991호로 공포되었지만, 시행규칙은 그로부터 6년여 시간이 흐른 후인 1968년 8월 12일에야 비로소 제정되었다.

11) 1969년 8개 회사가 공동으로 총 1,425백만원 상당의 담보부사채를 발행한 것이 최초 발행이다. 한국증권거래소 편, "담보부사채와 보증부사채," 「주식」 제42호(한국거래소, 1972. 2.), 16면 참조.

인 업무용 자산과 판매를 위해 보유중인 재고자산으로 구분할 수 있다. 하지만, 어느 쪽도 담보부 사채를 위한 동산질 설정에는 적절하지 않다. 통상적인 사채 발행규모를 고려할 때 담보부사채 발행시 동산질만으로 적절한 담보가 확보되도록 하려면, 상당히 많은 수의 동산에 질권을 설정하여야 한다.12) 그런데, 민법은 동산에 대한 질권설정의 방법으로 질권자에 대한 목적물의 인도를 요구하고 있을 뿐 아니라13) 질권설정자에 의한 대리점유를 금지하고 있는 관계로14) 질권설정을 위한 질물의 인도방법에서 점유개정은 제외된다.15) 결과적으로 동산질의 설정은 직접적인 점유이전이 수반될 수밖에 없으므로 질권설정자인 기업은 더 이상 해당 동산을 사용힐 수 없다. 그렇기 때문에 기업의 영업에 활용되고 있는 동산에 민법상 질권을 설정하고 담보부 사채를 발행하는 것은 영업에 필요한 자금을 조달하고자 하는 본래의 목적과 상충되는 결과가 되며 그렇다고 유휴 동산만으로는 담보부사채의 상환을 담보하기는 역부족이므로, 기업이 보유하는 업무용 자산에 민법상 질권을 설정하는 방법으로 담보부사채를 발행하는 것은 현실성이 없다. 한편, 재고자산은, 굳이 기업이 직접 점유하여야만 하는 것은 아니지만, 대체로 단기간 내에 처분을 목적으로 보유하고 있는 자산으로, 기존 재고자산이 처분되고 새로운 재고자산이 유입될 때마나 매번 추가적인 질권을 다시 설정하여야 하므로 너무 번기롭다.

하지만, 이러한 문제는 2010년 「동산·채권 등의 담보에 관한 법률」16)이 제정되면서 해결의 길이 열렸다. 동법은 동산을 담보로 제공하는 경우에도 담보등기만 하고 "동산담보권"을 설정할 수 있도록 허용함으로써, 점유이전 없이 동산에 담보권을 설정할 수 있는 길이 열렸기 때문이다. 또한, 동법에 따른 동산담보권은 현재 존재하는 동산뿐 아니라 장래에 취득할 동산에 대하여서도 설정할 수 있다. 단, 목적물의 종류, 보관장소, 수량을 정하거나 그 밖에 이와 유사한 방법으로 특정할 수 있어야 한다(동법 제3조 제2항). 따라서, 현재 보유하고 있는 업무용 자산 뿐 아니라 재고자산과 같이 수시로 변동하는 유동적 자산에 대해서도 '… 창고 안에 존재하는 … 물품 전부'라는 방법 등으로 범위를 특정함으로

---

12) 항공기, 건설장비 등 고가의 동산은 등록대상이므로, 동산질이 아니라 저당권 설정대상이다.
13) 민법 제330조 참조.
14) 민법 제332조: 질권자는 설정자로 하여금 질물의 점유를 하지 못한다.
15) 곽윤직, 「민법주해 Ⅵ」(박영사, 1992), 368면 참조.
16) 2010. 6. 10. 법률 제10366호로 제정.

써 동산담보권의 목적으로 삼을 수 있게 된 것이다. 그러므로, 이제는 동법에 따른 동산담보권을 설정하는 방법으로 기업의 업무용 자산 및 재고자산을 담보물로 활용하여 담보부사채를 발행하는 것이 가능해졌다.

다만, 개정 전 「담보부사채 신탁법」은 허용되는 담보로 '동산질'만을 언급하고 있었기 때문에 동산담보권도 허용되는지 여부가 문언상으로는 명확하지 않았기 때문에 발행실무상으로는 불확실성이 존재하였다. 이에 2018년 개정시 제4조 제5호에서 동산담보권을 명시함으로써 이런 불확실성을 제거하였으므로, 앞으로는 동산담보권을 활용한 담보부사채 발행이 활성화될 것으로 예상된다.[17]

다) 증서가 있는 채권질 및 채권담보권

증서가 있는 채권질의 경우에는, 질권설정계약을 체결하고 증서를 질권자에게 교부하면 질권의 효력이 발생하므로[18] 동산질의 경우처럼 질권을 설정하는 것만으로 영업에 막대한 지장이 초래되는 것은 아니다. 하지만, 질권이 완전한 담보권으로서 기능을 하려면, 질권 설정의 효력이 발생하는 것만으로는 부족하고 입질채권의 채무자(이하 '제3채무자') 및 제3자에 대한 대항요건을 구비하여야 한다. 현재 민법 제349조에 따르면 이러한 대항요건은 설정자가 제3채무자에게 확정일자 있는 증서로서 통지하거나 제3채무자가 확정일자 있는 증서로 승낙을 하여야 한다. 나아가, 입질채권이 저당권에 의해 담보되어 있는 경우에는 그 저당권등기에 질권의 부기등기를 하여야 질권설정의 효력이 저당권에도 미친다.[19] 따라서, 다수의 채무자들에 대한 소액채권을 한꺼번에 담보로 제공하고자 하는 경우에는, 수많은 채무자들에게 일일이 확정일자 있는 증서로 통지를 하거나 승낙을 받아야 하며, 더욱이 그 채권이 저당권에 의하여 담보되어 있는 경우에는 질권의 부기등기까지 필요하므로, 대항요건을 구비하는 작업은 상당히 번거로운 일이 되어 버린다. 물론 소수의 채무자에 대한 몇 개의 고액채권만을 담보로 하는 담보부사채를 발행한다면, 그런 문제는 없겠지만, 이런 경우에는, 해당 채무자들의 신용등급이 매우 우량한 경우를 제외하고는, 높은 신용등급을 받기는 쉽

---

17) 개정 전 「담보부사채 신탁법」은 「동산·채권 등의 담보에 관한 법률」보다 먼저 제정된 법률이므로 '동산담보권'에 대해 별도로 언급할 여지가 없었다. 하지만, 입법 목적을 고려한다면, 동산담보권도 포함하는 개념으로 확대해석하는 것이 합리적이었다. 따라서, 2018년 개정시 신설된 제5호의 성격은 이러한 해석을 명문으로 확인한 확인적 규정이라고 생각된다.
18) 민법 제347조 참조.
19) 민법 제348조.

지 않다. 또한 소수의 우량 채무자에 대한 고액채권이라면 굳이 어렵게 담보부
사채를 발행할 필요 없이 바로 매각하는 편이 훨씬 손쉬운 자금조달방법일 것이
다. 그렇기 때문에 현실적으로 채권질을 설정하고 발행하는 담보부사채는 다수
의 채무자에 대한 소액채권을 모아서 추진하는 경우[20]가 대부분일 것이므로,
질권설정절차에 관한 문제가 해결되지 않는 한, 채권질을 붙여 담보부사채를 발
행하는 것은 현실적으로는 쉬운 일이 아니다. 게다가, 「담보부사채 신탁법」은
굳이 그 범위를 증서가 있는 채권질이라고 한정하여 증서의 존재를 요구함으로
써, 결과적으로 기업들이 보유하는 채권의 대부분을 아예 담보대상에서 제외해버
렸다. 내출채권을 다량으로 보유하는 금융기관과는 달리, 일반 기업이 보유하는
채권 중 담보가치가 있는 채권은 대부분 매출채권이다. 하지만, 매출채권의 경우
에는 소위 채무증서가 없는 경우가 대부분이므로, 가사 확정일자부 통지의 번거로
움을 감수할 의향이 있다고 하더라도, 담보부사채 발행시 담보로 활용이 어렵다.

다만, 「동산・채권 등의 담보에 관한 법률」 시행 이후에는, 위에서 언급한
절차적인 번거로움은 어느 정도 해소되었다고 할 수 있다. 「동산・채권 등의 담
보에 관한 법률」은 민법상 채권질에 대한 특칙으로 '담보약정에 따라 금전의 지
급을 목적으로 하는 지명채권(여러 개의 채권 또는 장래에 발생할 채권을 포함한다)
을 목직으로 등기한 담보권'인 "채권담보권"을 규정하고 있다(동법 제2조 제3호).
채권담보권의 득실변경을 담보등기부에 등기한 때에는, 담보목적물인 지명채권
의 채무자("제3채무자") 외의 제3자에게 대항할 수 있다(동법 제35조 제1항). 제3
채무자에게 대항하기 위해서는 동법 제52조에 따라 발급받은 등기사항증명서를
제3자에게 건네주는 방법으로 담보설정사실을 통지하거나 제3채무자가 이를 승
낙하여야 한다(동법 제35조 제2항).

그러므로, 「동산・채권 등의 담보에 관한 법률」 시행 이후에는 담보등기만으
로 제3채무자를 제외한 제3자에 대한 대항요건을 구비할 수 있게 되었으므로
지명채권을 담보로 하는 담보부사채의 발행이 상대적으로 수월해졌다고 할 수
있다. 물론, 제3채무자에 대한 대항요건까지 갖추려면, 결국 각 제3채무자에게
등기사항증명서를 일일이 교부해야 하는 번거로움이 여전히 남아 있는 것은 사

---

20) 유사한 성격을 가진 다량의 채권으로 구성된 채권집합의 경우에는 개개의 채무자의 신용등
    급이 아주 높지 않아도 통계자료의 활용에 의해 부실률이 계산될 수 있으므로, 담보로 제
    공된 채권집합에 이러한 부실률을 적용하여 산출될 회수가능금액의 범위 내에서 담보부사
    채가 발행된다면 여전히 높은 신용등급을 받는 것이 가능해진다.

실이다, 하지만, 실무상으로는, 적어도 발행사에게 조기상환사유(Events of Default)[21]가 발생하기 전까지는 굳이 제3채무자에게 통지하지 않고 채권자인 발행사로 하여금 추심업무를 담당하게 하더라도, 채권추심계좌를 특정 계좌로 제한하고 해당 계좌에 질권을 설정하는 등의 장치를 보완하면, 담보력 확보에 큰 문제는 없다. 따라서, 사모발행이고 투자자들이 이 정도의 위험을 감수할 의향이 있다면, 조기상환사유 발생 즉시 제3채무자에게 등기사항증명서를 교부함으로써 대항요건을 갖추는 조건으로, 담보부사채 발행시점에는 제3채무자에 대한 대항요건을 구비하지 않고 발행을 추진하는 것이 가능할 것이다. 그러므로, 「동산·채권 등의 담보에 관한 법률」에 따른 채권담보권을 이용함으로써 채권질 설정을 위한 절차적인 편의성을 상당한 수준으로 확보할 수 있게 되었다.

다만, 2018년 개정 이전에는 「동산·채권 등의 담보에 관한 법률」상 채권담보권이 「담보부사채 신탁법」 제4조 제2호 소정의 '채권질'의 범위에 포함되는지 자체가 문언상 불분명하였을 뿐 아니라, 가사 입법목적을 고려하여 '채권질'의 개념을 '채권담보권'도 포함하는 것으로 확대해석하더라도 증서를 요구하는 제2호의 법문상 실제 활용할 수 있는 채권담보권의 목적물은 증서가 있는 채권으로 한정되었었다. 하지만, 2018년 개정된 「담보부사채 신탁법」 제4조는 '증서 있는 채권질'을 규정한 제2호와는 별도로 제5호에서 「동산·채권 등의 담보에 관한 법률」에서 정하는 담보권을 명시하고 있으므로, 적어도 채권담보권의 경우에는 증서의 존재가 필요 없게 되었다. 따라서, 앞으로는 채권담보권을 이용한 담보부사채의 발행이 보다 활성화될 것으로 기대된다.

라) 주식질

기존의 「담보부사채 신탁법」 제4조 제2항은 주식을 담보의 목적으로 하는 경우에는 금융위원회의 인가를 얻도록 규정하고 있다.[22] 하지만, 금융위원회의

---

21) 국제금융계약에는 통상 Events of Default라는 조항이 포함되어 있다. 가끔 이 조항을 채무불이행사유라고 번역하는 경우가 있으나, Events of Default 조항은 채무자의 원리금지급 지체 등의 채무불이행뿐 아니라, 채무자의 상환능력저하에 영향을 미칠 수 있는 모든 사유를 망라하기 위해, 채무자의 통제능력범위를 벗어난 사유들까지도 포함하고 있는 것이 일반적이다. 한편, Events of Default 발생시 대주단이 보유하는 가장 핵심적인 권한은 조기상환을 요구할 수 있다는 것이다. 따라서, 조기상환사유라고 번역을 하는 것이 보다 정확하다고 본다.

22) 금융위원회의 인가는 인가신청서에 ① 담보로 하고자 하는 주식의 종별·수량 및 가격과 주식 이외의 담보가 있을 때에는 그 종류 및 가격을 기재한 서면 및 ② 이와 같은 가격의

인가를 받아서 설정해야 하는 담보가 빈번하게 활용될 수는 없을 것이므로 주식질을 이용한 담보부사채의 발행이 활성화되기는 어려운 상황이었다. 하지만, 2018년 개정을 통해 상장회사가 발행한 주식은 인가대상에서 제외되었다. 따라서, 앞으로는 상장주식을 담보로 하는 담보부사채발행이 보다 활성화될 것으로 기대된다.

마) 지식재산담보권

민법은 권리질권의 대상을 "재산권"이라고 폭넓게 규정함으로써 특허권, 실용신안권, 저작권등의 무체재산권도 질권의 대상으로 인정하고 있음에도 불구하고, 구 담보부사채 신탁법 제4조 제1항 제2호는 굳이 사채에 붙일 수 있는 물상담보를 "증서가 있는 채권질"로 한정하고 있었다. 이로 인해 그 동안은 특허권과 같은 무체재산권에 설정된 질권을 담보로 하는 담보부사채의 발행은 가능하지 않았었다. 하지만, 2018년 개정시 신설된 「담보부사채 신탁법」 제4조 제1항 제5호 소정의 '「동산·채권 등의 담보에 관한 법률」에서 정하는 담보권'은 지식재산권담보권, 즉 담보약정에 따라 특허권, 실용신안권, 디자인권, 상표권, 저작권, 반도체집적회로의 배치설계권 등 지식재산권을 목적으로 그 지식재산권을 규율하는 개별 법률에 따라 등록한 담보권을 포함하는 개념이므로, 앞으로는 「동산·채권 등의 담보에 관한 법률」상 지식재산담보권을 활용함으로써 무체재산권을 담보로 하여 담보부사채를 발행할 수 있는 길이 열렸다.

마) 그 밖에 재산적 가치가 있는 것으로서 대통령령으로 정하는 담보권

2018년 개정 「담보부사채 신탁법」은 허용가능한 담보를 추가할 수 있는 권한을 대통령령에 위임하고 있으므로, 앞으로 제정될 시행령의 구체적인 문언에 따라 사용할 수 있는 담보물의 범위가 보다 확대될 가능성을 열어 두었다. 다만, 아직까지는 이러한 규정은 마련되지 않았다.

나. 유동화 사채

1) 유동화사채의 의의

자산유동화란, 자금수요자가 소유하는 자산을 기초로, 유동화증권 발행자

산출기초를 기재한 서면을 첨부하여 신청하여야 한다(담보부사채 신탁법 시행규칙 제2조 제1항).

가[23] 출자증권, 사채, 수익증권 등의 형태로 유동화증권을 발행하여 자금을 조달하는 금융기법[24]이며, 이 중 사채 형태로 발행된 유동화증권이 곧 유동화사채이다. 자산유동화가 통상적인 증권발행과 다른 점은, 첫째, 증권발행자는 단순히 기초자산을 보유, 운영하는 역할만 하는 수동적인 기관에 불과하기 때문에 비록 법적으로는 무담보증권 형태로 유동화증권이 발행되더라도[25] 유동화자산 위에 유동화증권을 위한 담보가 설정된 것과 같은 경제적 효과가 발생한다는 것이며, 둘째, 조달된 자금의 실질적인 수요자는 유동화증권 발행자가 아니라 유동화자산을 발행자에게 이전하여 준 자산보유자라는 것이다. 실무상 가장 많이 사용되는 가장 기본적인 유동화사채 발행구조들은 [그림 1], [그림 2], [그림 3]과 같다.

[그림 1] 회사형 유동화구조

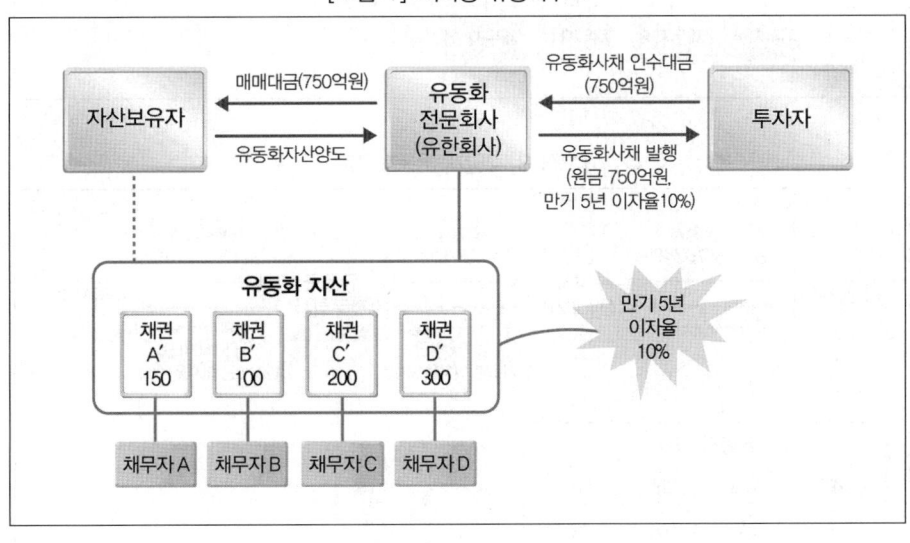

---

23) 자산유동화법상 유동화증권의 발행은 유동화전문회사가 사채 또는 출자증권의 형태로 유동화증권을 발행하는 경우와 신탁회사가 수익증권 형태로 발행하는 경우로 나뉜다. 유동화증권발행자는, 어느 구조를 취하느냐에 따라, 유동화전문회사 또는 신탁회사가 될 것이다. (동법 제2조 제1호)
24) "자산유동화"의 개념에 관한 법적인 정의에 관하여는 자산유동화법 제2조 제1호 참조.
25) 물론, 유동화사채가 반드시 무담보사채형태로만 발행되어야 하는 것은 아니다. 필요하다면 「담보부사채 신탁법」에 따라 담보부 사채로 발행할 수 있는 길은 열려 있다.

[그림 2] 신탁형 유동화구조

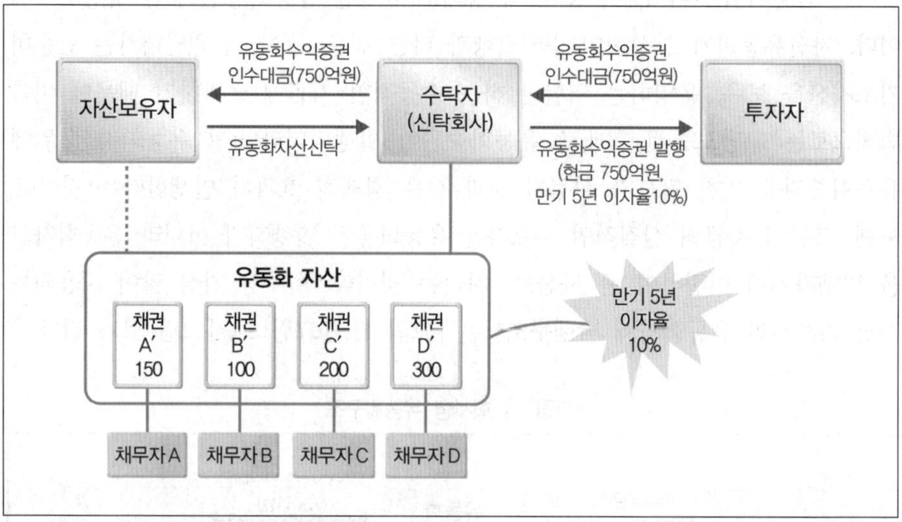

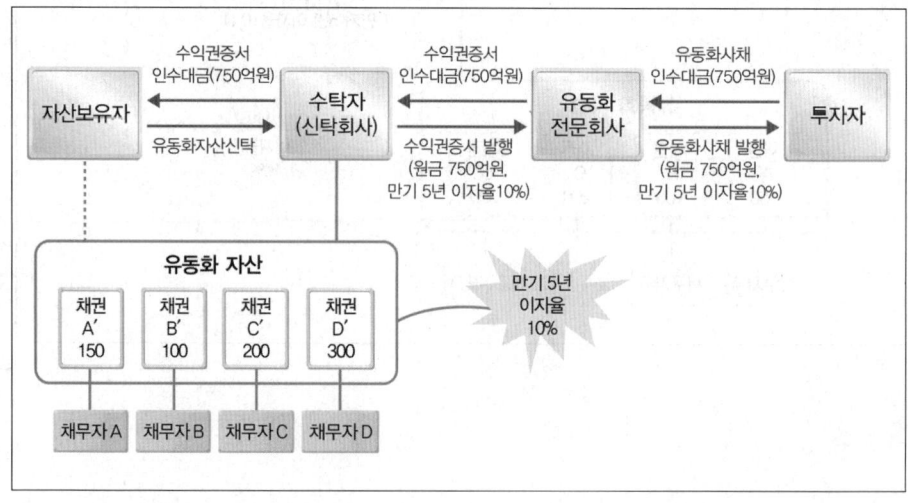

[그림 3] 2단계 유동화구조

2) 유동화사채 발행의 이점

가) 개별자산에 대한 신용평가의 생략

자산유동화의 주된 이점 중의 하나는, 자산을 모아 집합으로 매각함으로써 통계자료에 기초한 신용평가가 가능해진다는 점이다. 신용평가에 있어 통계자료를 활용하게 되면, 개별자산에 대한 신용평가를 생략할 수 있어 시간과 비용을 절약할 수 있다. 대상자산이 채권인 경우를 예를 들어 보기로 하자. 개별적인 채권매매거래에서 매각가격의 확정에 가장 중요한 요소 중의 하나는 바로 채무자의 신용이다. 하지만, 채무자의 신용평가는 시간과 비용이 많이 소요되는 작업일 뿐만 아니라, 현재의 신용상태를 평가하는 것에 불과하다는 점에서 한계가 있다. 즉, 아무리 노력하더라도, 미래시점인 만기 시의 채무자의 신용상태를 미리 정확히 예측하는 것은 사실상 불가능하므로, 특정 채권의 회수율을 정확하게 예측하기는 어렵다. 하지만, 자산유동화의 경우에는, 채권을 집합화하여 양도하는 것이므로, 통계자료를 활용하여 집합전체에 대한 부실비율을 산정해내면 해당 채권집합의 총회수금액을 예측할 수 있으므로 개별채무자에 대한 신용평가절차를 생략할 수 있다. 즉, 채무자 100명에 대한 저당권부대출채권의 총 원금이 100억원이고 통계자료에 따라 산정된 부실비율이 15%라면, 특별한 사정이 없는 한 적어도 85억원은 거의 확실하게 회수된다고 볼 수 있다. 따라서, 이러한 경우, 자산집합의 총원금이 100억원인 상황에서 발행되는 유동화사채의 원금총액을 85억원 이내로 제한하기만 하면, 굳이 개별 채무자에 대한 신용조사를 하지 않더라도, 사채원리금의 100% 회수를 확신할 수 있으므로 투자여부에 대한 판단이 훨씬 쉬워진다.

나아가, 특정 채권을 개별적으로 매입하는 경우에는 자기가 매입한 특정채권의 채무자가 도산을 하면 해당 채권은 대부분 회수불능이 될 것이므로, 원리금이 모두 회수되는 경우와 한 푼도 회수하지 못하는 극단적인 경우를 오락가락하는 위험한 투자가 될 수밖에 없다. 하지만, 채권집합의 지분을 매입하면, 결국, 그 집합전체의 회수율이 자신의 회수율이 되는 것이므로, 그 채권집합에 속하는 채무자 중 누가 도산을 하더라도 그로 인해 직접적인 영향을 받지 않게 되어 더욱 안정적인 투자가 가능해진다.

나) 증권화를 통한 유통성의 증대

투자자들은, 경제적인 의미에서는 유동화자산에 투자하는 셈이지만, 법적으로는, 유동화자산을 보유하는 유동화전문회사가 발행하는 사채에 투자하는 형식으로 진행된다. 그러므로, 유동화자산이 유동화전문회사에 대한 이전되는 과정에서 한번은 유동화자산의 양도절차를 밟아야 하겠지만, 그 이후에는 유동화자산은

그냥 유동화전문회사가 계속 보유하고, 유동화사채만이 증권양도절차에 따라 전
전유통되기 때문에 유통성이 높아진다.

다) 신용등급상승을 통한 자본조달비용의 감소

자산유동화는 전통적인 금융기법으로는 조달이 어려운 저금융비용의 자금에
대한 접근을 용이하게 한다는 이점이 있다.[26] 예를 들면, 신용등급이 AAA에 해
당하는 양질의 매출채권집합을 보유하고 있는 甲이라는 회사가 약간의 재정난을
겪고 있다고 치자. 이 상황에서 甲이 이 채권집합을 담보로 담보부사채의 공모
발행을 시도하는 경우, 신용평가사들은 평가시 甲의 재정난으로 인해 야기될 甲
의 도산가능성을 고려할 수밖에 없으므로, 甲이 발행하는 사채의 신용등급은 상
대적으로 낮아질 수밖에 없게 된다. 결과적으로 甲이 사채의 공모발행을 통하여
자금을 조달할 수 있는 가능성은 크지 않다. 이 경우 甲이 은행으로부터의 차입
을 시도하더라도 마찬가지이다. 대출은행은 재정난을 겪고 있는 甲과의 직접
거래로 인한 위험을 고려할 수밖에 없으므로, 甲이 지급해야 할 금융비용은 증
가될 수밖에 없다.[27] 그 결과, 甲은 저금융비용의 자금에 대한 접근가능성마저
상실하게 되므로, 가뜩이나 어려운 자금사정은 더 어려워질 수밖에 없게 된다.
하지만, 이 때 만일 甲이 양질의 매출채권집합을 이용하여 자산유동화를 한다면
이러한 문제의 해결이 가능하다.[28] 만일 甲이 자산유동화법에 따라 자산유동화
를 하고자 한다면 甲은 유동화전문회사에게 이 양질의 매출채권집합을 매각하고
유동화전문회사는 이 매출채권집합을 경제적 담보로 하는 유동화사채를 발행하
여 매출채권집합 매입대금을 조달하게 된다. 그런데, 이 유동화전문회사는 양질
의 매출채권집합만을 자산으로 가지고 있을 뿐 다른 채무는 없는 까닭에, 유동

---

26) Michael J. Cohn, "Asset Securitization: How Remote is Bankruptcy Remote?," *Hofstra Law Review*, Volume 26 (1998), p. 931.

27) *Ibid.*, pp. 934~935.

28) 다만, 이것은 현재의 자산유동화법상으로는 하나의 가정일 뿐이다. 왜냐면, 자산유동화법은
동법 제2조 제2호에 개별적으로 열거되지 않은 자가 "자산보유자"가 되기 위하여서는 기본
적으로 "신용도가 우량한 법인"일 것을 요구하고 있으므로, 신용등급이 일정한 수준에 미치
지 못하는 일반 기업들은 자산유동화를 이용할 수 있는 가능성이 원천적으로 배제되어 있
기 때문이다. 자산유동화법이 자산보유자의 자격을 엄격히 제한하고 있는 까닭은, 동법 제8
조에 따른 저당권 등의 취득에 관한 특례 등 자산유동화법이 인정하고 있는 특례들이 남용
될 가능성을 방지하고자 하는 것으로 보인다. 하지만, 이로 인해, 자산유동화를 활성화하고
자 하는 동법 본래의 목적이 훼손되고 있는 것이다. 이 문제는 결국 입법적으로 풀어야 할
숙제라고 하겠다.

화전문회사의 신용평가등급은 유일한 자산인 매출채권집합의 등급만을 반영하여 결정될 것이다. 따라서, 유동화전문회사의 신용평가등급은 甲 자신의 신용평가 등급보다 높은 수준에서 결정될 것이므로, 결국 유동화전문회사가 발행하는 사채의 금리는 甲이 직접 사채를 발행한 경우보다 낮아질 수밖에 없다. 유동화전문회사가 보다 낮은 금리로 사채를 발행할 수 있다는 것은 결국 동일한 매출채권집합을 가지고 조달할 수 있는 자금의 총액은 유동화를 거치면 자산보유자가 직접 조달한 경우보다 더 많아진다는 의미가 되며, 이 자금은 유동화자산 매매대금의 형태로 자산보유자에게 지급되므로, 그 경제적인 이익은 궁극적으로는 자산보유자에게 귀속되게 된다. 다음의 예를 보면 이 점은 쉽게 수긍이 될 것이다. 우선 신용평가등급이 BBB인 甲이 신용평가등급 AAA에 해당하는 매출채권들을 보유하고 있으며 향후 1년간 이 매출채권에서 발생할 수입이 110억원이라고 가정해보자. 甲과 유동화전문회사 모두 이 110억원만을 가지고 사채권자들에 대한 원리금을 상환할 예정이다. 만일 이 시점에서 신용평가등급이 BBB인 기업의 사채발행금리는 10%이고 신용평가등급이 AAA인 기업의 사채발행금리는 8%라면, 甲이 직접 발행하는 사채의 원금은 100억원에 불과하지만,[29] 유동화회사의 경우에는 8%의 이자만 지급하면 되므로 이 이자율의 차이만큼 원금을 증액할 수 있어 사채발행규모를 102억원까지 늘릴 수 있게 된다.[30] 이와 같이 유동화를 거치게 되면 동일한 자산을 이용하여 조달할 수 있는 자금의 규모가 더 커지기 때문에 자금조달비용을 절감할 수 있다.

다만, 여기서 반드시 기억하여야 할 것은, 위와 같은 결과는 유동화자산을 자산보유자의 다른 재산과 완전히 분리시킴으로써 유동화자산이 자산보유자의 도산위험으로부터 완전히 벗어난다는 것을 전제로 한다는 점이다. 만일, 자산보유자의 도산시 유동화전문회사에 귀속되는 현금흐름이 어떠한 방식으로든 도산절차의 영향을 받을 가능성이 있다면, 유동화전문회사가 발행하는 유동화증권의 신용평가등급 결정에는 결국 자산보유자의 신용이 반영될 수밖에 없기 때문이다. 그러므로, 유동화자산이 자산보유자의 도산으로부터 완전히 절연(絶緣)되었는지 여부는 유동화를 통하여 자산보유자가 조달할 수 있는 자금총액을 결정하는 결정적인 요소 중 하나라고 하겠다.

---

29) 100억원(원금) + 100억원 × 10%(이자) = 110억원(총상환액)
30) 102억원(원금) + 102억원 × 8%(이자) = 110억원(총상환액)

3) 「자산유동화에 관한 법률」('자산유동화법')의 성격

자산유동화법은 동법에 따라 추진하는 자산유동화거래와 관련하여 여러 가지 혜택을 규정하고 있을 뿐 이 법을 따르지 않는 자산유동화를 금지하는 것은 아니다. 즉, 자산유동화법의 적용을 받고자 하는 경우에는 자산유동화법에 따라 자산유동화계획을 금융위원회[31]에 등록하여야 하는 것이나, 그렇지 않다면 자산유동화법을 준수하지 않아도 무방한 것이다(자산유동화법 제3조).

자산유동화법은 1998.9.16. 제정되었는데, 그 이전에는 크게 두 종류의 법적 장애물이 자산유동화를 가로 막고 있었다. 우선, 회사형태의 자산유동화의 경우에는, 당시 상법 제470조가 회사의 사채발행은 최종 대차대조표상의 순자산액의 4배를 초과하지 못하도록 규정하고 있었기 때문에, 조달하고자 하는 자금의 최소한 4분의 1을 일단 자본금으로 투자를 하여야 하는 문제가 있어 경제적인 실익이 없었다. 반면, 신탁의 형식을 활용하고자 하는 경우에는 당시 신탁업법 제17조의2가 신탁회사가 수익증권을 발행하기 위하여서는 금융감독위원회의 인가[32]를 받도록 규정하고 있었을 뿐 아니라, 자산유동화를 위하여 이용할 수 있는 신탁의 형태 및 요건에 대한 구체적인 규정의 부존재로 불확실한 요소가 너무 많아 신탁구조를 이용한 자산유동화거래에는 상당한 위험부담이 수반되었기 때문에 적극적으로 어떤 거래를 추진하기에는 부담스러운 상황이었다. 이러한 법적 장애물들로 인해, 1998년 자산유동화법이 제정되기 이전에 국내금융시장에서 자산유동화거래가 행해진 사례는 없다. 자산유동화법은 제31조에서 유동화전문회사의 경우에는 상법에 규정된 사채발행한도의 제한을 받지 않도록 명시함과 동시에 신탁회사가 자산유동화를 위하여 발행하는 증서의 경우에는 신탁업법 제17조의2의 적용을 배제함으로써, 자산유동화 추진과 관련된 법적인 장애물들을 제거하였다. 그렇기 때문에 자산유동화법이 형식상으로는 당사자가 적용여부를 임의로 선택할 수 있는 법으로 제정되었음에도 불구하고, 실제로는 자산유동화

---

31) 다만, 자산유동화법 제3조에 따른 자산유동화계획의 등록은 동법 제38조 제1항에 따라 금융감독원장에게 위탁되어 있으므로, 현실적인 자산유동화계획의 등록업무는 금융감독원에서 취급하고 있다.

32) 1998. 1. 13. 법률 제5502호로 개정되기 이전에는 재무부장관의 인가를 받도록 규정하고 있었으나, 당시 실무관행상으로는 특정 거래와 관련하여 재무부장관의 인가를 받는 것은 거의 불가능하였다. 1998년 개정으로 금융감독위원회의 인가로 변경되기는 하였으나, 인가를 받기 어렵다는 면에서는 별 차이가 없었다.

법의 적용을 받지 않는 자산유동화의 추진은 사실상 불가능하였다.[33]

하지만, 최근 여건의 변화로 인해, 이러한 법적 장애물들은 사라졌다. 우선, 2011년 상법이 개정되면서 사채발행한도를 규정한 상법 제470조가 삭제되었다. 또한, 자본시장법은 현재 신탁업자의 수익증권 발행시 금융위원회에 사전신고할 것을 요구하고 있을 뿐이므로 수익증권 발행과 관련된 인허가요건도 사라졌다 (자본시장법 제110조 제2항). 따라서, 이제는 굳이 자산유동화법에 의하지 않더라도 자산유동화를 할 수는 있다. 다만, 자산유동화법에 규정된 각종 절차적 특례와 조세특례제한법 등 세법에서 규정된 각종 조세혜택은 자산유동화법에 따른 자산유동화일 것을 전제로 부여되는 것이므로, 여전히 자산유동화법에 따라 자산유동화를 추진하는 것이 여러 면에서 유리한 것은 사실이다. 즉, 이제는 자산유동화법에 따를 것인가 여부는 자산유동화법상 요구되는 여러 가지 요건을 충족시켜야 하는 불편을 감수하는 대신 동법이 부여하는 혜택을 누릴 것인가라는 선택의 문제로 남게 되었다.

4) 자산유동화법 개요

가) 유동화사채의 발행주체

(1) 유동화전문회사

유동화전문회사는 상법상 유한회사의 형태로 설립되어야 하며, 영업소나 직원을 둘 수 없으며, 오로지 자산유동화법 제22조에 규정되어 있는 업무, 즉, (1) 유동화자산의 양수·양도 또는 다른 신탁회사에의 위탁 (2) 유동화자산의 관리·운용·처분 (3) 유동화증권의 발행 및 상환 (4) 자산유동화계획의 수행에 필요한 계약의 체결 (5) 유동화증권의 상환 등에 필요한 자금의 일시적인 차입 (6) 여유자금의 투자 (7) 기타 제1호 내지 제6호의 업무에 부수하는 업무만을 영위할 수 있다(동법 제20조). 그러므로, 유동화전문회사는 자산유동화계획의 수행에 필요한 계약의 범위를 벗어나는 계약은 체결할 수 없으며, 특히, 차입계약의 경우에는 법 제22조 제5호가 "유동화증권의 상환 등에 필요한 자금의 일시적인 차입"이라고 명시하고 있으므로, 유동화자산으로부터 발생하는 현금흐름과

---

33) 금융실무에서 소위 비등록유동화라고 불리는 ABL의 발행은, 유동화전문회사와 동일한 기능을 하는 SPC가 사채발행 대신 차입을 하는 방법으로 자금을 조달함으로써 상법상 사채발행한도 제한을 비껴나갔었다.

유동화증권의 상환일정 또는 배당금지급일정간의 시차로 인하여 발생하는 일시
적인 자금부족을 충당하기 위하여 단기간 자금차입이 필요한 경우에 한하여서
허용된다. 또한, 유동화자산 이외의 자산의 매입 역시 유동화자산으로부터 발생
하는 현금흐름과 유동화증권의 상환일정 내지는 배당금 지급일정과의 차이로
인한 일시적인 여유자금의 운용차원에서 행하는 일시적인 투자의 범주를 벗어나
지 않는 선에서만 허용된다고 할 것이다. 나아가, 동법 제22조 제1항은 이러한
업무를 "자산유동화계획에 따라" 행하도록 요구하고 있으므로, 위의 7가지 범주
에 속하는 업무라고 하더라도, 그 내용이 유동화계획에 반영되어 있지 않았다면
여전히 허용되지 않는다.[34] 동법 제20조가 유동화전문회사의 입무를 이렇게 엄
격하게 제한하고 있는 이유는, 유동화전문회사가 유동화자산의 현금흐름이 유동화
증권 투자자들에게 흘러가도록 하는 도관(導管)으로만 기능하도록 함으로써, 유동
화증권의 투자자들이 직접 유동화자산에 투자한 것과 동일한 경제적 효과를 얻을
수 있도록 하는 동시에 투자가 이루어진 이후 개괄적인 투자 내역(investment
profile)이 변화함으로써 투자자들이 투자 당시 전혀 예상하지 않았던 위험을 부
담하게 되는 것을 방지하여 투자자들을 보호하기 위한 것이라고 본다.

(2) 외국에 설립되는 유동화전문법인

사산유동화법은, "자산유농화"라는 용어를 정의하는 조항에서 자산유동화의
주체인 유동화전문회사는 '자산유동화업무를 전업(專業)으로 하는 외국법인'도 포
함하는 것으로 규정함으로써[35] 외국법인도 자산유동화법에 따른 자산유동화의
주체가 될 수 있음을 선언한 것을 제외하고는 외국법인에 관하여 아무런 규정을
두지 않고 있다. 한편, 자산유동화법 구조상 유동화전문회사의 업무제한에 관한
동법 제20조는 유한회사 형태의 내국법인인 유동화전문회사에만 적용되는 형식
을 취하고 있다. 즉, 문언상으로만 보면 동법 제20조는 외국법인에 대해서는 직
접 적용되지 않는 것처럼 보인다. 하지만, 자산유동화법 제20조의 목적이 투자
자를 보호하기 위한 것이라면, 외국에 설립된 법인을 투자기구로 이용하는 경우
라고 해서 달리 취급할 것은 아니다. 그렇다면, 외국법인과 관련된 자산유동화

---

34) 즉, 자산유동화법 제22조 제1항에서 허용하고 있는 업무라고 하더라도, 최초 등록한 유동
화계획에 반영되어 있지 않았다면, 먼저 유동화계획의 변경등록을 한 이후에야 비로소 집행
할 수 있다.
35) 자산유동화법 제2조 제1항 가.목.

법 제2조 제1항 가.목 소정의 '자산유동화업무를 전업(專業)으로 하는'의 구체적 의미를 해석함에 있어서는 제22조의 내용을 유추적용함으로써 외국법인의 경우에도 제22조에서 허용하는 업무가 아닌 업무는 할 수 없다고 해석하여야 한다. 즉, 제22조 소정의 업무만을 전업으로 함으로써 유동화자산의 현금흐름을 유동화증권의 소지자에게 이전시키는 도관의 역할을 하는 외국법인만이 자산유동화법상 유동화회사로서 등록가능하다고 해석하는 것이 타당하다고 본다.

나) 자산보유자

자산유동화법에 따라 보유자산을 이용하여 자산유동화거래를 추진할 수 있는 자격은 자산유동화법 제2조 제2호에 열거한 자에 한하여 부여되며, 자산유동화법은 이러한 자격을 보유한 자를 '자산보유자'라고 정의하고 있다. 현재 자산보유자로 열거되어 있는 자들은 주로 공사와 금융기관이며, 일반 기업의 경우에는 '신용도가 우량한 법인으로 금융감독위원회가 미리 정하는 기준에 따라 당해 법인이 보유하는 자산에 대하여 자산유동화의 필요성이 있다고 금융감독위원회가 인정하는 법인'[36]에 해당되는 경우에 한하여 자산보유자의 자격이 인정되고 있다. 자산보유자의 자격을 이와 같이 제한하는 것은 저당권부 채권의 유동화시 저당권이전의 부기등기 없이도 금융위원회에 양도등록하는 것만으로 저당권이 이전되도록 규정한 자산유동화법 제8조 제1항의 부작용을 최소화하기 위한 것이다. 사실 이러한 특례조항은 부동산 등기부의 기재와 실체관계의 괴리를 초래하므로 입법 당시부터 논란의 대상이었다. 하지만, 저당권부 채권집합의 유동화는 이러한 특례조항 없이는 사실상 거의 불가능한 사정[37]을 고려하여 부득이

---

36) (a) 유동화계획의 등록신청서 제출일로부터 1년 이내에 신용평가업자로부터 BB등급 또는 이에 준하는 등급 이상의 평가등급(당해 법인에 대한 평가등급이 없는 경우에는 당해 법인이 발행한 무보증사채에 대한 평가등급을 말한다)을 받은 법인이거나 (b) 자본시장법 제9조 제15항 제3호에 따른 주권상장법인(한국거래소가 지정한 관리종목인 경우를 제외한다)이어야 한다. 다만, 외국법인은 그 본국에서 이에 상응하는 요건을 갖춘 법인이어야 한다(자산유동화법 제2조 제2호 너.목 및 「자산유동화 업무감독규정」 제2조 제1항).

37) 자산유동화법의 특례조항이 없다면, 저당권이전의 부기등기를 하기 위해서는 저당목적물인 부동산 소재지의 등기소에 저당권이전의 부기등기신청을 하여야 한다. 그 결과 수많은 저당권부 채권(경우에 따라서는 수 천 건이 되기도 한다)을 유동화자산으로 하여 자산유동화를 하려면, 거의 전국의 모든 등기소에 등기신청서를 접수하여야 한다. 이러한 상황에서 유동화전문회사의 매매대금지급과 저당권이전이 동시이행 되려면, 거래종결일(Closing Date) 당일에 수없이 많은 등기소에 동시다발적으로 저당권이전의 부기등기신청서를 접수하거나 아니면 거래종결일(Closing Date)보다 상당이 앞서 순차적으로 전국의 등기소를 돌면서 부기등기신청을 접수해야 한다. 통상 부동산 거래는 매수인의 매매대금지급과 상환으로 매도인

이러한 특례를 규정하는 대신 등기부와 실체관계의 괴리로 인한 부작용을 최소화하는 방안으로 자산보유자의 자격을 엄격하게 제한하는 방법을 택한 것이다. 즉, 등기부상 저당권이 양도인의 명의로 계속 남아 있는 것을 기화로 양도인이 이를 제3자에게 이중으로 양도하는 사태가 발생하는 것을 직접적으로 막을 수는 없지만, 적어도 이중 양도를 감행할 현실적인 가능성이 거의 없으며, 혹시 이중 양도를 하더라도 이로 인하여 제3자가 입은 손해를 배상할 충분한 자력을 가지고 있는 경우에만 자산유동화를 할 수 있도록 허용한다면, 자산유동화법의 특례 조항으로 인한 폐해는 적어도 감수할 만한 수준으로 낮출 수 있다고 판단한 것이다. 이리한 이유로 자신유동화법 제징 딩시에는 자산보유자의 자격이 세1금융권에 속하는 은행들과 공사로만 제한되었다. 그 후, 자산유동화에 대한 일반 기업들의 수요가 급격히 늘어나면서, 부득이 자산보유자의 범위를 점차 일반 기업들도 포함하는 것으로 확대하고 있지만, 여전히 상당한 수준의 신용도를 갖춘 우량법인에게만 제한적으로 허용하고 있는 것은 바로 이러한 이유 때문이다.

하지만, 이와 같은 자산보유자 자격제한은 자산유동화의 활성화에 심각한 걸림돌로 작용하고 있다. 특히, 자산유동화의 주된 이점 중 하나가, 신용등급이 낮은 기업이 우량자산을 활용하여 신용등급이 높은 유동화증권을 발행함으로써 저금융비용 자본에 대한 접근할 수 있는 길을 열어주는 깃이라는 점을 고려한다면, 신용등급이 낮은 기업일수록 자산유동화라는 금융기법을 활용할 필요성은 오히려 더 크다고 할 수 있다. 그럼에도 불구하고, 이런 기업들에게는 자산유동

이 등기에 필요한 서류를 매수인에게 넘겨주는 방법으로 시행한다. 하지만, 위와 같은 상황에서는, 매수인이 거래종결일(Closing Date) 당일에 매도인으로부터 등기신청서만 넘겨받고 대금을 지급하면, 수많은 등기소에 동시다발적으로 저당권이전의 부기등기신청서를 접수하기 위해 통상 수준을 훨씬 웃도는 등기비용을 부담하여야 할 뿐 아니라 거리상의 제약으로 당일 등기신청이 불가능한 등기소에 실제로 등기신청이 접수될 때까지의 기간 동안 매수인(현실적으로는 유동화증권의 인수자들)이 위험을 부담할 수밖에 없다. 전문적인 투자기관들이 이런 위험을 부담하는 투자를 하는 경우도 드물지만, 혹시라도 부담하는 경우에는 대신 이에 상응하는 대가의 지불을 요구하므로 이 방법은 현실적인 해결책은 아니다. 반면, 후자의 방법을 택하면, 그 기간만큼 거래종결일을 뒤로 미루어야 할 뿐 아니라, 혹시라도 성공적인 거래종결이 이루어지지 못하는 경우에는 그 뒷수습을 위해 동일한 과정을 반복해야 하는 불편과 위험을 매도인이 떠안아야 한다. 자산유동화법은, 1997년말 발생한 외환위기를 겪으면서 자산관리공사(당시 성업공사)가 보유하게 된 엄청난 물량의 부실채권(거의 대부분 저당권부 대출채권)을 자산유동화의 방법으로 처분하는 것을 지원하기 위해 1998년에 서둘러 제정되었다. 물론, 자산유동화법은 그 적용대상을 부실채권의 유동화로 국한하고 있지는 않지만, 법제정 당시의 절박한 상황을 고려하면, 입법과정에서 성업공사의 입장이 최대한 고려될 수밖에 없었던 사정은 쉽게 이해될 수 있다.

화법에 따른 자산유동화를 활용할 수 있는 가능성이 아예 배제되어 있다. 현재 금융시장에서 행하여지는 자산유동화거래들은 저당권부 채권 이외의 자산들만으로 유동화자산이 구성되는 경우도 상당히 많다. 이런 거래들은 동법 제8조 제1항의 특례와는 전혀 무관하므로, 신용도가 낮은 기업이라고 해서 이러한 자산들을 가지고 유동화를 추진하는 것까지 막아야 할 이유는 없다. 문제는, 동법 제8조 제1항은 전체 자산유동화거래의 일부에 불과한 저당권부 채권의 유동화절차를 용이하게 하는 데에만 초점이 맞추어져 있는 반면 그 대가로 삽입된 자산보유자의 자격제한은 모든 자산유동화 거래에 적용된다는 점이다. 이로 인해, 어떤 자산으로 유동화를 추진하느냐에 관계없이, 유동화를 추진할 수 있는 자격인 자산보유자의 범위가 일률적으로 제한되고 있는 것이다. 결과적으로 동법 제8조 제1항은 자산유동화의 활성화에 기여하는 기능보다는 오히려 걸림돌로 작용하고 있는 상황이다.

그러므로, 자산유동화법상 유동화를 할 수 있는 자격에 대한 제한은 삭제하고, 저당권 취득에 대한 특례조항을 둠으로써 발생하는 등기부와 실체관계의 괴리로 인한 부작용은 다른 방법으로 해결하는 것이 마땅하다. 저당목적물 부동산 소재지별로 개별적으로 등기신청을 접수할 수밖에 없는 등기제도 하에서는 이러한 특례규정의 유지가 현실적으로 불가피하다면, 그러한 특례규정의 혜택을 받기 위한 자격요건으로서 현재 자산보유자의 자격제한과 유사한 제한을 두는 것으로도 충분히 목적을 달성할 수 있다. 신용도가 낮은 기업에게 저당권이전의 특례를 부여하였을 경우 부작용이 우려된다면 그런 경우에는 부동산거래에 관한 일반원칙에 따라 저당권이전의 부기등기를 하도록 요구하면 될 것이므로, 단지 그러한 우려만으로, 이런 기업들에게는 아예 자산유동화법에 따른 자산유동화의 기회를 배제하는 것은 합리적인 입법정책이라고 할 수 없다. 더욱이 저당권과는 무관한 자산들을 이용한 유동화 가능성까지 아예 봉쇄하는 것은 지나친 과잉규제이다. 따라서, 자산유동화법 제8조 제1항이 존재한다는 전제하에서는, 자산유동화법에 따라 자산유동화를 할 수 있는 자격에 대한 제한은 폐지하고, 대신, 자산유동화법상 자산보유자에 해당하는 경우에만 제8조 제1항의 혜택을 누릴 수 있도록 하는 방향으로 자산유동화법을 개정할 필요가 있다.

나아가 이 문제의 근본적인 해결책은, 등기제도를 개선함으로써 이러한 특례조항의 필요성을 없애는 대신 자산유동화법 제8조 제1항은 삭제하는 것이라고 본다. 전국의 부동산에 대한 모든 정보가 동일한 전산망에 저장되지 않았던 시대에는 부동산 소재지를 관할하는 등기소에서만 등기 신청을 하도록 제한하여야 할 현실적인 이유가 있었겠지만, 이제 전국의 부동산등기부가 모두 동일한 전산망으로 연결되어 있는 이상 굳이 부동산 소재지를 관할하는 등기소를 방문하여 등기신청을 하도록 요구할 이유는 없다. 2006년 부동산등기법 개정으로 부동산등기의 전자신청이 제한적으로 가능해졌으며,[38] 2008년부터는 전국 모든 등기소에 전자신청제출이 가능하게 되었고, 전자신청이 가능한 등기유형도 거의 모든 종류의 등기를 망라하고 있다. 그러므로, 이제는 자산유동화법이 처음 제정되던 때와는 달리, 전국의 관할등기소를 일일이 찾아다니며 등기신청을 해야만 하는 것은 아니므로, 유동화자산에 저당권부 채권이 포함되어 있는 경우라도 자산유동화법 제8조 제1항의 존재가 예전처럼 절실하다고 할 수는 없다. 물론 현재 부동산등기규칙에 따른 전자신청방식은, 자산유동화처럼 다수의 저당권에 대해 이전을 위한 부기등기신청이 동시에 이루어져야 경우에 활용하기에는 다소 불편한 점들이[39] 있는 것은 사실이지만, 그렇다고 극복할 수 없을 정도의 심각한 문제들이 있다고 보이지는 않는다. 따라서, 다량의 저당권이전 부기등기를 전자신청의 방법으로 동시에 신청하는 과정에서 발생하는 현실적인 어려움들을 해소하는 방향으로 전자신청제도를 보완하는 대신 자산유동화법 제8조 제1항은 폐지하는 것이 옳다고 생각한다. 그렇게 되면, 굳이 자산유동화법에서 자산보유자의 범위를 제한할 이유도 없다.

다) 유동화자산의 범위

자산유동화법은 유동화자산을 "채권. 부동산 기타의 재산권"으로 규정함으로써 유동화자산의 범위에 대하여는 거의 제한을 두지 않고 있는 것이다. 다만, 법에 명시적인 제한이 없다고 하더라도, 자산유동화란 유동화자산으로부터 발생하는 장래의 현금흐름을 가지고 유동화증권에 대한 지급을 하는 것을 기본구조로 하는 금융거래라는 점을 고려할 때, 실제로는 미래에 현금흐름을 창출할 수 있는 자산(revenue-producing assets)에 한하여 유동화자산이 될 수 있다고 하겠

---

38) 서울중앙지방법원 등기과를 시범적인 전자신청등기소로 선정하고, 토지에 관하여 소유권보존등기 등 5개 등기유형에 대해 우선적으로 시행하기 시작하였다.
39) 예를 들면, 전자신청을 하더라도 등기신청 자체는 각 관할등기소별로 해야 하는 등의 번거로움이 있다.

다.[40)

라) 자산유동화의 기본절차

(1) 자산유동화계획의 등록

유동화전문회사가 자산유동화법에 따른 자산유동화를 추진하고자 하는 경우에는 유동화자산의 범위, 유동화증권의 종류, 유동화자산의 관리방법, 자산유동화계획기간 등을 기재한 자산유동화계획을 금융감독원[41)에 등록하여야 하며, 이 경우 유동화전문회사가 등록할 수 있는 자산유동화계획은 1개로 제한된다(동법 제3조 제2항). 자산유동화계획에는 (i) 유동화전문회사의 명칭, 사무소의 소재지 등에 관한 사항 (ii) 자산보유자에 관한 사항 (iii) 자산유동화계획기간 (iv) 유동화자산의 종류[42)·총액 및 평가내용 등 당해 유동화자산에 관한 사항 (v) 유동화증권의 종류·총액·발행조건 등에 관한 사항 (vi) 유동화자산의 관리·운용 및 처분에 관한 사항 (vii) 자산관리자에 관한 사항 및 (viii) 기타 대통령령이 정하는 사항[43)이 포함되어야 한다(동법 제4조). 자산유동화계획등록신청서는 (i) 유동화전문회사의 정관 또는 이와 유사한 서류(신탁업자의 경우 당해 신탁의 약관) (ii) 자산관리위탁계약서 (iii) 업무위탁계약서 (iv) 외부평가기관[44)의 평가의견서 및 (v) 자산보유자에 대한 최근 사업연도의 감사보고서(주식회사의 「외부감사에 관한 법률」에 의한 감사보고서를 말하며, 동법의 적용을 받지 않는 자산보유자의 경우에는 그 회계처리 및 결산보고에 관한 사항을 정하고 있는 법률에 의하여 작성된 것으로서 감사보고서와 유사한 것)와 함께 제출되어야 한다(「자산유동화 업무감독규정」

---

40) 이러한 제한은 사실상 한계일 뿐이며, 자산유동화법이 소위 non-revenue producing assets의 유동화를 금지하고 있는 것은 아니므로, 이론상으로는 non-revenue producing assets의 자산유동화도 물론 가능하다. 하지만, 자산유동화란 유동화자산의 관리, 운용, 처분을 통해 발행하는 현금흐름을 가지고 유동화증권을 상환하는 것을 목적으로 하는 거래이므로, 어떤 식으로라도 현금흐름의 창출이 불가능한 자산이라면 그러한 유동화증권은 이미 발행시점부터 지급불능이 예정되어 있는 셈이므로, 발행이 성사될 가능성은 거의 없다고 할 것이다.

41) 법문상으로는 자산유동화계획의 등록은 금융위원회에 하도록 되어 있으나, 이 권한은 자산유동화법 제38조 제1항에 따라 금융감독원장에게 위탁되어 있으므로, 실제 자산유동화계획의 등록업무는 금융감독원에서 취급하고 있다.

42) 유동화자산의 종류별 세부명세가 기재되어야 한다(「자산유동화 업무감독규정」 제4조 제1항 제3호).

43) (i) 유동화증권의 투자자보호에 관한 사항 및 (ii) 당해 자산유동화와 관련하여 자금을 차입하고자 하는 경우에는 그 계획을 말한다(자산유동화법 시행령 제3조).

44) 증권의 인수 및 모집·사모·매출의 주선업무 인가를 받은 금융투자업자, 신용평가회사 또는 회계법인을 말한다(자본시장법 제165조의4 제2항 및 동법 시행령 제176조의5 제8항).

제5조 제1항). 한편 외부평가기관의 평가의견서에는 (i) 평가의 개요 및 기준 (ii) 유동화자산에 대한 평가내용 및 평가금액 (iii) 기타 투자자보호를 위하여 필요한 사항이 기재되어야 한다(「자산유동화 업무감독규정」제8조).

(2) 유동화자산의 양도

자산보유자가 보유하는 유동화자산은 자산유동화법 제13조에 규정된 네 가지 요건(즉, ㄱ. 매매 또는 교환에 의할 것, ㄴ. 유동화자산에 대한 수익권 및 처분권은 양수인이 가질 것, ㄷ. 양도인은 유동화자산에 대한 반환청구권을 가지지 아니하고 양수인은 유동화자산에 대한 대가의 반환청구권을 가지지 아니할 것, ㄹ. 양수인이 양도된 자산에 관한 위험을 인수할 것)을 충족한 방식으로 유동화전문회사에 양도되어야 한다. 동 조항은 유동화자산에 대한 완전한 소유권을 유동화전문회사에 이전시킴으로써 유동화자산의 보유로 인한 이익과 위험을 유동화전문회사에게 전적으로 귀속시키는 대신 유동화자산과 자산보유자의 관계는 완전히 절연시키고자 하는 목적에서 둔 것으로 보인다. 자산유동화법 제5조 제1항은 자산유동화계획의 등록거부사유로 "자산유동화계획의 내용에 법령을 위반한 사항이 포함되어 있는 경우"를 규정하고 있으므로, 동법 제13조 요건을 충족시키지 못하면 유동화계획의 등록거부사유에 해당한다. 실무상으로도 자산유동화계획의 등록 심사 과정에서 금융감독원이 가장 집중적으로 검토하는 부분 중 하나가 바로 자산유동화법 제13조 충족여부이다.[45)]

(3) 자산양도의 등록

자산보유자는 유동화자산을 유동화전문회사에게 양도하면 지체없이 이를 금융감독원에 등록하여야 한다(동법 제6조). 이러한 양도등록만으로 질권부 또는 저당권부 유동화자산과 관련된 질권 또는 저당권이 유동화전문회사에게 이전되는 효과가 발생함을 고려하여, 양도등록 신청시에는 당해 유동화자산과 관련된 채권계약서, 질권 또는 저당권의 설정계약서 및 그 등기필증 또는 등록필증, 부동산에 대한 등기필증 기타 관련증빙서류의 원본을 제시하고 금융감독원장의 확인을 받도록 되어 있다. 다만, 자산보유자가 유동화자산에 대하여 외부평가기관의 실사를 받은 후 그 결과에 대한 외부평가기관의 보고서[46)]를 양도등록신청서

---

45) 「자산유동화업무감독규정」제4조 제1항 제3호는 계획등록신청서에 기재하여야 하는 사항으로서 '유동화자산의 양도 등의 방식 및 세부계획'을 열거하고 있다.

46) 이러한 자산실사보고서에는 다음과 같은 사항들이 기재되어야 한다(「자산유동화업무 감독

와 함께 제출하는 경우 감독원장은 이러한 증빙서류 등에 대한 확인절차를 생략할 수 있다(「자산유동화 업무감독규정」 제11조 및 제12조).

(4) 유동화사채의 발행

유동화전문회사는 자산유동화계획에 따라 사채를 발행하며, 유동화사채의 발행총액은 양도받은 유동화자산의 매입가액 또는 평가가액의 총액을 한도로 한다(동법 제33조). 다만, 유동화증권의 상환 등에 필요한 일시적인 자금의 차입은 발행총액에 포함되지 않는다. 한편, 유동화사채를 모집의 방법으로 발행하는 경우에는, 별도의 규정이 있는 사항을 제외하고는, 「증권의 발행 및 공시에 관한 규정」을 준용하고 있다(「자산유동화업무 감독규정」 제15조).

유동화사채의 발행과 관련하여 신용평가회사의 신용평가를 받을 것을 직접적으로 요구하는 법규정은 없다. 하지만, 금융투자회사가 증권을 인수하거나 모집 또는 매출의 주선업무를 함에 필요한 사항을 정하고 있는 「증권 인수업무 등에 관한 규정」[47] 제11조의2 제1항은 금융투자회사가 인수하는 유동화사채는 최소한 한 군데 이상의 신용평가회사로부터 신용평가를 받은 것이어야 한다고 규정하고 있다. 그런데, 외국계 투자자와 같이 자본시장법상의 금융투자회사가 아닌 투자자들이 유동화사채를 전량 인수하는 경우를 제외하고는, 유동화사채의 주된 투자자들은 금융투자회사들이다. 결국, 일부 사모발행거래를 제외하고는, 신용평가를 받지 않고 유동화사채를 발행하는 것은 현실적으로 거의 불가능하다.

금융시장에서 유동화사채의 발행은 통상 선순위사채와 후순위 사채[48]로 나뉘어 발행되는데, 선순위유동화사채가 발행시장에서 무난히 소화되려면 일단

규정」 제12조 제3항).
1. 자산실사의 개요
　가. 자산실사 참여자 및 실사기간
　나. 자산실사의 방법 및 기준
　다. 기타 자산실사와 관련하여 필요한 사항
2. 자산실사의 결과요약 및 종합의견
　가. 실사대상자산의 유형별 내용 및 특성
　나. 자산실사의 결과요약
　다. 종합의견
3. 증빙서류등의 관리방법
4. 기타 양도등의 사실을 입증하기 위하여 필요한 조치를 한 경우 그 내용
47) 금융투자협회의 규정이다.
48) 경우에 따라서는, 선순위와 후순위 사이에 하나 이상의 중순위 사채가 개입되어 있는 경우도 있다.

AAA의 신용평가등급을 확보하는 것이 매우 중요하다. 이 때 후순위사채는 사실
상 선순위사채의 신용을 보강하는 역할을 하므로, 후순위사채의 발행규모가 클
수록 선순위사채의 신용도는 올라가지만, 후순위사채는 상대적으로 더 높은 이
자를 지급하여야 되기 때문에, 후순위사채의 발행규모를 늘리는 것은 자금조달
비용 증가로 이어진다. 따라서, 자금조달비용을 최소화하는 방법은, 유동화자산
전체에 대한 신용평가결과 선순위 유동화사채의 신용등급을 AAA로 확보하는
것이 가능한 선에서 최대한으로 선순위 유동화사채의 발행규모를 확정한 후, 총
발행가액에서 선순위사채 발행가액을 제외한 나머지 금액은 후순위사채를 발행
하는 것이다. 그러므로, 유동화사채 발행시 선순위 사채와 후순위사채의 발행규
모는, 결국 신용평가회사의 신용평가를 거쳐야만 사실상 확정될 수 있다.

(5) 유동화자산의 관리 및 업무의 위탁

(가) 자산관리위탁

유동화전문회사는 자산관리위탁계약에 의하여 (i) 자산보유자 (ii) 「신용정보
의 이용 및 보호에 관한 법률」(이하 "신용정보법") 제2조 제8호, 제8호의 2, 제8
호의 3, 제9호 및 제10호 업무를 허가받은 신용정보회사 및 채권추심회사 또는
(iii) 자산관리업무를 전문적으로 수행하는 자로서 대통령령이 정하는 요건[49]을
갖춘 자에게 유동화자산의 관리를 위탁하여야 한다(동법 제10조 제1항).

유동화자산은 자산보유자가 본래 보유하고 있던 자산이므로, 자산보유자는
가장 효율적으로 채권추심업무를 수행할 수 있는 지위에 있다. 더욱이, 채무자
에 대한 통지없이 제3자 대항요건만 갖추고 자산유동화를 진행하는 경우에는,
자산보유자가 계속 채권을 추심해야만 하는 현실적인 필요성도 있다. 자산유동

---

49) 「자산유동화에 관한 법률 시행령」 제5조는 다음과 같은 요건을 모두 갖춘 법인인 것을 요
구하고 있다.
   1. 자본금이 10억원 이상일 것
   2. 다음 각목의 전문인력이 5인 이상 포함된 20인 이상의 관리인력을 갖출 것
      가. 변호사, 공인회계사 또는 감정평가사 2인 이상
      나. 채권관리, 유가증권발행 등 금융위원회가 정하는 업무를 수행한 경력이 있는 자 1인
          이상
   3. 임직원이 「신용정보의 이용 및 보호에 관한 법률」 제27조 제1항 각 호의 사유에 해당하
      지 아니할 것
   4. 최대출자자가 외국인인 경우 그 외국인이 자산관리업무를 전문적으로 영위하거나 겸영하
      는 자일 것. 다만, 당해 외국인(법인에 한한다)이 최대출자자로 되어 있는 법인이 자산
      관리업무를 영위하는 경우에는 그러하지 아니하다.

화법이 자산보유자에게 자산관리자의 자격을 부여한 것은 이러한 이유에서이다. 그런데, 유동화자산에 채권이 포함되어 있는 경우 유동화자산의 관리업무는 채권추심업무를 포함할 수밖에 없으나, 채권추심업무를 수행하려면 신용정보법에 따라 금융위원회의 허가를 받아야 한다(신용정보법 제4조). 하지만, 일반적인 자산보유자가 이러한 허가요건을 충족하는 것은 현실적으로 불가능하므로, 자산유동화법은 제10조 제2항에, 자산보유자가 유동화전문회사를 위해 유동화자산을 관리하는 경우에 한해 신용정보법에 따른 허가 없이 채권추심업을 수행할 수 있는 특례규정을 두고 있다.

본래 자산유동화법 제정 당시에는 자산관리자 자격은 자산보유자와 신용정보회사에게만 부여되었었다. 하지만, 1997년 외환위기 직후 시행된 수많은 부실채권 유동화거래에서 해외의 투자전문기관들이 사모방식으로 유동화증권을 모두 인수하는 과정에서 자신들이 직접 유동화자산을 관리할 수 있도록 허용해 줄것을 요구하는 상황이 빈번하게 발생하자, 제10조 제1항 제3호를 신설하여 이들에게도 제10조 제2항의 특례가 적용되는 방향으로 개정되었다. 1997년 외환위기 극복을 위해 절대적으로 필요했던 자산관리공사 보유 부실채권의 해외매각을 지원하는 것이 1998년 자산유동화법 제정의 주된 목적이었다는 점을 고려하면, 이와 같은 개정은 국가적인 경제위기상황에서 부실채권을 기초로 하여 발행된 유동화증권을 외국계 투자자들에게 가능한 한 높은 가격에 매각하기 위한 부득이한 조치로 이해할 수 있다. 그렇다면, 경제사정이 정상으로 돌아온 현시점에도 제10조 제1항 제3호를 계속 유지할 필요가 있는지에 대해서는 좀 더 고민해 볼 필요가 있다고 생각한다.

(나) 기타 업무위탁

자산유동화법 제23조는, 유동화전문회사는, 사원총회의 의결을 받아야 하는 사항, 이사의 회사대표권에 속하는 사항, 감사의 권한에 속하는 사항, 유동화자산의 관리에 관한 사항, 기타 위탁하기에 부적합한 사항으로서 대통령령이 정하는 사항을 제외한 모든 업무를, 자산보유자 기타 제3자에게 위탁하여야 한다고 규정하고 있다. 이러한 조항과 자산관리위탁에 관한 제10조를 종합하면, 유동화전문회사의 업무 중 유동화자산의 관리에 관한 사항은 반드시 자산관리자의 자격을 보유한 자에게만 위탁하여야 하는 반면 나머지 업무를 위탁할 수 있는 자의 자격에 대하여는 아무런 제한이 없다는 결론에 도달한다.

마) 각종 특례조항의 검토

(1) 유동화자산의 양도절차에 관한 특례

유동화자산이 지명채권으로 구성되어 있는 경우, 채권양도에 관한 민법상의 대항요건을 구비하려면 많은 시간과 비용이 소요될 수 있으므로, 자산유동화법에서는 원활한 유동화를 위해 이러한 절차 요건을 간소화하기 위한 특례규정을 두고 있다.

우선, 자산유동화법 제7조 제1항은, 채무자에 대한 대항요건을 갖추기 위해 양도통지를 할 수 있는 자로 양수인을 추가하고 있다. 따라서, 양도인인 자산보유자가 유동화자산의 채무자에게 통지하거나 채무자가 승낙하는 경우뿐 아니라 양수인인 유동화전문회사가 유동화자산의 채무자에게 채권양도 통지하는 경우에도 유동화자산의 채무자에게 대항할 수 있다. 나아가, 위 제7조 제1항 단서에서는, 현실적으로 채무자에게 통지할 것을 요구하는 민법의 규정에 대한 특례로서, 일정한 경우에는 채무자에게 통지된 것으로 간주하고 있다. 즉, 채권양도통지를 2회 이상의 내용증명우편으로 (i) 저당권의 등기부 또는 등록부에 채무자의 주소가 기재되어 있는 경우에는 그 주소(단, 등기부상 주소가 최후 주소가 아니고, 양도인 또는 양수인이 최후 주소를 알고 있는 경우에는 그 최후 주소)로 또는 (ii) 등기부 또는 등록부에 채무자의 주소가 기재되어 있지 아니하거나 등기부 또는 등록부가 없는 경우로서 양도인 또는 양수인이 채무자의 최후 주소를 알고 있는 때에는 그 최후주소로 발송하였음에도 소재불명으로 반송된 때에는, 채무자의 주소지를 주된 보급지역으로 하는 2개의 일간신문(전국을 보급지역으로 하는 일간신문이 1개 이상 포함되어야 함)에 채권양도사실을 공고하며, 그 공고일에 채무자에 대한 채권양도의 통지를 한 것으로 본다고 규정하고 있다. 이는 부실채권의 경우 채권자들이 채무자의 실제 소재지를 파악하지 못하는 경우가 많아 직접 채무자에게 통지하는 것이 쉽지 않다는 사정을 고려한 것이다.[50] 더 나아가 제7조

---

50) 채무자의 보호라는 측면을 고려한다면, 채무자가 채권양도사실을 실제로 인식할 수 있도록 채무자에게 현실적인 통지가 된 경우에만 채무자에게 채권양도로 대항할 수 있도록 하는 것이 옳다. 하지만, 부실채권의 경우에는 대부분 채무자들이 일방적으로 채권자와의 연락을 끊어 버린 경우이므로 채무자에게 직접 통지할 수 없는 사정은 채무자 스스로 만들어 낸 것이라는 점 및 이러한 경우에조차 채무자에 대한 직접 통지를 요구하면 대량의 부실채권으로 유동화를 추진하는 것은 사실상 불가능하다는 점을 고려하여 이와 같은 특례조항을

제2항은, 제3자 대항요건에 관한 민법의 규정의 적용을 배제하고, 금융위원회에 자산양도 등록만 하면 채권양도로 제3자에게 대항할 수 있도록 규정하였다. 따라서, 채무자에 대한 통지 또는 채무자의 승낙이 없이 진행하더라도, 금융위원회에 유동화자산 양도등록절차만 완료되면, 유동화전문회사는, 채무자를 제외한 제3자에 대하여 유동화자산인 지명채권을 취득하였다고 대항할 수 있게 된 것이다. 물론, 금융위원회에 대한 자산양도의 등록은 채무자 본인에 대한 대항력은 부여하지 않으므로, 채무자 본인에게 대항요건을 갖추기 위해서는 채무자에게 통지를 하거나 채무자로부터 승낙을 받는 절차가 여전히 필요하다. 이와 같이 제7조 제2항은 채무자를 제외한 제3자에 대해서만 대항력만을 부여하고 있을 뿐이므로, 법적으로는 불완전한 대항력에 불과한 것처럼 보일 수 있으나, 실제로는 지명채권을 유동화자산으로 하여 자산유동화를 추진함에 있어 제7조 제2항은 상당히 유용한 조항이다. 민법이 요구하는 확정일자에 의한 통지는 1～2개의 지명채권을 양도할 때에는 별 문제가 되지 않지만, 수많은 채권이 일시에 양도되는 경우에는 각 채무자에게 개별적으로 통지를 하는 것 자체가 실무상으로는 상당한 부담이 되기 때문이다.[51] 따라서, 확정일자에 의한 통지를 생략할 수 있다는 것만으로도 실무처리에 상당한 도움이 된다. 나아가, 자산유동화 실무상으로는 자산보유자가 자산관리자 되는 경우가 대부분인 바, 이러한 경우에는 유동회자신의 양도가 이루어진 이후에도 어차피 양노인(즉, 자산관리자)이 채권추심업무를 계속 담당하는 까닭에 채무자에 대한 양도통지가 채무자에 대한 대항요건을 갖추는 데 별 도움이 되지 않기 때문에 통지를 할 실익이 없다.[52] 따라서, 자산보유자가 자산관리자 역할을 하는 자산유동화거래의 경우에는, 제7조 제2항에 의해 금융위원회에서 양도등록함으로써 제3자에 대한 대항요건이 확보된다면 굳이 실익이 없는 채무자에 대한 통지절차는 생략할 수 있으므로, 제7조 제2항의 실무상 의의는 매우 크다고 하겠다.[53]

주게 된 것이다.

51) 가장 저렴한 비용으로 확정일자를 갖춘 양도통지를 하는 방법은 내용증명우편으로 통지서를 발송하는 방법이다. 하지만, 현재 우체국 업무처리 여건상, 수천 건의 내용증명우편을 일시에 발송하는 것은 쉽지 않아 이런 경우에는 내용증명우편 발송에만 열흘 이상씩 소요되는 것이 현실이다.

52) 양도인이 유동화회사의 자산관리자 자격에서 채무자로부터 수령하는 금원은, 법적으로는 채무자가 유동화회사에게 변제한 금액이다. 그러므로, 채무자는, 양도통지여부와 관계없이, 양도인에게 지급한 금액을 가지고 양수인인 유동화회사에게 대항할 수 있다.

(2) 저당권 등의 취득에 관한 특례

자산유동화법 제8조 제1항은, 자산유동화계획에 따라 양도 또는 신탁한 채권이 질권 또는 저당권에 의하여 담보된 채권인 경우 자산보유자가 유동화자산의 양도 또는 신탁을 금융위원회에 등록한 경우 유동화전문회사는 그 등록이 있는 때에 그 질권 또는 저당권을 취득한다고 규정하고 있다.[54] 원래 자산유동화법 제8조에 민법 제186조에 규정된 물권변동의 기본원칙의 적용을 배제하고 저당권이전의 부기등기 없이 금융위원회 등록만으로 저당권이 이전되도록 하는 내용을 규정했던 이유는, 위 나.4)(2)항에서 살펴본 바와 같이, 저당목적 부동산의 소재지를 관할하는 모든 등기소에서 저당권이전의 부기등기를 신청해야 함으로 발생하는 실무적인 애로사항을 해소하고자, 금융위원회 양도등록과 동시에 유동화자산의 양도대금이 바로 결제되어 자산유동화거래가 원활하고 신속하게 종결될 수 있도록 하기 위함이었다.[55] 입법당시에는 제8조는 저당권에 관한 특례만을 규정하고 있었으나, 이후 법개정을 통해 질권에 관해서도 민법상 요구되는 질권의 이전에 관한 절차를 생략할 수 있는 내용이 추가되었다. 그런데, 저당권 취득에 대한 특례는 앞에서 본 바와 같이 등기절차상의 문제를 해결하기 위한 불가피한 선택이었다고 할 수 있지만,[56] 과연 질권의 경우에도 그 정도의 절박한 필요성이 있는지는 다소 의문이다. 질권에 관한 특례를 추가한 덕분에 동산질권 양도시 요구되는 질권목적물의 인도 및 권리질권의 양도시 필요한 확정일자부 통지 등을 생략함으로써 보다 편리한 유동화가 가능해진 것은 사실이나,

---

53) 자산보유자가 아닌 제3자를 자산관리자로 선임하는 경우에는, 채권추심자가 제3자로 변경되는 까닭에 채무자에게 통지를 할 수밖에 없을 것이다. 하지만, 이 경우에도 확정일자를 생략할 수 있다는 점에서 제7조 제2항이 도움이 되는 것은 사실이다.

54) 자산유동화법이 최초 제정될 당시에는 저당권에 관한 특례만이 규정되어 있었으나 2000. 1. 21. 개정시 질권에 관한 특례가 추가되었다.

55) 하지만, 자산유동화법 제8조 제1항에서 규정하고 있는 것은 유동화회사의 저당권취득에 관한 사항뿐이므로, 만일 유동화전문회사가 유동화자산인 저당권부 채권을 제3자에게 양도하는 경우에는 결국 민법 제187조에 따라 일단 유동화전문회사 앞으로 저당권이전의 부기등기를 한 후 다시 제3자 앞으로 부기등기를 하여야 할 것이다.

56) 금융기관의 대출관행상 금융기관이 보유하는 대출채권들은 대부분 저당권부 대출채권인 상황에서 약간의 신용대출이 섞여 있는 상황이고, 동산 또는 채권에 질권을 설정하고 대출하는 사례는 그다지 많지 않다. 따라서, 저당권이전의 특례조항이 없는 상황에서는, 금융기관이 보유하는 대부분의 대출채권의 유동화가 상당한 지장을 받겠지만, 질권 이전의 특례조항이 없다고 해서 금융기관이 보유하는 대출채권의 유동화에 심각한 지장이 초래되리라고는 보이지 않는다. 그렇다고, 금융기관의 대출채권이 아닌 경우로서, 질권부 채권으로 자산유동화를 추진하는 사례 또한 실무에서는 찾아보기 어렵다.

단지 그 정도의 편리함을 위해 민법의 원칙을 뒤흔드는 예외의 범위를 넓히는 것은 바람직한 선택은 아니라고 생각된다. 특히 질권의 목적물이 채권인 경우에는, 이러한 특례 조항은 자산유동화와는 전혀 무관한 제3자인 입질채권의 채무자에게 직접 영향을 미치기 때문에 더욱 문제이다. 저당권의 경우에는 저당목적 부동산에 직접 집행하므로, 부기등기 없이 저당권이 이전되더라도, 저당권의 이중양도 가능성외에는 다른 문제는 없다. 이와는 달리 채권질권의 집행은 입질채권 채무자의 이행행위를 수반하므로, 입질채권 채무자가 모르는 상황에서 질권자가 변동되는 것은 문제다. 민법 제353조 제1항은 "질권자는 질권의 목적이 된 채권을 직접 청구할 수 있다"라고 규정하는 한편 제2항에서는 "채권의 목적물이 금전인 때에는 질권자는 자기채권의 한도에서 직접 청구할 수 있다."라고 규정하고 있으므로, 입질채권의 채무자는 질권자가 변제를 요청하면 지급할 의무를 부담한다. 그렇다면, 자산보유자를 질권자로 인식하고 있는 입질채권의 채무자는 자산보유자의 변제요청이 있으면 지급할 수밖에 없다. 그런데, 이러한 지급이 유동화자산 양도등록 이후 행하여지면 질권자에 대한 지급이 아니므로, 입질채권의 채무자는, 이러한 지급으로써 질권자인 유동화전문회사에 대하여 대항할 수 없게 된다. 다행이 자산보유자가 자산관리자의 역할을 담당하고 있는 경우라면, 질권자의 대리인에 대한 변제에 해당하여 이중변제를 면할 수 있겠지만, 그렇지 않은 경우라면, 입질채권의 채무자는 고스란히 이중변제의 위험에 노출되고 만다. 그러니까, 자산유동화법 제8조 제1항은, 입질채권의 채무자가 이중변제의 위험에서 벗어나고자 하면 스스로 금융위원회의 등록사항을 확인할 것을 요구하고 있는 셈이다. 하지만, 자산보유자가 자신의 필요 때문에 일방적으로 추진하는 자산유동화 과정에서 자산보유자가 금융위원회에 유동화자산 양도등록을 하였다는 사정만으로, 이러한 절차와는 전혀 무관한 입질채권 채무자에게 부담을 지우는 것은 결코 합리적이라고 할 수 없다. 입질채권의 채무자는, 일부러 확인하지 않는 한, 자산유동화가 진행되고 있는지 조차도 알 수 없기 때문이다.

자산보유자가 보유하는 지명채권을 자산유동화를 위해 유동화전문회사에게 양도하는 경우에 대하여 자산유동화법 제7조 제2항은 금융위원회에 자산양도 등록을 한 경우 '당해 유동화자산인 채권의 채무자외의 제3자'에 대하여 민법 소정의 대항요건을 갖춘 것으로 본다라고 규정[57]함으로써 제3자에 대한 대항요건과 관련하여서만 특례를 인정하고 있을 뿐이므로, 이 경우에도 유동화자산인 지

명채권의 채무자 본인에게 대항하기 위해서는 여전히 민법에 따라 대항요건을
구비하여야 한다. 유동화자산이 채권질권에 의해 담보된 경우, 입질채권 채무자
의 권익이 유동화자산 채무자의 권익보다 가볍게 취급되어야 할 이유는 전혀 없
다고 본다.58) 따라서, 채권질권의 이전에 관한 특례조항을 유지하고자 하는 경
우에도, 최소한, 제6조 제1항에 따른 양도등록이 있으면 제3자에 대한 대항요건
을 구비한 것으로 간주하는 정도로만 그 효력의 범위를 한정하여야 하며, 입질
채권의 채무자에 대하여는 민법에 따라 채무자에게 통지하거나 또는 승낙을 받
은 경우에만 대항할 수 있도록 구별하여 규정하여야 한다.

(3) 근저당권에 의하여 담보된 채권이 확정문제

(가) 근저당권부 채권의 양도

근저당권이 담보하는 채권이 확정되기 전에 이미 발생한 채권이 제3자에게
양도되는 경우 근저당권도 이에 수반하여 이전되는지에 관하여는 현재 견해가
대립하고 있다. 긍정설은 개별 채권이 양도되면 근저당권의 일부가 이전하여 양
도인과 양수인이 근저당권을 준공유하게 된다는 입장59)인 반면 부정설은 근저
당권에서 피담보채권의 유동교체는 문제되지 않고, 채권양도로 인하여 그 채권
은 피담보채권의 범위로부터 이탈되므로, 확정 전에 이미 발생한 개개의 채권이
양도되더라도 근저당권은 이에 수반하여 이전되지 않는다는 입장을 취하고 있
다.60) 한편 대법원 판결은61) 부정설을 따르고 있다. 즉, "근저당권이라고 함은
계속적인 거래관계로부터 발생하고 소멸하는 불특정다수의 장래 채권을 결산기
에 계산하여 잔존하는 채무를 일정한 한도액의 범위 내에서 담보하는 저당권이
어서, 거래가 종료하기까지 채권은 계속적으로 증감 변동되는 것이므로, 근저당
거래관계가 계속 중인 경우, 즉 근저당권의 피담보채권이 확정되기 전에 그 채

---

57) 자산유동화법 제7조 제2항 참조.
58) 유동화자산인 지명채권의 채무자는 자산보유자와 직접적인 거래가 있는 자이지만, 입질채
    권의 채무자는 자산보유자와 거래한 사실조차 없다. 그럼에도 불구하고, 유동화자산의 채무
    자보다 오히려 더 자산유동화의 영향을 받도록 하는 규정은 문제이다.
59) 이영준, 「물권법」 전정판(박영사, 1996), 951면; 곽윤직 편, 「민법주해(VII)」(박영사, 1992),
    29면(박해성 집필부분); 김석우, "근저당권의 처분에 관한 소고,"「현대민법학의 제문제」(청
    헌 김증한박사 화갑기념)(박영사, 1981), 407면.
60) 곽윤직, 「물권법」 신정수정판(박영사, 1999), 493면; 장격학, 「물권법」(법문사, 1985), 848
    면; 김상용, 「물권법」 전정판(법문사, 1999), 756면.
61) 대법원 2000.12.26. 2000다54451; 1996.6.14. 95다53812.

권의 일부를 양도하거나 대위변제한 경우 근저당권이 양수인이나 대위변제자에게 이전할 여지가 없다"는 것이다. 등기실무 역시 근저당권의 피담보채권이 확정되기 전에 그 피담보채권이 양도 또는 대위변제된 경우에는 이를 원인으로 하여 근저당권이전등기를 신청할 수는 없다는 입장을 취하고 한다.62)

(나) 근저당권의 피담보채권의 확정을 위한 통지제도

① 자산유동화법 제7조의2의 의의

2000. 1. 21. 자산유동화법이 개정되면서 "자산유동화계획에 의하여 양도 또는 신탁하고자 하는 유동화자산이 근저당권에 의하여 담보된 채권인 경우에는 자산보유자가 채무자에게 근저당권에 의하여 담보된 채권의 금액을 정하여 추가로 채권을 발생시키지 아니하고 그 채권의 전부를 양도 또는 신탁하겠다는 의사를 기재한 통지서를 내용증명우편으로 발송한 때에는 통지서를 발송한 날의 다음날에 당해 채권은 확정된 것으로 본다. 다만, 채무자가 10일 이내에 이의를 제기한 때에는 그러하지 아니하다."라는 내용의 제7조의2가 신설되었다.

위에서 살펴본 바와 같이, 피담보채권 확정 전 근저당권의 양도가능성에 대하여 대법원이 부정설을 지지하고 있는 상황에서, 피담보채권 확정 전에 유동화를 추진하는 것은 위험부담이 너무나 크다. 하지만, 기본계약 종료 전에 근저당권의 피담보채권을 확정시키려면 채무자의 승낙이 필요한데, 대출채권 유동화의 경우 통상 유동화자산을 구성하는 채권의 수를 고려하면, 모든 채무자로부터 일일이 승낙을 받는 것은 현실적으로 어려운 점이 너무나 많다.63) 이러한 사정을 고려하여, 2000년 1월 21일에 개정된 자산유동화법은 제7조의2를 신설하여 근저당권이 담보하는 채권의 확정통지제도를 도입하기에 이른 것이다.

② 통지의 상대방

근저당권의 피담보채권 확정의 통지는 채무자에게 하여야 한다. 따라서, 제3자(물상보증인)가 채무자를 위하여 근저당권을 설정하여 준 경우에도 근저당권설정자가 아닌 채무자에게 통지하여야 한다. 한편, 확정통지는 통지서를 내용증명

---

62) 1997. 9. 9. 제정된 대법원 등기예규 제880호(근저당권에 관한 등기사무처리지침)
63) 이러한 어려움은, 담보부대출시, 구체적인 필요성을 개별적으로 검토하지 않고, 일단 포괄근저당권을 설정하는 현재 금융기관의 대출관행으로 인해 더욱 증폭되고 있다. 따라서, 자산유동화법 제7조의2가 없다면, 담보부 대출채권으로 유동화를 하고자 하는 경우에는, 거의 모든 유동화자산 채무자들로부터 동의를 받아야 하는 상황이 된다.

우편으로 발송하도록 규정하고 있으므로, 구두통지는 허용되지 않는다고 보아야 한다.

③ 통지서 발송가능시점

자산유동화법은 구체적으로 어느 시점부터 확정통지가 발송가능한지에 관하여 침묵하고 있다. 법문은 단지 "자산유동화계획에 의하여 양도 또는 신탁하고자 하는 유동화자산"이라고만 규정하고 있을 뿐이다. 이 문구를 자산보유자가 자산유동화계획에 의해 양도 또는 신탁할 의도가 있는 유동화자산으로 해석한다면, 채권자가 확정을 위한 통지서를 발송할 수 있는 시점에는 제한이 없으므로, 자산유동화계획 등록 이전에도 확정통지서의 발송이 가능하다. 반면, 이 문구를 보다 제한적으로 해석하는 경우에는 "자산유동화계획의 등록신청 이후"에만 통지서를 발송할 수 있다고 할 것이다. 하지만, 동 조항의 입법취지 및 실제 자산유동화가 진행되는 과정을 감안하면, 전자와 같이 해석하는 것이 합리적이다.

자산유동화계획에는 유동화자산의 종류·총액 및 평가내용 및 유동화증권의 종류·총액·발행조건이 포함되어야 하므로,[64] 유동화자산의 범위가 확정되어야만 비로소 유동화계획의 내용이 확정될 수 있다. 그런데, 자산보유자로서는 과연 어느 채무자가 근저당권 피담보채권 확정에 대한 이의제기를 할 지 미리 알 수 없으므로, 제7조의2에 따른 확정통지 발송 후 10일이 경과되어야만 유동화자산을 확정할 수 있다. 따라서, 유동화계획 등록 신청일부터 최소한 10일 전에 통지를 발송할 수 없다면, 제7조의2는 사실상 별 도움이 되지 못한다.

만일 자산유동화계획 등록신청서를 접수한 이후에만 통지서를 발송할 수 있다고 하면, 일단 잠정적인 자산집합을 기준으로 유동화계획을 작성하여 등록신청을 하고 나서 확정을 위한 통지서를 발송할 수밖에 없다. 이렇게 되면, 유동화계획 등록 신청 이후에 채무자들이 반대의사를 표시해오는 채권들은 사후에 유동화자산의 집합에서 제외시켜야 하므로, 유동화계획의 변경등록이 불가피해진다. 하지만, 이것은 단순히 이중절차로 인한 번거로움[65] 정도의 문제로 그치지 않는다. 유동화계획에 등록된 유동화자산의 일부가 제외되면, 유동화계획에

---

64) 자산유동화법 제4조 제1항 제4호 및 제5호.
65) 유동화계획등록시에는 유동화자산의 종류별 세부명세가 포함되어야 할 뿐 아니라 유동화자산에 대한 외부평가기관의 평가서도 첨부되어야 한다. 그러므로, 이 모든 것을 다 변경하여야 한다.

포함되어 있는 유동화자산의 내역을 변경하고 이에 상응하도록 유동화사채에 관한 사항들이 변경되어야만 한다. 그런데, 유동화사채에 관한 변경이, 단순히 제외되는 자산 가액과 동일한 금액만큼 유동화사채 발행규모를 기계적으로 축소하는 선에서 그친다면, 다소 번거롭기는 하지만, 그나마 다행이다. 많은 경우, 유동화자산 구성내역의 변경은 유동화증권의 신용등급에 직접적인 영향을 미친다. 특히 우량자산과 부실자산이 섞여 있는 유동화자산집합에서 상당수의 우량자산이 제외되면, 기존의 구성비율을 전제로 한 신용등급이 그대로 유지될 수 없다. 그런데, 유동화사채를 선순위사채와 후순위사채로 구분 발행하는 경우에는, 유동화계획에도 유동화사채에 관한 사항은 선순위와 후순위로 구분하여 기재되어야 하는데, 위 (4)(라)항에서 살펴본 바와 같이, 선순위와 후순위 발행규모의 확정은 신용평가회사의 신용평가를 전제로 한다. 즉, 유동화계획 확정 전에 신용평가절차가 완료되어야 한다는 의미이다. 그런데, 유동화자산 구성내역의 변경이 경미한 수준을 넘는 경우에는, 선순위사채에 대한 신용평가등급을 AAA로 확보하기 위해 필요한 후순위사채 발행규모 자체가 달라져야 하는 상황이 발생할 수 있다. 이렇게 되면 다시 신용평가를 받아 선순위사채 발행규모와 후순위사채 발행규모를 재확정해야 하나, 이는 단순히 중복적인 신용평가로 시간과 비용이 낭비되는 차원의 문제가 아니다. 선순위사채 발행비율의 축소는, 그것만으로도, 자산보유자의 조달금리 상승을 의미한다.66) 또한, 유동화자산 구성내역의 변경으로 인해 증가된 부실위험은 고스란히 후순위사채권자에게 전가되므로, 후순위사채 발행금리의 상향조정이 추가적으로 요구되거나 심지어는 투자자들의 인수거부사태까지도 초래될 수 있다.67) 최악의 경우에는 유동화사채 발행 자체가 위태로워질 수도 있다는 것이다. 막대한 노력과 비용을 들여 유동화절차를 진행하면서 이러한 위험을 마지막 단계까지 안고 가는 것은 결코 합리적인 일의 진행방법은 아니다. 제7조의2의 입법배경을 고려한다면, 적어도 이런 상황을 감수하면서까지 유동화계획을 먼저 등록한 후에만 확정통지서를 발송하라는 취지로 입법을 하였으리라고는 생각되지 않는다. 실제로, 수년 전 필자가 자문을 담당하였

---

66) 후순위사채에 대하여는 상대적으로 높은 이자를 지급하여야 하므로, 선순위사채 발행규모가 축소되면 결국 유동화자산을 통한 전체 조달금리는 그만큼 높아질 수밖에 없다.
67) 후순위사채를 자산보유자가 인수하기로 한 경우에는 이런 것이 문제가 안 될 수 있지만, 후순위사채를 항상 자산보유자가 인수하는 것은 아니다. 특히, 한 종류 이상의 중순위 사채가 발행되는 경우에는, 적어도 중순위사채는 제3자의 인수를 전제로 발행된다.

던 사례에서, 감독 당국이 동 조항의 남용을 막아 채무자를 보호할 필요가 있다
는 이유를 들어 유동화계획 등록신청 이후에만 통지서를 발송할 수 있다는 입장
을 고수하자, 해당 거래를 추진하던 당사자는 결국 제7조의2의 혜택을 포기하고
각 채무자들을 일일이 찾아다니며 서면동의를 받는 방법으로 유동화거래를 진행
하였다. 그러므로, 제7조의2가 사문화되지 않으려면, 자산유동화계획 등록 전에
확정통지서를 발송할 수 있도록 허용할 필요가 있다. 악의의 당사자들이 작정을
하고 제7조의2를 남용하고자 한다면, 자산유동화계획을 대충 만들어 일단 등록
신청한 후 확정의 통지서를 보내버릴 수도 있다. 따라서, 확정통지서 발송시점
을 유동화계획 등록 이후로 한정하는 것은 어차피 남용에 대한 효과적인 대책이
되지 못한다. 동 조항의 남용이 정 우려된다면 아래 ⑤항에서 언급하고 있는 바
와 같이 채권확정의 효력발생시기를 유동화자산 양도등록시로 미루는 방향으로
동 조항을 개정하는 방법으로 해결하는 것이 바람직하다.

④ 채무자의 이의

채무자는 확정의 통지를 받으면 10일 이내에 이의를 제기할 수 있으며, 만일
이의가 제기되면 근저당권 피담보채권의 확정의 효력[68]은 소급적으로 소멸한다.
이의제기는 서면으로 하여야만 하는 것은 아니며 구두로 하는 것도 가능하다.
근저당권의 확정에 반대하는 채무자가 이의를 제기하면 피담보채권은 확정되지
못하므로, 자산유동화법 제7조의2에도 불구하고, 채무자의 의사에 반하여 채권
자가 일방적으로 피담보채권을 확정시킬 방법은 없다. 즉, 동 조항은, 채권자와
채무자간의 합의에 의한 근저당권 피담보채권 확정이라는 민법의 원칙은 기본적
으로 그대로 유지하되, 다만, 피담보채권을 확정시키겠다는 통지를 받았음에도
불구하고 기간 내에 적극적으로 반대의 의사표시를 하지 않는 채무자들을 사실
상 피담보채권 확정에 동의한 것으로 간주함으로써, 근저당권 피담보채권 확정
을 위한 채무자의 의사확인에 관하여 절차상 편의를 제공하고자 하는 것에 불과
하다. 하지만, 이와 같은 절차상의 편의는 실무상으로는 상당한 의미가 있다. 실
무상으로는, 자산보유자가 채무자에게 근저당권 피담보채권 확정에 관한 동의를
요청하는 서면을 보내더라도, 아무런 응답이 없는 경우가 대부분이기 때문이

---

68) 근저당권 확정의 효력이 발생하는 것은 통지서를 발송한 다음 날이고 채무자의 이의 없이
　　10일이 경과하면 효력이 발생하는 것은 아니다.

다.[69] 채무자가 응답하지 않는 경우에는 피담보채권의 확정에 반대한 것으로 처리할 수밖에 없으나, 실제로 이러한 채무자들은 반대할 의사도 없고 또 굳이 반대할 이유도 없지만 귀찮아서 그냥 가만히 있는 경우가 대부분이다. 이러한 상황이므로, 자산유동화법 제7조의2 신설 전에는, 유동화를 추진하고자 하는 자산보유자의 직원들이 직접 채무자를 일일이 찾아다니며 취지를 설명하고 면전에서 동의서에 도장을 받는 방법으로 피담보채권을 확정시킬 수밖에 없었다. 자산유동화법 제7조의2는 이와 같이 근저당권 피담보채권 확정에 반대할 의사가 없으면서도 소극적인 태도를 유지하고 있는 채무자들을 사실상 동의한 것으로 간주함으로써 자산보유자가 개별적으로 각 채무자들을 일일이 접촉하여야 하는 번거로움을 없애 주고자 하는 취지에서 신설된 조항이다.

⑤ 확정의 효과

근저당권 피담보채권 확정의 효력은 통지서를 발송한 다음 날 바로 발생한다. 다만, 채무자가 10일 이내에 이의를 제기하면 확정의 효력은 소급적으로 소멸한다. 따라서, '10일 이내에 채무자의 이의제기'를 해제조건으로, 통지서 발송 바로 다음 날 피담보채권은 확정되는 것이다. 이와 관련하여 문제되는 것은, 자산보유자가 유동화자산과 관련하여 근저당권 피담보채권의 확정에 관한 통지를 발송하고 이에 대하여 채무자가 10일 이내에 이의를 제기하지 않음으로써 피담보채권의 확정이 이루어졌으나, 그 이후 어떠한 이유로든 유동화가 더 이상 추진되지 않아 해당 근저당권부 채권 역시 유동화전문회사에게 양도되지 않고 자산보유자가 여전히 보유하고 있는 경우 자산유동화법 제7조의2에 따른 근저당권 피담보채권 확정의 효력이 계속 유지되느냐 하는 점이다.

자산유동화법 제7조의2는, '자산유동화계획에 의하여 양도 또는 신탁하고자 하는 유동화자산'에 대해 '근저당권에 의하여 담보된 채권의 금액을 정하여 추가로 채권을 발생시키지 아니하고 그 채권의 전부를 양도 또는 신탁하겠다는 의사'를 내용증명으로 통지하면 통지서 발송일 다음날 그 채권은 확정된다고 규정하고 있을 뿐이다. 자산유동화계획에 따른 유동화가 추진되지 않는 경우에는 그러한 채권의 확정의 효력이 소멸된다고 해석하는 것은, 피담보채권의 확정과 관

---

69) 근저당권의 확정에 반대하는 채무자라면 적극적으로 반대의 의사를 표시하는 것이 일반적이므로, 얼마 안 되는 회신은 대체로 근저당권 확정에 반대하는 경우가 대부분이다.

련하여, 법문에 없는 '자산유동화계획에 따른 양도등록이 이루어지지 않을 것'이라는 해제조건이 존재한다고 보는 셈이다. 자산유동화법 제7조의2의 실질적인 의미는, 채권자와 채무자 사이에 해당 채권의 확정에 관하여 명시적인 합의가 없더라도, 채권자의 확정통지에 대해 채무자가 이의를 제기하지 않았다면, 묵시적인 합의가 존재하는 것으로 보아 해당 채권을 확정시키는 것이다. 즉, '채권자의 통지에 대한 이의의 부존재'를 채무자의 묵시적인 동의로 간주하는 것에 불과하다. 그렇다면, 채무자의 묵시적인 동의로 인하여 해당 채권이 확정된 이상, 그 후 실제로 당해 근저당권 채권이 양도되었는가 하는 사정은 이미 발생한 '확정'의 효력에 영향을 미치지 않는다고 해석하는 것이 합리적이라고 생각한다. 이에 대하여는, 자산유동화법에 따른 확정통지제도는 자산유동화를 위한 경우에만 적용되는 것이기 때문에, 위와 같은 경우에는 확정의 효력을 부정해야 한다는 견해(이하 편의상 "확정소멸설"이라고 함)가 있다.[70] 동법 제7조의2에 따른 피담보채권의 확정은 자산유동화의 원활한 추진을 위한 특례이므로, 유동화를 추진하지 않는 경우에는 이러한 특례를 유지할 필요가 없는 것은 사실이다. 나아가, 이러한 경우에도 확정의 효력이 유지되는 것으로 해석하면, 근저당권자가 손쉬운 피담보채권의 확정을 위해, 당해 특례조항을 남용하고자 할 가능성이 전혀 없다고는 할 수 없다. 이런 점을 고려한다면, 일응 확정소멸설이 보다 입법취지에 부합하고 논리적으로도 명쾌한 것으로 보인다. 하지만, 좀 더 구체적으로 따져 보면, 혹시라도 유동화를 빙자하여 제7조의2에 따라 채권을 확정시키는 사례가 발생하더라도, 그로 인해 채무자가 그리 심각한 불이익을 입는다고 할 수는 없다. 동 조항의 적용으로 인한 채무자의 불이익이란, 단지 채권자의 통지에 대한 채무자의 침묵이 묵시적 동의로 간주되는 추상적인 위험일 뿐이며, 피담보채권의 확정을 원치 않는 채무자는 반대의 의사표시를 하기만 하면 확정을 저지할 수 있기 때문이다. 만일 이것이 채무자의 이익에 대한 중대한 침해라고 본다면, 이 조항은 삭제하여야 한다. 채권자가 자산유동화를 추진하고자 한다는 것만으로 채무자의 이익을 심각하게 침해하는 것이 정당화될 수는 없기 때문이다. 사실 채무자의 이해관계는 근저당권의 피담보채권이 확정되느냐 여부에 달려있을 뿐, 근저당권 확정 이후에 자산보유자가 실제로 유동화를 추진하였느냐 여부는

---

70) 김재형, "「자산유동화에 관한 법률」의 현황과 문제점," 「인권과 정의」 제293호(대한변호사협회, 2001. 1.), 104면.

사실 채무자의 관심 밖의 사항이다. 자산유동화가 실제로 진행된다고 해서 채무자가 덕을 볼 것은 전혀 없다. 따라서, 채무자는 아무런 관심도 없는 유동화추진이, 채무자와 전혀 관계없는 사정으로 중단되었다고 해서, 채무자의 묵시적 동의로 이미 확정된 근저당권부 채권을 다시 확정되지 않는 것으로 되돌리는 것이 과연 채무자의 보호에 얼마나 도움이 되는지 의문이다. 따라서, 근저당권 확정의 효력은 그대로 유지된다는 입장을 취하더라도 문제될 것은 사실상 별로 없다.

반면, 확정소멸설을 취하면, 근저당권의 목적물을 둘러싼 법률관계가 매우 불안정하게 되는 문제가 있다. 근저당권의 피담보채권 확정과 관련하여 '유동화 중단'이라는 해제조건을 인정하는 셈이지만, 문제는 해제조건의 구체적인 내용이 명확하지 않다는 것이다. 법문에 근거하지 않은 이러한 해제조건을 인정하면, 과연 어느 시점에 그리고 구체적으로 어떠한 요건이 충족되었을 때 '유동화 중단'이라는 해제조건이 충족되었다고 할 것인가 하는 판단은 매우 주관적이고 자의적인 판단이 되어 버린다. 결국 자산유동화가 완료되어 해제조건이 불성취로 확정되기 전까지는, 해당 저당권으로 담보되는 채권이 추가로 발생할 여지가 아직 남아 있는 것인지 여부에 대해 아무도 단정적으로 말할 수 없는 매우 불안정한 상태가 되고 만다. 이렇게 불확정기간동안 법률관계를 유동적으로 만드는 것이야 말로 정말 심각한 문제이다. 자산유동화일정이 당초의 계획보다 지연되고 있는 상황을 상정해보자.71) 자산보유자가 자산유동화를 계속 추진하겠다고 주장하고 있는 상황이라면, 과연 통지일 내지는 유동화계획 등록일로부터 어느 정도의 기간이 지났을 때 이제는 더 이상 유동화가 추진될 가능성이 없다고 판단하고, 유동화중단이라는 해제조건이 성취되었다고 선언할 수 있겠는가? 이러한 불확실성은 후순위 저당권자들의 권익에 직접적인 영향을 미치기 때문에, 이미 발생한 근저당권 피담보채권 확정이라는 법률효과를 소급적으로 소멸시키는 해제조건의 구체적인 요건은 법문에 명시적으로 규정된 경우에만 인정하여야 한다. 자산보유자의 확정통지가 있고 이에 대하여 채무자가 이의를 하지 않았기 때문에 피담보채권이 확정되었다고 믿고 추가대출을 하였거나 새로이 그 저당목적물에 후순위 저당권을 설정한 후순위 저당권자의 입장에서는, 어느 날 선순위 저당권자인 자산보유자가 생각을 바꾸어 유동화를 하지 않기로 했다는 이유만으

---

71) 실무상으로는 여러 가지 이유로 자산유동화계획을 등록하고 나서도 바로 유동화자산의 양도 및 유동화증권의 발행이 되지 못하고 시일이 지연되는 경우가 종종 있다.

로 선순위 근저당권이 되살아난다면 치명적인 불이익을 입게 된다. 따라서, 확정소멸설을 취하게 되면, 실제로 유동화증권이 발행되기 까지는, 그 기간이 아무리 길더라도 그 누구도 후순위저당권을 기초로 새로운 거래를 하지는 않으려고 할 것이며, 이것이야 말로 오히려 채무자의 이익을 심각하게 해치는 결과가 된다.

　앞서 본 바와 같이, 유동화회사로 유동화자산이 양도되지 않았음에도 확정의 효력이 유지된다고 해석하는 입장이라고 전혀 문제가 없는 것은 아니다. 따라서, 궁극적으로 이 문제는 입법적으로 해결할 필요가 있다. 기본적으로, 이 문제는, 자산유동화법 제7조의2가 "통지서를 발송한 날의 다음날에 당해 채권은 확정된 것으로 본다"라고 규정함으로써, 실제로 유동화되었느냐 여부와 관계없이 발송된 다음날 확정의 효력이 발생하도록 규정하였기 때문에 발생하는 문제이다. 원활한 자산유동화의 진행을 위해 피담보채권 확정의 특례를 인정하고자 하는 것이라면, 근저당권 피담보채권 확정의 효력은 근저당권부 채권이 유동화회사로 이전되는 시점까지만 발생하도록 하면 된다. 양도등록 이전에 정하여져야 할 것은 양도되는 자산의 범위일 뿐이며, 그 범위가 일단 정해진다면, 실제 확정의 효력 자체는 늦게 발생하더라도 자산유동화의 추진에는 별 문제가 없기 때문이다. 즉, 10일 이내에 이의를 제기하지 않은 채무자들이 입장을 바꾸어 번복할 수 없도록 하기만 한다면, 근저당권 확정의 효력발생시기가 다소 뒤로 밀리더라도 별 지장이 없다. 따라서, 자산유동화법 제7조의2를 개정하여, 확정통지서 발송으로 인한 피담보채권 확정의 효력은, 자산보유자가 금융감독위원회에 자산양도등록을 완료하는 것을 정지조건으로 하여 발생하는 것으로 한다면, 위와 같은 문제는 해결될 수 있다고 생각된다. 하지만, 장기적으로는, 과연 자산유동화법에 계속 이러한 특례조항을 둘 것이냐 하는 문제에 대해서도 신중한 검토가 필요하다고 본다. 사실 근저당권부 채권의 양도를 위한 피담보채권 확정의 문제는 자산유동화에만 고유한 문제는 아니다. 따라서, 자산유동화법에 특례조항을 유지하는 것보다는, 민법 개정에 의하여 근본적으로 이 문제를 해결을 하는 것이 바람직하다고 생각한다.[72]

---

72) 同旨: 김재형, 전게논문, 104면.

(4) 자산관리자의 파산 등으로부터 보호

유동화증권 투자자들의 보호를 위해, 자산유동화법은, 자산관리자는, 관리를 위탁받은 유동화자산을 자신의 고유재산과 구분하여 관리하여야 하며(동법 제11조 제1항) 유동화자산의 관리에 관한 장부를 별도로 작성·비치하여야 한다고 규정하고 있다(동법 제11조 제2항). 구분관리라 함은, 유동화자산과 고유재산을 물리적으로 구분하고 증빙서류를 별도로 보관하여 관리하는 것을 말하며, 특히, 금전의 구분관리라 함은, 별도의 계정을 설치하여 관리하는 것을 말한다(「자산유동화 업무감독규정」 제17조 제1항).

나아가, 동법 제12조 제1항은 "자산관리자가 파산하는 경우 제10조 제1항의 규정에 의하여 위탁관리하는 유동화자산(유동화자산을 관리·운용 및 처분함에 따라 취득한 금전 등의 재산권을 포함한다. 이하 이 조에서 같다)은 자산관리자의 파산재단을 구성하지 아니하며, 유동화전문회사 등은 그 자산관리자 또는 파산관재인에 대하여 유동화자산의 인도를 청구할 수 있다"라고 규정하고 있으며, 이 조항은 회생절차에 대해서도 그대로 준용된다(동법 제12조 제2항).[73] 나아가 이러한 유동화자산에 대하여는 자산관리자의 채권자가 강제집행할 수 없을 뿐 아니라, 「채무자 회생 및 파산에 관한 법률」에 의한 보전처분 또는 중지명령의 대상이 되지 아니한다(동법 제12조 제3항). 자산유동화법 제12조의 목적은 자산관리자가 유동화전문회사 소유의 유동화자산을 관리하고 있는 상황에서 자산관리자에 대하여 파산 또는 회생절차가 개시되더라도 유동화자산이 이러한 도산절차의 영향을 받지 않도록 확보하기 위함이다. 하지만, 파산 또는 회생절차의 영향을 받는 것은 그러한 절차가 개시된 채무자 소유의 재산 뿐인데, 유동화자산은 비록 자산관리자가 유동화전문회사로부터 위탁받아 관리중이라 하더라도 유동화전문회사의 소유자산이므로, 자산관리자의 파산 또는 회생절차에 영향을 받지 않는 것은 너무도 당연한 일이다. 그러므로, 제12조 제1항의 의의는, 괄호안의 부

---

73) 이 문제는 유동화자산에 대하여 유동화전문회사가 소유권을 보유하는 것을 전제로 이러한 유동화자산을 관리하고 있던 자산관리자(반드시 자산보유자일 필요는 없음)가 파산한 경우 단지 유동화자산 또는 이로부터 파생된 현금 기타 재산을 자산관리자가 점유, 관리하고 있다는 사유로 자산관리자의 파산재단에 귀속시킬 수 있느냐 하는 문제에 불과하다. 따라서, 자산관리자가 동시에 자산보유자인 경우에는 동 조항에 의하여 당연히 보호되는 것은 아니며, 자산보유자로부터 유동화회사에 대한 유동화자산의 양도가 진정한 양도로 판단되어, 유동화자산에 대한 소유권이 유동화전문회사에 귀속된 경우에 한하여, 자산관리자가 보관하는 현금에 대해 유동화전문회사의 환취권이 인정되는 것이다.

분, 즉 자산관리자가 유동화자산을 관리·운용·처분함에 따라 취득한 금전 등의 재산권의 귀속에 관한 부분에서 찾아야 할 것이다. 유동화전문회사는 종업원을 둘 수 없는 회사이므로, 자산관리자를 통하여 유동화자산을 관리할 수밖에 없으므로, 유동화자산에 속하는 금전채권도 자산관리자를 통해 회수할 수밖에 없다. 그런데, 민법의 일반원칙에 따르면, 자산관리자가 유동화전문회사를 위한 채권추심과정에서 제3채무자로부터 수령한 금원에 대하여는 유동화전문회사는 해당 금액을 자신에게 지급하라는 금전청구권을 보유하는 것에 불과할 뿐이므로, 자산관리자가 파산하는 경우 유동화전문회사 역시 법적으로는 파산채권자에 불과할 뿐이어서 추심한 금전 자체에 대해 직접 환취권을 행사할 수는 없다. 즉, 파산법상의 일반원칙에 따르면, 유동화자산에서 파생된 금전으로써 자산관리자가 보관하고 있는 금액에 대해서는, 유동화전문회사 역시 파산채권자로 신고하고 다른 채권자와 평등한 지위에서 배당을 받을 수밖에 없는 것이다. 이렇게 되면 자산관리자의 신용등급은 결국 유동화증권의 신용평가에 영향을 미칠 수밖에 없다. 자산유동화법 제12조 제1항은, 이러한 경우에 자산관리자가 유동화자산을 관리·운용 및 처분하는 과정에서 취득한 금전이 자산관리자의 파산재단에 속하지 않도록 함으로써, 자산관리자의 파산위험으로부터 절연시켰다는 점에 의의가 있다고 하겠다. 이와 관련하여 문제되는 것은, 자산유동화법 제12조 제1항이 자산관리자의 파산재단에서 제외시키는 요건으로 "유동화자산을 관리·운용 및 처분함에 따라 취득한 금전"이라고만 하고 있을 뿐, 그러한 금전이 자산관리자의 고유재산과 구분관리 되었어야 한다는 것을 명시적으로 요구하지 않고 있다는 점이다. 동 규정을 문자 그대로 해석하면, 자산관리자가 제11조 제1항에 따른 구분관리의무를 이행하지 않아 자산관리자 명의의 계좌에 자산관리자의 고유재산과 함께 예치된 현금에 대하여도 유동화회사는 자산관리자의 다른 채권자보다 우선하여 지급을 받을 수 있는 것처럼 보인다. 하지만, 이러한 결과는 지나치게 일반채권자의 권익을 침해하는 것이므로,[74] 입법자들이 이러한 결과를 의도하였다고 보다는, 구분관리를 너무나 당연한 것으로 여겼기 때문에 법문에 명시적으

---

74) 예를 들면, 자산관리자의 계좌에 유동화자산으로부터 추심된 금원이 100억원, 자산관리자 고유자산에 속하는 금원이 150억원 입금된 후 200억원이 인출되고 50억원만 남아 있는 상태에서 자산관리자가 파산을 한 경우, 남아 있는 50억원이 반드시 유동화자산으로부터 추심된 금원이라고 단정할 수는 없다. 그럼에도 불구하고, 이러한 경우 유동화전문회사가 무조건 50억원을 우선적으로 가져가는 것은 문제가 있다고 보인다.

로 기재하지 않은 것이라도 짐작된다. 자산유동화법에서, 제11조 제1항의 구분
관리의무 위반에 대하여는 1년 이하의 징역 또는 1천만원 이하의 벌금에 처하
도록 하고(동법 제40조 제1호) 동조 제2항의 별도 장부 비치의무 위반에 대하여
는 500만원 이하의 과태료에 처하도록 규정하고 있는 점을 고려한다면(동법 제
42조 제1항 제1호), 실제로 유동화자산에서 파생된 현금이 자산관리자의 고유재
산과 혼장임치될 가능성은 그다지 크지 않다고 생각된다. 그렇다고 하더라도,
그 가능성이 0이 아니라면, 자산관리자가 그의 고유자산과 구분관리한 현금에
한하여 유동화회사가 일반채권자보다 우선권이 있는 것으로 법문에 명확하게 규
정하는 것이 바람직하다고 생각된다.

다. 커버드본드

1) 커버드본드의 개념

커버드본드란, 유럽에서 활성화된 유럽금융기관들의 전통적인 담보부 자금조
달방식으로, 투자자는 발행기관에 대해 직접 원리금 상환청구권을 보유하는 동
시에 담보자산(cover pool)에 대하여도 발행기관의 도산절차에 영향을 받지 않
는 배타적인 우선변제권을 보유하는 특수한 형태의 담보부 사채이다.[75] 즉, 커
버드본드의 핵심은 발행자와 담보물에 대한 독립적인 이중청구권(dual recourse)
이다. 그 결과 커버드본드는, 담보자산에 대한 배타적, 독립적 우선변제권을 보
유함으로써 발행기관의 도산위험으로부터 자유로울 뿐 아니라[76] 발행기관에 대
한 직접적인 상환청구권을 통해 담보가치의 하락으로 인한 위험에서도 벗어날
수 있다.[77] 이와 같이, 커버드본드는 담보부 사채와 유동화증권의 장점만을 동
시에 보유하는 하이브리드 채권이며, 이러한 법적 특성은 커버드본드가 발행 금
융기관의 신용도를 상회하는 신용등급을 획득하는데 기여하는 결정적인 요소라

---

75) 커버드본드의 개념 및 특성에 관한 자세한 설명은 김필규, "Covered Bond 도입논의에 대
    한 의견," (한국증권연구원 Working Paper, 2008. 7.), 1~7면; 김형준, "Covered Bond
    발행구조," (한국기업평가 보고서, 2008. 7. 2.), 1~8면.
76) 이 점에서는 자산보유자의 도산위험으로부터 절연된 유동화자산의 현금흐름을 주된 상환재
    원으로 하는 유동화증권과 유사하다. 하지만, 커버드본드는 담보자산이 발행기관의 재무제
    표에 계속 남아 있는, 소위 on-balance sheet securitization이라는 점에서 담보자산이 별
    도의 특수목적기구로 이전되는 off-balance sheet securitization인 MBS와는 근본적인 차
    이가 있다. 최성현·신종신, 「국제금융관계법률」(한국금융연수원, 2013), 269~271면.
77) 이런 점에서는 담보부사채와 유사하다고 하겠다.

고 하겠다.

그런데, 독립적인 이중청구권이라는 구조적 특성으로 인해 높은 신용등급이 부여될 수밖에 없는 커버드본드의 신용등급을 한층 더 높일 수 있는 핵심요소는 바로 커버드본드의 담보자산을 형성하는 자산의 속성이다. 발행기관의 도산으로 부터 절연된 담보자산으로부터 직접 변제받을 수 있다고 하더라도, 유동성이 낮은 자산이 담보로 제공되면 담보자산의 환가에 오랜 기간이 소요되는 까닭에 예정지급기일과 실제 지급기일간에는 상당한 시차가 발생하여[78] 부도발생확률 자체를 낮추는 효과는 크지 않기 때문에, 유동성이 낮은 담보로는 신용등급향상에 한계가 있다. 유럽금융시장에서 전통적으로 커버드본드가 우량등급의 안전자산으로 인식되어 온 결정적인 요소는, 이중상환청구권이라는 구조적인 요소에 더하여, 주택담보부채권, EU 국가의 국채 또는 지방채와 같이 계속적인 현금흐름이 발생하는 자산의 집합을 주된 담보자산으로 사용하도록 함으로써,[79] 커버드본드의 부도발생확률 자체를 낮추었다는 점이다.[80] 유럽의 전형적인 커버드본드 구조에 따르면, 발행기관의 부도발생만으로는 커버드본드의 기한의 이익이 상실되지 않으며 대신 이 때부터는 커버드본드 소지인들이 직접 담보자산으로부터 본래의 원리금 지급일정에 따라 상환을 받게 된다.[81]

그런데, 담보자산 자체가 현금흐름을 발생시키는 자산으로 구성되어 있는 까닭에 특별한 환가절차없이 담보자산으로부터 커버드본드 소지인들에게 바로 원리금이 지급될 수 있으므로, 발행기관의 부도시에도 예정지급기일과 실제 지급기일간의 시차가 거의 발생하지 않기 때문에 부도발생확률을 낮출 수 있는 것이다. 그 결과 커버드본드의 신용등급 상승폭은 동일한 정상적 가치(Base Value)를 갖는 자산이 담보로 제공된 담보부사채에 비해 더 커지게 되므로, 발행기관

---

78) 예를 들면, 채권자가 부동산에 대하여 저당권을 보유하고 있더라도, 실제 채권회수는 저당권의 집행을 위한 경매절차기간만큼 지연될 수밖에 없으나, 이 기간이 길면 길수록 부도발생확률이라는 면에서는 좋은 평가를 받을 수 없다.

79) 부동산을 담보자산으로 사용하는 것은 제한적으로만 인정되며, Credit Requirement Regulation 제208조 및 제229조 소정의 법적 요건 및 가격평가요건을 충족하여야만 한다. ECBC, *European Covered Bond Factbook 2013*, 8th ed. (ECBC Publication, 2013. 9.), p. 156.

80) 즉, 담보자산의 환가절차로 인해 시간이 소요되는 것을 배제함으로써 예정지급기일과 실제 지급기일간의 시차를 최소화하였기 때문에, 환가가 필요한 담보들에 비해 상대적으로 부도발생확률이 낮아지게 된다.

81) European Central Bank, *Covered Bonds in the EU Financial System December 2008* (European Central Bank, 2008), p. 18.

으로서는 낮은 비용으로 장기자금을 조달할 수 있는 이점이 있고, 투자자들로서
는 국공채 이외에도 우량등급의 안전자산에 투자할 수 있는 추가적인 기회가 부
여되는 이점이 있다.

커버드본드는, 발행근거법률의 유무에 따라, 특정 법률에 근거하여 발행되는
법정 커버드본드(statutory covered bond)[82]와 근거법은 없으나 담보제공자의 도
산으로부터 담보물을 절연시키도록 고안된 거래구조를 이용하여 발행되는 구조
화 커버드본드(structured covered bond)로 나뉜다. 유럽의 주요 국가들은 대부
분 커버드본드의 발행 근거와 투자자에 대한 담보자산 우선 청구권을 부여하는
커버드본드 관련 법률을 제정하였다.[83] 미국은 글로벌 금융위기 이전에는 커버
드본드 도입에 상대적으로 미온적이다가, 2007년 서브프라임 파동으로 인해
MBS시장이 크게 위축되고 은행의 유동성 위험이 증대되자, 2차례에 걸쳐 US
Covered Bond Act of 2011가 발의되었으나, 아직 입법으로 이어지지는 못하
였다.[84] 우리나라는 커버드본드 발행의 활성화를 위하여 2014.1.14. 법률 제
12264호로 「이중상환청구권부 채권 발행에 관한 법률」(이하 "이중상환청구권부
채권법")을 제정한 바 있다.

---

82) 법정 커버드본드는 근거 법규에서 발행기관의 다른 채권자들의 담보자산에 대한 권리행사
   를 명시적으로 제한하고 있기 때문에 구조화 커버드본드에 비해 안정성이 높다. 2011년 현
   재 커버드본드법이 정비된 국가로는 독일, 프랑스, 스페인, 아일랜드, 룩셈부르크, UK 등
   유럽 27개국과 유럽외 지역 5개국이 있다. 김필규·이현진, 「주요국 커버드본드시장 분석과
   국내 도입 방안」(자본시장연구원, 2012), 26면.
83) 커버드본드는 독일이 1990년대에 German Mortgage Act를 제정하고 Pfandbrief가 발행되
   기 시작하면서 도입되었고 수십년간 독일의 고유한 채권 형태로 발전해왔다. 1990년대 중
   반 주택저당대출의 증가와 1999년 Economy and Monetary Union의 출범 이후 EU내의
   자본시장 제도 정비 등을 계기로 유럽 국가들은 커버드본드에 대한 새로운 법률을 제정하
   거나 기존 법률을 개정함으로써 독일과 유사한 커버드본드 제도를 마련하였다. 김필규·이
   현진, 전게서, 9~10면.
84) Scott Garrett하원의원이 발의한 H.R. 940, United States Covered Bond Act of 2011은
   2011. 6. 하원의 Financial Services Committee를 통과하였지만, 더 이상 진행되지 못하고
   회기종료로 폐기되었다. 그 후 거의 동일한 내용의 법안인 S.1835, United States Covered
   Bond Act of 2011이 상원의원 Hagan과 Corker에 의해 2011. 11. 공동발의 되었지만 역
   시 통과되지 못하였다. Jerry R. Marlatt, "Still waiting on a US covered bond statute,"
   Euromoney Handbooks, pp. 69~70. http://media.mofo.com/files/Uploads/Images/
   121005-Mofo-Still-Waiting-on-a-US-Covered-bond-statute.pdf

2) 이중상환청구권부 채권법의 개요

가) 이중상환청구권부 채권의 개념 및 특징

이중상환청구권부 채권법 제2조 제3호에 따르면, '이중상환청구권부 채권'이란, 발행기관에 대한 상환청구권과 함께 발행기관이 담보로 제공하는 기초자산집합(cover pool)에 대하여 제3자에 우선하여 변제받을 권리를 가지는 채권으로서 이 법에 따라 발행되는 것을 말하므로, 커버드본드 중 이중상환청구권부 채권법에 따라 발행된 법정 커버드본드만을 제한적으로 지칭하는 개념이다.

이중상환청구권부 채권법 제13조 제1항은, 이중상환청구권부 채권의 소지자는 기초자산집합에 대해 우선변제권을 보유한다고 규정하고 있다.[85] 하지만, 이러한 우선변제권에도 불구하고, 채권자는 지급기일에 발행기관에 대하여 그 채권의 지급을 청구할 수 있으며, 발행기관은 우선변제권을 이유로 그 지급의 전부 또는 일부를 거절하거나 유예하지 못한다(동법 제14조). 한편, 우선변제권자가 기초자산집합으로부터 변제받지 못한 경우에는, 발행기관의 다른 자산에 대해서는 무담보 선순위채권자들과 동등한 지위를 보유한다(이중상환청구권부 채권법 제13조 제4항). 따라서, 이중상환청구권부 채권은 본질적으로는 발행기관이 상환의 일차적인 책임을 부담하는 사채이며, 다만 사채의 신용도를 높이기 위해 기초자산집합에 대해 추가적인 권한이 부여된 것이다. 그러므로, 별도의 신용보강이 없는 한 원리금상환재원이 유동화자산에서 발생하는 현금흐름으로만 한정되는 MBS와는 달리, 이중상환청구권부 채권은, 원칙적으로는 발행기관의 신용과 현금흐름으로 원리금이 지급되지만, 발행회사의 채무불이행시에는, 바로 기초자산집합으로부터 배타적으로 원리금의 상환이 이루어진다.

한편, 이중상환청구권부 채권법 제12조 제1항은, 이중상환청구권부 채권의 담보로 제공되는 기초자산집합은 발행기관이 파산하거나 회생절차가 개시되더라도 발행기관의 파산재단 또는 회생절차의 관리인이 관리 및 처분권한을 가지는 채무자의 재산을 구성하지 아니한다고 명시적으로 선언하고 있다. 이러한 독립

---

85) 일반적인 담보권과 비교할 때 특이한 점은, 이러한 우선변제권이 이중상환청구권부 채권 소지자뿐 아니라 환율·이자율 헷지 등 파생금융거래 상대방의 채권, 이중상환청구권부 채권의 상환 및 기초자산집합의 관리·처분·집행 비용채권, 기초자산감시인의 보수채권을 보유하는 채권자에게도 동일하게 부여되고 있다는 점이다(이중상환청구권부 채권법 제13조 제2항).

성에도 불구하고, 이중상환청구권부 채권법은 기초자산의 독립성 확보를 위하여 (i) 기초자산집합에 관한 사항을 금융위원회에 등록할 것(동법 제6조 제1항) (ii) 기초자산집합을 다른 발행계획으로 등록된 커버드본드의 기초자산집합 또는 발행기관의 다른 자산과 구분하여 관리하고 별도의 장부를 작성·비치할 것(동법 제8조 제1항 및 제2항) 및 (iii) 기초자산집합 감시인을 선임하여 기초자산집합의 적격성을 독립적으로 감시하도록 할 것(동법 제9조 제1항)을 요구할 뿐, 기초자산집합에 대한 별다른 양도절차를 요구하지 않으므로, 기초자산집합은 여전히 발행기관의 대차대조표에 그대로 남게 되며, 소유명의 역시 발행기관이 보유하게 된다. 그 결과 이중상환청구권부 채권법에 따른 이중상환청구권부 채권의 발행구조는 [그림 4]에서 보는 바와 같이 매우 간결하다.

[그림 4] 이중상환청구권부 채권의 발행구조

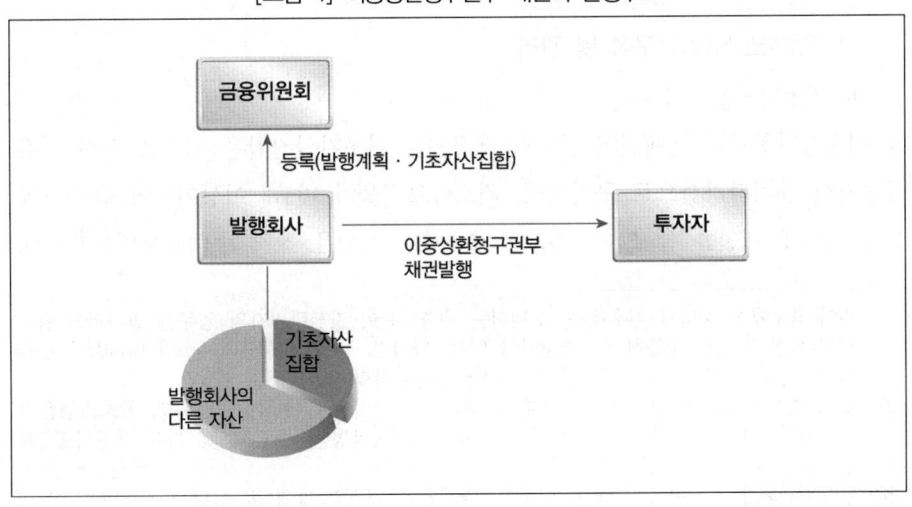

이와 같이 이중상환청구권부 채권의 발행 이후에도 기초자산집합은 발행기관의 대차대조표에 그대로 남게 되므로, 이중상황청구권부 채권의 발행이 활성화되더라도, MBS와는 달리, 대출기관의 동기왜곡문제가 발생할 가능성은 매우 낮다.86)

---

86) MBS가 활성화되면, 대출시장은 대출채권의 양도를 전제로 대출을 시행하는 originate-to-distribute model로 운용되므로, 대출기관은 대출채권의 신용위험으로부터 자유로워지게 된다. 이렇게 되면, 대출기관이 차주의 신용위험에 대한 엄격한 평가없이 무분별하게 대출을 시행하는 도덕적 해이(moral hazard)가 초래될 수 있으며, MBS발행과정에서 대출채

나) 적격발행기관

이중상환청구권부 채권법은 ① 기관 요건과 ② 건전성 요건이라는 두 가지 요건을 모두 충족한 적격 발행기관(이하 '적격발행기관')에 한해 이중상환청구권부 채권을 발행할 수 있도록 발행자격을 제한하고 있다. 기관 요건으로는 동법 제2조 제1호 각목에 규정되어 있는 금융기관[87] 중 어느 하나에 해당할 것이 요구되며, 건전성 요건으로는 ① 자본금(직전 회계연도 말 자본금 1,000억원 이상) 및 자본비율(BIS자기자본비율 10% 이상)이 일정 수준 이상으로 유지되고 ② 리스크 관리 시스템의 적정성 등을 갖출 것이 요구된다.[88] 이와 같이 발행자격을 엄격하게 제한하는 것은, MBS와는 달리, 이중상환청구권부 채권은 발행기관이 직접 상환의무를 부담하므로 기초자산집합에 대한 위험을 채권자들에게 전가할 수 없는 까닭에, 발행기관의 자산건전성 유지가 매우 중요하기 때문이다.

다) 기초자산집합의 구성 및 관리

(1) 기초자산집합의 구성

이중상환청구권부 채권의 담보로 제공되는 기초자산집합은 ①기초 자산 ②유동성자산 ③기타자산으로 구성하며, 최소담보비율이 105% 이상이어야 한다(이중상환청구권부 채권법 제5조 제2항). 이 중 기초 자산은 적격 주택담보대출,[89] 국

권이 SPV에게 양도된 이후에는, 심지어는 대출기관이 자산관리자의 업무를 맡더라도 채무자에 대한 감시를 소홀히 할 가능성이 있다. 양기진, "커버드본드(Covered Bond)에 관한 법적 연구,"「금융법연구」제7권 제1호(한국금융법학회, 2010. 8.), 178면.

87) 현재 법상으로는 은행(은행법에 따른 은행과 한국산업은행, 한국수출입은행, 중소기업은행, 농협은행, 수협 신용사업부분) 한국주택금융공사, 한국정책금융공사 및 기타 대통령령으로 정하는 금융회사로 규정되어 있다.

88) 금융위원회가 정하여 고시하는, 이중상환청구권부 채권의 발행 및 상환과 관련한 위험 및 통제에 대한 세부 기준에 따라 위험을 관리하고 통제할 수 있는 절차와 수단을 갖추어야 한다(이중상환청구권부 채권법 제4조 제1항 제3호 및 시행령 제2조).

89) 적격 주택담보대출이란 LTV 70% 이하인 대출로서 다음의 요건을 모두 충족하는 주택담보대출을 말한다(이중상환청구권부 채권법 제5조 제1항 제1호, 동 시행령 제3조 및 「이중상환청구권부채권 발행업무 감독규정」(이하 '발행업무 감독규정') 제2조 참조).

  1. 대출 실행 당시의 총부채 상환비율(채무자의 연간 소득 대비 연간 대출 원리금 상환액의 비율을 말한다)이 100분의 70 이하인 대출의 비중이 20% 이상일 것. 이 경우 총부채 상환비율은 「은행업감독업무시행세칙」<별표 18>에 따른 총부채상환비율의 산출방식을 적용하여 산정하되, 연소득의 산정에 있어서는 객관적 자료로 입증가능한 신고소득도 포함하여 산정한다.

  2. 1순위 저당권 또는 1순위 근저당권에 의하여 담보된 대출일 것

  3. 주택에 설정된 담보권이 저당권인 경우 대출금 전액이 저당권으로 담보되어 있고, 주택에 설정된 담보권이 근저당권인 경우 채권최고액이 1.1배 이상일 것

가·공공기관 대출채권, 국공채, 선박·항공기를 담보로 하는 적격대출채권[90])
및 그 밖에 현금의 흐름을 안정적으로 확보할 수 있는 우량자산으로서 대통령령
으로 정하는 자산[91])으로 구성된다. 한편, 유동성 자산이란 현금, 다른 금융기관
발행 만기 100일 이내의 양도성 예금증서(CD) 및 대통령령이 정하는 3개월 이
내에 현금으로 쉽게 전환할 수 있는 자산[92])을 말한다. 기타 자산이란 기초자산
으로부터의 회수금, 자산의 관리·운용·처분에 따라 취득한 재산, 환율·이자
율의 변동, 그 밖에 기초자산집합과 관련한 위험을 회피하기 위하여 체결한 파
생금융거래로 인하여 취득하는 채권을 말한다.

　이중상환청구권부 채권법이 주택담보대출채권 등 일정한 현금흐름이 확보되
는 자산만을 담보자산으로 하도록 기초자산집합의 적격을 제한하고 있는 것은
EU의 사례를 따른 것으로[93]), 담보자산의 유동성을 확보함으로써 부도발생확률
(probability of default) 자체를 낮추고자 함이다. 이중상환청구권부 채권의 기초
자산집합을 현금흐름이 확보되는 자산으로만 구성하면, 발행자의 채무불이행시
예상손실액뿐 아니라 부도발생확률까지도 낮출 수 있게 되므로, 투자대상으로서

---

　　4. 주택담보대출의 채무자가 이중상환청구권부 채권을 발행하는 금융회사등(이하 "발행기
　　　관"이라 한다)에 대하여 현재 또는 장래에 상계할 수 있는 채권액이 해당 주택담보대출
　　　채권액의 100분의 50 이상인 대출의 비중이 기초자산집합에 포함되어 있는 주택담보대
　　　출채권 중 100분의 10 이하일 것
　90) LTV가 70% 이상이고, 담보목적물인 선박 또는 항공기가 해당 대출금 잔액과 해당 대출보
　　　다 선순위 또는 동순위인 채권의 잔액을 더한 금액의 1.1배 이상을 보험금액으로 하는 보
　　　험에 가입되어 있어야 한다(시행령 제3조 제2항 및 발행업무감독규정 제2조 제5항 참조).
　91) 적격주택담보대출을 기초 또는 담보로 하여 발행된 유동화증권, 주택저당채권담보부채권,
　　　또는 주택저당증권으로서 그 지급순위가 1순위인 것을 말한다(시행령 제3조 제3항 참조).
　92) 이중상환청구권부 채권법 시행령 제3조 제4항 및 발행업무 감독규정 제2조 제6항 및 제7항
　　　을 종합하면, 3개월 이내에 현금으로 쉽게 전환할 수 있는 자산이란 다음의 자산을 말한다.
　　　1. 「은행업감독업무시행세칙」<별표 3> 29에 따라 적격외부신용평가기관의 표준신용등급
　　　　AAA~AA-등급을 적용받는 국가가 발행한 국채증권
　　　2. 아래 요건을 충족하는 외국 금융회사가 발행한 것으로서 법 제5조 제1항 제2호 나.목에
　　　　따른 양도성예금증서에 준하는 자산
　　　　(ⅰ) 금융위원회가 정하여 고시하는 국가의 은행으로서 국제적으로 인정받는 신용평가기
　　　　　　관에서 부여받은 신용등급이 「은행업감독규정」 제64조의2 제2항에서 정한 A등급
　　　　　　이상인 은행; 또는
　　　　(ⅱ) 금융위원회가 정하여 고시하는 국가의 증권회사로서 국제적으로 인정받는 신용평가
　　　　　　기관에서 부여받은 신용등급이 「은행업감독규정」 제64조의2 제2항에서 정한 A등급
　　　　　　이상인 증권회사
　　　3. 이중상환청구권부 채권법 제2조 제1호 소정의 금융회사 또는 외국 금융회사에 예치된
　　　　만기 3개월 이내의 예금·적금
　93) 이중상환청구권부 채권법상 기초자산집합을 구성할 수 있는 자산의 범위는 EU의 Directive
　　　2006/48/EC의 Annex Ⅵ, Part 1, 68항~70항에 규정된 적격담보자산과 매우 유사하다.

이중상환청구권부 채권의 안전성을 더욱 높일 수 있기 때문이다.

(2) 적격집합자산의 관리

발행기관은, 이중상환청구권부 채권이 발행된 이후에도, 기초자산집합의 자산의 추가·교체를 통해 담보유지비율 및 자산의 적격요건을 준수하여야 한다. 대신, 기초자산집합의 평가총액이 담보유지비율을 초과하는 경우에는, 기초자산집합 감시인의 서면동의를 받은 후 담보유지비율을 준수하는 범위에서 발행계획에 따라, 기초자산집합에 포함되는 자산 일부의 등록을 해지할 수 있다.94) 그 결과 발행기관은 기초자산의 교체 및 추가편입을 통해 투자자에게 담보로 제공하는 현금흐름을 조절할 수 있으므로, 단기·변동금리의 주택담보대출채권을 기초자산으로 이용하더라도 장기·고정금리의 자금을 조달하는 것이 가능해진다. 기초자산집합을 이와 같이 탄력적으로 운용할 수 있다는 점은, MBS와 비교할 때, 이중상환청구권부 채권만이 갖고 있는 매력적인 요소이다.

(3) 기초자산집합 감시인의 선임

이중상환청구권부 채권법 제9조는 기초자산집합의 적격성을 독립적으로 감시(회계감사, 적격요건 및 담보유지비율 실사·평가, 보고서 작성 등)하기 위해 금융위원회의 승인을 얻어 기초자산집합 감시인(이하 "감시인")을 선임할 것을 요구하는 동시에, 감시인이 될 수 있는 자격을 제한하고 있다. 현재 제9조에 규정된 감시인이 될 수 있는 자의 범위에는 한국주택금융공사가 포함되어 있다.

라) 등록 및 발행

이중상환청구권부 채권을 발행하고자 하는 적격금융기관은 동법 제6조 제1항에 따라 사전에 ①발행계획(발행기관, 금리·만기 등 발행조건, 발행시기, 발행총액, 자금조달과 자금운용구조, 자금운용계획 기타 대통령령으로 정하는 사항이 포함되어야 함)과 ②기초자산집합에 관한 사항(자산의 종류·명세, 평가총액·평가내용, 담보유지비율, 기초자산집합 관리방법, 수탁관리인 및 기초자산감시인에 관한 사항 등)을 금융위원회에 등록하여야 한다. 이중상환청구권부 채권의 발행으로 조달된 자금이 가계부채 구조 개선에 우선적으로 사용될 수 있도록, 같은 항 라.목은 자금운용계획이 발행기관의 안정적인 자금 확보 또는 가계부채 구조개선등에 적합할 것을 요구하고 있다. 한편, 금융위원회는, 허위사항 기재 또는 기재 누락이 있는

---

94) 이중상환청구권부 채권법 제8조 제3항 및 제4항.

경우, 등록내용에 법령위반사항이 있는 경우, 발행기관 건전성·금융시장 안정성·투자자 보호를 저해할 우려가 있다고 판단하는 경우 등 일정한 경우에는, 등록을 거부하거나, 발행계획 또는 기초자산집합에 관한 사항을 변경할 것을 요구할 수 있으므로(동법 제6조), 등록과정에서 이러한 권한행사를 통해 가계부채 구조 개선에 적합한 자금운용계획을 유도해낼 수 있을 것이다. 또한, 감시인이 동법 제11조 제2항에 따라 분기별로 금융위원회에 제출하는 업무수행 보고서에는 발행기관의 발행계획 준수여부에 대한 점검·평가가 포함되어야 하므로, 금융위원회는 이러한 보고서를 통해 발행기관이 등록된 자금운용계획에 따라 자금을 운용하고 있는지 여부를 파악할 수 있다. 한편 동법 제6조 제2항은 발행기관이 발행계획 또는 기초자산집합에 관한 사항을 변경하는 경우에는 금융위원회에 미리 등록할 것을 요구하고 있으므로,[95] 최초 등록된 운용계획과 다르게 자금을 사용하려면 변경등록절차를 거쳐야 한다. 이러한 감독권의 행사를 통해 감독기관은 발행기관이 이중상환청구권부 채권으로 조달된 자금을 실제로 등록된 발행계획에 따라 가계부채 구조 개선에 활용하도록 간접적으로 통제할 수 있을 것으로 보인다. 이중상환청구권부 채권이 발행된 이후에는 발행기관은 지체없이 발행 세부내역 및 기초자산집합에 관한 사항을 인터넷 홈페이지에 공시하고, 금융위원회에 발행사실을 보고하여야 한다(동법 제7조 제3항).

마) 발행한도

이중상환청구권부 채권의 발행은 원래 선순위채권자이었던 예금자와 무보증 은행채 투자자들을 사실상 후순위채권자로 전환시키는 효과가 있다. 더욱이 담보유지의무를 이행하기 위해 기초자산집합에 속하는 자산을 우량자산으로 교체하게 되면, 이러한 채권자들에 대한 상환능력은 더욱 저하된다. 그러므로, 이중상환청구권부 채권 투자자들의 배타적이고 우선적인 권리는 사실상 예금자와 다른 채권자들의 희생으로 누리는 권리인 것이다. 그럼에도 불구하고 그 발행을 허용하는 것은 은행이 저렴한 자금조달의 수단을 확보함으로써 얻어지는 이익은 다른 채권자들에게도 일반적인 이익으로 돌아갈 수 있는 측면이 있기 때문이다.[96] 하지만, 부작용을 최소화하기 위해서는 적절한 수준으로 그 발행범위를

---

95) 변경등록없이 발행계획을 변경하는 경우에는 동법 제26조 제1항 제1호에 따라 과태료가 부과된다.

96) 김용호, "커버드본드(Covered Bond)의 법적 이해와 과제," 「이화여자대학교 법학논집」 제

통제할 필요가 있다.

동법 제7조는 발행한도를 직전 회계연도말 총자산의 8% 이하의 범위에서 대통령령으로 정하도록 위임하고 있는데, 현재 대통령령에 따른 한도는 직전 회계연도말 총자산의 4%이다(동법 시행령 제6조).[97] 다만, 동법 시행령 제6조에 따라 금융위원회는 담보유지비율, 발행기관의 자본적정성, 자산건전성, 유동성 등의 사항을 고려하여 발행기관의 예금자 등 일반 채권자의 이익을 해칠 우려가 있다고 인정되는 경우에는 발행한도를 발행예정일 직전 회계연도 말 총자산의 2%로 조정할 수 있다.

바) 공시 및 감독

발행기관은 이중상환청구권부 채권의 발행 및 상환과 관련한 위험 관리기준 및 절차를 별도로 마련하여야 하며, 모든 위험을 감안한 기초자산집합의 현재가치 등을 분기별 1회 이상 점검하여, 그 결과를 인터넷 홈페이지에 공시하여야 한다(동법 제17조). 금융위원회는, 투자자 보호를 위해 필요시, 발행기관과 그 수탁관리인 및 감시인의 업무·재산에 대해 자료제출 요청 및 조사를 할 수 있으며, 발행기관의 업무운영이 이중상환청구권부 채권소지자의 이익을 해칠 우려가 있다고 인정될 때에는 발행기관등에 업무의 종류 및 방법의 변경, 재산의 공탁, 그 밖에 업무의 운영 및 개선에 필요한 조치를 명할 수 있다(동법 제18조 및 제19조).

사) 소 결

사실 이중상환청구권부 채권법이 없다고 해서 국내금융기관의 구조화 커버드본드 발행이 불가능한 것은 아니다. 하지만, 2009년 5월 국민은행의 구조화 커버드본드 발행사례에서 드러난 바와 같이, 거래구조만으로 커버풀의 도산위험절연성 및 이중상환청구권을 확보하고자 하면 거래구조가 복잡해질 수밖에 없으나 거래구조의 복잡성은 법적 투명성과 안정성에 대한 시장의 신뢰를 얻는데 걸림돌로 작용하여 거래추진에 많은 시간과 비용이 소요될 수밖에 없다.[98]

이중상환청구권부 채권법은, 기초자산집합이 발행기관의 대차대조표에 그대

15권 제3호(이화여자대학교 법학연구소, 2011. 3.), 279~280면; 양기진, 전게논문, 191면.
97) 외국에서도 대체로 발행자의 총자산 또는 부채의 4% 내외를 적정선으로 규율하고 있다. 김용호, 전게논문, 280면.
98) 양기진, 전게논문, 188면.

로 남아있으면서도 발행기관의 도산위험으로부터의 절연되도록 명시적으로 규정
함으로써 매우 단순한 거래구조만으로도 도산위험으로부터 절연성이 확보되도록
하였다. 이와 같이 단순한 발행구조로 이중상환청구권부 채권의 발행이 표준화
되면 상품의 특성에 대한 투자자들의 이해도 및 법정 투명성과 안정성에 대한
신뢰도를 제고함으로써 복잡한 발행구조로 인해 소요되는 시간과 비용을 줄이는
데 큰 도움이 될 것으로 보여진다. 나아가, 동법은 발행기관 및 기초자산집합의
적격을 엄격히 통제할 뿐 아니라 발행기관에 담보유지의무를 부과하는 한편 감
시인의 점검을 통해 상환기간 동안 기초자산집합의 적격성 유지여부를 확인할
수 있는 법적인 장치를 마련하는 등 이중상환청구권부 채권의 신뢰성을 높이기
위한 다양한 법적인 안전장치를 제공하고 있다.[99] 이러한 안전장치의 제공은 투
자자의 위험을 감소시킴으로써 이중상환청구권부 채권이 구조화 커버드본드에
비해 상대적으로 높은 신용등급을 부여받는 데 기여할 수 있을 것으로 보인다.

---

99) 이중상환청구권부 채권법의 규제내용은 대체로 EU의 UCITS Directive 및 Capital
  Requirement Directive에서 요구하는 법정 커버드본드의 내용과 일치한다. 하지만, EU의
  금융기관이 발행한 것이 아니므로, EU법규에서 법정 커버드본드에 대해 부여하는 혜택을
  직접 누릴 수는 없다.

제 3 절 자본금의 변동

Ⅰ. 출자전환 김 성 용*

1. 출자전환의 개념

회사에 자본을 투입한 투자자는 회사가 장래에 그로부터 창출하는 수익의 분배를 청구할 권리를 가진다. 이러한 청구권은 전형적으로 부채(채권, 채무증권)와 (좁은 의미에서의) 자본(주식, 지분증권)으로 대별되는데, 회사가 소정의 자본을 조달함에 있어 어떠한 청구권(증권)을 얼마나 발행하느냐는 것이 바로 자본구조(capital structure)의 문제이다. 모딜리아니-밀러 정리(Modigliani-Miller theorem)가 보인 바와 같이, 자본시장이 완전하다면 자본구조는 기업가치에 아무런 영향을 미치지 아니한다. 그러나 거래비용, 정보비대칭, 대리인문제, 도산비용, 조세효과 등이 존재하는 세계에서는 자본구조가 변화함에 따라 기업가치가 변동될 수 있다. 또한 회사에 대한 청구권은 지배권(control rights), 즉 투자 시점에서 미리 회사와 투자자 사이의 계약에 규정하여 두지 아니한 사항에 관한 결정권(decision rights)을 수반하고, 이는 청구권의 종류에 따라 그 내용을 달리하므로, 자본구조의 변화는 그러한 지배권의 배치를 변화시키며, 이는 기업가치의 변동으로 연결된다. 한편으로 부채와 자본을 준별하는 주된 특징 중의 하나는 분배의 순위에 있어 전자가 후자에 우선한다는 것(따라서 전자는 확정된 청구액의 상한을 전제로 하는 고정청구권(fixed claim)이라는 것)인데, 자본구조의 변화는 이처럼 순위를 달리하는 청구권들 사이의 상대적인 가치를 변동시킬 수도 있다.

회사가 자본구조를 사후적으로 변화시키는 것을 자본재편(recapitalization) 또는 자본구조조정(capital restructuring)이라 한다. 이에는 여러 유형이 있는데, 그 중의 하나가 상대적으로 부채의 비중을 줄이고 자본의 비중을 늘리는 것이다. 이는 부채감축(deleveraging)의 한 방안으로, 주로 회사의 도산위험(insolvency

---

* 성균관대학교 법학전문대학원 교수, 변호사

risk)을 줄이고 재무건전성 내지 자본적정성(capital adequacy)을 높이기 위하여 실행된다.[1]

이 유형의 자본재편은 회사에 대한 기존 채권의 일방적인 소멸에 의하여 이루어질 수도 있으나,[2] 흔히 그에 갈음한 또는 그와 결합한 회사의 신주 발행과 그 발행가액을 재원으로 한 기존 채권의 전체적 또는 부분적 만족에 따른 소멸에 의하여 이루어진다. 그런데 이 경우에 소멸하는 기존 채권의 채권자가 바로 신주의 인수인이 될 수도 있다. 이는 다른 각도에서 보면 회사에 대하여 채권을 보유한 기존의 투자자가 그에 갈음하여 주식을 취득하는 것 혹은 그의 청구권이 부채에서 자본으로 전환되는 것으로 이해될 수 있으며, 이를 출자전환(debt-for-equity swap)이라 한다.[3]

자본재편의 방안으로 출자전환이 이용되는 주된 이유 중의 하나로는 흔히 정보비대칭 등의 문제로 인하여 외부의 제3자가 내부자인 기존의 투자자보다 기업가치를 과소평가하는 경향이 있다는 점을 들 수 있을 것이다. 그러한 경향은 특히 이른바 부실기업의 경우에 현저할 것인데, 이미 도산 상태에 빠졌거나 그렇게 될 위험이 상당하지만 그 사업을 구성하는 개별 자산을 해체하여 청산하는 것보다는 유기적 일체인 계속기업으로 존속시키는 것이 가치 극대화를 위하여 바람직하다고 평가되는 회사, 즉 청산가치보다 계속기업가치가 큰 회사가 외부의 제3자에게 공정가치(fair value)에 그 자산을 일체로서 매각하거나 신주를 발행하여 자본재편을 하는 것이 곤란하다면, 그리고 다른 내부자인 기존 주주가 그러한 제3자의 역할을 수행할 의사 또는 능력을 보유하고 있지 아니하다면, 기

---

1) 물론 그와는 반대로 상대적으로 부채의 비중을 늘리고 자본의 비중을 줄이는 유형의 자본재편도 있다. 이는 차입증가형 자본재편(leveraged recapitalization)이라 불리는 것으로, 주로 1980년대 미국에서부터 차입매수(leveraged buyout)와 그 이후의 투자금 회수 방안으로서 혹은 적대적 기업인수에 대한 사전적 방어 방안의 하나로서 이용되기 시작하였다. 한편으로 채무증권의 내용을 변화시키거나 지분증권의 종류별 구성을 바꾸는 것(의결권차등화 자본재편(dual-class recapitalization)이 그 대표적인 예이다.)도 자본재편의 유형으로 이해된다.

2) 그러한 소멸은 채무면제에 의하여 이루어질 수도 있고, 회사의 신규 채권의 발행과 그 발행가액을 재원으로 한 기존 채권의 부분적 만족에 따른 소멸에 의하여도 이루어진다.

3) '출자전환'이라는 표현이 반드시 적절한 것인지는 의문이나, 이미 법인세법이나 기업구조조정 촉진법과 같은 여러 법률에서도 사용되고 있을 정도로 확고하게 관용되고 있으므로, 여기에서도 이를 그대로 쓰기로 한다. 영어 표현으로는 'swap' 대신에 'conversion'을 쓰기도 하며, 'debt-for-equity' 대신에 'debt-to-equity'나 'debt-equity', 'debt/equity' 등을 사용하기도 한다. 한편으로 뒤의 두 표현은 출자전환뿐만 아니라, 그와는 반대로 자본이 부채로 전환되는 것까지를 포괄하는 의미를 지니기도 한다.

존의 채권자가 스스로 그 자산을 매입하거나 신주를 인수하는 출자전환을 하여
야 할 것이다. 실무상으로도 채무자 회생 및 파산에 관한 법률(이하 '도산법'이라
한다.)에 따른 회생절차나 기업구조조정 촉진법(이하 '기촉법'이라 한다.)에 따른
관리절차 등이 개시된 회사에서 주로 출자전환이 이루어진다.[4]

한편으로 이미 도산 상태에 빠진 부실기업의 자본재편을 함에 있어서는 적어
도 그 계속기업가치를 초과하는 가액의 채권은 어떠한 형식으로든지 소멸시킴으
로써 회사가 그 상태에서 벗어나게 하여야 할 것인데, 이 때에 출자전환의 형식
을 취하는 것이 단순히 채무면제를 하여 버리는 것보다 조세효과 등을 비롯한
여러 측면에서 선호될 수 있다.[5] 이러한 실무상의 고려도 부실기업의 구조조정
과정에서 출자전환이 광범위하게 행하여지는 중요한 이유일 것이다.

2. 출자전환의 방식

가. 현실 납입 및 변제

출자전환의 방식으로는 우선 기존 채권자가 신주를 인수한 후 그 발행가액을
실제로 납입하고 회사가 그로써 기존 채무를 실제로 변제하는 것을 상정할 수
있다. 이러한 현실 납입 및 변제 방식에 따르는 경우에는 발행가액 상당의 자금
이, 기존 채권자가 은행 기타 금융기관인 납입금 보관자에게 주금납입을 함에
따라 일단 그리로 이동되었다가, 회사가 납입금 보관자로부터 그 보관금액에 관
한 증명서를 발급받아 신주발행으로 인한 변경등기를 하고(제425조, 제318조 제1
항, 상업등기규칙 제133조 제4호) 납입금 보관자에게 반환을 청구함에 따라 이어
서 회사로 이동된 다음에, 회사가 기존 채권자에게 변제를 함에 따라 결국 다시
그에게로 이동되는 과정을 거치게 될 것이다. 그런데 통상적으로 발행가액으로
납입되는 자금의 조달비용이나 기회비용이 금융기관에의 보관 내지 예치로부터
발생하는 수익을 상회할 것이므로, 이 과정에서 그로 인한 비용이 발생할 수 있

---

4) 법원의 감독 또는 주관하에 그 절차가 진행되는 도산법상의 회생절차에 의하지 아니하고,
   그 밖에서 부실기업의 자본재편을 진행하는 것을 흔히 기업개선작업 또는 워크아웃
   (workout)이라 한다. 이는 일반적으로 채권금융기관과 같은 채권자와 채무자인 회사 사이
   의 사적 합의에 의하여 진행되는데, 기촉법은 그와 관련한 채권금융기관의 권리 및 의무
   등에 관하여 특별한 규율을 하고 있다.
5) 출자전환의 조세효과에 관하여는, 아래 5. 라.항에서의 논의 참조.

다. 또한 기존 채권자는 회사가 납입된 자금을 당초의 합의와 달리 자신에 대한 채무 변제에 투입하지 아니하거나, 다른 채권자의 강제집행이나 보전처분 등으로 인하여 그러한 투입이 곤란하게 될 위험에 노출된다.[6]

나. 현물출자 또는 상계

위에서 언급한 비용과 위험은 발행가액 상당의 자금이 실제로 이동됨에 따라 발생하는 것이다. 따라서 이를 회피하기 위하여는 자금의 현실적인 이동 없이 신주 발행과 채권 소멸의 효과를 발생시키는 방식을 사용할 필요가 있는데, 이에는 기존 채권을 현물출자하는 것과 기존 채권과 발행가액 납입채무를 상계하는 것이 있다.[7] 전자의 경우에는 기존 채권자 겸 신주 인수인이 현물출자에 의하여 발행가액 납입채무를 이행함으로써 신주 발행의 효과가 발생하고, 그에 의하여 회사가 채무자와 채권자의 지위를 겸유하게 됨으로써 민법상 혼동의 법리에 따라 기존 채권이 만족을 얻어 소멸한다. 한편으로 후자의 경우에는 기존 채권자 겸 신주 인수인이 상계에 의하여 발행가액 납입채무를 이행한 것이 됨으로써 신주 발행의 효과가 발생하고, 그에 의하여 기존 채권이 만족을 얻어 소멸한다.

다. 회생절차에서의 특례

도산법상의 회생절차에서는 특별한 방식에 의한 출자전환이 이루어진다. 이에 관하여는 아래 4. 나.항에서 구체적으로 살핀다.

3. 채권과 주식의 가치

가. 논의의 배경

일반적으로 신주를 기존 발행주식의 공정가치보다 낮은 발행가액으로 제3자

---

6) 다만 이러한 위험은 기존 채권자 겸 신주 인수인이 발행가액을 납입함과 동시에 회사의 납입금 보관자에 대한 반환청구권에 관하여 질권을 설정받음으로써 회피할 수 있다고 한다. 이철송, "기업구조조정에 관한 기업법의 과제와 전망," 「조세학술논집」 제15권(한국국제조세협회, 1999), 43면.
7) 그 밖에, 다소 기교적이지만, 회사가 기존 채권자에게 전환사채를 발행하고 그가 기존 채권과 그 발행가액 납입채무를 상계한 후에 주식으로의 전환을 청구하는 방식도 상정할 수 있다. 이철송, 전게논문, 43~44면. 다만 현행 상법하에서 굳이 이러한 방식을 사용할 실익은 없을 것이다.

배정 방식에 의하여 발행하면, 기존 주주로부터 신주 인수인에게로 부(富)의 이전(wealth transfer)이 발생하여 기존 주주의 이익이 침해된다.8) 이 문제에 대한 기본적인 대응은 이사회가 신주의 발행가액을 저가로 결정하는 행위가 이사의 회사 내지 주주에 대한 의무 위반을 구성한다는 이유로 사후에 이사에게 손해배상책임을 묻는 것이다.9)

한편으로 현물출자의 경우에 그 목적물의 가치가 과대평가되면, 비록 신주의 발행가액 자체는 일단 공정하게 결정되었다 하더라도, 결과적으로 현물출자자에게 신주를 저가발행한 것과 같은 효과가 발생하여 기존 주주의 이익이 침해된다. 나아가 이 경우에 목적물의 가치가 신주 발행에 의하여 증가되는 자본금에도 미달하면, 이른바 자본(금)충실의 원칙에 위반되는 결과도 발생한다.10) 이 문

---

8) 논란은 있으나, 제3자배정 방식이 아니라 주주배정 방식으로 신주를 발행하는 경우에는 그 발행가액을 저가로 하더라도 기존 주주의 이익이 침해되지는 아니한다고 볼 수도 있다. 아래 주 9에 언급된 대법원 판결이 그러한 입장을 취하였다.

9) 그 밖에 통모인수인의 책임(제424조의2 제1항), 신주발행유지청구(제424조), 신주발행무효의 소(제429조) 등의 구제수단도 논의될 수 있을 것이다. 한편으로 대법원 2009.5.29. 2007도4949 전원합의체는 "제3자에게 시가보다 현저하게 낮은 가액으로 신주 등을 발행하는 경우에는 시가를 적정하게 반영하여 발행조건을 정하거나 또는 주식의 실질가액을 고려한 적정한 가격에 의하여 발행하는 경우와 비교하여 그 차이에 상당한 만큼 회사의 자산을 증가시키지 못하게 되는 결과가 발생하는데, 이 경우에는 회사법상 공정한 발행가액과 실제 발행가액과의 차액에 발행주식수를 곱하여 산출된 액수만큼 회사가 손해를 입은 것으로 보아야 한다. 이러한 회사의 손해는, 시가보다 낮은 가격으로 발행된 신주와 기존 주주들이 보유하고 있던 구주가 주주평등의 원칙에 따라 동등하게 취급됨으로 말미암아 구주의 실질가치가 희석됨으로써 기존 주주들이 입는 손해와는 그 성질과 귀속 주체를 달리하며 그 평가방법도 일치하지 아니하므로, 신주 등의 저가발행으로 인한 회사의 손해와 주주의 손해는 마땅히 구별되어야 할 성질의 것이다. 그렇기 때문에 … 이사는 회사에 대하여 임무위배로 인한 손해배상책임을 부담하는 것이다. 결국 이와 같이 현저하게 불공정한 가액으로 제3자 배정방식에 의하여 신주 등을 발행하는 행위는 이사의 임무위배행위에 해당하는 것"이라며, 제3자배정 방식에 의한 신주의 저가발행이 회사에 대한 손해를 구성한다고 하였다. 자산이 증가하지 못한 것이 회사의 손해라는 이해는 특이한 것이지만, 이사의 주주에 대한 의무위반을 정면에서 인정하지 아니하는 입장에서는 부득이한 이론 구성이었다고 볼 수도 있을 것이다.

10) 일반적으로 자본(금)충실의 원칙이란 채권자 보호를 위하여 존재하는 것으로 이해되고 있으나, 그 실효성이 극히 의심스럽다는 점은 이제 법률가들에게도 널리 인식되고 있는 듯하다. 한편으로 적어도 현물출자와 관련하여서는, 여기서의 '채권자'란 현물출자 이후에 회사와 새로운 거래관계를 맺을 장래의 채권자만을 말한다고 보아야 한다. 회사에 대한 기존 채권자의 입장에서는 그 목적물의 가치가 과대평가되더라도 현물출자가 행하여지는 것이 그렇지 아니한 것보다는 항시 이익이기 때문이다. 대법원 2004.9.3. 2004다27686은 "[채무자]회사가 현물출자를 받고 신주를 발행하는 행위는 비록 현물출자의 목적물이 과대평가되었다고 하더라도 특별한 사정이 없는 한 [채무자]회사의 재산이 감소하지 아니하고 증가하게 되고, 따라서 그와 같은 행위는 [도산법 제100조] 제1항 제1호의 취지에 반하거나 그 실효성을 상실시키는 것이 아니므로 위 규정에 기초한 부인권행사의 대상이 되지 아니한

제에 대한 상법의 대응은, 일반적인 신주의 저가발행의 경우와는 달리, 사전에 현물출자의 목적인 재산의 가액을 법원이 선임한 검사인이 조사하거나 공인된 감정인이 감정하게 하는 것이다(제422조 제1항, 제416조 제4호).[11]

출자전환의 경우에는 회사가 기존 채권자라는 제3자에게 신주를 발행하며, 그는 그러한 신주를 취득하는 대가로 회사에 대한 채권이라는 현물을 제공한다고 볼 수 있다. 따라서 그 과정에서 신주의 발행가액이 기존 발행주식의 가치보다 낮게 결정되거나 기존 채권의 가치가 과대평가되면, 신주를 저가발행함으로써 기존 주주의 이익이 침해되는 결과가 발생하며, 경우에 따라서는 자본(금)충실의 원칙에 위반되는 결과도 발생할 수 있다.

나. 이론적 검토

1) 채권이 이행기에 이르지 아니한 경우

이행기에 이르지 아니한 채권의 가치는 권면액, 즉 채권자가 이행기에 상환을 청구할 수 있는 명목상의 채권액에 미달한다.[12] 이는 채무자인 회사가 현재 부채초과 상태, 즉 그 부채 총액이 자산 전부의 가치를 초과하는 상태에 있지 아니한 경우에도 그러하다. 회사의 가치는 장래에 향하여 변동하므로, 채권의 이행기에 회사는 부채초과 상태에 있을 수도 있고 그러하지 아니할 수도 있다.[13] 그런데 채권은 선순위의 청구권이므로, 채권자는 전자의 경우에는 권면액에 미달하는 가액밖에 상환받을 수 없지만, 반대로 후자의 경우에 이를 초과하는 가액을 분배받을 수는 없기 때문이다.[14] 한편으로 채권의 형태로 자본을 투

다"고 하였는데, 민법상의 사해행위취소권 행사와 관련하여서도 같은 논리가 적용될 수 있을 것이다.

11) 입법론적으로 이러한 특별한 대응이 필요하거나 적절한 것인지는 의문이다. 송옥렬, "자본제도의 개정방향: 2008년 상법개정안을 중심으로," 「상사법연구」 제28권 제3호(한국상사법학회, 2009), 279~280면.

12) '권면액'의 개념이 반드시 명백한 것은 아니나, 여기에서는 그와 같은 의미로 사용한다.

13) 물론 설령 이러한 미래의 불확실성이 존재하지 아니한다 하더라도, 장래에 소정의 가액을 청구할 수 있는 권리의 현재가치는 (상당한 디플레이션의 발생이 기대되지 아니하는 한) 그 가액에 미달하지만, 이는 논외로 한다.

14) 다음과 같은 사례를 상정하여 보자. A사는 갑에게 주식 100주를 1주당 100원에 발행하였다. A사는 그 후 을과 병으로부터 순차적으로 자금을 차입하여, 각 권면액 5,000원의 채무를 부담하고 있다. 이러한 주식 발행과 차입을 통하여 조달한 자금 전부를 투입하여 A사가 수행하고 있는 사업이 성공할 확률은 50%이며, 그 성공시에는 1년 후에 55,000원, 실패시에는 3,000원의 수익이 각 실현될 것으로 기대된다. (반면에 A사의 자산을 중도에 개별적

입하는 투자자는 처음에 회사와 계약을 함에 있어 이러한 비대칭적 상황을 고려하여 그 권면액을 확정할 것이므로, 채권의 가치는 처음부터 그에 미달할 것이다.[15]

이 경우에 회사의 기존 발행주식의 가치는 정(+)의 값을 가진다.[16] 언뜻 선순위 청구권인 채권의 가치가 그 권면액에 미달함에도 후순위의 잔여청구권(residual claim)인 주식이 정의 가치를 가지는 상황은 발생할 수 없을 듯하다. 그러나 분배의 순위는 분배를 청구할 수 있는 시점에서 그 효력을 발휘할 뿐이므로, 그 시점 이전에는 이러한 상황이 발생하는 것이다.[17]

2) 채권이 이행기에 이른 경우

가) 회사가 부채초과 상태에 있지 아니한 경우

회사가 부채초과 상태에 있지 아니하면, 이행기에 이른 채권은 그 권면액에

으로 전부 처분하는 경우에는 5,000원의 수익이 실현될 것으로 기대된다.) 그런데 A사의 을에 대한 채무는 이제 이행기에 이르렀지만, 병에 대한 채무는 위 사업으로부터의 수익이 실현되는 시점인 1년 후에 이행기에 이른다. (논의의 편의를 위하여 이하에서는 무위험이자율은 0%이며, 모든 당사자들은 위험중립적이라고 항시 가정하자.) 이 사례에서 A사의 자산 전부의 계속기업가치는 29,000원(=55,000원×0.5+3,000원×0.5)으로 을 및 병에 대한 채무 총액 10,000원을 초과한다. 그렇지만 병의 A사에 대한 채권의 가치는, A사가 그 이행기까지 차환을 포함한 일체의 신규 차입을 하지 아니한다고(따라서 을에 대한 채무는 신주 발행에 의하여 조달하는 자금으로 상환한다고) 하더라도, 4,000원(=5,000원×0.5+3,000원×0.5)으로 그 권면액에 미달한다.

15) 위 주 14의 사례에서 병이 채권자로서 A사에 투자를 할 당시에 A사의 장래 수익에 관하여 동일한 기대를 가졌다고 하자. 그렇다면 병은 A사가 그 이행기까지 차환을 포함한 일체의 신규 차입을 하지 아니한다는(따라서 을에 대한 채무는 신주 발행에 의하여 조달하는 자금으로 상환한다는) 약속을 준수할 것을 조건으로 A사에 4,000원을 투자하면서, 그에 따라 취득하는 채권의 권면액을 5,000원으로 확정하였을 것이다. (물론 정확히는 대부분의 경우에 원금 4,000원 및 이자 1,000원으로 확정할 것이나, 그러한 구분이 근본적인 의미를 가지는 것은 아니다.) 그리하여야 위 채권이 병의 투자액에 상당하는 가치를 지니게 될 수 있기 때문이었지만, 그럼으로써 그 가치는 처음부터 권면액에 미달하게 되었다.

16) 위 주 14의 사례에서 A사가 신주 발행에 의하여 조달하는 자금으로 을에 대한 채무를 상환한다고 하자. 이 경우에 A사의 주주들에게 귀속될 수익 총액의 기대값은 25,000원{=(55,000원−5,000원)×0.5}이므로, 위 채무의 권면액인 5,000원을 납입하는 신주 인수인이 동액 상당의 수익을 기대할 수 있게 하기 위하여는 25주의 신주를 발행하여야 하는데(신주의 수를 n이라 하면, 25,000원×{n주/(100주+n주)}=5,000원이어야 하므로, n은 25이다.), 그러면 갑이 보유한 A사 발행주식의 가치는 200원/주{=25,000원/(100주+25주)}가 된다.

17) 흔히 주식은 그 기초자산이 회사의 자산이며, 행사가격이 부채 총액인 콜옵션으로 이해된다. 그런데 콜옵션은 그 만기에 기초자산의 가치가 행사가격 이하일 가능성이 있다고 하여 가치를 가지지 아니하는 것이 아니다. 물론 만기에 실제로 기초자산의 가치가 행사가격 이하이면 콜옵션은 아무런 가치를 가지지 아니한다.

상당하는 가치를 가진다. 이 경우에 회사가 이행기에 이른 채무를 자발적으로 상환하지 아니하면, 채권자의 신청에 의하여 민사법상의 강제집행절차나 도산법 상의 파산절차가 개시되어 회사의 자산이 청산(현금화; liquidation)되며, 채권자 는 그 수익으로부터 권면액 전부를 회수할 수 있기 때문이다.[18) 여기서 회사가 장래에 부채초과 상태에 빠질 수도 있다는 사정은 채권의 가치를 감소시키는 요 인이 될 수 없다. 이행기에 이른 채권을 보유한 채권자는 강제집행신청 등에 의 하여 회사의 가치를 결정(結晶; crystallization)시킴으로써 그러한 장래의 변동성 에 따른 위험에 더 이상 노출되지 아니할 수 있기 때문이다.

나) 회사가 부채초과 상태에 있는 경우

회사가 부채초과 상태에 있으면, 이행기에 이른 채권이라 하더라도 그 가치 가 권면액에 미달한다. 이 경우에는 회사가 이행기에 이른 채무를 자발적으로 상환하지 아니함에 따라, 채권자의 신청에 의하여 강제집행절차나 파산절차가 개시되어 회사의 자산이 청산되더라도, 채권자가 그 수익으로부터 권면액 전부 를 회수할 수는 없기 때문이다.[19)

이 경우에 회사의 기존 발행주식은 이제 아무런 가치도 가지지 아니한다. 이 는 그처럼 회사의 자산이 청산되는 경우에 그 수익으로부터 후순위 청구권자인 기존 주주에게 분배될 몫은 이미 없기 때문이다.

3) 결론 - 신주의 발행가액

부채초과 상태에 있지 아니한 회사에 대한 채권으로 그 이행기에 이른 것은 권면액에 상당하는 가치를 가지므로, 이를 출자전환하는 경우에 신주의 주당 발

---

18) 위 주 14의 사례에서 A사가 을에 대한 채무를 자발적으로 상환하지 아니하면, 을의 신청에 의하여 A사에 대한 파산절차가 개시되어 A사의 자산 전부가 계속기업으로 매각되며, 을은 그 수익 29,000원으로부터 권면액 5,000원을 전부 회수할 수 있다.

19) 다음과 같은 사례를 상정하여 보자. B사는 갑에게 주식 100주를 1주당 100원에 발행하였 다. B사는 을과 병으로부터 자금을 차입하여, 각 5,000원을 상환할 채무를 부담하고 있다. 이러한 주식 발행과 차입을 통하여 조달한 자금 전부를 투입하여 B사가 수행하고 있는 사 업이 성공할 확률은 10%이며, 그 성공시에는 1년 후에 55,000원, 실패시에는 3,000원의 수 익이 각 실현될 것으로 기대된다. (반면에 B사의 자산을 중도에 개별적으로 전부 처분하는 경우에는 5,000원의 수익이 실현될 것으로 기대된다.) 이 사례에서 B사의 자산 전부의 계 속기업가치는 8,200원(=55,000원×0.1+3,000원×0.9)으로 을 및 병에 대한 채무 총액 10,000원에 미달한다. 그렇다면 B사가 을에 대한 채무를 자발적으로 상환하지 아니함에 따 라, 을의 신청에 의하여 B사에 대한 파산절차가 개시되어 B사의 자산 전부가 계속기업으로 매각되더라도, 을이 그 수익으로부터 권면액을 전부 회수할 수는 없다.

행가액을 기존 발행주식의 주당 가치보다 낮게 결정하지 아니한다면, 그 총액과 소멸되는 채권의 권면액을 일치시키더라도 기존 주주의 이익이 침해되지 아니할 것이다.[20] 그렇지만 이행기에 이르지 아니한 채권의 가치는 그 권면액에 미달하므로, 이를 출자전환하는 경우에 기존 주주의 이익이 침해되지 아니하도록 하려면, 신주의 주당 발행가액을 기존 발행주식의 주당 가치보다 낮게 결정하지 아니하는 한편으로 그 총액을 채권의 권면액이 아니라 그 가치 상당액에 일치시켜야 할 것이다.[21] 한편으로 이처럼 기존 채권의 가치가 신주의 발행가액을 하회하지 아니하면, 자본(금)충실의 원칙에 위반되는 문제가 발생할 여지는 없다.

반면에 부채초과 상태에 있는 회사에 대한 채권으로 그 이행기에 이른 것의 가치는 권면액에 미달하지만, 그러한 회사의 기존 발행주식이 아무런 가치를 가지지 아니하므로, 이를 출자전환하는 경우에는 신주의 발행가액과 소멸되는 채권액을 어떻게 정하더라도 기존 주주의 이익이 침해되는 문제가 발생하지 아니할 것이다. 또한 이 경우에는 신주의 발행가액을 채권의 권면액과 일치시키는 등으로 그 가치보다 높게 정하더라도 자본(금)충실의 원칙에 위반되지 아니한다고 보아도 좋을 것이다. 신주의 발행가액이 납입됨에 따라 회사가 부채초과 상태에서 벗어난다면, 그 순간에 회사에 대한 기존 채권으로 그 이행기에 이른 것의 가치는 권면액으로 회복된다고 볼 수 있을 것이기 때문이다.[22]

---

20) 위 주 14의 사례에서 A사와 을은 을의 A사에 대한 권면액 5,000원의 채권을 발행가액이 200원/주인 A사 발행의 신주 25주로 전환하는 조건의 출자전환에 합의할 수 있을 것이다. 그러한 출자전환에 따라 A사의 자본구조는 그 가치가 200원/주인 주식 125주와 그 가치가 4,000원으로 1년 후에 이행기에 이르는 권면액 5,000원의 채권으로 재편된다.

21) 위 주 14의 사례에서 병은 A사에 대한 채권의 출자전환을 희망하고, A사는 위 주 20에서 언급한 바와 같은 자본구조로 자본재편을 희망한다고 하자. 그렇다면 A사와 병은 그 가치가 4,000원인 병의 권면액 5,000원의 채권을 발행가액이 200원/주인 A사 발행의 신주 20주로 전환하는 조건의 출자전환에 합의할 수 있을 것이다. 한편으로 A사는 제3자에게 신주 5주를 같은 발행가액으로 발행하여 조달하는 자금 1,000원과 1년 후에 이행기에 이르는 권면액 5,000원의 채권을 발행하여 조달하는 자금 4,000원을 재원으로 하여 을에 대한 채무 5,000원을 상환할 것이다.

22) 물론 그와는 관점을 달리 하여 자본(금)충실의 원칙에 위반된다는 견해도 충분히 성립할 수 있다고 본다. 이는 결국 위 원칙의 모호성을 드러내는 한 사례라고도 할 수 있을 것이다.

4. 출자전환의 실정법상 규율

가. 상　법

1) 현물출자 방식의 경우

가) 이전의 논의

2011. 4. 14. 법률 제10600호로 개정되기 전의 상법(이하 '구 상법'이라 한다.) 에서는 현물출자 방식에 의한 출자전환에 관하여 별다른 언급을 하지 아니하였 다. 이러한 상황에서 회사에 대한 기존 채권이 현물출자의 목적물로서의 적격성 을 갖추고 있느냐는 점부터가 논의되었는데, 학설은 대체로 이를 긍정하였다.[23] 또한 "채권도 현물출자의 목적물이 되는 것이므로 대주주의 회사에 대한 채권을 현물출자하고 그에 관한 검사인의 검사보고서와 그 부속서류를 첨부하여 한 변 경등기신청은 수리될 수 있을 것이다"라는 대법원 질의회답(1998. 6. 23. 등기 3402-559)에 비추어, 실무상으로도 이는 긍정되었다. 한편으로 이처럼 기존 채 권을 현물출자하는 경우에는 그 '가액'을 검사인이 조사하거나 감정인이 감정하 여야 하는데, 그 의미에 관하여 이른바 평가액설과 권면액설이 대립하였다.[24]

나) 제422조 제2항 제3호

위에서 언급한 법률로 신설된 제422조 제2항 제3호에서는 "변제기가 돌아온 회사에 대한 금전채권을 출자의 목적으로 하는 경우로서 그 가액이 회사장부에 적혀 있는 가액을 초과하지 아니하는 경우"에는 검사인의 조사나 감정인의 감정 이 요구되지 아니한다고 규정한다. 이 조항의 해석 내지 함의와 관련하여서는 다음의 점들이 지적될 수 있을 것이다.

우선 이행기에 이른 회사에 대한 채권은 현물출자의 목적물이 될 수 있다는 점이 이로써 입법적으로 명백하게 확인되었다. 그렇다면 아직 이행기에 이르지 아니한 채권의 경우에는 어떠한가라는 점이 논의될 수 있을 것인데, 일단 문리 상으로는 이 점은 명확하지 아니하다. 그렇지만 이행기의 도래 여부에 따라 채

---

23) 이에 관한 설명으로는, 김승범, 「대출채권의 출자전환에 관한 법적 연구」(성균관대학교 박 사학위청구논문, 2002), 67~84면.
24) 이에 관한 설명으로는, 이승환, "대출금의 출자전환에 관한 연구," 「법학연구」 제17권(한국 법학회, 2007), 231~239면.

권이 현물출자의 목적물로 될 수 있는지의 여부가 달라진다는 견해가 기존에 있었던 것으로는 보이지 아니하며, 그처럼 달리 보아야 할 뚜렷한 이유가 있다고도 여겨지지 아니한다.

다음으로 '회사장부에 적혀 있는 가액'이 무엇을 의미하는지가 논의될 수 있을 것이다. 이 가액이 '권면액' 또는 '회사가 변제하여야 할 가액'을 의미한다면 굳이 그와 다른 표현을 사용하였을 이유가 없다는 점에서, 이는 그와는 다른 무엇을 의미하는 것처럼 보이기도 한다. 그렇지만 주식회사의 외부감사에 관한 법률(이하 '외감법'이라 한다.) 제4조에 따른 외부감사 대상 회사에 적용되는 회계처리기준인 '한국채택국제회계기준'(제446조의2, 상법 시행령 제15조 제1호, 외감법 제5조 제1항 제1호)에 따르면 회사는 이행기에 이른 채무를 권면액으로 측정하여 인식할 것이 요구되며, 이는 위 기준이 직접적으로 적용되지 아니하는 회사가 따라야 하는 '일반적으로 공정하고 타당한 회계관행'(제446조의2)의 경우에도 당연히 그러할 것이다. 따라서 양 표현은 결국 같은 의미를 가진다고 보아야 한다.

위에서 살핀 바와 같이 이행기에 이른 채권을 출자전환하는 경우에는 그 권면액과 신주의 발행가액을 일치시키더라도 기존 주주의 이익을 침해하거나 자본(금)충실의 원칙에 위반되지 아니한다면, 이를 현물출자하는 경우에 그 가액의 적정성을 별도로 조사하거나 감정할 실익은 없다. 반면에 이행기에 이르지 아니한 채권을 출자전환하는 경우에는 그 권면액이 아니라 가치 상당액과 신주의 발행가액을 일치시켜야 기존 주주의 이익을 침해하지 아니하고 자본(금)충실의 원칙에도 위반되지 아니하므로, 이를 현물출자하는 경우에는 다른 목적물을 현물출자하는 경우와 마찬가지로 그 가액의 적정성을 조사하거나 감정하게 하는 것이 일단 일관된 태도일 것이다. 그렇다면 현행 상법에서 위 조항을 신설한 것은 그러한 이치에 따른 적절한 입법으로 평가될 수 있을 것이다.

2) 상계 방식의 경우
가) 이전의 논의 및 처리

구 상법 제334조는 "주주는 납입에 관하여 상계로써 회사에 대항하지 못한다"라고 규정하고 있었다. 따라서 기존 채권자 겸 신주 인수인이 회사에 대한 채권을 자동채권으로 하여 발행가액 납입채무와 상계하는 것은 허용되지 아니하였다. 그렇지만 반대로 기존 채권자 겸 신주 인수인에 대한 채무를 수동채무로 하여 회사가 상계를 하는 것 또는 양자가 이른바 상계합의를 하는 것도 허용되지 아니하느냐는 점에 관하여는 논의가 있었는데, 학설은 대립하였다.[25]

실무상으로는 2014. 5. 20. 법률 제12592호로 전부개정되기 전의 상업등기법(이하 '구 상업등기법'이라 한다.) 제82조 제5호에서 "주금의 납입을 맡은 은행, 그 밖의 금융기관의 납입금보관에 관한 증명서"를 신주발행으로 인한 변경등기의 신청서에 첨부하여야 할 서류로 명시하고 있었고,[26] 위에서 언급한 대법원의 질의회답에서 "주식회사의 신주발행시에 '은행 기타 금융기관의 납입금보관증명서'에 갈음하여 대주주가 회사에 대하여 가지고 있는 채권을 주금납입의무와 상계하였다는 뜻을 기재한 서면과 채권증서를 첨부하여 변경등기를 신청한 경우, 형식적 심사권만 가지고 있는 등기관으로서는 주금납입의무와 채권을 상계할 수 있는지 여부 등에 관한 실질적 심사를 할 수 없는 관계로 … 그 등기신청을 각하할 수밖에 없을 것이다"라고 하였기에, 상계 방식에 의한 출자전환은 원칙적으로 허용되지 아니하는 것으로 처리되고 있었다.

그렇지만 1999. 1. 25. 제정된 등기예규 제960호에서는 "기업구조조정을 위하여 금융기관이 당해 기업에 대한 대출금을 출자전환하여 신주를 발행하고 그에 따른 변경등기를 신청하는 경우, 비송사건절차법 제205조 제5호에 규정된 '주금을 납입한 은행 기타 금융기관의 납입금보관에 관한 증명서'에 갈음하여 (1) 회사가 주식인수인(금융기관)에 대하여 채무를 부담하고 있다는 사실을 증명하는 서면, (2) 그 채무에 대하여 회사로부터 상계의 의사표시가 있음을 증명하는 서면 또는 주식인수인의 상계의사표시에 대하여 회사가 이를 승인하였음을 증명하는 서면, (3) 위와 같은 출자전환이 있었음을 증명하는 금융감독원장의 확인서를 제출할 수 있다"라고 하여, 예외적으로 금융기관 채권을 상계 방식으로 출자전환하는 것은 허용되었다.[27]

---

25) 이에 관한 설명으로는, 김승범, 전게논문, 110~14면; 이승환, 전게논문, 224~27면.
26) 구 상업등기법이 시행된 2008. 1. 1. 이전에는 비송사건절차법 제205조 제5호에서 동일한 규정을 하고 있었다.
27) 이와 관련하여 "기업구조조정을 위한 금융기관대출금의 출자전환에 따른 변경등기 신청에 첨부할 서면에 관한 등기예규 제960호는 금융기관이 당해 기업에 대하여 가지는 대출금을 출자전환하는 경우에 관한 것으로서, 금융기관이 아닌 자가 당해 기업에 대하여 가지는 대출금을 출자전환하여 그에 따른 변경등기를 신청하는 경우에 대하여는 적용되지 않는다"라는 대법원 질의회답(1999.8.24. 등기 3402-844)이 있었다. 다만 기촉법(2001.8.14. 법률 제6504호로 제정되었던 것) 제24조 제5항은 "주채권은행은 대상기업으로 하여금 채권금융기관 이외의 채권자로부터 이 법의 규정을 따른다는 확약서를 받아서 협의회에 제출하도록

나) 제421조 제2항

신설된 제421조 제2항에서는 "신주의 인수인은 회사의 동의 없이 [인수가액] 납입채무와 주식회사에 대한 채권을 상계할 수 없다"고 규정하며, 구 상법 제334조는 삭제되었다. 신주의 인수인이 발행가액 납입채무의 이행과 관련하여 "상계로써 회사에 대항하지 못한다"는 구 상법 규정과 "회사의 동의 없이 … 상계할 수 없다"는 현행 상법 규정 사이에 어떠한 차이가 있는지는 그 문언만으로는 분명하지 아니하다. 그렇지만 현행 상법의 입법자의 의사는 구 상법에서와 같이 채권자에 의한 상계는 여전히 허용하지 아니하지만, 구 상법에서와는 달리 회사에 의한 상계와 상계합의는 허용하려는 데에 있다고 한다.[28]

한편으로 2012. 4. 24. 제정된 등기예규 제1450호 '주금납입채무의 상계가 있는 경우 신주발행으로 인한 변경등기신청서에 첨부할 서면에 관한 예규'에서는 제421조 제2항에 따라 신주인수인의 주금납입채무와 회사에 대한 채권의 상계가 있는 경우 신주발행으로 인한 변경등기의 신청서에는 구 상업등기법 제82조 제5호(현행 상업등기규칙 제133조 제4호)의 서면에 갈음하여 소비대차계약서 등 회사가 신주인수인에 대하여 채무를 부담하고 있다는 사실을 증명하는 서면과 회사가 상계를 한 경우에는 회사가 신주인수인에 대하여 상계의 의사표시를 하였음을 증명하는 서면을, 신주인수인이 상계를 한 경우에는 신주인수인이 회사에 대하여 상계의 의사표시를 하였음을 증명하는 서면과 회사가 그 의사표시에 대하여 동의를 하였음을 증명하는 서면을 첨부하여야 한다고 규정하여, 상계 방식에 의한 출자전환을 실행하는 데에 따른 등기실무상의 제약을 제거하였다.[29]

신설된 위 조항의 해석 내지 함의와 관련하여서는 다음의 점들이 지적될 수 있을 것이다.

요청할 수 있으며, 확약서를 제출한 채권금융기관 이외의 채권자는 이 법에 의한 채권금융기관으로 본다"고 규정하고 있었는데(2007. 8. 3. 법률 제8572호로 제정되었던 기촉법 제19조 제5항과 2011. 5. 19. 법률 제10684호로 제정되었던 기촉법 제15조 제5항도 그와 동일한 규정이다.), 이러한 확약서를 제출한 채권금융기관 이외의 채권자가 동법의 규정에 의한 출자전환을 한 경우에는 위 등기예규 제960호가 적용된다는 대법원 질의회답(2002. 1. 2. 등기 3402-3)이 있었다.

28) 법무부, 「상법 회사편 해설」(2012), 71, 284면.

29) 이처럼 상계 방식에 의한 출자전환이 전면적으로 인정됨에 따라 금융기관 채권에 관하여만 특례를 규정하고 있던 등기예규 제960호는 폐지되었다.

우선 기존 채권자 겸 신주 인수인이 상계를 하는 경우에 그 자동채권인 회사에 대한 채권이 이행기에 이른 것이어야 한다는 점은 민법상 요구되는 바이다. 그런데 위에서 살핀 바와 같이 이행기에 이른 채권을 출자전환하는 경우에는 그 권면액과 신주의 발행가액을 일치시키더라도 기존 주주의 이익을 침해하거나 자본(금)충실의 원칙에 위반되지 아니한다면, 그러한 채권을 자동채권으로 한 상계를 금지할 필요는 없을 것이다. 그럼에도 위 조항에서 채권자가 그러한 상계를 하는 경우에 채무자인 회사의 동의를 얻도록 한 취지는 이를 금지하려는 것이 아니라, 채권자의 일방적 의사에 의하여 출자전환이 이루어지는 것을 방지하려는 데에 있다고 이해될 수 있을 것이다.[30]

다음으로 민법상 상계권자는 수동채무의 기한의 이익을 포기하고 상계를 하는 것이 가능하므로, 위 조항에 의하면 회사가 이행기에 이르지 아니한 회사의 채무를 수동채무로 하여 상계를 하는 것도 허용되는 듯하다. 그런데 위에서 살핀 바와 같이 이행기에 이르지 아니한 채권을 출자전환하는 경우에 그 권면액과 신주의 발행가액을 일치시키는 것은 기존 주주의 이익을 침해하고 자본(금)충실의 원칙에 위반될 수 있다. 따라서 설령 위 조항에 의하여 그러한 상계가 가능하다고 보더라도, 이를 결정한 이사가 의무 위반에 따른 손해배상책임도 항시 부담하지 아니한다고 볼 것은 아니다.[31]

나. 도 산 법

1) 회생절차에서의 출자전환

채무자인 회사의 자산을 현실로 매각하는 도산법상의 파산절차와 달리, 고유한 의미의 회생절차에서는 기존의 청구권자들에게 이를 관념적으로 매각한다. 즉 회생절차는 기존의 청구권자들에게 그들이 보유하고 있던 회사에 대한 청구권에 갈음하여 새로운 청구권을 분배하는 절차이다. 따라서 회생절차에서는 필연적으로 자본재편이 이루어지며, 그 내용은 회생계획의 본질적 부분을 구성한

---

30) 현물출자의 경우에는 회사의 이사회가 "현물출자를 하는 자의 성명과 그 목적인 재산의 종류, 수량, 가액과 이에 대하여 부여할 주식의 종류와 수"를 결정하는 절차가 선행되어야 하므로(제416조 제4호), 채권자의 일방적 의사에 의한 출자전환이 불가능하다.

31) 물론 그러한 상계에 의하여 회사가 장래 이자의 전부 또는 일부의 지급의무를 면하고, 그에 따라 납입된 것으로 보는 신주의 발행가액이 채권의 가치를 초과하지 아니한다고 인정되는 경우에는 그러한 손해배상책임이 발생하지 아니할 것이다.

다.[32] 또한 그러한 자본재편은 기존의 채권을 이행기가 연장되거나 권면액이 감축된 새로운 채권으로 전환하는 형태로 이루어지기도 하지만, 그에 갈음하거나 그와 더불어 기존의 채권을 새로운 주식으로 전환하는 출자전환이 실무상 광범위하게 이루어진다.

2) 관련 규정

회생절차에서 신주를 발행하는 때에는 그 사항을 회생계획에 정한다(도산법 제55조 제1항 제2호, 제193조 제2항 제5호). 회생계획에서 신주의 종류와 수, 신주의 배정에 관한 사항, 신주의 발행으로 인하여 증가하게 되는 자본과 준비금의 액 및 신주의 발행으로 감소하게 되는 부채액을 정하면, 주식회사인 채무자는 회생채권자·회생담보권자 또는 주주에 대하여 새로 납입 또는 현물출자를 하게 하지 아니하고 신주를 발행할 수 있다(도산법 제206조 제1항). 이 경우에는 법원이 그러한 회생계획의 인가결정을 한 때(또는 회생계획에서 특별한 정한 때)에 위 회생채권자 등이 주주가 되며, 상법상의 다른 절차를 거칠 것은 전혀 요구되지 아니한다(도산법 제265조 제1항). 요컨대 회생절차에서는 출자전환에 의하여 발행되는 신주의 수 및 그 발행가액과 소멸되는 채무 및 그 가액을 정한 회생계획이 인가되면, 그에 따른 법정의 효과로서 신주 발행 및 기존 채무 소멸의 효과가 발생한다.

다. 기촉법

2018. 10. 16. 제정된 현행 기촉법상 금융채권자가 보유한 금융채권의 출자전환은 '채무조정'의 한 방법으로 열거되어 있다(기촉법 제2조 제9호). 그렇지만 출자전환의 구체적인 방식에 관하여 기촉법에서 별도의 규율을 하고 있지는 아니하며, 따라서 기촉법에 따른 관리절차에서의 출자전환에 관하여는 원칙적으로 상법의 규정이 적용된다. 다만 기촉법 제33조 제2항에서는 채권금융기관이 채권을 출자전환하는 경우 부실징후기업은 제417조에도 불구하고 주주총회의 특별결의만으로 법원의 인가를 받지 아니하고도 주식을 액면미달의 가액으로 발행할 수 있다고 규정한다.[33]

---

32) 도산법 제193조 제1항 제1호에서는 "회생채권자·회생담보권자·주주·지분권자의 권리의 전부 또는 일부의 변경"을 회생계획에서 정하여야 하는 사항으로 규정하고 있다.

5. 부채초과 회사의 출자전환

가. 출자전환과 자본감소의 관계

1) 완전감자의 필요성과 그 방법

위에서 언급한 바와 같이 이행기에 이른 채무를 상환하지 못하고 있는 회사가 부채초과 상태에 있다면 회사의 기존 발행주식은 아무런 가치를 가지지 아니하며, 그 자산 전부의 가치는 채권자에게 귀속되어야 한다. 그런데 그처럼 아무런 실질적 가치를 가지지 아니하는 기존 발행주식이 명목상으로는 잔존하는 상황에서 채권자가 회사에 대한 채권을 출자전환함으로써 회사가 부채초과 상태를 벗어나면, 이제 기존 발행주식의 가치가 정의 값으로 회복되어 채권자에게 귀속되어야 할 가치가 그만큼 감소하여 버리는 결과가 발생하게 된다. 따라서 부채초과 상태에 있는 회사가 출자전환을 하는 경우에는 회사로 하여금 기존 발행주식 전부를 소각하는 등의 방법으로 그 자본 전부를 감소하게 하는 것이 채권자의 입장에서 바람직하다.[34]

그런데 상법상 완전감자와 같은 자본감소를 위하여는 주주총회의 결의가 요구되므로,[35] 기존 주주의 협력 없이는 완전감자가 이루어질 수 없다. 그렇지만

---

33) 자본시장과 금융투자업에 관한 법률 제165조의8 제1항에 따르면 주권상장법인은 어차피 법원의 인가 없이 주주총회의 특별결의만으로 주식을 액면미달의 가액으로 발행할 수 있으므로, 이러한 특례는 주권상장법인이 아닌 회사에서 출자전환을 하는 경우에만 그 효용을 가질 것이다.

34) 위 주 19의 사례에서 을과 병이 보유한 각 권면액 5,000원의 채권을 B사의 신주로 출자전환한다고 하자. (편의상, 실제로도 흔히 그러한 바와 같이, 병에 대한 채무의 기한의 이익은 부채초과 상태에 빠진 B사가 이행기에 이른 을에 대한 채무를 상환하지 아니하였다는 사유로 상실되었다고 하자.) 이 때에 신주의 발행가액을 100원/주로 하면, 을과 병에게 각 최대 50주의 신주가 발행될 수 있을 것이다. 그런데 갑이 보유한 B사 발행주식 100주가 그대로 잔존한다면, B사의 계속기업가치에 대한 청구권의 1/2이 갑에게 귀속되어 버린다. 반면에 그에 앞서 갑이 보유한 B사 발행주식 전부가 소각된다면, 위 청구권은 전부 을과 병에게 귀속된다.

35) 상법상 주주총회의 결의에 의하여 완전감자가 가능한지에 관한 의문이 있을 수 있으나, 완전감자와 더불어 증자가 행하여지고 양자의 효력이 동시에 발생하는 형식을 취하는 경우에는 이를 허용하여도 좋을 것이다. 이에 관하여는 "주식회사는 최저자본제도를 도입하고 있으므로 실질상의 자본감소이든 명의상의 자본감소이든 5,000만원 미만으로 자본감소할 수 없지만, 최저자본 미만으로의 자본감소등기와 최저자본 이상으로의 자본증가등기가 순차로 동시에 접수되고 감자와 증자 사이에 효력의 공백이 없을 경우에는 위 등기신청은 허용된다고 보며, 완전감자의 등기도 5,000만원 이상으로의 증자의 등기와 동시에 신청되고 완전감자와 최저자본 이상으로의 증자 사이에 효력의 공백이 없을 경우에는 허용된다"는 대법

기존 주주의 입장에서는 아무런 대가 없이 그러한 협력을 제공할 유인을 가지지 아니한다. 따라서 이러한 상황에서는 도산법상의 회생절차에서 자본감소를 하는 방안이 일단 고려될 수 있다.

2) 회생절차에서의 자본감소

가) 관련 규정

회생절차에서 회사의 자본을 감소하는 때에는 그 사항을 회생계획에 정한다(도산법 제55조 제1항 제1호, 제193조 제2항 제4호, 제205조 제1항). 이 경우에는 법원이 그러한 회생계획의 인가결정을 한 때에 자본감소의 효력이 발생하며, 상법상의 다른 절차를 거칠 것은 전혀 요구되지 아니한다(도산법 제264조 제1항). 한편으로, 관계인집회에서 회생계획안을 결의함에 있어서는 원칙적으로 주주의 의결권의 총수의 1/2 이상에 해당하는 의결권을 가진 자의 동의를 얻어야 하나, 회사가 부채초과 상태에 있는 경우에는 주주는 의결권을 가지지 아니한다(도산법 제146조 제3항). 따라서 부채초과 상태에 있는 회사가 자본감소를 내용으로 하는 회생계획안을 결의함에 있어서는 주주의 동의를 얻을 필요가 없다.

나) 실무의 처리 – 권리보호조항의 문제

회생절차에서는 기존 주주의 의사와 무관하게 회사의 자본 전부를 감소하는 것이 가능하지만, 실무상으로는 흔히 완전감자가 이루어지지 아니한다. 이는 우선 도산법상 보장된 회생계획안 제출권을 채권자가 실제로 행사할 수 있는 여지가 거의 존재하지 아니하기 때문이다. 실무상 그러한 제출권은 거의 관리인에게 독점되어 있는데, 관리인이 완전감자를 내용으로 한 회생계획안을 흔히 제출하지는 아니한다.

보다 근본적인 이유로는 이른바 권리보호조항, 즉 회생계획안에 부동의한 조가 있는 경우에 법원이 인가결정을 하면서 그러한 조의 권리를 보호하기 위하여 회생계획안을 변경하여 정하는 조항의 내용에 관한 판례의 특이한 입장이 지적될 수 있다. 판례에 따르면 "법원이 [도산법] 제244조 제1항 각 호에 의하여 권리보호조항을 정하는 경우에는 … 부동의한 조의 권리자에게 그 권리가 본질적

원 질의회답(2001. 12. 7. 등기 3402-795)이 있다(위 질의회답은 상법상 최저자본금제도가 존재하던 당시에 있은 것이므로, 현행 상법상으로는 최저 증자액과 관련된 제한은 물론 적용되지 아니할 것이다).

으로 침해되지 않고 그 피해를 최소화할 수 있도록 그 권리의 실질적 가치를 부여하여야 한다. 여기서 부동의한 조의 권리자에게 권리의 실질적 가치를 부여한다고 함은, 부동의한 조의 권리자에게 최소한 회생채무자를 청산하였을 경우 분배받을 수 있는 가치 이상을 분배하여야 한다는 것을 의미하고, 이때의 청산가치는 해당 기업이 파산적 청산을 통하여 해체·소멸되는 경우에 기업을 구성하는 개별 재산을 분리하여 처분할 때를 가정한 처분금액을 의미하는바, 부결된 회생계획안 자체가 이미 부동의한 조의 권리자에게 위와 같은 청산가치 이상을 분배할 것을 규정함으로써 같은 법 제244조 제1항 각 호의 요건을 충족하고 있다고 인정되는 경우에는, 법원이 부동의한 조의 권리자를 위하여 그 회생계획안의 조항을 그대로 권리보호조항으로 정하고 인가를 하는 것도 허용된다."³⁶⁾ 따라서 자본의 일부 감소와 출자전환을 내용으로 하는 회생계획안에 대하여 회생채권자조가 완전감자를 요구하며 동의하지 아니하더라도, 그러한 회생계획안이 채권자에게 청산가치 이상의 분배를 보장한다고 인정되는 경우에는 법원은 이를 그대로 인가할 수 있다는 것이다.³⁷⁾

3) 자본감소의 실제

위에서 살핀 바와 같이 회생절차에서 실무상 완전감자가 반드시 가능하지는 아니하다는 사정은 회생절차 밖에서의 출자전환과 관련하여서도 완전감자를 현실적으로 불가능하게 한다. 채권자가 회생절차개시의 신청을 무기로 하여 회사로 하여금 완전감자에 동의하도록 강제할 수는 없으며, 오히려 회사가 이를 무기로 하여 채권자의 완전감자 요구를 거절할 수 있을 것이기 때문이다. 따라서 회사와 채권자는 그들 사이의 협상에 의하여 자본감소의 구체적 비율을 결정할 유인을 가지게 된다.³⁸⁾

---

36) 대법원 2007.10.11. 2007마919. 이처럼 계속기업가치 중 청산가치를 초과하는 부분, 즉 계속기업잉여(going-concern surplus)를 분배하는 기준을 전혀 제시하지 아니하고 있는 판례의 태도의 문제점에 관하여는, 이화여자대학교 도산법연구센터, "도산법제의 선진화를 위한 비교법제 연구"(2008), 172~174면.

37) 위 주 19의 사례에서 B사에 대한 회생절차가 개시되어, 그 관리인이 B사의 발행주식총수를 1/2로만 감소시키고 을과 병이 보유한 각 권면액 5,000원의 채권을 발행가액이 100원/주인 신주 50주로 전환하는 내용의 회생계획안을 제출하였다고 하자. 판례에 따르면, 갑이 보유한 B사 발행주식을 전부 소각하지 아니한다는 이유로 을과 병이 그에 동의하지 아니한 경우에도, 을과 병에게 그에 따라 각 분배되는 가치가 8,200원×{50주/(50주+50주+100주×/2)}으로 파산적 청산을 하는 경우에 각 분배될 가치인 5,000원×{5,000원/(5,000원+5,000원)} 이상이므로, 법원은 그러한 회생계획을 그대로 인가할 수 있다.

한편으로 이처럼 완전감자가 현실적으로 곤란하다면, 채권자의 입장에서 보더라도 출자전환에 앞서 반드시 자본감소가 이루어져야만 할 필요는 없게 된다. 소정의 발행가액으로 신주를 발행하여 출자전환을 하는 경우에는 자본감소의 구체적 비율에 따라 출자전환 이후에도 기존 주주가 계속하여 보유하게 되는 회사 발행주식의 비율이 변동되는데, 이는 자본감소를 하지 아니하고 신주의 발행가액을 조정하는 방법에 의하여도 얼마든지 변동시킬 수 있기 때문이다.39)

나. 출자전환의 구체적 방안

다음과 같은 사례를 상정하여 보자. D사는 그 공정가치가 500억원으로 평가되는 자산을 보유하고 있으나, 금융기관에 대한 채무 500억원과 상거래 채무 100억원을 부담하고 있다. D사는 액면금액이 5,000원인 보통주식 200만주를 그 액면금액을 발행가액으로 하여 발행하였다. D사와 채권금융기관은 협상 끝에 200억원의 금융기관 채권을 감축하는 한편으로 채권금융기관이 D사 발행주식의 50%를 보유하는 내용의 자본재편에 합의하였다.40)

위 사례에서 그러한 자본재편 후에 D사의 기업가치에 변화가 없다고 일단 전제하면, D사의 자본의 공정가치는 100억원이 되며, 채권금융기관은 그 중에서 50억원 상당의 가치를 주주로서 취득함으로써 결국 350억원 상당의 가치를 가지는 청구권을 채권자 또는 주주로서 보유하게 될 것이다.41) 그리고 그러한 자

---

38) 그러한 협상은 회사의 기업가치의 불확정성으로 인하여 촉발되는 측면도 있다. 위의 논의에서는 회사가 부채초과 상태에 있다는 점을 전제하였으나, 실제에 있어서는 그러한 전제의 성립 여부에 관하여 당사자들이 흔히 견해를 달리한다. 이는 궁극적으로는 법원의 결정에 의하여 판단될 수밖에 없는 것이지만, 그러한 결정의 내용이 자신의 견해와 일치할 것임을 확신할 수 없는 당사자들로서는 협상에 의한 해결을 선호할 수 있다. 이와 관련하여서는, 아래 VI. 1.항의 논의 참조.

39) 위 주 19의 사례에서 을과 병이 보유한 채권 전부를 B사의 신주로 출자전환한다고 하자. 이 때에 B사의 발행주식총수를 1/2로 감소시키고 을과 병에게 각 그 발행가액을 100원/주로 한 신주 50주를 발행하면, 출자전환 이후에 갑은 B사 발행주식총수의 1/3{ =(100주×1/2)/(50주+50주+100주×1/2)}을 계속하여 보유하게 된다. 그런데 위와 같은 자본감소를 하지 아니하고 을과 병에게 각 그 발행가액을 50원/주로 한 신주 100주를 발행하더라도, 출자전환 이후에 갑이 계속하여 보유하는 B사 발행주식총수의 비율은 1/3{ =100주/(100주+100주+100주)}이 된다. 요컨대 자본감소 여부에 따라 달라지는 것은 단지 B사의 발행주식총수뿐이다.

40) 물론 D사의 계속기업으로의 존속을 위하여는 그와 함께 상거래 채무의 처리 방안(예컨대 그 변제를 위한 채권금융기관의 신규자금 지원)과 잔존 금융기관 채무의 처리 방안(예컨대 그 이행기의 연장)도 합의될 것이다.

41) 물론 채권금융기관이 신규자금 지원에 따른 채권 등을 추가로 보유할 수 있을 것이나, 이

본재편에 따라 D사는 재무회계상으로 당기에 150억원의 이익을 인식하게 될 것이다.[42]

그런데 그러한 자본재편을 실행하는 구체적 방안으로는 자본감소의 여부 및 그 범위와 신주 발행가액 변화에 따른 출자전환과 채무면제의 형식적 비중의 변동에 따라 다음과 같은 여러 유형을 상정할 수 있다.

방안 1: 자본감소를 하지 아니하고, 채무면제가 발생하지 아니하는 수준에서 신주의 발행가액을 정하여 출자전환을 하는 방안(즉, 주당 발행가액을 10,000원으로 한 신주 200만주를 발행하여 200억원의 채권 전부를 출자전환);

방안 2: 자본감소를 하지 아니하고, 신주의 주당 발행가액을 그 액면금액으로 정하여 출자전환을 하면서 나머지 채무를 면제하는 방안(즉, 주당 발행가액을 5,000원으로 한 신주 200만주를 발행하여 100억원의 채권을 출자전환하면서 100억원의 채무를 면제);

방안 3: 자본감소를 하지 아니하고, 신주의 발행가액을 자본재편 후의 그 공정가치와 동일하게 정하여 출자전환을 하면서 나머지 채무를 면제하는 방안(즉, 주당 발행가액을 2,500원으로 한 신주 200만주를 발행하여 50억원의 채권을 출자전환하면서 150억원의 채무를 면제);

방안 4: 자본재편 후의 자본금과 자본의 공정가치가 동일하게 되는 수준으로 자본감소를 하고, 채무면제가 발생하지 아니하는 수준에서 신주의 발행가액을 정하여 출자전환을 하는 방안(즉, 기존 발행주식 2주를 1주로 병합하고, 주당 발행

는 논외로 한다.

42) 국제회계기준위원회(International Accounting Standards Board; IASB)가 제정한 국제재무보고기준 제39호(IFRS 9)에 대응하여 한국회계기준원 회계기준위원회가 제정한 기업회계기준서 제1109호 '금융상품(Financial Instruments)'의 문단 3.3.3에서는 "소멸하거나 제3자에게 양도한 금융부채(또는 금융부채의 일부)의 장부금액과 지급한 대가(양도한 비현금자산이나 부담한 부채를 포함)의 차액은 당기손익으로 인식한다"고 규정한다. 한편으로 국제재무보고기준해석 제19호(IFRIC 19)에 대응하는 기업회계기준해석서 제2119호 '지분상품에 의한 금융부채의 소멸(Extinguishing Financial Liabilities with Equity Instruments)'에 따르면 "금융부채의 전부 또는 일부를 소멸시키기 위하여 채권자에게 발행한 지분상품은 기업회계기준서 제1109호 문단 3.3.3에 따른 지급한 대가"이고(문단 5), "금융부채의 전부 또는 일부를 소멸시키기 위하여 채권자에게 발행한 지분상품을 최초에 인식할 때, 해당 지분상품의 공정가치를 신뢰성 있게 측정할 수 없는 경우가 아니라면, 공정가치로 측정"하며(문단 6), "소멸된 금융부채(또는 금융부채의 일부)의 장부금액과 지급한 대가의 차이는 기업회계기준서 제1109호 문단 3.3.3에 따라 당기손익으로 인식"한다(문단 9). 따라서 위 사례에서 D사는 출자전환 또는 채무면제에 따라 소멸하는 금융기관 채무의 장부가액 200억원과 출자전환에 따라 채권금융기관에게 발행하는 신주의 공정가치 50억원의 차이인 150억원을 당기이익으로 인식하여야 한다.

가액을 20,000원으로 한 신주 100만주를 발행하여 200억원의 채권 전부를 출자전환);

방안 5: 자본재편 후의 자본금과 자본의 공정가치가 동일하게 되는 수준으로 자본감소를 하고, 신주의 주당 발행가액을 그 액면금액 및 공정가치와 공히 동일하게 정하여 출자전환을 하면서 나머지 채무를 면제하는 방안(즉, 기존 발행주식 2주를 1주로 병합하고, 주당 발행가액을 5,000으로 한 신주 100만주를 발행하여 50억원의 채권을 출자전환하면서 150억원의 채무를 면제);

방안 6: 가급적 자본금을 최소화하는 방향으로 충분히 자본감소를 하고, 채무면제가 발생하지 아니하는 수준에서 신주의 발행가액을 정하여 출자전환을 하는 방안(예컨대, 기존 발행주식 10주를 1주로 병합하고, 주당 발행가액을 100,000원으로 한 신주 20만주를 발행하여 200억원의 채권 전부를 출자전환);

방안 7: 가급적 자본금을 최소화하는 방향으로 충분히 자본감소를 하고, 신주의 발행가액을 자본재편 후의 그 공정가치와 동일하게 정하여 출자전환을 하면서 나머지 채무를 면제하는 방안(예컨대, 기존 발행주식 10주를 1주로 병합하고, 주당 발행가액을 25,000원으로 한 신주 20만주를 발행하여 50억원의 채권을 출자전환하면서 150억원의 채무를 면제);

방안 8: 가급적 자본금을 최소화하는 방향으로 충분히 자본감소를 하고, 신주의 주당 발행가액을 그 액면금액으로 정하여 출자전환을 하면서 나머지 채무를 면제하는 방안(예컨대, 기존 발행주식 10주를 1주로 병합하고, 주당 발행가액을 5,000원으로 한 신주 20만주를 발행하여 10억원의 채권을 출자전환하면서 190억원의 채무를 면제).

이러한 여러 유형의 자본재편 방안 중에서 어느 것을 선택할지를 결정함에 있어서는 여러 사정이 고려될 수 있을 것이다. 실무상으로는 특히 보증인의 책임 범위 및 세무상 채무면제익의 범위와 그 취급에 미치는 영향이 그러한 선택에 있어 중요한 고려 요소로 되어왔는데, 아래에서는 그에 관하여 차례로 살펴본다.

다. 보증인의 책임 범위

1) 회생절차에서의 출자전환의 경우

회생절차에서 채권자의 회사에 대한 기존 채권의 내용이 회생계획에 정한 바에 따라 변경된다 하더라도 채권자가 그 보증인에 대하여 가지는 권리에는 영향을 미치지 아니한다(도산법 제250조 제2항 제1호). 그렇지만 기존 채권이 변제 등에 의하여 현실적인 만족을 얻어 소멸되는 경우에 보증인의 책임 또한 소멸된다는 당연한 이치가 회생절차에서라고 하여 적용되지 아니하는 것은 물론 아니다. 그렇다면 기존 채권이 회생계획에 정한 바에 따른 출자전환에 의하여 소멸되는 경우에는 어느 범위에서 보증인의 책임이 소멸되는지가 문제로 된다.

판례에 따르면 "[회생]계획에서 출자전환으로 [회생]채권의 변제에 갈음하기로 한 경우에는 신주발행의 효력발생일 당시를 기준으로 하여 [회생]채권자가 인수한 신주의 시가를 평가하여 그 평가액에 상당하는 채권액이 변제된 것으로 보아야 하고, 이러한 경우 주채무자인 [채무자]회사의 채무를 보증한 보증인들로서는 [회생]채권자에 대하여 위 변제된 금액의 공제를 주장할 수 있다."43) 다만 회생절차에서 출자전환으로 인수한 신주의 시가가 "[회생]계획에서 변제에 갈음하기로 한 액수"를 초과하는 경우에는 그 액수에 대하여만 그 채권액이 변제된 것으로 보아야 한다.44)

위 사례에서 D사의 금융기관 채무 500억원 전부에 관하여 G사가 연대보증을 하였다고 하자. D사와 채권금융기관이 방안 1 내지 방안 7 중에서 어느 하나를 선택하여 이를 회생절차에서 실행하는 경우에는, 비록 어느 방안을 선택하는지에 따라 형식적으로 출자전환된 채권액에는 차이가 있지만, 채권금융기관이 인수한 신주의 공정가치 상당액은 공히 50억원으로 차이가 없다. 따라서 판례상의 '시가'가 그와 동일하다면, 출자전환에 의하여 변제된 것으로 보는 채권액은 항시 50억원이므로, G사가 보증인으로서 채권금융기관에 대하여 부담하는 책임의 범위는 50억원만큼 감축된다. 그렇지만 방안 8을 선택하는 경우에는 회생계획에서 변제에 갈음하기로 한 액수, 즉 형식적으로 출자전환된 채권액이 신주의 시가에 미달하는 10억원이므로, G사의 책임의 범위는, 50억원이 아니라, 10억원만큼만 감축될 뿐이다.

2) 회생절차 밖에서의 출자전환의 경우

회생절차 밖에서 채권자의 회사에 대한 기존 채권의 내용이 변경되는 경우에는 보증채무의 부종성으로 인하여 채권자가 그 보증인에 대하여 가지는 권리도

---

43) 대법원 2003.1.10. 2002다12703, 12710.
44) 대법원 2009.11.12. 2009다47739.

그에 따라 변경된다고 이해되고 있다.[45] 그러한 이해를 관철한다면, 기존 채권이 출자전환에 의하여 소멸되는 경우에도 소멸된 채권의 가액 전부에 관한 보증인의 책임이 소멸된다고 볼 수밖에는 없을 것이다.[46] 판례는 "당사자 쌍방이 가지고 있는 같은 종류의 급부를 목적으로 하는 채권을 서로 대등액에서 소멸시키기로 하는 상계계약이 이루어진 경우, 상계계약의 효과로서 각 채권은 당사자들이 그 계약에서 정한 금액만큼 소멸한다. 이러한 법리는 기업개선작업절차에서 채무자인 기업과 채권자인 금융기관 사이에 채무자가 채권자에게 주식을 발행하여 주고 채권자의 신주인수대금채무와 채무자의 기존 채무를 같은 금액만큼 소멸시키기로 하는 내용의 상계계약 방식에 의하여 이른바 출자전환을 하는 경우에도 마찬가지로 적용되며, 이와 달리 주식의 시가를 평가하여 그 시가 평가액만큼만 기존의 채무가 변제되고 나머지 금액은 면제된 것으로 볼 것은 아니다"라고 하였다.[47]

그렇다면 위 사례에서 어느 방안을 선택하든, 이를 회생절차 밖에서 실행하는 경우에는 G사의 책임의 범위는 항시 200억원만큼 감축될 것이다. 어느 방안을 선택하는지에 따라 달라지는 것은 단지 민법상 채권의 소멸 원인으로서 상계와 채무면제가 차지하는 상대적 비중뿐이다.

---

45) 대법원 2004.12.23. 2004다46601은 "채권금융기관들과 재무적 곤경에 처한 주채무자인 기업 사이에 기업의 경영정상화를 도모하고 채권금융기관들의 자산 건전성을 제고하기 위하여 일부 채권을 포기하거나 채무를 면제하는 등 채무조건을 완화하여 주채무를 축소·감경하는 내용의 기업개선작업약정을 체결한 경우, 이를 규율하는 기업구조조정촉진법에서 보증채무의 부종성에 관한 예외규정을 두고 있지 [아니하므로,] … 보증인으로서는 원래의 채무 전액에 대하여 보증채무를 부담한다는 의사표시를 하거나 채권금융기관들과 사이에 그러한 내용의 약정을 하는 등의 특별한 사정이 없는 한, 보증채무의 부종성에 의하여 기업개선작업약정에 의하여 축소·감경된 주채무의 내용에 따라 보증채무를 부담한다"라고 하였다.
46) 다만 출자전환에 의하여 소멸하는 기존 채권의 범위에 관하여 논의가 있다. 이에 관한 설명으로는, 진상범, "기업개선작업에서의 출자전환과 채무의 소멸범위," BFL 제32호(서울대학교 금융법센터, 2008), 110~114면.
47) 대법원 2010.9.16. 2008다97218 전원합의체. 이 판결과 관련된 논의로는, 오수근 외 3인, 「도산법」(한국사법행정학회, 2012), 456~459면. 이 판결의 사안에서는 보증인이 아니라 부진정연대채무자의 책임 범위가 문제로 되었으며, 따라서 채무가 상계로 인하여 소멸한 것인지 아니면 면제된 것인지에 따라 결론이 달라질 수 있었다. 그렇지만 보증인의 책임과 관련하여서는 그러한 차이가 발생하지 아니한다. 한편으로 이 판결에서와 같은 상계 방식이 아니라 현물출자 방식에 의하여 출자전환이 이루어지는 경우에도 차이는 없을 것이다.

라. 세무상 채무면제익의 범위와 취급

법인세법상 채무자인 법인이 채무를 면제받은 경우에 그로 인한 부채의 감소액은 우선 법인세법 시행령 소정의 이월결손금 보전에 충당하고, 그러한 충당이후의 잔액은 해당 사업연도의 소득금액을 계산할 때 익금산입한다(법인세법 제18조 제6호). 이는 채무자가 부채초과 상태에 있어 채무면제로 인하여 현실적으로 얻은 이익이 없다고 볼 수 있는 경우에도 마찬가지이다.

한편으로 법인세법상 주식발행액면초과액, 즉 주식의 발행가액 중 액면(무액면주식의 경우에는 자본금으로 계상한 금액)을 초과하는 금액은 주식을 발행한 회사의 해당 사업연도의 소득금액을 계산할 때 익금불산입하지만, 채무의 출자전환으로 주식을 발행하는 경우에 그 주식의 시가를 초과하여 발행된 금액은 원칙적으로 주식발행액면초과액에서 제외된다(법인세법 제17조 제1항 제1호). 즉 출자전환에 의하여 발행되는 신주의 발행가액이 그 자본금 계상액과 시가 상당액을 모두 초과하는 경우에는 그 초과액을 익금불산입되는 주식발행액면초과액으로 인정하지 아니한다. 그리고 그 초과액은 채무면제액과 마찬가지로 우선 이월결손금 보전에 충당한다. 그런데 채무면제의 경우와는 달리, 도산법상 회생계획인가의 결정을 받은 법인이 그 내용에 따라 출자전환을 하는 경우 또는 기촉법상 기업개선계획의 이행을 위한 약정을 체결한 부실징후기업이 그 내용에 따라 출자전환을 하는 경우에는, 그러한 충당 이후의 잔액을 해당 사업연도에 익금산입하는 것이 아니라, 이를 이연하여 그 이후의 사업연도에 발생한 결손금의 보전에 충당할 수 있다(법인세법 제17조 제2항, 동법 시행령 제15조 제1항). 다만 위의 잔액을 그처럼 결손금 보전에 전부 충당하기 전에 당해 법인이 사업을 폐지하거나 해산하는 경우에는 그 미충당액을 그 사유가 발생한 날이 속하는 사업연도에 익금산입한다(법인세법 시행령 제15조 제2항).

따라서 채무자인 회사에 대한 조세효과의 측면에서는 채무면제보다는 출자전환의 형식으로 부채를 감축하는 것이 유리하다. 전자의 경우에는 이월결손금 보전에 충당한 이후의 채무면제액 잔액이 곧바로 익금산입되지만, 후자의 경우에는 자본금 계상액 및 시가 상당액을 초과하는 신주 발행가액을 이월결손금 보전에 충당한 이후의 잔액이 익금산입되지 아니하고 그 이후에 발생하는 결손금 보전에 충당될 따름이기 때문이다. 또한 출자전환의 형식을 취하는 경우에도 가능한 한 발행하는 신주의 수를 늘리는 등의 방법에 의하여 그 발행가액 중에서 자본금 계상액이 차지하는 비중을 늘리는 것이 조세효과의 측면에서 유리하다. 신주의 발행가액 중에서 자본금 계상액은 설령 시가 상당액을 초과하더라도 그 전부가 법인세법상 처음부터 익금으로 인식되지 아니한다. 따라서 자본금 계상액이 시가 상당액에 미달하는 경우에는 시가 상당액을 초과하는 신주 발행가액 전부가 이월결손금 보전에 충당되지만, 반대로 자본금 계상액이 시가 상당액을 초과하는 경우에는 시가 상당액을 초과하는 신주 발행가액 중에서 자본금 계상액에 달할 때까지의 금액은 이월결손금 보전에 충당되지 아니하며, 그만큼 이월결손금이라는 이연법인세자산이 감소하는 경제적 손실이 덜 발생하게 되기 때문이다.

위 사례에서 자본재편에 따른 조세효과를 감안하지 아니한 상태에서의 D사의 해당 사업연도의 소득이 10억원이고, 이전에 신고된 과세표준에 포함된 이월결손금은 120억원으로 그 전부가 이전 10년 이내에 발생하였으며,[48] 그 밖에 과세표준 계산시에 공제되어야 할 금액이나 소득은 없다고 하자. 그렇다면 D사와 채권금융기관이 각 방안을 선택하는 데에 따른 D사에 대한 조세효과상의 차이는 다음과 같을 것이다.

방안 1: 신주 발행가액 200억원에서 자본금 계상액인 액면총액 100억원을 공제한 100억원이 이월결손금 보전에 충당되고, 당해 사업연도의 과세표준은 0원, 이월되는 결손금은 10억원이 됨;

방안 2: 채무면제액 100억원이 이월결손금 보전에 충당되고, 당해 사업연도의 과세표준은 0원, 이월되는 결손금은 10억원이 됨;

방안 3: 채무면제액 150억원 중 120억원이 이월결손금 보전에 충당되고, 당해 사업연도의 과세표준은 40억원이 되며, 이월되는 결손금은 없음;

---

48) 위 사례에서 공정가치로 평가된 D사의 재무회계상 자본은 −100억원이며, 그에서 자본금을 차감한 금액은 −200억원으로, 여기서 전제하는 이월결손금과 차이가 있다. 실제로도 양자가 항시 일치하는 것은 물론 아닌데, 그러한 차이의 주요한 현실적 이유 중에는 이른바 분식회계가 있을 것이다. 이와 관련하여, 위의 채무면제액 또는 자본금 계상액 및 시가 상당액을 초과하는 신주 발행가액이 그 보전에 우선적으로 충당되는 이월결손금에는 법인세법상 결손금에 해당되지만 신고된 각 사업연도의 과세표준에는 포함되지 아니하였던 것으로, 도산법에 따른 회생계획인가의 결정을 받은 법인의 결손금으로서 법원이 확인한 것 또는 기촉법에 의한 경영정상화계획의 이행을 위한 약정이 체결된 법인의 결손금으로서 채권금융기관협의회가 의결한 것이 포함된다(법인세법 시행령 제16조 제1항 제2호). 그러나 이는 과세표준 계산시에 소득에서 공제되는 이월결손금은 아니다.

방안 4: 신주 발행가액 200억원에서 자본금 계상액인 액면총액 50억원을 공제한 150억원 중 120억원이 이월결손금 보전에 충당되고, 당해 사업연도의 과세표준은 10억원이 되며, 이월되는 결손금은 없으나, 30억원이 장래의 결손금 보전에 충당될 수 있음;

방안 5: 채무면제액 150억원 중 120억원이 이월결손금 보전에 충당되고, 당해 사업연도의 과세표준은 40억원이 되며, 이월되는 결손금은 없음;

방안 6: 신주 발행가액 200억원에서 시가 상당액인 50억원을 공제한 150억원 중 120억원이 이월결손금 보전에 충당되고, 당해 사업연도의 과세표준은 10억원이 되며, 이월되는 결손금은 없으나, 30억원이 장래의 결손금 보전에 충당될 수 있음;

방안 7: 채무면제액 150억원 중 120억원이 이월결손금 보전에 충당되고, 당해 사업연도의 과세표준은 40억원이 되며, 이월되는 결손금은 없음;

방안 8: 채무면제액 190억원 중 120억원이 이월결손금 보전에 충당되고, 당해 사업연도의 과세표준은 80억원이 되며, 이월되는 결손금은 없음.

이러한 결과로부터도, 위에서 일반적으로 설명한 바와 같이, 신주의 발행가액이 같다면 채무면제를 하는 것보다는 형식적으로 출자전환을 하는 것이(즉, 방안 3보다는 방안 1이, 방안 5보다는 방안 4가, 방안 8보다는 방안 7이, 그보다는 방안 6이), 그리고 형식적으로 출자전환하는 금액이 같다면 발행하는 신주의 수를 늘리는 것이(즉, 방안 6보다는 방안 4가, 그보다는 방안 1이, 방안 7보다는 방안 5가, 그보다는 방안 3이) 조세효과의 측면에서 일단 유리함을 확인할 수 있다.[49]

6. 관련 문제

가. 출자전환으로 발행되는 신주의 종류

출자전환에 따라 채무자인 회사가 발행하는 신주의 종류는 회사와 채권자 사이의 합의에 의하여 자유로이 정할 수 있다.[50] 따라서 그것이 보통주로 한정된

---

49) 이처럼 출자전환에 의하여 발행하는 신주의 수가 늘어나면 그만큼 회사의 발행주식총수가 증가하는데, 이는 주가 관리 등의 측면에서 현실적인 부담이 될 수 있다. 그러나 이를 해소하기 위하여 반드시 출자전환시에 신주의 발행가액을 높이거나 그에 앞서 자본감소를 함에 있어 그 비율을 높여야 하는 것은 아니다. 발행주식총수는 일단 출자전환을 한 이후에 자본감소를 하는 방법에 의하여 얼마든지 줄일 수 있기 때문이다.

다고 볼 이유는 전혀 없으며, 오히려 다양한 종류주식이 발행될 유인이 존재한다.

출자전환에도 불구하고 기존의 지배주주가 회사에 대한 경영권을 유지하기를 희망하고 채권자도 일단 이를 인정하여 주고자 한다면, 그 발행한도 내에서 가능한 한 의결권이 없는 주식 또는 의결권이 제한되는 주식을 회사가 채권자에게 발행할 수 있을 것이다. 한편으로 채권자가 이전에 이자의 형태로 획득하여 온 정액의 정기적인 수입을 주주로서도 계속하여 획득하기를 희망한다면, 출자전환에 의하여 이익배당 우선주를 취득하기를 선호할 수 있을 것이다. 나아가 현행 상법상 반드시 그리하여야 하는 것은 아니지만, 전형적으로는 양자를 결합하여 이익배당 우선주를 무의결권주로 발행하되, 약정의 우선배당이 이루어지지 아니하는 것을 의결권 부활의 조건으로 정하거나 보통주로의 전환을 청구할 수 있는 사유로 정할 수도 있다. 그럼으로써 회사에 대한 배당 압력을 유지함과 아울러 회사의 영업 실적이 부진할 경우에 기존 지배주주의 경영권을 박탈할 수 있는 제도적 장치를 확보하는 한편으로, 그에 의하여 기존 지배주주를 규율하는 효과도 거둘 수 있을 것이다. 또한 소정의 기간 내에 소정의 가액을 지급하고 회사가 이를 상환할 수 있게 함으로써 기존 주주에게 회사의 영업 실적을 제고하기 위하여 노력할 적극적인 유인을 제공하는 것도 고려될 수 있다.[51]

다음으로 채무자 회사의 기업가치에 관하여 기존 주주와 채권자 사이의 견해가 일치하지 아니하는 경우에 일종의 증권설계(security design)에 의하여 이를 해결하는 기제로서 종류주식이 이용될 수도 있다. 예컨대 채무자 회사가 부채초과 상태에 있는지 여부에 관하여 다툼이 있다면, 출자전환에 의하여 채권자에게 보통주를 발행하는 한편으로, 기존 주주의 주식은 사후에 회사의 기업가치가 기존 채권의 권면액을 초과하는 것으로 드러나는 경우에 한하여 소정의 의결권과 이익배당 및 잔여재산분배 청구권을 회복하게 되는 조건의 후배주로 전환하는 자본재편을 함으로써 그러한 다툼을 우회할 수 있을 것이다.[52]

---

50) 물론 발행하고자 하는 종류주식에 관하여 회사의 정관에서 규정하고 있지 아니하다면, 정관 변경 절차가 병행되어야 한다. 다만 회생절차에서는 회생계획에서 채무자의 정관을 변경할 것을 정한 경우에는 회생계획인가결정이 있는 때에 그에 의하여 정관이 변경되며, 주주총회의 특별결의와 같은 상법상의 다른 절차를 거칠 것은 전혀 요구되지 아니한다(도산법 제202조, 제262조).

51) 물론 이처럼 채권자가 취득하는 주식이 그 경제적 실질에 있어 채권과 유사한 성격을 계속하여 가지는 경우에는 기존 지배주주가 회사의 사업 내용을 보다 위험하게 변경하는 등의 위험이전(risk shifting) 행위를 할 유인이 제고된다는 점이 함께 고려되어야 할 것이다.

나. 사전 합의에 근거한 출자전환

지금까지는 채권의 형태로 자본을 투입한 투자자가 사후에 회사와의 새로운 합의에 의하여 이를 주식으로 전환하는 출자전환에 관하여 논의하였다. 그렇지만 투자자가 사전에 회사와 투자에 관한 계약을 하면서 장래의 출자전환에 관한 합의를 그 내용에 포함시키는 것도 충분히 상정할 수 있다. 그러한 사전 합의의 효력이 인정되는 경우에는 출자전환은 사후에 그에 따른 이행으로서 실행되는 것이므로, 그 실행 단계에서 별도로 채권의 가치를 평가하여야 하는 것은 아니다. 다만 그 합의 단계에서 출자전환의 조건이 기존 주주에게 불이익하게 설정된다면 그에 따른 책임을 회사의 이사에 대하여 물을 수 있을 것이며, 또한 그로써 충분할 것이다.53)

현행 상법상 전환사채 발행시에 이루어지는 전환청구권 행사에 관한 합의 및 신주인수권부사채 발행시에 이루어지는 신주인수권 행사 및 대용납입(제516조의2 제2항 제5호)에 관한 합의는 그러한 출자전환에 관한 사전 합의의 한 유형이라 할 수 있다. 이는 사채권자에게 사전에 설정된 조건에 따라 출자전환을 청구할 수 있는 옵션을 부여하는 내용의 합의이며,54) 사후에 그러한 옵션이 행사됨에 따라 별도의 합의 없이 출자전환의 효력이 발생하게 된다. 그렇지만 현행 상법

---

52) 위 주 19의 사례에서 B사의 사업이 성공할 경우에 실현될 것으로 기대되는 수익이 55,000원이 아니라 93,000원이라고, 따라서 B사의 자산 전부의 계속기업가치는 12,000원(=93,000원×0.1+3,000원×0.9)으로 을 및 병에 대한 채무 총액을 초과한다고, 갑이 주장한다고 하자. 그렇다면 을과 병이 보유한 각 권면액 5,000원의 채권을 출자전환하여 을과 병에게 각 B사의 신주 50주를 발행하는 한편으로, 갑이 보유한 기존 발행주식 100주를 사후에 갑의 주장이 옳은 것으로 드러나는 경우(예컨대 B사의 사업이 성공할 경우에 실현될 것으로 기대되는 수익이 93,000원이라는 점이 객관적으로 확정되거나 실제로 그러한 수익이 실현되는 경우)에는 을과 병에게 발행된 주식과 동일한 권리를 가지지만 그 이외의 경우에는 아무런 권리를 가지지 아니하는 신주 20주로 전환하는 자본재편을 하기로 합의할 수 있을 것이다. 그렇게 함으로써 을과 병은 갑의 주장이 그른 것으로 드러나는 경우에는 B사의 가치 전부를 향유하는 한편으로, 그 반대의 경우에는 본래의 채권의 권면액에 상당하는 가치를 향유할 수 있게 된다. 그리고 갑은 자신의 주장이 옳은 것으로 드러나는 경우에는 본래 주주로서 자신에게 귀속되어야 할 가치인 2,000원[=12,000원×{20주/(50주+50주+20주)}]을 향유하고, 그 반대의 경우에는 본래 자신에게 귀속될 가치가 없었다는 진실을 받아들이면 된다. 물론 현행 상법과는 달리 신주인수권(warrant)의 독립적인 발행이 허용되는 경우에는 갑에게 이러한 일종의 후배주 대신에 신주인수권을 발행하면 될 것이다.

53) 물론 자본(금)충실의 원칙을 관철하려는 입장에서 보자면, 그러한 처리만으로는 충분하지 아니할 수도 있다.

54) 자기주식과의 교환을 청구할 수 있는 교환사채 발행시에도 사채권자에게 실질적으로 그와 동일한 옵션이 부여된다고 볼 수 있다.

상으로는 신주인수권의 독립적인 발행이 허용되지 아니하므로, 사채권자가 아닌
다른 일반의 채권자에게 그러한 옵션을 부여하는 합의의 효력은 원칙적으로 인
정되지 아니한다고 볼 수밖에 없을 것이다.[55] 한편으로 그처럼 사전에 약정된
조건에 따른 출자전환을 청구할 수 있는 옵션을 채무자인 회사에 부여하는 합의
나 일정한 기한의 도래 또는 조건의 성취시에 자동적으로 사전에 약정된 조건에
따른 출자전환이 실행되도록 하는 합의도 현행 상법상으로는 인정되지 아니한다
고 보는 것이 일반적이다.[56]

　　그렇지만 2013. 5. 28. 개정된 자본시장과 금융투자업에 관한 법률(이하 '자
본시장법'이라 한다.) 제165조의11 제1항에서는 주권상장법인이 정관으로 정하는
바에 따라 이사회 결의로 상법에 따른 사채와 다른 종류의 사채로서 해당 사채
의 발행 당시 객관적이고 합리적인 기준에 따라 미리 정하는 사유가 발생하는
경우 주식으로 전환되는 사채를 발행하는 것을 허용하였는데, 이를 전환형 조건
부자본증권(contingent convertibles; CoCos)이라 한다. 2008년에 시작된 세계금
융위기의 와중에서 시스템적으로 중요한 금융기관(systemically important
financial institutions; SIFIs)의 도산이 초래할 시스템적 위험(systemic risk)을 방
지하기 위하여 궁극적으로 납세자의 부담으로 귀결되는 자금을 투입하여 구제금
융(bail-out)을 제공한 사례가 많았던 데에 대한 반성으로, 그 이후의 금융규제
및 감독에 관한 국제적 개혁 논의의 과정에서 채권자 손실부담(bail-in)에 의하
여 금융기관을 복구(recovery) 또는 정리(resolution)하는 방안의 하나로 도입된
것이다.[57] 다만 자본시장법에서는 이를 주권상장법인 일반에 대한 특례로서 도

---

55) 다만 종래에 '출자전환 옵션부 대출'이라는 금융상품이 판매된 바가 있는데, 그 관련 대출
　　계약에서는 채무자인 회사가 정관에 대출채권자에게 신주인수권을 부여한다는 내용과 그에
　　따른 출자전환의 조건을 규정할 것을 대출금 인출의 선행조건으로 요구하고 있었다. 그러한
　　정관 규정의 상법상 효력은 역시 의문이라고 할 것이지만, 사후에 대출채권자의 신주인수권
　　행사에도 불구하고 회사가 그 효력을 문제 삼아 출자전환에 응하지 아니한다면, 대출채권자
　　가 채무불이행을 이유로 대출금의 조기상환을 청구할 수는 있을 것이며, 그러한 청구권을
　　무기로 하여 사전 약정에 근거한 출자전환을 사실상 강제할 수도 있을 것이다. 또한 회사
　　의 자기주식 처분과 관련하여서는 신주발행의 경우와 같은 엄격한 규제가 행하여지지 아니
　　하고 있는 만큼, 교환사채권자 또는 상환사채권자가 아닌 채권자와의 사이에서 자기주식 처
　　분의 방식으로 출자전환을 하는 것에 관한 사전 약정을 맺는 것은 현행 상법상으로도 가능
　　하다고 보아야 할 것이다.
56) 다만 자기주식으로 상환할 수 있는 상환사채 발행시에는 실질적으로 그와 동일한 합의가
　　허용된다고 볼 수 있다(상법 시행령 제23조 제1항 제3호).
57) 이에 관한 설명으로는, Ceyla Pazarbasioglu, Jianping Zhou, Vanessa Le Leslé &
　　Michael Moore, "Contingent Capital: Economic Rationale and Design Features," IMF

입하였다.[58]

Ⅱ. 자본금의 감소[**]   김 동 민[*]

1. 총   설

가. 자본금 감소의 의의 개관

1) 자본금의 개념

상법상 주식회사의 "자본금"이란, 회사채권자를 보호하기 위하여 회사가 보유해야 하는 책임재산의 최저한도로서,[1] 사원의 출자나 준비금의 자본금전입에 의하여 회사가 발행한 주식의 총액을 의미한다(제451조).[2] 이러한 점에서 자본잉여금과 이익잉여금까지 포함하는 회계학상의 자본금 개념보다 그 범위가 협소하다.[3] 상법상 자본금은 '회사'에 대하여는 성립의 기초로서 회사의 존속 중에 자본금 충실을 위하여 유지해야 하는 순자산의 규범적 기준이 되고, '주주'에 대하여는 출자한 금액으로서 유한책임의 한계로 기능하며, '회사채권자'에 대하여는 회사의 신용도를 공시하는 기능을 수행한다.[4]

자본금은 대차대조표의 대변에 자본금으로 계상되어 자산에 대한 공제항목으

Staff Discussion Note, SDN/11/01 (2011. 1. 25.); Stefan Avdjiev, Anastasia Kartasheva & Bilyana Bogdanova, "CoCos: A Primer," BIS Quarterly Review (2013. 9.), pp. 43~56. 조건부자본증권의 다른 유형으로는 소정의 사유가 발생하는 경우 그 상환과 이자지급 의무가 감면된다는 조건이 붙은 것, 즉 원리금의 전부 또는 일부가 상각(write-off)되는 것도 있다.

58) 2016. 3. 39. 개정된 은행법 제33조 제1항 제3호에서 은행이, 2017. 4. 18. 개정된 금융지주회사법 제15조의2 제1항 제3호에서 은행지주회사가 각 이를 발행할 수 있는 근거를 별도로 마련하면서, 은행과 은행지주회사는 자본시장법에 따라 이를 발행할 수 있는 주권상장법인에서 제외되었다.

  * 상명대학교 지적재산권학과 교수
 ** 본고는 김동민, "자본금 감소의 방법 및 효과에 관한 소고 - 무액면주식과의 비교를 중심으로 -,"「서울법학」제23권 제3호(2016)에 수록된 논문을 보완하여 집필하였음.

 1) 최기원,「회사법신론」제14대정판(박영사, 2012), 118면.
 2) 자본금이란 '액면주식'의 경우는 발행주식의 액면총액이고(제451조 제1항), '무액면주식'의 경우는 주식의 발행가액 중 이사회가 자본금으로 계상한 금액이다(제451조 제2항).
 3) 권기범,「현대회사법론」제2판(삼지원, 2005), 900면.
 4) 이철송,「회사법강의」제29판(박영사, 2021), 220면.

로 작용하는 계산상의 액수에 불과하지만,[5] 주식회사의 자본금 충실의 원칙에 의해 회사채권자를 보호하기 위한 일종의 '담보기금'(Garantiefonds)의 역할을 한다.[6] 즉 자본금 충실의 원칙상 주식회사는 항상 자본금을 상회하는 순자산을 유지하고 있어야 하므로, 자본금은 회사가 설립할 때부터 소멸할 때까지 보유하고 있어야 하는 순자산의 최저한도로서 회사의 재산에 대한 구속적 기능을 수행한다.[7] 그리하여 주식회사의 자본금은 대차대조표에 기재해야 함은 물론이고(기업회계기준 제29조) 등기에 의해 공시해야 한다(제317조 제2항 제2호).

2) 자본금 감소의 의의

가) 개 념

주식회사의 "자본금 감소"(reduction of capital, Kapitalherabsetzung)란, 대차대조표에 계산상의 금액으로 기재되어 있는 자본금을 일정한 방법에 의하여 수치상으로 감소시키는 행위를 말한다. 즉 회사가 보유하고 있어야 하는 실제 재산의 기준이 되는 자본금을 감소하는 행위 또는 그 행위의 법적 효과를 말한다.[8] 그러므로 회사의 재산이 감소하는지의 여부 또는 주주에게 그 대가를 지급하는지의 여부 등은 자본금 감소를 위한 개념요소가 아니다.[9] 한편 회사의 설립 후 자본금은 정관의 절대적 기재사항이 아니므로, 자본금 감소가 있더라도 별도로 정관을 변경할 필요는 없다.[10] 결국 회사의 존속 중에 변경된 자본금은 등기에 의하여 공시될 뿐이다(제317조 제2항 제2호).

나) 주주 및 채권자에 대한 보호

(1) 주주 보호의 필요성

자본금은 주식회사의 설립을 위한 전제로서 기업유지를 위한 물적 기초가 되고, 기간손익의 계산을 위한 기준으로 기능한다. 이러한 자본금은 단지 회사의 재무상의 지표를 나타내는 사실적인 개념에 그치는 것이 아니고, 회사가 자본금

---

5) 권기범, "주식회사의 자본감소에 관한 연구,"「상사법연구」제23권 제1호(한국상사법학회, 2004), 81면.
6) H. Wiedermann, Gesellschaftsrecht, Band I Grandlage, C. H. Beck: 1980, S. 555.
7) 권기범, 전게서, 900면.
8) 최준선, 「회사법」제16판(삼영사, 2021), 712면.
9) 일본에서도 자본금 감소의 개념은 우리나라와 동일하다. 神田秀樹, 「會社法」제4보정판(弘文堂, 2003), 216面; 前田 庸, 「會社法入門」제9판(有斐閣, 2003), 489面.
10) 최준선, 전게서, 707면.

에 부합하는 실제의 재산을 확보하고 있어야 하는 자본금 충실의 원칙을 실현하기 위한 규범적 기준이 된다.[11] 그러므로 자본금 감소는 이러한 규범적 기준을 낮춤으로써 되어 회사의 잠재적인 자금력과 사업능력을 감소시키기 때문에, 주주들은 그만큼 주식가치가 감소되거나 기존의 주식 소유구조가 변경되는 불이익을 받게 된다.[12] 액면주식의 경우는 물론이고 무액면주식의 경우에도 자본금을 발행주식총수로 나눈 '주당 자본금 개념'이 존재하기 때문에, 회사에서 자본금의 총액을 과도하게 감소시켜서 주당 자본금의 액이 현저히 줄어들게 되면 무액면주식을 보유한 주주들도 마찬가지로 피해를 입게 된다.[13]

한편 '액면주식'에 대한 자본금 감소의 경우, 주주들은 주식의 액면가치와 실제가치를 관련시키는 경향이 있으므로 자신이 보유한 주식의 액면총액이 줄어드는 자본금 감소에 대하여 저항하게 되지만, 자본금이 감소되더라도 실제로 자본금에 대한 주식의 비율적 지위에는 변동이 없다. 그러나 '무액면주식'에 대한 자본금 감소의 경우, 주식은 시장에서의 실제가치를 반영할 뿐이고 액면금액 자체가 존재하지 않기 때문에, 주주들은 액면주식의 경우에서와 달리 자본금 감소에 대하여 합리적으로 대응하게 된다.[14]

(2) 채권자 보호의 필요성

자본금 감소는 회사채권자에 대한 책임재산을 감소시켜서 그 지급능력을 약화시키는 원인이 되기 때문에, 채권자는 변제 받을 가능성의 감소로 인하여 채권이 부실화되는 위험에 직면하게 된다. 특히 자본금과 함께 회사의 재산도 실제로 감소시키면서 그 대가를 주주에게 나누어주는 '실질적 자본금 감소'의 경우에는, 사실상 주주가 채권자에 우선하여 출자의 환급(Einklagenrückgewähr)을 받는 것과 동일한 효과가 발생한다.[15] 이와 같이 자본금 감소는 주주의 지위는 물론이고 채권자의 이익도 침해하기 때문에, 상법에서는 '주주의 보호'를 위해 자본금 감소의 의사결정권을 주주총회에 부여하면서 그 결의요건을 특별결의로

---

11) 구체적으로 이익배당이나 기타 사외유출의 가능한 범위를 정하는 공제항목이 되므로 자산의 유출을 통제하는 기능을 한다: 이철송, 전게서, 955면.
12) 김동민, "자본금 감소의 방법 및 효과에 관한 소고 – 무액면주식과의 비교를 중심으로 –," 「서울법학」 제23권 제3호(서울시립대학교, 2016), 225면.
13) U. Hüffer, AktG, §222, Rn. 3; 권기범, 전게논문, 83면.
14) 국회 법제사법위원회, 「상법 일부개정법률안 심사보고서」(2010. 3. 10.), 47면.
15) 이철송, 전게서, 955면.

가중하고 있으며(제438조 제1항), '채권자의 보호'를 위해 자본금 감소에 대한 이의제출권의 행사를 보장하고 있다(제439조 제2항 본문, 제232조 제1항).

나. 자본금 감소의 목적

1) 자본금 감소의 규제

상법에서는 자본금 감소에 관한 목적 내지 동기에 관하여 아무런 제한규정을 두고 있지 않다. 따라서 자본금 감소는 자본금 증가와 마찬가지로 회사에 새로운 상황이 전개되거나 경제여건이 현저하게 변경되는 경우, 이에 적합한 자본적 기반을 정비하기 위한 목적으로 이루어진다. 하지만 자본금 증가와 달리 자본금 감소는 회사의 재산적 기초가 위축됨으로 인하여 주주 및 채권자에게 예기치 못한 손해를 유발하기 때문에, 상법은 비록 자본금 감소가 정관의 변경사항은 아니지만 엄격한 법정절차에 의해서만 가능하도록 규정하고 있다.[16] 이와 같이 자본금 감소가 주주 및 채권자의 보호를 위한 엄정한 절차에 의하여 필요 최소한의 범위에서 이루어지는 것을, 자본금의 3원칙 중에서 '자본금 불변의 원칙' 또는 '자본금 감소 제한의 원칙'이라고 한다.[17]

2) 자본금 감소의 목적

자본금 감소는 자본금에 의해 구속을 받는 회사 재산의 범위를 축소하여 자본금을 조정하기 위한 목적으로, 또는 회사의 손실로 인하여 변동되는 실질적인 회사 재산을 자본금에 일치시키기 위한 목적으로 이용된다.[18] 그리고 자본금 감소는 회사에 남아도는 과잉 자본금을 주주에게 환급하기 위해 또는 자본금의 결손을 보전하기 위해 이루어지는데, 후자의 경우에는 자본금 감소의 대가가 주주에게 지급되지 않으므로 주로 기업의 구조조정 내지 회생절차의 일환으로 진행된다.[19] 또한 자본금 감소는 회사의 합병비율의 단순화 또는 청산절차의 간소화를 위한 사전 정지작업의 수단으로 이루어지기도 하고, 상장회사가 유통주식수를 줄여서 주가를 부양하기 위한 방법으로 이용되기도 한다.[20]

---

16) 손주찬, 「상법(상)」 제15정증보판(박영사, 2004), 897면.
17) 정찬형, 「상법강의(상)」 제24판(박영사, 2021), 1193면.
18) 최기원 저·김동민 보정, 「상법학신론(상)」 제20판(박영사, 2014), 952면.
19) 권기범, 전게논문, 84면.
20) 권재열, "주식회사에서의 자본금 감소의 목적과 태양에 관한 소고," 「상사법연구」 제19권

그 밖에 특정 주주의 동의에 의한 불평등한 자본금 감소를 통하여 대주주 상호간의 지분비율을 조정하기 위한 편법으로 악용되기도 하는데, 이러한 경우는 「상속세 및 증여세법」에서 엄격하게 규율하고 있다(동법 제39조의2).[21] 또한 파산회사나 청산회사의 경우에도 상법 소정의 법정절차에 의하기만 하면, 파산이나 청산의 목적에 반하지 않는 범위에서 자본금을 감소할 수 있다.[22] 한편 독일 주식법에서는 주주총회에서 자본금 감소의 결의를 하는 경우 그 목적을 정확하게 명시하도록 요구하고 있다(동법 제222조 제3항). 하지만 우리나라 상법의 경우 자본금 감소의 목적에 관하여 아무런 규정을 두고 있지 않기 때문에, 이사회는 자본금 감소의 사유를 정확하게 명시할 필요가 없고,[23] 대략적인 목적 내지 필요성의 적시만으로 주주총회의 의안으로 상정할 수 있다.[24]

2. 자본금 감소의 유형

가. 액면주식의 경우

1) 실질적 감자와 명목상 감자

가) 서 설

자본금 감소는 자본액이 감소함에 따라 순자산도 함께 감소하는지 여부를 기준으로 하여, 실질적 자본금 감소와 명목상 자본금 감소로 분류된다.[25] "실질적 감자"란 자본금을 줄이면서 발생한 일정 금액을 주주에게 돌려줌으로써 순자산도 함께 감소시키는 형태로서, '유상감자'에 해당한다. 이에 반하여 "명목상 감자"란 계산상으로만 자본금의 액수를 줄일 뿐 순자산이 사외로 유출되지 않고 그대로 유지되는 형태로서, '무상감자'에 해당한다.[26] 실무적으로 자본금 감소는

제3호(한국상사법학회, 2001), 285면.

21) 「상속세 및 증여세법」에 의하면, 법인이 자본을 감소시키기 위하여 주식이나 지분을 소각할 때 일부 주주의 주식 또는 지분을 소각함으로써 그의 대통령령으로 정하는 특수관계인에 해당하는 대주주가 이익을 얻은 경우에는 그 이익에 상당하는 금액을 그 대주주의 증여재산가액으로 한다(동법 제39조의2 제1항).

22) Lutter in Kölner Kommentar, §247 Rdn. 10; RGZ 152, 114; 최기원, 전게서, 895면.

23) K. Schmidt, Gesellschaftsrecht, 3. Aufl., Heymann(2002).

24) 동지: 권기범, 전게논문, 85면.

25) 본서에서는 실질적인 자본금 감소를 '실질적 감자'라 하고, 명목상의 자본금 감소를 '명목상 감자'라 명칭하기로 한다.

26) 이철송, 전게서, 956면; 정찬형, 전게서, 1193면.

회사의 결손을 전보하기 위한 명목상 감자가 대부분이지만, 자본금의 일부 환급을 위한 실질적 감자도 적지 않게 이루어지고 있다.[27]

나) 실질적 자본금 감소

"실질적 자본금 감소"(effektive Herabsetzung)란, 회사의 법률상 자본금을 감소하기 위하여 규모를 줄인 자본금만큼 실제로 회사의 재산을 감소시키면서 발생한 금액을 주주에게 반환해주는 것을 말한다.[28] 이와 같은 자본금 감소는 ⅰ) 사업규모에 비해 현재의 자본금이 과다하게 계상되어 있는 회사가 이를 축소하기 위하여 그 과잉재산의 일부를 주주에게 돌려주는 경우, 또는 ⅱ) 해산이 예정된 회사가 청산절차를 간편하게 하기 위해 영업규모를 축소하면서 감소되는 금액을 주주에게 돌려주는 경우 등에 이용된다.[29] 그리고 ⅲ) 합병에 의해 소멸되는 회사의 재산 규모가 거대하여 그 주주들이 존속회사로부터 받는 지분이 커지는 것을 방지하기 위하여 합병 전에 소멸회사의 자본금을 감소시키는 경우, 즉 합병당사회사의 자산상태의 조정을 위한 수단으로 이용되기도 한다.[30] 그 밖에 ⅳ) 외국인이 투자한 기업에서 투자금을 환수하기 위하여 공식적인 이익배당을 하지 않고 대규모의 유상감자를 하는 경우, 즉 자본금의 환급을 위한 방법으로도 이용된다.

한편 '실질적 감자'의 경우에는 회사의 자본금이 감소되는 동시에 회사의 재산도 현실적으로 줄어들게 되어 결국 회사의 규모가 축소된다.[31] 실제로 회사의 자본금이 현존하는 재산보다 낮은 수준으로 감소하게 되면, 회사는 자본금의 구속으로부터 해방된 재산에 관하여 처분의 재량권을 갖게 되고, 이를 이용하여 재무관계에서 자산운용의 탄력성을 제고할 수 있게 된다. 구체적으로 회사는 이러한 여유 재산을 주주에게 반환하거나 일정한 절차를 거쳐 이익잉여금으로 전환할 수 있고, 일정한 이익배당률을 유지하면서 배당률의 상향조정을 통하여 주주에 대한 이익배당을 확대할 수 있으며, 장래에 발생할 수 있는 손실의 전보를

---

27) 정동윤, 「회사법」 제6판(2000), 660면; 이기수, 「회사법학」 제4판(박영사, 1999), 497면.
28) 예컨대, 총자산 12억원, 부채 2억원, 자본금 10억원인 회사가 규모를 축소하기 위해 자본금을 7억원으로 줄이고 3억원을 주주에게 반환하면, 회사의 자본금은 7억원으로 줄면서 동시에 현금 3억원이 사외로 유출되는데, 이것이 바로 '실질적 감자'이다.
29) 김동민, 전게논문, 226면.
30) 이철송, 전게서, 956면.
31) 송옥렬, 「상법강의」 제5판(홍문사, 2015), 871면; 손주찬, 전게서, 897면.

위한 예비적인 자금으로도 활용할 수 있다.[32)]

다) 명목상 자본금 감소

"명목상 자본금 감소"(rechnungsmäßige Herabsetzung)란, 회사의 재산이 자본결손 등으로 이미 감소되어 회사의 자본금을 하회하고 있는 경우에, 이러한 불일치를 시정하여 회사의 재산과 자본금이 일치하도록 법률상 자본금을 감소시키는 것을 말한다.[33)] 명목상 감자의 경우에는 주주에게 실제로 주금의 일부를 반환하지 않고 계산상으로만 자본금을 감소시키기 때문에, 이를 "계산상 자본금 감소"(Buchsanierung)라고도 한다. 일반적으로 회사의 자산에 상당하는 규모의 자본결손이 발생하여 당분간 회복될 가능성이 없게 되면, 이익배당이 사실상 불가능하게 되고 회사의 신용도 함께 하락하기 때문에, 이를 방지할 목적으로 자본금을 순자산에 접근시키는 형태의 명목상 감자가 행하여진다.[34)]

구체적으로 ⅰ) 회사의 자본결손 등으로 인하여 향후 주가의 지속적인 하락이 예상되는 경우, 또는 ⅱ) 회사의 주가가 액면가를 하회하는 상태가 되어 액면미달의 신주를 발행을 할 수 없는 경우(제330조 본문), 이를 극복하기 위한 방법으로 이용된다.[35)] 그 밖에 ⅲ) 명목상 감자를 통하여 주식의 실질가치를 액면가에 근접시킨 후 신주를 액면가로 발행하여 종전의 자본금 규모에 상응하는 순자산을 유입시키는 경우, 즉 명목상 감자와 신주발행을 결합함으로써 부실기업을 재건하기 위한 수단으로 이용되기도 한다.[36)] 한편 ⅳ)「채무자회생 및 파산에 관한 법률」에 의해 주식회사인 채무자가 기업의 회생을 위하여 자본금을 감소하는 경우(동법 제205조), 또는 ⅴ)「금융산업의 구조개선에 관한 법률」에 의해 금융위원회가 부실금융기관에 대하여 자본금 감소명령을 하는 경우(동법 제12조 제3항 및 제4항) 등에도 명목상 감자가 행하여진다.

---

32) 최기원 저·김동민 보정, 전게서, 952면.
33) 일반적으로 '자본결손'이란 회사의 순자산이 자본금과 법정준비금의 합계액에 미달하는 것을 말하는데, 실무에서는 이를 '자본잠식'이라고도 한다. 권기범, 전게서, 896면.
34) 김동민, 전게논문, 227면.
35) 최기원, 전게서, 895면; 최준선, 전게서, 713면.
36) 이철송, 전게서, 956면.

2) 통상적 감자와 결손보전 감자

가) 통상적 자본금 감소

"통상적 자본금 감소"란 위에서 언급한 실질적 감자와 명목상 감자를 말하는데, 2011년 개정상법에서는 통상적 감자와는 전혀 다른 절차에 의하여 자본금을 감소시키는 유형으로서, '결손의 보전을 위한 자본금 감소' 제도를 도입하였다(제438조 제2항).[37] 일반적으로 '명목상 감자'는 회사의 재산이 자본결손 등으로 이미 감소되어 자본금을 하회하고 있는 경우, 자본금을 회사의 재산에 접근시키기 위하여 계산상으로만 자본금을 감소하는 것인데, 이는 자본결손의 보전을 위한 경우와 그 이외의 목적을 위한 경우로 나누어진다. 결국 "결손보전 감자"는 명목상 감자 중에서 특히 자본결손을 보전하기 위한 목적으로 행하여지는 자본금 감소를 별도로 분리하여 새롭게 입법한 것이다.

한편 '통상적 감자'의 경우에는 주주 및 채권자의 보호를 위하여 주주총회의 특별결의가 있어야 하고 동시에 채권자 보호절차를 밟아야 하지만(제438조 제1항, 제439조 제2항 본문), '결손보전 감자'의 경우에는 이들에 대한 보호의 필요성이 존재하지 않기 때문에 주주총회의 보통결의로 충분하고 별도의 채권자 보호절차를 요하지 아니한다(제438조 제2항, 제439조 제2항 단서).

나) 결손보전을 위한 자본금 감소

(1) 의 의

주식회사의 자본금은 물적회사의 기초인 자산의 확보를 위한 기준이면서 동시에 회사의 신용을 담보하는 기능을 수행하기 때문에, 그 감소를 위하여는 법정의 엄격한 절차가 필요하다. 그리하여 구 상법에서는 실질적 감자와 명목상 감자를 구분하지 아니하고 어느 경우에나 주주총회의 특별결의 및 채권자 보호절차를 요구하고 있었다. 그러나 명목상 감자 중에서 "자본결손의 보전"을 위한 감자의 경우에는, 자본금 계정간의 수치조정만 이루어질 뿐이고 주주에게 출자액이 환급되지 않아서 회사의 자산이 사외로 유출되는 일이 없는 관계로, 영업재산의 감축에 의한 '일부청산'의 문제가 발생하지 않기 때문에,[38] 주주총회의

---

37) 본서에서는 통상적인 자본금 감소를 '통상적 감자'라 하고, 결손의 보전을 위한 자본금 감소를 '결손보전 감자'라 명칭하기로 한다.

38) 실질적 감자에 대하여 주주가 갖는 이해관계의 성격은 '회사의 일부 청산'이라고 할 수 있다. 江頭憲治郎, 「株式會社法」 第7版(有斐閣, 2017), 695面.

결의요건을 가중시킨 승인을 받을 필요가 없다.[39) 또한 이러한 형태의 명목상 감자의 경우에는, 자본금이 계산상으로만 줄어들고 회사의 순자산이 외부로 유출되지 않는 관계로, 채권자에 대한 책임재산으로 기능하는 실제 자산에는 변동이 없어서 채권자의 이익이 침해되지 않기 때문에, 별도의 채권자 보호절차를 거쳐야 할 필요가 없다.[40)

즉 결손보전을 목적으로 하는 명목상 감자의 경우에는, 실질적 감자 또는 일반적인 명목상 감자와 비교하여 주주 및 채권자의 이해관계에 미치는 영향이 사실상 없다. 그리하여 2011년 개정상법에서는 위와 같은 불필요한 절차를 거치면서 발생하는 비효율을 제거하기 위하여, '결손보전을 위한 감자'는 주주총회의 보통결의로 가능토록 하면서 채권자 보호절차를 면제하는 규정을 신설한 것이다(제438조 제2항, 제439조 제2항 단서).[41)

(2) 연 혁

우리 상법의 "결손보전 감자"는 연혁적으로 일본 회사법에서 규정하고 있는 '결손보전 목적의 감자'(동법 제309조 제2항)를 참고하여 만들어진 제도이다. 그러나 일본의 경우 결손보전 목적의 감자를 위한 주주총회의 의사결정은 그 결의요건을 보통결의로 완화하고 있지만, 채권자에 대한 보호절차는 그대로 유지하고 있다(동법 제449조 참조). 이러한 점에서 채권자에 대한 보호절차를 생략하고 있는 우리 상법의 '결손보전 감자'와 구별된다. 한편 독일 주식법에서는 자본금 감소를 '통상적 자본금 감소'(ordentliche Kapitalherabsetzung)와 '간이 자본금 감소'(vereinfachte Kapitalherabsetzung)로 구분하고 있다. 이 경우 통상적 자본금 감소는 우리 상법의 유상감자에 해당하는 성질을 갖고 있으며, 간이 자본금 감소는 우리 상법의 무상감자와 유사한 성질을 갖고 있다. 따라서 통상적 자본금 감소에서는 회사의 실제 재산이 감소하므로 채권자 보호절차가 필요하지만(동법 제225조 내지 제228조), 간이 자본금 감소에서는 이러한 재산의 감소가 없으므로 채권자 보호절차가 요구되지 않는다(동법 제229조 내지 제236조).[42) 우리 상법은 이러한 독일 주식법의 영향을 받아 '결손보전 감자'의 경우에 채권자 보호절차를

---

39) 이철송, 전게서, 957면.
40) 동지: 홍복기 외7인, 「회사법 – 사례와 이론」 제4판(박영사, 2015), 523면.
41) 김동민, 전게논문, 229면.
42) 이철송, 전게서, 958면.

배제시킨 것으로 판단된다.[43]

(3) 통상적 감자와의 차이점

상법상 "결손보전을 위한 감자"는 자본결손의 보전을 목적으로 하지 않는 단순한 명목상 감자와 비교하여 그 개념을 명확히 정의할 필요가 있다. 즉 '결손보전 감자'란 회사의 결손액과 일치하는 금액의 자본금을 무상으로 감소시키는 행위를 말한다. 따라서 결손보전 감자가 성립되기 위하여는, ⅰ) 자본금 감소에 의해 주주에게 감자의 대가가 지급되지 않아야 하고, ⅱ) 보전되는 결손액과 감소되는 자본금이 반드시 일치하여야 한다. 예컨대 보전되는 결손액보다 감소되는 자본금이 더 많게 되면 감자차익이 발생하여 회사의 재무구조가 개선되지만, 이러한 경우는 결손보전을 위한 감자가 아니고 통상적 자본금 감소이므로, 결손보전 감자에 관한 특칙이 적용되지 않고 원칙으로 돌아가서 주주총회의 특별결의를 거친 후 채권자 보호절차를 밟아야 한다.[44]

예컨대, 총자산 9억원, 부채 2억원, 자본금 10억원인 A회사가 3억원의 자본결손을 보전하기 위해 무상으로 3억원을 감자하면, A회사의 재산상태는 총자산 9억원, 부채 2억원, 자본금 7억원이 되는데, 이것이 바로 '결손보전 감자'이다. 한편 A회사와 동일한 대차대조표를 갖고 있는 B회사에서 3억원의 자본결손을 보전하기 위해 무상으로 4억원을 감자하면, B회사는 자본금이 6억원으로 되어 결손을 전보하고 1억원의 감자차익이 발생하는데 이를 자본준비금으로 적립하여야 한다. 이러한 감자에 의하면 3억원의 자본결손이 전보됨은 물론이고 오히려 1억원의 이익이 발생하기 때문에, 감자 후 B회사의 재무구조는 A회사의 재무구조보다 상대적으로 우량해 보인다. 하지만 B회사의 경우, 책임재산의 보전 측면에서 준비금 1억원은 자본금 1억원과 비교하여 유동적인 자산이므로 B회사의 채권자는 A회사의 채권자에 비해 불리한 지위에 있게 되고, 또한 회사의 자본구조 측면에서 B회사는 A회사보다 1억원 적은 자본금을 보유하게 되므로 B회사의 주주도 A회사의 주주에 비해 1억원만큼 주식가치가 하락되는 불이익을 받게 된다. 결국 A회사의 자본금 감소는 오로지 결손의 보전만을 목적으로 하는데 반하여, B회사의 자본금 감소는 감자차익의 발생을 통한 기업의 신용도 제고까지 목적으로 한다. 그리하여 B회사의 감자에 대하여는 결손보전 감자를 위한 특칙

---

43) 이철송, 「개정상법 – 축조해설」 제1판(박영사, 2011), 186면.
44) 이철송, 전게서, 957면.

이 적용되지 아니하고, 통상적 자본금 감소에 관한 규정이 적용된다.[45]

나. 무액면주식의 경우

1) 무액면주식 제도의 도입

가) 도입의 배경

상법에 의하면 주식회사의 자본금은 원칙적으로 발행주식의 액면총액이므로 (제451조), 특정 회사의 발행주식총수와 액면가를 알고 있으면 당해 회사의 자본금을 명확하게 산출할 수 있다. 또한 상법은 자본금 충실의 원칙을 준수하기 위하여, 유상증자에 의해 신주를 발행하는 경우 그 발행가액은 액면가 이상이어야 하는 것으로 규정하고 있다(제330조, 제417조). 그러나 증권시장에서 주식의 가격이 폭락하여 액면가에 미달하는 주가가 형성된 회사의 경우, 기업의 부실을 극복하기 위한 수단으로 자본금의 조달을 위하여 유상증자를 계획하고 있더라도 상법상 엄격하게 제한하고 있는 액면미달발행의 금지규정으로 말미암아 자본조달에 어려움을 겪게 된다.[46]

그리하여 경영상 자본조달의 애로에 직면한 기업이 재정적 압박에서 벗어나고 재무구조의 부실을 극복하기 위해 유상증자를 하는 경우, 원활한 자금조달이 이루어질 수 있도록 지원해주기 위하여 2011년 개정상법에서 무액면주식 제도를 도입하였다. 무액면주식을 발행한 회사는 액면미달발행의 제한을 받지 않고 수권자본의 범위 내이기만 하면 유상증자를 할 수 있으며, 주식의 분할이나 병합의 절차가 용이하게 이루어져서 기업의 구조조정이나 M&A 등의 활성화를 도모할 수 있고 주가관리의 효율성을 제고할 수 있게 된다.[47]

나) 액면주식과의 비교

일반적으로 "액면주식"이란 정관에서 1주의 금액인 액면가(주금액, 권면액)를 정하여 주권에 그 액면가와 주식의 수가 기재되어 있는 주식을 말하고,[48] "무액면주식"(No-par value stock, nennwertlose Aktien)이란 액면가가 존재하지 않아

---

45) 동지: 이철송, 전게서, 957~958면.
46) 김동민, 전게논문, 227면.
47) 나승성, "개정상법상의 무액면주식제도에 관한 법적 검토,"「기업법연구」제25권 제3호(한국기업법학회, 2011), 77면.
48) 이효경, "무액면주식의 활성화를 위한 법적 문제점과 해결방안,"「상사법연구」제24권 제3호(한국상사법학회, 2014), 298면.

서 주권에 액면가의 기재 없이 자본금에 대한 비율과 주식의 수만 기재되어 있는 주식을 말한다.[49] 따라서 회사에 대한 주주의 지위는 '액면주식'의 경우 액면가와 발행주식총수에 의해 표창되지만, '무액면주식'의 경우 균등한 크기로 세분화된 비율적 단위 즉 발행주식총수에 대한 주주의 지분비율에 의해 표창된다. 그리하여 주식의 단위도 '액면주식'에 있어서는 1주의 금액인 액면가에 의해, '무액면주식'에 있어서는 주식의 개수에 의해 각각 일정한 단위로 균등하게 세분화되어 있다.[50] 한편 '액면주식'의 경우 액면가는 신주발행시 주금액의 최저한도가 되므로 액면미달발행을 할 수 없는 제한을 받지만, '무액면주식'의 경우 액면가가 존재하지 않아서 이러한 제한이 없기 때문에 액면미달발행의 제한 없이 자금조달을 원활하게 할 수 있다. 그 밖에 '액면주식'의 경우에는 액면가에 발행주식수를 곱한 금액 즉 발행주식의 액면총액이 자본금으로 되기 때문에, 액면가 또는 주식수의 변경은 즉시 자본금의 증감으로 반영된다. 하지만 '무액면주식'의 경우에는 액면가가 없어서 주식과 자본금의 견련관계가 발생하지 않는 관계로, 자본금의 증감 또는 주식수의 변경을 각각 별개로 행할 수 있기 때문에, 자본금 감소나 합병에 의한 자본금의 증감, 또는 주식의 분할 및 병합에 의한 주식수의 변경 등이 탄력적으로 이루어지게 된다.[51]

2) 실질적 감자의 가능성

가) 서 설

"액면주식"을 발행한 회사의 경우, 자본금을 감소시키기 위해서는 발행주식의 액면총액을 감소시키면 되므로, 회사의 재무상황 및 감자의 목적에 따라 실질적 감자 또는 명목상 감자가 모두 가능하다. 즉 발행주식의 액면총액이라는 산술적 계산에 의해 회사의 자본금이 산출되기 때문에(제451조 제1항), 자본금을 감소하는 경우에는 '액면가의 감액'이나 '발행주식수의 감소' 또는 양자의 병용 등의 방법을 모두 이용할 수 있다. 그러나 "무액면주식"을 발행한 회사의 경우, 액면가가 존재하지 않아서 발행주식의 액면총액의 감소라는 개념을 상정할 수 없기 때문에, 자본금을 감소시키기 위해서는 '액면가의 감액'을 하는 방법은 불

---

49) 小林量, "無額面株式制度に關する一考察," 「民商法雜誌」 第89卷 第1號(有斐閣, 1983), 19面.
50) 大隅建一郎, "額面株式と無額面株式," 「民商法雜紙」 第85卷 第3號(有斐閣, 1981), 373面.
51) 동지: 김순석, "무액면주식 제도 도입에 따른 법적 쟁점," 「저스티스」 통권 제127호(한국법학원, 2011), 174면.

가능하고 오직 '발행주식수의 감소'를 하는 방법을 이용할 수밖에 없다. 그리하여 무액면주식을 발행한 회사에 있어서도 액면주식의 경우에 액면가의 감액을 통하여 자본금 감소를 하는 것과 동일한 효과를 발생시킬 수 있는 실질적 감자가 가능한지가 문제된다.

나) 학설의 대립

(1) 실질적 감자 부정설

무액면주식을 발행한 경우에는 주식의 수와 연계 없이 자본금 자체만 감소시키는 방법으로 자본금의 감소가 이루어지기 때문에, 실제로 회사의 재산을 감소시키면서 발생한 금액을 주주에게 반환해주는 실질적 감자는 있을 수 없고, 따라서 액면주식을 발행한 경우에만 비로소 실질적 감자와 명목상 감자의 분류가 가능하다고 한다.[52] 즉 무액면주식을 발행한 회사의 경우에는 주식과 자본금의 관계가 단절되기 때문에, 발행주식수를 줄이지 않고도 주주총회의 결의만으로 자본금을 감소시킬 수 있다고 한다(제483조 참조). 동 견해에서는 그 구체적 논거로서, i) 무액면주식을 발행한 회사의 경우 주식 발행가의 일부 또는 전부를 자본금으로 계상한 후에는 주식의 수량은 자본금과 관련하여 하등의 구속을 받지 않으므로, 신주발행시를 제외하고는 자본금을 증감시킴에 있어 반드시 주식수의 증감을 수반할 필요가 없다고 한다.[53] 또한 ii) 무액면주식을 발행한 회사의 경우 주식의 병합이나 소각에 의한 자본금 감소는 주식수를 감소시킴으로써 단주가 발생하게 되기 때문에, 실질적 감자 유형의 자본금 감소는 인정할 필요가 없다고 한다.[54]

(2) 실질적 감자 긍정설

무액면주식을 발행한 회사가 자본금 감소를 하는 경우에는 주식의 수와 연계 없이 자본금만을 감소시키지만, 이 경우에도 주주에게 일정한 금액을 지급해주는 실질적 감자와 그렇지 않은 명목상 감자가 모두 가능하다고 한다.[55] 생각건

---

52) 이철송, 전게서(2021), 960면.: 동 견해에서는 무액면주식을 발행한 회사에서 실질적 감자와 동일한 효과를 누리는 방법으로는 자기주식을 취득하거나(제341조 제1항) 자본금 감소 후 늘어난 배당가능이익을 재원으로 배당을 하는 방법이 있다고 한다.
53) 이철송, 「개정상법 – 축조해설 –」 제1판(박영사, 2011), 68면.
54) 정순형, "주식회사의 자본조달 편의성 제고를 위한 방안 – 무액면주식제도의 도입론을 중심으로 –," 조선대학교 대학원 박사학위논문(2006), 121면.
55) 홍복기 외7인, 전게서, 526면.

대, 무액면주식을 발행한 회사는 발행주식수를 줄이지 않고도 자본금 감소를 할
수 있으며, 경우에 따라서는 주식수의 감소가 필요할 수도 있다.[56] 감자 이후의
자본금이 주식 발행가액의 1/2 미만인 경우, 위법한 감자가 되지 않기 위해서는
주식을 소각하거나 병합하여 발행주식수를 감소시켜야 하므로, 이러한 경우에는
발행주식수를 감소시켜야 비로소 자본금 감소를 할 수 있기 때문이다.[57] 또한
무액면주식의 경우 발행주식총수와 자본금의 액은 직접적인 관련성이 없기는 하
지만, 자본금을 발행주식총수로 나눈 '주당 자본금'의 개념은 존재하기 때문에,
액면주식의 경우와 마찬가지로 자본금을 감소시키면서 주주에게 일정한 금액을
지급하는 실질적 감자도 가능하다. 즉 무액면주식의 경우 이사회에서 회사의 자
본금을 주식 발행가액의 2분의 1 이상의 금액으로 정한 후에도, 자본금을 발행
주식총수로 나눈 비례 금액이 액면가와 유사한 성질을 갖게 되는 관계로 주식과
자본금 사이에는 여전히 일정한 관련성이 내재되어 있으므로, 액면주식과 동일
한 입장에서 실질적 감자도 가능하다고 본다.

3. 자본금 감소의 방법

가. 총　설

1) 액면주식의 경우

가) 감자의 방법

　액면주식을 발행한 회사의 경우 자본금은 발행주식의 액면총액이므로(제451
조), 자본금의 감소는 주금액(주식의 액면가)을 감소하는 방법, 주식수를 감소하
는 방법, 양자를 병행하는 방법으로 가능하다. 어떠한 방법에 의하여 자본금 감
소를 하더라도 주주평등의 원칙에 따라야 하기 때문에, 회사는 모든 주식을 평
등하게 취급하여 자본금 감소의 절차를 진행해야 한다.[58] 한편 회사가 종류주
식을 발행하는 때에는 정관에 다른 정함이 없는 경우에도 주식의 종류에 따라

---

56) 무액면주식을 발행한 회사의 경우에도 주식의 소각이나 병합 등의 방법을 이용하여 필요한
　　주식수를 감소시킴으로써 자본금을 감소할 수 있는데, 그 구체적인 절차와 방법에 관하여는
　　주식의 소각 및 병합에 관한 상법 규정이 그대로 적용된다.
57) 동지: 홍복기 외7인, 전게서, 526면; 김동민, 전게논문, 233면.
58) 최기원, 전게서, 896면; 정찬형, 전게서, 1194면; 최준선, 전게서, 713면.

주식의 병합이나 분할 및 소각 등으로 인한 주식의 배정에 관하여 특수하게 정할 수 있다(제344조 제3항). 따라서 회사가 종류주식을 발행한 경우에도 주주평등의 원칙이 적용되어야 하지만, 예외적으로 종류주주총회의 승인결의(제436조)가 있으면 자본금 감소를 위한 주식의 병합이나 소각에 있어서 당해 종류주식에 대한 차별 취급이 가능하다(제344조 제3항).

나) 자본금 자체의 감소의 가능 여부

액면주식의 경우에 주금액의 감소방법 이외에 자본금 자체의 감소방법이 가능한지가 문제된다. 이와 관련하여 일본에서는 2001년의 상법 개정에 의하여 비로소 무액면주식 제도가 도입되어 주식과 자본금의 관계가 단절되었기 때문에, 개정상법 이전에는 액면주식이 발행된 경우에도 자본금 자체의 감소에 의한 감자방법이 가능하다는 견해가 있었다.[59] 그리하여 일본의 1981년 개정상법에서는 액면주식에 관하여 그 권면액을 초과하는 금액만을 자본금으로 전입할 수 있도록 하였으며, 그 결과 액면주식에 있어서도 자본금 자체의 감소에 의한 감자방법이 허용되는 것으로 해석하였다.[60] 그러나 우리 상법의 경우 무액면주식은 별론으로 하더라도 액면주식에 있어서는 주식회사의 감자를 자본금 자체의 감소방법에 의하게 되면, 자본금이 액면주식의 권면액 총액을 하회하게 되어 자본금충실의 원칙에 반하게 되므로 인정할 수 없다고 본다.[61]

2) 무액면주식의 경우

가) 감자의 방법

무액면주식을 발행한 회사의 경우 주식수의 감소에 의한 자본금 감소는 가능하지만, 액면주식의 경우에 인정되는 주금액의 감소에 준하는 방법으로 자본금을 감소할 수 있는지가 문제된다. 그리하여 무액면주식을 발행한 회사의 경우 액면주식을 발행한 회사에서의 주금액의 감소에 의한 자본금 감소와 유사한 방법으로, 즉 자본금 자체의 감소에 의한 방법으로 자본금을 감소할 수 있는지에 관하여는 견해가 대립하고 있다.

---

59) 石井照久, 「會社法(下)」(勁草書房, 1967), 268面.
60) 服部榮三, "額面株式と無額面株式に關する改正とその影響," 「商事法務」 第919號(1981), 11面.
61) 김지환, "상법상 무액면주식제도에 관한 법적 쟁점 검토," 「법학연구」 제23권 제2호(2012), 157면.

나) 자본금 자체 감소 가능성

(1) 부정설

무액면주식의 경우에는 주식의 액면가가 존재하지 않으므로 액면가의 조정에
의한 자본금 감소가 있을 수 없음은 물론이고, 자본금과 주식이 연결되어 자본
금을 구성하는 것도 아니므로 자본금 감소를 위한 주식의 병합이나 소각도 아무
런 의미가 없다고 한다.[62)] 즉 권면액이 없는 무액면주식에서는 액면주식에서와
같은 자본금과의 견련관계가 존재하지 않아서 자본금의 증감과 주식수의 증감은
연동되지 않기 때문에,[63)] 주식의 병합이나 소각으로 자본금이 감소되는 것은 아
니라고 한다.[64)] 회사가 자본금 감소의 의사결정을 하게 되면 그만큼 자본금이
감소하게 될 뿐이므로, 회사는 자본금 감소를 계기로 주식을 소각하거나 병합할
수도 있지만, 이는 양자의 단순한 병행에 불과하고 주식의 병합이나 소각으로
인해 자본금이 감소되는 것은 아니라고 한다.

또한 무액면주식을 발행한 회사의 경우 자본금은 주식수와 무관하므로 자본
금 감소를 함에는 주식을 소각하거나 병합하는 절차는 물론이고(제440조) 주권
에 관한 처리절차도 불필요하며. 주주총회에서 감소되는 자본금 규모를 결정하
고 채권자보호절차를 밟으면 족하다고 한다. 그리고 주식의 소각이나 병합 등의
처리가 필요하지 않은 관계로 자본금 감소의 효력발생일에 관한 상법 제441조
본문이 적용될 일도 없기 때문에,[65)] 자본금 감소를 위한 주주총회의 결의에서
자본금 감소의 효력발생일을 따로 정해야 한다고 해석한다.[66)] 또한 주주총회가
정한 효력발생일에 아직 채권자 보호절차가 종료되지 않은 경우에는 상법 제441
조 단서를 유추적용하여[67)] 채권자 보호절차가 종료한 때에 자본금 감소의 효력
이 생기는 것으로 해석하고 있다.[68)]

---

62) 이철송, 전게서, 960면.

63) 준비금의 자본전입, 자본감소, 합병 등에 의한 자본의 변경이나 주식의 분할 및 병합에 의
    한 주식수의 변경이 극히 탄력적으로 행할 수 있게 된다. 大森忠夫・實澤惇 編集(松岡誠之
    助 執筆), 「注釋會社法(3)」(有斐閣, 1973), 20面.

64) 임재연, 「회사법(Ⅰ)」(박영사, 2020), 710면; 이철송, 전게서, 960면.

65) 이철송, "2011 개정상법의 정책적 및 기술적 오류," 「증권법연구」 제13권 제2호(2012), 30
    면.

66) 일본 회사법 제447조 제1항 제3호 참조.

67) 일본 회사법 제449조 제6항 단서 참조.

68) 즉 무액면주식을 발행한 회사에서, i) '실질적 감자'를 하는 경우에는 주주총회에서 감소될
    자본금의 크기를 정하여 특별결의를 거친 뒤 채권자 보호절차가 종료하면 감자의 효력이

(2) 긍정설

무액면주식의 경우에도 '주당 자본금'의 개념이 존재하기 때문에 자본금을 감소시키는 방법은 액면주식의 경우와 다르지 않고, 따라서 단순히 자본금의 액을 임의로 낮추는 방법과 발행주식총수를 줄이는 방법이 모두 가능하다고 한다.[69] 그 근거로서 무액면주식의 경우에 자본금을 발행주식총수로 나눈 1주당 자본금의 개념은 여전히 존재하므로, 주식의 병합이나 소각을 통하여 발행주식총수를 줄이는 방법 또는 발행주식총수는 그대로 두고 1주당 자본금의 액을 낮추는 방법으로 자본금을 감소할 수 있다고 한다.[70] 또한 자본금의 액을 무액면주식의 총수로 나눈 금액, 즉 무액면주식의 비율에 해당하는 금액은 액면주식의 주금액에 상응하는 것이므로, 발행주식총수 자체를 감소시키는 자본금 감소가 가능하다는 견해도 이와 동일한 맥락으로 이해된다.[71]

(3) 소 결

무액면주식을 발행한 회사의 경우 자본금의 액은 회사설립시에는 발기인 전원의 동의로 정하고(제291조 제3호), 신주발행시에는 이사회 또는 주주총회가 정한다(제416조 제2호의2). 이와 같이 자본금의 액은 회사가 임의로 결정하기 때문에, 액면주식이 발행된 회사의 경우와 달리 매번 발행되는 주식마다 적립되는 자본금이 달라지게 되고, 주식발행이 여러 차례 이루어지면 회사의 자본금은 발행주식총수와는 무관한 임의의 숫자에 불과하게 된다. 하지만 무액면주식의 경우에도 여전히 회사의 자본금의 액을 발행주식총수로 나눈 '주당 자본금'의 개념은 존재할 수 있기 때문에,[72] 무액면주식의 경우에도 자본금 감소의 방식은 액면주식의 경우와 다르지 않다고 해석하는 것이 타당하다.[73] 이 경우 자본금의 액을 임의로 줄이는 방식은 액면주식이 발행된 회사에서 액면가를 낮추는 방법

발생하고, ⅱ) '결손보전 감자'를 하는 경우에는 주주총회에서 감소될 자본금의 크기를 정하여 보통결의를 거치면 감자의 효력이 발생한다고 해석한다.

69) 송옥렬, "2011년 개정 회사법의 해석상 주요쟁점 — 기업재무 분야를 중심으로 —,"「저스티스」통권 제127호(2011), 48면.
70) 김홍기, "2011년 개정상법 및 동법시행령상의 회사재무분야의 주요쟁점과 해석 및 운용상의 과제,"「기업법연구」제26권 제1호(2012), 110면.
71) 송종준, "상장회사의 자기자본질서의 변화와 법적 과제,"「한국상사법학회 하계학술대회 자료집」(2012), 227면.
72) 송옥렬, 전게논문, 488면.
73) 동지: 정찬형, 전게서, 1168면.

과 유사한 것으로 이해하면 된다. 물론 주식의 병합이나 소각 등의 방법으로 발
행주식총수를 줄이면서 이와 동시에 자본금의 액 자체도 줄여서 그에 상응하는
주당 자본금의 액을 감소시키는 것도 가능하다. 어느 경우이든 그 절차는 주주
총회의 특별결의(제438조)와 채권자에 대한 보호절차(제439조) 등에서 정하는 바
에 따르면 된다.

결론적으로 무액면주식이 발행된 경우에 주식과 자본금은 비록 직접적인 관
련성은 없지만 최소한 '주당 자본금'의 개념은 존재하기 때문에, 자본금 감소는
액면주식의 경우에 액면가를 낮게 정하는 방법과 마찬가지로, 무액면주식의 경
우에는 자본금 자체의 감소에 의한 방법으로 가능하다고 해석하는 것이 논리적
이다.74) 독일 주식법의 경우에도 주식의 소각이나 병합 이외에 무액면주식에 대
하여 기본자본의 감액을 규정하고 있다.75)

나. 주금액의 감소 및 주식수의 감소

1) 주금액의 감소(자본금 자체의 감소)

가) 액면주식의 경우

(1) 의 의

"액면주식"을 발행한 회사의 경우 주금액의 감소에 의한 자본금 감소는 정관
을 변경하여 1주의 금액 즉 '주식의 액면가를 낮게' 정하는 방법에 의해 발행주
식총수를 줄이지 않으면서 자본금을 감소할 수 있다. 이러한 경우 주금액의 감
소방법에 관하여는 상법에 규정이 없지만, 회사가 주주에게 그 뜻을 통지 내지
공고한 이후 주주로부터 주권을 제출받아서 권면액을 정정하는 절차에 의한 방
법으로 가능하다.76) 한편 주금액의 감소에 의해 자본금을 감소하는 경우 주식의
액면가는 균일해야 하기 때문에(제329조 제2항) 모든 주주에게 평등하게 주금액
의 감소가 적용되어야 한다. 또한 주식의 액면가는 최저액이 100원으로 법정되
어 있기 때문에(제329조 제3항), 자본금 감소를 위해 낮게 책정한 주금액은 100
원 이상이면서 동시에 균일하여야 한다.

---

74) 김희준, "무액면주식제도 도입에 따른 주식제도의 개선방향," 「기업법연구」 제10권 제1호
   (2013), 496면; 김지환, 전게논문, 158면.
75) 권기범, "주식회사의 자본감소에 관한 연구," 「상사법연구」 제23권 제1호(한국상사법학회,
   2004), 87면.
76) 정희철, 전게서, 542면; 정동윤, 전게서, 664면; 정찬형, 전게서, 1171면.

(2) 방 법

주금액(액면가)의 감소에 의해 자본금을 감소하는 방법으로는 i) 주금액의 일부를 반환하는 환급(cancelling, Abschreibung)과, ii) 손실에 의한 주금액을 감소하는 절기(returning, Rückzahlung)가 주로 이용된다. 첫째, '환급(還給)'이란 회사가 주금액의 일부를 주주에게 반환하고 남은 주금액을 새로운 주금액으로 정하는 것이다. 이는 주주들이 이미 납입한 주금액의 일부를 각 주주에게 반환하고 나머지 잔액을 새로운 주금액으로 계상하는 것으로서 실질적 감자의 전형적인 방법이다.[77] 그리하여 독일에서는 이러한 형태의 자본금 감소를 기업의 일부 청산(Teilliquidation)[78]이라고 한다.[79] 둘째, '절기(切棄)'란 주주가 납입한 주금액의 일부를 포기하여 주주의 손실에서 주금액을 감소시키는 것이다. 즉 기존의 주금액 중 이미 납입된 주금의 일부를 주주의 손실로써 주금액에서 삭제하여 나머지 납입액을 주금액으로 하는 방법이다. 이러한 유형은 주로 명목상 감자의 방법으로 이용된다.

나) 무액면주식의 경우

"무액면주식"을 발행한 회사의 경우 주식의 액면가가 존재하지 않기 때문에 주금액 자체를 감소할 수는 없지만, 자본금을 발행주식총수로 나눈 비례 금액이 액면주식의 주금액과 유사한 성질을 갖는 관계로 주식과 자본금 사이에는 여전히 관련성이 내재되어 있으며 자본금을 발행주식총수로 나눈 '주당 자본금'의 개념이 존재하므로, 회사가 단순히 자본금의 액을 임의로 낮추는 방법에 의해 자본금을 감소할 수 있다.[80] 그리고 주금액의 감소 또는 자본금 자체의 감소에 의한 자본금 감소의 경우에는 발행주식총수가 변동되지 않기 때문에, 주식의 총수가 변동되는 주식의 소각이나 병합에 의한 자본금 감소의 경우와 구별된다.[81] 한편 자본금 자체의 감소에 의해 감소되는 금액의 처리는, 실질적 감자의 경우에는 주주에게 감소되는 금액만큼의 환급이 이루어지게 되고, 명목상 감자의 경우에는 감소되는 금액만큼 주주의 손실로 처리하게 된다.

---

77) 최기원 저 · 김동민 보정, 전게서, 953면.
78) K. Schmidt, Gesellschaftsrecht, 3 Aufl., Heymann (2002), §902; Lutter in kölner Kommentar, Vorb. zu §222, Rdn. 2.
79) 권기범, 전게논문, 83면.
80) 정찬형, 전게서, 1168면; 송옥렬, 전게서, 873면.
81) 최기원, 전게서, 896면; 최준선, 전게서, 714면.

2) 주식수의 감소

가) 의 의

상법상 주식수의 감소에 의한 자본금의 감소는 '주식의 소각'(Einziehung von Aktien) 또는 '주식의 병합'(Zusammenlegung von Aktien)에 의한 방법으로 가능하다. 실무에서는 주식을 소각하게 되면 마치 재산이 감소되는 인상을 주기 때문에 통상적으로는 주식을 병합하는 방식을 선호하고 있다. 그러나 주식의 병합과 주식의 소각은 경제적으로 거의 유사한 효과가 발생하며, 법률적으로도 상법 제343조 제2항에서 상법 제440조 및 제441조를 준용하고 있으므로, 양자는 동일한 절차를 거치게 된다. 다만 주식의 병합과 주식의 소각은 다음과 같은 차이점을 갖고 있다. 첫째, 주식 소각의 경우 주주에게 반대급부가 지급되는 유상감자가 가능하지만, 주식 병합의 경우 원칙적으로 그러한 방법이 존재하지 않는다. 둘째, 주식 병합의 경우 병합 이후에 발생하는 단주의 처리를 통하여 소액주주의 축출 수단으로 악용할 수도 있지만, 주식 소각의 경우 대부분 소각 이후에 단주가 발생하지 않아서 이러한 가능성이 희박하다.[82]

나) 주식수 감소의 절차

액면주식을 발행한 회사의 경우, 주식수의 감소에 의해 자본금을 감소할 때에는 주식을 병합하거나 주식을 소각해야 하고, 주금액의 감소에 의해 자본금을 감소할 때에는 주금액을 감액한 신주권을 발행하여 구주권과 교환해야 한다. 주금액의 감액에 의한 자본금 감소의 방법에 관하여는 상법에 규정이 없지만, 회사가 주주에게 그 뜻을 통지 내지 공고한 이후 주주로부터 주권을 제출받아서 권면액을 정정하면 된다.[83] 즉 주금액을 감소하는 경우에는 주주로 하여금 구주권을 제출시키고 이를 신주권과 교환해주어야 하며, 그 절차와 효력발생 등은 주식의 병합에 관한 상법 제440조 내지 제442조의 규정을 유추적용한다. 이러한 주금액 감소의 경우에는 단주가 발생하지 않기 때문에, 주식의 병합이나 소각에서의 단주 처리에 관한 상법 제443조는 적용될 여지가 없다.

---

82) 송옥렬, 전게서, 872면.
83) 정희철, 전게서, 542면; 정동윤, 전게서, 664면; 정찬형, 전게서, 1105면.

다. 주식의 소각

1) 액면주식의 경우

가) 의 의

"주식의 소각"이란 회사가 발행한 주식의 일부를 절대적으로 소멸시키는 행위를 말한다.[84] 주식의 소각은 소각되는 주식의 사원권이 전부 절대적으로 소멸된다는 점에서, 사원권은 소멸되지 않고 그 내용이 변경되는데 불과한 주금액의 감소나 주식의 병합과 구별된다. 또한 주식의 소각은 주주가 소유하는 주식 중에서 특정한 일부의 주식만 소멸된다는 점에서, 회사가 발행한 모든 주식의 내용이 변경되는 주금액의 감소나 주식의 병합과 차이가 있다.[85]

나) 주식 소각의 종류

주식의 소각은 주주의 동의가 있는지 여부에 따라, 주주의 의사와 관계없이 회사가 일방적으로 주식을 소멸시키는 '강제소각'과, 회사가 주주의 동의를 받아 특정한 주식을 양수하여 소멸시키는 '임의소각'으로 분류된다. 또한 소각되는 주식에 대하여 회사의 반대급부가 이루어지는지의 여부에 따라, 대가를 지급하는 '유상소각'과 대가를 지급하지 않는 '무상소각'으로 구분된다. 특히 유상소각의 경우 그 소각의 대가는 반드시 금전이어야 하는 것은 아니기 때문에, 주주총회가 주주평등의 원칙에 어긋나지 않는 범위에서 주식소각의 방법을 결의하였다면, 그 소각의 대가는 회사가 보유하는 기타 재산이라도 무방하다.[86] 결국 주식의 소각에 의한 자본금 감소는 임의적인 유상소각, 강제적인 유상소각, 강제적인 무상소각, 임의적인 무상소각 등의 네 가지 조합의 형태로 가능하다. 이 경우 임의적인 무상소각은 상식적으로 생각할 수 없지만, 실제로는 친족 사이에서 증여를 위한 방법으로 빈번하게 이용되고 있다.[87]

---

84) 배당가능이익을 재원으로 하는 '이익소각'은 2011년 개정상법에서 폐지되었기 때문에, 현재는 이익소각 이외의 방법으로 하는 주식의 소각만 가능하다.
85) 최기원, 전게서, 896면; 손주찬, 전게서, 931면.
86) 최기원, 전게서, 897면.
87) 예컨대, 甲회사의 주식을 父가 50%, 子가 50% 소유하고 있는 경우, 父의 주식에 대하여 임의적인 무상소각을 하게 되면 甲회사 재산의 2분의 1을 父가 子에게 증여한 것과 같은 효과가 생기므로, 「상속세 및 증여세법」은 이러한 경우를 증여로 보고 과세한다(동법 제39조의2). 이철송, 전게서, 960면.

다) 주식 소각의 절차

상법은 주식 소각의 절차에 관하여는 별도로 규정을 두지 않고, 주식 병합의 절차에 관한 규정을 준용하고 있다(제343조 제2항, 제440조, 제441조). 따라서 유상소각의 경우 소각대금은 주식 소각의 효력이 발생한 후에야 지급할 수 있다. 또한 주식 소각의 경우에도 단주가 발생할 수 있는데, 그 처리는 주식 병합의 경우에서와 동일한 방법으로 해야 한다. 한편 2011년 개정상법에 의하면 회사가 주주로부터 자기주식을 취득하여 실효절차를 밟는 임의소각은 허용되지 않는다는 견해도 있지만,[88] 상법 제341조에 의해 취득한 자기주식을 상법 제343조 제1항 단서에 의해 소각하는 형태의 임의소각은 허용된다고 본다.[89]

2) 무액면주식의 경우

가) 서 설

2011년 개정상법은 기존의 정관규정에 의한 이익소각(구상법 제343조 제1항 본문)과 주주총회의 특별결의에 의한 이익소각(구상법 제343조 제1항 단서)을 폐지하고, 자본금 감소를 위한 소각(제343조 제1항 본문)과 자기주식의 소각(제343조 제1항 단서) 및 상환종류주식의 상환에 의한 소각(제345조) 등 3가지 유형의 주식소각에 관하여 규정하고 있다. 이와 같이 상법에 의하면 주식은 자기주식의 소각이나 상환주식의 상환에 의한 소각이 아닌 한 자본금 감소에 관한 규정에 따라서만 소각할 수 있는 것으로 규정하고 있기 때문에(제343조 제1항 전단), 액면주식은 별론으로 하고 무액면주식을 소각하는 경우에도 상법 제343조 소정의 자본금 감소절차를 거쳐야 하는지가 문제된다. 즉 상법에서는 액면주식과 무액면주식을 구별하지 아니하고 자본금 감소절차에 의해서만 주식의 소각을 할 수 있는 것으로 규정하고 있기 때문에, 무액면주식을 소각하는 경우에도 자본금 감소절차를 거쳐야 하는지에 관해 해석상 다툼이 있는 것이다. 이러한 논의는 무액면주식의 경우 주식과 자본금이 완전히 단절되어 있는가 아니면 어느 정도의 연결고리가 있는가에 관한 시각의 차이에서 비롯된 것이다.[90]

---

88) 송옥렬, 전게서, 874면.
89) 이철송, 전게서, 964면.
90) 김지환, 전게논문, 152면.

나) 학설의 대립

(1) 무액면주식 적용 긍정설

무액면주식의 경우 이사회에서 회사의 자본금을 주식의 발행가액의 2분의 1 이상의 금액으로 정하고 난 이후에도, 자본금을 발행주식총수로 나눈 비례 금액이 액면주식의 액면가와 유사한 성질을 갖게 되어 주식과 자본금은 여전히 관련성을 내포하고 있으므로, 상법 제343조 제1항 소정의 주식의 소각에는 액면주식의 소각은 물론이고 무액면주식의 소각도 포함되는 것으로 해석한다.[91] 그리하여 무액면주식의 소각 자체로 인해 곧바로 자본금이 감소되는 것은 아니라는 "무액면주식 적용 부정설"은 일본 회사법의 관점에서는 타당할지 모르지만, 우리나라 상법에서는 합당한 해석이 아니라는 이유로 액면주식 및 무액면주식 모두 주식의 소각에 의한 자본금 감소가 가능하다고 한다. 그리고 2011년 개정상법에서는 액면주식과 무액면주식을 구별하지 않고 주식은 자본금 감소에 관한 규정에 따라서만 소각할 수 있기 때문에(제343조 제1항 본문), 무액면주식을 소각하는 경우에도 주주총회의 결의 없이 일률적으로 자본금이 감소된다고 보기는 어렵고 자본금 감소절차(제439조)를 거쳐야 하는 것이 옳으며, 다만 무액면주식 제도의 취지를 살리기 위해서는 액면주식의 소각에서처럼 자본금 감소절차를 엄격하게 운용할 필요는 없으므로, 주주총회의 보통결의나 이사회의 결의로 주식의 소각이 가능하다고 한다.[92]

또한 주식의 소각에 의한 자본금 감소의 방식은 액면주식의 경우와 무액면주식의 경우가 다르지 않다는 전제에서, 무액면주식의 경우에는 단순히 자본금의 액을 임의로 낮추는 방법과 발행주식총수를 감소하는 방법에 의하여 액면주식의 경우와 동일한 효과를 거둘 수 있으므로, 무액면주식의 소각에 있어서도 자본금 감소절차를 경유해야 한다고 한다.[93] 그리고 무액면주식을 소각하는 경우에도 개념상 단주가 생길 수 있는데, 이러한 경우에는 액면주식의 경우와 마찬가지로 자본금 감소 규정에 의하는 것이 오히려 간편한 해결방법이라고 한다. 즉 무액면주식의 소각에 의해 단주가 발생하더라도 주식의 소각 절차와 자본금의 감소

91) 송종준, "상장회사의 자기자본질서의 변화와 법적 과제," 「한국상사법학회 하계학술대회 자료집」(2012), 229면; 김홍기, 전게논문, 110면.
92) 김홍기, 전게논문, 110면.
93) 이효경, 전게논문, 159면.

절차를 분리하여 고찰할 필요 없이 주식의 소각에 의한 자본금 감소라는 하나의 절차로 통일하여 이해하는 것이 옳은 해석이라고 한다. 한편 무액면주식을 소각하는 경우에는 주주총회의 특별결의, 채권자에 대한 보호절차, 주식의 병합절차, 단주의 처리절차 등 자본금 감소의 절차 가운데 채권자 보호절차를 제외한 나머지 절차만을 이행해야 하는 것으로 해석한다.[94]

(2) 무액면주식 적용 부정설

무액면주식의 경우 회사의 자본금은 주식발행가액의 2분의 1 이상의 금액으로 이사회에서 정하고 나면 더 이상 주식과 자본금은 관련성이 없어지기 때문에, 무액면주식의 소각 자체는 주식수의 감소만을 의미할 뿐이고 자본금의 감소를 초래하지 않는다는 이유로 상법 제343조 제1항 소정의 주식의 소각이란 액면주식의 소각만을 의미한다고 해석한다.[95] 또한 상법 제343조 제1항 단서에서는 이사회의 결의에 의하여 회사가 보유하는 자기주식을 소각하는 경우 자본금 감소에 관한 상법 규정에 의하지 않고 주식을 소각할 수 있는 것으로 규정하고 있기 때문에, 자본금 감소 규정인 상법 제343조 제1항 본문에 의한 주식의 소각은 액면주식의 소각만을 의미하고 따라서 동조 단서의 규정은 자본금 감소를 수반하지 않는 자기주식의 소각 또는 무액면주식의 소각에만 적용된다고 한다. 액면주식의 소각 자체는 자본금의 감소를 초래하지 않기 때문에 개정 상법이 구 상법 제343조 제1항 본문을 그대로 답습한 것은 무액면주식이 도입된 사실을 간과한 입법의 착오라고 하면서, 무액면주식의 소각에 대하여는 동 규정이 수정되어 적용되어야 한다고 해석한다.[96]

또한 무액면주식의 경우에는 주식과 자본금이 단절되어 있는데도 불구하고 무액면주식에 대하여도 액면주식의 액면가에 대응하는 무언가를 상정하는 사고는 무액면주식의 법리와 일치하지 않는 해석이며, 무액면주식이 소각되더라도 발행주식총수만 감소할 뿐이고 자본금의 액에는 아무런 변화가 없다는 이유로 "무액면주식 적용 부정설"이 타당하다고 한다.[97] 그리고 자본금 감소절차와의 관계에 대하여, 무액면주식이 발행된 경우에 자본금은 주식과의 관계가 단절되

---

94) 안상현, "개정상법상 무액면주식의 도입," 「BFL」 제51호(2012), 95면; 이철송, 전게서(2011), 98면.
95) 이철송, 「2011 개정상법 축조해설」 초판(박영사, 2011), 94면.
96) 이철송, 전게논문, 95면.
97) 김지환, 전게논문, 153면.

어 아무런 관련이 없기 때문에, 자본금을 감소하기 위하여는 구태여 무액면주식
을 소각하거나 병합할 필요가 없으며 구주권을 회수하고 신주권을 교부할 필요
도 없다고 한다.[98] 또한 상법에서는 주식소각의 절차에 관하여는 별도로 규정
을 두지 않고, 주식병합의 절차에 관한 규정을 준용하고 있으므로(제343조 제2항,
제440조, 제441조), 무액면주식을 소각하는 과정에서 발생한 단주에 대하여는 주
식을 병합하는 경우와 동일한 방법으로 처리하면 된다고 한다. 한편 무액면주식
의 경우는 주식과 자본금의 관계가 완전히 단절되어 있기 때문에, 무액면주식의
소각은 반드시 자본금 감소를 초래하는 것은 아니고 주식의 소각에 의해 소각되
지 않은 주식을 보유한 주주들의 비율적 지분이 증가할 따름이라고 한다.[99] 결
론적으로 주식의 소각 그 자체는 자본금 감소를 초래하지 않기 때문에,[100] 무액
면주식의 소각과 자본금 감소는 각각 별개의 절차와 방법에 의해 진행되는 것에
불과하다고 한다.

다) 소 결

무액면주식의 경우에 자기주식의 소각(제343조 제1항 단서)과 상환주식의 상
환에 의한 소각(제345조)이 인정되는 것에는 이론이 없지만, 무액면주식에 의하
면 주식과 자본금과의 연결고리가 단절되기 때문에 주식을 소각하는 방식에 의
한 자본금 감소 자체가 불가능하고,[101] 따라서 자본금 감소를 위한 주식소각에
관한 상법 제343조 제1항 본문은 무액면주식의 소각에는 적용되지 않는다고 해
석하는 견해가 일응 타당하기는 하다.[102] 그러나 무액면주식의 소각이라는 측면
과 자본금의 감소라는 측면을 획일적으로 분리하여 별개의 문제로 파악하는 것
은 무리가 있는 해석이다. 즉 무액면주식의 경우 발행주식총수와 자본금의 액은
직접적인 관련성이 없기는 하지만, 자본금을 발행주식총수로 나눈 '주당 자본금'
의 개념은 존재하므로, 무액면주식을 소각하는 경우 자본금 감소가 이루어지지
않을 수도 있지만 자본금 감소가 수반되는 경우도 충분히 가능하기 때문에,[103]

---

98) 한국상사법학회 편, 전게논문, 499면.
99) 장지석, "무액면주식제도의 도입에 관한 연구,"「산업경제연구」제14권 제2호(한국산업경
    제학회, 2001), 201면.
100) 이철송, 전게서(2021), 428면.
101) 권기범, 전게논문, 39면; 이철송, 전게서(2021), 426면.
102) 김한종, "주식회사의 자본조달과 무액면주식제도,"「홍익법학」제15권 제1호(2014), 673면.
103) 위에서 살펴본 바와 같이, 무액면주식을 소각하는 경우에 액면주식의 경우와 마찬가지로
    명목상 감자는 물론이고 실질적 감자도 가능하다.

무액면주식의 소각과 자본금 감소를 엄격히 분리하여 판단할 문제는 아니다. 즉 무액면주식을 소각하는 경우에는 회사의 자본금이 감소될 수도 있고 그렇지 않을 수도 있는 것이다.

생각건대, 주식의 소각 유형은 액면주식 및 무액면주식에서 각각 다르게 나타난다. 즉 '액면주식의 소각'은 자본금 감소의 유무에 따라, 자본금의 감소를 가져오는 소각, 자본금의 감소 없이 주주에게 배당할 이익을 재원으로 하는 소각인 상환종류주식의 상환에 의한 소각으로 구분된다. 이에 반하여 '무액면주식의 소각'은 자본금 감소를 초래하지 않는 소각, 자본금 감소와 동반하는 소각, 상환종류주식의 상환에 의한 소각, 자기주식의 소각 등으로 분류된다. 결론적으로 무액면주식을 소각하더라도 반드시 자본금이 감소되는 것은 아니라고 볼 이유가 없기 때문에, 무액면주식의 소각에 의한 자본금 감소의 문제는 주식의 소각으로 인해 회사의 자본금이 감소되는 경우와 그렇지 않은 경우를 나누어서 고찰하여야 한다. 즉 무액면주식의 소각에 의해 자본금이 감소하는 경우에는 액면주식의 경우와 마찬가지로 주주총회의 특별결의(제438조, 제439조 제1항), 채권자보호절차(제439조 제2항 및 제3항), 주권제출의 공고(제440조) 등의 절차를 모두 경유해야 하지만, 무액면주식의 소각에 의해 자본금이 감소하지 않는 경우에는 자본금 감소에 관한 상법 제343조 제1항 본문이 적용될 여지가 없기 때문에, 자본금 감소에 관한 상법 규정과 무관하게 주식의 소각에 관한 법리에 의하여 해결하는 것이 옳다. 즉 자본금이 감소되지 않는 무액면주식의 소각에 대하여는 상법 제343조 제1항 본문이 아니라 동조 단서가 적용되어 회사가 자기주식으로 취득하여 소각하는 절차를 취하면 되는 것이다.[104]

라. 주식의 병합

1) 액면주식의 경우

가) 의 의

"주식의 병합"이란 동일한 주주에게 속하는 수개의 주식을 합하여 그보다 적은 수의 주식으로 변경하는 것을 말한다.[105] 이러한 방법의 자본금 감소는 모든

---

104) 송옥렬, 「상법강의」 제5판(홍문사, 2015), 873면.
105) 주식의 병합이 있게 되면 대부분 단주가 발생하여 주주의 이해관계에 영향을 미치게 되기 때문에, 주식의 병합은 자본금의 감소(제440조) 또는 회사의 합병(제530조 제3항) 등 제

주주에 대해 균등하게 이루어져야 하지만, 주주의 소유주식수에 따라 실질적으로는 불평등한 경우가 발생할 수 있다. 예컨대, 10주를 6주로 병합하는 때에, 30주를 가진 주주의 경우 18주로 병합되어 지주율의 감소가 없으나, 18주를 가진 주주의 경우 10주는 6주로 병합되지만 나머지 8주는 병합이 불가능하므로 종전 지주율의 절반에 가까운 감소가 생긴다. 이러한 이유로 독일 주식법에서는 주식 병합을 하지 않으면 법정의 최저액면가를 유지할 수 없을 경우에 한하여 주식의 병합을 허용하고 있다(동법 제222조 참조).[106]

하지만 우리나라 상법에는 이와 같은 제한이 없으며, 오히려 자본금 감소의 실제에 있어서는 주식의 병합을 선호하는 경향이 있다. 결국 소수주주의 보호를 위해서는 주식의 병합에 있어서 병합의 방법을 비율로 계산하여 정수($定數$)가 나올 때까지 병합을 하는 것으로 해석하는 것이 바람직하다.[107] 이와 같이 계산하게 되면, 위의 예에서 18주를 가진 주주의 경우 '18 × 6/10 = 10.8'이 되어 10주로 병합이 되고 0.8주의 단주가 생기게 되기 때문에, 기존의 지주율을 최대한 유지할 수 있게 된다.

나) 주식 병합의 절차

주권의 제출기간이 만료한 때에는 주식병합의 효력이 발생하지만(제441조 본문), 채권자의 이의제출기간 및 이의에 따른 변제나 담보제공 등의 후속절차가 종료하지 않은 때에는 그 기간 또는 절차가 종료한 때에 비로소 주식병합의 효력이 발생한다(제441조 단서). 이러한 주식병합의 효력은 주주의 주권 제출 유무와 상관없이 발생하는데, 주식병합의 효력이 발생하면 구주식은 소멸하고 구주권도 당연히 실효되며, 즉시 자본금이 감소되는 효력이 발생한다.[108] 한편 1인 회사와 같이 신주권의 수령권자를 파악하고 구주권의 유통을 방지할 필요가 없는 회사에서 주권제출의 공고나 통지 없이 주식병합에 의한 감자등기를 하게 되면 그 등기를 하는 시점에 주식병합의 효력이 발생한다.[109]

한적인 경우에만 허용된다.
106) §222 Abs. 4 Satz. 2 AktG; 이철송, 전게서, 934면.
107) 동지: 이철송, 전게서, 934면.
108) 최기원 저·김동민 보정, 전게서, 957면; 이철송, 전게서, 962면; 최준선, 전게서, 715면; 송옥렬, 전게서, 874면.
109) 이철송, 전게서, 962면; 정찬형, 전게서, 1106면; 홍복기 외7인, 전게서, 512면; 대법원 2005.12.9. 2004다40306.

2) 무액면주식의 경우

가) 서 설

주식을 병합하는 경우에는 주주의 지위에 적지 않은 변동을 가져올 뿐만 아니라 단주가 발생하여 주주의 이익을 해할 우려가 있기 때문에, 상법은 자본금의 감소(제440조), 회사의 합병(제530조 제2항) 또는 분할(제530조의11 제1항), 주식의 이전 및 교환(제360조의8, 제360조의11, 제360조의19, 제360조의22) 등 예외적인 경우에 한하여 이를 허용하고 있다.[110) 액면주식의 경우에 자본금 감소를 위해 주식을 병합하게 되면, 자본금 감소의 방법 및 절차에 따라서 주주총회의 특별결의를 거쳐야 한다(제439조, 제438조 제1항). 가사 액면주식의 병합에 의해 자본금에 영향을 주지 않게 되는 경우, 예컨대 액면가 5천원인 주식 2주를 액면가 1만원인 주식 1주로 병합하게 되면 자본금에 아무런 영향이 없게 되는데, 이러한 경우에도 액면가는 정관의 절대적 기재사항이므로(제289조 제1항 제4호), 정관의 변경을 위한 주주총회의 특별결의를 별도로 경유해야 한다(제434조). 한편 무액면주식의 경우에 자본금 감소를 위하여 주식을 병합하더라도, 액면주식의 경우와 마찬가지로 자본금 감소에 관한 상법의 규정 특히 주주총회의 특별결의에 관한 규정이 적용되는지에 관하여는 견해가 대립하고 있다.

나) 학설의 대립

(1) 주주총회 결의 불요설

무액면주식의 병합은 자본금의 감소를 수반할 이유가 없는 관계로 주주는 물론이고 채권자의 이해관계에도 아무런 영향을 미치지 않기 때문에, 주주총회의 특별결의나 채권자 보호절차가 경유될 필요가 없다고 한다.[111) 동 견해에 의하면 액면주식의 경우에는 주금액이 정관의 절대적 기재사항이라는 이유로 자본금에 영향을 주지 않는 주식의 병합, 즉 단순히 액면을 합치는 주식 병합에 대하여도 주주총회의 특별결의를 거쳐야 한다고 하면서, 무액면주식의 경우에는 상법에 이러한 결의를 거쳐야 한다는 규정이 없기 때문에 주식의 병합을 위해서는 이사회의 결의로 충분하다고 한다.[112) 또한 액면주식을 병합하는 경우에는 주식

---

110) 이철송, 전게서(2021), 434면; 김한종, 전게논문, 675면.
111) 이효경, 전게논문, 157면.
112) 송옥렬, 전게논문, 49면; 이효경, 전게논문, 161면.

수가 감소하면서 자본금이 감소되기 때문에 주주총회의 특별결의가 반드시 필요하지만, 무액면주식을 병합하는 경우에는 회사의 자본금이나 재산이 변경되지 않고 주식수만을 감소시키기 때문에, 주주총회의 특별결의가 필요하지 않고 이사회의 결의만으로 가능하다고 한다.[113)

그 밖에 무액면주식의 병합은 일률적으로 이루어지면서 자본금 감소를 수반하지 않는 관계로 주주나 채권자의 이해관계에 영향을 미치지 않을 뿐만 아니라, 무액면주식제도의 도입 목적이 기업의 자금조달을 원활히 하려는 데에 있기 때문에, 주주총회의 특별결의는 필요하지 않고 이사회 결의로 무액면주식을 병합하는 것이 가능하다고 한다.[114) 또한 액면주식을 병합하는 경우에는 액면가가 변동하므로 주주총회의 특별결의를 거쳐 정관을 변경해야 할 뿐만 아니라 구주권을 회수하고 신주권을 교부해야 하는 등 절차가 복잡하지만, 무액면주식을 병합하는 경우에는 주금액을 변경할 필요가 없으므로 정관의 변경을 위한 주주총회의 특별결의가 필요하지 않을 뿐만 아니라 주권에 액면가의 기재가 없어서 신주권을 발행할 필요도 없다고 한다.[115)

(2) 주주총회 결의 필요설

주식병합의 경우에는 주식분할과 달리 주주총회의 결의를 요한다는 상법상 명문의 규정이 없음에도 불구하고, 액면주식을 병합하는 경우에는 주식의 병합으로 인해 주금액이 변경되기 때문에 정관의 변경을 위한 절차로서 주주총회의 특별결의가 필요하다.[116) 하지만 무액면주식을 병합하는 경우에는 주금액의 변경이 없기 때문에 정관의 변경을 위한 절차로서 주주총회의 특별결의는 필요하지 않은 점은 일응 타당하다. 또한 상법상으로도 주식 병합의 경우 주주총회결의를 요하는 명문의 규정이 없다는 점에서, 무액면주식의 병합이 일률적으로 이루어지고 그에 따른 자본금 감소가 수반되지 않는 한 이사회의 결의만으로 무액면주식의 병합이 가능하다고 해석할 수는 있다.[117) 그러나 주식의 병합에 의해

---

113) 임재연, 전게서, 319면; 김순석, 전게논문, 193면; 김지환, 전게논문, 152면.
114) 김희준, "무액면주식제도 도입에 따른 주식제도의 개선방향,"「기업법연구」제10권 제1호(2013), 496면.
115) 김순석, 전게논문, 176면.
116) 김한종, 전게논문, 675면.
117) 권기범, 전게논문, 45면; 김순석, 전게논문, 193면; 김홍기, 전게논문, 112면; 송옥렬, 전게논문, 50면.

자본금이 감소하는 경우나 주식의 병합이 큰 비율로 이루어지는 경우에는 주식이 분할되는 경우와 비교하여 주주의 이익을 해할 우려가 심각할 수 있기 때문에, 이러한 주식 병합의 경우에는 주주총회의 특별결의를 요하는 것으로 해석하는 것이 타당하다.[118] 특히 무액면주식의 소각에서와 마찬가지로 무액면주식의 병합에 있어서도 자본금이 감소하는 경우와 그렇지 않은 경우가 존재할 수 있는데, 자본금 감소가 수반되지 않는 주식 병합에 대하여는 주주총회의 특별결의 없이 이사회의 결의로 충분하다고 해석할 수도 있지만, 자본금 감소가 수반되는 주식 병합에 대하여는 일반원칙으로 돌아가서 주주총회의 특별결의가 필요하다고 해석하는 것이 옳다고 본다.

마. 주금액 감소 및 주식수 감소의 병행

자본금 감소는 주금액의 감소 및 주식수의 감소를 병행하는 방법으로도 할 수 있다.[119] 상법상 1주의 금액은 그 최저한이 100원으로 법정되어 있기 때문에(제329조 제3항), 주금액의 감소만으로는 자본금 감소의 목적을 달성할 수 없는 경우에 부득이하게 주금액의 감소를 행하면서 이와 동시에 주식수의 감소로서 주식의 병합을 함께 이용하는 방법이 가능하다.[120] 한편 자본금을 감소하는 경우에 발행주식의 전부를 감소할 수 있는지가 문제된다. 등기실무에서는 발행주식의 전부를 감자하는 등기와 증자하는 등기가 동시에 신청되어 양자 간에 공백이 없을 경우에는 그러한 등기를 수리하고 있다.[121] 자본금을 전부 잠식한 회사의 회생절차에서 구주주의 지분을 없애고 새로운 자본금을 유치하고자 하는 경우에 이러한 완전감자가 유용하게 이용될 수 있다.[122]

---

118) 일본 회사법에 의하면, 주식의 분할은 이사회의 결의에 의하지만, 주식의 병합은 주주총회의 결의에 의하는 취지로 규정하고 있다(동법 제183조 제2항).
119) 주금액의 감소와 주식수의 감소를 병행하는 자본금 감소는 복잡하기 때문에 실제로는 거의 이용되지 않는다. 최준선, 전게서, 714면.
120) Lutter in Kölner Kommentar, §222 Rdn. 16; 최기원, 전게서, 898면.
121) 대법원 상업등기선례 1-203(주식회사의 완전감자 등기의 가부): 2001. 12. 7. 등기 3402-795 질의회답; 이 선례는 과거 최저자본제가 시행되던 시기에 최저자본금 이하로 감자하거나 완전감자를 하더라도 최저자본금 이상의 증자가 동시에 이루어지면 무방하다는 의미로 해석된다. 일본에서의 실무와 통설도 완전감자를 허용하고 있다. 日注釋(12), 79面; 이철송, 전게서, 960면.
122) 이철송, 전게서, 961면.

바. 주주평등의 원칙과의 관계

1) 주금액의 감소 및 주식 병합의 경우

주주총회에서 정한 자본금 감소의 방법이 주주평등의 원칙에 위반되는 경우 당해 주주총회 결의의 효력과 관련하여, 자본금 감소의 방법 중에서 어떠한 경우에 주주평등의 원칙이 적용되는지가 문제된다. 이와 관련하여 i) 주금액의 감소에 의한 감자의 경우에는 감자절차가 모든 주식에 대하여 일률적으로 이루어지며, 주식의 병합에 의한 감자의 경우에는 비록 단주가 발생하더라도 그 처리가 법정된 방식에 따라 진행되기 때문에, 주금액의 감소나 주식의 병합에 의한 감자의 경우에는 주주평등의 원칙이 문제되지 않는다는 견해가 있다.[123] 그러나 ii) 주금액의 감소나 주식의 병합에 의한 감자는 모든 주식에 대하여 일률적으로 이루어지거나 법정된 방식으로 진행되는 경우도 있지만, 특정 주식에 한정하여 또는 법정된 방식 이외의 방식으로 이루어지는 경우도 있기 때문에, 주금액의 감소나 주식의 병합에 의한 감자의 경우에도 주주평등의 원칙은 지켜져야 한다. 다만 주식의 소각에 의한 감자의 경우에는 그 방법이 임의적인 무상소각이 아닌 한 반드시 주주평등의 원칙에 따라 공평하게 주식 소각이 이루어지도록 자본금 감소절차가 진행되어야 한다.[124]

2) 주식 소각의 경우

가) 강제소각의 절차

강제소각의 절차에서 소각될 대상 주식은 안분비례의 방식 또는 추첨의 방식에 의하여 정하게 된다. 첫째, '안분비례'의 방식에 의하면 주주평등의 원칙에 따라 모든 주식에 대하여 획일적인 소각이 이루어지므로 주주평등의 원칙에 아무런 문제가 없다.[125] 둘째, '추첨'의 방식에 의하면 주주에게 형식적인 기회는 평등하게 주어지지만 그 결과는 추첨의 당첨 여부에 따라 불평등하게 나타난다.[126] 이와 관련하여 추첨에 의한 소각은 주주의 지위에 변동을 초래하는 중대

---

123) 최기원, 전게서, 897면.
124) 최기원 저·김동민 보정, 전게서, 954면.
125) 박상근, 「주식회사법론」 제1판(2007), 764면; 정동윤, 전게서, 662면; 정찬형, 전게서, 711면.
126) 정희철, 「상법학(상)」 제1판(박영사, 1989), 405면; 최기원, 전게서, 897면.

한 법률관계를 사행적 방법에 의해 해결하는 것이어서 이해관계인의 신뢰에 어긋날 뿐만 아니라, 이러한 방식은 주주에게 형식적인 기회의 평등은 주지만 궁극적으로는 실질적 평등을 담보할 수 없기 때문에, 주주평등의 원칙에 반하여 허용될 수 없다는 견해가 있다.127) 하지만 이러한 결과의 불평등은 추첨이 갖고 있는 본질적 특성에서 기인하는 부득이한 산물이므로 주주에게 추첨의 기회가 공정하게 주어진다면 주주평등의 원칙에 반하는 것은 아니다.128) 또한 실무에서도 추첨에 의한 강제소각이 일반적으로 인정되고 있으며 이에 관하여 주주총회 결의의 하자가 문제되지 않고 있는 것을 보면, 추첨에 의한 강제소각도 주주평등의 원칙에 반하지 않는 가능한 소각방식이라고 본다.129)

나) 임의소각의 절차

임의소각의 절차에서는 회사와 주주 사이의 자유로운 계약에 의해 유상소각 또는 무상소각의 형태로 주식의 소각이 이루어진다. 첫째, '임의적인 유상소각'의 경우 회사가 특정 주주에게 유리한 조건으로 소각의 대상 주식을 정하게 되면 소각에 참여하지 못한 주주가 불이익을 받게 되므로, 이러한 때에는 주주평등의 원칙이 준수되어야 한다. 즉 임의적인 유상소각의 조건이 확정된 때에는 추첨에 의하여 소각하는 수밖에 없지만, 그 조건이 확정되지 않은 때에는 경쟁입찰의 방식에 의해 주주들에게 평등한 기회가 부여되어야 한다.130) 다만 임의적인 유상소각이라도 불이익을 받는 주주가 동의를 하면 주주평등의 원칙에 대한 위반의 하자는 치유된다고 본다. 그러나 임의적인 유상소각을 하면서 주주총회가 매수주식을 지정하거나 그 지정을 이사회에 일임하는 것은 주주평등의 원칙에 반하는 결과가 생길 수 있으므로 인정되지 않는다.131)

둘째, '임의적인 무상소각'의 경우 주주평등의 원칙이 준수되어야 하는지가 문제된다. 이와 관련하여 강제소각의 경우에는 당연히 주주의 소유주식에 비례

---

127) 동 견해에 의하면 상환주식의 상환에 있어서는 이러한 문제점이 없으므로 추첨에 의한 소각도 가능하다고 한다. 이철송, 전게서, 935면.

128) 최기원, 전게서, 897면; 정희철, 전게서, 405면; 손주찬, 전게서, 899면; 정동윤, 전게서, 662면; Schilling in Großkommentar, §222 Anm. 19.

129) 이범찬・최준선, 「상법개론」 제4판(1997), 557면; 임홍근, 「회사법」 제1판(2000), 750면; 손주찬, 전게서, 932면; 정동윤, 전게서, 662면; 정찬형, 전게서, 711면.

130) 최기원, 전게서, 897면.

131) 그러나 이사회에 대한 지정의 일임이 주주평등의 원칙에 따라서 할 것을 전제로 임의소각은 주주평등의 원칙에 위배되지 않는다고 본다. 최기원, 전게서, 898면.

하여 소각해야 하고, 임의소각의 경우에도 소각해야 할 주식보다 소각을 희망하는 주식이 많을 때에는 소각을 원하는 주식수에 비례하여 소각해야 하기 때문에, 강제소각과 임의소각 모두 주주평등의 원칙이 지켜져야 한다는 견해가 있다.[132) 그러나 임의적인 유상소각의 경우 유상의 대가가 특정 주주에게 유리할 때에는 이러한 견해가 타당하지만, 임의적인 무상소각의 경우 소각의 대가로서 아무런 반대급부가 주어지지 않는 회사의 청약에 대해 주주는 승낙을 하지 않을 수 있어서 주주에게 불이익이 되지 않을 뿐만 아니라, 무상소각의 당사자인 주주가 자발적으로 동의한 때에 한하여 소각이 이루어지기 때문에, 임의적인 무상소각에 있어서는 주주평등의 원칙을 고려할 필요가 없다.[133)

4. 자본금 감소의 절차

가. 총   설

1) 주주에 대한 보호

회사가 자본금 감소를 하게 되면 주주권이 축소되거나 완전히 상실될 수도 있기 때문에 자본금 감소는 주주의 이해관계에 중대한 영향을 미치게 된다. 즉 '주식의 병합'에 의해 자본금 감소를 하는 경우 병합에 적합하지 않은 단주에 해당하는 주식은 소멸하므로 주주에게는 소유주식의 전부 또는 일부가 소멸되는 결과가 초래될 수 있고, '주식의 소각'에 의해 자본금 감소를 하는 경우 일부 주식이 소멸될 뿐만 아니라 악의적인 방법으로 특정 주주의 추방을 위하여 남용될 수도 있기 때문이다. 한편 회사가 합병과 동시에 자본금을 감소하는 경우에는 합병계약서에 이를 기재하고 합병절차를 밟으면 되고 별도로 자본금 감소의 절차를 밟을 필요가 없다.[134)

2) 채권자에 대한 보호

자본금 감소는 주주의 지위를 소멸 또는 약화시키는 결과를 가져오면서 동시에 회사채권자의 담보재산을 감소시키는 결과를 초래하므로, 주주는 물론이고

---

132) 이철송, 전게서, 964면.
133) 동지: 최기원 저·김동민 보정, 전게서, 954면.
134) 최기원, 전게서, 899면.

회사채권자의 보호를 위한 절차가 필요하다. 특히 '실질적 감자'의 경우 회사 재산이 주주에게 환급되는 결과가 초래되고 자본금 감소로 인해 해방된 회사 재산이 자유로운 처분상태에 놓이게 되어 회사채권자의 이익에 중대한 영향을 미치게 된다.135) 그러나 '명목상 감자'의 경우 회사 재산에는 변동이 생기지 않으므로 회사채권자의 지위는 실질적 감자의 경우보다 상대적으로 덜 불안하게 된다.136) 그리하여 독일 주식법에서는 '통상적 자본금 감소'의 경우에는 채권자 보호절차를 밟도록 하지만(동법 제225조 내지 제228조 참조), '간이 자본금 감소'의 경우에는 회사의 실제 재산이 감소하지 않으므로 채권자 보호절차를 요구하지 않는다(동법 제229조 내지 제236조 참조). 즉 자본금 감소의 유형에 따라 채권자 보호절차가 이원화되어 있다. 그러나 우리나라 상법의 경우는 양자를 구분하지 아니하고 동일하게 채권자 보호절차를 요구하고 있다.

나. 주주에 대한 보호절차

1) 주주총회의 특별결의

가) 통상적 감자의 경우

자본금 감소는 회사의 자본구조에 변화를 초래하며 주주의 이해관계에 중대한 영향을 미치는 사항이므로 주주총회의 특별결의가 있어야 한다(제438조 제1항).137) 이와 같이 주주총회의 특별결의를 요하는 이유는 회사가 자본금 감소를 하게 되면 감소되는 금액만큼 주주들에게 출자액을 환급해주고 이와 동시에 그만큼 영업재산이 축소되어 마치 회사의 일부를 해산하고 청산하는 것과 유사한 효과가 발생하기 때문에,138) 자본금 감소를 위해서는 상법 제518조 소정의 해산결의에 준하여 주주총회의 특별결의를 요하는 것이다.139) 한편 자본금 감소를 위한 총회소집의 통지와 공고에는 의안의 요령을 기재하여야 하며(제438조 제3항). 당해 주주총회에서는 자본금 감소의 방법도 함께 정하여야 한다(제439조 제

---

135) 김동민, 전게논문, 248~249면.
136) 최기원, 전게서, 899면.
137) 이러한 특별결의 요건은 정관으로 완화할 수 없지만 가중시킬 수는 있는데, 자본금 감소를 사실상 불가능하게 하는 결의요건의 가중은 인정되지 않는다.
138) 특히 실질적 자본금 감소에 대하여 주주가 갖는 이해관계의 성격은 '회사의 일부 청산'이라고 할 수 있다. 江頭憲治郎, 「株式會社法」제7판(有斐閣, 2017), 695面.
139) 이철송, 전게서, 957면.

1항). 그 밖에 회사는 자본금 감소의 효력이 발생할 때까지는 주주총회의 특별
결의로 자본금 감소의 결의를 철회할 수 있다.[140]

나) 결손보전 감자 및 특별법상 감자의 경우

결손을 보전하기 위한 자본금 감소는 회사의 자산이 사외로 유출되지 아니하
고 다만 계정간의 수치조정에 그치게 되어 소위 '일부청산'이라는 의미를 갖지
않으므로 주주총회의 특별결의까지 요구할 필요가 없다.[141] 그러므로 상법은 결
손보전 감자는 주주총회의 보통결의(제368조 제1항)에 의하는 것으로 규정하고
있다(제438조 제2항). 다만 액면주식을 발행한 회사에서 1주의 금액은 정관의 절
대적 기재사항이므로, 통상적 감자의 경우는 별론으로 하더라도 결손보전 감자
의 경우에는 결손보전 감자를 위한 주주총회의 보통결의 이외에 정관변경을 위
한 주주총회의 특별결의가 반드시 필요하다.[142] 한편 「금융산업의 구조개선에
관한 법률」에 의하면, 재무상태가 악화되어 외부로부터의 자금지원 없이는 정상
적인 경영이 어려운 소위 '부실금융기관'에 대하여 정부 또는 예금보험공사가 출
자하기로 한 때에는 금융감독위원회가 당해 금융기관에 대하여 자본금 감소명령
을 할 수 있으며, 이 경우 이사회의 결의만으로 자본금 감소를 할 수 있다(동법
제12조 제3항 및 제4항). 대법원에서도 "금융산업의 구조개선에 관한 법률상 정부
등이 출자한 부실금융기관에 대해서 주주총회의 특별결의 없이 이사회의 결의만
으로 자본금 감소가 가능하도록 하여 주주의 권한을 제한하는 것은 국민경제의
안정을 실현하기 위한 필요하고 적절한 수단으로 주주 재산권의 본질적 내용을
침해하는 것이 아니다"라고 판시하고 있다.[143]

2) 주금액 감소시 정관의 변경
가) 의 의

통상적 감자를 위한 주주총회의 특별결의에서는 자본금 감소의 결의와 동시
에 자본금 감소의 방법도 함께 정하여야 한다(제439조 제1항). 자본금 감소의 방

---

140) 동지: 최기원, 전게서, 900면; 정희철, 전게서, 543면; 정동윤, 전게서, 666면; 정찬형, 전
     게서, 1173면.
141) 이철송, 전게서, 958면.
142) 이러한 점에서 결손보전을 위한 자본금 감소는 주금액의 감소방식보다 주식수의 감소방식
     에 의하는 것이 절차의 효율성 측면에서 더 유용하다: 최준선, 전게서, 716면.
143) 대법원 2010.4.29. 2007다12012.

법으로서 주식의 소각이나 주식의 병합 등 '주식수를 감소'하는 방법에 의할 때에는 정관을 변경할 필요가 없다. 하지만 액면주식을 발행한 회사에서 '주금액을 감소'하는 방법에 의할 때에는 1주의 금액이 정관의 절대적 기재사항이므로 주금액의 변경으로 인해 정관을 변경해야 한다. 따라서 주금액을 감소하는 방법으로 자본금 감소를 하는 경우, 주주총회에서 자본금 감소의 결의 이외에 별도로 정관변경의 결의가 필요한지가 문제된다.

나) 학설의 대립

(1) 정관 변경의 결의 불요설

이와 관련하여 자본금 감소와 정관변경은 모두 주주총회의 특별결의 사항이므로 주금액이 감소됨에 따라 정관변경이 필요하더라도 정관변경을 위한 별도의 결의는 필요 없고 자본금 감소의 결의로 이를 갈음할 수 있다는 견해가 있다.[144] 이와 마찬가지의 맥락에서 자본금 감소를 위한 주주총회의 특별결의를 마친 경우 감자의 결의와 정관변경의 결의는 그 요건 및 방식이 동일하므로 감자의 결의만 하면 충분하고 별도로 정관변경의 결의를 거칠 필요가 없이 정관을 변경할 수 있다는 견해도 있다.[145]

(2) 정관 변경의 결의 필요설

위의 학설들은 모두 정관변경의 결의가 자본금 감소의 결의에 포함된다는 사고를 전제로 하고 있다는 점에서 문제가 있다. 또한 정관변경의 결의 없이 자본금 감소의 결의만으로 당연히 정관변경이 이루어진다는 해석은 법률관계의 명확하고 객관적인 확정을 요하는 회사법의 기본원리를 훼손한다는 점에서 부당하다. 그리고 자본금 감소와 정관변경은 그 결의요건이 동일할 뿐만 아니라 주금액의 감소에 의한 자본금 감소에 동의한 주주는 당연히 정관변경에 동의할 것이라고 전제하더라도, 자본금 감소와 정관변경은 별도의 결의사항임이 분명한데 그 결의요건이 같다고 하여 정관변경의 결의를 생략할 수 있다는 해석은 무리가 있다. 또한 주금액의 감소에 의한 자본금 감소를 안건으로 하는 주주총회에서 정관변경에 관한 사항을 함께 의결하면 아무런 문제없이 두 가지 절차가 간단하고 신속하게 처리될 것이기 때문에, 절차의 반복이라거나 실효성의 상실이라는

---

144) 이철송, 전게서, 961면; 권기범, 전게서, 889면.
145) 정동윤, 전게서, 663면; 정찬형, 전게서, 1170면; 최준선, 전게서, 716면.

비판은 타당하지 않다. 결국 주금액의 감소에 의한 자본금 감소의 경우, 자본금 감소의 결의 외에 정관변경의 결의도 필요하며, 절차의 경제성을 고려하여 두 가지 결의는 동일한 주주총회에서 동시에 하여도 무방하다.146) 더 나아가 이러한 주주총회의 결의에서는 실질적 감자의 경우에 그 감소액을 준비금으로 적립하는 내용도 정할 수 있다고 할 것이다.147)

3) 기타 부수적 절차

가) 이사회에의 일임 가능성

자본금 감소의 결정과 그 방법에 관한 내용은 주주총회의 결의사항인데, 이를 이사회에 일임할 수 있는지가 문제된다. 이와 관련하여 급변하는 기업의 경제적 상황에 신속하고 탄력적으로 대처할 수 있도록 하기 위해 자본금 감소의 방법은 일정한 한계를 정하고 이사회에 일임할 수 있다는 견해가 있다.148) 하지만 우리나라 상법은 주주총회의 결의사항과 이사회의 결의사항을 명확하게 구분하고 있으며, 자본금 감소의 경우에 이를 이사회에 일임할 수 있다는 명문의 규정도 없기 때문에, 특별법에서 이를 별도로 허용하고 있지 않는 한 자본금 감소의 결정과 그 방법에 관한 사항은 주주총회의 전속권한일 뿐이고 이사회에 일임할 수 없다고 본다.149)

나) 종류주주총회의 결의

회사가 상법 제344조 소정의 종류주식을 발행하고 있는 경우에, 어느 종류의 주주에게 손해를 미치게 될 때에는 주주총회의 결의 외에 그 종류주주총회의 결의가 있어야 한다(제435조). 이러한 종류주주총회의 결의는 그 종류주식을 가진 주주 중에서 출석한 주주의 의결권의 3분의 2 이상의 수와 그 종류의 발행주식의 총수의 3분의 1 이상의 다수로써 하여야 한다(제435조 제2항). 이 경우 자본금 감소를 위한 주주총회에서 별도로 종류주주총회의 결의가 필요한 경우란, 예컨대 주식의 병합이나 소각에 관하여 주식의 종류에 따라 그 내용을 다르게 정하여 어느 종류의 주주가 손해를 받게 되는 때이다. 더 나아가 자본금 감소를

146) 동지: 최기원, 전게서, 899면; 손주찬, 전게서, 900면.
147) 최기원 저·김동민 보정, 전게서, 956면.
148) 최기원, 전게서, 900면.
149) 동지: 손주찬, 전게서, 900면; 정동윤, 전게서, 663면; 정찬형, 전게서, 1170면; 최준선, 전게서, 716면; 日大判 1926.3.27. (民集 5, 222面).

위한 주주총회에 총주주가 참석하여 만장일치에 의해 결의가 이루어진 경우라도 어느 종류의 주주에게 손해가 미치게 될 때에는 그 종류주주총회의 결의가 있어야 한다고 본다.[150)]

다. 채권자에 대한 보호절차

1) 의 의

통상적인 자본금 감소는 채권자를 위한 최소한도의 책임재산인 담보재산이 감소되는 결과를 초래하여 회사채권자에게 중대한 영향을 미치므로, 상법 제232조 소정의 채권자 보호절차를 밟아야 한다. 그러므로 회사는 자본금 감소의 결의일로부터 2주간 내에 회사채권자에 대하여 자본금 감소에 이의가 있으면 1월 이상의 기간 내에 이의를 제출할 것을 공고하고, 알고 있는 채권자에 대하여는 개별적으로 이를 최고하여야 한다(제439조 제2항 본문, 제232조 제1항). 그러나 결손보전을 위한 자본금 감소는 회사 자산의 사외유출을 수반하지 아니하는 관계로 채권자의 이해와는 직접적인 관련이 없기 때문에 별도의 채권자 보호절차를 요하지 않는다(제439조 제2항 단서).

2) 채권자의 이의제출권

가) 이의제출의 방식

채권자의 이의는 회사에 대하여 직접 통지해야 하는데, 이러한 통지에는 특별한 방식을 요하지 않기 때문에 구두나 서면으로 하여도 무방하며, 그 이유를 부연할 필요도 없다. 채권자는 자본금 감소 자체뿐만 아니라, 감소액, 감소방법, 감소시기 등에 관하여도 이의를 제출할 수 있다.[151)] 한편 사채권자가 이의를 함에는 사채권자집회의 결의가 있어야 하는데, 이 경우에 법원은 필요하다고 인정되는 때에는 이해관계인의 청구로 사채권자를 위하여 이의제출기간을 연장할 수 있다(제439조 제3항).[152)]

---

150) Lutter in Kölner Kommentar, §222 Rdn. 3; Schilling in Großkommentar, §222 Anm. 6; RGZ 148, 175; KGJ 35 A 164.
151) 日注釋(12), 97面; 이철송, 전게서, 962면.
152) 최기원 저·김동민 보정, 전게서, 956면.

나) 이의제출의 효력

첫째, 이의제출기간 내에 채권자의 이의제출이 없는 경우, 이들 채권자는 자본금 감소를 승인한 것으로 간주하여 자본금 감소절차를 진행하면 된다(제439조 제2항, 제232조 제2항). 둘째, 이의제출기간 내에 채권자의 이의제출이 있는 경우, 회사는 이의를 제출한 채권자에 대하여 채무를 변제하거나 또는 상당한 담보를 제공하거나 이를 목적으로 상당한 재산을 신탁회사에 신탁하여야 한다(제439조 제2항, 제232조 제2항 및 제3항). 물론 이의를 제출한 채권자의 채권을 만족시킬 수 있는 충분한 담보가 이미 제공되어 있는 경우에는 다시 담보를 제공하거나 신탁을 할 필요는 없다.[153] 회사가 이러한 절차를 이행하지 않은 경우, 이의를 제출한 채권자는 자본금감소 무효의 소를 제기할 수 있다.[154]

라. 주식의 병합 및 소각의 절차

1) 서 설

액면주식을 발행한 회사의 경우, 주식수의 감소에 의해 자본금을 감소할 때에는 주식을 병합하거나 주식을 소각해야 하고,[155] 주금액의 감소에 의해 자본금을 감소할 때에는 주금액을 감액한 신주권을 발행하여 구주권과 교환해야 한다. 주금액의 감액에 의한 자본금 감소의 방법에 관하여는 상법에 규정이 없지만, 회사가 주주에게 그 뜻을 통지 내지 공고한 이후 주주로부터 주권을 제출받아서 권면액을 정정하면 된다.[156] 즉 주금액을 감소하는 경우에는 주주로 하여금 구주권을 제출시키고 이를 신주권과 교환해주어야 하며, 그 절차와 효력발생 등은 주식병합에 관한 상법 제440조 내지 제442조의 규정을 유추적용한다. 이러한 주금액 감소의 경우에는 단주가 발생하지 않기 때문에, 주식의 병합이나 소각에서 나타나는 단주의 처리에 관한 상법 제443조는 적용될 여지가 없다.

---

153) 日注釋(12), 97面; 이철송, 전게서(2021), 937면.
154) 최기원, 전게서, 901면.
155) 주식병합에 의한 자본금 감소는 기술적으로 어려운 문제가 많고 주주의 이익을 해할 염려가 크기 때문에, 상법은 이에 관해 구체적 절차를 규정하고 있다.
156) 정희철, 전게서, 542면; 정동윤, 전게서, 664면; 정찬형, 전게서, 1171면.

2) 주식 병합의 절차

가) 주권제출의 공고 및 통지

주식의 병합에 의한 자본금 감소의 경우, 회사는 1월 이상의 기간을 정하여 그 뜻과 그 기간 내에 주권을 회사에 제출할 것을 공고하고 주주명부에 기재된 주주와 질권자에 대하여는 개별적으로 그 통지를 하여야 한다(제440조). 이와 관련하여 주식의 병합에 의한 자본금 감소의 경우 주권제출의 공고 및 통지절차 위반의 효력이 문제된다.

이와 관련하여 대법원에서는 "주식병합에 일정한 기간을 두어 공고와 통지의 절차를 거치도록 한 취지는, 신주권을 수령할 자를 파악하고 실효되는 구 주권의 유통을 저지하기 위하여 회사가 미리 구주권을 회수하여 두려는 데 있다. 회사가 이러한 공고 등의 절차를 거치지 아니한 경우에는 특별한 사정이 없는 한 주식병합의 무효사유가 존재한다고 할 것이지만, 회사가 주식병합에 관한 주주총회의 결의 등을 거쳐 주식병합의 등기까지 마치되 그와 같은 공고만을 누락한 것에 불과한 경우에는 그러한 사정만으로 주식병합의 절차적 · 실체적 하자가 극히 중대하여 주식병합이 부존재한다고 볼 수는 없다. 따라서 상법 부칙 제5조 제2항의 주식병합에 관하여 공고누락의 하자만을 이유로 주식병합의 무효를 주장하기 위해서는 구상법 제445조에 따라 주식병합의 등기일로부터 6월 내에 주식병합 무효의 소를 제기해야 한다"고 판시하고 있다.[157]

나) 주식 병합의 효력발생

주권의 제출기간이 만료한 때에는 주식병합의 효력이 발생하지만(제441조 본문), 채권자의 이의제출기간 및 이의에 따른 변제나 담보제공 등의 후속절차가 종료하지 않은 때에는 그 기간 또는 절차가 종료한 때에 주식병합의 효력이 발생한다(제441조 단서). 이러한 주식병합의 효력은 주주의 주권 제출 유무와 상관없이 발생하는데, 주식병합의 효력이 발생하면 구주식은 소멸하고 구주권도 당연히 실효되며, 즉시 자본금이 감소되는 효력이 발생한다.[158] 한편 1인회사와 같이 신주권의 수령권자를 파악하고 구주권의 유통을 방지할 필요가 없는 회사

---

157) 대법원 2009.12.24. 2008다15520.
158) 최기원 저 · 김동민 보정, 전게서, 957면; 이철송, 전게서, 962면; 최준선, 전게서, 715면; 송옥렬, 전게서, 874면.

에서 주권제출의 공고나 통지 없이 주식병합에 의한 감자등기를 하게 되면 그 등기를 하는 시점에 주식병합의 효력이 발생한다.[159]

이와 같은 입장에서 대법원도 "구 상법(1991. 5. 31. 법률 제4372호로 개정되기 전의 것)상 주식병합에 있어서 일정한 기간을 두어 공고와 통지의 절차를 거치도록 한 취지는 신 주권을 수령할 자를 파악하고 실효되는 구 주권의 유통을 저지하기 위해서 회사가 미리 구 주권을 회수하여 두려는 데 있다 할 것인바, 사실상 1인 회사에 있어서 주식병합에 관한 주주총회의 결의를 거친 경우에는 회사가 반드시 위와 같은 공고 등의 절차를 통하여 신 주권을 수령할 자를 파악하거나 구 주권을 회수하여야 할 필요성이 있다고 보기는 어려우므로, 주식병합에 관한 주주총회의 결의에 따라 그 변경등기가 경료되었다면 위와 같은 공고 등의 절차를 거치지 않았다고 하더라도 그 변경등기 무렵에 주식병합의 효력이 발생한다고 봄이 상당하다"고 판시하고 있다.[160]

다) 구주권의 회수 및 신주권의 교부

주식병합에 의해 자본금을 감소하는 회사는 구주권을 제출한 주주에게 신주권을 교부하는 것이 원칙이다. 하지만 주권의 분실 등으로 구주권을 제출할 수 없는 자가 있는 경우 또는 단주가 발생하여 일정한 금액을 배분하는 경우(제443조 제2항, 제442조), 회사는 당해 주주의 청구에 의하여 3월 이상의 기간을 정하고 이해관계인에 대하여 그 주권에 대한 이의가 있으면 그 기간 내에 이의를 제출할 뜻을 공고한 다음, 그 기간이 경과하도록 이의제출이 없으면 신주권을 청구자에게 교부할 수 있다(제442조 제1항).[161] 이러한 절차에 의하여 회사가 신주권을 교부하면 청구자가 비록 정당한 권리자가 아니더라도 당해 회사는 면책되는 것으로 보아야 한다.[162] 이와 같이 이해관계인에 대한 공고제도는 주권을 분실한 주주의 권리를 인정하면서 이와 동시에 분실된 주권을 소지하고 있는 자의 권리를 박탈한다는 점에서 공시최고에 의한 제권판결제도와 유사하다. 하지만 이러한 공고제도에는 오로지 신주권을 교부한 회사에 대하여 면책적 효력만 부여할 뿐 제권판결에 갈음하는 효력이 있는 것은 아니다. 즉 제권판결과 달리

---

159) 동지: 이철송, 전게서, 963면; 정찬형, 전게서, 1173면; 홍복기 외7인, 전게서, 512면.
160) 대법원 2005.12.9. 2004다40306.
161) 이 경우 회사는 청구자의 귀책사유로 인해 별도의 이의제출 공고절차를 이행하는 것이므로, 회사의 공고비용은 당연히 청구자의 부담으로 한다(제442조 제2항).
162) 이철송, 전게서, 963면.

청구자가 실체법상의 권리 유무에 불구하고 주주권을 취득한다고는 볼 수 없기 때문에, 실체법상의 권리관계는 분실된 주권의 소지인이 청구자를 상대로 하여 별도로 다투어야 한다.[163)

라) 주식병합 전후 주식의 동일성

주식의 병합 전후의 주식 상호간의 동일성과 관련하여, 신주권은 병합 전의 주식을 여전히 표창하면서 그와 동일성을 유지한다.[164) 이와 동일한 취지에서 대법원에서도 「주식병합이 효력을 발생하면 회사는 신주권을 발행하게 되고, 주주는 병합된 만큼의 감소된 수의 신주권을 교부받게 되는바, 이에 따라 교환된 주권은 병합 전의 주식을 여전히 표창하면서 그와 동일성을 유지하므로, 구주식에 대한 유류분청구의 효력은 신주식에 미친다」고 판시하고 있다.[165) 동 판례는 주식이 병합 전후에 걸쳐 동일성을 유지한다고 하여 회사와의 관계에서 구주식으로 인한 권리를 신주식을 가지고 주장할 수 있다는 의미는 아니므로 회사법적으로는 의미를 부여받지 못한다. 하지만 주식에 관한 개인법적 관계에서는 구주식에 대한 질권의 효력이 신주식에 미치고, 구주식에 관한 분쟁은 신주식으로 연장되므로 이러한 범위에서는 의미가 있다.[166)

마) 단주의 처리 및 주권의 미제출

주식병합의 과정에서 주주가 주권을 제출하지 않는 예로는 단주가 발생한 경우와 임의로 주권을 제출하지 않는 경우가 있다.[167) 첫째, ‘단주가 발생한 경우’ 즉 병합에 적당하지 아니한 주식이 있는 때에는 그 병합에 적당하지 아니한 부분에 대하여 발행한 신주를 경매하여 그 대금을 단주의 소유 비율에 따라 종전의 주주에게 지급하여야 한다(제443조 제1항 본문). 그러나 거래소의 시세 있는 주식은 거래소를 통하여 매각하고, 거래소의 시세 없는 주식은 법원의 허가를 받아 경매 외의 방법으로 매각할 수 있다(제443조 제1항 단서). 둘째, 주권을 ‘임의로 제출하지 않는 경우’, 기명주식을 소유한 주주가 주권을 제출하지 아니하더라도 주주명부에 근거하여 주식을 병합함으로써 신주식과 단주의 금액이 계산되

---

163) 동지: 이철송, 전게서, 963면.
164) 정찬형, 전게서, 1171면.
165) 대법원 2005.6.23. 2004다51887.
166) 이철송, 전게서, 963면.
167) 최기원 저·김동민 보정, 전게서, 955면.

므로 추후 구주권을 제출하고 신주권을 교부받을 수 있다.[168]

3) 주식 소각의 절차

가) 서 설

상법에서는 주식소각의 절차에 관하여 별도로 규정을 두지 않고, 주식병합의 절차에 관한 규정을 준용하고 있다(제343조 제2항, 제440조, 제441조). 따라서 유상소각의 경우 소각대금은 주식소각의 효력이 발생한 후에야 지급할 수 있다. 또한 주식을 소각하는 경우에도 단주가 발생할 수 있는데, 그 처리는 주식을 병합하는 경우에서와 동일한 방법으로 하여야 한다. 주식소각에 의한 자본금 감소의 절차를 강제소각과 임의소각으로 분류하여 살펴보면 다음과 같다.

나) 소각의 유형

첫째, '강제소각'의 경우에는 상법의 규정에 따라 주식병합의 절차와 마찬가지로 회사가 1월 이상의 기간을 정하여 소각한다는 뜻과 주주에게 주권을 제출할 것을 공고하고 주주명부상의 주주와 질권자에게는 개별적으로 통지하여야 한다(제343조 제2항, 제440조). 이러한 공고기간이 종료한 때에 주식소각의 효력이 발생하지만, 채권자 보호절차가 종료하지 아니한 때에는 그 절차가 종료한 때에 주식소각의 효력이 발생한다(제343조 제2항, 제441조). 둘째, '임의소각'의 경우에는 상법에 규정이 없지만, 주주의 신청에 의해 주권을 제출받거나 또는 시장에서 주식을 매입하는 방법으로 회사가 자기주식을 취득한 이후 지체없이 주식실효의 절차를 밟아야 한다.[169] 이러한 경우 회사가 주주와의 계약에 의해 주식을 취득하는 방식을 취하지만, 주주 모두에게 공평한 기회를 주어야 한다. 따라서 회사는 모든 주주에 대하여 1월 이상의 기간을 정하여 소각한다는 뜻과 주주에게 주권을 제출할 것을 공고하고 주주명부상의 주주와 질권자에게는 개별적으로 통지하여야 한다. 임의소각을 할 때에도 채권자 보호절차를 밟아야 하므로 그 절차의 종료 전에는 주식소각의 효력이 발생하지 않는다.[170]

---

168) 2015년 상법의 개정 전에 존재하던 '무기명주식'의 경우, 무기명주식을 소유한 주주가 주권을 제출하지 아니한 경우에는 회사가 각 주주의 주식수를 알 수 없으므로 당해 주주의 주식에 대한 주식병합이 불가능하고, 따라서 이러한 경우에는 주권이 제출되지 않은 주식 전부를 병합비율에 따라 병합한 후 전부 단주로 취급하여 환가하고 추후 구주권과 교환하여 대금을 지급해야 하는 것으로 해석되었다(제444조, 제443조).

169) 정희철, 전게서, 542면; 정동윤, 전게서, 664면; 정찬형, 전게서, 1172면.

170) 이철송, 전게서, 964면; 최준선, 전게서, 718면.

다) 임의소각의 효력발생시기

주식의 임의소각의 효력은 주식의 실효절차가 종료된 때에 발생하고, 주주의 주식소각대금채권은 상법에서 규정하고 있는 자본금 감소절차가 종료된 때에 발생한다.[171] 한편 임의소각의 효력발생시기와 관련하여 대법원에서는 "주식의 '강제소각'의 경우와 달리, 회사가 특정 주식의 소각에 관하여 주주의 동의를 얻고 그 주식을 자기주식으로서 취득하여 소각하는 이른바 주식의 '임의소각'에 있어서는, 회사가 그 주식을 취득하고 상법 소정의 자본감소의 절차뿐만 아니라 상법 제342조가 정한 주식실효 절차까지 마친 때에 소각의 효력이 생긴다"라고 판시하고 있다.[172] 그리고 임의소각에서 소각대금채권의 발생시기와 관련하여 대법원에서는 "주식의 임의소각의 경우 그 소각의 효력이 상법 제342조의 주식실효 절차까지 마쳐진 때에 발생한다 하더라도, 주주가 주식소각대금 채권을 취득하는 시점은 임의소각의 효력발생시점과 동일한 것은 아니며, 적어도 임의소각에 관한 주주의 동의가 있고 상법 소정의 자본감소의 절차가 마쳐진 때에는 주식소각대금 채권이 발생하고, 다만 그때까지 주주로부터 회사에 주권이 교부되지 않은 경우에는 회사는 주주의 주식소각대금 청구에 대하여 주권의 교부를 동시이행항변 사유로 주장할 수 있을 뿐이다"라고 판시하고 있다.[173]

5. 자본금 감소의 효력

가. 자본금 감소의 효력발생

1) 서 설

자본금 감소는 감자를 위한 상법상의 절차가 종료되어야 비로소 자본금 감소의 효력이 발생한다. 즉 자본금 감소를 위한 주주총회의 특별결의(제438조, 제439조 제1항), 채권자 보호절차(제439조 제2항 및 제3항), 주권제출의 공고(제440조) 등 자본금 감소의 실행절차가 모두 종료한 때에 자본금 감소의 효력이 생긴다.[174] 그런데 그 실행절차는 주주총회가 결정한 자본금 감소의 방법(제439조 제

---

171) 정찬형, 전게서, 1172면.
172) 대법원 1992.4.14. 90다카22698; 2008.7.10. 2005다24981.
173) 대법원 2008.7.10. 2005다24981.
174) 액면주식이 발행된 회사에서 주금액의 감소에 의해 자본금을 감소하는 경우에는 자본금

1항)에 따라 다르기 때문에 자본금 감소의 효력발생시기도 달라진다.[175] 한편 자본금 감소의 효력이 발생하기 전에 사정변경 등의 사유가 있는 경우에는 주주총회의 특별결의로 자본금 감소의 결의를 철회할 수 있다.[176]

2) 효력발생시기

가) 액면주식의 경우

액면주식을 발행한 회사의 자본금 감소가 주식수의 감소에 의한 것인지 또는 주금액의 감소에 의한 것인지에 따라 그 효력발생시기가 달라진다. 첫째, '주식수의 감소'에 의한 자본금 감소의 효력발생시기는 다음과 같다. i) 주식의 병합이나 주식의 강제소각의 경우에는 채권자보호절차가 종료한 이후(제439조 제2항, 제232조), 이의제출권의 공고 또는 통지에서 정한 이의제출기간이 만료한 때에 자본금 감소의 효력이 발생한다(제440조, 제441조, 제343조 제2항).[177] ii) 주식의 임의소각의 경우에는 회사가 소각을 위해서 취득한 주식을 소멸시킨 때에 자본금 감소의 효력이 발생한다(제341조, 제342조). 둘째, '주금액의 감소'에 의한 자본금 감소의 효력발생시기에 관하여는 상법에 규정이 없으므로, 상법상 주식인수의 청약에 대한 의사표시의 효력 규정을 원용하여(제304조 제2항 참조), 회사의 주금액 감소의 의사표시가 모든 주주에게 도달한 때에 자본금 감소의 효력이 생기는 것으로 본다.[178]

나) 무액면주식의 경우

무액면주식을 발행한 회사에서 자본금은 주식수와 무관하기 때문에, 자본금 감소를 위하여 주식을 소각하거나 병합하는 절차는 필요하지 않고 주권에 관한 처리 절차도 요구되지 않으며, 따라서 이러한 경우는 주주총회에서 감소되는 자본금의 규모를 결정하고 채권자 보호절차를 밟으면 족한 것으로 보는 견해가 있다.[179] 이에 의하면, 주식의 소각이나 병합 등의 절차가 필요하지 않기 때문에,

---

감소를 위한 주주총회의 특별결의와는 별도로 정관의 변경을 위한 주주총회의 특별결의도 있어야 한다.
175) 최기원, 전게서, 901면; 정희철, 전게서, 543면.
176) 정희철, 전게서, 543면; 정동윤, 전게서, 666면; 정찬형, 전게서, 1173면; 최기원 저·김동민 보정, 전게서, 956면; 김동민, 전게논문, 253면.
177) 다만 1인회사의 경우에는 주식병합에 관한 주주총회의 결의에 따라 그 변경등기의 경료시에 주식병합의 효력이 발생한다. 대법원 2005.12.9. 2004다40306.
178) 동지: 최기원, 전게서, 902면; 정찬형, 전게서, 1172면; 최준선, 전게서, 718면.

자본금 감소의 효력발생일에 관한 상법 제441조 본문이 적용될 여지도 없고, 따라서 무액면주식을 발행한 경우에는 자본금 감소를 위한 주주총회에서 자본금 감소의 효력발생일을 별도로 정해야 하는 것으로 해석한다.[180] 또한 주주총회가 정한 효력발생일에 아직 채권자 보호절차가 종료되지 아니한 경우에는 상법 제441조 단서를 유추적용하여 채권자 보호절차가 종료한 때에 비로소 자본금 감소의 효력이 발생하는 것으로 해석한다.[181]

그러나 무액면주식의 경우 발행주식총수와 자본금의 액은 직접적인 관련성이 없기는 하지만, 자본금을 발행주식총수로 나눈 '주당 자본금'의 개념은 존재한다. 따라서 무액면주식의 소각에 의해 자본금 감소가 이루어질 수도 있고 그렇지 않을 수도 있기 때문에,[182] 무액면주식의 소각에 의해 자본금이 감소하는 경우에는 액면주식의 경우와 마찬가지로 주주총회의 특별결의, 채권자 보호절차, 주권제출의 공고 등의 절차를 모두 완료해야 그 효력이 발생하지만, 무액면주식의 소각에 의해 자본금이 감소하지 않는 경우에는 자본금 감소에 관한 상법 제343조 제1항 본문이 적용될 여지가 없고 동조 단서가 적용되어 회사가 자기주식으로 취득하여 소각하는 절차를 완료하는 시점에서 그 효력이 발생한다고 본다.[183] 한편 무액면주식의 병합에 있어서도 무액면주식의 소각에서와 마찬가지로 자본금이 감소하는 경우와 그렇지 않은 경우가 존재할 수 있기 때문에, 자본금 감소가 수반되지 않는 주식 병합에 있어서는 주주총회의 특별결의 없이 이사회의 결의에 의해 이사회에서 정한 날에 그 효력이 발생하지만, 자본금 감소가 수반되는 주식 병합에 대하여는 일반원칙으로 돌아가서 주주총회의 특별결의, 채권자 보호절차, 주권제출의 공고 등 감자를 위한 모든 절차가 완료되어야 비로소 그 효력이 발생한다고 본다.[184]

3) 등 기

자본금이 감소하면 발행주식총수의 감소 또는 주금액의 감소 등 회사의 등기사항에 변경이 생기므로(제317조 제2항), 자본금 감소의 효력이 생긴 때로부터

---

179) 이철송, 전게서, 964면.
180) 일본 회사법 제447조 제1항 제3호 참조.
181) 일본 회사법 제449조 제6항 단서 참조.
182) 송종준, 전게논문, 229면; 김홍기, 전게논문, 110면.
183) 동지: 송옥렬, 전게서, 873면.
184) 최기원 저·김동민 보정, 전게서, 957면.

본점소재지에서는 2주간 내에, 지점소재지에서는 3주간 내에 변경등기를 하여야
한다(제317조 제4항, 제183조). 액면주식을 발행한 회사에서 자본금 감소의 효력
은 주식의 소각 또는 병합의 절차가 종료한 때에 발생하지만, 무액면주식을 발
행한 회사에서 자본금 감소의 효력은 주주총회가 정한 날에 발생할 뿐이고 변경
등기에 의해 생기는 것은 아니다. 즉 무액면주식을 발행한 회사에서의 변경등기
는 자본금 감소가 효력을 발생하기 위한 요건이 아니다.[185]

나. 자본금 감소의 부수적 효과

1) 기존 질권의 효력

"주금액의 감소"에 의한 자본금 감소의 경우, 주금액이 감소되더라도 주식의
동일성이 달라지는 것은 아니기 때문에 구주식에 설정되어 있는 질권에는 아무
런 영향이 없고, 다만 구주권과 교환된 신주권에 구주권상의 질권의 효력이 그
대로 유지된다.[186] 또한 '주식수의 감소'에 의한 자본금 감소의 경우, 주식의 소
각이나 병합으로 인해 받게 되는 신주식이나 금액에 대해서도 질권의 효력이 그
대로 미치며,[187] 특히 등록질권자는 그 금전으로 우선하여 변제에 충당할 수 있
다(제339조, 제340조). 이와 같이 주금액의 감소에 의한 자본금 감소 또는 주식
수의 감소에 의한 자본금 감소 등에 의해 신주가 발행된 경우, 담보물권이 갖는
물상대위의 효과에 의해 구주권에 설정된 질권은 신주권에도 당연히 효력을 미
친다(민법 제342조 참조).

2) 감소된 주식의 재발행 여부

주식의 소각이나 병합에 의한 자본금 감소의 경우 발행주식총수가 감소하게
되는데, 이와 같이 감소된 주식수만큼의 주식을 통상의 신주발행절차를 밟아서
재발행할 수 있는지가 문제된다. 이에 관하여는 학설이 대립하고 있다. 첫째,
'긍정설'에 의하면, 자본금 감소에 의해 주식수가 감소되더라도 발행예정주식총
수가 감소하는 것은 아니기 때문에, 감소된 주식수만큼 미발행주식수가 회복된

---

185) 김동민, 전게논문, 250면.
186) 이철송, 전게서, 966면; 최준선, 전게서, 719면.
187) 주식을 병합하는 경우, 구주권과 교환된 신주권은 병합 전의 주식을 여전히 표창하면서
     그와 동일성을 유지하므로, 구주식에 대한 유류분청구의 효력은 신주식에 미친다. 대법원
     2005.6. 23. 2004다51887.

다고 보아 이사회의 결의로 주식의 재발행이 가능하다고 한다.[188] 둘째, '부정
설'에 의하면, 자본금 감소에 의해 회사가 발행한 주식수가 감소한 경우에 회사
의 발행예정주식총수가 감소하지는 않지만, 소멸된 주식도 이미 이사회가 신주
발행권한을 갖고 그 행사에 의하여 발행된 주식이기 때문에, 이사회의 결의로
소멸된 주식수만큼 주식을 재발행할 수는 없다고 한다.[189] 그러나 긍정설에 의
하면 이사회에 대하여 신주의 발행권한을 이중으로 부여하는 결과가 되어 부당
하므로,[190] 다수설인 부정설이 타당하다고 본다.[191]

3) 감자차익금의 적립

가) 감자차익의 처리

무액면주식을 발행한 회사가 자본금 감소를 한 경우에는 주주에게 환급하는
금액이 없이 단지 자본금의 계수만 감소하기 때문에 감자차익이 발생하지 않는
다. 그러나 액면주식을 발행한 회사가 자본금 감소를 한 경우에는 감소되는 자
본금에 비해 주주에게 환급하는 금액이 적을 경우 그 차액은 결손의 전보에 충
당하는데, 이러한 충당 이후에도 잔액이 있을 경우에는 감자차익(감자잉여금)이
발생한다.[192] 이와 같은 감자차익은 기업회계기준에 의하면 자본잉여금에 해당
하기 때문에 당연히 자본준비금으로 적립하여야 한다(제459조 제1항 제2호).[193]
왜냐하면 이러한 감자차익은 다시 자본금으로 전입할 필요도 없고, 이를 이익으
로 배당하는 것도 불합리하기 때문이다.[194]

나) 감자차손이 발생한 경우

액면주식을 발행한 회사에서 자본금 감소를 하여 감자차익이 발생한 경우,
자본금의 감소액보다 주주에게 환급하는 금액이 크게 되면 그 차액이 발생하여

---

188) 이병태, 「상법(상)」(법원사, 1974), 523면; 이철송, 전게서, 441면.
189) 권기범, 전게서, 891면.
190) 동지: 최기원, 전게서, 902면; 손주찬, 전게서, 902면; 정동윤, 전게서, 666면; 이철송, 전
    게서, 440~441면.
191) 최기원, 전게서, 902면; 손주찬, 전게서, 902면; 김용태, 「상법(상)」 제1판(원광대학교출판
    국, 1984), 422면; 양승규·박길준, 「상법요론」 제5판(삼영사, 1999), 355면.
192) 김동민, 전게논문, 252면.
193) 자본금 감소의 경우에 그 감소액이 주식의 소각, 주금의 반환에 필요한 금액과 결손의 전
    보에 충당한 금액을 초과한 때에 그 초과금액은 주주에게 이익으로 배당할 수 없는 재원
    이므로 자본준비금으로 적립하여야 한다(제459조 제1항).
194) 최준선, 전게서, 718면.

이에 대한 회계처리가 문제된다.[195] 실제로 기업실무에서는 이를 감자차손이라는 개념을 사용하고 있으며, 기업회계기준서도 감자차손을 자본조정의 변동항목의 하나로 열거하고 있다(동 기준서 제21호 92(6)). 이와 관련하여 금융감독원의 기업회계기준 유권해석은 "감자차손은 감자차익과 우선적으로 상계하고 그 잔액은 자본금 조정으로 계상한 후 결손금의 처리순서에 준하여 처리한다"라고 설명하면서, 감자차손의 개념을 인정하고 있다.[196] 한편 주금액을 초과하는 금액을 주주에게 환급하게 되면 마치 주주에 대하여 이익배당을 한 것과 같은 효과가 발생하는데, 상법상 주주에 대한 이익배당은 배당절차에 의해서만 가능하기 때문에, 자본금 감소의 방법으로 액면을 초과하는 금액을 주주에게 환급하는 것은 당연히 위법으로서 무효라고 보아야 한다.[197]

4) 주식소각 후 감자대가의 선지급

회사가 주주로부터 자기주식을 취득한 이후 상당한 시간이 경과한 다음에 그 주식을 소각하는 방법으로 자본금 감소를 한 경우, 그 주식 매매대금의 지급이 감자 대가의 선지급에 해당하여 회사가 배당소득세를 부담하는지가 문제된다. 이는 위와 같은 주식 거래가 주식소각 방법에 의한 감자절차의 일환으로 이루어진 것으로서, 그 주식 매매대금의 지급이 소득세법 제17조 제1항 제3호 소정의 '의제배당'에 해당하는지의 문제이다.[198]

이에 관하여 대법원은 "甲주식회사가 주주인 乙 등으로부터 甲회사의 주식을 매수한 다음 1년 3개월 후 임시주주총회를 개최하여 위 주식을 소각하기로 결의하고 자본감소의 변경등기를 하였는데, 과세관청이 乙 등에게 주식 매매대금을 지급한 것은 감자대가를 선지급한 것이라는 이유로 매매대금 상당액을 업무무관가지급금으로 보아 甲회사에 법인세 및 원천징수의무자로서의 배당소득세를 과세한 사안에서, 제반 사정에 비추어 위 주식 거래는 주식소각 방법에 의한

---

195) 감자차손은 [자본감소액(＝액면가 × 감소되는 주식수)−(주당환급액 × 감소되는 주식수)]의 금액이 부수(−)일 때, 즉 자본금 감소를 계기로 주주에게 지급하는 금액이 주식의 액면가를 초과하는 경우에 발생한다.
196) 금융감독원의 기업회계기준 유권해석 8-33(1999. 6. 29.) 참조.
197) 이철송, 전게서, 965면.
198) '의제배당'이란, 주식의 소각이나 자본금의 감소로 인하여 주주가 취득하는 금전이나 재산의 가액 또는 출자의 감소로 인하여 사원이나 출자자가 취득하는 금전이나 재산의 가액이 주주나 출자자가 그 주식 또는 출자를 취득하기 위하여 사용한 금액을 초과하는 금액을 말한다(소득세법 제17조 제2항 제1호).

자본금감소 절차의 일환으로 이루어진 것인데, 의제배당소득은 일반적인 주식양도소득과는 달리 소득세법 시행령 제46조 제4호에서 정한 주식의 소각 등 결정일에 수입시기가 도래하는바, 甲회사가 주식의 소각을 결정한 날이 乙 등의 배당소득 수입시기로서 소득의 실현시기가 되므로,199) 과세관청이 甲회사에 위 소득의 수입시기가 속한 사업연도에 의제배당으로 인한 배당소득세를 원천징수할 것을 고지하고, 위 소득의 실현 이전에 지급된 주식대금을 선급금(업무무관가지급금)에 불과하다고 보아 그에 대한 인정이자 상당액을 익금 산입하여 법인세를 과세한 처분에 아무런 위법이 없다"고 하였다.200)

6. 자본금 감소의 무효

가. 총   설

1) 의   의

자본금 감소는 주주 및 채권자뿐만 아니라 기타 이해관계인에게 중대한 영향을 미치게 되므로, 그 절차나 내용에 하자가 있는 경우에 제소권자가 당연히 그 무효를 주장할 수 있어야 한다.201) 그리하여 상법은 기존의 법률관계의 안정을 도모하고 자본금 감소 효력의 획일적인 처리를 위해서, 자본금 감소의 무효는 법원에 소로써만 그 하자를 주장할 수 있는 것으로 규정하고 있다. 또한 자본금 감소 무효의 소에 대하여 제소권자와 제소기간을 제한하고 있으며, 판결의 대세적 효력을 인정하면서 소급효는 배제하고 있다(제446조, 제190조 본문).

2) 무효의 원인

자본금 감소의 무효원인과 관련하여 상법은 개별적인 무효사유를 열거하고 있지 않으므로, 일반원칙에 따라 자본금 감소의 절차나 내용이 법령 또는 정관에 위반하거나 현저하게 불공정한 경우에 무효가 된다. 구체적으로 자본금 감소를 위한 주주총회의 결의가 없거나 그 결의의 절차 및 내용에 하자가 있는 경

---

199) '의제배당소득'의 경우, 일반적인 주식의 양도소득과 달리, 소득세법 시행령 제46조 제4호에서 정한 주식의 소각 등의 결정일에 그 수입시기가 도래한다.
200) 대법원 2019.6.27. 2016두49525.
201) 최기원 저·김동민 보정, 전게서, 958면.

우, 채권자 보호절차를 밟지 않은 경우, 자본금 감소의 방법이나 절차가 주주평
등의 원칙에 반하는 경우, 이의제출을 한 채권자에 대하여 변제나 담보제공 등
의 의무를 이행하지 않은 경우, 어느 종류의 주주에게 손해를 미치게 될 때 종
류주주총회를 개최하지 않은 경우, 기타 법령이나 정관에 위반하거나 현저히 불
공정한 경우 등이 이에 해당한다.202)

그 밖에 자본금 감소를 하면서 주주의 주식수에 따라 다른 비율로 주식병합
을 하여 차등감자가 이루어진 경우는 주주평등의 원칙에 반하여 감자무효의 원
인이 될 수 있고,203) 주식병합을 통한 자본금 감소가 현저히 불공정하게 이루
어져서 신의성실 및 권리남용금지의 원칙에 반하는 경우도 감자무효의 원인이
될 수 있다.

이와 관련하여 대법원은 "소수주식의 강제매수제도를 통한 소수주주 축출제
도를 회피하기 위하여 탈법적으로 동일한 효과를 갖는 다른 방식을 활용하는 것
은 위법하지만, 자본금 감소를 위한 주식병합으로 소수주주가 주주의 지위를 상
실한 경우 그 자체로 위법하다고 볼 수 없다"고 하면서, "甲주식회사가 임시주
주총회를 개최하여 1주당 액면가를 5,000원에서 50,000,000원으로 인상하는
10,000:1의 주식병합을 하고, 10,000주에 미치지 못하는 주식을 보유한 주주에
게 1주당 액면가 5,000원을 지급하기로 하는 내용의 '주식병합 및 자본금감소'
를 결의하였고, 이에 따라 乙을 포함하여 10,000주 미만의 주식을 보유한 주주
들이 주주의 지위를 상실한 경우, 위 주식병합 및 자본금감소가 주주총회의 특
별결의 등 상법에서 정한 절차를 거쳤으므로, 주주평등의 원칙이나 신의성실의
원칙 및 권리남용금지의 원칙에 위배되는 것은 아니다"라고 하였다.

나. 자본금감소 무효의 소

1) 소송의 절차

가) 제소권자

자본금감소 무효의 소는 주주, 이사, 감사, 청산인, 파산관재인 또는 자본금
감소를 승인하지 아니한 채권자에 한하여 제기할 수 있다(제445조).204) 이 경우

---

202) 김동민, 전게논문, 252면.
203) 대법원 2020.11.26. 2018다283315.
204) 신주발행의 무효는 주주나 이사 또는 감사에 한하여 신주를 발행한 날로부터 6월 이내에

272 제5장 재무와 회계

주주에는 자본금 감소에 의해 소유주식의 전부가 소각되어 주주의 지위를 상실한 자도 포함된다. 자본금 감소를 승인하지 아니한 채권자는 원칙적으로 제소권이 있지만, 회사가 변제하거나 상당한 담보를 제공하거나 상당한 재산을 신탁한 때에는 소의 이익이 없으므로 이러한 채권자는 제소권이 없다. 또한 채권자는 자본금 감소 당시의 채권자로서 채권자 보호절차의 흠결이 있는 때에 이를 이유로 해서만 자본금감소 무효의 소를 제기할 수 있으므로, 이의제출기간이 경과한 후에 새롭게 채권자의 지위를 갖는 자는 제소권이 없다.

나) 제소기간

자본금감소 무효의 소는 자본금 감소로 인한 변경등기가 된 날로부터 6개월 내에만 제기할 수 있는데(제445조), 그 제소기간의 시기가 언제부터인지 문제된다. 이와 관련하여 자본금 감소의 절차가 진행되는 과정에서 하자가 생긴 경우에 그것이 자본금 감소의 효력이 발생한 때이든 변경등기를 한 때이든 상관없이 어느 단계에서도 자본금감소 무효의 소를 제기할 수 있다는 견해가 있다.[205] 그러나 변경등기가 있은 때는 제소기간의 기산일이 될 뿐이므로, 제소기간의 시기는 변경등기가 있은 때가 아니라 자본금 감소의 효력이 발생한 때이다.[206] 따라서 자본금 감소의 효력이 발생한 때는 변경등기 전에도 자본금감소 무효의 소를 제기할 수 있다고 할 것이다.[207]

한편 자본금감소 무효의 소의 제소기간이 경과한 후에 새로운 무효사유를 추가할 수 있는지가 문제된다. 감자무효의 소에서 제소기간을 제한하는 취지는 신주발행 무효의 소에서와 마찬가지로 무효사유의 주장시기도 함께 제한하려는 것이며, 또한 이러한 제소기간은 제척기간이라고 해석된다. 따라서 자본금감소 무효의 소를 제기한 후 6월이 경과한 다음에 새로운 무효사유를 추가하여 주장하는 것은 허용되지 않는다고 본다.[208] 이와 동일한 입장에서 대법원도 "상법 제445조에 의하면 자본금 감소의 무효는 주주, 이사, 감사, 청산인, 파산관재인,

소로써만 이를 주장할 수 있다(제429조). 이러한 점에서 자본금감소 무효의 소의 제소권자는 신주발행무효의 소에서보다 그 범위가 넓다.

205) 강위두, "자본감소," 「고시계」(고시계사, 1966. 10.), 66면.
206) 최기원 저·김동민 보정, 전게서, 959면.
207) 동지: 정희철, 전게서, 544면 최기원, 전게서, 903면; 日本 最高裁判所 1967.2.17., 判時 481, 124.
208) 최기원, 전게서, 904면; 이철송, 전게서, 967면; 정찬형, 전게서, 1174면.

자본금 감소를 승인하지 아니한 채권자에 한하여 자본금 감소로 인한 변경등기
가 있는 날로부터 6월 내에 소만으로 주장할 수 있는 것으로 규정하고 있는바,
이는 자본금 감소에 수반되는 복잡한 법률관계를 조기에 확정하고자 하는 것이
므로 새로운 무효사유를 출소기간의 경과 후에도 주장할 수 있도록 하면 법률관
계가 불안정하게 되어 위 규정의 취지가 몰각된다는 점에 비추어 위 규정은 무
효사유의 주장시기도 제한하고 있는 것이라고 해석함이 상당하고 자본금 감소로
인한 변경등기가 있는 날로부터 6월의 출소기간이 경과한 후에는 새로운 무효사
유를 추가하여 주장할 수 없다"고 판시하고 있다.[209]

다) 기타 소송절차

상법상 자본금감소 무효의 소에 관한 절차로서 소의 관할, 소 제기의 공고,
병합심리, 하자의 보완과 재량기각,[210] 패소한 원고의 책임 등에 관하여는 회사
설립 무효의 소에 관한 규정이 준용된다(제446조, 제186조 내지 제189조, 제191조,
제192조). 그리고 이사나 감사가 아닌 주주 또는 채권자가 소를 제기한 경우, 이
들의 담보제공의무에 관하여는 주주총회결의 취소의 소에 관한 규정이 준용된다
(제446조, 제377조).[211]

한편 감자무효의 소에 대한 재량기각의 여부에 대하여 대법원은 "법원이 감
자무효의 소를 재량기각하기 위해서는 원칙적으로 그 소제기 전이나 그 심리 중
에 원인이 된 하자가 보완되어야 한다고 할 수 있을 것이지만, 하자가 추후 보
완될 수 없는 성질의 것으로서 자본금감소 결의의 효력에는 아무런 영향을 미치
지 않는 것인 경우 등에는 그 하자가 보완되지 아니하였다 하더라도 회사의 현
황 등 제반사정을 참작하여 자본금 감소를 무효로 하는 것이 부적당하다고 인정
한 때에는 법원은 그 청구를 기각할 수 있다」고 하면서, 「주주총회의 감자결의
에 결의방법상의 하자가 있으나 그 하자가 감자결의의 결과에 아무런 영향을 미
치지 아니하였고, 감자결의를 통한 자본금 감소 후에 이를 기초로 채권은행 등
에 대하여 부채의 출자전환 형식으로 신주발행을 하고 수차례에 걸쳐 제3자에게
영업을 양도하는 등의 사정이 발생하였다면, 자본금 감소를 무효로 할 경우 부

---

209) 대법원 2010.4.29. 2007다12012.
210) 감자무효의 소를 재량기각하기 위해서는 하자의 보완이 필요한 것이 원칙이지만(제446조,
   제189조), 하자의 보완이 없음에도 불구하고 재량기각을 허용한 판례도 있다. 대법원
   2004.4.27. 2003다29616 참조.
211) 최기원, 전게서, 903면.

채의 출자전환 형식으로 발행된 신주를 인수한 채권은행 등의 이익이나 거래의 안전을 해할 염려가 있으므로 자본금 감소를 무효로 하는 것이 부적당하다고 볼 사정이 있다"고 판시하고 있다.[212]

2) 주총결의 하자의 소와의 관계

가) 의 의

자본금 감소를 위한 주주총회의 특별결의에 하자가 있게 되면, 이는 주총결의에 대한 하자의 사유가 되면서 동시에 자본금감소에 대한 무효의 사유도 되기 때문에, 이러한 경우 주주총회결의 하자의 소에 의할 것인지 아니면 자본금감소 무효의 소에 의할 것인지가 문제된다.[213]

나) 학설의 대립

(1) 병존설

주총결의 하자의 소와 감자무효의 소는 각각 그 요건과 효과를 달리하므로 양자를 선택적으로 제기할 수 있다는 견해이다. 이에 의하면, 주주총회결의 하자에 관한 판결이 확정된 때에는 자본금 감소가 당연히 효력을 상실하기 때문에, 감자무효의 소를 별도로 제기할 필요가 없다고 한다.

(2) 완전 흡수설

자본금 감소의 효력이 발생하기 전과 후를 구분하지 아니하고 주총결의 하자의 소를 제기할 수 없고, 감자무효의 소에 의해서만 그 효력을 다투어야 한다는 견해이다.[214] 이에 의하면, 상법상 주총결의에 대하여 후속행위인 감자무효에 의하여 발생하는 효력에 의해 분쟁이 궁극적으로 해결될 수 있기 때문에, 주총 결의의 하자는 감자무효의 하자에 당연히 흡수되어 있는 것으로 보아 어느 경우에나 감자무효의 소만 제기할 수 있다고 한다.

(3) 부분 흡수설

자본금 감소의 '효력 발생 전'에는 감자무효의 소를 제기할 수 없으므로 감자를 위한 주주총회의 결의와 관련된 모든 하자의 주장은 오로지 주총결의 하자의 소에 의할 수밖에 없지만,[215] 자본금 감소의 '효력 발생 후'에는 감자를 위한 주

---

212) 대법원 2004.4.27. 2003다29616.
213) 최기원 저·김동민 보정, 전게서, 960면.
214) 이철송, 전게서, 966면, 632면.

주총회의 결의는 자본금 감소를 위해 진행되는 전체 절차의 일부에 지나지 않으므로 주주총회의 결의에 대한 효력만을 다투는 주총결의 하자의 소는 당연히 감자무효의 소에 흡수되어야 한다는 견해이다.[216]

다) 학설의 검토

감자를 위한 주주총회의 결의는 자본금 감소의 효력이 발생하기 위한 하나의 요소에 불과하므로 주총결의의 하자를 다투는 소는 감자무효의 소에 흡수되는 것으로 보아야 하므로, '부분 흡수설'이 타당하다.[217] 다만 주총결의 취소의 소의 제소기간은 결의의 날로부터 2월 이내이므로 결의의 절차상의 하자를 이유로 하는 감자결의 취소의 소는 이러한 기간 내에 반드시 먼저 제기되어야 한다. 이때 자본금 감소의 효력발생 전에 주총결의 취소의 소가 제기된 경우로서, 그 원고가 감자무효의 소의 제소권자라면 감자의 효력발생 후에는 감자무효의 소의 제기기간 내에 소의 변경절차에 따라 감자결의 취소의 소를 감자무효의 소로 변경하여야 할 것이다(민사소송법 제262조).[218]

이와 동일한 입장에서 대법원도 "상법 제445조에 의하면 자본금 감소의 무효는 주주, 이사, 감사 등이 자본금 감소로 인한 변경등기가 있은 날로부터 6월 내에 소만으로 주장할 수 있는 것으로 규정하고 있으므로, 설령 주주총회의 자본금 감소 결의에 취소 또는 무효의 하자가 있다고 하더라도 그 하자가 극히 중대하여 자본금 감소가 존재하지 아니하는 정도에 이르는 등의 특별한 사정이 없는 한 자본금 감소의 효력이 발생한 후에는 자본금감소 무효의 소에 의해서만 다툴 수 있다"고 판시하고 있다.[219]

---

215) 이 경우 주주총회결의 하자의 소를 본안으로 하여 자본금감소 실행금지의 가처분을 얻을 수는 있다; 정희철, 전게서, 544면.
216) 최기원, 전게서, 905면; 정희철, 전게서, 544면; 정동윤, 전게서, 669면; 이철송, 전게서, 621면; 채이식, 전게서, 807면,; 이기수, 전게서, 502면; 최준선, 전게서, 721면; 최기원 저·김동민 보정, 전게서, 952면.
217) 동지: 송옥렬, 전게서, 945면.
218) 최기원, 전게서, 905면; 정희철, 전게서, 544면; 정동윤, 전게서, 811면; 정찬형, 전게서, 1175면; 최준선, 전게서, 721면; 송옥렬, 전게서, 945면.
219) 대법원 2009.11.12. 2009다42765; 2010.2.11. 2009다83599.

3) 판결의 효력

가) 대세적 효력

감자무효의 판결은 형성판결이기 때문에, 판결이 확정됨과 동시에 기존의 자본금 감소는 무효가 된다. 감자무효의 판결이 확정된 때에는 본점과 지점의 소재지에서 등기를 하여야 한다(제446조, 제192조). 한편 i) '원고 승소'의 경우에는 대세적 효력이 있으므로(제446조, 제190조 본문), 소송을 제기하지 않은 자 모두에게도 자본금 감소는 무효이다. 그러나 ii) '원고 패소'의 경우에는 대인적 효력만 있으므로 소송을 제기하지 않은 자는 감자무효의 소를 제기할 수 있다. 특히 패소한 원고에게 악의 또는 중과실이 있으면 회사에 대해서 연대하여 손해를 배상할 책임이 있다(제446조, 제191조).

한편 자본금 감소의 절차상 하자가 이사의 귀책사유로 야기되어 회사에 손해가 발생한 경우, 이사는 감자무효의 판결 확정과 무관하게 회사에 대하여 그 배상책임을 지는지가 문제된다. 이에 관하여 대법원은 "자본금 감소를 위한 주식소각 절차에 하자가 있으면 주주 등은 자본금 감소로 인한 변경등기가 된 날부터 6개월 내에 소로써만 무효를 주장할 수 있는데(상법 제445조), 이사가 주식소각 과정에서 법령을 위반하여 회사에 손해를 끼친 사실이 인정될 때에는 감자무효의 판결이 확정되었는지 여부와 관계없이 상법 제399조 제1항에 따라 회사에 대하여 손해배상책임을 부담한다"고 하였다.[220]

나) 판결의 소급효

자본금감소 무효의 판결이 소급효를 갖는지에 관하여는 다음과 같이 견해가 대립하고 있다. 즉 i) 감자무효의 판결에 소급효를 인정하게 되면, 자본금 감소의 과정에서 이루어진 채권자에 대한 채무변제 또는 병합된 주식의 양도 등이 모두 무효가 되고, 심지어는 자본금 감소 이후 개최된 주주총회에서의 결의가 전부 취소 내지는 부존재 사유를 갖게 되는 문제가 있기 때문에, 그 소급효는 부정하는 것이 옳다는 견해가 있다.[221] 또한 ii) 이와 동일한 이유를 근거로 하여 감자무효의 판결에 있어서 그 소급효의 문제는 구체적 사안에 따라 판단하여

---

220) 대법원 2021.7.15. 2018다298744.
221) 김정호, "자본감소무효와 판결의 효력," 「상법학의 전망(임홍근교수 정년퇴임기념논문집)」 (법문사, 2003), 307면; 이철송, 전게서, 968면.

탄력적으로 인정하는 것이 타당하다는 견해도 있다.[222] 그리고 iii) 신주발행은 발행주식이 증가하는 것이고 자본금 감소는 발행주식이 감소하는 것으로서 양자는 자본금의 증감이라는 측면에서 짝을 이루는 행위임에도 불구하고, 전자의 무효판결에는 장래효만 인정하는데 후자의 무효판결에는 소급효를 부여하는 것은 균형이 맞지 않는 입법이므로, 감자무효의 판결에도 소급효가 부정되어야 한다는 견해도 있다.[223] 그러나 iv) 감자무효 판결의 소급효와 관련하여, 종래에는 상법 제446조에서 상법 제190조 본문과 단서를 모두 준용함으로써 감자무효의 판결에도 판결의 소급효가 인정되지 않았지만, 1995년의 개정상법에 의해 감자무효의 판결에는 상법 제190조 본문만 준용되고 불소급효에 관한 동조 단서는 준용되지 않기 때문에, 현행 상법상 감자무효의 판결에는 소급효가 인정된다고 해석하는 견해가 다수설이고 타당하다.[224]

다) 기타 부수적 효과

(1) 액면주식의 경우

자본금 감소의 무효 판결이 확정되어 자본금 감소가 무효로 되면, 회사의 자본금은 자본금 감소 이전의 상태로 회복된다. 구체적으로 주금액 감소에 의한 자본금 감소의 경우 주금액은 감소 전의 금액으로 다시 복귀되고, 주식의 소각이나 병합에 의한 자본금 감소의 경우 소각된 주식은 원상태로 부활하며, 병합된 주식은 병합 전의 주식으로 분할된다. 한편 주식의 무상소각에 의한 자본금 감소의 경우에는 이와 같은 효과는 판결확정 당시의 주주가 누리면 될 것이므로 특별한 문제가 발생하지 않는다. 하지만 주식의 유상소각에 의한 자본금 감소의 경우 그리고 무상으로 소각하였더라도 단주의 대금을 지급한 경우에는 복잡한 문제가 발생한다. 왜냐하면 자본금 감소 전의 상태로 회복하기 위해서는 회사가 주주에게 지급한 금액을 회수해야 하는데, 그러면 과연 누구로부터 그 금액을 회수해야 하는지가 문제되기 때문이다. 현재의 주주로부터 회수한다면 추가출자를 요구하는 결과가 되어 주주의 유한책임의 원칙에 반하므로 당연히 자본금 감소 당시의 주주로부터 회수하여야 한다. 따라서 감자무효 판결의 확정으로 인해 자본금 감소 당시의 주주는 회사에 대해 감자의 대가로 받은 금전을 반환할 의

---

222) 정동윤, 전게서, 812면; 최준선, 전게서, 722면.
223) 이철송, 전게서, 968면.
224) 동지: 최기원, 전게서, 905면; 이기수, 전게서, 623면; 정찬형, 전게서, 1176면.

무가 생긴다고 보아야 한다.[225]

한편 자본금 감소절차의 실행에 의해 소각되거나 병합된 주식은 감자무효의 판결에 의해 부활하거나 분할되는데, 이 경우 주식의 부활이나 분할로 인하여 주식수가 증가하게 되는 효과는 자본금 감소 당시의 주주에게 생긴다. 그리고 주금액을 감소한 경우에는 주금액의 회복과 동시에 현재의 주주에 대해서는 주식의 병합을 하고, 자본금 감소 당시의 주주에 대하여는 당시의 자본금 감소율에 따른 주식을 발행해 주어야 한다.[226] 자본금 감소의 무효 판결 이후 주주로부터 자본금 감소를 위한 대가의 회수가 불가능하여 회사가 손해를 보는 경우에 회사는 이사에 대하여 손해배상을 청구할 수 있고(제399조), 또한 주주나 채권자에게 손해가 발생한 경우에 이들은 회사 또는 이사에 대하여 손해배상을 청구할 수 있다(제389조 제3항, 제210조, 제401조).

(2) 무액면주식의 경우

무액면주식을 발행한 회사에서 자본금 감소의 무효 판결이 확정된 경우 그 효력과 관련하여 주식이나 반대급부 등의 원상회복이 어떻게 되는지가 문제된다. 이에 관하여는 i) 무액면주식을 발행한 회사의 경우에는 명목상 감자만 가능할 뿐이고 실질적 감자가 있을 수 없다는 전제에서,[227] 자본금 감소가 있더라도 주주에게 환급하는 금액 없이 단지 자본금의 계수만 축소되기 때문에, 자본금 감소의 무효 판결이 확정되더라도 자본금의 계수가 자본금의 감소 전의 상태로 회복하는데 그칠 뿐이고 환급된 금액의 원상회복은 발생할 여지가 없다고 해석하는 견해가 있다.[228] 하지만 ii) 무액면주식을 발행한 회사의 경우에도 명목상 감자는 물론이고 실질적 감자가 가능하기 때문에,[229] 실질적 감자에 대한 무효 판결이 확정되면 주금액의 복귀 문제는 발생할 여지가 없지만, 소각된 주식의 부활 및 합병된 주식의 분할 등 원상회복이 필요한 상황은 액면주식이 발행된 회사의 경우와 마찬가지로 발생한다고 본다.[230]

---

225) 김동민, 전게논문, 256면.
226) 이철송, 전게서, 967면.
227) 정순형, 전게논문, 121면.
228) 이철송, 전게서, 968면.
229) 동지: 홍복기 외7인, 전게서, 526면; 김동민, 전게논문, 258면.
230) 김동민, 전게논문, 258면.

제4절 주식회사의 회계

I. 서 설

심 영*

회계는 기업의 재무상태와 경영성과를 객관적으로 인식하여 정보이용자에게 전달하는 효과적인 방법이다. 그러나 회계처리기준이 존재하지 않거나 모호한 경우에는 내용에 대한 신뢰가 있을 수 없을 뿐만 아니라 정보의 투명성을 확보하지 못해 오히려 혼란을 가져오게 된다.

주식회사에는 주주·채권자·경영자·사용인·국가 등 여러 이해관계인이 있다. 이해관계인의 정보필요성과 대립을 조정하기 위한 전제로서 회사의 회계를 명확히 하고 공정을 기할 필요가 있으며, 이는 기업의 합리적 경영을 위한 계산적 기초를 제공하게 된다. 그러므로 상법은 주식회사의 회계관련 규정을 강행규정으로 한다.

II. 회계기준

1. 상법상 회계기준

2011년 개정상법은 상법의 회계규정과 기업회계기준과의 괴리를 없애고 변화하는 회계관행에 적절히 대응할 수 있도록 기존의 회계규정을 대폭 삭제하고 원칙규정만을 두었다(제446조의2).

한편 제29조 제2항은 모든 기업의 회계원칙으로 상업장부(회계장부와 대차대조표)를 작성할 때 상법에 규정한 것을 제외하고는 일반적으로 공정·타당한 회계관행에 의하도록 한다. 이에 비하여 제446조의2는 주식회사 회계의 경우는 상법과 시행령으로 규정한 것을 제외하고는 일반적으로 공정하고 타당한 회계관행

---

* 연세대학교 법학전문대학원 교수

에 따르도록 한다. 제446조의2의 해석으로는 다음과 같은 두 가지 견해가 대립한다. ① 이미 같은 취지의 규정이 총칙편 제29조 제2항에 규정되어 있으며, 이는 당연히 회사의 회계에도 적용되는 바이므로 제446조의2는 불필요한 규정이라는 견해와[1] ② 제446조의2는 주식회사에 적용되는 회계의 원칙을 강조하기 위한 일종의 주의적 규정 내지 확인적 규정이라기보다는 제29조 제2항에 대한 특별규정으로 주식회사 회계에 관한 원칙적인 사항만을 상법에 규정해 두고 구체적인 기준은 시행령에 위임할 수 있도록 한 것이라고 이해하여야 한다는 견해이다.[2]

회계기준으로는 「주식회사 등의 외부감사에 관한 법률」[3](이하 '외부감사법')에 따른 외부감사 대상 회사에 적용하는 ① 국제회계기준위원회의 국제회계기준을 채택하여 정한 회계처리기준(한국채택국제회계기준; K-IFRS)과 ② 외부감사법 제5조 제1항 제2호에 따른 회계처리기준(일반기업회계기준), 공공기관에 적용하는 ③ 「공공기관의 운영에 관한 법률」에 따른 공기업·준정부기관 회계원칙, 중소기업에 적용하는 ④ 법무부장관이 금융위원회 및 중소기업청장과 협의하여 고시하는 회계기준(이하 '중소기업회계기준')이 있다(시행령 제15조).

2. 한국채택국제회계기준

우리나라는 2011년부터 국제회계기준위원회(IASB; International Accounting Standards Board)가 작성한 국제회계기준(IFRS; International Financial Reporting Standards)을 상장회사 등에 전면적으로 적용하기로 하고 한국채택국제회계기준(K-IFRS)을 제정하였다. 국제회계기준의 주요 특징은 원칙중심의 기준체계(principle-based standards), 연결재무제표 중심, 공정가치평가(fair value accounting) 강조 등이다.

한국채택국제회계기준은 주권상장법인(코넥스시장 상장법인은 제외), 상장예정

1) 이철송, 「회사법강의」 제29판(박영사, 2021), 975면; 임재연, 「회사법 I」 개정판(박영사, 2013), 676면; 최준선, 「회사법」 제10판(삼영사, 2015), 702면.
2) 권재열, "개정상법 제446조의2의 의의," 「상사법연구」 제30권 제3호(한국상사법학회, 2011.); 홍복기, 「회사법강의」 제3판(법문사, 2015), 655면.
3) 「주식회사의 외부감사에 관한 법률」은 2017년 전부 개정되어 2018년 11월 1일 시행되어 오늘에 이르고 있다. 전부개정된 「주식회사 등의 외부감사에 관한 법률」은 외부감사대상 회사를 유한회사로 확대하고 있다.

법인과 금융지주회사, 은행, 금융투자회사(투자자문업과 투자일임업 제외), 보험회사, 신용카드업자 등의 회계처리에 적용한다(외부감사법 시행령 제6조 제1항). 또한 한국채택국제회계기준은 재무제표의 작성과 표시를 위해 한국채택국제회계기준의 적용을 선택하거나[4] 다른 법령에서 적용을 요구하는 기업의 회계처리에도 적용한다.

한국채택국제회계기준은 모든 종속회사의 재무사항을 예외 없이 연결재무정보에 포함하여 연결재무제표를 통해 지배·종속회사간의 내부거래, 연결실체의 수익원천과 재무구조 등을 종합적으로 파악할 수 있다.[5] 금융감독원 전자공시시스템(DART 전자공시[6])에 공시되는 사업보고서(결산)와 분·반기보고서(3개월 단위)도 연결재무제표를 기준으로 작성하여야 한다.

3. 일반기업회계기준

일반기업회계기준은 외부감사법 적용대상기업 중 한국채택국제회계기준에 따라 회계처리하지 아니하는 기업이 적용해야 하는 회계처리기준이다.[7] 일반기업회계기준을 적용하는 회사의 경우도 지배기업에 해당하면 연결재무제표를 작성한다.

4. 중소기업회계기준

중소기업회계기준은 외부감사법 적용대상이 아닌 주식회사에 적용한다. 중소기업회계기준은 적용대상 회사의 재무제표 작성자가 이해하고 적용하기 쉬우면서 재무정보 이용자에게도 유용한 정보를 제공할 수 있도록 하기 위하여, 중소기업에서 흔히 발생하는 거래를 중심으로 일반기업회계기준의 내용을 단순화한 회계기준이다.

---

4) 자발적으로 K-IFRS를 적용하고자 하는 기업이 K-IFRS를 한번 선택한 뒤에는 K-IFRS를 계속 적용하여야 한다.
5) 금융감독원, "K-IFRS 연결재무제표 공시현황 및 감독방향," 정례 브리핑 자료(2012. 7. 11.).
6) http://dart.fss.or.kr/
7) 한국채택국제회계기준을 도입하기 전에 적용한 '기업회계기준서'를 '종전의 기업회계기준'이라고 부른다.

5. 회계기준의 법규성

외부감사법에 따라 제정된 한국채택국제회계기준과 일반기업회계기준이 법규성을 가지고 있는가에 대한 논의가 있다. 외부감사법은 특별한 유보 없이 금융위원회가 증권선물위원회의 심의를 거쳐 회계처리기준을 정하도록 하였고(외부감사법 제5조 제1항), 금융위원회는 그 업무를 민간단체인 한국회계기준원에 위탁하였다(외부감사법 제5조 제4항). 이러한 회계기준 제정방식에 대하여 국회가 법규사항을 하위규범에 위임하는 경우 일반적·포괄적 위임은 허용되지 않는다는 문제뿐만 아니라 민간단체에 입법권을 위임하는 것 자체가 헌법에 위반된다는 의견이 제시되었다. 나아가 한국채택회계기준과 관려하여 한국회계기준원의 기능은 단순히 국제회계기준위원회가 작성한 IFRS를 문언에 충실하게 번역하는 것에 지나지 않아 입법기능인 작성권을 사실상 국제회계기준위원회가 행사하고 있다는 점에서 더 큰 문제의 소지를 가지고 있기 때문이다.[8]

위와 같은 문제점이 있기는 하지만 상법 제446조의2와 시행령 제15조 제1호는 한국채택국제회계기준과 일반기업회계기준을 법규범화 하였다. 또한 중소기업회계기준의 경우는 상법이 민간단체인 한국회계기준원에 업무를 위탁하도록 하지 않고 법무부 장관이 회계기준을 고시하는 방법으로 중소기업회계기준의 법규성을 확보하고 있다.

Ⅲ. 재무제표 및 영업보고서

1. 재무제표

가. 재무제표의 의의

재무제표는 주식회사의 결산을 위해 작성하고 주주총회의 승인을 받아 확정되는 회계서류이다. 재무제표는 가장 핵심적인 재무보고 수단으로서 기업실체의

---

8) 황남석, "기업회계기준의 법규성 재고," 「상사법연구」 제31권 제1호(한국상사법학회, 2012), 272~274면.

경제적 자원과 의무, 그리고 자본과 이들의 변동에 관한 정보를 제공한다. 따라서 재무제표의 목적은 광범위한 정보이용자의 경제적 의사결정에 유용한 기업의 재무상태, 성과 및 재무상태변동에 관한 정보를 제공하는 것이다.[9]

상법은 재무제표에 적을 사항을 적지 아니하거나 부실하게 적은 경우에는 이사, 집행임원, 감사 등에게 500만원 이하의 과태료를 부과한다(제635조 제1항 제9호).

나. 재무제표의 종류

1) (개별)재무제표

가) 대차대조표

대차대조표란 일정시점(대차대조표일)에 있어서 기업의 재무상태를 명확히 표시하기 위하여 재산을 자산·부채 및 자본으로 나누어 보고서 또는 계정식으로 작성하는 서류로 정보이용자들이 기업의 유동성, 재무적 탄력성, 수익성, 위험 등을 평가하는데 유용한 정보를 제공한다. 대차대조표는 회계장부에 의한 유도법에 의하여 작성하여야 한다(제30조 제2항).

주식회사가 대차대조표를 작성하여야 하는 시기는 회사가 성립한 때와 매 결산기이다(제30조 제2항). 그 밖에 주식의 포괄적 교환(제360조의4), 주식의 포괄적 이전(제360조의17), 합병(제522조의2), 분할(제530조의7), 청산(제533조)의 경우에도 대차대조표를 작성한다.

2009년 개정 외부감사법은 대차대조표를 재무상태표로 용어를 변경하였다. 이에 따라 상법상의 용어와 차이가 발생하여 외부감사법 제2조 제2호에 재무상태표 또는 포괄손익계산서를 상법에 따른 대차대조표 또는 손익계산서로 간주하는 규정을 두었다. 한국채택국제회계기준과 일반기업회계기준도 대차대조표를 재무상태표로 표시한다.

나) 손익계산서·포괄손익계산서

'손익계산서'는 일정 기간(특정영업연도) 동안의 기업의 경영성과를 명백하게 하기 위하여 투입된 비용과 그 수익을 일람표시한 서류를 말한다. 손익계산서는 또한 기업의 미래현금흐름과 수익창출능력 등의 예측에 유용한 정보를 제공한

---

9) 한국회계기준원, 한국채택국제회계기준 기업회계기준서 제1001호 재무제표표시, 문단 9.

다.10)

'포괄손익계산서'(statement of comprehensive income)는 당기손익, 기타포괄손익(당기손익으로 인식하지 않는 수익과 비용), 당기순손익, 총기타포괄손익, 당기손익과 기타포괄손익을 합한 당기포괄손익을 표시하는 보고서이다.

다) 자본변동표 · 이익잉여금처분계산서(또는 결손금처리계산서)

'자본변동표'는 자본의 크기와 그 변동에 관한 정보, 즉 자본을 구성하고 있는 자본금, 자본잉여금, 자본조정, 기타포괄손익누계액, 이익잉여금(또는 결손금)의 변동에 대한 정보를 제공한다.11)

'이익잉여금처분계산서(또는 결손금처리계산서)'는 이익잉여금의 처분사항(또는 결손금의 처리사항)을 명확히 보고하기 위해 작성한다. 상법 시행령이 이익잉여금처분계산서(또는 결손금처리계산서)를 재무제표의 하나로 정한 것은 소규모 회사에까지 자본변동표를 작성하도록 요구할 필요는 없고 종전과 같이 이익잉여금처분계산서(또는 결손금처리계산서)를 작성하도록 하는 것이 바람직하다는 점이 고려된 것이다. 법인세법에서도 이익잉여금처분계산서(또는 결손금처리계산서)를 신고서류로 하고 있다(법인세법 제60조 제2항 제1호).

한국채택국제회계기준이나 일반기업회계기준에 따라 재무제표를 작성하는 경우에는 이익잉여금처분계산서(또는 결손금처리계산서)는 주석공시사항으로 반영한다.

라) 현금흐름표

현금흐름표는 기업의 현금흐름을 나타내는 표로서 기업의 현금 및 현금성 자산 창출능력과 기업의 현금흐름 사용 필요성에 대한 평가의 기초를 제공한다. 대차대조표와 손익계산서는 발생주의 회계를 취하여 있기 때문에 실제의 현금흐름에 대한 정보를 통하여 부채상환능력이나 배당금지급능력을 추정할 때 유용한 서류이다.12)

마) 주 석

주석은 재무제표 작성 근거와 구체적인 회계정책의 요약 및 그 밖의 설명으

---

10) 한국회계기준원, 일반기업회계기준 제2장 재무제표의 작성과 표시 I, 문단 2.44.
11) 한국회계기준원, 일반기업회계기준 제2장 재무제표의 작성과 표시 I, 문단 2.74.
12) 송옥렬, 「상법강의」 제8판(홍문사, 2018), 1196면.

로 구성되어 재무상태표, 포괄손익계산서, 별개의 손익계산서(표시하는 경우), 자본변동표 및 현금흐름표에 표시하는 정보에 추가하여 제공된 정보를 말한다. 주석은 재무제표에 표시된 항목을 구체적으로 설명하거나 세분화하고, 재무제표 인식요건을 충족하지 못하는 항목에 대한 정보를 제공한다.

국제회계기준의 경우 재무제표 본문이 간략해지면서 이를 보충 설명하는 주석의 내용이 크게 늘었다. 국제회계기준은 기존의 기업회계기준에서 요구하지 않았던 환위험, 유동성위험, 이자율위험 등에 대한 관리정책, 환율 등 변동이 당기순이익에 미치는 민감도 분석 등 투자에 유용한 정보가 주석에 추가되었다.[13]

바) 재무제표 부속명세서

재무제표 부속명세서는 재무제표의 중요한 항목에 관한 명세를 기재한 서류를 말한다. 이는 대차대조표 및 손익계산서의 기재만으로 불충분한 것을 보조하는 기능을 갖고 있다.

2) 연결재무제표

가) 연결재무제표의 의의

'연결재무제표'(consolidated financial statements)란 지배회사가 작성하는 재무제표로 지배회사와 그 지배회사의 모든 종속기업[14]을 하나의 경제적 실체로 파악하여 작성하는 재무제표이다. 즉 지배·종속관계[15]에 있는 회사들 전체를 하나의 기업실체로 보아 작성하는 재무제표이다.[16] 연결재무제표는 특히 자본시장의 정보이용자에게 유용성을 주기 위해 지배회사와 종속회사가 단일의 법적 실체는 아니라 하더라도 단일의 경제적 실체를 형성하여 하나의 회계단위(지배회사와 종속회사 재무제표의 자산, 부채, 자본, 수익, 비용을 같은 항목별로 합산)로 인정한다. 연결재무제표의 유용성은 지배회사와 종속회사 간의 내부거래, 연결실체의 수익원천과 재무구조 등을 종합적으로 파악할 수 있다는 점이다.

---

13) 금융감독원 회계제도실, 「알기쉬운 국제회계기준」(2010. 12.), 11면.
14) 일반기업회계기준에서는 파트너십과 같은 법인격이 없는 실체와 특수목적기업(리스, 연구개발 활동 또는 금융자산의 증권화 같은 한정된 특수 목적을 수행하기 위해 설립된 기업)을 포함한다.
15) 일반기업회계기준에서 지배력이란 경제활동에서 효익을 얻기 위하여 재무정책과 영업정책을 결정할 수 있는 능력을 말한다.
16) 지배력에 대한 법리적 분석은 오수근, "한국채택국제회계기준상 연결실체의 판단기준에 대한 법리적 분석,"「상사법연구」제30권 제3호(한국상사법학회, 2011) 참조.

나) 연결재무제표 작성의무

상법은 연결재무제표를 작성하여야 할 주식회사의 범위를 시행령에 위임하고 있다(제447조 제2항). 상법시행령은 연결재무제표를 작성하여야 하는 회사의 범위를 외부감사법에서 규정한 지배회사로 한다(시행령 제16조 제2항). 국제회계기준17)과 일반회계기준18)은 모두 원칙적으로 모든 지배기업은 연결재무제표를 작성하도록 한다.

다) 연결재무제표 구성서류

연결재무제표를 구성하는 구체적인 서류를 상법이 정의하고 있지는 않다. 그러나 연결재무제표는 외부감사법 제4조에 따른 외부감사의 대상이 되는 회사 중 외부감사법 제2조 제3호에 규정된 지배회사가 작성하는 것이고 주식회사의 회계는 상법과 시행령에 규정한 것을 제외하고는 일반적으로 공정하고 타당한 회계관행에 따른다고 정한 제446조의2 입법취지를 본다면 외부감사법이 정하는 연결재무제표의 정의에 따라야 할 것이다. 즉, 연결재무제표는 연결대차대조표(연결재무상태표), 연결손익계산서(또는 연결포괄손익계산서), 연결자본변동표, 연결현금흐름표, 주석으로 구성되는 것으로 해석하여야 한다.

---

17) 지배기업이 다음의 조건을 모두 충족하는 경우에는 연결재무제표를 작성하지 않아도 된다(한국채택국제회계기준 기업회계기준서 제1110호 연결재무제표 문단 4).
  ① 지배기업이 그 자체의 지분 전부를 소유하고 있는 다른 기업의 종속기업이거나, 지배기업이 그 자체의 지분 일부를 소유하고 있는 다른 기업의 종속기업이면서 그 지배기업이 연결재무제표를 작성하지 않는다는 사실을 그 지배기업의 다른 소유주들(의결권이 없는 소유주 포함)에게 알리고 그 다른 소유주들이 그것을 반대하지 않는 경우
  ② 지배기업의 채무상품 또는 지분상품이 공개된 시장(국내·외 증권거래소나 장외시장. 지역시장 포함)에서 거래되지 않는 경우
  ③ 지배기업이 공개된 시장에서 증권을 발행할 목적으로 증권감독기구나 그 밖의 감독기관에 재무제표를 제출한 적이 없으며 제출하는 과정에 있지도 않은 경우
  ④ 지배기업의 최상위 지배기업이나 중간 지배기업이 한국채택국제회계기준을 적용하여 일반 목적으로 이용가능한 연결재무제표를 작성한 경우
18) 지배기업이 다음의 조건을 모두 충족하는 경우에는 연결재무제표를 작성하지 않아도 된다(일반기업회계기준 제4장 연결재무제표 문단 4.3).
  ① 지배기업 자체가 종속기업이다.
  ② 지배기업의 최상위 지배기업(또는 중간 지배기업)이 한국채택국제회계기준이나 이 장을 적용하여 일반 목적으로 이용가능한 연결재무제표를 작성한다.
  다만, 일반기업회계기준 제3장 '재무제표의 작성과 표시Ⅱ(금융업)'에 따른 금융업을 영위하는 지배기업과 보험업회계처리준칙에 따른 보험업을 영위하는 지배기업은 상기 조건을 모두 충족하더라도 연결재무제표를 작성한다.

라) 연결재무제표와 개별재무제표

연결재무제표를 작성하는 회사도 지배회사 자체의 이익배당, 세금계산, 기타 정보의 제공의 목적으로 회사의 법적 실체에 대한 개별재무제표(separate financial statements)가 계속 필요하다. 따라서 연결대상 종속회사가 있는 지배회사는 연결재무제표와 함께 개별재무제표를 작성하여야 한다. 한국채택국제회계기준은 연결재무제표를 작성하는 지배회사의 개별재무제표를 '별도재무제표'라 부른다.[19] 종속회사가 없는 회사는 개별재무제표만 작성한다.

2. 영업보고서

영업보고서는 재무제표와는 달리 계산적이 아니고 특정영업연도의 영업상황을 문장식으로 기재한 보고서이다. 영업보고서의 기재사항은 시행령이 정하는 영업에 관한 중요한 사항을 기재하여야 한다(제447조의2). 영업보고서에 기재하여야 하는 사항은 다음과 같다(시행령 제17조).

① 회사의 목적 및 중요한 사업 내용, 영업소·공장 및 종업원의 상황과 주식·사채의 상황
② 해당 영업연도의 영업의 경과 및 성과(자금조달 및 설비투자의 상황을 포함)
③ 모회사와의 관계, 자회사의 상황, 그 밖에 중요한 기업결합의 상황
④ 과거 3년간의 영업성적 및 재산상태의 변동상황
⑤ 회사가 대처할 과제
⑥ 해당 영업연도의 이사·감사의 성명, 회사에서의 지위 및 담당 업무 또는 주된 직업과 회사와의 거래관계
⑦ 상위 5인 이상의 대주주(주주가 회사인 경우에는 그 회사의 자회사가 보유하는 주식을 합산), 그 보유주식 수 및 회사와의 거래관계, 해당 대주주에 대한 회사의 출자 상황

---

19) 한국채택국제회계기준 기업회계기준서 제1027호 별도재무제표는 별도재무제표를 기업이 이 기준서의 규정에 따라 종속기업, 공동기업 및 관계기업에 대한 투자를 원가법, 기업회계기준서 제1109호 '금융상품'에 따른 방법, 기업회계기준서 제1028호 '관계기업과 공동기업에 대한 투자'에서 규정하고 있는 지분법 중 어느 하나를 적용하여 표시한 재무제표로 정의한다.

⑧ 회사, 회사와 그 자회사 또는 회사의 자회사가 다른 회사의 발행주식총수의 10분의 1을 초과하는 주식을 가지고 있는 경우에는 그 주식 수, 그 다른 회사의 명칭 및 그 다른 회사가 가지고 있는 회사의 주식 수

⑨ 중요한 채권자 및 채권액, 해당 채권자가 가지고 있는 회사의 주식 수

⑩ 결산기 후에 생긴 중요한 사실

⑪ 그 밖에 영업에 관한 사항으로서 중요하다고 인정되는 사항

영업보고서는 기업의 회계와는 직접적인 관계가 없는 까닭에 상법은 재무제표에서 영업보고서를 제외하고(제447조), 또한 정기총회의 승인을 요하는 서류에서도 제외하고 있다(제449조 제1항). 그 대신 이사가 이사회의 승인을 얻은 후 정기총회에 제출하여 그 내용을 보고하도록 한다(제447조의2 제1항, 제449조 제2항).

Ⅳ. 재무제표의 작성과 감사

1. 재무제표 작성의무

주식회사의 이사는 매 결산기에 재무제표와 그 부속명세서 및 영업보고서를 작성하여 이사회의 승인을 얻어야 한다(제447조, 제447조의2). 이사회의 승인을 얻은 후 이사는 정기총회회일의 6주간 전에 위의 서류를 감사에게 제출하여야 한다(제447조의3). 이때 법문상에 이사라는 표현에도 불구하고 실제는 대표이사를 말하며 집행임원 설치회사의 경우에는 대표집행임원이 재무제표를 작성한다.[20]

외부감사 대상 회사는 재무제표를 정기총회 6주 전에 감사인에게 제출하여야 하며, 한국채택국제회계기준을 적용하는 회사는 연결재무제표를 정기총회 4주 전에 감사인에게 제출하여야 한다(외부감사법 제6조 제2항, 동 시행령 제8조 제1항). 감사인은 감사보고서를 작성하여 정기총회 1주 전에 회사에 제출하여야 한

---

20) 외부감사법은 대표이사와 회계담당 임원(회계담당 임원이 없는 경우에는 회계업무를 집행하는 직원)이 회사의 재무제표(연결재무제표를 포함)를 작성할 책임이 있음을 명시하고 있다(외부감사법 제6조 제1항). 외부감사법은 외부감사의 독립성과 중립성을 보장하기 위하여 외부감사인이 재무제표를 작성해 주는 것을 금지한다.

다(외부감사법 제23조 제1항, 동 시행령 제27조 제1항). 2011년 개정상법은 연결재무제표 제도를 도입하면서 재무제표 작성기한을 변경하지 않았으나 연결재무제표를 작성하는 회사의 경우는 연결재무제표와 개별(별도)재무제표 모두 그 작성기한을 2주의 추가적 시간을 부여할 것이 입법적으로 필요하다.

2. 재무제표의 감사

가. 감   사(監査)

회사의 재무제표는 감사 또는 감사위원회의 감사를 받아야 한다. 감사는 재무제표 등의 서류를 받은 날로부터 4주 내에 감사보고서를 이사에게 제출하여야 한다(제447조의4 제1항). 상장회사의 감사 또는 감사위원회는 감사보고서를 주주총회일의 1주 전까지 이사에게 제출할 수 있다(제542조의12 제6항). 이것은 외부감사인이 감사보고서를 주주총회 1주 전까지 제출하도록 한 외부감사법상 규정을 감안한 것이다.

나. 감사보고서

1) 감사보고서 기재사항

감사보고서는 회계감사에 관한 사항과 업무감사에 관한 사항이 포함된다. 감사가 감사를 하기 위하여 필요한 조사를 할 수 없었던 경우에는 감사보고서에 그 뜻과 이유를 적어야 한다(제447조의4 제3항). 감사보고서에 기재하여야 할 사항은 다음과 같다. 감사보고서에 적을 사항을 적지 아니하거나 부실하게 적은 경우에는 과태료 처분의 대상이 된다(제635조 제1항 제9호).

① 감사방법의 개요
② 회계장부에 기재될 사항이 기재되지 아니하거나 부실기재 된 경우 또는 대차대조표나 손익계산서의 기재 내용이 회계장부와 맞지 아니하는 경우에는 그 뜻
③ 대차대조표 및 손익계산서가 법령과 정관에 따라 회사의 재무상태와 경영성과를 적정하게 표시하고 있는 경우에는 그 뜻
④ 대차대조표 또는 손익계산서가 법령이나 정관을 위반하여 회사의 재무상

태와 경영성과를 적정하게 표시하지 아니하는 경우에는 그 뜻과 이유

⑤ 대차대조표 또는 손익계산서의 작성에 관한 회계방침의 변경이 타당한지 여부와 그 이유

⑥ 영업보고서가 법령과 정관에 따라 회사의 상황을 적정하게 표시하고 있는지 여부

⑦ 이익잉여금의 처분 또는 결손금의 처리가 법령 또는 정관에 맞는지 여부

⑧ 이익잉여금의 처분 또는 결손금의 처리가 회사의 재무상태나 그 밖의 사정에 비추어 현저하게 부당한 경우에는 그 뜻

⑨ 부속명세서에 기재할 사항이 기재되지 아니하거나 부실기재 된 경우 또는 회계장부·대차대조표·손익계산서나 영업보고서의 기재 내용과 맞지 아니하게 기재된 경우에는 그 뜻

⑩ 이사의 직무수행에 관하여 부정한 행위 또는 법령이나 정관의 규정을 위반하는 중대한 사실이 있는 경우에는 그 사실

2) 주석과 감사보고서

주석은 외부감사 대상 회사의 재무제표에 포함된다. 이처럼 주석이 재무제표에 표시된 항목을 구체적으로 설명하거나 세분화하고 재무제표 인식요건을 충족하지 못하는 항목에 대한 정보를 제공하는 서류이므로 감사보고서에 주석에 대한 감사의 내용도 포함되는 것으로 보아야 한다.

3) 연결재무제표와 감사보고서

가) 연결재무제표와 감사보고서 기재사항

2011년 개정상법은 연결재무제표제도를 도입하면서 감사보고서의 기재사항에 연결재무제표와 관련한 사항을 구체적으로 특정하여 포함시키지 않고 있기 때문에 연결재무제표와 관련한 감사의 내용과 그 책임에 대해서 불명확하다는 비판이 있다.[21)

연결재무제표는 종속회사에 대한 내용을 포함하므로 감사보고서에 종속회사에 대한 내용이 어느 정도 포함되어야 하는지가 문제 될 수 있다. 이것은 이사의 재무제표작성 의무와 연관이 있다. 감사는 이사가 의무범위 내에서 적정하게

21) 최준선·김춘, "상법상 회사회계규정에 대한 소고,"「성균관법학」제23권 제2호(성균관대학교 법학연구소, 2011), 368면.

재무제표를 작성하였는지를 감사하여야 하는 것이기 때문이다. 즉 이사는 진실성에 입각하여 재무제표를 작성하여야 하고 감사는 회계의 진실성을 감사대상으로 하게 된다.

개정 전 상법에서도 감사는 선관주의 의무와 구체적으로 이사가 주주총회에 제출할 의안 및 서류를 조사하여 법령 또는 정관에 위반하거나 현저하게 부당한 사항이 있는지의 여부에 관하여 주주총회에 의견을 진술할 의무를 부담하였으므로 연결재무제표에 대한 감사의무를 부담하였다. 또한 2011년 개정상법이 연결재무제표제도를 도입한 취지를 "기업회계의 투명성 제고, 주주 등 이해관계자의 보호 및 연결회계방식으로 변화하고 있는 국제적 추세를 반영하여 시행령에서 정하는 회사에 대하여 연결재무제표의 작성의무를 부과하고 이사회의 승인을 받도록 하는 개정법을 마련함"이라고 설명하는 것을 볼 때 감사보고서의 기재사항에 대한 변경이 사실상 없다고 해서 감사의 연결재무제표 감사에 대한 책임을 규정하지 않은 것이 아니다.[22) 반대로 감사의 직무범위가 연결재무제표에까지 확장된 것이 명확해졌을 뿐이다.

그러나 상법이 감사보고서에 기재할 사항을 개별재무제표를 기준으로 규정하였기 때문에 연결재무제표에 관해서는 구체적으로 어떠한 사항을 감사보고서에 기재하여야 하는지가 명확하지 않다. 이는 2011년 개정상법이 연결재무제표의 구성서류가 무엇인지를 정의하지 않은 것과 관련이 있다. 하지만 상법 제447조의4 제2항이 사용하는 '대차대조표'와 '손익계산서'에 연결대차대조표와 연결손익계산서를 포함하는 것으로 해석하는 것에는 큰 무리가 없어 보인다. 입법론적으로는 감사보고서 기재사항에 연결재무제표에 관련한 사항을 추가하여 감사의 의무를 보다 명확히 하여야 한다.

나) 연결재무제표와 감사의 권한

상법과는 달리 외부감사법은 연결재무제표를 작성하여야 하는 지배회사에게 종속회사의 회계정보요구 및 조사권을 부여하고 있다. 지배회사는 '재무제표 작성을 위하여 필요한 범위' 내에서 종속회사의 회계에 관한 장부와 서류에 대한

---

22) 감사보고서의 기재사항은 2011년 개정상법이 크게 변경하지 않았다. 다만, '회사의 재산상태'를 '회사의 재무상태'로, '손익상태'를 '경영성과'로 용어를 변경한 것과 같이 회계관련 용어를 정비하였으며 '정확하게 표시'라는 용어는 감사의 과중한 부담을 줄인다는 취지에서 '적정하게 표시'라는 용어로 변경하였다.

열람·제출 요구권(회계정보제출 요구권)과 업무·재산상태 조사권(업무재산상태
조사권)을 가진다(외부감사법 제7조). '연결재무제표 작성을 위하여 필요한 범위'
에 해당하는지 여부는 지배회사가 소명하여야 한다.

이러한 지배회사의 권한은 '지배회사'가 행사하도록 하였으므로 재무제표 작
성의무를 부담하는 대표이사가 행사하는 것으로 해석하여야 한다. 그러나 법문
에서 말하는 '연결재무제표 작성을 위하여 필요한 범위'가 소명된다면 지배회사
의 감사도 대표이사를 통하여 종속회사에 대하여 회계정보제출 요구권과 업무재
산상태 조사권을 행사할 수 있을 것이다. 다만, 이러한 감사의 권한은 회계감사
권과 관련된 것일 뿐 감사의 업무감사권에는 해당이 없는 것으로 보아야 한다.

지배회사가 작성하여야 하는 그 연결재무제표가 종속회사의 재무정보를 적정
하게 표시하여야 하므로 연결재무제표를 작성하기 위하여 필요한 범위내에서 종
속회사는 정보제공 및 조사를 거부하지 못한다. 감사는 감사에 필요한 조사를
할 수 없었다면 감사보고서에 그 뜻과 이유를 적어야 하므로, 지배회사의 대표
이사가 지배회사에게 부여된 권한을 행사하지 않거나 종속회사가 정보제공 및
조사를 거부한 경우에는 이를 감사보고서에 기재하여야 한다.

외부감사법 제7조가 부여한 지배회사의 회계정보제출 요구권과 업무재산상태
조사권은 지배회사에게 종속회사의 '재무정보'에 대한 실질적인 통제권을 부여하
기 위함이지 지배회사에게 종속회사 경영에 대한 통제권을 부여하는 것은 아니
다. 만약 경영통제권까지 지배회사가 가진다면 상법에 따라 지배회사 또는 지배
회사의 이사·감사가 업무집행지시자에 포섭되어 그에 따른 책임을 부담하여야
한다는 점을 고려하여야 한다.

한편 상법은 감사의 자회사에 대한 조사권을 인정하고 있다. 회계기준에서
정하는 지배종속관계와는 달리 모자회사의 관계는 상법 제342조의2에 따라 지
주비율(持株比率)에 의해 정해진다. 감사는 그 '직무를 수행하기 위하여 필요한
때'에는 자회사에 대하여 영업보고를 요구하거나 자회사의 업무와 재산상태를
조사할 수 있다. '직무를 수행하기 위하여'라고 표현된 것은 일반적으로 모회사
의 감사에 필요한 때일 것이며 나아가 이사에 대한 위법행위유지청구권과 같이
감사의 포괄적 직무를 수행에 필요할 때가 포함되는 것으로 이해하여야 한다.
감사의 자회사에 대한 권한은 감사가 직접 행사한다. 이러한 감사의 권한을 효
과적으로 행사할 수 있도록 자회사는 정당한 이유가 없는 한 보고 또는 조사를

거부할 수 없도록 하고 있으며 조사를 정당한 이유 없이 거부하면 500만원 이하의 과태료를 부과받게 된다(제635조 제1항 제25호). 자회사에 대한 보고·조사를 거부당한 모회사의 감사는 감사보고서에 그 뜻을 기재하여야 한다.

외부감사법상의 지배회사의 회계정보제출 요구권과 업무재산상태 조사권은 상법상 모회사 감사의 자회사에 대한 영업보고요구권과 조사권에 대비된다. 상법상 감사의 자회사에 대한 권한은 모회사에 대한 효과적인 감사를 위해 인정되는 것이므로 회계감사뿐만 아니라 업무감사를 포함한다. 이에 비하여 지배회사의 종속회사에 대한 회계정보제출 요구권 및 업무재산상태 조사권은 정기적인 결산감사(決算監査)인 연결재무제표와 관련한 회계감사에 관한 것이다. 따라서 상법상의 감사의 권한과 외부감사법상의 지배회사의 권한은 행사방법(감사가 직접 행사할 수 있는가 또는 대표이사가 행사하여야 하는가), 행사범위(종속회사의 범위가 자회사의 범위보다 넓음), 권한범위(자회사에 대한 권한이 종속회사에 대한 권한보다 넓음)에서 차이가 있다.

2011년 개정상법은 연결재무제표 작성의무회사의 범위를 외부감사법과 일치시켰으므로 지배회사 감사는 외부감사법에 따라 회계감사권의 범위 내에서 종속회사에 대한 정보요구권 및 조사권을 대표이사를 통해 행사하여야 한다. 지배회사 감사가 직무수행과 관련하여 직접 종속회사에 대한 회계정보제출 요구권 및 업무재산상태 조사권을 행사하도록 할 것인지에 대해서는 논의가 필요하다. 소수주주는 이유를 붙인 서면으로 회계의 장부와 서류의 열람 또는 등사를 청구할 수 있다(제466조 제1항, 제542조의6 제4항). 지배회사의 감사는 대표이사에게 이러한 권리를 행사하도록 하여 종속회사의 회계장부와 서류 열람등사권을 이용하여 필요한 자료에 접근할 수도 있으므로 감사에 대한 직접적인 권한을 부여하는 것은 추후 장기적으로 검토할 대상이다.

현행 상법하에서는 감사는 대표이사가 지배회사에게 부여된 권한을 행사하지 않거나 종속회사와 자회사가 정보제공 및 조사를 거부하여 감사로서의 직무수행을 하지 못한 경우에는 감사보고서에 그 내용과 사유를 기재하여 책임을 면하여야 할 것이다.

3. 외부감사

외부감사법이 적용되는 회사의 경우는 외부감사를 받아야 한다.[23] 외부감사 대상 회사는 외부감사를 받기 위하여 재무제표의 경우는 정기총회 6주일 전에, 연결재무제표의 경우 한국채택국제회계기준을 적용하는 회사는 정기총회 4주일 전에 감사인에게 제출하여야 한다(외부감사법 제6조 제2항, 동 시행령 제8조 제1항). 감사인은 정기총회 1주일 전에 감사보고서를 회사(감사 또는 감사위원회 포함), 증권 선물위원회와 한국공인회계사회에 제출하여야 한다(외부감사법 제23조 제1항, 동 시행령 제27조 제1항). 감사보고서에서 감사의견은 적정의견(unqualified opinion),[24] 한정의견(qualified opinion),[25] 부적정의견(adverse opinion),[26] 의견거절(disclaimer of opinion)[27]로 표시된다. 그 밖에 감사인과 회사의 감사 또는 감사위 원회는 부정행위 보고의무를 부담한다. 즉 감사인은 그 직무를 수행할 때 이사의 직무수행에 관하여 부정행위 또는 법령이나 정관에 위반되는 중대한 사실을 발 견하면 감사 또는 감사위원회에 통보하고 주주총회에 보고하여야 하며, 회사가 회계처리 등에 관하여 회계처리기준을 위반한 사실을 발견하면 감사 또는 감사 위원회에 통보하여야 한다. 감사 또는 감사위원회도 이사의 직무수행에 관하여 부정행위 또는 법령이나 정관에 위반되는 중대한 사실을 발견하면 감사인에게 통보하여야 한다(외부감사법 제22조).

감사인이 그 임무를 게을리하여 회사에 손해를 발생하게 한 경우에는 회사에

---

23) 자본시장법에 따라 금융위원회와 한국거래소에 재무에 관한 서류를 제출하는 상장회사 등 은 외부감사법에 따른 회계감사를 받아야 하며(자본시장법 제169조 제1항), 독점규제 및 공정거래에 관한 법률에 따라 공정거래위원회가 지정한 공시대상기업집단에 속한 국내 회 사는 공인회계사의 회계감사를 받아야 한다(독점규제 및 공정거래에 관한 법률 제31조 제 5항).

24) '적정의견'은 재무제표가 일반적으로 인정된 회계처리기준에 따라 중요성의 관점에서 적정 하게 표시되고 있다고 판단했을 경우 표명한다.

25) '한정의견'은 감사인과 경영자간의 의견불일치나 감사범위의 제한으로 인한 영향이 중요하 여 적정의견을 표명할 수는 없지만 부적정의견이나 의견표명을 거절할 정도로 매우 중요하 거나 전반적이지 않은 경우에 표명한다.

26) '부적정의견'은 감사인과 경영자간의 의견불일치로 인한 영향이 재무제표의 오도나 불완전 성을 적절히 공시할 수 없다고 판단하는 경우에 표명한다.

27) '의견거절'은 감사범위의 제한에 의한 영향이 매우 중요하고 전반적이어서 감사인이 충분하 고 적합한 감사증거를 획득할 수 없었고 따라서 재무제표에 대한 감사의견을 표명할 수 없 는 경우에 의견표명을 거절한 것이다.

대하여 손해를 배상할 책임이 있고, 중요한 사항에 관하여 감사보고서에 기재하지 아니하거나 거짓으로 기재를 함으로써 이를 믿고 이용한 제3자에게 손해를 발생하게 한 경우에는 제3자에게 손해를 배상할 책임이 있다(외부감사법 제31조). 회계감사에 관한 상법상의 감사와 외부감사법상의 감사인에 의한 감사는 상호 독립적이어야 하므로 외부감사인에 의한 감사가 있다고 해서 상법상 감사의 감사의무가 면제되거나 경감되지 않는다.[28]

V. 재무제표의 승인

1. 재무제표 승인기관

가. 주주총회

감사절차를 거친 재무제표는 원칙적으로 주주총회가 승인한다. 감사는 이사가 주주총회에 제출한 재무제표 및 영업보고서를 조사하여 법령 또는 정관에 위반하거나 현저하게 부당한 사항이 있는지의 여부에 관하여 주주총회에 그 의견을 진술하여야 한다(제413조). 또한 총회는 필요한 때에는 이사가 제출한 서류와 감사보고서를 조사하게 하기 위하여 검사인을 선임할 수 있다(제367조).

재무제표의 승인은 주주총회의 보통결의에 의하며, 그 승인이 있으면 당해 연도의 재무제표는 확정된다.

나. 이 사 회

주주총회가 재무제표를 승인하는 것이 원칙이기는 하지만 전문적이고 매우 기술적인 회계처리에 따라 작성한 재무제표를 주주가 판단하기 쉽지 않기 때문에 그 승인이 매우 형식적일 수 있다는 문제점이 있다. 2011년 개정상법은 회계의 정당함을 담보할 수 있는 경우에는 재무제표를 이사회가 승인하고 주주총회에 보고할 수 있도록 한다.[29] 회사는 정관의 정함에 따라 ① 재무제표와 그

---

28) 대법원 2019.11.28. 2017다244115.

29) 재무제표의 승인기관이 이사회인 경우에는 이사회의 결의로 이익배당이 정해지며(제462조 제2항), 자기주식의 취득을 위한 주주총회의 결의를 이사회의 결의로 갈음할 수 있다(제341

부속명세서가 법령 및 정관에 따라 회사의 재무상태 및 경영상태를 적정하게 표시하고 있다는 외부감사인의 의견이 있고 ② 감사(감사위원회 설치회사의 경우는 감사위원회) 전원의 동의가 있으면 이사회의 결의로 재무제표와 그 부속명세서를 승인할 수 있다(제449조의2 제1항). 이사회가 재무제표를 승인한 경우에는 각 서류의 내용을 주주총회에 보고하여야 한다(제449조의2 제2항). 이사회가 재무제표를 승인하는 경우에는 이익배당도 이사회의 결의로 정한다.[30] 이러한 이사회에 의한 재무제표 승인 및 이익배당의 결정은 사실상 외부감사법 적용대상회사를 위한 것이다.[31]

2. 승인서류

주주총회의 승인이 필요한 서류로는 제447조의 각 서류이다(제449조 제1항). 따라서 재무제표는 승인이 필요한 기본적인 서류이다. 연결재무제표를 작성하는 경우에는 연결재무제표와 개별(별도)재무제표 모두를 주주총회에서 승인받아야 한다. 정기총회의 승인시 수정결의도 가능하다.

외부감사 대상 회사의 경우에는 현금흐름표와 주석이 재무제표에 포함되므로(시행령 제16조) 현금흐름표와 주석도 주주총회의 승인을 받아야 한다. 실무적으로는 정기총회 안건을 인쇄물로 제작하는 경우 주석을 포함하게 되면 방대한 분량의 책자를 주주에게 배포하여야 한다는 염려가 있을 수 있으나, 정기총회 안건을 반드시 인쇄물로 제작하여야 하는 것은 아니고 회의장에 비치된 컴퓨터를 통하여 주석의 내용을 확인할 수 있도록 하는 등 주주가 합리적으로 의결권을 행사할 수 있는 방안으로 주석을 제공하면 된다.

개정전 상법에서는 부속명세서의 승인을 요구하지 않았으나 개정법은 '제447조의 각 서류'로 자구를 수정하였기 때문에 부속명세서의 승인이 필요한지에 대한 논란이 있다. 이에 대해 다음과 같은 견해가 있다.

① 재무제표와 부속명세서 모두를 승인받아야 한다는 견해[32]

조 제2항 단서).

30) 상법 제462조의2 규정상 주식배당은 이사회의 결의로 정할 수 없고 주식배당에 관한 주주총회의 결의가 있어야 한다. 임재연, 전게서, 726면; 최준선, 「회사법」 제16판(삼영사, 2021), 728면.

31) 송옥렬, 전게서, 1197면.

② '제447조의 각 서류'라고 할 때는 재무제표만 가리키고, '제447조의 서류' 라고 할 때에는 재무제표와 그 부속명세서를 가리킨다는 견해[33]

③ 개정의 취지가 분명하지 않다는 점과 부속명세서는 정형화되어 있지도 않고 재무제표의 참고서류 정도의 의미가 있을 뿐이기 때문에 주주총회의 승인대상이 아니라는 견해[34]

상법 제449조 제1항의 개정이유는 명확하지 않다. 단지 자구수정을 위해 개정한 것으로 생각될 수 있지만 그 문언의 해석상 혼란을 가져오므로 입법적으로 명확히 해결하는 것이 좋은 방법이다.

연결재무제표를 작성하여야 하는 회사의 경우 연결재무제표도 승인이 물론 필요하다.[35] 이에 대하여 입법론적으로 연결재무제표는 주주총회의 승인이 필요 없다는 견해도 있다.[36]

영업보고서는 주주총회의 승인이 필요한 것은 아니며, 이사회의 승인을 얻은 후 주주총회에 제출하여 내용을 보고하면 된다(제449조 제1항·2항). 감사보고서는 본점과 지점에 비치하면 되고 정기총회에 제출하거나 보고할 필요는 없다.

3. 재무제표 승인과 책임해제

정기주주총회가 재무제표의 승인을 한 후 2년 내에 다른 결의가 없으면 부정행위가 있는 경우를 제외하고 회사는 이사와 감사의 책임을 해제한 것으로 본다(제450조).[37] 이사와 감사의 회사에 대한 책임해제 규정은 이사와 감사의 제3자에 대한 책임에 대하여는 적용되지 않는다.[38]

---

32) 김홍기, 「상법강의」 제3판(박영사, 2018), 691면; 송옥렬, 전게서, 1197면.
33) 정동윤, 「상법(상)」 제6판(법문사, 2012), 761면.
34) 이철송, 「2011 개정상법(축조해설)」(박영사, 2011), 195면.
35) 법무부, 「상법 회사편 해설」(법무부, 2012), 309면.
36) 송옥렬, 전게서, 1197면.
37) 책임이 해제되는 이사의 범위와 관련하여 이미 퇴직한 이사에 대하여는 상법 제450조가 적용되지 않는다는 판례가 있다. 대법원 1977.6.28. 77다295: 소송의 목적이 되는 권리관계가 이사의 재직 중에 일어난 사유로 말미암는다 하더라도 회사가 그 사람을 이사의 자격으로 제소하는 것이 아니라 이사가 이미 이사의 자리를 떠나서 이사 아닌 경우에 회사가 그 사람을 상대로 제소하는 경우에는 상법 450조의 계산서류에 관한 이사책임해제규정은 적용할 수 없다.
38) 대법원 2009.11.12. 2007다53785.

이사 또는 감사가 부정행위로 인하여 손해배상책임을 부담하는 경우뿐만 아니라 재무제표의 승인을 구함에 있어서 부정한 행위를 한 경우도 상법 제450조 단서에 따라 책임이 해제되지 않는다. 그러나 책임이 해제되지 않는 부정행위의 의미에 대해서는 견해가 나뉜다.

① 고의에 의한 직무위반행위(예: 횡령, 배임, 문서위조)를 가리키며 중과실을 포함하지 않는 견해[39]

② 고의 또는 중과실로 가해행위를 한 경우라는 견해[40]

③ 고의 또는 중과실로 가해행위를 한 경우뿐만 아니라 그 권한 내의 행위 일지라도 당해 사정 하에서 정당시 될 수 없는 모든 행위라는 견해[41]

판례에서 부정행위로 인정된 경우로는

① 이사가 회사가 보유하고 있는 비상장주식을 매도하면서 그 매도에 따른 회사의 손익을 제대로 따져보지 않은 채 당시 시행되던 상속세법 시행령만에 근거하여 주식의 가치를 평가함으로써 적정가격보다 현저히 낮은 가액으로 거래가액을 결정하여 회사의 손해를 묵인 내지는 감수한 경우[42]와 ② 관광사업을 목적으로 하여 설립된 회사가 종합관광센타를 건립하기 위하여 이사 소유의 토지를 매수하였는데, 이사가 자신의 이익만을 도모하기 위하여 그 임무를 해태하여 토지의 적정한 시가를 확인하지 않고 회사의 대표자 및 매도인의 지위에서 일방적으로 매매금액을 시가의 2배가 넘도록 정한 경우[43]이다.

2년의 기간은 그 성격이 제척기간이다. 책임해제의 효력이 미치는 범위는 재무제표에 기재되었거나 재무제표로부터 알 수 있는 사항에 한한다.[44] 책임해제의 증명책임은 이사와 감사가 진다. 즉 이사와 감사는 문제된 사항이 재무제표에 기재되어 있으며 총회의 승인결의가 있었다는 사실을 증명하여야 한다.[45]

2011년 개정상법은 제449조의2를 신설하면서 제450조의 문헌 중 '전조 제1항의 승인'이란 자구를 수정하지 않았다. 제450조에 따른 이사와 감사의 책임해

---

39) 이철송, 주1) 전게서, 987면.
40) 정동윤, 전게서, 766면.
41) 정찬형, 「상법강의(상)」제24판(박영사, 2021), 1217면; 최준선, 주29) 전게서, 729면.
42) 대법원 2005.10.28. 2003다69638.
43) 서울고등법원 1977.1.28. 75나2885 제5민사부.
44) 대법원 2002.2.26. 2001다76854; 2006.8.25. 2004다24144; 2007.12.13. 2007다60080.
45) 대법원 1969.1.28. 68다305.

제는 재무제표의 승인이 제449조 제1항에 따라 주주총회에서 이루어진 경우를 뜻한다. 입법적 보완이 필요하다. 입법적 보완을 하는 경우 이사회가 제449조의2에 따라 재무제표를 승인하는 경우에도 이사와 감사의 책임을 해제하는 것으로 할 것인지에 관하여 논의가 필요하겠으나 책임해제를 허용하는 것은 회사에 대한 책임제도에 적절하지 않은 것으로 판단된다. 즉, 재무제표의 승인에 대한 제449조의2 특칙은 제447조의 서류를 주주총회에서 승인하는 것이 아니라 일정한 요건을 충족할 것을 조건으로 하여 이사회가 승인하고 이를 주주총회에 보고하여 주주가 재무제표를 확인할 수 있는 기회만을 부여하는 것이므로 제450조에 따른 책임해제는 가능하지 않은 것으로 보아야 한다.[46]

이사와 감사의 책임해제는 감사위원에게 준용되나(제415조의2 제7항) 집행임원에는 준용되지 않는다(제408조의9 참조). 2011년 개정상법은 집행임원제도를 도입하면서 집행임원의 회사와 제3자에 대한 손해배상책임을 규정하고 다른 집행임원·이사 또는 감사와 연대책임을 정하고 있고, 제400조를 준용하여 이사와 같이 책임면제 또는 제한이 가능하도록 하고 있다. 집행임원의 손해배상책임은 이사의 손해배상책임과 그 내용을 같이 하므로 책임해제의 경우도 집행임원에 준용되어야 한다.[47] 입법적으로 보완되어야 한다.

Ⅵ. 재무제표 등의 비치·공시

이사는 정기총회회일의 1주간 전부터 재무제표와 그 부속명세서, 연결재무제표와 그 부속명세서, 영업보고서, 감사보고서를 본점에 5년간, 그 등본을 지점에 3년간 비치하여야 한다(제448조 제1항). 이 비치의무 위반에 대하여 과태료의 제재가 있다(제635조 제1항 제24호). 주주와 회사채권자는 영업시간 내에 언제든지 위의 비치서류를 열람할 수 있으며, 회사가 정한 비용을 지급하고 그 서류의 등본이나 초본의 교부를 청구할 수 있다(제448조 제2항).

이사는 재무제표의 승인 후 지체없이 대차대조표를 공고하여야 한다(제449조

---

46) 심영, "개정 상법상 이사의 의무와 책임에 관한 소고," 「경영법률」 제21집 제4호(한국경영법률학회, 2011), 243면.
47) 상게논문, 242면.

제3항). 연결재무제표를 작성하는 경우에는 (별도)대차대조표와 연결대차대조표
모두를 공고하여야 한다.

외부감사 대상 회사의 경우는 대차대조표의 공고시에 회계감사인의 명칭과
감사의견을 병기하여야 한다(외부감사법 제23조 제6항). 상장회사는 회계감사인의
감사결과 수정된 당기순이익(당기순손실) 및 감사결과 수정된 수정후 전기이월이
익잉여금(수정후 전기이월결손금)을 부기하여야 한다(증권의 발행 및 공시 등에 관
한 규정 제5-17조 제2항).

VII. 준비금제도와 이익배당 정 준 혁*

1. 서   론

가. 회사재산유출과 상법의 제한

주주는 특정한 절차와 요건하에 주주 자격으로 회사재산을 가져갈 수 있고,
직접 회사의 채권자가 되어 채권자로서 회사재산을 가져갈 수도 있다. 주주가
배당금을 받거나 감자대금을 받는 것은 전자에 해당하고,[1] 회사의 거래 상대방
이 되어 회사로부터 거래의 대가를 받는 것은 후자에 해당한다. 회사재산의 유
출은 회사의 대표이사, 이사회나 주주총회가 결정하여 실행할 수 있고 채권자는
이러한 의사결정에 직접적으로 관여할 수 없기 때문에,[2] 만일 아무런 제한 없
이 회사재산의 유출이 이뤄진다면 채권자로부터 주주로의 부의 이전이 발생하고
채권자가 손해를 입게 된다.

상법은 여러 장치를 통해 주주에 의한 회사재산의 유출을 통제한다. 자본금

---

* 서울대학교 법학전문대학원 교수, 미국(뉴욕주) 변호사

1) 이익배당(제462조), 유상감자(제438조), 자기주식취득(제341조), 상환주식의 상환(제345조),
   잔여재산의 분배(제538조) 등이 가장 전형적인 방법들이다. 이외에도 반대주주의 주식매수
   청구권(제360조의5)이나 교부금합병 시 합병교부금의 수령(제523조 제4호)과 같이 회사 조
   직재편 과정에서 회사재산을 받는 방법 역시 주주 자격으로 회사재산을 반환받는 것에 해
   당한다.
2) 협상력이 있는 채권자의 경우 대출약정 상의 확약(covenant) 조항들을 통해 회사재산 분배
   행위를 제한할 수 있다. 그러나 회사가 이러한 확약을 위반하여 회사재산을 분배할 경우,
   채권자가 회사에 대해 계약 위반의 책임을 묻는 것은 가능하겠지만 이러한 분배 행위 자체
   가 회사법적으로 무효가 된다고 보기는 쉽지 않을 것이다.

및 준비금 제도, 배당가능이익 관련 규제, 채권자보호절차 등은 주주가 주주 자격으로 회사재산을 가져가는 것을 제한하고, 주요주주 등과 회사 간의 거래 제한(제398조, 제542조의9) 등은 주주가 채권자의 자격으로서 회사재산을 가져가는 것을 규율한다. 이 중 주주가 주주 자격으로 회사재산을 가져가는 것에 대해 상법은 채권자에게 ① 우선변제권을 주는 방법과 ② 배당가능이익을 제한하는 두 가지 방식으로 이를 통제한다. 먼저 ① 유상감자, 잔여재산의 분배, 합병교부금 수령 등의 경우 그 재원이 회사의 순자산으로 한정되지도 않고 대차대조표[3]상의 순자산액을 초과하여 지급하는 것도 가능하지만, 그 대신 회사채권자는 주주에 앞서 회사로부터 채권을 우선적으로 변제받을 수 있는 기회를 제공받는다. 반면 ② 이익배당, 자기주식취득, 상환주식의 상환에 대해서는 채권자의 우선변제권이 인정되지 않지만, 대차대조표의 순자산, 그 중에서도 배당가능이익의 범위 내에서만 주주가 재산을 가져갈 수 있다. 본 절에서 살펴볼 준비금과 이익배당 관련 제한은 주로 이것에 관한 것이다.

나. 이익배당을 통한 회사재산유출과 제한

대차대조표상 부채는 채권자의 몫을, 순자산은 주주의 몫을 나타낸다. 대차대조표가 회사의 재산상태를 정확하게 반영하고 있다면, 회사가 청산을 하는 경우 부채에 해당하는 재산은 채권자들에게 귀속되고 순자산에 해당하는 재산은 주주들에게 분배된다. 주주는 회사재산에 대한 잔여청구권자(residual claimant)로서 채권자에 비해 후순위에 있지만, 대차대조표상 순자산액에 이르는 금액만큼은 본래 주주의 몫이므로 주주가 채권자에 앞서 지급 받더라도 채권자에게 손해가 발생하지 않는다고 볼 수도 있다. 그렇지만 현실에서는 대차대조표가 회사재산의 시가에 따른 가치를 정확히 나타내지 못할 수도 있고, 회사가 대차대조표상 부채액에 상응하는 재산을 보유하더라도 회사재산의 유동성이 부족하여 이를 현금화하여 채권자에게 변제하는 것이 어려울 수도 있다. 따라서 대차대조표상 채무액에 상응하는 재산을 회사가 보유하고 있더라도 이것이 회사 채권자들에게 충분한 담보가 되지 못할 수 있다.

---

3) 주식회사의 외부감사에 관한 법률, 법인세법 및 한국채택 국제회계기준 등 회계기준에서는 대차대조표 대신 재무상태표라는 명칭을 사용하고 있는 반면 상법은 여전히 대차대조표라는 명칭을 사용하고 있다. 본 절에서는 상법의 규정에 따라 대차대조표라는 명칭을 사용하기로 한다.

이에 상법은 회사 채권자에게 우선 변제의 기회가 제공되지 않는 한 대차대조표상 부채액 전액은 물론, 순자산 중 일부 금액에 대해서도 주주들이 회사 채권자들에 앞서 반환받지 못하도록 하고 있다. 제462조를 보면 이익배당은 순자산에서 자본금, 결산기까지 적립된 자본준비금과 이익준비금의 합계액, 결산기에 적립하여야 할 이익준비금의 액, 미실현이익을 공제한 금액을 한도로만 실행할 수 있다. 이와 같이 자본금이나 준비금에 해당하는 회사재산은 부채액에 상응하는 회사재산에 더하여 채권자에게 담보로 제공된다. 이를 통해 회사의 지급불능 위험이 감소하고, 회사 채권자들이 주주의 기회주의적인 행동으로부터 보다 두텁게 보호받을 수 있다는 것이 자본금 및 준비금 제도의 핵심 논리이다. 이처럼 준비금은 채권자보호의 측면에서 자본금과 비슷한 기능을 수행하고 자본금 제도를 전제로 하기 때문에, 준비금을 보충자본이라고도 부른다.

자본금과 준비금이 채권자 보호를 위한 추가 담보 역할을 실제로 수행하기 위해서는 자본금과 준비금에 해당하는 회사재산이 회사에 유지되고, 주주가 이를 임의로 유출하는 것이 제한되어야 한다. 자본금유지의 원칙 및 자본금불변의 원칙이나,[4] 상법이 일정한 금액을 준비금으로 적립하게 하고 준비금의 사용 용도를 엄격하게 제한하는 것은 모두 이러한 목적을 달성하기 위함이다.

그렇지만 자본금이나 준비금에 해당하는 재산이 별도로 특정되어 그 사용이 제한되거나, 회사가 이에 상응하는 현금을 별도로 예치하여야 하는 것은 아니다. 자본금 및 준비금 제도가 회사가 영업활동 등 손익거래를 통해 손실을 입고 그 결과 회사의 책임재산이 줄어드는 것까지 방지하는 것은 아니고, 단지 회사와 주주 간의 자본거래 등을 통해 회사의 자본금이나 준비금에 해당하는 회사재산이 사외로 유출되는 것을 제한할 뿐이다. 또한 회사가 채권을 변제할 지급능력을 갖고 있는지 여부도 회사에 충분한 순자산이 존재하는가에만 달려 있는 것이 아니라, 회사가 채무 원리금을 상환할 수 있는 충분한 현금창출능력을 갖고 있는가에 달려 있다. 이와 같이 자본금 및 준비금 제도의 채권자보호 기능에는 한계가 있다.[5] 이에 대한 반성으로 우리나라에서도 주식회사의 최저자본금 제도가

---

4) 상법이 금전출자의 전액납입 및 현물출자의 전부이행을 요청하거나(제295조) 발기인이나 이사에게 주식인수 대금 납입에 대한 담보책임을 지우는 것(제321조), 액면미달발행을 제한하고(제330조) 변태설립사항에 대해 엄격한 규제를 하며(제290조) 법에서 정한 감자 절차에 따라서만 자본금을 감소할 수 있게 하는 것(제343조) 등은 바로 자본금을 유지하기 위한 수단들이다.

사실상 폐지되었고, 2011년 상법의 대규모 개정6)에 따라 자본금 결손보전을 위한 무상감자의 경우 채권자 보호절차를 요구하지 않으며, 준비금을 배당재원으로 활용할 수 있게 되는 등 자본금 및 준비금 관련 규제가 일부 완화되었다. 특히 뒤에서 보는 바와 같이 법정준비금이 일정 수준을 넘는 경우 이를 배당재원으로 사용할 수 있게 됨에 따라 자본금 및 준비금의 채권자보호 기능은 상당히 약화되었다. 그렇지만 회사로 하여금 자본금 및 준비금을 유지하게 하고 이를 배당재원에서 제외하는 방법으로 회사재산의 사외유출을 방지한다는 상법의 기본적인 입장에 변화가 있는 것은 아니다.

다. 이익배당과 회사 관련 당사자의 이해관계

자본금, 준비금 및 배당가능이익 제도는 주주에 의한 회사재산 사외유출을 억제하여 채권자를 보호하는 역할을 한다. 그런데 이익배당과 관련하여서는 이러한 주주와 채권자 사이뿐만 아니라 이사회와 주주, 지배주주와 소수주주 간에도 이해관계가 대립될 수 있다. 지배주주가 존재하지 않는 주식 소유가 분산된 회사에서는 이사회가 회사의 경영권을 행사하는데, 이사로서는 이익배당을 실시하더라도 자신이 배당금을 받는 것은 아니므로 주주들에게 이익을 배당하는 대신 되도록 회사에 재산을 유보하여 자신의 영향력을 확대하고자 하는 유인을 가질 수 있다.7) 지배주주가 존재하는 회사에서는 지배주주가 회사를 지배하는데, 지배주주는 이익배당 이외의 방법으로도 회사로부터 경제적 이익을 얻을 수 있고, 위의 경우와 마찬가지로 회사에 재산을 유보하여 자신의 영향력을 확대할 수 있으므로, 역시 이익배당을 실시하지 아니할 유인을 갖게 된다. 만일 장기간 배당이 실시되지 않는다면, 주주가 투자수익을 실현하지 못함은 물론 주주가 보유하는 주식가치도 하락할 수밖에 없기 때문에 이익배당에 관한 결정은 주주 이익에 중요한 영향을

---

5) 이와 같은 자본금제도의 문제점에 대해서는 최준선, "주식회사 자본제도 개선방안 연구," 「한국상장회사협의회 연구보고서」(한국상장회사협의회, 2006. 9.), 17면; 김건식·송옥렬·안수현·윤영신·정순섭·최문희·한기정, 「21세기 회사법 개정의 논리」 제2판(소화, 2007. 3.), 185~186면 참조.

6) 2011. 4. 14. 일부 개정되어 2012. 4. 15. 시행된 법률 제10600호를 의미한다. 이하 편의상 '2011년 개정상법'이라 한다.

7) Frank H. Easterbrook (1984), "Two Agency-Cost Explanations of Dividends," 74 American Economic Review 650~659; Michael C. Jensen (1986), "Agency Costs of Free Cash Flow, Corporate Finance, and Takeovers," 76 American Economic Review 323~329.

미친다.[8] 이 외에도 실제 이익배당이 이뤄지더라도 주식 간 비례적 평등이 유지되는지, 주식의 종류(class) 간 취급은 어떻게 해야 하는지의 문제도 중요하다. 우리 상법의 자본금, 준비금 및 이익배당 제도는 회사재산의 사외유출 방지와 채권자 보호, 즉 배당 억제에 초점이 맞춰져 있는데,[9] 이사회와 주주, 지배주주와 소수주주, 종류주주 간 이해관계 조정 역시 회사법상 주목해야 할 문제들이다.

라. 순자산의 분류 및 관련 계정의 변동

1) 상법상 분류와 회계기준상 분류의 비교

제462조 제1항을 보면, 상법은 대차대조표상 순자산을 자본금, 준비금, 미실현이익 등으로 구분하고 있음을 알 수 있다. 상법은 순자산이 위 항목 중 어디에 해당하는지에 따라 그 사용 등을 제한하고, 배당가능이익 계산의 항목으로 활용한다.

그런데 이러한 분류는 주권상장법인 등에 적용되는 한국채택 국제회계기준(이하 'K-IFRS')이나 일반기업회계기준 등 회계기준과 차이가 있다. K-IFRS에서는 대차대조표상의 순자산을 자본금, 주식발행초과금, 적립금 등으로 분류하되(기준서 제1001호 문단 78(5)) 각 기업별로 다양한 형식으로 표시할 수 있게 하고 있고, K-IFRS가 적용되지 않는 비상장법인등에 적용되는 일반기업회계기준에서는 순자산을 자본금, 자본잉여금, 자본조정, 기타포괄손익누계액, 이익잉여금(결손금)으로 분류하고 있다(일반기업회계기준 제2장(재무제표의 작성과 표시 I) 결론도출근거 문단 2.6). 2011년 개정상법에서는 구 상법 하의 회계처리 관련 규정들을 대폭 삭제하고 관련 법률 등에 따라 각 회사에 적용되는 회계기준에 따르도록 규정하고 있지만(제446조의2, 시행령 제15조) 순자산에 대해서는 제462조 제1항을 통해 여전히 회계에 관한 규정을 두고 있는 셈이다.

K-IFRS는 종전 기업회계기준(이하 'K-GAAP')과 달리 회계처리에 관한 일정한 기본원칙만을 제시하고 구체적인 처리 방법에 대해서는 해당 기업이 정할 수

---

8) 참고로 재무관리에서 주식의 경제적 가치를 평가하는 대표적인 방법 중 하나인 배당평가모형(dividend discount model)에서는 향후 회사로부터 얼마나 배당을 받을 수 있는가를 기준으로 주식가치를 평가한다.

9) 김건식 외, 전게서, 235면. 상법상 이익배당 법제의 문제점에 대해서는 위의 책, 235~274면; 김건식·안수현, "투자자보호 강화를 위한 증시제도 개선방안 - 상장법인의 배당제도 개선," 「한국증권거래소 용역보고서」(한국증권법학회, 2002. 7.), 10~14면; 안수현, "상법개정안의 배당제도 및 실무상의 문제 - 기준일 제도를 중심으로 -," 「BFL」 제20호(서울대학교 금융법센터, 2006. 11.), 122~140면 참조.

있게 하고 있다. 순자산 계정과목에 대해서도 K-IFRS가 이를 상세하게 열거하고 있지는 않지만 K-GAAP이나 이와 거의 유사한 일반기업회계기준에서의 순자산 분류를 K-IFRS 적용기업에도 적용하는 것이 일반적이다. 이러한 이해 하에 회계기준상 주요 순자산 항목과 상법 기준에 따른 순자산 항목을 비교하면 다음 표와 같다.[10]

회계기준상 순자산 분류		상법상 순자산 분류
자본금	보통주 자본금/우선주 자본금	자본금(제451조)
자본잉여금	주식발행초과금 감자차익/자기주식처분이익	자본준비금(제459조)
자본조정	자기주식/주식할인발행차금 감자차손/자기주식처분손실 주식선택권/출자전환채무	–
기타포괄손익누계액	매도가능증권평가이익/손실 해외사업환산이익/손실 현금흐름위험회피이익/손실 파생상품평가이익/손실	미실현이익/손실 (제462조, 시행령 제19조)
이익잉여금	법정적립금	이익준비금(제458조)
	임의적립금	–
	미처분이익잉여금	일부 미실현이익/손실 (제462조, 시행령 제19조)에 해당

실무에서는 K-IFRS 등 해당 회사에 적용되는 회계기준에 따라 재무제표를 작성할 뿐 상법 기준에 따라 별도로 재무제표를 작성하지는 않는다. 따라서 상법상 준비금 및 이익배당 관련 규정을 실제로 적용하기 위해서는 상법의 기준에 따른 순자산의 각 계정이 회계기준에 따라 작성된 대차대조표상 어느 계정에 해당하는지를 이해하는 것이 필요하다.

2) 자본거래 및 순자산 항목 변동행위

상법의 준비금 및 이익배당 관련 제도는 회사와 주주간의 자본거래와, 자본

10) 양 기준의 차이 등에 대한 상세한 논의에 대해서는 김춘, "주식회사 배당가능이익 산정방법에 관한 소고 - 상법개정안에 대한 검토 중심으로 -," 「상장」 4월호(한국상장회사협의회, 2010. 4.) 참조.

금, 법정준비금, 이익잉여금 각 계정 간의 이동을 주로 규율한다. 그런데 관련 규정들이 상법 곳곳에 흩어져 있고, 상법 관련 규정뿐만 아니라 회계기준에 따라 이를 처리하다 보니 전체적인 모습을 조감하는 것이 쉽지 않다. 이에 구체적으로 관련 논점들을 검토하기에 앞서 자본거래 및 순자산 항목 변동행위들을 전체적으로 살펴보기로 한다.

회사와 주주 간의 경제적 실질에 어떠한 변화가 발생하는지를 기준으로 살펴보면, 자본거래 및 순자산 계정 항목 변동행위들은 실제 재산의 흐름이 존재하는지, 존재한다면 그 방향은 무엇인지에 따라 크게 ① 주주로부터 회사에 재산이 유입되는 거래, ② 회사로부터 주주에게 재산이 유출되는 거래, ③ 실제 현금흐름이나 재산의 이전 없이 순자산 계정의 변동만 발생하는 행위로 분류할 수 있다.

① 먼저 주주로부터 회사에 재산이 유입되는 거래로는 유상증자와 자기주식 처분이 있다. 주주가 현금이나 현물을 출자하여 회사의 신주를 취득하면 회사의 자본금이 증가한다. 액면주식의 경우 주당 발행가액이 액면보다 높은지 여부에 따라 자본준비금이나 자본조정 계정에 변동이 생기고, 무액면주식의 경우에는 주식발행가액 중 얼마를 자본금으로 계상하는가에 따라 자본준비금이 증가한다 (제451조 제2항). 회사가 주주에게 자기주식을 처분하는 경우에는 자본금에는 영향이 없고 자본조정 계정 중 자기주식이 감소함으로써 순자산이 증가한다. 또한 처분 가격에 따라 자본준비금이나 자본조정 계정에 변동이 발생할 수 있다.

② 다음으로 회사로부터 주주에게 재산이 유출되는 거래이다. 이는 다시 (i) 이익배당, 자기주식취득, 상환주식의 상환과 같이 배당가능이익을 재원으로 하는 거래와 (ii) 유상감자와 같이 그렇지 않은 거래로 나눌 수 있다. 이익배당과 상환주식의 상환의 경우에는 회사의 이익잉여금이 감소하고, 자기주식취득의 경우에는 자본조정 계정 중 자기주식 항목이 증가하지만, 회사의 자본금이나 준비금은 감소하지 않는다. 반면 유상감자의 경우에는 회사의 자본금이 감소하고, 주주에게 유출되는 금액이 감소하는 자본금보다 큰지 여부에 따라 감자차익이나 감자차손이 발생한다.[11]

---

11) 감자차익, 감자차손의 금액을 결정함에 있어서 주식의 액면금액을 기준으로 해야 한다는 액면주의와 감소되는 평균 불입금액을 기준으로 해야 한다는 불입금액주의가 존재한다. 액면주의에 의하면 실제 지급되는 감자대금과 감소되는 자본금의 차액이 전부 감자차익, 감자차손 계정에 반영되어 주식발행초과금에는 변화가 없지만, 불입금액주의에 의하면 자본금뿐만 아니라 주식발행초과금 역시 감소하는 것으로 본다. 실무에서는 액면주의가 주로 사용된다.

③ 마지막 유형은 실제 재산의 이전 없이 단지 순자산 내 계정간 금액의 변화만 발생하는 행위이다. (i) 먼저 자본금을 감소시키는 것으로는 무상감자가 있다(제438조). 무상감자가 이뤄지면 감자차익이 발생하여 자본준비금이 증가한다. (ii) 준비금을 감소시키는 것으로는 자본금의 결손보전(제460조), 준비금의 자본금 전입(무상증자, 제461조), 준비금의 감소(제461조의2)가 있다. 회사의 준비금이 감소하는 대신 각각 미처리결손금이 감소하고, 자본금이 증가하며, 이익잉여금이 증가한다. (iii) 이익잉여금을 감소시키는 것으로는 주식배당이 존재한다. 이익잉여금은 감소하고 그 대신 자본금이 증가한다. (iv) 배당가능이익으로 회사가 이미 취득한 자기주식을 소각하는 경우에는 자본조정 중 자기주식이 없어지면서 이익잉여금이 감소하는 방식으로 회계처리를 하게 된다.[12] 세 번째 유형의 행위들은 모두 회사로부터의 재산 유출이나 회사로의 재산 유입이 없다는 점에서 회사나 주주의 경제적 실질에는 영향을 미치지 아니한다. 다만 상법상 자본금, 준비금, 이익잉여금 중 어느 계정에 얼마만큼의 금액이 계상되어 있는지에 따라 주주가 회사재산을 반환 받을 때에 적용되는 규제의 수준이 달라지는바, 이러한 점에서는 주주나 채권자 이해관계에 영향이 있다고 볼 수 있다.

이상의 내용을 간단히 그림으로 정리하면 다음과 같다.[13]

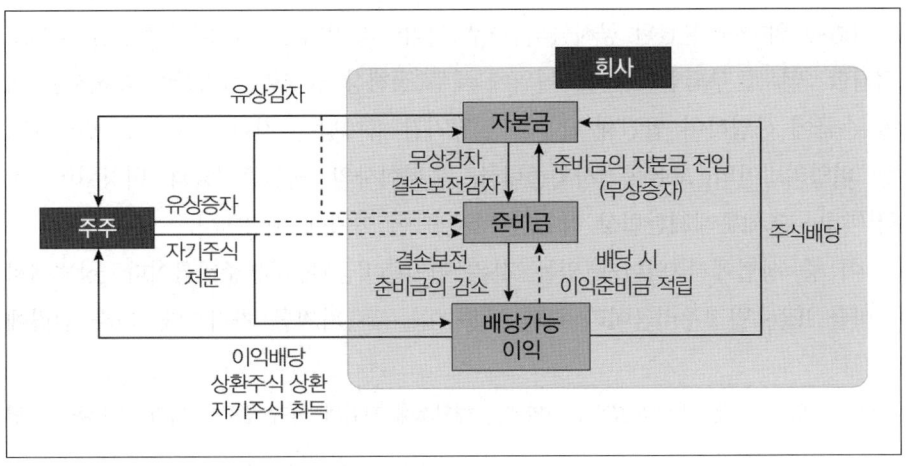

---

12) 주식수는 감소하지만 자본금은 변하지 않는다. 상환주식 상환의 경우에도 마찬가지이다.
13) 도식화 과정에서 자본조정 항목을 생략하는 등 단순화하였다.

2. 준 비 금

가. 준비금의 의의, 종류 및 기능

일반적으로 준비금이란 회사가 순자산액에서 자본금을 제외한 금액 중에서 주주에게 지급하지 아니하고 사내에 유보하여 특정한 목적에 사용하거나 향후 경영상황 등에 대비하기 위하여 적립하는 금액을 의미한다. 예를 들어 회사는 향후 사채 상환에 필요한 자금을 마련하거나, 설비투자 자금을 마련하기 위해, 또는 우발 손실에 대비할 목적으로 임의로 자금을 사내에 유보하기도 하는데, 이와 같이 회사가 법령상 의무 없이 자발적으로 적립하는 준비금을 임의준비금 이라 한다.

법령이 준비금의 적립을 요구하기도 한다. 먼저 상법은 회사재산의 유출을 제한하여 회사 채권자를 보호하기 위해 준비금 적립을 요구한다. 주식회사는 자본금의 1/2이 될 때까지 결산기 이익배당액의 1/10 이상을 이익준비금으로 적립하여야 하고(제458조), 자본거래로부터 발생하는 잉여금을 자본준비금으로 적립하여야 한다(제459조). 상법 이외의 법령에서 준비금의 적립이 요구되는 경우도 있다. 은행은 보유자산 종류에 따라 대손준비금을 적립하여야 하고,[14] 각종 특별법에 의하여 설립된 공사들의 경우 이익금의 일부를 사업확장적립금 등으로 적립할 의무를 부담한다.[15][16] 이외에 세무 정책상 일정한 적립금에 대해서는 이를 손금에 산입하여 법인세 납부를 일정기간 유예받는 것이 가능한데, 법인세법상 비영리법인의 고유목적사업준비금, 보험회사의 책임준비금과 비상위험준비금[17]이나 조세특례제한법상 각종 준비금 등이 여기에 해당한다.

이 중 상법에서 의미가 있는 것은 이익준비금과 자본준비금이다. 상법에서 준비금 또는 법정준비금이라 하면 보통 이들 두 가지를 가리킨다. 기타 법령에

---

14) 은행업감독규정 제29조 참조. 이외에도 해외소재 지점의 현지 법규에 따라 준비금을 적립하기도 한다.

15) 예를 들어 한국도로공사법 제14조, 한국석유공사법 제11조 등 참조.

16) 자산재평가법에 따라 자산재평가를 실시하여 2000. 12. 31.까지 관할세무서장에게 이를 신고한 경우에는 자산재평가법이 적용되는데, 이 경우 회사는 재평가적립금을 적립할 의무가 있다(자산재평가법 제28조 제1항). 이러한 재평가적립금 역시 법률에서 정한 준비금의 일종이나, 상법상 법정준비금에는 해당하지 않는다.

17) 법인세법 제29조, 제30조, 제31조 참조.

따라 적립이 의무화된 준비금이나 회사가 경영상 판단에 의해 임의로 적립한 임의준비금은 회사의 법령 준수나 자금관리 측면에서는 중요하지만 상법에서는 이를 준비금으로 보지 않기 때문에, 해당 법령이나 내부적으로 정한 절차를 거친다면 이를 배당재원으로 활용하거나 다른 용도로 사용하는 데에 있어 상법상 제한은 존재하지 않는다.[18] 또한 상법상 준비금 이외의 준비금을 상법 규정에 따라 자본금으로 전입하는 것도 가능하지 않다.[19]

상법상 법정준비금은 자본금과 함께 배당가능이익 산정 시 공제항목으로서 회사재산의 사외유출을 제한하여 채권자를 보호하는 기능을 수행한다. 그렇다고 하여 회사가 준비금에 해당하는 재산을 특정하여 별도로 관리하거나 이에 해당하는 회사의 현금을 별도로 예치하여야 하는 것은 아니라는 점 등은 앞서 1. 나.에서 살펴본 바와 같다. 이하에서는 법정준비금이 적립과 사용에 관한 법률문제들을 검토한다.

나. 법정준비금의 적립

1) 이익준비금의 적립

위에서 언급한 것처럼 회사는 그 자본금의 1/2이 될 때까지 결산기 이익배당액의 1/10 이상을 이익준비금으로 적립하여야 한다(제458조 본문). 금전배당이나 현물배당의 경우 모두 위 규정상 이익배당에 해당한다. 반면 주식배당의 경우 제458조 단서에 의하여 명시적으로 이익잉여금 적립의무가 적용되지 않는다. 이는 주식배당의 경우 회사로부터 주주에게로의 자금유출이 발생하지 아니하고, 단지 이익잉여금 계정에 있는 금액 중 일부가 자본금 계정으로 이전하는 계정과

---

18) 회사 내부 규정이나 이사회 결의 등에 따라 적립된 임의준비금을 배당재원으로 활용하거나 다른 용도로 사용하는 것이 상법상 제한되지는 않지만, 회사 내부적으로는 이러한 임의준비금에 해당하는 금액을 주주에게 배당하는 대신 회사 내부에 유보하기로 결정한 것이므로, 회사가 실제 이를 배당재원으로 활용하지는 않는다. 이를 배당재원으로 하기 위해서는 회사 내부적으로 정한 절차에 따라 먼저 해당 금액을 임의준비금에서 제외하여야 한다. 만일 회사의 내부 규정 등을 준수하지 않고 임의로 임의준비금을 재원으로 배당을 할 경우, 상법에 위배되는 것은 아니지만 회사의 관련 규정 등에 위반될 수 있다. 예를 들어 회사가 정관에 따라 적립이 의무화된 임의준비금을 적립하지 않은 채 배당가능이익을 초과하여 이익배당을 할 경우 이는 정관에 위반하는 위법배당에 해당할 수 있다.
19) 이러한 준비금은 상법상 임의준비금에 해당하기 때문에 이를 자본금으로 전입하는 것은 그 내용에 따라 주식배당에 해당할 가능성이 있다. 한편 상법상 법정준비금은 아니나 자산재평가법에서는 재평가적립금을 자본금으로 전입하여 무상신주를 발행하는 것을 허용하고 있다(자산재평가법 제28조 제2항).

목의 변동만 있을 뿐이기 때문이다. 한편 상환주식의 상환이나 자기주식취득은 모두 배당가능이익을 재원으로 하고 주주에게로의 재산 유출이 있다는 점에서 이익배당과 경제적 실질이 같지만, 상법은 이에 대해서는 이익준비금 적립을 요구하고 있지 아니하다.

결산기 이익배당액의 1/10 이상을 이익준비금으로 적립해야 하기 때문에, 그 이상의 금액을 이익준비금으로 적립하는 것도 가능하고 심지어 이익배당을 실시하지 않더라도 이익준비금을 적립할 수 있다. 이익배당액을 산정함에 있어 기말의 정기 이익배당금뿐만 아니라 해당 사업연도의 중간배당액, 분기배당액을 모두 합산하여야 함은 물론이다.[20] 이익준비금의 적립한도는 자본금의 1/2로 이를 넘으면 더 이상 적립의무가 없다. 그럼에도 불구하고 회사가 이익준비금을 추가로 적립할 수 있는지는 명확하지 않으나, 회사 입장에서 현실적으로 그렇게 할 필요성은 크지 않아 보인다.[21]

이익준비금을 언제 적립해야 하는지에 대해서 제485조 본문은 별다른 언급을 하고 있지 않다. 그렇지만 배당가능이익 산정과 관련한 제462조 제1항 제3호 및 제462조의3 제2항 제4호의 규정에서 "결산기에 적립하여야 할 이익준비금"이라는 표현을 사용하고 있음을 비추어 볼 때 사업연도 말에 적립하면 무방하다고 보인다. 따라서 중간배당이나 분기배당이 이루어졌다고 하여 상법상 사업연도 도중에 이익준비금을 반드시 적립하여야 하는 것은 아니다. 이익준비금은 배당가능이익의 공제항목으로서의 역할을 하고 배당가능이익은 사업연도 말을 기준으로 산정한다는 점을 고려할 때, 회사가 사업연도 중에 이익준비금을 적립하더라도 상법상 큰 의미는 없다.

금융지주회사나 은행의 경우에는 보다 엄격한 이익준비금 적립기준이 적용되어서, 적립금이 자본금의 총액이 될 때까지 결산 순이익금을 배당할 때마다 그 순이익금의 100분의 10 이상을 이익준비금으로 적립하여야 한다.[22] 일부 공기업의 경우에도 이익배당액과 관계없이 이익금의 일정비율을 이익준비금으로 적

---

20) 중간배당과 관련한 제462조의3 제5항에서는 이익준비금 적립 의무와 관련한 제458조를 준용하고 있다.
21) 만일 이 한도를 넘어서 적립하면 이는 이익준비금이 아닌 임의준비금이 된다는 해석이 있다. 김건식·노혁준·천경훈, 「회사법」(박영사, 2021), 587면.; 송옥렬, 「상법강의」(홍문사, 2021), 1206면; 권기범, 「현대회사법론」(삼영사, 2021), 1222면.
22) 금융지주회사법 제53조, 은행법 제40조.

립하도록 규정하고 있다.[23]

2) 자본준비금의 적립

가) 자본준비금 적립 의무

회사는 자본거래에서 발생한 잉여금을 시행령이 정하는 바에 따라 자본준비금으로 적립하여야 한다(제459조 제1항). 이와 관련하여 시행령에서는 회계기준에 따른 자본잉여금을 자본준비금으로 적립해야 한다고만 규정하고 있다(시행령 제18조). 상법은 자본거래에 대해 별도의 정의규정을 두고 있지는 않지만, 자본거래란 일반적으로 회사가 주주 자격으로서의 주주와 하는 거래를 의미한다. 이익준비금이 회사의 손익거래로 인한 이익잉여금을 재원으로 하는 반면, 자본준비금은 회사의 자본거래로 인한 자본잉여금을 재원으로 한다.

이와 같이 상법이 자본잉여금을 적립하게 하는 것은 자본잉여금이 그 성질상 자본금과 마찬가지로 주주가 회사에 납입하는 재산에 해당하기 때문이다. 예를 들어 주주가 회사를 새롭게 설립하면서 100원을 주식대금으로 납입하고 회사로부터 주식 10주를 발행받는다고 하자. 이때 주당 액면금액을 10원으로 정하면 자본금 100원, 주식발행초과금 0원이 되고, 주당 액면금액을 5원으로 정하면 자본금 50원, 주식발행초과금 50원이 된다. 주주는 동일한 금액을 납입하여 회사를 설립하지만, 이와 같이 자본금에 해당하는 금액과 자본잉여금인 주식발행초과금에 해당하는 금액을 조정할 수 있다. 무액면주식의 경우에도 회사가 납입금액의 1/2 이상을 자본금으로 계상하기만 하면 되므로, 회사는 자본금과 주식발행초과금에 해당하는 금액을 적절히 조정할 수 있다(제451조 제2항). 이와 같이 자본금과 자본준비금은 서로 성질이 비슷하므로, 상법에서 중요하게 생각하는 자본금유지의 원칙 등이 지켜지기 위해서는 자본금뿐만 아니라 자본준비금에 해당하는 금액에 대해서도 주주에게로의 환급을 제한할 필요성이 있다. 적립 상한이 존재하는 이익준비금과 달리, 상법이 자본준비금을 무제한으로 적립하게 하는 것도 자본준비금이 주주가 납입하는 재산이라는 점에서 자본금과 성질이 비슷하기 때문이다.

2011년 개정상법 이전의 구 상법에서는 자본준비금으로 적립해야 하는 금액을 구체적으로 열거하고 있었다. 주식발행초과금, 주식의 포괄적 교환, 이전 관

---

23) 예컨대, 한국도로공사법 제14조, 한국석유공사법 제11조 등.

련 차익, 감자차익, 합병차익, 분할차익, 기타 자본거래에서 발생한 잉여금이 그 것이다(구 상법 제459조 제1항). 현행 상법에서는 자본거래에서 발생한 잉여금이 라는 포괄적 규정을 두고 그 구체적 범위를 시행령에 위임하고 있지만, 사실 시 행령에서도 구체적으로 자본준비금의 종류를 열거하고 있지는 않고 이를 회계기 준에 위임하고 있다. 상세한 규정을 두기보다는 일반적인 회계원칙을 제시하고 각 회사가 그 범위 내에서 그 특성에 따라 회계처리를 할 수 있도록 하는 K-IFRS의 기본 성격상 K-IFRS에서도 자본잉여금의 종류에 대해 상세하게 열 거하고 있지는 않지만 K-GAAP 하에서 인정된 주식발행초과금, 자기주식처분 이익, 감자차익 등이 K-IFRS에서도 여전히 자본잉여금 항목으로 인정되는 것으 로 보인다.

실제 자본잉여금을 계산함에 있어서는 회계기준의 처리 방법에 따르게 된다. 예를 들어 상법에서는 자본조정 항목에 대해 별다른 언급을 하고 있지 않지만, 기업회계 상 자본잉여금의 개별 계정과목 중에는 자본조정의 개별 계정과목과 우선적으로 상계처리되는 항목들이 존재한다. 예컨대 회사가 신주를 할증발행하 여 주식발행초과금이 발생하면 이를 자본잉여금으로 처리해야 하지만, 만일 이 에 상응하는 자본조정 항목인 주식할인발행차금이 존재하는 경우에는 주식발행 초과금을 먼저 주식할인발행차금과 상계처리하고 이후에도 남는 잔액이 있다면 이를 자본잉여금으로 처리하게 된다.

나) 합병, 분할, 분할합병 시 특례

합병, 분할, 분할합병 시 발생하는 합병차익 등은 자본거래에서 발생한 잉여 금이므로 이를 자본준비금으로 적립해야 한다. 그런데 합병차익 중에는 소멸회 사나 분할되는 회사의 이익준비금으로 인한 부분도 있을 수 있는데, 이 경우 소 멸회사나 분할되는 회사의 이익준비금이 합병, 분할, 분할합병 후 회사의 자본 준비금으로 적립되는 결과를 가져올 수 있다. 간단한 예를 살펴보자. A사는 자 본금이 100원, 이익준비금이 50원이고 B사는 자본금이 50원, 이익준비금이 30 원이며 편의상 이외의 순자산은 없다고 하자. 그런데 A사가 B사를 흡수합병하 면서 B사의 주주들에게 합병대가로 50원어치의 신주를 액면가에 발행하였다고 하자. 합병 후 A사는 자본금이 150원이 되고(100원+50원) 30원 상당의 합병차 익(80원-50원)을 자본준비금으로 적립한다. 합병 후 A사의 자본금은 150원임에 비해 이익준비금은 합병 전의 50원으로 유지되므로 A사는 이익준비금이 75원이 될 때까지 이익준비금을 추가로 적립하여야 한다. 합병 전 양사는 모두 자본금의 1/2 이상을 이익준비금으로 적립하고 있었으나, 합병 후 합병법인은 다시금 이익준비금을 추가로 적립할 의무를 부담하게 된다.

이와 같은 이익준비금 추가 적립 부담을 줄일 수 있도록, 상법은 소멸 또는 분할되는 회사의 이익준비금이나 그 밖의 법정준비금을 존속회사나 새로 설립되는 회사가 승계할 수 있게 하고 있다(제459조 제2항). 결과적으로 합병차익 등으로 자본준비금에 계상되어야 하는 금액을 감소시키고 이익준비금을 늘어나게 된다. 제459조 제2항은 이익준비금뿐만 아니라 그 밖의 법정준비금도 승계할 수 있다고 규정하고 있는데, 여기서 법정준비금이란 상법 외의 각종 법률상의 준비금을 의미하는 것으로 해석된다.[24] 승계할 준비금의 내용은 합병계약서 등에 승계되는 준비금에 관한 사항을 기재하는 방식으로 정하게 된다(개정상법 제523조 제2호, 제530조의6 제1항 제5호).

다. 법정준비금의 사용

법정준비금은 결손보전, 자본금전입(무상증자), 감소, 이렇게 세 가지 용도로만 사용할 수 있다. 그렇지만 이러한 사용은 모두 회계상 순자산 계정 간 변화에 해당하고 실제로 회사가 준비금을 '사용'하는 것은 아님을 유의하여야 한다. 이하 순서대로 살펴본다.

1) 결손보전

제460조는 법정준비금은 자본금의 결손보전에 충당하는 경우 외에는 처분하지 못한다고 규정하고 있다. 여기서 '자본금의 결손'이란 회사의 순자산이 자본금과 준비금의 합보다 적은 상태를 의미한다.[25] 상법은 '자본금의 결손'이라는 표현을 사용하고 있지만, 정확히 말하면 자본금 및 준비금의 결손을 의미한다. 입법론적으로는 법문을 명확하게 정비하는 것이 바람직하다.

결손보전이 이루어지면 준비금 계정과 결손금 계정이 함께 줄어든다. 법정준비금이 줄어들기 때문에 그만큼 회사가 유보해야 하는 금액이 줄어들고, 따라서

---

24) 이철송, 「회사법강의」(박영사, 2021), 994면.
25) 이철송, 전게서, 995면; 송옥렬, 전게서, 1207면.

만일 회사의 경영개선 등으로 미처분이익잉여금이 발생하여 이익배당이 가능해
지는 경우에는 주주에게 배당할 수 있는 배당가능이익이 늘어나는 효과가 발생
한다. 제460조는 결손보전 충당 이외에는 준비금을 처분하지 못한다고 규정하고
있지만, 사실 준비금은 자본금전입이나 감소하는 방법으로도 사용할 수 있으므
로 위 표현은 수정이 필요하다. 회사에 결손이 발생하였다고 하더라도 회사가
반드시 법정준비금으로 결손을 보전할 상법상의 의무를 부담하는 것은 아니
다.[26)]

　　결손보전을 실행하기 위해 필요한 회사의 내부절차나 결손보전을 할 수 있는
시기에 대해 상법은 특별히 규정하고 있지는 아니하다. 그런데 기업회계상 결손
보전은 사업연도말에 미처리결손금액이 확정된 후 회사가 결손금처리계산서와
자본변동표를 작성하면서 준비금을 감소시키는 방법으로 이루어진다. 결손금처
리계산서와 자본변동표를 포함한 재무제표는 정기주주총회 또는 정관에 정한 경
우 이사회가 승인하므로(제449조, 제449조의2), 결손보전은 재무제표의 승인 시
그 절차에 따라 확정된다고 보면 된다.

　　2011년 개정상법 이전의 구 상법에서는 이익준비금으로 먼저 결손을 충당하
고 이후 자본준비금으로 결손을 충당하게 하였고, 이에 따라 K-GAAP에서도
결손금을 임의적립금이입액, 기타 법정적립금이입액, 이익준비금이입액, 자본잉
여금이입액 순서로 처리하도록 하고 있었다(종전 기업회계기준서 제21호 문단 86).
이는 이익준비금의 경우에는 자본준비금과 달리 자본금의 1/2에 이르기까지만
적립하면 되므로 이익준비금을 결손보전에 충당하는 경우에는 충당으로 줄어든
이익준비금만큼 회사가 적립할 의무를 다시금 부담하게 되기 때문에 채권자에게
보다 유리하다고 보았기 때문이다.[27)] 그렇지만 현행 상법에서는 이러한 충당 순
서 관련 제한이 폐지되었으므로, 이익준비금, 자본준비금 중 어떠한 계정으로
충당할지를 회사가 선택하면 된다.

2) 준비금의 자본금전입(무상증자)

가) 의 의

준비금의 자본금전입은 준비금계정의 금액 전부 또는 일부를 자본금계정으로

26) 김건식·노혁준·천경훈, 전게서, 587면.
27) 김건식·노혁준·천경훈, 전게서, 588면.

이전시키면서 주주들에게 무상으로 신주를 발행하는 것을 의미한다. 실제 재산의 이동은 이루어지지 않기 때문에 회사와 주주의 재산에는 아무런 영향이 없다. 주주로부터 회사로의 재산 유입 없이 자본금이 증가하기 때문에 이를 '무상증자'라고도 한다. 준비금의 자본금전입이 이루어지면 회사는 주주들에게 보유주식수에 따라 주식을 발행하여야 하는데(제461조 제2항), 회사의 재산은 동일한 상태에서 주식수만이 증가하므로 주식의 주당 가격은 하락하게 된다. 한국거래소의 유가증권시장이나 코스닥시장에서도 무상증자가 이루어지는 경우 이를 반영하여 기준주가를 하향조정하는데(유가증권시장업무규정 시행세칙 별표 2, 코스닥시장업무규정 시행세칙 별표 2 등) 이를 '권리락'이라 한다.

준비금의 자본금전입이 이뤄지더라도 회사에 재산이 유입되는 것은 아니어서 경제적으로 회사에게 유리한 것은 아니다. 다만 회사의 발행주식수가 늘어나기 때문에 주식의 유통성이 좋아질 수 있다. 아울러 무상으로 신주를 받기 때문에 주주들이 심리적인 측면에서 이를 선호하기도 하고, 회사의 주가가 권리락으로 하락하면 투자자들에게 주가가 저평가되어 있다는 인상을 갖게 해 이로 인한 주가상승 및 시가총액 증가를 기대하고 준비금의 자본금전입을 실행하기도 하며, 회사가 재무적으로 건전하다는 것에 대한 신호(signal)로 작용하여 주가에 긍정적인 영향을 주는 것으로 보기도 한다. 그러나 준비금의 자본금전입은 전체 기업가치에 영향을 주지 못하므로 이와 같이 기대되는 결과가 항상 발생하는 것은 아니다. 현실에서도 준비금의 자본금전입의 결과 회사의 시가총액이 항상 증가하지는 않는다.

자본금이나 준비금 모두 배당가능이익 산정 시 공제항목이므로, 준비금 계정에 있는 금액이 자본금 계정으로 이전된다고 하여 채권자보호라는 측면에서 크게 달라지는 점은 없다. 다만 자본금이 증가함에 따라 이익준비금의 적립한도(자본금의 1/2)가 늘어나는 효과가 발생하기 때문에, 회사의 이익준비금 적립의무가 보다 강화되는 효과 정도가 있을 뿐이다. 한편 준비금의 자본금전입이 이루어지면 주주들에게 무상으로 신주가 발행되므로 만일 특정한 주주들에게 유리하게 신주가 배정된다면 이 과정에서 주주 간에 부가 이전될 가능성이 있다. 따라서 자본금의 준비금 전입에서는 주주 간의 비례적 부가 유지되는가가 중요하다. 상법이 모든 주주에게 보유 주식 수에 따라 비례적으로 주식을 발행하게 하는 것도 이와 같이 주주의 비례적 이익을 보호하기 위해서이다(제461조 제2항).

한 회사가 여러 종류(class)의 주식을 발행한 경우 무상 신주 발행 시 어떠한 주식을 배정해야 하는지의 문제도 존재한다.

나) 절 차

(1) 결정 주체 및 시기

준비금의 자본금전입은 이사회 결의에 의하여 이뤄질 수 있지만, 정관으로 주주총회에서 결정하게 할 수도 있다(제461조 제1항). 신주 발행의 경우 이사회 결의에 의하여 이뤄지지만, 정관으로 주주총회가 결정할 수 있게 하는 것과 유사하다. 특별히 준비금의 자본금전입을 할 수 있는 시기가 제한되는 것은 아니고, 회사는 준비금만 존재한다면 연중 어느 때든 이를 실행할 수 있다.

(2) 신주의 발행

준비금의 자본금전입이 이뤄지면 자본금이 증가한다. 회사는 주주에 대하여 주식을 발행하여야 하지만(제461조 제2항 전문), 액면주식을 발행한 회사가 액면을 증액하는 방법으로 무상증자를 하는 것은 허용되지 않는다.[28] 무액면주식을 발행한 회사의 경우에는 주식을 발행하지 않는 것이 원칙이나 회사가 원할 경우 발행하는 것도 가능하다는 견해가 있지만,[29] 위 규정상 무액면주식을 발행한 회사의 경우에도 주식을 발행하여야 한다고 해석할 수밖에 없다. 회사는 모든 주주에게 주식의 수에 따라 비례적으로 주식을 발행하여야 하고, 1주에 미달하는 단수에 대해서는 일반적인 단주 처리방법에 의하여 이를 처리하게 된다(제461조 제2항). 준비금의 자본금전입 시 주식의 발행가격을 얼마로 해야 할지에 대해서 상법에 규정은 없으나, 액면초과발행을 할 경우 전입되는 준비금 중 일부가 다시 자본준비금으로 적립되게 되므로 자본금에 전입되는 금액이 감소하는 효과가 발생한다. 상법상 요구되는 것은 아니나 액면으로 발행하는 것이 합리적이다. 준비금의 자본금전입을 주식분할과 성격이 유사한 것으로 보면 자기주식에 대해서도 신주를 배정해야 한다고 보아야 하겠으나,[30] 사실 자기주식에 신주를 배정하든 안하든 주주간 이해관계에는 별 영향이 없으므로, 회사가 자유롭게 선택

---

28) 김건식·노혁준·천경훈, 전게서, 589면; 상법이 주식 발행에 의한 방법만을 예상하고는 있지만 주식액면증액의 방법을 부정할 필요가 없다고 한다. 다만, 액면가액을 증가시키려면 정관변경의 절차를 거쳐야 하므로 이는 비현실적인 방법이라고 한다.
29) 이철송, 전게서, 998면.
30) 최기원, 「상법학신론(上)」(박영사, 2011), 1072면. 반대 견해: 정동윤, 「회사법」(법문사, 2001), 777면.

할 수 있다고 보면 된다.

무상증자에서의 신주발행 절차는 통상의 유상증자 시 신주발행 절차와 비슷하다. 다만 유상증자의 경우 주주가 주식인수를 청약하고 주금을 납입하여야 비로소 주주가 됨에 비해, 준비금의 자본금전입의 경우에는 이와 같은 청약과 주금납입 절차가 존재하지 아니하므로 일정 기준일에 즉시 신주의 주주가 되는 차이점이 있다. 이사회 결의로 준비금의 자본금전입을 하는 경우 회사는 일정한 날에 주주명부에 기재된 주주가 신주의 주주가 된다는 뜻을 그 날의 2주간 전에 공고하여야 한다. 만일 이러한 그 날이 주주명부 폐쇄기간 중이라면 그 기간 첫 날로부터 2주간 전에 이를 공고하여야 한다(제461조 제3항). 즉 이사회 결의일이 아니라 배정기준일에 주주명부에 주주로 기재된 자가 그 날에 신주의 주주가 되는 것이다. 이사회 결의 후 적어도 2주의 기간을 둠으로써, 아직 명의개서를 완료하지 아니하였다면 이 기간 중에 명의개서를 완료하여 신주를 배정 받을 수 있는 기회를 얻게 되고, 주식양수도를 검토하고 있었다면 이를 유의하여 거래를 진행할 수 있게 된다.31) 한편 주주총회 결의로 준비금의 자본금전입을 하는 경우에는 이미 주주총회 소집 과정에서 준비금의 자본금전입이 주주총회의 안건이 된다는 사실을 주주들이 통지받으므로, 별도의 사전 공고 절차 없이 주주총회 결의 시로부터 즉시 신주의 주주가 된다(제461조 제4항).32)

(3) 신주의 귀속

자본금전입으로 인하여 무상으로 발행되는 신주는 위와 같은 기준일에 회사 주식을 소유하는 주주에게 귀속된다. 따라서 주식매매계약이 체결되었으나 주식의 소유권 이전이 완료되기 전에 무상증자가 이뤄질 경우, 새롭게 발행된 주식은 발행 당시 주주인 매도인이 갖게 되고, 당사자 간의 별도의 합의가 없는 한 매도인은 기존 매매대상 주식 이외에 새롭게 발행받은 신주를 매수인에게 양도할 의무를 부담하지 아니한다. 무상증자로 발행되는 신주가 "구주에서 파생된 것이라 할지라도 그것이 신주로 발행되고 나면 그 근거주와는 법률상 별개의 것으로 독립된 가치를 가지게 되는 것이고, 주물과 종물의 관계에 있게 되는 것은 아니"기 때문이다.33) 아울러 주주는 회사의 주주명부에 주주로 등재되어 있어야

---

31) 이철송, 전게서, 997면.
32) 주식을 새롭게 취득하려는 자는 주주총회 소집 통지를 받을 수 없으므로, 입법론적으로는 공고제도가 필요하다는 견해가 있다. 이철송, 전게서, 997면.

회사와의 관계에서 주주에 해당하므로(제337조 제1항 참조) 주식을 양수하고 명의개서를 하지 않은 상황에서 무상증자가 이루어질 경우, 해당 신주는 실제 주주의 소유자가 아닌 기준일 현재 주주명부상의 주주에게 귀속된다.[34]

(4) 후속절차 및 신주의 효력

이와 같이 신주의 주주가 된 때에는 이사가 지체없이 신주를 받은 주주와 주주명부에 기재된 질권자에 대하여 그 주주가 받은 주식의 종류와 수를 통지하고, 무기명식의 주권을 발행한 경우에는 자본전입 결의의 내용을 공고하여야 한다(제461조 제5항). 기존 주식에 대한 질권의 효력은 새롭게 받는 주식에도 미친다(제461조 제6항, 제339조). 회사의 자본금이 증가하므로, 변경등기가 필요하다(제317조 제4항, 제183조).

다) 준비금의 자본금전입과 주주 이익 보호

(1) 종류주식과 무상신주의 배정 문제

회사가 종류주식을 발행한 경우에는 보통주식에 배정하는 주식과 같은 종류의 주식을 배정하여야 하는가, 아니면 해당 종류주식과 동일한 종류주식을 배정하여야 하는가? 이에 대해서는 ① 주주가 갖는 주식과 동일한 종류의 주식을 배정하는 것이 원칙이고, 회사가 서로 다른 종류의 주식으로 무상주 배정을 하는 것은 준비금의 자본전입을 주식분할에 준하는 것으로 이해하는 한 부정적으로 해석하여야 한다는 견해,[35] ② 본래 우선주란 특정시기에 자본조달을 위해 발행한 것인데, 준비금의 자본전입은 내부의 유보자금을 액면가로 환산하여 신주를 무상으로 발행하는 것인 만큼 우선주로 발행할 동기가 없으므로 보통주로만 발행하여야 한다는 견해 등이 존재한다.[36]

한편 주식배당의 경우에는 상법상 "회사가 종류주식을 발행한 때에는 각각 그와 같은 종류의 주식으로 할 수 있다"는 규정이 있고(제462조의2 제2항) 따라서 보통주식이든 같은 종류의 종류주식이든 배정할 수 있는 것으로 해석된다. 준비금의 자본금전입의 경우에는 이와 같은 규정은 없지만, 그렇다고 하여 상법이 어떠한 종류의 주식을 배정하여야 하는지에 대해 명시적인 제한을 두고 있는

것도 아니므로, 이에 대해서는 각 회사의 선택에 맡기는 것이 타당하다.37) 오히
려 상법은 회사가 종류주식을 발행하는 때에는 주식의 종류에 따라 신주의 인수
에 관하여 정할 수 있다고 규정하고 있으므로(제344조 제3항), 회사가 정관의 규
정이나 종류주식 발행 시, 또는 무상증자를 결정하는 이사회나 주주총회에서 어
느 종류의 주식을 배정할지에 대해 정할 수 있다고 보는 것이 자연스러운 해석
이다.

다만 이러한 배정으로 인하여 어느 특정 종류의 주주에게 손해가 발생할 수
도 있다. 그렇다면 어떠한 경우에 특정 종류의 주주에게 손해가 발생하는 것으
로 보아야 하는지, 이 경우 해당 종류주주 이익은 어떻게 보호해야 하는지 등의
문제 등이 발생한다. 이러한 문제는 주식배당과 관련해서도 마찬가지로 발생하
는바, 해당 부분에서 함께 살피기로 한다.

(2) 무상증자와 유상증자의 병행 문제

회사가 준비금의 자본금전입을 통한 무상증자를 실시하면서, 이와 함께 주주
들을 상대로 유상증자를 실시하는 것을 '병행증자' 또는 '유무상증자'라 한다. 이
경우 주주들은 유상신주 인수에 청약하였는지 여부와 관계없이 기준일 당시 보
유 주식 비율에 따라 무상증자로 인한 신주를 배정받게 된다. 그런데 엄밀히 말
하면 유상증자로 발행되는 신주의 효력 발생일과 무상신주 배정 기준일 간에는
선후가 있어야 하므로, 병행증자는 유상증자 절차와 무상증자 절차가 동시에 진
행되는 것이라고 이해하면 된다. 실무에서는 이사회가 동시에 유상증자와 무상
증자 결의를 하면서, 유상증자 신주 효력 발생일 이후의 날을 무상증자 신주 배
정의 기준일로 정하기도 한다. 이 경우 유상증자에 참여한 주주는 기존 보유 주
식수에 더하여 새로 인수한 주식수에 비례하여 무상신주를 배정받게 되고, 유상
증자에 참여하지 않은 주주는 기존 보유 주식수에 비례하여 무상신주를 배정받
게 된다. 이와 반대순서의 증자도 가능하다.

한편 회사가 주주들에게 유상증자를 실시하면서 유상증자로 발행하는 신주를
인수하는 주주에 한하여 무상증자로 발행하는 신주를 배정하는 형태의 증자도

---

37) 참고로 상장회사 표준정관에서는 (i) 유상증자 및 주식배당의 경우에는 보통주식에 배정하
는 주식과 동일한 주식을 종류주식에 배정하고, (ii) 무상증자의 경우에는 종류주식과 같은
종류의 주식을 종류주식에 배정하도록 규정하고 있다(2021. 1. 5. 개정 상장회사 표준정관
제8조의2 제5항).

생각해 볼 수 있다. 이를 '포괄증자'라 하는데, 주주가 유상신주 인수에 응하지 않으면 기존에 자기가 보유하는 주식에 대한 무상신주도 배정받지 못하게 된다. 이 경우 유상신주 인수를 하지 않은 주주의 부가 유상신주 인수를 하는 주주에게 이전되는 효과가 발생하는바, 이는 무상증자 시 모든 주주들에게 주식의 수에 따라 주식을 발행해야 한다는 상법 제461조 제2항에 위반되므로 상법상 허용되지 않는다.[38]

라) 위법한 준비금의 자본금전입

법정준비금이 존재하지 않음에도 불구하고 자본금전입을 하는 등 자본금전입에 하자가 있는 경우가 있을 수 있다. 이 경우에는 자본금전입 결정을 한 이사회결의나 주주총회결의의 하자는 신주발행의 하자에 흡수되므로,[39] 신주발행무효의 소를 통해 이를 다투어야 한다.[40]

3) 법정준비금의 감소

가) 요건 및 절차

상법상 이익준비금이나 자본준비금의 적립의무는 다른 주요 입법례와 비교하여 엄격한 편이다. 특히 자본준비금의 경우 적립한도가 없기 때문에, 우리나라 회사들의 적립금 규모가 과도하게 높고 이는 우리나라 회사들의 낮은 배당성향과도 관련이 있다는 지적이 있었다. 이에 따라 2011년 개정상법에서는 적립된 자본준비금 및 이익준비금의 총액이 자본금의 1.5배를 초과하는 경우에 주주총회의 결의에 따라 그 초과한 금액 범위에서 이를 감액할 수 있도록 하였다(제461조의2). 법정준비금이 감소하면 그만큼 회사의 배당가능이익이 증가하게 되어 이를 배당재원으로 활용할 수 있게 된다.

자본준비금과 이익준비금 중 어느 준비금을 얼마큼 감액할지는 회사가 자유

---

38) 최준선, 「회사법」 제16판(삼영사, 2021), 738면; 최기원, 전게서, 1073면. 참고로 폐지된 한국전력주식회사법에서는 이와 같은 포괄증자를 허용한 바 있다. 구 한국전력주식회사법(법률 제2987호로 개정되기 전의 것) 제17조의3 참조.

39) 대법원 2004.8.16. 2003다9636.

40) 위법한 준비금의 자본전입을 당연 무효로 보아 제3자도 언제든지 무효를 주장할 수 있다는 견해가 유력하나, 이미 무상주가 발행된 때에는 거래안전의 요청상 신주발행무효의 소에 의해서만 무효를 주장할 수 있다는 견해도 존재한다(권기범, 전게서, 1229면). 하자 있는 자본금전입 결정을 한 이사회결의나 주주총회결의는 당연 무효이겠으나, 회사가 실제 무상신주를 발행하기 전까지는 자본금전입이 실행되지 않고 권리관계에 아무런 변동이 없으므로, 현실적으로 대부분의 경우에는 신주가 발행된 이후에 그 효력이 다뤄질 것이다.

롭게 결정할 수 있다. 한편 미처분 결손이 존재하는 회사의 경우에는 준비금에서 결손금을 차감한 금액이 자본금의 1.5배를 초과해야 하고 그 초과분에 한해 준비금을 감소할 수 있다는 견해가 있다.[41] 결손이 있는 회사의 경우 준비금의 감액을 제한하는 것은 결손이 존재함에도 불구하고 준비금의 감액을 통해 이익배당을 하는 것을 막기 위함으로 이해된다. 그렇지만 준비금을 감액하면 해당 금액은 이익잉여금 계정으로 전환되고, 이러한 잉여금으로 먼저 결손을 보전하고도 잔액이 있어야 이를 배당재원으로 활용할 수 있게 되기 때문에, 회사에 결손이 존재한다고 하여 준비금 감액에 있어 상법 규정에 없는 추가적인 기준을 적용할 것은 아니라고 생각된다. 결손이 존재하는 회사가 준비금 감액을 하면, 먼저 감액된 준비금을 결손보전에 충당하고, 나머지 금액이 이익잉여금으로 전환된다고 이해하면 된다. 실무에서도 이러한 방식으로 회계처리를 한다.[42]

준비금의 감소는 주주총회 보통결의로 결정하여야 하므로 이를 이사회에 위임할 수는 없다. 이사회가 재무제표를 승인하는 회사의 경우에도 준비금을 감액하기 위해서는 별도로 주주총회 승인을 받아야 한다.[43] 준비금 감소를 반드시 별도의 안건으로 해야만 하는 것은 아니고, 정기주주총회에서 이익잉여금처분계산서를 포함한 재무제표를 승인하는 방식으로 결정해도 된다. 준비금의 감소에는 자본금의 감소와 달리 채권자보호절차가 필요하지 아니하다. 자본금의 150%에 해당하는 준비금은 여전히 배당재원에서 제외되기 때문이다.

준비금이 자본금의 150% 이상인지 여부를 어느 시점을 기준으로 계산하여야 하는지와 관련하여, 다수설은 직전 사업연도 말 재무제표를 기준으로 하여야 한다고 본다(직전 사업연도 기준설).[44] 이러한 견해에 따를 경우 사업연도 중에 무상감자를 통해 감자차익이 발생하여 자본준비금이 증가하더라도 이를 배당가능이익으로 전환하는 것은 가능하지 않다. 그러나 이러한 해석은 회사 재무구조의 신속한 정비라는 측면에서 볼 때 바람직하지 않고, 위와 같이 보수적으로 해석해야 하는 법문상 근거도 명확하지 않다. 직전 사업연도 기준설을 택하는 경우

---

41) 이철송, 전게서, 999면; 송옥렬, 전게서, 1208면.
42) 정준혁, "2011년 개정 상법이 배당 실무에 미친 영향,"「상사법연구」제37권 제2호(한국상사법학회, 2018. 9.), 221면.
43) 송옥렬, 전게서, 1200면.
44) 이철송, 전게서, 1000면; 권기범, 전게서, 1231면; 임재연,「회사법Ⅰ」(박영사, 2020) 756면.

직전 사업연도 말 이후 이루어진 자본금 및 준비금의 변화를 제대로 반영하지 못하기 때문에 준비금을 과도하게 감소시킬 우려도 있다. 준비금이 자본금의 150% 이상인지 여부는 준비금 감소 결의 시점을 기준으로 판단해야 한다(감소 시점 기준설).45)

실무에서는 정기주주총회에서 준비금의 감소를 결의하고 즉시 이를 재원으로 하여 이익배당을 하는 것이 가능한지가 문제된다. 이와 관련하여 상법 제462조 제1항은 그 결산기까지 적립된 준비금의 합계액을 공제하여 배당가능이익을 산정하도록 되어 있다. 위 문언에 따라 보수적으로 해석하면, 정기주주총회는 결산기 이후에 개최되므로 준비금 감소 결정을 하더라도 해당 결산기까지 적립된 준비금을 감소시키지는 못하고, 따라서 감소된 준비금을 재원으로 이익배당을 하기 위해서는 그 다음 해 정기주주총회까지 기다려야 한다(즉시 배당 불가설).46) 반면 정기주주총회를 통해 비로소 회사의 재무제표가 승인되므로 준비금 감소 결의의 소급효를 인정하여 준비금이 직전 결산기말에 감소된 것으로 보아 정기주주총회에서 감소된 준비금을 즉시 배당재원으로 사용할 수 있게 하는 것이 본 제도를 도입한 취지에도 부합한다는 입장도 가능하다(즉시 배당 가능설).47)

입법론적으로는 과도한 준비금을 신속하게 배당재원으로 사용할 수 있게 한다는 측면에서 즉시 배당 가능설에 공감할 수 있지만, 상법 제426조 제1항이 배당가능이익 산정 시 결산기, 즉 정기주주총회 직전 사업연도 말까지 적립된 준비금을 공제하도록 규정하고 있는 이상 정기주주총회에서 준비금 감소를 결의하고 즉시 그 재원으로 이익배당을 할 수 있다고 해석하기는 어렵다. 다만 어느 입장을 취하든 결산기 이전에 임시주주총회를 개최하여 준비금의 감소를 결의하면, 해당 사업연도에 관한 정기주주총회에서 이를 재원으로 이익배당을 하는 것은 가능하겠다. 법무부는 과거 즉시 배당 가능설의 입장을 취했지만 즉시 배당 불가설로 그 입장을 변경하였다.48)

입법자들이 의도하였는지는 분명하지 않으나, 법정준비금 감소 제도가 도입

---

45) 정준혁, 전게논문, 223면.
46) 이철송, 전게서, 1000면; 정준혁, 전게논문, 225면.
47) 김건식·노혁준·천경훈, 전게서, 594면; 송옥렬, 전게서, 1208면; 심영, "주식회사의 배당가능이익 계산과 미실현이익," 「상사법연구」 제33권 제3호(한국상사법학회, 2014. 12.), 59면; 김지평, "주식회사 배당의 실무상 쟁점," 「선진상사법률」 제79호(법무부 상사법무과, 2017. 7.) 150면.
48) 정준혁, 전게논문, 224면.

됨에 따라 이익잉여금 없이도 배당가능이익을 만드는 것이 용이해졌다. 다음의 간단한 예를 살펴보자. 먼저 주주가 200원을 출자하여 회사를 설립하면서 할증발행을 통해 자본금을 10원, 주식발행초과금을 190원으로 정하였다고 하자. 자본준비금은 자본금의 1.5배를 초과하므로, 회사는 주주총회 결의에 따라 자본준비금을 15원으로 감소시키고 배당가능이익 175원을 확보할 수 있다. 이러한 방법으로 주주는 출자금의 대부분을 채권자보호절차 없이 회수할 수 있다. 위 사례에서처럼 주식발행초과금 등 자본준비금이 확보되지 않아도 무상감자를 통해 배당가능이익을 확보할 수 있다. 회사의 순자산이 자본금 200원만으로 구성되어 있다고 하자. 회사가 20:1 무상감자를 실시하면 자본금이 10원으로 감소되고 자본준비금인 감자차익이 190원 발생한다.[49] 감자차익은 자본준비금에 해당하므로 주주총회 결의를 통해 이를 15원까지 감소시키면 배당가능이익 175원이 발생한다. 이와 같이 약간의 순자산 항목의 변동만으로도 비교적 쉽게 배당가능이익을 만들 수 있게 됨에 따라 자본금 및 준비금 제도의 채권자보호기능은 상당히 약화되었다.[50]

나) 위법한 준비금 감소

자본금 감소의 경우와 달리, 준비금 감소에 하자가 있는 경우 이를 다툴 수 있는 별도의 소송은 존재하지 아니한다. 이에 대해서는 준비금 감소가 무효인 경우 종전의 준비금을 회복해야 하고, 준비금 감소 후의 이익배당도 환원되어야 하므로 입법적으로 이를 형성의 소에 의해 다투도록 해야 하며, 현행 상법하에서는 감자무효의 소에 관한 규정(제445조)을 유추적용 해야 한다는 견해가 있다.[51] 그렇지만 준비금 감소 자체는 순자산 계정 간의 이전에 불과하고 그 자체로 회사, 주주, 채권자들의 이해관계에 영향을 미치는 것은 아니어서 회사 내부적인 성격을 갖는 행위로 볼 수 있다. 따라서 준비금 감소에 하자가 있는 경우 이는 소급하여 무효가 된다고 보아야 하고 별도의 소송을 통해 시정해야 하는

---

49) 무상감자의 경우에도 결손보전을 위한 경우가 아닌 한 채권자보호절차가 필요하지만 아무래도 자금유출이 없다 보니 채권자들이 이의를 제기할 가능성은 유상감자에 비해 낮을 가능성이 높겠다.
50) 개정상법 시행 후 자본금의 감소를 통해 회사가 배당가능이익을 확보하여 주주들에게 배당한 사례들이 상당수 존재한다. 특히 PEF의 경우 이를 활용하여 인수금융을 상환하거나 refinancing 등을 실행하는 것이 보다 수월하게 되었다.
51) 이철송, 전게서, 1001면.

것은 아니다. 만일 이러한 하자 있는 준비금 감소를 바탕으로 배당가능이익을 산정하고 그 결과 배당가능이익을 초과하는 배당을 하였다면 이는 위법배당과 관련한 조항에 따라 다투면 된다.

3. 이익배당

가. 이익배당청구권

회사는 영리를 목적으로 하는 법인이고(제169조), 여기서 영리를 목적으로 한다는 것은 회사가 이익을 창출하여 주주들에게 분배하는 것을 의미한다.[52] 그렇지만 회사가 회사에 발생한 이익을 전부 주주들에게 배당해야 하는 것은 아니다. 회사는 회사에 존재하는 이익을 주주들에게 분배하는 대신 회사의 운영비용에 충당할 수도 있고, 새로운 투자를 위해 사용할 수도 있으며, 사업 환경 변화에 대비하여 회사에 유보할 수도 있다. 이와 같이 회사가 이익배당을 실시할지, 만약 실시한다면 얼마나 배당할지에 대한 의사결정은 회사의 경영에 관한 사항이고, 상법은 이를 정관의 규정 여부에 따라 이사회나 주주총회 결의를 통해 정하게 하고 있다. 따라서 이사회나 주주총회에서 이익배당의 결정이 이뤄지지 않는 한, 개별주주가 회사에게 이익배당을 실시할 것을 청구할 수는 없다. 판례도 같은 입장이다.[53]

이처럼 주주들은 회사로부터 이익배당을 받을 수 있는 추상적인 권리를 갖지만, 이러한 권리는 주주총회나 이사회 결의를 통해 이익배당 결정이 이뤄져야만 실제로 회사에 배당을 청구할 수 있는 권리로 변하게 된다. 회사법에서는 전자를 추상적 이익배당청구권, 후자를 구체적 이익배당청구권이라 한다. 추상적 이익배당청구권은 주식과 분리하여 양도할 수 없지만, 구체적 배당청구권은 주식과 분리하여 양도할 수 있고, 별도로 강제집행 대상이 된다. 추상적 배당청구권은 주식의 효력이 유지되는 한 소멸하지 않지만, 구체적 배당청구권은 소멸시효의 대상이 된다(제464조의2 제2항).

---

52) 송옥렬, 전게서, 1209면.
53) 서울고등법원 1976.6.11. 75나1555("주주의 이익배당청구권은 주주총회의 배당 결의 전에는 추상적인 것에 지나지 않아 주주에게 확정적인 이익배당청구권이 없으며 배당결의가 없다 하여 상법상 회사의 채무불이행이나 불법행위가 될 수 없다"); 서울고등법원 1967.3.2. 66구256. 유한회사의 이익배당에 관한 것으로는 대법원 1983.3.22. 81다343 참조.

앞서 1. 다.에서 살핀 바와 같이 주식 소유가 분산된 회사에서의 이사나 지배주주가 존재하는 회사에서의 지배주주 입장에서 보면, 이익배당을 실시하지 않는 것이 자신의 이익에 보다 부합할 수도 있다. 특히 많은 수의 회사가 지배주주에 의하여 지배되는 우리나라의 현실상 회사가 장기간 이익배당을 실시하지 않는 것이 주로 문제될 수 있다. 지배주주는 이익배당 이외에도 여러 방법을 통해 회사의 부를 가져갈 수 있기 때문에,[54] 이익배당을 자신이 독점할 수 있었던 회사의 부를 다른 소수주주들과 공유하는 것으로 여길 수도 있다. 그런데 소수주주로서는 회사가 이익배당 등을 통해 회사재산을 분배하지 않는 한 회사로부터 투자금을 회수하기 어렵고,[55] 특히나 장외시장이 활성화되지 않은 형편이다보니 대부분의 비상장회사의 경우 주식을 제3자에게 매각하기도 매우 어렵기 때문에, 장기간 이익배당이 실시되지 않을 경우 소수주주의 부에 부정적 영향이 발생할 수밖에 없다.

이익배당은 주주의 핵심 권리이기 때문에, 회사가 이익배당을 무기한 실시하지 않거나 정관이나 주주총회 결의로 이익배당청구권을 박탈하는 것은 위법하다는 것이 통설이다.[56] 다만 현실에서는 회사가 명시적으로 무기한 이익배당을 실시하지 않기로 결정하는 경우는 생각하기 어렵고, 회사가 여러 이유를 들어 배당가능이익이 존재함에도 불구하고 장기간 이익배당을 실시하지 않거나 매우 적은 액수만 배당하는 경우가 주로 문제될 것이다. 그렇지만 이익배당에 대한 의사결정은 회사의 경영판단에 속하는 사항이기 때문에 단지 회사에 배당가능이익이 존재함에도 불구하고 일정 기간 이상 이익배당을 실시하지 않았다고 하여 무

54) 지배주주는 주주로서 회사로부터 이익배당 등을 받아 자신의 부를 늘릴 수도 있지만, 자신이나 자신이 지배하는 회사로 하여금 회사의 거래상대방이 되어 채권자의 자격으로서 회사로부터 부를 가져갈 수도 있고, 여러 회사를 지배함으로 인하여 발생하는 시너지 효과를 통해 자신이 지배하는 다른 회사의 주식가치를 높이는 방법으로도 부를 증가시킬 수 있다. 반면 소수주주는 회사의 경영에 관여하지 못하기 때문에 주주 자격으로서 회사재산을 분배받는 것이 사실상 유일한 이익 실현수단이 된다. 이렇게 지배주주가 회사를 지배함으로 인하여 누리는 이익을 지배권의 사적이익(private benefit of control)이라 한다. 지배권의 사적이익에 관한 이론적 논의와 실제 내용에 대해서는 정준혁, "지배권의 사적이익과 경영권 프리미엄," 「기업법연구」 제33권 제2호(한국기업법학회, 2019. 6.), 47~84면 참조.
55) 2011년 개정상법에는 소수주주의 지배주주에 대한 매수청구권 제도가 도입되어 소수주주가 투자금을 회수할 수 있는 방법이 열렸다(제360조의25). 그러나 위 규정이 적용되기 위해서는 지배주주가 회사 발행주식총수의 95% 이상을 보유하여야 하므로, 실제 소수주주가 이를 행사하는 데에는 상당한 제약이 존재한다.
56) 이철송, 전게서, 1001, 1013면; 김건식·노혁준·천경훈, 전게서, 606면.

조건 이를 위법하다고 볼 것은 아니다. 따라서 이사가 필요한 정보를 수집하고 충분히 검토하여 회사경영상 이익배당을 실시하지 않는 것이 회사의 이익에 합리적으로 부합한다고 판단하였다면, 이러한 결정은 존중되어야 한다. 특히 지배주주가 주주총회에서 이익배당을 실시하지 않기로 결의한 경우에는, 의결권의 행사와 관련한 지배주주의 소수주주에 대한 충실의무가 인정되지 않는 이상, 이를 문제 삼기는 어렵다.57) 만일 회사가 단순히 이익배당이 장기간 실시되지 않았다는 이유만으로 이를 위법하다고 보아 개별주주가 회사에 이익배당을 청구하는 것을 쉽게 허용할 경우, 소수주주가 회사의 의사를 결정하는 결과를 가져올 수 있고 이는 회사 경영에 관한 사항은 이사회나 주주총회에서 다수결의 원칙에 따라 결정한다는 주식회사의 기본 원리에 반하게 된다.

따라서 회사가 영리성이라는 상법상 기본 목적(제169조)을 완전히 포기하거나 이사나 지배주주가 소수주주에게 손해를 가할 목적으로 이익배당을 실시하지 않은 것으로 볼 수 있는 매우 예외적인 경우가 아닌 한, 회사가 이익배당을 실시하지 않기로 하는 결정은 존중되어야 하고, 이를 위법한 것으로 보아 이사회나 주주총회의 이익배당 결의 없이 개별주주에게 구체적인 이익배당청구권을 인정할 것은 아니다.58) 입법론적으로는 회사에 이익이 있음에도 불구하고 장기간 배당을 실시하지 않는 경우 소수주주가 회사에 배당을 청구할 수 있는 방법을 강구해야 한다는 견해가 유력하다.59)

---

57) 송옥렬, 전게서, 1212면.
58) 미국의 Ford사 사건은 법원이 개별 주주의 청구에 의하여 회사에게 이익배당을 명한 대표적인 사건으로 언급된다. Ford사는 회사의 이익을 많은 사람들과 함께 향유해야 한다는 지배주주 Henry Ford의 의지에 따라, 회사에 영업이익이 많이 존재함에도 불구하고 장기간 배당을 실시하지 않았고, 설비투자 등을 통해 자동차의 품질을 개선하면서도 판매가격을 낮추는 정책을 펼쳐서 회사의 영업이익 감소를 감수하였다. 이에 대해 Michigan Supreme Court는 회사의 목적은 주주의 이익을 추구하는 것에 있다고 하면서, 회사 이사가 이외의 다른 목적을 위해 이익을 감소시키고 주주들에게 이익배당을 실시하지 않는 것은 위법하다고 보았다(*Dodge v. Ford Motor Co.*, 204 Mich. 459 (Mich. 1919)). 그렇지만 미국에서도 이와 같이 이익배당을 하지 않은 것을 위법하다고 본 사안은 매우 예외적이고, 대부분의 경우 배당에 대한 이사회의 결정이 존중될 것임을 유의하여야 한다.
59) 이철송, 전게서, 1013면; 송옥렬, 전게서, 1212면.

나. 배당가능이익의 산정

1) 상법 규정에 따른 산정

이익배당은 회사 대차대조표상의 순자산액으로부터 ① 자본금의 액, ② 그 결산기까지 적립된 자본준비금과 이익준비금의 합계액, ③ 그 결산기에 적립하여야 할 이익준비금의 액, ④ 시행령에서 정한 미실현이익을 공제한 금액을 한도로 한다(제462조 제1항).

배당가능이익은 손익계산서상 당기순이익 등이 아니라, 대차대조표상 순자산액을 출발점으로 한다. 이와 같이 우리 상법상 배당가능이익은 일정기간 동안 회사에 발생한 이익(flow)이 아니라 회사에 누적되어 일정 시점에 존재하는 이익(stock)을 기준으로 하고 있다.[60] 따라서 당기에 결손이 발생하더라도 그동안 누적된 충분한 이익잉여금이 있다면 배당가능이익이 존재할 수 있는 반면, 당기에 이익이 발생하더라도 그동안 결손이 계속 누적되어 당기의 이익으로 이를 회복할 수 없다면 배당가능이익이 존재하지 않게 된다. 상법상 대차대조표는 각 회사에 적용되는 회계기준에 따라 작성하여야 하므로(제446조의2, 시행령 제15조), 예를 들어 K-IFRS가 적용되는 회사라면 이에 따라 작성된 대차대조표에 따라 배당가능이익을 계산한다. 따라서 자기주식, 주식할인발행차금과 같은 음(-)의 순자산 계정들의 경우 상법이 이를 명시적으로 규정하고 있지는 않지만 자연스럽게 순자산을 줄어들게 하여 배당가능이익을 감소시킨다.

한편 자본시장과 금융투자업에 관한 법률 상 주식회사형태의 집합투자기구인 투자회사나 사모집합투자기구가 설립하는 투자목적회사의 경우에는 상법상 배당가능이익의 제한을 받지 아니한다. 따라서 배당가능이익을 초과하여 주주에게 이익을 분배하는 것도 가능하다(자본시장법 제242조, 제249조의13 제5항).

2) 미실현이익

2011년 개정상법에서는 배당가능이익의 공제 항목으로 미실현이익이 추가되었다. 미실현이익이란 "회계 원칙에 따른 자산 및 부채에 대한 평가로 인하여 증가한 대차대조표상의 순자산액으로서, 미실현손실과 상계하지 아니한 금액"을

---

60) 김건식·노혁준·천경훈, 전게서, 601면; 송옥렬, 전게서, 1210면.

의미한다(시행령 제19조 제1항). 이와 같이 미실현이익이 추가된 것은 2011년 개
정상법이 2012년 시행됨에 따라 자산을 원칙적으로 취득원가로 평가하게 하던
구 상법 452조가 폐지되고, K-IFRS의 도입 등과 함께 시가평가(mark-to-
market)가 일반화된 것과 관련이 있다.[61] 상법은 채권자보호를 위해 순자산 중
자본금이나 준비금 같은 일정 금액은 배당재원에서 제외하고 회사에 유보하도록
하고 있는데, 미실현이익은 자산의 평가가액 상승으로 인하여 발생한 이익으로
실제로 해당 자산을 해당 가격에 처분하지 않는 이상 회사에 이익이 실현되는
것은 아니고, 게다가 향후 시가에 따라 그 액수가 변동될 수 있으므로, 채권자
보호를 위해 이를 배당재원에서 제외하는 것이다. 일반적인 회계기준과 달리 상
법에서 미실현이익을 미실현손실과 상계하지 않게 하는 것도 채권자를 보다 두
텁게 보호하고자 하는 취지로 이해된다.

앞에서 본 바와 같이 미실현이익 중에서는 기업회계상 이익잉여금에 해당하
는 것과 기타포괄손익누계액에 해당하는 것이 있다. 그런데 대차대조표에 별도
의 항목으로 표기되는 기타포괄손익누계액에 해당하는 미실현이익과 달리, 이익
잉여금에 반영된 미실현이익의 경우에는 대차대조표만으로는 항목별로 얼마만큼
의 미실현이익이 이익잉여금에 반영되었는지 구분해내기 어렵다. 이에 시행령
부칙 제6조는 시행령 시행일이 속하는 사업연도까지 이익잉여금으로 순자산액에
반영한 미실현이익이 있는 경우, 그 미실현이익은 배당가능이익 산정시 미실현
이익에 포함되지 않는다는 규정을 두어 이러한 문제를 해결하고 있다.[62] 그 결
과 배당가능이익 산정 시에는 시행령 시행일인 2012. 4. 15.이 속하는 사업연도
가 지난 후 발생하는 이익잉여금에 반영된 미실현이익만을 계산하여 순자산액에
서 공제하면 된다.

한편 수출입 거래 시 환율변동으로 인한 위험을 헤지하기 위하여 통화선도계
약을 체결하는 경우나 증권회사가 파생결합증권을 발행하면서 고객에게 수익금
지급 사유 발생 시 동일한 금원을 다른 금융기관으로부터 취득하기로 하는 파생
거래를 하는 경우와 같이, 기초자산의 가격 등이 변동될 경우 어느 한 거래에서
는 미실현이익이 발생하지만 동시에 파생거래에서는 미실현손실이 발생하는 경
우가 있을 수 있다(그 반대도 물론 가능하다).[63] 이처럼 동일한 사유로 인하여 발

---

61) 송옥렬, 전게서, 1211면.
62) 상법 시행령(대통령령 제23720호, 2012. 4. 10.) 부칙 제6조.

생하는 미실현이익과 미실현손실은 성질상 상계하는 것이 타당하다. 이에 따라 2014. 2. 24. 개정된 상법 시행령에서는 (i) 파생결합증권의 거래를 하고 그 거래의 위험을 회피하기 위해 해당 거래와 연계된 거래를 한 경우나 (ii) 파생상품의 거래가 그 거래와 연계된 위험을 회피하기 위하여 한 경우, 이러한 각 거래로 미실현이익과 미실현손실이 발생한 경우에는 예외적으로 각각의 미실현이익과 미실현손실을 상계할 수 있도록 하였다(시행령 제19조 제2항).[64)65)]

3) 실제 배당가능이익의 계산-회계기준에 따른 대차대조표를 통한 계산

배당가능이익의 계산은 상법의 규정에 따라 이뤄진다. 그러나 실무상 상법의 규정에 따라 별도의 대차대조표를 작성하는 것은 아니기 때문에 회계기준에 따라 작성된 대차대조표를 바탕으로 배당가능이익을 계산한다. 따라서 배당가능이익을 정확하게 산정하기 위해서는 제462조 제1항에 열거된 항목이 회계기준 상 대차대조표의 어느 항목에 해당하는지를 알고 이를 상법의 규정에 따라 조정해야 한다. 이를 재무제표의 항목별로 살피면 다음 표와 같다.

상법 규정	재무제표 해당 항목
대차대조표상 순자산	
(-) 자본금	(-) 자본금
(-) 자본준비금	(-) 자본잉여금
(-) 이익준비금	(-) 이익잉여금 중 법정적립금
(-) 미실현이익 (미실현손실과 상계하지 아니한 것(예외 존재)) (단 2012. 4. 15.이 속하는 사업연도까지 이익잉여금으로 순자산액에 반영한 미실현이익은 제외)	(-) 기타포괄손익누계액 중 각종 미실현이익 (예: 매도가능증권평가이익 등)
	(-) 미처분이익잉여금 중 각종 미실현이익 (예: 외화환산이익, 지분법평가이익 등) (단 2012. 4. 15.이 속하는 사업연도까지 이익잉여금으로 순자산액에 반영한 미실현이익은 제외)

---

63) 자세한 사례는 법무부 상사법무과, "법무부, '배당제도 개선' 상법시행령 개정령안 입법예고," 2013. 12. 17.자 보도자료 참조.

64) 이 규정은 시행령 시행 후 주주총회 또는 이사회 결의로 이익배당을 정하는 경우부터 적용된다(상법 시행령(대통령령 제25214호, 2014. 2. 24.) 부칙 제2조).

65) 이러한 개정은 법무부 배당제도 개선 TF(위원장: 심영)의 연구 및 논의에 따라 진행되었다. 자세한 논의는 심영, 전게논문 참조.

(-) 당기에 적립할 이익준비금	(-) 이익잉여금처분계산서상 적립하는 이익준비금
= 배당가능이익	

그런데 실무에서는 위와 같이 배당가능이익이 얼마인지를 정확히 계산하여 이익배당액을 결정하는 것은 오히려 예외적인 경우에 속하고, 이익잉여금처분계산서상 미처분이익잉여금을 출발점으로 하여 배당액을 결정하는 것이 일반적이다.[66] 즉 미처분이익잉여금에서 회사가 당기에 새롭게 적립하는 이익준비금, 각종 법정적립금과 임의준비금을 공제하고, 남는 금액 중 전부 또는 일부를 주주들에게 배당할 금액으로 결정하는 것이 통상적이다.[67] 이는 많은 수의 회사가 제447조에 따라 재무제표 중 하나인 이익잉여금처분계산서를 작성하여야 할 의무를 부담하고, 이익잉여금처분계산서 작성을 통해서도 이익배당액을 결정할 수 있으므로, 상법의 규정에 따라 배당가능이익을 별도로 계산할 필요성을 크게 느끼지 못하기 때문으로 이해된다.

그런데 자본조정 항목이나 당기순이익에 포함되는 미실현이익, 기타 미실현손실 등이 있는 경우에는 미처분이익잉여금과 배당가능이익이 다르게 된다. 먼저 자본조정 항목이 있다면 배당가능이익 산정의 기초가 되는 순자산이 감소하므로 배당가능이익이 감소한다. 기타포괄손익누계액에 포함되는 미실현이익의 경우 미처분이익잉여금에 포함되지 않지만 당기순이익에 포함되는 미실현이익은 미처분이익잉여금에 포함되기 때문에 배당가능이익 산정 시에는 이를 공제해야 한다. 미실현이익과 상계처리할 수 있는 미실현손실 계정이 있는 경우 미처분이익잉여금 계산 시에는 이를 상계 처리해야 하지만, 배당가능이익 산정 시에는 이를 상계하면 안 된다. 이러한 차이 때문에 미처분이익잉여금은 상법의 규정에 따른 배당가능이익 계산 결과와 일치하지 않게 되고, 미처분이익잉여금이 배당가능이익보다 클 가능성이 존재한다. 따라서 미처분이익잉여금을 전액 배당재원으로 사용하면 초과 배당이 될 가능성이 있다.[68]

---

66) 이는 회사가 납부해야 하는 법인세액을 산정할 때 회계기준에 따라 작성된 재무제표에서 각종 세무조정을 통해 법인세법에 따른 세액을 결정하는 것과 대비된다.
67) 참고로 상장회사 표준정관(2021. 1. 5. 개정) 제44조는 다음과 같은 규정을 두고 있다. "이 회사는 매사업년도의 처분전이익잉여금을 다음과 같이 처분한다. 1. 이익준비금, 2. 기타의 법정적립금, 3. 배당금, 4. 임의적립금, 5. 기타의 이익잉여금처분액"
68) 정준혁, 전게논문(각주 42), 210면.

다만 그동안 기업 실무상 미처분이익잉여금 전액을 주주들에게 배당하는 경우는 흔하지 않았기 때문에, 이익잉여금처분계산서를 바탕으로 이익배당액을 결정하더라도 실제 제462조 위반이 문제된 사례가 많지는 않았던 것으로 보인다. 특히 2011년 개정상법 이전의 구 상법에서는 회사의 회계처리에 관하여 비교적 상세한 규정을 두고 있었고 회계기준과 상당한 차이가 있었지만,[69] 현행 상법에서는 회사의 회계처리 관련 규정들이 대부분 삭제되고 이를 회계기준에 위임하여(제446조의2, 시행령 제15조) 양 기준 간의 차이로 인한 문제들이 대부분 해결되었기 때문에, 위와 같은 방식을 취하더라도 상법에 위반될 가능성이 상당히 감소하였다. 그렇지만 이러한 방식이 상법에 정확하게 부합하지는 않기 때문에, 만일 향후 기업 실무상 회사의 배당성향이 전반적으로 높아진다면 관련 규정 위반 문제가 실제로 발생할 수도 있으므로, 이에 대한 유의가 필요하다.

다. 이익배당의 절차 및 실행

1) 승인 절차

가) 재무제표 승인과 배당 결정 간의 관계

종래에는 별도의 이익배당 승인 조항이 상법에 존재하지 않았고 이익배당은 재무제표 중 하나인 이익잉여금처분계산서를 주주총회에서 승인하는 방식으로 결정되는 것으로 이해되었다(제449조). 그런데 2011년 개정상법에 이익배당을 주주총회 결의(재무제표를 이사회에서 승인하는 회사는 이사회 결의)로 정한다는 별도의 규정(제462조 제2항)이 신설됨에 따라, 이익배당 승인을 재무제표 승인으로부터 독립하여 별도로 결의할 수 있는지에 대한 논란이 등장하였다. 학설은 재무제표 승인 없이 이익배당만을 결의할 수는 없다는 데에 의견을 대체로 같이하지만,[70] 문언상으로는 정기주주총회에서의 재무제표 승인 여부와 관계없이 회사가 별도로 이익배당을 하는 것도 가능하고 따라서 배당을 영업연도 중에 여러 차례 실시하는 것처럼 해석될 여지가 있어서, 입법의 보완이 필요하다는 견해가

---

69) 예를 들어 자기주식의 경우 구 상법상 자산의 평가방법에 관한 일반규정(제452조)에 따라 이를 자산 항목에 해당하는 것으로 볼 여지가 컸지만 회계기준에서는 이를 음(-)의 자본조정 항목으로 보고 있었다. 특히 구 상법은 자산을 원칙적으로 취득원가를 기준으로 평가할 것을 요구하였기 때문에, 배당가능이익을 실제 상법 규정에 따라 산정하는 것은 매우 번거로웠고, 실무에서는 이와 같은 상법의 회계처리 규정들이 사실상 사문화되는 결과를 가져왔다.
70) 이철송, 전게서, 1004면: 송옥렬, 전게서, 1212면.

있다.[71]

그렇지만 재무제표 승인 규정과 이익배당 승인 규정이 별도로 있다는 이유로 위 사항에 대한 승인이 독립적으로 이루어질 수 있다고 해석하는 것은 타당하지 않다. 만일 재무제표 승인과 배당결정을 분리할 경우 양 결의 내용에 차이가 발생할 수 있다는 문제점이 있고, 결산기가 아닌 다른 시기에도 배당을 할 수 있게 하면 중간배당 제도나 분기배당 제도와 충돌이 발생할 수도 있다. 이러한 점을 고려하면 결국 배당결의와 재무제표 승인은 서로 분리되어 이루어질 수 없고, 정기주주총회 또는 이사회에서 함께 이루어져야 한다. 상법이 재무제표 승인 기관과 배당 결의 기관을 일치시킨 것도(제462조 제2항 본문 및 단서) 이를 뒷받침한다.[72]

따라서 이익잉여금처분계산서를 재무제표에 포함하여 승인하는 회사의 경우(주식회사의 외부감사에 관한 법률에 따른 외부감사 대상 회사의 경우에는 이익잉여금처분계산서를 재무제표에 포함하여 승인할 의무를 부담한다. 제447조 제1항, 시행령 제16조 제1항)에는 이익잉여금처분계산서상 배당 내역과 이익배당 승인 시의 배당 내역을 동일하게 하여야 한다. 이익잉여금처분계산서 대신 자본변동표를 재무제표에 포함하여 승인하는 회사의 경우(외부감사 대상 회사가 아닌 경우 자본변동표와 이익잉여금처분계산서 또는 결손금처리계산서 중 하나를 선택하여 재무제표에 포함할 수 있다. 제447조 제1항, 시행령 제16조 제1항)에는 재무제표 승인과 관계없이 이익배당 승인을 통해 이익배당이 결정된다. 2011년 개정상법 시행 전에는 이러한 회사의 경우 재무제표 승인을 통해 이익배당을 결정하지 못하고[73] 오히려 주주총회 승인 없이도 이익배당을 결정할 수 있는 것으로 잘못 해석될 여지가 있었다. 제462조 제2항은 이익배당 결정 시 이익잉여금처분계산서 승인 여부와 관계없이 주주총회나 이사회 결의가 있어야 함을 명확하게 하였다는 점에서 의미가 있다.

---

71) 이철송, 전게서, 1007면. 이에 대한 비판으로는 최문희, "2011 개정 상법의 정책적 및 기술적 오류" 토론문, 제178회 증권법학회 정기세미나(2012. 6. 2.), 17면; 송옥렬, 전게서, 1212면.

72) 송옥렬, 전게서, 1213면.

73) 이익잉여금처분계산서에는 해당 결산기의 미처분이익잉여금을 바탕으로 지급하기로 하는 배당액이 기재되어 있지만, 자본변동표에는 해당 사업연도에 실제 지급한 배당금액, 즉 전 결산기와 관련하여 결의하고 지급한 배당액만 기재되고 해당 결산기와 관련하여 지급하기로 하는 배당액은 기재되지 않는다. 따라서 자본변동표만을 재무제표에 포함하는 경우에는 재무제표 승인만으로는 이익배당액 승인을 하지 못하게 된다.

나) 승인 기관

과거에는 주주총회만 이익배당을 승인할 수 있었으나 2011년 개정상법에 따라 일정한 요건하에 이사회의 결의로 이익배당을 승인하는 것도 가능해졌다(제462조 제2항). 이사회가 이익배당을 결정하기 위해서는 상법 제449조의2 제1항에 따라 이사회가 재무제표를 승인하는 것이 필요하다(제462조 제2항 단서, 제449조의2 제1항). 정관에 근거 규정을 두고 외부감사인의 적정 감사의견을 받아 감사(감사위원회 설치회사의 경우 감사위원) 전원의 동의를 얻으면 이사회 결의로 배당을 승인할 수 있다(제449조의2 제1항).

이사회가 배당을 승인하는 경우 외부감사인의 적정 감사의견만 나오면 감사의 동의를 받아 정기주주총회까지 기다리지 않고 신속하게 배당을 진행할 수 있다는 장점이 있다. 예컨대 차입인수(LBO)를 통해 회사의 주주가 된 투자자 입장에서는 인수금융 원리금을 적시에 변제하기 위한 현금흐름이 필요한데, 이처럼 배당금 지급시기를 앞당길 수 있다면 자금관리에 유연성을 가질 수 있다.

이사회가 배당을 승인하면서 이사회 결의 다음 날을 배당기준일로 정하면 이른바 배당락과 관련한 문제를 완화할 수 있다는 설명도 있다.[74] 배당이 이뤄지면 회사로부터 현금이 유출되기 때문에 배당기준일 이후 주식을 매수하려는 자는 배당액을 고려하여 매매가격을 원래 가격보다 낮게 결정하려고 한다. 이처럼 배당으로 인해 하락하는 금액을 배당락이라 한다. 우리나라 대부분의 회사는 배당기준일을 영업연도 말일로 정하는데 비해,[75] 실제 배당액이 확정되는 것은 이로부터 2, 3개월이 지난 정기총회 때이므로 이 기간 동안에는 배당락을 얼마로 해야 할지가 분명하지 않다. 따라서 이사회에서 배당을 승인하고 그 다음 날을 기준일로 삼으면 배당락과 관련한 혼란을 줄일 수 있다는 것이다. 그러나 주주총회에서 배당결의를 하는 경우에도 그 다음 날을 배당기준일로 정하면 동일한 결과를 가져올 수 있으므로 이 문제는 어느 기관이 이익배당을 승인하는가와는 크게 관계가 없다. 배당락과 관련 정보 문제는 배당기준일과 배당결정일 간의 시간적 간격 때문에 발생하므로 배당기준일을 배당액 결정일 뒤로 정하면 해결할 수 있다.[76]

---

74) 송옥렬, 전게서, 1213면.
75) 상장회사 표준정관(2021. 1. 5. 개정) 제45조 제2항.
76) 송옥렬, "상장회사 정기주주총회 5월 개최에 대한 이론적 검토," 「상사법연구」 제38권 제3

주주총회에서 배당을 결정하는 경우에는, 먼저 이사회가 재무제표를 승인하고(제447조) 주주총회 소집 결의를 하면서 회의의 목적사항을 정하여 통지, 공고하는 방법으로 배당 여부 및 배당액을 제안하게 된다. 주주총회가 이사회가 제안한 이익배당안을 수정하여 결의하는 것은 재무제표 승인 및 배당결의라는 주주총회 회의목적 사항과 동일성이 인정되므로, 주주총회에서는 이사회가 제안한 이익배당안을 그대로 승인할 수도 있고, 현장에서 그 내용을 수정하여 결의할 수도 있다.[77] 반면 이사회에서 배당을 결정하는 경우에는 주주총회에 재무제표 승인 내역을 보고할 뿐(제449조의2 제2항) 주주총회가 이사회가 정한 배당내역을 수정할 수 있는 절차는 없다. 아울러 이익배당을 주주총회 결의 사항으로 하면 일정 요건을 갖춘 주주가 주주제안을 통해 이익배당안을 주주총회에 제안할 수 있지만, 이사회 결의 사항으로 하면 주주제안을 하는 것 자체가 가능하지 않게 된다.[78]

2) 배당 기준

가) 주주간 비례적 평등 및 차등배당

이익배당은 각 주주가 가진 주식의 수에 따라 한다(제464조 본문). 다만 이익배당과 관련하여 다른 정함이 있는 종류주식과 보통주식 간에도 이와 같은 비례적 평등이 적용되는 것은 아니므로(제464조 단서), 이와 같은 주식평등의 원칙은 이익배당과 관련하여 같은 종류(class)의 주주들 간에 적용되는 것으로 보면 된다.

이와 관련하여 실무에서는 지배주주의 배당액을 소수주주들의 배당액보다 적게 하거나 아예 소수주주에게만 배당을 실시하는 차등배당이 종종 이루어진다. 이러한 형태의 차등배당에 대해서 법원은 이는 "대주주가 자기들이 배당받을 몫의 일부를 떼내어 소주주들에게 고루 나누어 주기로 한 것이니, 이는 주주가 스스로 그 배당받을 권리를 포기하거나 양도하는 것과 마찬가지여서 본조에 위반된다고 할 수 없"고 따라서 제464조에 위반되지 않는다고 보고 있다.[79] 이와

호(한국상사법학회, 2018.) 89면; 천경훈, "정기주주총회 개최일의 유연화 방안: 결산일, 의결권기준일, 배당기준일의 분리를 제안하며," 「기업법연구」 제34권 제3호(한국기업법학회, 2020.) 67면; 김지평·신석훈, "주주총회 분산을 위한 기준일 제도 개선방안," 「상장협연구」 2018-3, (한국상장회사협의회, 2018), 9면.

77) 권기범, 전게서, 1244면.
78) 정준혁, 전게논문(각주 42), 213면.
79) 대법원 1980.8.26. 80다1263.

같이 차등배당이 적법하기 위해서는 배당을 받지 않거나 적게 받는 주주가 스스로 배당받을 권리를 포기하였다고 인정되어야 하므로, 단순히 주주총회에서 차등배당안이 결의된 것으로는 허용되지 않고, 실제 배당을 받지 않거나 적게 받는 모든 주주가 주주총회에서 이러한 차등배당안에 찬성하거나 배당을 포기하는 내용의 서면을 제출하는 등 명시적으로 동의하였음이 인정되어야 한다.

나) 배당기준일과 일할배당의 허용 여부

이익배당을 받기 위해서는 배당기준일의 주주명부에 주주나 질권자로 등록되어야 한다. 기준일은 정관에 미리 정할 수도 있고 이사회 결의로 정하는 것도 가능하나 실무에서는 통상 회사의 정관으로 매결산기말 현재를 기준일로 정하는 경우가 많다.[80] 기준일은 기준일 이전이나 이후에 누가 주식을 보유하였는지와 관계없이 일정한 날에 주주명부에 기재된 자를 주주권을 행사할 주주로 확정하는 것이므로 주식보유기간과 관계없이 기준일에 주주로 기재되어 있다면 이익배당을 받을 수 있다.

이와 관련하여 일할배당이 허용되는지에 대한 논의가 있다. '일할배당'이란 영업연도 중간에 신주가 발행된 경우 배당액을 신주의 효력발생일부터 결산일까지의 기간으로 일할계산하여 배당금을 지급하는 것을 말한다. 예를 들어, 1월 초부터 12월 말까지의 기간이 영업연도이고 12월 31일이 배당기준일인 회사가 10월 1일 신주를 발행한 경우 해당 주식에 대해 다른 주식의 주당 배당액의 4분의 1에 해당하는 금액을 지급해야 하는지(일할배당), 아니면 다른 주식과 동일한 배당액을 지급해야 하는지의 문제이다(동등배당). 종래에는 일할배당이 원칙이라는 전제하에[81] 구 상법 제350조 제3항 후단에 따라 정관으로 정하는 경우 신주의 효력발생일이 포함된 영업연도의 직전 영업연도 말에 주식이 발행된 것으로 보아 배당할 수 있었다(구 상법 제350조 제3항 후문(전환주식 전환으로 인한 신주발행), 각각 제423조(일반 신주발행), 제461조 제6항(준비금의 자본금전입으로 인한 신주발행), 제462조의2 제4항(주식배당), 제516조의10(신주인수권부사채의 신주인

80) 상장회사 표준정관(2021. 1. 5. 개정) 제45조 및 설명 참조.
81) 일찍이 법무부 유권해석(1974.11.25. 법무 810-25466)은 회사가 일할배당을 해야 한다고 보았고 이러한 전제 하에 1995년 개정상법이 상법 제350조 제3항을 도입함으로써 회사가 정관으로 정하는 경우 동등배당이 가능해진 것이라 한다. 천경훈, "정기주주총회 개최일의 유연화 방안: 결산일, 의결권기준일, 배당기준일의 분리를 제안하며,"「기업법연구」제34권 제3호(한국기업법학회, 2020), 76면.

336　제5장　재무와 회계

수권 행사로 인한 신주발행)에서 준용). 이렇게 직전 영업연도 말에 주식이 발행된 것으로 본다는 정관 규정을 두면 위의 예에서 신주가 10월 초부터 3개월 동안 존재한 것이 아니라 1월 초부터 12개월간 존재한 것으로 보아 다른 주식과 동일한 주당 배당액을 지급할 수 있게 된다. 실무에서도 대부분의 상장회사가 정관에 이러한 규정을 두고 있다.[82]

　일할배당은 영업연도 중간에 신주를 인수한 주주의 경우 그 전부터 주식을 보유한 주주에 비해 회사에 자본을 납입하여 기여한 기간이 짧다는 것을 근거로 한다. 그러나 신주인수인이 신주를 인수할 때 그 당시의 공정가치를 회사에 지급하므로 기존 주주에 비해 기여도가 낮다고 보기 어렵다는 점, 이익배당은 당기의 영업이익이 아니라 누적된 배당가능이익을 바탕으로 지급된다는 점에서 신주인수인을 다르게 취급하는 것이 합리적이지 않다는 점, 실무상으로도 영업연도 중간에 발행한 신주가 유통되는 경우 기존 주식과 신주를 구분하여 취급하는 것이 쉽지 않다는 점 등을 고려하여 일할배당을 금지해야 한다고 보거나[83] 불합리한 제도로 보는 주장[84]이 유력하다.

　그러나 일할배당의 허용 여부는 당사자들의 자치에 맡길 사항으로 이를 상법이 금지해야 한다는 주장에는 동의하기 어렵다. 상황에 따라서는 자본의 기여기간에 비례하여 배당금을 지급하는 것이 합리적이기 때문이다. 예컨대 비상장회사가 자금조달을 위해 PEF나 벤처캐피탈에 우선배당율이 있는 상환전환우선주(RCPS)를 발행하는 경우 당사자들은 투자자의 투자기간과 기대 수익률 등을 고려하여 우선배당율, 상환이나 전환기간 등 발행조건을 결정한다. 발행회사 입장에서는 대출기간에 따라 일할계산하여 이자를 지급하는 차입 등 다양한 자금조달수단을 검토하다 신주 발행을 통해 자금을 조달하는 것이므로 실제 자금이 투입된 기간에 비례하여 배당을 지급하는 것을 합리적으로 여길 수 있다. 자금조달 측면에서 연초에 자금이 투입된 경우와 연말에 자금이 투입된 경우 모두 같은 액수의 배당금을 지급해야 한다고 하면 회사 입장에서 받아들이기 어려울 수 있다. 내부수익률(internal ratio of return; IRR)에 따라 투자성과를 평가하는

---

82) 구 상장회사 표준정관(2013. 12. 27. 개정) 제10조의4 참조. "이 회사가 유상증자, 무상증자 및 주식배당에 의하여 신주를 발행하는 경우 신주에 대한 이익의 배당에 관하여는 신주를 발행한 때가 속하는 영업연도의 직전영업연도말에 발행된 것으로 본다."
83) 송옥렬, 전게서, 1213면.
84) 김건식·노혁준·천경훈, 전게서, 604면

PEF, 벤처캐피탈이나 그 수익자 입장에서도 투자기간에 따라 배당금을 지급받는 것이 자연스럽다. 비상장회사의 경우 기존 주식과 영업연도 중 발행된 신주를 구분하는 것이 어렵지도 않다.

　보다 중요한 것은 회사 정관에 별다른 규정이 없을 때 동등배당과 일할배당 중 어느 것이 적용되는지의 문제다. 2020년 개정상법[85]이 구 상법 제350조 제3항을 삭제한 취지가 일할배당을 금지하려는 데 있다는 해석도 있으나[86] 명문의 규정 없이 그렇게 보기는 어렵다. 이보다는 제464조 본문에 근거하여 이익배당은 주식 발행 시점이나 보유기간과 관계없이 주식의 수에 따라 비례적으로 이뤄져야 하므로 동등배당을 원칙으로 하되, 제464조 단서에 따라 종류주식의 경우에는 일할배당으로 다르게 정할 수 있다고 보는 것이 자연스럽다. 입법론적으로는 불필요한 논란을 줄이기 위해 동등배당을 원칙으로 하되 정관에서 정하는 경우에는 일할배당을 할 수 있도록 하는 것이 바람직하다.[87]

다) 배당기준일, 정기총회 의결권행사 기준일과 정기총회 집중 문제

　종래에는 구 상법 제350조 제3항이 영업연도 중 발행한 주식의 배당기준일을 영업연도 말로 규정함에 따라 대부분의 회사가 영업연도 말을 배당기준일로 잡고 있다. 여기에 관행적으로 정기총회 의결권행사의 기준일을 영업연도말일로 정관에 규정함에 따라 대부분의 회사들이 상법이 요구하지 않음에도 불구하고 배당기준일과 정기총회 의결권행사 기준일을 모두 영업연도말일로 정하고 있다.[88] 기준일은 주주로서의 권리를 행사하는 날로부터 최대 3개월 이전으로 정할 수 있으므로(제354조 제3항), 정기총회가 3월에 집중되는 현상을 야기하였다. 이러한 관행은 ① 정기총회의 집중 문제 이외에도 ② 앞서 본 바와 같이 배당기준일이 배당액을 결정하는 정기총회보다 수개월 앞으로 정해짐으로 인하여 발생하는 배당락 정보의 불명확성 문제, ③ 의결권행사 기준일 이후 주식을 처분하여 회사에 대해 더 이상 아무런 경제적 이해관계도 없는 자가 정기총회에서 의결권을 행사함으로써 발생하는 공의결권(empty voting) 문제, ④ 정기총회를

---

85) 2020. 12. 29., 개정되어 2020. 12. 29. 시행된 법률 제17764호를 의미한다.
86) 송옥렬, 전게서, 1215면.
87) 상장회사 표준정관(2021. 1. 5. 개정) 제10조의4는 동등배당을 명시하는 규정을 두고 있다.
　"이 회사는 배당 기준일 현재 발행(전환된 경우를 포함한다)된 동종 주식에 대하여 발행일에 관계 없이 모두 동등하게 배당한다."
88) 송옥렬, 전게논문, 79면; 천경훈, 전게논문, 65면.

영업연도말로부터 3개월 이내에 개최하여야 하므로 재무제표 작성, 외부감사, 사업보고서 작성 등의 일정이 매우 촉박해져서 회사 회계팀과 회계법인의 업무 부담이 과중해지고 주주들 역시 정기총회에 앞서 충분한 시간을 갖고 안건을 검토하지 못한다는 문제를 불러 일으킨다.[89]

2020년 개정상법을 통해 구 상법 제350조 제3항이 삭제됨에 따라 배당기준일을 영업연도말일이 아닌 다른 날로 지정하는 것에 아무런 장애가 없어졌다.[90] 상장회사 표준정관도 배당기준일과 정기총회 의결권행사 기준일을 영업연도말일이 아닌 다른 날로 정할 수 있고, 배당기준일을 의결권행사 기준일과 다른 날로 정하거나 이사회 결의로도 정할 수 있음을 명확히 하였다.[91]

라) 자기주식에 대한 배당

회사가 보유하는 자기주식에 대해 이익배당을 할 경우 해당 배당금이 결국 다시 회사로 돌아오게 되어 무의미한 까닭에 자기주식에 대한 배당은 인정되지 않는다는 것이 통설이다.[92]

3) 이익배당의 지급

회사는 이익배당에 관한 결의를 한 날부터 1개월 내에 배당금 또는 현물을 지급하여야 한다. 다만 주주총회나 이사회에서 배당금의 지급시기를 따로 정할 수 있다(제464조의2 제1항). 만일 이 기간 내에 배당금을 지급하지 않은 경우 회사의 이사에게 과태료가 부과될 수 있다(제635조 제1항 제27호). 아울러 이러한 주주의 배당금지급청구권에는 5년의 소멸시효가 적용된다(제464조의2 제2항). 판례는 이익배당을 회사의 이익을 주주에게 분배하는 내부적인 행위로 보아 주주의 배당금지급청구권은 상행위로 인한 채권이 아니라고 한다.[93] 이에 따르면 민

---

89) 송옥렬, 전게논문, 83~90면.
90) 법무부는 결산기말일을 배당기준일로 잡는 관행이 폐지되고 이를 통해 3월 정기총회 집중 현상이 완화될 것으로 기대하고 있다. 법무부 2020. 6. 10.자 보도자료 "법무부는 회사의 건강하고 투명한 성장을 위한 「상법 일부개정안」을 입법예고 합니다," 5~6면.
91) 상장회사 표준정관(2021. 1. 5. 개정) 제13조, 제45조 및 관련 주석.
92) 이철송, 전게서, 1021면; 정찬형, 「상법강의(상)」 제24판(박영사, 2021), 784~785면; 송옥렬, 전게서, 1227면. 반대: 채이식, 「상법강의(上)」(박영사, 1996), 641면.
93) 대법원 2021.6.24. 2020다208621("이익의 배당이나 중간배당은 회사가 획득한 이익을 내부적으로 주주에게 분배하는 행위로서 회사가 영업으로 또는 영업을 위하여 하는 상행위가 아니므로 배당금지급청구권은 상법 제64조가 적용되는 상행위로 인한 채권이라고 볼 수 없다").

사채권임에도 불구하고 5년의 소멸시효를 적용하는 제464조의2 제2항은 일종의 특칙에 해당한다.[94] 그러나 회사는 상행위를 하지 않더라도 상인으로 본다는 점 (상법 제5조 제2항), 회사의 주주에 대한 배당금 지급은 회사의 영리성(상법 제 169조)을 실현하는 핵심적인 행위라는 점, 회사와 주주 간 거래를 내부적 행위 와 외부적 행위로 구분하는 것은 현실적이지 않고 구체적 사례에서 구분도 어렵 다는 점 등을 고려할 때 배당금지급청구권은 상사채권으로 보는 것이 타당하다.

배당가능이익이 있다고 하여 그에 상응하는 현금이나 현물이 반드시 회사에 존재하여야 하는 것은 아니므로, 배당가능이익만 있다면 회사가 외부로부터 현 금 등을 차입하여 이를 주주들에게 지급하는 것도 가능하다. 한편 등록질권자의 경우에는 회사로부터 이익배당을 받아 다른 채권자에 우선하여 자기채권의 변제 에 충당할 수 있다(제340조 제1항).

라. 현물배당

1) 서 론

2011년 개정상법의 시행으로, 회사는 정관의 규정이 있는 경우 금전 외의 재 산으로 이익배당을 할 수 있다(제462조의4 제1항). 현물배당이 가능해짐에 따라 회사의 재무관리가 보다 유연해졌고, 투자자 입장에서도 금전 대신 회사가 보유 하는 주식 등 자산을 직접 취득할 수 있게 되었다는 점에서 보다 다양한 형태 의 투자가 가능해졌다. 아울러 지배주주가 회사의 핵심자산을 가져가는 수단으 로 활용될 수도 있고, 배당되는 현물의 가치가 얼마인지에 따라 이익배당과 관 련한 주식평등의 원칙(제464조)이 준수되는지, 배당가능이익 범위 내에서 현물배 당이 이루어진 것인지 등의 문제가 발생할 수 있으며 이 과정에서 소수주주나 채권자와의 이해관계 조정 문제가 발생할 수 있다.

2) 현물배당의 절차

정관에 근거 규정이 있는 경우, 회사는 주주총회 또는 이사회에서 배당을 결 정하면서 어떠한 종류의 재산을 얼마씩 배당할지를 정한다. 주주에 따라서는 현

---

94) 위 대법원 판례의 원심인 광주고등법원 2020.1.8. 2019나21803("만약 배당금 지급청구권이 상사채권이라면 상법에서 5년의 소멸시효가 적용된다는 취지로 따로 규정할 필요가 없음에 도 불구하고 특별히 5년의 소멸시효기간이 규정되어 있는 점에 비추어, 배당금 지급청구권 의 기본적 성격은 상사채권이 아닌 민사채권으로 볼 여지가 충분하다").

물 대신 금전을 배당받는 것을 선호할 수도 있으므로, 회사는 주주가 금전 외의 재산 대신 금전의 지급을 회사에 청구할 수 있도록 정할 수도 있고 이 경우에는 지급할 금액 및 청구할 수 있는 기간을 정하여야 한다(제462조의4 제2항 제1호). 아울러 주식이 분산된 회사의 경우 소수주주들에게까지 비례적으로 현물을 배당하는 것이 현실적으로 가능하지 않을 수 있으므로, 회사는 일정 수 미만의 주식을 보유한 주주에게는 현물 대신 금전을 지급하기로 할 수도 있고, 이 경우 그 일정 수 및 금액을 정하여야 한다(제462조의4 제2항 제2호). 다만 이는 전적으로 회사의 결정에 따르는 것이므로, 회사의 결정 없이 주주가 이와 같이 현금 배당을 회사에게 청구할 수는 없겠다.

3) 배당 대상 현물의 종류와 가치 평가

상법은 "금전 외의 재산"이라고 규정하여 배당할 수 있는 재산의 종류에 대한 제한을 두고 있지 않다. 일반적으로는 회사가 보유하는 다른 회사의 주식이나 사채와 같이 가분성이 있는 종류물을 배당하는 경우가 많겠지만, 특정물을 배당하는 것도 금지되지는 않는다. 예를 들어 1인 회사의 경우에는 배당 재산의 가분성이 문제되지 않을 것이므로 회사가 특정물을 배당하더라도 별다른 문제가 없겠다.

그렇지만 주식이 분산된 회사 경우 모든 주주들에게까지 주식 수에 비례하여 현물을 분할하여 배당하는 것은 현실적으로 어려울 수 있다. 이 경우에는 일정 수 이상의 주식을 보유하는 주주들에게는 현물 배당을 실시하고, 이에 미달하는 주주들에게는 현금을 배당하는 것을 생각해 볼 수 있다. 이 때 과연 현물 평가 금액이 공정하느냐가 중요한 문제가 된다. 보다 극단적인 예로는 지배주주에게 회사의 핵심자산을 배당하면서, 현물배당을 받을 수 있는 주식 수 요건을 매우 높여서 대부분의 주주들에게는 현금을 지급하는 경우도 생각해 볼 수 있다. 이 경우에도 법률과 정관에 정한 적법한 절차에 따라 배당이 이루어졌다면 이러한 배당을 위법하다고 보기는 어렵겠지만, 실무상으로는 과연 지배주주에게 배당되는 자산의 가치 평가가 적절한지, 이에 따라 소수주주들에게 지급되는 현금이 과연 주식평등의 원칙이라는 점에서 적절한 수준인지 등에 대해 다양한 문제가 제기될 수 있을 것으로 생각된다.

관련하여 지급하는 현물의 가치를 산정할 때 장부가와 시가 중 어느 것을 기준으로 하여야 하는가. 배당가능이익은 회사 대차대조표상의 순자산액을 기초로 산정하므로, 배당되는 현물의 가치가 배당가능이익 범위 내인지 여부 등을 판단함에 있어서도 배당되는 자산의 대차대조표상의 가액을 기준으로 판단하는 것이 논리적이다(장부가설). 다만 현실에서는 장부가격과 시가 간에 차이가 있는 경우가 많기 때문에 우량자산에 대해 재평가를 하지 않은 채 장부가를 기준으로 현물배당을 한다면 현금을 배당받는 주주들과의 사이에 공정성 문제가 발생할 수 있고, 배당가능이익 준수 여부에 대한 의문이 있을 수 있다. 상법상 배당가능이익 관련 제도의 기본 취지가 채권자 보호에 있고, 장부가를 기준으로 할 경우 현금을 배당받는 주주와 현물을 배당받는 주주 간에 부의 이전이 발생할 수 있으므로, 시가를 기준으로 평가하여야 한다는 견해가 보다 설득력이 있다(시가설).[95] 다만 시가가 장부가보다 낮은 경우도 충분히 있을 수 있으므로, 채권자 및 소액주주 보호 차원에서 장부가나 시가 중 높은 가격으로 현물을 평가하는 것이 보다 합리적인 방안이다(고액가설).[96] 시가 산정은 실제 배당 지급 시점이 아닌 배당 결의 시점을 기준으로 하는 것이 타당하다.

자기주식도 현물배당의 대상이 될 수 있는지에 대해 상법상 특별한 제한은 없다. 그런데 회사가 자기주식을 주주에게 배당하면 기업회계상 이익잉여금이 감소하여 순자산이 감소하지만 자본조정 항목 중 자기주식 항목도 감소하여 순자산이 증가하므로 결과적으로 배당가능이익은 감소하지 않게 된다. 이는 기업회계에서 자기주식의 자산성을 인정하지 않기 때문에 발생하는 결과인데, 이러한 점에서 보면 자기주식을 현물로 배당하는 것이 금지되는 것은 아니겠지만, 이를 본래의 이익배당으로 보기는 어렵고 회사가 무상으로 자기주식을 처분하는 것으로 이해하는 것이 합리적이다.[97] 참고로 주식배당의 경우에는 신주를 주주들에게 배당하여야 한다(제462조의2 제1항).[98]

---

95) 김건식 · 노혁준 · 천경훈, 전게서, 615면.
96) 정준혁, 전게논문(각주 42), 216면.
97) 주권상장법인 중 이와 같이 자기주식을 현물로 주주들에게 배당한 사례가 발견되기는 한다.
98) 자기주식을 현물로 배당하는 것은 본질적으로 주식배당의 문제가 되는데, 상법 제462조의4 제1항에 따라 주식배당은 신주로서만 할 수 있으므로 이 규정이 삭제되지 않는 한 자기주식을 현물로 배당하는 것은 어렵다는 견해도 있다. 최준선, "개정상법상 자기주식의 취득과 처분,"「상사법연구」제31권 제2호(한국상사법학회, 2012. 8.), 237면; 최준선, 전게서, 748면.

4) 현물배당을 활용한 다양한 기업구조재편

회사가 보유하는 일부 영업을 현물출자나 자회사 설립 후 영업양도 등의 방식에 의하여 자회사로 이전한 후 회사가 보유하는 자회사 주식을 주주들에게 배당하면 결과적으로 인적분할과 비슷한 조직재편을 할 수 있게 된다. 우리나라와 같은 인적분할 제도가 없는 미국에서는 이와 같은 방식을 통해 인적분할과 비슷한 조직재편을 실시하는데, 이를 spin-off라 한다. 그 거래과정을 간단히 요약하면 다음 그림과 같다.

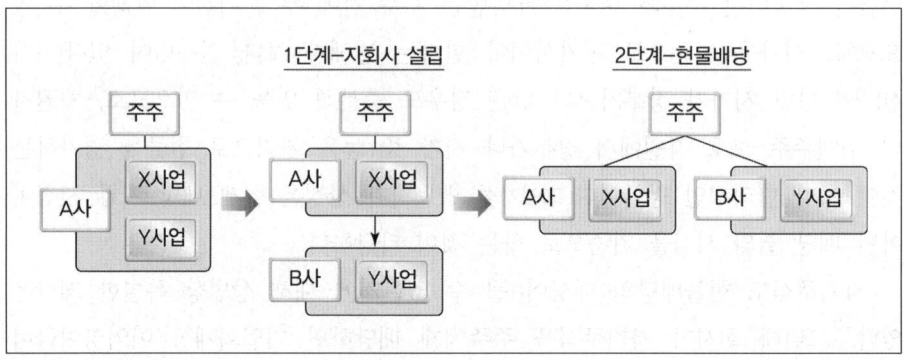

인적분할과 비교할 때, 이러한 방식은 분리되는 A사와 B사 간에 연대책임을 부담하지 않는다는 점(또는 연대책임을 면하기 위하여 채권자보호절차를 거치지 않아도 된다는 점)에서 회사 입장에서 간편하다. 그렇지만 A사에 B사 주식가치를 상회하는 배당가능이익이 있어야 실행이 가능하고, 회사분할과 달리 포괄적 승계효가 인정되지 않아서 B사(자회사) 설립 과정에서 자산, 부채, 계약 등을 개별적으로 이전하는 절차가 필요하다는 번거로움, 현물출자를 통해 B사를 설립할 경우 법원의 조사 절차가 필요할 수 있다는 등의 단점이 있다. 채권자보호 측면에서는 인적분할이 양사 간의 연대책임(또는 개별책임+채권자보호절차)의 방식을 취한다면, 위 현물배당을 활용한 방식은 배당가능이익을 통한 보호 방식을 취한다고 볼 수 있다. 회사로서는 각자 상황에 따라 자신에게 보다 적합한 조직재편 수단을 선택하면 된다.[99]

---

99) 예를 들어 분할회사에 우발채무 등이 존재하는 경우, 분할회사와 신설회사가 연대책임을 부담하는 것이 주주 입장에서 부담스러운 반면, 연대책임 배제를 위해 채권자보호절차를 실행할 경우 채권자들이 대거 이의를 제기할 리스크가 있을 수도 있다. 이러한 경우에는 인

이익배당에 관한 종류주식(제344조의2)과 현물배당을 결합하는 방법으로도 다양한 형태의 투자구조를 설계할 수 있다. 예를 들어 회사가 영위하는 사업 자체는 매력적이지 않지만, 우량한 자회사 주식이나 자산(예를 들어 핵심 부동산, 설비 등)을 보유하고 있는 경우, 현금 배당 대신 이러한 재산을 현물로 배당받을 수 있는 내용의 종류주식을 발행하는 것을 생각해 볼 수 있다. 종류주식을 통해 현물배당을 하는 경우에는 앞서 검토한 현물배당으로 인한 주식평등의 원칙(제464조) 위반 등의 문제가 제기될 가능성을 상당히 줄일 수 있다.

상환주식(제345조)을 발행하면서, 상환의 대가로 회사가 자회사 주식을 지급하는 거래도 생각해 볼 수 있다. 다음 그림에서 상환에 대한 대가로 자회사 주식 전부를 해당 종류주주에게 지급한다면, 기존 회사와 자회사가 완전히 분리되는 형태의 이른바 split-off와 비슷한 조직재편도 가능해진다. 물론 이 경우에도 배당가능이익의 범위 내에서만 실행이 가능하다는 한계는 있다.

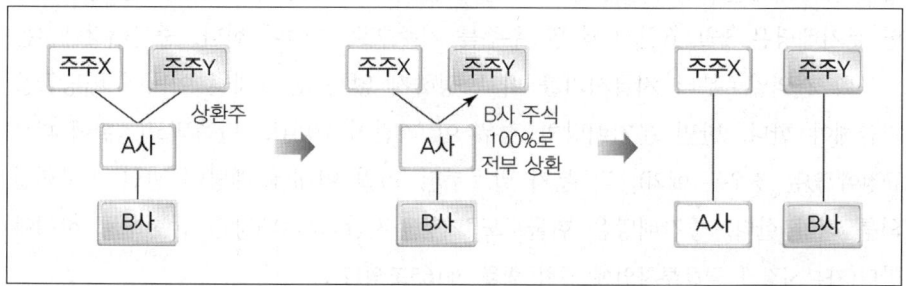

마. 중간배당

1) 서 론

연 1회의 결산기를 정한 회사는 정관에 근거 규정이 있는 경우 영업연도 중 1회에 한하여 이사회의 결의로 일정한 날을 정하여 그날의 주주에 대하여 중간배당을 할 수 있다(제462조의3). 주권상장법인의 경우 정관에 근거 규정을 두면 사업연도 개시일로부터 3월, 6월, 9월 말일 당시의 주주에게 이익배당을 실시할 수 있다(자본시장과 금융투자업에 관한 법률 제165조의12).

적분할을 진행하는 것보다 현물배당을 활용한 spin-off를 하는 것이 보다 적합할 수 있다. 반대로 배당가능이익이 충분하지 않은 회사이거나 거래 상대방이 워낙 많아서 개별적 권리 이전 절차를 활용하는 것이 번거로운 회사 입장에서는 회사분할이 보다 간편할 수 있다.

회사의 정기배당에 대한 의사결정은 회사의 재무상황 및 향후 자금사용계획 등을 고려하여 사업연도가 종료되고 재무제표가 확정된 이후 이루어진다. 그런데 이후 회사의 자금수요가 줄어들 경우 이익잉여금을 모두 회사에 유보하는 것보다는 이를 주주들에게 분배하여 주주들로 하여금 새로운 투자기회를 찾게 하는 것이 주주들에게나 사회적으로 바람직할 수 있다. 중간배당 제도는 이와 같이 회사가 주주에게 이익을 분배할 수 있는 기회를 1년에 2번 보장함으로써, 유연한 자금운용을 가능하게 한다. 분기배당은 이러한 기회를 1년에 4번 보장하는 것이다.

중간배당과 분기배당은 횟수의 차이가 있을 뿐 같은 제도이다. 분기배당에 관한 자본시장과 금융투자업에 관한 법률의 규정도 상법의 중간배당 관련 규정을 대부분 차용하고 있다. 이하의 중간배당과 관련한 논의들은 대부분 분기배당에도 적용된다. 다만 몇 가지 기술적인 차이가 있다. 중간배당의 경우 반드시 사업연도 개시일로부터 6월 말 주주를 기준으로 배당을 실시할 필요는 없다. 반면 분기배당은 3월, 6월, 9월 말 주주를 기준으로 하여야 한다. 중간배당에서는 이사회 결의일로부터 지급시기를 따로 정하지 않는 한 1개월 이내에 배당금을 지급해야 한다. 반면 분기배당의 경우 이 기간이 20일로 단축되고(정관에 다른 규정이 있는 경우는 예외), 각 분기 말로부터 45일 이내에 배당에 관한 이사회결의를 해야 한다. 중간배당은 현물로도 가능하지만 분기배당은 금전으로 하여야 한다(자본시장과 금융투자업에 관한 법률 제165조의12).

주권상장법인에는 자본시장과 금융투자업에 관한 법률의 관련 규정이 상법에 우선하여 적용되기 때문에(자본시장과 금융투자업에 관한 법률 제165조의2) 중간배당과 분기배당을 중복하여 도입할 수는 없다. 즉 1년에 5회 배당하는 것은 가능하지 않다.

2) 법적성질

중간배당의 법적성질에 관해서는 ① 전기에 이뤄졌어야 할 이익배당을 나중에 지급하는 것이라는 견해(후급설)[100]와 ② 당기가 마무리된 후 이뤄지는 이익배당을 미리 지급하는 것이라는 견해(선급설)[101]가 존재한다. 후급설에 따르면

---

100) 이철송, 전게서, 1009면.
101) 손주찬, 「상법(上)」(박영사, 2002), 974면; 송옥렬, 전게서, 1219면.

이익배당 후에도 전기의 배당가능이익이 남아 있다면 그 한도 내에서는 자유롭게 중간배당을 실시해도 되고 설사 이로 인하여 당기에 배당가능이익이 존재하지 않게 되더라도 이를 문제 삼을 수는 없게 된다. 반면 선급설에 따르면 전기에 배당가능이익이 없었더라도, 당기에 배당가능이익이 있을 것으로 예상된다면 중간배당을 실시할 수 있게 된다.

논의의 실익은 사실 크지 않으나, 중간배당에 대한 상법의 태도를 이해하는데에는 도움이 된다. 상법은 전기의 배당가능이익을 출발점으로 한다는 점에서 후급설을 기본으로 하고 있지만, 만일 당기에 배당가능이익이 없을 것으로 예상된다면 중간배당을 금지한다는 점에서 선급설도 절충하고 있음을 알 수 있다. 이와 같이 상법은 양 결산기의 배당가능이익을 모두 고려하여 그 범위 내에서 중간배당이 이뤄지도록 하고 있다. 중간배당 시점에서 별도로 배당가능이익이 산정되는 것은 아니고, 사업연도말의 배당가능이익을 기초로 이를 산정하기 때문에, 채권자보호를 위해 배당의 요건을 보다 강화한 것으로 이해하면 된다.

3) 절 차

중간배당을 실시하기 위해서는 정관에 근거규정이 있어야 하고, 이에 대한 이사회 결의가 있어야 한다(제462조의3 제1항). 정기배당의 경우 주주총회나 이사회가 결정할 수 있게 한 것과 비교된다. 중간배당은 이미 확정된 전기의 배당가능이익을 기초로 하기 때문에, 주주총회에 의한 재무제표 승인이나 외부감사인에 의한 의견 제출 및 이사의 보고 등은 필요하지 않다. 중간배당의 기준일은 영업연도 중에 속하기만 하면 되므로, 반드시 영업연도 개시 후 6개월이 되는 날일 필요는 없다. 기준일을 정관에 정하여야 하는지, 이사회 결의로 정할 수 있는지는 문언상 분명하지 않은데, 기준일에 관한 규정(제354조 제1항)이 중간배당에 준용되는 것을 보면 둘 다 가능하다고 보는 것이 타당하다.[102]

4) 배당재원

중간배당은 직전 결산기 대차대조표상 순자산액에서 ① 직전 결산기의 자본금의 액, ② 직전 결산기까지 적립된 자본준비금과 이익준비금의 합계액, ③ 직

102) 상장회사 표준정관은 정관에 기준일을 두는 방법을 택하고 있다(2021. 1. 5. 개정 상장회사 표준정관 제45조의2 제1항 참조). 일부 견해는 정관으로 기준일을 정해야 한다고 본다. 이철송, 전게서, 1008면.

전 결산기의 정기총회에서 이익으로 배당하거나 또는 지급하기로 정한 금액, ④ 중간배당에 따라 당해 결산기에 적립하여야 할 이익준비금을 공제한 액을 한도로 한다(제462조의3 제2항). 이 중 먼저 ③과 관련하여, 이사회에서 이익배당을 결의하는 회사의 경우에는 '정기총회'를 '이사회'로 해석하여야 할 것이다. 또한 상법은 주식배당을 "이익의 배당을 새로이 발행하는 주식으로 하는 것"으로 규정하고 있기 때문에(제462조의2 제1항 전문 참조) 주식배당으로 감소하는 이익잉여금 역시 공제액에 포함하여야 한다. 2011년 개정상법의 시행으로 미실현이익을 추가로 순자산액을 공제하는 것과 동일하게, 중간배당 및 분기배당 시에도 추가로 직전 결산기의 미실현이익을 공제하는 것이 타당하다.

중간배당은 당기말에 예상되는 배당가능이익 범위 내에서 이뤄져야 하고, 따라서 만일 당해 결산기에 배당가능이익이 없을 것으로 우려되는 경우에는 중간배당을 하는 것이 금지된다(제462조의3 제3항).

5) 이사의 특별책임

회사가 이사회의 결의로 중간배당을 실시하였는데 결과적으로 당해 결산기에 배당가능이익이 없게 되면 이사들은 회사에 대하여 연대하여 그 차액(배당액이 그 차액보다 적을 경우에는 배당액)을 배상할 책임을 부담한다(제462조의3 제4항 본문). 다만 이사에게 이와 같은 결과책임, 무과실책임을 묻는 것은 과도하므로, 만일 이사가 중간배당 당시 결산기에 배당가능이익이 존재할 것이라고 판단함에 있어 주의를 게을리하지 아니하였음을 증명한 때에는 이러한 책임을 부담하지 아니한다(제462조의3 제4항 단서). 그렇지만 이사가 자신이 주의의무를 다하였음을 입증하여야 그 책임을 면할 수 있으므로, 일반적인 이사의 회사에 대한 책임(제399조 제1항)의 경우보다 이사에게 불리하다. 이 경우 중간배당 결의에 찬성한 이사도 같은 책임을 부담하고, 중간배당 결의에 대해 이의를 하였다는 내용이 의사록에 기재되지 않은 이사는 이러한 결의에 찬성한 것으로 추정한다(제462조의3 제6항 전단, 제399조 제2항, 제3항). 이러한 이사의 책임에는 이사책임 감면 관련 규정이 준용된다(제462조의3 제6항 전단, 제400조).

중간배당의 결과 당해 결산기에 배당가능이익이 없게 될 경우, 회사채권자는 배당한 이익을 회사에 반환할 것을 청구할 수 있고, 소송을 통해 이를 청구하는 경우에는 회사 본점소재지 지방법원의 관할에 속하게 된다(제462조의3 제6항 후단, 제462조 제3항, 제4항). 이에 대해서는 입법의 착오이고 직전 결산기로부터 남은 배당가능이익이 존재하지 않음에도 불구하고 중간배당을 실시한 경우에 이 규정을 적용해야 한다는 견해가 있다.[103)

한편 제462조의3 제2항의 규정을 위반하여, 즉 직전 결산기로부터 남은 배당가능이익이 충분하지 않음에도 불구하고 중간배당을 실시한 경우에는 일반적인 이사의 회사에 대한 책임(제399조 제1항) 규정이 적용된다. 이 점을 보더라도 중간배당으로 인하여 당해 결산기에 배당가능이익이 존재하지 않는 경우의 이사의 책임 규정이 이사에게 중하게 되어 있음을 알 수 있다. 중간배당으로 주주들에게 지급하는 금액은 사실 회사가 직전 결산기에 배당결의를 하였다면 주주들에게 적법하게 지급할 수 있었던 금액인데, 정기배당의 경우와 비교하여 무거운 책임을 이사에게 묻는 것은 다소 균형이 맞지 않는다.

6) 준용규정

이익배당 관련 규정들은 대부분 중간배당에도 준용된다(제462조의3 제5항). ① 등록질권자는 중간배당을 받아 우선적으로 자기채권의 변제에 충당할 수 있고(제340조 제1항), ② 중간배당과 관련하여 내용이 다른 종류주식을 발행하는 것도 가능하며(제344조 제1항), ③ 중간배당을 받을 주주를 정하기 위해 주주명부를 폐쇄하거나 기준일을 정하는 것도 가능하다(제354조 제1항). 이익준비금 적립의무(제458조), 배당 시 주식평등의 원칙(제464조) 등의 규정도 중간배당에 당연히 준용된다.

바. 위법배당

1) 서 론

위법배당이란 법령이나 정관의 규정에 위반하여 이루어진 이익배당을 말한다. 가장 문제가 되는 것은 배당가능이익(제462조 제1항)을 초과하여 배당이 이뤄진 경우와, 주주의 동의 없이 차등배당을 하는 등 배당과 관련한 주식평등의 원칙(제464조)을 위반하는 경우이다. 전자는 채권자의 이익을 침해한다는 점에서, 후자는 다른 주주의 이익을 침해한다는 점에서 문제가 된다. 이외에도 이익

---

103) 이철송, 전게서, 1001면.

배당 승인 절차 등에 하자가 있는 배당의 경우도 위법배당에 해당한다.

위법배당은 무효이므로 회사가 주주에게 배당의 반환을 청구할 수 있고, 초과배당의 경우 채권자가 직접 주주들에게 회사에 배당의 반환을 청구할 수도 있다(상법 제462조 제3항). 법령이나 정관에 위반하여 이익배당을 결정한 회사의 이사 등에게 상법상 벌칙조항이 적용될 수 있고(제625조 제3호) 회사에 손해를 입힌 경우에는 관련 이사들이 회사나 제3자에 대해 손해배상책임을 부담할 수도 있으며(제399조 제1항, 제401조), 나아가 업무상 배임죄가 문제될 수도 있다. 이하 위법배당의 유형별로 살펴본다.

2) 배당가능이익을 초과하여 이루어진 배당

가) 회사 및 채권자의 반환청구권

배당가능이익을 초과하여 이루어지는 배당은 법령에 위반하는 것으로 무효이고, 회사는 초과배당을 받은 주주에게 부당이득으로 배당금의 반환을 청구할 수 있다. 이를 협의의 위법배당이라고도 한다. 회사가 대차대조표에 따라 계산된 배당가능이익을 초과하여 배당을 하는 경우뿐만 아니라, 대차대조표 자체가 분식회계로 왜곡되어 있어서, 비록 대차대조표상으로는 배당가능이익이 존재하지만 실제로는 배당가능이익을 초과하여 배당이 이뤄진 경우도 물론 포함된다.

초과배당을 받은 주주가 법령 위반 사실을 몰랐던 경우에도 반환의무를 부담하는가? 배당가능이익 제도는 채권자의 이익을 보호하는 데에 그 취지가 있고, 채권자 보호라는 측면에서 보면 주주의 선의·악의와 관계없이 회사에 책임재산을 회복시키는 것이 중요하므로 선의의 주주도 반환의무를 부담한다.[104] 주주에게 이익이 현존하지 않는 경우 부당이득반환의 법리(민법 제748조)에 따라 주주가 선의라면 이익이 현존하는 범위에서만 반환하면 된다는 견해[105]가 있으나 위와 마찬가지의 이유로 선의·악의 구별 없이 전액을 반환하게 하여야 한다.[106] 모든 주주가 지분율 및 배당금액의 과소를 불문하고 전액 반환할 의무를 부담함은 물론이다.[107]

---

104) 김건식·노혁준·천경훈, 전게서, 356면; 이철송, 전게서, 1023면
105) 김건식·노혁준·천경훈, 전게서, 356면
106) 이철송, 전게서, 1023면(민법 제748조는 개인법적 거래당사자들간의 이해조정을 위한 규정이므로 위법배당과 같은 조직법적 거래에는 적용되지 않는다고 하면서 선의·악의 구별 없이 전액을 반환하여야 한다고 봄).
107) 이와 관련하여 주주가 회사에 대하여 부담하는 위법배당금 반환의무는 주주의 지위로부터

회사의 경영은 주주가 선임한 이사가 지배하고, 따라서 이러한 회사가 자발적으로 주주들에게 배당 반환을 청구하는 것을 기대하는 것은 쉽지 않다. 이러한 이유 때문에, 상법은 초과배당이 이뤄진 경우에는 채권자가 직접 주주에게 위법배당으로 받은 금액을 회사에 반환할 것을 청구할 수 있도록 하고 있다(제462조 제3항). 채권자가 회사를 대위하여 주주들에게 반환을 청구하는 것이 아니라 직접 반환을 청구할 수 있다는 점에서, 채권자대위권과는 다른 특별한 청구권이다. 제462조 제1항을 위반하여 배당을 실시한 경우에만 인정되므로, 배당가능이익 범위 내에서 배당이 이뤄진 이상 차등배당, 절차 위반을 이유로 채권자가 위 반환 청구권을 행사할 수는 없다. 초과배당이 아닌 이상 채권자가 위법배당으로 손해를 입었다고 보기는 어렵기 때문이다.

채권자는 자신의 채권금액이 얼마인지와 관계없이, 위법 배당된 금액 전체의 반환을 청구할 수 있다.[108] 여기서의 채권자는 변제기에 이르지 않은 채권자도 포함되는 것으로 해석하여야 하고, 위법배당으로 인하여 회사의 지급능력이 악화되었는지, 채권자가 보유하는 채권의 가치가 하락하였는지 여부와 관계없이 채권자는 위 반환 청구권을 행사할 수 있다. 위법배당 결정 당시의 회사채권자만 이를 청구할 수 있는지 아니면 반환청구 당시에 회사채권자이면 되는지는 규정상 분명하지 않으나, 채권자의 반환청구는 해당 채권자에게 반환할 것을 청구하는 것이 아니라 회사에 반환을 청구하는 것으로 전체 채권자에게 이익이 되므로 이를 좁게 해석할 필요는 없어 보인다.[109] 이를 소송으로 청구하는 경우, 이러한 소송은 회사 본점소재지의 전속관할에 속한다(제462조 제4항, 제186조).

위법배당은 주주총회나 이사회의 결의로 승인되므로, 먼저 이러한 결의가 무효임을 확인한 후에야 반환청구를 할 수 있는지가 문제된다. ① 이사회에서 위법배당 결의가 이뤄진 경우 이사회 결의는 당연 무효이므로, 별도의 절차 없이 주주들에게 반환청구를 할 수 있다. ② 주주총회에서 법령위반의 배당 결의가

발생하는 의무가 아니어서 주주평등의 원칙이 적용되지 않고, 따라서 회사는 편의상 배당된 금액이 큰 대주주들에 대해서만 반환을 청구하더라도 주주평등의 원칙을 위반한 것은 아니라는 견해가 있다(김건식·노혁준·천경훈, 전게서, 608면). 그렇지만 배당과 다르게 반환의무에 대해 주주평등의 원칙이 적용되지 않는다고 볼 근거는 뚜렷하지 않다. 위법배당액 중 일부만을 반환 청구한다면 회사의 손해가 전부 회복되는 것은 아니므로 임무해태 등을 이유로 이사에게 손해배상책임이 문제될 수 있음은 물론이다.

108) 김건식·노혁준·천경훈, 전게서, 609면; 송옥렬, 전게서, 1221면.
109) 같은 견해: 김건식·노혁준·천경훈, 전게서, 609면.

이뤄진 경우에 상법에서 별도로 주주총회결의 무효확인의 소에 대해 규정하고 있으므로(제380조), 무효확인의 판결을 먼저 받아야 위와 같은 반환청구를 할 수 있는지에 대한 문제가 있다. 다수설은 이 문제를 주주총회결의 무효확인의 소를 확인의 소로 보는지 아니면 형성의 소로 보는지와 연결시켜 이해한다.[110] 즉 확인의 소로 보면 무효확인 판결을 받지 않더라도 주주들에게 배당반환 등을 청구할 수 있는 반면, 형성의 소로 보면 먼저 판결을 받아야 비로소 주주들에게 배당반환을 청구할 수 있다고 본다. 한편 위법배당 자체가 자본충실에 어긋나고 강행규정인 제462조 제1항에 위반되는 것이므로, 주주총회 결의 효력과 관계없이 당연히 무효가 되고 직접 주주들에게 배당반환을 청구할 수 있다는 견해도 존재한다.[111] 결과적으로는 다수설을 취하면서 주주총회결의 무효확인의 소의 성격을 확인의 소로 보는 입장과 동일하다. 주주총회결의 무효확인의 소의 성격에 대해서는 견해 대립이 있으나[112] 상법학계의 다수설 및 판례[113]가 이를 확인의 소로 보는 점, 위법배당에 대해 주주총회결의 무효확인의 소를 받고 또 다시 반환청구를 하게 하는 것은 불필요한 절차를 반복하게 한다는 점에서 바람직하지 않다는 점, 자본충실의 원칙이나 채권자 보호 등을 위해 신속한 분쟁해결이 필요하다는 점을 고려할 때 무효확인 판결을 받지 않더라도 위법배당금 반환을 청구할 수 있다고 해석하는 것이 타당하다.

판례는 위법배당에 따른 부당이득반환청구권에 대해 10년의 민사소멸시효기간이 적용된다고 본다.[114] 배당금지급청구권은 상사채권이 아니므로 부당이득반환청구권 역시 상행위에 기초하여 발생한 것이 아니며, 배당금 회수는 회사의 자본충실을 도모하고 회사채권자를 보호하는 데 필수적이므로 회수를 위한 청구권 행사를 신속하게 확정할 필요성도 크지 않다고 보기 때문이다. 그러나 주주의 배당금지급청구권에 5년의 소멸시효를 적용하면서 반환청구권에는 10년의

---

110) 김건식·노혁준·천경훈, 전게서, 608면; 최준선, 전게서, 745면; 최기원, 전게서, 1080면; 정찬형, 전게서, 1228면; 권기범, 전게서, 1246면; 이기수·최병규, 「회사법(상법강의II)」(박영사, 2011), 645면; 송옥렬, 전게서, 1221면.
111) 이철송, 전게서, 1023면; 강위두·임재호, 「상법강의(上)」(형설출판사, 2006), 774면; 서헌제, 「사례중심체계 회사법」(법문사, 2000), 618면; 정동윤, 「회사법」(법문사, 2001), 628면.
112) 이에 대해서는 본서 제4장 제1절 참조.
113) 대법원 1963.5.17. 4292민상1114; 1992.9.22. 91다5365.
114) 대법원 2021.6.24. 2020다208621.

소멸시효를 적용할 특별한 이유는 없고, 위법배당으로 인한 권리관계 역시 상거래 측면 상 신속하게 해결하는 것이 바람직하므로 5년의 상사소멸시효기간이 적용된다고 보는 것이 타당하다.

나) 이사의 손해배상책임

배당가능이익이 없음에도 불구하고 배당이 이뤄진 경우 회사는 해당 금액만큼 손해를 입게 되고, 이사는 회사에 대해 이러한 손해를 배상할 책임을 부담한다(제399조 제1항), 대법원은 회사에 배당가능이익이 없음에도 불구하고 배당가능이익이 있는 것처럼 재무제표를 분식하고 이를 바탕으로 주주에게 이익배당을 하고 법인세를 납부한 사안에서, "특별한 사정이 없는 한 회사는 그 분식회계로 말미암아 지출하지 않아도 될 주주에 대한 이익배당금과 법인세 납부액 상당을 지출하게 되는 손해를 입게 되었다고 봄이 상당"하다고 보고 있고, "상법상 재무제표를 승인받기 위해서 이사회결의 및 주주총회결의 등의 절차를 거쳐야 한다는 사정만으로는 재무제표의 분식회계 행위와 회사가 입은 위와 같은 손해 사이에 인과관계가 단절된다고 할 수 없다"고 판시하여, 이사의 손해배상책임을 인정한 바 있다.[115] 감사는 이익잉여금처분계산서 등 재무제표를 검토하는 업무를 수행하므로(제447조의4) 만일 이를 해태하여 배당가능이익을 초과하여 위법배당이 이뤄진 경우에는 역시 손해배상책임을 부담할 수 있다(제414조 제1항).

그렇다면 회사가 비록 배당가능이익의 범위 내이지만 법령이 정하는 최대한의 범위내에서 전례 없이 높은 수준의 이익배당을 실시하는 것은 어떻게 보아야 하는가? 또한 주주가 회사를 인수하면서 차입한 대출을 상환하기 위해 회사로 하여금 높은 수준의 배당을 실시하게 하는 것은 어떠한가? 회사의 목적은 영리성에 있고, 주주가 회사에 발생한 투자수익을 이익배당을 통해 회수하는 것은 주주의 근본적인 권리이다. 따라서 법률 및 정관이 정하는 절차에 따라 배당가능이익 범위 내에서 이익배당을 받는다면 단순히 배당액의 절대 액수가 크거나 예년에 비해 많으며 이러한 배당이 주주의 차입을 상환하기 위한 것이라는 등의 이유만으로 회사에 손해가 발생하였다고 보아 이사에게 손해배상책임을 인정하거나 이러한 배당을 위법한 것으로 볼 수는 없다. 판례도 같은 입장이다.[116]

---

115) 대법원 2007.11.30. 2006다19603.
116) 주주가 차입매수(LBO)방식을 통해 회사를 인수한 후, 회사로부터 높은 수준의 배당금을 받아 이를 통해 인수금융 원리금을 상환하는 데 사용한 것에 대해 특정경제범죄가중처벌

주주 입장에서 보면 주주는 회사로부터 배당을 받는 대신 그만큼 보유하는 회사의 주식가치가 하락하므로 배당가능이익을 초과하여 이익배당을 받더라도 그 자체로 주주의 부가 증가하는 것은 아니다. 그렇지만 판례는 주주의 재산과 회사의 재산을 엄격하게 구분하므로, 회사가 배당가능이익을 넘어서 주주에게 배당을 한 경우에는 회사가 "지출하지 않아도 될 주주에 대한 이익배당금"을 지출하여 그만큼 회사에 손해가 발생하는 것으로 본다. 배당가능이익 범위 내에서 배당이 이뤄지든 이를 초과하여 위법배당이 이뤄지든 주주로부터 회사로의 아무런 대가 유입 없이 회사의 재산이 일방적으로 주주에게 유출된다는 점에서는 차이가 없지만, 후자의 경우에는 회사에 손해가 발생한다고 보는 것이다. 이처럼 배당가능이익은 이익배당으로 채권자의 이익이 과연 침해되었는가뿐만 아니라 이익배당으로 회사에 손해가 발생하였는가를 판단하는 하나의 기준으로 활용되고 있음을 알 수 있다.

한편 이사나 감사가 고의 또는 중대한 과실로 초과배당을 하여 채권자에게 손해가 발생하였다면 이사는 채권자에 대하여 연대하여 손해배상책임을 부담한다(제401조, 제414조 제2항).

3) 위법한 차등배당

앞서 본 바와 같이, 차등배당이 허용되기 위해서는 배당을 받지 않거나 적게 받는 주주가 이러한 차등배당에 동의하였음이 인정되어야 한다. 만일 이러한 동의 없이 차등배당이 이뤄질 경우 이는 제464조에 위반한 이익배당이 된다. 현물배당을 하면서 일정 기준 이하의 주식수를 보유하는 주주들에게 현금을 배당하는 경우, 만일 배당하는 현물에 대한 가치평가가 공정하게 이뤄지지 않은 경우도 위법한 차등배당에 해당할 수 있음은 앞서 본 바와 같다. 이러한 위법배당 역시 무효이므로, 회사는 주식 비례를 넘어 배당을 받은 주주에게 부당이득 반

법상 배임 등의 형사책임이 문제된 사안에서 원심은 "주주가 법령과 정관에서 정한 바에 따라 이익배당, 중간배당을 받는 것은 주식회사에서 주주가 투하자본을 회수할 수 있는 정당한 권리이므로, 이로 인해 주주가 부당한 이익을 얻고 회사가 손해를 입었다고 하기 위해서는, 전례나 영업이익의 규모, 현금자산 등에 비추어 이익배당이나 중간배당이 과다하다는 점만으로는 부족하고, 이익배당이나 중간배당이 법령과 정관에 위반하여 이루어지는 위법배당에 해당하여 주주에게 부당한 이익을 취득하게 함으로써 결국 회사에도 손해를 입히는 등의 특별한 사정이 인정되어야 한다"고 판시한 바 있다(부산고등법원 2010.12.29. 2010노669). 대법원도 이러한 원심의 판단을 정당하다고 보았다(대법원 2013.6.13. 2011도524).

환을 청구할 수 있다.

그렇지만 만일 지배주주와 그 영향력 하에 있는 이사가 지배주주를 위해 이러한 위법한 차등배당을 실행하였다면, 현실적으로 회사가 자발적으로 지배주주에게 부당이득 반환을 청구하는 것을 기대하기는 어렵다. 또한 피해를 입은 소수주주는 회사의 채권자도 아니므로, 채권자대위를 통해 지배주주에게 배당 반환을 청구하는 것도 쉽지 않다. 소수주주로서는 회사의 이사가 위법배당을 통해 회사에 손해를 입혔다는 것을 이유로 대표소송을 제기하여, 이사나 업무집행지시자에게 손해배상책임을 묻는 방식으로 이를 다투는 것이 현실적인 방안일 것으로 생각된다. 이 경우 회사의 손해액은 제464조를 위반하여 이뤄진 배당금액, 즉 주식 비례를 넘어 지배주주에게 지급된 배당금액으로 보아야 한다. 입법론적으로는 초과배당에 대한 채권자의 반환청구권(제462조 제3항)과 유사하게, 배당을 적게 받은 주주가 직접 차등배당을 받은 주주에게 그 이익을 회사에 반환할 것을 청구할 수 있는 규정을 두는 것도 생각해 볼 수 있겠다.

위법한 차등배당이 주주총회결의로 이뤄진 경우에도 먼저 무효확인 판결을 받아야 배당금액의 반환 등을 청구할 수 있는지의 문제가 발생한다. 차등배당은 법률 위반으로 주주총회결의 무효 사유에 해당하므로 위에서 검토한 바와 같이 무효확인 판결을 받지 않더라도 청구할 수 있다.

4) 절차를 위반한 배당

이익배당을 승인한 주주총회의 소집절차나 결의방법에 하자가 있는 경우, 이러한 결의는 주주총회 취소소송을 통해 이를 취소하여야 비로소 위법배당의 반환을 청구할 수 있다(제376조 참조). 주주총회 결의가 존재한다고 볼 수 없을 정도의 중대한 하자가 있는 경우에는 결의부존재확인의 소를 제기할 수 있는데(제380조), 이는 그 법적 성질이 확인의 소이므로 부존재확인 판결이 없이도 위법배당의 반환을 청구할 수 있다. 이사회의 소집절차나 결의방법에 하자가 있어서 이사회 결의가 무효가 되는 경우에도 마찬가지다.

5) 배당결정의 적정성

이익배당이 법령 및 정관의 규정에 부합하게 이루어졌으나 당시 회사의 경영, 재무상황 등을 고려할 때 이러한 배당결정이 경영상 적절하지 않은 경우가 있을 수 있다. 예를 들어 회사에 상당한 자금이 소요되는 좋은 사업기회가 있었으나, 회사에 유보된 이익을 모두 주주에게 배당하고 회사가 차입이나 신주 발행 등을 통해 추가자금을 조달하지 못하여 이러한 사업기회를 활용하지 못하고, 결과적으로 회사가 얻을 수 있었던 이익을 얻지 못하는 경우를 생각해 볼 수 있다. 그렇지만 이러한 의사결정은 회사의 경영판단에 속하는 사항이기 때문에, 이사가 충분한 정보를 바탕으로 합리적으로 회사의 이익에 부합한다고 판단하여 이러한 의사결정을 하였다면 결과적으로 회사에 손해가 발생하였다는 이유로 이사에게 책임을 묻기는 어려울 것이다. 이를 위법배당으로 보아 배당금의 반환을 청구할 수 없음은 물론이다. 또한 지배주주의 소수주주에 대한 충실의무가 인정되지 않는 현재 법제상 지배주주가 주주총회에서 이러한 이익배당안에 찬성하였다고 하여 지배주주에게 책임을 묻는 것도 어렵다.

사. 주식배당

1) 서 론

가) 의 의

현금이나 현물 대신 회사의 신주를 주주에게 배당하는 것이 주식배당이다(제462조의2 제1항). 그런데 회사가 신주를 주주들에게 발행한다고 하여 회사재산이 유출되는 것은 아니고, 주주 입장에서도 신주를 받는 대신 그만큼 기존에 보유하는 주식의 주당 가격이 하락하므로 주주의 재산이 증가하는 것도 아니다. 이처럼 주식배당으로 회사와 주주간에 부의 이전은 발생하지 않는다. 기업회계 면에서 보면 주식배당은 이익잉여금 중 전부 또는 일부를 자본금계정으로 이전시키면서 주주들에게 무상으로 신주를 발행하는 순자산계정 간의 이동이다.

나) 법적 성질

제462조의2 제1항은 주식배당을 "이익의 배당을 새로이 발행하는 주식으로써" 하는 것으로 정의하여 주식배당을 이익배당의 일종인 것처럼 규정하고 있지만, 그 경제적 실질은 순자산 계정에 있는 금액 간 이동에 해당한다. 이에 따라 주식배당의 법적성질이 무엇인가에 대하여 이익배당설[117]과 주식분할설[118]이 대

---

117) 최기원, 전게서, 1088면; 이철송, 전게서, 1018면; 권기범, 전게서, 1249면.
118) 정동윤, 전게서, 631면; 송옥렬, 전게서, 1224면.

립한다.[119][120] 그렇지만 주식배당은 회사로부터의 재산 유출이 없다는 점에서 이익배당과 다르고, 회사의 이익잉여금이 감소하고 자본금이 증가한다는 점에서 자본금의 변경이 없는 주식분할과 다르다. 다만 배당가능이익을 감소시킨다는 점에서 이익배당과, 회사로부터 재산 유출이 없다는 점에서 주식분할과 각각 일부 공통된 특성을 갖는다.

이와 같이 주식배당의 법적 성질에 대해 논의하는 것의 실익은 상법이 명확하게 규정하지 않고 있는 사항에 대해 합리적인 해석론을 제시하는 데에 있다.[121] 예를 들어, 종류주식이 발행된 경우 어떠한 주식을 배정할 것인지, 약식질의 경우 주식에 배당된 신주에 대해서 기존 질권의 효력이 미치는지, 자기주식에 대해 주식배당으로 발행하는 신주를 배정해야 하는지 여부 등의 문제에 대해서는 상법에 명확한 규정이 없기 때문에 법적성질을 무엇으로 보는가에 따라 다른 입장을 취할 수 있다. 그렇지만 주식배당을 이와 성질이 다른 이익배당이나 주식분할 중 어느 하나에 해당하는 것으로 보면, 자칫 주식배당의 경제적 실질에 맞지 않는 해석을 할 우려가 있다. 주식배당은 그 경제적 실질에 맞게 이익잉여금의 자본금전입으로 이해하는 것이 바람직하고, 위 문제들에 대해서는 각 상황에 따라 이러한 경제적 실질에 부합하면서도 당사자들의 이해관계를 합리적으로 조정할 수 있는 방향으로 해석하는 것이 바람직하다. 이에 대해서는 각 관련 부분에서 검토하기로 한다.

다) 주주, 채권자에게 미치는 영향

주식배당에서는 준비금의 자본금전입과 마찬가지로 회사재산의 사외유출이 없다. 따라서 주식배당이 회사로부터 자금유출 없이 주주들의 배당욕구를 해소할 수 있다고 본다든가 주주들이 무상으로 신주를 받기 때문에 이를 선호한다든가 하는 설명은 투자 심리 등의 측면에서는 몰라도 주주, 채권자 등 회사 관계

---

119) 일본의 경우 과거 주식배당 제도를 두고 있었고 그 법적성질에 대해 우리나라와 마찬가지로 견해 대립이 존재하였다. 그러나 1990년 상법 개정으로 주식배당제도가 폐지되었고, 현재는 잉여금의 자본금 전입 제도와 주식분할 제도를 각각 두고 있다. 실무에서는 잉여금의 자본금 전입과 주식분할을 동시에 실행하는 방법으로 주식배당을 실행하기도 하는데, 이를 주식배당형 주식분할이라 부른다(江頭憲治郎, 「株式会社法」(有斐閣, 2009), 271面, 609面 참조).

120) 참고로 주식배당은 세법상 의제배당에 해당하여 금전배당과 마찬가지로 과세대상이 된다(소득세법 제17조 제2항 제2호, 법인세법 제16조 제1항 제2호).

121) 김건식·노혁준·천경훈, 전게서, 617면.

자의 재산 측면에서 보면 큰 의미가 없다. 다만 주식배당의 결과 회사재산의 유출 없이 배당가능이익이 감소하고 이익배당이 가능하지 아니한 자본금이 증가한다는 점에서 보면, 주식배당은 주주에게 불리하고 채권자에게 유리한 측면이 있다. 이러한 점에서 보면, 주식배당은 이익배당은 물론, 준비금의 자본금전입보다도 주주에게 불리하다.

회사가 여러 종류의 주식을 발행한 경우에는, 어떠한 신주를 어느 종류의 주주에게 배당하는지에 따라 주주 간의 부에 영향을 줄 수 있다. 이는 종류주식에 어떤 주식을 배정할 수 있는지 및 어떻게 배정하여야 주식배당으로 주주의 부가 왜곡되는 것을 방지할 수 있는지 등의 문제와 관련이 있다.

2) 요건, 절차

가) 이익배당총액 제한

주식배당은 이익배당총액의 1/2의 범위 내에서 이뤄져야 한다(제462조의2 제1항 후문). 따라서 회사가 현금이나 현물배당 없이 주식배당만을 실시하는 것은 허용되지 아니하고, 적어도 주식배당으로 감소하는 이익잉여금 이상의 현금이나 현물을 함께 배당하여야 한다. 다만 주권상장법인은 주식의 시가가 액면액 이상이라면 이러한 제한 없이 이익배당의 전부를 주식으로 할 수 있다(자본시장법 제165조의13 제1항 전문).[122)]

나) 주주총회 결의

주식배당은 주주총회결의가 있어야 한다(제462조의2 제1항 전문). 이익배당과 달리 이를 이사회의 결의로 실행할 수는 없는데, 주식배당은 회사로부터의 재산반환 없이 배당가능이익을 감소시킨다는 점에서 주주에게 불리할 수 있으므로, 이를 주주총회의 권한으로 한 것은 나름의 합리성이 있다.

이사는 주식배당 결의가 있는 때에는 지체 없이 배당을 받을 주주와 주주명부에 기재된 질권자에게 그 주주가 받을 주식의 종류와 수를 통지하고, 무기명

---

122) 단 주식의 시가가 액면액에 미치지 못하는 경우에는 비상장법인처럼 1/2 범위 내에서만 가능하다(자본시장법 제165조의13 제1항 후문). 이 때 주식의 시가는 주식배당을 결의한 주주총회일의 직전일부터 소급하여 그 주주총회일이 속하는 사업연도의 개시일까지 사이에 공표된 매일의 증권시장에서 거래된 최종시세가격의 평균액과 그 주주총회일의 직전일의 증권시장에서 거래된 최종시세가격 중 낮은 가액으로 산정한다(자본시장법 제165조의13 제2항, 동 시행령 제176조의14).

식의 주권을 발행한 때에는 결의의 내용을 공고하여야 한다(제462조의2 제5항).

다) 신주의 발행

새롭게 발행하는 주식으로 배당하여야 하므로(제462조의2 제1항 전문), 회사가 보유하는 자기주식으로 주식배당을 하거나, 액면금액을 증액하는 방식으로 주식 배당을 하는 것은 가능하지 않다. 주식배당 시 발행되는 신주는 주식의 권면액 으로 하는데(제462조의2 제2항 전단), 그 결과 이익잉여금 계정에서 감소되는 금 액은 자본금 계정만을 증가시키고 자본준비금 계정에는 영향을 주지 않는다. 무 액면주식을 발행한 회사의 경우에는 권면액이 존재하지 아니하므로, 감소되는 이익잉여금을 모두 자본금으로 계상해야 한다고 보면 된다. 주식배당에는 신주 발행이 수반되므로, 회사의 발행예정주식총수에 여유가 있어야 하고, 만일 존재 하지 않는다면 주주총회 특별결의를 통해 정관을 변경해야 한다(제289조 제1항 제3호).

라) 신주의 배정

주식배당을 받기 위해서는 기준일의 주주명부에 주주나 질권자로 등록되어 있어야 한다. 따라서 주식매매계약이 체결되거나 매매대금의 지급 및 주권의 교 부가 있었다고 하더라도, 명의개서가 완료되기 전에 주식배당 기준일이 도래한 다면 신주는 주주인 매도인에게 배정된다. 매도인과 매수인 간에 이에 대한 별 도의 합의가 있다면 매도인이 매수인에게 이러한 신주도 자신에게 소유권을 이 전할 것을 요구할 수 있겠지만, 만일 이러한 합의가 없다면 해당 신주는 매매대 상인 기존 주식과 주물과 종물의 관계에 있는 것은 아니므로,[123] 당연히 매도인 에게 이전되어야 하는 것은 아니다.[124]

회사가 종류주식을 발행한 경우에는 회사의 선택에 따라 각각 그와 같은 종 류의 주식으로 주식배당을 할 수 있고(제462조의2 제2항 후단), 만일 주식에 배당

---

123) 대법원 1974.6.25. 74다164 참조. 준비금의 자본금전입 관련 판례이나, 주식배당에서도 동일하게 적용될 수 있다.

124) 따라서 주식매매계약을 작성할 때에는 이러한 점에 유의하여야 한다. 예를 들어 주식매매 계약에서 이행완료(closing) 전에 주식배당이 예정된 경우에는 이로 인한 신주의 소유권 을 매수인에게 귀속시킨다는 등의 규정을 명시적으로 규정하는 것이 바람직하다. 이와 같 은 직접적인 규정이 없더라도 매매대상 목적물인 주식이 이행완료시점을 기준으로 회사 발행주식총수의 몇 %에 해당한다고 명시적으로 규정하는 경우 등에는 다른 사정들을 종 합하여 당사자 사이에 묵시적인 합의가 있었던 것으로 볼 수도 있겠다.

할 이익의 금액이 주식의 권면액에 미달하여 단수가 발생하는 때에는 단주의 처리방법에 따라 이를 처리한다(제462조의2 제3항, 제443조 제1항). 종류주식에 어떠한 주식을 배당할지에 대해서는 별도의 항에서 자세히 검토한다. 주식배당의 경우에도 이익배당과 관련한 주식평등의 원칙(제464조)이 적용되는바, 이에 따라 같은 종류(class)의 주식에 대해서는 보유 주식 비율에 따라 동등한 대우를 하여야 한다.

자기주식에 주식배당을 해야 하는지는 규정상 명확하지 않다. 주식배당을 이익배당으로 보는 견해에 따르면 주식배당을 하지 않아야겠지만, 주식분할로 보는 견해에 따르면 주식배당을 해야 한다고 볼 것이다. 그런데 사실 자기주식에 신주를 배당하든 안 하든 주주간 이해관계에는 아무런 영향을 미치지 아니한다. 따라서 회사가 자기주식 취득 관련 요건을 충족하는 한, 자기주식에 대한 주식배당 여부는 회사가 자유롭게 선택할 수 있다고 보면 된다.

마) 신주의 효력 발생 및 변경등기

주식배당은 주주총회 결의로 이뤄지고, 주식배당 결의가 있는 주주총회가 종결한 때부터 배당된 신주의 주주가 된다(제462조의2 제4항 전문). 회사의 자본금이 증가하므로, 변경등기가 필요하다(제317조 제4항, 제183조). 이익배당과 달리 주식배당의 경우에는 이익준비금을 적립하지 않아도 된다(제458조 단서).

바) 주식배당과 주식질의 효력

등록질의 경우 질권의 효력은 주식배당으로 발행되는 신주에도 미치고, 등록질권자는 회사에 대하여 주식배당으로 발행되는 신주에 대한 주권의 교부를 청구할 수 있다(제462조의2 제6항, 제340조 제3항). 준비금의 자본금전입과 관련한 제461조가 주식의 물상대위 관련 규정(제339조)을 준용하는 것과 달리 주식배당에는 이러한 준용규정이 없다. 따라서 약식질의 경우 질권의 목적물인 주식에 배당된 신주에 대해서도 기존 질권의 효력이 미치는지에 대해서는 상법상 명확하지 않다. 그런데 주식배당이 이뤄지면 회사로의 재산 유입 없이 발행주식총수가 증가하여 주식의 주당 가격이 하락하기 때문에, 만일 질권의 효력이 주식배당으로 배정된 신주에 대해 미치지 않는다고 하면 질권자는 손해를 입게 된다. 등록질, 약식질 여부를 불문하고 질권의 효력은 주식배당으로 배정된 신주에도 미친다고 보아야 한다.

3) 종류주식과 신주의 배정

가) 배정 가능 신주의 종류

회사가 보통주식과 함께 종류주식을 발행한 경우, 주식배당 시 각각 어떤 주식을 배정해야 하는가? 제462조의2 제2항은 "회사가 종류주식을 발행한 때에는 각각 그와 같은 종류의 주식으로 할 수 있다"고 규정하고 있는바, ① 이에 따라 회사는 종류주식에 대해 같은 종류주식을 배정하는 것도 가능하고, 보통주식에 배정하는 주식과 같은 주식을 배정하는 것도 가능하다고 보는 것이 문언에 충실한 해석이지만,[125] ② 주식배당의 본질은 주식분할이므로 종류주주 사이에 비례적 이해관계가 유지되기 위해서는 종류주식에 같은 종류의 종류주식을 배정해야 한다는 견해,[126] ③ 주식배당은 이익배당의 일종이므로 의결권이 동일한 비율로 보장되는 한 모든 주식에 대해 동일한 주식을 배당해야 한다는 견해,[127] ④ 제462조의2 제2항 규정이 존재하는 이상 ①설과 같이 해석해야 하지만, 이론적으로는 우선주와 보통주에 모두 우선주를 배당하는 것이 가장 바람직하다는 견해 등도 존재한다.[128]

종류주식에 어떤 주식을 배정하여야 하는지에 대해서는 1995년 상법 개정으로 제462조의2 제2항이 규정되기 전부터 다양한 견해들이 존재하였다. 이는 주식배당의 법적 성질을 어떻게 보는지 및 어떠한 방식으로 주식을 배정해야 주주 간 비례적 부가 유지되는지 등에 대해 다양한 시각이 존재하기 때문이다. 그렇지만 제462조의2 제2항이 종류주식에 같은 종류주식을 배정할 수 있다고 명시적으로 규정하고 있고, 그 반대 해석상 보통주식에 배정하는 주식과 동일한 주식을 배정하는 것도 허용된다고 해석되기 때문에, 회사가 어느 한 가지 방식만을 취해야 한다는 해석은 받아들이기 어렵다. 결국 본 문제는 종류주식에 어떤 주식을 배정해야만 하는가의 문제가 아니라, 회사가 어떠한 형태로 주식배당을 하여야 주주의 부가 침해되는 것을 막을 수 있는지 및 만일 어느 주주의 부가 침해될 경우 이를 상법에 위배되는 것으로 볼지 아니면 일정한 조건 하에서 이를 허용할지의 문제로 보는 것이 타당하다.

---

125) 권기범, 전게서, 1251면; 손진화, 『상법강의』(신조사, 2011), 600면.
126) 정동윤, 전게서, 788면.
127) 최기원, 전게서, 1090면.
128) 송옥렬, 전게서, 1227면.

한편 방법론적인 측면에서, 종류주식에 대해 어떤 주식을 배정할지에 대해서는 회사가 정관의 규정에 이를 미리 정할 수 있고,[129] 이사회가 종류주식 발행 결의를 하면서 이를 정할 수도 있으며,[130] 실제 주주총회에서 주식배당 결의를 하면서 이를 결정하는 것도 가능하다.[131]

나) 주주 이해관계의 변동

그렇다면 종류주식에 어떠한 주식을 배당하여야 주주 간의 비례적 이해관계가 유지될 수 있는가? 만일 주식배당의 성질을 이익배당으로 본다면, 주식배당을 회사가 주주에게 금전배당을 하는 거래와 주주가 이 금원으로 신주를 인수하는 거래가 연속되는 것으로 이해할 수 있고, 따라서 금전배당을 했더라면 해당 주주가 받을 수 있는 금액만큼의 주식을 배정하면 된다.[132] 예를 들어 회사가 500원을 금전으로 이익배당했다면 보통주주와 우선주주가 각각 200원 및 300원을 배당받을 수 있다고 하자. 그렇다면 회사가 이익잉여금 500원을 감소시키는 주식배당을 하는 경우에도 보통주주에게 200원, 우선주주에게 300원에 해당하는 신주를 배정하면 된다.

그러나 주식배당을 하는 경우에는 시가가 아니라 액면가로 신주를 발행하므로 실제 주주가 지급받는 주식의 가치는 현금배당을 하는 경우와 달라질 수 있고, 이에 따라 주식배당의 결과 보통주주와 우선주주간의 부의 이동이 발생할

---

129) 상장회사 표준정관에도 관련 규정이 존재한다(2021. 1. 5. 개정 상장회사 표준정관 제8조의2 제5항 참조).

130) 제344조 제3항에 의하면 회사가 종류주식을 발행하는 때에는 정관에 다른 정함이 없는 경우에도 주식의 종류에 따라 "신주의 인수" 등에 관하여 특수하게 정할 수 있다. 위 조항이 주식배당을 염두에 두고 규정된 것인지는 명확하지 않으나, 회사가 주식배당 시 종류주식에 어떠한 주식을 배정할지 결정하는 것은 회사가 신주의 인수에 관하여 특수하게 정하는 것으로 볼 수 있고, 따라서 이사회가 종류주식을 발행하면서 이에 대한 사항을 정할 수 있다고 해석된다.

131) 다만 이에 대해서는 보통주, 우선주 불문하고 보통주로만 배당하는 것이 실무관행이라는 전제하에, 비록 법문상으로는 회사가 주식배당의 결의 시에 이를 임의로 선택할 수 있는 것으로 보이지만, 보통주에 보통주, 우선주에 우선주를 배정하기 위해서는 정관의 규정을 두는 방식으로만 가능하다는 견해가 있다. 이는 우선주에 어떤 주식을 배정할지는 보통주주 및 우선주주의 이익에 중요한 사항이므로 보통주주만이 참석하는 주주총회가 이를 결정할 수 있는 것으로 해석해서는 안 된다는 것을 그 근거로 한다. 김건식·노혁준·천경훈, 전게서, 624면.

132) 주식배당의 법적성질을 이익배당으로 보는 견해의 논거 중에는 주식배당은 사실 현금배당을 받은 주주가 바로 회사로부터 유상으로 신주를 인수한 것과 같다는 주장이 존재한다. 그러나 사실 이는 주주에게 추가출자의무가 있다는 것을 전제로 한 것이므로, 주주의 유한책임 원칙에 반하는 설명이다. 같은 견해: 김건식·노혁준·천경훈, 전게서, 617면.

수 있다는 점에서 위 방식에 따르더라도 주주간의 비례적 이해관계가 유지되지 못한다는 문제점이 있다. 특히 주식배당은 회사로부터 주주로의 재산 유출이 발생하지 않는 이익잉여금의 자본금전입에 해당하기 때문에, 위와 같이 회사로부터 재산 유출을 전제로 하는 위 설명에는 한계가 있다. 주식배당은 순자산 계정 간의 이동에 불과하기 때문에, 각 주주들의 동의 내지 용인이 없는 한 주식배당을 전후하여 주주의 부가 변동되지 않아야 하는데, 실제로 이와 같은 주식배당안을 만드는 것을 상당히 어렵다.

이를 위해 간단한 사례를 살펴보기로 한다. 예를 들어 회사가 액면가 100원인 보통주식 40주와 액면가의 5%만큼 우선적으로 이익배당을 받으면서 보통주식에 대한 배당에도 참여할 수 있는 참여적 우선주식 10주를 발행하였고, 주주 A는 보통주식 전부를 주주 B는 우선주식 전부를 각각 보유한다고 하자. 회사는 구주 2주당 신주 1주를 배정하는 주식배당을 실시한 후 100원을 이익으로 현금배당할 것을 계획하고 있다. 주식배당과 관련하여 회사는 ① 모두 보통주식을 배당하는 방안, ② 보통주식에 보통주식을, 우선주식에는우선주식을 배당하는 방안, ③ 모두 우선주식을 배당하는 방안의 세 가지 방안을 검토하고 있다. 만일 주식배당 없이 회사가 100원을 이익으로 배당한다면 우선주식에는 먼저 50원(10주 × 100원 × 5%)이 우선적으로 배당되고, 나머지 50원은 우선주식에 10원, 보통주식에 40원 배당되어, 주주 A는 총 40원을, 주주 B는 총 60원을 받게 된다.

그런데 이러한 이익배당은 회사가 어떠한 주식배당안을 선택하는가에 따라 그 결과가 달라진다. 먼저 ①방안의 경우 주식배당의 결과 주주 A는 보통주식 60주(기존 보통주식 40주+새로운 보통주식 20주)를, 주주 B는 우선주식 10주, 보통주식 5주(기존 우선주식 10주+새로운 보통주식 5주)를 보유하게 된다. 이후 회사가 100원을 금전배당하면 우선주식에는 먼저 50원(10주×100원×5%)이 우선적으로 배당되고, 나머지 50원은 각각 주주 A에게 40원, 주주 B에게 10원이 배당되어, 주식배당 실시 전과 동일한 결과가 된다. 적어도 회사가 배당을 실시할 경우 받을 수 있는 금액을 기준으로 하면 주식배당 전후로 변화가 없다. 다음으로 ②방안의 경우에는 주식배당의 결과 주주 A는 보통주식 60주(기존 보통주식 40주+새로운 보통주식 20주)를, 주주 B는 우선주식 15주(기존 우선주식 10주+새로운 우선주식 5주)를 보유하게 된다. 마찬가지로 100원을 금전배당하면 우선주식에 먼저 75원(15주 × 100원 × 5%)이 우선적으로 배당되고, 나머지 25원은 각각 주주 A에게 20원, 주주 B에게 5원이 배당되어 주주 A는 20원, 주주 B는 80원을 배당받게 된다. 주식배당 실시 전과 비교하면 주주 A는 주식배당으로 불리해진다(이익배당액 40원→20원). 마지막으로 ③방안을 채택하는 경우 주식배당의 결과 주주 A는 보통주식 40주와 우선주식 20주(기존 보통주식 40주+새로운 우선주식 20주)를, 주주 B는 우선주식 15주(기존 우선주식 10주+새로운 우선주식 5주)를 보유하게 된다. 역시 100원을 금전배당하면 전액 우선주식에 배당이 되고(35주 × 100원 × 5%＝175주) 주주 A는 약 57원(100원 × 20주/35주)을, 주주 B는 약 43원(100원 × 15주/35주)을 배당받는다. 주식배당 전과 비교하여 주주 B가 불리해진다(이익배당액 60원→43원).

위 사례에서는 모두 동일하게 보통주식을 배당하는 ①안이 보통주주 및 우선주주에게 모두 손해를 미치지 않음을 알 수 있다. 그런데 위 사안에서 우선주식을 의결권 있는 우선주식에서 의결권 없는 우선주식으로 변경하면 그 결과는 달라진다. 만일 ①안과 같이 모두 보통주식을 배당하면 이익배당 측면에서는 모든 주주가 손해를 입지 않을지 몰라도, 의결권이라는 측면에서 보면 주주 A의 의결권이 희석되고(100%→92%(＝A 보유 의결권 60주/총 의결권 65주)) 따라서 주주 A가 불리하게 된다. 위 사안에서 우선주식의 내용을 보통주식에 배당되는 금액의 2배를 받는 우선주식으로 변경해도 결과는 달라진다. 주식배당 전 회사가 100원을 이익으로 배당하면 주주 A는 약 67원(100원× 보통주40주/(보통주40주+우선주10주 × 2))을, 주주 B는 약 33원(100원 × 우선주10주 × 2/(보통주40주+우선주10주 × 2))을 배당받을 수 있음에 비해, ①안에 따라 주식배당을 실시하면 동일한 금액을 이익으로 배당할 때 주주 A는 약 70원(100원 × 보통주60주/(보통주65주+우선주10주 × 2))을 주주 B는 약 30원(100원 × (보통주5주+우선주10주 × 2)/(보통주65주+우선주10주 × 2))을 배당받게 되어, 주식배당의 결과 우선주주가 불리하게 된다.

이와 같이 주식배당을 어떻게 하는지에 따라 어느 종류의 주주가 손해를 입는지 여부는 구체적인 사정에 따라 달라질 수밖에 없다. 따라서 모든 주식에 보통주를 배정해야 한다든가, 보통주에는 보통주를 우선주에는 우선주를 배정해야 주주간 이해관계가 유지된다는 식의 획일적인 설명은 타당하지 않다. 실제 발행되는 종류주식은 의결권, 이익배당, 상환, 전환권 등에 있어서 위 사례보다 훨씬 다양한 형태로 발행되는바, 주식배당이 주주의 부에 미치는 영향은 구체적인 사례에 따라 더욱더 달라질 수밖에 없다. 이와 같이 주식배당 전후로 주주간의 비례적 이해관계를 완벽하게 유지시키는 주식배당안을 만드는 것은 현실적으로 쉽지 않다.

다) 차등적 주식배당의 적법성

그렇다면 주식배당의 결과 어느 종류의 주주가 손해를 입는 경우 이를 상법에 위배되는 것으로 보아 금지할 것인지의 문제가 남는다. 이는 주주들 간의 이해조정의 문제로 귀속되는데, 주식배당으로 인하여 손해를 입는 종류의 주주들이 상법의 절차에 따라 이러한 주식배당을 용인하는 경우까지 이를 상법에 위배되는 것으로 보아 금지시키는 것은 타당하지 않다. 특히 앞서 본 바와 같이, 여러 다양한 형태의 종류주식이 발행된 회사의 경우 어떤 방식을 택하든지 간에 거의 모든 종류의 주주들이 다소나마 불리하게 될 수 있는바, 만일 이러한 주식배당을 모두 위법한 것으로 본다면 주식배당의 실행이 지나치게 제약될 수 있기 때문에 받아들이기 어렵다.[133]

우리 상법은 이와 같이 회사의 결정으로 어느 한 종류의 주주의 이익이 침해될 수 있는 경우, 종류주주총회 제도를 통해 이러한 이해관계를 조정한다. 앞서 본 바와 같이 회사는 정관에 규정하는 방식, 종류주식을 발행하면서 이사회가 결정하는 방식, 주식배당시 주주총회가 결정하는 방식으로 주식배정에 관한 사항을 정할 수 있는바 차례로 종류주주총회 관련 규정이 적용될 수 있는지를 살피면 다음과 같다.

먼저 회사가 정관에 이에 관한 사항을 규정한다고 하자. 이와 같이 정관 규정을 변경하는 경우에는 정관 변경에 대한 주주총회의 특별결의에 의한 승인을 얻어야 하고(제433조), 만일 이 같은 정관 개정이 해당 종류주식의 주주에게 손해를 미치는 경우에는 해당 종류주주만으로 구성된 종류주주총회에서 승인(출석 종류주식의 의결권의 2/3 이상의 수와 해당 종류주식 발행총수의 1/3 이상에 의한 결

---

133) 참고로 미국의 모범사업회사법(Model Business Corporation Act)은 같은 종류의 주식에는 같은 종류의 주식을 배당하는 것을 원칙으로 하되(즉 보통주에 보통주, 우선주에 우선주), (1) 회사 정관이 이를 허용하거나, (2) 회사가 주식배당으로 발행하는 신주와 같은 종류의 주주들의 과반수가 이에 동의하거나, (3) 회사가 주식배당으로 발행하는 신주와 같은 종류의 주식을 보유하는 주주가 없는 경우에는 주주가 보유하고 있는 주식과 다른 종류의 주식을 배당하는 것도 가능하다고 규정하고 있다(§6.23).

의)을 얻어야 한다(제435조). 한편 정관 개정으로 보통주주가 손해를 입는 경우
도 있을 수 있는데, 이 경우 보통주주만의 종류주주총회가 가능한지에 대해서는
상법 제344조 제1항의 '종류주식'에 보통주식도 포함되는 것으로 해석해야 하는
지와 관련하여 논란의 여지가 있다.[134] 그렇지만 어느 특정 종류의 주식이 불이
익을 입을 경우 해당 주주에게 그 권리를 보호할 수 있는 기회를 줄 필요성이
있는지에 대해 보통주식과 종류주식을 다르게 취급할 것은 아니므로, 이 경우에
도 보통주주만의 종류주주총회 승인이 필요하다고 해석하는 것이 합리적이다.
다음으로 위와 같이 주식배당에 대해 정관에서 정하는 대신, 이사회가 새롭게
종류주식을 발행하면서 주식배당 시 해당 종류주식에 대해서는 보통주식을 배정
하기로 정하였다고 하자. 이 경우에는 회사가 주식의 종류에 따라 신주의 인수
등에 관하여 특수하게 정하는 경우에 해당하여, 만일 이로 인하여 보통주주나
기존 종류주주가 손해를 입게 된다면 각각 그 종류주주총회에 의한 승인을 얻어
야 한다고 보아야 한다. 만일 정관에 미리 규정된 바도 없고, 종류주식을 발행
하면서 이를 정하지도 않은 경우에는, 주식배당을 결의하는 주주총회에서 이를
정하게 되는데, 이 경우에도 이사회에서 결정하는 경우와 동일하게 해석하면 될
것이다. 요컨대 회사가 정관으로 정하는지, 종류주식을 발행하면서 이사회가 정
하는지, 실제 주식배당을 하면서 주주총회가 정하는지는 절차에 관한 문제이므
로, 만일 이로 인하여 어느 종류의 주주에게 손해가 미치게 된다면, 어떠한 방
식에 따라 결정되었는지 여부를 불문하고 종류주주총회를 통하여 보호받을 수
있는 기회를 부여하는 것이 타당하다.

참고로 법원은 "어느 종류의 주주에게 직접적으로 불이익을 가져오는 경우는
물론이고, 외견상 형식적으로는 평등한 것이라고 하더라도 실질적으로는 불이익

---

134) 2011년 개정상법 이전에는 "어느 종류의 주주에게 손해를 미치게 될 때" 종류주주총회가
    필요하다는 표현을 사용하고 있었으나(구 상법 제435조 제1항), 2011년 개정상법에서 "어
    느 종류주식의 주주에게 손해를 미치게 될 때"라는 표현으로 변경되었다(제435조 제1항).
    아울러 2011년 개정상법에서 종류주식을 "이익의 배당, 잔여재산의 분배, 주주총회에서의
    의결권의 행사, 상환 및 전환 등에 관하여 내용이 다른 종류의 주식"으로 정의하고 있어
    서(제344조 제1항), 보통주식은 종류주식에 포함되지 않고 따라서 보통주주만의 종류주주
    총회는 인정되지 않는 것으로 보는 견해가 있을 수 있다. 반면 종류주식은 내용이 다른
    종류의 주식이므로, 보통주식도 종류주식에 포함되고 따라서 보통주식만의 종류주주총회
    도 인정된다는 해석도 가능하다(최준선, 「2011년 개정상법 회사편 해설」(한국상장사협의
    회), 81면). 종류주식 정의 규정 해석에 대한 논란과 관계없이, 보통주식의 경우에도 해당
    종류주식의 이익이 침해될 수 있으므로, 종류주식과 마찬가지로 보통주주만의 종류주주총
    회를 인정할 필요성은 인정된다.

한 결과를 가져오는 경우도 포함되며, 나아가 어느 종류의 주주의 지위가 정관의 변경에 따라 유리한 면이 있으면서 불이익한 면을 수반하는 경우"에도 종류주주총회가 필요하다고 보고 있다.[135] 실무적으로는 주식배당 때마다 매번 종류주주총회에 의한 승인을 얻는 것은 번거로울 수 있으므로, 사전에 정관에 이를 규정하는 방식을 선택하는 것이 보다 효율적일 것이다.[136] 만일 어느 종류의 주주가 손해를 입음에도 불구하고 종류주주총회에 의한 승인을 얻지 않았다면, 해당 주식배당은 무효로 보아야 한다.

4) 위법한 주식배당

이익배당총액의 1/2을 초과하여 주식배당을 하는 등 주식배당이 법률 및 정관을 위반하여 이뤄지는 경우가 있을 수 있다. 주식배당은 이익잉여금을 감소시키고 자본금을 증가하는 것이므로 만일 이익배당총액 등 관련 제한을 초과하여 주식배당이 이뤄진다면 주주에게 불리하게 된다. 아울러 주식평등의 원칙에 위배하여 같은 종류의 주주들에게 차등적으로 주식배당을 실시하거나 어느 종류의 주식에 손해를 미침에도 불구하고 종류주주총회에 의한 승인을 얻지 않았다면, 이러한 경우에도 주주로서는 주식배당의 효력에 대해 다툴 실익을 갖게 된다.[137]

주식배당은 신주발행을 수반하고, 주식배당과 관련한 주주총회결의의 하자는 신주발행의 하자에 흡수되므로,[138] 신주발행무효의 소(제429조)를 통해 이를 다퉈야 한다. 만일 신주를 발행하기 전이라면 신주발행유지청구권(제424조)을 행사한다. 신주발행무효의 소는 주주, 이사, 감사가 소로서만 주장할 수 있고, 유지청구권은 주주가 청구할 수 있다.

회사채권자가 주주들에게 위법배당의 반환을 청구할 수 있는 제462조 제3항

---

135) 대법원 2006.1.27. 2004다44575, 44582.
136) 김건식·노혁준·천경훈, 전게서, 624면. 이는 상장회사 표준정관이 취하고 있는 방식이기도 하다. 참고로 상장회사 표준정관에서는 보통주식에 배정하는 주식과 동일한 주식을 종류주식에 배정하도록 규정하고 있다(2021. 1. 5. 개정 상장회사 표준정관 제8조의2 제5항 참조).
137) 이익배당 자체는 유효한데 이를 주식으로 환산, 발행하는 절차가 무효인 경우에는 주식이 무효로 되는 대신 배당금을 지급해야 한다는 견해가 있으나(이철송, 전게서, 1025면), 주식배당을 하는 것과 현금을 배당하는 것은 경제적 실질이 완전히 다르므로 회사가 주식 대신 현금을 지급해야 한다는 것은 받아들이기 어렵다(권기범, 전게서, 1265면).
138) 대법원 2004.8.16. 2003다9636.

은 주식배당에 적용되는가? 그런데 설사 배당가능이익을 초과하여 위법한 주식
배당이 이뤄지더라도 회사재산이 사외로 유출되는 것은 아니므로, 위법한 주식
배당으로 채권자들에게 손해가 발생하지는 않는다. 따라서 주주들이 배당받은
주식을 반환하게 하는 것은 채권자 입장에서 별다른 의미가 없고, 위 반환청구
권은 주식배당에는 적용되지 않는 것으로 보아야 한다.139)

　　만일 법령이나 정관에 위반한 주식배당으로 인하여 회사가 손해를 입고, 회
사의 이사가 이에 대해 책임이 있다면 이러한 이사는 회사에 대하여 손해배상책
임을 부담한다. 그런데 주식배당의 경우 회사로부터의 재산유출이 없기 때문에
이로 인하여 회사에 손해가 발생하는 경우를 생각하기는 쉽지 않고, 아울러 주
시배당은 주주총회의 결의를 통해 결정되므로 이사가 위법한 주식배당을 주주총
회의 안건으로 상정하는 등의 사정이 없는 한 이사가 위법한 주식배당으로 손해
배상책임을 부담하는 경우가 흔히 발생하기는 어려울 것으로 보인다.

---

139) 이철송, 전게서, 1025면.

제 6 장

주식회사의 공시

제 6 장 주식회사의 공시

제 1 절 서 론

　오랫동안 주식회사는 이사회를 중심으로 운용되어왔다. 회사의 업무집행에
관한 권한배분에 있어 이사회의 권한이 확장되고, 주주총회의 권한은 지속적으
로 축소되어 왔는데, 이러한 경향은 더욱 강화되어왔다. 그러나 기업지배구조의
측면에서 보면 여전히 이사회 중심주의와 주주 중심주의가 팽팽하게 대립하고
있고, 수차례 세계적 경제위기를 겪으면서, 이사회에 대한 중심적 기능 부여에
회의론이 제기되고, 주주권을 확장하여 이사회를 견제하여야 한다는 주장[1]이 설
득력을 얻고 있다. 주주에게 더 많은 권한을 주어 이사회를 견제하여야 한다는
주장이 설득력을 얻고 있다. 이러한 권한 배분은 법 공동체의 공감대, 사회적·
경제적 상황(특히, 경제적 위기), 국제화의 조류 등에 의하여 향후에도 지속적으
로 변화되고 논의될 것이다.

　어떤 논의가 향후의 주류가 되더라도 이 문제를 바라봄에 있어서 유념할 점
이 있다. 회사법은 그 어떤 법보다도 시대와 상황에 따라 변화된 내용을 탄력적
으로 담아내어야 하므로, 이사회나 주주의 권한도 그에 맞게 조정되어야 한다.
다만, 이러한 조정은 어느 기관에게 권한을 더 배분할 것인가 그 자체가 중심이
아니며, 기관 간 견제를 통한 건전한 기업가치의 창출이라는 목적에 합당하게
이루어져야 한다는 점이다.

　주식회사의 주주는 회사의 소유자로서 배당 등을 받을 수 있는 경제적 권리

---

* 경북대학교 법학전문대학원 교수
1) Lucian A. Bebchuk, Letting Shareholders Set the Rules, 119 Hav. L. Rev. 1784, 1784-
　85(2006).

를 가질 뿐만 아니라, 주주총회에서 의결권을 행사하여 회사의 의사결정에 참여할 수 있다. 또한 이사의 위법행위에 대한 유지청구권을 행사할 수 있고(제402조), 대표소송을 제기하여 이사의 책임을 추궁하거나(제403조), 이사의 해임을 청구할 수 있다(제385조). 주주는 이 모든 권리를 통하여 이사의 업무집행을 감독하고, 이사회를 견제할 수 있다.

견제와 균형의 명제가 건전하게 작동하는 바람직한 기업지배구조의 측면에서 주주권은 무엇보다 경영진을 효율적으로 견제할 수 있어야 한다. 공시주의(disclosure system)는 여러 기능을 수행하지만, 주주권 행사라는 측면에서는 권리를 제대로 행사할 수 있는 전제 또는 기반이 된다는 매우 중대한 의미가 있다. 주주가 권리를 시의적절하게 행사할 수 있기 위해서는 회사의 경영 상태나 문제된 안건 등에 대한 정확한 인식이 필요하기 때문이다. 본 장에서는 회사법상 공시주의 제도를 이러한 관점에서 소개하고, 관련 쟁점들을 검토하고자 한다.

제 2 절   회사법 등의 공시주의

Ⅰ. 회사법상의 공시주의

공시주의는 이와 같이 중요한 정보를 알 권리가 있는 이들에게 이러한 정보를 개시(개시는 공시의 일본식 용어임, 알려주어야)하여야 한다는 원칙이다. 누구에게 어떤 방법으로 어떤 내용을 공개하여야 하는가가 공시주의의 중심 내용이다.

회사법은 공시주의의 측면에서 일정한 경우 주주와 채권자 또는 이해관계인들에게 일정한 정보를 제공할 의무를 회사에게 부여하고 있다. 상업 등기부에 일정한 사항을 등기하여야 할 의무(제317조), 주주의 이사회의사록의 열람 및 등사청구권(제391조의3 제3항), 주주와 채권자의 정관과 주주총회 의사록의 열람 및 등사청구권(제396조), 주주와 회사 채권자의 재무제표와 감사보고서 열람, 등본 또는 초본의 교부청구권(제448조), 주주의 회계장부 열람권(제466조) 등이다.

보다 좁은 의미로 현실적으로 권리 행사가 당면한 직접적 이해관계인에게 그 권리를 행사할 수 있도록 하는 공시로서, 주주에 대한 주주총회 소집통지의무 (제363조), 합병에 관한 이의를 받기 위한 채권자에 대한 통지의무(제527조의5) 등이 있다. 이해관계자를 현실적으로 파악할 수 없거나 비용 등의 문제로 개별 통지가 부적절한 경우에는 공고의 방법에 의하여야 하는데,2) 회사의 공고는 정관이 정하는 바에 따라 전자적으로도 가능하다(제289조 제3항).

한편 공시를 직접공시와 간접공시로 분류하기도 한다. 이때 직접공시는 특정 상대방에 대해서 회사가 직접 정보를 제공하는 방식을 말하는데, 주주총회 소집 통지시에 통지서에 첨부되는 서류를 통한 공시가 그 예이다. 반면, 간접공시는 회사가 특정 장소에 정보를 비치하고 공시의 상대방으로 하여금 그 장소에 가서 정보를 취득하도록 하는 방식이다. 재무제표 등의 비치의무와 그 열람권이 그 예이다. 간접공시는 직접공시에 비하여 비용면에서는 부담이 적지만 정보전달의 효과 면에서는 떨어진다.3)

또한 공시사유가 발생하였을 때 기업이 자발적으로 공시하는 것을 능동적 공시라 하고, 상대방의 요구에 응하여 회사가 기업정보에의 접근을 허용하는 것을 수동적 공시라 한다.4) 회계장부열람청구권은 후자에 해당한다. 이와 같은 분류를 기준으로 할 때 본고의 중심적 내용은 간접공시와 수동적 공시에 해당한다.

Ⅱ. 자본시장 및 금융투자업에 관한 법률상 공시주의

증권의 발행이나 상장회사에 대하여 적용되는 자본시장 및 금융투자업에 관한 법률(이하 "자본시장법"이라 한다)상의 공시주의 내용이 실무에서는 대단히 중요하다. 그러나 본고는 회사법상 공시주의를 다루고 있으므로 자본시장법상 공시주의에 대해서는 간략히 소개하는 것에 그치기로 한다.

공시주의 또는 공시규제는 불공정거래규제와 함께 구 증권거래법 규제의 주

---

2) 김연미, "회사 웹사이트를 통한 정보 공시의 문제점," 「홍익법학」 제12권 제2호(홍익대학교 법학연구소, 2011), 345면.

3) 정동윤·박길준·권재열·이범찬·송승준·손수일, 「주석상법 - 회사법3」(한국사법행정학회, 2003), 75면.

4) 홍복기·김성탁·김병연·박세화·심영·권재열·이윤석·장근영, 「회사법 - 사례와 이론」 (박영사, 2012), 671면.

요한 틀을 형성하였는데, 이 중요성은 자본시장법 하에서도 그대로 동일하다. 자본시장법상의 공시제도는 증권의 발행인으로 하여금 증권의 내용이나 발행회사의 재산 및 경영상태 등 투자자의 투자판단에 필요한 기업 내용을 신속, 정확히 공시하게 함으로써, 투자자가 증권이나 발행회사의 실태를 정확하게 파악하고 자신의 자유로운 판단과 책임 하에 투자결정을 하도록 하는 제도로서, 증권거래의 공정성을 확보하고 투자자를 보호함에 그 목적이 있다.[5] 공시규제는 증권의 공모단계에서 적용되는 발행시장의 공시규제와 공모 이후의 단계에서 적용되는 유통시장의 공시규제로 대별된다.

발행시장의 공시규제는 증권신고서와 투자설명서가 중심이다. 불특정 다수인에게 증권을 모집 또는 매출하고자 하는 자는 투자판단에 영향을 줄 가능성이 있는 중요한 정보를 기재한 증권신고서를 금융위원회(이하 "금융위"라 한다)에 제출하여야 한다(자본시장법 제119조 제1항). 또한 증권신고의 효력이 발생한 증권을 취득하고자 하는 자에게 투자설명서를 미리 교부하지 아니하면 그 증권을 취득하게 하거나 매도할 수 없다(자본시장법 제124조 제1항). 투자설명서에 포함되어야 하는 중요한 정보는 증권신고서의 그것과 실질적으로 동일하다.

유통시장의 공시규제는 정기공시와 수시공시로 나뉜다. 정기공시의무를 부담하는 회사는 매 사업연도 종료 후 사업보고서(자본시장법 제159조 제1항), 반기보고서 및 분기보고서를(자본시장법 제160조) 각 금융위와 거래소에 제출하여야 한다. 또한 해당 법인은 법이 정하는 중요한 사실이 발생한 경우 수시로 그 내용을 기재한 보고서를 금융위와 거래소에 제출하여야 한다(자본시장법 제161조 제1항).

이 밖에도 자본시장법 하의 많은 제도들이 공시주의의 관점에서 규제되고 있다는 점을 유념할 필요가 있는데, 이는 공시주의의 중요성을 반영한다. 공개매수, 의결권대리행사의 권유, 주식 등의 대량보유자의 보고의무, 내부자의 소유주식보고제도 관련 규제들이 그러하다.

공개매수를 하고자 하는 자는 공개매수신고서를 금융위와 거래소에 제출하고(자본시장법 제134조 제2항), 공개매수설명서를 미리 교부하지 아니하면 그 주식 등을 매수할 수 없다(자본시장법 제137조 제3항). 또한 의결권 대리행사의 권유자는 그 권유에 있어 위임장 용지와 참고서류를 의결권피권유자에게 교부하여야

---

5) 임재연, 「자본시장법」(박영사, 2012), 559면.

한다(자본시장법 제152조 제1항). 해당 서류에는 법이 정한 중요한 사항이 모두 포함되어야 한다.

한편, 주권상장법인의 주식 등을 보유하게 된 자는 보유상황 등 일정한 정보를 금융위와 거래소에 보고하여야 한다(자본시장법 제147조 제1항). 이 제도는 적대적 M&A를 위한 기습적 경영권 침탈을 막기 위한 제도로 출발하였으나, 현재는 투자자 일반에 대한 투자판단의 정보로서 역할을 수행하고 있다. 또한 주권상장법인의 임원 또는 주요주주는 임원 또는 주요주주가 된 날부터 5일 이내에 자기의 계산으로 소유하고 있는 특정증권 등의 소유상황을 증권선물위원회와 거래소에 보고하여야 한다(자본시장법 제173조 제1항). 그리고 동일 품목의 장내파생상품을 금융위가 정하여 고시하는 수량 이상 보유하게 된 자는 그 보유 상황 등을 금융위와 거래소에 보고하여야 한다(자본시장법 제173조의2 제1항).

Ⅲ. 주주권 행사의 측면에서 공시주의

공시주의는 각 주체에게 다른 함의를 갖는다. 규제기관의 입장에서는 시장의 효율성과 공정성을 확보하는 규제수단이고, 회사에게는 면책 요건이나 수단이다. 그러면, 주주에게 공시주의는 어떤 의미가 있는가?

주주는 배당 등을 받을 수 있는 경제적 권리 이외에 의결권 행사 및 각종의 제소권 등을 통하여 이사회를 견제한다. 이러한 주주권의 행사 측면에서 공시주의는 의사결정에 필요한 중요한 정보를 제공받을 것을 요구할 수 있는 권리를 의미하므로, 어떠한 정보가 중요한 정보인가는 어떤 권리를 행사하기 위한 경우인가에 따라 다르겠지만, 그 어떤 경우라도 주주는 그 정보를 제공할 것을 요구할 권리를 갖는다. 이런 의미에서 공시주의는 주주의 권리를 "절차적" 그리고 "실질적"으로 보장하는 중대한 의미가 있다.

최근 이사회를 견제하기 위하여 주주권을 강화하여야 한다는 주장이 설득력을 얻고 있다. 그러나 주식회사는 그를 둘러싼 다양한 이해관계인들이 있고, 매우 복잡한 기제가 작동하기 때문에 어떤 주체에게 권리를 부여하는 문제가 단순할 수는 없다. 주주의 권리를 "실체적"으로 확장하는 것은 그 자체로 매우 복잡한 현상을 창출하기 때문이다. 따라서 비록 이사회 견제를 위하여서라도 이를 위하여 주주의 권리를 실체적으로 확장하는 데는 신중을 요한다. 바로 그 이유에서 기존의 주주권을 실질적으로 보장하기 위한 공시주의는 더욱 의미가 있다.

한편, 주주권의 보장을 통하여 이사회를 통제하는 것 이외에도 공시주의는 그 자체로 이사회의 감독기능을 수행한다는 점을 유념할 필요가 있다. 공시주의는 증권신고서의 허위기재로 인한 책임의 예에서 볼 수 있듯이, 회사는 그 위반 시 민사상, 형사상 책임을 부담하게 된다. 회사는 공시서류의 작성 시 이 점을 의식하여 정확한 기재를 위하여 노력하게 된다. 비록 현실적으로 책임추궁을 당하지 않는다 하더라도, 작성되는 서류가 불특정 다수가 볼 수 있다는 사실 자체가 법상의 의무를 충실히 이행한 서류의 작성을 상당히 담보하게 되기 때문이다.

정보를 독점하지 않고 이해관계인에게 알려주는 공시제도는 정보의 비대칭을 해소하여 궁극적으로는 상거래와 회사제도의 건전성을 확보하고 시장 참여자의 신뢰를 담보하여 회사제도와 자본시장을 활성화하는 핵심적 역할을 한다.

이하에서는 이처럼 중요한 공시주의가 회사법상 어떻게 발현되었는지를 살펴보고자 하며, 구체적으로 상업등기, 주주의 주주명부 열람·등사청구권 및 회계장부 열람청구권을 중심으로 고찰한다.

제 3 절 상업등기

Ⅰ. 총 론

1. 의 의

상업등기란 상법의 규정에 의하여 상업등기부에 하는 등기(제34조)로서, 상업등기부에는 상호, 무능력자, 주식회사 등에 관한 9종의 등기부가 있다(상업등기법 제5조).

상업등기제도는 기업의 공시제도의 하나로, 상거래의 안전을 도모하기 위하여 상인에 관한 중요한 사항을 공시하고 나아가 상인 자신의 신용을 유지하기 위한 제도이다. 상업등기법은 누구든지 상업등기부를 열람할 수 있도록 함으로써 상업등기의 공시적 기능을 제도적으로 보장하고 있다(상업등기법 제10조). 상업등기의 공시기능에 의하여 상인의 거래 상대방과 일반 공중은 간편한 방법으로 상업의 영업에 관한 중요한 정보를 얻을 수 있다. 상인의 거래 상대방이 거래 시마다 중요한 사항을 조사하고 확인하여야 한다면 이는 지극히 번잡하고 불편한 일이다. 상업등기에 의하여 거래 상대방은 이와 같은 불편함으로부터 놓여날 수 있고, 이에 의하여 궁극적으로는 거래의 안전과 활성화가 도모된다.

특히 회사에서는 설립등기(제172조), 이사의 선임(제382조) 및 해임(제385조), 자본의 증감(제591조, 제592조), 전환사채발행(제514조의2), 합병(제233조, 제234조, 제603조), 대표이사(제317조) 등 대외적인 관계에서 중요한 등기사항이 법정되어 있다.

2. 등기사항

각종의 등기사항은 여러 가지 방법으로 분류된다. 등기사항 중에는 반드시 등기를 하지 않으면 안 되는 것과 등기 여부가 당사자의 의사에 맡겨진 경우가 있는데, 전자를 절대적 등기사항이라 하고, 후자를 상대적 등기사항이라 한다. 지배인이나 대표이사의 선임과 해임, 회사의 설립 등기 등은 절대적 등기사항이고, 영업양수인의 면책등기(제42조 제2항)는 상대적 등기사항이다. 그러나 상대적 등기사항이라도 일단 이를 등기한 후에는 그 변경 또는 소멸에 따른 등기는 반드시 하여야 하므로(제40조) 이러한 의미에서 절대적 등기사항이 된다.

또한 등기에 의하여 새로운 법률관계가 창설되는 경우(예를 들어, 회사의 설립이나 합병)가 있는데 이를 설정적 등기사항이라 한다. 이에 반하여 등기에 의하여 당사자의 책임이 면제되는 경우(예를 들어 지배인의 해임)에 이를 면책적 등기라 한다.

3. 등기의 신청인 및 등기신청권

등기신청인이란 등기권리와 등기의무를 갖는 자를 말한다. 개인상인인 경우 그 상인, 회사인 경우에는 그 회사이다. 회사의 등기는 원칙적으로 그 대표자가 이를 신청한다(상업등기법 제17조 제2항).

등기신청은 대리인에 의해서도 할 수 있으며(상업등기법 제18조), 대리인에 의하여 등기를 신청할 때에는 신청서에 그 권한을 증명하는 서면을 첨부하여야 한다(상업등기법 제21조). 대리인은 행위능력자임을 요하지 않는다(민법 제117조).

상업등기에 있어서 '등기신청권'이란 등기에 의하여 직접 등기상의 이익을 받는 자가 등기를 신청할 의무 있는 자에 대하여 등기신청을 할 것을 청구할 수 있는 권리를 뜻한다, 상업등기는 부동산등기와 달리 신청의무자가 법정되어 있고, 또 그의 단독신청에 의하는 것을 원칙으로 한다.

다만, 퇴사한 합명회사, 합자회사의 사원 또는 퇴임한 주식회사, 유한회사의 이사가 그 퇴사 또는 퇴임의 등기에 의하여 이익을 받고 그 등기를 하지 아니함으로써 제3자로부터 사원 또는 이사로서 문책 받는 불이익을 입는 것과 같이 등기에 의하여 직접 등기상의 이익을 받는 경우가 있으므로, 이러한 경우에는 그들에게 등기를 신청할 의무가 있는 자에 대하여 등기신청을 할 것을 청구할 권리를 인정해 주어야 한다.[6]

4. 등기관의 심사권

상업등기는 등기신청자의 영업소 소재지를 관할하는 지방법원, 동 지원 또는 등기소의 관할로 하며, 등기소의 등기관은 등기신청의 적법여부에 대한 심사를 한다(상업등기법 제27조). 이때 등기관의 심사권의 범위에 대하여 견해가 대립한다.

등기관은 등기신청의 형식적 적법성 여부에 관한 사항에 관해서만 심사할 권한과 의무가 있다는 견해(형식적 심사설),[7] 등기관은 형식적 사항뿐만 아니라 그것이 실체적 진실에 합치되는지 여부에 대해서도 심사할 권한과 의무가 있다는 견해(실질적 심사설),[8] 형식적 심사설이 원칙이나 신청사항의 진실성을 의심할 만한 상당한 이유가 있는 경우에 실질적 심사를 긍정하는 견해,[9] 실질적 심사

---

6) 전계원, 「상업등기 실무강의」(육법사, 2010), 119면.
7) 서헌제, 「상법강의(상)」(법문사, 2007), 132면; 손진화, 「상법강의」(신조사, 2011), 110면; 이철송, 「상법총칙·상행위」 제10판(박영사, 2011), 219면; 임중호, 「상법총칙·상행위법」(법문사, 2012), 213면; 임홍근, 「상법: 총칙·상행위」(법문사, 2001), 151면.
8) 서돈각·정완용, 「상법강의(상)」(법문사, 1999), 120면.

설에 기초하면서 진실성에 의심이 없는 경우 이를 심사할 의무가 없다는 견해[10] 등이 대립한다.

형식적 심사설에 의하면 등기관은 형식적으로 심사할 권한과 의무가 있을 뿐이므로, 실체적 사항에 대하여 의심이 있는 경우에도 이를 심사할 수 없을 뿐만 아니라, 이를 사유로 등기의 수리를 거부할 수 없다. 반면, 실질적 심사권이 있다고 보면 일정한 경우 등기사항의 진실성에 관하여 심사를 할 수 있고, 이를 이유로 등기의 수리도 거부할 수 있다. 또한 형식적 심사설은 관련 법령상 등기 신청 시에 요구되어 제출된 서류상의 사실관계를 기초로 판단하여야 하고, 다른 서면의 제출을 받거나 기타의 방법으로 사실조사를 할 수 없다고 보지만, 실질적 심사설은 그렇지 아니하다.

생각건대, 등기가 실체적 진실을 반영하는 것이 마땅하나, 그 일치를 등기공무원의 심사권에 맡기는 것은 여러 가지 문제점이 있다고 생각된다. 실질적 심사권을 부여하려면, 전국적으로 통일된 판단 기준이 정립되어야 하고, 등기 심사관이 실질적 심사를 적법·타당하게 할 수 있는 전문적 지식과 역량이 구비되어야 한다. 형식적 심사설이 타당하다고 본다.

이에 대하여 판례는 상업등기제도는 일정한 사실이나 법률관계를 공시하는 것이 목적이므로, 상업등기에는 실체적인 진실이 반영되어야 하는 것이 당연한 요청이고, 이러한 취지에 비추어 보면 실질적 심사설이 타당하지만, 현행 상업등기법의 기본입장에 비추어 보면, 등기관의 심사권의 범위는 등기신청사항의 형식적 적법성의 심사로 제한되고 있는 것으로 볼 수밖에 없다고 하여, 형식적 심사설의 입장을 취하고 있다.[11]

9) 강위두·임재호, 「상법강의(상)」(형설출판사, 2005), 118면; 정동윤, 「상법(상)」(법문사, 2012), 99면; 채이식, 「상법강의(상)」(박영사, 1996), 103면; 최기원, 「상법학신론(상)」(박영사, 2011), 161면; 최완진, 「상법학강의」(법문사, 2005), 90면.
10) 정찬형, 「상법강의(상)」 제24판(박영사, 2021), 158면; 최준선, 「상법총칙·상행위법」 제11판(삼영사, 2018), 205면.
11) 대법원 2008.12.5. 2007마1154.

Ⅱ. 등기의 효력

1. 서　설

상업등기의 기능이 잘 발휘되기 위해서 법률상의 효력이 부여될 필요가 있다. 상법은 제37조 제1항에서 모든 상업등기에 대한 일반적 효력으로서 등기를 하기 전의 효력으로서 소극적 공시원칙 및 등기를 한 후의 효력으로서 적극적 공시원칙을 규정하고 있다. 또한 상법 각 부분에서 형성력, 대항력의 특수한 효력을 인정할 뿐만 아니라 제39조에서 부실등기의 효력을 규정하여 부실등기에 일정한 효력을 부여하고 있다.

2. 일반적 효력(확보적, 선언적 효력)

가. 등기 전의 효력 – 소극적 공시력

상업등기사항인 사실관계나 법률관계가 존재하여도 등기를 하지 않은 동안은 선의에 제3자에게 대항할 수 없도록 하여 선의의 제3자를 보호하는데(제37조 제1항), 이를 소극적 공시의 원칙이라고 한다.

예컨대, 주주총회에서 이사를 해임한 때에는 해임의 등기를 하여야 하는데, 이 등기가 없는 동안에도 해임의 사실을 알고 있는 악의의 제3자에 대해서는 해임된 사실을 주장할 수 있으나, 이를 알지 못하는 선의의 제3자에 대해서는 그 등기가 없는 동안에는 해임의 사실을 주장할 수 없다.

선의란 등기사항인 당해 사실관계의 존재를 알지 못한 것을 말한다. 선의에 당사자가 중과실인 경우를 포함하느냐에 관하여는 이를 포함한다는 견해[12]와 중과실은 악의로 보아 포함하지 않는다는 견해[13]로 나뉜다. 전자의 견해는 등기

---

12) 손주찬, 「상법(상)」(박영사, 2004), 179면; 손진화, 전게서, 114면; 임중호, 전게서, 221면; 정동윤, 전게서, 101면; 최기원, 전게서, 166면; 최준선, 전게서, 207면.
13) 김정호, 「상법총칙 · 상행위법」(법문사, 2008), 133면; 안강현, 「상법총칙 · 상행위법」(박영사, 2011), 146면; 이철송, 전게서, 108면; 정경영, 「상법학강의」(박영사, 2009), 100면; 정찬형, 전게서(상), 159면.

를 하지 않은 자를 굳이 강하게 보호할 필요가 없고, 제3자에게 사실에 관한 조사의무를 부담시키는 것은 부당하다는 점 등을 근거로 한다. 후자의 견해는 중과실 있는 선의까지 보호함은 형평에 어긋난다고 본다. 제3자는 등기사항에 정당한 이해관계를 가지는 자를 말한다.[14) 선의의 제3자는 그 사실을 가지고 대항할 수 있다.

나. 등기 후의 효력

그러나 등기사항이 등기되면 선의의 제3자에게도 이를 대항할 수 있다. 이로써 제3자의 등기사실에 대한 악의가 의제된다. 다만, 등기가 되었더라도 제3자가 정당한 사유로 인하여 이를 알지 못한 때에는 이를 대항하지 못한다.(제37조 제2항) 정당한 사유에 대한 입증책임을 이를 주장하는 제3자가 부담한다. 정당한 사유는 예외적인 사유이므로 엄격하게 해석하여야 한다.

다. 적용 범위

동조의 등기사항에는 절대적 등기사항뿐만 아니라 상대적 등기사항도 포함된다. 면책적 등기사항뿐 아니라 설정적 등기사항에도 적용된다.

통상적인 거래관계 이외에 소송행위에도 적용되는가? 예를 들어 지배인이 해임되었으나 해임등기가 되기 전에 영업주에 대한 소송서류가 그 지배인에게 송달된 경우 송달이 유효한가의 문제이다. 이에 대하여 적용긍정설,[15) 적용부정설[16) 및 각개의 소송행위에 따라 달리 검토되어야 한다는 견해[17)가 대립한다. 다수설인 적용긍정설은 소송행위도 거래활동의 연장이므로 거래행위와 차별을 할 이유가 없고, 일방의 게으름으로 등기가 지연되었는데, 그 불이익을 타인이 입는 것은 불합리하다는 점을 근거로 한다.

생각건대, 실체법적 거래관계에 적용되는 규정이 특별한 준용규정이 없이 소송의 절차에 관한 법에 준용된다고 볼 수는 없다. 실체법과 절차법에는 서로 다른 이념과 원칙이 적용되기 때문이다. 판례도 절차의 안정성과 명확성을 중시하

14) 대법원 1960.4.21. 4290민상816.
15) 이기수·최병규,「상법총칙·상행위법」(박영사, 2010), 214면; 이철송, 전게서, 227면; 정찬형, 전게서(상), 162면; 최기원, 전게서, 169면.
16) 정동윤, 전게서, 102면; 김성태,「상법총칙·상행위법강론」(법문사, 2002), 331면.
17) 손주찬, 전게서, 181면.

여 소송행위에는 상법 제37조가 적용될 수 없다는 입장이다.[18]

불법행위나 부당이득과 같이 법률행위를 기초로 하지 않은 법률관계에 대해서도 견해가 나뉘나, 다수의 견해는 원칙적으로 이를 적용하지 않는 것으로 본다.

라. 표현책임과의 관계

해임된 대표이사가 해임등기 후 제3자와 거래한 경우, 그 제3자가 등기부를 열람하지 않은 과실로 해임된 사실을 알지 못한 때(선의)에도 제37조 제1항에 의하여 제3자의 악의가 의제되는가?

표현대표이사의 행위는 그가 회사를 대표할 권한이 없음에도 불구하고 회사가 일정한 경우 선의의 제3자에 대하여 그 책임을 지게 된다(제395조). 이때 제37조 제1항이 적용된다고 한다면 그 제3자는 악의가 의제되어 표현대표이사 제도에 의해 보호받을 수 없게 된다.[19]

이에 대하여 통설은 표현대표이사의 행위에 대하여는 외관을 신뢰한 선의의 제3자를 보호하기 위하여 상업등기의 효력에 관한 제37조의 규정은 적용되지 않는다고 한다. 통설 가운데 이론적 근거가 나뉜다. 일부 견해는 제395조가 제37조에 우선적으로 적용되는 예외규정이라고 본다. 제37조의 의미는 제3자의 악의를 의제하는데 있고, 상법의 외관보호에 관한 규정은 제37조의 예외규정이므로 우선적으로 적용되어야 한다고 한다(이른바 "예외규정설").[20]

다른 견해는 제395조는 제37조가 규정하는 등기의 공시력과는 별개의 차원에서 외관을 보호하는 취지라고 본다(이른바 "이차원설").[21] 제37조는 미등기의 등기의무자를 불리하게 취급함으로써 등기의무가 이행되고 등기제도가 기능을 할 수 있도록 하는 것이며, 등기 후에 제3자의 악의를 의제하는 것은 아니라는 것이다. 따라서 외관보호규정의 적용에 문제는 없다고 한다.[22]

판례는 이차원설을 취하여, 제395조가 적용되어야 하는 근거를 외관보호규정은 제37조가 규정하는 등기의 공시력과는 다른 차원에서 외관을 보호하고 있다

---

18) 대법원 1994.2.22. 93다42047.
19) 표현지배인(제14조)에 대하여서도 같은 쟁점이 있다.
20) 정찬형, 「로스쿨회사법」(박영사, 2010), 190면; 최기원, 「신회사법론」(박영사, 2012), 646면; 최준선, 「회사법」제16판(삼영사, 2021), 521~522면.
21) 이기수·최병규, 「회사법: 상법강의II」(박영사, 2011), 390~391면; 이철송, 「회사법강의」제29판(박영사, 2021), 739면; 정동윤, 「회사법」(법문사, 2001), 424면.
22) 손주찬·정동윤·양명조, 「주석상법」(한국사법행정학회, 2003), 289면.

는 점에서 찾고 있다.[23) 이사의 자격이 없는 자에게 회사가 표현대표이사 명칭을 사용하게 한 경우이거나 이사의 자격 없이 그 명칭을 사용하는 것을 회사가 알고 용인상태에 둔 경우에는 회사는 상법 제395조에 의한 표현책임을 면할 수 없다고 판시하였다.

3. 특수한 효력

위 상업등기의 일반적 효력은 등기사항이 되는 법률관계가 이미 성립되었음을 전제로 이를 등기의 방법으로 공시하여 제3자에게 대항하기 위한 것이다. 이외에도 상업등기에는 법률관계를 창설하거나 확정하는 특수한 효력이 있다.

가. 형성력(창설적 · 설정적 효력)

회사의 설립이나 합병 등과 같이 회사를 둘러싼 내적 · 외적 이해관계인이 다수 발생하는 경우에 개별적으로 그 선의나 악의를 따져 대항력 유무를 판단하는 것이 부적절하다. 이런 경우 법률관계를 획일적으로 확정하는 창설적 효력이 부여된다.

회사는 본점 소재지에서 설립등기를 함으로써 성립하여(제172조), 회사의 합병도 본점소재지에서 합병등기를 함으로써 효력이 발생한다.(제234조, 제269조, 제530조 제2항, 제603조) 이에 따라 회사의 실체가 형성되더라도 설립등기를 하기 전에는 회사로 인정되지 않으며, 설립등기에 의하여 회사라는 법인이 창설되는 것이지 등기에 의하여 회사설립의 대항력이 생기는 것이 아니다. 일반적 등기사항은 등기 후에도 제3자가 정당한 사유로 이를 알지 못한 경우에 등기의 대항력이 생기지 않지만, 회사의 설립등기가 된 후에는 제3자가 이를 알지 못한 경우라도 설립의 효력이 부여된다. 즉 이 효력은 제3자의 선의나 악의에 관계없이 적용된다.

나. 보완적 효력

일정한 사항은 등기하게 되면 등기사항인 법률관계의 전제조건은 사실에 존

---

23) 대법원 1979.2.13. 77다2436.

재하는 하자가 치유된 것과 같은 효과가 나타나서 등기 이후에는 그 하자를 주장하지 못하게 되는데, 이를 보완적 효력이라 한다.

예를 들어 회사의 설립등기를 하면 후에 회사설립의 무효·취소판결이 확정되어도 종래의 법률관계에는 아무런 영향을 미치지 않고(제190조, 제269조, 제328조 제2항, 제522조 제2항), 주식회사의 설립등기나 신주발행의 변경등기가 있은 후 1년이 경과한 때에는 주식인수인이 주식청약서 또는 신주인수권증서의 요건의 흠결을 이유로 하여 그 인수의 무효를 주장하거나 사기·강박 또는 착오를 이유로 하여 그 인수를 취소하지 못하는 것(제320조, 제427조) 등이다. 이러한 효력은 등기의 일반적 효력과 무관하다.

다. 부수적 효력

등기가 어떠한 행위를 허용하거나 면책하는 기초를 제공하는 경우가 있는데, 이를 등기의 부수적 효력이라 한다. 예를 들면, 주식회사가 설립등기를 하면 주권을 발행할 수 있고(제355조 제2항), 권리주도 양도할 수 있다(제319조).

Ⅲ. 부실등기의 효력

1. 상업등기의 추정력과 공신력

상업등기부에 등기된 사항은 일단 진실이라고 추정되는 사실상의 추정력이 있다.[24] 그런데 등기한 사실관계가 법률상 진실한 것이라고 추정되는가에 대하여서는 학설이 나뉜다. 법률상의 추정력이 인정되면, 등기된 사항의 존재를 부인하는 자가 그와 반대되는 사실에 대한 입증책임을 부담한다.

등기에 법률상의 추정력을 인정한다고 하더라도, 당사자가 등기와 진실관계가 다르다는 것을 입증한 경우 제3자의 신뢰는 보호받지 못한다. 즉, 상업등기에는 공신력이 없다. 상업등기제도는 객관적 진실을 공시하여 그 효력을 확보하자는 데 목적이 있으므로, 객관적 진실과 다른 사항을 등기하더라도 원칙적으로 아무런 효력이 생기지 않는다. 여기에 등기사항을 믿고 거래한 제3자가 보호받

---

24) 대법원 1983.12.27. 83다카331.

지 못하는 문제가 생긴다.

이처럼 상업등기에 절대적 공신력을 인정하지 않는 것은 등기공무원이 실질적 심사권을 갖지 않는 현재의 제도의 귀결이다. 등기공무원의 착오나 제3자의 허위신청에 의한 부실등기에 대해서까지 본인에게 책임을 지우는 것은 너무 가혹한 일이며, 상인과 거래하는 제3자의 수는 많고 거래량도 막대한데, 공신력을 인정하여 제3자만 보호한다면 기업의 기초를 위태롭게 할 염려가 있기 때문이다.

2. 부실등기의 효력

가. 서   설

상업등기의 효력은 등기된 기초 사실이 유효하게 존재하는 것을 전제로 인정되므로, 그러한 사실관계가 존재하지 않는 경우에는 등기가 있어도 효력이 생기지 않는다.

등기와 사실이 일치하지 않는 경우는 두 가지 경우로 나눌 수 있다. 먼저 사실은 존재하는데 등기가 없는 경우와 사실이 존재하지 않은 상태에서 등기만 된 경우이다. 전자의 경우 사실관계의 존재를 선의의 제3자에게 대항하지 못하고, 악의의 제3자에게는 대항할 수 있다. 후자의 경우 등기의 공신력이 없다.[25]

이처럼 등기된 사실이 존재하지 않거나 무효 또는 취소된 경우에 등기는 효력이 없고, 등기된 사항은 일단 진실하다는 사실상의 추정력밖에 없다. 법률상 추청력이 부여되는 경우 법원은 소송에서 당사자의 주장에 관한 판단을 함에 있어 해당 사실을 반드시 추정하여야 한다. 사실상의 추정력에는 이처럼 반대되는 사실을 주장하는 당사자에게 입증책임이 부담되는 법률상의 추정력은 없으므로 입증책임을 전환시키지 않는다. 이유는 법률상의 추정력을 부여할 정도로 상업등기의 심사가 철저하지 못하기 때문이라고 보는 것이 다수이다.

다만 판례는 법인등기부에 이사 또는 감사로 등재된 경우에는 특단의 사정이 없는 한 정당한 절차에 의하여 선임된 이사 또는 감사로 추정된다고 판시하고 있다.[26]

---

25) 손주찬·정동윤·양명조, 전게서, 300면.
26) 대법원 1983.12.27. 83다카331.

그런데 이처럼 상업등기에 공신력이 없어 등기된 사실을 믿은 사람은 불측의 손해를 입게 된다. 여기에 일정한 경우 등기가 실체관계에 부합하지 않더라도 이를 신뢰한 선의의 제3자를 보호할 필요가 있다. 상법은 제39조에서 고의 또는 과실로 사실과 상위한 등기를 한 경우에는 그 등기를 신뢰한 자에게 대항하지 못하도록 하고 있다. 동 조항의 이론적 근거를 외관주의에서 찾기도 하고, 일정한 경우 제한적으로 공신력을 인정한 것으로 보기도 한다. 어떤 학설에 따르더라도 동조의 근거에 대한 이해가 다를 뿐 실질적 차이는 없다.

나. 적용 요건

1) 사실과 상위한 등기

사실과 다른 등기가 존재하여야 한다. 등기할 사항이면 어떤 것이든 그 전부 또는 일부가 사실과 상위한 경우 선의의 제3자는 등기된 사실을 주장할 수 있다.

그런데 이미 등기한 사항에 대하여 변경·말소의 등기(제40조)를 하여야 함에도 불구하고 그 등기를 하지 아니하여 현재의 등기가 결과적으로 진실한 사실관계와 다르게 된 경우에도 동조를 적용할 수 있는가의 문제가 있다.

이에 대하여 등기사항을 등기하지 않은 경우를 규정한 제37조 제1항이 적용되고 제39조는 적용되지 않는다는 견해[27]와 제37조와 제39조가 모두 적용된다는 견해[28]로 나뉜다. 주식회사의 대표이사 선임절차에 하자가 있어 선임결의에 무효 또는 취소 판결이 내려진 경우 판례는[29] 선임 후 판결이 있기까지의 기간 동안 동 대표이사의 등기에 제39조를 적용한다고 보고 있다(이에 관하여 상세히는 아래 2)다) 및 3) 참조).

2) 등기신청권자의 고의·과실

사실과 상위한 등기가 된 데 대하여 등기신청권자의 귀책사유가 있어야 한다. 제39조의 등기한 자는 등기의무자 본인과 대리인, 등기의무자를 위하여 등기신청을 할 권한이 있는 자를 말한다. 따라서 법원의 등기촉탁상의 잘못이나

---

27) 김정호, 전게서, 146면; 이철송, 전게서(상), 232면; 윤용섭, "부실등기의 효력을 규정한 상법 제39조가 적용되기 위한 요건으로서 등기신청권자의 고의·과실,"「상사판례연구」제1권(한국상사판례학회, 1996), 107면; 정동윤, 전게서(상), 103면.
28) 손주찬 외 2인, 전게서, 301면; 정찬형, 전게서(상), 165~166면.
29) 대법원 2004.2.27. 2002다19797.

등기공무원의 등기기입상의 과실로 부실등기가 이루어진 경우는 원칙적으로 본 조가 적용되지 않는다.[30]

회사가 등기신청인인 경우에는 그 대표자가 등기를 신청하므로(상업등기법 제 17조 제2항), 귀책의 기준은 회사의 대표기관이 된다. 대법원도 합명회사에 있어 서는 사실과 상위한 등기를 하였거나, 이를 방치하였다는 것은 회사의 대외적 관계에 있어서의 문제이므로 그 부실등기를 한 사실이나 그를 방치한 사실에 대 한 고의 또는 과실의 유무는 어디까지나 그 회사를 대표할 수 있는 업무집행사 원을 표준으로 하여 결정한다고 판시하였다.[31]

3) 제3자의 고의, 과실의 경우

제39조는 이처럼 등기신청권자가 사실과 다른 등기를 한 때 적용되는 규정 이다. 그런데, 등기신청권자가 아닌 제3자가 부실등기를 한 때에도 동조가 유추 적용될 것인가? 구체적으로 등기를 신청할 권한이 없는 자가 부실등기를 하였고 등기신청권자가 고의 또는 과실로 이를 방치한 경우가 문제이다.

이에 대하여 등기신청권자의 과실이 인정될 때에 유추적용한다는 견해,[32] 부 실등기를 알고 방치하는 것에 고의 또는 중대한 과실이 인정되는 경우에 유추적 용한다는 견해,[33] 부실등기를 악의 또는 중대한 과실로 방치한 것이 고의 또는 과실로 부실등기를 한 것에 상응하다고 인정되는 경우에 유추한다는 견해,[34] 부 실등기를 고의로 방치한 경우에 국한하여 유추적용한다는 견해[35]가 나뉜다.

대법원은 제3자가 사실과 다른 등기를 신청한 것이 등기신청권자 자신의 고 의나 과실로 부실등기를 신청한 것과 동일시 할 수 있는 때에만 부실등기의 책 임이 발생한다고 판시하였다.[36] 등기신청권자가 그 등기가 이루어지는데 관여하 거나 부실등기의 존재를 알면서 방치한 경우를 적시하고 있다.

---

30) 이철송, 전게서(상), 233면; 윤용섭, 전게논문, 107~108면.
31) 대법원 1971.2.23. 70다1361, 1362.
32) 이철송, 전게서(상), 234면; 정동윤, 전게서(상), 103면; 윤용섭, 전게논문, 110면.
33) 정찬형, 전게서(상), 167~168면; 최준선, 전게서(상), 216면; 김재범, "이사선임결의 취소판 결과 부실등기의 성립 – 대상판결: 대법원 2004.2.27. 2002다19797,"「경영법률」제18집 제1호(한국경영법률학회, 2007), 104면.
34) 정경영, 전게서, 107면; 염미경, "부실등기의 성립 요건 – 이사를 선임한 주주총회결의의 하자를 중심으로,"「상사법연구」제29권 제2호(한국상사법학회, 2010), 186면.
35) 송옥렬,「상법강의」제2판(홍문사, 2012), 75면.
36) 대법원 2008.7.24. 2006다24100.

사안은 구체적으로 원고회사의 지분을 50% 소유한 자가 주주총회를 개최한 바 없이 허위로 작성한 주주총회회의사록에 의하여 대표이사의 선임등기를 마쳤으나 그에 대하여 주주총회부존재확인판결이 확정된 사안이다. 법원은 "등기신청권자 아닌 사람이 주주총회의사록 및 이사회의사록 등을 허위로 작성하여 주주총회결의 및 이사회결의 등의 외관을 만들고 이에 터 잡아 대표이사 선임등기를 마친 경우에는, 회사의 적법한 대표이사가 부실등기가 이루어지는 것에 협조, 묵인하는 등의 방법으로 관여하였다거나 회사가 그 부실등기의 존재를 알고 있음에도 시정하지 않고 방치하는 등 이를 회사의 고의 또는 과실로 부실등기를 한 것과 동일시할 수 있는 특별한 사정이 없는 한, 회사에 대하여 상법 제39조에 의한 부실등기 책임을 물을 수 없다"고 판시하였다. 이때 "위와 같은 허위의 주주총회결의 등의 외관을 만들어 부실등기를 마친 사람이 회사의 상당한 지분을 가진 주주라 하더라도 그러한 사정만으로는 회사의 고의 또는 과실로 부실등기를 한 것과 동일시할 수는 없다"고 판단하였다.

또한 "허위의 주주총회, 이사회 의사록에 선임된 것으로 기재된 이사 및 대표이사가 기존에 적법하게 선임된 이사 및 대표이사를 배제한 채 과반수에 미달하는 일부 주주에 대하여만 소집통지를 보낸 후 주주총회를 개최하여 일부 주주만의 찬성으로 이사 선임결의를 하고, 거기서 선임된 이사들로 구성된 이사회를 개최하여 새로운 대표이사를 선임한 후 대표이사 선임등기를 마친 경우에는, 비록 외형상 주주총회결의 및 이사회결의가 존재한다고 하더라도 그것이 적법하게 선임된 대표이사와 이사들 및 나머지 주주들의 관여가 배제된 채 이루어진 이상 등기신청권자인 회사가 선임등기가 이루어지는데 관여한 것으로 볼 수 없고, 달리 회사의 고의·과실로 불실등기를 한 것과 동일시할 수 있는 특별한 사정이 없는 한 회사에 대하여 상법 제39조에 의한 불실등기 책임을 물을 수 없다"고 판시하였고, 이 경우 "허위의 주주총회결의 등의 외관을 만들어 불실등기를 마친 자가 회사의 상당한 지분을 가진 주주라 하더라도 그러한 사정만으로 회사의 고의 또는 과실로 불실등기를 한 것과 동일시할 수 없다"고 하였다.[37]

그러나 등기신청권자가 부실등기를 알지 못하여 방치한 것에 과실이 있다 하더라도 제39조가 적용되지 않는다고 한다. 이와 관련하여 대법원은 "제3자가 명

---

37) 대법원 2011.7.28. 2010다70018.

의를 도용하여 등기신청을 함에 있어 등기신청권자의 과실이 있다 하더라도 이로써 곧 등기신청권자 자신이 고의나 과실로 사실과 상위한 등기를 신청한 것과 동일시할 수는 없는 것이고, 또 이미 경료되어 있는 부실등기를 등기신청권자가 알면서 이를 방치한 것이 아니고 이를 알지 못하여 부실등기 상태가 존속된 경우에는 비록 등기신청권자에게 부실등기 상태를 발견하여 이를 시정하지 못한 점에 있어서 과실이 있다 하여도 역시 이로써 곧 스스로 사실과 상위한 등기를 신청한 것과 동일시할 수는 없다"고 판시하였다.[38]

4) 제3자의 선의

제3자는 선의이어야 한다. 선의란, 등기내용이 사실과 다름을 알지 못하는 것을 말한다. 이때의 제3자는 등기의무자의 직접 상대방에 국한되지 않고, 등기사실을 기초로 법률관계를 형성한 모든 자이다. 선의, 중과실의 자도 보호되는지에 대하여서는 견해가 대립된다. 이때의 상대방 보호 문제도 외관법리에 의해 결정되어야 하고, 이 법리에 의하여 보호되는 제3자는 중과실 있는 자를 제외함이 타당하다.

다. 이사선임결의 취소판결과 부실등기의 문제

1) 문제점

하자있는 주주총회결의에 의해서 이사로 선임된 이사들로 구성된 이사회에서 선정된 대표이사가 대표이사 선임등기를 마쳤으나 이사선임의 주주총회결의에 대한 취소판결이 확정된 경우 취소판결이 확정될 때까지 존재한 대표이사 선임등기에 상법 제39조가 적용될 수 있는지 여부가 문제된다. 1995년 상법 개정에 의하여 판결의 소급효를 제한한 단서의 규정이 삭제됨으로써, 취소 등 판결에 의하여 대상 결의를 전제로 한 법률행위가 소급하여 효력을 잃게 되었는데, 이로 인하여 부각된 문제이다.

2) 견해의 대립

등기신청권이 없는 자에 의한 부실등기로 상법 제39조가 유추적용된다는 견해[39]와 상법 제37조 제1항이 적용된다는 견해[40]가 대립한다.

38) 대법원 1975.5.27. 74다1366.

대법원은 이 문제에 대하여 "이사선임의 주주총회결의에 대한 취소판결이 확정된 경우 그 결의에 의하여 이사로 선임된 이사들에 의하여 구성된 이사회에서 선정된 대표이사는 소급하여 그 자격을 상실하고, 그 대표이사가 이사선임의 주주총회결의에 대한 취소판결이 확정되기 전에 한 행위는 대표권이 없는 자가 한 행위로 무효가 된다. 이사선임의 주주총회결의에 대한 취소판결이 확정되어 그 결의가 소급하여 무효가 된다고 하더라도 그 선임결의가 취소되는 대표이사와 거래한 상대방은 상법 제39조의 적용 내지 유추적용에 의하여 보호될 수 있으며, 주식회사의 법인등기의 경우 회사는 대표자를 통하여 등기를 신청하지만 등기신청권자는 회사 자체이므로 상법 제39조의 부실등기에 해당한다"고 판시하였다.[41]

그러나 이때 등기신청자의 귀책사유는 무엇인가에 대한 판단을 특별히 언급하고 있지 않다. 다만, 대법원은 등기신청권자가 아닌 사람이 주주총회의사록 등을 허위로 작성하고 이에 근거하여 대표이사 선임등기를 마친 경우에는 주주총회 개최와 결의가 존재하지만 무효 또는 취소사유가 있는 경우와 달리, 그 대표이사 선임에 관한 주식회사 내부의 의사결정이 존재하지 아니하여 등기신청권자인 회사가 그 부실등기가 이루어지는 것에 관여하였거나 회사가 그 부실등기의 존재를 알고도 방치하는 등 이를 회사의 고의 또는 과실로 부실등기를 한 것과 동일시할 수 있는 사정이 없는 한 회사에 대하여 부실등기의 책임을 물을 수 없다고 하여 주주총회결의가 취소된 경우에는 회사가 부실등기에 관여한 것임을 간접적으로 인정하고 있다.

3) 효 과

이상의 요건을 갖춘 경우 부실등기를 한 자는 그 등기의 내용이 사실과 상위함을 선의의 제3자에게 대항하지 못한다. 제3자는 등기된 사실관계를 주장할 수도 있고, 등기와 다른 진실된 사실관계를 주장할 수도 있다.

---

39) 김재범, 전게논문, 104면.
40) 안성포, "선임결의가 취소되는 대표이사와 거래한 상대방의 보호," 「법률신문」 제3357호 (2005. 4.).
41) 대법원 2004.2.27. 2002다19797.

제 4 절 주주명부, 재무제표 등의 공시

Ⅰ. 서 설

상법상 회사는 주주 또는 회사채권자에게 회사의 조직과 재무에 관한 일정한 서류를 공시하여야 한다. 이로 인하여 주주와 채권자는 일정한 이익을 보호받음과 동시에 회사의 기관을 감시한다.[42]

회사는 회사의 정관, 주주총회의 의사록을 본점과 지점에, 주주명부, 사채원부를 본점에 비치하여야 한다(제396조 제1항). 이때 주주와 채권자는 영업시간 내에 언제든지 이 서류의 열람 또는 등사를 청구할 수 있다(제396조 제2항). 또한 주주는 영업시간 내에 이사회의사록의 열람·등사를 청구할 수 있는데(제391조의3 제3항), 회사가 열람·등사청구를 거부하는 경우 주주는 법원의 허가를 얻어 이사회의사록을 열람·등사할 수 있다(제391조의3 제4항).

한편, 이사는 매 결산기에 대차대조표, 손익계산서, 이익잉여금처분계산서 또는 결손금처리계산서와 그 부속명세서 등을 작성하여 이사회의 승인을 받아야 하고(제447조 제1항), 매결산기에 영업보고서를 작성하여 이사회의 승인을 받아야 한다(제447조의2 제1항). 이사는 재무제표 및 그 부속명세서, 영업보고서 그리고 감사보고서를 정기총회일 1주간 전부터 본점에 각 5년간, 그 등본을 지점에 3년간 비치하여야 하며(제448조 제1항), 상장회사 등 외부감사인의 감사를 받는 회사는 외부감사인의 감사보고서도 비치·공시하여야 한다(주식회사의 외부감사에 관한 법률(이하 "외감법"이라 한다) 제14조 제1항).

---

42) 김건식·김교창·최완진·권기범, 「주석상법 - 회사법(4)」(한국사법행정학회, 2003), 269면.

Ⅱ. 주주명부 열람·등사청구권

1. 중 요 성

주주가 소수주주권의 지주율 요건을 충족하기 위하여 다른 주주에게 연락하여야 하는 경우, 적대적 M&A를 위한 위임장권유(proxy solicitation)를 하려는 경우 등에는 주주명부가 필수적이다. 미국의 경우 증권거래법(the Securities Exchange Act of 1934)에 의하여 반대주주는 위임장 참고서류를 자신이 직접 우송할 수 있도록 자신의 비용으로 회사로부터 주주명부를 얻거나, 주주가 인쇄비와 우송료를 부담하는 것을 조건으로 회사가 어느 주주의 대리인으로 다른 주주들에 대하여 서류를 우송할 수 있도록 하고 있다.43) 이와 별도로 주주는 회사법상의 주주명부 열람권도 동시에 행사할 수 있다.

2. 정당한 목적의 요부 및 판단

상법은 회계장부열람권에 대하여는 회사가 주주의 청구가 부당함을 증명하지 아니하면 이를 거부하지 못한다고 규정하고 있으나(제466조 제2항), 주주명부 열람·등사청구권(이하 "열람권"으로 약칭한다) 등과 관련하여서는 거부 요건을 규정하고 있지 않다. 이처럼 주주명부 열람권을 규정한 제396조 제2항이 회계장부 열람권을 규정한 제466조 제2항과 법문상 명문의 차이가 있으므로, 주주명부 열람권에는 청구의 정당성 요건이 요구되지 않는지 의문이 제기된다.

이에 대하여 회사의 조직법적 법률관계의 기초적인 사항에 관한 주주나 채권자의 정보접근권을 인정한 것으로 주주, 채권자의 신분으로 족하고 열람이나 등사의 목적이 정당하다는 증명까지는 요구하지 않는다는 견해도 있다.44) 그러나 판례는 회사가 그 청구의 목적이 정당하지 아니함을 주장, 입증하는 경우에는 이를 거부할 수 있다고 판시하였고,45) 이러한 입장은 유지되고 있다.46) 따라서

---

43) Regulation 14A, Rule 14a-7. 회사는 주주명부를 직접 제공하는 방법보다 회사가 직접 이를 송부하는 방식을 선호하므로, 경우에 따라서는 주주가 이 명부를 확보할 방법이 필요하다.

44) 이철송, 전게서(회), 1027면.

실무에서는 조문의 표현상의 차이에도 불구하고 두 권리는 회사가 부당한 목적을 입증하여 주주의 청구를 거절할 수 있도록 운용되고 있다.

어떤 경우가 부당한 목적이 있는 경우인가? 이에 대해서는 아직 충분한 판례가 집적되어 있지 않으므로, 이에 관한 미국의 사례가 향후 운용에 참고가 될 것이다. 미국의 델라웨어주 회사법은 정당한 목적을 "주주로서의 이익에 합리적으로 관련되는 목적(a purpose reasonably related to such person's interest as a stockholder)"으로 규정하고 있다.[47]

경영진에 대하여 적대적인 주주가 위임장 권유를 하기 위하여 주주명부의 열람을 청구하는 경우, 법원은 일반적으로 정당한 목적을 인정하고 있다.[48] 회사의 이익을 위한 대표소송과 관련하여 소송참여를 권유하기 위한 경우에는 정당한 목적이 인정되고,[49] 회사의 부정행위를 이유로 회사를 상대로 직접 소송을 제기하면서 다른 주주들에게 연락하기 위한 목적으로 주주명부열람권을 행사하는 경우에도 정당한 목적이 인정된다.[50]

그런데 대표소송제기를 위한 주주들 모집을 목적으로 하는 것으로서 그 필요성을 인정하기 어렵다고 보아 신청을 기각한 사례[51]가 위 미국의 판시와 다른 것인지 의문이 제기된다. 그러나 단순히 대표소송 제기의 목적이 정당한 목적의 기준이 될 수는 없다. 소송의 제기를 위한 것이면 정당하고, 그렇지 않은 경우

45) 대법원 2010.7.22. 2008다37193.
46) 서울중앙지방법원 2008.3.31. 자 2008카합641 결정에서는 ㈜신세계를 상대로 하는 주주명부 열람 및 등사가처분신청사건에서 대표소송제기를 위한 주주들 모집을 목적으로 하는 것으로서 그 필요성을 인정하기 어렵다고 보아 신청을 기각하였고, 같은 법원 2008.4.4. 자 2008카합721 결정에서도 삼성생명보험(주)를 상대로 하는 주주명부 열람 및 등사가처분신청 사건에서 주주로서의 권리를 확보하거나 행사하는데 필요한 목적이 아닌 정치적인 목적 등으로 주주명부 열람을 신청한 경우로서 주주명부 열람등사제도의 취지에 맞지 않아 신청에 정당한 이유가 있다고 볼 수 없다는 이유로 신청을 기각하였다.
47) DGCL §220.
48) Shamrock Associates vs. Texas American Energy Corp., 517 A. 2d 563(Del. 1997), Credit Bureau Reports, Inc. v. Credit Bureau of St. Paul, Inc., 290 A. 2d 691(Del. 1972), Carpenter v. Texas Air Corp., A. 2d. 1985 WL 11548 (Del. Ch. 1985), Sadler v. NCR Corp., 928 F. 2d 48(2d Cir. 1991). 임재연, "주주명부 열람권에 관한 연구 – 미국 회사법상 정당한 목적 요건을 중심으로," 「저스티스」 제105권(한국법학원, 2008), 62면에서 재인용.
49) Berkowitz v. Legal Sea Foods, Inc., A. 2d, 1997WL 153815 (Del. Ch., 1997). 임재연, 전게논문, 62면에서 재인용.
50) Compaq Computer Corp. v. Horton, 631 A.2d 1(Del. 1993).
51) 서울중앙지방법원 2008.3.31. 자 2008카합641.

의 주주간 연락은 부당하다는 식으로 도식화될 수 없다는 의미이다. 중요한 점은 대표소송을 제기할 만큼 얼마나 "구체적인" 소송 사유가 당시 존재하였는가가 될 것이다. 회계장부열람등사권의 정당한 청구 요건 역시 이와 같은 검토가 중심이 된다는 점에서 더욱 그러하다. 이런 관점에서 본다면, 양자가 서로 다른 취지라고 보기는 어렵다.

그러나 회사법이 주주명부의 열람권을 정하고 있고, 비록 판례가 정당한 목적을 요구하는 것으로 해석하지만, 법문은 이를 요건으로 하지 않아 미국의 법제보다 완화되어 있다. 또한 공정한 위임장 경쟁을 위하여 이 권리가 폭넓게 인정될 필요가 있고, 실제로도 주주총회소집통지 후 총회일까지라는 시기적 제한이 있어, 그 시기 안에 열람이 숨겨진 다른 목적이 없다면 그 자체가 부당한 목적으로 인정될 가능성이 거의 없다.[52] 따라서 위임장 권유 시의 열람청구는 일반적으로 정당한 목적이 있다고 봄이 타당하다.

그렇다면, 주주명부 열람권과 회계장부열람권의 정당한 목적은 동일한 정도의 구체성을 요구하는가? 생각건대, 이 문제는 회사가 당해 서류를 공개하였을 때 입을 수 있는 피해의 정도가 동일한가의 관점에서 풀이되어야 할 것이다. 회사는 주주명부에 비하여 회계장부의 공개에 더 큰 불이익에 노출되므로, 주주명부열람권의 정당한 목적은 권리행사의 구체적 필요성 측면에서 회계장부열람권보다는 덜 엄격한 잣대가 적용될 수 있다고 생각된다. 미국의 델라웨어주 판결이 회사경영이 부당하게 이루어지고 있는지 조사할 목적,[53] 회사의 재무상황을 정확히 파악할 목적, 주식의 가치를 판단할 목적, 주식매수청구권의 행사를 호소할 목적, 공개매수에 응할지 여부를 판단하기 위하여 다른 주주와 연락할 목적 등을 정당한 목적이라 판시한 것[54]은 이러한 맥락에서 수긍할 수 있다. 주주명부열람권의 행사 요건이 회계장부열람권보다 덜 엄격한 것도 같은 취지로 판단된다.

한편, 회사의 영업비밀을 얻기 위한 경우, 주주로서의 이해가 아닌 제3자로서 이해를 추구하기 위한 경우 등은 정당한 목적을 결한 경우로 보아야 한다.

---

52) 임재연, 전게논문, 74면.
53) 우리 법원은 이러한 추상적인 목적은 회계장부열람등사권의 사유가 아니라고 판시하였다.
54) Folk on the Delaware General Corporation Law, 3d ed 1994. 박영길, "주주의 주주명부열람청구권의 정당한 목적 - 델라웨어 법원의 Compaq Computer Corp. v. Horton 사건을 중심으로," 「기업법연구」 제8집(한국기업법학회, 2001), 539면에서 재인용.

3. 내   용

이 권리는 소수주주권이 아니라 단독주주권으로 인정된다. 이러한 열람·등사청구권을 피보전권리로 하여 가처분을 신청할 수 있다. 회사가 주주들의 주주명부 열람등사청구를 정당한 이유 없이 거절한 경우 이에 대하여 과태료를 부과할 수 있음은 별론, 그로 인하여 주주들에게 의결권 위임을 권유할 기회가 박탈당하였다는 사정만으로는 주주총회 소집절차나 결의방법에 법령 또는 정관에 위배되는 하자가 있다고 보기는 어렵다.[55]

Ⅲ. 재무제표 등의 공시, 열람 및 등본·초본교부청구권

재무제표는 회사의 결산을 위하여 대표이사가 통상 매 결산기별로 작성하여 주주총회의 승인을 받아 확정하는 회계서류이다. 이때의 본점은 정관에 기재된 본점을 의미하고(제289조 제1항 제6호), 지점은 상업등기부에 등기된 지점을 가리킨다(제317조 제2항 제3의4호). 주주와 회사채권자는 영업시간 내에 언제든지 재무제표 및 그 부속명세서, 영업보고서, 감사보고서를 열람할 수 있으며, 회사가 정한 비용을 지급하고 서류의 등본이나 초본의 교부를 청구할 수 있다(제448조 제2항).

주주의 이 권리는 아래 회계장부 열람·등사청구권과 달리 단독주주권이다. 주주와 채권자의 자격은 열람권 행사시를 기준으로 판단한다. 기명주식의 경우에는 주주명부상의 주주가, 그리고 기명사채의 경우에는 사채원부상의 사채권자가 열람권자이다. 주주는 열람 및 등본·초본교부청구권을 피보전권리로 하여 가처분을 신청할 수 있다.

열람권은 열람의 권리 이외에 등·초본의 교부를 청구할 수 있는 권리를 포함한다. 재무제표 등의 이러한 등·초본의 교부에 갈음하여 복사를 청구할 수 있는가? 비록 명시적 규정은 없지만, 이 권리를 인정하는 이상 복사의 청구를 금지할 필요는 없다고 생각된다.[56]

---

55) 서울북부지방법원 2005.8.18. 자 2005가합2220.

주주명부와 마찬가지로 재무제표 등의 열람 및 등본·초본교부청구권 및 가처분 신청시 명문의 규정에 불구하고 열람목적의 정당성이 요구된다.[57]

상장회사는 사업연도 경과 후 90일 내에 사업보고서를 금융위원회와 거래소에 제출하여야 하며, 사업연도가 1년인 회사는 반기보고서와 분기보고서도 각각 그 기간 경과 후 45일 내에 금융위원회와 거래소에 제출하여야 한다(자본시장법 제159조, 제160조). 이사는 주주총회가 재무제표를 승인한 후 지체 없이 대차대조표를 공고하여야 하며(제449조 제3항), 이때 외부감사를 받는 회사는 감사인의 명칭과 감사의견을 병기하여야 한다(외감법 제14조 제2항).

제 5 절   주주의 회계장부 열람·등사청구권

Ⅰ. 서   설

1. 의   의

주주는 주주총회에서 의결권을 행사하는 방법으로 회사의 중요한 의사결정에 제한적으로 참여할 수 있지만, 업무집행에는 관여하지 못한다. 다만 대표소송을 제기하거나(제403조), 이사의 위법행위를 유지하게 하거나(제402조), 이사의 해임을 청구함으로써(제385조 제2항) 이사회의 업무집행을 견제할 수 있다.

주주가 이러한 권리를 적절하게 행사하려면, 회사의 업무나 재산 상태에 대한 정확한 지식이 전제되어야 한다. 이러한 필요성 때문에 회사법은 주주에게 경리감사권을 인정하고 있다.

회사법은 경리감사권으로서 회사의 업무 및 재산 상황을 조사하기 위하여 법원에 검사인의 선임을 청구할 수 있는 권리(제467조) 이외에 앞서 살펴본 바와 같이 대차대조표, 손익계산서, 자본변동표, 이익잉여금 처분계산서 또는 결손금

---

56) 김건식 외 3인, 전게서, 78면.
57) 임재연, 「회사법 Ⅰ」(박영사, 2012), 744면.

처리계산서, 영업보고서에 대한 열람 및 등·초본 교부청구권(제447조, 제447조의2, 제448조 제2항, 상법 시행령 제16조 제1항)을 인정하고 있고, 이에 따라 회사는 재무제표를 작성하여 공시하여야 하고, 주주는 재무제표 등의 열람 및 등본·초본교부청구권을 행사할 수 있다. 그러나 회사는 분식회계를 통하여 회사의 외양을 부풀릴 수 있는 가능성이 있고,[58] 재무제표 등만으로 내용을 충분히 파악할 수 없어 기초자료를 통하여 그 내용의 진실성을 확인하여야 할 필요도 있다.[59]

이에 발행주식의 총수의 100분의 3 이상에 해당하는 주식을 가진 주주는 이유를 붙인 서면으로 회계의 장부와 서류의 열람 또는 등사를 청구할 수 있는 권리가 회사법상 마련되어 있다(제466조 제1항). 이 권리는 미국법상 인정된 제도로서 각주의 회사법전은 대부분 회사의 장부와 기록(books and records)에 대하여 열람권(inspection right)을 부여하고 있다.[60]

2. 법적 성격

주주가 회사에 대하여 갖는 권리는 투자자인 주주의 경제적 이익을 확보하기 위한 재산적 권리인 자익권과 그 자신의 이익뿐만 아니라 회사의 이익을 위하여 행사하는 권리로서 회사의 운영에 참가하는 것을 목적으로 하거나 이와 관련하여 행사하는 권리인 공익권으로 분류된다. 이 두 권리의 차이는 자익권의 행사 효과는 그 권리를 행사한 주주에게만 미치나, 공익권의 효과는 주주 전체에게 귀속되는 점[61]에 있다.

주주의 회계장부열람·등사권은 주주가 회사 운용의 병폐의 예방과 교정을 위하여 행사되는 권리로서 주주가 개인의 이익이 아닌 회사 전체의 이익을 위하여 행사하는 것이므로 공익권이라고 보는 견해가 지배적이다. 그러나 이 권리는 그 자체가 목적이 아니라 그 행사 결과를 기반으로 대표소송을 제기하는 등 공익권을 행사할 수도 있고, 주식매수청구를 하는 등 자익권을 행사할 수도 있기 때문에 별도의 중간적 권리로 인정하여야 한다고 보기도 하고, 자익권과 공익권

---

58) 이철송, 전게서(회), 1029면.
59) 임재연, 전게서(회), 734면.
60) 김건식, "미국법상 주주의 장부열람권," 「판례실무연구 Ⅳ」(비교법실무연구회, 2000), 344면.
61) 이철송, 전게서(회), 314면.

의 성격을 동시에 갖는다고 보기도 한다.[62]

생각건대, 이 권리가 자익권인가 공익권인가는 과연 그 구별실익이 무엇인가를 염두에 두고 논의되어야 한다. 무엇보다도 어떤 권리에 해당하느냐에 따라 권리가 인정되는 범위가 달라진다는 점에 의미가 있다. 이 견해의 대립은 구별의 실익이 없는 것으로 이해되기도 하는데, 엄격히 따져보면 구별의 실익이 있다.

주주총회결의의 하자를 다투는 소의 경우 해당 주주총회결의에 찬성한 주주라도 제소할 수 있고 그가 제소한다고 하여 신의성실에 반하는 것은 아니라고 보는데,[63] 그 이유는 주주총회결의의 하자를 다투는 소의 제소권이 공익권이기 때문이다. 따라서 가령 주주가 주주총회 특별결의 없이 자산을 양도한 거래의 상대방이 되거나, 혹은 그 거래의 이해관계인인 경우에도 그 거래를 이유로 회계장부열람·등사권을 행사할 여지가 있을 것이다. 공익권이기 때문에 문제로 적시된 행위로 인하여 이 권리를 행사하는 주주에게 손해가 발생하였을 것을 요건으로 하지 않는다.

회계장부열람·등사권은 주주 개인의 경제적 이익을 의도한 권리는 아니다. 이 권리가 궁극적으로 어떠한 행위를 하기 위한 수단적 성격을 가지고, 종국적 행위에는 주식매수청구권 등의 자익권이 포함되기 때문에 논의가 권리의 성격에 관하여 이견이 있지만, 열람 및 등사권 자체는 회사의 운영에 문제가 있는지 여부를 점검하기 위한 것으로 회사나 주주 일반의 이익에 도움이 되는 권리이다. 따라서 공익권으로 봄이 타당하다. 법원은 이 권리가 공익권에 해당한다고 판단한 바 있다.[64]

한 가지 유념할 점은 혹 이 권리를 자익권으로 이해하더라도, 이때의 자기의 이익은 반드시 당해 회사의 "주주인 지위에서"의 이익이라는 것이다. 따라서 주주가 적대적 M&A의 취득자의 지위 또는 경쟁업자로서의 지위를 겸하고 있는 경우 이 권리를 행사할 때 주주와 취득자 또는 경쟁업자의 두 지위를 갖는다고 하더라도 동 권리행사는 취득자 또는 경쟁업자의 이익이 아니라 주주인 지위에서의 이익으로 분리하여 검토하여야 한다.

---

62) 곽병훈, "주주의 회계장부 열람, 등사청구권," 「사법재판자료」 제25집(법원행정처, 1999), 62면.
63) 대법원 1977.4.26. 76다1440, 1441.
64) 서울고등법원 2019.2.19. 자 2018라59. 이 결정은 대법원 2019.6.5. 자 2019마5267으로 확정되었다.

II. 권리의 행사 요건

1. 청 구 인

이 권리는 주주가 갖는다. 자본시장과 금융투자업에 관한 법률상 실질주주 역시 상법 제396조의 제2항을 유추 적용받아 실질주주명부의 열람 또는 등사를 청구할 권리가 있다.[65] 채권담보의 목적으로 주식이 양도되어 양도담보권자의 경우 회사에 대한 관계에서 주주의 자격을 갖고,[66] 의결권 기타의 공익권도 담보권자인 양수인이 갖는다.[67]

이 권리는 단독주주권이 아니라 소수주주권으로 설계되었다. 비상장회사의 경우는 발행주식 총수의 3% 이상에 해당하는 주식을 가진 주주이어야 하고, 상장회사의 경우에는 6개월 전부터 계속하여 발행주식 총수의 1만분의 10(최근 사업연도 말 자본금이 1천억원 이상인 상장회사의 경우에는 1만분의 10) 이상에 해당하는 주식을 보유한 자이어야 한다. 이처럼 비상장회사는 소유를, 상장회사는 보유를 각 요건으로 하여, 권리의 행사 요건이 달리 규정되어 있다. 이때 보유한 자란 주식을 소유한 자 이외에도 주주권 행사를 위임받은 자, 2명 이상의 주주의 주주권을 공동으로 행사하는 자를 말한다.(제542조의6 제8항)

또한 비상장회사의 경우 소수주주권을 행사하는 시점에 동 지분을 소유하면 충분하지만, 상장회사의 경우는 행사시점에서 소급하여 일정기간 동안 주식을 보유하고 있어야 한다. 이는 상당기간 동안 주식을 보유하여 회사와의 이해관계가 정착되어 있는 주주에 한하여 소수주주권의 행사할 인정할 실익이 있다는 전제 아래,[68] 소수주주권의 남용을 방지하자는 취지이다. 비상장회사의 경우에도 1인의 지주수가 지주 요건에 미달하더라도, 복수의 주주가 소유한 주식수가 동 요건에 해당하면 공동하여 권리를 행사할 수 있다.

---

65) 대법원 2017.11.9. 2015다235841. 이때 유추적용에 의하여 열람 또는 등사청구가 허용되는 범위 역시 유추적용되므로 주주명부의 기재사항에 해당하지 않는 실질주주 전자우편주소는 그 대상이 아니다.
66) 대법원 1993.12.28. 93다8719.
67) 대법원 1992.5.26. 92다84.
68) 이철송, 전게서(회), 315면.

이때 주주가 상장회사인 경우 발행주식 총수의 100분의 3 이상을 보유하였으나 보유기간이 6월이 되지 않는 경우, 이 권리를 행사할 수 있는지의 문제가 있다. 과거에는 이 문제에 관하여 견해도 대립되고, 판례도 혼재되어 있었으나 최근 상법이 개정되어[69] 쟁점이 명확하게 정리가 되었다. 이때 주주는 비상장법인의 소수주주권을 중첩적으로 행사할 수 있다.[70]

또한 지주요건은 열람·등사를 청구할 때뿐만 아니라, 실제로 열람·등사를 할 때에도 충족되어야 한다. 열람과 등사에 시간이 소요되는 경우에는 열람·등사를 청구한 주주가 전 기간을 통해 발행주식총수의 100분의 3 이상의 주식을 보유하여야 하고, 회계장부의 열람·등사를 재판상 청구하는 경우에는 소송이 계속되는 동안 그 보유요건을 구비하여야 한다. 따라서 소를 제기할 당시 지분요건을 충족하였으나, 이후 회사의 신주발행으로 인하여 지분이 3%에 미달하게 된 경우 그 신주발행이 무효이거나 부존재 한다는 등의 특별한 사정이 없는 한 원고는 당사자적격을 상실하게 된다.[71]

당사자적격에 관한 사항은 소송요건에 관한 것으로 법원이 이를 직권으로 조사하여 판단하여야 하고, 사실심 변론종결 이후에 소송요건이 흠결되는 사정이 발생한 경우 상고심에서도 이를 참작하여야 한다.[72] 따라서 회사에 대하여 채무자 회생 및 파산에 관한 법률에 따른 회생절차가 개시되었다고 하여 이 권리가 배제되지 않지만,[73] 회사에 대하여 동 법에 따른 회생절차가 진행된 결과 원심판결 선고일 이후의 날에 기존에 발행된 구주식 전부를 무상 소각하는 내용의 회생계획이 인가되어 확정된 경우에는 채권자는 회계장부의 열람등사를 청구할 당사자적격을 상실하였으므로 가처분 신청을 부적법 각하한다.[74]

의결권 없는 주식의 주주도 권리를 갖는다. 다만, 회사가 갖는 자기주식은 그렇지 않다. 한편 상장회사의 경우에는 정관에 규정을 두어 소수주주권의 요건 주식수를 상법에 정해진 것보다 적게 할 수 있고, 보유기간도 6월보다 단기로 할 수 있다(제542조의6 제7항). 역으로 정관의 규정으로 요건 주식수를 늘리거나

69) 2020. 12. 19. 법률 제17764호.
70) 상법 제542조의6 제10항.
71) 대법원 2017.11.9. 2015다252037.
72) 대법원 2010.11.25. 2010다64877.
73) 대법원 2020.10.20. 자 2020마6195.
74) 대법원 2020.9.25. 자 2020마5509.

보유기간을 장기로 하는 것은 소수주주권을 침해하는 것이므로 불가능하다.[75)] 자본시장과 금융투자업에 관한 법률상 실질주주 역시 상법 제396조의 제2항을 유추 적용받아 실질주주명부의 열람 또는 등사를 청구할 권리가 있다.[76)]

한편, 주식매수청구권을 행사한 주주도 회사로부터 매매대금을 지급받지 아니하고 있는 동안에는 주주로서의 지위를 여전히 가지고 있는 것이므로 특별한 사정이 없는 한 주주로서 권리를 행사하기 위하여 필요한 경우 이 권리를 갖는다.[77)]

2. 이유를 붙인 서면에 의한 청구

회사는 주주의 열람청구서에 기재된 청구이유를 기초로 이 청구에 응할 것인지 여부를 판단하게 되므로, 이유를 붙인 서면으로 청구하여야 한다. 서면을 특별히 재판 외의 서면으로 한정하고 있지 않고 있으므로 재판상 서면의 제출로 청구가 가능하다.[78)] 즉, 소송 등으로 이 권리를 행사하는 경우에 반드시 그 이전에 서면으로 청구하였어야 할 필요는 없고, 소장이나 신청서 또는 준비서면의 송달에 의하여서도 청구할 수 있다.[79)]

이때 얼마나 구체적으로 이유를 기재하여야 하는가? 회계의 장부와 서류를 열람 또는 등사시키는 것은 회계운영상 중대한 일이므로 그 절차를 신중하게 함과 동시에 상대방인 회사에게 열람 및 등사에 응하여야 할 의무의 존부 또는 열람 및 등사를 허용하지 않으면 안 될 회계의 장부 및 서류의 범위 등의 판단을 손쉽게 하기 위하여 그 이유는 구체적으로 기재하여야 한다.[80)]

따라서 막연히 회사의 경영상태가 궁금하므로 이를 파악하기 위해서라든지, 대표이사가 자의적이고 방만하게 회사를 경영하고 있으므로 회사의 경영 상태에 대한 감시의 필요가 있다는 등의 추상적인 이유만을 제시한 경우 이를 허용할

---

75) 이철송, 전게서(회), 316면.
76) 대법원 2017.11.9. 2015다235841. 이때 유추적용에 의하여 열람 또는 등사청구가 허용되는 범위 역시 유추적용되므로 주주명부의 기재사항에 해당하지 않는 실질주주의 전자우편주소는 그 대상이 아니다.
77) 대법원 2018.2.28. 2017다270916.
78) 이상원, "주주의 경리검사권," 「사법재판자료」 제38집(법원행정처, 1987), 298면.
79) 대법원 1999.12.21. 99다137.
80) 대법원 1999.12.21. 자 99다137.

수 없다. 회사가 업무를 집행함에 있어서 부정한 행위를 하였다고 의심할 만한 구체적인 사유가 발생하였다거나, 회사의 업무집행이 법령이나 정관에 위배된 중대한 사실이 발생하였다거나, 나아가 회사의 경영 상태를 악화시킬 만한 구체적인 사유가 있는 경우 또는 주주가 회사의 경영 상태에 대한 파악 또는 감독·시정의 필요가 있다고 볼 만한 구체적 사유가 있는 경우 등과 같은 경우에는 주주의 권리를 보호하여야 할 필요성이 더 크다고 보이므로 열람 및 등사청구가 인정된다.[81] 판례의 사안은 회사가 3년간 주주총회에서 회계보고를 하지 않았고, 이익배당도 실시하지 않았으며, 중요한 영업재산인 레미콘 차량 전부를 주주총회결의 없이 양도한 경우로 구체성이 인정되었다. 또한 주주총회를 개최하지 않고 회사의 중요자산을 처분하고, 자회사의 유상증자에 참가하는 등의 명목으로 수백억원에 이르는 막대한 사채를 부담하는 등 자의적이고 방만한 경영을 한 경우 이를 긍정하였다.[82] 또한 설립 7개월 만에 약 160억원의 부채가 있고 약 106억원의 투자유가증권 평가손실을 입었던 사실에 대하여 매도가능증권 평가손실을 입게 된 경우, 이 과정에서 이사들이 배임행위를 하였는지 여부 등을 확인하기 위한 경우도 그러하다.[83]

다만, 소수주주에게 이 권리를 인정한 것은 회사경영에 직접 관여하지 않은 주주가 회사의 회계나 경영에 품고 있는 염려가 이유 있는 것인지 여부를 해명할 수 있도록 하기 위한 것이므로, 그 이유를 지나치게 구체적으로 기재하도록 하거나 그 기초사실의 존재를 입증하도록 할 것을 요구할 수는 없는 것이고,[84] 소수주주가 열람청구의 이유로 제시하는 회사의 부정한 행위 또는 부적정한 행위가 사실일지 모른다는 최소한의 합리적인 의심이 생기는 정도이어야 한다.[85] 대표이사가 사업목적과 관련이 없는 비상장회사인 A사에 투자하여 수십억원의 손실을 입은 경우는 이에 해당한다.[86] 현실에서 주주들에게 피해를 주는 사례들로는 자회사를 이용한 재산 빼돌리기, 우회적인 부의 불법상속, 주가조작, 공매도, 업무상 횡령 등의 방법인데,[87] 이러한 상황은 그와 같은 합리적 의심이

---

81) 서울지방법원 1998.4.1. 자 97가합68790.
82) 서울중앙지방법원 2007.12.26. 자 2007가합89369.
83) 서울중앙지방법원 2008.8.13. 자 2008가합26938.
84) 서울고등법원 2012.6.1. 자 2001나71973.
85) 대구지방법원 2002.5.31. 자 2002카합144.
86) 서울고등법원 1999.9.3. 자 99카187.
87) 최병규, "소수주주의 권리강화를 위한 제도 개선방안 – 회계장부열람청구권을 중심으로,"

생기는 정도에 해당한다고 보아야 할 것이다.

이유의 구체성이 인정되지 않는 경우로는 향후 회사가 예정하고 있는 신주발행 기타 회사재산이 적정·타당하게 운용되고 있는지에 관하여 알아보기 위한 경우,[88] 회사가 경영상태가 궁금하여 알아보기 위한 경우, 대표이사가 방만한 경영으로 회사의 경영 상태에 대한 감시의 필요가 있는 경우, 주주권 행사에 필요한 조사를 위한 경우 등이 있다.[89]

3. 청구의 정당성

회사는 주주의 열람청구가 부당함을 증명하지 아니하면 이를 거부하지 못하는데(제466조 제2항), 이에 관한 증명책임은 회사에게 있다.

열람청구의 정당성 여부는 회사의 경영 상태에 대한 주주의 알 권리와 열람을 허용할 경우에 우려되는 회사의 불이익을 비교형량하여 판단하여야 한다. 이 권리는 주주에 의한 경영통제와 회사의 기밀유지라는 두 가지 상충하는 목표를 적절히 조절하여 운영되어야 하기 때문이다.[90] 판례가 이를 형량함에 있어 고려할 요소로는 열람청구에 이르게 된 경위, 행사의 목적, 악의성 유무 등의 제반 사정이라고 보았고, 구체적으로 정당성을 결한 예로는 특히 주주의 동 권리의 행사가 회사업무의 운영 또는 주주 공동의 이익을 해치거나 주주가 회사의 경쟁자로서 그 취득한 정보를 경업에 이용할 우려가 있거나, 또는 회사에 지나치게 불리한 시기를 택하여 행사하는 경우 등이라고 판시하였다.[91]

실제로 신청인이 회사와 경업관계에 있는 경우가 정당성 여부가 첨예하게 다투어진 예가 많다. 경업관계에 있는 경우는 회사의 주주로서가 아니라 경쟁관계에 있는 자로서 이해관계가 주된 동기가 될 가능성이 높기 때문이다. 주로 동종업종 회사이거나, 동종업종 회사의 대주주임을 이유로 신청을 기각하였다.[92]

이때 경업관계에 있는지를 먼저 검토하여야 하는데, 법인등기부상 두 회사의 사업목적이 일치하는 부분이 있다는 것만으로 이를 인정하기 어렵고, 구체적인

「경영법률」 제20집 제2권(한국경영법률학회, 2010), 314면.
88) 日本 高松高裁 1986.9.29. 昭60-161호.
89) 전휴재, 전게논문, 106면.
90) 김건식, 전게논문, 357면.
91) 대법원 2004.12.24. 자 2003마1575.
92) 대법원 2004.12.24. 자 2003마1575; 서울남부지방법원 2001.7.6. 자 2000가합18647.

사업영역을 검토하여 경합관계에 있음을 피신청인이 입증하여야 한다. 법인등기부상 사업목적이 시스템통합사업으로 일치하였지만, 신청인은 애플리케이션 통합솔루션 전문업체이고 피신청인은 전산시스템 관리·유지 전문업체로서 구체적인 사업 영역이 다르고, 각종 입찰과정에서도 경합한 사실이 없음을 인정, 피신청인의 경업관계 주장을 배척한 사례가 있다.93)

그러나 경쟁관계가 인정된다고 하여 일률적으로 청구를 부인할 것이 아니라 청구의 이유를 검토하여, 영업비밀이 유출됨으로 인해 피신청인의 이익을 침해할 수 있는 장부 및 서류에 대해서만 이를 제한하는 것이 타당하다. 이러한 맥락에서 향후 동종업체를 운용할 예정인 신청인이 피신청인 회사의 제3자 신주배정을 문제 삼은 경우, 피신청인의 영업 및 투자계획, 자금수지계획 등 영업비밀로서 경영전략상 외부에 노출하기 어려운 정보를 포함한 부분에 대해서만 신청을 기각하였다.94) 피신청인 회사가 상당한 순이익이 발생하였음에도 40% 지분 보유자인 신청인 회사에게 전혀 배당을 실시하지 않은 점, 임원 보수한도를 4배 이상 증액한 점 등을 이유로 피신청인 회사의 경쟁업체인 신청인 회사가 이 청구를 한 사안에서, 신청이유와 관련된 임원급여 및 상여금 지급에 관한 회계장부에 대해서는 열람등사를 허용하되, 피신청인인 회사의 영업비밀과 관련된 접대비, 광고 선전비, 경상연구개발비 등에 관한 회계장부에 대한 신청을 기각하였다.95)

주주로서의 지위 이외의 다른 지위에서의 이해관계가 개입할 여지는 적대적 M&A의 경우에도 가능성이 높다. 법원은 이 문제에 관하여 경영진의 해임청구 내지는 대표소송을 제기하기 위하여 권리를 행사하는 것이 아니라 상대방을 압박함으로써 궁극적으로는 자신의 목적인 경영권 인수를 용이하게 하기 위한 경우는 정당한 목적을 결하였다고 판시하였다.96) 앞서 살핀 경업관계의 경우와 마찬가지로 적대적 인수합병의 경우라 해서 일률적으로 이 권리를 부인할 것이 아니라 청구의 이유와 신청 대상인 회계장부의 범위를 검토하여, 경영진의 위법·부당행위 등의 비위사실이 뚜렷하고 이에 대한 책임추궁이 예상되는 경우라면 이를 허용하여야 할 것이다.97) 그러나 주주로서의 지위에서 권리를 행사한 것이

93) 서울중앙지방법원 2004.5.13. 자 2004카합783.
94) 서울중앙지방법원 2004.3.9. 자 2003카합4043.
95) 서울중앙지방법원 2004.7.12. 자 2004카합229.
96) 대법원 2004.12.24. 자 2003마1575.

아니라 신청인이 현 경영진과의 분쟁수단 내지는 그에 대한 압력수단으로 권리를 행사한 경우도 권리가 부정되어야 한다.[98]

주주가 경업자이면서도 적대적 인수합병을 추진하던 자인 경우라면 위 두 기준을 모두 적용함이 마땅하다. 관련하여 문제가 된 사안은 엘리베이터 생산업체인 외국 법인이 대상 회사의 엘리베이터 사업부문을 인수할 의도로 그 회사의 주식을 대량매집하여 지분율을 끌어올려 오다가 대상회사가 체결한 파생금융상품계약 등의 정당성을 문제 삼으면서 그 이사회 의사록을 열람·등사 청구한 경우이다. 대상회사는 계열회사에 대한 경영권을 유지하기 위하여 파생상품계약을 체결하였고 이로 인하여 막대한 거래손실을 입은 등의 사실이 있었다. 대법원은 해당 사안이 대상 회사를 압박함으로써 사업인수를 유리하도록 하거나 협상 과정에서 유리한 지위를 점하기 위하여 열람등사를 구하는 것이 아니라 파생상품거래 등 이사들의 책임 유무를 확인하여 대표소송, 유지청구, 해임청구를 하기 위한 것으로 판단하고, 따라서 주주는 이사회 의사록을 열람·등사청구할 수 있다고 판단하였다.[99] 또한 대상회사가 지나치게 불리한 시기를 택하여 이 권리를 행사한다고 볼 수도 없다고 판시하였다. 한편, 경업자로서의 지위와 관련하여 이 권리의 행사 대상인 이사회 의사록이 엘리베이터 사업과 직접 관련된 것이 아니므로 신청인이 그 이사회 의사록으로 취득한 정보를 경업에 이용할 우려가 있다고 볼 수도 없다고 보았다.

한편, 반대주주주의 주식매수청구권을 행사한 주주가 이러한 청구를 한 경우 이 정당성을 결한 것인가의 쟁점이 있다. 이러한 문제의식은 이때에 주주는 회사를 떠나기로 한 주체이므로 회사의 경영이 잘 되어 잔존이익(residual claimant)을 누리는 주체라기보다는 높은 가격의 매수가를 지급받는데 관심이 있는 채권자의 지위에 더 가깝다는 점에 기인한다.[100] 이러한 주체가 과연 열람등사의 권리를 누릴 지위에 있는가의 문제의식이다. 법원은 주주가 매수가 산정을 위하여서 열람등사를 할 필요가 있다고 보아 그 정당성을 인정하였다.[101] 사안은 매수

---

97) 양시경, "적대적 M&A와 관련된 쟁송의 유형," 「인권과 정의」 제252호(대한변호사협회, 1997), 65면.

98) 대구지방법원 2002.5.31. 자 2002카합144.

99) 대법원 2014.7.21. 자 2013마657.

100) 우리 법원은 매수청구권을 행사한 주주는 매수가를 지급받고 회사를 떠날 때까지 주주로서의 지위를 갖는다고 판시함으로써 두 지위가 공존함을 확인하고 있다.

101) 대법원 2018.2.28. 2017다270916.

청구권 행사에 따른 매수가 산정을 위하여서 뿐만 아니라 이사에 대한 책임추궁을 위하여 대표소송을 제기하기 위하여 열람등사를 청구한 사안이기 때문에 오로지 매수가 산정을 위한 열람등사청구의 경우 그 필요성을 인정한 것인가 의문이 제기될 수 있다. 대법원은 "주식매수가액의 산정에 필요한 회계장부 및 서류를 열람등사할 필요가 있다고 본 원심의 판단"이 정당하다고 판단하고 있으므로 대표소송 제기의 목적을 제외한 매수가 산정을 위한 목적에 독자적 필요성을 긍정하고 있다. 이 쟁점은 앞서 논의한 회계장부열람등사권이 공익권인가의 논의와도 관련되어 있다. 열람의 청구가 매수가 산정을 위한 것인 때에 매수가의 산정은 개별 주주의 권리행사를 위한 것이므로 이때에는 열람등사권 또한 논리적으로 자익권적 성격을 띤 것이 된다. 법원은 이 권리가 공익권이라고 판단한 바 있는데,[102] 그럼에도 오로지 개별 주주의 매수가 산정을 위하여 이 권리를 행사하는 것이 정당하다는 판단은 논리적으로 공익권적 성격과 모순되는 면이 있다.

그러나 국세청에 의한 폐업사실증명과 주식회사의 청산은 구별되는 개념으로 주식회사에 대하여 폐업신고가 되었다고 하더라도 청산절차가 종료하여 그 법인격이 완전히 소멸하기 전까지는 주주들이 회사의 잔존 재산 및 현황을 파악하기 위하여 회계장부 및 이사회 회의록 등 서류를 열람·등사할 필요성이 있다.[103]

구체적인 경우 청구의 부당성 판단과 관련하여 우리 상법과 매우 유사한 규정을 두고 있는 일본 상법의 경우 그 사유가 법정되지 않은 우리 상법의 해석에도 영향을 끼쳐 왔으며, 참고가 된다.[104]

---

102) 서울고등법원 2019.2.19. 자 2018라59.
103) 서울중앙지방법원 2010.9.16. 자 2010가합43943.
104) 제293조의7(열람청구의 거부)
　전조의 규정에 의한 청구가 있는 때에는 이사는 그 청구가 다음에 정하는 사유에 해당한다고 인정할 만한 상당한 이유가 있는 경우를 제외하고는 이를 거부할 수 없다.
　1. 주주가 주주의 권리 확보 또는 행사에 관하여 조사를 하기 위한 것이 아니면서 청구를 한 때 또는 회사의 업무 운영 또는 주주 공동의 이익을 해할 목적으로 청구를 한 때
　2. 주주가 회사와 경업을 하는 자인 때, 회사와 경업을 하는 회사의 사원, 주주, 이사 혹은 집행임원인 때 또는 회사와 경업을 하는 자를 위하여 그 회사의 주식을 소유하는 자인 때
　3. 주주가 회계장부 및 자료에 관계된 전조 제1항의 열람 또는 등사에 의하여 알게 된 사실을 이익을 받고 타인에게 통보하기 위하여 청구한 때 또는 청구일 전 2년 내에 그 회사 또는 다른 회사의 회계장부 및 자료에 관계된 동향의 열람 또는 등사에 의하여 알게 된 사실을 이익을 받고 타인에게 통보한 적이 있는 자인 때
　4. 주주가 부정한 때에 회계장부 및 자료에 관계된 전조 제1항의 열람 또는 등사의 청구를 한 때

Ⅲ. 권리의 내용

청구의 요건을 갖춘 주주는 회계장부와 서류에 대한 열람권과 등사권을 갖는다. 회사의 회계장부와 서류는 회사가 영업을 위하여 사용하고 보관하므로 회사의 소유·관리에 속한다. 따라서 회사는 청구주주에 대하여 열람 및 등사를 위한 장소를 제공하여야 하고, 주주의 열람·등사를 방해하여서는 안 될 부작위의무를 부담한다. 이 등사에는 사진촬영이 포함되고, 회사가 컴퓨터로 회계처리를 하고 상법 제33조 처리조직에 의하여 이를 보존하는 경우에는 그 자료에 대한 디스켓 등에 의한 복사도 포함된다고 본다.[105]

한편, 열람과 등사는 회사의 본점에서 행하여져야 할 것이나,[106] 회사가 그이외의 장소에서 열람·등사하게 하고자 할 때에는 특별한 사유를 증명하여야 할 것이다. 열람 및 등사청구권은 권리행사에 필요한 범위 내에서 허용되어야 할 것이고, 그 횟수가 1회에 국한되는 등으로 사전에 제한될 성질의 것은 아니다.[107]

한편, 열람 및 등사청구를 하는 주주가 이사에게 회계장부, 서류의 기재 내용에 대한 설명을 요구할 수 있는지가 문제된다. 전문가가 아닌 주주가 내용을 완전히 이해하지 못할 수 있고, 내용에 누락이나 허위의 의심이 있는 경우 설명을 구할 필요성이 클 뿐만 아니라 장부열람권이 직접적 개시청구권이라면 설명청구권도 간접적 개시청구권으로 인정되어야 한다는 점 등을 근거로 이를 긍정하는 주장[108]도 있다. 그러나 상법상 명문의 규정이 없고, 감사의 보고요구권(제412조)을 유추할 근거가 없다. 명문의 근거도 없이 이를 허용한다면 그 범위가 모호하고, 이는 회사의 정상적인 업무수행을 저해할 수 있다. 특히 자익권 행사를 위한 정보를 얻기 위하여 장부 열람권을 행사하는 경우 그 폐해가 더 커질 수 있으므로 이를 인정할 수 없다고 본다.

---

105) 곽병훈, 전게논문, 67~68면.
106) 新谷勝,「會社假處分」(中央經濟社, 1992), 141面; 곽병훈, 전게논문, 21면에서 재인용.
107) 대법원 1999.12.21. 99다137(이 판결의 원심에서는 30일간의 열람 및 등사를 허용하였다).
108) 山村中平, "株主の説明請求,"「私法」第16号(1956), 122面 이하; 新谷勝, 前掲書, 141面; 곽병훈, 전게논문, 68면에서 재인용.

IV. 청구의 대상인 회계장부

1. 회계장부와 그 근거자료

열람청구의 대상은 회계장부와 그 근거자료가 되는 회계서류이다. 상인은 영업상의 재산 및 손익의 상황을 명백히 하기 위하여 회계장부 및 대차대조표를 작성하여야 한다(제29조 제1항). 회계장부에는 거래와 기타 영업상의 재산에 영향이 있는 사항을 기재하여야 하므로(제30조 제1항), 회계장부는 거래와 기타 영업상의 재산에 영향이 있는 사항을 기재한 장부를 통칭한다. 회계장부에는 통상 일기장, 분개장, 원장 등이 포함된다. 회계서류란 회계장부 기재의 원재료가 되는 서류이다.

통상 입금전표, 출금전표, 대체 분개장은 거래의 발생순서에 따라 분개의 형식으로 기재하는 장부이고, 원장은 거래를 계정과목별로 기입하는 장부이고, 일기장은 거래의 전말을 발생순으로 기재하는 장부이며, 전표는 매 거래별로 내용을 기록한 것이다.[109] 회사에 거래가 발생하면 전표를 작성하고 거래의 요소에 따라 대변·차변 요소로 구분하여 분개장에 옮겨 적은 후, 분개장에 기재된 차·대변 요소를 각 계정별로 전기하여 총계정원장을 작성한다. 결산기가 되면, 한 회계기간 동안의 경영성과를 계산하고 결산기 말의 기업의 재무상태를 명확히 표시하는 결산절차를 수행하게 되는데, 통상 총계정원장들의 계정과목을 총망라하여 일목요연하게 하나의 표에 집대성한 계산표를 작성하여 회계기간 중의 회계기록에 오류가 있는지 여부를 확인하게 된다. 최종적으로 총계정원장들의 모든 계정이 기업의 실제 상태를 정확히 반영하고 있다고 판단되면, 총계정원장들의 계정 중 재산을 나타내는 자산, 부채, 자본계정을 한 표에 집중시켜 대차대조표를 작성하고, 총계정원장들의 계정 중 수익과 비용계정을 한 표에 집중시켜 손익계산서를 작성하게 된다. 분개장과 총계정원장은 재무제표인 대차대조표와 손익계산서를 작성하는 데 직접적 관계가 있는 장부로서 주요부라고도 하는데, 통상의 회사에서 원활한 경영관리를 위하여 위와 같은 주요부 외에 특정한

---

109) 임재연, 전게서(회), 735면.

거래나 계정에 대하여 상세한 내역을 기록함으로써 주요부의 기능을 보조하는 장부인 보조장을 작성, 보존하게 된다. 보조장에는 매출처리부, 매입처리부, 위탁매입원부, 받을어음기입장, 지급어음기입장, 어음기입장, 외상매출금기입장, 상품주문수령장 등이 있다.[110] 현재 사용 중이 아니라 폐쇄 내지 보관 중인 것도 포함하나, 회계와 관련이 없는 서류는 그 대상이 아니다.[111]

2. 한정 여부

그런데 열람·등사권의 대상이 회계의 장부와 서류로만 규정되어 있어 그 범위에 대하여 다음과 같이 견해가 대립되고 있다.

가. 한 정 설

회계장부는 상법 제30조의 회계장부를 가리킨다고 한다.[112] 이 회계장부는 회계학상에서 말하는 일기장, 분개장 및 총계정원장을 포함하고, 분개장에 대용하여 전표를 사용하는 경우는 전표를 포함한다고 한다. 회계학상의 이른바 보조장도 원칙적으로 이에 포함된다. 회계서류는 회계장부를 작성하는 재료로 된 서류나 회계장부를 실질적으로 보충한도 인정되는 서류에 한정된다고 본다. 따라서 계약서나 서신 등은 이러한 한도에서 그 대상이 되는 것이지, 당연히 회계서류에 포함된다고 볼 수 없다.

이와 같이 해석하지 않을 때 검사인의 선임청구에 의한 경우와 구분이 없어질 정도로 권리가 확대되어 기업기밀에 속하는 회사의 경영전략이 누출될 우려가 있고, 분쟁 확대 수단이나 회사에 대한 압력의 수단으로 악용될 가능성도 높을 뿐만 아니라,[113] 상법이 이 권리의 남용을 방지하기 위해 소수주주권으로 규정하고 있고, 미국법과 달리 회계의 장부와 서류로 한정하고 있다는 점을 감안할 때 이를 한정적으로 해석하여야 한다[114]고 본다.

110) 서울대학교 경영대학 회계학연구소 편, 「회계학핸드북」(서울대학교 출판부, 1996), 52면 이하 참조.
111) 곽병훈, 전게논문, 69면.
112) 곽병훈, 전게논문, 74면; 왕순모, "회계의 장부 및 서류의 열람 청구권," 「상사판례연구」 제9집(한국상사판례학회, 1998), 249면; 홍복기, "주주의 회계장부열람권," 「신세기 회사법의 전개」(우갑 이병태교수 화갑기념, 1996), 295면.
113) 곽병훈, 전게논문, 70~71면.

나. 비한정설

대상을 좁게 한정하지 않고, 회사의 경리 상황을 나타내는 일체의 장부, 서류가 포함된다는 견해이다.[115] 이때의 회계장부는 회사의 경리 상황을 나타내는 일체의 장부를 가리키며, 회사가 법률상 의무로 작성하는 장부에 국한되지 않고, 임의로 작성하는 장부라고 한다. 법문의 표현을 상업 장부 대신 회계장부로 사용한 것은 그런 뜻이라 한다. 전표, 영수증, 계약서, 서신을 포함하며, 반드시 직접적으로 회계에 관한 장부나 서류일 것을 요하지 않는다고 한다.

이런 해석을 통해서 주주는 회사의 경리 정보를 충분히 얻을 수 있고, 장부열람권이 대표소송 제기 등의 전제가 되는 취지와도 조화될 수 있다고 한다. 법원이 선임하는 검사인의 검사는 이 권리에 의한 검사와 조사방법이 다르므로, 전자가 후자의 권리를 한정하는 근거일 수 없다고 한다.[116] 또한 그 대상이 지나치게 광범위한 경우 회사나 이사에게 부담이 될 수 있지만, 실제로 만일 지나치게 광범한 열람·등사를 청구하는 경우 회사가 그 부당함을 증명하며 이를 거절할 수 있음을 근거로 들기도 한다.[117]

다. 판   례

회계의 장부 및 서류에는 주주가 열람·등사를 구하는 이유와 실질적으로 관련이 있는 회계장부와 그 근거자료가 되는 회계서류를 가리키는 것으로서, 그것이 회계서류인 경우에는 그 작성명의인이 반드시 동 의무를 부담하는 회사에 국한되어야 하거나, 원본에 국한되는 것은 아니며, 회사의 출자 또는 투자로 성립한 자회사의 회계장부라 할지라도 그것이 모자관계에 있는 모회사에 보관되어 있고, 또한 모회사의 회계 상황을 파악하기 위한 근거자료로서 실질적으로 필요한 경우에는 모회사의 회계서류로서 모회사 소수주주의 열람·등사청구의 대상

---

114) 권기범, 「현대회사법론」(삼영사, 2012), 1056면.
115) 손주찬·정동윤, 「주석상법」(한국사법행정학회, 1999), 397면; 정동윤, 전게서(상), 795면; 정찬형, 전게서(상), 1250면; 송민호, "주주의 장부·서류의 열람청구권에 관한 일고찰," (제남 강위두박사 회갑기념 상사법논집, 1996), 359면; 안동섭, "주주의 회계장부열람청구권," 「신세기 회사법의 전개」(우갑 이병태교수 회갑기념, 1996), 314면; 이상원, 전게논문, 495면.
116) 곽병훈, 전게논문, 71면.
117) 임재연, 전게서(회), 735면.

이 될 수 있다고 판시하여, 한정설의 입장에 있다.[118) 주식회사의 지분, 라이센스 취득에 따른 감액손실과 관련하여 그 지분 또는 라이센스 취득에 관한 내부품의서, 자금대여와 관련한 자금대여의 내부품의서는 회계장부가 아니며, 그 작성의 재료가 되었다거나 그를 실질적으로 보충하는 회계서류로 볼 수 없다고 하였다.[119)

라. 검   토

한정설의 입장은 회사가 상법에 따른 의무로서 작성하는 회계서류와 그를 실질적으로 보충하는 회계서류로 권리의 대상을 한정한다. 이에 반하여 비한정설은 회사가 의무가 아니라 임의로 작성하는 회계서류도 대상이 되고, 회계서류도 회계장부를 반드시 보완하는 서류에만 국한되지 않는다고 본다.

생각건대, 주주가 이 권리를 행사하는 것은 회사의 잘못된 점을 문제 삼기 위한 전제인 점을 유념할 필요가 있다. 따라서 이를 위한 서류가 법적인 의무로서 작성하는 서류에 국한될 이유가 없다. 경우에 따라서는 회사가 의무로 작성한 서류의 의심이 있어 이를 바로잡고자 할 경우가 있을 것인데 이러한 목적으로 보다 광범한 회계장부나 서류를 검토할 필요가 있다. 대상이 광범하여 짐으로 인하여 회사가 노출되게 되는 위험은 회사가 청구가 부당함을 입증하여 이를 거절함으로서 해소할 수 있을 것이다.

3. 자회사의 회계장부

모회사 주주의 자회사 회계장부열람권은 모회사의 주주가 자회사의 경리상황을 파악하기 위하여 자회사의 장부를 열람하는 것이다. 모회사와 자회사는 독립된 법인체이므로 제466조의 주주에 모회사의 주주가 당연히 포함된다고 해석할 수는 없다. 그러나 상황에 따라서는 모회사의 주주에게 자회사의 회계장부열람권을 인정하는 것이 타당한 경우가 있다. 어떤 경우가 그러한가?

이에 대하여 통설은 일반적으로 모회사가 자회사의 주식 전부를 가진 경우는 물론이고, 자회사가 실질상 모회사의 일부로 인정될 정도로 양자가 재산적으로

---

118) 대법원 2001.10.26. 99다58051.
119) 서울중앙지방법원 2009.3.4. 자 2009카합88.

일체의 관계가 있는 경우에는 모회사의 주주에게 자회사의 회계장부열람권이 인정된다고 본다.[120] 이에 대하여 이 기준은 모회사 주주의 권리를 제한적으로 해석하게 되어 부당하고, 최소한 50% 이사의 지분 소유와 과반수 이상 이사의 선임 등 대상 회사를 실질적으로 지배하고 있는 경우가 그 기준이 되어야 한다는 견해도 제시된다.[121]

대법원은 제466조의 회계의 장부 및 서류에는 열람·등사제공의무를 부담하는 회사의 출자 또는 투자로 성립한 자회사의 회계장부라 할지라도 그것이 모자관계에 있는 모회사에 보관되어 있고, 또한 모회사의 회계상황을 파악하기 위한 근거자료로서 실질적으로 필요한 경우에는 모회사의 회계서류로서 모회사 소수주주의 열람·등사청구의 대상이 될 수 있다고 판시하였다.[122] 모회사의 회계상황을 파악하기 위하여 실질적으로 필요한 기준은 구체적인 기준이라 하기는 어렵다. 자회사의 회계가 모회사의 회계상황에 영향을 줄 정도로 긴밀히 연결된 경우로 일응 해석할 수 있으나, 보다 구체적인 기준이 향후 판례의 집적을 통해 마련되어야 할 것이다.

참고로 미국의 경우는 이와 같은 권리 인정의 근거를 법인격부인(piercing the corporate veil)과 관련하여 접근한다. 따라서 법인격부인의 요건이 충족된 경우 이 권리가 인정될 가능성이 높다. 법인격부인이 인정되지 않는 경우에는 사기방지를 위한 경우,[123] 모자회사가 밀접한 관계에 있고 어느 회사의 부당 경영에 대한 증거가 자회사의 장부 및 기록에 기초하고 있는 경우[124] 등이다.

4. 구체적 기재 – 특정의 문제

대상이 되는 서류의 범위가 정하여지더라도 청구 시에 이를 얼마나 구체적으

---

120) 곽병훈, 전게논문, 66면; 안동섭, 전게논문, 314~315면; 이상원, 전게논문, 405면; 송민호, 전게논문, 364~365면; 홍복기, 전게논문, 296면.
121) 김대연, "모회사 주주의 자회사 회계장부열람권," 「법조」 제52권 제6집(법조협회, 2003), 185면.
122) 대법원 2001.10.26. 99다58051. 원심법원(서울고등법원 1999.2.22. 98나187)은 "모회사가 자회사의 주식의 전부를 소유하는 경우 또는 자회사가 실질상 모회사의 일부라고 인정될 정도로 양자가 재산적 일체관계에 있는 경우"로 판시하였다.
123) Landgarten v. York Research Corp., C. A. No. 8417(Del. Ch. 1988).
124) Fleisher Dev. Corp. v. Home Owners Warranty Corp. Action No. 85-1766(D.D.C. 1986), 김대연, 전게논문, 177면에서 재인용.

로 기재하여야 하는가가 다시 문제 된다. 주주는 구체적인 장부와 서류를 알지 못하므로 장부와 서류를 특정할 필요가 없다는 견해,[125] 주주와 회사 양자가 공격방어방법을 적정하게 행사하게 되고 법원의 실무처리를 위해서는 어느 정도 구체적인 기재가 필요하다는 견해,[126] 개괄적 혹은 포괄적으로 특정하는 것으로 충분하다는 견해[127] 등으로 나뉜다.

청구의 대상인 장부는 의무의 범위를 정하는 것이고, 가처분이나 소로써 구하는 경우 결정이나 판결의 효력의 범위를 정하게 될 뿐만 아니라, 회사로서도 부당성을 입증하여 청구를 거절할지 여부를 결정하게 된다. 따라서 서류의 범위는 가능한 한 구체적으로 특정될 필요가 있다. 장부나 서류가 특정되었는가의 문제는 앞서 살핀 열람·등사의 이유를 얼마나 구체적으로 기재하였는지 여부와 함께 고려되어야 할 것이다.

주주 측에서 열람 대상과 청구이유가 관련이 있음을 구체적으로 입증하고, 대상인 회계장부의 명칭, 종류 등을 특정하여 청구하도록 하는 것이 현재의 실무이기도 하다.[128]

주주로서는 몇 연도의 어떠한 구체적 장부, 서류 정도로 특정하여야 한다. 회사가 독자적으로 작성하는 장부라면, 어떠한 문제에 대하여 원장을 보충하기 위하여 작성된 장부, 어떠한 장부의 어떠한 란에 기입재료가 된 서류 정도로 특정하면 될 것이다.[129]

V. 회계장부 열람·등사 가처분

회계장부 열람·등사권의 경우 실무상 본안 소송보다는 오히려 가처분으로 구하는 것이 일반적이다.[130] 그런데, 이 가처분은 그 내용이 권리보전의 범위에

---

125) 안동섭, 전게논문, 316면; 홍복기, 전게논문, 298면; 정무동, "주주의 기업정보에 관한 권리," 「상사법의 현대적 과제」(춘강 손주찬교수 화갑기념, 1984), 249면.

126) 곽병훈, 전게논문, 79면; 김재범, "회계장부열람청구권의 행사요건 - 연구판례: 대법원 1999.12.21. 선고 99다137 판결," 「경영법률」 제11권(한국경영법률학회, 2000), 214~215면; 송민호, 전게논문, 10면.

127) 왕순모, 전게논문, 258면.

128) 전휴재, 전게논문, 111면.

129) 곽병훈, 전게논문, 79면.

그치지 않고 소송물인 권리 또는 법률관계의 내용이 이행된 것과 같은 종국적 만족을 얻게 한다. 즉 만족적 가처분의 성격을 갖고 이와 같은 가처분이 허용되는지에 대하여 의문이 제기된다. 이에 대하여 판례는 주주의 회계장부 열람·등사청구권을 피보전권리로 하여 당해 장부 등의 열람·등사를 명하는 가처분이 실질적으로 본안 소송의 목적을 달성하여 버리는 면이 있다고 할지라도, 나중에 본안 소송에서 패소가 확정되면 손해배상청구권이 인정되는 등으로 법률적으로는 여전히 잠정적인 면을 가지고 있기 때문에 임시적인 조치로서 이러한 회계장부 열람·등사 가처분이 허용된다고 판시하였다.[131] 다만, 나중에 본안소송에서 가처분채권자가 패소하더라도 손해배상청구 이외에 다른 원상회복의 가능성이 없게 되기 때문에 회사가 장부나 서류를 훼손, 폐기, 은닉할 우려가 있다는 점 등 가처분에 의하지 아니할 경우에는 채권자에게 현저한 손해나 급박한 위험이 발생할 것이라는 등의 긴급한 사정이 소명되어야 한다.[132] 채무자인 회사의 경영진이 재산을 빼돌리는 의혹이 있다는 정도로는 채권자가 본안소송을 통하여 권리관계가 확정되기 전에 당장 해당 회계서류를 열람등사하지 못할 경우 채권자에게 회복할 수 없는 손해가 발생한다는 점이 충분히 소명되었다고 보기 부족하다.[133]

법원이 이 가처분을 인용함에 있어서는 피신청인인 회사에 대하여 직접 열람·등사를 허용하라는 명령을 내리는 방법이 주로 이용된다. 이와 같은 피신청인에 대한 의무부과형의 주문은 다음과 같다. "피신청인은 신청인 또는 그 대리인에게, 이 사건 결정 정본 송달일의 ○일 후부터 공휴일을 제외한 ○○일(통상 10일에서 30일) 동안 별지 목록 기재 장부 및 서류를 피신청인의 본점에서 영업시간 내에 한하여 열람 및 등사(사진촬영 및 컴퓨터디스켓의 복사를 포함)하도록 하여야 한다." 실무에서는 이 방식이 거의 대부분을 차지한다고 한다.[134]

회사가 장부 및 서류를 은닉, 훼손, 변조할 가능성이 현저하고, 회사가 그 장부를 상시 사용하는 것이 아니어서 회사의 피해가 경미한 경우에는 예외적으로 집행보관형 주문이 사용되는데,[135] 주문례는 다음과 같다. "피신청인은 별지 목

---

130) 전휴재, 전게논문, 103면.
131) 대법원 1999.12.21. 99다137.
132) 서울고등법원 2016.8.10. 자 2015라20861. 대법원 2016.12.2. 자 2016마5738로 확정됨.
133) 전게 고등법원 결정.
134) 전휴재, 전게논문, 115~116면.

록 기재 회계장부에 대한 점유를 해제하고, 신청인이 위임하는 집행관에게 보관하도록 명한다. 집행관은 신청인으로 하여금 위 보관일로부터 ○○일 이내에 현상을 변경하지 아니할 것을 조건으로 하여 위 회계장부 등을 열람 및 등사하게 할 수 있다."

법원의 판결이나 결정에도 불구하고 회사가 이를 거부하는 경우 간접강제절차에 의하여 그 이행을 강제할 수 있다. 간접강제 결정의 내용은 채무명의상에서 명하여진 의무 및 이를 이행하여야 할 상당한 기간을 명하고, 회사가 이를 이행하지 아니하면 그 지연지간에 응하여 또는 즉시 일정금액의 배상금을 지급할 것을 명하는 내용이 된다.

---

135) 대법원 1999.12.21. 99다137.

제 7 장

조직개편과 기업인수

제 1 절 회사의 조직변경·합병·분할

I. 개 관
金秉台*·노혁준**

　주식회사가 설립되어 사업을 영위하는 동안 다양한 외부적 여건에 처하게 되며 주주, 채권자, 임직원, 거래처 등 회사관련자들과 여러 이해관계를 형성하게 된다. 이에 주식회사가 영리법인으로서 기업가치를 제고하기 위해서는 변화하는 기업환경에 신축적으로 대응하고 회사관련자들의 이해관계를 원활하게 조정함으로써 효율적으로 사업을 수행할 필요가 있다. 효율적 사업수행을 위해 주식회사는 수시로 다양한 기업전략을 수립하여 실행하게 되는데, 그러한 기업전략으로서 회사 내부의 역량을 강화하는 유기적 성장(organic growth) 전략을 채택할 수도 있겠으나 기업구조 내지 회사조직을 근본적으로 변화시키는 조직재편 전략이 많이 사용되고 있다.

　주식회사와 관련된 조직재편의 개념은 여러 가지로 이해될 수 있겠으나, 대체로 (i) 하나 이상의 당사회사의 재산이 하나 이상의 타방 당사회사에 포괄승계 혹은 특정승계되고 그 대가로서 타방 당사회사의 지분 또는 기타의 급부가 당사회사 또는 그 사원/주주에게 지급되는 것 또는 (ii) 회사 재산의 양도 없이 회사의 실체를 그대로 유지하면서 그 법적 종류만을 변경하는 것이라고 할 수 있다.[1] 위 (i)에 해당하는 조직재편의 대표적 유형으로는 합병, 분할, 영업양수도 등이 있으며, 위 (ii)에 해당하는 조직재편으로서는 주식회사와 다른 물적회사 사이에서 이루어지는 조직변경을 들 수 있다. 또한, 위 (i)에 해당하는 조직재편은 다시 크게 시너지효과와 사업다각화의 추구를 위해 어느 회사의 기존 영업부문과 다른 회사의 영업부문을 합치는 방식의 "결합형" 조직재편과 사업전문

---

* 법무법인(유) 세종 변호사, 미국(뉴욕주) 변호사
** 서울대학교 법학전문대학원 교수, 변호사
1) 권기범, 「기업구조조정법」 제5판(삼영사, 2019)(이하 이 절에서 "권기범, 기업구조조정법"), 45면.

화와 특성화를 통한 효율적 기업경영을 목표로 어느 회사의 영업부문을 떼어내는 방식의 "분사형" 조직재편으로 구분될 수 있다.[2]

실무상 주식회사에 관한 조직재편은 대부분 위 (i)에 해당하는 유형으로서 위 (ii)에 해당하는 주식회사의 또는 주식회사로의 조직변경이 이루어지는 사례는 많지 않다. 따라서, 여기에서는 주식회사와 관련된 조직변경을 간략하게 살펴보고, 그 다음 "결합형" 조직재편의 대표적 유형이라고 할 수 있는 회사합병과 "분사형" 조직재편의 대표적 유형인 회사분할을 차례대로 검토하기로 한다. 회사의 일부분을 분할하여 다른 회사에 포괄승계시키는 이른바 분할합병은 분할과 합병의 성격을 함께 갖고 있는바, 상법의 규정방식에 따라 분할편에서 설명하기로 한다.

II. 조직변경

1. 의   의

조직변경은 회사가 그 인격의 동일성을 유지하면서 다른 종류의 회사로 전환하는 것이며, 따라서 기본적으로 조직변경을 전후로 회사의 권리의무 관계 자체에는 별다른 변동사항이 없다고 할 수 있다. 그런데, 회사는 사원의 책임과 내부조직의 형태에 따라서 인적회사와 물적회사로 구분되는바, 그들 사이의 차이점을 고려하여 상법은 인적회사 상호간 또는 물적회사 상호간에만 조직변경을 허용하고 있다(제242조, 제286조, 제604조 제1항, 제607조 제1항). 2011년 개정되어 2012. 4. 15.부터 시행되는 개정상법(이하 "2011년 개정상법"[3])은 회사 유형의 하나로서 유한책임회사를 신설하였는데, 비록 유한책임회사가 인적회사적인 요소를 가지고 있기는 하나 물적회사로서의 본질을 고려하여 상법은 주식회사와의 상호 조직변경을 인정하고 있다(제287조의43 참조).

요컨대, 주식회사는 다른 유형의 물적회사인 유한회사 또는 유한책임회사로 조직변경을 할 수 있고, 유한회사 또는 유한책임회사는 주식회사로 조직변경을

---

2) 김건식·노혁준·박준·송옥렬·안수현·윤영신·최문희, 「신체계 회사법」 제7판(박영사, 2018)(이하 이 절에서 "김건식 외 6인, 신체계 회사법"), 537면.
3) 이는 현재 시점에서는 결국 현행 상법을 의미한다.

할 수 있다. 아래에서 주식회사의 다른 물적회사에의 조직변경과 다른 물적회사의 주식회사에의 조직변경을 구분하여 간략히 살펴 본다.

2. 주식회사의 조직변경

주식회사는 주주총회에서 총주주의 일치에 의한 결의로 유한회사 또는 유한책임회사로 변경될 수 있으며, 당해 결의에서는 정관변경 기타 조직변경에 필요한 사항을 정해야 한다(제604조 제1항 본문, 제3항, 제287조의44). 다만, 주식회사가 사채를 발행한 때에는 유한회사 또는 유한책임회사가 사채를 발행할 수 없기 때문에 조직변경 이전에 사채를 상환해야 한다(제604조 제1항 단서, 제287조의44). 자본충실의 원칙상 조직변경 이전 주식회사의 순자산액보다 많은 금액을 조직변경 이후 유한회사 또는 유한책임회사의 자본의 총액으로 하지 못하며(제604조 제2항, 제287조의44), 또한 조직변경을 위해서는 채권자 보호절차가 이루어져야 한다(제608조, 제232조).

조직변경을 위해서는 회사의 본점소재지에서 2주 이내, 지점소재지에서는 3주 이내에, 조직변경 전의 회사는 해산등기를, 조직변경 후의 회사는 설립등기를 해야 한다(제287조의44, 제606조, 제607조). 조직변경의 효력은 등기를 한 때에 발생한다는 것이 다수설의 견해이다.[4]

3. 주식회사로의 조직변경

유한회사 또는 유한책임회사가 주식회사로 조직변경을 함에 있어서도 전술한 그 반대의 경우와 마찬가지로 사원총회의 결의와 채권자 보호절차를 거쳐야 하며, 자본충실의 원칙상 순자산액에 의한 자본증가의 제한이 적용된다(제607조 제1항, 제2항, 제4항, 제5항, 제608조, 제232조, 제287조의44). 조직변경의 효력은 상기와 같이 다수설의 견해에 따라서 등기를 한 때에 발생하는 것으로 해석된다. 다만, 조직변경에 의하여 엄격한 주식회사의 설립절차를 회피하는 것을 방지하

---

4) 권기범, 기업구조조정법, 633면; 송옥렬, 「상법강의」 제11판(홍문사, 2021), 1317면; 이철송, 「회사법강의」 제29판(박영사, 2021), 137면; 최기원, 「신회사법론」 제14대정판(박영사, 2012), 1088면. 이에 비해 현실적으로 조직이 변경되었을 때 조직변경의 효력이 발생한다는 견해(서돈각·정완용, 「상법강의(상)」 제4전정판(법문사, 1999), 637면)도 제기되고 있다.

기 위해 상법은 유한회사 또는 유한책임회사에서 주식회사로 조직변경이 이뤄지기 위해서는 법원의 인가를 얻도록 하고 있다(제607조 제3항, 제287조의44).

4. 조직변경의 무효

조직변경의 과정에서 사원총회 또는 주주총회의 결의가 없거나 채권자 보호절차를 거치지 않은 것과 같이 그 절차상 중대한 결함이 있는 경우에는 조직변경의 효력을 인정할 수 없을 것이다. 그런데, 상법은 그러한 경우 조직변경의 효력을 다투는 방법에 관하여 아무런 규정을 두고 있지 않다. 이와 관련하여, 조직변경의 절차상 중대한 결함이 있는 경우에는 회사설립 무효의 소에 관한 규정(제184조 내지 제192조)을 유추적용해야 한다는 것이 다수설의 견해이다.[5] 그러나 만일 법원에서 조직변경 무효의 판결이 확정되는 경우에는 회사설립 무효의 소의 경우와 같이 해산에 준하여 청산절차를 거쳐야 하는 것이 아니라 조직변경 이전의 회사로 복귀한다고 해석함이 타당하다고 본다.[6]

Ⅲ. 회사의 합병

1. 합병의 개념 및 일반론

가. 합병의 개념

우리 상법에서는 회사합병의 개념을 명시적으로 규정하고 있지 않으나, 일반적으로 회사합병이라 함은 "2개 이상 회사들의 전부(신설합병의 경우) 또는 그 중 하나를 제외한 나머지 회사들(흡수합병의 경우)이 해산하여 청산절차 없이 소멸하고, 이처럼 소멸하는 회사의 권리의무가 신설회사 또는 존속회사에게 포괄적으로 이전하며, 그 대가로서 소멸회사의 사원 또는 주주에게 신설회사 또는

---

5) 권기범, 전게서, 634면; 김건식·노혁준·천경훈, 「회사법」 제5판(박영사, 2021), 889면; 이철송, 전게서, 138면; 정찬형, 「상법강의(상)」 제241판(박영사, 2021), 507면; 최기원, 전게서, 1089면.
6) 권기범, 상게서, 634면; 이철송, 상게서, 138면; 정찬형, 상게서, 507면.

존속회사의 사원권/주식 또는 금전 등의 재산이 제공되는 회사법상의 행위"라고 이해된다.

회사합병은 기본적으로 흡수합병과 신설합병으로 구분되며, 상법은 이러한 두 가지 유형의 합병을 모두 인정하고 있다. 흡수합병은 당사회사 중 하나만이 존속하고(존속회사) 나머지 당사회사 모두가 소멸하는 형태의 합병을 의미하며, 신설합병은 모든 당사회사가 소멸하면서 그 권리의무 일체가 합병에 의하여 설립되는 하나의 회사(신설회사)에 포괄승계되는 형태를 말한다. 실무상으로는 대부분의 합병은 흡수합병의 방식으로 이루어지며, 신설합병이 이루어지는 경우는 드물다.

나. 합병의 본질론

1) 개 요

우리나라에서 합병의 본질론은 전통적으로 인격합일설(또는 인격승계설)과 현물출자설 두 가지로 나뉘어 논의되고 있다. 우선, 인격합일설은 둘 이상의 회사가 합쳐져서 하나의 회사로 되는 조직법상 또는 단체법상의 행위에 합병의 본질이 있다고 하는 견해로서 우리나라 다수설이라고 할 수 있다.[7] 이러한 견해에 의하면, 합병은 인격의 합일 내지 승계이므로 소멸회사는 합병에 의하여 그대로 존속 또는 신설회사에 포섭되고, 따라서 구체적으로 소멸회사 재산의 포괄승계와 사원의 수용은 이러한 인격합일의 결과라고 설명한다. 이에 대비하여, 현물출자설은 합병을 소멸회사의 영업(적극재산 · 소극재산) 전부를 현물출자하여 이루어지는 존속회사의 자본증가 또는 신회사의 설립이라고 보면서, 다만 여기에서 말하는 현물출자는 통상의 현물출자와는 다른 특수성을 가진 것으로 인식한다. 즉 여기서의 현물출자는 존속회사가 합병대가를 소멸회사에 배정하고 이것을 소멸회사가 청산에 의하여 다시 사원에게 분배하는 대신에 절차를 간소화하기 위하여 직접 실질상의 출자자인 소멸회사의 사원에게 배정하는 특수성이 있으며, 이는 현물출자에 의한 존속회사의 자본증가 또는 회사설립의 일환으로 볼 수 있

---

7) 손주찬, 「상법(상)」 제15보정판(박영사, 2004), 451면; 이기수 · 최병규 · 조지현, 「회사법」 제8판(박영사, 2009), 654면; 이철송, 전게서, 122면; 정동윤, 「상법(상)」 제6판(법문사, 2012), 946면; 정찬형, 전게서, 511면; 최기원, 전게서, 1095면; 최준선, 「회사법」 제13판(삼영사, 2018), 762면.

다고 한다.8)

2) 논의의 실효성

상기 합병의 본질에 관한 논의는 오랜 기간 동안 전개되어 왔음에도 불구하고, 현실적으로 합병 관련 제도의 변화에 부응하여 합병과 관련하여 제기되고 있는 여러 쟁점과 법적 고려사항의 분석 및 문제의 해결을 위해 의미 있는 도움을 제공하지는 못하고 있는 것으로 보인다.9) 생각건대, 합병은 포괄승계의 법리에 따른 효과적인 기업구조조정 방안의 하나로서 회사법과 여타 관계법령상 근거에 의하여 이루어지는 법정 절차이다. 따라서, 합병의 과정에서 발생하는 제반 논점과 쟁점사항은 우선 관계법령에 터잡아 해결하고 규정의 미비로 인한 의문과 불확실성은 주식평등의 원칙과 같은 회사법의 기본원리, 합병당사회사의 주요한 이해관계자의 지위와 권리의무관계, 개별 규정과 제도의 취지 및 회사의 재무적 고려사항 등을 종합적으로 균형있게 고려함으로써 충분히 해소해 나갈 수 있을 것이며, 더 이상 상기 합병의 본질론에 얽매일 필요는 없다고 본다.

다. 합병의 상대방에 대한 제한

상법상 주식회사가 합병의 일방 당사자가 되는 경우 상대방 당사자는 대부분 주식회사일 것이다. 주식회사는 주식회사 이외의 다른 유형의 상법상 회사와도 합병을 할 수 있는데, 다만 주식회사의 영리성 및 물적회사로서의 특성에 따라서 상대방 당사자가 될 수 있는 주체에는 일정한 제한이 있다.

(i) 주식회사는 특별법에 의한 특수법인 또는 민법상의 비영리법인과의 합병10) 또는 외국회사(제614조)와의 합병이 허용되지 않는다. 예컨대 미국, 일본법에 의해 설립된 외국회사와 상법에 의한 주식회사 사이의 합병은 원칙적으로 인정되지 않는다.

---

8) 서돈각·정완용, 전게서, 641면; 권기범, 기업구조조정법, 82~83면 참조.
9) 권기범, 상게서, 85면; 정동윤 외 집필대표, 「주석 상법: 회사법(V)」(한국사법행정학회, 2014), 298~299면; 정동윤, 전게서, 946면.
10) 상업등기선례에서도 지방공기업법 제49조에 의하여 설립된 특수법인인 지방공사가 상법상 회사 등과 합병을 하기 위해서는 그 근거법률이 있어야 하는데, 관계법령상 그러한 취지의 근거규정 및 합병등기절차에 관한 규정이 없으므로, 지방공사와 상법상 주식회사와의 합병으로 인한 변경등기는 할 수 없다고 한다(상업등기선례 200512-4, 2005.12.26. 공탁법인과 -723 질의회답).

(ii) 주식회사는 상법상 사원이 유한책임을 지는 유한회사 또는 유한책임회사와 합병을 할 수 있으나, 무한책임사원을 필수적 요소로 하는 인적회사인 합명회사 또는 합자회사와 합병을 하는 것은 허용되지 않는다(제174조 제2항).

(iii) 주식회사와 유한회사가 합병을 하는 경우 존속회사 또는 신설회사가 주식회사인 때에는 법원의 인가를 받아야 한다(제600조 제1항).[11]

(iv) 주식회사가 유한회사와 합병을 하는 경우 자신이 발행한 사채의 상환을 완료하지 않으면 존속회사 또는 신설회사를 유한회사로 하지 못한다(제600조 제2항). 이는 제600조 제2항 및 제604조 제1항 제2문의 해석에 의하면 유한회사는 사채발행을 할 수 없기 때문이다.[12]

(v) 해산 이후의 주식회사는 존립 중의 회사를 존속회사로 하는 경우에 한하여 합병을 할 수 있다(제174조 제3항).

2. 합병의 일정 및 합병계약

가. 합병의 일정

1) 상법에 따른 일정

상법에 의하면 회사합병을 위해서는 원칙적으로 이사회 결의, 주주총회의 특별결의, 반대주주의 주식매수청구권 행사, 채권자 보호절차 및/또는 주식의 병합 등의 절차를 거쳐야 한다.

2) 그 밖의 법령에 따른 일정

후술하는 바와 같이 합병당사회사가 합병을 추진하는 과정에서 독점규제 및 공정거래에 관한 법률(이하 "공정거래법")에 의한 기업결합신고, 자본시장과 금융

---

11) 그런데, 현행 상법은 주식회사와 유한책임회사가 합병을 하여 존속회사 또는 신설회사가 주식회사가 되는 경우 법원의 인가를 받도록 하는 명문의 조항을 두고 있지 않다. 또한, 현행 상법은 주식회사와 유한책임회사가 합병을 하여 존속회사 또는 신설회사가 유한책임회사가 되는 경우 주식회사가 자신이 발행한 사채의 상환을 완료하도록 명문으로 규정하고 있지도 않다. 상기 규제들은 주식회사와 유한책임회사가 합병을 하는 경우에도 동일하게 적용될 필요가 있을 것으로 사료되며, 상법에서 주식회사와 유한책임회사의 합병과 관련하여 위와 같은 명문의 조항을 규정하고 있지 않은 것은 입법의 불비로 보인다.

12) 권기범, 「현대회사법론」, 제8판(삼영사, 2021)(이하 이 절에서 "권기범, 현대회사법론"), 145면; 이철송, 전게서, 126면; 임재연, 「회사법(II)」 개정7판(박영사, 2020), 682면.

투자업에 관한 법률(이하 "자본시장법")에 의한 공시절차 및/또는 금융산업의 구조개선에 관한 법률(이하 "금산법")이나 금융업 관련 법령 등 합병당사회사가 영위하는 사업의 근거가 되는 법령상 합병에 대하여 관할 감독관청의 인·허가를 얻도록 규정하고 있는 경우에는 당해 절차의 준수에도 유념할 필요가 있다.

3) 합병의 기본적 일정

상장회사가 존속회사가 되는 흡수합병을 전제로 약식합병 절차에 의하지 않고 합병대가로서 합병신주를 발행하는 경우의 통상적인 합병절차(소멸회사가 주식·사채 등의 전자등록에 관한 법률(이하 "전자증권법")에 따른 전자등록법인임을 전제함)의 일정은 대체로 아래 표와 같이 정리될 수 있다.

절차	일정	참고사항	당사자
주요 사전준비 사항	D-73 이전	√ 외부평가기관에 대한 평가의뢰 √ 우회상장의 경우 한국거래소와의 사전협의 필요	존속회사
이사회 합병결의 및 합병계약 체결			양 당사회사
√ 주요사항보고서 제출 √ 이사회 결의사항 공시		√ 사유발생일의 다음날까지 금융위원회에 제출 √ 사유발생일 당일 한국거래소에 신고	상장회사인 당사회사
기업결합신고	D-73	√ 사전신고 또는 임의적 사전심사 요청	존속회사
[합병당사회사의 사업 관련 근거 법령상 합병인가 신청]			당해 법령의 적용을 받는 당사회사
주주명부폐쇄 및 기준일 공고		주주명부 확정일 2주전 공고	양 당사회사
증권신고서 제출		√ 금융위원회 제출 √ 비상장회사도 공모 요건을 충족하면 제출 필요	존속회사
증권신고서 효력 발생	D-63	금융감독원 정정 요청 시 연기 가능	존속회사
투자설명서 제출 및 본점 비치		증권신고서 효력 발생일에 제출	존속회사
주주명부 확정 기준일	D-58		양 당사회사

합병주주총회 소집 공고 및 통지	D-48	√ 주주총회 2주전 √ 증권신고서가 제출되는 경우 그 효력이 발생한 이후 진행	양 당사회사
합병계약, 합병대차대조표 비치 공시	D-48 ~	주주총회 2주전~합병 이후 6월	양 당사회사
합병반대의사 서면통지 접수 마감	D-34	주주총회 전일	양 당사회사
합병승인 주주총회	D-33	주주총회 특별결의	양 당사회사
주식매수청구권 행사기간	D-33 ~ D-13	√ 주주총회일로부터 20일 이내 √ 매수청구기간이 종료한 날로부터 1개월(상장회사) 또는 2개월(비상장회사) 이내에 매수대금 지급	양 당사회사
채권자 이의제출 공고 또는 개별통지	D-32	주주총회일로부터 2주 이내	양 당사회사
병합기준일 공고 또는 개별통지		병합기준일의 2주전까지	소멸회사
채권자 이의제출 기간 만료	D-1	공고일로부터 1월 이상	양 당사회사
합병기일(병합기준일)	D		양 당사회사
합병보고총회를 갈음하는 이사회결의	D+1	상장회사의 경우에는 보고총회의 개최에 많은 시일이 소요되므로 이사회결의에 의한 공고로 대체	존속회사
이사회결의 공고	D+2		존속회사
합병등기(변경, 해산등기)	D+3	이사회결의 공고 후 2주 이내	양 당사회사
증권발행실적보고서 제출		증권의 모집을 완료한 때 즉시	존속회사
√ 합병에 관한 서류의 사후 공시 √ 합병종료보고서 제출 √ 합병신주 상장 신청	D+3~	√ 합병을 한 날부터 6개월간 본점에 비치 √ 증권발행실적보고서를 제출하는 경우에는 합병종료보고서 제출 불필요	존속회사
√ 합병신주 상장	D+ 15~		존속회사

※ 위 표에서 음영으로 표시된 항목은 자본시장법에 의한 공모절차와 연관된 것임.
※ 상기 일정은 합병절차가 별다른 장애 없이 신속히 진행됨을 전제로 작성된 것이며, 관련 인허가의 지체 또는 정정 증권신고서의 제출 등 여러 사유로 일정이 지연될 가능성이 있음.

나. 합병계약의 체결

1) 합병계약의 의의

상법은 합병계약에서 합병에 관한 주요한 사항을 기재하도록 하면서(제523조, 제524조), 그에 대하여 합병당사회사의 주주총회에서 승인을 받도록 하고 있다(제522조). 따라서, 합병당사회사 및 주요한 이해관계자들의 권리의무관계는 기본적으로 합병계약에서 정한 바에 의하여 결정된다. 이러한 관점에서, 합병제도와 관련된 여러 법적 쟁점과 고려사항에 대한 논의의 출발점은 합병계약에 대한 분석이 되어야 할 것이다. 여기에서는 실무상 주로 이용되는 흡수합병 절차를 위주로 합병계약과 연관된 구체적인 논점과 고려사항들을 살펴보기로 한다.

2) 합병계약의 주요 조항

합병계약의 조항들은 상법에 의한 필수적 기재사항과 임의적 기재사항으로 구분될 수 있다. 그런데, 전자의 경우에는 그 구체적인 내용을 어떻게 규정할 것인지와 관련하여 여러 가지 법적 논점을 고려할 필요가 있으며, 후자의 경우에는 합병당사회사의 여러 이해관계자들 사이의 권리의무관계에 대한 원활한 조정 및 합병절차상 발생하는 여러 가지 법적 불확실성의 완화를 위하여 적극적으로 그 활용방안을 모색할 필요가 있을 것이다. 2015년 11월 12일 국회본회의에서 의결된 개정상법(이하 "2015년 개정상법")에 의하여 합병계약의 필수적 기재사항 일부가 변경되었는데, 아래에서 이처럼 변경된 내용을 포함한 합병계약의 필수적 기재사항과 임의적 기재사항을 나누어 살펴본다.

가) 합병계약의 필수적 기재사항

상법은 흡수합병과 신설합병의 경우 합병계약에서 절대적으로 기재하여야 할 사항을 명시적으로 규정하고 있는데, 이를 표로 정리하면 다음과 같다.

합병의 유형	기재사항
흡수합병 (제523조)	존속회사가 합병으로 인하여 그 발행할 주식의 총수를 증가하는 때에는 그 증가할 주식의 총수, 종류와 수(제1호)
	존속회사의 자본금 또는 준비금이 증가하는 경우에는 증가할 자본금 또는 준

	비금에 관한 사항(제2호)
	존속회사가 합병을 하면서 신주를 발행하거나 자기주식을 이전하는 경우에는 발행하는 신주 또는 이전하는 자기주식의 총수, 종류와 수 및 소멸회사의 주주에 대한 신주의 배정 또는 자기주식의 이전에 관한 사항(제3호)
	존속회사가 소멸회사의 주주에게 합병대가의 전부 또는 일부로서 금전 기타의 재산을 제공하는 경우에는 그 내용 및 배정에 관한 사항(제4호)
	각 회사에서 합병의 승인결의를 할 주주총회의 기일(제5호)
	합병을 할 날(제6호)
	존속회사가 합병으로 인하여 정관을 변경하기로 정한 때에는 그 규정(제7호)
	각 회사가 합병으로 이익배당을 할 때에는 그 한도액(제8호)
	합병으로 인하여 존속회사에 취임할 이사와 감사 또는 감사위원회의 위원을 정한 때에는 그 성명 및 주민등록번호(제9호)
신설합병 (제524조)	신설회사의 목적, 상호, 발행할 주식의 총수, 1주의 금액, 본점의 소재지 및 종류주식을 발행할 때에는 그 종류와 수(제1호)
	신설회사가 합병 당시에 발행하는 주식의 총수, 종류 및 종류별 주식의 수 및 각 회사의 주주에 대한 주식의 배정에 관한 사항(제2호)
	신설회사의 자본금과 준비금의 총액(제3호)
	각 회사의 주주에게 금전 기타의 재산을 제공하는 경우에는 그 내용 및 배정에 관한 사항(제4호)
	각 회사에서 합병의 승인결의를 할 주주총회의 기일 및 합병을 할 날(제5호)
	신설회사의 이사와 감사 또는 감사위원회의 위원을 정한 때에는 그 성명 및 주민등록번호(제6호)

상법에서 상기와 같이 합병계약에 기재되어야 할 사항을 명시하고 있으나, 당해 기재사항의 구체적 내용에 관하여는 회사법의 기본원리 및 합병당사회사 이해관계자들의 지위에 대한 고려를 바탕으로 다양한 논점에 대한 상세한 검토가 필요하다. 아래에서 합병계약의 각 필수적 기재사항별로 그러한 논점에 대하여 살펴본다.

(1) 존속회사가 합병으로 인하여 그 발행할 주식의 총수를 증가하는 때에는 그 증가할 주식의 총수, 종류와 수

상법이 주식회사의 수권주식총수를 정관의 필수적 기재사항으로 규정하고 있기 때문에(제289조 제1항 제3호), 만일 합병에 의하여 발행되는 합병신주로 인하

여 존속회사의 수권주식총수가 증가될 필요가 있는 경우에는 본 항목을 합병계약에 기재해야 하나, 그렇지 않은 경우에는 기재할 필요가 없다.

(2) 존속회사의 자본금 또는 준비금이 증가하는 경우에는 증가할 자본금 또는 준비금에 관한 사항

(가) 개 관

존속회사의 자본금 증가는 존속회사가 합병대가로서 소멸회사의 주주에게 교부할 신주를 발행하는 경우에 이루어지고, 준비금의 증가는 제459조 제2항이 허용하는 한도 내에서 준비금이 승계됨으로써 이루어지게 된다. 상법은 합병의 결과 존속회사의 자본금 또는 준비금이 증가하는 경우에는 주주총회의 승인대상인 합병계약에 그러한 자본금과 준비금의 구체적 내용을 기재하도록 함으로써 이해관계자인 주주와 회사채권자들을 보호하려는 것으로 이해된다. 2015년 개정상법의 시행 이전에는 존속회사가 합병대가로서 소멸회사의 주주들에게 합병신주를 발행하여 교부하는 것을 기본으로 삼아 '존속회사의 증가할 자본금과 준비금의 총액'을 합병계약의 필수적 기재사항으로 하였다, 그러나, 2015년 개정상법은 존속회사의 자본금이 증가하는 경우에 한하여 합병계약에 기재하도록 함으로써 무증자합병의 가능성을 명시적으로 인정하였고,[13] 준비금도 증가하는 경우에만 합병계약의 필수적 기재사항으로 하였다. 따라서, 2015년 개정상법에 의하면 합병대가로서 존속회사의 자기주식이 제공되는 경우 또는 현금교부합병(교부금합병)의 경우와 같이 합병으로 인하여 존속회사의 자본금 증가가 전혀 없는 경우 또는 준비금의 승계가 이루어지지 아니하는 경우에는 합병계약상 존속회사의 자본금 또는 준비금에 관한 사항의 기재가 필요하지 않다.

존속회사의 증가할 자본금은 그 금액을 명확하게 인식할 수 있을 정도로 기재해야 한다. 그리고, 합병신주가 액면주식인 경우 반대주주의 주식매수청구권의 행사 등을 통하여 취득되는 자기주식에 대하여 합병신주가 배정되지 않을 때에는 실제 합병등기 이후 증가하는 자본금의 액수가 합병계약상 증가할 자본금의 액수와 일치하지 않고 그보다 작아지게 된다. 이러한 현상은 합병절차상 불가피한 것으로서 불필요한 혼란을 예방하고 명확성을 제고하는 차원에서 가급적 합병계약에서 위와 같은 불일치의 가능성에 관하여 명시하여 두는 것이 바람직할

---

13) 2015년 개정상법에 관한 국회 법제사법위원회의 상법 일부개정법률안 심사보고서(2015. 11, 이하 "심사보고서"), 13면 참조.

것이다.

한편, 2011년 개정상법에서는 무액면주식 제도가 도입되었는데(제329조 제1항), 만일 존속회사가 무액면주식을 발행한 회사여서 합병의 결과 발행되는 존속회사의 신주가 무액면주식인 경우에는 합병계약상 본 기재사항을 어떻게 규정할 것인지에 관하여 상법에 구체적인 기준이 마련되어 있지 않아서 해석상 논란의 여지가 있다.[14]

  (나) 존속회사의 증가할 자본금 액수가 소멸회사의 순자산가액의 범위내로
     제한되는지 여부

종래 자본충실의 차원에서 흡수합병에 있어서 존속회사의 자본금 액수가 소멸회사의 순자산가액의 범위 안에서만 증가할 수 있도록 제한되는지 여부에 관하여 견해가 대립하여 왔다.

그러한 제한을 긍정하는 종래의 다수설은 (i) 존속회사가 소멸회사의 순자산을 초과하여 자본증가를 한다면 이는 액면주식의 경우든 무액면주식의 경우든 묻지 않고 자본충실의 원칙에 반하고, (ii) 합병은 소멸회사의 권리의무의 포괄승계가 그 본질이지 계산상의 액수인 자본과 준비금을 승계하는 것은 아니므로 소멸회사의 순자산액이 존속회사의 자본증가액의 기준이 되어야 하며, (iii) 2011년 개정 전 상법 제459조 제1항 제3호 및 제2항이 존속회사의 자본증가액은 소멸회사의 순자산을 한도로 한다는 위와 같은 해석에 입각하여 합병차익[15]과 그 범위 내에서의 준비금의 승계를 규정하고 있었고, (iv) 합병에 준하는 조직법상의 행위인 주식교환 · 주식이전에 관하여도 이미 같은 취지의 규정이 있다는 점(제360조의7, 제360조의18) 등을 근거로 제시하고 있다.[16]

---

14) 권기범, 기업구조조정법, 123~124면; 임재연, 전게서, 706면. 이철송, 전게서, 1102면에서는 존속회사가 무액면주식을 발행하는 경우에는 존속회사가 소멸회사로부터 승계하는 순자산가액이 소멸회사의 주주들에게 발행하는 신주의 발행가가 되므로 이 중 2분의 1 이상을 자본금으로 계상하여야 하고, 잔여의 금액은 자본준비금으로 적립하여야 한다고 한다.

15) 이는 소멸회사의 순자산액에서 존속회사가 지급한 합병대가의 총액을 차감한 잔액을 의미한다(권기범, 상게서, 136면).

16) 권기범, 상게서, 123면; 정동윤, 전게서, 816면; 정동윤 외 집필대표, 전게서, 336면; 최기원, 「회사합병의 법률관계」(상장협, 1987), 17면. 다만, 권기범, 상게서에서도 2011년 상법 개정으로 무액면주식제도가 도입되었고 그에 따라 상법 제451조가 규정하는 자본금 개념이 바뀐 만큼 그에 대한 규율체계, 특히 자본충실의 원칙의 적용 강도가 바뀌게 되면, 이 문제에 대한 실정법적 규율과 그 해석론의 변경이 가능하다고 하면서, 이 경우 일본처럼 이 문제를 상법에서 제외시켜 합병회계(기업결합회계)의 관점에서 처리하고, 상법은 이해관계자

반면, 존속회사의 증가할 자본액이 소멸회사의 순자산가액의 범위내로 제한될 필요가 없다는 견해도 유력하게 제기되고 있다. 이러한 견해는 (i) 최근 합병을 포함한 사업결합 관련 존속회사의 회계처리 기준에 의하면 지분통합법이 폐지되고 매수법을 기본으로 하게 되는데 존속회사의 자본증가의 한도를 소멸회사의 순자산가액으로 한다면 지분통합법에 의한 회계처리를 일반화하는 결과를 초래하고 이는 현실적으로 이루어지는 많은 합병 회계처리와 부합하지 않게 된다는 점, (ii) 합병의 경우 시너지 효과가 발생할 가능성이 높고 이를 감안하여 소멸회사 순자산의 객관적인 시가보다 더 많은 액면 합계의 합병신주를 발행할 수 있다는 점 및 (iii) 주주총회의 특별결의, 회사채권자의 이의절차 및 반대주주의 주식매수청구권 등 엄격한 절차적 요건을 거쳐 이루어지는 합병에 관하여 상기 제한을 일률적으로 적용하는 것은 일정한 경우 예외를 허용하는 액면미달 신주 발행 및 현물출자 규제와도 형평성이 맞지 않는다는 점 등을 근거로서 제시하고 있다.[17)]

우리나라의 대법원 판례는 제523조 제2호가 흡수합병계약의 필수적 기재사항으로 '존속회사의 증가할 자본'을 규정한 것은 원칙적으로 자본충실을 도모하기 위하여 존속회사의 증가할 자본액(즉, 소멸회사의 주주에게 배정·교부할 합병신주의 액면총액)이 소멸회사의 순자산가액 범위 내로 제한되어야 한다는 취지라고 볼 여지가 있다고 하면서도, 존속회사가 주권상장회사인 경우에 있어서 존속회사의 증가할 자본액이 반드시 소멸회사의 순자산가액의 범위 내로 제한되는 것은 아니라고 한다.[18)19)]

보호에 주력하는 방안을 언급하고 있다.

17) 노혁준, "부실계열사 합병과 합병비율 - 대법원 2008.1.10. 선고 2007다64136 판례평석," 「상사법연구」 제27권 제4호(상사법학회, 2009), 250~253면. 송옥렬, 전게서, 1239면은 정책적으로는 존속회사의 증가하는 자본금은 소멸회사의 순자산가액으로 제한하지 않는 것이 타당하다고 하면서도, 합병의 경우만 예외를 인정하는 것이 현행법상 가능한 해석인지는 확실하지 않다고 한다. 또한, 이철송, 상게서, 1103면은 기업실무에서는 존속회사가 채무초과 회사를 흡수하여 무증자합병을 하거나 승계하는 순자산보다 많은 금액의 신주를 발행하는 예도 흔히 볼 수 있는데 이는 합병으로 인한 성장효과(시너지효과)를 기대하기 때문이며 판례도 이러한 합병의 유효성을 인정한다고 하면서 동일한 합병실무가 계속될 것으로 전망하고 있다.

18) 대법원 2008.1.10. 2007다64136; 위 대법원 판례는 이러한 해석의 근거로서 (i) 회사의 주식의 실제적인 가치는 순자산가치만이 아니라 수익가치 및 동종, 유사 업종 회사와의 비교·평가에 의한 상대가치 등 다양한 요소를 종합적으로 고려하여야 적정하게 평가될 수 있다고 할 것인 점, (ii) 흡수합병에 있어서 존속회사가 단순히 소멸회사의 순자산만큼의 자산을 증대시키는 것에 그치지 아니하고 소멸회사의 영업상의 기능 내지 특성으로 높은 초

생각건대, 합병당사회사의 여러 이해관계자들의 권리와 지위는 합병절차와 관련된 상법의 여러 요건과 절차에 의하여 어느 정도 보호될 수 있다는 점, 2011년 개정상법이 일반적으로 공정하고 타당한 회계관행, 즉 일반 기업회계기준을 주식회사의 원칙적인 회계기준으로 삼고 있으며(제446조의2) 상기와 같이 일반 기업회계기준상 합병 회계처리는 매수법에 의하는 점, 합병당사회사의 기업가치 평가의 개방성 및 합병당사회사가 합병을 통해 달성할 수 있는 다양한 사업적 목표와 시너지 효과[20]에 비추어 볼 때 자본충실의 원칙을 고수하여 획일적으로 존속회사의 증가할 자본액을 소멸회사의 순자산가액의 범위내로 제한할 필요는 없다고 본다.[21] 한편, 상장회사의 경우 후술하는 바와 같이 자본시장법상 원칙적으로 증권시장에서 형성되는 주식의 시가를 기준으로 합병비율을 산정해야 하는데, 만일 존속회사의 증가할 자본액이 소멸회사의 순자산가액의 범위내로 제한된다고 해석하는 경우에는 위와 같은 합병비율에 관한 규제와도 부합하지 않는 사례들이 발생하게 된다.

(다) 채무초과회사와의 합병

만일 일방 합병당사회사의 재산상태가 부실하다면 포괄승계의 법리에 따라서

과 수익력을 갖게 되는 등 합병으로 인한 상승작용(시너지)의 효과를 기대할 수 있다면 존속회사가 발행하는 합병신주의 액면총액이 소멸회사의 순자산가액을 초과하는 경우 그 초과 부분은 소멸회사의 위와 같은 무형적 가치에 대한 대가로 지급되는 것이라고 볼 수 있을 것인 점(대법원 1986.2.11. 85누592 등 참조), (iii) 상법은 물론 회사합병의 요건 및 효과를 정한 일반법이라 할 것이지만, 합병비율 산정의 구체적인 방법과 기준 등에 대하여는 아무런 규정을 두지 않고 있는데 상장회사가 합병당사회사인 경우 구 증권거래법에서 공정한 합병비율의 적정성이 보장될 수 있도록 규율하고 있는 점, (iv) 상장회사인 경우 그 합병비율의 산정에 있어 수익성이나 성장전망 등의 여러 요소가 반영된 시장가치가 중요한 비중을 차지할 뿐만 아니라 투자자 보호의 필요성 또한 크다고 할 것이므로, 이에 관하여 유가증권의 원활한 유통과 투자자 보호라는 입법목적을 가진 과거 증권거래법이 대체로 상법보다 훨씬 강력한 법적 규제를 가하면서 주도적으로 합병을 규율하고 있는 점 등을 제시하였다.

19) 임재연, 전게서, 706면은 존속회사의 증가할 자본액은 소멸회사의 순자산가액의 범위 내로 제한되는 것이 원칙이지만, 합병당사자의 전부 또는 일방이 상장회사인 경우 그 합병가액 및 합병비율의 산정에 있어서는 자본시장법과 그 시행령이 특별법으로서 일반법인 상법에 우선하여 적용되고, 자본시장법 시행령 제176조의5의 적용 결과 존속회사의 증가할 자본액이 소멸회사의 순자산가액의 범위를 초과할 수 있다는 절충설을 제시하면서 위 판례를 근거로 인용하고 있다.

20) 이는 각주 17)에서 정리된 위 대법원 판례가 제시한 해석의 근거 중에서 (i)과 (ii)의 논거와도 연관된다.

21) 이철송, 전게서, 1103면에서는 존속회사가 소멸회사로부터 승계하는 순자산보다 많은 금액의 신주를 발행하는 이 경우, 증가하는 자본에 미달하는 자산액은 영업권으로 계상하여 차손을 메우고 있다고 한다.

그 불량한 재무구조가 상대방 합병당사회사에게 그대로 전이됨으로써 그 주주와
채권자 등의 이해관계자에게 불이익이 초래될 우려가 있다. 이러한 관점에서,
합병당사회사 중에서 채무초과회사가 있는 경우 합병이 가능한 것인지 여부가
문제되고 있다. 상법에서는 합병당사회사가 채무초과회사인 경우의 합병 가능성
에 관하여 아무런 명시적 규정을 두고 있지 않다. 대법원의 과거 등기선례[22]는
자본충실의 원칙 및 합병차익을 전제로 한 2011년 개정상법 이전의 상법 제523
조 제1호 내지 제3호, 제459조 제2항의 취지에 비추어 채무초과회사를 소멸회
사로 하는 흡수합병에 대하여 부정적이었으나, 최근 그 입장을 변경하여 이제는
채무초과회사를 소멸회사로 하는 흡수합병을 인정하고 있다.[23] 상법에 명문의
규정이 없고 2011년 개정상법에서 합병과 연관되는 여러 제도가 변경된 점에
비추어 결국 위 문제는 주로 회사법의 기본원리와 합병당사회사 이해관계자 보
호의 차원에서 분석될 필요가 있다고 할 것이다. 우리나라에서는 위 문제와 관
련하여 소멸회사든 존속회사든 채무초과회사를 당사회사로 하는 합병은 부적법
하다는 견해[24]와 채무초과회사의 합병 가능성을 인정하는 견해[25]가 대립하고
있다.

전자의 견해는 그 근거로서 무엇보다도 자본충실의 원칙을 강조하고 있는데,
영업권을 계상하는 등 자산재평가 후에도 여전히 실질적으로 채무초과인 소멸회
사를 흡수합병하면서 그 주주들에게 존속회사가 합병신주를 발행하는 것은 주금

---

22) 대법원 상업등기선례 제1-237호(2001. 10. 31. 등기3402-736 질의회답). 이철송, 전게서,
    1103면. 임재연, 전게서, 675면은 과거 대법원 등기선례의 위와 같은 입장 때문에 기업실무
    에서는 채무초과회사를 흡수합병할 때에는 영업권을 계상하여 채무초과상태를 해소하고 무
    증자합병을 하였다고 한다.

23) 대법원 상업등기선례 제201401-1호(2014. 1. 9. 사법등기심의관-174 질의회답)는 "채무초
    과회사를 소멸회사로 하는 흡수합병등기신청의 경우, 흡수합병으로 소멸하는 회사가 채무초
    과회사가 아님을 소명하는 서면(예컨대 소멸회사의 재무상태표 등)은 신청서에 첨부하여야
    하는 서면이 아니며, 이러한 서면을 첨부하였다 하더라도 등기관은 소멸회사가 채무초과회
    사인지 여부를 심사할 수 없다"고 한다. 이에 대하여, 위 상업등기선례는 채무초과회사가
    소멸회사인 합병이 유효하다는 판단에 근거한 입장 변경이 아니어서 여전히 이론적으로 논
    란이 남아 있으므로 채무초과상태를 해소한 후 합병을 진행하는 것이 안전함을 지적하는
    견해가 있다(임재연, 전게서, 704면).

24) 정동윤 외 집필대표, 전게서, 339면. 권기범, 기업구조조정법, 129~131면은 부정설의 입장
    을 취하면서도 예외적으로 존속회사가 실질채무초과인 소멸회사의 주주에 대하여 일체의
    합병대가를 지급하지 아니하고 이에 대해 존속회사의 주주 전원(주식매수청구권을 행사한
    주주 제외)이 동의하는 때 및 그 반대의 경우로서 소멸회사의 주주 전원(주식매수청구권을
    행사한 주주 제외)이 동의하는 때에는 허용된다고 해석한다.

25) 김건식·노혁준·천경훈, 전게서, 796면,; 송옥렬, 전게서, 1240면. 이철송, 전게서, 1103면.

납입 없이 신주를 발행하는 것과 같아서 자본충실의 원칙에 위배되는 것이라고
한다. 또한, 전자의 견해는 이러한 해석이 2011년 개정상법에 의하여 도입된 현
금교부합병의 경우에도 그대로 적용되어야 한다고 한다. 그 이유는 현금교부합
병에 의하여 존속회사가 실질채무초과 상태인 소멸회사의 주주에게 현금을 교부
하는 경우 그로 인하여 형식적으로 존속회사의 자본에 결손이 발생하지는 않는
다고 하여도 실질적으로 존속회사의 재무구조를 부실화하고 자본충실을 저해하
는 결과를 초래할 수 있기 때문이라고 한다. 다만, 전자의 견해도 예외적으로
실질채무초과인 100% 자회사를 모회사가 일체의 합병대가를 지급하지 않으면서
흡수합병하는 경우 또는 건실한 자회사를 실질채무초과인 모회사가 흡수합병하
는 경우는 주주의 보호에 별 문제가 없으므로 허용될 수 있는 것으로 본다. 이
에 반하여, 후자의 견해는 그 근거로서 채무초과회사도 수익가치나 시너지 효과
등을 고려하면 기업가치가 반드시 마이너스라고 할 수 없기 때문에 그 주주에게
합병신주를 배정하였다고 해서 자본충실 원칙에 반한다고 단정할 수 없다는 점,
채무초과회사와의 합병을 반대하는 주주에게 주식매수청구권이 부여되고 채권자
보호절차에 의하여 합병당사회사의 채권자도 보호된다는 점 또는 합병의 본질론
에 관한 인격합일설의 관점을 제시하고 있다.

생각건대, 합병당사회사 중에서 어느 일방의 순자산 상태만을 들어 합병의
가능성을 일률적으로 차단하는 것은 합병당사회사가 합병을 통해 달성할 수 있
는 다양한 사업적 목표와 시너지 효과를 무시하는 것이라는 점 및 자본충실의
원칙의 훼손에 대한 우려는 합병비율의 공정성을 담보할 수 있는 장치를 보완하
고 합병당사회사의 주주와 채권자를 보호하는 주식매수청구 및 채권자 이의절차
를 실질화함으로써 극복될 수 있다는 점에 비추어 채무초과회사를 존속회사 또
는 소멸회사로 하는 합병의 가능성을 인정하는 것이 타당하다고 본다.[26]

(라) 무증자합병

신설합병의 경우에는 신설회사의 자본금이 있어야만 하기 때문에 무증자합병
의 문제가 발생하지 않을 것이다. 그런데, 2015년 개정상법의 시행 이전에는 존
속회사가 합병대가로서 자신의 주식 이외에 기타 재산을 제공하는 것이 전제되

---

26) 이와 관련된 보다 상세한 논의는 노혁준, 전게논문, 256~267면 참조. 법무부 유권해석
2009. 5. 10.에서도 단지 존속회사가 채무초과회사라는 이유만으로 합병이 원천적으로 불가
능하다고 보기는 어렵다고 한다.

어 있지 않은 흡수합병에 있어서 과연 합병신주의 발행 없이도 합병이 가능한
것인지(예컨대, 모회사가 완전자회사를 흡수합병하는 경우 또는 존속회사가 합병대가
로서 발행이 예상되는 합병신주의 수량 이상의 자기주식을 보유하고 있는 경우에는 합
병신주를 발행할 필요가 없는 것인지)가 불확실한 측면이 있었다. 이에, 2015년 개
정상법은 위와 같은 각 경우에 있어서 합병신주의 발행 없이 존속회사의 자기주
식을 소멸회사의 주주에게 제공하거나(후자의 경우), 아무런 합병대가를 제공하
지 않는(전자의 경우) 무증자합병을 인정하여 온 학설의 견해[27] 및 대법원 등기
실무례 등[28][29]을 반영하여,[30] 합병대가로서 자기주식을 이전하는 경우를 명문
화하고(제523조 제3호 참조) 이와 더불어 상기와 같이 무증자합병의 가능성을 인
정하였다.

(마) 증가할 준비금의 총액

만일 회사합병의 결과 존속회사가 소멸회사에 의하여 적립된 여러 종류의 준
비금을 장부상 승계하는 경우에는 원칙적으로 그 총액, 항목 및 목적을 합병계
약에 기재[31]할 필요가 있다. 상법은 합병과 같은 자본거래에서 발생하게 되는
일반 기업회계기준상 자본잉여금을 자본준비금으로서 적립하도록 하고 있으며
(제459조 제1항, 시행령 제18조), 합병에 있어서 소멸회사의 이익준비금이나 그
밖의 법정준비금을 존속회사 또는 신설회사가 승계할 수 있도록 규정하고 있다
(제459조 제2항). 즉, 상법은 합병 후 존속회사의 이익준비금 등 각종 준비금의
추가적립 부담을 줄이기 위해 소멸회사의 재무제표상 추상적·개념적 항목으로

---

27) 송옥렬, 전게서, 1240면; 임재연, 전게서, 704면; 노혁준, "자기주식과 기업의 합병, 분할,"
『증권법연구』 제9권 제2호(삼우사, 2008), 141면.

28) 대법원은 존속회사가 자기주식을 합병대가로서 소멸회사의 주주들에게 교부하거나 합병신
주의 발행 없이 이루어지는 무증자합병이 허용될 수 있음을 인정하였다(대법원 2004.12.9.
2003다69355).

29) 모회사가 완전자회사를 흡수합병하는 경우에 관하여 무증자합병을 인정하는 대법원 상업등
기선례 3-958(1993. 5. 24. 등기 제1244호); 소멸회사가 존속회사의 지분 전부를 보유하고
있는 경우 존속회사가 합병으로 이를 승계하여 위 자기지분을 소멸회사의 주주에게 지급하
는 것을 내용으로 하는 합병계약을 체결하고 그에 대한 합병등기를 신청할 수 있다는 대법원
상업등기선례 200508-2(2005. 8. 3. 공탁법인과-365 질의회답) 및 상업등기선례 1-239
(2003. 1. 29. 공탁법인과 3402-27 질의회답) 참조.

30) 심사보고서, 12면 참조.

31) 가급적 그러한 사항을 합병계약에 구체적으로 특정하여 기재하는 것이 주주와 채권자 등
합병당사회사 이해관계자들을 위해 바람직하겠으나, 실무상으로는 합병계약에서 승계할 준
비금의 규모와 범위를 상세히 특정하지 않고 준비금 승계의 기준과 원칙 정도를 기재하는
사례들도 있다.

서 일정한 목적을 위해 사용되는 준비금이 합병의 결과 원래의 성격을 유지한 상태에서 존속회사에게 이전될 수 있도록 인정하고 있다. 이와 관련하여 존속회사가 소멸회사의 장부상 계상된 준비금을 어느 범위에서 승계하는 것이 가능한지 문제될 수 있는데, 2011년 개정상법의 시행 이전 합병차익의 범위 내에서 준비금의 승계를 허용하던 구법의 조항이 폐지된 점에 비추어 향후 이러한 준비금의 승계는 원칙적으로 공정·타당한 회계기준에 따라 허용되는 범위 내에서 가능하다고 볼 수 있을 것이다.[32] 이처럼 합병의 과정에서 승계될 수 있도록 허용된 소멸회사의 준비금을 존속회사가 승계함으로써 존속회사의 준비금이 증가하게 되는 경우에는 합병계약에서 그에 관한 사항이 기재될 필요가 있다. 이와 관련하여, 다음의 사항들에 관하여 살펴볼 필요가 있다.

먼저, 제459조 제2항은 존속회사에 승계되는 소멸회사의 준비금 항목으로서 '이익준비금이나 그 밖의 법정준비금'을 명시하고 있는데, 그렇다면 법정준비금 이외에 이익으로 적립한 각종의 임의준비금(임의준비금·이월이익 등의 잉여금)이 합병의 과정에서 존속회사에 승계될 수 있는지 여부가 문제된다. 합병의 과정에서 준비금 승계를 인정하는 제도의 취지상 그러한 임의준비금도 합병의 결과 승계될 수 있다고 본다.[33] 다음으로, 존속회사가 소멸회사에 의하여 적립된 이익준비금 등의 준비금 중에서 일부만 승계할 수 있는지 여부가 문제되는데, 이를 인정한다고 하여도 그로 인하여 회사법의 기본원리에 반하거나 합병당사회사의 이해관계자에게 불이익이 발생하지는 않을 것이므로 가능하다고 본다.[34]

---

32) 권기범, 현대회사법론, 157면 참조.
33) 정동윤 외 집필대표, 전게서, 341면; 권기범, 기업구조조정법, 137면에서는 합병차익의 범위 내인 한 임의준비금의 승계를 긍정하는 것이 옳다고 한다. 이에 대하여 상법 조항의 문언을 그대로 해석하여 임의준비금은 그러한 승계의 대상에서 제외되고 일반적인 합병차익과 같이 자본준비금으로 적립할 수밖에 없다는 견해도 있다(김건식·노혁준·천경훈, 전게서, 585면).
   그런데, 이처럼 합병의 결과 승계되는 준비금의 규모는 회사의 재무구조와 주주의 배당가능이익에 영향을 미치게 되고 결국 그에 따라서 채권자와 주주 간의 장래 기대이익이 직간접적으로 영향을 받게 될 것인바, 존속회사가 승계할 소멸회사의 이익준비금 및 기타 법정준비금의 범위는 존속회사의 재무구조 및 주주와 채권자 상호간의 이해관계를 충분히 고려하여 판단할 필요가 있을 것이다. 또한 존속회사에 의한 이익준비금 및 기타 법정준비금의 승계 범위는 합병회계처리와도 관련성이 있으므로 그 범위를 정함에 있어서는 합병회계처리에 관한 기업회계기준도 충분히 고려되어야 할 것이다.
34) 정동윤 외 집필대표, 전게서, 341면.

(3) 존속회사가 합병을 하면서 신주를 발행하거나 자기주식을 이전하는 경우
에는 발행하는 신주 또는 이전하는 자기주식의 총수, 종류와 수 및 소멸회
사의 주주에 대한 신주의 배정 또는 자기주식의 이전에 관한 사항

(가) 개 관

합병이 이루어지면 존속회사는 소멸회사의 주주에게 합병대가를 지급해야 한
다. 상법상 합병대가는 과거 합병신주만이 허용되었으나, 2011년 개정상법에 의
하여 현금교부합병 제도가 도입됨으로써 앞으로는 다양한 형태로 존속회사가 소
멸회사의 주주에게 합병대가를 제공할 수 있게 되었고, 2015년 개정상법은 합병
대가로서 존속회사의 자기주식이 이전될 수 있음을 명시적으로 규정하였다.[35]
본 항목은 존속회사가 합병대가로 소멸회사의 주주에게 합병신주 또는 자기주식
을 교부하는 경우에 있어서 합병계약상 기재되어야 할 사항이다.

(나) 합병비율

합병대가로서 존속회사의 신주 또는 자기주식이 소멸회사의 주주에게 제공되
는 경우에는 존속회사의 주식에 대비되는 소멸회사의 주식의 가치, 즉 합병비율
이 중요한 의미를 가지게 되며, 그에 따라서 합병신주가 배정된다. 이처럼 중요
한 기능을 하는 합병비율은 그 취지상 존속회사와 소멸회사의 주주에게 불이익
이 발생하지 않도록 공정해야 한다. 이러한 공정성은 기본적으로 존속회사와 소
멸회사의 주식가치 내지 기업가치가 공정하게 평가됨으로써 담보될 수 있을 것
이다. 그런데, 과거 합병신주로만 합병대가를 제공하였을 때에는 합병비율에 있
어서 합병당사회사 주식가치의 상대적 비교라는 의미가 강조되었으나, 2011년
개정상법에서 현금교부합병이 도입된 이후에는 합병비율에 있어서 합병당사회사
(특히, 소멸회사) 주식의 객관적으로 공정한 절대적 가치의 산정이 중요한 의미를
가지게 되었다고 할 수 있다.[36]

---

35) 합병대가로서 존속회사의 자기주식을 이전하는 것은 전술한 바와 같이 종래 해석상 인정되
어 왔으나 이제 상법상 명시적으로 인정된 만큼 향후 더욱 많은 사례에서 활용될 수 있을
것으로 예상된다. 그런데, 존속회사의 자기주식은 그 취득 당시 또는 존속회사의 재무제표
상 가액, 합병비율 산정을 위해 평가된 가액 및 합병대가로서 소멸회사 주주들에게 지급될
당시의 가액이 각기 달라질 수 있는바, 이러한 경우 회계·세무상 존속회사의 자기주식에
대한 취급 방식이 사전에 충분히 검토될 필요가 있을 것이다.
36) 권기범, 기업구조조정법, 155면.

① 산정 기준

상법에서는 합병비율 내지 존속회사의 주식가치 내지 기업가치와 소멸회사의 그것을 어떠한 기준과 방식으로 산정하거나 평가할 것인지에 관하여 아무런 규정을 두고 있지 않다. 회사의 지분가치 내지 기업가치에 대한 평가는 여러 국면에서 이루어지게 되는데, 대표적인 경우로서는 (i) 유상증자, (ii) 구주의 인수 및 매각, (iii) 합병 또는 주식의 포괄적 교환·이전, (iv) 반대주주의 주식매수청구, (v) 공정거래법상 부당지원행위 관련 규제, (vi) 2011년 상법 개정으로 도입된 지배주주의 매도청구권(소수주주의 매수청구권) 행사에 따른 주식매매 등을 예로 들 수 있다. 상기 각 경우에 있어서 회사의 지분가치나 기업가치를 평가하는 세부적인 기준은 관련 제도의 취지에 따라서 조금씩 차이가 있을 수는 있겠으나, 어느 경우이든 그 평가의 금액은 본질적으로 공정하고 객관적인 회사의 지분가치 내지 기업가치를 반영해야 할 것이다. 따라서, 법령상 합병비율의 산정에 관한 명시적 평가기준이 마련되어 있지 않다면 합병비율을 산정함에 있어서 다른 사안에서 사용되는 회사의 지분가치 내지 기업가치의 산정 기준을 적절히 참고할 필요가 있을 것이다.

합병비율의 구체적 산정 기준과 관련하여, 우리나라에서는 합병당사회사가 상장회사인 경우와 비상장회사인 경우에 대한 규율이 다르게 되어 있다. 즉, 합병당사회사 중에서 상장회사가 있는 경우에는 자본시장법에서 정하는 방법에 따라 합병비율을 산정하도록 명시적으로 규정하고 있으나,[37] 합병당사회사가 모두 비상장회사인 경우에는 이와 관련하여 아무런 규정이 마련되어 있지 않다.

우선, 상장회사와 상장회사가 합병을 하는 경우에는 원칙적으로 합병당사회사 모두 바로 아래에서 언급되는 자본시장법상 상장회사에게 적용되는 합병가액의 산정 방식에 따라서 합병가액을 산정해야 한다(자본시장법 제165조의4, 자본시장법 시행령 제176조의5 제1항 제1호).

다음으로, 상장회사가 비상장회사와 합병을 하는 경우,[38] 자본시장법에서는

---

37) 다만, 이러한 규제는 상장회사가 자본시장법상 기업인수목적회사(SPAC) 또는 코넥스시장 상장법인인 경우와 그렇지 않은 경우에 각기 다르게 적용된다(자본시장법 시행령 제176조의5 제3항, 제1항 제2호 참조). 아래에서는 상장회사가 위 기업인수목적회사 또는 코넥스시장 상장법인에 해당하지 않는 경우를 전제로 논의를 전개한다.
38) 송옥렬, 전게서, 1238면은 자본시장법에서 정하는 합병비율에 관한 평가방법이 합병당사회사 이해관계자의 이익에 반드시 부합하는 것은 아니므로 이론적으로는 기업가치 평가의 공

합병비율이 상장회사의 재무구조 또는 합병당사회사의 주주들에 대하여 가지는
중요한 의미를 고려하여 상장회사와 비상장회사의 합병가액을 일정한 방식에 의
하여 산정하도록 하고 있다. 구체적으로, 자본시장법에 의하면 상장회사의 합병
가액은 시장가치, 즉 합병을 위한 이사회 결의일과 합병계약을 체결한 날 중 앞
서는 날의 전일을 기산일로 하여 최근 1개월간 평균종가(각 평균종가는 거래량으
로 가중산술평균하여 산정함) 최근 1주일간 평균종가 및 최근일 종가를 산술평균
한 가액을 기준으로 100분의 30(계열회사 간 합병의 경우에는 100분의 10)의 범위
에서 할인 또는 할증한[39] 가액(다만, 위 기준시가가 자산가치에 미달하는 경우에는
자산가치로 할 수 있고, 이러한 자산가치에 의한 합병가액 산정은 상장회사 사이의 합
병에는 적용되지 않는다. 위 기준시가의 산정이 불가한 경우에는 자산가치와 수익가치
를 가중산술평균한 가액으로 하되 아래 언급된 바와 같이 상대가치를 비교하여 공시해
야 함)으로 하는 것이 원칙이고, 비상장회사의 합병가액은 자산가치와 수익가치
를 가중산술평균한 가액(이 경우, 금융위원회가 정하여 고시하는 방법에 따라 산정한
유사한 업종을 영위하는 법인의 가치, 즉 상대가치를 비교하여 공시해야 함)으로 산정
된다.[40] 자본시장법에 따라서 산정되는 합병비율은 사실상 강제되고 있는 것일
뿐이므로 이론적으로는 그것이 당연히 객관적인 공정성을 확보하고 있다고 보기
는 어려우며,[41] 자본시장법에서 정하는 평가방법을 따르지 않았다고 하더라도

정성이 확보될 수 있는 절차를 준수하는 것을 전제로 당사자 사이의 협상결과를 그대로 인
정하는 것이 바람직하다고 하면서, 다만 현실적으로 획일적인 평가방법을 강제할 필요성도
있다는 점을 지적하고 있다. 이는 우리나라에서 이루어지는 대부분의 합병은 기업집단 내에
서 계열사 사이에서 이루어지는데, 그러한 경우 합병비율이 독립적인 협상으로 정해지지
않고 지배주주의 이익을 도모하는 방향으로 자의적으로 정해질 가능성이 높기 때문이라고
한다.

39) 실제 상장회사의 합병 사례들에서 이처럼 할인 또는 할증된 합병가액을 적용한 사례는 거
의 없는데, 이는 현실적으로 합병당사회사의 입장에서 기준가액을 벗어나 그러한 할인 또는
할증을 해야 할 필요성을 밝힐 수 있는 합리적 근거를 제시하는 것이 쉽지 않으며 또한 그
러한 할인 또는 할증이 이루어지는 경우 상대적으로 불리한 합병비율의 적용을 받게 되는
합병당사회사의 주주들에게 할인 또는 할증의 정당성을 설득하는 것이 당해 합병당사회사
에게 적지 않은 부담으로 작용하기 때문인 것으로 추정된다. 이와 관련된 공시 제도의 개
선 등에 관하여, 김원웅, "주권상장법인 간 합병가액 산정 시 할증·할인여부 관련 공시에
대한 소고,"「CGS Report」 제6권 제3호(한국기업지배구조원, 2016), 2~6면 참조.

40) 자본시장법 제165조의4, 자본시장법 시행령 제176조의5 제1항 제2호, 제1호 및 제176조의
5 제2항.

41) 이처럼 시장가격을 기준으로 합병비율을 산정하도록 하는 것은 기본적으로 시장을 통하여
공정한 주식가치가 산정될 수 있다는 전제 또는 이론적으로는 이른바 효율적 시장가설
(Efficient Market Hypothesis)라는 현실적으로 완전히 달성되기 어려운 가정을 전제로 한
다고 할 수 있다. 효율적 시장가설은 금융경제학에서 실증적 분석을 통하여 그 타당성을

그 자체로써 바로 합병비율이 불공정하다고 단정하기는 어려울 것이다.[42][43] 대법원에서는 "합병비율은 자산가치 이외에 시장가치, 수익가치, 상대가치 등의 다양한 요소를 고려하여 결정되어야 할 것인 만큼 엄밀한 객관적 정확성에 기하여 유일한 수치로 확정할 수 없는 것이고, 그 제반 요소의 고려가 합리적인 범위 내에서 이루어진 것이라면 결정된 합병비율이 현저하게 부당하다고 할 수 없을 것이므로, 합병당사자 회사의 전부 또는 일부가 주권상장회사인 경우 증권거래법과 그 시행령 등 관련 법령이 정한 요건과 방법 및 절차 등에 기하여 합병가액을 산정하고 그에 따라 합병비율을 정하였다면 (i) 그 합병가액 산정이 허위자료에 의한 것이라거나 (ii) 터무니없는 예상 수치에 근거한 것이라는 등의 특별한 사정이 없는 한, 그 합병비율이 현저하게 불공정하여 합병계약이 무효로 된다고 볼 수 없을 것이다"라고 판시하여[44] 자본시장법에 의한 합병비율의 산정 기준의 타당성을 인정하고 있다.[45]

인정받고 있으며, 우리나라의 대법원도 그 결론의 정당성은 별론으로 하고 이미 부실공시로 인한 손해배상책임과 관련하여 그 요건의 하나인 거래인과관계를 인정함에 있어서 효율적 시장가설을 전제로 하는 시장사기이론(Fraud-on-the-market theory)에 입각한 듯한 판시를 한 적이 있다(대법원 1997.9.12. 96다41991). 그러나, 증권법의 관점에서 효율적 시장가설의 타당성이 인정될 수 있는지 여부는 별론으로 하고, 기업의 본질적 가치를 기준으로 하는 합병비율의 산정에 있어서 현실적으로 기업가치와 무관한 다양하고 우연적인 사정 및 인위적 요소에 의하여 왜곡될 수 있는 주식의 시장가격을 절대적 기준으로 삼기는 어려울 것이다.

자본시장법에서는 상장회사가 자기주식 취득에 의하여 합병비율에 영향을 미치는 것을 방지하기 위하여 다른 법인과의 합병에 관한 이사회 결의일로부터 과거 1개월간 자기주식의 취득이나 처분을 제한하고 있으나(자본시장법 제165조의3, 자본시장법 시행령 제176조의2 제2항 제1호), 증권시장에서의 시세조종 등 불공정거래행위 또는 분식회계 등의 부실공시가 주가의 형성에 영향을 미치는 경우에는 증권시장에서의 가격이 합병당사회사의 공정한 기업가치를 나타낼 수 없을 것이다. 이러한 경우 구체적 사정에 따라 합병비율의 현저한 불공정을 이유로 합병이 무효화될 수도 있겠으나, 현실적으로 감독당국 또는 수사당국의 조사에 소요되는 기간 등에 비추어 위와 같은 인위적 요소가 합병무효의 소의 제척기간 이내에 밝혀지기는 쉽지 않을 것이다.

42) 김건식·노혁준·천경훈, 전게서, 799면; 송옥렬, 전게서, 1238면.
43) 임재연, 전게서, 695~696면은 자본시장법에서 정하는 평가방법을 따르지 않은 경우에는 합병무효의 원인이 된다고 한다.
44) 대법원 2008.1.10. 2007다64136 및 대법원 2009.4.23. 2005다22701 등 참조.
45) 현실적으로도 증권신고서 제출과 같은 공시의무의 이행 및 객관적으로 공정성이 인정될 수 있는 대체적 산정 방식의 부족 등으로 상장회사인 합병당사회사가 자본시장법에 따른 합병가액 산정 방식을 따르지 않기는 어려울 것이다. 다만, 합병당사회사의 이해관계자들이 모두 합의하는 경우에는 자율적으로 합병비율을 결정할 수 있도록 하는 것이 합리적일 수도 있는데 자본시장법은 획일적 기준에 따라 상장회사의 합병가액을 결정하도록 함으로써 위와 같은 경우 융통성 있는 합병비율의 결정을 어렵게 만든다는 비판이 제기될 수도 있다.

한편, 합병당사회사가 모두 비상장회사인 경우에는 여러 법령에서 개별적으로 규정된 비상장회사의 주식가치 평가방법을 사용하는 것을 생각해 볼 수 있는데, 이와 관련해서는 먼저 세법상 비상장회사의 주식가치를 평가하는 방법이 있다. 그런데 세법상 비상장회사의 주식가치를 평가하는 방법에 관하여 대법원은 비상장 주식이라도 객관적인 교환가치가 적정하게 반영된 정상적인 거래의 실례가 있으면 그 거래가격을 시가로 보는 것이 타당하다고 판시한 바 있다.46) 그러나 비상장회사의 주식의 경우에는 거래되는 수량이나 거래가격이 명확히 공시되지 않기 때문에, 이에 따라 당해 주식의 거래가격을 알 수 없거나, 설령 거래가격을 알 수 있다고 하더라도 거래량이 적고 활발하게 거래가 이루어지지 않는 경우에는 이를 제3자 사이에서 일반적으로 거래한 가격으로는 보기 어려운 점이 있으므로 세법상 이러한 경우에는 보충적으로 상속세 및 증여세법에 따른 비상장주식 평가방법에 따라 순손익가치와 순자산가치를 가중평균하여 비상장회사 발행주식의 1주당 가치를 산정하게 된다. 한편, 비상장주식의 양도가 현저히 유리한 조건의 거래로서 공정거래법상 부당지원행위에 해당하는지 여부가 문제된 사안에서, 대법원은 비상장주식의 양도행위가 현저히 유리한 조건의 거래에 해당하는지 여부를 판단함에 있어서 "급속한 발전이 전망되고 지속적인 성장이 예상되는 정보통신 관련 사업을 영위하는 기업의 주식가격은 기준시점 당시 당해 기업의 순자산가치 또는 과거의 순손익가치를 기준으로 하여 산정하는 방법보다는 당해 기업의 미래의 추정이익을 기준으로 하여 산정하는 방법이 그 주식의 객관적인 가치를 반영할 수 있는 보다 적절한 방법"이라고 판시하였다.47) 그러나, 상기 평가방법들 중에서 어떤 하나의 방법만이 일률적으로 타당한 것이라고 볼 수는 없고, 상법만이 적용되는 비상장회사 사이의 합병에 있어서는 주식의 본질가치를 평가하는 방법에 관해서는 절대적인 평가방법이 존재하지 않으며, 다만 순자산가치, 시장가치, 수익가치48) 등 모든 가치요소와 평가방법을 종합적으로 고려하되 개별 사안에 따라서 적절한 방법을 취사선택하여 합병비율을 정할 수밖에 없다는 것이 지배적인 견해이다.49)

---

46) 대법원 2004.10.27. 2003두12493 및 대법원 2005.6.23. 2005두3059 등 참조.
47) 대법원 2005.6.9. 2004두7153.
48) 이러한 요소들을 적절히 가중평균하여 주식의 가치를 산정하는 방식을 소위 델라웨어 가중평균방식(Delaware Block Method)이라고 한다.
49) 대법원도 이와 유사한 취지로 판시하였다(대법원 2015.7.23. 2013다62278 참조).

전술한 바와 같이 합병의 경우 시너지 효과가 발생할 가능성이 높은데, 그렇다면 합병당사회사의 주식가치 또는 기업가치의 산정에 있어서 이를 고려할 필요가 있는지 여부가 문제된다. 이는 특히 소멸회사의 주주들이 존속회사의 주주로서 합병에 따른 시너지 효과를 공유할 기회가 제한되는 현금교부합병에 있어서 논란의 소지가 크다. 상법에 명문의 관련 규정이 없는 상황에서는 이론적으로는 시너지에 의하여 상승되는 기업가치가 합병대가에 반영되는 것이 공정성의 관념에 부합한다는 견해도 제기되고 있다.50) 다만, 현실적으로 전술한 기업가치 산정의 방식과 별도로 시너지 효과만을 산출하는 기준과 방식을 마련하기가 어렵다는 점 및 상기와 같이 자본시장법은 합병에 대한 이사회 결의일 또는 합병계약의 체결일을 기준일로 하여 합병가액을 산정함으로써 합병의 시너지가 반영될 수 있는 여지를 배제하고 있다는 점 등에 비추어 볼 때, 실무상으로는 합병당사회사의 주식가치 또는 기업가치의 산정에 있어서 시너지 효과를 별도의 수치로 제시되는 독립적 평가요소가 아니라 주식가치의 공정성을 제고하기 위해 고려해야 할 제반 고려사항 중의 하나로서 인정하는 방안도 생각해 볼 수 있을 것이다.

② 공정한 합병비율 산정을 위한 메커니즘

상법은 합병당사회사로 하여금 합병비율의 산정에 관한 자료를 제공하도록 하고 있다(제522조의2 제1항 제2호). 그리고, 합병당사회사인 상장회사는 인수업무 및 모집 · 사모 · 매출의 주선업무를 인가받은 금융투자업자, 신용평가회사 및 회계법인 중에서 외부평가기관을 선정하여 합병가액의 적정성 등을 평가하고 의견을 첨부해야 한다(자본시장법 시행령 제176조의5 제1항, 제7항, 제8항). 구체적으로 살펴보면, 상장회사가 상장회사와 합병하는 경우에는 원칙적으로 외부평가를 받을 의무가 없으나 예외적으로 (i) 합병가액을 자본시장법에 따른 기준시가의 100분의 10을 초과하여 할인 또는 할증된 가액으로 산정하는 경우 또는 (ii) 기준시가를 산정할 수 없어 자산가치와 수익가치를 가중산술평균한 가액으로 합병가액을 산정한 경우 또는 (iii) 합병으로 비상장회사가 되는 경우(다만, 기준시가에 따라 합병가액을 산정하는 경우 또는 존속회사가 소멸회사의 발행주식 총수를 소유하면서 합병신주를 발행하지 않는 경우는 제외) 등에는 외부평가를 받아야 한다. 그

---

50) 권기범, 기업구조조정법, 175면.

리고, 상장회사가 비상장회사와 합병하는 경우에는 원칙적으로 외부평가기관의 외부평가를 받아야 하나, (i) 합병당사회사가 모두 기준시가에 따라 합병가액을 산정하는 경우(합병의 결과 상장회사가 비상장회사로 되는 경우에만 적용) 또는 (ii) 다른 회사의 발행주식 총수를 소유하고 있는 회사가 그 다른 회사를 합병하면서 신주를 발행하지 않는 경우(예컨대, 상장회사가 100% 자회사인 비상장회사를 합병하면서 신주를 발행하지 아니하는 경우) 등에는 외부평가를 받을 의무가 없다. 그런데, 금산법에 의한 금융기관 사이의 합병 등 법률의 규정에 의한 합병에 대하여는 예외적 사유가 없는 한 위와 같은 합병비율 산정에 관한 규제가 적용되지 않는다는 점을 유의할 필요가 있다(자본시장법 시행령 제176조의5 제13항).

한편, 어차피 확립된 일률적인 합병비율의 산정 기준이 마련되어 있지 않다면 합병비율의 공정성을 강화하고 그와 관련된 논란이나 분쟁을 완화하기 위하여, 현실적인 차원에서 합병당사회사가 상기 메커니즘에 준하는 절차의 이행과 더불어 상대방에 대하여 충실한 실사를 수행하고 합병비율 등 합병계약상 주요한 조건에 대한 의사결정의 절차상 독립성과 공정성이 담보될 수 있도록 하는 데에 주력하는 방안을 고려해 볼 수 있을 것이다.

(다) 자기주식에 대한 신주배정

흡수합병시 소멸회사가 자기주식을 보유하는 경우 이러한 소멸회사의 자기주식에 대하여 존속회사의 합병신주를 배정하여야 하는지에 관하여는 상법상 명시적인 규정이 없고 이를 구체적으로 판시하고 있는 판례도 없는 실정이다.

합병을 원인으로 하여 존속회사가 자기주식을 취득할 수 있는 경우로는 다음과 같은 3가지 경우를 생각해 볼 수 있다.[51]

(i) 소멸회사가 자기주식을 소유한 경우

(ii) 소멸회사가 존속회사의 주식을 소유한 경우

---

51) 넓게 보면 합병에 반대하는 존속회사의 반대주주가 주식매수청구권을 행사함에 따라 취득하는 자기주식도 생각할 수 있다. 자본시장법은 상장회사가 반대주주의 주식매수청구권 행사로 취득한 자기주식에 대하여는 매수한 날로부터 5년 내에 이를 처분할 의무를 규정하고 있다(자본시장법 제165조의5 제4항, 같은 법 시행령 제176조의7 제4항). 이러한 처분의무는 상법에는 없는 것이어서 형평성의 문제가 있다. 한편, 존속회사가 반대주주의 주식매수청구권 행사로 취득한 자기주식은 매수절차가 합병의 효력이 발생하기 이전에 완료되는 경우 합병대가로서 합병신주에 갈음하여 소멸회사의 주주에게 제공할 수도 있을 것이나, 이 경우 그러한 사정의 발생을 전제로 사전에 합병계약의 관련 조항을 정비해 둘 필요가 있을 것이다.

(iii) 존속회사가 소멸회사의 주식을 소유한 경우

우선, 위 (i)의 경우에는 신주를 배정받을 주체가 없으므로 자기주식이 합병에 의하여 당연히 소멸하여 존속회사에서 합병신주를 배정할 수 없다는 해석이 통설이다.52)53) 다음으로 위 (ii)의 경우에는 존속회사가 합병에 의하여 소멸회사의 자산을 승계하므로 소멸회사가 소유한 존속회사의 주식은 합병 이후 존속회사의 자기주식이 된다는 해석이 일반적이다.54) 당해 주식은 이를 계속 보유해도 무방하나,55) 합병과 동시에 소각하는 때에는 그 사실을 합병계약에 기재해야 한다. 그런데, 위 (iii)의 경우에는 존속회사가 합병신주를 발행하지 못한다고 하는 견해56)와 존속회사에게 합병신주를 배정하여도 좋고 배정하지 않아도 무방하다는 견해57)가 대립하고 있다. 상법상 명시적인 규정이나 판례 또는 유권해석

52) 권기범, 기업구조조정법, 150면; 송옥렬, 전게서, 1242면; 이철송, 전게서, 1104면; 임재연, 전게서, 706면. 그런데, 실무상으로는 소멸회사가 원래 보유하고 있던 자기주식 및/또는 반대주주의 주식매수청구에 따라서 취득한 자기주식에 대하여 합병대가로서 존속회사의 주식이 지급되는 사례들이 종종 있는 것으로 파악된다(이러한 사례들에 관하여는 조현덕·박병권, "자기주식의 법적 지위,"「BFL」제87호(서울대 금융법센터, 2018), 16면 참조). 국세청 유권해석례 중 '피합병법인의 자기주식 보유분에 대해 합병신주 미교부 시 지배주주 배정요건 충족여부'에 대한 검토의견을 회신한 사례가 있는바(2011. 12. 28. 법인세과-1039), 이는 소멸회사(피합병법인) 보유 자기주식에 대한 합병신주 교부 여부는 합병 당사자들 사이의 합의로 자유롭게 선택할 수 있다는 점을 전제한 것으로 볼 여지가 있다.
53) 이러한 통설과는 반대로 소멸회사가 보유한 자기주식에 대하여 존속회사의 합병신주를 배정할 수 있다는 견해도 제시되고 있는데, 그러한 견해는 (i) 소멸회사의 자기주식에 대하여 합병신주의 배정을 금지하는 명문의 규정이 없는 점, (ii) 합병의 포괄승계 법리상 존속회사는 소멸회사의 권리와 의무를 포괄적으로 승계하므로 존속회사가 소멸회사의 자기주식에 합병신주를 배정하고 이를 합병의 효과로서 포괄승계하는 것도 가능하다는 점, (iii) 상법의 개정으로 예외적으로 취득한 자기주식의 처분의무가 없어진 점 등을 근거로 제시하고 있다(조현덕·박병권, 상게논문, 15면 및 박선희, "자기주식과 기업구조조정,"「BFL」제87호(서울대 금융법센터, 2018), 59면)
54) 권기범, 상게서, 150면; 송옥렬, 상게서, 1242면; 이철송, 상게서, 1104면; 임재연, 상게서, 707면. 제341조의2 제1호가 가리키는 경우가 바로 이러한 경우이다.
55) 2011년 개정 전 상법 제342조에 규정되어 있던 상당한 시기에 처분할 의무가 2011년 개정 상법에서 삭제되었다. 이는 입법의 착오로 보인다.
56) 권기범, 상게서, 151면; 김건식·노혁준·천경훈, 전게서, 797면(이론상으로는 이러한 경우에까지 구태여 자기주식의 창출을 인정할 필요는 없다는 점에서 부정설이 옳다고 하면서, 실무상으로는 신주배정이 가능한 것으로 보고 있다는 점을 지적하고 있다).; 임재연, 상게서, 706면; 최기원, 전게서, 1105면. 한편, 존속회사의 주식을 소멸회사의 주주에게 교부하는 것이 자본시장법상 주식의 공모에 해당하는 경우에는 증권신고서가 제출되어야 하는데, 존속회사가 보유한 소멸회사의 주식에 대하여 합병신주를 배정한다는 것은 "자기모집·자기청약"에 해당하여 논리적으로 모순이 발생한다는 점에서 존속회사가 보유한 소멸회사 주식에 대하여는 합병신주를 배정할 수 없다고 보는 견해도 제기될 수 있다.
57) 송옥렬, 상게서, 1242면; 이철송, 상게서, 1104면; 정동윤, 전게서, 824면; 최준선, 전게서,

이 없는 이상, 위 견해들 모두 가능하고 어느 견해를 취하든 결과적으로 다른 주주의 권리나 이익에 실질적으로 특별한 차이가 발생하지는 않는 것으로 보인다. 그러나, 무용하고 번거로운 절차를 피하고 간명한 업무처리를 위해서 존속회사가 보유하는 소멸회사의 주식에 대하여는 합병신주를 배정하지 않는 것이 보다 바람직하다고 생각된다.[58] 이처럼 존속회사가 보유하는 소멸회사의 주식에 대하여 합병신주를 배정하지 않는 경우에는 합병계약에 그러한 취지의 규정을 두면 될 것이다. 한편, 상기와 같이 2015년 개정상법은 존속회사가 자기주식을 합병대가로서 지급하는 것을 명시적으로 규정하였는데, 만일 합병대가로서 존속회사의 자기주식만 제공되는 경우에는 존속회사가 보유하는 소멸회사의 주식에 대하여 다시 자기주식을 지급하는 것이 더욱 무의미해 질 것으로 생각된다.

(라) 종류주식 관련 고려사항

2011년 개정상법은 다양한 종류주식의 발행 가능성을 열어 두었는데, 만일 존속회사가 소멸회사의 주주들에게 제공하는 합병대가가 존속회사의 여러 종류주식으로 구성되는 경우에는 합병계약에서 그 종류 및 종류별 수량을 기재하고, 필요하다면 존속회사의 정관상 종류주식에 관한 사항이 적절히 개정될 수 있도록 해야 할 것이다. 한편, 합병계약상 소멸회사의 종류주식에 대한 취급 및 합병대가를 구성하는 존속회사 종류주식의 내용과 관련하여서는 합병대가의 공정성 및 주식평등의 원칙이 충분히 고려되어야 할 것이다.[59]

만일 소멸회사의 어느 종류주식이 발행될 당시 명시적으로 합병대가의 배정 등에 관하여 특수한 정함이 없는 경우 그 처리방안과 관련하여 판례나 학설상 확립된 기준은 없으나, 이와 관련하여 대체로 다음과 같은 처리방안을 고려해 볼 수 있을 것이다.

우선, 존속회사가 당해 종류주식과 동일한 종류와 내용의 주식을 발행하여 합병대가를 제공하는 방안을 고려해 볼 수 있는데, 이는 합병 전후의 소멸회사 주주들의 지위의 등가성을 해치지 아니하므로 허용될 수 있을 것이며 실제 여러 합병 사례들에서 이러한 방안을 취한 것으로 파악된다.

771면; 박선희, 전게논문, 61면. 대법원 2004.12.9. 2003다69355도 흡수합병에서 존속회사가 보유하던 소멸회사의 주식에 대하여 반드시 신주를 배정해야 할 필요는 없다고 한다.

58) 노혁준, 전게 "자기주식과 기업의 합병, 분할," 138면.

59) 이에 관한 보다 상세한 검토는 권기범, 기업구조조정법, 140~145면 참조.

다음으로, 존속회사가 당해 종류주식과 다른 종류와 내용의 주식으로 합병대
가를 제공하는 방안을 채택할 수도 있는데, 예컨대 소멸회사의 보통주와 배당우
선주에 대하여 획일적으로 존속회사의 보통주를 배정하는 경우가 그러할 것이
다. 이러한 합병대가의 제공 자체는 상법이 금지하고 있지 않으며 실제 이러한
합병대가의 제공이 이루어진 합병 사례도 발견되나, 이 경우 재산적 측면에서
합병 전후 당해 종류주식의 등가성이 인정되는지 여부 또는 합병대가로 인하여
당해 종류주식 주주들에게 불이익한 결과가 초래되는지 여부에 따라서 합병에
대한 당해 종류주식 주주들의 종류주주총회 결의의 필요성 유무가 좌우될 것으
로 사료된다.

상기 각 방안의 경우 합병비율을 어떻게 산정할 것인지가 문제되는데, 특히
전술한 바와 같이 자본시장법에 의한 합병가액 산정방식의 적용을 받는 상장회
사가 합병당사회사인 경우에는 당해 산정방식이 합병당사회사가 주권상장법인에
해당하는지 여부를 위주로 규정되어 있을 뿐이고 소멸회사 주주들이 보유한 주
식과 그에 대한 합병대가로서 지급되는 존속회사 주식의 종류, 상장과 기발행
여부에 따라서 어떻게 적용되어야 할 것인지에 관하여 자본시장법에서 아무런
규정을 두고 있지 않으며 확립된 판례나 해석론도 찾아보기 어렵다. 이에, 상장
회사의 합병 실무에서는 상기 각 방안과 같은 경우 개별 사안에 따라서 공정한
합병비율을 산정할 수 있는 합리적 방법이라고 판단되는 여러 방법이 사용되고
있는 것으로 보인다.[60][61]

(4) 존속회사가 소멸회사의 주주에게 합병대가의 전부 또는 일부로서 금전 기
타의 재산을 제공하는 경우에는 그 내용 및 배정에 관한 사항

(가) 개 관

2011년 개정상법에 의해 도입된 합병대가의 유연화에 따라서 존속회사는 소

---

60) 이와 관련된 실제 상장회사의 합병 사례들에 관하여는, 정일묵, "합병 시 종류주식 합병가
격 결정 사례," 「CGS Report」 2015년 5권 9호(한국기업지배구조원, 2015), 10~12면 참조.
61) 상장회사인 존속회사가 상장회사인 소멸회사의 우선주에 대하여 권리의 내용 면에서 그와
실질적으로 동일한 조건의 존속회사 우선주(기발행된 우선주는 없었음)를 발행하여 합병대
가를 제공한 사례에서, 하급심 법원은 합병당사회사들이 주식의 실제적 가치 등 여러 사정
을 고려하여 합리적인 범위 내에서 우선주의 가치를 평가하여 합병비율을 산정할 수밖에
없다고 하면서 우선주 사이의 합병비율을 결정함에 있어서 합병당사회사의 상대적 주식가
치를 표현하는 보통주 합병비율을 실질적으로 동일한 조건의 우선주 간 합병비율로 사용하
는 것은 합리적이며 불공정하지 않다는 취지로 판시하였다(서울중앙지방법원 2015.9.2.
2015카합80896).

멸회사의 주주에게 합병대가의 전부 또는 일부를 금전이나 그 밖의 재산으로 제공할 수 있게 되었다. 여기서 '그 밖의 재산'의 범위를 어떻게 구성할 것인지를 살펴볼 필요가 있다. 2011년 개정상법이 그 범위에 관하여 특별한 제한을 두고 있지 않기 때문에 경제적 가치가 있는 동산이나 부동산은 물론 사채, 어음 등의 유가증권, 옵션 등 계약상의 권리, 특허권 등 무체재산권 등도 합병대가로서 제공될 수 있을 것으로 보인다.[62] 나아가, 존속회사의 전환사채, 신주인수권부사채 또는 교환사채(존속회사의 자기주식을 교환의 대상으로 하는 것)도 아직 존속회사의 주식이 아니므로 '그 밖의 재산'에 포함될 수 있으며, 존속회사가 보유한 모회사의 주식(삼각합병의 경우), 다른 회사의 주식 또는 기타의 지분 역시 합병대가로 활용될 수 있을 것이다. 이러한 현금교부합병(삼각합병 포함)의 구조를 그림으로 간략히 정리하면 다음과 같다.

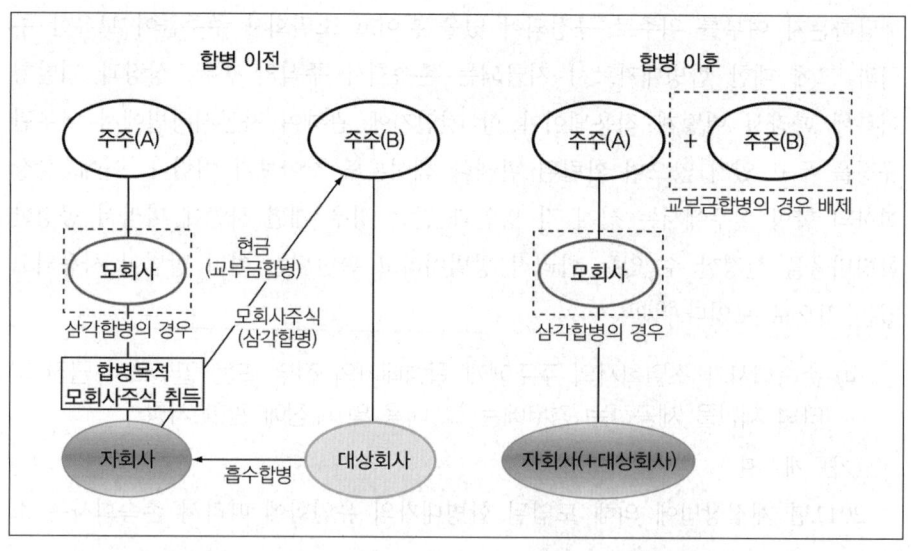

전술한 바와 같이 합병대가의 유연화로 존속회사가 소멸회사의 주주에게 제공할 수 있는 합병대가가 다양하게 구성될 수 있게 됨으로써, 만일 합병대가로

---

62) 다만, 자본시장법상 기업인수목적회사는 다른 법인과 합병하는 것을 유일한 사업목적으로 하는 특수한 법인으로서 그 제도 취지상 기업인수목적회사는 소멸회사인 비상장회사와의 현금교부합병이 원칙적으로 제한되며 이를 위반하는 경우에는 기업인수목적회사가 상장폐지될 수 있다(유가증권시장 상장규정 제72조 제2항 제8호 라목, 코스닥시장 상장규정 제19조의4 제2항 제4호, 제38조 제1항 제24호 자목(6)).

서 소멸회사의 주주에게 존속회사 주식 이외에 현금 등 다른 재산이 제공되는 경우 소멸회사의 주주는 합병 이후 존속회사 주주로서의 지위를 갖지 못하고 배제되는 효과, 특히 소멸회사 소수주주의 축출 효과가 발생하게 된다. 그러나, 2011년 개정상법상 현금교부합병 제도의 취지가 소멸회사의 소수주주에 대한 차별적 취급을 정당화한 것으로 보기는 어렵다고 할 것이다. 한편, 2015년 개정 상법은 신설합병에 대하여서도 명시적으로 현금교부합병을 허용하였는데(제524조 제4호), 신설합병의 경우 그 결과 새로운 회사의 설립이 이루어져야 하므로 소멸되는 합병당사회사의 주주들에게 제공되는 합병대가에는 일부라도 합병신주가 포함되어야 할 것이다.

한편, 2011년 개정상법의 문언상 존속회사가 합병대가의 일부를 존속회사의 주식으로 교부하고, 나머지를 금전이나 그 밖의 재산으로 제공하는 방식으로 합병대가를 지급하는 것도 가능할 것으로 보인다. 다만, 이처럼 존속회사가 소멸회사의 주주에게 혼합형의 합병대가를 제공하는 경우 합병대가의 혼합적 구성을 획일적으로 정하지 않고서 소멸회사의 주주가 일정한 범위에서 합병대가의 구성을 선택하도록 하는 것도 허용될 수 있는지 여부를 살펴볼 필요가 있다. 이러한 내용의 합병대가 구성은 그에 대하여 주주총회의 합병승인을 거치게 되고 소멸회사의 주주에게 선택권이 부여되기 때문에 실질적으로 소멸회사의 주주에게 불이익이 발생할 여지도 거의 없을 것이라는 점에 비추어 허용될 수 있다고 본다.63)

(나) 주식평등의 원칙 관련 고려사항

현금교부합병에 의하여 존속회사가 소멸회사의 주주에게 존속회사 주식 이외의 합병대가를 교부하는 경우에도 원칙적으로 주식평등의 원칙이 적용되어야 할 것이며, 이는 합병대가 구성의 자유에 대한 제약으로 작용하게 된다. 즉, 주식평등의 원칙상 일단 합병대가의 내용이 정해지면 원칙적으로 당해 합병대가를 소멸회사의 주주에게 그 주식의 종류와 수에 따라서 평등하게 제공해야 한다는 제한을 받게 된다. 따라서, 그 성질이나 수량의 측면에서 소멸회사의 주주들에게

---

63) 송옥렬, "2011년 개정 회사법의 해석상 주요쟁점 – 기업재무 분야를 중심으로," 「저스티스」 통권 제127호(한국법학원, 2011), 73면은 합병계약에서 합병대가의 구성을 일률적으로 정하지 않고 소멸회사의 주주가 개별적으로 합병대가를 선택할 수 있도록 하는 것은 절차를 대단히 번거롭게 만들기 때문에 사실상 생각하기 어렵다고 지적하고 있다.

448 제7장 조직개편과 기업인수

공평하게 나누어 주기 어려운 재산은 합병대가로서 활용될 수 없을 것이고, 가격산정이 곤란하거나 환금성이 낮은 재산의 경우에는 그 자체로서 합병대가의 공정성 문제를 초래할 수도 있을 것이다.

위와 같은 문제는 특히 흡수합병의 경우 현금교부합병 제도에 의하여 소멸회사의 주주가 축출될 수 있는 가능성 내지 제도의 남용 차원에서 조명될 수도 있는데, 아래에서 그와 관련하여 고려될 필요가 있는 몇 가지 사항들에 관하여 살펴본다.

먼저, 소멸회사의 모든 주주에게 합병대가로서 존속회사 주식의 제공 없이 금전이나 그 밖의 재산만을 제공하는 경우가 있을 수 있는데, 그러한 경우에는 소수주주만 강제로 퇴출되는 상황이 아니므로 소멸회사의 각 주주에게 동일한 내용의 합병대가가 제공되는 한 주식평등의 원칙이 문제된다고 볼 수는 없다.

다음으로, 합병대가의 내용상 소멸회사의 주주 사이에서 차등을 두는 경우를 상정할 수 있는데, 이와 관련하여서는 다시 유형을 구분하여 살펴볼 필요가 있다.

첫째, 존속회사가 소멸회사의 지배주주인 상황에서 자신에게는 아무런 합병대가를 지급하지 않고 소수주주에게만 합병대가로서 금전이나 그 밖의 재산을 지급하는 경우가 발생할 수 있는데, 이러한 경우에는 존속회사가 소수주주와의 관계에 있어서 주식평등의 원칙을 위반한 것으로 보기는 어려울 것이다.

둘째, 소멸회사의 지배주주 또는 일부 주주에게는 존속회사의 합병신주 또는 자기주식이 교부되고 그 이외의 소멸회사의 주주에게는 모두 금전이나 그 밖의 재산을 교부하여 축출하는 경우가 발생할 수 있는데, 우리 상법상 소수주주의 보호장치가 충분히 구비되어 있는지 여부에 대하여 아직 많은 논의가 있는 만큼 위와 같이 차별적 취급을 받게 되는 소멸회사 주주 전원의 동의가 없는 한 그러한 경우는 주식평등의 원칙에 위배되어 허용되기 어려운 것으로 생각된다. 다만, 현금교부합병 제도 자체가 본질적으로 소수주주의 강제퇴출을 실행할 수 있는 기능을 하는 점 및 2011년 개정상법 제360조의24에서 지배주주에 의한 소수주주 축출 제도를 정면으로 인정하고 있는 점은 향후 현금교부합병 제도의 운용에 있어서 적절히 고려될 필요가 있을 것이다. 한편, 우리나라의 상법상 소수주주의 보호를 위한 사전적, 사후적 안전장치가 충분하지 않은 점 및 지배주주에 의한 소수주주 축출 요건과의 균형을 고려하여 현금교부합병으로 소수주주를 축출하기 위해서는 '경영상 목적'이 요구된다는 견해도 제기되고 있다.[64]

(다) 합병대가의 유형에 따른 고려사항

2011년 개정상법에 따라서 다양한 합병대가의 제공이 가능하게 되었으나, 실제 회사합병이 이루어지는 과정에서는 구체적인 합병대가의 유형에 따른 고려가 필요할 것으로 생각된다. 무엇보다도 합병대가에 해당하는 재산을 합리적으로 평가할 수 있는 방법이 무엇이냐가 중요한 문제인데, 당해 재산의 종류별로 객관적인 방식과 적절한 평가의 기간(기준일)을 설정하고[65] 소멸회사의 주주들에게 그에 관한 자료를 충분히 고지[66]함으로써 당해 재산의 공정한 가치가 평가될 수 있도록 해야 할 것이다. 또한, 합병대가가 존속회사가 이미 보유하고 있는 재산으로서 소멸회사의 주주들에게 교부하기만 하면 되는 경우에는 존속회사 단독으로 그 이행을 하면 될 것이나, 합병대가가 주식 이외의 존속회사가 발행하는 증권이거나 제3자가 발행하는 증권인 경우에는 그러한 증권의 발행을 위한 절차 및/또는 자본시장법에 의한 공모절차가 이루어져야 할 수도 있다. 그러한 경우에 있어서는 증권의 발행절차 또는 자본시장법에 의한 공모절차를 위하여 합병절차의 일정에 맞추어 당해 제3자로부터 적절한 협조가 이루어질 수 있도록 해야 할 것이다.

(라) 삼각합병 관련 고려사항

① 개 관

2011년 개정상법의 시행 이전에는 원칙적으로 합병대가로서 존속회사의 합병신주 이외의 재산이 제공될 수 없었고 자회사에 의한 모회사 주식의 취득도 엄격히 제한되고 있었기 때문에 삼각합병이 이루어지기 어려웠다. 그러나, 2011년 개정상법에서 상기와 같이 합병대가를 유연화하면서 그와 함께 제523조의2를 신설하여 소멸회사의 주주에게 합병대가로서 제공하는 재산이 존속회사의 모회사 주식을 포함하는 경우에는 예외적으로 존속회사가 그 지급을 위하여 모회

---

64) 문호준・이승환, "개정상법상 합병대가의 유연화와 현물배당," 「BFL」 제51호(서울대 금융법센터, 2012), 156~157면 참조.

65) 예컨대, 만일 당해 재산이 상장회사인 존속회사의 전환사채인 경우에는 증권의 발행 및 공시 등에 관한 규정(이하 "발행공시규정")에 의하여 전환가액의 산정에 있어서 일정한 규제가 이루어지게 되므로 이러한 사정이 당해 재산의 평가에 있어서 고려될 필요가 있을 것이다.

66) 일본 회사법 시행규칙에서는 이러한 고지의 대상에 관하여 상세히 규정하고 있다(일본 회사법 시행규칙 제182조 참조).

사 주식을 취득할 수 있도록 허용[67]함으로써 이제는 우리 상법에서도 삼각합병
이 가능하게 되었다. 이러한 삼각합병 제도에 의하여 모회사의 입장에서는 소멸
회사의 의무나 책임이 모회사로 승계되는 것을 차단하면서 주식의 포괄적 교환
제도와 달리 주주총회의 승인과 반대주주의 주식매수청구 절차를 거치지 않고서
도 자회사인 SPC(Special Purpose Company)와 인수대상회사를 합병시킴으로써
인수대상회사를 완전자회사로 만드는 것이 더욱 원활하게 되었다고 할 수 있
다.[68]

한편, 삼각합병의 실행을 위해서 통상 모회사는 SPC인 존속회사를 새로 설
립하고 존속회사는 새로 발행되거나 자기주식에 해당하는 모회사 주식을 취득하
는 경우가 많을 것이며, 다른 한편 소멸회사의 주주들에게 제공되는 합병대가인
모회사 주식의 조달 및 합병의 계속적 추진은 합병의 당사자가 아니면서도 존속
회사를 지배하는 모회사에 의하여 좌우될 것이다. 따라서, 삼각합병이 추진되는
과정에서는 현실적으로 합병결렬의 위험 및 합병절차상 불확실성을 완화하는 차
원에서 존속회사, 소멸회사 및 모회사가 함께 당사자가 되어 삼각합병에 관한
계약을 체결하는 것이 합리적이라고 할 수 있다. 실제 미국에서 이루어지는 삼
각합병의 많은 사례들에서도 이와 같이 세 당사자 사이에서 합병계약이 체결되
고 있는 것으로 보인다.

② 모회사 주식의 취득 관련 고려사항

실제 삼각합병이 이루어지기 위해서는 모회사의 주식이 소멸회사의 주주들에
게 제공되어야 하는데, 이러한 제공을 위하여 미국에서 일반적으로 이루어지는
삼각합병의 사례들과 같이 모회사가 직접 소멸회사의 주주들에게 모회사의 주식
을 교부하는 방안도 고려해 볼 수 있을 것이다.[69] 그러나, 이러한 방안은 "존속

---

67) 국내 모회사가 해외에 설립된 자회사를 존속회사로 하고 해외의 대상회사를 소멸회사로 하
는 흡수합병을 추진하는 과정에서 국내 모회사의 주식을 합병대가로 지급하는 이른바 국외
진출형 삼각합병과 관련하여, 해외 자회사가 국내 모회사의 주식을 취득하는 것에 대하여
상법상 자회사에 의한 모회사 주식 취득의 규제가 적용되는지 여부가 문제될 수 있는데,
송종준, "Cross-Border M&A의 법적 기반조성 방안에 관한 연구,"「선진상사법률연구」통
권 제90호(법무부, 2020. 4.), 21~22면에서는 해외 자회사도 원칙적으로 국내 자회사와 동
일한 지위를 인정하고 삼각합병 등 예외적 사유가 있을 경우에만 국내 모회사의 주식을 취
득하여 해외 소멸회사의 주주에게 합병대가로서 지급할 수 있도록 해석하는 것이 합리적이
라고 한다.
68) 법무부,「상법 회사편 해설」(동강, 2012), 418면.
69) 송옥렬, 전게논문, 75면은 제532조의2는 존속회사가 미리 모회사 주식을 취득할 수 있는

하는 회사는 그 지급을 위하여 모회사주식을 취득할 수 있다"는 제523조의2 제
1항의 문언, 모회사가 소멸회사의 주주들에게 직접 신주를 발행하는 경우 그에
대하여 납입되는 대가의 특정이 어렵다는 점 및 우리 상법상 삼각합병의 직접적
인 당사자는 존속회사와 소멸회사라는 점에 부합하지 않는 것으로 보인다.[70] 따
라서, 상법에 의하면 존속회사는 삼각합병을 위하여 일단 모회사의 주식을 취득
해야 할 것인데, 이와 관련하여 다음과 같이 몇 가지 논점에 대하여 살펴볼 필
요가 있다.

㉮ 모회사 주식의 취득 방식

존속회사가 이미 일정한 예외적 사유로 인하여 합병대가로서 지급될 수량 이
상의 모회사 주식을 취득하여 보유하고 있다면 존속회사의 입장에서 모회사 주
식을 취득하기 위한 별도의 절차를 거치거나 당해 절차를 위한 자금을 조달할
필요가 없을 것이다. 그러나, 그렇지 않은 경우에는 삼각합병의 실행을 위해 존
속회사가 이미 발행된 모회사 주식을 증권시장 또는 모회사(자기주식의 경우)로
부터 취득하거나 새로 발행되는 모회사 주식을 취득해야 할 것이다.[71] 그런데,
실제 삼각합병 제도가 활용되는 상황에서 존속회사가 가격부담을 감수하면서 증
권시장에서 모회사 주식을 매입하는 방안은 채택하기 어려울 것이며, 따라서 주
로 존속회사가 직접 모회사로부터 모회사 주식을 확보하는 방안이 채택될 것으
로 예상된다. 이러한 경우, 만일 모회사가 소멸회사의 주주들에게 합병대가로서
지급되기에 충분한 수량의 자기주식을 보유하고 있다면 존속회사가 합병대가의
지급을 위해 필요한 수량만큼의 모회사 주식을 모회사로부터 매입하거나 현물출
자 받을 수 있을 것이다. 그러나, 모회사가 보유한 자기주식의 수량이 소멸회사
의 주주들에게 합병대가로서 지급될 모회사 주식의 수량에 미달하는 경우에는
그만큼의 모회사 주식이 존속회사에게 발행되어야 할 필요가 있을 것이다.

근거에 불과하므로, 삼각합병을 위해서 반드시 자회사가 모회사 주식을 취득해서 소멸회사
주주에게 교부할 필요는 없으며 모회사가 직접 합병신주를 발행하는 형태의 삼각합병 역시
허용된다고 한다.
70) 임재연, 전게서, 727면; 정동윤 외 집필대표, 전게서, 366면; 윤영신, "삼각합병제도 도입과
활용상의 법률문제,"「상사법연구」제32권 제2호(한국상사법학회, 2013), 36면; 박선희, 전
게논문, 63면도 같은 취지이다.
71) 이 때 자회사에 의한 모회사 주식의 취득 금지를 규정한 제342조의2는 제532조의2에 의하
여 배제된다.

④ 모회사 주식의 취득을 위한 존속회사의 자금조달

존속회사가 별도의 경로를 통해 이미 모회사의 주식을 충분히 보유하고 있는 경우가 아닌 한 상기 방식들의 실행을 위해서는 존속회사의 입장에서 자금이 필요하게 되는데, 삼각합병에서 존속회사는 통상 자체적으로 충분한 자산을 보유하고 있지 못하는 경우가 대부분일 것이므로 그러한 자금을 조달하기 위한 방안이 필요하다. 이러한 방안으로서 존속회사가 모회사로부터 직접 자금을 제공받거나 제3자로부터 자금을 차입하는 경우가 많을 것인데,[72] 그 과정에서 모회사의 존속회사를 위한 자금 또는 담보의 제공에 대한 규제 및 제공된 자금의 회수 방안에 대한 고려가 필요할 것이다.

이처럼 자회사가 모회사로부터 출자 또는 대여의 방식으로 직접 자금을 조달하고 곧이어 당해 자금으로 모회사의 신주를 취득하는 경우에는 모회사의 입장에서 일종의 가장납입으로 신주가 발행된 것이 아니냐는 의문이 제기될 수 있다. 그러나, 상기 자금조달 및 신주발행은 삼각합병을 위한 것이라는 점에서 가장납입 여부는 모회사가 자회사에게 신주를 발행하는 시점뿐만 아니라 삼각합병이 이루어지는 시점의 상황을 함께 고려하여 판단할 필요가 있다.[73] 그런데, 삼각합병이 이루어지는 시점에서 살펴보면 위와 같은 자금조달의 과정에서 모회사가 보유하게 되는 자회사의 주식 또는 자회사에 대한 대여금 채권은 자회사가 소멸회사를 흡수합병한 이후 더 높은 가치를 가지거나 회수가능성이 높아질 수 있게 된다는 점에 비추어 볼 때,[74] 다른 사정이 없는 한 통상적인 삼각합병의 과정에서 위와 같은 가장납입의 우려는 그리 문제되지 않을 것으로 본다.[75]

㉠ 모회사의 신주 발행 관련 고려사항

삼각합병의 실행을 위해 모회사가 소멸회사의 주주들에게 합병대가로서 지급하기에 충분한 수량의 모회사 주식을 자회사인 존속회사에게 발행하는 경우, 우

---

72) 최근 공시된 실제 삼각합병의 사례들 중에서 우선 존속회사의 모회사가 단기차입 등을 통하여 자금을 확보한 다음 자회사인 존속회사의 유상증자에 참여해서 자금을 제공하고 존속회사는 당해 자금으로 모회사의 주식을 취득하는 방식을 채택한 사례들이 파악된다.

73) 大石 篤史・勝間田 學・東條 康一, "三角合倂の實務對應に伴う法的諸問題," 「商事法務」 No. 1802(商事法務研究會, 2007), 17面.

74) 上揭論文, 17面.

75) 임재연, 전게서, 729면에서는 합병 후 자회사가 소멸회사의 현금으로 모회사에 대한 차용금을 변제하거나 모회사의 대여금채권을 출자전환한다면 가장납입으로 볼 필요는 없을 것이라고 한다.

선 삼각합병 목적의 존속회사에 대한 신주의 발행이 모회사 주주들의 신주인수
권 보호의 차원에서 상법과 모회사 정관에 따른 신주의 제3자 배정의 요건과
절차를 충족해야 할 것이며, 상법 또는 자본시장법에 따른 신주 발행가액에 대
한 규제도 준수해야 할 것이다.

한편, 2011년 개정상법에서 회사의 동의하에 신주인수인의 주금납입의무에
대한 상계를 허용하였는데(제421조 제2항), 이에 존속회사와 모회사가 각자 상대
방에게 신주를 발행함으로써 존속회사가 별도의 자금조달 없이 합병대가로 제공
되는 모회사 주식을 확보하는 방식이 가능한지 여부를 살펴볼 필요가 있다. 이
와 관련하여, 상법의 규정상 별도의 제약이 없으므로 관련 제도의 적극적 활용
을 위해 상기 방식이 인정될 수 있다는 견해76)와 모회사가 존속회사 지분의 전
부 또는 대부분을 보유하고 있기 때문에 모회사의 입장에서 실질적으로 자신이
주식을 발행하면서 이를 취득하는 것(자기주식의 원시취득)과 동일한 결과를 가져
올 수도 있는 상기 방식의 허용 여부는 자본충실의 관점에서 신중한 검토가 필
요하다는 견해가 제기될 수 있다. 만일 상기 방식이 허용된다는 전제하에서 그
에 따라 신주발행을 하는 경우에는, 제422조에 의한 현물출자 관련 법원의 검사
절차, 증자등기 및 신주발행과 관련된 등록면허세의 이중과세로 인한 비용부담
의 증가 등에 관한 추가적인 고려가 필요할 것이다.77)

㉣ 모회사 주식의 취득 시점과 수량

삼각합병의 과정에서 자회사가 합병대가를 지급하기 위해 모회사 주식을 언
제부터 취득할 수 있는 것인지에 대하여 상법에 명문의 규정이 없어서 해석상
의문이 발생할 수 있다. 생각건대, 삼각합병을 위한 자회사의 모회사 주식 취득
은 예외적으로 인정되는 것이라는 점 및 삼각합병을 위해 합병대가로서 지급되
는 모회사 주식의 구체적인 내역은 결국 합병계약상 합병비율, 합병교부금 등의
다른 조건들과 밀접한 연관성을 가진다는 점 등에 비추어 볼 때 자회사의 모회
사 주식 취득은 합병계약이 체결된 시점 이후에 허용될 수 있다고 보는 것이

76) 임재연, 상게서, 729면; 김지환, "삼각합병의 활용과 법적 과제,"「기업법연구」제25권 제4
호(통권 제47호)(한국기업법학회, 2011), 81~82면.
77) 윤영신, 전게 "삼각합병제도 도입과 활용상의 법률문제," 31~33면에서는 모자회사 간에 상
호 신주를 발행하고 각자에 대한 납입금 채권으로 납입채무를 이행하는 방법으로서 채권을
현물출자하는 방식과 주식대금의 상계방식을 제시하면서 각 방식의 절차에 관하여 설명하
고 있다.

합리적이라고 본다.[78] 다만, 현실적으로 존속회사의 입장에서는 합병절차의 중단 가능성을 감안하여 합병당사회사, 특히 소멸회사의 주주총회에서 합병승인이 이루어진 다음에 모회사의 주식을 취득하는 것이 신중하고 합리적인 처리방향일 것이다.

또한, 삼각합병을 위해 자회사가 취득할 수 있는 모회사 주식의 수량에 관하여서도 상법은 아무런 언급이 없는데, 그 수량에 아무런 제한이 없다면 삼각합병을 명분으로 원칙적으로 금지되는 자회사에 의한 모회사 주식의 취득이 허용되는 결과가 된다. 따라서, 구체적인 사정에 따라서 존속회사인 자회사가 삼각합병을 위해 취득하는 모회사 주식의 수량이 실제 자회사가 소멸회사의 주주에게 합병대가로서 제공한 모회사 주식의 수량을 초과할 수는 있을 것이나, 그 초과되는 수량은 합리적인 범위로 제한되어야 할 것이다.[79] 이처럼 존속회사가 삼각합병을 위해 취득하는 모회사의 주식 중에서 소멸회사의 주주들에게 합병대가로서 제공되지 않고 남은 주식은 존속회사인 자회사가 보유하게 될 것인데, 2015년 개정상법의 시행 이전 구법 아래에서는 당해 주식의 처리방향에 관하여 명시적 규정이 없어서 견해의 대립이 있었다. 그러나, 신설된 2015년 개정상법 제523조의2 제2항에 따라서 이제 존속회사인 자회사는 당해 주식을 합병의 효력이 발생한 날로부터 6개월 이내에 처분해야 한다.

③ 삼각합병의 일정 및 합병비율 관련 고려사항

삼각합병의 일정과 관련하여, 존속회사가 어느 방식에 의하여 모회사의 주식을 취득하든 존속회사가 자신이 보유한 모회사의 주식을 소멸회사의 주주들에게 합병대가로서 지급하는 행위가 자본시장법상 공모(매출)에 해당하게 되면 그에 따라서 증권신고서 제출 등의 공모절차가 이루어져야 하고, 모회사와 존속회사가 서로 신주를 발행하는 경우에는 현물출자의 절차가 필요하게 될 수도 있다. 또한, 존속회사가 모회사의 삼각합병 계획을 위해 새로 만들어지는 SPC인 경우

---

78) 이철송, 전게서, 1106면; 임재연, 전게서, 727면; 김지환, 전게논문, 79면. 이와 달리 소멸회사의 합병승인결의가 없는 경우에는 합병계약의 효력이 없게 되고 합병절차는 진행될 수 없는 점에서 볼 때 소멸회사의 합병승인결의 이후에 자회사가 모회사의 주식을 취득할 수 있다고 보아야 한다는 견해도 있다(정동윤 외 집필대표, 전게서, 367면).

79) 임재연, 전게서, 727면은 원칙적으로 소멸회사의 주주에게 제공하는 모회사 주식수의 범위 내에서만 취득할 수 있다고 하면서, 이러한 취지를 명시적으로 규정하고 있는 일본 회사법 제800조 제1항을 인용하고 있다.

에는 그에 관한 회사설립 절차도 이루어져야 할 것이다. 나아가, 사안에 따라서는 삼각합병의 목적을 위해 상장회사인 소멸회사의 주식에 대한 교환공개매수가 이루어질 수도 있다. 만일 실제 삼각합병의 과정에서 그러한 절차들을 거쳐야 한다면 그 이행을 위한 기간이 전체 합병의 일정에 반영되어야 할 것이다. 구체적으로는, 상기 절차들 중에서 존속회사의 설립은 합병계약의 체결 이전에 이루어져야 할 것이고, 존속회사에 의한 모회사 주식의 취득은 합병당사회사의 주주총회에서 합병계약이 승인됨으로써 합병결렬의 우려가 완화된 이후 가급적 소멸회사 반대주주의 주식매수청구권 행사의 결과 등이 나와 합병대가로서 제공되어야 하는 모회사 주식의 수량이 좀 더 정확하게 파악될 수 있는 시점(이론적으로는 합병기일도 가능할 것이다)에서 이루어지는 것이 존속회사의 입장에서는 바람직할 것이다. 물론, 그러한 시점은 모회사 주식에 관한 자본시장법상 공모절차 및/또는 현물출자 절차의 진행과 긴밀히 연계하여 결정됨으로써 전체적인 합병의 일정에 차질이 발생하지 않도록 유념할 필요가 있을 것이다.

한편, 삼각합병의 합병비율과 관련하여, 실제 삼각합병의 사례에서는 존속회사가 독자적인 사업을 수행하면서 자체적으로 상당한 자산을 보유하는 경우보다는 SPC의 형태인 경우가 많을 것으로 예상된다. 이러한 경우, 존속회사의 기업가치는 거의 그가 보유한 모회사 주식의 가치에 상응하게 되고 실질적으로는 모회사 주식의 가치와 소멸회사 주식의 가치의 상대적 비율에 의해 삼각합병의 비율이 산출될 것으로 보인다.[80][81] 다만, 전술한 바와 같이 상장회사가 합병을 하는 경우에는 원칙적으로 자본시장법에 따라서 합병가액이 규제되는데, 만일 소멸회사가 상장회사인 경우에는 상기 방식에 따른 삼각합병 비율의 산출이 어려워질 수도 있다.[82]

---

80) 相澤 哲·石井裕介·藤田友敬·高田 明, "[座談會]会社法における合併對價の柔軟化の施行," 「商事法務」No.1799(商事法務研究會, 2007), 18面.

81) 최근 실제 삼각합병의 사례들에서는 존속회사의 모회사가 합병계약상 합병당사회사로 되어 있지 않은 상황에서 합병비율 자체는 존속회사와 소멸회사를 기준으로 산정하되 합병의 대가와 관련하여 존속회사의 모회사와 소멸회사간 "삼각합병 교환비율"을 별도로 기재하여 공시하고 있는 것으로 파악된다.

82) 박진표, "공개매수규제의 개선에 관한 제언," 「BFL」제55호(서울대 금융법센터, 2012), 98면에서는 자본시장법의 합병가액 관련 규정의 적용에 있어서 삼각합병의 경우에는 상장회사인지 여부가 합병당사회사인 자회사가 아니라 합병대가인 주식을 발행한 회사를 기준으로 판단함이 타당하다고 하면서 그러한 취지로 위 규정이 개정될 필요성을 지적하고 있다.

④ 역삼각합병의 도입 및 실행 관련 고려사항

㉮ 제도도입의 배경

위에서 살펴본 2011년 개정상법에 의하여 도입된 삼각합병은 모회사가 인수하려는 대상인 소멸회사가 비록 SPC이기는 하지만 모회사의 자회사인 존속회사에 흡수합병됨으로써 인수주체의 관점에서는 정방향의 합병에 해당한다고 할 수 있다. 그러나, 정방향의 삼각합병에 의하면 실제 사업을 수행하는 인수대상회사가 합병에 의해 소멸하게 되는데, 이 경우 합병의 포괄승계 효과에도 불구하고 법률상 또는 계약상 제한 등으로 인하여 인수대상회사가 보유한 인허가, 지적재산권 관련 라이센스 또는 계약상 권리관계 중에서 모회사의 자회사인 존속회사에 이전되지 않는 것이 발생할 수 있다. 이러한 문제는 만일 모회사의 입장에서 인수대상회사를 존속회사로 하는 역방향의 합병에 의해서도 인수의 목적을 달성할 수 있도록 하는 제도가 있다면 해결될 수 있을 것이다. 이에, 2015년 개정상법은 삼각주식교환 제도를 도입함으로써 이제 우리나라에서도 역삼각합병이 가능하게 되었다.[83]

㉯ 역삼각합병의 거래구조

2015년 개정상법에 의해 역삼각합병이 이루어지기 위해서는 우선 새로 도입된 삼각주식교환(제360조의3 제3항 제4호, 제6항, 제7항 참조), 즉 주식의 포괄적 교환의 대가로서 SPC인 자회사가 인수대상회사의 주주들에게 모회사 주식을 지급하는 것에 의하여 모회사(아래 그림에서 P) → 자회사(아래 그림에서 S) → 인수대상회사(아래 그림에서 T) 사이에서 순차적으로 완전모자회사 관계가 성립하고 (1단계), 다음으로 인수대상회사의 완전모회사에 해당하는 자회사가 인수대상회사에 흡수합병(2단계)되는 절차를 거쳐야 할 것이다. 즉, 2015년 개정상법에서 역삼각합병이라는 별도의 새로운 제도를 도입한 것이 아니라 삼각주식교환과 완전모자회사 사이의 역합병이 결합됨으로써 역삼각합병의 효과를 달성하게 되었다고 할 수 있다.[84] 이러한 거래구조는 대략 아래 그림과 같이 정리될 수 있을

---

83) 심사보고서, 3면 참조.

84) 원래 상법개정안의 준비 과정에서는 한번의 절차로 역삼각합병의 목적을 달성하는 미국식의 역삼각합병 제도의 도입도 검토된 적이 있으나 결국 2015년 개정상법에서는 2단계 절차에 의한 역삼각합병 제도의 도입이 이루어진 것으로 보인다(최준선, "2014년 상법개정안의 주요 내용," 「기업가포럼」(자유경제원, 2014. 8. 11.), 12~13면 참조). 그런데, 우리나라에서 위와 같은 미국식의 역삼각합병 제도를 도입함에 있어서는 기본적으로 합병시 존속회사

것이다.

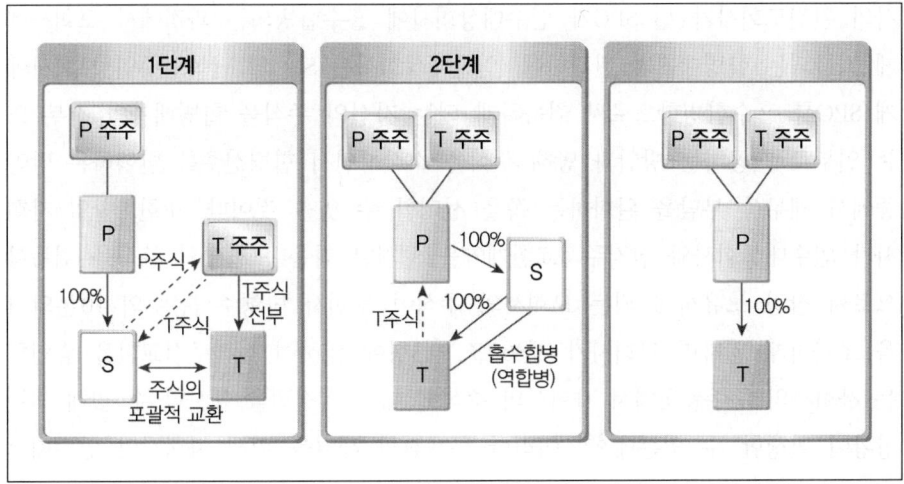

㉰ 역삼각합병의 실행 관련 고려사항

전술한 바와 같이 2015년 개정상법에 의한 역삼각합병은 삼각주식교환과 역흡수합병의 2단계 절차로 실행되는데, 1단계 절차인 삼각주식교환에 대하여는 본 서적의 다른 부분에서 상론되므로 이하 주로 2단계 절차인 역흡수합병의 실행에 관하여 간략히 살펴본다. 우선, 신속한 목적 달성을 위해 역흡수합병을 삼각주식교환과 거의 동시에 진행하는 방안과 관련하여, 당해 방안이 이론상 불가능하지는 않겠으나 양자의 절차가 중복적으로 진행되는 경우에는 여러 측면에서의 불확실성[85]으로 인하여 단체법률관계의 안정성을 저해할 우려가 있으므로

의 주주가 기존 주주지위를 상실할 수 있다는 점 및 100% 자회사 관계를 활용한 기업구조 재편에서 모회사는 대상회사의 주주들에게 기업재편의 대가로서 직접 신주를 발행하거나 기타 다른 재산을 교부할 수 있다는 점에 대한 보편적 합의가 필요하다고 생각된다(노혁준, "기업재편제도의 재편: 합병, 주식교환 및 삼각합병제도를 중심으로,"「경제법연구」제13권 제2호(한국경제법학회, 2014), 76면 참조).

85) 이러한 경우 합병과 삼각주식교환이 상호간 각 절차 진행의 조건 내지 제약요소가 되고 그로 인하여 주주와 채권자 등 이해관계인들의 의사결정에 혼란이 초래될 수 있다, 또한, 만일 인수대상회사가 상장회사인 경우에는 자본시장법상 주식의 포괄적 교환의 비율과 합병비율, 주식매수청구권에 관한 규제 및 거래소 상장제도 차원에서의 여러 규제가 모두 적용될 것인데, 그 과정에서 예상하지 못한 혼선과 시간적 지연이 발생할 수 있다. 이와 관련하여 김지평 · 이은상, "역삼각합병의 실무상 쟁점,"「BFL」제76호(서울대 금융법센터, 2016)에서는 몇 가지 법적 이슈들에 관하여 논의하고 있다.

그러한 우려가 없는 경우가 아니라면 삼각주식교환의 완료 이후 합병 절차를 진
행하는 것이 바람직하다고 사료된다. 다음으로, 삼각주식교환에 의해 인수대상회
사의 완전모회사가 된 SPC가 인수대상회사에 흡수합병되는 과정에서 모회사에
게 지급되는 합병대가와 관련하여, 인수대상회사는 SPC의 단독주주인 모회사에
게 SPC를 흡수합병함으로써 취득하게 되는 자신의 주식을 합병대가의 전부 또
는 일부로 제공하는 방안과 당해 주식을 소각하면서 합병신주를 발행하는 방안
중에서 세무상 부담을 완화하는 쪽을 선택할 수 있을 것이다. 또한, 만일 자회
사가 인수대상회사와 삼각주식교환계약을 체결한 다음 모회사의 주식을 취득함
으로써 잠정 보유하게 되는 모회사의 주식이 모회사 발행주식총수의 10분의 1
을 초과하게 된다면 모회사가 제369조 제3항에 의하여 삼각주식교환을 승인하
는 자회사의 주주총회에서 자회사의 주식에 대한 의결권을 행사할 수 없게 되는
상황이 발생할 수 있는데,[86] 이러한 문제점의 해결을 위해 자회사와 인수대상
회사 간의 삼각주식교환계약이 체결된 직후 전원출석 주주총회 형태로 소집통지
절차 등을 생략하고 신속하게 자회사의 주주총회를 진행하여 삼각주식교환계약
을 승인하고 그 이후 자회사의 모회사 주식 취득을 위한 절차를 진행하는 방안
을 고려해 볼 수 있을 것이다.[87] 한편, 역합병의 실행을 위해서는 일시적으로나
마 모회사→자회사→인수대상회사 사이의 순차적 완전모자회사 관계가 형성
되는 것 자체가 가능해야 하는데, 공정거래법과 금융지주회사법상 지주회사 관
련 규제 등[88]으로 인하여 그러한 관계의 성립이 어렵거나 불확실한 경우가 발

---

86) 이는 2015년 개정상법이 삼각주식교환 제도를 도입하고 이를 위하여 자회사가 모회사의 주
식을 취득할 수 있는 특례를 인정하면서도 그에 상응하여 상호주의 의결권 행사 규제에 대
하여 별도의 특례를 두지 않았기 때문에 발생하는 것이다.

87) 김지평·이은상, 전게논문, 39면.

88) 예컨대, 공정거래법 또는 금융지주회사법상 지주회사의 고손회사 금지, 금융지주회사등의
금융업 영위와 밀접한 연관성이 있는 회사 이외의 회사 지배 금지, 지주회사 자회사등의
직접 지배하는 회사 이외의 다른 자회사등 또는 국내계열회사 주식의 소유 금지(공정거래
법 제18조 제2항 제4호, 제5호, 제3항, 제4항, 제5항, 금융지주회사법 제19조 등)와 같은
규제는 삼각조직재편에서 SPC를 통한 일시적인 다단계의 모자회사 구조의 형성과 모회사주
식의 취득을 어렵게 만들 수 있을 것이다. 또한, 이러한 문제는 상호출자제한 기업집단에
속하는 회사의 상호출자 금지(공정거래법 제21조 제1항)와 관련하여서도 발생할 소지가 있
다. 실제 공정거래위원회는 2019. 11. 29.자 보도자료를 통해 삼각합병을 위하여 일반지주
회사의 손자회사가 모회사(지주회사의 자회사)의 주식을 일시적으로 소유한 행위가 공정거
래법상 손자회사 행위 제한 규정을 위반한 것이라고 하면서 상법이 인정하는 행위라도 공
정거래법상 지주회사 행위 제한 예외 규정에 열거되지 않은 경우에는 공정거래법 위반에
해당한다는 점을 지적하였다.

생할 수 있다는 점에 대한 고려가 필요할 것이다.

(마) 기타 고려사항

합병대가로 존속회사의 주식 이외에 금전이나 기타 재산이 제공되는 경우에는 명문의 근거가 없는 이상 존속회사에 의하여 별도의 재산이전행위가 필요한 것으로 해석된다.[89] 만일 존속회사가 소멸회사의 주주에게 합병대가를 구성하는 재산의 이전을 이행하지 않으면 소멸회사의 주주는 존속회사를 상대로 당해 재산의 이전을 구하는 소송을 제기할 수 있을 것이다.

그리고, 후술하는 바와 같이 세무상 적격합병요건의 충족이 중요한 의미를 가지는데, 적격합병요건의 하나로서 소멸회사의 주주등이 합병으로 인하여 받게 되는 합병대가의 총합계액 중 존속회사 또는 그 모회사의 주식등의 가액이 100분의 80 이상이어야 한다는 요건이 충족되어야 한다. 당해 요건의 충족을 위해서는 존속회사가 소멸회사의 주주에게 제공하는 합병대가의 구성에 일정한 제약이 따를 수밖에 없을 것이다.

(5) 각 회사에서 합병의 승인결의를 할 주주총회의 기일

합병당사회사에서 합병의 승인결의를 할 주주총회의 기일은 합병계약에 따른 이해관계자들의 권리의무관계에 직접적 영향을 미치는 의미 있는 사항이라고 보기는 어려우나 합병계약상 필수적 기재사항으로 되어 있는 이상 합병계약에 기재될 필요가 있다. 다만, 합병당사회사가 반드시 같은 날에 주주총회를 개최할 필요는 없고, 또한 주주총회의 기일이 특정한 일자로 확정될 필요도 없을 것이다.[90]

(6) 합병을 할 날

이는 합병기일을 말하는 것으로서, 합병기일은 소멸회사의 권리와 의무가 존속회사로 사실상 이전되는 날을 뜻한다. 즉, 합병기일은 합병당사회사 사이에 있어서 법인격이 실질적으로 합체되고 소멸회사의 재산이 존속회사에게 인도되며 소멸회사의 주주에게 존속회사의 주식이 배정되는 등 실질적으로 합병당사회사가 합체되는 날을 의미한다.[91] 그러나, 합병당사회사의 통합은 합병등기에 의

---

89) 권기범, 기업구조조정법, 317면.
90) 권기범, 전게서, 202면.
91) 권기범, 상게서, 203면; 이철송, 전게서, 108면; 임재연, 전게서, 708면; 최기원, 전게서, 1109면. 합병기일은 통상적으로 채권자 이의절차와 주식병합 내지 주식분할의 절차가 완료

하여 합병의 효력이 발생함으로써 비로소 법적으로 유효하게 이루어진다.

(7) 존속회사가 합병으로 인하여 정관을 변경하기로 정한 때에는 그 규정

합병이 이루어지는 과정에서 소멸회사의 사업을 승계함에 따라 존속회사의 사업목적이 추가되거나 합병신주의 발행을 위하여 존속회사의 수권주식수가 증가되어야 하는 등의 경우에는 존속회사의 정관이 개정될 필요성이 발생하게 되며, 이 경우 합병계약에서 그러한 존속회사의 정관 개정사항을 반영함으로써 별도의 정관변경절차를 거치지 아니하고 처리될 수 있다.92) 다만, 존속회사의 정관변경을 합병계약에 기재하여 처리하는 것은 존속회사 주주총회의 합병승인결의가 이사회결의로 대체되는 소규모합병에서는 불가능하다.93)

(8) 각 회사가 합병으로 이익배당을 할 때에는 그 한도액

합병당사회사는 일정한 날짜를 기준으로 산출된 존속회사와 소멸회사의 주식가치 내지 기업가치를 바탕으로 합병비율 및 그에 따른 합병대가를 결정하고 그 내용이 반영된 합병계약을 체결하게 된다. 그런데, 만일 합병비율의 산정 기준일 이후 합병당사회사에서 현금 등 대량의 자산이 유출되는 경우에는 합병계약에 기재된 합병비율과 합병대가가 사후적으로 실제 기업가치를 반영하지 못하게 되는 결과가 초래될 수 있다. 이 문제는 합병계약에서 합병당사회사가 그러한 결과를 초래하는 행위를 하지 못하도록 금지함으로써 해결할 수도 있고, 다른 한편 일정한 범위에서 그러한 행위를 허용하되 그에 관한 사항을 합병계약의 조건에 적절히 반영하고 합병계약에서 규정함으로써 처리할 수도 있을 것이다.

이러한 관점에서, 본 항목은 합병계약에 기재된 합병비율을 산정하는 기준일 이후부터 합병등기일 전까지의 일정한 날을 기준일로 하여 합병당사회사의 전부 또는 일부가 이익배당을 하는 경우 사외유출될 수 있는 이익배당액의 최고 한도를 미리 주주들에게 알리고 그러한 전제 아래에서 주주들이 합병의 승인 여부를 판단하도록 하기 위한 것으로 이해된다.94) 만일 소멸회사에서 계획하고 있는 이

된 날 이후가 될 것이다(정동윤 외 집필대표, 전게서 357면 참조).

92) 만일 존속회사가 정관 개정사항을 합병계약에 반영하지 않고 합병계약의 체결 이후 그에 대하여 존속회사의 합병승인 주주총회에서 합병계약 승인과 별도의 안건으로 또는 별도의 주주총회에서 결의하여 처리해도 무방한 것인지 의문이 제기될 수 있는데, 이에 관하여 향후 학설과 판례의 발전에 기대할 수밖에 없을 것이라는 견해가 있다(권기범, 현대회사법론, 164면 참조).

93) 권기범, 상게서, 165면; 임재연, 상게서, 708면.

94) 권기범, 기업구조조정법, 206면; 이철송, 전게서 1108면; 임재연, 전게서, 708면; 정동윤 외

익배당을 위와 같이 합병계약에 포함시켜 처리하기가 어려운 경우에는 당해 이
익배당에 갈음하는 합병교부금으로 처리하는 방안을 고려해 볼 수 있을 것이다.

(9) 합병으로 인하여 존속회사에 취임할 이사와 감사 또는 감사위원회의 위원
을 정한 때에는 그 성명 및 주민등록번호

합병의 결과 존속회사의 이사와 감사 또는 감사위원회 위원의 선임이 필요하
게 되는 경우가 발생할 수 있는데, 상법은 이러한 경우에 대비하여 그 후보자의
성명 및 주민등록번호를 합병계약의 필요적 기재사항에 포함시켜 합병승인 주주
총회에서 합병계약을 승인받는 방식으로 그 선임이 가능하도록 하고 있다.[95] 이
경우, 감사 또는 감사위원회 위원의 선임에 관한 주주의 의결권제한 등에 관한
규정(제409조 제2항, 제542조의12 제2항 내지 제4항)과의 조화로운 해석이 필요한
데, 합병절차의 특수성에 비추어 볼 때 합병계약에 의한 감사 또는 감사위원회
위원의 선임의 경우에는 주주의 의결권제한 등에 관한 당해 규정이 그대로 적용
된다고 보기는 어려울 것이다.[96]

나) 합병계약의 임의적 기재사항

(1) 개 관

합병계약에는 전술한 필수적 기재사항 이외에도 다양한 조항들이 임의적 기
재사항으로서 규정될 수 있을 것이다. 합병등기 또는 합병의 효력 발생을 위하
여 그러한 조항들이 반드시 필요한 것은 아니지만, 합병당사회사의 이해관계자
들 사이의 권리의무관계를 원활하게 조정하고 합병절차의 진행과정상 불확실성
을 완화하는 차원에서 그러한 조항들을 적극적으로 활용할 필요가 있다. 합병계
약의 임의적 기재사항으로 자주 이용되는 일부 조항의 사례를 들어 보면, 제527

집필대표, 전게서, 360면도 같은 취지이다.

95) 권기범, 기업구조조정법, 211면에서는 주식 대 비주식형 흡수합병의 경우 소멸회사의 주주
들이 존속회사의 주주로 수용되지 않음에도 불구하고 이들에게 존속회사의 이사 등의 선임
에 관여할 권한을 주는 것의 법리적 타당성에 대하여 의문을 제기하고 있다.

96) 권기범, 현대회사법론, 1040면에서는 만일 이러한 의결권제한이 적용된다고 보면 감사 선
임 부분만 따로 떼어 내어 결의하여야 하는데 이는 합병계약에 기재하여 일괄하여 결의하
도록 한 상법의 취지에 반한다고 한다. 다만, 이에 대하여는 합병을 통하여 존속회사의 대
주주가 의결권 제한 없이 마음대로 감사 또는 감사위원회 위원을 선임할 수 있게 되어 부
당하다는 반론이 제기될 수도 있을 것이다. 이러한 이슈는 집중투표제, 대규모상장회사의
감사위원회 위원 선임 관련 특례규정과 관련하여서도 제기될 수 있다(권기범, 기업구조조정
법, 210면 참조). 위와 같은 이슈들을 고려하여 존속회사(특히, 상장법인의 경우)의 주주총
회에서 감사 등의 선임 안건을 합병계약 승인 안건과 분리하는 사례들도 있다.

조의4 제1항에 의하면 합병 전에 취임한 존속회사의 이사와 감사는 합병계약에 다른 정함이 없는 한 원칙적으로 합병 이후 최초로 도래하는 결산기의 정기총회가 종료하는 때에 퇴임[97]해야 하므로 이를 방지하기 위해 합병계약에서 "합병기일 이전에 취임한 존속회사의 이사 및 감사는 달리 임기 종료의 사유가 발생하지 않는 한 제527조의4 제1항의 규정에도 불구하고 선임시 정해진 임기까지 그 지위를 유지한다"는 취지의 규정을 두는 사례가 있고, 존속회사가 소멸회사의 주주에게 배정하는 합병신주의 이익배당기산일을 합병계약에서 명시적으로 규정하거나 이익배당을 하지 않는 대신 이를 합병비율의 산정시 합산하도록 하는 규정[98]을 두는 사례도 있다.

한편, 일반적으로 법률 또는 정관에 의하여 주주총회의 권한으로 되어 있는 사항은 반드시 주주총회에서 결의하여야 하며 회사의 다른 기관이나 개인에게 위임할 수 없는 것이 원칙이다. 이러한 견지에서 주주총회의 특별결의사항으로 되어 있는 합병에 있어서도 법률에서 합병계약의 기재사항으로 되어 있는 사항 등 합병의 주요한 조건 내지 본질적인 부분에 관한 사항은 주주총회에서 결정되어야 하며 그러한 사항에 대한 결정이 실질적으로 제3자가 그러한 결정을 내린다고 인정될 정도로 제3자에게 포괄적으로 위임되어서는 안될 것이다. 그러나, 주주총회에서 합병계약을 승인하면서, 일정한 합리적이고 객관적인 기준에 따라 합병계약상 합병의 본질적인 부분이 아닌 사항에 대한 결정을 이사회 또는 대표이사에게 위임하는 것까지 허용되지 않는다고 보기는 어려울 것이다. 오히려 그러한 위임은 합병절차를 신속하게 적절히 진행하기 위하여 필요한 경우가 적지 않으며, 실무관행상으로도 그러한 위임이 이루어지는 경우가 많다.

(2) 합병절차상 불확실성의 완화를 위한 조항

합병계약은 회사의 중요한 조직변경 행위로서 계약결정시 복수의 회사 의사

---

97) 이는 간이합병과 소규모합병의 경우에도 적용된다(이와 관련하여, 임재연, 전게서, 739면에서는 소규모합병의 경우 존속회사의 주주 구성에 별다른 변동이 없으므로 그 적용을 배제하는 것이 타당하다는 점을 지적하고 있다). 한편, 위 규정에 의해 정기총회가 종료할 때까지 존속회사의 이사 및 감사의 임기가 "연장"될 수도 있다고 해석하는 견해(최준선, 전게서, 760면)도 있으나, 위 규정의 취지는 합병 이후 조속히 존속회사와 소멸회사 주주들의 의사를 모두 반영한 새로운 임원진을 구성하기 위한 것으로 이해되며 따라서 만일 존속회사의 이사 및 감사의 임기가 합병 후 최초의 결산기의 정기총회 종료일 이전에 만료하는 경우에는 그 시점에서 퇴임하는 것으로 해석된다(임재연, 전게서, 739면; 정동윤 외 집필대표, 전게서, 391~392면).

98) 정동윤 외 집필대표, 상게서, 363면.

결정기관이 관여하고 법적 안정성이 강조되는 계약이면서도, 다른 한편 변동성과 역동성을 가지고 있어서 합병계약의 체결 이후 합병등기가 이루어질 때까지 통상 수개월의 기간 동안 상당한 불확실성이 존재하게 된다.[99] 따라서, 합병계약에서 그러한 불확실성을 어떻게 완화하고 그러한 불확실성으로 인하여 발생하는 위험을 합병당사회사 사이에서 어떻게 분배할 것인지에 대한 고려가 필요하며, 이를 합병계약의 임의적 기재사항으로서 적절히 반영하는 것이 바람직하다.

합병계약상 위와 같은 불확실성의 완화를 위해서는 그러한 목적을 위해 계약법상 통상적으로 이용되는 진술·보증, 거래완결의 선행조건, 확약사항, 약정해제사유 및 면책배상 조항을 개별 사안의 특수성과 구체적 사정을 적절히 반영하여 규정할 필요가 있을 것이다. 예컨대, 감독당국의 합병인가를 합병계약의 완결을 위한 선행조건으로 규정하거나, 합병계약에서 합병비율 등 합병계약의 주요한 조건에 부정적 영향을 미칠 수 있는 행위의 금지를 확약사항으로 규정하거나 또는 후술하는 합병계약의 일부 필수적 기재사항에 관한 유보조항을 규정하는 방안 등을 고려해 볼 수 있을 것이다.

이와 관련하여, 합병의 추진 과정에서 반대주주의 주식매수청구권 행사가 장애사유로 되는 경우에 합병계약상 법적 불확실성의 해소 방안을 살펴볼 필요가 있다. 합병에 반대하는 합병당사회사 주주들의 주식매수청구권의 행사로 인한 주식매수가액이 지나치게 커지게 될 경우를 대비하여 주식매수청구권이 행사된 주식의 수나 그 총액이 일정한 한도를 초과하게 되면 합병계약을 해제할 수 있도록 하는 조항을 합병계약에 규정하는 것은 관련 법령상 특별히 금지되지 않고, 실제로도 많이 활용되고 있다. 이러한 경우, 주식매수청구권이 행사되는 금액의 한도는 매수청구의 대상이 될 것으로 예상되는 주식의 수량, 회사가 보유한 현금의 수준, 주식매수청구권의 행사가 회사의 재무상태에 미치는 영향, 주식매수청구에 응하여 매수한 자기주식의 처분계획 등의 제반 사정을 종합적으로 고려하여 결정하면 될 것이다.

3) 합병계약의 체결 과정상 주요 고려사항

합병계약의 체결은 회사의 중요한 업무집행이라 할 것이므로 합병의 당사회

---

99) 노혁준, "합병계약에서의 불확실성 – 합병비율 유보와 합병계약의 해제를 중심으로 –," 『상사판례연구』 제22집 제4권(한국상사판례학회, 2009), 49~51면.

사는 합병계약을 체결하기에 앞서 각기 이사회를 소집하여 이를 승인하는 결의를 하여야 한다(제393조 제1항). 위 이사회에서는 ① 합병계약의 체결, ② 합병계약 승인을 위한 주주총회의 소집, ③ 기준일 또는 주주명부의 폐쇄기간의 설정 기타 필요한 사항 등에 대하여 결의하게 된다. 합병계약 체결을 위한 이사회 결의가 있은 후, 합병당사회사의 대표자는 합병계약을 체결하게 된다.

한편, 2011년 개정상법 제398조에서는 자기거래 내지 이해상반거래 규제의 범위를 확대하고 거래가 이루어지기 위한 요건을 강화하였는데, 그 결과 회사의 주요주주 및 그 특수관계인도 제398조의 수범자에 해당하게 되어 합병과 같은 자본거래 내지 기업구조조정행위도 자기거래의 규제를 받을 수 있을 것으로 보인다.[100] 따라서, 만일 합병당사회사가 일정한 관계를 가지고 있어서 그들 사이의 합병(예컨대, 모자회사간 합병)이 제398조의 적용대상이 되는 경우에는 합병계약의 체결에 있어서 제398조에 따른 거래의 실행요건이 준수되어야 할 것이다.

3. 합병의 절차

가. 합병계약 체결 이후의 주요 절차적 고려사항

1) 상장제도 관련 고려사항

상장회사가 비상장회사와 합병을 하는 경우, 만일 비상장회사의 규모가 큰 경우에는 실질적으로 당해 비상장회사의 주식이 상장되는 효과가 발생하게 되며 다른 한편 합병의 결과 비상장회사의 지배주주 측에서 상장회사의 경영권을 인수하게 되면 그 과정에서 비상장회사의 기업가치가 과대평가됨으로써 상장회사의 기존 주주들의 이익이 침해되고 상장부적격기업이 증권시장에 진입할 우려가 있다.[101] 이에 한국거래소에서는 그러한 경우를 우회상장에 해당하는 것으로 보

---

100) 법무부, 전게서, 240면. 권윤구·이우진, "개정상법상 자기거래의 규제," 「BFL」 제51호(서울대 금융법센터, 2012), 61면은 이러한 해석의 근거로서 회사와 그 주요주주 내지 특수관계인간의 합병 역시 일반거래와 마찬가지로 거래조건 협상의 공정성을 기대하기 어렵다는 점, 합병을 통한 소수주주에 대한 압박 내지 축출의 우려가 있다는 점 및 미국의 경우 합병이 가장 전형적인 이해상반거래의 한 유형으로 논의되고 있다는 점을 들고 있다. 반면, 합병과 같은 자본거래에 대하여는 자기거래 규제가 적용되지 않는다고 보는 것이 법적용의 명확성과 법률관계의 안정성을 기할 수 있다는 견해도 있다(정동윤 외 집필대표, 「주석 상법: 회사법(Ⅲ)」(한국사법행정학회, 2014), 339면.

101) 삼각합병에서 존속회사의 모회사가 상장회사로서 삼각합병의 결과 소멸회사의 최대주주등

아 신규상장 심사에 준하는 심사를 받도록 하고 있는데, 그에 관하여 아래에서는 종래 우회상장이 자주 문제가 되었던 코스닥시장을 위주로 간략히 살펴본다.[102][103]

코스닥시장 상장규정은 합병의 경우 우회상장 요건의 충족에 관한 심사의 대상이 되는 전제조건으로 비상장회사의 규모(자산총액, 자본금 및 매출액 중 두 가지 이상)가 상장회사보다 크거나[104] 최대주주 변경 등이 발생할 것을 명시하고 있다(코스닥시장 상장규정 제19조 제1항 제2호). 그 중에서 최대주주 변경 등은 다음의 세 가지 사정이 있는 경우에 인정된다(코스닥시장 상장규정 시행세칙 제19조 제1항).

① **합병 이전의 최대주주 변경**: 합병 관련 주요사항보고서 제출일 이전 1년 이내에 비상장회사의 최대주주등(최대주주와 그 특수관계인)이 상장회사의 최대주주가 되는 경우
② **합병에 따른 최대주주 변경**: 합병의 결과 비상장회사의 최대주주등이 상장회사의 최대주주가 되는 경우
③ **5% 주주 관련 최대주주 변경**: 비상장회사의 지분을 5% 이상 보유한 주주가 합병 관련 주요사항보고서 제출일 이전 1년 이내에 또는 합병의 결과 상장회사의 최대주주가 되는 경우

※ 최대주주에 해당하는지 여부에 대한 판단과 관련된 주식수의 산정에 있어서는 합병 관련 주요사항보고서의 제출일 현재 행사되지 아니한 주식관련사채의 권리행사로 인해 증가될 주식과 합병의 주요사항보고서 제출일 현재 법률 또는 계약에 의해 인도청구권을 갖는 주식 및 주식관련사채를 포함함.

이 당해 상장회사의 최대주주가 되고 소멸회사가 실질적으로 상장되는 효과가 발생하게 되는 경우에는 비록 당해 상장회사가 합병의 직접적인 당사자는 아니지만 그에 대하여 우회상장 관련 규제가 필요할 수 있을 것이다.
102) 이하 우회상장 관련 논의는 기업인수목적회사를 제외한 코스닥시장 상장회사를 전제로 한다.
103) 성희활, "우회상장 규제의 역사와 현황 및 개선방안," 「기업법연구」 제34권 제1호(통권 제80호)(한국기업법학회, 2020), 23~28면에서는 우회상장의 가장 대표적인 유형인 합병의 경우를 들어 한국거래소 코스닥시장에서의 우회상장 규제의 내용에 대하여 서술하고 있다.
104) 이는 자본시장법 시행령 제176조의5 제4항 제2호에 명시적으로 규정되어 있는 경우로서, 그러한 규모의 비교는 상장회사가 합병 관련 주요사항보고서를 제출하는 날이 속하는 사업연도의 직전 사업연도의 재무제표를 기준으로 한다. 한편, 위 조항에 의한 합병요건 관련 규제는 특정 증권시장에 주권이 상장된 법인이 다른 증권시장에 주권이 상장된 법인과 합병하여 특정 증권시장에 상장된 법인 또는 다른 증권시장에 상장된 법인이 되는 경우에 준용된다(자본시장법 시행령 제176조의5 제5항).

상기 우회상장에 해당하는 합병에 대한 한국거래소의 심사기준과 관련하여, 한국거래소는 원칙적으로 비상장회사의 사업과 재무상태 전반에 걸친 형식적 요건이 충족되는지 여부를 심사하고 그와 함께 질적 요건의 충족 여부도 심사하게 된다. 위 형식적 요건은 신규상장의 요건들 중에서 비상장회사의 상장적격성을 판단하기 위해 필요한 자본상태와 이익규모 등과 관련된 일부 요건들을 의미하는 것이며, 위 질적 요건은 투자자보호와 코스닥시장의 건전한 발전을 고려하여 비상장회사가 실질적으로 기업계속성과 경영투명성 등의 측면에서 상장적격성을 갖추었는지 여부를 종합적으로 판단하기 위한 것이라고 할 수 있다(코스닥시장 상장규정 제19조 제1항 제2호, 제6조 제1항 참조).

상기 우회상장과 관련된 한국거래소의 조치사항에 관하여 살펴보면, 우선 한국거래소는 일단 상장회사와 비상장회사의 이사회에서 합병이 결정되거나 합병계약이 체결된 이후 코스닥시장 공시규정에 의한 신고가 이루어지는 시점에서 당해 상장회사의 주권에 대한 매매거래를 정지시키고 상장회사로부터 신고서 및 확인서 등을 제출받아 상장회사의 최대주주 변경 등이 없어서 우회상장에 해당하지 않는 것으로 인정되는지 또는 우회상장에 해당하는 것으로 인정되는지 여부를 결정하여 지체없이 그 결과를 당해 상장회사에게 통지하여야 하며 그러한 통지가 이루어진 이후 당해 상장회사의 주권에 대한 매매거래를 재개한다(코스닥시장 상장규정 제29조 제1항 제5호, 제2항, 코스닥시장 상장규정 시행세칙 제29조 제1항 제5호 라목, 제19조 제5항). 만일 상장회사의 비상장회사와의 합병이 우회상장에 해당하게 되는 경우에는 당해 상장회사가 상장주선인을 통하여 한국거래소에 지체 없이 우회상장 심사서류를 제출하여야 한다(코스닥시장 상장규정 제18조의4 제1항 제1호). 나아가, 한국거래소는 보호예수제도를 도입하여 우회상장한 비상장회사의 최대주주등에게 교부된 합병신주등의 매각을 일정한 기간(원칙적으로 합병신주 추가상장일로부터 6월간) 동안 제한함으로써(코스닥시장 상장규정 제22조), 최대주주등이 우회상장을 통하여 취득한 주식을 처분하여 차익만 거두고 빠져 나감으로써 상장회사의 주가가 급락하거나 경영권 불안이 초래되는 것을 방지하고 있다.[105] 만일 코스닥시장 상장회사가 합병의 상대방 당사자인 비상장회사가 우회상장의 요건을 충족하지 못함에도 불구하고 합병을 강행하는 경우

---

105) 장인봉, "우회상장 관리제도 선진화를 위한 개선내용," 「KRX Market」(한국거래소, 2010. 12.), 48면.

또는 위와 같은 매각제한을 이행하지 아니하고 우회상장을 완료하는 경우 이는 상장폐지사유에 해당하여 당해 코스닥시장 상장회사의 상장이 폐지될 수 있다(코스닥시장 상장규정 제38조 제1항 제17호 가목 및 마목).

한편, 한국거래소는 합병에 의하여 우회상장을 진행하는 상장회사는 합병 관련 주요사항보고서 제출일 이전에 우회상장 요건의 충족 여부에 대하여 한국거래소와 사전협의(코스닥시장 상장규정 제19조 제4항, 코스닥시장 상장규정 시행세칙 제19조 제2항 참조)를 하도록 함으로써, 우회상장에 대한 한국거래소의 심사로 인하여 발생할 수 있는 상장회사에 대한 위험이나 불이익의 우려를 완화하고 있다.

2) 주요사항보고서의 제출 등 수시공시와 지분공시

자본시장법은 상장회사가 합병을 하려는 경우에는 합병과 관련된 정보를 공시하게 함으로써 합병의 투명성을 제고하고 투자자를 보호하도록 하고 있다. 즉, 자본시장법 및 발행공시규정에 따라 상장회사는 이사회의 합병결의 등을 한 시점에 합병결의 내용, 일정 등을 기재한 주요사항보고서를 금융위원회(금융감독원) 및 한국거래소에 제출하고 합병등기가 이루어진 시점에는 합병종료보고서를 제출하여야 한다(자본시장법 제161조, 발행공시규정 제5-15조 제1호). 또한, 상장회사의 이사회 등에서 합병을 하기로 결정한 때에는 그 내용을 당일 한국거래소에 신고하여야 한다(유가증권시장 공시규정 제7조 제1항 제3호 가목(5), 코스닥시장 공시규정 제6조 제1항 제3호 가목(8)).

한편, 합병의 결과 존속회사의 주요주주 또는 존속회사의 의결권 있는 발행주식총수의 5% 이상에 해당하는 수량의 주식을 보유하는 주주가 되는 자 또는 존속회사의 임원으로서 그 주식을 보유하게 되는 자는 자본시장법에 따라서 일정한 지분공시 의무를 이행해야 하며(자본시장법 제173조 제1항, 자본시장법 시행령 제200조 제3항 제5호, 제4항 제8호, 자본시장법 제147조), 존속회사의 입장에서는 합병의 결과 최대주주의 변경신고 의무가 발생하는지 여부에 유념할 필요가 있다(유가증권시장 공시규정 제7조 제1항 제3호 가목(1), 코스닥시장 공시규정 제6조 제1항 제3호 가목(1) 참조).

3) 증권신고서

10억원 이상의 증권의 모집 또는 매출은 발행인이 그 모집 또는 매출에 관한 신고서, 즉 증권신고서를 금융위원회에 제출하여 수리되지 않으면 이를 진행할 수 없다(자본시장법 제119조 제1항, 자본시장법 시행령 제120조 제1항). 합병에 있어서도 만일 존속회사가 합병대가로서 소멸회사의 주주에게 자신의 주식을 제공하는 것이 증권의 공모(모집 또는 매출)에 해당하는 경우(존속회사의 주식을 합병대가로서 제공받는 소멸회사 주주의 수가 50인 이상의 다수인 경우 또는 존속회사의 합병신주에 대하여 간주모집 제도[106]가 적용되는 경우에는 원칙적으로 그러할 것이다)에는 증권신고서를 제출하고 합병신주가 발행된 이후에는 합병종료보고서에 갈음하여 증권발행실적보고서를 제출하여야 한다.[107] 그리고, 통상적인 증권에 대한 공모절차의 원리에 비추어 볼 때 합병승인을 위한 주주총회의 소집통지·공고는 청약의 권유에 해당하는 것으로 인식되어 원칙적으로 증권신고서의 효력이 발생한 이후 이루어질 필요가 있을 것이다.[108]

4) 주주총회의 소집 관련 절차

합병당사회사는 합병승인을 위한 임시주주총회에서 의결권을 행사할 주주를 정하기 위하여 먼저 주주명부의 폐쇄기간 또는 기준일을 정하여 2주간 전에 공고하여야 한다(제354조). 합병당사회사는 각각의 정관 및 상법이 정하는 바에 따라 주주총회일 2주간 전에 각 주주에 대하여 합병계약의 승인을 위한 주주총회의 소집을 통지 또는 공고하고, 그러한 통지·공고에 있어서는 합병계약의 요령, 즉 합병계약의 주요한 내용과 함께 주식매수청구권의 내용 및 행사에 관한 사항을 기재하여야 한다(제522조 제2항, 제363조, 제530조 제2항, 제374조 제2항). 2015년 개정상법은 후술하는 바와 같이 의결권이 없거나 제한되는 주주에게도 명시적으로 주식매수청구권을 인정하면서 당해 주주에게도 위와 같은 주주총회 소집통지 절차가 적용되도록 하였다(제363조 제7항 단서). 또한, 합병당사회사가 상장회사인 경우에는 합병승인 주주총회의 소집통지를 할 필요가 없는 무의결권 우선주주에게도 합병에 관한 주식매수청구권의 행사요령을 통지해야 한다(자본시장법 제165조의5 제5항). 한편, 금산법은 은행 등 금산법상 금융기관이 합병을 하는 경우에는 합병당사회사가 주주명부폐쇄일 또는 기준일로부터 7일 전에 2개 이상의 일간신문에 공고할 수 있도록 하여 상법에 대한 절차적 특례를 인정하고

---

106) 자본시장법 시행령 제11조 제3항 및 발행공시규정 제2-2조 제1항 참조.
107) 발행공시규정 제2-19조 제3항, 제5-15조 단서.
108) 금융감독원, 「기업공시 실무안내」(2017. 12.), 33면 참조.

있다(금산법 제5조 제6항).

또한, 합병당사회사는 합병계약의 승인을 위한 주주총회일 2주전부터 합병을 한 날 이후 6월이 경과하는 날까지 ① 합병계약, ② 합병을 위하여 신주를 발행하거나 자기주식을 이전하는 경우에는 합병으로 인하여 소멸회사의 주주에 대한 합병신주의 배정 또는 자기주식의 이전에 관하여 그 이유를 기재한 서면 및 ③ 각 회사의 최종의 대차대조표와 손익계산서[109]를 본점에 비치하여야 한다(제522조의2).

나. 주주총회의 합병승인

1) 개 관

합병계약 승인을 위한 주주총회의 결의는 출석한 주주의 의결권의 3분의 2 이상의 수와 발행주식총수의 3분의 1 이상의 수로써 하여야 한다(제522조, 제434조). 합병승인 주주총회는 통상 임시총회가 될 것이나, 정기총회에서도 통상적인 경영사항 이외에 합병계약의 승인에 관하여 결의하는 것이 가능한 것으로 해석되고 있다.

주주총회 결의의 효력은 결의의 성립과 동시에 발생하지만, 주주총회의 결의로 그 결의의 효력발생을 시기부 또는 종기부로 하는 것은 단체법관계에 별다른 불안을 주는 바가 없으므로 가능하다고 보고 있다. 또한, 주주총회 결의를 조건부로 하는 조건부결의의 경우에도 그 조건이 결의의 내용을 불안정하게 하는 것이 아닌 한 가능한 것으로 보고 있다. 이처럼 주주총회의 결의의 효력발생이 조건부로 이루어질 여지가 있다면 합병계약에 예컨대 "주식매수청구 예정가격을 기준으로 한 주식매수청구 총 금액이 50억원 이하일 것"과 같은 조건을 계약의 선행조건으로 삽입하고 주주총회에서 합병승인 결의를 하는 것이 가능하다고 할 것이다.

2) 합병승인 주주총회에서의 의결권 행사

상법은 제368조 제4항에서 당해 주주총회의 결의에 대해 특별한 이해관계가 있는 자는 의결권을 행사할 수 없다고 규정하고 있는바, 합병의 일방 당사회사

---

109) 이는 정기주주총회에서 승인된 재무제표 중 최근의 것을 의미한다고 해석된다(정동윤 외 집필대표, 전게 「주석 상법: 회사법(Ⅴ)」(이하 같음), 321면).

가 상대방 당사회사의 주식을 소유하는 경우 또는 동일인이 합병당사회사의 주주인 경우 합병당사회사 또는 당해 동일인은 특별이해관계인에 해당되지 아니하여 합병승인 주주총회에서 의결권을 행사할 수 있다고 긍정하는 견해가 다수설이다(개인법설).[110] 제527조의2에서 존속회사가 소멸회사 발행주식총수의 100분의 90 이상을 소유하고 있는 때에는 주주총회의 승인을 이사회의 승인으로 갈음할 수 있도록 규정한 취지에 비추어 볼 때 이와 같은 다수설의 태도가 합리적이라고 사료된다.

한편, 주식매수청구권과 관련하여 주주총회의 개최 이전에 합병반대 의사표시를 통지하였으나 주주총회에 참석하지 않은 주주의 의결권에 대한 취급이 문제될 수 있다.[111] 이와 관련하여 관계법령상 명문의 규정이나 확립된 판례의 입장 또는 실무관행은 없는 실정이다. 다만, 학설상으로는 당해 주주의 의결권은 주주총회 결의에 있어서 반대표에 가산하는 것이 타당하다는 견해(이하 "산입설")[112]와 당해 주주는 현상 그대로 주주총회에 참석하지도 않고 의결권도 행사하지 않은 것으로 처리하여 의결정족수에 산입하지 말아야 한다는 견해(이하 "불산입설")[113]가 제기되고 있다. 산입설은 (i) 만일 당해 주주의 의결권을 반대표에 산입하지 않는다면 반대자가 더 많음에도 불구하고 의안이 가결되는 모순이 생길 수 있다는 점(예컨대, 총주주의 60%가 사전반대만 하고 주주총회에 출석하지 않은 상황에서 나머지 40%의 주주가 주주총회에 출석하여 찬성함으로써 주주총회 특별결의의 요건이 충족되는 경우)과 (ii) 만일 당해 주주의 의결권을 불산입하는 경우 의안통과가 용이해지므로 마치 주주로 하여금 출석하여 합병안건 자체는 통과시키면서 자금을 회수하는 것을 허용하는 것과 유사한 결과가 될 수 있어 주주에게 부적절한 유인을 제공하는 것이라는 점을 주요한 근거로 들고 있다.[114] 불산

---

110) 권기범, 기업구조조정법, 236면; 이철송, 전게서, 539면; 임재연, 전게서, 716면; 정동윤, 전게서, 329면; 정찬형, 전게서, 515면; 최기원, 전게서, 493-494면. 한편, 송옥렬, 전게서, 932면은 일방 당사회사가 타방 당사회사의 주식을 소유하는 경우 합병에 대하여는 특별이해관계를 부정하면서도 영업양도에 대하여는 특별이해관계를 인정하는 다수설의 태도는 모순이라고 지적하고 있다.

111) 이러한 문제는 의결권이 없거나 제한되는 종류주식을 보유한 주주가 2015년 개정상법에 의해 명시적으로 인정된 주식매수청구권을 행사하기 위해 합병반대 의사표시를 통지한 경우 그 주주의 당해 종류주식의 종류주주총회에서의 의결권에 대한 취급에 있어서도 마찬가지로 제기될 수 있을 것이다.

112) 이철송, 상게서, 604면; 최준선, 전게서, 409면.

113) 권기범, 상게서, 277면; 김건식·노혁준·천경훈, 전게서, 861면,; 송옥렬, 상게서, 959면; 임재연, 상게서, 197면

입설은 (i) 사전 반대통지는 주식매수청구권 행사의 요건이자 합병 등 주주총회의 중요 안건을 주주총회에 회부하기 위한 예고적 기능을 갖는 것에 불과하고 실제 주주총회에서의 의결권 행사와는 구별되는 것으로서 주주총회에서 결의 방법을 대체할 수 있는 것으로 보기는 어렵다는 점, (ii) 주주총회 안건에 대한 서면결의는 정관에 명시적으로 규정을 두지 않는 한 원칙적으로 인정되지 않는다는 점, (iii) 반대의사를 통지한 주주는 주주총회의 의안 자체를 부결시키려는 목적보다는 의안이 가결되면 주식매수청구권을 행사하겠다는 의사를 가지고 있었다고 볼 수 있다는 점, (iv) 상기와 같이 주주총회의 개최 이전에 합병에 반대하는 의사표시를 통지한 주주도 실제 주주총회에서 참석하여 합병에 찬성할 수 있다는 점을 근거로 제시하고 있다. 상장회사 등의 실질주주의 권리행사 등에 관한 업무를 담당하는 한국예탁결제원의 종래 실무관행상으로는 반대주주의 주식매수청구와 관련하여 반대의사를 통지한 주주들의 의결권에 대한 취급에 있어서 불산입설에 따라 관련 업무를 처리하고 있는 것으로 보인다.

3) 종류주주총회의 합병승인결의

여러 가지 종류주식을 발행한 회사의 합병으로 인하여 어느 종류주식의 주주에게 손해를 미치게 될 때에는 종류주주총회에서 출석한 주주의 의결권의 3분의 2 이상의 수와 그 종류의 발행주식총수의 3분의 1 이상의 수로써 합병을 승인하는 결의가 이루어져야 한다(제436조, 제435조). 여기에서 '합병으로 인하여 어느 종류주식의 주주에게 손해를 미치게 될 때'라고 함은 어느 종류주식의 주주의 합병 이후의 법적·경제적 지위가 합병 이전에 비하여 더욱 불리하게 되는 경우를 의미하는 것으로 해석된다.[115] 2011년 개정상법에서 매우 다양한 유형의 종류주식의 발행 가능성을 인정하였는데, 그에 따라 향후 많은 종류의 종류주식

---

114) 일본 회사법 제785조 제2항은 사전 반대통지 이외에 주주총회에 참석하여 반대할 것을 주식매수청구권의 요건으로 요구하므로, 다액의 주식매수청구권이 발생함에도 안건이 가결되는 일은 발생하지 않는다.

115) 권기범, 기업구조조정법, 243면에서는 어느 종류주식의 주주에게 직접적으로 불이익을 가져오는 경우는 물론이고 외견상 형식적으로는 평등한 것이라고 하더라도 실질적으로는 불이익한 결과를 가져오는 경우도 포함되며, 나아가 어느 종류주식의 주주의 지위가 합병으로 인해 유리한 면이 있으면서 불이익한 면을 수반하는 경우도 이에 해당한다고 한다. 다만, 이 견해는 소멸회사에서 주주가 가졌던 지분율이 합병 후 존속회사에서 떨어지는 것은 "손해를 미치게 될 때"에 해당하지 않는다고 하는데, 이는 공정한 합병비율에 따른 당사회사 주주들의 지분율 변경은 합병의 본질적 속성이기 때문이라고 한다.

을 발행하는 회사의 경우에는 종류주주총회의 합병승인이 합병절차의 진행에 있어서 특히 중요한 의미를 가지게 될 것으로 예상된다.

4) 합병계약의 변경·해제

가) 합병계약의 변경

합병계약이 체결된 이후 합병등기에 의하여 합병의 효력이 발생할 때까지의 기간은 수개월이 소요되므로 합병당사회사가 합병계약을 체결할 당시 예상하지 못했던 여러 사정이 발생할 수 있으며 그로 인한 위험과 불확실성을 계약상 장치를 통해 적절히 통제할 필요가 있다. 비록 합병계약에 대한 주주총회의 승인이 필요하고 그에 따라서 포괄적 승계의 효력이 발생하는 단체법적 특수성이 있기는 하지만, 합병계약도 합병당사회사 사이의 합의인 이상 일반적인 계약법 원리에 따라서 이사회결의 등에 의한 사후적 변동이 가능하도록 하는 여러 조항을 포함하여 법적 불확실성을 완화하고 당사자들 사이에서 위험을 적절히 분배하는 기능을 할 수 있다고 본다.[116] 다만, 일단 합병승인 주주총회에서 합병계약이 승인된 이후에는 합병계약의 전체취지와 각 사안별로 구체적인 사정을 고려하여 변경될 계약조항이 합병계약의 기본적인 조건에 관한 것으로서 변경에 의하여 이해관계자들의 지위에 불이익을 초래할 수 있는 경우에는 합병당사회사의 이사회결의만으로는 당해 조항을 수정할 수 없으며, 당해 조항이 수정된 합병계약에 대하여 다시 합병당사회사 주주총회의 승인결의가 필요하다고 보아야 할 것이다. 합병계약의 변경에 관하여서는 특히 법정 기재사항에 있어서 어느 정도로 합병계약에 대한 주주총회의 승인 이후의 변동 여지를 유보할 수 있는 것인지 살펴볼 필요가 있다.

우선, 합병승인을 위한 주주총회 개최 후 합병기일을 변경하기 위하여 다시 주주총회 결의가 필요한지 여부에 대해서는 상법 기타 규정에서 명시적으로 언급하고 있지 않다. 생각건대, 합병기일 변경으로 인하여 주주 등 이해관계자들의 이익이 중대하게 침해된다고 단정하기는 어려우며, 적어도 합병계약상 일정한 유보조항을 두어 감독당국의 합병승인 지체 등 합리적 사유로 인하여 합병당사회사 이사회의 결의를 통해 합병기일을 연기할 수 있도록 하는 것은 허용될

---

116) 노혁준, 전게 "합병계약에서의 불확실성―합병비율 유보와 합병계약의 해제를 중심으로―," 44~49면 참조.

수 있다고 본다.117) 상기 논의는 합병승인 주주총회 기일의 변경에 대하여서도 동일하게 적용될 수 있을 것이다. 실무상으로도 합병당사회사가 감독당국의 합병인가 또는 공정거래법에 의한 기업결합신고 등으로 인하여 합병의 일정이 지연될 수 있는 가능성을 고려하여 합병계약상 합병기일 또는 합병승인 주주총회의 기일이 합병당사회사 사이의 별도 합의에 따라서 연기될 수 있다는 점을 명시하는 사례들이 많다.

다음으로, 합병계약상 합병비율의 변동과 관련하여서는 주주총회에서 합병계약을 승인한 후 새로운 사항이 발생한 경우 이를 반드시 합병비율에 반영하여야 하는지 여부가 문제될 수 있다. 이와 관련하여, ① 기존의 주주총회를 취소하고 합병계약 수정, 이사회 승인, 주주총회 재결의 등의 절차를 거쳐 반드시 이를 반영하여야 한다는 견해와 ② 주주총회가 일정한 날을 기준으로 계산된 합병비율에 따른 합병계약을 승인한 이상 그 이후 실제 합병일까지 새롭게 발생하는 사항에 대해서는 각자 위험을 부담한다는 의사를 표시한 것으로 보아야 하므로, 주주총회 승인 이후 발생한 사항을 반드시 반영할 필요는 없다는 견해가 있을 수 있다. 그런데 (i) 실제 합병이 추진되는 과정에서 합병비율 계산의 기준일 또는 주주총회일과 실제 합병기일 사이에는 간격이 있고 이 기간 중 기업가치는 변동될 수밖에 없는데 그 기간 중 발생한 사정변경을 반드시 반영하여 합병비율을 재산정하도록 요구하는 것은 거래의 안정성 등에 비추어 볼 때 현실적이지 않은 점, (ii) 주주총회에서 별다른 조건이나 유보사항 없이 합병계약을 승인하였다면 주주총회일로부터 실제 합병일까지 발생하는 이러한 사정변경에 대해서는 서로 그 위험을 부담하겠다는 의사를 표시한 것으로 해석함이 타당하다는 점 등을 고려할 때, 합병비율을 확정할 수 있는 최종시점인 주주총회 결의일까지 예측할 수 있는 요소들을 최대한 합리적으로 고려하여 합병비율을 산정하였다면 주주총회 이후 발생한 사정변경이 있다 하더라도 이 때문에 반드시 합병비율을 재산정하여 주주총회 승인을 받아야 한다고 보기는 어려울 것으로 생각된다. 따라서 일응 위 ②의 견해가 타당하다고 하겠으나, 그러한 경우에도 만약 당사자들이 당초 예측할 수 있었던 범위를 벗어나 현저하게 불공정한 결과(예컨대, 합병비율이 적어도 20~30% 이상 변경될 수 있는 사정이 발생한 경우)가 초래되는 경

---

117) 노혁준, 전게논문, 58면.

우에는 ①의 견해에 따르는 것이 신중하고 안전한 처리방향일 것이다. 이처럼 합병비율의 변동과 관련된 불확실성을 완화하기 위하여, 합병당사회사의 입장에서는 (i) 합병계약의 체결 이후 발생이 예상되는 합병비율에 영향을 미칠 수 있는 사항들을 미리 합병비율에 반영한 다음 당해 사항들이 합병비율에 영향을 미치지 않는다는 점을 합병계약에 명시하는 방안, (ii) 합병계약상 합병비율을 확정하지는 않은 채 상세한 공식 등 합병비율을 확정할 수 있는 예견가능하고 구체적인 기준만 규정해 두고 장래 일정한 시점에 그에 따라서 합병비율이 확정되도록 하는 방안, (iii) 합병계약의 체결 이후 합병계약상 확정된 합병비율에 영향을 미칠 수 있는 합병당사회사의 행위를 최대한 제한하는 확약조항을 합병계약상 규정하는 방안, (iv) 합병당사회사가 통제할 수 없는 외부사정 등으로 인하여 합병계약상 확정된 합병비율이 실제와 중대하게 달라지는 경우를 합병계약의 해제사유로서 규정하는 방안 또는 합병계약상 일단 확정된 합병비율이 사후적으로 일정한 조건하에 변경될 수 있도록 규정하는 방안 등을 고려해 볼 수 있을 것이다. 그러한 방안들 중에서 합병계약에 따른 합병비율의 사후적 변경과 관련하여, 반드시 합병비율이 수정된 합병계약에 대하여 새로운 주주총회를 받아야 하는 것은 아니고 기존의 합병계약상 적정하고 예견가능한 범위에서 이사회결의에 의하여 합병비율을 변경할 수 있는 유보조항을 두어 합병비율의 조정을 실행할 수도 있다고 본다.[118][119][120]

한편, 합병계약상 규정된 존속회사의 증가할 준비금을 이사회결의에 의하여

---

118) 노혁준, 전게논문, 66면.
119) 권기범, 기업구조조정법, 184면에서는 합병비율은 합병계약서상 여타 어느 것보다도 주주와 회사 채권자의 법적 지위에 중요하고 결정적 영향을 미치는 사항이므로 가급적 변경을 억제하는 것이 타당하다고 한다.
120) 만일 합병계약의 체결 이후 전환사채 또는 신주인수권부사채 등의 주식관련사채의 전환권이나 신주인수권 등이 행사되는 경우에는 그로 인한 합병계약상 필수적 기재사항의 변경 가능성에 대비할 필요가 있다. 실무상으로는 합병계약에 단주의 처리와 합병당사회사 주주들의 주식매수청구권 행사에 의한 자기주식 취득에 따라서 합병신주의 수량과 존속회사의 증가할 자본금의 액수 등이 조정될 수 있도록 하고 그러한 조정의 결과가 합병비율에 영향을 미치지 아니한다는 취지의 조항을 두는 사례들이 많다. 만일 합병계약의 체결 이후 합병기일까지 소멸회사가 발행한 전환사채 등이 행사기간의 미도래 또는 높은 행사가액 등의 사유로 지분화될 가능성이 낮거나 설령 지분화한다고 하여도 그 수량이 미미한 경우에는 상기 실무례에 준하여 합병계약상 적절한 조항을 마련하는 방안을 고려할 수 있을 것이다(김병태·김지훈, "기업조직재편상 주식관련사채에 관한 몇 가지 고려사항 — 전환사채와 신주인수권부사채를 중심으로," 「선진상사법률연구」 통권 제67호(법무부, 2014. 7), 65면 참조).

변경할 수 있도록 하는 유보조항의 허용 가능성을 살펴본다. 전술한 바와 같이 합병계약상 이사회결의에 따른 합병비율의 변경에 관한 유보조항이 인정될 수 있다는 입장에서는 합리적인 범위에서 존속회사의 증가할 준비금에 관한 상기 유보조항의 유효성 역시 인정될 수 있다고 본다.

전술한 바와 같이 합병계약상 규정된 일정한 사항에 변경이 발생하는 경우 합병당사회사의 입장에서는 합병계약과 관련하여 이미 공시된 사항에 대한 정정 공시의 절차가 적절히 이루어질 필요가 있을 것이다. 특히, 상장회사가 합병당 사회사가 되는 경우에는 합병계약상 일정한 기재사항의 변동으로 인하여 공시번 복 내지 부실공시의 문제가 발생하지 않도록 처음 합병계약의 체결 등에 관한 공시를 이행할 때 당해 기재사항의 변경 가능성에 관한 사항이 충분히 포함될 수 있도록 하는 것이 바람직하다.

나) 합병계약의 해제

전술한 바와 같이 합병의 추진 과정에서 반대주주의 주식매수청구권 행사가 중요한 거래의 장애사유가 되는 경우에는 과도한 주식매수청구권의 행사를 합병 계약의 약정해제사유로 규정함으로써 법적 불확실성을 완화할 수 있을 것이다. 다른 계약과 구별되는 일정한 특성이 있기는 하지만 합병계약도 계약인 이상 통 상적인 법정해제권의 발생사유도 원칙적으로 합병계약에 적용될 수 있을 것이 며, 합병당사회사의 협상결과에 따라서 법적 안정성 및 합리적 예견가능성의 범 위에서 여러 가지 약정해제사유를 합병계약에 규정할 수 있을 것이다.[121]

문제는 합병계약의 해제를 위한 절차라고 할 것인데, 특히 원칙적으로 주주 총회의 승인을 필요로 하는 합병계약에 있어서 합병을 승인하는 주주총회의 결 의가 이루어진 이후 이사회의 판단으로 합병계약을 해제할 수 있는지 여부를 살 펴볼 필요가 있다. 생각건대, 합병계약의 해제는 합병절차의 진행 중 그 이전의 상태로 복귀하는 것을 의미하여 주주 등 합병당사회사 이해관계자들에게 미치는 영향이 합병이 성사되는 경우에 비하여 미약한 반면 합병의 계속적 추진 여부에 대하여는 이사회의 전문적 판단에 맡기는 것이 보다 적절할 수 있다는 점에서 원칙적으로 주주총회의 결의가 이루어진 이후에도 이사회의 판단으로 합병계약

---

121) 노혁준, 전게 "합병계약에서의 불확실성-합병비율 유보와 합병계약의 해제를 중심으로-,"
    70~71면.

의 해제가 가능하다고 할 것이다.[122]

5) 약식합병 관련 고려사항

가) 약식합병의 의의

합병을 위해서는 합병당사회사의 주주총회에서 합병계약에 대한 승인을 받아야 하는 것이 원칙이다. 그러나, 합병의 결과가 합병당사회사 주주들에게 별 영향을 미치지 않거나 또는 합병승인을 위한 주주총회를 거치는 것이 실질적으로 별 의미가 없음에도 불구하고, 합병당사회사의 주주총회에서 합병을 승인하도록 하는 것은 비효율적이라고 할 수 있다. 이에 상법은 아래에서 살펴보는 바와 같이 소규모합병과 간이합병의 두 가지 약식합병 제도를 두어 일정한 요건하에서 존속회사 또는 소멸회사의 주주총회의 승인 없이도 이사회의 승인만으로 합병절차가 이루어질 수 있도록 하고 있다.[123]

(1) 소규모합병

존속회사가 합병으로 인하여 발행하는 신주 및 이전하는 자기주식의 총수가 존속회사 발행주식총수의 100분의 10을 초과하지 아니하는 경우, 이는 소규모합병에 해당하여 합병에 대한 존속회사의 주주총회 승인을 이사회 승인으로 갈음할 수 있다(제527조의3). 다만, 다음의 경우에는 상기 소규모합병의 특례가 적용되지 않고 존속회사의 주주총회에서 합병승인이 이루어져야 한다.[124]

① 소멸회사의 주주에게 제공할 금전이나 그 밖의 재산을 정한 경우에 그 금액 및 그 밖의 재산의 가액이 존속회사 최종 대차대조표상 현존하는 순자산액의 5%를 초과하는 경우

② 존속회사 발행주식총수의 20% 이상을 소유한 주주들이 소규모합병에 관한 공고 또는 통지를 한 날로부터 2주내에 회사에 대하여 서면으로 소규모합병에 대한 반대의사를 통지한 경우[125]

---

122) 노혁준, 전게논문, 74면.
123) 다만, 합병당사회사의 이사의 수가 1인 또는 2인인 경우에는 이사회가 없으므로 주주총회에서 합병승인이 이루어져야 할 것이다.
124) 소수주주권의 행사에 따른 주주총회 소집(제366조, 제542조의6) 또는 주주제안(제363조의2, 제542조의6)에 의하여 정식합병 절차를 진행시킬 수 있는지 여부와 관련하여, 소규모합병에 관한 제527조의3을 위와 같은 소수주주권 관련 규정에 대한 특칙으로 해석하여 그러한 정식합병 절차의 진행 가능성을 부정해야 한다는 견해가 유력하다(정동윤 외 집필대표, 전게서, 390면).

(2) 간이합병

합병으로 인하여 소멸회사의 총주주의 동의가 있거나 소멸회사 발행주식총수의 100분의 90 이상을 존속회사가 소유하고 있는 경우, 이는 간이합병에 해당하여 합병에 대한 소멸회사의 주주총회 승인을 이사회의 승인으로 갈음할 수 있다(제527조의2 제1항).

나) 약식합병의 요건

(1) 소규모합병의 요건

소규모합병에 해당하기 위해서는 존속회사가 합병으로 인하여 발행하는 신주 및 이전하는 자기주식의 총수가 그 회사의 발행주식총수의 100분의 10 이하여야 한다. 여기에서 '발행주식총수의 100분의 10' 이하라는 요건은 합병등기일을 기준으로 한다.[126] 그리고, '발행주식총수의 100분의 10' 요건에 있어서 '발행주식총수'에는 원칙적으로 그 종류를 불문하고 존속회사가 발행한 주식 전체가 포함될 수 있을 것이나, 전환사채나 신주인수권부사채와 같이 아직 주식으로 되지 않은 합병당사회사의 잠재적 지분권은 그에 포함되지 않는다고 할 것이다.[127]

또한, 앞에서 살펴본 바와 같이 합병대가로서 합병신주를 발행해 주는 대신 존속회사의 자기주식을 교부할 수도 있는데, 구법에서는 소규모합병의 요건으로서 합병신주만을 명시하고 있었기 때문에 이러한 경우 소규모합병에 해당하는지 여부에 대한 판단의 기준이 되는 '발행주식총수의 100분의 10'에 합병대가로서 교부된 자기주식의 수를 산입할 것인지 여부와 관련하여 견해가 대립하였다. 그런데, 2015년 개정상법은 합병대가로 존속회사의 자기주식이 이전될 수 있음을 명시적으로 규정하면서 소규모합병에 해당하는지 여부에 대한 판단의 기준이 되는 '발행주식총수의 100분의 10'에 합병대가로서 제공되는 존속회사의 자기주식도 포함됨을 명문화하였다(제527조의3 제1항).

나아가, 합병대가로서 제공되는 존속회사 주식을 포기하는 방법으로 소규모 합병의 요건을 충족시킬 수 있는지 여부가 문제될 수 있는데, 이와 관련하여 우선 소멸회사의 주주에 의한 위와 같은 포기가 가능한지 여부를 살펴볼 필요가

---

125) 존속회사의 입장에서는 이러한 반대의사를 통지할 주주들의 확정을 위해 기준일을 정할 필요가 있을 것이다. 이철송, 전게서, 1115면도 같은 취지이다.
126) 권기범, 기업구조조정법, 255면; 임재연, 전게서, 691면.
127) 정동윤 외 집필대표, 전게서, 386면.

있다. 생각건대, 흡수합병시 소멸회사의 주주에게 존속회사의 합병신주를 발행하는 이유는 소멸회사의 자산이 존속회사로 흡수되는 것에 대한 대가를 제공하기 위한 것으로서, 이와 같은 대가를 받을지 여부는 주주 자신이 결정할 수 있는 사항이고, 나아가 상법은 주식매수청구권 제도를 인정하여 주주들이 일정한 대가를 교부받고 합병 후의 법률관계에서 탈퇴할 수 있는 길을 열어놓고 있다. 이러한 관점에서, 세무상 논점은 별론으로 하고, 주주가 존속회사 주식의 포기라는 방법으로 아무런 대가를 받지 않은 채 합병 후의 법률관계에서 탈퇴하는 것도 가능하다고 해석하는 것이 합리적이라고 할 수 있다. 다음으로, 소멸회사의 주주가 포기한 존속회사의 주식을 소규모합병 여부를 판단하는 '발행주식총수의 100분의 10'에 산입하여야 하는지 여부를 살펴본다. 이와 관련하여, 소규모합병 제도의 취지가 소멸회사의 주주에게 제공되는 합병대가가 존속회사의 주주에게 미치는 영향이 미약한 경우에 합병절차를 간소화하는 것이라는 점에 비추어 실제 합병대가로서 소멸회사의 주주에게 제공된 존속회사 주식의 수량을 기준으로 위 요건의 충족 여부를 판단하는 것이 합리적이라고 보아 위와 같은 산입을 부인하는 견해가 있을 수 있다. 반면, 존속회사 소수주주의 입장에서는 합병대가로 존속회사 주식이 제공되는 것 이외에 소멸회사의 자산과 부채가 포괄적으로 존속회사에게 승계되는 효과가 있기 때문에 그로 인한 불이익이 발생할 수 있음에도 불구하고[128] 존속회사 지배주주의 합병대가 포기만으로 존속회사 소수주주가 주주총회에서 합병에 반대하거나 주식매수청구권을 행사할 기회를 상실하게 되는 것은 부당하므로 위와 같은 산입을 인정해야 한다는 견해도 가능할 것이다.

한편, 소규모합병의 소극적 요건으로서 소멸회사의 주주에게 제공할 금전이나 그 밖의 재산을 정한 경우에 그 금액 및 그 밖의 재산의 가액이 존속회사 최종 대차대조표상 현존하는 순자산액의 100분의 5를 초과하지 않을 것이 요구되는데, 여기에서 '합병으로 인하여 소멸회사의 주주에게 제공할 제공할 금전이나 그 밖의 재산의 가액'의 범위를 어떻게 해석할 것인지가 문제된다. 구법에서는 단순히 '소멸회사 주주에게 지급할 금액'이라고만 규정하고 있어서 그 의미에 관하여 여러 견해가 제기될 수 있었으나, 2015년 개정상법은 2011년 개정상법

---

128) 예컨대, 존속회사가 부실한 계열회사를 주주총회 없이 흡수합병하는 경우에는 존속회사 소수주주들의 피해가 발생할 수도 있을 것이다.

에 의해 도입된 현금교부합병 제도와의 정합성을 고려하여 위와 같이 소규모합병의 소극적 요건으로서 '소멸회사 주주에게 제공할 금전이나 그 밖의 재산의 가액'을 명시한 것으로 이해된다. 이러한 관점에서, 상기 가액은 존속회사가 소멸회사의 주주에게 제공하는 금전 등의 재산 중에서 합병대가로서 제공되는 존속회사의 합병신주 또는 자기주식의 수량에 영향을 미칠 수 있는 것으로 해석함이 타당하다고 본다.[129] 다만, 합병비율의 단액조정을 위하여 존속회사가 소멸회사의 주주에게 지급하는 합병교부금 및 소멸회사의 이익배당에 갈음하는 합병교부금도 본질적으로 합병비율 조정과 연관되는 것이므로 위와 같은 소규모합병의 소극적 요건의 충족 여부를 판단함에 있어서 반영되는 것이 합리적이라고 본다.[130]

그리고, 존속회사가 소규모합병을 위해 미리 소멸회사의 주식을 취득하는 경우 일종의 합병교부금의 선급으로 이해하여 그에 준하는 취급을 해야 할 것인지 여부에 대하여 의문이 제기될 수 있다. 이와 관련하여, 대법원은 구법 제527조의3 제1항 단서에서 규정하고 있는 합병으로 인하여 소멸회사의 주주에게 지급할 금액은 합병결의에 의하여 실제로 소멸회사의 주주에게 지급하는 금전을 말하는 것이라고 하면서, 존속회사가 가진 소멸회사의 주식에 대하여 합병신주를 배정하지 아니한 경우 그 미배정 신주의 납입가액 상당액 또는 합병기일 이전에 존속회사가 소멸회사의 주식을 매수하면서 지급한 매매대금과 같은 것은 이에 해당하지 아니한다고 판시하였다.[131][132] 이에 반하여, 합병계획에 따라 존속회사가 미리 합병대가를 지급하는 차원에서 소멸회사 주식을 취득한 것이라면, 소규모합병 여부를 판단함에 있어서는 이를 합병교부금으로 보는 것이 타당하므로 그에 준하여 처리해야 한다는 견해도 제기되고 있다.[133][134]

---

129) 박철홍, "약식조직재편의 쟁점,"「BFL」제76호(서울대 금융법센터, 2016), 53면 참조.
130) 그런데, 2011년 개정상법에 의하여 현금교부합병이 허용된 상황에서 이러한 소극적 요건의 한도를 존속회사 최종 대차대조표상 현존하는 순자산액의 '100분의 5'로 한다면 현금교부합병은 존속회사에 미치는 영향이 크지 않더라도 소규모합병의 대상이 될 수 없게 된다는 문제점이 있다. 일본의 경우 근본적으로 합병대가가 무엇인지를 따지지 않고 그 합병대가의 평가액이 존속회사 순자산가액의 일정한 수준(20%) 이하인지 여부에 따라서만 소규모합병의 요건 충족 여부를 판단함으로써 별도의 소극적 요건을 두지 않는다(일본 회사법 제796조 제3항).
131) 대법원 2004.12.9. 2003다69355.
132) 박선희, 전게논문, 62면에서는 제527조의3 제1항은 "합병으로 인하여 발행하는 신주 및 이전하는 자기주식"이라고 명시하고 있으므로 "발행되지 아니한 신주 또는 이전하지 아니한 자기주식"을 합산하는 것은 문언의 범위를 벗어나는 해석이라고 한다.

(2) 간이합병의 요건

간이합병은 소멸회사의 '총주주'의 동의가 있거나 소멸회사 '발행주식총수'의 100분의 90 이상을 존속회사가 소유[135]하고 있는 경우에 이루어질 수 있는데, 이러한 요건의 구체적인 내용에 관하여 약간의 검토가 필요하다.

먼저, 소멸회사의 '총주주'의 범위와 관련하여, 합병에 대한 소멸회사 주주총회 결의의 생략을 인정하는 간이합병 제도의 취지상 '총주주'는 '의결권 있는 주주'이면 족하다는 견해가 있을 수도 있으나 규정의 문언 및 종류주주총회의 필요성에 관한 불필요한 논란의 방지 차원에서 '총주주'는 소멸회사의 모든 주주를 의미하는 것으로 해석함이 타당하다고 본다.

다음으로, 소멸회사의 총주주의 '동의'의 대상이 무엇이냐가 문제되는데, 이는 합병등기의 신청을 위해 제출되어야 하는 총주주의 동의가 있었음을 증명하는 서면(상업등기법 제94조 참조)에 어떠한 내용이 포함되어야 하는 것인지와 연관된다. 이와 관련하여, 대체로 총주주의 동의는 단순히 소멸회사 주주총회의 승인 없이 이사회 결의만으로 합병을 진행한다는 점에 대하여 있으면 충분하다는 견해와 상법에서 정한 필수적 기재사항이 규정된 합병계약에 대하여 동의가 이루어져야 한다는 견해를 상정할 수 있을 것이다.[136] 생각건대, 전자의 견해에 의하면 소멸회사 주주들이 이사회에게 합병의 조건에 대한 결정권을 포괄적으로 위임하는 결과가 되어 부당하다. 상법이 합병계약의 승인을 주주총회의 특별결

---

133) 김건식·노혁준·천경훈, 전게서, 781면; 송옥렬, 전게서, 1251면.
134) 참고로, 후술하는 적격합병요건 중에서 "합병대가의 80% 이상을 주식등으로 교부할 것"이라는 요건의 충족 여부를 판단함에 있어서 법인세법은 존속회사가 합병등기에 의하여 합병의 효력이 발생하기 이전 2년 이내에 취득한 소멸회사 주식등의 취급에 관하여 별도의 규정을 두고 있다. 즉, 법인세법은 합병등기일 현재 존속회사가 소멸회사의 지배주주등이 아닌 경우에는 당해 주식등 중에서 소멸회사의 발행주식총수의 20%를 초과하는 부분에 대하여, 그리고 존속회사가 소멸회사의 지배주주등인 경우에는 당해 주식등 전부에 대하여, 실제 교부하거나 교부한 것으로 의제되는 존속회사 주식등의 가액을 금전으로 교부된 합병대가로서 간주하고 있다(법인세법 제44조 제2항 제2호, 법인세법 시행령 제80조의 2 제3항).
135) 이러한 주식소유 요건의 존속기간과 관련하여, 상법 제527조의2 제2항이 소멸회사로 하여금 합병계약서를 작성한 날로부터 2주 내에 간이합병 사실의 공고 또는 통지를 하도록 하고 있는 점을 고려하여 당해 공고 또는 통지시부터 합병등기시까지 계속하여 당해 요건을 충족하여야 한다는 견해(정동윤 외 집필대표, 전게서, 379면; 박철홍, 전게논문, 48면)와 존속회사의 합병승인 주주총회 결의일부터 합병등기일까지 필요하다는 견해(권기범, 기업구조조정법, 252면; 임재연, 전게서, 689면)가 제기되고 있다.
136) 권기범, 기업구조조정법, 249면.

의사항으로 규정하여 합병에 대한 주주들의 의사결정권을 중시하고 있는 점 및 합병등기를 위해 제출되어야 하는 총주주의 동의를 증명하는 서면의 구체적 내용에 관하여 확립된 기준이 없는 상황에서 발생할 수 있는 불확실성 등에 비추어 볼 때 후자의 견해가 타당하다고 본다.[137] 그리고, 후자의 견해에 따라서 소멸회사의 총주주로부터 동의서를 얻을 때에는 상법이 명시적으로 합병에 동의한 주주의 주식매수청구권을 배제하고 있지 않은 점을 고려하여 당해 동의서에 해당 주주가 주식매수청구권이 없음을 확인하거나 주식매수청구권을 포기한다는 취지의 문언이 포함되도록 하는 방안을 고려해 볼 수 있을 것이다.

한편, 소멸회사의 '발행주식총수'의 의미와 관련하여, 그것이 소멸회사가 발행한 모든 종류의 주식을 포함하는 것인지, 의결권 있는 주식만을 의미하는 것인지,[138] 아니면 소멸회사가 발행한 모든 주식에서 자기주식만을 제외할 것인지 의문이 제기될 수 있다. 생각건대, 규정의 문언을 강조한다면 '발행주식총수'는 소멸회사가 발행한 모든 주식을 의미한다고 볼 수 있을 것이다.[139] 그러나, 존속회사가 소멸회사의 의결권 있는 주식의 100분의 90 이상을 확보하면 소멸회사 주주총회에서 특별결의가 이루어지는 데에 아무런 문제가 없고, 소멸회사의 의결권 있는 주식 이외의 주식을 보유한 주주들은 여전히 종류주주총회 또는 주식매수청구권에 의하여 보호될 수 있다는 점에 비추어 소멸회사의 '발행주식총수'는 의결권 있는 주식을 의미한다고 해석할 여지도 있다고 본다.[140]

---

137) 이에 대하여 간이합병제도의 취지가 주주총회 개최 등의 번잡한 절차를 단순화하여 시간과 비용을 절약하는 데 있는 것임을 이유로 총주주의 동의는 이사회에 합병에 대한 전권을 위임하는 것으로 보는 것이 오히려 간이합병을 규정한 취지에 부합한다는 견해가 있다 (박철홍, 전게논문, 45면).

138) 권기범, 상게서, 250면 참조.

139) 박철홍, 전게논문, 47~48면에서는 제527조의2는 발행주식총수라고 명시하고 있으며 의결권이 없거나 제한되어 있는 주식의 경우도 어느 특정 시점에 의결권이 부활되는 경우(예를 들어 자기주식을 처분하거나 무의결권부 우선주식의 경우 배당이 이루어지지 아니하는 경우 의결권이 부활됨)도 있어 이렇게 해석하지 않으면 어느 시점에 100분의 90 요건을 충족시켜야 하는지에 따라 간이합병요건 충족 여부가 달라질 수 있다는 점에서 무의결권 주식을 포함하여 소멸회사가 발행한 모든 주식을 의미하는 것으로 해석하는 것이 타당하다고 한다.

140) 정동윤 외 집필대표, 전게서, 379면은 이러한 발행주식총수에는 의결권이 없거나 제한되는 종류주식 및 소멸회사가 갖고 있는 자기주식은 포함되지 않는다고 한다.

다) 약식합병의 절차

(1) 소규모합병의 절차

소규모합병을 위해서는 합병계약상 존속회사가 주주총회의 승인을 얻지 아니하고 합병을 한다는 뜻을 기재하여야 하고, 합병계약을 작성한 날부터 2주내에 소멸회사의 상호 및 본점의 소재지, 합병을 할 날, 주주총회의 승인을 얻지 아니하고 합병을 한다는 뜻을 공고하거나 주주에게 통지하여야 한다(제527조의3 제2항, 제3항). 존속회사의 주주에 대해서는 주식매수청구권이 인정되지 않는다(제527조의3 제5항).

(2) 간이합병의 절차

간이합병의 경우 소멸회사는 합병계약을 작성한 날부터 2주내에 주주총회의 승인을 얻지 아니하고 합병을 한다는 뜻을 공고하거나 주주에게 통지하여야 한다. 다만, 총주주의 동의가 있는 경우는 제외된다(제527조의2 제2항). 그리고, 소멸회사의 총주주가 동의하는 경우에는 반대주주가 없으므로 주식매수청구의 문제가 발생하지 않게 되며, 따라서 소멸회사는 주식매수청구를 위한 절차를 거칠 필요가 없다.[141]

(3) 종류주주총회 관련 고려사항

약식합병의 경우에는 존속회사 또는 소멸회사의 이사회에서 주주총회에 갈음하여 합병계약을 승인하게 되는데, 이 경우 이사회의 합병승인이 이루어지면 종류주주총회의 합병승인결의도 필요하지 않게 되는 것인지를 살펴볼 필요가 있다. 생각건대, 종류주주총회 제도의 취지에 비추어 약식합병의 과정에서 합병당사회사 총주주 또는 당해 종류주주 전원의 동의가 있는 경우에는 종류주주총회의 합병승인결의가 필요하지 않을 것이나, 그 이외의 경우에는 종류주주총회를 생략할 수 없다고 본다.[142]

라) 정식합병에 관한 절차와 규제의 적용 범위

약식합병의 경우에도 그 법적 효과의 측면에서는 정식합병과 다를 것이 없으

---

141) 권기범, 기업구조조정법, 253면에서는 당초부터 합병에 찬성한 소멸회사의 주주들이 주식매수청구권을 행사하는 것은 신의칙상 허용되지 않는다고 한다. 이철송, 전게서, 1115면 참조.
142) 권기범, 전게서, 263면. 정동윤 외 집필대표, 전게서, 383면.

므로 명문의 예외규정이 없는 한 기본적으로 상법 등의 관계법령상 합병절차와 관련하여 이해관계자 보호 등을 위해 마련된 여러 절차와 규제가 그대로 적용된다고 할 것이다. 예컨대, 채권자 이의절차(제527조의5 제2항), 합병에 관한 서류의 사후공시(제527조의6), 자본시장법 등 상법 이외의 법령에 의한 규제는 약식합병에 대하여서도 그대로 적용될 수 있을 것이다. 그러나, 약식합병에 있어서 합병당사회사의 주주총회 승인이 이사회 승인으로 대체되는 점과 관련하여 정식합병에 관한 절차와 규제의 약식합병에 대한 적용이 제한될 여지가 있다. 예컨대, 소규모합병에 있어서는 존속회사의 주주총회 결의를 전제로 하는 사항인 존속회사의 정관변경 또는 존속회사의 이사·감사의 선임이 허용되지 않을 것이다.

마) 신설합병에 대한 유추적용 여부

제527조의3의 소규모합병은 법문의 해석상 처음부터 흡수합병에서만 가능하다고 할 것이나, 제527조의2의 간이합병은 반드시 그렇지는 않으며 이에 간이합병에 관한 제527조의2는 신설합병에도 유추적용될 수 있다는 견해[143]가 있다.

위에서 살펴본 소규모합병 및 간이합병과 관련된 주요한 사항을 표로 간략히 정리하면 아래와 같다.

〈소규모합병과 간이합병의 비교〉

비교항목	소규모합병	간이합병
적용대상	존속회사	소멸회사
요건 및 절차	√ 합병으로 인하여 발행하는 신주 및 이전하는 자기주식의 총수가 발행주식총수의 10%를 초과하지 아니할 것 √ 합병계약상 존속회사가 주주총회의 승인 없이 합병한다는 뜻을 기재 √ 합병계약의 작성일부터 2주내에 주주총회의 승인 없이 합병한다는 뜻 등을 공고 또는 주주에게 통지	√ 존속회사가 소멸회사 주식의 90% 이상을 소유하거나 또는 소멸회사 총주주의 동의가 있을 것 √ 합병계약의 작성일부터 2주내에 주주총회의 승인 없이 합병한다는 뜻을 공고 또는 주주에게 통지(예외: 총주주의 동의가 있는 경우 불필요)

---

143) 권기범, 상게서, 266면.

주총승인 필요성	√ 존속회사: 주총승인 불필요하나 다음의 경우에는 주총승인 필요 – 합병으로 인하여 소멸회사의 주주에게 제공할 금전이나 그 밖의 재산을 정한 경우에 그 금액 및 그 밖의 재산의 가액이 존속회사 최종 대차대조표상 현존하는 순자산액의 5%를 초과하는 경우 – 존속회사 발행주식총수의 20% 이상을 소유한 주주가 공고 또는 통지일로부터 2주내에 회사에 대하여 서면으로 소규모합병에 대한 반대의사를 통지한 경우 √ 소멸회사: 주총승인 필요	√ 존속회사: 주총승인 필요 √ 소멸회사: 주총승인 불필요
주식매수 청구권	√ 존속회사: 불인정 √ 소멸회사: 인정	√ 존속회사: 인정 √ 소멸회사: 인정(예외: 총주주의 동의에 의한 간이합병의 경우 불인정)

다. 합병계약에 대한 주주총회의 승인에 따른 주요 후속절차

1) 반대주주의 주식매수청구권

가) 주식매수청구권 제도의 취지

상법은 합병 등 주식회사의 중대한 사안에 대하여 반대하는 주주들이 회사에 대하여 주식매수를 청구할 수 있는 권리를 인정하고 있다. 이러한 주식매수청구권은 다수파 또는 경영진의 기회주의적인 행동을 통제하고, 소수파주주에게 퇴로를 열어 줌으로써 파레토 최적[144]을 보장하며, 사전적으로 일방적인 가격설정 내지 축출을 방지함으로써 소수주주의 지분가치를 보호하는 기능을 하는 것으로 이해된다.[145]

나) 주식매수청구권행사의 요건 및 절차

제522조의3은 합병에 반대하는 주주가 주식매수청구권을 행사하기 위해 합

---

144) 이는 다른 사람이 손해를 입도록 하지 않고서는 어떤 한 사람에게 이득이 되는 변화를 만들어내는 것이 불가능한 배분상태를 의미하는 경제학적 용어이다.
145) 노혁준, "합병으로 인한 주식매수청구시의 가격결정," 「민사판례연구[XXX]」(박영사, 2008), 614면.

병계약의 승인을 위한 주주총회 전에 회사에 대하여 서면으로 그 결의에 반대하는 의사를 통지하도록 규정하고 있다.[146] 이처럼 반대의 통지를 한 주주는 주주총회의 결의일로부터 20일 이내에 서면으로 회사에 대하여 주식의 매수를 청구해야 한다(제522조의3 제1항, 자본시장법 제165조의5 제1항). 주주총회의 합병승인 결의 없이 이루어지는 간이합병에 있어서 주식매수청구권이 인정되는 경우에는 위 20일의 청구기간은 주주총회 결의일에 갈음하여 간이합병의 통지·공고로부터 2주가 경과한 날로부터 개시된다(제522조의3 제2항, 자본시장법 제165조의5 제1항). 위 20일의 기간은 금산법에 따라 이루어지는 합병의 경우에는 10일로 단축된다(금산법 제5조 제8항, 제12조 제7항). 반대주주는 위 청구기간이 지난 이후에는 더 이상 주식매수청구를 할 수 없다. 상장회사 주주의 주식매수청구권 행사와 관련하여 실질주주는 증권회사 등의 예탁자 및 한국예탁결제원을 통해 반대의사를 통지하고 주식매수를 청구하게 된다. 그런데, 자본시장법 제165조의5 제1항은 반대주주가 서면으로 자신의 반대의사를 상장회사인 합병당사회사에 통지하고 주식매수를 청구한 경우에만 주식매수청구권의 행사를 인정하고 있으나, 합병에 반대하는 실질주주가 예탁자를 통하여 한국예탁결제원에 주식매수청구권의 행사를 신청하는 경우에는 서면에 의하도록 하는 명문의 규정이 없다. 그러나, 주식매수청구권의 행사와 관련된 반대주주와 합병당사회사 사이의 법률관계의 명확성을 위해 서면에 의한 반대의사 통지와 주식매수청구를 의무화 하고 있

---

146) 상장회사의 경우, 자본시장법 제165조의5 제1항 참조. 다만, 합병당사회사가 주주들에게 반대주주의 주식매수청구권에 관한 내용과 행사방법을 명시하지 않은 소집통지서를 발송하여 임시주주총회를 개최하고 합병승인 안건을 통과시켰는데 총회 전 서면으로 합병에 반대하는 의사를 통지하지 않은 주주가 위 안건에 대하여 기권을 한 후 총회 결의일로부터 20일 이내 회사에 내용증명을 발송하여 주식매수청구를 한 사안에서, 하급심법원은 (i) 제374조 제2항은 합병 등에 반대하는 소수주주를 보호하기 위한 규정으로서 당해 주주와 같은 일반 주주의 입장에서는 회사가 주주총회의 소집통지를 하면서 위와 같은 주식매수청구권의 행사방법(주주총회 전에 서면으로 반대의 의사를 통지하여야 하고 총회 결의일로부터 20일 이내에 서면으로 주식매수를 청구하여야 한다는 점) 등을 사전에 고지하여 주지 아니할 경우 사실상 주식매수청구권을 행사하지 못하게 될 가능성이 크다는 점(회사가 위 규정을 준수하지 아니한 경우에도 반대주주는 무조건 주주총회 전에 반대의 의사를 통지하여야만 주식매수청구권을 행사할 수 있다고 해석한다면 이는 소수주주의 주식매수청구권을 사실상 형해화하는 결과를 초래할 수 있음), (ii) 상법에서 반대주주로 하여금 주주총회 전에 회사에서 대하여 서면으로 그 결의에 반대하는 의사를 통지하도록 하고 있는 취지는 합병을 추진하는 회사로 하여금 반대주주의 현황을 미리 파악하여 총회결의에 대비할 수 있게 하기 위한 것인데 당해 사안에서는 어차피 합병결의의 정족수를 채우는데 아무런 문제가 없었던 점 등을 근거로 당해 주주가 주식매수청구권을 행사할 수 있다고 판시한 바 있다(서울고등법원 2011.12.9. 2011라1303).

는 법의 취지에 비추어 볼 때, 실질주주가 예탁자에게 주식매수청구권의 행사를 신청할 때에는 서면 또는 그에 준하는 방식(예컨대, 녹취 등)에 따라서 하는 것이 필요하다고 본다.[147]

합병에 관하여 주식매수청구를 할 수 있는 주주는 그 행사요건에 비추어 기본적으로 합병승인을 위한 주주총회 전에 합병당사회사 주식을 보유한 주주가 될 것이다.[148] 그러나, 자본시장법은 상장회사의 주주가 주식매수청구권을 행사하기 위해서는 합병 등 주식매수청구권 발생의 근거가 되는 사안에 대한 이사회결의가 공시되기 이전에 주식을 취득하였거나 그러한 공시 이후에 취득하였으나 이사회결의 사실이 공시된 날의 다음 영업일까지 해당 주식의 매매계약이 체결되는 등[149] 일정한 경우에 해당함을 증명하도록 함으로써 그러한 공시 이후에 합병당사회사의 주식을 취득한 자에게는 주식매수청구권을 인정하지 않는다(자본시장법 제165조의5 제1항, 자본시장법 시행령 제176조의7 제2항). 이는 합병 등의 사실을 인식하고 주식매수청구권의 행사를 통해 단기적인 차익을 얻기 위해 주식을 취득하는 자는 보호할 필요가 없다는 취지에서 비롯된 것이다. 그리고, 구법 아래에서 통설은 의결권이 없거나 제한되는 종류주식을 보유한 주주도 주식매수청구권을 가지는 것으로 해석하여 왔는데,[150] 2015년 개정상법 제522조의3 제1항은 '의결권이 없거나 제한되는 주주'에 대하여서도 명시적으로 주식매수청구권을 인정하였다.[151] 한편, 자본시장법 제165조의5 제1항은 종래 상장회사의 '제344조의3 제1항에 따른 의결권이 없거나 제한되는 종류주식의 주주'에게도 명시적으로 주식매수청구권을 인정하여 왔다.

---

147) 금융위원회 2009. 12. 23.자 유권해석 참조.

148) 좀 더 구체적으로, 당해 주주는 합병승인 주주총회에서 의결권을 행사할 주주의 확정을 위한 기준일로부터 합병 반대의사 통지 및 매수청구권 행사의 시점까지 합병당사회사 주식을 계속 보유해야 할 것이다(정동윤 외 집필대표, 전게서, 328면도 같은 취지이다).

149) 금융위원회 2012. 6. 20.자 유권해석에 의하면 상장회사의 전환사채 또는 신주인수권부사채를 보유한 투자자가 당해 상장회사의 합병에 대한 이사회결의 공시일 다음 날까지 당해 사채에 따른 전환권 또는 신주인수권을 행사하는 경우 다른 특별한 사정이 없는 한 당해 투자자는 주식매수청구권을 행사할 수 있다고 한다.

150) 권기범, 기업구조조정법, 274면; 김건식·노혁준·천경훈, 전게서, 859면,; 송옥렬, 전게서, 958면; 이철송, 전게서, 603면; 임재연, 전게서, 198면; 정찬형, 전게서, 929면; 최기원, 전게서, 437면 참조.

151) 여기에서 '의결권이 없거나 제한되는 주주'라 함은 의결권이 배제되거나 제한되는 주식 또는 당해 주주총회의 의안에 관해 의결권이 제한되는 주식뿐만 아니라 상호주 기타 상법 또는 특별법에서 의결권을 제한하는 주식을 소유하는 주주를 모두 포함하는 것으로 이해된다(심사보고서, 15면 참조).

합병에 반대하는 주주는 자신이 보유한 주식 중에서 일부에 대해서만 매수청구를 할 수도 있다.[152] 그러나 반대의 통지를 한 주주가 매수청구 전에 제3자에게 양도한 주식에 대해서는 양도인과 양수인 모두 매수청구를 할 수 없다.[153] 그리고, 반대주주는 반드시 주주총회에 출석하여 합병에 반대해야 할 필요까지는 없으나, 반대의 통지를 한 주주가 주주총회에서 합병에 찬성하는 내용으로 의결권을 행사하는 경우에는 그 확인의 가능성은 별론으로 하고 더 이상 반대주주가 아니기 때문에 주식매수청구권이 인정되지 않는다.

주식매수청구권의 행사 대상이 되는 주식의 수를 판단하는 기준이 되는 시점과 관련하여, ① 주주총회 전에 주주가 반대의 서면통지를 한 때, ② 주주총회의 회일, ③ 서면으로 매수청구를 한 때를 각각 그 기준시점으로 보아야 한다는 해석이 제기될 수 있는데 주주가 합병반대의 서면통지를 하였더라도 주주총회에 참석하여 합병에 찬성할 수 있는 점을 고려하여 위 ②의 해석이 타당하다는 견해가 유력하다.[154] 그런데, 예탁결제 업무를 수행하는 한국예탁결제원은 실질주주의 주식매수청구권 행사와 관련하여 합병승인 주주총회를 위한 주주명부폐쇄 기준일(상장회사의 경우에는 자본시장법에서 정하는 주식매수청구권 행사의 대상이 되는 주식에 관한 기준일)과 반대의사통지 신청일 사이 및 당해 주주명부폐쇄기준일과 주식매수청구 신청일 사이의 각 기간 동안 실질주주의 최저 보유주식수를 기준으로 반대의사통지와 주식매수청구의 대상이 되는 주식수를 처리하고 있다.[155]

한편, 반대주주가 주식매수청구권을 행사한 이후 이를 철회하는 것이 가능한지 여부가 문제된다. 이에 대해서는 ① 주식매수청구권 제도는 반대주주를 보호

---

152) 예컨대 100주 전체에 대하여 반대를 하면서 그 중 30주에 대하여는 주식매수청구권을 행사하는 경우이다. 그러나 100주 중 70주는 찬성하면서 30주에 대하여 주식매수청구권을 행사하려면 상법 제368조의2의 의결권 불통일행사 요건을 갖추어야 할 것이다.

153) 권기범, 기업구조조정법, 275면; 송옥렬, 전게서, 960면; 이철송, 전게서, 605면; 정찬형, 전게서, 930면. 이는 양도인의 경우 이미 주주의 지위에서 탈퇴하였으므로 매수청구를 할 실익이 없으며(대법원 2010.7.22. 2008다37193 참조), 양수인의 경우에는 주식매수청구권까지 양도받은 것으로 볼 수는 없기 때문이다.

154) 정동윤 외 집필대표, 전게서, 328~329면.

155) 증권등예탁업무규정 제55조 제1항, 제4항, 증권등예탁업무규정시행세칙 제39조 참조. 이철송, 전게서, 605면에서는 사전반대·(총회참석)·매수청구의 단계에서 변동 없이 동일성이 인정되는 주주만이 매수청구할 수 있다고 보는 결과, 가령 반대주주의 소유주식수가 증감한다면 최저치에 관하여만 매수를 청구할 수 있을 것이고, 전량의 매도·매수가 있었다면 전혀 매수청구를 할 수 없을 것이라고 한다.

하기 위한 것이므로 가격에 대한 합의가 이루어지지 않은 이상 언제든지 주식매
수청구를 철회할 수 있게 하여야 한다는 견해156)와 ② 주식매수청구권은 형성
권이므로 반대주주가 이를 행사함으로써 그 효력이 발생하며 회사의 법률적 지
위를 불안정하게 하여서는 안되므로 주식매수청구권 행사기간이 경과한 이후에
는 이를 일방적으로 철회할 수 없다는 견해157)가 대립하고 있다.158) 생각건대,
후술하듯이 주식매수청구권의 행사 결과 주식에 대한 매매계약이 성립한다고 보
는 다수설의 견해에 의하면 반대주주는 주식매수청구를 회사의 동의 없이 철회
할 수 없다고 보는 것이 타당하다고 본다.

그리고, 보호예수기간 중에 있는 주식의 경우에는 한국예탁결제원으로부터
보호예수중인 주식을 반환받아야만 회사에 주권을 교부할 수 있는데, 현행 보호
예수 제도에 의하면 보호예수 중인 주식의 경우에는 회사로부터 매수대금을 지
급받을 때까지 보호예수기간이 종료하지 않는 한 주식매수청구권을 행사할 수
없다고 해석될 가능성도 있다. 그러나 합병에 반대하는 주주의 주권이 보호예수
중이라는 사실만으로 매수청구권을 행사할 수 없다고 해석하는 것은 상법과 자
본시장법의 취지에 반한다고 볼 수 있으므로, 당해 주주가 주식매수청구권을 행
사하는 것을 허용은 하되, 다만 보호예수기간이 종료된 후 주권을 인출받아 회
사에 교부한 때에 비로소 대금을 지급받을 수 있도록 하는 것이 합리적인 처리
방향이라고 본다.

다) 주식매수청구권 행사의 효과

반대주주가 주식매수청구를 하면 합병당사회사는 이를 매수할 의무를 부담하
게 된다. 상장회사의 경우에는 주식매수청구 기간이 종료하는 날로부터 1개월
이내에 주식매수청구권이 행사된 주식을 매수하여야 하고(자본시장법 제165조의5

---

156) 이철송, 전게서, 606면.
157) 임재연, 전게서, 221~222면. 참고로, 일본 회사법에 의하면 합병에 반대하는 주주가 주식
　　매수청구를 한 이후에 이를 철회하기 위해서는 회사의 승낙을 받아야 한다(일본 회사법
　　제785조 제7항, 제797조 제7항, 제806조 제7항).
158) 실무상으로는 단체법률관계의 안정성 등을 고려하여 합병당사회사가 주식매수청구권을 행
　　사한 반대주주는 철회를 할 수 없다는 취지의 문언을 주주총회의 소집통지와 공고에 포함
　　시키는 사례들(나아가, 당해 문언을 합병계약에서 규정하는 사례들도 있다)이 많다. 다만
　　주식매수청구의 철회 가능성이 이러한 일방적 문언 유무에 따라 좌우되는 것은 아니고 주
　　식매수청구권의 행사에 따라 발생하는 법적 효과에 달려 있다는 견해로서, 이형근, "주식
　　매수청구권 - 매수가액에 대한 법원 결정례 검토를 중심으로," 「BFL」 제38호(서울대 금
　　융법센터, 2009), 62면.

제2항), 비상장회사의 경우에는 주식매수청구 기간이 종료하는 날부터 2월 이내에 그 주식을 매수하여야 한다(제530조 제2항, 제374조의2 제2항). 구법에서는 반대주주의 주식매수청구권 행사에 따른 합병당사회사의 매수의무 발생 시기를 '매수청구를 받은 날'로 규정하고 있었는데, 이 경우 반대주주별로 주식매수청구에 따른 주식매수의 기한이 달라지게 되어 회사의 절차상 부담이 발생하였다. 이에, 2015년 개정상법은 주식매수청구권 행사에 관한 회사 업무처리의 효율성을 도모하기 위해 일괄적으로 주식매수청구 기간이 종료하는 날을 합병당사회사가 반대주주의 주식을 매수해야 하는 기간의 기산점으로 삼은 것이다.[159]

그런데, 주식매수청구권의 행사로 바로 해당주식에 대한 매매계약이 성립하는지 여부에 대하여는 학설이 대립하고 있다. 긍정설[160]은 주식매수청구권의 행사로 인하여 바로 해당 주식에 대한 매매계약이 성립하는 것으로 해석하여 위 2개월 또는 1개월을 매매대금 지급의무의 이행기를 정한 것으로 해석하고 있다. 반면 부정설[161]은 주식매수청구권의 행사로 인하여 매매계약이 성립하는 것이 아니라 회사에 매수가격에 대한 협의의무가 발생할 뿐이라고 해석한다. 생각건대, 부정설은 제374조의2 제4항에서 주식매수가격에 대한 협의기간으로 30일을 별도로 부여하고 있는 것과 조화를 이루기 어렵다는 점에서 다수설인 긍정설과 같이 주식매수청구권의 행사에 의하여 주식에 대한 매매계약이 성립한다고 보는 것이 타당하다고 본다.

위와 같이 다수설에 따라서 주식매수청구권의 행사 결과 주식에 대한 매매계약이 성립한다고 보는 경우, 그 다음으로 회사가 주식매수대금에 관한 이행지체의 책임을 언제부터 부담한다고 해석할 것인지에 관하여 살펴볼 필요가 있다. 왜냐하면, 만일 위 2개월 또는 1개월의 매매대금의 이행기가 만료되는 시점에서 주식매수가액이 확정되지 않거나 주식의 소유권 이전을 위한 반대주주의 이행사항(주권이 발행된 주식의 경우에는 주권의 교부, 주권이 미발행된 주식의 경우에는 주

159) 심사보고서, 16면 참조.
160) 김건식·노혁준·천경훈, 전게서, 862면; 손주찬, 전게서, 731~732면; 송옥렬, 전게서, 960면; 이철송, 전게서, 606면; 임재연, 전게서, 216면; 정동윤, 전게서, 574면; 최기원, 전게서, 438면; 최준선, 전게서, 408면. 대법원 2011.4.28. 2009다72667.
161) 이기수 외, 전게서, 456~457면; 정동윤 외 집필대표, 전게서, 330면; 정찬형, 전게서, 32면; 김화진, "주식매수청구권의 본질과 주식매수가격의 결정,"「인권과 정의」제393호(대한변호사협회, 2009), 29면에서는 주식매수청구권의 행사로 반대주주가 회사에 대하여 주식매매계약의 체결을 청구할 수 있는 권리가 발생한다고 한다.

식양도의 의사표시 내지 지명채권 양도의 방식[162])이 완료되지 않음으로써 현실적
으로 회사의 주식매수대금 지급이 곤란하거나 주식의 소유권 이전과 동시이행의
관계에 놓일 수 있기 때문이다. 이와 관련하여 여러 논의가 있을 수 있겠으나,
관련 규정의 문언, 반대주주의 주식매수청구권 행사와 관련된 절차는 회사가 자
기주식을 이미 주주로서의 지위가 확인된 반대주주로부터 취득함으로써 자본환
급이 이루어지는 특수한 법정 절차라는 점, 반대주주는 주식매수청구권의 행사
로 지분을 이전하고 출자를 환급받겠다는 의사를 분명히 표시하고 그에 따라 즉
각적인 이행제공의 준비가 된 것으로 볼 수 있는 점 및 주식매수가액의 확정이
지연되는 것은 법령에서 예정한 절차의 이행을 위하여 불가피한 측면이 있다는
점 등에 비추어 볼 때, 회사는 원칙적으로 위 2개월 또는 1개월의 매매대금 지
급의무의 이행기가 경과한 때로부터 주식매수대금에 관한 이행지체의 책임을 부
담한다고 해석하는 것이 타당하다고 본다.[163] 대법원도 반대주주가 주식매수청
구권을 행사하는 경우에는 회사의 승낙 여부와 상관 없이 주식에 관한 매매계약
이 성립한다고 하면서, 구법 제374조의2 제2항이 규정하는 '회사가 주식매수청
구를 받은 날로부터 2월'이 주식매매대금 지급의무의 이행기이며 그 기간 이내
에 주식매수가액이 확정되지 않더라도 그 기간의 경과로 회사에 지체책임이 발
생한다고 판시하였다.[164] 그런데, 회사의 입장에서는 이러한 지체책임의 성격과
범위가 불확실할 뿐만 아니라 감독당국의 인허가 절차 또는 법원에서의 주식매
수가액 결정을 위한 절차 등의 지연으로 회사 자신의 귀책사유 없이도 지연손해
금의 액수가 예견가능한 수준을 벗어나 크게 확대될 우려가 있다.[165] 따라서,
회사로서는 법원의 결정이 내려지기 이전에라도 적정한 주식매수가액을 공탁[166]

---

162) 제335조 제3항; 대법원 2003.10.24. 2003다29661 등 참조.
163) 권기범, 기업구조조정법, 282면; 송옥렬, 전게서, 960면; 임재연, 전게서, 218면; 민정석,
    "합병 반대주주의 주식매수청구권의 법적 성격과 주식매수대금에 대한 지연손해금의 기산
    점," 「BFL」 제48호(서울대 금융법센터, 2011), 88면.
164) 대법원 2011.4.28. 2009다72667. 이 경우 원칙적으로 연 6%의 상사법정이율(제54조)에
    의한 지연손해금이 부과될 수 있을 것이다.
165) 대법원 2011.4.28. 2010다94953에서는 주식매수청구권을 행사한 반대주주들이 권리를 남
    용하였다는 특별한 사정이 인정되지 않는 한 그들이 법원의 주식매수가액 결정에 대하여
    항고 및 재항고를 거치면서 상당한 기간이 소요되었다는 사정만으로 지연손해금에 관하여
    감액이나 책임제한을 할 수는 없다고 한다.
166) 이러한 공탁은 통상 채권자의 수령거절을 원인으로 하는 변제공탁(민법 제487조)에 해당
    할 것인데 대법원은 변제공탁이 유효하려면 채무 전부에 대한 변제의 제공 및 채무 전액
    의 공탁이 필요하다는 입장을 취하고 있어서(대법원 1996.7.26. 96다14616) 회사가 정한

하여 반대주주로 하여금 이를 수령하도록 하는 등의 방법으로 주식매수가액의
지급이 지연됨으로써 발생하는 회사의 책임을 경감할 수 있는 조치를 취할 필요
가 있을 것이다.

한편, 주식매수청구의 절차가 완료되었다고 하더라도 만일 그 원인이 되는
합병이 최종적으로 성사되지 못하는 상황이 발생하는 경우에는 주식매수청구권
행사의 효과는 더 이상 유지되기 어려우며 회사와 반대주주의 사이의 법률관계
는 원상회복되어야 할 것이다. 그러한 상황은 예컨대, 계약상 사유의 발생으로
합병계약이 중도에 해지되거나 합병당사회사가 일방적으로 합병계약을 파기하는
경우에 발생할 수 있다. 그러나, 만일 합병등기에 의하여 합병의 효력이 발생한
이후 합병무효의 소에 의하여 합병이 무효가 되는 경우에는 이미 발생한 반대주
주의 주식매수청구권 행사의 효과에는 변동이 발생하지 않는다고 보아야 할 것
이다.[167] 왜냐하면, 합병무효의 소의 소급효가 제한됨으로써 주식매수청구와 관
련된 법률관계도 합병이 무효가 된 이후에 이루어지는 사항에 관하여서만 그 법
적 효력이 부인될 수 있기 때문이다.

라) 주식매수가액의 결정

(1) 가액결정의 절차

합병에 반대하는 주주가 주식매수청구권을 행사한 경우, 상법은 주식의 매수
가액은 주주와 회사간의 협의에 의하여 결정하는 것을 원칙으로 하되 협의가 이
루어지지 아니한 경우에는 회사 또는 주식의 매수를 청구한 주주가 법원에 대하
여 매수가액의 결정을 청구할 수 있도록 하면서 이 때 법원이 회사의 재산상태

주식매수가액이 상대방 반대주주에 의하여 주장되는 주식매수가액보다 낮은 경우 전자의
주식매수가액을 공탁한다면 반대주주가 일부 공탁을 수용하지 않는 이상 회사가 일부 금
원을 변제공탁함으로써 그 부분에 상응하는 지체책임을 면제받기는 어려울 것이다(노혁준,
"주식매수청구권 행사 이후의 법률관계에 관한 연구: 합병에 대한 반대주주 사안을 중심
으로," 「인권과 정의」 제461호(대한변호사협회, 2016), 20~21면).
167) 임재연, 전게서, 747면도 같은 취지이다. 이러한 해석은 주로 주식매수청구권이 행사된 주
식에 대하여 주식매매대금의 지급과 주권의 교부가 완료된 경우에 적용될 수 있을 것이
다. 다만, 주식매수청구권이 행사된 주식에 대하여 아직 주식매매대금의 지급과 주권의 교
부가 완료되지 않은 경우에도 원상회복이 부인되어야 할 것인지에 관하여는 논란이 있을
수 있다. 송옥렬, 전게서, 963면에서는 아직 주식매매대금이 지급되지 않은 경우에는 주식
매수청구가 실효되지만, 이미 지급된 상황이라면 이미 이루어진 주식매수에는 아무런 영
향이 없다고 한다. 한편, 이형근, 전게논문, 66면에서는 합병에 대한 주주총회 결의 자체
가 무효로 되었다면 주식매수청구권의 인정 취지상 그 행사에 따른 법률관계도 원칙적으
로 실효되는 것이 타당하다고 한다.

그 밖의 사정을 참작하여 공정한 가액으로 이를 산정하도록 규정하고 있다(제 374조의2 제3항 내지 제5항). 그리고, 상장회사의 경우에는 주주와 회사간의 협의가 이루어지지 않는 경우 일단 후술하는 기준에 따라 산정된 주식매수가액에 의하되 당사자들이 거부하는 경우에는 최종적으로 법원에 의하여 주식매수가액이 결정된다(자본시장법 제165조의5 제3항). 또한, 금산법에 따라 이루어지는 합병의 경우에는 원칙적으로 주주와 회사간의 협의가 이루어지지 않으면 회계전문가에 의하여 산정된 가격을 기준으로 하되 역시 회사 또는 일정한 요건에 해당하는 반대주주들이 이의를 제기하면 결국 당사자들의 신청에 따라 법원에서 주식매수가액이 결정된다(금산법 제5조 제8항, 제12조 제8항, 제9항).

여기에서 협의는 관계법령에서 명시적으로 규정하고 있지 않는 이상 반대주주의 집단과 회사 사이의 협의를 의미하는 것이 아니라 매수청구권을 행사한 개별주주와 회사의 협의에 따른 가격약정을 의미하는 것으로 이해되며, 따라서 매수청구한 주주가 수인이면 각 주주마다 매수가격이 달라질 수도 있다.[168] 다만 실제로는 이미 합병당사회사에 의해 제안된 매수가격을 이후 높여서 제시하는 예는 거의 없다. 원래의 제안에 응한 주주의 반발을 불러올 뿐 아니라 이사의 배임 문제가 부각될 수 있기 때문이다. 또한, 협의는 그 개념상 쌍방의 의사가 있을 때에 이루어질 수 있는 것이고 어느 일방이 협의할 의사가 없으면 이루어질 수 없는 것이므로, 합병당사회사가 주주들과 반드시 사전협의를 거쳐야 할 법적 의무는 없으며 협의절차를 생략하고 바로 다음 단계의 결정절차를 거칠 수도 있을 것이다.[169]

법원에 의하여 주식매수가액이 결정되는 경우 그 절차와 관련하여서는 비송사건절차법이 적용된다. 이에 의하면 법원은 주식매수가액의 결정에 관한 재판을 하기 전에 주주와 이사의 진술을 들어야 하고, 수 개의 신청사건이 동시에 계속한 때에는 심문과 재판을 병합하여야 한다(비송사건절차법 제86조의2). 이러한 법원의 결정에 대해서 불복하는 경우 즉시항고를 할 수 있고 이 경우 집행정지의 효력이 있다(비송사건절차법 제86조).

(2) 가액결정의 구체적 방식

합병당사회사가 상장회사인 경우에는 자본시장법에서 반대주주의 매수청구에

---

168) 이철송, 전게서, 607면; 정찬형, 전게서, 934면; 이형근, 상게논문, 66면.
169) 이철송, 상게서 607면.

따른 주식매수가액의 산정에 관하여 일정한 기준[170])을 제시하고 있다(자본시장법 제165조의5 제3항, 자본시장법 시행령 제176조의7 제3항). 실무상 상장회사인 합병 당사회사는 거의 예외 없이 당해 기준에 따라 산정된 가격을 주주들에게 주식매 수가격으로 제시하고 있으며 그에 대하여 이의를 제기하는 주주들도 드문 편이 다. 따라서, 실제 법원에 상장회사의 주식매수가액 결정을 위한 신청이 이루어 지는 사례는 찾아보기 어렵다. 설령 그러한 신청이 이루어진다고 하여도 별도의 확립된 기준이 없는 상황에서 현실적으로 법원에서 위 기준에 따라 산정된 가액 이외의 다른 가액이 받아들여질 가능성은 낮다고 할 수 있다. 대법원은 최근 상 장회사의 합병에 반대하여 주식매수를 청구한 주주가 법원에 매수가격결정을 청 구한 사안에서, 당해 상장회사가 회사정리절차 중에 있었던 관계로 주식의 시장 가치가 저평가되어 있고 회사정리절차가 진행되는 동안 주식이 유가증권시장에 서 관리대상 종목에 편입됨으로써 주식거래에 다소의 제약을 받고 있었다는 이 유로 시장주가가 당해 법인의 객관적 교환가치를 제대로 반영하고 있지 않다고 단정하여 시장가치 외에 순자산가치까지 포함시켜 매수가격을 산정한 원심결정 을 파기한 바 있다.[171)172)]

---

170) 이에 따르면 증권시장에서 거래가 형성된 주식의 경우에는 주식매수가액을 아래 세 가지 방식에 따라 산정된 가격의 산술평균가격으로 한다.
① 이사회 결의일 전일부터 과거 2개월(같은 기간 중 배당락 또는 권리락으로 인하여 매 매기준가격의 조정이 있는 경우로서 배당락 또는 권리락이 있은 날부터 이사회 결의일 전 일까지의 기간이 7일 이상인 경우에는 그 기간)간 공표된 매일의 증권시장에서 거래된 최 종시세가격을 실물거래에 의한 거래량을 가중치로 하여 가중산술평균한 가격
② 이사회 결의일 전일부터 과거 1개월(같은 기간 중 배당락 또는 권리락으로 인하여 매 매기준가격의 조정이 있는 경우로서 배당락 또는 권리락이 있은 날부터 이사회 결의일 전 일까지의 기간이 7일 이상인 경우에는 그 기간)간 공표된 매일의 증권시장에서 거래된 최 종시세가격을 실물거래에 의한 거래량을 가중치로 하여 가중산술평균한 가격
③ 이사회 결의일 전일부터 과거 1주일간 공표된 매일의 증권시장에서 거래된 최종시세가 격을 실물거래에 의한 거래량을 가중치로 하여 가중산술평균한 가격

171) 대법원 2011.10.13. 2008마264; 이 사건에서 대법원은 "일반적으로 주권상장법인의 시장 주가는 유가증권시장에 참여한 다수의 투자자가 법령에 근거하여 공시되는 당해 기업의 자산내용, 재무상황, 수익력, 장래의 사업전망 등 당해 법인에 관한 정보에 기초하여 내린 투자판단에 의하여 당해 기업의 객관적 가치가 반영되어 형성된 것으로 볼 수 있고, 주권 상장법인의 주주는 통상 시장주가를 전제로 투자행동을 취한다는 점에서 시장주가를 기준 으로 매수가격을 결정하는 것이 당해 주주의 합리적 기대에 합치하는 것이므로, 법원은 원칙적으로 시장주가를 참조하여 매수가격을 산정하여야 한다"고 판시하여, 일응 증권시 장에서 형성된 상장회사 주식의 가격의 객관성을 인정하고 있다. 그러나, 다른 한편 대법 원은 법원이 반드시 법령에서 정한 산정방법 중 어느 하나를 선택하여 그에 따라서만 주 식매수가격을 산정하여야 하는 것은 아니고, 공정한 매수가격을 산정한다는 매수가격결정 신청사건의 제도적 취지와 개별 사안의 구체적 사정을 고려하여 이사회결의일 이전의 어

이러한 관점에서, 주식매수가액의 구체적인 결정 방식을 어떻게 할 것이냐의 문제는 주로 비상장회사의 경우에 중요한 의미를 가진다. 합병 등 M&A거래에서 비상장회사인 당사회사와 반대주주 사이에서 주식매수가액에 관한 협의가 이루어지지 않아 법원에서 이를 결정하는 경우, 주식매수가액을 어떻게 산정할 것인지에 관하여 결정한 주요한 판례로서는 대우전자가 가전산업과 영상사업부문의 자산과 부채를 자회사인 대우모터공업주식회사에 양도하는 것에 대해 주식매수청구권이 행사된 사안(소위 "대우전자 사건")[173] 및 은평정보통신 주식회사가

느 특정일의 시장주가를 참조할 것인지, 일정기간 동안의 시장주가의 평균치를 참조할 것인지, 또는 기타 산정방법에 따라 산정된 가격을 그대로 인정할 것인지 등을 합리적으로 결정할 수 있으며, 나아가 상장주식이 유가증권시장에서 거래가 형성되지 아니한 주식이거나 시장주가가 가격조작 등 시장의 기능을 방해하는 부정한 수단에 의하여 영향을 받는 등으로 상장회사의 객관적 가치를 제대로 반영하지 못하고 있다고 판단되는 경우에는 시장주가를 배제하거나 또는 시장주가와 함께 순자산가치나 수익가치 등 다른 평가요소를 반영하여 당해 상장회사의 상황이나 업종의 특성 등을 종합적으로 고려한 공정한 가액을 산정할 수도 있다고 함으로써(대법원 2011.10.13. 2008마264; 2011.10.13. 2009마989), 개별 사안에 있어서 상장회사 주식의 시장가격에 의하여 주식매수가액을 산정하였을 때 발생할 수 있는 문제점을 완화하고 공정하고 객관적인 주식매수가액을 평가하기 위한 고려사항을 제시하고 있다.

172) 시장가격에 의한 상장회사 주식의 주식매수가액 산정과 관련하여 공정한 주식매수가액 평가를 위한 고려사항을 제시한 상기 대법원 판결과 유사한 맥락에서, 최근 하급심 법원은 지난 2015년 이루어진 삼성물산과 제일모직의 합병 사례에서 합병에 대한 이사회 결의일 전일을 기준으로 전술한 자본시장법령에 따라 산정된 상장회사인 소멸회사(삼성물산) 주식의 주식매수가액이 소멸회사의 객관적 가치를 반영하지 못한 것으로 판단하고 상장회사인 존속회사(제일모직) 주식이 상장되기 전일을 기준으로 자본시장법령의 방법을 유추적용하여 산정된 소멸회사 주식의 주식매수가액이 적정하다는 취지로 판시하였다(서울고등법원 2016.5.30. 2016라20189, 20190, 20192 참조. 위 하급심 법원의 결정에 관한 더욱 구체적인 내용은 김건식 외 6인, 「신체계 회사법」, 600~601면 참조).

173) 대법원 2006.11.23. 2005마958; 대우전자 사건에서, 대법원은 우선 (i) 수익가치의 산정과 관련하여 법원은 미래의 수익가치를 산정할 객관적인 자료가 제출되어 있지 않거나, 수익가치가 다른 평가방식에 의한 요소와 밀접하게 연관되어 있어 별개의 독립적인 산정요소로서 반영할 필요가 없는 경우에는 주식매수가액 산정시 수익가치를 고려하지 않아도 된다고 하면서 대우전자의 경우 추정재무제표 등 미래의 수익가치를 산정할 객관적인 자료가 제출되어 있지 않고, 대우전자가 2001년 약 3,500억원의 영업이익을 냈는데도, 수조원의 부채와 그로 인하여 연간 5,000억원 정도에 이르는 막대한 금융비용의 부담 등으로 전체적인 손익은 적자가 될 수밖에 없었다는 이유로 주식매수가액 산정 시 수익가치를 반영하지 않았다. 또한, 대법원은 (ii) 대우전자가 주식이 상장폐지된 후 15일간의 상장폐지 정리기간 동안에도 주식의 평균거래가액이 408원을 유지하면서 지속적으로 거래가 이루어졌고, 증권거래소에서의 거래가 중단된 이후 이 사건 영업양도에 관한 이사회 결의가 발표되기까지 대우전자의 주식가격에 특별히 영향을 미칠 요인이 존재하지 않았다는 이유로 이 사건 영업양도의 결의일 전날인 2002.9.29.을 기준으로 대우전자 주식의 매수가액을 산정하면서 약 5개월 전에 형성된 평균 거래가액 408원을 시장가치로 반영하였다. 나아가, 대법원은 (iii) 2002.9.29. 당시 대우전자 주식의 순자산가액은 −41,104원으로 산정하였으나 주주의 유한책임을 고려하여 순자산가치를 0원으로 정하였다. 상기 사항을 바탕으

은평방송을 흡수합병하는 것에 대해 합병에 반대하는 은평방송의 소수주주들이 은평방송을 상대로 주식매수청구권을 행사한 사안(소위 "은평방송 사건")[174] 정도를 찾아볼 수 있다. 상기 대법원 판례들의 입장을 정리해 보면, (i) 원칙적으로 비상장주식에 관하여 객관적 교환가치가 적정하게 반영된 정상적인 거래의 실례가 있으면 그 거래가격을 시가로 보아 주식의 매수가액을 정하되, (ii) 만일 이러한 거래사례가 없으면 비상장주식의 평가에 관하여 보편적으로 인정되는 시장가치방식, 순자산가치방식, 수익가치방식 등 여러 가지 평가방법을 활용하여 주식의 매수가격을 정하는 것이라고 할 수 있다.[175] 그리고, (iii) 설령 비상장주식

로, 대법원은 2002.9.29. 당시 주식의 시장가치 408원과 1주당 순자산가치 0원을 1:1의 비율로 고려하여 평균한 204원을 주식매수가액으로 결정하였다.

174) 대법원 2006.11.24. 2004마1022; 은평방송 사건에서 대법원과 파기환송심(서울고등법원 2008.1.18. 2006라1783)에서의 주식매수가액 산정 과정을 좀 더 구체적으로 살펴보면 다음과 같다. 우선, (i) 대법원은 주식의 시장가치 산정과 관련하여 한국케이블티브이드림시티방송 주식회사가 합병 직전에 은평방송의 대주주들로부터 은평방송 발행주식의 69.85%, 349,250주를 1주당 평균 28,633원에 매수한 바 있는데 거래된 주식수가 발행주식의 70%에 이르는 점, 위 매매가 합병에 관한 이사회 결정일로부터 역산하여 2개월도 안 되는 시점에 이루어진 점, 과거 주식의 거래가격에 비추어 볼 때 위 거래의 주식매수가액을 시장가치의 기초로 삼을 수 있다고 판시하였고, 파기환송심에서는 회사의 발행주식을 경영권과 함께 양도하는 경우 그 거래가격에는 경영권이 포함되어 있기 때문에 주식만을 양도하는 경우의 객관적 교환가치를 반영하는 일반적인 시가로 볼 수는 없다는 대법원의 판시에 따라 위 매매가격에서 경영권 프리미엄 30%를 차감하여 시가를 22,025원으로 계산하였다. 또한, (ii) 대법원은 주식의 순자산가치 산정과 관련하여 비상장회사의 순자산가액에는 당해 법인이 가지는 영업권도 당연히 포함되어야 한다고 판시하였으나, 파기환송심에서는 은평방송 경영권의 가액을 평가할 수 있는 객관적인 자료가 없어 순자산가치의 산정이 곤란하여 매수가액 결정에 주식의 순자산 가치는 고려하지 않았다. 나아가, (iii) 대법원은 수익가치의 산정과 관련하여 유선방송사업의 경우 초기에 방송장비 및 방송망 설비 등의 대규모 시설투자가 필요한 반면 그 이후에는 인건비 등의 비용 이외에는 추가비용이 크게 필요하지 않고, 일정 수 이상의 가입자가 확보되면 월 사용료 상당의 수입이 안정적으로 확보된다는 특색이 있기 때문에 가입자의 수, 전송망의 용량, 지역내 독점 여부 등을 기초로 한 미래의 수익률이 기업가치 내지 주식가치를 평가함에 있어서 중요한 고려요소라고 보아 은평방송의 가입자수가 점차 증가하고 있었으므로 그 시점 당시 은평방송이 은평구에서 독점적으로 종합유선방송사업을 영위할 수 있었는지 여부, 종합유선방송업의 현황 및 전망, 거시경제전망, 회사의 내부 경영상황, 사업계획 또는 경영계획 등을 종합적으로 고려하여 주식의 수익가치를 산정하는 것이 주식의 객관적인 가치를 반영할 수 있는 적절한 방법이라고 판시하였는데, 파기환송심에서는 합병결의 후 은평방송을 합병한 은평정보통신이 타 회사에 다시 흡수되는 등 은평방송의 사업내용에 상당한 변화가 있었고, 현재 상태에서 은평방송의 당초의 사업내용을 별도로 분리하여 미래의 추정이익을 산출하기 위한 자료를 수집하기 곤란하여 이를 기준으로 수익가치를 산정하는 것이 거의 불가능하다는 이유로 주식매수가액 결정에 주식의 수익가치 역시 고려하지 않았다. 이에 따라 파기환송심은 주식매수가액 결정에 순자산가치와 수익가치를 반영하지 않고, 주식의 시장가치 22,025원을 매수가액으로 결정하였다.

175) 대법원은 합병반대주주의 신청에 따른 비상장주식의 매수가액 결정에서 회사의 객관적 가

에 관하여 객관적 교환가치가 적정하게 반영된 정상적인 거래의 실례가 있더라도, 거래의 시기와 경위, 거래 후 회사의 내부사정이나 경영상태의 변화, 다른 평가방법을 기초로 산정한 주식가액과의 근접성 등에 비추어 위와 같은 거래가격만으로 비상장주식의 매수가액을 결정하기 어려운 경우에는 그 거래가액을 합리적인 기준에 따라 조정하여 주식의 매수가액을 정할 수도 있다는 것이 대법원의 입장이라고 할 수 있다. 그 결과, 합병당사회사의 사정상 관련 규정에 따라 산정한 순자산가치 및 수익가치가 회사 주식의 가치를 적정하게 반영하고 있다고 보기 어려운 경우에는 이를 배제하고 시장가치만으로 주식의 매수가격을 정한 사례도 있으며(은평방송 사건), 순자산가치나 수익가치 중 어느 하나를 산정요소에서 배제하고 주식의 매수가격을 산정한 사례도 찾아볼 수 있다(대우전자 사건).

한편, 반대주주의 주식매수가액을 결정함에 있어서 합병에 따른 시너지 효과를 반영할 것인지 여부가 문제된다. 이와 관련하여, 그러한 시너지를 공정한 주식매수가액에 포함시켜야 한다는 견해도 제기되고 있으나,[176] 전술한 반대주주의 주식매수청구권의 제도적 취지상 반대주주로 하여금 기업결합으로 인한 시너지 효과까지 누리게 하는 것은 과다한 보상이라는 점 및 시너지는 불확실하며 현실적으로도 그에 대한 구체적 산정이 어려운 점 등에 비추어 주식매수가액의

치가 적정하게 반영된 정상적인 거래의 실례가 없는 경우 상속세 및 증여세법 시행령에서 정한 순손익가치 산정방법에 따라 수익가치를 평가하여 비상장주식의 매수가액을 정할 수 있으며 그에 따라 회사의 순손익액이 사업연도마다 변동하기 때문에 평가기준일이 속하는 사업연도 이전 과거 3년간 사업연도의 순손익액을 기준으로 회사의 미래수익을 예측하는 것은 합리적이라고 하면서도, 이를 합병반대주주의 비상장주식에 대한 매수가액을 정하는 경우에 그대로 적용해야 하는 것은 아니며 비상장주식의 평가기준일이 속하는 사업연도의 순손익액 변동의 원인이 일시적이거나 우발적인 사건이 아니라 사업의 물적 토대나 기업환경의 근본적 변화라면 평가기준일이 속하는 사업연도의 순손익액을 포함해서 순손익가치를 평가하는 것이 회사의 미래수익을 적절하게 반영한 것으로 볼 수 있다고 한다(대법원 2018.12.17. 자 2016마272).

176) 손영화·고재종·양げ찬, "주식매수청구권 행사시 주식매수가격의 공정성에 대한 고찰,"「상사법연구」제35권 제4호(상사법학회, 2017), 249면. 김정호, "주식매수청구권과 시너지,"「증권법연구」제18권 제2호(삼우사, 2017), 82~83면에서는 주식매수청구권의 행사가격과 관련하여 시너지가치를 반영하는 방향으로 나가야 할 것이라고 하면서 특히 합병 등의 조직재편에 있어서 이해관계자간 거래가 이루어지는 경우에 그러하다고 한다. 참고로, 일본 회사법상으로는 반대주주의 주식매수청구권이 행사되는 경우 주식매수가액에 시너지 효과가 포함되는 것으로 보는 견해가 일반적이다. 즉, 일본에서는 2005년 회사법을 도입하면서 반대주주 주식의 매수가액을 구법상 '결의가 없었더라면 그 주식이 가졌을 가격'에서 '공정한 가격'으로 수정하였는바(일본 회사법 제785조 제1항 등), 이는 주식매수가액에 시너지효과를 포함시키기 위한 것으로 이해된다.

산정에 있어서 합병에 따른 시너지 효과는 배제하는 것이 타당하다고 본다.[177)]
이와 관련하여, 대법원은 대우전자 사건에서 "영업양도 등에 반대하는 주주의
주식매수청구에 따라 비상장주식의 매수가액을 결정하는 경우, 특별한 사정이
없는 한 주식의 가치가 영업양도 등에 의하여 영향을 받기 전의 시점을 기준으
로 수익가치를 판단하여야 한다"고 판시하였다.[178)] 이러한 대법원의 입장은, 비
록 일반적으로 주식매수가액의 산정에서 시너지 효과를 배제해야 한다는 취지를
명시하고 있지는 않으나, 적어도 주식매수청구의 원인이 되는 회사의 조직변경
행위로 인한 효과가 주식매수가액에 반영되어서는 안된다는 점을 밝히고 있는
것으로 이해된다. 전술한 자본시장법상 주식매수가액의 산정기준도 합병에 의한
시너지 효과의 배제를 전제한 것으로 볼 수 있다.

(3) 합병비율 산정 방식과의 관계

합병대가로서 존속회사의 주식만 교부되는 경우에는 합병비율 산정에 사용된
평가방법이 설령 주식가치 자체의 평가방법으로서 적절하지 않은 측면이 있다고
하더라도 결과적으로 합병당사회사의 상대적인 가치에 실질적인 영향이 없다면,
합병당사회사가 이러한 평가방법을 채택하였다고 하더라도 합병의 공정성 및 그
효력이 다투어지기는 어려울 것이다. 반면, 주식매수가액의 결정은 해당 주식의
공정한 가액이 얼마인지를 판단하는 것이고, 합병당사회사 주식의 상대적인 가
치를 판단하는 것은 아니다. 그러나, 합병비율과 주식매수가액의 산정 모두 기
본적으로 합병당사회사 주식의 본질적 또는 내재적 가치에 터잡아 이루어지는
것이라는 점에서 현실적으로 양자의 산정 방식을 다르게 해야 할 논리필연적인
이유를 찾기는 어렵다는 견해도 가능하다.[179)]

마) 주식매수청구권을 행사한 반대주주의 지위

전술한 바와 같이 주식매수청구 기간이 종료한 날부터 2개월(비상장회사의 경

177) 김건식·노혁준·천경훈, 전게서, 866면; 임재연, 전게서, 208면; 노혁준, 전게 "합병으로
인한 주식매수청구시의 가격결정," 「민사판례연구[XXX]」(박영사, 2008), 616면; 정준우,
"주식매수청구권에 있어서 매수가격의 결정에 관련된 쟁점사항 검토," 「증권법연구」 제17
권 제2호(삼우사, 2016), 430면.
178) 대법원 2006.11.23. 2005마958.
179) 다만, 앞에서 살펴본 바와 같이 현행 자본시장법에서는 합병비율과 주식매수가액을 산정
하는 기준이 다르게 규정되어 있다. 권기범, 기업구조조정법, 290면에서는 주식매수가액
산정 시에는 당사자 간의 협의가액이 우선한다는 점만으로는 그러한 차별적 규율을 정당
화하기 어렵다고 한다.

우) 또는 1개월(상장회사의 경우) 이내에 회사가 매수청구된 주식을 매수해야 하고 그 기간이 경과하면 이행지체의 책임을 부담한다고 하여도 회사가 반대주주로부터 당해 주식의 소유권을 법적으로 유효하게 이전받고 매수대금을 지급하기 전까지는 반대주주가 당해 주식의 소유권을 가진다. 그러나, 회사가 위 기간의 경과로 매수대금에 관한 이행지체의 책임을 부담하는 것으로 보면서 반대주주에게 매수청구된 주식에 관한 주주로서의 지위를 온전히 인정하는 것은 합리적이라고 할 수 없다. 이에 주식매수청구권을 행사한 반대주주의 주식에 관한 소유권의 이전과 주식매수대금의 지급이 완료되기 이전에 그에게 주주권, 특히 이익배당청구권과 같은 자익권을 인정할 것인지가 문제된다.[180] 자익권을 인정하는 견해(주주지위설)는 반대주주가 매수대금을 지급받기 이전에는 주식매수청구권을 행사한 주주라도 아직 주주의 지위를 잃지 않으므로 당연히 주주로서의 이익배당청구권이나 신주인수권 등의 자익권을 행사할 수 있다고 한다.[181][182] 이에 반하여 반대주주의 자익권을 부정하는 견해(채권자지위설)는 반대주주가 주식매수를 청구할 때 이미 회사를 탈퇴하여 출자를 회수하겠다는 확정적 의사표현을 하였거나 주식매수대금에 이미 자익권의 가치가 포함되었으므로 회사의 지분권자보다는 채권자로서의 지위를 보유하는 것으로 보아 자익권을 인정할 수 없다고 해석한다.[183] 이 견해는 경제적 이익을 위주로 하는 자익권과 주식매수대금 및 그 지연손해금 사이의 상관관계를 고려할 필요가 있다는 점 및 반대주주에게 자익권을 인정하는 경우에는 실제 주식매수대금이 지급될 때 자익권에 의하여 취득한 이익과 주식매수대금 및 지연손해금 사이에서 정산이 이루어지는 것이 타당한데 그러한 정산의 과정에서 불필요한 분쟁이 발생할 우려가 있다는 점[184]

---

180) 반대주주가 계속 의결권 및 소수주주권과 같은 공익권을 행사할 수 있을 것인지에 대하여서도 견해의 대립이 있을 수 있으나 현행 상법의 해석상 반대주주의 공익권은 대체로 인정될 수 있을 것으로 보인다.

181) 이철송, 전게서, 606면; 강헌, "상법상 주식매수청구권제도의 문제점,"「상사법연구」제21권 제2호(상사법학회, 2002), 411~412면.

182) 대법원은 주식매수청구권을 행사한 주주도 회사로부터 주식의 매매대금을 지급받지 아니하고 있는 동안에는 주주로서의 지위를 여전히 가지고 있으므로 특별한 사정이 없는 한 상법 제466조 제1항의 회계장부열람·등사권을 가진다고 하면서 주주가 주식매수청구권을 행사하였다는 사정만으로 회계장부 열람·등사청구가 부당한 것이라고 볼 수 없다고 판시하였다(대법원 2018.2.28. 2017다270916)

183) 김건식·노혁준·천경훈, 전게서, 863면; 임재연, 전게서, 220면; 김창종, "주식매수청구권,"「재판자료」제90집(법원도서관, 2001), 633면; 민정석, 전게논문, 81면.

184) 민정석, 상게논문, 82면.

등을 논거로 제시한다. 실무상 특히 예탁주권인 경우 예탁결제원은 아직 매수대금을 지급받지 못한 반대주주를 이익배당, 의결권행사에 관하여 주주로 취급하고 있다. 생각건대, 이론적으로는 채권자지위설이 타당한 것으로 보이나 현행상법의 해석으로는 주주지위설을 출발점으로 하여 그것이 가진 여러 난점과 관련하여 주주권의 내용을 구체적으로 검토하면서 합리적인 해결책을 모색할 필요가 있다고 본다.185)

만일 합병당사회사와 반대주주 사이에서 주식매수가액에 대한 협의가 이루어지지 않아 법원에서 주식매수가격을 결정하는 절차가 진행 중인 경우에도 당해 절차와 관계없이 합병등기를 진행하는 것이 가능하기 때문에 합병의 일정에는 영향이 없다. 다만 합병등기가 경료됨으로써 합병의 효력이 발생할 때까지 반대주주가 매수를 청구한 주식의 매수가 완료되지 않은 경우에는 그 반대주주가 여전히 그 주식에 대해서 소유권을 보유하고 있기 때문에 당해 주식에 대하여 합병대가로서 합병신주를 발행(자기주식 이전을 포함)하는 것이 필요한지 여부가 문제된다. 이에 관하여는 ① 주식매수청구권을 행사한 주주는 기본적으로 합병에 대한 반대의사를 표시한 것인데, 소멸회사의 주주였던 자의 의사를 합병으로 인하여 그 회사가 소멸한 이후에도 존속회사의 주주로서의 지위를 계속 유지하겠다는 것으로 보는 것은 지나치고, 합병의 효력이 발생하는 시점에서는 주주의 지위를 소멸시키고 대금청산의 문제만을 남기는 것이 법률관계를 간명하게 한다는 견해와 ② 주식매수청구권을 행사한 주주도 그 지위를 상실하기 전에는 그에게 합병신주가 배정되어야 한다고 보는 두 가지 견해186)가 있다. 원칙적으로는 반대주주라 하더라도 소멸회사의 주주임이 분명한 이상 그에 대하여 합병신주를 발행하여야 한다고 해석될 가능성이 높다. 문제는 합병계약에서 주식매수청구권을 행사한 소멸회사 주주의 지위에 관하여 별도로 규정할 수 있는지 여부이다. 주식매수대금 결제 이전에는 아직 반대주주에게 주주로서의 지위를 인정하는 실무례를 전제로 할 때, 합병계약을 통해 이러한 지위를 일방적으로 박탈

---

185) 이러한 관점에서, 반대주주의 이익배당청구권은 인정하되 그 지급액은 주식매수원금에서 공제하고, 반대주주는 회사의 해산 시 일반채권자와 마찬가지로 고정된 매수대금에 관하여 우선적 청구권을 갖고 이를 공제한 나머지 금원에 대하여 일반주주들이 잔여재산분배권을 가지며, 반대주주는 유무상증자에 관한 권리를 갖지 않는 것으로 보는 것이 타당하다는 견해가 있다(노혁준, 전게 "주식매수청구권 행사 이후의 법률관계에 관한 연구: 합병에 대한 반대주주 사안을 중심으로," 12~15면).

186) 민정석, 전게논문, 82~83면.

하는 형태가 된다면 그 유효성이 부인될 가능성이 높다.[187]

2) 채권자 이의절차

합병당사회사는 주주총회[188]의 합병계약 승인결의가 있은 날부터 2주 내에 각 당사회사의 채권자에 대하여 합병의 이의가 있으면 회사가 정한 1개월 이상의 기간 내에 이를 제출할 것을 공고하고, 회사가 알고 있는 채권자에 대하여는 따로따로 이를 최고하여야 하며(제527조의5 제1항), 이의를 제출한 채권자에 대하여는 그 채권액을 변제하거나 상당한 담보를 제공하거나 또는 상당한 재산을 신탁회사에 신탁하여야 한다(제527조 제3항, 제232조 제3항).[189] 또한, 합병당사회사가 발행한 각 사채의 사채권자는 단독으로 이의를 제출하지 못하며 반드시 사채권자집회의 결의를 거쳐야 한다(제530조, 제439조 제3항). 한편, 금산법에 의하면 당해 법률에 의한 금융기관이 합병의 결의를 한 경우에는 채권자에 대하여 10일 이상의 기간을 정하여 이의를 제출할 것을 2개 이상의 일간신문에 공고할 수 있으며, 이 경우 개별 채권자에 대한 최고는 생략될 수 있다(금산법 제5조 제3항).

3) 주식병합(분할)을 위한 주권제출절차

만일 합병당사회사의 재산상태에 차이가 있어서 소멸회사의 주식 1주에 대하여 존속회사의 신주 1주를 배정할 수 없는 때, 즉 합병비율이 1:1이 아닌 경우에는 보고총회 또는 창립총회에서 권리를 행사할 자 및 그 의결권의 수를 확정하고 합병비율에 따른 단주 처리의 편의를 도모하기 위해서 주식병합(분할)의 절차에 따라서 주식의 병합(분할)이 이루어지게 된다(제530조 제3항, 제440조 내지 제443조). 이 경우, 1월 이상의 기간을 정하여 합병으로 주식을 병합(분할)한

---

187) 유사한 쟁점은 주식매수청구의 구체적 절차에 관하여 합병계약에 별도로 규정한 경우에도 발생할 수 있을 것이다. 합병계약에서 상법과 달리 엄격한 주식매수청구 절차를 요구한다면 그 유효성을 인정받기 어려울 가능성이 높다. 다만 합병계약상 임의 조항이 불확실성을 완화하기 위해 세부사항을 규정한 것이라면 유효한 조항으로서 불필요한 분쟁을 사전 예방하는 기능을 수행할 수 있을 것이다.

188) 약식합병의 경우에는 이사회의 승인결의를 주주총회의 승인결의로 보는데(제527조의5 제2항), 실무상으로는 대체로 이와 같은 약식합병에 대한 이사회의 승인이 최초 합병계약의 체결 당시 합병당사회사의 이사회 결의 이후 별도로 이루어지고 있다.

189) 이와 관련하여 만일 채권자에게 이미 상당한 담보가 제공된 경우에는 채권자가 이의를 제출하여도 다시 추가로 상당한 담보를 제공할 필요가 없다는 견해가 있다(김건식·노혁준·천경훈, 전게서, 776면; 임재연, 전게서, 720면; 정동윤 외 집필대표, 전게서, 396면).

다는 뜻과 그 기간 내에 주권을 회사에 제출할 것을 공고하고, 주주명부에 기재된 주주와 질권자에 대하여는 별도로 그 통지를 하여야 한다(제440조). 원래 상법 제441조는 주식병합(분할)의 효력, 즉 구주권의 실효 및 신주권의 배정이 위 공고된 주권제출기간이 만료한 때(채권자 보호절차가 종료하지 아니한 때에는 그 절차가 종료한 때)에 효력이 발생한다고 규정한다. 그러나, 합병에서의 주식병합(분할)은 합병절차의 일환으로 이루어지는 것이므로 그 효력은 합병등기가 이루어진 때에 발생한다고 해석함이 타당하다.[190] 주식병합(분할)절차를 거치지 않는 경우에는 존속회사의 신주권을 교부받을 소멸회사의 주주를 확정하기 위하여 일정한 기준일을 정해야 할 것이며, 당해 기준일은 통상 합병기일이 될 것이다. 따라서, 실무상 주식병합(분할)절차를 거치는 경우에는 통상 구주권 제출기간의 종료일을 합병기일에 맞추는 것이 일반적이다. 그리고, 금산법에 의하면 금산법에 의한 금융기관이 합병으로 인하여 주식을 병합하는 경우에는 5일 이상의 기간을 정하여 그 내용과 그 기간 이내에 주권을 회사에 제출할 것을 공고하고(이 경우, 주주에 대한 개별통지는 2개 이상의 일간신문에 공고함으로써 갈음할 수 있다), 주식병합 기준일로부터 1월 이내에 신주권을 교부해야 한다(금산법 제5조 제7항, 제12조 제6항).

한편, 2019. 9. 16.부터 시행된 전자증권법에 의하여 한국거래소가 개설하는 증권시장에 상장하는 주식은 전자등록기관에 전자등록이 이루어지게 되었는데(같은 법 제25조 제1항 제1호 참조), 만일 상장회사인 소멸회사가 합병의 과정에서 전자등록된 주식을 병합(분할)하는 경우에는 상법 제440조에도 불구하고 회사가 정한 일정한 날(이하 "병합기준일")에 주식이 병합(분할)된다는 뜻을 그 날부터 2주 전까지 공고하고 주주명부에 기재된 주주와 질권자에게는 개별적으로 그 통지를 하여야 하며 그에 따라 합병의 과정에서 이루어지는 전자등록된 주식의 병합(분할)은 병합기준일(다만, 채권자 이의절차가 종료되지 아니한 경우에는 그 종료된 때)에 효력이 생긴다(같은 법 제65조). 또한, 전자등록법인인 존속회사가 비전자등록법인인 소멸회사의 주주에게 합병대가로서 존속회사의 전자등록된 주식을 지급하는 경우, 존속회사는 원칙적으로 소멸회사의 신규 전자등록신청(전자증권법 제25조) 등 일정한 조치를 취해야 한다(전자증권법 제34조). 나아가, 전자

---

190) 권기범, 기업구조조정법, 306면, 김건식 · 노혁준 · 천경훈, 상게서, 777면 및 임재연, 상게서, 718면도 같은 취지이다.

등록법인인 존속회사는 비전자등록법인인 소멸회사의 주주들에게 기준일(합병기일)부터 구주권이 효력을 잃는다는 점 및 그 직전 영업일까지 존속회사에게 전자등록계좌를 통지하고 구주권을 제출하여야 한다는 점 등 일정한 사항을 기준일의 직전 영업일을 말일로 1개월 이상 공고하고 통지하여야 한다(전자증권법 제34조, 제27조 제1항).

4) 합병 관련 인·허가 절차의 이행

가) 공정거래법상 기업결합신고

자산총액 또는 매출액의 규모(계열회사의 자산총액 또는 매출액을 합산한 규모를 말함)가 3,000억원 이상인 회사(이하 "기업결합신고대상회사") 또는 기업결합신고대상회사의 특수관계인이 다른 회사(직전 사업년도 말 기준 계열회사의 것을 합산한 자산총액 또는 매출액이 300억원 이상인 회사, 이하 "상대회사")를 합병하는 경우에는 합병등기일로부터 30일 이내에 공정거래위원회에 신고하여야 한다. 기업결합신고대상회사 이외의 회사로서 상대회사의 규모에 해당하는 회사 또는 그 특수관계인이 기업결합신고대상회사에 대하여 합병을 하는 경우에도 같다(공정거래법 제11조 제1항 제4호, 제6항 본문, 제12항, 제9조 제1항 제3호, 제5항, 공정거래법 시행령 제17조 제3호, 제18조 제1항, 제2항). 한편, 기업결합의 당사회사 중 1 이상의 회사가 대규모회사(자산총액 또는 매출액의 규모가 2조원 이상인 회사)인 경우에는 합병계약을 체결한 날부터 30일 이내에 이를 신고하여야 하고(공정거래법 제9조 제1항 단서, 제11조 제6항 단서, 공정거래법 시행령 제15조 제3항, 제20조 제3항 제2호), 위 신고의무가 있는 자는 신고후 30일이 경과할 때까지 합병등기를 하여서는 아니 된다(공정거래법 제11조 제8항). 그리고, 합병당사회사는 신고기간 이전이라도 합병이 경쟁을 실질적으로 제한하는 행위에 해당하는지 여부에 대하여 공정거래위원회에 심사를 요청할 수 있다(공정거래법 제11조 제9항).

한편, 공정거래법상 기업결합신고의무는 관계중앙행정기관의 장이 다른 법률의 규정에 의하여 미리 당해 기업결합에 관하여 공정거래위원회와 협의한 경우에는 적용되지 않는다(공정거래법 제11조 제4항). 예컨대, 금산법에 의하면 금융위원회가 금융기관의 합병에 대하여 인가를 하려는 경우 당해 합병이 금융기관 상호간의 경쟁을 실질적으로 제한하는지 여부에 대하여 미리 공정거래위원회와 협의하여야 하는데(금산법 제4조 제1항, 제4항), 이러한 경우에는 당해 합병에 관하여 별도로 공정거래법상 기업결합신고를 하지 않아도 된다. 다만, 이처럼 다른 법령에 의하여 기업결합신고가 필요하지 않거나 합병등기일 이후 기업결합신고를 하면 되는 합병의 경우라고 하여도, 만일 당해 합병이 경쟁제한적인 기업결합에 해당할 우려가 있는 경우에는 경쟁당국에 의한 불측의 합병거래 제한 또는 시정조치의 위험성을 완화하고 원활한 합병일정의 진행을 위해 합병당사회사가 금융위원회 등 관계중앙행정기관과의 논의를 거쳐 공정거래위원회에 전술한 임의적 사전심사요청을 하는 것이 바람직하다.

나) 합병당사회사 사업의 근거가 되는 법령에 의한 합병인·허가

금융기관처럼 일정한 요건을 갖추어 정부기관 내지 감독당국으로부터 사업수행에 대한 인·허가를 받아야만 사업을 수행할 수 있는 경우에는 당해 인·허가의 근거가 되는 법령에 따라 인·허가를 받은 회사가 합병을 실행하기 위해서는 대체로 당해 법령에 의하여 감독당국의 합병인·허가를 받도록 하고 있다. 예컨대, 기간통신사업자가 합병을 하는 경우에는 원칙적으로 과학기술정보통신부장관의 인가를 받아야 하고(전기통신사업법 제18조 제1항 제2호), 은행이 합병하고자 하는 때에는 금융위원회의 인가를 받아야 한다(은행법 제55조 제1항 제1호). 또한, 금산법에서도 당해 법률에 의한 금융기관이 금산법에 의한 합병을 하고자 할 때에는 금융위원회의 인가를 받도록 규정하고 있다(금산법 제4조 제1항). 이처럼 합병당사회사 사업의 근거가 되는 법령에 따라서 미리 합병인·허가를 받아야 하는 경우에는 당해 인·허가가 이루어져야 합병 이후 존속회사가 당해 사업을 문제없이 영위할 수 있으며 감독당국의 일정 등에 따라 당해 인·허가를 받기까지 상당한 기간이 소요될 수도 있다. 따라서, 합병당사회사로서는 당해 인·허가로 인한 법적 위험을 완화하고 원활한 절차 진행을 위하여 관할 감독당국과 충분한 사전협의를 거치면서 합병절차를 진행하는 것이 바람직하다.

다) 파생적인 규제사항의 준수 필요성

개별 금융업 관련 법령 등 사업의 영위를 위해 정부로부터 인·허가를 받아야 하는 산업에 관한 법령에서는 그러한 인·허가의 발급 내지 유지의 요건으로서 당해 산업에 종사하는 법인 또는 회사의 대주주가 일정한 자격을 갖추도록 하는 경우가 있다. 그런데, 만일 그러한 대주주가 합병으로 인하여 소멸하게 되는 경우에는 존속회사(흡수합병의 경우) 또는 신설회사(신설합병의 경우)가 당해 법인 또는 회사의 대주주로서 관련 법령상 요구되는 자격을 갖추었는지 여부에 대하여 별도로 감독당국의 인·허가를 받아야 하는 상황이 발생할 수도 있다는 점에 유의할 필요가 있다. 예를 들어, A회사가 C회사의 대주주인 B회사를 흡수 합병하는 경우 당해 합병으로 인하여 C회사의 대주주가 B회사에서 A회사로 변경되는 결과가 발생하는데, 이 때 A회사와 B회사가 관련 법령상 당해 합병 자체에 대하여 감독당국의 인·허가를 얻는 것과는 별도로, C회사의 사업을 규제하는 관련 법령상 감독당국의 대주주변경에 대한 승인이 필요할 수도 있을 것이다.

또한, 우리나라의 법령에서 자산 등의 규모가 일정한 수준을 넘는 회사에 대하여 이루어지는 규제사항을 정하고 있는 경우가 있는데,191) 만일 합병의 결과 존속회사의 규모가 그러한 수준에 이르게 된다면 존속회사의 입장에서는 합병 이전에 적용되지 않았던 당해 규제사항의 준수에 유념할 필요가 있을 것이다. 나아가, 지주회사 그룹 또는 상호출자제한기업집단의 경우 일정한 범위에서 계열회사에 대한 출자 내지 지분보유가 규제되는데,192) 합병의 결과 그러한 규제에 위반되지 않도록 주의할 필요가 있다.193)

5) 합병보고(창립)총회와 합병등기

가) 합병보고(창립)총회

존속회사는 채권자 보호절차가 종료된 후(주식병합이 있는 경우에는 그 효력이 발생한 후) 지체없이 주주총회를 소집하여 합병에 관한 사항을 보고하여야 한다 (제526조 제1항). 제526조 제2항은 "합병 당시에 발행하는 신주의 인수인은 제1 항의 주주총회에서 주주와 동일한 권리가 있다"고 규정하고 있는데, 전술한 바와 같이 2015년 개정상법이 합병대가로서 존속회사의 자기주식을 이전하는 것을 명문화한 점 등에 비추어 존속회사의 자기주식을 합병대가로서 교부받게 되

---

191) 예컨대, 최근 사업연도 말 현재 자산의 총액이 2조원 이상인 상장회사는 회사지배구조 및 주요주주 등 이해관계자와의 거래 등에 대한 규제가 강화된다(제542조의7 제2항, 시행령 제33조, 제542조의8 제1항, 시행령 제34조 제2항, 제542조의9 제3항, 시행령 제35조 제4항).

192) 공정거래법 제18조 제2항, 제3호, 제3항 제2호 본문, 제21조 제1항 등 참조.

193) 만일 합병으로 인하여 잠정적으로 그러한 규제에 위반되는 상황이 발생하는 경우 시정조치를 취할 수 있도록 관계법령에서 일정한 유예기간을 부여하기도 한다(공정거래법 제18조 제3항 제1호 사목, 제2호 마목, 제21조 제1항 제1호, 제22조 제1항 제1호 등 참조)

는 소멸회사의 주주들도 합병보고총회에서 존속회사의 주주와 동일한 권리가 있다고 볼 수 있을 것이다.

한편, 합병보고총회에서는 합병과 관련된 보고사항에 대하여 승인도 부결도 할 권한이 없는 것으로 해석되나, 그 이외에 정관변경, 재무제표의 승인, 이사와 감사의 선임 등에 관하여 결의하는 것은 무방하다고 할 것이다.[194] 다만, 소멸회사의 주주로서 존속회사의 합병신주를 인수하거나 자기주식을 이전받는 자도 의결권을 가지고 상기 결의에 참여할 수 있는지 여부가 문제될 수 있는데, 이에 관하여는 일반적으로 당해 의결권을 인정하는 견해[195]와 존속회사의 결산재무제표 승인과 같이 합병과 무관한 사항에 대하여는 당해 의결권을 부정하는 견해가 대립하고 있다.[196]

위와 같은 합병보고총회는 존속회사의 이사회 결의에 의한 공고로써 갈음할 수 있다(제526조 제3항). 그리고, 상법은 신설합병의 창립총회도 이사회 결의에 의한 공고로써 갈음할 수 있도록 하였는데(제527조 제4항), 대법원은 이 경우 이사회 공고는 제289조 제1항 제7호에 의하여 합병당사회사의 정관에 규정한 일반적인 공고방식에 의하여 할 수 있다고 판시하였다.[197]

한편, 금산법에 의하면 당해 법률상 금융기관이 합병보고총회 또는 합병창립총회를 소집하는 경우에는 주주총회의 회일 7일 전에 각 주주에 대하여 서면으로 통지를 발송할 수 있고, 이 경우 당해 금융기관은 서면통지 발송일 이전에 2개 이상의 일간신문에 주주총회를 소집하는 뜻과 회의의 목적사항을 공고하여야 한다(금산법 제5조 제11항, 제4항).

나) 합병등기

합병보고(창립)총회가 종결되면 그 종결일로부터 본점소재지에서는 2주간 내, 지점소재지에서는 3주간 내에 존속회사는 합병으로 인한 변경등기를, 소멸회사는 합병으로 인한 해산등기, 신설회사는 합병으로 인한 설립등기를 하여야 한다

---

194) 권기범, 기업구조조정법, 311면; 정동윤, 전게서, 829면; 최기원, 전게서, 1119면.
195) 정동윤, 상게서, 829면.
196) 정동윤 외 집필대표, 전게서, 375면; 최기원, 전게서, 1119면. 권기범, 상게서, 312면은 소멸회사의 주주로서 합병신주를 인수하는 자의 의결권 행사를 부정하지만, 합병신주 인수인의 의결권 행사를 이유로 해당 주주총회결의를 무효로 보거나 취소할 수 있는지는 의문이라고 한다.
197) 대법원 2009.4.23. 2005다22701.

(제528조 제1항). 합병은 존속회사 또는 신설회사가 본점소재지에서 합병으로 인한 변경등기 또는 설립등기를 함으로써 비로소 효력이 발생한다(제530조 제2항, 제234조). 만약, 존속회사 또는 신설회사에서 소멸회사의 전환사채나 신주인수권부사채를 포괄승계하는 경우에는 합병등기와 별도로 사채등기를 요한다(제528조 제2항).

6) 합병서류의 사후공시

존속회사의 이사는 ① 채권자 이의제출 절차의 경과, ② 합병을 한 날, ③ 합병으로 인하여 소멸회사로부터 승계한 재산의 가액과 채무액 ④ 기타 합병에 관한 사항을 기재한 서면을 합병을 한 날부터 6월간 본점에 비치하여야 한다(제527조의6 제1항).

4. 합병의 효과

가. 개   관

합병등기가 이루어짐으로써 소멸회사의 일체의 권리의무관계는 별도의 이전절차 없이 법률상 당연히 존속회사 또는 신설회사에 승계되고(제530조 제2항, 제235조), 소멸회사는 청산절차 없이 해산하게 된다(제528조 제1항). 또한 합병대가로서 존속회사 또는 신설회사의 주식을 배정받은 소멸회사의 주주는 합병등기와 더불어 존속회사 또는 신설회사의 주주가 된다. 그리고, 현금교부합병의 경우에는 합병등기 이후 소멸회사의 주주가 합병대가로서 제공되는 금전이나 기타 재산에 대한 권리의 이전을 존속회사에게 청구할 수 있게 될 것이다.

나. 권리의무의 포괄승계 관련 고려사항

1) 포괄승계의 기본적 범위 및 제한 가능성

합병에 의한 포괄승계의 대상은 기본적으로 소멸회사의 일체의 권리의무, 즉 소멸회사의 일체의 적극 · 소극재산으로서, 여기에는 재산관계뿐만 아니라 계약관계도 포함되며 사법상의 권리의무뿐만 아니라 공법상의 권리의무도 포함된다. 그러나, 소멸회사의 재산관계 및 계약관계를 구성하는 개별적인 요소의 특성 및 여러 이해관계자의 지위 등을 고려하였을 때 합병에 의한 포괄승계의 범위에 일정한 제한이 이루어지거나 포괄승계의 대상에 해당하는지 여부가 불확실한 경우가 있을 수 있다.[198] 아래에서 그러한 경우에 관하여 구체적으로 살펴본다.

2) 당사자간 신뢰가 요구되는 계약관계

통상 권리의무관계의 양도 또는 인수의 제한에 관한 일반론으로서 (i) 양도나 인수에 의하여 채권이나 채무의 급부의 내용이 전혀 달라지는 경우 또는 (ii) 채무자, 채권자의 변경으로 인하여 채무의 이행이나 채권의 행사에 현저한 차이가 발생하는 경우에는 채권의 양도, 채무의 인수 또는 계약관계의 인수가 허용되기 어려운 것으로 인정되고 있다. 위와 같은 경우에 있어서 양도 또는 인수에 의한 승계가 제한되는 주된 이유는 만일 그러한 경우 승계를 인정하면 권리관계의 동일성을 상실하거나 원래 목적을 달성하지 못하게 되어 관련 거래 당사자에게 예상하지 못한 손해를 초래할 수 있기 때문인 것으로 이해된다.

그런데, 당사자들 사이의 긴밀한 신뢰관계 내지 협력관계에 기초하여 형성된 계약관계(예컨대, 주주간계약 또는 합작계약) 또는 특허권이나 저작권 등 지적재산권에 관한 라이센스 계약의 경우에 있어서 포괄승계의 법리에 따라 소멸회사의 계약당사자 지위가 당연히 존속회사에게 승계되는 것인지 의문이 제기될 수 있다. 현재 우리나라에서 합병에 따른 주주간계약 또는 합작계약 내지 지적재산권에 관한 라이센스 계약상 권리의무관계의 포괄승계와 관련하여 심층적인 논의를 전개하는 판례나 학설은 찾아보기 어렵다.

이와 관련하여, 미국과 일본에서는 합병으로 인한 주주간계약이나 특허권 등의 지적재산권에 대한 라이센스 계약의 승계 여부와 관련하여 약간의 논의가 이루어지고 있는 것으로 보인다. 그러한 논의 중에서는 합병의 결과 주주간계약 또는 라이센스 계약의 당사자들 사이에서 계약체결의 기초가 되는 사실관계가 변경되고 합병으로 인하여 주주간계약이나 라이센스 계약의 급부의 내용이 실질적으로 변경되어 다른 당사자에게 영향을 미치는 경우에는 합병으로 인한 계약의 승계가 이루어지지 않을 수 있다는 견해가 제기되고 있으며[199] 실제 그러한

---

198) 예컨대, 소멸회사의 이사와 감사 등 등기임원의 지위는 합병에 의해 소멸하고 존속회사에 승계되지 않는다(정동윤 외 집필대표, 전게서, 404면).

199) 森田果, "株主間契約(5)," 「法学協会雑誌」 No. 120-12(有斐閣, 2003), 15面 및 32面.

견해에 따른 법원의 판례들도 있는 것으로 파악된다.200) 그러나, 이러한 논점에 대하여 미국이나 일본에서도 어떠한 획일적 기준에 따라 통일적으로 합병에 의한 권리관계의 승계 내지 이전 여부가 다루어지고 있지는 않으며,201) 판례와 학설상으로는 합병에 있어서 법규에 의한 포괄승계의 법리와 개별 사안마다 당사자들의 의사 등 구체적 특수성을 모두 고려하고 있는 것으로 보인다.202)

생각건대, 합병당사회사의 거래상대방에 대하여 채권자 이의절차에 의한 보호를 제공하면서 법률에 의한 권리의무관계의 포괄적 이전을 인정하는 상법상 회사합병 제도의 취지에 비추어 볼 때, 합병에 따른 포괄승계의 효과로 인하여 합병당사회사의 계약 상대방의 이해관계에 변동이 발생하거나 예상하지 못한 불이익이 발생하는 것은 불가피한 측면이 있다. 다만, 회사법상 획일적·단체적 법리만을 강조하여 소멸회사와 연관된 법률관계가 일률적으로 아무런 변동 없이 그대로 존속회사에 관하여서도 유지된다고 해석하기보다는, 거래법적 관점에서 당사자들의 의사, 법률관계가 형성된 기초와 배경 및 이해관계자들의 이익을 조화롭게 고려하여 합병에 의한 포괄승계의 법리를 적절히 변용하고 소멸회사와 연관된 법률관계의 변동을 인정하는 것이 개별 사안을 둘러싼 제반 사정에 비추어 더욱 합리적이고 형평의 관념에 부합하는 결론을 도출할 수도 있는 가능성에 대하여 유의할 필요가 있다고 생각된다.203)

---

200) Cincom Systems, Inc. v. Novelis Corp., 581 F.3d431 (6th Cir. 2009) 및 SQL Solutions v. Oracle Corporation 1991WL626458 (N.D. Cal. 1991) 등 참조. 이러한 미국 판례들의 경향은 대체로 기업들의 재산 중에서 지적재산권이 차지하는 비중이 갈수록 높아지고 그 경제적 파급효과가 커지고 있는 경제적 현실, 라이센스 계약의 로열티 산정 방식 및 사업자들 사이의 경쟁관계 등 지적재산권에 관한 라이센스 법률관계의 특수성과 밀접한 연관성이 있는 것으로 보인다.

201) 다만, 미국에서는 이러한 기준의 하나로서 Restatement (Second) of Contracts가 고려되고 있는 것으로 보인다(Restatement (Second) of Contracts §317 및 §318 등 참조).

202) 이와 관련하여 상세한 논의는 Elaine D. Ziff, "The Effect of Corporate Acquisitions on the Target Company's License Rights," The Business Lawyer; Vol.57 (February 2002), pp. 767~792 및 Pace H. Justin, "Anti-Assignment Provisions, Copyright Licenses, and Intra-Group Mergers: The Effect of Cincom v. Novelis," Northwestern Journal of Technology and Intellectual Property: Vol.9, No.3(Fall 2010), pp. 263~279 참조.

203) 이와 관련하여, 대법원은 분할합병과 관련된 사안에서 "공동수급체는 기본적으로 민법상의 조합의 성질을 가지고 공동수급체의 구성원 사이에서 구성원 지위를 제3자에게 양도할 수 있기로 약정하지 아니한 이상, 공동수급체의 구성원 지위는 상속이 되지 않고 다른 구성원들의 동의가 없으면 이전이 허용되지 않는 귀속상의 일신전속적인 권리의무에 해당하므로, 공동수급체의 구성원 지위는 원칙적으로 회사의 분할합병으로 인한 포괄승계의 대상이 되지 아니한다"고 판시하였는데(대법원 2011.8.25. 2010다44002), 이러한 대법원의

만일 계약당사자들 상호간 긴밀한 신뢰관계를 바탕으로 형성된 계약관계가 합병에 의하여 제3자에게 포괄승계되는 것이 우려되는 경우에는, 그러한 우려를 완화하기 위하여 계약당사자들이 체결하는 계약서에 일방 당사자에게 합병 등의 기업결합이 발생하는 경우에는 계약이 자동적으로 실효되도록 하거나 상대방 당사자에게 계약의 해지권을 부여하는 취지의 조항을 명시적으로 규정하는 방안을 고려해 볼 수 있을 것이다.

3) 소멸회사의 잠재적 지분권 관련 의무

합병당사회사가 발행한 전환사채·신주인수권부사채에 따른 전환권·신주인수권 또는 임직원에게 부여한 주식매수선택권 등을 보유한 잠재적 지분권자들이 있는 경우, 존속회사가 발행하거나 부여한 그러한 잠재적 지분권과 관련하여서는 합병신주의 발행을 통하여 존속회사 주식 가치의 희석화가 발생하였는지 여부를 기준으로 그러한 잠재적 지분권의 발생 근거가 되는 계약에 따른 조정으로 처리하면 족할 것이다. 반면, 그러한 잠재적 지분권이 소멸회사에 의하여 발행되거나 부여된 것인 경우에는 합병의 결과 그러한 잠재적 지분권에 따라서 신주를 발행할 의무가 존속회사에게 승계될 것인지 여부 및 만일 그러한 승계가 인정되는 경우에는 잠재적 지분권의 내용이 어떻게 조정되어야 할 것인지에 대한 검토가 필요하다.

우선, 그러한 잠재적 지분권에 따라서 신주를 발행할 의무도 합병에 의하여 승계될 수 있다[204]고 보는 것이 일반적인 견해로 보이며, 상법도 "합병후 존속회사 또는 합병으로 인하여 설립된 회사가 합병으로 인하여 전환사채 또는 신주

견해는 합병에서도 적용될 수 있을 것이다. 이러한 대법원 판례의 입장에 대하여, 부분적 포괄승계 효과를 갖는 회사분할 제도는 근본적으로 분할의 실효성 확보를 위해 분할대상 계약의 상대방의 일정한 희생가능성을 전제로 한 것이라는 점 및 자연인의 사망에 따른 효과를 설명하는 과정에서 주로 적용되어 온 귀속상의 일신전속성 개념을 주식회사의 분할합병에 그대로 적용하는 것은 부적절하다는 점 등을 근거로 그 부당성을 지적하는 견해가 있다(천경훈, "회사의 분할합병과 권리의무의 승계,"「민사판례연구(XXXV)」(박영사, 2013), 726~727면 참조).

204) 다만, 주식매수선택권의 경우 회사조직의 문화, 가치, 목표 등에 부합되고 회사에 기여할 수 있는 임직원에 대하여 부여되는 것으로서 일신전속적 성격이 강하다는 점에 비추어 그 승계 가능성에 대하여 부정적인 견해도 제기될 수 있으나(안수현, "스톡옵션(Stock Option) 제도에 관한 법적 연구,"「서울대학교 대학원 법학박사학위논문」(서울대학교, 2001), 185면 참조), 그러한 견해에 의하더라도 합병계약상 조항을 마련하여 소멸회사의 스톡옵션에 관한 의무를 존속회사가 흡수하여 처리하는 방안 자체를 문제 삼기는 어려울 것이다.

인수권부사채를 승계한 때에는 제1항의 등기와 동시에 사채의 등기를 하여야 한
다"고 규정하여 전환사채 또는 신주인수권부사채와 관련된 법률관계를 승계할
수 있음을 예정하고 있다(제530조의11 제1항, 제528조 제2항 각 참조). 이러한 견
지에서, 만일 합병계약에서 존속회사가 그러한 잠재적 지분권을 합리적 기준에
따라서 조정된 내용으로 승계하기로 하여 존속회사의 주주총회에서 특별결의에
의하여 합병계약이 승인되고 그에 맞추어 존속회사 정관의 개정205) 등 그러한
잠재적 지분권의 실현을 위한 기반이 갖추어진다면 별 문제가 없을 것이다.

문제는 합병계약에서 소멸회사의 주식과 관련된 그러한 잠재적 지분권의 처
리에 관하여 아무런 조항을 두지 않은 경우 합병에 의한 포괄승계의 법리에 따
라서 존속회사가 당연히 그러한 잠재적 지분권에 따라서 신주를 발행할 의무를
부담하는지 여부이다. 전환사채 또는 신주인수권부사채의 사채인수계약 또는 주
식매수선택권부여계약 등에 의하여 합병의 과정에서 그러한 잠재적 지분권과 관
련된 의무의 승계가 이루어질 수 있는 근거가 있다고 하여도 합병계약상 그러한
잠재적 지분권에 따른 신주발행 의무가 존속회사에게 승계되는 것에 관한 규정
이 없다면 지분권의 발행회사와의 밀접한 연관성 및 존속회사 주주의 신주인수
권과의 관계에 비추어 당연히 당해 의무가 존속회사에게 승계되는 것인지 불확
실한 측면이 있다. 이러한 논점과 관련하여 아직 확립된 국내의 학설이나 판례
는 없는 것으로 보이며, 일본의 경우에는 회사법의 제정 이후 신주예약권 제도
에 관한 전반적 개편이 이루어지기 이전에 합병의 결과 발행회사의 변경으로 채
무의 내용이 달라지게 되어 소멸회사가 발행한 전환사채의 전환권 또는 신주인
수권부사채의 신주인수권이 소멸한다는 견해와 그러한 전환권 또는 신주인수권
을 채권의 일종으로 보아 존속회사가 그에 따라서 신주를 발행할 의무를 부담한
다는 견해가 대립되어 왔다고 한다.206)

생각건대, 금전채권과 구별되는 소멸회사의 주식에 관한 잠재적 지분권의 비
대체적 성격 및 존속회사 주주들의 신주인수권을 고려하면 합병계약상 명시적

---

205) 주주의 신주인수권 보호의 차원에서, 주식매수선택권의 부여 및 전환사채 또는 신주인수
권부사채의 주주 이외의 제3자에 대한 발행을 위해서는 정관상 근거가 필요하다. 또한,
소멸회사로부터 승계된 잠재적 지분권자의 신주발행 청구에 응할 의무를 이행한 결과 존
속회사의 신주가 발행되는 과정에서 존속회사의 정관상 수권주식수의 증가가 필요할 수도
있다.

206) 森本 滋 編, 「会社法コンメンタール」 第17卷(商事法務, 2010), 142面.

근거 없이 그러한 잠재적 지분권에 따른 신주발행 의무의 승계 가능성을 인정하
는 것에 신중을 기할 필요는 있을 것이다. 그러나, 합병에 의한 포괄승계 법리
에 따른 단체적 법률관계의 획일적 처리의 필요성, 그러한 잠재적 지분권의 존
재와 내용은 소멸회사의 등기부등본과 재무제표 등을 통하여 대외적으로 충분히
인지될 수 있다는 점 및 소멸회사의 주식에 관한 주식매수선택권 또는 신주인수
권(분리형 신주인수권부사채의 경우)의 보유자207)에 대한 반대주주의 주식매수청
구권을 통한 보호에는 한계가 있다는 점 등을 고려하여 볼 때 존속회사가 그러
한 잠재적 지분권에 따라서 존속회사의 주식을 발행하여 줄 의무를 부담한다고
해석하는 것이 타당하다고 본다.208)209)210) 이 경우 그러한 잠재적 지분권은 원
칙적으로 주식의 분할 또는 병합에 준하여 존속회사에서 합병비율을 고려하여
그러한 잠재적 지분권의 보유자로 하여금 합병의 전과 후에 동일한 경제적 이익
을 누릴 수 있도록 하는 내용으로 그 권리행사의 가격 또는 수량이 적절히 조
정될 필요가 있을 것이다.

　　다만, 전술한 사항은 현금교부합병의 경우에도 그대로 적용되기는 어려우며,
현금교부합병에 있어서는 결국 소멸회사의 잠재적 지분권의 가치를 적정하게 평
가하여 그에 상응하는 합병대가를 제공해야 할 것이다.

4) 공법상 권리의무

　　소멸회사에 관한 공법상 권리의무의 승계 여부는 관계법령의 규정과 취지 및
당해 권리의무의 성격 등 여러 사정을 종합적으로 고려하여 개별적으로 판단해
야 할 것이나, 합병에 따른 공법상 권리의무의 승계를 제한하는 별도의 근거가

---

207) 전환사채권자 또는 신주인수권부사채권자가 사채권자의 지위에서 채권자 보호절차를 통해
　　보호받는 것은 별론으로 한다.
208) 임재연, 전게서, 736면도 같은 취지이다.
209) 다만, 존속회사 주주총회의 특별결의에 의하여 승인되는 정식합병이 아니라 존속회사 이
　　사회결의에 의하여 이루어지는 소규모합병의 경우에도 이러한 결론이 그대로 유지될 수
　　있을 것인지는 의문이다. 나아가, 그러한 잠재적 지분권의 실현을 위해서는 존속회사의 정
　　관상 근거가 필요하고, 주식매수선택권의 경우에는 소멸회사의 주식매수선택권자가 존속
　　회사의 임직원 등 존속회사의 주식매수선택권을 부여받을 수 있는 자에 해당하고 재직기
　　간의 요건이 충족되어야 하는데, 합병이 이루어지는 과정에서 상기 사항들이 충족되지 못
　　하는 경우(예컨대, 존속회사의 정관개정이 이루어지지 않거나 소멸회사의 주식매수선택권
　　을 보유한 소멸회사의 임원이 존속회사의 임원으로 선임되지 못한 경우)에는 그러한 잠재
　　적 지분권에 따른 신주발행 의무를 존속회사가 승계한다고 하여도 결국 손해배상의 문제
　　로 귀결될 것이다.
210) 이와 관련된 더욱 상세한 논의는 김병태 · 김지훈, 전게논문, 58~62면 참조.

없는 경우에는 원칙적으로 소멸회사에 관한 공법상 권리의무도 존속회사에게 승계될 수 있다고 해석하는 것이 합리적이다. 예컨대 인·허가의 승계와 관련하여 당해 인·허가가 소멸회사의 영업재산에 결부된 물적인 성격인 경우에는 승계의 대상이 될 수 있겠으나 인적 인·허가인 경우에는 이전되지 않는다고 볼 것이다.[211] 또한 형사책임 역시 원칙적으로 이전되지 않는다고 할 것이나,[212] 이미 확정된 벌금형 등은 승계의 대상이 된다(형사소송법 제479조). 그리고, 공정거래법은 공정거래위원회가 공정거래법을 위반한 회사인 사업자의 합병이 이루어지는 경우 당해 회사가 행한 위반행위는 합병후 존속하거나 합병에 의해 설립된 회사가 행한 행위로 보아 과징금을 부과·징수할 수 있다는 점을 명시적으로 규정하고 있다(공정거래법 제102조 제2항). 또한, 자본시장법에 의하면 금융위원회는 자본시장법을 위반한 법인이 합병을 하는 경우 그 법인이 행한 위반행위를 합병 후 존속하거나 합병에 의하여 신설된 법인이 행한 행위로 보아 과징금을 부과·징수할 수 있다(같은 법 제430조 제3항).

한편, 소멸회사의 재산 중에서는 관계법령상 그에 대한 권리의 이전을 위해 관계법령에 의한 허가를 받아야 하거나 일정한 자격이 있는 자만 그에 대한 권리를 취득할 수 있는 재산이 있을 수 있는데, 그러한 경우에도 특별한 사정이 없는 한 포괄승계의 법리에 따라 존속회사에게 그러한 재산이 승계될 수 있다고 해석하는 것이 합리적이다. 예컨대, 국토의 계획 및 이용에 관한 법률상 토지거래계약에 관한 허가구역에 있는 토지에 관한 소유권·지상권을 이전하거나 설정하는 계약을 체결하려는 당사자는 공동으로 시장·군수 또는 구청장의 허가를 받아야 하나(부동산 거래신고 등에 관한 법률 제11조), 합병에 따른 포괄승계가 이루어지는 경우에는 당해 법률에 따른 허가 없이 소멸회사의 그러한 권리가 존속

---

211) 다만, 일부 법률들은 합병의 과정에서 존속회사가 소멸회사의 영업허가를 받은 사업자 지위의 승계를 허용하면서 그와 더불어 소멸회사에 대한 사업정지처분과 같은 제재적 처분 효과가 존속회사에게 승계되도록 하는 규정을 두고 있는바(식품위생법 제39조, 제78조, 폐기물관리법 제17조, 석유 및 석유대체연료 사업법 제7조, 제8조 참조), 영업정지명령 등의 제재적 행정처분은 대인적 성질이 강한 것이어서 이론적으로는 승계의 대상에서 제외된다고 볼 수도 있으나 상기와 같이 법률에서 제재처분의 효과가 승계되도록 하는 이유는 소멸회사가 자신에 대한 제재적 처분의 효과를 회피하기 위하여 영업을 존속회사에게 이전하는 경우를 방지하기 위한 것으로 이해된다(손영화, "회사분할과 부정당업자 제재처분의 승계 여부,"「선진상사법률연구」통권 제83호(법무부, 2018. 7.), 50~51면 참조).

212) 이와 관련하여, 대법원 2007.8.23. 2005도4471에서는 소멸회사가 양벌규정에 따라서 부담하던 형사책임은 합병 이후 존속회사에 승계되지 않는다고 판시하였다.

회사에게 이전될 수 있을 것이다(같은 법 제14조 제2항 제3호, 같은 법 시행령 제11조 제3항 제11호 참조). 등기실무상으로도 법인이 다른 법인에 합병된 경우 소멸하는 법인이 소유하고 있는 농지에 대하여 합병으로 인한 소유권이전등기를 신청할 수 있으며, 이 때에는 농지취득자격증명을 첨부할 필요가 없는 것으로 처리되고 있다.[213]

5) 담보관계

소멸회사는 물적 담보 또는 인적 담보와 관련하여 채권자, 주채무자 또는 담보제공자와 일정한 법률관계를 형성하고 그 과정에서 여러 가지 권리와 의무를 가지게 될 수 있다. 합병의 결과 원칙적으로 그러한 권리의무와 연관된 법률관계도 그대로 존속회사에게 포괄적으로 승계된다고 할 것이다. 다만, 이러한 담보관계에 관한 포괄승계의 원칙에 예외가 인정될 수 있는지 여부와 관련하여 몇 가지 논점을 살펴볼 필요가 있다.

우선, 민법 제459조는 "전채무자의 채무에 대한 보증이나 제3자가 제공한 담보는 채무인수로 인하여 소멸한다"고 규정하고 있는데, 이에 따라서 소멸회사와 관련된 채무관계의 승계가 제한되는지 여부가 문제될 수 있다. 그러나, 민법 제459조는 채무 "인수"에 대하여 인정되는 것인데, 동일성을 유지하면서 법률의 규정에 의하여 법적 지위의 포괄승계가 이루어지는 회사합병에 대하여 민법 제459조가 그대로 적용된다고 보기는 어려운 측면이 있다.

다음으로, 근저당권의 채무인인 회사가 합병하는 경우에 있어서 근저당권 관계의 처리와 관련하여, 학설상 ① 당사자 사이에는 물적 신뢰관계가 존재하고, 합병 후의 회사는 재산·신용에 있어서 우월한 것이 보통이며, 채권자는 해지권에 의하여 기본계약관계를 종료시킬 수 있으므로 합병으로 인하여 당사자들 사이의 기존 법률관계에 본질적인 변동을 초래할 필요가 없다는 점에 비추어 원칙적으로 근저당권의 승계가 이루어진다고 보아야 한다고 하면서도 특정근저당이 아닌 포괄근저당 또는 한정근저당의 경우는 승계를 인정하지 않고 피담보채권이 확정되는 것으로 보아야 한다는 견해[214]와 ② 담보제공자와 채무자가 동일인인 경우에는 승계를 긍정하나, 담보제공자가 채무자가 아닌 제3자인 경우 합병 이

---

213) 2005.3.29. 부등3402-156 질의회답.
214) 이영준(편)·이영준(집필), 「주석 물권법(하)」(한국사법행정학회, 1993), 423면.

후 존속회사 또는 신설회사와 담보제공자가 근저당거래의 존속을 합의하여 채무자변경등기를 하면 근저당권이 확정되지 않는 것으로 보되, 그러한 합의와 등기가 있기 전에는 잠정적으로 근저당거래를 할 수 없고 나아가 상당한 기간이 지나도록 그러한 합의와 등기가 없는 때에는, 그 근저당권의 피담보채권이 확정되는 것으로 보아야 한다는 견해[215]가 제기되고 있다. 이와 관련하여, 대법원은 "물상보증인이 설정한 근저당권의 채무자가 합병으로 소멸하는 경우 물상보증인이 존속회사 또는 신설회사를 위하여 근저당권설정계약을 존속시키는데 동의한 경우에 한하여 합병 후에도 기본계약에 기한 근저당거래를 계속할 수 있고, 합병 후 상당한 기간이 지나도록 그러한 동의가 없는 때에는 합병 당시를 기준으로 근저당권의 피담보채무가 확정된다"고 판시[216]하여 상기 ②의 견해와 같은 입장을 취하고 있다. 그리고, 상기 대법원 판례의 논리를 주채무자인 소멸회사를 위해 근보증을 제공한 보증인의 책임에 대하여서도 그대로 적용할 수 있을 것이라는 견해가 유력하게 제기되고 있다.[217]

합병에 의한 소멸회사의 담보관계 승계와 관련된 상기 사항을 담보관계상 소멸회사의 지위에 따라서 간략히 정리하면 앞의 표와 같다.

담보권	소멸회사의 지위		승계 여부
물적 담보	채권자(담보권자)		채권 및 담보권 승계
	채무자	직접 담보 제공한 경우	피담보채무 및 물상보증인 지위 승계
		물상보증인이 있는 경우	피담보채무의 승계 및 물적 담보의 유지 (근저당의 경우, 판례에 의하면 일정한 경우 물상보증인의 피담보채무 확정)
	물상보증인		물상보증인 지위 승계
인적 담보	채권자(담보권자)		채권 및 담보권 승계
	주채무자		주채무 승계 및 보증채무의 유지 (일정한 경우 근보증인의 피담보채무가 확정된다는 학설 있음)
	보증채무자		보증채무 승계

---

215) 오시정, 「근저당권의 이론과 실무」(육법사, 2004), 184면.
216) 대법원 2010.1.28. 2008다12057.
217) 권기범, 기업구조조정법, 330면.

6) 소멸회사 근로관계의 승계

합병에 의한 권리의무의 포괄적 승계의 효과는 근로관계에 대하여도 적용되는바, 대법원은 "회사의 합병에 의하여 근로관계가 승계되는 경우에는 종전의 근로계약상의 지위가 그대로 포괄적으로 승계되는 것이므로 합병 당시 취업규칙의 개정이나 단체협약의 체결 등을 통하여 합병 후 근로자들의 근로관계의 내용을 단일화하기로 변경 조정하는 새로운 합의가 없는 한 합병 후 존속회사나 신설회사는 소멸회사에 근무하던 근로자에 대한 퇴직금 관계에 관하여 종전과 같은 내용으로 승계하는 것이라고 보아야 한다"고 판시하여[218] 근로관계의 포괄적 승계를 인정하고 있다. 즉, 합병과 관련하여 사전에 소멸회사의 취업규칙을 존속회사의 근로조건과 일치시키기로 근로자와 합의하지 않았다면, 포괄승계의 원칙에 따라 소멸회사의 소속 근로자에 대하여는 합병의 효력이 발생한 이후에도 종래의 취업규칙 등 근로조건이 그대로 적용된다.[219] 그 결과, 합병 이후 존속회사에서는 이원화된 근로조건이 적용될 수도 있을 것이다.[220]

또한, 만일 합병당사회사 모두 사내근로복지기금을 두고 있는 경우에는 합병당사회사의 합병 과정에서 그 사내근로복지기금법인의 합병이 이루어질 수도 있는데, 이처럼 사내근로복지기금법인이 합병을 하는 경우에는 합병 대상인 각 기금법인의 근로자에 대한 합병 후 지원수준 등이 포함된 합병계약서를 작성하여 복지기금협의회의 의결을 거침으로써(근로복지기본법 제72조 제1항, 제2항 참조) 합병 후 근로자별 지원수준이 통일될 수 있을 것이다. 다만, 합병 후 근로자별 지원수준을 통일하는데 시일이 소요될 수 있고 존속회사의 사정에 따라서는 시간을 두고 지원수준을 점진적으로 통일할 필요성도 있는 점 등에 비추어, 근로복지기본법은 합병당사회사의 사내근로복지지금법인은 합병계약서에 포함되는 상기 지원수준을 합병 전 각 기금법인의 근로자별 평균 기금잔액, 합병 후 사업주의 출

---

218) 대법원 1994.3.8. 93다1589.

219) 원칙적으로 소멸회사와 그 노동조합 사이에 체결된 단체협약도 포괄적으로 승계될 것이다 (기영석, "회사합병과 근로조건의 변경," 「노동법률」 2016년 9월호(중앙경제, 2016), 76면 참조).

220) 이처럼 회사합병 이후 근로조건이 이원화되는 경우 만일 취업규칙에 의하여 소멸회사에 소속되었던 근로자들의 근로조건을 불이익하게 변경해 근로조건을 통합하고자 한다면 당해 근로자들의 과반수로 조직된 노동조합이 있는 경우에는 그 노동조합, 그렇지 않은 경우에는 당해 근로자들의 과반수의 동의를 얻어야 할 것이다(근로기준법 제94조 제1항 단서. 기영석, 상계논문, 75~76면.).

연예정액 등을 고려하여 합병 후 3년을 초과하지 아니하는 범위에서 합병 전 기금법인의 근로자별로 달리 정할 수 있도록 규정하고 있다(같은 법 제72조 제3항).

한편, 노동조합은 기업과 독립하여 근로자들이 주체가 되어 설립되는 것이므로 회사합병으로 인하여 소멸회사의 노동조합이 당연히 소멸하거나 조직형태가 변경되는 것은 아니며 원칙적으로 승계되는 근로자와 함께 존속회사 또는 신설회사의 노동조합으로 존속하게 된다.[221] 그런데 흡수합병에 있어서 존속회사에 이미 설립된 노동조합이 있거나 신설합병에 있어서 복수의 소멸회사에 노동조합이 있는 경우, 합병 이후 존속회사 또는 신설회사에 실제 복수의 노동조합이 존재하게 되는 결과가 발생할 수 있다. 복수노조가 허용되지 않았던 과거에는 이러한 결과의 적법성에 관한 논의가 있었으나 노동조합 및 노동관계조정법의 개정으로 복수노조가 허용됨으로써 이제 그러한 논의는 별 의미가 없게 되었다. 이처럼 복수의 노동조합이 병존하는 경우 단체협약의 효력이 미치는 범위는 원칙적으로 그 조합원에 한정되므로 근로자들은 그 소속된 노동조합이 체결한 단체협약에 따라 각각의 근로조건이 결정된다.[222]

7) 권리의무의 이전에 관한 대항요건

합병의 결과 존속회사에게 이전되는 소멸회사의 권리의무의 이전에 대한 대항요건과 관련하여, 당해 권리의무의 상대방과의 관계에서는 그러한 대항요건 — 예컨대, 채권양도시 채권자의 통지나 채무자의 승낙과 같은 채권양도의 대항요건(민법 제450조 제1항) 또는 채무인수시 채권자의 승낙(민법 제454조) — 은 필요하지 않다.

그러나, 합병의 결과 존속회사에게 이전되는 소멸회사의 권리의무 중에서 관계법령상 그 이전을 제3자에게 대항하기 위해서 일정한 요건을 갖추어야 하는 경우[223]가 있을 수 있는데, 그러한 경우에 있어서 필요에 따라 존속회사의 입장에서 대항요건을 갖출 수 있도록 유의해야 할 것이다. 이와 관련하여, 지명채권의 제3자에 대한 대항요건은 양도와 같은 특정승계의 경우에 대하여서만 적용되

---

221) 임재우·기영석, "M&A와 근로관계," 『회사법연구(M&A 실무)』(사법연수원, 2011), 191면.
222) 대법원 2004.5.14. 2002다23185.
223) 이러한 사례로는 상호양도(제25조 제2항), 기명주식(제337조 제1항), 기명사채(제479조), 선박소유권(제743조) 또는 지명채권의 제3자에 대한 대항요건(민법 제450조 제2항) 등을 들 수 있다.

회사의 합병(金秉台·노혁준) 517

므로 합병에 의한 채권의 포괄승계에 있어서는 그러한 대항요건이 필요하지 않다는 견해[224]와 합병의 경우에도 그러한 대항요건이 필요하다는 견해[225]가 대립하고 있다.

8) 정보보호 관련 법령상 조치

개인정보 보호법 등 여러 유형의 개인정보의 이용과 보호에 관한 사항을 규제하는 법령들은 규제의 대상이 되는 유형의 개인정보가 합병에 의하여 소멸회사로부터 존속회사에게 포괄적으로 이전되는 경우 정보주체가 그에 대하여 인식할 수 있도록 합병당사회사에게 일정한 통지의무를 부과하고 있다(개인정보 보호법 제27조, 같은 법 시행령 제29조, 신용정보의 이용 및 보호에 관한 법률 제32조 제7항, 같은 법 시행령 제28조 제12항, 별표2의2, 위치정보의 보호 및 이용 등에 관한 법률 제22조, 같은 법 시행령 제26조).

나아가, 합병으로 개인신용정보를 타인에게 제공하는 신용정보제공·이용자로서 은행법에 따라 설립된 은행, 금융지주회사법에 따른 금융지주회사 등은 개인신용정보의 범위, 제공받는 자의 신용정보 관리·보호 체계에 관하여 금융위원회의 승인을 받아야 한다(신용정보의 이용 및 보호에 관한 법률 제32조 제8항, 같은 법 시행령 제28조 제13항, 제14항, 같은 법 제5조 제1항). 상기 사항을 표로 간략히 정리하면 다음과 같다.

	개인정보 보호법	신용정보의 이용 및 보호에 관한 법률	위치정보의 보호 및 이용 등에 관한 법률
통지 주체	주위적: 개인정보처리자(개인정보를 이전하는 자) 예비적: 개인정보를 이전 받는 자	개인신용정보를 제공하는 자 또는 이를 제공받은 자	위치정보사업자로부터 그 권리와 의무를 이전 받은 자
통지 시기	개인정보를 이전하려는 자: 사전 개인정보를 이전받은 자: 사후	개인신용정보를 제공하기 전까지(불가피한 사유가 있는 경우 사후 공시 가능)	제공일 기준 30일 이내

---

224) 정동윤, 전게서, 960면; 정찬형, 전게서, 522면; 최기원, 전게서, 1122면.
225) 권기범, 기업구조조정법, 332면.

통지 사항	① 개인정보 이전 사실 ② 개인정보를 이전 받는 자의 성명(법인명), 주소, 연락처 ③ 정보주체가 개인정보의 이전을 원하지 아니하는 경우의 조치 방법 및 절차	① 개인신용정보 제공 사실 ② 개인신용정보 제공 이유	① 사업의 전부 또는 일부의 양도 등의 사실 ② 위치정보사업자등의 권리와 의무를 승계한 자의 성명, 주소, 전화번호 그 밖의 연락처 ③ 개인위치정보주체의 권리 및 의무에 관한 사항 ④ 개인위치정보의 보호를 위한 관리적·기술적 조치에 관한 사항
통지 방법	주위적: 서면, 전자우편, 팩스, 전화, 문자전송 또는 이에 상당하는 방법 예비적: 인터넷 홈페이지 30일 이상 게재(개인정보를 이전하려는 자가 인터넷 홈페이지에 게재할 수 없는 정당한 사유가 있는 경우에는 사업장등의 보기 쉬운 장소에 30일 이상 게시하거나 사업장등이 있는 시·도 이상의 지역을 주된 보급지역으로 하는 「신문 등의 진흥에 관한 법률」 제2조제1호가목·다목 또는 같은 조 제2호에 따른 일반일간신문·일반주간신문 또는 인터넷신문에 싣는 방법)	일반적인 경우: 서면, 전화, 문자메시지, 전자우편, 팩스 그 밖에 이와 유사한 방법 고의 또는 과실 없이 신용정보주체의 연락처 등을 알 수 없는 경우: 인터넷 홈페이지 또는 인터넷신문 등에 게재, 사무실·점포 등에 서의 열람 은행 등은 합병으로 제공하는 개인신용정보의 범위 및 정보를 제공받는 자의 신용정보 관리·보호체계에 관하여 금융위원회의 승인을 받아야 함.	주위적: (i) 서면 또는 전자우편으로 통지하고 (ii) 인터넷 홈페이지에 30일 이상 게시 예비적: 둘 이상의 전국구 일반일간신문에 1회 이상 공고

9) 계약상 제한

합병당사회사가 제3자와 체결한 각종 개별 계약에서 계약상 권리의무를 양도하거나 이전하는 것에 대하여 상대방 당사자의 동의를 받도록 하거나 계약의 해제(해지) 또는 기한이익 상실 등의 사유로 규정하는 사례들이 있다. 이러한 사례들의 경우, 당해 계약에서 단지 일반적으로 계약상 권리의무의 승계를 제한하고 있는 경우에는 대체로 일신전속적 계약과 같이 당해 계약의 내용과 성격상 승계가 곤란하게 되는 것이 아닌 한 당해 계약은 합병의 결과 존속회사에 포괄승계된다고 해석하는 것이 합병제도의 취지에 맞는다고 본다. 그러나, 당해 계약에서 명시적으로 회사합병 또는 그에 준하는 사유가 발생하는 경우 계약상 권리의무의 승계가 제한되는 것으로 규정하고 있는 경우에는 원칙적으로 당사자들의 의사가 합병에 의한 포괄승계의 법리에 우선하는 것으로 보아 당해 계약의 당사자인 합병당사회사는 그러한 제한을 준수해야 할 의무가 있는 것으로 해석된다. 따라서, 합병에 따른 예상하지 못한 계약관계의 종료 등의 불이익을 예방하는 차원에서 합병당사회사는 제3자와 체결한 개별 계약상 권리의무의 승계가 제한되는지 여부를 신중히 점검하고 그 내용에 따라서 필요한 대응조치를 취해야 할 것이다.

또한, 합병당사회사가 제3자와 체결한 각종 개별 계약에서 합병당사회사에 대하여 합병절차가 진행되는 경우 계약 상대방에게 사전 또는 사후에 서면 등을 통하여 통지하도록 하거나 사전협의를 하도록 하는 의무를 부과하는 사례들도 있다. 이러한 경우 합병당사회사는 합병을 추진하는 과정에서 당해 계약상 부과된 의무의 이행을 간과하지 않고 충실히 이행할 수 있도록 유의할 필요가 있을 것이다.

다. 원활한 인수 후 통합을 위한 조치

합병에 따른 조직재편의 목적을 효율적으로 달성하고 합병에 의한 시너지 효과를 제고하기 위해서는 합병당사회사의 구성요소들 사이에서 원활한 통합이 이루어지는 것이 필수적이라고 할 수 있다. 최근에는 회사의 경영권 이전 또는 조직재편이 이루어진 다음 기업가치를 극대화하기 위한 소위 인수후 통합(Post-Merger Integration)의 중요성이 더욱 강조되는 추세이다.

합병 이후 합병당사회사 사이의 원활한 통합을 위해서는 존속회사와 소멸회사 사이에서 소멸회사의 업무와 권리의무 전반에 대한 신속하고 효율적인 인수인계가 이루어져야 할 것이다. 이러한 관점에서, 합병당사회사는 미리 인수인계되는 일체의 재산관계, 권리의무관계, 계약관계, 세무·회계관계, 인사·노무관계, 인·허가관계, 거래처관계, 전산망 등 합병당사회사의 업무전반에 관한 사항을 상세히 파악하여 이에 대한 인수인계서를 작성하고, 아울러 합리적으로 필요한 범위 내에서 인수인계서의 부속서류(예컨대, 재무상태표, 손익계산서, 기타 계산서류, 각종 계약서, 취업규칙 등 노무관련 협약서, 인·허가서, 거래처현황, 채권자현황,

채무자현황 등)를 작성하여 교부·수령하는 것이 바람직하다.

5. 합병의 유지 및 무효

가. 개 관

상법은 합병의 과정에서 문제가 있었다고 하여도 합병등기가 경료되어 일단 합병의 효력이 발생한 이후에는 거래의 안전을 고려하여 합병무효의 소에 의해서만 합병의 무효를 다툴 수 있도록 하면서 합병무효의 소를 통하여 그 효력이 부정되지 않는 한 당해 합병이 유효하게 존속되도록 하고 있다(제529조). 이에, 합병의 추진에 대하여 문제를 제기하는 합병당사회사의 주주를 포함한 이해관계자들의 입장에서는 합병등기가 경료되기 전에 합병을 중지시키기 위한 조치를 취할 필요가 발생할 수 있다. 아래에서는 그러한 이해관계자들이 합병을 무위로 돌리기 위해 합병등기의 경료 이전과 이후에 취할 수 있는 법적 조치에 관하여 살펴보기로 한다.

나. 합병등기 경료 전 취할 수 있는 조치

1) 합병절차의 유지 청구

이사가 법령 또는 정관에 위반한 행위를 하고 이로 인하여 회사에 회복할 수 없는 손해가 생길 염려가 있는 경우에는 감사 또는 발행주식의 총수의 100분의 1 이상에 해당하는 주식을 가진 주주는 회사를 위하여 이사에 대하여 그 행위를 유지할 것을 청구할 수 있다(제402조). 이와 관련하여 이사회에서 불공정한 합병비율에 의한 합병계약을 승인하고 대표이사가 합병계약을 체결하거나 합병계약의 승인을 위한 주주총회를 소집하는 행위 또는 합병등기를 신청하는 행위가 제402조에서 말하는 법령 또는 정관에 위반하는 행위로 인하여 회사에 회복할 수 없는 손해가 생길 염려가 있는 경우에 해당하는지 여부가 문제된다. 현재이에 대한 대법원 판례는 존재하지 아니하고, 하급심 판례 중에서 이를 부정한 사례[226]와 그러한 청구를 기각한 사례[227]를 찾아볼 수 있다.

---

226) 서울민사지방법원 1987.9.9. 자 87카37879. 이 판례는 "가사 신청인 주장과 같이 호남에 칠렌과 대림산업의 1주당 순자산가치가 1.52:1로 차이가 있다 하더라도 두 회사의 주식을 1:1의 합병비율에 의하여 합병하는 것을 가리켜 호남에칠렌에 회복할 수 없는 손해를 가

생각건대, 일반적인 경우 합병비율이 불공정하여 주주가 손해를 입을 우려가 있다는 사실만을 근거로 위 제402조의 이사의 법령 또는 정관에 위반한 행위로 인하여 회사에 회복할 수 없는 손해가 생길 염려가 있는 경우에 해당하는 것으로 보기는 쉽지 않은 측면이 있다고 할 것이다.[228][229] 따라서, 특별한 사정이 없는 한 합병비율의 불공정성만을 이유로 존속회사의 이사에 대하여 합병절차의 유지청구를 하는 경우 그것이 실제 법원에서 인용될 가능성은 그리 높지 않을 것으로 판단된다.

2) 합병승인을 위한 주주총회 개최금지 가처분

주주총회의 절차 및 안건의 내용에 중대한 하자가 존재하는 경우 실무상 주주총회의 개최금지 가처분이 인정된다. 따라서, 합병당사회사의 소수주주는 이사에 대한 위법행위 유지청구권을 피보전권리로 하여 합병승인을 위한 주주총회의 개최금지 가처분을 신청할 수 있다. 하지만, 당해 가처분이 인용되기 위해서는 합병승인을 위한 주주총회의 소집절차에 중대한 하자가 존재하거나, 명백히 법령이나 정관에 위반되는 안건이 상정되는 등 안건의 내용에 중대한 하자가 존재하여야 한다는 것이 현행 법원실무의 경향인 것으로 보인다.[230]

겨오는 행위라고 보기 어려울 뿐만 아니라 그와 같이 합병비율이 잘못되어 있는 경우에는 회사를 상대로 합병무효를 주장하는 것은 별론으로 하고 이를 이유로 하여 주주 유지청구권을 행사할 수는 없다"고 판시하였다.

227) 지난 2015년 이루어진 삼성물산과 제일모직의 합병 사례에서 삼성물산의 소수주주들이 삼성물산과 그 이사들을 상대로 주주총회 소집통지 및 결의금지 등 가처분을 신청하였는데 이러한 가처분 신청은 모두 하급심 법원에서 기각되었다(서울고등법원 2015.7.16. 2015라20485 참조. 위 하급심 법원의 결정에 관한 더욱 구체적인 내용은 김건식 외 6인, 신체계 회사법, 574~575면 참조).

228) 권기범, 기업구조조정법, 343면에서는 현저하게 불공정한 합병비율로 합병절차를 진행시켜 주주가 손해를 입게 되더라도 이것이 곧바로 '회사에' 손해가 된다고 볼 수는 없다는 점 등을 근거로 합병비율의 불공정성을 이유로 하여 상법 제402조에 터잡은 합병의 유지는 현행법상 거의 불가능하다고 한다.

229) 이에 반하여 천경훈, "계열회사 간 합병과 이사의 의무,"「상사법연구」제36권 제3호(상사법학회, 2017), 294~297면에서는 후술하는 바와 같이 합병의 국면에서 이사는 주주이익을 보호할 신인의무를 부담한다는 전제 아래 상법 제402조의 "회사의 손해" 역시 합병의 국면에서는 그 주주의 손해를 포함한다고 해석함이 타당하다고 하면서 합병비율의 불공정성을 이유로 하는 상법 제402조에 의한 합병의 유지 청구의 가능성을 주장한다.

230) 이는 당해 가처분이 인용되는 경우 소액주주에 의하여 상법에 의한 합병절차의 진행 자체가 원천적으로 봉쇄된다는 점이 고려되었기 때문인 것으로 추정된다. 이철송, 전게서, 117면에서는 회사법률관계의 단체적 특성으로 인해 회사법적 지위에 관한 가처분에 의한 권리구제는 가처분의 가정성, 잠정성을 벗어나지 않는 범위에 그쳐야 하고 후일 본안에 의해 번복이 어려운 권리상태가 창출되지 않도록 유의해야 한다고 한다.

후술하는 바와 같이 합병비율의 불공정성이 합병무효의 원인이 될 수 있다면 상기 가처분의 신청 원인이 될 수도 있을 것으로 사료된다. 그러나, 합병비율의 불공정성에 대한 의문만으로 주주총회에서 상정될 합병승인 안건 자체가 명백히 법령이나 정관에 위반된다고 단정하기는 어려우며 현실적으로 긴급성을 요하는 가처분 사안에서 짧은 기간 동안 합병비율의 공정성 유무에 대한 결론을 내리기는 쉽지 않으므로, 결국 합병당사회사의 주주가 합병비율이 불공정함을 이유로 합병승인을 위한 주주총회의 개최금지 가처분을 신청하는 경우 합병비율의 현저한 불공정성이 객관적으로 명백한 것과 같은 사정이 없는 이상 그러한 가처분신청이 법원에 의하여 받아들여질 가능성은 높지 않을 것으로 판단된다.[231]

3) 합병승인결의에 관한 소

합병승인을 위한 주주총회결의에 하자가 존재하는 경우 합병당사회사의 주주는 합병승인결의에 대하여 결의취소의 소(제376조), 결의무효 확인의 소 또는 결의부존재 확인의 소(제380조)를 제기할 수 있을 것이다. 다만, 합병등기가 경료된 이후에는 합병승인결의의 하자를 다툴 수는 없고 오로지 합병무효의 소만 제기할 수 있다.[232] 그런데, 합병비율의 불공정이 주주총회의 결의취소사유인 결의절차상의 하자 또는 주주총회의 결의무효 확인사유인 결의의 내용이 법령에 위반되는 때에 해당하는 것으로 보기는 어려울 것으로 보인다. 그렇다면, 결국 달리 특별한 사정이 없는 한 합병비율의 불공정만을 근거로 상법 제376조에 따른 결의취소의 소를 제기하거나 제380조의 결의무효 확인의 소를 제기하기는 어려울 것으로 생각된다.

4) 합병신주 발행금지 가처분

회사가 법령 또는 정관에 위반하거나 현저하게 불공정한 방법에 의하여 주식을 발행함으로써 주주가 불이익을 받을 염려가 있는 경우에는 그 주주는 회사에

---

231) 최근 하나은행과 한국외환은행의 합병 사례에서 한국외환은행 노조가 한국외환은행의 합병주주총회 개최, 하나금융지주의 합병승인안 찬성, 한국외환은행의 금융위원회에 대한 합병 본인가 신청 등의 금지를 구하는 가처분을 신청하였는데, 이에 대하여 하급심 법원은 가처분의 효력기간을 명시한 가처분 명령을 내린 다음 가처분 이의절차를 통해 가처분명령의 타당성을 추후 다시 판단하는 방식으로 처리하였다(서울고등법원 2015.2.4. 2015카합80051 및 서울고등법원 2015.6.26. 2015카합80051 참조. 위 하급심 법원의 결정에 관한 더욱 구체적인 내용은 김건식 외 6인, 신체계 회사법, 574면 참조).

232) 대법원 1993.5.27. 92누14908.

대하여 그 신주발행을 유지할 것을 청구할 수 있다(제424조). 이와 관련하여, 존속회사의 주주가 합병비율이 불공정함을 이유로 위 상법 규정에 의해 합병신주의 발행금지 가처분을 신청하는 것이 가능한지 여부가 문제될 수 있다. 이는 위 상법 규정의 신주발행에 합병신주의 발행과 같은 경우도 포함되는지 여부와 연관되는 사항이라고 할 것이다. 이와 관련하여, 제424조가 특별히 존속회사가 소멸회사의 주주에게 합병대가로서 제공하는 합병신주의 발행을 그 적용범위에서 배제하고 있지 않을 뿐만 아니라 잘못된 합병비율의 산정 역시 현저한 불공정에 해당할 수 있는 이상 신주발행유지 또는 이에 터잡은 가처분을 청구할 수 있다는 견해가 가능하다.[233] 반면, 제424조는 통상적인 신주발행에 대하여서만 적용되는 것이고 거래의 안전이 더욱 중시되는 합병에 유추적용할 수 없다는 반론이 제기될 여지도 있을 것이다.

다. 합병등기 경료 후 취할 수 있는 조치(합병무효의 소)

1) 제소권자

합병등기가 경료된 경우, 합병당사회사[234]의 주주[235]·이사·감사·청산인·파산관재인 또는 합병을 승인하지 아니한 채권자[236]는 합병등기가 경료된 날로부터 6월내에 소로써만 합병무효를 주장할 수 있다(제529조).[237] 다만, 공정

---

233) 권기범, 기업구조조정법, 344면에서는 이론적으로 제424조에 의하여 합병신주의 발행을 중지하는 것을 긍정하더라도 회사가 이를 무시하고 합병승인결의를 거쳐 합병등기를 강행한 경우에는 결국 합병무효의 소로 다툴 수밖에 없는 맹점이 있어서 현실적으로는 거의 실익이 없을 것이라고 한다.

234) 이는 소멸회사를 포함한 합병의 모든 당사회사를 의미한다고 보는 것이 통설의 입장이다 (정동윤 외 집필대표, 전게서, 412면).

235) 삼각합병의 경우 모회사의 주주가 합병무효의 소를 제기할 수 있는지 여부와 관련하여, 현행 규정의 문언상 부정적인 견해(임재연, 전게서, 742면)와 상법 제529조의 적용이나 유추적용을 근거로(윤영신, 전게 "삼각합병제도 도입과 활용상의 법률문제," 44면) 또는 자회사에 현저하게 불공정한 삼각합병의 경우(황현영, "상법상 교부금합병과 삼각합병의 개선방안 연구,"「상사판례연구」제25집 제4권(한국상사판례학회, 2012), 261면)에 모회사의 주주에게 합병무효의 소의 원고적격을 인정하는 견해가 제기되고 있다.

236) 이의를 제기한 채권자라고 하여도 변제나 담보제공을 받는 등 합병당사회사로부터 적절한 보호조치를 제공받은 채권자는 원고적격이 인정되지 않거나(임재연, 상게서, 742면) 소의 이익이 없다(권기범, 현대회사법론, 171면 참조)고 보아야 할 것이다.

237) 이러한 원고적격이 제소 당시를 기준으로 있어야 하는 것인지 여부와 관련하여, 그러한 시간적 제한을 두지 말아야 한다는 견해가 유력하다(권기범, 상게서, 181면). 이러한 견해에 의하면 소멸회사의 주주, 이사, 감사가 합병 이후 존속회사에서 동일한 지위를 보유하고 있지 못하더라도 합병무효의 소를 제기할 수 있을 것이다. 그 밖에 합병무효의 소의

거래법에 위반한 합병무효의 소는 공정거래위원회도 제기할 수 있다(공정거래법 제14조 제2항).

합병무효의 소에 있어서 피고는 존속회사(흡수합병의 경우) 또는 신설회사(신설합병의 경우)가 될 것이다.

2) 합병무효의 사유

합병무효의 사유가 무엇이냐에 관하여는 상법에서 아무런 규정을 두고 있지 않으며, 이는 결국 판례와 학설에 의하여 그 세부내역이 결정되어야 할 것이다. 통상적으로 제시되는 합병무효의 사유로서는 합병에 관한 상법의 제한규정을 위반한 때, 합병계약에 상법이 규정하는 필수적 기재사항 중에서 주요한 사항이 누락되어 있는 경우, 공정거래법에 위반하거나 관계법령에서 요구하는 합병에 대한 감독당국의 인·허가를 얻지 못한 상태에서 합병이 이루어진 경우, 채권자 보호절차를 거치지 않았거나 또는 종류주주총회의 승인을 받지 못한 경우, 합병 등기의 무효 등이 있다.[238]

그런데, 합병비율의 불공정성을 이유로 각 회사의 주주 등이 합병무효의 소를 제기할 수 있는지 여부가 문제된다. 이와 관련하여, 대법원은 "흡수합병시 존속회사가 발행하는 합병신주를 소멸회사의 주주에게 배정·교부함에 있어서 적용할 합병비율을 정하는 것은 합병계약의 가장 중요한 내용이고, 그 합병비율은 합병할 각 회사의 재산상태와 그에 따른 주식의 실제적 가치에 비추어 공정하게 정함이 원칙이며, 만일 그 비율이 합병할 각 회사의 일방에게 불리하게 정해진 경우에는 그 회사의 주주가 합병 전 회사의 재산에 대하여 가지고 있던 지분비율을 합병 후에 유지할 수 없게 됨으로써 실질적으로 주식의 일부를 상실하게 되는 결과를 초래하므로, 현저하게 불공정한 합병비율을 정한 합병계약은 사법관계를 지배하는 신의성실의 원칙이나 공평의 원칙 등에 비추어 무효이고, 따라서 합병비율이 현저하게 불공정한 경우 합병할 각 회사의 주주 등은 소로써 합병의 무효를 구할 수 있다"라고 판시하였다.[239][240] 다만, 대법원은 "합병비율

당사자적격에 관한 상세한 논의는 노혁준·강동욱·이완근,「회사소송제도의 개선을 위한 연구」(2012년도 법무부 연구용역 과제보고서, 2012), 90면 이하 참조(www.prism.go.kr 에서 다운로드 가능).

238) 합병당사회사가 반대주주의 주식매수청구권 행사를 위한 절차를 진행하지 않은 것이 합병 무효의 사유에 해당하는지 여부에 관하여는 이를 긍정하는 견해(임재연, 전게서, 224면; 최기원, 전게서, 1124면)와 부정하는 견해(정찬형, 전게서, 518면)가 대립하고 있다.

은 자산가치 이외에 시장가치, 수익가치, 상대가치 등의 다양한 요소를 고려하여 결정되어야 할 것인 만큼 엄밀한 객관적 정확성에 기하여 유일한 수치로 확정할 수 없고, 그 제반요소의 고려가 합리적인 범위 내에서 이루어진 것이라면 결정된 합병비율이 현저하게 부당하다고 할 수 없다"고 판시하였다.[241] 따라서, 위 대법원 판례의 취지에 따르면 합병비율의 적정성에 대한 외부평가기관의 충실한 평가를 거친 경우에는 합병당사회사의 이해관계자들이 합병비율이 현저하게 불공정함을 이유로 합병무효의 소를 제기하더라도 달리 특별한 사정이 없는 한 그것이 실제 법원에 의하여 인용될 가능성은 비교적 낮을 것이다.

또한, 현금교부합병 제도가 소수주주 축출의 기능을 할 수도 있다는 점에서 만일 합리적인 사업목적을 위한 것이 아니라 오로지 소수주주의 축출만을 목적으로 현금교부합병이 이루어지는 경우 그것이 합병무효의 사유가 될 수 있는지 여부가 문제될 수 있다. 이와 관련하여 아직 우리나라에서는 활발한 논의가 이루어지지 않고 있으나, 일본에서는 합병제도의 남용 등을 이유로 위와 같은 경우가 합병무효사유에 해당한다는 견해가 다수설인 것으로 보인다.[242]

3) 합병무효 판결의 효력

합병무효의 판결은 제3자에 대하여서도 효력을 미치게 되나,[243] 소급효는 인정되지 않는다(제530조 제2항, 제240조, 제190조). 따라서, 합병등기 이후 합병무

---

239) 대법원 2009.4.23. 2005다22701, 22718; 2008.1.10. 2007다64136 등 참조.

240) 학설상으로는 이러한 대법원 판례의 입장을 지지하는 견해가 다수설(권기범, 기업구조조정법, 351면; 이철송, 전게서, 1121면; 최준선, 전게서, 760면)이다. 반면, 이론적인 관점에서 위 대법원 판례는 설득력이 낮다고 지적하는 견해도 보인다. 이 견해는 (i) 합병이 주주총회 특별결의에 의한 승인을 얻었다면 대부분의 주주는 합병 자체 및 합병비율에 찬성하였다는 것인데, 이 경우 일부 주주가 합병비율에 불만을 가지고 있다는 이유로 법원이 개입하여 합병을 무효로 만드는 것은, 설사 그 합병비율이 법원이 판단하기에 불공정한 경우라 하더라도 전체 주주의 이익에 부합하지 않을 가능성이 있다는 점 및 (ii) 합병비율의 불공정은 합병신주 발행의 관점에서 본다면 신주를 현저하게 저가로 제3자에게 배정하는 것과 같은 효과를 가지는데, 신주발행의 무효원인은 거래의 안전을 고려하더라도 도저히 묵과할 수 없을 정도의 하자가 있는 경우에만 인정하는 것이 판례의 태도이므로 발행가액의 불공정은 설사 그 정도가 현저한 경우라도 신주발행의 무효원인이라고 하기 어려움에도 불구하고, 거래의 안전이 더 중시될 수밖에 없는 합병에서 신주의 발행가액의 불공정을 이유로 합병이 무효가 될 수 있다고 하는 것은 균형에 맞지 않는다는 점을 비판의 근거로 제시하고 있다(송옥렬, 전게서, 1241면).

241) 대법원 2009.4.23. 2005다22701, 22718; 2008.1.10. 2007다64136 등 참조.

242) 森本滋 編, 前揭書, 125面.

243) 이러한 대세적 효력은 법원에서 합병무효의 판결이 확정되는 경우 합병무효 등기의 경료 여부를 불문하고 발생한다(대법원 2016.6.23. 2015다52190).

효의 판결이 확정되기 이전에 존속회사(흡수합병의 경우) 또는 신설회사(신설합병의 경우)와 그 주주 등의 이해관계자 및 제3자 사이에서 형성된 권리의무관계는 합병무효의 판결에 의하여 영향을 받지 않고 그대로 유지된다.

합병이 무효로 되는 경우 소멸회사의 이사와 감사 등 등기임원의 지위가 당연히 회복되는 것인지 문제될 수 있는데, 이에 관하여는 합병무효 판결이 확정되기까지 상당한 시간이 소요되고 소멸회사의 등기임원의 신상에 대하여도 많은 변화가 있을 것이므로 소멸회사가 새로 등기임원을 선임할 때까지 존속회사의 기존 등기임원이 그 직무를 수행해야 한다는 견해가 있다.[244]

4) 합병등기 이전 제기된 합병승인 결의의 효력을 다투는 소와의 관계

합병무효의 소는 합병등기에 의해 합병의 효력이 발생한 이후 제기되는 것이므로, 만일 합병등기 이전에 합병을 승인한 주주총회의 결의의 효력을 다투는 소가 제기되어 계속된 상태에서 합병등기가 경료된 경우에는 이를 합병무효의 소의 제소기간 이내에 합병무효의 소로 변경함으로써 합병의 효력을 다툴 수 있을 것이다.[245] 만약 합병의 무효를 주장하는 이유가 주주총회 결의의 하자인데, 주주총회 결의일 이후 2개월이 도과하여 주주총회 결의취소의 소를 제기할 수 없게 된 경우에도(상법 제376조 제1항) 아직 합병등기 후 6개월 이내라면 주주총회의 절차적 문제점을 들어 합병무효의 소를 제기할 수 있는가? 주주총회 결의일 후 2개월이 도과함으로써 해당 주주총회 결의의 취소사유가 절대적으로 치유되는지의 문제라고도 할 수 있다. 합병을 다투는 주주 등의 이익을 고려할 때 합병무효의 소를 제기할 수 있다고 볼 것이다. 판례도 후술하듯 분할합병에 관하여 이와 같은 입장을 취하고 있는 것으로 보인다.[246]

---

244) 권기범, 현대회사법론, 184면; 정동윤 외 집필대표, 전게서, 414면.
245) 권기범, 상게서, 184면; 임재연, 전게서, 746면.
246) 김상곤·이승환, "분할관련소송," 「BFL」 제55호(서울대 금융법센터, 2012), 35면; 대법원 2010.7.22. 선고 2008다37193 판결 및 그 하급심 판결 참조.

6. 기타 고려사항

가. 합병 관련 이사의 주의의무

1) 합병 관련 이사의 주의의무의 범위

일반적으로 합병은 기업의 사업재편과 구조조정을 위한 중대한 조직변경 행위이므로, 합병당사회사의 경영진은 그 효과와 비용 및 득실에 대하여 정밀한 분석과 프로젝션을 거쳐 신중하게 합병을 실행해야 할 것이다. 즉, 합병을 결정하고 추진하는 과정에서 합병당사회사의 이사들은 선량한 관리자의 주의의무를 다해야 할 것인바, 이를 위해서는 이사들이 합리적으로 이용 가능한 범위 내에서 필요한 정보를 충분히 수집·조사하고 검토하는 절차를 거친 다음 이를 근거로 회사의 최대이익에 부합한다고 합리적으로 신뢰하고 신의성실에 따라 합병을 결정하고, 그 내용이 객관적으로 현저히 불합리하지 않을 정도로 상당성을 갖추어야 할 것이다. 예컨대, 합병당사회사 사이에서 아무런 연관성이 없어서 합병의 결과 전혀 시너지 효과를 거둘 수 없고 오히려 부정적 효과가 발생할 것으로 예상되는 합병임이 명백한 경우 또는 신중한 검토와 준비 없이 무리하게 합병을 추진한 결과 많은 비용과 회사의 자원을 투입하고도 합병이 무산되는 경우 등에 있어서는 당해 합병을 결정한 이사들에게 주의의무 위반의 문제가 발생할 수 있다.

그런데, 합병에 관한 합병당사회사 이사들의 주의의무와 관련하여 과연 합병비율의 불공정성을 원인으로 이사들의 주의의무 위반이 인정될 수 있는지 여부가 문제될 수 있다. 이러한 문제는 합병계약의 당사자는 합병당사회사로서 그 사이에서 합병이 이루어지게 되나 합병대가는 소멸회사의 주주에게 제공되는 것이므로, 합병비율이 불합리하고 공정하지 못하여 존속회사 주주들에게 불이익이 발생한다고 하여도 이는 어디까지나 존속회사의 주주들로부터 소멸회사의 주주에게 경제적 가치가 이전되는 것일 뿐 존속회사 자체에 대하여 손해가 발생한다고 보기는 어려운 것이 아니냐는 의문에서 비롯된다고 할 수 있다. 이와 관련하여서는, 합병당사회사의 이사들이 주주보다는 회사에 대하여 주의의무를 부담한다는 전제하에 합병의 본질이 합병당사회사의 법인격이 하나로 통합되는 것(인격합일설)이라고 이해하는 종래의 통설적 견해에 바탕을 두어 합병비율의 불공정성으로 인한 이사들의 주의의무 위반을 부정하는 견해[247][248]와 합병의 의사결정에 참여한 이사들에게 존속회사에 대한 주의의무 위반을 인정하는 견해[249][250][251][252]가 대립되고 있다.

위와 같은 견해의 대립은 2011년 개정상법에 의하여 도입된 현금교부합병의

---

247) 이상훈, "합병의 본질과 선관의무에서의 '손해' – 주주이익론으로의 패러다임 전환을 제안하며," 「법조」 Vol. 644(법조협회, 2010)에서는 이러한 견해에 관하여 언급(181면)하면서 합병과 관련된 이사의 주의의무 전반에 관하여 상론하고 있다.

248) 권기범, 기업구조조정법, 343면에서는 대표이사가 현저하게 불공정한 합병비율로 합병절차를 진행시켜 주주가 손해를 입게 되더라도 이것이 곧 바로 '회사에' 손해가 된다고 볼 수는 없다고 한다. 한편, 일본에서는, 소멸회사 이사들의 책임과 관련하여, 합병비율이 현저하게 불공정하여 소멸회사의 주주에게 손해가 발생하는 경우 소멸회사에는 손해가 발생한 것이 아니므로 소멸회사 이사들의 소멸회사에 대한 주의의무 위반이 성립하지 않는다는 견해(일본 오사카 법원도 같은 취지임)와 그러한 경우에는 소멸회사의 기업가치 일부를 부당하게 존속회사의 주주에게 분배하는 것이 되어 소멸회사에게 손해가 발생한다고 보아 소멸회사 이사들의 주의의무 위반을 인정하는 견해가 대립하고 있다고 한다. 또한, 존속회사 이사들의 책임과 관련하여, 일본의 최고재판소와 유력학설은 합병대가가 존속회사의 주식인 경우 존속회사에 손해가 발생하지 아니하여 존속회사의 주주는 합병비율이 불공정함을 이유로 주주대표소송을 제기할 수 없다는 입장을 취하고 있다고 한다(森本滋 編, 前揭書, 140面).

249) 송옥렬, 전게서, 1242면. 이 견해는 소멸회사 주주에게 유리하게 합병비율이 정해지면 신주를 제3자에게 저가로 발행한 것과 마찬가지 결과가 되는데, 그렇다면 제3자배정 유상증자의 과정에서 신주의 저가발행이 이루어진 경우 회사에 더 많은 증자대금이 납입될 수 있었음을 이유로 회사의 손해를 인정하는 최근 대법원 판례(대법원 2009.5.29. 2007도4949 전원합의체)의 입장에 근거하여 존속회사 주주에게 불리한 합병비율을 정한 것은 단순히 주주의 손해가 아니라 회사의 손해로 인정할 수 있을 것이라고 한다.

250) 곽관훈, "합병시 법인주주의 이사에게 요구되는 주의의무," 「상사법연구」 제35권 제2호(상사법학회, 2016), 245면. 이 견해는 법인으로서의 회사는 의사를 결정함에 있어 주주의 이익을 고려해야 하며 이사는 회사의사를 결정하는 기관이므로 당연히 주주이익을 고려해야 하고 따라서 이사는 합병비율을 산정함에 있어 주주의 이익을 고려해야 할 주의의무를 부담하는 것으로 보아야 한다고 한다.

251) 천경훈, 전게 "계열회사 간 합병과 이사의 의무," 281~282면. 이 견해는 이사의 신인의무의 상대방은 상법상 '회사'로 정하고 있지만, 그 의무의 내용 중에는 주주들의 비례적 이익을 증진하기 위해 노력할 의무가 당연히 포함되어 있다고 볼 수 있으며, 합병으로 회사가 소멸하는 국면에서도 회사에 대한 신인의무가 없어지는 것이 아니라 합병대가를 수취하는 주주의 이익을 보호할 의무로서 존재하고 이것이 이사가 회사의 수임인으로서 부담하는 신인의무의 중요한 내용을 구성하는 것으로 보아야 한다고 한다.

252) 이상훈, "합병비율 불공정 구제수단과 이사의 의무 – 민법 제124조와 대리 법리를 중심으로 –," 「법조」 Vol. 730(법조협회, 2018. 8.), 198~206면. 이 견해는 합병계약의 합병비율 조항에 관해서 이사와 주주들 사이에 대리 및 위임 관계가 성립한다고 보면서 그에 기하여 이사는 주주들을 위하여 합병비율 제고의무 내지 주주의 주식가치 손실 방지의무를 부담한다고 하며, 만일 지배주주가 합병당사회사의 이사를 지배함으로써 자기계약·쌍방대리가 이루어지는 상황이고 이사가 그 지배주주와 특수관계인인 상황에서는 일반주주의 이익을 보호하기 위하여 민법 제124조의 자기계약·쌍방대리 법리가 적용된다고 볼 수 있을 것이라고 한다.

경우에도 동일하게 적용되기는 어려울 것으로 보이는데, 이는 합병대가로 존속
회사의 신주 이외의 재산이 소멸회사의 주주에게 제공되는 경우에는 합병비율의
불공정성으로 인하여 불합리하게 과다한 존속회사 재산의 사외유출이 초래되고
그 결과 존속회사에게 손해가 발생한 것으로 관념화할 여지가 있기 때문이다.
그리고, 합병비율의 불공정성으로 인한 이사들의 주의의무 위반을 인정하는 견
해에 의한다고 하여도, 만일 소멸회사에 대한 실사 및 합병비율의 적정성에 대
한 외부평가기관의 평가를 거친 이후 존속회사의 이사들이 합병비율을 결정하고
합병계약을 체결한 다음 합병에 대한 주주총회의 승인결의가 이루어졌다면, 그
들이 실사의 결과와 외부평가기관의 의견을 무시한 채 현저히 불공정한 합병비
율을 책정하고 합병을 강행하는 등의 별도의 사정이 없는 한 존속회사의 이사들
에게 합병비율의 불공정성을 이유로 이사로서의 주의의무 위반을 인정하기는 쉽
지 않을 것이다.

　　한편, 최근 대법원은 "흡수합병시 존속회사가 발행하는 합병신주를 소멸회사
의 주주에게 배정 · 교부함에 있어서 적용할 합병비율을 정하는 것은 합병계약의
가장 중요한 내용이고, 만일 합병비율이 합병할 각 회사의 일방에게 불리하게
정해진 경우에는 그 회사의 주주가 합병전 회사의 재산에 대하여 가지고 있던
지분비율을 합병 후에 유지할 수 없게 됨으로써 실질적으로 주식의 일부를 상실
하게 되는 결과를 초래하므로, 비상장법인간 흡수합병의 경우 소멸회사의 주주
인 회사의 이사로서는 합병비율이 합병할 각 회사의 재산상태와 그에 따른 주식
의 실제적 가치에 비추어 공정하게 정하였는지를 판단하여 회사가 합병에 동의
할 것인지를 결정하여야 한다"고 판시하여 합병을 결정함에 있어서 적정한 합병
비율을 도출해야 하는 소멸회사의 주주인 회사의 이사들의 주의의무를 인정한
바 있다.[253] 이 판결은 합병당사회사 자체가 아니라 소멸회사의 주주인 회사의
이사의 주의의무에 관한 것으로서 합병비율이 소멸회사에 불리하게 정해지는 경
우에는 불공정한 합병비율에 따른 합병대가의 감소로 당해 회사가 직접 손해를
입게 된다는 점을 고려한 것으로 보인다.[254]

---

253) 대법원 2015.7.23. 2013다62278.
254) 다만, 이 판결은 "비상장법인간 합병의 경우 합병비율의 산정방법에 관하여는 법령에 아
　　무런 규정이 없을 뿐만 아니라 합병비율은 자산가치 이외에 시장가치, 수익가치, 상대가치
　　등의 다양한 요소를 고려하여 결정되어야 하는 만큼 엄밀한 객관적 정확성에 기하여 유일
　　한 수치로 확정할 수 없는 것이므로, 소멸회사의 주주인 회사의 이사가 합병의 목적과 필

2) 합병 관련 이사의 주의의무 위반으로 인한 손해배상책임

합병당사회사 이사들이 합병을 결정하고 추진하는 과정에서 주의의무를 위반한 것으로 인정되는 경우 당해 이사들의 책임이 문제될 것인데, 이와 관련하여 우선 누구에게 어떠한 손해가 발생한 것으로 볼 것인지를 살펴볼 필요가 있다. 합병의 과정에서 불필요한 비용의 과다 지출과 무리한 절차 등으로 인하여 합병당사회사의 재산이 부당하게 유출되고 재정적 손실이 발생하였다면 그에 대하여 합병당사회사 이사들의 회사에 대한 손해배상책임을 인정할 수 있을 것이다. 그러나, 불공정한 합병비율로 인한 손해의 경우에는 과연 그것이 회사의 손해라고 볼 수 있는지,[255] 만일 그것이 회사가 아닌 주주의 손해에 해당한다고 본다면 상법 제401조에 의하여 주주들이 직접 합병당사회사 이사들에게 손해배상책임을 추궁할 수 있을 것인지에 대한 검토가 필요하다. 이러한 논점에 관하여 아직 우리나라의 판례와 학설상 충분한 논의가 이루어지지는 않고 있다. 위와 같은 손해가 회사의 손해라고 보는 관점에서는 주주가 직접 이사를 상대로 상법 제401조의 책임을 추궁하지 못하는 것이 원칙[256]임에도 불구하고, 회사의 손해보전을 통한 주주들의 경제적 이익의 도모가 이루어지기 어려운 소멸회사의 특수한 상황 및 합병 이후 존속회사에는 소멸회사의 주주들과 함께 존속회사의 기존 주주들이 존재한다는 점에 비추어 소멸회사 주주들의 이사들에 대한 직접적인 손해배상청구권을 인정할 필요가 있을 것인지에 대한 신중한 고려가 필요해 보인다. 다른 한편, 만일 위와 같은 손해가 합병당사회사 주주들의 직접손해에 해당한다고 보는 경우에는 상법 제399조에 비하여 엄격한 책임성립 요건을 규정한 상법 제401조를 그대로 적용하는 것이 주주들의 이익을 위해 타당한 것인지 충분히 고려할 필요가 있다고 사료된다. 합병에 관한 주의의무 위반을 근거로 하는 존속회사 이사들과 소멸회사 이사들에 대한 손해배상책임 추궁의 방식과

요성, 합병당사자인 비상장법인간의 관계, 합병 당시 각 비상장법인의 상황, 업종의 특성 및 보편적으로 인정되는 평가방법에 의하여 주가를 평가한 결과 등 합병에 있어서 적정한 합병비율을 도출하기 위한 합당한 정보를 가지고 합병비율의 적정성을 판단하여 합병에 동의할 것인지를 결정하였고, 합병비율이 객관적으로 현저히 불합리하지 아니할 정도로 상당성이 있다면, 이사는 선량한 관리자의 주의의무를 다한 것이다"라고 판시하여, 합병비율의 불공정성에 관한 소멸회사 이사들의 주의의무 위반을 부인하였다.

255) 일본의 하급심 판결은 합병조건의 불공정이 주주의 손해이지 회사의 손해가 아니므로 대표소송을 제기할 수 없다고 판단한 바 있다(大阪地判 平成 12.5.31. 判時1742号 141面).

256) 대법원 2003.10.24. 2003다29661 등 참조.

기준이 반드시 다르게 취급될 필요는 없을 것으로 생각되나, 그러한 방식과 기준을 수립함에 있어서는 기존 제도와의 정합성 및 정책적 관점에서의 고려사항이 충분히 반영되어야 할 것이다.[257][258]

나. 세무상 고려사항

내국법인이 법인세법 제44조 제2항의 요건을 갖추어 합병하거나 내국법인이 발행주식총수 또는 출자총액을 소유하고 있는 다른 법인을 합병하거나 또는 그 다른 법인에 합병되는 등 소위 적격합병요건을 갖추어 합병하는 경우 합병법인, 피합병법인 및 피합병법인의 주주 등에 대하여 각종 조세특례규정(법인세법 제44조, 제44조의3, 제45조, 제16조 제1항 제5호, 법인세법 시행령 제14조 제1항 제1호 나목, 제80조의2, 소득세법 제17조 제2항 제4호, 제5항, 소득세법 시행령 제27조 제1항 제1호 나목, 조세특례제한법 제117조 제1항 제14호 등 참조)이 적용되는데, 이 중 법인세법 제44조 제2항의 적격합병요건에서 최근 기업 구조조정에 따른 고용 안정성을 제고하기 위한 요건이 추가되었다. 이러한 적격합병요건의 내용은 다음과 같다.

---

① 합병등기일 현재 1년 이상 사업을 계속하던 내국법인 사이의 합병일 것. 다만, 다른 법인과 합병하는 것을 유일한 목적으로 하는 법인으로서 자본시장법 시행령 제6조 제4항 제14호에 따른 기업인수목적회사로서 같은 호 각목의 요건을 모두 갖춘 법인의 경우에는 제외함.
② 피합병법인의 주주등이 합병으로 인하여 받은 합병대가의 총합계액 중 합병

---

257) 합병추진의 과정에서 문제되는 합병당사회사 이사들의 주의의무 위반으로 인한 손해와 책임에 대한 논의로서, 김건식, "삼성물산 합병 사례를 통해 본 우리 기업지배구조의 과제 – 법, 제도, 문화," 「BFL」 제74호(서울대 금융법센터, 2015), 85면; 김건식 등 좌담회, "삼성물산 합병의 회사법적 쟁점," 「BFL」 제74호(서울대 금융법센터, 2015), 74~75면; 노혁준, "합병비율의 불공정성과 소수주주 보호: 유기적 제도설계를 향하여," 한국경영법률학회 창립 30주년 기념 특별세미나 발표문(2015), 17~20면; 곽관훈, 전게논문, 249~251면; 천경훈, 전게 "계열회사 간 합병과 이사의 의무," 293~296면, 이승준, "기업집단 내 계열회사간 합병의 배임행위 소고," 「형사정책연구」 제31권 제2호(통권 제122호)(한국형사정책연구원, 2020), 43~64면 참조.
258) 이상훈, "합병비율 불공정에 대한 상법 제399조, 제401조의 적용 가능성–주주는 보호되는가?–," 「증권법연구」 제20권 제3호(삼우사, 2019)에서는 합병비율이 불공정한 경우의 법적 구제수단으로서 상법 제399조와 제401조의 적용을 긍정하는 기존 견해들의 논의를 정리·분석하고 있다.

> 법인이나 합병법인의 모회사의 주식등의 가액이 100분의 80 이상일 것
> ③ 피합병법인의 지배주주등이 합병교부주식등의 가액의 총합계액에 피합병법인 지배주주등의 지분비율을 곱한 가액 이상을 주식으로 교부받을 것
> ④ 피합병법인의 지배주주등이 합병등기일이 속하는 사업연도의 종료일까지 합병으로 교부받은 주식의 50% 미만을 처분할 것
> ⑤ 합병법인이 합병등기일이 속하는 사업연도의 종료일까지 피합병법인으로부터 승계받은 사업을 계속할 것
> ⑥ 합병법인이 합병등기일 1개월 전 당시 피합병법인에 종사하는 근로자(원칙적으로 근로기준법에 따라 근로계약을 체결한 내국인 근로자) 중 80% 이상을 승계하고 합병등기일이 속하는 사업연도의 종료일까지 그 비율을 유지할 것

만일 적격합병요건을 충족하지 못하는 경우 소멸회사에 대하여는 자산양도차익에 대한 법인세 및 보유 자회사 주식에 대한 증권거래세 과세문제 등이 발생할 수 있고, 존속회사에 대하여는 취득하는 부동산 등에 대한 취득세 문제[259] 등이 발생할 수 있으며, 소멸회사의 주주에게는 의제배당에 대한 과세문제가 발생할 수 있다. 그리고, 비록 합병이 이루어질 당시에는 적격합병요건을 충족한 합병이라고 하더라도 다음과 같은 사정이 발생하는 경우에는 법인세법 시행령에 규정된 부득이한 사유에 해당하는 경우를 제외하고는 사후관리요건에 위배되어 존속회사는 자산양도차익 등과 관련하여 법인세를 부담할 수 있다(법인세법 제44조의3 제3항, 법인세법 시행령 제80조의4). 다만, 적격합병요건을 충족하는 합병 중 내국법인이 발행주식총수 또는 출자총액을 소유하고 있는 다른 법인을 합병하거나 그 다른 법인에 합병되는 경우에는 그러한 사후관리요건을 갖출 필요가 없다.

> ① 합병법인이 합병등기일이 속하는 사업연도의 다음 사업연도 개시일로부터 2년 이내에 피합병법인으로부터 승계받은 사업을 폐지하는 경우
> ② 피합병법인의 지배주주등이 합병등기일이 속하는 사업연도의 다음 사업연도

---

259) 합병일 현재 소비성 서비스업을 제외한 사업을 1년 이상 계속하여 영위한 법인간 합병의 경우에는 지방세법에 따른 취득세가 전액 면제된다(지방세특례제한법 제57조의2 제1항, 같은 법 시행령 제28조의2 제1항). 따라서, 적격합병요건 중에서 1년 이상 사업을 계속하던 내국법인 사이의 합병이라는 요건을 충족하는 경우에는 나머지 적격합병요건의 충족 없이도 합병에 따른 취득세의 면제가 이루어질 수 있다.

> 개시일로부터 2년 이내에 합병으로 교부받은 주식의 50% 이상을 처분하는
> 경우
> ③ 합병 후 합병법인 소속 근로자(근로기준법에 따라 근로계약을 체결한 내국인
> 근로자) 수가 합병등기일 1개월 전 당시 피합병법인과 합병법인에 종사하는
> 근로자 수의 합의 80% 미만으로 하락하는 경우

상기와 같은 적격합병요건이 충족되지 못하는 합병의 경우에는 구체적인 개별 사안에 따라서 합병당사회사와 소멸회사의 주주에게 적지 않은 세금부담이 발생할 수 있다. 이처럼 합병당사회사가 합병을 추진함에 있어서 적격합병요건의 충족 여부는 중요한 의미를 가지게 되며, 따라서 합병당사회사의 입장에서는 합병의 실행 시기, 합병대가의 구성과 처분 및 후속 사업재편의 실행 등에 있어서 적격합병요건 및 사후관리요건과 연관될 수 있는 사항에 대하여 신중한 검토가 필요하다고 할 것이다.

다. 기타 법령상 합병절차 관련 특례

전술한 바와 같이 금산법은 은행 등 금산법상 금융기관의 합병에 대하여 일정한 절차적 특례를 인정하고 있는바, 그 외에도 몇몇 특별법에서 상법에 따른 합병 절차에 대한 특례를 인정하고 있으며 아래에서 그에 관하여 간략히 살펴본다.

1) 기업 활력 제고를 위한 특별법상 특례

2016. 8. 13.부터 3년간 한시적으로 적용되는 기업 활력 제고를 위한 특별법(이하 이 절에서 "기업활력법")은 과잉공급 분야의 기업들이 신속하게 사업재편을 할 수 있도록 합병, 분할 등 절차적 요건을 완화하고 있다. 즉, 합병과 분할 등의 사업재편을 추진하는 기업이 사업재편계획을 작성하여 주무부처 장의 승인을 얻은 경우 소액주주나 채권자 보호를 위해 인정되는 수단이 제한되거나 조직재편에 필요한 절차가 간소화될 수 있는바, 그 중 합병에 관한 주요 특례를 살펴보면 아래와 같다.

① 소규모합병 확대(기업활력법 제16조, 같은 법 시행령 제17조): 합병으로 인해 발행하거나 이전하는 신주 또는 자기주식 총수가 발행주식총수의 20%(상법에서는 10%임)를 초과하지 않으면 소규모 합병이 가능하다. 다만 10%(상법에서는

20%임) 주주가 서면으로 반대한 경우에는 주주총회의 승인절차로 되돌아간다.

② 간이합병 확대(기업활력법 제17조): 합병의 존속회사가 소멸회사 발행주식 총수의 80%(상법에서는 90%임) 이상을 보유하고 있으면 간이합병을 실행할 수 있다.

③ 각종 기간단축(기업활력법 제18조): 주주총회일 7일(상법에서는 2주임) 전에 총회소집 통지를 하면 되고, 합병계약서 등 관련서류의 비치기간도 주주총회일 7일(상법에서는 2주임) 전에 시작되며, 주주명부 폐쇄나 기준일 설정에 관하여 2개 이상의 일간신문에 공고한다는 조건하에 폐쇄일 또는 기준일 7일(상법에서는 2주임) 전에 공고하면 충분하도록 하였다.[260]

④ 채권자 보호절차 완화(기업활력법 제19조): 채권자 이의제출 기간을 10일 (상법에서는 1개월. 위 기간의 산정 시 공휴일, 토요일, 근로자의 날은 제외됨) 이상으로 단축하였고, 은행 지급보증, 보험증권 등 제출을 통해 채권자의 손해 없음이 입증된 경우에는 채권자 보호절차가 배제되도록 하였다.

⑤ 주식매수청구 관련 기간조정(기업활력법 제20조): 합병에 반대하는 주주의 주식매수청구는 주주총회 결의일로부터 10일(상법과 자본시장법에서는 20일임) 이내에 이루어져야 하는 반면, 합병당사회사가 주식매수청구권이 행사된 주식을 매수하여야 하는 기간은 비상장법인의 경우 6개월(상법에서는 2개월임) 이내, 상장법인의 경우 3개월(자본시장법에서는 1개월임) 이내로 연장되어 있다.

2) 중소기업 사업전환 촉진에 관한 특별법상 특례

중소기업 사업전환 촉진에 관한 특별법(이하 이 절에서 "중소기업사업전환법") 에서는 사업전환계획을 중소벤처기업부장관에게 제출하여 승인을 받은 기업(이하 "승인기업") 중 주식회사인 비상장회사에게 적용되는 사업전환절차의 원활화 방안 중 하나로서 합병절차의 간소화를 위한 특례를 규정하고 있는데, 그 주요 내용은 아래와 같다.

① 채권자 보호절차 완화(중소기업사업전환법 제18조 제1항): 채권자 이의제출 기간을 10일 이상으로 정할 수 있도록 단축하였다.

② 각종 기간단축(중소기업사업전환법 제18조 제2항, 제3항): 주주총회일 7일

---

260) 다만 같은 조 제4항에 따르면 위 특례기간 산정시 공휴일, 토요일, 근로자의 날은 제외된 다.

전에 총회소집 통지를 하면 되고, 합병계약서 등 관련서류의 공시기간을 주주총회일 7일 전부터 합병을 한 날 이후 1개월이 경과하는 날까지로 단축하였다.

③ 주식매수청구권 관련 절차 조정(중소기업사업전환법 제18조 제4항 내지 제6항): 합병에 반대하는 주주는 주주총회 전에 서면으로 합병에 반대하는 의사를 통지하면서 이와 동시에 자기가 소유하고 있는 주식의 종류와 수를 적어 주식의 매수를 청구하도록 하여 매수청구의 절차를 간소화하였고, 매수청구를 받은 합병당사회사는 주주총회의 결의일부터 2개월 이내에 주식을 매수하도록 하여 주식을 매수하여야 하는 기간을 20일 가량 단축하였다.

④ 간이합병 확대(중소기업사업전환법 제18조의2): 합병의 존속회사가 소멸회사의 의결권 있는 주식의 90% 이상[261]을 보유하는 경우에는 간이합병을 실행할 수 있다.

3) 벤처기업육성에 관한 특별조치법상 특례

벤처기업육성에 관한 특별조치법(이하 "벤처기업법")에 따르면 주식회사인 벤처기업(벤처기업법 제2조의 벤처기업)에 대해서 주식교환, 합병, 신주발행 등의 기업활동과 관련한 특례규정이 적용되도록 정하고 있는데, 그 중 합병, 소규모합병 및 간이합병과 관련한 주요 특례를 살펴보면 아래와 같다.

① 채권자 보호절차 완화(벤처기업법 제15조의3 제1항): 채권자 이의제출 기간을 10일 이상으로 정할 수 있도록 단축하였다.

② 각종 기간단축(벤처기업법 제15조의3 제2항, 제3항): 주주총회일 7일전에 총회소집 통지를 하면 되고, 합병계약서 등 관련서류의 공시기간을 주주총회일 7일전부터 합병을 한 날 이후 1개월이 경과하는 날까지로 단축하였다.

③ 주식매수청구권 관련 절차 조정(벤처기업법 제15조의3 제4항, 제5항): 합병에 반대하는 주주는 주주총회 전에 서면으로 합병에 반대하는 의사를 통지하고 자기가 소유하고 있는 주식의 종류와 수를 적어 주식의 매수를 청구하도록 하여 매수청구의 절차를 간소화하였고, 매수청구를 받은 합병당사회사는 주주총회의 결의일부터 2개월 이내에 주식을 매수하도록 하여 주식을 매수하여야 하는 기간을 20일 가량 단축하였다.

---

261) 상법 제527조의2 제1항은 '발행주식총수'의 90% 이상으로 규정하고 있는바, '의결권 있는 주식'의 90% 이상인 경우에도 간이합병이 가능하도록 한 것이다. 나아가, 후술하듯이 벤처기업법 제15조의10은 이를 '의결권 있는 주식'의 '80%'로까지 확대하였다.

④ 소규모합병 확대(벤처기업법 제15조의9): 합병으로 인해 발행하는 신주의 총수가 발행주식총수의 20%를 초과하지 않으면 소규모 합병이 가능하다.

⑤ 간이합병 확대(벤처기업법 제15조의10): 합병의 존속회사가 소멸회사의 의결권 있는 주식의 80% 이상을 보유하고 있으면 간이합병을 실행할 수 있다.

Ⅳ. 회사의 분할
노혁준*·金秉台**

1. 분할의 개념과 유형

가. 분할의 개념

회사분할이란 한 회사의 재산이 둘 이상으로 나눠지는 것으로서 합병의 반대 현상이라고 할 수 있다. 우리나라 상법은 1998년 12월에 제4장 제11절을 신설하여 주식회사의 분할제도를 도입한 바 있다. 넓은 의미의 회사 분할에는 다양한 형태의 분사(分社)가 포함된다. 예컨대 일부영업이나 보유 주식을 현물출자하여 회사를 신설하는 경우도 넓은 의미에서 회사분할이라 할 수 있다. 한편 2011년 개정상법은 현물배당을 허용하고 있으므로(제462조의4), 이를 활용하여 보유 주식을 주주들에게 분배함으로써 분사의 효과를 달성할 가능성도 있다. 다만 이하에서는 제도화되어 특별한 절차와 효과가 규정되어 있는 제4장 제11절에 따른 회사분할에 초점을 맞추어 검토하기로 한다.

상법상 분할의 법적 성질에 관하여 인격분할설, 현물출자설 등의 견해가 있으나,[1] 재산이 분리되어 포괄적으로 승계되면서 그 대가가 분할회사 또는 분할회사의 주주에게 이전되는 현상을 일관성 있게 설명하기 어렵다. 따라서 회사법상의 특수한 제도로 이해하면 될 것이다. 이에 따라 분할을 개념 정의하면, 분할이란 "분할회사의 적극, 소극재산의 전부 또는 일부가 분리되어 적어도 하나 이상의 신설 또는 기존의 승계회사에 부분적으로 포괄승계되고, 그 대가로 승계회사의 주식이 원칙적으로 분할회사의 주주에게 그리고 예외적으로 분할회사 자

---

* 서울대학교 법학전문대학원 교수, 변호사
** 법무법인(유) 세종 변호사, 미국(뉴욕주) 변호사
1) 법적 성격에 관한 학설의 설명으로는 정동윤 외 집필대표, 전게서, 419면.

신에게 부여되는 회사법상의 행위 내지 제도"가 된다.[2]

나. 분할의 유형

일반적으로 회사 분할은 (i) 상대방이 되는 기존회사(이하 '승계회사')가 존재하는지 여부에 따라 분할합병과 단순분할로 분류되고, (ii) 분리의 대가인 분할신주를 분리시키는 회사(이하 '분할회사') 자체에 교부하는지 여부에 따라 인적분할과 물적분할로 분류된다. 이하 상세하게 검토한다.[3]

1) 분할합병과 단순분할

분할시에 승계회사가 존재하여 분할회사의 일부 부문이 승계회사(또는 승계회사와 분할회사에 의해 새로 설립되는 회사)에 이전되면 분할합병이고, 이러한 승계회사 없이 분할회사가 자체적으로 새로운 회사(이하 '신설회사')를 분사시키면 이는 단순분할이다. 승계회사의 입장에서 볼 때 분할합병은 통상적인 합병과 유사하다. 포괄승계의 대상이 대상회사 전체가 아니라 일부라는 점에서 양적으로 축소되어 있을 뿐이다. 이러한 점을 고려하여 상법은 분할합병에 관하여 합병관련

〈분할합병과 단순분할〉

---

2) 권기범, 기업구조조정법, 373면 참조.
3) 분할당사회사를 표시하는 용어와 관련하여 종래 학자들간 표현이 일치하지 않았는바, 2015년 개정상법은 분할하는 회사를 '분할회사'로, 흡수분할합병의 상대방회사를 '분할승계회사'로 정리하였다. 한편 분할/분할합병 과정에서 새로 설립되는 회사와 관련하여, 단순분할인 경우에는 '단순분할신설회사'로, 분할합병인 경우에는 '분할합병신설회사'로 각 호칭하고 있다. 이 글에서는 논의의 편의상 조문상의 분할승계회사를 '승계회사'로 표시하고, 분할 또는 분할합병을 통해 새로 설립되는 회사를 통칭하여 '신설회사'로 표시하기로 한다.

조항을 많이 준용하고 있다.4)

합병에 흡수합병과 신설합병이 있듯이, 분할합병은 흡수분할합병과 신설분할합병으로 분류할 수 있다. 흡수분할합병이란 승계회사 스스로가 재산을 이전받는 것을 가리킨다. 제530조의6 제1항이 "분할되는 회사의 일부가 다른 회사와 합병하여 그 다른 회사가 존속하는 경우에는 …"이라고 한 것은 흡수분할합병을 의미한다. 신설분할합병은 분할회사의 재산 일부와 승계회사의 재산 전부 또는 일부를 합하여 새로운 회사를 만드는 것을 가리킨다. 제530조의6 제2항이 "분할되는 회사의 일부가 다른 회사 또는 다른 회사의 일부와 분할합병을 하여 회사를 설립하는 경우에는 …"이라고 한 것은 신설분할합병을 지칭한다. 만약 (i) A회사의 영업 일부와 B회사 영업 전부를 합쳐서 새로운 P회사를 만든다면 이는 A회사를 분할회사, B회사를 승계회사로 하는 분할합병이다. (ii) A회사의 영업 일부와 B회사 영업 일부를 합쳐서 새로운 Q회사를 만드는 경우에도 분할합병이다. 이 때 A회사는 분할회사이면서 B회사의 상대방이라는 점에서 '분할합병의 상대방 회사'이다. B회사도 마찬가지이다. (iii) A회사의 영업 전부와 B회사 영업 전부를 합쳐서 새로운 R회사를 만드는 것은 분할합병이 아니라 신설합병일 뿐이다. 신설합병에 비해 흡수합병이 많이 이용되는 것처럼, 분할실무에 있어서도 신설분할합병보다는 흡수분할합병이 널리 활용되고 있다. 이하에서 분할합병이라 하면 특별하게 언급하지 않는 이상 흡수분할합병을 전제로 한다.

나아가 상법은 단순분할과 분할합병을 병용하는 형태도 인정한다(제530조의2 제3항). 예컨대 A회사가 그 재산 중 일부씩, 즉 1/3은 승계회사 B에게 이전하여 분할합병하고, 1/3은 단순분할하여 C회사를 설립하는 것도 가능하다.

2) 인적분할과 물적분할

인적분할의 경우 분할신주가 분할회사의 주주에게 배정되는 반면, 물적분할은 분할회사 자체에 배정된다. 분할합병이 아닌 단순분할을 전제로, 인적분할과 물적분할을 그림으로 나타내면 아래와 같다.

---

4) 제530조의11 제2항에 의하면, 주식매수청구권(제374조 제2항, 제522조의3), 약식의 합병(제527조의2, 3), 채권자 보호절차(제527조의5)가 준용된다.

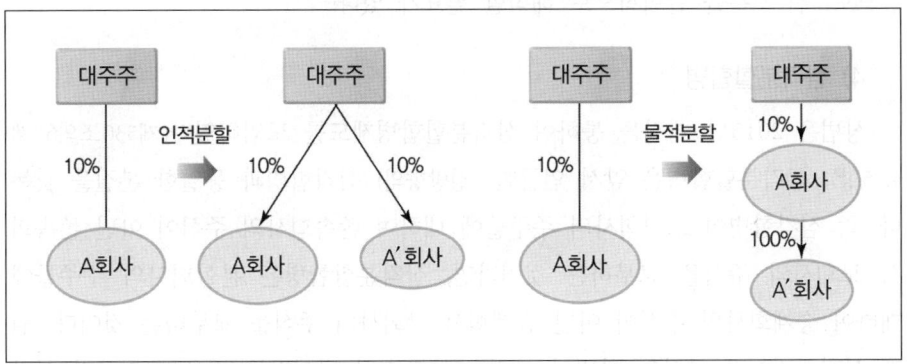

〈인적분할과 물적분할(단순분할인 경우)〉

3) 네 가지 유형의 결합가능성

위 분할합병과 단순분할, 인적분할과 물적분할을 상호 결합시키면 네 가지
형태가 상정 가능하다. (a) 단순분할이면서 인적분할인 경우(제530조의2 제1항
참조), (b) 단순분할이면서 물적분할인 경우(제530조의12 참조), (c) 분할합병이
면서 인적분할인 경우(제530조의2 제2항), (d) 분할합병이면서 물적분할인 경우.
물적분할에 관한 제530조의12는 "… 분할 또는 분할합병으로 인하여 설립되는
회사의 주식의 총수를 취득하는 경우"라고 하여 '회사의 신설이 없는 물적분할'
과 '분할회사가 분할신주 전체를 취득하지 못하는' 물적분할이 허용되지 않는 것
처럼 규정한다. 이에 따르면 (i) 회사의 신설이 없는 물적 분할합병과 (ii) 두 회
사가 각기 일부 사업부문을 출자하여 회사를 신설하고 분할신주를 각기 배정받
는 형태의 물적 분할합병은 허용되지 않는 것처럼 읽힐 수 있다.[5] 그러나 (i)은
상업등기선례[6]에 의하여 명시적으로 인정되고 있고[7] (ii)의 경우도 긍정적으로

---

5) 예컨대 정동윤 외 집필대표, 전게서, 425면은 물적분할은 분할회사가 신설되는 때에만 가능
   하다고 좁게 해석하고 있다.
6) 2003.10.8. 제정 대법원 상업등기선례 1-246(공탁법인 3402-239 질의회답). "갑 회사를
   분할하여 그 일부와 을 회사를 합병하고 갑 회사와 을 회사는 모두 존속하는 흡수분할합병
   을 하면서, 분할된 갑 회사의 일부에 해당하는 출자지분에 관하여 존속하는 갑 회사에게
   주식을 배정, 교부하는 이른바 물적 흡수분할합병의 경우에도 분할합병에 따른 변경등기가
   가능할 것이다."
7) 다만, 물적 흡수분할합병은 법인세법상 과세특례요건을 충족하지 못한다는 것이 과세관청의
   행정해석이고, 그로 인하여 실무상으로는 물적 흡수분할합병 보다는 우선 물적분할로 신설
   회사를 설립한 다음 후속적으로 흡수합병 절차를 거치는 방식으로 물적 흡수분할합병과 같
   은 결과를 얻고 있는 것으로 보인다(황남석, "상법상 물적분할제도의 쟁점 및 입법적 개선

해석하는 것이 일반적이다.[8] 이러한 형태의 물적 분할합병을 금지할 이유가 없
으므로, 위 조문을 탄력적으로 해석할 필요가 있다.

4) 삼각분할합병

상법은 2015년 개정을 통하여 삼각분할합병제도를 도입하였다(제530조의6 제
4, 5항). 삼각분할합병은 앞서 언급한 (정방향의) 삼각합병과 동일한 본질을 갖는
다. 즉 삼각합병이 소멸회사의 주주들에 대하여 존속회사의 주식이 아닌 존속회
사 모회사의 주식을 교부하는 것이라면, 삼각분할합병은 분할회사의 주주들에
대하여 승계회사의 주식이 아닌 승계회사 모회사의 주식을 교부하는 것이다. 원
래 분할합병이란 통상의 합병이 양적으로 축소된 것이라는 점을 고려하면 삼각
합병을 도입한 이상 삼각분할합병을 도입하지 않을 특별한 이유가 없다. 모회사
주식을 활용하여 특정사업을 인수하려는 인수회사의 입장에서 볼 때, 대상회사
의 '전부'를 인수하는 것 뿐 아니라(삼각합병) 대상회사의 '일부'를 인수하는 방식
(삼각분할합병)도 가능하게 되었다는 점에서, 기업인수형태가 다양화되었다고 할
수 있다.

〈삼각분할합병〉

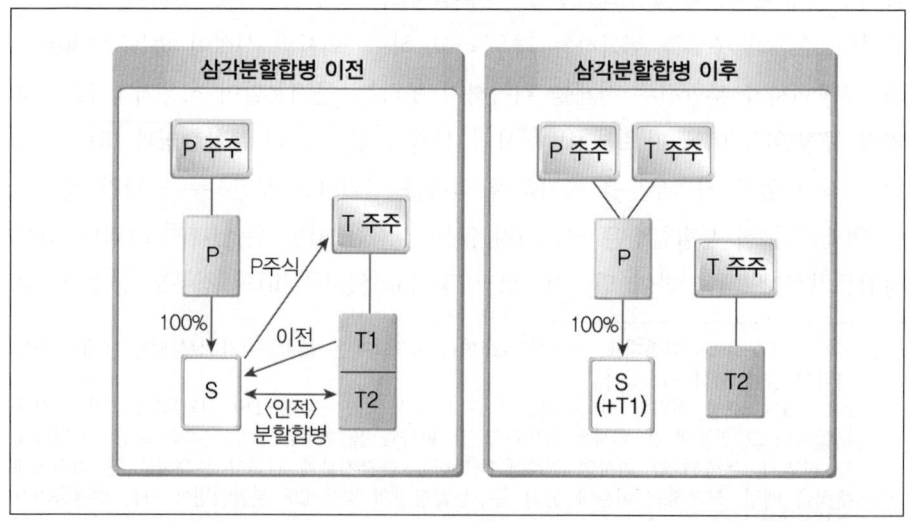

방안," 「상사법연구」 제34권 제4호(한국상사법학회, 2016), 142면 참조).
8) 박태현, "분할의 유형에 따른 법적 쟁점," 「BFL」 제38호(서울대 금융법센터, 2009), 6면 이
   하 참조.

삼각분할합병은 기본적으로 분할합병의 일유형이므로 분할합병에 관한 일반적인 법리가 그대로 적용된다. 다만 분할합병의 대가가 승계회사의 모회사의 주식인바, 이로 인해 발생하는 문제점에 관하여는 앞서 삼각합병에서의 논의가 적용될 것이다. 승계회사가 취득해 둔 그 모회사 주식을 계속 보유하지 못하고 분할합병 등기 후 6개월 이내에는 처분해야 하는 것 역시 삼각합병과 동일하다(제530조의6 제5항).

5) 그 밖의 분류

분할을 소멸분할(완전분할)과 존속분할(불완전분할)로 분류하기도 한다. 소멸분할시 분할회사는 해산되는 반면, 존속분할의 경우에는 분할 후에도 분할회사가 존속한다. 따라서 분할회사가 분할신주를 전부 배정받도록 되어 있는 물적분할시에는 개념적으로 소멸분할이 불가능하다. 이와 같은 분류는 분할 이후에 '분할회사가 어떻게 되는지'에 초점을 맞춘 구분으로서, 단순분할이든 분할합병이든 모두 결합 가능하다. 제530조의2 제1항, 제2항의 표현은 이러한 소멸분할(합병)과 존속분할(합병)을 포괄하는 것으로 이해되고 있으며, 제530조의9 제2항 후단은 연대책임 분리에 관한 것이기는 하지만 "… 분할회사가 분할 후에 존속하는 경우에는 …"이라고 하여 단순분할에 있어서 존속분할을 명시적으로 지칭하고 있다.[9]

단순분할 또는 분할합병을 통해 회사를 설립할 때 분할회사, 승계회사 이외에 제3자를 주주로 참여시킬 수 있을지가 문제된다. 이에 대하여는 합병, 주식이전 등 다른 구조조정행위와의 형평성을 고려하여 불필요하다는 견해도 있으나,[10] 제530조의4 단서는 "… 분할되는 회사의 출자만으로 회사가 설립되는 경우"와 그렇지 않은 경우를 모두 상정하고 있으므로 위 조문의 해석상 제3자의 참여가 허용된다고 할 것이다. 상업등기규칙 제150조 제6호도 이러한 전제 위에서 있다.[11] 편의상 제3자의 참여가 없는 경우를 단독분할설립(또는 단독분할합병

---

9) 분할합병에 있어서는 제530조의9 제3항이 제2항 후단을 준용한다.

10) 정동윤 외 집필대표, 전게서, 442면은 상업등기법령이 납입금보관증명서를 분할등기 첨부서류로 규정하지 않고 있음을 들어 제3자의 참여를 부정적으로 본다.

11) "분할되는 회사의 출자 외에 다른 출자에 의하여 회사를 설립하는 경우에는 제129조 제2호부터 제7호까지, 제12호의 정보". 한편 2003.9.1. 제정 대법원 등기선례 200809-16도 "주식회사를 분할하여 새로운 회사를 설립하는 경우에 분할되는 회사의 출자 이외에 새로운 주주를 모집하여 설립할 수 있다"고 한다.

설립)이라고 하고, 제3자의 참여가 있는 경우를 모집분할설립(또는 모집분할합병
설립)으로 구분하기로 한다.[12]

2. 분할의 주체와 대상

가. 분할의 주체

상법상 회사분할은 주식회사에 대하여만 인정된다. 따라서 분할회사, 승계회
사, 신설회사가 모두 주식회사여야 한다. 상장회사인지 여부는 묻지 아니한다.
분할의 주체와 관련하여 해산 후의 회사와 채무초과 회사가 분할을 실행할 수
있는지를 검토한다.

1) 해산 후의 회사

제530조의2 제4항은 "해산 후의 회사는 존립 중의 회사를 존속하는 회사로
하거나 새로 회사를 설립하는 경우에 한하여 분할 또는 분할합병을 할 수 있다"
고 규정한다.[13] 다만 제517조의 주식회사 해산사유 중 합병, 파산, 해산명령, 해
산판결에 해당하는 경우에는 각 해당절차가 이루어질 것이므로, 위 상법조항이
적용되는 것은 존립기간의 만료 기타 정관으로 정한 사유의 발생으로 인한 해산
(제517조 제1호, 제227조 제1호)과 주주총회 결의에 의한 해산(제517조 제2호)에
한할 것이다.

위 조항에 따른 해산회사인 경우 분할회사가 될 수 있지만, 승계회사는 될
수 없다. 물론 제519조에 의하여 회사계속의 결의를 하는 경우에는 더 이상 해
산회사로 보기 어려우므로 승계회사가 될 수 있을 것이다. 해산회사가 분할회사
로서 재산의 환가처분을 위해 인적·물적 분할을 하는 경우에, 분할이 마무리된
다음에는 청산절차를 계속 진행하여야 할 것이다.[14]

---

12) 그 밖의 다양한 분할유형에 관하여는 박태현, 전게논문, 6면 이하; 최준선, 「회사법」 제10
　　판(삼영사, 2018), 780면 이하; 정동윤 외 집필대표, 전게서, 426면 이하 참조.
13) 합병에 관한 제174조 제3항은 "해산 후의 회사는 존립 중의 회사를 존속하는 회사로 하는
　　경우에 한하여 합병을 할 수 있다"고 규정한다.
14) 2006. 5. 24. 제정 대법원 상업등기선례 200605-4. 위 등기선례에 따르면 제519조의 회사
　　계속의 결의가 없는 이상 해산 전의 영업을 계속할 수 없다고 한다.

2) 채무초과회사

먼저 단순분할을 살펴본다. 이미 채무초과 상태인 분할회사가 그 중 우량부분을 분리하는 형태의 인적, 물적분할을 할 수 있을 것인가? 회사설립시의 자본충실을 고려하면 채무만을 출연하는 형태는 상정하기 어렵다. 이하에서는 우량부문을 떼어내어 별도의 회사로 신설하는 경우를 전제로 한다. 주로 쟁점이 되는 부분은 분할회사의 기존 채권자 보호 문제이다. ① 물적분할의 경우 분할회사가 신설회사의 전주식을 보유하게 되므로 이를 금지할 필요성은 크지 않다.[15] ② 인적분할의 경우에도 분할회사가 채무초과 상태라는 이유만으로 분할을 금지할 필요는 없다. 현실적으로 우량부문만을 따로 떼어내어 별도 회사를 신설할 필요성이 크기 때문이다. 분할회사의 기존 채권자 보호는 후술하는 분할회사와 신설회사의 연대책임 등에 의해 달성될 수 있을 것이다.

분할합병에 관하여는 대체로 합병에서의 논의가 그대로 적용될 수 있다. 먼저 승계회사가 채무초과인 경우는 어떠한가? 이에 대하여는 분할회사 주주 전원의 동의가 있는 경우에 한하여 가능하다는 견해[16]도 있으나, 승계회사가 채무초과 상태이더라도 분할합병의 다른 절차를 제대로 밟은 경우 분할합병을 허용하여야 할 것이다.[17] 다음으로 분할회사가 채무초과인 경우는 어떠한가? 단순분할에서 보았듯이 우량부문을 떼어내어 별도로 분할합병의 대상으로 삼는 것을 금지할 이유는 없다고 할 것이다.

특히 일본에서는 채무초과상태인 분할회사가 기존 채무자를 해하기 위하여 물적분할을 한 다음 분할신주를 제3자에게 처분하는 등의 이른바 '남용적 분할'의 규제가 문제된바 있다. 이에 대하여 일본 법원은 일본 민법상 사해행위 취소법리가 회사분할과 같은 단체법적 행위에도 적용될 수 있다고 본다.[18] 우리나라

---

15) 물론 물적분할 이후 분할회사 채권자 입장에서는 분할회사 소유 자산에 대하여 직접 집행을 하지 못하고 그 자산을 이전받은 100% 자회사의 주식을 집행의 대상으로 해야 하는 점에서 우선순위에서 불리하게 보이기도 한다. 그러나 이때 분할회사 채권자는 제530조의12, 제530조의9 제2항에 의하여 신설회사에 대하여도 연대책임을 추궁할 수 있으므로 위 불리함이 발생하는 것은 연대책임 분리절차가 이루어진 경우에 한한다.

16) 권기범, 기업구조조정법, 392면.

17) 노혁준, "부실계열사 합병과 합병비율,"「상사법연구」제27권 제4호(한국 상사법학회, 2009), 256면 이하 참조.

18) 東京地裁 平成22.5.27. 平成21年(ワ)36384号(항소심은 東京高判 平成22.10.27. 平成22年(ネ)第4126号)와 大阪地裁 平成21.8.26. 平成20年(ワ)第7444号(항소심은 大阪高判 平成

판례 중에는 영업양도를 채권자 취소권 행사대상으로 판단한 것이 있다.[19]우리 민법 제406조에 따른 사해행위 취소의 법리가 채무초과회사의 분할에 적용될 수 있을지는 향후 논의할 필요가 있다.

다음으로 원래 채무초과회사는 아니었으나, 인적분할, 분할합병 등으로 인해 분할회사가 채무초과회사가 되는 경우 이러한 분할을 허용할 것인가? 이 경우에도 분할회사의 기존 채권자 보호는 후술하는 분할회사와 신설회사의 연대책임 등으로 달성된다고 보아 역시 허용된다고 할 것이다.

마지막으로 채무초과회사가 이미 회생절차에 들어가 있는 경우 채무자 회생 및 파산에 관한 법률에 규정된 특칙이 적용된다. 동법 제55조에 의하면 회생회사의 분할, 분할합병은 회생절차에 의하여만 실행할 수 있도록 되어 있다.[20]

나. 분할의 대상

신설회사 또는 승계회사는 분할계획서 또는 분할합병계약서에 따라 분할회사의 권리 및 의무를 승계한다. 분할대상의 범위를 어디까지로 볼 것인지는 분할계획서와 분할합병계약서의 해석문제이다. 불분명한 사항에 관하여는 분할계획서 또는 분할합병계약서에 기재된 분할의 원칙, 승계대상 권리의 내용, 분할회사의 존속여부, 분할관련회사 및 그 주주들의 합리적 의사, 분할의 경위 및 분할을 통해 달성하려는 목적과 진정한 의사, 거래관행 등을 종합적으로 고려하여 판단하여야 할 것이다(대법원 2014.8.28. 2012다99679).

1) 일부 재산만을 분할대상으로 하는 분할의 가능성

가) 자산만의 분할

조직적 일체성을 가진 영업이 아니라 자산만을 분할의 대상으로 할 수 있을지에 관하여는 견해가 엇갈린다. 법무부는 2004. 3. 11. 금융감독위원회의 "상법

21.12.22. 平成21年(才)第2451号). 한편 일본 파산법상 부인권 행사에 관하여도 비슷한 법리가 설시된바 있다. 福岡地裁 平成21.11.27. 平成21年(ワ)第1617号와 福岡地裁 平成22.9.30. 平成20年(ワ)第625号. 일본에서의 남용적 회사분할에 관하여는 하정훈, "남용적 회사분할에 관한 일본에서의 논의 – 채권자 취소권과 부인권을 중심으로," 「회사분할의 제문제」(서울대학교 금융법센터, 2013), 465면 이하 참조.

19) 대법원 2015.12.10. 2013다84162.

20) 동법 제193조 제2항 제6호는 회생계획의 내용으로서 분할, 분할합병을 정할 수 있도록 하며, 제212조 및 제213조는 각기 단순분할, 분할합병시에 회생계획에 정할 사항을 규정하며, 제214조는 이를 물적분할에 준용하고 있다.

상 분할합병 관련 질의”에 대하여 유보적인 입장을 표한바 있다.[21]

기존 학설 중 개별자산만을 분할할 수 있다고 보는 입장은 (i) 개별자산과 영업을 일률적으로 구분하기 어려운 점,[22] (ii) 법인세법상 영업을 분할대상으로 하는 경우 적격분할로서 과세혜택을 부여하는바, 이는 이러한 혜택이 없는 개별자산을 분할대상으로 하는 분할도 가능하다는 의미라는 점,[23] (iii) 상법상 특별한 제한 조항이 없는 점 등을 들고 있다.[24] 일본의 경우에도 2005년 회사법 체제 하에서는 ‘사업에 관하여 갖는 권리, 의무’이기만 하면 개별자산도 분할의 대상이 될 수 있다는 것이 통설이다.[25] 반면 부정적인 입장에서는 (i) 분할을 통해 회사를 설립하거나 합병하는 것은 분할 대상이 적어도 회사로서의 기초를 구성해야 한다는 의미인 점,[26] (ii) 우리 법이 바탕을 두는 프랑스법상의 patrimoine 개념은 자산총체를 뜻하는 것인 점,[27] (iii) 회사분할은 회사의 영리기능을 분리하여 수행하기 위한 수단이므로 단지 회사의 특정재산을 타회사에 출자하는 것으로는 충분하지 않다는 점을 들고 있다.[28]

---

21) 법무부 2004.3.11. 법무심의관실-995 상법상 분할합병관련 질의에 대한 회신에 따르면 법무부는 “우리 상법은 일본의 입법례와는 달리 회사 분할 대상을 영업만으로 특정하지 않고 있어 재산만을 분할 대상으로 하는 것이 금지된다고 단정할 수 없으나 상법 개정위원들이 회사 분할 제도에 대한 논의를 진행함에 있어 회사의 ‘영업’을 단위로 분할하는 것을 전제로 하였다는 점 등을 이유로 개별 자산만을 대상으로 하는 분할을 인정하기 위해서는 구체적인 사례 발생 및 이에 대한 대법원과 헌법재판소의 사법적인 판단이 먼저 축적되어야 할 것으로 보인다”고 답하였다.

22) 김상곤·이승환, 전게논문, 48면.

23) 권기범, 기업구조조정법, 388면.

24) 김순석, “기업구조조정 수단을 활용한 중소기업의 경영권 승계방안에 관한 연구: 회사분할의 활용을 중심으로,”「기업법연구」제34권 제1호(한국기업법학회, 2020), 141면.

25) 江頭憲治郎,「株式會社法」第3版(有斐閣, 2010), 814면. 이에 따르면 2005년 회사법 제정 이전의 일본 상법 제373조, 제374조의16에서는 영업(신 회사법상의 용어로는 사업) 자체의 승계가 필요하고, 단순한 영업용재산 또는 권리의무의 집합의 승계만으로는 분할이 성립하지 않는 것으로 해석되었다고 한다. 이와 같은 해석론의 근거는, 면책적 채무인수 등과 달리 회사분할의 경우 개별 채권자의 승인을 요하지 않고 있으므로 ‘영업 승계’라는 형태를 통해 관련 채권자를 보호할 필요가 있다는 것이다. 이에 대하여는 특정 권리의 집합이 영업인지 판단하기 어려울 뿐 아니라 채권자 보호는 이의절차로 충분하다는 반론이 제기되었다. 이에 따라 회사법 제정시에는 단지 “사업에 관하여 갖는 권리의무”의 승계라고 규정하게 된 것이다.

26) 강현구, “상장회사의 분할의 대상에 관한 연구,”「증권법연구」제11권 제3호(한국증권법학회, 2010), 343면.

27) 이철송,「회사법강의」제29판(박영사, 2021), 1134면.

28) 대법원 2010.2.25. 2008다74963 등은 연대책임 분리에 관하여 구법 제530조의9 제2항이 규정하는 ‘출자한 재산에 관한 채무’를 “분할회사의 특정 재산이 아닌 조직적 일체성을 가진 영업, 즉 특정 영업과 그 영업에 필요한 재산”이라고 판단하였지만, 이는 연대책임 분리

세법상 과세특례 적용을 위한 적격분할요건 충족을 위하여는 법인세법 제46조 제2항 제1호에 의하여 분할대상 사업에 관한 자산 및 부채가 포괄적으로 승계되어야 하므로(다만, 공동으로 사용하던 자산, 채무자의 변경이 불가능한 부채 등 분할하기 어려운 자산과 부채 등으로서 대통령령으로 정하는 것은 제외), 실무상 회사분할과정에서 자산만을 분할대상으로 삼는 경우에는 세제상 불이익이 발생할 가능성이 있다. 이러한 불이익을 감수하고 자회사 투자 주식 등만을 분할의 대상으로 삼는 사례가 실무적으로 다수 발생하고 있다. 이를 긍정적으로 해석하여도 무방하다고 생각된다.

구체적으로 이전대상이 될 수 있는 자산, 부채의 범위에 관하여, 대차대조표에 계상될 수 있는지 여부를 불문한다는 견해가 있는바,[29] 이에 대하여는 대차대조표에 나타날 수 없는 재산을 분할 대상으로 하는 것은 분할관계 회사들의 법률관계를 불확실하게 한다는 반론이 있을 수 있다. 상법에 이에 관한 명시적인 조항은 없다.

나) 채무의 분할 또는 채무초과재산의 분할

이처럼 영업이 아니라 개개의 재산을 분할의 대상으로 삼을 수 있다고 할 때 채무만의 분할이 가능한가? 원칙적으로는 허용되지 않는다고 할 것이다. 특히 회사가 신설되는 경우(단순분할, 신설분할합병 등) 채무만을 출자하는 형태의 회사 설립은 허용되지 않는다고 할 것이다.[30] 다만 분할회사가 일부 자산, 부채를 출자하여 흡수분할합병을 할 때 그 실질적 가치의 합계가 마이너스(-)인 경우 이를 금지할 것인지가 문제된다. 채무초과회사를 소멸회사로 하는 합병이 불가능하다는 입장에 서면 이러한 분할합병 역시 금지된다고 보게 되고,[31] 반면 채무초과인 소멸회사를 상대방으로 하는 합병이 시너지 효과 등을 고려하여 가능하다고 보게 되면[32] 이러한 분할합병을 허용하게 될 것이다. 그 밖에 흡수분할합병의 경우 승계회사 주주들 전원이 동의한다면 이전받는 부분의 실질적 가치

의 한계에 관한 사례일 뿐 대법원이 분할의 대상을 영업으로 한정했다고 볼 수는 없었다.

29) 권기범, 기업구조조정법, 411면.
30) 권기범, 상게서, 392면은 채무초과재산(권리 및 의무)을 출연하여 물적분할, 물적신설분할합병을 하는 경우 분할무효사유가 된다고 한다.
31) 권기범, 상게서, 392면.
32) 노혁준, "부실계열사 합병과 합병비율," 「상사법연구」 제27권 제4호(한국상사법학회, 2009), 265면.

가 마이너스인 경우에도 분할이 가능하다는 견해도 제기되고 있다.[33]

다) 자기주식의 분할

설령 자회사 지배주식 등 자산만의 분할이 허용된다고 하더라도 자기주식만을 분할대상으로 삼는 것은 허용되지 않는다. 이전되는 재산의 실체가 없기 때문이다. 그렇다면 다른 영업과 함께 자기주식을 분할대상으로 포함시키는 방식은 어떠한가? 자기주식의 자산성을 인정하는 경우 다른 영업재산과 함께 이전하는 것이 불가능하지는 않다. 실무상으로도 자기주식을 분할대상에 포함시키는 예가 종종 발견된다.[34] 그 적법성에 관한 국내의 이론적 고찰은 많지 않다.[35] 일본 회사법은 원칙적으로 자기주식을 분할대상으로 삼을 수 있도록 한다. 특히 (물적) 분할합병의 경우 분할회사는 자기주식을 분할대상으로 할 수 있음이 명시되어 있는바(일본 회사법 제758조 제3호), 이 때 이사는 분할합병을 위한 주주총회에서 이에 관한 사항을 설명할 의무를 부담한다(일본 회사법 제795조 제3항). 반면 (물적) 단순분할인 경우 일본에서도 분할회사 자기주식은 분할대상이 아니다(일본 회사법 제763조 제1항 제5호, 제765조 제1항 제5호).[36]

생각건대 해석상 모호한 부분이 있으나, 적어도 입법적으로는 이를 금지하는 것이 타당하다고 생각된다.[37] 분할회사의 자기주식은 회사의 영업 등과는 무관한 부분이므로 이를 분할대상에 포함시킬 필요성은 없다. 오히려 이러한 자기주식은 이전되는 순간 의결권이 부활되므로, 이전받는 상대방인 신설회사, 승계회사로 하여금 분할회사에 대한 의결권을 확보하도록 하는 기능이 더 크다. 결국

---

33) 임재연, 「회사법 II」 개정7판(박영사, 2020), 755면은 그 근거로 승계회사의 채권자는 채권자 보호절차에 의하여 보호받으므로 승계회사 주주 전원의 동의를 받으면 족하다고 볼 여지가 있다. 그러나 이에 대하여는 승계회사의 소수주주 역시 주식매수청구권에 의하여 보호받으므로 승계회사 주주 전원의 동의를 요구하는 것은 형평에 맞지 않는다는 반론도 가능하다.

34) 채희만, "회사분할시 자사주 의결권 부활 정당한가," 「김기준/서영교 의원 입법세미나 자료집」(2015. 5. 13.), 38면 참조.

35) 노혁준, "자기주식과 기업의 합병, 분할," 「증권법연구」 제9권 제2호(한국증권법학회, 2008), 145면; 박선희, "자기주식과 기업구조조정," 「BFL」 제87호(서울대금융법센터, 2018), 64면; 황남석, "회사분할과 자기주식," 「조세법연구」 제21권 제1호(한국세법학회, 2015), 122면이 있을 뿐이다.

36) 그 배경 등에 관한 상세한 논의는 노혁준, "기업구조조정과 자기주식의 쟁점 및 입법적 개선방안," 「법학연구」 제28권 제1호(연세대학교 법학연구원, 2018), 125면.

37) 황남석, 상게논문, 122면은 자기주식을 분할대상으로 하는 경우 지배권 왜곡이 발생할 수 있고, 분할은 자산 및 부채를 이전대상으로 하므로 이론적으로도 자기주식은 분할의 대상이 아니라고 본다; 박선희, 위의 글, 64면, 김순석, 전게논문, 142면도 자기주식을 분할대상에 포함시킬 때 발생되는 지배구조 왜곡 문제를 지적하고 있다.

분할이 신주 제3자 배정에 관한 상법상 엄격한 규제를 회피하는 장치로 활용되는 셈이다. 이러한 기능은 분할, 분할합병이 예정한 것이 아니다.

2) 배정자유의 원칙과 그 한계

분할회사는 원칙적으로 어떤 적극, 소극재산을 신설회사 또는 승계회사에게 이전할지 자유롭게 정할 수 있다. 이를 '배정자유의 원칙'이라고 부른다. 분할합병의 경우 승계회사와의 사이에서 분할합병계약서가 작성되므로 사적자치의 원칙상 당연한 결론이다. 단순분할의 경우 분할의 내용을 협의할 상대방이 없다는 점에서 분할합병과 차이가 있으나, 원칙적으로 분할회사가 이전대상 자산, 부채를 자유롭게 결정할 수 있다고 볼 것이다. 예컨대 금전채권처럼 가분적인 권리관계인 경우 그 일부만을 신설회사 또는 승계회사에 이전하는 것도 가능하다고 본다.[38] 물론 후술하듯 세법적 관점에서 적격분할의 요건을 맞춘다는 관점에서, 이전대상 자산, 부채의 범위를 결정하는데 제약요인이 있을 수 있다.[39] 이러한 실질적인 한계 이외에 법률상 문제되는 배정자유의 원칙의 한계로는 다음 것들이 있다.

가) 양도제한 권리, 의무

특히 존속분할의 경우 합병과 달리 분할회사가 분할 이후에도 계속 존속하게 되므로, 기존 양도제한 권리, 의무를 항상 분할회사에 잔존시켜야 하는가 아니면 이 역시 분할의 대상으로 삼아 이전할 수 있는지 문제가 합병의 경우보다 복잡하게 전개된다.

먼저 당사자간의 의사표시에 의하여 양도가 제한된 채권 또는 채무인 경우이다. 이에 대하여 분할의 대상으로 삼을 수 없다는 견해도 있을 수 있으나, 분할대상이 될 수 있다고 볼 것이다.[40] 물론 양도제한을 정하면서 합병, 분할 등이

---

38) 권기범, 기업구조조정법, 420면.
39) 즉 분할되는 사업에 포함되는 재산을 이전하지 않거나 분할사업과 무관한 재산을 이전하는 경우, 과세당국에 의해 적격분할이 아닌 것으로 판단될 가능성이 높아진다. 다만 법인세법에서는 공동으로 사용하던 자산, 채무자의 변경이 불가능한 부채 등에 대하여 이전대상에서 제외될 수 있는 것으로 인정하고 있고(법인세법 제44조 제2항 제1호 나목 단서), 국세청은 분할사업에 속하지 않는 일부 재산을 포함시켜 이전한 경우에도 적격분할요건을 완화하여 해석하고 있다(국세청 해석 서이46012-10777, 2002. 4. 12.)
40) 윤성조·김효민, "회사분할과 분할계획서의 기재사항, 그와 관련한 법률적 쟁점에 관하여: 권리, 의무의 배분을 중심으로," 「BFL」 제49호(서울대 금융법센터, 2011), 31면; 권기범, 기업구조조정법, 389면.

발생한 때 일방이 해제, 해지권을 갖기로 하였다면 이러한 해제, 해지권 특약이
유효함은 당연하다. 이러한 부가적 특약이 없는 이상, 양도제한 약정은 특정승
계를 전제로 한 것이므로[41] 포괄승계가 이루어지는 분할에까지 적용된다고 보
기 어렵다. 실제로 회사관련 계약 중 양도제한 조항이 포함된 경우가 많으므로,
이러한 권리관계를 분할대상으로 삼을 수 없다면 분할의 효용성이 크게 떨어지
게 될 것이다. 따라서 예컨대 분할회사가 다른 주식회사에 의해 발행된 양도제
한부 주식을 분할대상으로 삼아 승계회사에 이전할 경우, 제335조의2에 따른 발
행회사 주식회사 이사회의 승인을 받을 필요는 없다.[42]

계약의 성질 또는 법령의 규정에 따른 양도제한의 경우에는 개별적으로 검토
해야 할 것이다. 즉 법률관계의 성격 또는 법령의 취지상 이전이 불가능한 귀속
상의 일신전속적인 권리, 의무인 경우 분할의 대상으로 삼을 수 없다. 이 때 분
할회사가 없어지는 소멸분할이었다면 해당 권리, 의무는 소멸된다. 반면 그 밖
의 양도제한 권리, 의무 관계는 원칙적으로 분할에 따른 포괄적 이전의 대상이
될 수 있다고 할 것이다. 예컨대 분할회사가 유한회사의 지분을 승계회사에 이
전할 때에 제556조에 따른 별도의 유한회사 사원총회의 승인을 받을 필요가 없
다. 분할합병시 분할의 대상이 문제된 사안에서, 대법원은 "분할합병계약서에 정
한 바에 따라 피분할회사의 권리의무는 사법상의 관계나 공법상의 관계를 불문
하고 그 성질상 이전을 허용하지 않는 것을 제외하고는 분할합병으로 인하여 존
속하는 회사에게 포괄승계된다"고 하면서, 공동수급체 구성원의 지위는 민법상
조합원과 유사한바, 이는 상속이 되지 않고 다른 구성원들의 동의가 없으면 이
전이 허용되지 않는 귀속상의 일신전속적인 권리의무이므로 분할합병에 따른 포
괄승계의 대상이 되지 않는다고 판시하였다.[43] 다만 귀속상의 일신전속적인 권
리의무의 범위, 이해관계자들이 모두 합의를 한 경우에도 과연 그 이전을 허용
하지 않을 것인지의 여부는 향후 추가적 논의가 필요한 부분이다.

41) 윤성조·김효민, 상계논문, 31면.
42) 권기범, 기업구조조정법, 418면도 동지. 한편 양도가 제한되는 '의무'와 관련하여, 김상준·
    이태현, "회사분할과 전환사채, 스톡옵션," 「BFL」 제49호(서울대 금융법센터, 2011), 88면
    은 전환사채 인수계약서에 양도금지 조항이 있었다 하더라도 전환사채를 발행했던 발행회
    사는 이를 분할의 대상으로 삼을 수 있으며 단지 발행회사의 채무불이행 책임이 문제가 될
    뿐이라고 본다.
43) 대법원 2011.8.25. 2010다44002.

나) 미발생 권리의무

분할계획서 또는 분할합병계약서에 의하면, "갑 회사의 A 사업부문의 모든 채권, 채무는 을 회사에 이전되고, 분할 이전에 A 사업부문과 관련된 행위나 사건으로 인해 발생한 우발채무도 모두 을 회사가 부담한다"고 되어 있는 경우가 많다.[44] 이러한 기재와 관련하여 '이미 존재하는' 개별 권리관계를 적절하게 특정하였는지 여부는 후술하는 분할계획서 또는 분할합병계약서상 특정의 정도 문제로서 다루게 된다. 여기서 문제되는 것은 '아직 발생하지 않은' 권리관계를 분할의 대상으로 삼을 수 있는지 여부이다. 분할합병계약의 경우 사적 자치의 원칙상 분할회사와 승계회사가 합의한 경우 미발생 권리관계 역시 승계의 대상으로 삼을 수 있을 것으로 보인다. 문제는 단순분할의 경우 미발생 권리의무를 분할계획서상 분할의 대상으로 포함시킬 수 있는지 여부이다. 이를 긍정적으로 보는 입장에서는 분할합병과 달리 취급할 경우 형평에 맞지 않는 점, 분리 사업부문과 관련하여 향후 발생할 것으로 예상되는 권리의무 관계 역시 포괄적으로 이전의 대상으로 삼는 것이 분할의 취지에 부합한다는 점을 강조하게 될 것이다.[45] 반면 부정설은 단순분할에서의 분할계획서는 분할회사의 일방적 의사표시에 불과하므로 사적자치를 제한적으로 해석할 필요가 있다고 보게 된다. 대법원은 "신설회사 또는 존속회사가 승계하는 것은 분할하는 회사의 권리와 의무라할 것인바, 분할하는 회사의 분할 전 법 위반행위를 이유로 과징금이 부과되기 전까지는 단순한 사실행위만 존재할 뿐 그 과징금과 관련하여 분할하는 회사에게 승계의 대상이 되는 어떠한 의무가 있다고 할 수 없고"라고 판시한바 있다.[46] 다만 위 판결은 분할 이전의 위법행위를 근거로 신설회사 등에 과징금을 부과할 수 있는지가 쟁점이 된 사안이므로, 대법원이 미발생 권리의무는 분할의 대상이 될 수 없다고 일반적으로 판시한 것인지는 불분명하다. 분할 당시 분할회사의 권리의무발생의 전단계로서의 법률관계 또는 사실관계만 있는 경우 또다른 쟁점은 연대책임의 대상범위를 어떻게 볼 것인지 여부이다. 이에 관하여는 관련부분에서 상술한다.

---

44) 이른바 우발채무의 개념에 관하여는 김동민, "회사분할에 있어서 우발채무에 대한 책임의 귀속," 『기업법연구』 제15집(한국기업법학회, 2003) 참조.

45) 권기범, 기업구조조정법, 412면은 장차 취득할 것으로 예정된 재산을 예로 들면서 이러한 경우에도 분할의 대상이 될 수 있다고 본다.

46) 대법원 2007.11.29. 2006두18928 등 다수.

다) 그 밖의 제한

분할에 있어서도 합병과 마찬가지로 재산이전 제한의 일반법리가 적용될 수 있을 것이다. 예컨대 인, 허가의 승계와 관련하여 해당 인, 허가가 영업재산에 결부된 물적인 성격인 경우에는 분할의 대상이 될 수 있지만 인적 인, 허가인 경우 분할계획서, 분할합병계약서의 기재에도 불구하고 이전되지 않는다고 볼 것이다. 또한 형사책임 역시 원칙적으로 이전되지 않는다고 할 것이다. 주된 권리와 종된 권리를 분리하여 이전하는 것에 대하여도 제한이 있다.[47]

3) 분할계획서 또는 분할합병계약서상 특정의 정도

합병과 달리 분할에 있어서는 분할회사의 일부 권리, 의무관계만 이전되는 것이므로 재산을 구체적으로 특정할 필요성이 더욱 크다. 다만 분할계획서 및 분할합병계약서에 개별적인 권리, 의무를 일일이 나열하는 것도 기술적으로 곤란하므로, 어느 정도까지 분할대상 목적물을 특정할 것인지가 문제된다.

실무상 예컨대 분할계획서에서 '분할회사는 분할계획서가 정하는 바에 따라 분할대상부문에 속하는 일체의 적극, 소극재산과 공법상의 권리, 의무를 포함한 기타의 권리, 의무 및 재산적 가치 있는 사실관계를 신설회사에 이전한다'라고 개괄적으로 규정한 다음, 첨부 문서로 '분할대차대조표'와 '승계대상재산목록'을 작성하는 경우가 많다.[48] 이 때 분할대차대조표나 승계대상재산목록에서 개별 자산, 부채를 명시하지 아니하고 각 세부 계정과목(예를 들어, 토지, 건물, 산업재산권, 장기차입금 등)과 해당 과목의 총 가액만을 규정하는 경우도 흔하다.[49] 이러한 포괄적인 기재도 무방한 것인지에 관해 논란이 있다.

"A 영업부문 또는 B 영업부문 xx동 사업장에 속하는 일체의 적극 및 소극 재산 및 권리의무" 형태의 개괄적인 기재도 무방하다는 견해도 있으나,[50] 적어도 등기, 등록이 요구되는 재산인 경우에는 원칙적으로 분할대차대조표 또는 승계대상재산목록에 의해 특정되어야 할 것이다.[51] 등기선례도 기본적으로 이러한

---

47) 권기범, 기업구조조정법, 412면. 예컨대 주채무자에 대한 권리와 보증인에 대한 권리를 분할하여 양도하는 것은 허용되지 않는다고 볼 것이다.
48) 윤성조·김효민, 전게논문, 28면.
49) 윤성조·김효민, 상게논문, 28면.
50) 권기범, 상게서, 422면.
51) 윤성조·김효민, 전게논문, 30면은 나아가 신주인수권부사채, 계속적 계약관계, 근로관계, 소송 등 대차대조표나 재산목록에 구체적으로 명기되기 어려운 권리, 의무는 모두 특정되어

입장에 서 있는 것으로 보인다.[52] 다만 2010년의 등기선례는 분할에 따른 근저
당권 이전등기시 근저당권이전 확인서를 첨부하는 간이한 방법을 허용함으로써
탄력적인 입장을 보인 바 있다.[53]

3. 분할계획서와 분할합병계약서

가. 개 관

단순분할을 위해서는 분할계획서를, 분할합병을 위해서는 분할합병계약서를
각기 작성하여 이사회 및 주주총회의 승인을 받아야 한다. 단순분할에 있어서는
분할회사가 단독으로 분할계획서를 작성하고, 분할합병에 있어서는 분할회사와
승계회사가(흡수분할합병인 경우) 또는 분할회사와 또다른 분할회사가(신설분할합
병인 경우) 분할합병계약서를 작성한다. 제530조의5는 분할계획서의 필수적 기재
사항을, 제530조의6은 분할합병계약서의 필수적 기재사항을 규정하고 있다.

분할합병계약이 승인되면 일반적인 합병계약과 마찬가지로 분할회사와 승계
회사 사이의 권리, 의무관계가 발생한다. 일방이 임의로 계약을 취소할 수 없고,
계약의 자유가 적용되므로 위 법정 사항 이외에 다른 사항을 비교적 자유롭게

야 한다고 본다.

52) 2001. 7. 27. 제정 대법원 등기선례 6-236에 의하면 "분할계획서에 분할로 인하여 설립되
   는 회사에 이전될 재산으로 기재되지 아니한 갑 회사 명의의 근저당권에 대해서는 회사분
   할을 등기원인으로 하여 갑 회사로부터 을 회사 명의로의 근저당권이전등기를 할 수 없다"
   고 한다.

53) 2010. 12. 2. 제정 대법원 등기선례 201012-1은 "회사분할로 인하여 부동산에 관한 권리
   의 이전등기신청을 하는 경우 원칙적으로 등기원인을 증명하는 서면으로서 이전의 대상이
   된 권리를 부동산의 표시, 접수연월일, 접수번호 등으로 구체적으로 특정하여 기재한 분할
   계획서를 첨부하여야 한다"고 전제하면서도, "분할계획서에서 이전되는 근저당권에 대하여
   '○○사업으로 인하여 발생한 계약관계와 그에 따른 권리·의무관계를 담보하기 위하여 설
   정된 근저당권'이라고 기재한 분할계획서를 작성한 경우, 위 분할계획서와 당해 등기신청의
   대상이 되는 근저당권이 회사분할로 인하여 이전되는 권리임을 소명하는 서면(분할회사와
   신설회사가 작성한 근저당권이전확인서 등)을 첨부하고 근저당권이전등기신청을 할 수 있
   다"고 하였다. 이는 종래 금융감독위원회의 계약이전 결정에 따라 부실금융기관 명의의 근
   저당권을 인수금융기관 명의로 이전하는 경우 이전의 대상인 근저당권을 특정하는 내용의
   근저당권이전증서를 작성하여 등기를 경료할 수 있도록 한 것과 유사한 형태를 허용한 것
   이다. 위 등기선례로 인하여 분할당사회사들은 근저당권 설정계약서 등의 첨부 없이도, 근
   저당권이전확인서를 작성하여 첨부함으로써 근저당권 이전등기를 용이하게 마칠 수 있게
   되었다. 김병태·조중일, "회사분할과 담보관계의 처리," 「BFL」 제49호(서울대 금융법센터,
   2011), 73면 참조.

규정할 수 있다. 반면 분할계획서는 분할회사의 일방적인 의사표시에 의하여 성립하고 의사표시의 상대방이 없다. 따라서 분할회사의 주주총회에서 분할계획서를 승인했다고 하더라도 분할회사가 같은 방식의 주주총회를 거쳐 분할계획을 철회할 수 있다고 볼 것이다.[54] 이처럼 분할계획은 분할회사 단독의 의사표시이므로, 제530조의5의 필수적 기재사항 이외의 것을 기재한 것이 사적 사치에 의해 유효한지 문제된다. 특히 필수적 기재사항이 아닌 분할회사와 신설회사간 구상 조항의 유효성이 문제되는바, 이는 채권자 보호절차와 관련하여 후술한다.

이하에서는 제530조의6 제1항의 흡수분할합병계약서를 먼저 살펴본 다음 다른 형태의 것, 즉 같은 조 제2항의 신설분할합병, 제530조의5의 분할계획서 등을 살펴보기로 한다. 제530조의6 제3항에 의하면, 분할합병시 각 회사의 분할합병을 하지 아니하는 부분의 기재에 있어서는 단순분할에 관한 제530조의5를 준용하도록 되어 있다.

〈분할합병계약서의 필수적 기재사항(제530조의6)〉

분할합병의 유형	기재사항
흡수분할합병 (제530조의6 제1항)	승계회사가 발행할 주식 총수를 증가하는 경우 증가할 주식의 총수, 종류 및 종류별 주식수 (1호)
	승계회사가 분할합병을 하면서 신주를 발행하거나 자기주식을 이전하는 경우에는 그 발행하는 신주 또는 이전하는 자기주식의 총수, 종류 및 종류별 주식의 수 (2호)
	승계회사가 분할합병을 하면서 신주를 발행하거나 자기주식을 이전하는 경우에는 분할회사 주주에 대한 승계회사 신주의 배정 또는 자기주식의 이전에 관한 사항 및 주식의 병합 또는 분할을 하는 경우에는 그에 관한 사항 (3호)
	승계회사가 분할회사의 주주에게 그 대가의 전부 또는 일부로서 금전이나 그 밖의 재산을 제공하는 경우에는 그 내용 및 배정에 관한 사항 (4호)
	승계회사의 자본금 또는 준비금이 증가하는 경우에는 증가할 자본금 또는 준비금에 관한 사항 (5호)
	승계회사에 이전될 재산과 그 가액 (6호)
	제530조의9 제3항의 정함(분할후 회사 상호간 연대책임 분리에 관한 내용)이 있는 경우에는 그 내용 (7호)

---

54) 권기범, 기업구조조정법, 430면.

	각 회사에서 분할합병의 승인결의를 할 주주총회의 기일 (8호)
	분할합병을 할 날 (9호)
	승계회사의 이사와 감사를 정한 때에는 그 성명과 주민등록번호 (10호)
	승계회사의 정관 변경을 가져오게 하는 그 밖의 사항 (11호)
신설분할합병 (제530조의6 제2항)	신설회사의 상호, 목적, 본점의 소재지 및 공고의 방법 (1호)
	신설회사가 발행할 주식의 총수 및 액면주식, 무액면주식의 구분 (1호)
	신설회사가 분할합병시 발행하는 주식의 총수, 종류 및 종류별 주식의 수 (2호)
	각 회사의 주주에 대한 주식의 배정에 관한 사항과 배정에 따른 주식의 병합 또는 분할을 하는 경우에는 그 규정 (3호)
	각 회사가 신설회사에 이전할 재산과 그 가액 (4호)
	각 회사의 주주에게 지급할 금액을 정한 때에는 그 규정 (5호)
	신설회사의 자본금과 준비금에 관한 사항 (1호)
	신설회사에 이전될 재산과 그 가액 (1호)
	제530조의9 제2항의 정함(분할후 회사 상호간 연대책임 분리에 관한 내용)이 있는 경우에는 그 내용 (1호)
	신설회사의 이사와 감사를 정한 경우에는 그 성명과 주민등록번호 (1호)
	신설회사의 정관에 기재할 그 밖의 사항 (1호)
	각 회사에서 분할합병 승인결의를 할 주주총회의 기일 (6호)
	분할합병을 할 날 (7호)

〈분할계획서의 필수적 기재사항(제530조의5)〉

분할계획서 기재사항	내 용
존속분할, 소멸분할 공통사항 (제530조의5 제1항)	신설회사의 상호, 목적, 본점의 소재지 및 공고의 방법 (1호)
	신설회사가 발행할 주식의 총수 및 액면주식, 무액면주식의 구분 (2호)
	신설회사가 분할 당시에 발행하는 주식의 총수, 종류 및 종류주식의 수, 액면주식, 무액면주식의 구분 (3호)
	분할회사의 주주에 대한 신설회사의 주식의 배정에 관한 사항 및 배정에 따른 주식의 병합 또는 분할을 하는 경우에는 그에 관한 사항 (4호)
	분할회사의 주주에게 금전이나 그 밖의 재산을 제공하는 경우에는 그 내용 및 배정에 관한 사항 (5호)

	신설회사의 자본금과 준비금에 관한 사항 (6호)
	신설회사에 이전될 재산과 그 가액 (7호)
	제530조의9 제2항의 정함(분할후 회사 상호간 연대책임 분리에 관한 내용)이 있는 경우에는 그 내용 (8호)
	분할을 할 날 (8호의2)
	신설회사의 이사와 감사를 정한 경우에는 그 성명과 주민등록번호 (9호)
	신설회사의 정관에 기재할 그 밖의 사항 (10호)
존속분할 특유사항 (제530조의5 제2항)	분할회사의 감소할 자본금과 준비금의 액 (1호)
	분할회사 자본금 감소의 방법 (2호)
	분할로 인하여 이전할 재산과 그 가액 (3호)
	분할회사의 분할 후의 발행주식 총수 (4호)
	분할회사가 발행할 주식의 총수를 감소하는 경우에는 그 감소할 주식의 총수, 종류 및 종류별 주식의 수 (5호)
	분할회사 정관변경을 가져오게 하는 그 밖의 사항 (6호)

〈실무상 사용되는 분할계획서의 일반적인 체계〉[55]

분할계획서 기재사항	내 용
분할의 목적	분할을 추진하는 사업상, 경영상 이유의 설명
분할의 방법	존속분할/소멸분할 여부 인적분할/물적분할 여부 존속 또는 신설회사의 상장 유지 여부 등 분할후 회사들이 영위할 사업부문의 개괄적 설명
	분할후 회사들 상호간 연대책임 분리에 관한 내용
	자산, 부채 배분에 관한 기본 원칙
	우발채무의 귀속에 관한 사항
	분할 일정
분할회사, 신설회사 관련사항	상법과 같음. 다만 분할로 인하여 이전될 재산과 그 가액을 설명함에 있어서, 본문에서는 개괄적인 원칙을 설명한 후, 분할대차대조표, 승계대상 재산목록을 첨부하는 경우가 일반적임. 신설회사의 정관도 첨부되는 경우가 일반적임.

---

55) 윤성조·김효민, 전게논문, 26면 참조.

기타사항	임의적 기재사항으로서, 다음 사항을 기재하는 경우가 있음. (1) 종업원 승계, 퇴직금, 단체협약 등 근로관계사항 (2) 분할후 회사간 상호 합의로 결정할 사항(인수인계에 관한 사항, 지적 재산권 기타 자산의 공유나 사용관계에 관한 사항 등) (3) 분할계획서 작성 이후 분할기일까지 재무상태의 변화가 발생하여도 동일성을 해하지 아니하는 이상 별도 주주총회 없이 이사회 결의로 수정이 가능하다는 취지

나. 분할, 분할합병과 자기주식[56]

1) 문제의 소재

분할계획서와 분할합병계약서에 자기주식에 관한 사항이 포함되는 사례가 많다. 원래 기업구조조정과 자기주식의 관계는 네 가지로 구분하여 살펴보는 것이 일반적이다. 즉 기업구조조정을 주도하는 인수회사(A, acquiring company)와 그 상대방인 대상회사(T, target company)에 각각 자신의 회사 또는 상대방 회사의 주식이 있는 것을 상정하여 네 가지 유형으로 분류하여 고찰하는 방식이다. 엄밀히 보아 인수회사 또는 대상회사가 상대방 회사의 주식을 갖는 경우 그 자체로 자기주식은 아니다. 하지만 이러한 상대방 회사 주식에 대하여 합병신주, 분할신주 등을 배정하면, 결과적으로 자기주식이 발생할 수 있기 때문에 널리 함께 고찰하는 것이다.

분할 및 분할합병 시의 자기주식 문제는 통상적 합병 등과 차원을 달리하는 몇 가지 흥미로운 점이 있다. 첫 번째로 자기주식 자체가 분할 또는 분할합병의 대상이 될 수 있는지 여부이다. 적어도 입법적으로는 이를 제한할 필요가 있음은 앞서 살펴본 바와 같다(분할대상에 관한 논의). 두 번째로 상법상 분할에는 인적분할과 물적분할의 두 가지 형태가 있다. 전자는 분할신주가 분할회사의 주주에 배정되는 반면 후자는 분할회사 자체에 배정된다. 합병, 주식교환, 주식이전의 경우에 합병신주, 교환신주 등을 수령하는 주체는 대상회사의 기존 주주들이다. 이러한 점에서 '인적'이라고 할 수 있다. 반면 분할은 분할신주가 배정되는 주체가 회사 자체인 '물적' 형태도 있기 때문에 이에 대한 별도의 고찰이 필요하다. 마지막으로 분할, 분할합병은 자기주식의 활용 형태에 따라 지분구조 왜곡

---

56) 상세는 노혁준, "기업구조조정과 자기주식의 쟁점 및 입법적 개선방안," 「법학연구」 제28권 제1호(연세대학교 법학연구원, 2018), 122면 이하 참조.

을 가져올 수 있다는 점이다. 합병, 주식교환, 주식이전의 경우 그 결과는 인수
회사와 대상회사간 완전한 통합 또는 100% 지주회사 관계이다. 물론 '합병비율',
'교환비율' 자체가 불공정한 경우 인수회사 및 대상회사의 기존 주주간 부의 이
전의 발생할 수 있다. 그러나 '자기주식의 존재' 또는 이에 대한 '합병신주, 교환
신주의 배정 여부'가 기존 주주의 지배권에 영향을 미치지는 않는다. 반면 분할,
분할합병의 경우 그 결과가 둘 또는 그 이상 회사로의 분리이기 때문에 후술하
듯이 기존 주주들의 지분구조가 분할, 분할합병 당시의 자기주식 역할로 인해
영향받을 가능성이 있다.

2) 단순분할과 자기주식

(인적) 단순분할인 경우 분할합병과 달리 상대방 회사가 존재하지 않으므로,
자기주식 문제가 발생하는 것은 분할회사가 자기주식을 보유하고 있는 경우이
다. 단순분할의 경우 ① 분할회사가 자기주식을 그대로 보유하면서 여기에 분할
신주를 배정하는 방식이 널리 이루어져 왔다. 그러나 특히 기업집단이 공정거래
법상 지주회사 체제로 전환하면서 분할신주를 배정함으로써 대주주 지배권이 강
화되는 측면이 비판을 받고 있다.57) 예컨대 그림 1에서 기존 분할회사의 자기
주식(30%)에 대하여 분할신주를 배정하면 분사된 회사(화학사업)에 대한 기존 대
주주 X의 실효적 지분율은 기존의 42%에서 72%(42+30)로 증대하게 된다.

최근에는 이러한 ① 방식을 대체하는 거래, 즉 ② 분할회사 보유 자기주식을
분할대상에 포함시킨 다음 이에 대하여 분할신주를 배정하는 방식이 이루어지기
도 한다(그림 2). 구체적으로 (i) 자기주식을 분할대상에 포함시켜 신설회사를 설
립하고, (ii) 이제 신설회사가 갖게 된 분할회사 주식에 대하여 (다른 분할회사 주
주들과 마찬가지로) 분할신주를 배정하는 형태이다.58) 아래 그림에서 보듯이 그

---

57) 노혁준, "기업재편의 활성화와 그 딜레마 – 회사분할, 주식양수도에 관한 회사법 개정안들
  을 중심으로," 「상사법연구」 제34권 제3호(한국상사법학회, 2015), 67면; 노혁준, "지주회사
  설립과 전환의 법적 문제," 「상장협연구」 제56호(한국상장협, 2007), 52~53면; 황남석, "회
  사분할과 자기주식," 「조세법연구」 제21권 제1호(한국세법학회, 2015), 121면; 최문희, "자
  기주식과 경영권에 관한 판례 및 상법 개정안의 검토," 「선진상사법률연구」 제78호(법무부,
  2017), 75면.
58) 법무부는 자기주식이 분할대상에 포함될 수 있다는 전제 하에 (a) 분할절차상 주주의 이해
  관계에 중대한 영향을 미치는 주식 교환비율(분할 신주배정비율) 등에 있어서 출자비율을
  공정하게 반영하여 특정 주주를 차별적으로 대하여 그 이익을 침해하거나 특정 주주가 우
  연한 기회에 그 지분이 확대되거나 예상치 못한 수익을 보는 등 주주평등의 원칙을 침해하
  지 않을 것, (b) 분할신설회사가 신주 배정으로 자기주식을 보유하게 된 결과, 회사법상 대

본질은 위 ①과 유사하다. ①의 경우 분할회사(건설사업)이 신설회사(화학사업) 지분을 갖는 반면, ②의 경우 반대로 신설회사가 분할회사 지분을 갖는 점에 차이가 있을 뿐이다. 만약 ①의 행위가 금지된다면 ② 방식 역시 탈법행위로 규율되어야 한다.

[그림 1] 자기주식에의 분할신주 배정 (①)

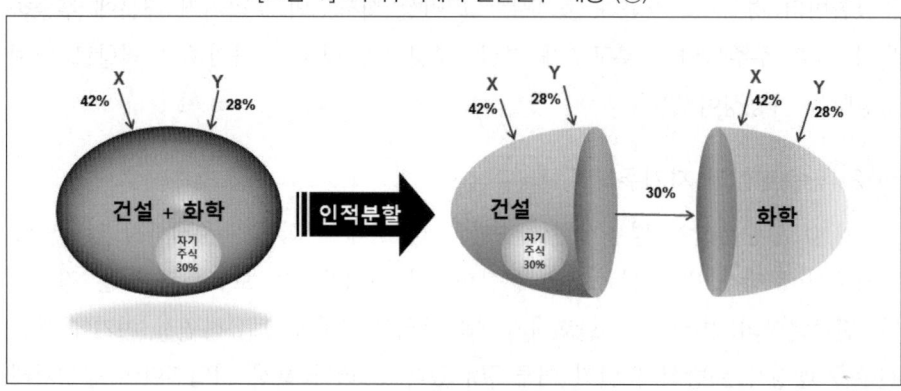

[그림 2] 이전된 자기주식에 대한 분할신주 배정 (②)

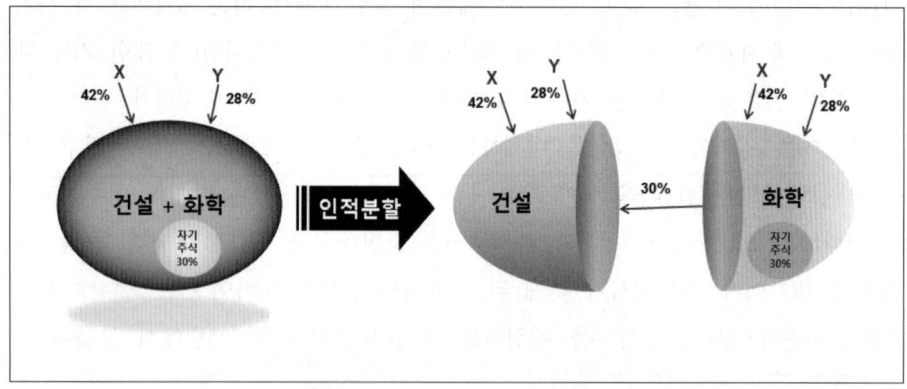

    탈법행위 논란을 차치하고서라도, ②의 거래는 몇 가지 문제점이 있다. 먼저 이에 따르면 신설회사(화학사업)는 설립시 주식을 발행하면서 곧바로 이를 자기주식 형태로 취득하게 된다. 자본충실의 원칙상 회사설립시부터 자기주식을 보유

___

원칙인 자본충실의 원칙을 침해하지 않을 것이라는 요건 하에, 신설회사에 이전된 자기주식에 대해 분할신주를 배정하는 행위까지 허용한바 있다(법무부 상사법무과-777 2013. 3. 14.).

하는 형태는 허용될 수 없다고 할 것이다. 보다 근본적으로는, 설사 이전된 자기 주식에 대하여 분할신주를 배정하지 않는다고 하더라도, 분할회사가 자기주식을 분할대상으로 삼는 것 자체가 타당하지 않다(앞서 분할대상에 관한 논의 참조).

3) 분할합병과 자기주식

원래 분할합병은 합병의 축소형으로서의 성격을 갖기 때문에 대체로 앞서 논의한 합병과 자기주식의 논의가 유사하게 적용될 수 있다. (i) 승계회사가 자기 주식을 갖는 경우, 승계회사는 분할회사 주주들에게 분할신주 발행에 갈음하여 자기주식을 이전할 수 있다. 2015년 개정상법은 ".. 신주를 발행하거나 자기주 식을 이전하는.."이라고 규정함으로써 명시적으로 이러한 이전을 허용한다(제530 조의6 제1항 제2, 3호, 제530조의7 제1항 제4호, 제2항 제3호). (ii) 승계회사가 분할 회사 주식을 보유한 경우, 승계회사가 이에 대해 분할신주를 배정하면 결국 자 기주식을 취득하게 된다. 이에 대하여는 합병과 마찬가지로 부정설[59]과 긍정 설[60]이 대립한다.[61] (iii) 분할회사가 승계회사 주식을 보유한 경우, 분할회사가 이를 분할대상으로 삼을 수 있는지 문제된다. 만약 이를 허용하면 승계회사는 자기주식을 취득하는 것이 된다. 분할회사는 위 주식을 그대로 보유할 수 있을 뿐 이를 분할대상으로 승계회사에 이전시킬 수는 없다고 할 것이다. 상법 조문 상으로도 합병과 달리 분할합병은 특정목적 자기주식 취득사유에 포함되지 않는 다(제341조의2 제1호 참조). 이 점에서 일본 회사법 제758조 제3호, 제795조 제3 항과 차이점이 있다. (iv) 분할회사에 자기주식이 있는 경우 이에 대하여 승계회 사가 분할신주를 배정할 수 있는지가 문제된다. 단순분할과 마찬가지로 지배권 왜곡이 발생할 수 있으므로 금지해야 할 것이다. 앞서 단순분할의 경우 지배권 왜곡이 발생하는 것은 신설회사에서였다. 즉 앞서의 예에서 기존 분할회사 자기

---

59) 합병에 있어서 이러한 행위의 허용은 결국 존속회사가 신주발행절차를 밟지 않고 신주발행 을 하는 것을 인정하는 것이 되며, 또한 무용한 절차가 반복된다는 점을 들어 반대하는 입 장으로서 권기범, 기업구조조정법, 152면; 한편 권기범, 기업구조조정법, 406면은 제341조 의2에 분할이 누락된 것은 입법미비라고 본다.

60) 합병에 있어서는 존속회사가 이미 가지고 있던 주식이 합병에 의해 다른 재산인 신주로 바 뀔 따름이므로 제341조의2 제1호에 의해 가능하다는 견해가 많다. 정동윤, 「회사법」 제7판 (법문사, 2001), 819면; 이철송, 전게서, 1101면; 송옥렬, 「상법강의」 제11판(홍문사, 2021), 1242면 참조.

61) 이에 관한 상세한 분석으로서, 노혁준, "기업구조조정과 자기주식의 쟁점 및 입법적 개선방 안," 「법학연구」 제28권 제1호(연세대학교 법학연구원, 2018), 129면.

주식(30%)에 대해 분할신주를 배정하면 분사된 회사(화학사업)에 대한 기존 대주주 X의 실효적 지분율은 기존의 42%에서 72%(42+30)으로 증대하는 문제가 있었다(그림 1). 분할합병의 경우 지배권 왜곡이 발생하는 곳은 승계회사이다. 1대 주주 X와 2대 주주 Y가 분할회사 T와 승계회사 A 모두에서 각기 42%, 28%의 지분을 보유한다고 가정할 때(구체적으로 T회사에 있어서는 X는 42주, Y는 28주, 자기주식 30주; A회사에 있어서는 X는 42주, Y는 28주, 또다른 주주 Z가 30주), 분할회사 보유 자기주식 30%에 대하여 분할합병에 따른 분할신주를 배정할 것인가? 분할대상이 승계회사의 순자산규모와 비슷하여 A회사가 분할신주 100주를 발행한다는 전제 하에 살펴보면 다음과 같다. ① 자기주식에 분할신주를 배정하면 분할승계회사 A에서 X, Y간 지분 상대비율은 분할합병 이전 42주:28주(즉 3:2)에서 114주[62] : 56주(약 4.1:2)로 급변하게 된다. 반면 ② 자기주식에 분할신주를 배정하지 않고 100주를 X, Y의 상대비율에 따라 배정하면[63] 지분 상대비율은 3:2로 유지된다. 후자의 접근이 타당함은 물론이다. 결국 단순분할의 경우와 마찬가지로 분할합병의 경우에도 분할회사 보유 자기주식에 대하여 분할신주 배정을 금지하여야 한다.

4) 물적분할과 자기주식

물적분할은 앞서의 인적분할과 달리 분할신주를 분할회사 자체에 배정한다. '물적 단순분할'인 경우에는 분할회사 보유 자기주식에 대한 분할신주 배정 자체가 발생하지 않는다. 이 때 신설회사는 모든 분할신주를 분할회사에 배정하면 되고 분할회사는 기존 자기주식을 그대로 보유하게 된다.

반면 '물적 분할합병'의 경우는 사안을 나누어 살펴볼 필요가 있다. 분할회사가 승계회사와 사이에 "승계회사의 분할신주를 분할회사에게 배정하는 물적 분할합병"[64]을 실행하는 것을 전제로 살펴본다. (i) 승계회사가 자기주식을 보유

---

62) 42주(기존 X의 지분) + 42주(X에게 배정된 분할신주) + 30주(X가 지배하는 T회사에 배정된 분할신주)
63) 이 때에는 100주를 X, Y에게 60주, 40주 배정하게 된다. 만약 자기주식을 배제한다고 하여 X에게 42주, Y에게 28주를 배정하면 분할승계회사의 또다른 주주 Z가 상대적으로 이익을 누리게 된다. 분할승계회사에 유입되는 순자산에 비해 발행되는 분할신주량이 적기 때문이다.
64) 이는 대법원 상업등기선례가 명시적으로 인정하는 물적 분할합병 형태이다. 2003. 10. 8. 제정 대법원 상업등기선례 1-246(공탁법인 3402-239 질의회답). "갑 회사를 분할하여 그 일부와 을 회사를 합병하고 갑 회사와 을 회사는 모두 존속하는 흡수분할합병을 하면서,

한 경우, 승계회사는 분할회사에게 분할신주 발행에 갈음하여 자기주식을 이전할 수 있다(제530조의12가 상법 제530조의6 제1항 제2, 3호, 제530조의7 제1항 제4호, 제2항 제3호를 준용). (ii) 승계회사가 분할회사 주식을 보유한 경우, 승계회사는 분할회사에게 분할신주를 배정하면 족하다. 분할승계회사가 분할회사의 주주인 점은 분할신주 배정에 고려요소가 아니다. 분할 결과 분할회사가 분할승계회사의 분할신주를 취득하게 됨으로써, 기존 분할승계회사 보유 분할회사 주식과의 사이에 상법상 상호주 문제가 발생하게 된다. 이때는 상호주 규제의 일반 법리(제342조의2, 제369조 제3항)가 작동하게 될 것이다. (iii) 분할회사가 승계회사 주식을 보유한 경우, 분할회사가 승계회사 주식을 분할대상으로 삼지 않고 그대로 보유한다면 크게 논란이 될 것이 없다. 분할회사는 분할신주를 배정받아 분할승계회사에 대한 지분율을 높이게 될 뿐이다. 반면 승계회사 주식을 분할대상에 포함시키면 승계회사는 분할합병을 통해 자기주식을 취득하는 결과가 되는바, 이러한 자기주식 취득은 상법 해석상 허용되지 않는다고 하겠다(제341조의2 제1호의 반대해석). (iv) 분할회사가 자기주식을 보유한 경우, 분할회사가 자기주식을 그대로 보유한다면 크게 문제될 것 없다. 이 때 분할승계회사는 분할회사에 분할신주를 배정하면 된다. 물적 분할합병은 분할회사 자체에 신주를 배정하는 것이므로 분할회사의 자기주식 보유 여부는 위 배정에 영향을 미치지 않는다. 한편 앞서 논의한 대로 분할회사는 자기주식을 분할대상으로 삼을 수 있는지에 대하여는 논란이 있다.

다. 흡수분할합병계약서의 기재사항

1) 승계회사의 발행할 주식 총수를 증가하는 경우 증가할 주식의 총수, 종류 및 종류별 주식수(제1호)

기존 승계회사가 분할합병으로 인하여 정관상의 수권주식총수를 증가시킬 필요가 있는 때에는 그 증가주식의 총수, 종류 및 종류별 주식수를 분할합병계약서에 기재하여야 한다.

분할된 갑 회사의 일부에 해당하는 출자지분에 관하여 존속하는 갑 회사에게 주식을 배정, 교부하는 이른바 물적 흡수분할합병의 경우에도 분할합병에 따른 변경등기가 가능할 것이다."

562 제7장 조직개편과 기업인수

2) 승계회사가 분할합병을 함에 있어서 신주를 발행하거나 자기주식을 이
   전하는 경우에는 그 발행하는 신주 또는 이전하는 자기주식의 총수, 종
   류 및 종류별 주식의 수(제2호)

제1호와 달리 실제 분할합병을 통해 발행되는 신주(또는 이전되는 자기주식)에
관한 사항을 기재하는 부분이다. 2015년 개정상법은 "신주를 발행하거나 자기주
식을 이전하는 경우"라고 표시함으로써 (i) 분할합병시 승계회사가 신주 발행
이외에 자기주식을 이전하는 방식을 취할 수 있음을 명시하였고, (ii) 나아가 존
속회사의 신주발행 또는 자기주식 이전 없는 분할합병도 가능함을 밝혔다. 일례
로 무증자 분할합병인 경우 아무런 신주발행 없이 분할합병이 이루어질 수 있다.

3) 분할회사에 대한 승계회사 주식의 배정 또는 자기주식의 이전이 있는
   경우 이에 관한 사항 및 주식의 병합 또는 분할을 하는 경우에는 그에
   관한 사항(제3호)

가) 분할합병 비율과 분할비율

인적 분할합병의 경우 분할합병계약서에 분할회사의 기존주주들에게 승계회
사 주식을 어떻게 배정할 것인지를 규정하게 된다. 분할회사 주식 1주에 대하여
승계회사 주식을 얼마나 배정할 것인지가 분할합병 비율의 문제이고, 기본적으
로 합병비율에 관한 논의가 적용된다. 예컨대 자본시장법 제165조의4, 같은 법
시행령 제176조의6 제2항은 상장법인의 분할합병시 가액산정에 관해 합병에 준
하여 산정하도록 하고 있다.

단순분할 중 물적분할인 경우 분할신주는 전부 분할회사에 배정되므로, 분할
비율에 관한 특별한 논의가 없다. 단순분할 중 인적분할에 관하여는 실무상 분
할비율에 관한 논의가 있으나, 그 개념 정의는 쉽지 않다. 일반적으로는 분할회
사가 신설회사를 설립하면서, 예컨대 분할회사 주식 1주에 대하여 한편으로는
주식을 병합하여 0.75주로 하면서 다른 한편으로는 0.25주의 신설회사 주식을
교부하는 등의 방법을 사용하는 경우가 많다. 이 때 분할회사와 신설회사의 순
자산 비율, 자본총계 또는 자본금 비율도 대략 0.75:0.25로 결정될 가능성이 많
다. 이를 통상 분할비율로 부를 수 있겠다.[65] 이러한 분할비율은 사업관련성을

---

65) 분할회사 순자산에서 분할되는 사업부문의 순자산이 차지하는 비중에 따라 분할비율이 산

확정할 수 없는 재산의 귀속기준 등이 될 수 있다.[66][67]

나) 불비례적 분할의 가능성

인적분할시에 기존 주주의 지분비율에 비례하여 분할신주를 배정하는 것이 일반적이다. 후술하듯이 세법상 이른바 적격분할로 인정받기 위해서는 이러한 안분비례에 의한 신주배정이 전제 조건이 된다. 그럼에도 불구하고, 예컨대 전자사업 및 자동차사업을 영위하는 주식회사에 A, B주주가 있는데 회사분할을 통해 A주주는 전자사업의 주식을, B주주는 자동차사업의 주식을 각기 갖기로 하는 이른바 불비례적 분할을 할 수 있을 것인가가 종종 문제된다. 이에 관하여는 (i) 상법이 분할신주 배정 시에 반드시 종전 지분비율에 따르도록 명시적으로 강제하지는 않는 점, (ii) 세법상 과세특례 요건 중 하나로 안분비례 신주배정이 포함된 것을 반대해석하면 불비례적 분할도 불가능하지 않은 점을 고려할 때 불비례적 분할도 허용된다고 본다. 다만, 이와 같이 불비례적 분할신주의 배정이 가능한 것으로 보더라도, 불비례적 분할신주의 배정은 소수파 주주의 이익을 심각하게 침해할 우려가 있으므로 주주 전원의 동의가 필요할 것이다.[68] 대법원 등기선례도 마찬가지 입장이다.[69]

다) 주식의 병합 또는 분할에 관한 사항

제530조의6 제1항 제3호의 "배정에 따른 주식의 병합 또는 분할을 하는 경우에는 그에 관한 사항"은 승계회사의 주식병합, 분할뿐 아니라 분할회사의 주식병합, 분할도 함께 의미하는 것으로 볼 것이다. 특히 분할시 분할회사가 감자를 하면서 주식병합을 하는 사례는 많다. 이때 주권제출 절차와의 관련성이 문제된다.

기존 주주의 주식 수에 영향을 미치지 않는 채 분할신주를 분할회사 또는 분

정되는 것이 일반적 실무이다. 김병태·김지훈, 전게논문, 74면.

66) 보다 상세한 내용에 관하여는 조현덕, "회사의 분할비율 관련 쟁점과 실무,"「BFL」제49호 (서울대 금융법센터, 2011), 40면 참조.

67) 분할계획서 작성 또는 분할합병계약서 체결 이후 분할회사 전환사채의 전환권 행사 등이 이루어진 경우 기존 분할계획서 또는 분할합병계약서의 필수적 기재사항 변경 가능성이 문제된다. 합병에서의 논의와 마찬가지로, 분할계획서 및 분할합병계약서에 사후적 변경가능성을 열어두는 조항을 둘 필요가 있다. 김병태·김지훈, 전게논문, 74면.

68) 권기범, 기업구조조정법, 405면; 김건식·노혁준·천경훈,「회사법」제5판(박영사, 2021), 823면.

69) 2019. 2. 28. 제정 대법원 상업등기선례 201902-2.

할회사의 기존 주주에게 교부한다면, 분할회사 주주들로 하여금 별도로 주권을 제출하도록 할 필요가 없다. 다만 인적 분할합병을 하면서 분할회사 주주들에게 기존 1주당 분할신주 0.25주씩 배정하는 한편 기존 1주를 0.75주로 병합하는 사례에서 보듯이, 분할회사가 기존 주주의 주식을 병합하는 경우에는 기존 주권을 회수하여야 한다. 상법은 이러한 경우 자본감소에서의 주식병합을 위한 주권 제출 공고절차를 준용한다(제530조의11, 제440조 내지 제443조). 다만 위 준용규정 중 제441조는 주식병합의 효력이 주권제출기간 만료로 발생하되(본문) 제232조에 따른 채권자 보호절차가 종료하지 않았으면 그 종료시에 발생한다(단서)는 취지이다. 분할 및 분할합병에서는 별도의 채권자 보호절차가 마련되어 있고 분할 및 분할합병 시에 이루어지는 주식병합의 효력은 주권제출기간 만료 또는 채권자 보호절차의 종료 이후 실행되는 분할등기시에 발생한다고 할 것이므로, 제411조를 준용할 필요가 없을 것이다.[70]

4) 분할회사의 주주에 대하여 승계회사가 대가의 전부 또는 일부로서 금전이나 그 밖의 재산을 제공하는 경우에는 그 내용 및 배정에 관한 사항 (제4호)

합병에 있어서의 합병교부금과 마찬가지로 분할합병시에는 분할합병교부금을 지급할 수 있다. 원래 분할합병교부금은 분할비율의 단수조정, 감자, 이익배당 등 보조적 기능만을 수행하는 것이 보통이다. 그런데 제530조의6 제1항 제4호는 나아가 승계회사가 분할신주를 일체 발행하지 않고 분할합병의 대가를 금전 등으로만 제공하는 이른바 교부금분할합병을 허용하고 있다. 제523조 제4호에서 교부금합병을 허용하는 것과 균형을 맞춘 것이다. 교부금분할합병이 허용되는 것은 흡수분할합병에 한하고, 새로운 회사를 설립하는 신설분할합병에는 인정되지 않는다(제530조의6 제2항 제5호와 비교). 이에 대하여는 2015 개정상법이 흡수합병 이외에 신설합병에도 교부금합병을 허용한 것(제524조 제4호)과 형평이 맞지 않는다는 비판이 제기될 수 있다. 또한 분할합병교부금으로서 모회사 주식을 대가로 활용하는 경우 앞서 언급한 삼각분할합병이 되는바, 상법은 삼각합병과 마찬가지로 명시적으로 삼각분할합병을 허용하고 있다(제530조의6 제4, 5항).

승계회사의 채권자 입장에서 볼 때 분할합병교부금의 제공은 담보재산의 감

---

70) 이철송, 전게서, 1150면은 이를 입법의 착오로 본다.

축을 의미하므로 별도의 보호장치가 필요한지 문제될 수 있다. 그러나 분할합병의 경우 본디 승계회사에게는 채권자보호절차가 마련되어 있으므로(제530조의11 제2항, 제527조의5) 교부금분할합병이라고 하여 추가적 보호장치를 요구할 필요는 없을 것이다.

분할합병이 아닌 단순분할에 있어서 분할교부금만을 지급하는 교부금단순분할이 가능한지 여부에 관하여는 분할계획서 기재사항과 관련하여 따로 검토하기로 한다.

5) 승계회사의 자본금 또는 준비금이 증가하는 경우 증가할 자본금 또는 준비금에 관한 사항(제5호)

분할합병시 승계회사는 분할회사의 자산을 승계하므로 증자를 하면서 분할신주를 발행하는 것이 보통이다. 이에 따라 분할합병계약서에는 증자액과 준비금에 관한 사항을 기재하도록 되어 있다. 이 부분의 논의는 합병시 존속회사의 증자에 관한 부분과 유사하다. 분할회사의 이익준비금이나 그 밖의 법정준비금은 분할차익의 범위에서 승계회사가 승계할 수 있다(제459조 제2항). 합병에 있어서와 마찬가지로, 승계회사의 증자 한도에 관해 분할회사로부터 승계하는 순자산액을 초과할 수 없다는 견해와[71] 이를 초과하여 증자할 수 있다는 견해가[72] 제기되고 있다.

분할신주의 발행 없는 이른바 무증자 분할합병도 가능한가? 본 조항은 "자본금 또는 준비금이 증가하는 경우"라고 하여 자본금 또는 준비금의 증가가 분할합병의 필수 요소는 아니라는 점을 밝히고 있다. 구체적으로 무증자 분할합병으로 이루어지는 예로서, 첫째 100% 모자회사 관계에서 모회사가 자회사의 사업 일부를 분할합병하는 경우에 무증자 분할합병이 가능하다.[73] 둘째로 승계회사에 분할회사(물적 분할합병인 경우) 또는 분할회사의 주주(인적 분할합병인 경우)에게 배정하기에 충분한 자기주식이 있는 경우에도 무증자 분할합병이 가능할 것이다. 셋째로 분할회사의 분할사업부문의 대차대조표상 순자산가치가 영(0)인 경우

---

71) 권기범, 기업구조조정법, 409면.
72) 노혁준, "부실계열사 합병과 합병비율," 「상사법연구」 제27권 제4호(한국상사법학회, 2009), 253~256면.
73) 2009. 9. 2. 제정 대법원 상업등기선례 200909-1. 이는 "분할합병의 상대방 회사 자신이나 분할되는 회사에 대하여"라고 하여, 인적 분할합병뿐 아니라 물적 분할합병인 경우에도 모두 무증자 분할합병이 가능함을 밝히고 있다.

승계회사가 분할합병 신주를 발행할 필요가 없다는 상업등기선례가 있다.[74)75)]

6) 승계회사에 이전될 재산과 그 가액(제6호)

분할 대상이 되는 재산과 그 특정에 관하여는 앞서 살펴보았으므로 여기에서
는 신주인수권부사채, 전환사채 등 잠재적 주식에 관해 검토한다. 분할회사가
다른 회사가 발행한 신주인수권부사채, 전환사채 등 잠재적 주식을 보유한 경우
에는 일반원칙에 따라 이를 분할의 대상으로 삼을 수 있을 것이다. 분할회사 자
신이 발행한 전환사채 등의 경우는 어떠한가? 분할합병계약서와 분할계획서에서
는 이와 같은 권리관계를 어떻게 특정하여야 하는지의 문제와 구체적으로 전환
사채권자들을 어떻게 보호하여야 하는지의 문제가 나타난다.[76)] 이하 순서대로
살펴본다. 전환사채를 중심으로 검토하지만, 신주인수권부사채, 주식매수선택권
의 경우에도 유사한 법리가 적용될 수 있을 것이다.

가) 특정 여부

분할회사가 발행한 전환사채 등을 단순히 분할대차대조표 등에 부채의 한 항
목으로 기재하는 경우 전환사채권자 등의 권리내용을 파악하기가 어려우므로 해
당 권리의 구체적인 조건 등을 분할합병계약서와 분할계획서에 기재하여야 한
다.[77)] 등기선례도 전환사채 또는 신주인수권부사채가 분할대상인 경우 승계사실
을 증명하는 서면(분할계획서, 분할계획서를 승인한 주주총회 의사록 등)을 첨부하
여 전환사채 등의 등기신청을 해야 한다고 본다.[78)] 제530조의11 제1항, 제528
조 제2항에 따르면 분할회사가 발행한 전환사채 등을 이전받은 신설회사 및 승
계회사는 분할 또는 분할합병 등기와 동시에 사채 등기를 해야 하는 것이 원칙
이지만, 위 등기선례는 분할 등기 종료 이후에도 관련 서류를 첨부하여 전환사

---

74) 2002. 1. 2. 제정 대법원 상업등기선례 1-243.
75) 그 밖에 권기범, 기업구조조정법, 409면에서는 분할회사가 발행주식 총수를 자기주식으로
   갖고 있는 경우를 들고 있으나 현실적으로 드문 경우일 것이다.
76) 전환사채, 신주인수권부사채의 경우 회사합병 시 적용되는 등기조항이 회사분할에 준용된다
   (상법 제530조의11 제1항, 제528조 제2항)는 점 등을 고려할 때 이러한 잠재적 주식도 분
   할의 대상이 될 수 있다는 점에는 별다른 의문의 여지가 없다.
77) 윤성조·김효민, 전게논문, 29면; 일본 회사법 제763조는 분할계획서의 기재사항으로서, 특
   별히 사채, 신주예약권(신주인수권)의 귀속 및 그 구체적인 내용에 관한 사항, 신주예약권
   부사채(신주인수권부사채)의 경우에는 신주예약권의 구체적인 내용(수, 행사가격 산정방법)
   에 관한 사항을 명시하고 있다.
78) 2003. 11. 14. 제정 대법원 등기선례 200311-13.

채 등 등기를 신청할 수 있도록 허용하고 있다.

나) 권리자 보호의 방식

전환사채 등 잠재적 주식은 권리행사시 회사의 주식이 발행되는 것이므로 회사분할 과정에서 실질적인 권리내용의 변동을 겪게 된다. 따라서 분할시 위 잠재적 주식의 소유자를 어떻게 보호할지가 문제된다. 독일의 기업재편법이나 EU의 분할지침은 이처럼 의결권이 부여되지 않은 특별한 권리에 대하여 그 의무를 승계한 회사는 '동등한 정도의 급부'를 제공할 의무가 있는 것으로 본다. 동등성은 경제적 실질성에 의해 판단된다고 한다.[79] 문제는 이러한 동등성을 쉽게 판단하기 어렵다는 데에 있다.

동등성에 관한 논란을 막기 위해서라도 전환사채 등 소유자에게 분할비율에 따라 분할회사와 승계회사(또는 신설회사)에 각기 권리를 행사할 수 있도록 배정함이 타당할 것이다[80] 예컨대 신주인수권 증권의 행사대상이던 회사가 인적분할된 경우 그만큼 회사가치의 변동이 발생했으므로 분할회사뿐 아니라 신설회사에 대하여도 분할비율에 따라 신주인수권을 행사할 수 있도록 안분하는 것이 타당하다는 것이다. 실제 거래에서도 이처럼 처리되는 사례가 많다.[81][82][83]

---

79) 권기범, 기업구조조정법, 414면은 분할회사의 전환사채에 관하여, 그 전환권 행사시에 동등한 권리내용의 승계회사 주식으로 전환해 주는 것을 그 예로 들고 있다. 동등성이 인정되지 않는 경우 승계회사는 손해배상책임을 지게 되고 이에 대하여 분할회사는 연대책임을 부담한다고 한다.
80) 김상준·이태현, 전게논문, 91면과 93면.
81) 김상준·이태현, 상계논문, 93면에 의하면 다음과 같은 사례가 있다고 한다.
  (a) 대우자동차판매(주)는 인적분할방식으로 대우송도개발(주)를 존속법인으로 하고 대우자동차판매(주)와 대우산업개발(주)를 신설한다고 공시하면서 분할되는 회사가 발행한 신주인수권증권(신주인수권부사채 발행에 따른 신주인수권증권을 말한다)에 대해서는 분할비율에 따라 분할되는 회사와 신설회사 A 및 신설회사 B로 안분되어, 분할되는 회사 또는 신설회사 A 및 신설회사 B에 대하여 신주인수권증권의 권리 행사시 각 회사의 주식으로 부여함으로써 신주인수권부 사채에서 분리된 신주인수권을 분할비율에 따라 분할회사와 승계회사에 안분한다고 기재한 적이 있다(2011년 3월 21일자 대우자동차판매(주) 금융감독원 전자공시 증권신고서 참조. 다만 대우자동차판매는 2011년 7월 29일 분할계획을 철회했다).
  (b) (주)세화(상호 변경 후 (주)에듀언스)와 (주)코아크로스는 분할 전 회사에 존재하는 신주인수권을 자본금에 비례하여 분할되는 회사 및 신설회사로 각각 안분하였다(각기 2005년 12월 15일자 (주)세화 금융감독원 전자공시 분할신고서, 2006년 9월 21일자 (주)코아크로스 금융감독원 전자공시 분할신고서 참조).
  상기 사례들에 추가하여 참고할 만한 유사 사례로서, 2015. 4. 29.자 (주)심텍홀딩스 금융감독원 전자공시 증권신고서, 2014. 3. 25.자 (주)차바이오텍 금융감독원 전자공시 증권신고서, 2013. 1. 10.자 동아쏘시오홀딩스(주) 금융감독원 전자공시 증권신고서 참조.

관련 판례로서, 서울고등법원은 회사분할 이전에 퇴직한 주식매수선택권(스톡옵션)자가 회사분할 이후 자신의 퇴직이 자유로운 의사에 의한 것이 아니라는 이유로 분할 당사회사 전부에 대하여 스톡옵션을 행사한 사안에서, 스톡옵션권자의 퇴직이 무효라고 판단한 후 분할비율에 따라 각 분할 당사회사에 대한 주권교부청구를 인용한 예가 있다.[84][85]

7) 제530조의9 제3항의 정함(분할후 회사 상호간 연대책임 분리에 관한 내용)이 있는 경우에는 그 내용(제7호)

분할합병시 분할회사와 승계회사는 원칙적으로 연대책임을 지게 되는바(제530조의9 제1항), 이를 예외적으로 분리하는 경우 그러한 정함을 분할합병계약서에 기재해야 한다. 연대책임 및 그 분리에 관한 상세한 내용은 분할시 채권자보호의 문제로서 후술한다.

---

82) 위와 같이 신주인수권을 분할비율에 따라 분할회사와 신설회사에 안분한 사례 이외에도, 자본금에 비례하여 안분하되 분할로 인한 신주인수권의 행사가액을 조정한 사례들(2009. 9. 17.자 우리들제약(주) 금융감독원 전자공시 증권신고서, 2008. 4. 30.자 (주)동성화학 금융감독원 전자공시 분할신고서 참조)과 분할회사에 존재하는 신주인수권을 모두 신설회사로 이전한 사례(2005. 4. 7.자 (주)아이디씨텍 금융감독원 전자공시 분할신고서 참조)도 발견된다.

83) 참고로, 하급심 법원에서 신주인수권자에 대한 상법상 별도의 보호 내지 승계규정은 없으나 회사분할 시 신주인수권을 승계회사에 승계하기 위해서는 신주인수권자의 동의를 얻거나 신주인수권자의 권리침해를 방지하기 위하여 분할비율에 따라 각 분할당사회사가 신주인수권자에게 각각 신주를 발행할 의무를 부담한다는 취지로 판시한 사례(서울동부지방법원 2007.11.22. 선고 2005가합8192 판결)도 발견된다. 이 판결은 항소심(서울고등법원 2008나8159)에서 신주인수권자에게 12억원을 지급하는 조건으로 조정된 것으로 보인다. 김병태 · 김지훈, 전게논문, 73면 참조.

84) 김상준 · 이태현, 전게논문, 97면 참조. 상게논문은 또한 현대백화점이 현대백화점 에이치앤에스와 현대백화점으로 분할하면서 분할비율을 1:4로 정한 경우에 분할 전 현대백화점을 퇴직한 스톡옵션권자가 회사분할 이후 분할비율에 따라 현대백화점 에이치앤에스 및 현대백화점 각각에게 스톡옵션을 행사하고 법원도 이를 받아들인 사례도 들고 있다(서울고등법원 2004.7.28. 2004나7783).

85) 한편, 분할회사에서 스톡옵션을 부여받은 직원이 회사분할에 의하여 분할회사로부터 신설회사로 고용승계되고 당해 스톡옵션이 신설회사로 이전된 경우 스톡옵션권자가 분할회사에서 스톡옵션을 부여받은 이후 회사분할 이전까지 근무하던 기간이 신설회사에서의 스톡옵션 행사를 위해 요구되는 최소 재직기간에 포함되는지 여부가 문제될 수 있다. 이와 관련하여 명시적인 법령의 규정이나 확립된 해석론이 없어서 견해의 대립이 있을 수 있으나, 적어도 분할회사가 상장회사인 경우에는 제542조의3 제4항, 시행령 제30조 제5항의 취지를 고려하여 스톡옵션권자의 귀책사유 없이 회사의 조직재편으로 인하여 불이익한 결과가 발생하지 않도록 회사분할 이전과 이후의 재직기간을 합산하는 것이 타당해 보인다.

8) 각 회사에서 분할합병의 승인결의를 할 주주총회의 기일(제8호)

분할회사와 승계회사에서 주주총회의 기일을 동일하게 정할 필요는 없다. 신설분할합병인 경우에는 각 분할회사에서만 주주총회를 개최하면 족하고, 신설되는 회사의 주주총회 기일을 의미하는 것은 아니다.

9) 분할합병을 할 날(제9호)

합병기일(제523조 제6호, 제524조 제5호)에 대응하는 개념으로서 재산이전의 기준이 되는 시기를 뜻한다. 따라서 반드시 분할합병등기일과 일치하는 것은 아니다.

10) 승계회사의 이사와 감사를 정한 때에는 그 성명과 주민등록번호(제10호)

합병계약서에서 존속회사에 취임할 이사, 감사 등을 정한 때에 그 인적사항을 기재하도록 한 것(제523조 제9호, 제524조 제6호)에 대응하는 것이다. 승계회사가 분할합병으로 인해 반드시 새로운 이사, 감사를 선임해야 하는 것은 아니므로 위 사항을 반드시 기재해야 하는 것은 아니다. 승계회사 입장에서는 위 사항을 분할합병계약서에 기재하면 승계회사의 인사 문제에 관하여 분할회사측 이사회와 주주총회의 승인까지 받아야 하는 부담이 생긴다.

11) 승계회사의 정관 변경을 가져오게 하는 그 밖의 사항(제11호)

이는 분할합병회사가 분할합병 이후의 별도 주주총회 없이 분할합병 절차를 통해 정관을 변경할 수 있도록 한 것이다.

12) 분할회사에 관한 사항: 분할회사의 감자 관련

분할회사가 분할합병 이후 존속하는 경우에는 위 기재사항 이외에 분할회사에 관한 사항으로서 (i) 감소할 자본금과 준비금의 액, (ii) 자본감소의 방법, (iii) 분할로 인하여 이전할 재산과 그 가액, (iv) 분할 후의 발행주식의 총수, (v) 회사가 발행할 주식의 총수를 감소하는 경우에는 그 감소할 주식의 총수, 종류 및 종류별 주식의 수, (vi) 정관변경을 가져오게 하는 그 밖의 사항을 기재하도록 하고 있다(제530조의6 제3항, 제530조의5 제2항).[86]

---

86) 실제 인적분할인 경우 분할회사의 주주가 수령하는 분할신주는 배당금으로 의제되어 과세대

상법의 규정 형식상 단순분할이든 분할합병이든 분할회사가 존속하면 위 제530조의5 제2항 제1호 및 제2호에 따라 감자관련 사항을 기재하도록 되어 있다. 하지만 위 규정 형식에도 불구하고 분할회사의 감자 여부는 선택사항으로 이해되고 있다.[87] 입법기술로서는 2015년 개정상법 제530조의6 제1항 제5호가 "..승계회사의 자본금 또는 준비금이 증가하는 경우..."라고 표현한 것처럼 "분할회사의 자본금 또는 준비금이 감소하는 경우.."라고 명시할 필요가 있다. 감자를 선택한 경우에 일반적으로 감자에 요구되는 채권자 보호절차를 밟을 필요가 있는지가 문제된다. 이에 대하여 등기선례는 ① 그 자본 감소가 주주에 대한 출자의 환급이 없는 명목상의 것이고, ② 분할 후 분할회사의 자본과 신설회사의 자본의 합계액이 분할 전 분할회사의 자본액 이상이며, ③ 신설회사가 분할회사의 채무에 관하여 연대하여 변제할 책임을 부담한다면 등기 신청서에 채권자 보호절차를 거쳤음을 증명하는 서면을 첨부할 필요가 없다고 본다.[88]

라. 그 밖의 분할합병계약서 또는 분할계획서의 기재사항

1) 신설분할합병계약서의 기재사항

제530조의6 제2항은 회사가 신설되는 형태의 분할합병시에 기재할 사항을 규정한다. 기본적으로는 위 흡수분할합병계약서의 내용을 기본으로 하되, 회사가 신설되는 것을 감안하여 신설되는 회사의 인적, 물적 구성에 관한 사항을 규정하도록 되어 있다. 신설되는 회사의 기관과 관련하여, 만약 창립총회를 이사회 공고로 갈음하려 할 때에는(제530조의11 제1항, 제527조 제4항) 신설분할합병계약서에 이사, 감사의 인적사항을 명시하는 것은 필수적이라고 할 것이다(제530조의6 제2항 제1호, 제530조의5 제1항 제9호).

상이 되므로, 분할회사의 감자를 함께 실행하여 주주들의 세부담을 완화하는 경우가 많다.

87) 2001. 12. 4. 제정 대법원 등기선례 200112-18에 의하면 "주식회사의 분할 및 분할합병시 분할되는 것은 회사의 재산 즉 특정영업을 위하여 조직화되고 유기적 일체를 이루는 적극 및 소극재산이므로, 피분할회사가 존속하는 불완전분할의 경우 분할로 피분할회사의 재산이 감소한다고 해서 필요적으로 자본감소를 수반하는 것은 아니며, 자본감소에 관한 사항이 분할계획서 또는 분할합병계약서에 포함된 때에 한하여 자본감소절차가 필요하다."고 한다.

88) 2007. 5. 3. 제정 대법원 상업등기선례 200705-2.

2) 인적 단순분할계획서의 기재사항

제530조의5 제1항은 인적 단순분할시에 분할계획서에 기재할 일반사항을 규정하고, 같은 조 제2항은 그 중 분할회사가 존속하는 형태의 분할, 즉 존속분할에 관해 추가적으로 규정하고 있다. 일반적으로 앞서 언급한 분할합병계약서에 관한 내용이 그대로 타당하다. 다만 인적 단순분할인 경우 재산 중 일부가 이전하면서 회사를 설립하는 것인바, 어떤 비중의 재산이 이전되는지 산정하여 실무상 분할비율로 부르고 있다. 이 점에서 기본적으로 승계회사와 분할회사와의 주가차이를 비교하는 데에서 시작하는 분할합병비율과는 다소 다른 점이 있다는 점은 전술한 바와 같다. 단순분할계획서는 분할회사의 이사회 및 주주총회의 승인 하에 작성되는 것인바, 분할회사의 재산만으로 신설회사를 설립하는 경우에 신설회사의 이사, 감사를 분할계획서에 정하는 것에 별다른 의문이 없다(제530조의5 제1항 제9호). 반면 분할회사의 재산 출연 이외에 제3자를 신설회사 주주로 참여시키는 경우에는, 신설회사의 이사, 감사를 분할계획서의 승인을 통해 확정시키는 것은 제3자의 권리를 침해하는 것이므로 허용되지 않는다는 견해가 유력하다.[89]

제530조의5 제1항 제5호는 "분할회사의 주주에게 제4호에도 불구하고 금전이나 그 밖의 재산을 제공하는 경우에는 그 내용 및 배정에 관한 사항"을 분할계획서에 기재하도록 하는바 그 해석을 두고 논란이 제기될 수 있다. 분할회사의 주주들에게 신설회사의 신주를 배정하지 않고 금전 등만을 제공하는 것은 허용되지 않을 것이다. 신설회사가 주주 없이 설립되는 결과가 되기 때문이다.

일부 신주만 발행하고 대부분의 대가를 금전 등으로 제공한 경우, 분할회사의 재산이 기존 주주에게 유출되는 것이므로 분할회사 채권자 보호 문제가 대두된다. 이러한 분할교부금에 관하여, (i) 후술하는 연대책임에 의한 보호로는 부족하고 항상 별도의 채권자 이의절차를 유추적용해야 한다는 견해, (ii) 분할교부금이 감자환급금에 해당하는 경우에는 별도의 채권자 이의절차가 필요하다는 견해, (iii) 어느 경우에나 연대책임으로 족하고 별도의 채권자 이의절차를 적용할 근거가 없다는 견해가 제기될 수 있다. (iii)의 해석은 결국 단순분할과정에서 주주가 먼저 출자환급을 받아가도록 허용하는 것인바, 연대책임만으로는 규제의 공백이 있을 수 있다. 반면 (i)과 같이 모든 경우에 채권자 이의절차를 유추하는 것은 법적 근거도 약하고 과도한 규제로 보인다. (ii)의 입장과 같이 실질적으로 감자 환급금에 해당할 경우 별도의 채권자 이의절차를 밟도록 함이 타당할 것이다.

마지막으로 분할합병계약서에 분할합병을 할 날을 기재하도록 한 것과 같이 (제530조의6 제1항 제9호, 제2항 제7호), 분할계획서에도 분할을 할 날을 기재하도록 하고 있다(제530조의5 제1항 제8의2호).

3) 물적분할의 경우

제530조의12는 물적분할에 관해서는 개괄적인 준용규정을 두고 있을 뿐이다. 물적 단순분할인 경우에는 위 인적단순분할계획서에 관한 내용이, 물적 분할합병인 경우에는 위 흡수분할합병계약서 또는 신설분할합병계약서의 내용이 준용될 것이다. 다만 물적분할은 분할회사 자신이 분할신주 전체를 교부받는 구조이므로 배정받는 주식을 총체적으로 기재하면 족하다.

4) 임의적 기재사항

이상의 법정 기재사항 이외에 분할계획서에 신설회사의 주주총회 결의를 요하는 임원퇴직금규정을 포함하는 사례들도 있으며 분할합병계약서나 분할계획서에 추가적으로 분할후 회사의 새로운 권리의무관계에 관한 사항을 기재하기도 한다. 예컨대 회사분할을 통해 본사건물을 일방 회사가 승계하되 분할회사가 이를 임차하여 사용하도록 허용한다든지, 지적재산권을 승계하는 대신 일정기간 사용권을 부여한다든지 하는 등의 내용이다.[90) 분할합병계약인 경우 양 당사자 간 계약의 내용이므로 구속력이 있다고 볼 것이다. 이러한 구속력을 분할회사가 일방적으로 작성하는 분할계획서에도 인정할 수 있는가?

분할계획서는 분할회사에 의해 일방적으로 작성되는 것으로서 재산 분배를 다루는 것이지 분할 이후 법률관계를 규율하는 것은 아니라는 점을 강조하여, 원칙적으로 구속력을 인정하기 어렵지만 분할회사 자신이 스스로 의무를 부담하

---

90) 윤성조·김효민, 전게논문, 37면에 따르면, 나아가 상장회사의 인적분할로 인하여 설립되는 신설회사가 재상장을 하지 아니할 경우, 상장회사의 소수주주들로서는 분할로 인하여 존속회사인 상장회사의 자산이 이탈하여 보유한 상장주식 가치가 하락함에 비하여, 분할로 인하여 교부받는 신설회사의 비상장 분할신주를 환가하기 어려운 불이익을 입을 수 있는데, 몇몇 사례에서는 분할계획서에 존속회사 또는 신설회사가 이와 같은 경우 소수주주들로부터 비상장 신설회사의 분할신주를 매수하겠다는 취지의 기재를 하는 경우가 있었다고 한다.

기로 정한 경우에는 일정 부분 효력을 인정할 수 있다는 견해도 유력하다.[91] 분할등기의 관점에서 볼 때, 등기소는 분할계획서상 임의적 기재사항이 상법상 등기사항으로서 분할계획서에 기재되어 승인결의를 받았고 당해 분할과 직접적인 관련성이 있는 경우라면 그 등기를 허용하고 있다.[92]

4. 분할의 절차

분할의 절차는 기본적으로 합병의 그것과 유사하다. 관련 정보를 사전 및 사후에 공시해야 하고, 그 과정에서 주주총회의 특별결의가 요구되며 일정한 채권자 보호수단이 마련되어 있는 등 기본 구조는 합병의 그것에 따른다. 회사분할 역시 관련 주주 및 채권자들에게 악영향을 미칠 가능성이 있기 때문이다. 특히 분할합병에 대한 절차적 규제는 합병에 준한다는 점은 앞서 언급한 바와 같다. 다만 앞서 살펴본 바와 같이 분할에는 다양한 유형이 있으므로, 주식매수청구권의 인정 등에서 합병과 차이가 있다.

분할회사가 상장회사인 경우 분할의 기본적인 일정을 개략적으로 정리하면 다음과 같다.

〈분할일정표〉

절 차	일정	참고사항	당사자
주요 사전준비 사항	D-137 이전	√ 분할계획서 작성 √ 자본감소 여부 결정[93] √ 신설회사 연대책임 부담 여부 결정	분할회사

91) 윤성조 · 김효민, 전게논문, 38면 참조.
92) 2015. 7. 13. 제정 대법원 상업등기선례 제201507-2호(사법등기심의관 2360 질의회답)은 "주식회사의 단순분할 시 분할존속회사의 임원, 상호, 목적 기타 정관 변경을 가져오지 않는 그 밖의 사항이라도 분할계획서에는 합병계약서의 기재사항과 같이 임의적 기재사항을 법령에 위배되지 아니하는 범위 내에서 추가로 기재할 수 있기 때문에, 상법상 등기사항에 해당하고 분할계획서에 기재하여 분할승인결의를 받는다면 분할존속회사는 이를 분할로 인한 등기의 신청서에 기재하여 분할신설회사의 관할등기소에 제출할 수 있다"고 하면서, 다만 "분할존속회사의 임원 · 상호 · 목적변경 등을 분할계획서에 기재하고 분할승인결의를 받았더라도 이를 등기신청서에 기재하여 분할신설회사의 관할등기소에 제출하려면 임원 · 상호 · 목적변경 등의 사항이 당해 분할과 직접적인 관련이 있어야 하는 데, 당해 분할과 직접적인 관련이 있는지 여부는 등기신청 시 제출한 모든 첨부정보를 바탕으로 구체적인 등기신청사건을 담당하는 등기관이 판단하여야 할 것이다"라는 입장을 취하고 있다.
93) 자본감소 여부 결정: 상법상 인적분할을 하면서 분할되는 회사가 반드시 자본감소를 해야

분할을 위한 이사회 결의	D-137	분할계획서 결정	분할회사
√ 주요사항보고서 제출 √ 이사회 결의사항 공시		√ 사유발생일의 다음날까지 금융위원회에 제출 √ 사유발생일 당일에 거래소에 신고	분할회사
[분할회사의 사업 관련 근거 법령상 분할인가 신청]			분할회사
주주명부폐쇄 및 기준일 공고		주주명부 확정일 2주전 공고	분할회사
재상장예비심사청구서 제출		거래소 제출	분할회사
재상장예비심사 결과 수령	D-74		분할회사
증권신고서 제출	D-73	금융위원회 제출	분할회사
증권신고서 효력 발생	D-63	금융감독원의 정정 요청 시 연기 가능	분할회사
투자설명서 제출 및 본점 비치		증권신고서 효력발생일에 제출	분할회사
주주명부 확정 기준일	D-58		분할회사
주주총회 소집 공고 및 통지	D-48	주주총회 2주전	분할회사
분할대차대조표 등의 공시		주주총회 2주전 ~ 분할등기일 이후 6개월간 본점 비치	분할회사
주주총회	D-33	주주총회 특별결의	분할회사
주주총회 결과 보고		사유발생일 당일에 거래소에 보고	
채권자 이의제출 공고 또는 개별통지94)	D-32	주주총회일로부터 2주 이내	분할회사
병합기준일 공고 또는 개별통지95)			
채권자 이의제출 기간 만료	~D-1	공고일로부터 1월 이상	분할회사
신설회사의 근로관계 승계동의서(전적동의서) 징구96)			분할회사
분할기일(병합기준일)	D		분할회사
분할보고총회 및 창립총회를 갈음하는 이사회결의	D+1	상장법인의 경우에는 보고총회의 개최에 많은 시일이 소요되므로 이사회 결의에 의한 공고로 대체	분할회사 신설회사
이사회결의 공고	D+2		분할회사 신설회사

분할등기	D+3	이사회결의 공고 후 2주 이내	분할회사
설립등기			신설회사
증권발행실적보고서 제출		증권의 모집을 완료한 때 금융위원회에 즉시 제출	분할회사
분할에 관한 서류의 사후공시	D+3~	√ 분할을 한 날부터 6개월간 본점에 비치	분할회사
분할종료보고서 제출		√ 증권발행실적보고서를 제출하는 경우에는 분할종료보고서 제출 불필요	
√ 변경상장 √ 재상장	D+15 ~		분할회사 신설회사

※ 위 표에서 음영으로 표시된 항목은 자본시장법에 의한 공모절차와 연관된 것으로서 인적분할의 경우에만 적용됨.
※ 상기 일정은 분할절차가 별다른 장애 없이 신속히 진행됨을 전제로 작성된 것이며, 관련 인허가의 지체 또는 정정 증권신고서의 제출 등 여러 사유로 일정이 지연될 가능성이 있음.

가. 이사회와 주주총회의 승인

회사분할을 위해서는 먼저 전술한 분할계획서, 분할합병계약서에 대한 이사회 승인이 필요하다. 그 다음 분할회사의 주주총회 특별결의에 의한 승인이 필요하다(제530조의3 제1항, 제2항). 분할 또는 분할합병으로 인해 어떤 종류의 주주에게 손해가 발생할 경우 주주총회 특별결의에 의한 승인 이외에 해당 종류주

하는 것은 아니다. 다만, 실무상 의제배당 등의 리스크를 줄이기 위해 통상 주식병합방식을 통한 자본감소를 한다. 본건 일정표는 자본감소를 전제로 한 것이나, 자본감소를 하지 아니하기로 결정할 경우 위 일정이 수정될 수 있다.

94) 채권자 보호절차: 신설회사가 분할회사의 채무에 대하여 연대책임을 지는 경우, 회사분할에 따른 채권자 보호절차는 별도로 거칠 필요가 없고 자본감소에 따른 채권자 보호절차만 필요하다.

95) 2019. 9. 16.부터 시행된 전자증권법에 의하여 한국거래소가 개설하는 증권시장에 상장하는 주식은 전자등록기관에 전자등록이 이루어지게 됨으로써 상장회사인 분할회사가 분할의 과정에서 전자등록된 주식을 병합(분할)하는 경우에는 상법 제440조에도 불구하고 전자증권법의 규율을 받게 되며 병합기준일의 공고 또는 개별통지는 그 2주전까지 이루어져야 한다(같은 법 제65조).

96) 신설회사의 근로관계 승계 동의: 회사가 분할되면 신설회사는 원칙적으로 분할회사의 권리·의무를 분할계획서가 정하는 바에 따라 승계한다. 후술하듯 대법원은 근로계약관계 역시 미리 노동조합과 근로자에게 이해와 협력을 구하는 절차를 거쳤다면 원칙적으로 승계된다고 보면서도 일정한 경우 근로자의 거부권을 인정하고 있다(대법원 2013.12.12. 2011두4282). 이에 따라 신설회사 근무예정 직원들에게는 미리 이해와 협력을 구하고 분할기일 이전에 근로관계 승계에 대한 동의서를 받아 둘 필요가 있다.

주총회에 의한 승인도 받아야 한다(제436조, 제435조). 분할합병계약인 경우에는 상대방 회사에서도 주주총회 특별결의가 필요하다.97) 단순분할 또는 신설분할합병을 통해 신설되는 회사에 있어서는 별도의 주주총회 특별결의는 필요하지 않다.

주주총회의 승인을 위해 소집통지를 할 때에는 분할계획 또는 분할합병계약의 요령을 기재하여야 한다(제530조의3 제4항). 특이한 것으로서 제530조의3 제3항은 위 주주총회시 무의결권 주주들도 의결권이 있다고 규정하고 있는바, 합병과 달리 취급해야 할 뚜렷한 근거를 찾기 어렵다.98) 특히 분할합병의 승계회사에 관하여 위 조항에 따라 무의결권 주주에게 의결권이 부여되면, 승계회사의 입장에서는 분할회사 전부를 흡수합병하는 경우와 달리 분할회사 일부를 분할합병하는 경우에 주주총회에서 무의결권 주주에게 의결권을 부여하는 결과가 되어 형평에 맞지 않는다. 한편 2011년 개정상법 제344조의3 제1항은 의결권이 제한되는 종류주식 제도를 도입하였는바, 이에 따라 분할, 분할합병 등 특정 안건에 관하여 의결권을 행사할 수 없는 형태의 종류주식을 발행하는 것은 허용된다고 볼 것이다.

제530조의3 제6항은 분할 또는 분할합병으로 인해 각 회사의 주주부담이 가중되는 경우 그 주주 전원의 동의를 받도록 하고 있는바, '주주부담이 가중되는 경우'의 해석이 문제된다.99) 위 조항은 프랑스 상법 제236-5조에서 연원하는 것인바, 본디 물적회사 사원의 책임이 무한책임으로 가중되는 경우 등을 전제한 것이다. 우리나라에서는 주식회사에 관해서만 분할, 분할합병을 인정하고 있으므로, 분할, 분할합병을 통해 주주의 책임의 형태를 바꾸거나 추가출자의무를 부담시킬 수는 없다(제331조의 주주유한책임 원칙). 이와 관련하여 분할의 결과 회사의 부담이 가중됨에 따라 간접적으로 주주의 부담이 가중되는 경우에 위 조항을 적용할 수 있는지가 문제된 사례가 있는바, 법원은 이러한 폭넓은 해석을 배척한 바 있다.100)

---

97) 제530조의6 제1항 제8호는 분할합병계약서의 기재사항으로서 "각 회사에서 제530조의3 제2항의 결의를 할 주주총회의 기일"을 들고 있다.

98) 이철송, 전게서, 1137면은 위 조항은 임의규정이므로 정관을 통해 분할 및 분할합병시 무의결권 주주에 별도의 의결권을 부여하지 않도록 정할 수 있다고 한다.

99) 김동민, "회사분할을 위한 주주총회의 특별결의와 주주의 의결권의 범위에 관한 소고,"「법학연구」제49권 제2호(부산대학교 법학연구소, 2009. 2.), 350면은 위 조항은 양도제한이 없는 분할회사의 주주가 그러한 제한이 있는 승계회사의 주식을 수령하는 등 주주의 부담이 가중되면서 지위가 하락하는 경우를 상정하고 있다고 본다.

나. 사전 및 사후공시

분할회사의 이사는 분할계획서 또는 분할합병계약서의 승인을 위한 주주총회일의 2주 전부터 분할 등기를 한 날 또는 분할합병을 한 날 이후 6개월간 (i) 분할계획서 또는 분할합병계약서, (ii) 분할되는 부분의 대차대조표, (iii) 분할합병의 경우 승계회사의 대차대조표, (iv) 분할회사 주주에게 발행할 주식의 배정에 관하여 이유를 기재한 서면을 본점에 비치하여야 한다(제530조의7 제1항).

승계회사의 이사는 분할합병의 승인을 위한 주주총회일의 2주 전부터 분할합병의 등기를 한 후 6개월간 (i) 분할합병계약서, (ii) 분할회사의 분할되는 부분의 대차대조표, (iii) 분할회사 주주에게 발행할 주식의 배정에 관하여 이유를 기재한 서면을 본점에 비치하여야 한다(제530조의7 제2항).

위 제530조의7 제1항, 제2항은 모두 분할회사의 '분할되는 부분의 대차대조표'를 공시하도록 하고 있는바, 이는 분할의 대상이 되는 적극적, 소극적 재산관계를 정리한 것으로서 분할에 즈음하여 새로이 작성되어야 한다.

제530조의11 제1항은 합병시 사후공시에 관한 제527조의6을 준용한다. 이에 따르면 분할 또는 분할합병 이후 각 회사의 이사는 채권자 보호절차의 경과, 분할 또는 분할합병을 한 날, 승계재산의 가액 및 채무액 기타 분할 또는 분할합병에 관한 사항을 기재한 서면을 분할 또는 분할합병을 한 날로부터 6개월간 본점에 비치하여야 한다.

주주 및 회사채권자는 영업시간 내에 언제든지 위 서류를 열람할 수 있고 비용을 지급하고 등·초본의 교부를 요구할 수 있다(제530조의7 제3항, 제522조의2 제2항, 제530조의11 제1항, 제527조의6 제2항).

다. 회사신설 등 제반절차

상법은 채권자 보호의 측면에서 분할 당사회사들간의 연대책임을 인정한다

---

100) 서울고등법원 2008.11.6. 2004나66911은 "이 사건 조항에서 '회사의 주주의 부담이 가중되는 경우'란, 회사의 부담이 가중되는 경우, 즉 회사의 부담이 가중됨에 따라 간접적으로 주주의 부담이 가중되는 경우와 같이 폭넓게 해석할 수는 없고, 주식회사의 본질상 주식인수가액을 한도로 출자의무가 있을 뿐인 주주에게 직접적인 의무 내지 부담을 가중하는 예외적인 경우로 한정하여 해석하여야 할 것이다"라고 판시하였다. 이 판결은 상고되었으나 대법원 2010.8.19. 2008다92336에 의해 상고기각되었다.

(제530조의9 제1항). 연대책임을 분리하려면 특별한 채권자 이의절차를 밟아야 하는바(같은 조 제2, 3항), 이러한 채권자 보호제도는 분할시 가장 많이 문제되는 이슈이므로 별도로 살펴보기로 한다.

단순분할이든 분할합병이든 분할회사의 자산 등이 이전되고 그 대가로 신주가 발행되는 것이므로 현물출자에 유사한 효과가 발생한다. 상법은 분할을 통해 회사가 신설되는 경우 일반적인 회사설립시의 현물출자와 마찬가지로 법원에 의한 조사절차를 밟도록 하고 있다(제530조의4 제2문의 반대해석).[101] 이에 대하여는 비슷한 현물출자 효과가 발생하는 합병과 비교할 때 형평을 잃은 입법이라는 비판이 가능할 것이다.[102] 제530조의4에 따르면 분할회사의 출자만으로 회사가 신설되는 경우에는 위 조사를 면제받을 수 있다.[103] 구법에서는 분할회사의 주주들에게 비례적으로 분할신주를 배정할 것도 조사면제의 요건으로 요구하였으나, 분할신주의 불비례적인 배정은 주주들간 부의 재분배를 가져올 뿐이고 자본충실의 관점에서 출자분의 과대평가를 규제하려는 현물출자 조사의 목적과는 큰 관련성이 없다. 이를 고려하여 2015년 개정상법은 비례배정 요건을 삭제하였다. 전술한 바와 같이 불비례배정은 주주 전원의 동의가 있어야만 실행가능하므로 위 삭제로 인해 소수주주가 피해를 보지는 않는다. 물적분할의 경우에도 별도의 조사절차를 필요로 하지 않는다고 볼 것이다.[104] 문제는 분할합병인바, 대법원 등기선례는 (i) A분할회사의 재산 중 일부와 B회사가 합쳐져서 C신설회사를 설립하는 경우에, 분할신주를 A분할회사에 관하여는 회사 자체에, B회사에 대하여는 B회사 주주들에게 비례적으로 배정하였다면 법원에 의한 조사절차가 필요없다고 한다.[105] 이는 구법하의 등기선례인바, 2015년 개정상법에 따르면 위 비례요건은 불필요하다고 할 것이다. 나아가 위 등기선례의 입장이라면 (ii) A분할회

---

101) 제290조, 제298조 제4항, 제299조, 제299조의2에 의하면, 회사설립시 현물출자에 관한 사항은 정관에 기재하여야 하고, 이사는 현물출자에 관한 사항을 조사하기 위해 법원에 검사인의 선임을 청구하여야 하며, 다만 이를 공인된 감정인에 의한 감정 및 법원에 대한 보고로 갈음할 수 있도록 되어 있다.
102) 분할의 경우 일부 현물출자 등 조사절차를 요구함에 따른 문제점으로서, 권기범, 기업구조조정법, 441면 참조.
103) 나아가 현물출자 이외의 변태설립사항에 관하여도 조사절차를 생략할 수 있는지에 대하여는 학설의 대립이 있다.
104) 1999. 5. 27. 제정 대법원 등기선례 6-670. 이에 대하여 물적분할의 경우 분할회사의 주주에게 주식이 배정되는 것이 아니므로 검사인의 검사절차가 생략될 수 없다는 입장으로서 정동윤 외 집필대표, 전게서, 441면.
105) 2003. 7. 25. 제정 대법원 등기선례 200307-14.

사의 재산 중 일부를 B회사에게 분할합병시키면서 분할신주를 A분할회사 주주들에게 배정하는 경우(통상적인 인적흡수분할합병)에도 법원에 의한 조사절차가 필요없다고 보아야 할 것이다.[106]

이하 분할시의 회사신설 등 필요한 절차를 단순분할과 분할합병으로 나누어 살펴보도록 한다.

1) 단순분할의 경우

단순분할의 경우 회사신설이라는 별도의 설립행위가 이루어진다. 신설회사의 재산은 분할회사가 출연한 것만으로 구성될 수도 있고, 분할회사의 출연분 이외에 제3자가 출연한 재산을 합쳐 구성될 수도 있다(제530조의4 참조). 전자를 단독분할설립으로, 후자를 모집분할설립으로 부르기로 한다.[107] 제530조의4는 분할로 인한 회사신설시에 주식회사의 설립에 관한 일반 조항들을 준용하도록 하고 있다.

단독분할설립인 경우 분할계획서에 의하여 신설회사 정관에 기재할 사항들이 다 정해지고 자본적 기초도 분할회사의 출자에 의해 마련되므로 별도의 발기인이 필요하지 않다고 볼 것이다.[108] 분할회사에 있어서 설립관련 업무는 분할회사의 대표이사가 담당하게 된다.[109] 주식의 발행 및 배정에 관한 사항 역시 분할계획서에 의해 정해진다. 분할회사의 임원선임도 분할계획서에 의하고, 별도의 창립총회를 필요로 하지 않는다.[110]

모집분할설립인 경우 별도의 발기인이 필요하다고 할 것이다. 단독분할설립과 달리 제3자가 재산출연 과정에서 인수, 납입담보책임을 부담할 주체가 필요하기 때문이다.[111] 주식의 발행 및 배정에 관한 사항 중 제3자에 관한 주식청약,

---

106) 임재연, 전게서, 776면은 신설분할합병에는 조사절차가 필요하고, 흡수분할합병의 경우 조사절차가 필요없다는 입장으로 보인다.
107) 이철송, 전게서, 1146면.
108) 1999. 4. 26. 제정 대법원 등기선례 6-634도 갑 주식회사가 일부를 분할하여 갑 주식회사의 출자만으로 을 주식회사를 설립하는 경우 을 주식회사의 설립을 위해 발기인을 두어야 하는 것은 아니며 정관에는 갑 주식회사의 대표이사가 서명 또는 기명날인해야 한다고 규정한다.
109) 이철송, 전게서, 1147면은 "다만 제527조의 설립위원은 대표이사로 한다"는 제530조의11의 준용규정을 확장해석하여 이러한 결론을 내리고 있다.
110) 이철송, 상게서, 1149면.
111) 이철송, 전게서, 1147면. 또한 상업등기규칙 제150조 제6호, 제129조 제4호도 모집분할설립인 경우 발기인의 존재를 전제로 한다.

배정, 납입에 대하여는 주식회사 설립에 관한 일반 조항이 적용된다. 분할회사의 임원선임은 일반 설립절차와 마찬가지로 발기인에 의하여 또는 별도의 창립총회를 통하여 이루어진다.[112]

2) 분할합병의 경우

제530조의11는 흡수합병의 보고총회, 신설합병의 창립총회에 관한 제526조, 제527조를 준용하고 있다. 흡수분할합병 또는 신설분할합병의 승계회사 또는 신설회사에 있어서 위 조항이 준용되는 것은 당연하지만, 나아가 분할회사도 보고총회를 개최할 필요가 있는가? 위 제526조의 규정은 합병으로 인해 재산을 승계받게 된 회사를 전제로 한 것이고 분할회사의 분할관련 정보는 위 사전, 사후공시 제도에 의하여 충분히 공개되므로 별도의 보고총회를 개최할 필요는 없다고 할 것이다.

라. 주식매수청구권

분할합병 반대주주에게는 주식매수청구권이 인정된다(제530조의11 제2항, 제522조의3, 제374조 제2항). 상법상 주식매수청구권은 분할합병의 경우에만 준용되고 있으므로 단순분할인 경우 원칙적으로 그것이 인적분할이든 물적분할이든 분할회사의 주주들에게 주식매수청구권이 부여되지 않는다. 다만 특히 물적분할의 경우 일률적으로 주식매수청구권을 부인하는 것이 타당한지 논란이 있다. 물적분할 시 분할회사 주주는 더 이상 분사되는 영업을 직접 감시, 통제할 수 없게 된다(주주권의 간접화). 이로 인해 이른바 지주사 디스카운트가 발생할 여지가 있으므로,[113] 물적분할 시 분할회사 주주에 대한 추가 보호장치를 고민할 필요가 있는 것이다.[114]

---

112) 제530조의11, 제527조 제4항에 따라 이러한 창립총회를 이사회 공고로 갈음할 수 있다는 견해도 있으나(이철송, 상게서, 1149면), 제526조, 제527조가 준용되는 것은 분할합병의 경우에 한한다는 반론이 가능하다. 이에 따르면 단순분할의 신설회사에 있어서는 회사설립의 일반원칙을 따르게 되므로, 모집분할설립에 관한 창립총회를 이사회 공고로 갈음할 수 없게 된다.

113) 예컨대 2020. 12. 1 상장회사인 ㈜ LG화학은 회사내 핵심사업인 배터리사업을 물적분할해 ㈜ LG에너지솔루션을 설립하면서 향후 상장계획을 발표하였고, 이에 대하여 ㈜ LG화학 기존 주주들은 지주사 디스카운트를 우려하며 반발한바 있다. 관련 논의로서 이상훈, "물적분할과 지주사 디스카운트: LG화학의 사례를 소재로," 「법학논고」 제71집 (경북대학교 법학연구원, 2020) 참조.

한편 상장회사인 경우 인적분할로 인해 설립되는 신설회사가 비상장이라면 기존 주주에게 불이익이 발생할 수 있다. 이 점을 고려하여 자본시장법은 인적분할 중 신설회사의 주권이 상장되지 아니하는 경우에는 분할회사의 반대주주에 대하여 주식매수청구권을 인정하고 있다.[115]

분할합병시 주식매수청구권의 법리는 합병에 준한다. 따라서 분할회사의 주주뿐 아니라 승계회사의 주주에게도 주식매수청구권이 인정되는 것이 원칙이지만, 소규모분할합병의 승계회사 주주에게는 주식매수청구권이 인정되지 않는다.

마. 약식의 분할

간이합병에 관한 제527조의2 규정은 분할합병에도 준용되므로(제530조의11 제2항), 분할회사 총주주의 동의가 있거나 승계회사가 분할회사 발행주식의 90% 이상을 소유하고 있을 때에는 분할회사 주주총회 결의를 이사회 승인으로 대체할 수 있다. 이에 따라 흡수분할합병의 경우 승계회사(A회사)가 분할회사(B회사) 발행주식을 90% 이상 가진다면 B회사 주주총회 결의는 B회사 이사회의 승인으로 갈음할 수 있다. B회사가 A회사 발행주식을 90% 이상 소유하는 경우는 어떠한가? 이는 이른바 'downstream' 분할합병이라고 할 수 있는바, 제527조의2 는 모회사가 자회사를 흡수합병하는 'upstream'의 경우에 한하므로,[116] A회사의 주주총회 특별결의를 이사회 승인으로 대체할 수 없다고 볼 것이다.[117] 나아가 단순분할에 있어서도 분할회사 총주주의 동의가 있는 경우 별도의 주주총회를 열지 않은 채 이사회 승인으로 주주총회 결의에 갈음할 수 있을 것이다.[118]

소규모합병에 관한 제527조의3의 규정도 분할합병에 준용된다(제530조의11 제2항). 따라서 승계회사가 발행하는 분할신주 및 이전하는 자기주식의 총수가 그 회사 발행주식총수의 10%를 초과하지 않고 분할교부금 총액이 기존 승계회

---

114) 분할의 경우에도 분할회사 주주가 불이익을 입는 경우가 있으므로 널리 주식매수청구권을 인정해야 한다는 입법론으로서 권기범, 기업구조조정법, 478면.
115) 자본시장법 제165조의5 제1항, 같은 법 시행령 제176조의7. 상장회사라 하더라도 물적분할의 경우에는 주식매수청구권이 인정되지 않고, 신설회사의 주권이 증권시장에 상장되는 경우에는 주식매수청구권이 인정되지 않는다.
116) 권기범, 기업구조조정법, 253면; 임재연, 전게서, 689면.
117) 신설분할합병의 경우가 문제되는바, P, Q회사가 일부 재산을 분리하여 회사를 신설하는 경우 P회사가 Q회사 발행주식의 90% 이상을 소유한다면 Q회사의 주주총회 결의는 이사회 승인으로 대체할 수 있다는 견해도 있다. 권기범, 상게서, 451면.
118) 권기범, 상게서, 451면.

사의 최종대차대조표상 현존하는 순자산액의 5%를 초과하지 않으면, 승계회사의 주주총회의 결의는 이사회 승인으로 대체할 수 있다. 합병과 달리 분할에서는 분할회사와 승계회사간 연대책임이 인정되기 때문에, 승계회사 입장에서 볼 때 분할신주의 규모가 크지 않더라도 분할회사의 기존 재무구조에 따라서 큰 영향을 받을 수 있다. 이 점을 고려할 때 소규모합병 조항을 분할합병에 그대로 준용한 것은 타당하지 않다는 지적이 있다.[119] 이에 대하여 이러한 조항은 일본 회사법 등에도 존재하고, 승계회사는 연대책임을 분리할 수 있으며, 승계회사 발행주식총수의 20% 이상을 소유한 주주가 반대하면 정식절차로 환원되기 때문에 별 문제가 없다는 반론이 가능할 것이다. 소규모합병에 관한 제527조의3 규정은 흡수분할합병에만 준용되고 신설분할합병 및 단순분할에는 준용되지 않는다고 할 것이다.

5. 분할시 채권자 보호: 연대책임과 그 배제

가. 연대책임 – 채권자 보호의 원칙

회사분할은 회사 주요자산이 다른 법인으로 분리 이전되는 것을 뜻하므로 기존 채권자의 보호가 중요한 이슈가 된다. 분할회사는 어떠한 자산, 부채를 이전시킬지 결정할 수 있는바, 이를 분할회사의 기존 채권자 입장에서 본다면 회사분할시 그 보유채권은 ① 분할회사에 그대로 잔존하는 경우, ② 면책적으로 신설회사 또는 승계회사에 이전되는 경우, ③ 중첩적으로 신설회사 또는 승계회사에 이전되는 경우 중 어느 한 가지에 속하게 된다. 명시적으로 표현되어 있지 않은 경우 분할대상인 채권은 면책적으로 이전된다고 볼 것이다.[120] 중첩적으로 신설회사 또는 승계회사에 이전되는 경우 채권자의 피해가 크다고 할 수 없지만, 나머지 경우에는 기존 채권자의 지위를 위협하게 된다. 특히 분할의 포괄적 이전의 효력으로 인해 채권, 채무의 이전에 개별적인 양도, 양수절차를 밟을 필요가 없으므로, 별다른 보호절차를 규정하지 않으면 채권자에게 큰 피해가 발생할 수 있다.

---

119) 이철송, 전게서, 1154면.
120) 권기범, 전게서, 456면.

채권자 보호의 방식은 단순분할과 분할합병에 있어서 다소 차이가 있다. 어떤 경우이든지 후술하는 별도의 분리절차를 밟지 않는 이상 분할 관련회사(상세한 논의는 아래의 '연대책임의 주체' 참조)는 연대책임을 진다. 즉 제530조의9 제1항은 "분할 또는 분할합병으로 인하여 설립되는 회사 또는 존속하는 회사는 분할 또는 분할합병 전의 회사채무에 관하여 연대하여 변제할 책임이 있다"고 하여 연대책임 법리를 정하고 있다. 그 법적 성질은 부진정연대책임이다.[121] 입법례에 따라서는 이러한 연대책임을 추궁할 수 있는 기간 또는 금액에 제한을 두는 경우도 있으나, 우리 상법상 이러한 특별조항은 없다. 따라서 채권자는 당해 채권의 시효기간 내에서라면[122] 분할로 인해 승계되는 재산의 가액과 무관하게[123] 연대책임을 물을 수 있다.[124]

한편 분할합병의 경우에는 더 나아가 별도의 채권자 보호절차가 마련되어 있다. 즉 제530조의11 제2항은 합병시의 채권자 보호절차인 제527조의5를 준용하고 있다. 분할합병시 채권자에게는 연대책임제도 및 제527조의5의 채권자 보호절차라는 이중의 보호장치를 제공하는 셈이다. 위 제530조의11 제2항에 따르면 승계회사는 마치 흡수합병의 존속회사처럼 취급되므로 (후술하는 연대책임 분리절차 여부를 불문하고) 제527조의5에 의한 채권자 보호절차를 밟아야 한다. 나아가 분할합병의 분할회사 역시 연대책임 분리절차 여부를 불문하고 위 채권자 보호절차를 밟아야 한다고 보는 것이 일반적이다.[125]

다만 회생회사인 경우 이 같은 채권자 보호의 법리가 아닌 채무자 회생 및 파산에 관한 법률상의 특칙이 적용된다. 즉 법 제272조 제4항에 의하면 회생절

---

121) 대법원 2010.8.26. 2009다95769.
122) 제530조의11, 제529조가 분할무효의 소의 제소기간을 분할 후 6개월로 제한하고 있지만, 이 기간이 분할 후 연대책임을 추궁할 수 있는 기간을 뜻하는 것은 아니다. 부산고등법원 2004.3.31. 2003나11424.
123) 일본 회사법 제759조는 분할회사는 분할시에 잔존한 재산의 가액, 승계회사는 승계한 재산의 가액을 한도로 책임을 부담하도록 규정한다.
124) 대법원 2017.5.30. 2016다34687. 이에 따르면 승계회사가 연대책임을 부담하는 채무는 분할회사가 채권자에게 부담하는 채무와 동일하므로, 그 소멸시효 기간과 기산점 역시 기존 채무와 같다고 보았다.
125) 분할회사의 채권자가 가진 채권이 분할의 대상이 되어 승계회사로 이전하는 경우에도, 분할회사는 그 채권자를 위하여 채권자 보호절차를 밟아야 할 것이다. 이에 대하여는 승계회사가 담보 등을 제공해야 한다는 입장도 가능하나(권기범, 기업구조조정법, 460면에 의하면 독일 기업재편법 제133조 제1항 제2문이 그러하다고 한다), 우리 법제상 분할 등기가 이루어져야 비로소 권리변동이 발생하고, 담보제공 등은 분할 등기 이전에 이루어져야 하는 것이므로, 분할회사가 담보 등을 제공하는 것으로 봄이 자연스럽다.

차에서 회생계획에 따라 회사분할을 실행하는 경우에는, 연대책임을 분리하더라
도 별도의 채권자 보호절차를 밟을 필요가 없다.

1) 연대책임의 주체

위 제530조의9 제1항은 연대책임의 주체로서 "분할회사, 단순분할신설회사,
분할승계회사, 분할합병신설회사"를 명시하고 있다.[126) 이에 따르면 ① 분할회
사는 신설회사 또는 승계회사로 이전된 분할(합병) 전의 분할회사 채무에 관하
여 연대책임을 부담하고, ② 승계회사 또는 신설회사는 분할회사에 잔존하는 분
할(합병) 전의 분할회사 채무에 관하여 연대책임을 지는 것이 된다.

이를 단순분할과 분할합병으로 나누어 보면, 단순분할의 경우 분할회사와 신
설회사가 연대책임의 주체가 되고, 분할합병의 경우 분할회사와 승계회사가 연
대책임의 주체가 된다.

신설회사가 다수인 경우는 어떠한가? 원칙적으로 분할회사에 잔존하는 채권
에 관하여는 모든 신설회사가 연대하여 책임을 지게 될 것이다. 한 신설회사(예
컨대 P)에 면책적으로 이전된 채권에 대하여는 어떠한가? 이 때 분할회사가 연
대책임을 지는 것은 분명하나 다른 신설회사(예컨대 Q)의 연대책임 여부가 문제
된다. 이 경우에도 분할 이전의 분할회사 채무였다가 이전된 이상 연대책임이
인정된다고 볼 것이다. 위 예에서 분할을 통해 분할회사의 우량자산이 모두 Q
에게 이전된 경우, P에 면책적으로 이전된 채권의 채권자는 분할회사와 P간의
연대책임만으로는 충분한 보호를 받지 못할 수 있다. 따라서 Q도 P에 이전된
채권에 관하여 연대책임을 부담한다고 봄이 타당하다.

분할회사가 다수인 경우는 어떠한가? 다수의 분할회사(예컨대 R, S)가 기존의
승계회사(T)에 재산을 출연하여 흡수분할합병하는 경우도 마찬가지의 문제가 발
생할 것이나, 여기에서는 새로운 회사(U)를 신설하는 신설분할합병을 상정한다.
이 때 신설회사와 각 분할회사(즉 R과 U사이, S와 U사이)는 '분할합병으로 인하
여 설립되는 회사'와 '존속하는 회사'로서 연대책임관계에 있다. 분할회사 사이
(즉 R과 S 사이)에서는 어떠한가? 위 예에서 R에 잔존하는 채무에 관하여 S가 연

---

126) 구법에서는 "분할 또는 분할합병으로 인하여 설립되는 회사 또는 존속하는 회사"라고 규
　　 정한 결과 면책적으로 채무를 이전한 분할회사가 연대책임의 주체가 되는지에 대하여 논
　　 란이 될 수 있었으나 2015년 개정상법은 분할회사도 그 주체임을 명시하고 있다.

대책임을 부담하는가? R에 잔존하는 채권자로서는, R의 우량자산이 U로 이전되고 S의 불량자산이 U로 이전되어 U가 전체적으로 부실화하는 경우, R과 U에 대한 연대책임을 묻는 것으로 만족하지 않고 S에 대해서까지 연대책임을 확장할 필요성을 느낄 수 있다. 그러나 이러한 문제는 위 거래의 합병적 요소에 의해 발생한 것이라 할 것인바, 분할합병의 경우에 상법상 인정되어 있는 채권자 이의절차(제530조의11 제2항, 제527조의5)에 의하면 족하고 별도로 제530조의9에 의한 연대책임을 부과할 것은 아니라고 생각한다.[127]

순차로 분할 또는 분할합병이 이루어진 경우는 어떠한가? X회사의 일부 재산이 Y회사에 이전되어 분할합병되고, 그 이후 다시 위 재산이 Z에 이전되어 분할합병된 경우이다. 이 경우 X회사에 잔존하는 채권자에 대하여 X, Y, Z회사는 연대책임을 부담한다고 볼 것이다.[128]

2) 연대책임의 대상

연대책임이 인정되는 채무는 변제가 가능한 금전채무를 원칙으로 한다. 따라서 분할회사의 단체협약상 각종 의무는 연대책임 대상이 아니라고 볼 것이다.[129]

제530조의9 제1항은 "분할 또는 분할합병 전의 분할회사 채무"를 연대책임의 대상으로 규정하고 있다. 따라서 승계회사가 분할합병 전에 지고 있던 채무는 연대책임의 대상이 아니다. 분할시의 연대책임은 재산이 분리되는 것에 대한 보호장치인바, 승계회사에서는 이러한 재산분리가 일어나지 않기 때문이다. 승계회사의 기존 채권자는 승계회사에 있어서의 채권자 보호절차(제530조의11 제2항, 제527조의5)에 의해 보호하면 충분하다.

위 회사채무의 성립시점과 관련하여, 일반론으로서 분할등기 이전에 발생한 채권에 한한다. 채권이 발생한 이상 아직 이행기가 도래하지 않았다 하더라도 연대책임의 대상이 된다.[130] 비금전적인 채권인 경우도 후에 손해배상채권으로

---

127) 권기범, 기업구조조정법, 466면은 제530조의9 제1항의 문언을 액면 그대로 해석한다면 복수 분할회사간 연대책임을 긍정할 수도 있겠으나, 그렇게까지 분할회사의 채권자들을 두텁게 보호하려는 것이 입법자의 의도는 아닐 것이라고 보면서 이를 부정적으로 해석한다.

128) 상세는 노혁준, "회사분할관련 최근 판례들의 비판적 검토,"「상사판례연구」제25집 제2권(한국상사판례학회, 2012), 95~98면 참조.

129) 서울중앙지방법원 2017.9.11. 2017카합80551.

130) 대법원 2008.2.14. 2007다73321.

변환될 수 있는 이상 연대책임의 대상이 될 수 있다고 할 것이다. 전환사채권자의 전환권 등 잠재적 주식에 관련된 권리를 어떻게 처리할 것인지에 관하여는 앞서 살펴본 바 있다. 또한 제조물책임에서 보듯이 이미 분할등기 이전에 불법행위가 이루어졌으나, 아직 당사자들이 이를 정확히 인지하지 못한 경우에도 연대책임의 대상이 된다고 보아야 할 것이다.

문제는 분할등기 이전에는 아직 채권이 발생하지 않은 경우이다. 첫 번째로 분할회사에 대한 어떤 채권 성립의 기초가 되는 '법률관계'가 분할등기 이전에 존재하는 경우이다. 대법원은 이 경우 연대책임의 대상이 된다고 본다. 예컨대 분할회사에 대한 구상금 채권 성립의 기초가 되는 신용보증약정 및 대출계약이 분할등기 이전에 이미 존재한다면, 구상금 채권의 직접적인 원인이 되는 대출채무의 대위변제가 분할등기 이후에 이루어졌다 하더라도, 구상금 채권자는 분할회사 및 신설회사(또는 승계회사)에 대하여 연대책임을 주장할 수 있다.[131]

두 번째로 어떤 채권 성립의 기초가 되는 '사실관계'만이 존재하는 경우이다. 분할 이전의 사실관계에 기초하여 공정거래위원회가 분할 이후 과징금을 부과한 경우, 위 연대책임조항은 적용되지 않는다고 볼 것이다. 즉 ① 공정거래위원회가 분할등기 후 분할회사에 과징금 처분을 한 경우 신설회사 또는 승계회사는 이에 대하여 연대책임을 부담하지 않고, ② 공정거래위원회가 신설회사 또는 승계회사에 과징금 처분을 한 경우에도 분할회사는 이에 대한 연대책임을 부담하지 않는다. 연대책임의 대상은 '분할회사'가 '분할등기 이전'에 부담하고 있던 채무인바, 위 과징금채권은 분할등기 이후에 비로소 발생한 것으로 보아야 하기 때문이다.

위 ②와 관련하여 약간 다른 각도에서의 문제가 대법원에서 다투어진바 있다. 과연 공정거래위원회가 분할등기 이전의 담합 등 사실관계를 근거로 분할등기 이후에 (관련 영업을 이어받은) '신설회사 또는 승계회사'에 과징금을 부과할 수 있는지 여부이다.[132] 이에 관하여 대법원은 "회사분할에 있어서 신설회사 또는 존속회사가 승계하는 것은 분할하는 회사의 권리와 의무라 할 것인바, 분할

---

131) 대법원 2010.12.23. 2010다71660; 2012.5.24. 2012다18861.
132) 이에 관한 해외에서의 논의에 관하여는 강수진·이승민, "회사분할과 공정거래법 위반행위에 대한 책임의 승계," 「BFL」 제49호(서울대 금융법센터, 2011); 노혁준, "프랑스의 회사분할 법제에 관한 연구: 분할의 효력을 중심으로," 「법제연구」 제39호(한국법제연구원, 2010) 참조.

하는 회사의 분할 전 공정거래법 위반행위를 이유로 과징금이 부과되기 전까지
는 단순한 사실행위만 존재할 뿐 그 과징금과 관련하여 분할하는 회사에게 승계
의 대상이 되는 어떠한 의무가 있다고 할 수 없고, 특별한 규정이 없는 한 신설
회사에 대하여 분할하는 회사의 분할 전 공정거래법 위반행위를 이유로 과징금
을 부과하는 것은 허용되지 않는다"고 하여 비록 관련 영업을 이어받았다 하더
라도 분할등기 이전에 이루어진 행위에 대하여 신설회사 또는 승계회사에게 과
징금을 부과할 수 없다고 풀이하고 있었다.[133] 이는 과징금 부과대상을 어떻게
볼 것인지에 관한 정책적인 문제라고 할 수 있다. 2012. 6. 22.부터 새로 시행
된 공정거래법에 의하면, 공정거래위원회는 어떤 사업자(분할회사)가 분할 또는
분할합병 이전에 공정거래법을 위반한 경우 (i) 분할회사, (ii) 신설회사 또는
(iii) 승계회사에 대하여 위 위반행위에 관한 과징금을 부과할 수 있게 되었다(당
시 공정거래법 제55조의3 제3항, 현행 공정거래법 제102조 제3항).

나. 연대책임의 분리

1) 연대책임 분리의 방식

제530조의9 제2항, 제3항은 원칙적인 연대책임에 대한 예외로서 책임을 따
로따로 분리시킬 수 있는 절차적 요건을 규정한다. 특히 분할이 향후 이루어질
신설회사 매각의 사전절차로 이용되는 경우 등에는 분할당사회사간 이러한 연대
책임을 분리할 필요가 있다. 원래 분할시 개별 채무의 부담주체는 분할계획서나
분할합병계약서에 의하여 정해지게 된다(이른바 배정자유의 원칙). 이러한 분담에
도 불구하고 제530조의9 제1항의 특칙에 따라 연대책임을 부담하던 것이, 위
예외조항에 따른 절차를 밟으면 대외적으로도 책임을 분리시킬 수 있게 되는 것
이다.

분리의 절차적인 요건은 분할회사 주주총회의 특별결의로 연대책임의 분리를
승인하고(제530조의9 제2, 3항) 후술하는 채권자 이의절차를 이행하는 것이다(단
순분할인 경우 제530조의9 제4항, 분할합병인 경우 제530조의11 제2항, 제527조의5).
연대책임의 배제를 정한 경우 이를 반드시 분할계획서나 분할합병계약서에 기재
하여야 한다(제530조의5 제8호, 제530조의6 제7호).

---

133) 대법원 2007.11.29. 2006두18928; 2009.6.25. 2008두17035; 2011.5.26. 2008두18335.

구체적인 분리의 방식은 신설회사(또는 승계회사)가 분할회사의 채무 중에서 '분할계획서에 승계하기로 정한 채무에 대한 책임'(분할합병의 경우에는 '분할합병계약서에 승계하기로 정한 채무에 대한 책임')만을 부담하도록 정하는 것이다(제530조의9 제2, 3항). 구법 하에서는 분할회사의 채무 중 신설회사(또는 승계회사)에 '출자된 재산에 관한 채무'에 관하여는 신설회사(또는 승계회사)가 연대책임을 피할 수 없도록 되어 있었다. 그 결과 실제 분할계획서 및 분할합병계약서에서 제외하기로 한 부채에 대하여도 그것이 출자된 재산에 관한 것인 이상 신설회사(또는 승계회사)의 연대책임이 발생하였는바, 출자한 재산에 관한 채무의 범위를 어디까지로 볼 것인지 논란이 되었다.134)

2015년 개정상법은 배정자유의 원칙에 따라 분할당사회사의 채권, 채무분담에 관한 의사를 존중하는 입장을 취한 것이다. 예컨대 A회사의 사업부문인 중공업, 식품업 중 식품업 부문을 부채 포함 없이 분리하여 B회사로 신설한 경우(단순분할의 예), 주주총회 등을 통한 연대책임 분리절차를 실시하는 것이 어떠한 효력을 갖는가? 위 사안에서 B회사는 식품업에 관한 A회사 자산은 이전받았지만 A회사 부채는 중공업에 관련된 것이든 식품업에 관련된 것이든 일체 이전받지 않았다.135) 이 때 제530조의9 제1항의 원칙에 따라 B회사는 원칙적으로 기존 A회사의 부채에 대하여 연대책임을 질 것이지만, 같은 조 제2항의 연대책임 분리절차를 밟으면 "승계하기로 정한 채무에 대한 책임만을 부담하는 것"으로 할 수도 있다. 위 사안에서는 승계하기로 정한 채무가 없으므로 결국 B회사는 일체의 연대책임을 부담하지 않을 수 있다.136)137) 사실 분할계획서에서 B회사

---

134) 대법원은 "'출자한 재산에 관한 채무'라 함은 신설회사가 분할되는 회사로부터 승계한 영업에 관한 채무로서 당해 영업 자체에 직접적으로 관계된 채무뿐만 아니라 그 영업을 수행하기 위해 필요한 적극재산과 관련된 모든 채무가 포함된다"고 넓게 보는 입장이었다. 대법원 2010.2.25. 2008다74963; 2010.8.19. 2008다92336 등 참조.

135) 구법하에서 대법원은 "… 분할합병의 경우 존립회사가 분할합병 전의 회사의 채무를 승계하지 않기로 하는 내용의 합의가 제530조의9에 위반한 것이어서 채권자에 대한 관계에서 효력이 없다 …"고 보고 있었다{대법원 2006.10.12. 2006다26380; 2009.4.23. 2008다96291, 96307. 그 중 앞의 판결에 관한 평석으로는 김동민, "회사분할에서 수혜회사에 승계되는 영업재산의 범위와 연대책임 배제의 한계," 「상사판례연구 VII」(박영사, 2007)}. 개정법 하에서는 이러한 합의가 유효하다고 볼 것이다(최문희, "2015년 개정상법의 회사분할 관련 규정의 주요 논점," 「상사법연구」 제35권 제2호(한국상사법학회, 2016), 96면도 같은 취지).

136) 이 점에서 개정법은 구법과 큰 차이가 있다. 구법 하에서는 설사 식품업에 관한 부채를 이전받지 않았더라도 B회사는 출자한 재산에 관한 채무, 즉 식품업에 관한 채무에 대하여는 연대책임을 부담하였다. 대법원은 "… 특별한 사정이 없는 한 신설회사에 출자한 재산

에 부채를 이전하지 않은 의도는 이렇듯 B로 하여금 일체의 책임을 부담하지 않도록 하는 것일 가능성이 높다. 문제는 A회사 기존 채권자의 보호인바, 별도로 채권자 이의절차를 밟아야 하기 때문에 연대책임 분리가 이루어지더라도 큰 문제는 없을 것이다(단순분할의 경우 제530조의9 제4항; 분할합병의 경우 제530조의11 제2항, 제527조의5). 다만 위와 같이 이전받은 사업에 관한 부채에 관해 연대책임을 분리하여 일체 책임을 부담하지 않기로 하는 경우 두 가지 추가 고려사항이 발생한다. 첫 번째로 후술하는 법인세법상 적격분할 요건 중 포괄승계요건을 구비하지 못하게 되어 세제상 불이익이 발생할 수 있다. 두 번째로 개별자산만을 분할대상으로 하는 분할은 성립불가능하다는 소수설의 입장에 의하는 경우 위 사례의 분할형태는 실제 자산양도에 불과한 것으로 구성될 여지가 있다.

2) 채권자 이의절차와 알고 있는 채권자

구체적으로 연대책임을 배제하기 위해서는, 분할회사가 주주총회의 승인결의 후 2주 내에 채권자에 대하여 분할에 이의가 있으면 1월 이상의 기간 내에 이의를 제출할 것을 공고하고 회사가 알고 있는 채권자에 대하여는 이를 따로 최고하여야 한다(제530조의9 제4항, 제527조의5). 앞서 언급한 바와 같이 이러한 채권자 이의절차는 단순분할에 있어서는 연대책임을 분리하는 때에만 필요한 것이지만(제530조의9 제2항, 제4항, 제527조의5), 분할합병의 경우에는 연대책임의 분리와 무관하게 항상 거쳐야 하는 절차이다(제530조의11 제2항, 제527조의5). 어느 경우에도 사채권자가 이의를 하려면 제439조 제3항에 따라 사채권자집회의 결의가 있어야 한다(단순분할의 경우에는 제530조의9 제4항, 분할합병의 경우에는 제530조의11 제2항).[138]

에 관한 채무는 그것이 분할기준일 후부터 분할 전까지 발생한 것이라도 신설회사에 승계되는 것으로 보아야 할 것인바, 이 사건 연체임료채무는 대우중공업이 신설회사인 피고에게 출자한 임대보증금반환채권과 동일한 임대차계약에 기하여 발생한 것이므로 출자한 재산에 관한 채무라고 할 수 있다 …"고 판시하였다(대법원 2004.7.9. 2004다17191).
137) 다만, 이러한 연대책임의 배제는 공정거래법에 따라 분할회사와 신설회사가 과징금에 대하여 연대책임을 부담하는 경우(같은 법 제104조 제1항) 또는 분할회사와 신설회사가 연대납세의무를 부담하는 경우(국세기본법 제25조 제2항, 지방세기본법 제44조 제2항)와 같이 법령에 의하여 분할회사와 신설회사가 연대책임을 부담하는 것으로 의제되는 경우에는 그대로 적용되기 어려울 것이다.
138) 다만 주요 사채권자가 분할에 부정적인 반응을 보이면서 사채권자 집회 소집을 요구하는 경우, 법원은 이해관계인의 청구에 따라 이의제출기간을 연장할 수 있으므로, 분할절차가 지연될 가능성이 있다. 따라서 회사는 미리 사채권자를 접촉하여 분할에 관한 사전승인을

종종 문제가 되는 것이 위 개별 최고의 대상이 되는 '회사가 알고 있는 채권자'의 개념이다. 조문의 해석상 비금전채권자, 소액채권자, 채권의 존부에 관하여 다툼이 있거나 소송이 계속 중인 채권자 등도 알고 있는 채권자의 범위에 포함된다고 할 것이다. 대법원은 "… 개별 최고가 필요한 '회사가 알고 있는 채권자'란 채권자가 누구이고 채권이 어떠한 내용의 청구권인지가 대체로 회사에게 알려져 있는 채권자를 말하는 것이고, 회사에 알려져 있는지 여부는 개개의 경우에 제반 사정을 종합적으로 고려하여 판단하여야 할 것인데, 회사의 장부 기타 근거에 의하여 성명과 주소가 회사에 알려져 있는 자는 물론이고 회사 대표이사 개인이 알고 있는 채권자도 포함된다"고 하여[139] 그 범위를 상당히 폭넓게 인정한다.[140] 알고 있는 채권자에 대한 개별 최고는 당사자간에 별도로 약정할 수 있으므로 예컨대 사채의 사업설명서 등에 규정된 방식에 따라 사채권자들에게 통지하지 않았다면 적법한 통지로 볼 수 없다.[141]

3) 이의에 대한 처리 방법

상업등기규칙 제150조 제8호, 제151조 제6호, 제148조 제8호에 따르면, 분할 또는 분할합병으로 인한 변경등기 또는 설립등기의 신청시에는 채권자 이의절차에 따라 공고 또는 최고를 한 사실과 이의를 진술한 채권자가 있는 때에는 이에 대하여 변제 또는 담보를 제공하거나 신탁을 한 사실을 증명하는 서면을 첨부하도록 하고 있다. 따라서 위 채권자 이의절차에서 이의가 제기되었음에도 적절한 조치를 취하지 않는 경우 분할등기 자체가 불가능하게 되어 있다.

이의를 제출한 채권자가 있는 경우 분할회사는 그 채권자에 대하여 변제 또는 상당한 담보를 제공하거나 이를 목적으로 하여 상당한 재산을 신탁하여야 한다(제530조의9 제4항, 제527조의5 제3항, 제232조 제3항). 이러한 담보에는 물적 담

받아두는 것이 바람직하다.

139) 대법원 2011.9.29. 2011다38516.
140) 이와 관련하여, 적어도 채권자가 개별 최고 흠결을 이유로 연대책임배제의 효력을 부인하는 것이 신의성실의 원칙에 반하는 수준에 이를 정도로 부당한 경우에 한하여 개별 최고를 생략할 수 있는 것으로 보아야 한다는 견해가 있다(황남석, "회사분할과 채권자보호: 최근 대법원 판례를 중심으로," 「상사법연구」 제33권 제1호(상사법학회, 2014), 250면). 다른 한편, 회사가 과실로 알지 못한 채권자라고 할 수 있는 "회사가 알 수 있었던" 채권자를 배제하면 채권자보호를 위한 개별최고의 취지에 반하므로 그러한 채권자도 "회사가 알고 있는" 채권자에 포함시키는 것이 타당하다는 견해도 있다(임재연, 전게서, 781면).
141) 서울고등법원 2008.6.27. 2006나64865.

보뿐 아니라 인적 담보도 포함되며, 은행의 지급보증이 이루어진 경우 특별한 사정이 없는 한 상당한 담보가 제공된 것으로 인정된다.[142]

4) 이의절차 흠결의 효과

채권자 이의절차를 밟았는데 절차적 흠결이 있는 경우는 어떻게 처리할 것인가? 단순분할의 경우와 분할합병의 경우를 나누어 살펴본다.

가) 단순분할

단순분할에 있어서 채권자 이의절차는 연대책임을 분리하기 위한 것이다. 판례상 많이 문제되었던 이의절차의 흠결 유형은 알고 있는 채권자임에도 불구하고 개별통지를 제대로 하지 않은 경우이다. 대법원은 "분할되는 회사와 신설회사의 채무관계가 분할채무관계로 바뀌는 것은 분할되는 회사가 자신이 알고 있는 채권자에게 개별적인 최고절차를 제대로 거쳤을 것을 요건으로 하는 것이라고 보아야 하며, 만약 그러한 개별적인 최고를 누락한 경우에는 그 채권자에 대하여 분할채무관계의 효력이 발생할 수 없고 원칙으로 돌아가 신설회사와 분할되는 회사가 연대하여 변제할 책임을 지게 되는 것이라고 해석하는 것이 옳다"고 판시하고 있다.[143] 이러한 입장에서라면 담보를 제대로 제공하지 않은 경우 등 다른 절차적 흠결이 있는 경우에도 마찬가지 결론에 도달하게 될 것이다. 다만 대법원은 회사가 알고 있는 채권자에 대한 개별통지를 누락하였다고 하더라도 "채권자가 회사분할에 관여되어 있고 회사분할을 미리 알고 있는 지위에 있으며, 사전에 회사분할에 대한 이의제기를 포기하였다고 볼만한 사정이 있는 등 예측하지 못한 손해를 입을 우려가 없다고 인정되는 경우에는 개별적인 최고를 누락하였다고 하여 그 채권자에 대하여 신설회사와 분할되는 회사가 연대하여 변제할 책임이 되살아난다고 할 수 없다"고 하여 예외를 인정한다.[144]

---

142) 유한회사의 합병에 대한 이의를 진술한 채권자가 있는 경우 상업등기법 제107조 제3호의 담보를 제공한 사실을 증명하는 서면(2011. 1. 3. 사법등기심의관-2 질의회답)
　　1. 생략
　　2. 제603조, 제232조 제3항의 상당한 담보인지 여부는 사회통념에 따라 객관적으로 판단하여야 하는바, 은행법에 의하여 설립된 은행이 채권액에 상당하는 지급보증을 한 경우에는 특별한 사정이 없는 한 그 상당성을 인정할 수 있으며, 그 이외의 인적 담보의 상당성 여부는 물적 담보만큼의 충분한 지급확보가 가능한지 여부, 채권의 존부나 채권액에 다툼이 있는지 여부, 합병 전후의 재무상태 등을 종합적으로 고려하여 판단할 사항이다.
143) 대법원 2004.8.30. 2003다25973 외 다수.

위 연대책임에 필요한 절차를 모두 마쳤다는 점에 관한 증명책임은 분할채무
관계를 주장하는 쪽에 있다. 따라서 분할합병계약서에 출자한 재산에 관한 채무
만을 부담한다는 취지가 기재되어 주주총회의 승인을 받았다는 점에 관한 입증
이 없는 이상, 분할합병계약서에 분할로 인해 이전되는 재산 및 가액이 명시되
었고, 분할채무관계라는 취지의 신문공고가 이루어졌으며, 채권자들이 분할합병에
동의하였다고 하더라도 연대책임이 배제되지 않는다.145)

채권자 이의절차의 흠결을 이유로 나아가 분할의 무효를 주장할 수 있는가?
단순분할시 채권자 보호의 기본방식은 연대책임이고 분할관련 회사가 연대책임
을 부담할 때에는 별도의 채권자 보호절차를 밟을 필요가 없다는 점을 고려할
때 연대책임에서 더 나아가 분할 자체의 무효를 주장하는 것은 과도한 것으로
보인다.146) 이에 대하여는 (i) 연대책임을 부담하지 않음을 전제로 회사분할에
이의를 제기하지 않은 다른 채권자의 보호가 문제되는 경우, (ii) 단순한 연대책
임으로는 채권자의 보호에 불충분한 경우에는 예외적으로 분할무효 사유로 인정
될 수 있다는 견해도 유력하다.147)

나) 분할합병

대법원은 분할합병의 경우에도 이의절차 흠결로 인해 연대책임이 부활한다고
본다.148) 나아가 분할합병의 무효사유가 될 수 있을 것인가? 분할합병에 있어서
의 채권자 이의절차는 일반적인 합병에 준하여 인정되는 것이다(제530조의11 제2
항, 제527조의5). 이를 고려할 때 단순분할에서의 이의절차 흠결과 달리 분할합
병의 무효사유가 될 수 있다고 볼 것이다.149)

다. 관련문제: 구상권

연대책임의 법적 성격을 부진정연대책임으로 본다 하더라도, 신설회사나 분
할회사가 자신에게 이전되거나 잔존하는 것으로 분할계획서에 정해진 채무가 아

---

144) 대법원 2010.2.25. 2008다74963.
145) 대법원 2010.8.26. 2009다95769.
146) 임재연, 전게서, 784면.
147) 김상곤·이승환, 전게논문, 32면은 분할무효 원인으로 인정하면서 재량기각을 적절히 활
    용하여 법적 안정성을 기할 수 있다고 본다.
148) 대법원 2011.9.29. 2011다38516.
149) 노혁준, "회사분할시의 채권자 보호,"「BFL」제38호(서울대 금융법센터, 2009), 35면; 임
    재연, 전게서, 784면, 781면; 김상곤·이승환, 전게논문, 32면.

닌 다른 채무에 대해 연대책임을 이행하게 되면, 해당 채무 전액에 대해 구상권을 행사할 수 있다고 보는 것이 합당하다.150) 대법원도 일방 채무자의 내부 부담부분이 없는 부진정연대책임을 긍정한 바 있다.151)

통상 분할계획서에 의하면 "갑 회사(분할회사)의 A사업부문의 모든 채무가 을 회사(신설회사)에 이전되고, 분할 이전에 A사업부문과 관련된 행위나 사건으로 인해 발생한 우발채무도 모두 신설회사가 부담하며, 분할회사가 이에 관해 연대책임을 부담하는 경우 신설회사에 구상할 수 있다"고 규정된다. 특히 문제되는 것은 다음 세 가지 경우이다.

첫째로, A사업부문과 관련하여 분할등기 이전에 이미 채무가 발생하였는바 그 존부와 액수 등이 확정되지 않다가 나중에 채권자들의 청구에 의하여 갑 회사가 이를 변제한 경우 을 회사에 구상할 수 있을지 여부이다. 이러한 경우 위 채무는 당연히 회사분할의 목적물이 되므로 부담부분이 아닌 채무를 변제한 갑 회사는 을 회사에 구상권을 행사할 수 있다.

둘째로, A사업부문과 관련하여 채무발생에 관한 사실관계는 존재하였는데 아직 채무는 발생하지 않은 상태에서 분할등기가 이루어진 다음 구체적인 채무가 발생한 경우이다. 예컨대 갑 회사가 기안하여 진행 중이던 A사업부문 신상품을 을 회사가 상업화하여 출시하였는데 구체적인 피해가 발생한 경우이다. 먼저 이러한 경우 과연 갑 회사에 연대책임이 인정되는지 문제된다. 채무의 발생은 분할등기 이후이므로 갑 회사에 연대책임 자체가 없다고 해석될 경우가 많을 것이다. 예외적으로 사실관계가 명확하게 특정되어 채무의 발생기초로 볼 수 있을 정도에 이른 경우에는 연대책임의 대상으로 보아야 한다는 견해가 있다.152) 이렇듯 연대책임이 인정되는 경우라면 이에 관해 책임을 이행한 갑 회사가 을 회사에 구상권을 행사할 수 있다고 볼 것이다.

셋째로 A사업부문과 관련하여 담합 등 위법행위가 이루어졌는바 과징금 부과는 분할등기 이후에 갑 회사에 대해 이루어진 경우이다.153) 이에 대하여는 (i) 특히 단순분할의 경우 분할회사가 단독으로 분할계획서를 작성하면서 신설회사

150) 김상곤·이승환, 상게논문, 43면.
151) 대법원 2005.10.13. 2003다24147.
152) 윤용준, "분할시 채권자 보호의 실무상 쟁점," 「BFL」 제49호(2011), 11면.
153) 공정거래법 제102조 제3항에 의하여 공정거래위원회가 분할회사인 갑 회사에 과징금을 부과한 경우이다.

에 과중한 구상의무 등을 부과시킬 수 있는 점, (ii) 분할당사회사간 구상관계를
정하는 것은 분할계획서의 법정 기재사항이 아닌 점, (iii) 판례가 사실관계는 분
할의 대상이 아니라고 보는 점을 들어 갑 회사에 의한 구상권 행사를 부정적으
로 보는 견해도 있다.[154] 그러나 이러한 경우 승계대상 사업부문에 관련된 일체
를 이전하려는 당사자의 의사를 존중할 필요가 있을 뿐 아니라 과징금을 대신
납부하려는 약정을 부인할 특별한 이유가 없으며, 신설회사에 과중한 부담을 지
운다는 문제제기도 분할시 자유로운 배정 과정에서 항상 발생할 수 있는 문제인
점을 고려하면 큰 설득력이 없다. 대법원도 분할계획서상 조항에 터잡은 분할회
사의 구상권을 인정하고 있다.[155]

6. 분할의 등기

회사의 분할은 분할등기를 함으로써 효력이 발생한다(제530조의11 제1항, 제
234조). 구체적인 분할등기절차는 상업등기법 제70조 내지 제72조, 상업등기규
칙 제150조, 제151조, 대법원 등기예규 제1542호 '주식회사의 분할 또는 분할합
병으로 인한 등기의 사무처리지침'에 따른다. 분할회사인 경우 분할 이후에도 존
속한다면 변경등기를, 분할로 소멸한다면 해산의 등기[156]를 하여야 한다.[157] 승
계회사의 경우에는 변경등기를 해야 하고,[158] 신설회사는 회사설립등기를 해야
할 것이다.[159] 이러한 변경등기, 해산등기, 설립등기는 '신설회사 또는 승계회사
의 본점 소재지 관할 등기소'에 동시에 신청되어야 한다(상업등기법 제71조 제3
항).[160] 위 신청 중 일부 등기에 각하사유가 있는 경우 등기소는 각 신청을 모

---

154) 윤용준, 전게논문, 14면.
155) 대법원 2016.8.29. 2014다210098.
156) 이 경우 해산등기 신청은 신설회사 또는 승계회사의 대표자가 담당하게 된다. 상업등기법
제71조 제1항.
157) 분할회사의 변경등기 내지 해산등기 시에는 신설회사(또는 승계회사)의 상호, 본점과 분할
(또는 분할합병)을 한 뜻 및 그 연월일도 함께 등기해야 한다. 상업등기법 제70조 제3항.
158) 승계회사의 변경등기 시에는 분할회사의 상호, 본점과 분할합병을 한 뜻도 함께 등기해야
한다. 상업등기법 제70조 제2항.
159) 신설회사의 설립등기 시에는 분할회사의 상호, 본점과 분할(또는 분할합병)을 한 뜻도 함
께 등기해야 한다. 상업등기법 제70조 제1항.
160) 등기신청인이 설립등기 또는 변경등기가 이루어지기 전에 등기신청을 취하하려는 경우에
도 각 등기신청 취하서를 동시에 제출해야 한다. 상업등기 및 법인등기 신청의 취하에 관
한 예규(등기예규 제1642호, 2018. 3. 13. 시행) 제8조 제2항.

두 각하한다(상업등기법 제72조 제1항). 위 동시신청에 따라 신설회사의 본점 소재지에서 설립등기가 이루어진 경우 또는 승계회사의 본점 소재지에서 변경등기가 이루어진 경우, 해당 등기소는 분할회사 관할 등기소에 그 등기연원일과 분할회사 변경등기(또는 소멸등기) 신청이 있었다는 점을 통지해야 한다(같은 조 제2항). 위 통지시점에 변경등기(또는 소멸등기) 신청이 접수된 것으로 간주된다(같은 조 제3항).

등기기간에 관하여는 원칙적으로 합병시의 제528조가 준용되므로, 신설회사인 경우 창립총회가 종료한 날로부터[161] 본점 소재지에서는 2주 내, 지점 소재지에서는 3주 내에 마쳐야 한다. 분할 또는 분할합병으로 인하여 신설 또는 승계회사가 전환사채나 신주인수권부사채를 승계한 때에는 사채의 등기도 하여야 한다(제530조의11, 제528조 제2항).

7. 분할의 효과

가. 법인격의 승계 여부

합병에 있어서와 달리, 분할에 있어서의 포괄적 이전은 권리, 의무에 한하고 분할회사의 법인격 자체가 승계회사 또는 신설회사에 승계되는 것은 아니다.[162] 이러한 법리는 분할회사가 분할로 인해 소멸하더라도 마찬가지이다. 다만 분할회사의 기존 소송중 권리, 의무 관계가 승계회사 또는 신설회사로 이전되는 경우에는, 법인격 자체의 승계가 발생하는 것은 아니지만 승계회사 또는 신설회사가 기존 소송절차를 수계할 수 있다고 본다.[163]

분할회사가 소멸하는 경우에는 별도의 청산절차 없이 해산등기를 통하여 곧바로 소멸한다(제517조 제1의2호 참조).

나. 권리와 의무의 포괄적 승계

분할로 인하여 분할계획서 또는 분할합병계약서에 기재된 분할회사의 권리,

---

161) 승계회사인 경우에는 보고총회가 종결한 날 또는 보고에 갈음하는 이사회 공고일로부터 기산한다.
162) 이철송, 전게서, 1159면.
163) 대법원 2002.11.26. 2001다44352.

의무는 분할등기일에 별다른 이전절차 없이 신설회사 또는 승계회사에 이전된다
(제530조의10). 합병과 달리 위 기재된 범위 내에서만 포괄적인 승계효과가 발생
한다는 점에서 '부분적 포괄승계' 효과라고 부른다.[164][165] 이는 법률의 규정에
의한 권리변동으로서, 원칙적으로 분할대상인 권리, 의무의 개별적 이전절차를
밟을 필요가 없다.

분할계획서에 승계대상 재산으로 기재되어 있는 부동산에 관한 물권이 신설
회사 또는 승계회사에 이전하는 것은 제530조의10에 의한 것이므로 별도의 등
기 없이도 물권 변동의 효과는 발생한다(민법 제187조).[166] 다만 그 물권의 양
도, 실행 기타의 처분행위를 하기 위해서는 등기가 필요하다. 예컨대 근저당권
의 실행이나 말소를 위해서는 근저당권 이전의 부기등기가 필요하다.[167][168] 한

---

164) 실무상으로는 이러한 권리와 의무의 포괄적인 승계의 효과가 외국에서 어떻게 취급될 것
인지가 문제되는 사례들이 발생하는데, 예컨대 분할회사의 해외자회사의 지분이 분할의
대상에 포함되는 경우 당해 해외자회사의 설립지 법령과 정부당국 차원에서 모회사 단계
에서 이루어진 분할의 포괄적인 승계의 효력에 따라 당해 해외자회사의 지분이 신설회사
에게 당연히 이전되는 것을 인정하지 않고 별도로 그 지분의 양수도 거래 및 관련 인허가
절차를 거치도록 하는 경우 또는 분할회사가 당사자로서 수행하는 해외에서의 소송절차
또는 중재절차에서 신설회사가 분쟁 당사자의 지위를 승계하는 것이 허용되지 않는 경우
(이와 관련하여 정연호, "국제거래에서 물적 분할된 신설회사의 중재 당사자적격 관련 중
국판정 사례," 「중재」 제339호(대한상사중재원, 2013. 3.), 58~65면 참조)가 발생할 수도
있다. 따라서, 분할회사의 입장에서는 그러한 문제가 발생할 가능성에 대하여 미리 검토하
고 필요한 경우 원래 분할의 목적이 달성될 수 있도록 적절한 대응조치를 취해야 할 수도
있을 것이다.
165) 분할전 회사의 부정당행위, 즉 입찰담합을 이유로 부과된 입찰참가자격 제한이 이후 분할
된 분할신설회사에게도 미치는지 여부와 관련하여, 손영화, 전게논문, 53~55면에서는 회
사분할에 의하여 승계되는 공법상 권리의무는 분할회사에 일신전속적으로 속하지 않으면
서 분할회사에게 이미 부과되어 있던 과징금과 같이 금전적으로 계산가능하고 구체적으로
액수를 특정할 수 있어서 소극재산으로 분류되는 것에 한한다는 점 등을 근거로 분할전
회사의 부정당행위에 대해 내려진 제재의 효과는 신설회사에게 미치지 않는다고 보아야
할 것이라고 한다.
166) 1999. 7. 7. 제정 대법원 등기선례 6-230 참조.
167) 분할로 인한 근저당권 이전등기를 신청함에 있어서 채무자 또는 근저당권설정자에 대한 통
지는 그 요건이 아니며, 또한 이전된 근저당권 등기에 대하여 말소등기를 할 경우의 등기
의무자는 분할로 인하여 신설된 회사이다. 2005. 7. 22. 제정 대법원 등기선례 200507-3.
168) 다만 수산업협동조합법에 근거하여 수협중앙회로부터 분할재산을 승계받은 수협은행의 경
우 이 법 부칙에 "이 법 시행 당시 중앙회의 재산 중 수협은행에 이관되는 재산에 관한
등기부와 그 밖의 공부에 표시된 중앙회의 명의는 각각 해당 자산을 이관받은 수협은행의
명의로 본다"는 조항이 있으므로 예외로 취급된 등기선례가 있다(2016. 12. 8. 제정 대법
원 등기선례 201612-1). 즉 위 등기선례는 이 경우 수협은행이 근저당권 이전의 부기등
기 없이 수협은행 자신의 명의로 근저당권의 말소 또는 변경등기를 신청할 수 있다고 보
았다.

편 순차분할에 관한 등기선례 중에는 순차로 작성된 각 분할계획서에 근저당권이 이전대상임이 기재되어 있다면 최초 분할회사로부터 최후 분할에 의하여 설립된 회사로 바로 근저당권 이전의 부기등기 신청이 가능하다는 것이 있다.[169]

분할회사가 보유하는 지명채권이 분할의 대상인 경우에도, 신설회사 또는 분할회사는 채무자에 대한 통지 또는 채무자의 승낙(민법 제450조)과 같은 지명채권 양도의 대항요건을 갖출 필요가 없이 채무자에게 대항할 수 있다. 분할회사의 채무를 분할의 대상으로 삼아 신설회사 또는 승계회사가 이를 면책적으로 인수하는 경우에도, 채권자와의 합의(민법 제453조, 제454조 참조)는 필요하지 않다. 이 때 채권자의 보호는 전술한 연대책임, 채권자 이의절차 등 상법에 규정된 방식에 의하게 된다.

분할계획서, 분할합병계약서에 명시적으로 기재되지 않은 권리, 의무는 누구에게 귀속되는가? 통상 분할계획서에는 '분할회사의 일체의 적극, 소극재산과 공법상의 권리의무를 포함한 기타의 권리, 의무 및 재산적 가치 있는 사실관계는 분할대상 사업부문에 관한 것이면 신설회사에게, 분할대상부문 이외의 부문에 관한 것이면 존속회사에게 각 귀속된다'라는 일반 규정을 두고 있다. 문제는 이러한 기준으로도 귀속이 불분명한 자산, 부채를 분할회사와 신설회사(승계회사) 중 어느 곳에 귀속되는 것으로 볼지 여부이다. 학설은 귀속이 불분명한 재산이 있는 경우 분할계획서의 전체 취지를 고려하여 해석으로 정할 수 있으면 그에 따르고, 그렇지 아니하는 경우에는 승계회사에 승계되는 순자산 액수에 비례하여 분리이전하여야 한다고 한다. 또한 분리이전될 수 없는 재산의 경우에는 공유하거나 현가로 정산하여야 한다고 본다.[170][171]

---

169) 2016. 9. 1. 제정 대법원 등기선례 201609-1.합병 및 분할이 수차례 이루어진 경우에도 중간생략에 의한 근저당권이전등기가 가능하다(2019. 10. 22. 제정 대법원 부동산등기선례 201910-3. 을 회사가 갑 회사를 흡수합병하고, 다시 병 회사가 을 회사를 흡수합병한 다음, 병 회사가 그 일부를 분할하여 정 회사를 설립하고, 이어 정 회사가 다시 그 일부를 분할하여 무 회사를 설립한 사안에서, 무 회사의 갑 회사 명의 근저당권 이전등기 신청을 허용한 사례)

170) 권기범, 기업구조조정법, 491면.

171) 회사가 분할하는 경우 개인정보를 분할회사와 신설회사가 반드시 나누어 가져가야 하는지, 이를 공유할 수 있는지 여부가 문제될 수 있는바, 김성민, "기업 인수합병에서의 개인정보 관련 법적 쟁점,"「저스티스」통권 제165호(한국법학원, 2018. 4.), 91면에서는 개별 사례별로 판단해야 할 것이나 정보주체와의 법률관계가 분리되어 양사 모두 정보주체와 일정한 법률관계를 유지할 수 있고 이때 최초의 개인정보 수집·이용 목적이 분할 이후의 분할회사와 신설회사의 사업 범위를 포괄하며 양사가 개인정보를 이용하는 것이 정보주체

다. 담보관계에의 영향

구체적으로 분할로 인해 분할회사에 관련된 기존 인적·물적 담보에 어떠한 효과가 발생하는지에 대하여는 앞서 합병의 경우에서와 마찬가지로 다양한 경우의 수가 있다.

만약 분할회사가 물상보증인인 경우에는 회사분할 이후 저당권의 제한이 있는 소유권이 분할회사와 신설회사(승계회사) 중 누구에게 귀속되는 것인지만 결정되면 충분하다. 또한 분할회사가 보증채무자인 경우에도 주채무자와 채권자에 변동이 없는 이상 분할계획서에서 정하는 바에 의하여 보증채무를 누가 부담할 것인지가 확정되면 그에 따라서 통상의 보증채무 관계와 마찬가지로 분할회사 및/또는 신설회사(승계회사)가 보증채무를 이행하면 족할 것이다. 그 밖의 사안의 경우 좀 더 복잡한 법률문제가 발생하는바,[172) 회사분할의 절차 및 기본취지를 고려하여 심도 있는 논의를 진행할 필요가 있다.[173)

라. 상법 총칙상의 영업양도 규정 적용문제

단순한 자산이 아닌 영업을 분할의 대상으로 한 경우, 회사분할관련 조항 뿐 아니라 상법 총칙상의 영업양도를 규율하는 제41조 내지 제45조의 규정 또한 유추적용할 것인지가 문제된다. 이러한 때에는 분할이 영업양도의 실질을 포함하게 되므로 원칙적으로 유추적용된다고 본다.[174) 구체적으로 나누어 보면 다음과 같다.

의 예측가능성 또는 신뢰를 벗어나지 않는 경우에는 분할회사와 신설회사가 개인정보를 공유할 수 있을 것이라고 한다.

172) 예컨대 분할회사가 주채무를 지고 있는 상태에서 주채무 중 일부가 신설회사에 이전된 경우 보증인이 어떠한 범위에서 보증채무를 부담할 것인지가 문제된다. 대법원 2009.5.28. 2008다63949는 은행들이 분할회사에 관하여 이른바 비중첩적 구분 지급보증을 했는데 분할회사의 채무 일부가 신설회사에 이전된 사안에서 "일반적으로는 분할에 의하여 설립된 회사가 부담하는 채무와 분할 후 존속하는 회사가 부담하는 채무는 모두 그 지급보증대상이 되는 것이지 분할로 인하여 그 지급보증채무 자체가 분할되는 것은 아니다"라고 하면서도 "이 사건 각 지급보증약정과 같은 비중첩적 구분보증의 경우에는 각 지급보증의 대상이 된 주채무 중 일부씩이 분할에 의하여 설립된 회사에 각 인수되고 인수된 그 일부 주채무가 변제 등에 의하여 소멸되었다면 그에 상응하는 각 지급보증채무액도 자동으로 소멸된다고 보아야 한다"고 판시하였다.

173) 상세한 논의에 관하여는 김병태·조중일, "회사분할과 담보관계의 처리,"「BFL」제49호 (2011) 참조.

174) 대법원 1996.7.9. 96다13767은 영업의 현물출자에 제42조를 유추적용한다.

분할관련 회사들 사이의 법률관계에 있어서는 일반적인 영업양도와 마찬가지로 당사자들의 의사가 우선하므로, 분할계획서와 분할합병계약서의 해석이 가장 중요하게 된다. 예컨대 분할회사는 원칙적으로 제41조의 유추적용에 의해 경업금지의무를 지지만,[175] 동일한 영업을 양적으로 분리하여 이전하는 때에는 위 경업금지의 적용을 받지 않기로 약정하였다고 볼 것이다.[176]

대외적인 관계에 있어서 제43조, 제44조가 유추적용될 것이다. 나아가 상호를 속용하는 양수인의 책임에 관한 제42조를 유추적용할 것인지에 관하여는 논란이 있다. 실제로 신설분할을 하면서 원래 상호(○○ 주식회사)를 신설회사에 부여하는 한편 분할회사의 상호를 기존상호에 '홀딩스'를 붙이는 방식(○○ 홀딩스 주식회사)은 지주회사 체제를 도입하면서 많이 활용된바 있다.[177] 회사분할시의 연대책임, 채권자 이의절차 등 채권자 보호 방식과 상호를 속용하는 경우 채권자의 보호 방식은 그 취지와 요건 등을 달리하며, 위 제43조, 제44조와 달리 제42조만을 유추적용하지 않을 이유가 없다는 점을 고려하면 유추적용설이 타당하다고 하겠다. 이에 대하여는 단체법적, 조직법적 행위인 회사분할을 개인법상의 영업양도와 구분할 필요가 있고, 이미 회사분할에 관하여 연대책임 등 충분한 채권자 보호장치가 마련되어 있으며, 구태여 책임 존속기간이 짧은 제42조에 의할 실익도 없다는 점에 초점을 맞춘 반론도 있다.[178]

마. 관련 문제

단순분할, 신설분할합병의 경우 분할계획서 또는 분할합병계약서에 신설되는 회사의 이사, 감사를 정할 수 있는바(제530조의5 제1항 제9호, 제530조의6 제2항

---

175) 권기범, 기업구조조정법, 496면. 이와 관련하여, 흡수분할합병의 경우에는 분할당사회사가 분할 전부터 독립된 법인격체로서 영업을 수행하여 왔으므로 분할회사는 상대방회사에 경업금지의무를 부담하나, 단순분할이나 신설분할합병의 경우에는 분할회사가 신설회사에 대하여 경업금지의무를 부담하지 않는다는 견해가 있다(임재연, 전게서, 807면).

176) 이철송, 전게서, 1161면 참조.

177) 이러한 방식의 유효성에 관하여 2009. 8. 4. 제정 대법원 상업등기선례 200908-1에 의하면 "분할회사의 변경 후의 상호가 동일한 특별시, 광역시, 시 또는 군내에서 동일한 영업을 위하여 다른 사람이 등기한 것과 동일한 상호가 아니어야" 한다고 본다. 한편 2007. 5. 8. 제정 대법원 상업등기선례 200705-3은 신설회사가 분할회사의 상호로 설립등기를 할 수 있는지 여부는 "등기관이 회사의 목적, 거래계의 실정 등을 고려하여 사회 일반인으로 하여금 설립되는 회사를 분할되는 회사 또는 다른 상인으로 오인, 혼동하게 할 우려가 있는지 여부로 판단하여야 할 것"이라고 한다.

178) 권기범, 전게서, 495면.

제1호), 위 이사, 감사는 회사설립등기와 동시에 이사, 감사의 지위를 갖게 된다. 흡수분할합병의 경우 분할합병계약서에 승계회사의 이사, 감사를 정할 수 있는 바(제530조의6 제1항 제10호), 위 분할합병계약서는 분할회사 및 승계회사의 주주총회 특별결의를 거치게 되므로 별도의 선임절차 없이 승계회사의 변경등기시에 이사, 감사선임의 효력이 발생한다고 볼 것이다.[179] 흡수분할합병의 분할합병계약서에서는 승계회사의 정관변경사항도 정할 수 있는바(제530조의6 제1항 제11호), 그 변경의 효력 역시 승계회사의 변경등기시에 발생한다.

8. 분할의 유지(留止) 및 무효

가. 회사분할의 유지

상법상 위법한 회사분할을 사전에 저지하기 위한 회사분할 유지청구권을 명문으로 규정하지는 않고 있다. 따라서 제402조의 이사의 위법행위 유지청구권과 제424조의 신주발행 유지청구권을 유추적용할 수 있는지가 문제된다.

제402조는 "이사가 법령 또는 정관에 위반한 행위를 하여 이로 인하여 회사에 회복할 수 없는 손해가 생길 염려가 있는 경우에는 감사 또는 발행주식의 총수의 100분의 1에 해당하는 주식을 가진 주주는 회사를 위하여 이사에 대하여 그 행위를 유지할 것을 청구할 수 있다"고 규정한다. 분할의 경우에도 이사들의 분할결의, 분할계획서 작성, 주주총회 소집, 분할등기 신청행위가 위법한 때에는 위 조항을 유추적용할 수 있다는 견해도 있다.[180] 이에 대하여는 위 유지청구권은 '회사'의 회복불가능한 손해를 전제로 한 것이고 단순히 주주 또는 채권자의 손해를 구제하기 위한 것이 아니라는 점을 들어 회의적으로 보는 반론도 제기되고 있다.[181]

---

179) 이철송, 전게서, 1161면.
180) 권기범, 기업구조조정법, 497면.
181) 김상곤·이승환, 전게논문, 38면은 그 논거로서 합병에 관한 하급심 결정(서울민사지방법원 1987.9.9. 자 87카37879)을 들고 있다. 이는 합병소멸회사인 호남에칠렌의 소수주주들이 합병비율의 불공정을 이유로 제402조에 의거, 합병승인 주주총회 및 이사회개최 유지청구권을 피보전권리로 하여 가처분을 제기한 사안이다. 법원은 "가사 신청인 주장과 같이 호남에칠렌과 대림산업의 1주당 순자산가치가 1.52:1로 차이가 있다 하더라도, 두 회사의 주식을 1:1의 합병비율에 의하여 합병하는 것을 가리켜 호남에칠렌에 회복할 수 없는 손해를 가져오는 행위라고 보기는 어려울 뿐 아니라, 그와 같이 합병비율이 잘못되어

제424조는 "회사가 법령 또는 정관에 위반하거나 현저하게 불공정한 방법에 의하여 주식을 발행함으로써 주주가 불이익을 받을 염려가 있는 경우에는 그 주주는 회사에 대하여 그 발행을 유지할 것을 청구할 수 있다"고 규정한다. 신주발행 유지청구권은 주주만이 행사할 수 있지만, 그 요건은 이사의 위법행위 유지청구권보다 완화되어 있다. 다만 채권자는 이를 행사할 수 없고, 신주가 발행되지 않는 회사(예컨대 인적분할시의 분할회사)의 주주인 경우에도 보호대상에서 배제되므로 한계가 있다.

나. 회사분할의 무효

제530조의11 제1항은 분할의 무효에 관하여 합병무효의 소에 관한 제529조를 준용하고 있다. 분할 또는 분할합병의 무효는 상법상의 원고적격이 있는 자가 소의 방식으로만 주장할 수 있고, 다른 소송에서 선결문제로서 이를 주장할 수 없다. 따라서 이는 형성의 소이다.

1) 당사자와 법원

분할무효의 소의 원고는 주주, 이사, 감사, 청산인, 파산관재인 또는 분할을 승인하지 않은 채권자이다(제530조의11 제1항, 제529조 제1항). 이는 합병과 동일하다.

합병의 경우 기존회사는 소멸하므로 피고는 합병 후의 존속회사(신설합병인 경우에는 신설회사)가 된다. 반면 분할의 경우 기존회사가 분할 이후에도 소멸하지 않는 경우가 많고, 소멸분할인 경우에도 둘 이상의 회사에 재산이 승계되는 것이므로 피고를 누구로 할 것인지 문제된다. 분할무효의 소의 결과는 모든 분할관련 회사에 합일적으로 확정되어야 하는 것이므로, 분할회사와 신설회사(분할합병의 경우에는 승계회사) 모두를 피고로 하는 필수적 공동소송으로 볼 것이다(민사소송법 제67조 이하). 수 개의 신설회사가 설립되거나 수 개의 분할회사가 참여하는 경우에도 원칙적으로 모든 신설회사 또는 분할회사를 피고로 삼아야 할 것이다. 다만 독립된 수 개의 분할계획 또는 분할합병계약이 이루어진 것으

있는 경우에는 회사를 상대로 합병무효를 주장하는 것은 별론으로 하고 이를 이유로 하여 주주 유지청구권을 행사할 수는 없다"고 판시하였다. 다만 위 논문에서도 일반적인 분할과 달리 물적흡수분할합병인 경우에는 분할비율의 불공정이 분할회사의 손해로 연결될 수 있다고 본다.

로 볼 때에는 분리하여 판단될 여지가 있다.[182]

분할무효의 소는 회사 본점소재지의 지방법원의 관할에 전속한다(제530조의11 제1항, 제240조, 제186조). 합병의 경우 존속회사(신설합병인 경우 신설회사)의 본점소재지에서 제기하면 되기 때문에 별 문제가 없으나 분할무효의 경우 분할회사와 신설회사(분할합병인 경우에는 승계회사)의 본점소재지가 다른 경우의 처리가 문제된다. 다른 입법례의 경우 먼저 제기된 소에 적법한 관할을 인정하는 별도의 규정을 두는 경우도 있으나,[183] 우리나라의 경우 그 처리가 불분명하다. 향후 입법적 보완이 필요한 부분이다.

2) 분할무효의 원인

합병무효의 경우와 마찬가지로 분할무효의 원인에 관하여는 명문의 조항이 없고 해석에 맡겨져 있다. 대표적인 분할 무효원인으로서 ① 분할계획서(분할합병계약서도 마찬가지이다. 이하 같음)가 작성되지 않았거나 법정요건을 흠결한 경우,[184] ② 분할계획서의 내용이 강행법규에 위반되거나 현저히 불공정한 경우(주주평등의 원칙, 자본충실의 원칙 등 위반),[185] ③ 분할계획서를 승인한 주주총회 결의에 부존재, 무효, 취소 등 하자가 존재하는 경우, ④ 분할대차대조표 등 공시의무를 제대로 이행하지 않은 경우 등이 있다. 나아가 연대책임 분리를 위한 채권자 보호절차를 제대로 이행하지 않은 것을 단순한 연대책임 부활 사유로 볼 것인지 나아가 분할무효 사유로 볼 것인지에 관하여 논란이 있다는 것은 앞서 언급한 바와 같다.

쟁점이 되는 것은 분할비율과 분할의 내용이 불공정한 경우이다. 먼저 분할비율이 불공정한 경우는 분할합병의 경우와 단순분할의 경우를 달리 볼 필요가 있다. 분할합병은 통상의 합병시 합병비율의 불공정을 무효사유로 보는 대법원의 입장을 일관하면 분할합병비율의 불공정 역시 분할합병 무효사유가 된다고 할 것이다.[186] 반면 단순분할의 경우 주주간 비례적으로 배정받는 이상 분할무

---

182) 예컨대 권기범, 기업구조조정법, 449, 498면에 따르면 갑, 을회사가 일부 재산을 A(승계회사)에 출연하는 형태의 분할합병계약을 각기 체결하는 경우 두 개의 독립된 분할합병계약이 있는 것이므로, 비록 갑과 A 사이의 분할합병계약에 무효원인이 있다고 하더라도 을과 A 사이의 분할합병은 원칙적으로 유효하다고 본다.
183) 일본 회사법 제835조 제2항.
184) 김상곤·이승환, 전게논문, 30면.
185) 이철송, 전게서, 1171면.

효의 원인이 되지 않는다고 할 것이다.[187] 불비례적 단순분할이라면 앞서 본 바와 같이 전체 주주의 승인 없이는 실행될 수 없으므로 총주주의 동의 없이 불비례적 분할을 하였다면 분할무효 사유에 해당한다고 할 것이다.

분할내용이 불공정하여 채권자 등의 이익을 심각하게 침해하면 분할무효사유가 될 가능성이 있다. 하급심의 판결 중에는 "회사분할 결과 분할되는 회사가 분할 전에 체결한 협약상의 지위가 분할되는 회사와 분할신설회사로 각각 분리됨으로써 협약의 상대방이 보유하던 동시이행항변권이나 차액정산권(상계권)이 축소되어 상대방의 지위가 불리해지는 경우에는 현저하게 불공정한 내용의 분할로서 무효원인이 될 수 있다"고 한 것이 있다.[188] 다만 이러한 경우 회사분할시의 연대책임, 채권자 이의절차 등에 의하여 보호하면 충분하다는 반론이 제기될 수 있다.

3) 분할무효의 소의 절차와 판결

기본적으로 합병무효의 소와 동일하다. 분할무효의 소가 제기된 경우 회사는 그 사실을 공고해야 하고, 수 개의 소가 제기된 때에 병합심리가 이루어진다(제530조의11 제1항, 제240조, 제186조, 제187조). 분할무효의 소는 분할등기 후 6개월 이내에 제기되어야 한다(제530조의11, 제529조). 이와 관련하여 분할무효 사유로서 주주총회 결의에 취소사유가 있음을 주장하는 경우에, 주주총회 취소의 소의 제소기간인 2개월(제376조 제1항) 이내에 분할무효의 소를 제기하여야 하는지가 문제된다. 법원은 분할이나 분할합병을 승인한 주주총회에 취소 정도의 하자가 있는 경우 반드시 주주총회 결의일로부터 2개월 이내에 취소소송을 제기하거나 분할무효소송을 제기하여 그 하자를 주장하지 않더라도 이를 독자적인 분할무효의 원인으로 고려할 수 있다는 입장인 것으로 보인다.[189]

법원은 회사의 청구에 의하여 원고에게 상당한 담보의 제공을 명할 수 있는 바, 이때 회사는 원고의 청구가 악의임을 소명해야 한다(제530조의11 제1항, 제237조, 제176조 제3, 4항).

---

187) 김상곤 · 이승환, 전게논문, 34면.
186) 대법원 2008.1.10. 2007다64136은 현저하게 불공정한 합병비율을 정한 경우 합병무효의 원인이 될 수 있다고 본다.
187) 김상곤 · 이승환, 전게논문, 34면.
188) 수원지방법원 성남지원 2010.4.14. 2009가합14537.
189) 김상곤 · 이승환, 전게논문, 35면. 대법원 2010.7.22. 2008다37193 및 그 하급심 판결 참조.

법원은 원인된 하자가 보완되고 회사의 현황과 제반사항을 참작할 때 분할을 무효화하는 것이 부적당하다고 인정되는 경우 분할무효의 소를 재량기각할 수 있다(제530조의11, 제240조, 제189조). 다만 대법원은 "법원이 분할합병무효의 소를 재량기각하기 위해서는 원칙적으로 그 소 제기 전이나 그 심리 중에 원인이 된 하자가 보완되어야 할 것이나, 그 하자가 추후 보완될 수 없는 성질의 것인 경우에는 그 하자가 보완되지 아니하였다고 하더라도 회사의 현황 등 제반 사정을 참작하여 분할합병무효의 소를 재량기각할 수 있다"고 판시한바 있다.[190] 분할무효의 소를 제기한 원고가 패소하였는데, 그 악의 또는 중대한 과실이 입증된 경우 해당 원고는 회사에 대해 손해배상책임을 지게 된다(제530조의11, 제240조, 제191조).

4) 무효판결의 효력

분할무효 판결의 효력은 기본적으로 합병무효 판결의 효력과 동일하다. 제3자에 대하여도 효력을 미치지만, 소급효는 인정되지 않는다(제530조의11 제1항, 제240조, 제190조). 분할무효 판결이 확정되면 본점과 지점 소재지에서 신설회사의 해산등기, 승계회사 및 분할회사의 변경등기(분할회사가 소멸된 경우에는 회복등기)를 해야 한다(제530조의11 제1항, 제238조).

단순분할인 경우 분할등기 이후 신설회사에 발생한 채무는 분할회사가 부담하는 것이 된다. 분할무효판결로 인해 신설회사가 해산되고 그 재산은 분할회사에 복귀하므로 당연한 결론이다. 분할합병의 경우에는 제530조의11 제1항에 의하여 제239조가 준용된다. 따라서 승계회사(신설분할합병의 경우에는 신설되는 회사)가 분할 등기 이후 부담한 채무에 대하여 분할회사와 승계회사(신설분할합병의 경우에는 또 다른 분할회사)가 연대하여 변제할 책임을 진다.[191]

---

190) 대법원 2010.7.22. 2008다37193. 다만 재량기각에 관한 이러한 대법원의 입장은 분할에 특유한 것은 아니고, 종전에 감자무효의 소에서도 나타난바 있다(대법원 2004.4.27. 2003다29616).

191) 제239조 제1항 참조. 같은 조 제2, 3항에 의하면 분할등기 후 승계회사가 취득한 재산은 분할회사와 승계회사의 공유가 되고 분할회사와 승계회사간 부담부분 또는 지분을 협의하지 못하면 각 회사의 청구에 의해 법원이 이를 정하도록 되어 있다.

9. 기타: 자본시장법, 노동법, 세법, 기업활력법의 쟁점

가. 자본시장법상의 문제

자본시장법에 따르면, 상장법인이나 자본시장법 시행령 제167조 제1항에 따른 사업보고서 제출대상법인은 회사분할에 관한 이사회결의를 한 경우 주요사항 보고서를 금융위원회에 제출, 공시해야 하고(제161조 제1항, 같은 법 시행령 제171조 제3항), 분할로 인하여 증권의 모집 또는 매출이 발생하는 경우 증권신고서 및 투자설명서를 제출, 공시해야 한다(제119조, 제123조, 같은 법 시행령 제131조, 발행공시규정 제2-10조). 발행공시규정 제2-10조는 회사분할의 경우 관련 공시 서류에 '분할의 요령, 분할되는 영업 및 자산의 내용' 등을 기재하도록 규정하고, 나아가 금융위원회가 발간한 기업공시서식 작성기준은 분할되는 영업 및 자산의 내용과 관련하여 '주요 자산 및 부채의 세부내용'을 구체적으로 기재하도록 하고 있다(제12-4-3조 및 제12-4-4조).

종래에는 상장회사의 분할시 분할회사는 기존 상장회사의 지위를 유지하고 신설회사는 일반적인 신규상장보다 완화된 요건 및 절차에 따른 재상장심사를 통해 상장을 할 수 있었다. 그러나 이를 악용하여 부실한 사업부문을 분할회사로서 존속시키거나 또는 신규상장시키는 경우가 발생했다. 이에 2011. 8. 30.부터 분할과 관련한 새로운 상장제도를 실시하고 있다. 이에 따르면 분할회사에 대한 심사가 강화되어, 주된 영업이 신설회사에 이전되거나 신규상장의 재무요건을 충족하지 못해 분할회사가 부실화한 경우 실질심사를 통해 퇴출된다. 신설회사의 재상장도 강화하였는바, 그 요건을 강화하여 신규상장 수준의 경영성과 요건을 적용하고, 신규상장 수준의 최소 유통주식수(100만주) 요건을 도입하였으며, 재상장 절차도 강화하여 상장예비심사 및 상장(공시)위원회 심의 절차를 도입하고, 분할신설부문 재무제표에 대한 감사인의 확인절차를 강화하였다.[192]

나. 노동법상의 문제

단체협약의 승계와 개별적 근로관계의 승계로 나누어 살펴본다. 전자와 관련

---

192) 유가증권시장 상장규정 제42조 제2항 등. 상세는 정준아, "분할관련 자본시장과 금융투자업에 관한 법률 이슈," 「BFL」 제49호(서울대 금융법센터, 2011), 106면 이하 참조.

하여, 가처분 단계에서 분할회사의 단체협약이 신설회사에 승계되는지의 여부가 다투어진 사안들이 있다(현대중공업 분할사건193)194) 등). 서울중앙지방법원은 분할회사가 분할계획서에 승계를 명시하지 않은 이상 단체협약상의 지위가 신설회사에 승계되지 않는다고 보았다. 법원은 ① 분할회사의 단체협약상 의무는 금전채무가 아니므로 신설회사가 연대하여 변제할 책임이 없다고 보았다(상법 제530조의9 제1항 연대책임 주장 배척). ② 분할회사와 신설회사의 조직과 구성은 크게 달라질 수 있고 단체협약은 사용자와 노동조합 사이에 일신전속적 성격이 강하므로, 분할계획서상 '일체의 권리, 의무가 이전된다'는 추상적 조항만으로 단체협약의 당연승계를 인정하기 어렵다고 보았다(상법 제530조 제10항 포괄승계 주장 배척). ③ 영업양도의 경우 종전 단체협약이 승계되는 것이 원칙이기는 하지만,195) 회사분할은 회사조직의 규모, 자산 등이 변경될 수밖에 없어 영업양도와 성질을 달리하므로 이를 동일하게 볼 수 없다고 보았다(영업양도에 준하는 승계 주장 배척). 이 결정에 대하여는 후술하듯 개별적 근로관계 승계는 긍정하면서 단체협약 승계를 부정하는 것은 자기모순이라는 비판196) 등이 제기되고 있다.

다음으로 회사 분할 시 개별적 근로관계의 승계 문제이다. 이론적으로 세 입장, 즉 (i) 분할의 포괄적 승계효력에 따라 근로관계 역시 당연히 승계된다는 견해(당연승계설), (ii) 원칙적으로 당연히 승계되지만 근로자는 거부권을 가진다는 견해(거부권설), (iii) 전적의 일반원리에 따라 근로자의 동의가 있어야 비로소 승계되는다는 견해(동의권설)로 나뉜다.197)

당연승계설에 대하여는 노동계약의 특수성을 전혀 고려하지 않은 채 회사법리만을 적용한 것이라는 비판이 가능하고, 동의권설에 대하여는 일반적인 전적의 법리만을 적용함으로써 회사분할의 바탕이 되는 포괄승계 법리를 무시한 것이라는 비판이 있을 수 있다. 거부권설에 대하여는 근로자의 의사를 반영하도록

193) 서울중앙지방법원 2017.9.11. 2017카합80551.
194) 한국지엠 분할에 관한 서울고등법원 2019.8.29. 2019라10010도 거의 유사한 논리로 노조 측의 가처분신청을 받아들이지 않았다. 이 사안에 대한 평석으로 권오성, "회사분할과 단체협약의 승계," 「월간노동법률」 제341호((주)중앙경제, 2019).
195) 대법원 1989.5.23. 88누4508.
196) 권오성, "회사분할과 단체협약의 승계: 현대중공업 사건을 소재로," 「노동법연구」 제44호(서울대 노동법연구회, 2018), 129면.
197) 상세는 장주형, "회사분할시 근로관계의 승계," 「BFL」 제49호(서울대 금융법센터, 2011), 115면 이하 참조.

하는 절충적 견해이지만 뚜렷한 법적 근거를 찾기 어렵다는 반론이 있을 수 있다.

이에 관한 하급심 판결 중에는 동의권설에 의한 것도 있고,[198] 거부권설에 의한 것도 있었다.[199] 대법원은 2013.12.12. 선고 2011두4282 판결에서 절차적 정당성을 갖춘 경우에는 원칙적으로 근로관계가 승계된다는 입장을 취하였다. 즉 "미리 노동조합과 근로자들에게 회사 분할의 배경, 목적 및 시기, 승계되는 근로관계의 범위와 내용, 신설회사의 개요 및 업무 내용 등을 설명하고 이해와 협력을 구하는 절차를 거쳤다면, 그 승계되는 사업에 관한 근로관계는 해당 근로자의 동의를 받지 못한 경우라도 신설회사에 승계되는 것이 원칙이다. 다만 회사의 분할이 근로기준법상 해고의 제한을 회피하면서 해당 근로자를 해고하기 위한 방편으로 이용되는 등의 특별한 사정이 있는 경우에는, 해당 근로자는 근로관계의 승계를 통지받거나 이를 알게 된 때부터 사회통념상 상당한 기간 내에 반대 의사를 표시함으로써 근로관계의 승계를 거부하고 분할하는 회사에 잔류할 수 있다"고 판단하였다. 이는 당연승계설의 입장에 따라 기술한 것이다. 대법원 판결에 대하여 학계에서는 회사분할의 실질이 영업 일부양도와 유사하기 때문에 영업양도에 관한 기존 판례법리가 적용됨이 상당하다는 비판이 제기되고 있다.[200]

한편 일본의 '회사분할에 따른 근로계약승계 등에 관한 법률(2000. 5. 31. 법률 제103호)'은 일정한 요건 하에 근로자의 이의신청권을 인정함으로써 입법적으로 이러한 문제를 해결하고 있다.[201]

---

198) 서울고등법원 2006.9.22. 2006나33021.

199) 서울고등법원 2009.5.22. 2008누28648; 2011.1.19. 2010누21732.

200) 권오성, "회사분할과 근로관계의 승계,"「노동법학」제66호(한국노동법학회, 2018), 127면; 박은정, "회사분할과 개별적 근로관계의 승계,"「노동법학」제71호(한국노동법학회, 2019), 174면. 이에 따르면 회사분할시 원칙적으로 근로관계가 승계되지만 근로자에 거부권이 인정된다(대법원 2012.5.10. 2011다45217).

201) 한편, 회사분할의 과정에서 단체협약이 승계되는지 여부가 문제될 수 있는데, 이와 관련하여 최근 하급심의 결정이 내려진 바 있다(서울중앙지방법원 2017.9.11. 2017카합80551 결정). 이 결정에서는 "근로자를 그대로 승계하는 영업양도의 경우에 있어서는 특별한 사정이 없는 한 종전의 단체협약도 잠정적으로 승계되어 존속하는 것이 원칙이지만 회사의 분할은 회사조직의 규모, 자산 등이 변경될 수밖에 없어 영업양도와 성질을 달리하는 것이므로 영업양도의 경우에 단체협약의 승계가 인정된다는 사정만으로 회사분할의 경우에도 당연히 단체협약이 승계된다고 볼 수 없으므로 분할 전 회사가 노동조합과 단체협약의 승계 여부에 대하여 합의를 거쳐 분할계획서에 단체협약이 승계됨을 명시하지 않는 이상 단체협약상의 지위는 분할신설회사에 승계되지 않는다"는 취지로 판단하였다. 이와 관련하여, 방준식, "회사분할과 단체협약의 승계,"「노동법포럼」제23호(노동법이론실무학회,

다. 세법상의 문제

회사분할과 관련하여 분할당사회사 및 그 주주와 관련하여 다양한 세법적 쟁점이 발생하지만[202] 여기에서는 과세특례가 인정되는 법인세법 제46조 제2항, 제46조의5 제2항, 제47조 제1항 소정의 적격분할 요건만을 살펴보기로 한다. 적격분할에 해당하는 경우 (i) 자산양도 차익이 없는 것으로 의제되어 신설법인의 자산 처분시 또는 신설법인의 주식의 처분시까지 과세가 이연되고, (ii) 분할회사 주주에 대한 의제배당 법인세 및 소득세가 그 주식 처분시까지 과세 이연되고, (iii) 자산 이전과 관련한 취득세, 증권거래세가 부과되지 않는 등 세무상 특례를 누릴 수 있다. 법인세법상 적격분할에 해당하려면 다음 요건을 충족하여야 한다.

① 사업영위기간(법인세법 제46조 제2항 제1호 본문): 분할회사는 분할등기일 현재 5년 이상 사업을 계속하던 내국법인이어야 한다.

② 분할대상요건(법인세법 제46조 제2항 제1호 가목): 분할대상은 분할하여 사업이 가능한 독립된 사업부문이어야 한다.[203]

③ 포괄승계요건(법인세법 제46조 제2항 제1호 나목): 분할하는 사업부문의 자산 및 부채는 포괄적으로 승계되어야 한다(다만, 공동으로 사용하던 자산, 채무자의 변경이 불가능한 부채 등 분할하기 어려운 자산과 부채 등으로서 대통령령으로 정하는 것은 제외함).[204] 이는 위 ②요건의 보완적 규정이다.

2018. 2.), 63~83면에서는 위 결정의 입장에 따라 회사분할의 과정에서 단체협약이 승계되지 않아 무협약 상태가 초래되더라도 종전 협약상의 근로조건 기준에 따라 형성된 근로관계는 분할계획서에 정한 바에 따라 신설회사에 승계되는 것이라고 하면서, 단체협약은 협약당사자인 노동조합과 사용자 또는 사용자단체가 근로조건 및 노사관계의 제반 사항에 관하여 합의한 것으로 협약당사자 간에 계약이라는 형태로 성립되며 그 자치의 범위 내에 있는 구성원에게 효력을 미치므로 분할계획서상 분할의 대상이 되는 '기타의 권리·의무 및 재산적 가치가 있는 사실 관계'에 해당한다고 볼 수 있음에도 불구하고 위 결정이 회사분할에 따른 승계 여부에 대해 근로관계와 단체협약관계를 각각 달리 판단한 것은 문제가 있다고 한다.

202) 이에 관하여는 전오영·강우룡, "세법상 적격분할 요건의 재검토," 「BFL」 제49호(서울대 금융법센터, 2011) 참조.

203) 법인세법 시행령 제82조의2 제2항 제3호에 의하면 주식등과 그와 관련된 자산, 부채만으로 구성된 사업부문인 경우 독립된 사업부문을 분할하는 것으로 보지 않는다. 한편, 본 요건과 관련하여 최근 대법원은 독립적으로 사업이 가능하다면 단일 사업부문의 일부를 분할하는 것도 가능하다고 판시하였다(대법원 2018.6.28. 2016두40986).

204) 본 요건과 관련하여 최근 대법원은 다른 사업부문에 공동으로 사용되는 자산·부채 등과

④ 단독출자요건(법인세법 제46조 제2항 제1호 다목): 제3자의 출자가 개입될 경우 분할 전후의 동일성 및 계속성이 저해된다는 측면을 고려한 것이다.

⑤ 분할대가요건(법인세법 제46조 제2항 제2호): 분할회사 등의 주주가 신설회사 등으로부터 받은 분할대가의 전액(분할합병의 경우에는 80%)이 주식으로서, 그 주식이 분할회사 등의 주주가 소유하던 주식의 비율에 따라 배정되고 분할회사 등의 지배주주가 분할등기일이 속하는 사업연도의 종료일까지 그 주식을 보유해야 한다.

⑥ 사업계속요건(법인세법 제46조 제2항 제3호): 신설회사가 분할등기일이 속하는 사업연도의 종료일까지 분할회사로부터 승계받은 사업을 계속해야 한다. 신설회사가 승계한 고정자산 가액의 1/2 이상을 처분하거나 사업에 사용하지 아니하는 경우에는 승계한 사업을 폐지한 것으로 본다(법인세법 시행령 제82조의2 제9항, 제80조의2 제6항).

분할이 이루어질 당시에는 위의 요건을 충족한 분할이라고 하더라도, 분할등기일이 속하는 사업연도의 다음 사업연도 개시일부터 2년 이내에 다음과 같은 사정이 발생하는 경우에는 법인세법 시행령에 규정된 부득이한 사유를 제외하고는 사후관리요건에 위배되어 분할신설법인은 자산양도차익 등과 관련하여 법인세를 부담할 수 있다(법인세법 제46조의3 제3항, 법인세법 시행령 제82조의4).

---

① 분할신설법인등이 분할법인등으로부터 승계받은 사업을 폐지하는 경우
② 분할법인등의 지배주주등이 분할신설법인등으로부터 받은 주식을 처분하는 경우
③ 각 사업연도 종료일 현재 분할신설법인에 종사하는 근로자의 수가 분할등기일 1개월 전 당시 분할하는 사업부문에 종사하는 근로자 수의 80% 미만으로 하락하는 경우[205]

같이 분할하기 어려운 것은 승계되지 않더라도 기업의 실질적 동일성을 해치지 않는다고 판시하였다(대법원 2018.6.28. 2016두40986).

205) 분할합병의 경우 각 사업연도 종료일 현재 (i) 분할합병의 상대방법인에 종사하는 근로자 수가 분할등기일 1개월 전 당시 분할하는 사업부문과 분할합병의 상대방법인에 각각 종사하는 근로자 수의 합의 100분의 80 미만으로 하락하는 경우 또는 (ii) 분할신설법인에 종사하는 근로자 수가 분할등기일 1개월 전 당시 분할하는 사업부문과 소멸한 분할합병의 상대방법인에 각각 종사하는 근로자 수의 합의 100분의 80 미만으로 하락하는 경우의 어느 하나에 해당하면 사후관리요건 위반이다(법인세법 제46조의3 제3항 제3호 가, 나목).

라. 기타 법령상 분할절차 관련 특례

1) 기업활력법상 특례

기업활력법은 과잉공급 분야의 기업들이 신속하게 사업재편을 할 수 있도록 분할 및 분할합병에 관한 절차적 요건을 완화하고 있는데 그 중 분할 및 분할합병에 관한 주요특례를 살펴보면 아래와 같다. 사업재편계획을 작성하여 주무부처 장의 승인을 얻은 경우 분할 또는 분할합병에 관하여 다음 특례가 적용된다.

① 소규모분할합병 확대(기업활력법 제16조): 분할합병으로 인해 발행하는 신주 또는 자기주식 총수가 발행주식 총수의 20%(상법에서는 10%임)를 초과하지 않으면 소규모분할합병이 가능하다. 다만 10%(상법에서는 20%임) 주주가 서면으로 반대한 경우에는 주주총회의 승인절차로 되돌아간다.

② 간이분할합병 확대(기업활력법 제17조): 승계회사가 분할회사 발행주식 총수의 80%(상법에서는 90%임) 이상을 보유하고 있으면 간이분할합병을 실행할 수 있다.

③ 각종 기간단축(기업활력법 제18조): 주주총회일 7일(상법에서는 2주임) 전에 총회소집 통지를 하면 되고, 분할합병 계약서 등 관련서류의 비치기간도 주주총회일 7일(상법에서는 2주임) 전에 시작되며, 주주명부 폐쇄나 기준일 설정에 관하여 2개 이상의 일간신문에 공고한다는 전제하에 폐쇄일 또는 기준일 7일(상법에서는 2주임) 전에 공고하면 충분하도록 하였다.[206]

④ 채권자 보호절차 완화(기업활력법 제19조): 채권자 이의제출기간을 10일(상법에서는 1개월임) 이상으로 단축하였고, 은행 지급보증, 보험증권 등 제출을 통해 채권자의 손해 없음이 입증된 경우에는 채권자 보호절차가 배제되도록 하였다.

⑤ 주식매수청구 관련 기간조정(기업활력법 제20조): 분할합병 반대주주의 주식매수청구는 주주총회 결의일로부터 10일(상법과 자본시장법에서는 20일임) 이내에 이루어져야 하는 반면, 회사측이 매수하여야 하는 기간은 비상장법인인 경우 6개월(상법에서는 2개월임) 이내, 상장법인은 3개월(자본시장법에서는 1개월임) 이내로 연장되어 있다.

---

206) 다만 같은 조 제4항에 따르면 위 특례기간 산정시 공휴일, 토요일, 근로자의 날은 제외된다.

⑥ 소규모 단순분할 신설(기업활력법 제15조): 분할로 설립되는 신설회사의 총자산이 분할회사 총자산의 10% 미만인 경우 주주총회 승인을 이사회 승인으로 갈음할 수 있다. 이러한 소규모분할은 사업재편기간 중 1회만 실행할 수 있다. 상법에서는 소규모분할합병은 규정하나 소규모 단순분할 제도는 존재하지 않는다.

2) 중소기업사업전환법상 특례

중소기업사업전환법에서는 승인기업 중 주식회사인 비상장회사에게 적용되는 사업전환절차의 원활화 방안 중 하나로서 분할 및 분할합병 절차의 간소화를 위한 특례를 규정하고 있는데, 그 주요 내용은 아래와 같다.

① 분할의 경우(중소기업사업전환법 제19조 제1항)

분할에 따라 분할회사와 승계회사(또는 단술분할신설회사)가 분할 전의 분할회사 채무에 관하여 연대책임을 지는 경우 그 분할절차에서는 각종 기간이 단축된다. 구체적으로 주주총회일 7일 전에 총회소집 통지를 하면 되고, 분할계획서 등 관련서류의 공시기간은 주주총회일 7일 전부터 분할의 등기를 한 날 이후 1개월이 경과하는 날까지이다.

② 분할합병의 경우(중소기업사업전환법 제19조 제2항)

분할합병을 하는 경우는 중소기업사업전환법상 합병절차에 관한 특례가 분할합병에 준용된다. 그 주요내용은 다음과 같다.

㉠ 채권자 보호절차 완화(중소기업사업전환법 제18조 제1항): 채권자 이의제출 기간을 10일 이상으로 정할 수 있도록 단축하였다.

㉡ 각종 기간단축(중소기업사업전환법 제18조 제2항, 제3항): 주주총회일 7일 전에 총회소집 통지를 하면 되고, 분할합병계약서 등 관련서류의 공시기간을 주주총회일 7일전부터 분할합병을 한 날 이후 1개월이 경과하는 날까지로 단축하였다.

㉢ 주식매수청구권 관련 절차 조정(중소기업사업전환법 제18조 제4항 내지 제6항): 분할합병에 반대하는 주주는 주주총회 전에 서면으로 반대하는 의사를 통지하면서 이와 동시에 자기가 소유하고 있는 주식의 종류와 수를 적어 주식의 매수를 청구하도록 하여 매수청구의 절차를 간소화하였고, 매수청구를 받은 분할회사는 주주총회의 결의일부터 2개월 이내에 주식을 매수하도록 하여 주식을 매수하여야 하는 기간을 20일 가량 단축하였다.

제 2 절 주식양수에 의한 기업인수

천 경 훈*

I. 서 설

1. 기업인수의 개념과 분류

기업인수(M&A: merger and acquisition)란 법령상 엄밀하게 정의된 개념은 아니나, 일반적으로 어떤 기업의 지배권 취득을 목적으로 하는 일체의 거래활동을 의미하는 폭넓은 개념으로 사용된다. 이는 거래의 형태, 성격, 동기 등에 따라 여러 가지로 구분될 수 있는 상당히 유연하고 폭넓은 개념이다.

가. 거래형태에 따른 분류

거래의 형태상으로는 (i) 둘 이상의 법인을 하나의 법인으로 통합하는 합병, (ii) 법인이나 개인이 다른 법인이나 개인의 자산 또는 영업을 취득하는 자산양수 또는 영업양수, (iii) 인수자인 법인이나 개인이 다른 법인이나 개인으로부터 기발행된 대상회사의 주식을 취득하는 주식양수(구주매수), (iv) 인수자가 대상회사의 지배권을 확보하기에 충분할 정도의 신주를 인수하는 신주인수 등으로 구분할 수 있다.[1] 이 중 (iii)과 (iv)를 관행적으로 주식거래(share deal), (ii)를 자산거래(asset deal)라고 지칭한다.

주식거래의 경우에는 ① 대상회사가 소유한 개별자산, 부채, 계약 등을 일일이 이전할 필요 없이 기업의 가치를 표창하는 주식을 취득하는 것만으로 거래가

---

* 서울대학교 법학전문대학원 교수, 한국 및 미국(뉴욕주) 변호사

1) 그 밖에도 대상회사 중 인수대상 사업부문을 물적분할한 후 그 주식을 취득하는 방법, 인수회사가 자회사를 설립한 후 그 자회사와 대상회사를 합병시키는 방법(이른바 삼각합병), 포괄적 주식교환에 의하여 대상회사를 인수회사의 완전자회사로 만들고 대상회사의 주주들을 인수회사의 주주로 수용하는 방법 등 다양한 방법이 있다.

종결되므로 자산 또는 영업양수에 비하여 거래절차가 간소하고, ② 기업인수 이후에도 대상회사의 동일성이 그대로 유지되어 각종 인허가, 거래처와의 법률관계 등 사업의 연속성을 확보할 수 있는 장점이 있는 반면, ③ 대상회사의 우발채무 등 인수인이 인수를 의도하지 않았던 법률적, 사실적 위험을 그대로 떠안게 되는 문제점이 있다. 이러한 문제가 심각하다고 생각하는 경우에는 인수자는 주식거래 대신 원하는 자산만을 선택하여 양수하는 자산거래 방식을 택하게 된다.[2] 다만 이와 같이 자산을 양수하는 결과 '유기적 일체로서 기능하는 영업을 총체적으로 동일성을 유지하면서 양수'하게 된다면 제41조 이하 및 제374조에서 말하는 영업양수에 해당하게 된다. 영업양수에 해당하는 경우에도 개별 자산, 채권채무, 계약별로 별도의 양수절차를 거쳐야 함은 영업양수 아닌 자산양수의 경우와 같다. 영업양수의 경우 주주총회 특별결의(제374조 제1항), 반대주주의 주식매수청구권(제374조의2) 등 회사법적인 쟁점을 야기하기도 하지만, 실무상 더 중요한 문제는 근로자의 고용승계 여부 및 조세부담과 관련하여 발생한다.[3]

나. 거래의 성격에 따른 분류

거래의 성격에 있어서는 (i) 대상회사의 경영진이나 대주주의 의사에 반하여 경영권을 취득하는 적대적 기업인수(hostile M&A)와 (ii) 매도인과 매수인 간의 계약에 따라 대상회사의 주식 또는 자산을 양수하는 우호적 기업인수(friendly M&A)로 구분된다. 전자는 주로 공개회사에 대해 장내매집, 공개매수, 의결권대리행사 권유와 같은 방식으로 이루어지며 그에 대응한 각종 경영권 방어수단의 적법성이 문제되어 여러 가지 복잡한 회사법 및 증권법상의 쟁점을 야기한다. 후자는 근본적으로 양당사자 간의 계약체결 및 그 해석과 이행의 문제가 된다.

다. 거래의 동기에 따른 분류

그 동기에 있어서는 배당과 매각차익 등 비교적인 단기적인 경제적 이득에 중점을 둔 재무적 투자(financial investment)와 인수주체가 영위하는 사업과의

---

2) 기업인수시에 자산매수와 주식매수 중에 어떤 것을 선택할 것인가의 문제에 관하여는, 송옥렬, "기업인수의 대상과 그 대가의 선택,"「21세기 상사법·민사소송법의 과제」(하촌 정동윤선생 고희기념논문집)(법문사, 2009), 215~219면 참조.
3) 이에 관한 상세는 강희철, "영업양수도의 법률관계,"「BFL」제38호(서울대학교 금융법센터, 2009. 11.), 39면 이하 참조.

시너지 효과 등 비교적 장기적인 사업전략에 중점을 둔 전략적 투자(strategic investment)로 구분된다. 둘 다 경제적 이익을 얻기 위한 것임은 동일하고, 경쟁법상 경쟁제한성 판단에 있어 전략적 투자의 경우에 다소 엄격한 잣대가 적용된다는 점 이외에는 법적으로 뚜렷한 차이를 발생시키지는 않는 것으로 보인다.

2. 한국의 기업인수 동향

가. 거래형태상의 특성

한국에서도 1990년대 후반 이후 기업인수가 활발하게 이루어지고 있다. 외환위기 직후에는 부실화한 국내회사의 자산이나 주식을 외국인투자자들이 취득하는 유형의 거래가 많이 행하여졌으나, 2000년대 중반 이후에는 국내회사가 인수자로 등장하는 예가 늘어났고, 국내회사가 해외 대상회사의 주식을 취득하는 이른바 해외진출형(outbound) 기업인수도 활발해지고 있다. 이 중 국내기업을 대상으로 하는 기업인수에 초점을 맞추어 보면 수적으로는 적대적 기업인수보다는 우호적 기업인수가 압도적으로 많다.

한국의 우호적 기업인수는 거래형태로 보면 ① 주식양수, ② 자산(영업)양수, ③ 신주인수가 절대다수를 차지하고, 그 중에서도 지배주주가 보유한 대상회사 주식(이미 발행된 구주)을 장외에서 양수하는 형태가 압도적으로 많다.[4] 자산(영업)양수는 대상회사 중 특정 사업부문만을 양수할 때에 종종 사용되고, 인수대금의 전부 또는 일부를 신주인수 방식으로 대상회사에 출자하는 방식은 특히 회생절차나 기업구조조정절차 중인 회사를 인수할 때에 많이 사용된다. 그 외에 미국에서와 같은 공개매수를 통한 우호적 기업인수라든지,[5] 상법이 예정하는 합병을 통한 우호적 기업인수[6]는 드물다. 그러다보니 기업인수는 순전히 매도인과

---

4) 기업인수 수단의 실제 활용현황에 관하여는 천경훈, "한국 M&A의 특성과 그 법적 시사점에 관한 시론," 「선진상사법률연구」 제56호(2011), 139~147면. 더 상세한 최근의 분석은 정준혁, 「M&A와 주주보호」(경인문화사, 2019), 40~92면.

5) 드문 예로 2007년 신한금융지주가 LG카드를 인수할 때에 매도인이 10인 이상이었기 때문에 공개매수에 의하여야 했다(당시의 증권거래법 및 현재의 자본시장법에 의하면 6개월 이내에 10인 이상으로부터 발행주식 총수의 5% 이상을 취득할 때에는 공개매수에 의해야 한다). 이 건 이후로는 매도인 숫자를 9인 이하로 감축하여 공개매수 규제를 피하는 것이 보통이다. 예컨대 다수의 채권금융기관이 출자전환으로 취득한 주식을 매각할 때에, 공개매수 규제를 피하기 위해 보유주식수 기준 상위 9개 금융기관만이 공동매각하거나 사전에 상호간 지분양도를 통해 매도인을 9개 이하로 줄이는 것이다.

매수인 사이의 매매계약의 문제가 되고, 대상회사의 이사회는 거의 관여하지 않는다.

나. 이유 분석

한국에서 공개매수와 합병에 의한 기업인수가 드문 이유는 지배주주의 존재, 경영권 프리미엄의 존재, 의무공개매수의 부재라는 세 가지 요인이 상호작용한데에서 찾을 수 있을 것이다. 즉 우리나라 대부분의 회사에는 경영권을 행사할수 있는 정도의 지분을 가진 지배주주가 존재하고, 이러한 지배지분의 총가치는 1주당 시가에 주식수를 곱한 것보다 훨씬 높게 형성된다(그 차이를 경영권 프리미엄 또는 지배권 프리미엄이라고 한다).

미국을 제외한 대부분의 다른 나라들처럼 의무공개매수 제도가 존재한다면, 상장회사에서 일정 지분 이상 주식을 취득하여 지배주주가 되고자 하는 자는 모든 주주에게 동일한 가격으로 매각기회를 부여해야 한다. 즉 의무공개매수 제도하에서는 지배권이 변동하는 대량 주식매매의 경우 대상회사의 모든 주주들이 매도기회를 갖고, 지배주주이건 소수주주이건 동일한 주당 가격을 받는다.

그러나 우리나라에는 의무공개매수 제도가 없으므로 지배주주인 매도인과 새로운 지배주주가 되고자 하는 매수인 간의 장외거래로 족하다. 매수인 입장에서는 모든 주주들로부터 주식을 살 필요 없이 지배주주로부터 그 지분만 경영권 프리미엄을 얹어주고 매수하면 되고, 매도인인 지배주주 입장에서는 자신의 지분만 매각하면 경영권 프리미엄을 다른 주주들과 나누지 않고 독식하게 된다. 비지배주주들의 지분은 그 후에 매수인이 공개매수나 장내매집을 통해 경영권 프리미엄이 붙어 있지 않은 가격에 추가로 취득하면 된다. 따라서 공개매수는 우호적 인수방법으로 별로 활용되지 않는다.

합병의 경우 소멸회사의 모든 주주들은 동일한 주당 대가를 받아야 하므로 소멸회사의 기존 지배주주가 경영권 프리미엄을 독식하지 못한다. 따라서 대상

---

6) 드문 예로 2014년 다음과 카카오의 합병을 들 수 있다. 존속회사는 다음이었으나 합병 후 소유지분을 고려하면 사실상 카카오가 다음을 인수한 것으로 볼 수 있다. 그 밖에 합병형 인수로 언급되는 것들은 ① 원래 계열회사였던 회사들 간의 구조조정을 위한 합병, ② 주식을 취득하여 계열회사로 만든 이후에 이루어지는 후속합병, ③ 우회상장(비상장회사가 주로 실질이 빈약한 상장회사와 합병하여 상장회사 지위를 취득하는 것)에 해당하는 경우가 대부분이다.

회사의 지배주주로서는 대상회사가 인수회사에 흡수합병되는 것보다는 자신이
보유한 대상회사 지분을 프리미엄을 받고 인수회사에 매각하는 편을 선호하게
된다. 인수자 측으로서도 합병은 (소멸회사 주주에 대한 합병신주 발행으로 인해)
존속회사에 대한 지배주주의 지분율 저하를 초래하므로, 그것보다는 대상회사
지분을 프리미엄을 내고 매수하는 편을 선호하게 된다. 따라서 합병은 우호적
인수방법으로 별로 활용되지 않는다.

이처럼 지배권이 이전하는 경우에도 비지배주주에게 어떠한 보호 내지 이탈
수단도 주어지지 않고 경영권 프리미엄도 지배주주가 독식하는 현재 한국의 기
업인수 관행은 비교법적으로도 이례적이고 자본시장의 신뢰저하와 저평가를 가
져올 수 있으므로 재검토될 필요가 있다고 본다.[7]

3. 이 절의 논의대상

이 절에서는 이러한 기업인수 중 계약에 의한 우호적 기업인수, 그 중에서도
특히 우리나라에서 가장 빈번하게 행해지는 주식양수방식의 기업인수와 관련하
여 실무적으로 문제되는 쟁점을 다룬다. 우리나라의 기업인수 절차에서는 영미
거래관행의 영향을 크게 받은 계약서가 널리 활용되고 있어 종래의 회사법 및
계약법 법리만으로는 해결하기 어려운 쟁점이 많이 제기되고 있으나, 다른 한편
으로는 우리나라 기업인수 절차에 고유한 관행들도 많이 형성되고 있어 외국 법
리의 연구나 소개만으로는 대처하기 어려운 면도 있다. 또한 이 분야의 쟁점은
전통적인 회사법이나 계약법에서는 본격적으로 다루고 있지 않아 법리적으로는
일종의 사각지대에 놓여 있다고 할 수 있다.

이에 아래에서는 우선 우호적 기업인수의 절차를 개관하고 이러한 절차에서
특히 본계약 체결 이전에 빈발하는 법적 쟁점을 다룬 뒤(II), 주식매매계약의 전
형적인 조항들을 소개하고 그와 관련한 주요 쟁점을 분석한다(III). 주식양도에
관한 일반적인 법리, 적대적 기업인수, 합병에 관하여는 각각 해당하는 절에 그
서술을 맡긴다.

---

7) 이에 관한 상세한 분석과 대안으로는 정준혁, 전게서 참조(매도인 이외의 주주들도 매수인
   에게 주식을 매도할 수 있는 권리를 부여하자는 입법론적 제안).

Ⅱ. 우호적 기업인수의 절차 – 주식양수방식을 중심으로

1. 일반적인 절차(입찰이 아닌 수의계약에 의한 경우)

계약에 의한 우호적 기업인수는 통상적으로 다음과 같은 순서로 이루어진다. 물론 이는 하나의 전형적인 예에 불과하고, 거래의 상황에 따라 다양한 변용이 있을 수 있다. 특히 이는 입찰에 의하지 않는 경우를 상정한 것으로서 입찰의 경우에 특수한 상황은 Ⅱ.2에서 후술한다.

> 인수대상의 결정 → 인수방식의 결정 → 기업가치 평가 → 기밀유지계약 체결 및 협상개시 → 양해각서 체결 → 기업실사 → 본계약 협상 및 체결 → 거래종결(계약이행)

가. 인수대상의 결정

우선 앞서 본 기업인수의 동기(전략적 또는 재무적)에 따라 인수자는 적절한 인수대상을 선정하게 된다. 인수자 스스로 시장에서의 정보 등에 기초하여 인수대상을 선정하기도 하고, 투자은행과 같은 재무자문사의 도움을 받기도 한다. 인수자가 아니라 매도인 측에서 거래를 촉발하기도 한다. 즉 대상회사가 특정 사업부문을 매각하기로 결정하거나 또는 대상회사의 주주가 소유주식을 매각하기로 결정하고 적극적으로 인수자를 물색하는 방식으로 거래가 진행되는 경우도 흔하다. 특히 기업구조조정 대상회사들의 경우에는 출자전환 등의 방식으로 주식을 소유하게 된 채권단이 거래를 주도하는 경우가 많다.

나. 인수방식의 결정

인수대상이 결정되면 대상회사의 상황, 법률적 절차, 조세효과, 인허가요건 등을 분석하여 대상회사의 주식을 인수할 것인가, 특정 자산만을 인수할 것인가, 대상회사를 물적분할한 후 그 주식을 인수할 것인가, 대상회사와 합병 또는 삼각합병을 할 것인가, 포괄적 주식교환에 의해 대상회사를 완전자회사로 만들 것인가 등 여러 방안 중에서 적절한 인수방식을 결정하게 된다. 이는 거래당사자들 각자의 분석 및 평가에 이어 궁극적으로는 그들 간의 합의에 따라 정해지게 되나, 매도인 측에서 인수방식을 미리 정하여 입찰을 시작하는 경우도 적지 않다. 또한 기업실사 및 본계약 협상을 거치는 과정에서 당초 잠정적으로 전제했던 인수방식이 변경되는 경우도 있다.

인수방식과 관련된 문제로서, 인수주체를 어떻게 구성할 것인가도 거래의 초기단계에서부터 중요한 문제로 고려되어야 한다. 인수를 희망하는 회사 스스로 인수주체가 되기도 하고, 조세효과 기타 여러 경영상의 고려에 따라 국내외에 특수목적법인(special purpose company: SPC)을 별도로 설립하여 그 SPC가 인수주체가 되기도 한다. 또한 단독으로 기업을 인수하기에는 소요 자금의 규모와 투자실패 리스크가 지나치게 클 경우에는, 복수의 매수인들이 공동으로 컨소시엄을 형성하여 매수를 시도하기도 한다. 컨소시엄 구성원들이 계약체결 또는 거래종결 전에 별도 법인을 설립하여 그 법인으로 하여금 대상회사 주식을 취득하게 하는 경우도 있지만, 컨소시엄 구성원들 각자가 대상회사 주식을 직접 취득하는 경우가 더 일반적인 것으로 보인다. 후자의 경우에도 구성원별로 각각 계약서가 작성되는 것이 아니라 통상 하나의 매매계약서가 단일하게 작성되기 때문에, 컨소시엄 구성원 중 1인이 매매계약협상, 체결 등의 업무를 다른 구성원들로부터 위임받아 일종의 대표자로서 일괄 수행하게 된다.[8] 기업의 공동인수를 위한 컨소시엄이 민법상 조합에 해당한다고 본 하급심 판결이 있으나,[9] 그렇게 법적 성질을 일반화하는 데에 의문을 제기하며 컨소시엄 계약의 해석 문제로 접근하여야 한다는 견해도 있다.[10]

다. 기업가치 평가

인수대상이 정해지면 그에 대한 기업가치 평가(valuation) 작업이 필요하다.

---

8) 천경훈, "현대건설 매각 사건의 일지와 쟁점," 「BFL」 제47호(서울대학교 금융법센터, 2011. 5.), 69면.
9) 서울고등법원 2011.2.15. 2011라154(미간행). 이는 컨소시엄 구성원 중 일부만이 '양해각서 해지금지 가처분'을 제기한 것이 적법한가라는 쟁점과 관련하여 문제되었다. 법원은 컨소시엄은 민법상 조합에 해당하나, 이와 같은 가처분 신청은 조합재산의 보존행위로서 조합원 각자가 할 수 있으므로(민법 제272조 단서), 이러한 신청은 필수적 공동소송이 아니어서 컨소시엄 구성원 중 일부가 신청인에서 누락되어도 적법하다고 판시했다.
10) 천경훈, 전게논문(주 8), 68~70면.

최종적인 기업가치의 평가는 실사를 통해 얻은 정보까지 반영하여야 하지만, 재무제표 등의 공개정보 및 매도인 측에서 제시한 정보에 터 잡은 대략적인 가치평가 작업은 거래의 초기단계부터 이루어져야 한다. 기업가치의 평가방법으로는 자산가치법,[11] 수익가치법,[12] 상대가치법[13] 등 다양한 방법이 있으나, 기업인수는 계속기업(going concern)으로서의 대상회사 전부 또는 일부를 인수하는 것이므로 장래에 예상되는 수익가치를 평가하는 것이 기업인수의 목적에는 가장 부합하며, 그 중에서도 장래에 영업을 통해 창출되는 현금흐름의 현재 가치를 구하는 현금흐름할인법(discounted cash flow method: DCF)이 가장 보편적으로 활용된다. 다만 이는 장래에 대한 예측 여하에 따라 변동의 폭이 커서 객관성을 보장하기 어려우므로, 여기에 다른 가치평가방법도 보완적으로 활용하기도 한다.[14] 기업가치 평가를 통해 산정된 기업가치에 일정 금액의 경영권 프리미엄을 더하여 가격협상의 기준으로 사용하는 경우도 있다.[15]

라. 기밀유지계약

거래당사자들이 각자 대략적인 기업가치 평가를 한 후 구체적인 협상이나 실사에 들어가기 전에 우선 기밀유지계약(confidentiality agreement, non-dis-

---

11) 이에는 자산상태표상의 순자산을 평가하는 순자산가치법, 청산할 경우의 현재가치를 평가하는 청산가치법, 동일사업을 신규로 구축할 경우의 투입비용을 계산하는 대체가치법 등이 있다. 자산가치법은 이해하기 쉽고 객관적이며 현재의 재무상태를 잘 반영한다는 장점이 있는 반면 미래의 수익창출능력을 반영하지 못한다는 단점이 있다.

12) 이에는 미래에 예상되는 영업상의 현금흐름의 현재가치를 평가하는 현금흐름할인법, 미래 배당액의 현재가치를 평가하는 배당할인법 등이 있다. 미래의 수익창출 능력을 반영한다는 점에서 기업인수의 목적에 가장 부합하는 방식이나, 예측정보에 기반하고 있어 객관성이 부족하고 가정(假定)에 따라 기업가치가 천차만별이 되는 단점이 있다.

13) 이에는 유사기업의 관련배수(주가수익률배수, 주가순자산배수, 주가매출액배수, 현금흐름배수, 매출액배수, 영업이익배수 등)를 산출하여 대상회사에 적용하는 유사기업법, 유사거래에서의 거래가격과 각종 영업상 지표를 비교해 구한 배수를 대상회사에 적용하는 유사거래비교법 등이 있다. 계산방식이 객관적이고 간편하다는 점은 장점이나, 이는 유사한 사례일 뿐 현재 시점에서 당해 기업의 상황을 반영하지 못한다는 점 때문에 참고 이상의 의미를 갖기는 어렵다.

14) 현금흐름할인법으로 산정한 기업가치가 어떤 가정을 채택하느냐에 따라 일정한 범위(range) 값으로 나타나는 경우, 상대가치법 또는 자산가치법에 따른 평가액을 그 상한이나 하한으로 설정하여 그 범위를 축소하고 그 범위 내에서 협상을 진행하는 것이 그러한 예이다.

15) 경영권 프리미엄의 개념과 원인에 관하여는 김화진, "경영권 이전과 주식가액 프리미엄,"「인권과 정의」제427호(대한변호사협회, 2012. 8.), 82~87면 참조. 우리나라 기업인수 실무에서 상당히 높은 경영권 프리미엄이 수수되고 있는 실례와 그 이유에 대해서는, 천경훈, 전게 논문(주 4), 147~149, 155~159면 참조.

closure agreement)을 체결하는 것이 통상적인 관행이다.

1) 기밀유지계약의 목적

기밀유지계약의 목적은 매도인 또는 대상회사가 인수희망자에게 제공하는 각종 기밀정보의 누설 및 이용을 방지하는 데에 있다. 대상회사의 '영업비밀'은 기밀유지계약을 체결하지 않더라도 '부정경쟁방지 및 영업비밀보호에 관한 법률'에 따라 보호받을 수 있으나, 기밀유지계약을 체결할 경우 (i) 동법상의 영업비밀 요건을 충족하지 않더라도 보호받을 수 있고,[16] (ii) 손해배상의 예정 등 구제방법을 명시함으로써 기밀정보 침해에 대한 구제수단을 강화할 수 있다.[17] 그 밖에 (iii) 정보의 제공범위와 목적, 사용가능범위를 명확하게 기술함으로써 정보제공이 부당한 공동행위(담합)에 해당한다거나 또는 부당한 공동행위를 용이하게 하였다는 경쟁당국의 오해를 피할 수 있고,[18] (iv) 대상회사가 상장회사인 경우에는 중요 정보를 특정인에게만 제공하여 공정공시 의무에 반하였다거나 내부자 거래를 유발하였다는 오해를 피하는 데 도움이 될 수 있다.

2) 기밀유지계약의 체결시점

기밀유지계약이 체결되는 시점은 통상 매도인이 인수희망자에게 대상회사에 관한 정보를 제공하기 직전이다. 공개입찰 또는 제한적 입찰[19]로 진행되는 거래의 경우에는 기밀유지계약서 초안을 인수희망자들에게 제시하고 이에 서명한 자

---

16) 정영철, "기업인수합병 거래에 있어 기밀유지계약과 기업실사," 「BFL」 제20호(서울대학교 금융법센터, 2006. 11.), 6~7면.

17) 그러나 손해배상액 예정조항은 인수인 측에 지나치게 과도한 책임을 부담시킬 수 있어 인수인 측이 수용하기 어려울 것이므로, 실무상 손해배상예정액이 정해진 기밀유지계약은 드물다. 정영철, 전게논문(주 16), 10면.

18) 정영철, 전게논문(주 16), 7면.

19) 제한적 입찰(limited auction)이란 명확하게 정의할 수 있는 개념은 아니고 용어의 사용도 통일되어 있지는 않으나, 대체로 '모든 인수희망자들에게 공고 등을 통해 인수절차 참여를 공개적으로 제안하지는 아니하되, 인수 가능성이 있는 제한된 수의 기업에 인수절차 참여 여부를 타진하고 이에 응한 복수의 인수희망자들을 상대로 진행하는 기업매각 절차'라고 말할 수 있다. 실제로는 상당수의 수의계약이 매각가격 극대화를 위해 이러한 절차를 따르는 것으로 보인다. 그러나 이는 예컨대 '국가를 당사자로 하는 계약에 관한 법률'(또는 이를 준용하는 각종 내규)의 적용을 받는 공적 입찰절차와는 달리, 근본적으로는 매도인의 의사에 따라 자유로이 거래방식과 절차를 정하고 이에 따라 거래상대방을 선정할 수 있다. 다만 이 경우에도 매도인 측이 당초에 제시한 거래절차와 달리 자의적으로 거래상대방이 선정되거나 거래절차가 왜곡되는 경우에는, 양해각서 등 예비적 합의 위반에 따른 계약상책임 또는 적극적 채권침해 등에 따른 불법행위책임이 인정될 여지가 있을 것이다.

들에 한하여 대상회사에 관한 정보가 기술되어 있는 회사소개서(information memorandum: IM)[20]을 배포하는 것이 통상이다. 별도의 기밀유지계약이 체결되는 경우가 더 일반적인 것으로 보이지만, 양해각서의 일부로서 기밀유지약정이 포함되고 별도의 기밀유지계약은 체결되지 않는 경우도 있다.

3) 기밀유지계약의 주요 조항

기밀유지계약에는 (i) 기밀정보(confidential information)의 정의규정, (ii) 상호간에 제공되는 기밀정보에 관하여 비밀을 유지하겠다는 합의, (iii) 법률상 요구되는 경우를 제외하고는 교섭의 내용이나 인수조건을 외부에 누설하지 않겠다는 합의, (iv) 기업인수가 성사되지 않을 경우 비밀정보가 기재된 사본을 모두 폐기 또는 반환하겠다는 합의 등이 포함되며, (v) 기업인수 거래를 진행하고 있다는 사실 자체를 비밀로 유지하겠다는 합의를 포함시키는 경우도 있다.

어느 경우이든 사후에 법원이 기밀유지계약에 명시적으로 기재되어 있지 않은 합의의 존재를 인정하는 데에는 원칙적으로 신중을 기하여야 할 것이다. 어떤 전형적 사항이 기밀유지계약서에 포함되지 않았다는 것은 당사자들 간에 그 점에 관해 이견이 있었거나 또는 합의불성립을 우려하여 애초에 협의의 대상으로 삼지 않았다는 점을 의미할 가능성이 높기 때문이다.

4) 기밀유지계약의 객관적 적용범위

기밀정보의 누설·이용금지 및 폐기·반환의무와 관련하여서는, 제공받은 정보에 기초하여 인수인이 편집, 분석, 연구한 2차 자료도 그 대상에 포함되는지가 쟁점이 될 수 있다.[21] 이에 관한 정함이 없더라도 이러한 2차 자료가 그 내용상 기밀정보를 포함하고 있다면 그 기밀정보 부분에 관한 한 누설·이용금지의 대상에는 당연히 해당된다. 그러나 더 나아가 폐기·반환의 대상이 되는지는 계약의 문언은 물론 구체적인 정보의 내용·성질, 폐기·반환이 기밀유지계약의 목적 달성을 위해 필요한 조치인지 여부 등을 고려하여 신중히 판단해야 할 것이다. 인수인이 생성한 2차 자료에 기밀정보가 일부 포함되어 있다고 하여 이를

---

20) 이는 보통 매도인측 또는 그 재무자문사에 의해 작성되며, 통상 공시되는 자료보다는 훨씬 더 상세한 내용을 담고 있다. 예컨대 당해 시장의 전망, 당해 기업의 실적에 관한 예측정보 등이 포함된다.

21) 정영철, 전게논문(주 16), 8면.

폐기·반환하게 하는 것은 인수인의 이익을 과도하게 침해할 우려가 있기 때문이다. 기밀유지계약의 초안을 작성하거나 협상하는 경우에도 이 점에 주의를 기울일 필요가 있다.

기밀유지계약에서 정의한 기밀정보에 해당하더라도 법원의 판결, 정부기관의 행정처분, 법률의 규정에 의하여 공개 또는 제공의무가 인정되는 경우에는 이를 허용하여야 한다는 취지로 기밀유지계약서에 규정하는 경우가 많다. 만약 그러한 예외사유가 계약서에 명시되어 있지 않은 경우에는 어떠한가? 관련 법규상의 의무를 준수하기 위하여 기밀정보를 공개 또는 제공한 경우에는 법률에 따른 적법행위로서 위법성이 조각되므로, 기밀유지계약의 위반으로 인한 채무불이행책임은 발생하지 아니한다고 해석해야 할 것이다.[22]

다만 법적 구속력이 없는 정부기관의 권고 내지 행정지도가 있는 경우도 이러한 예외에 포함시킬 것인지는 계약문언이 정하는 바에 따라 달라질 수 있으므로, 계약문언의 협상시에 유의하여야 한다. 예외사유에 해당하여 기밀정보를 공개하는 경우에도, 공개 이전에 상대방이 적절한 조치를 취할 수 있도록 사전에 상대방에게 통지하고 그 공개범위에 대하여 상대방과 사전에 협의하도록 하는 등의 의무를 부과하기도 한다.[23] 더 나아가 공개에 앞서 그러한 공개가 관련법상 요구된다는 점에 관하여 변호사의 법률의견서를 제출하도록 하는 조항을 두는 예도 드물지만 발견된다.

5) 기밀유지계약의 주관적 적용범위

기밀유지계약의 각 당사자 외에 이들의 회계사, 재무자문(financial advisor), 법률자문(legal advisor) 등도 기밀정보에 접근하여 이를 활용할 필요가 있다. 그러나 이들은 기밀유지계약의 당사자는 아니기 때문에, 기밀유지계약에서는 (i) 이들 자문역을 '허용된 제3자'로 열거하고, (ii) 계약당사자가 허용된 제3자에게 정보를 제공하는 경우에는 '기밀정보임을 고지하고 기밀유지계약에서 정한 목적으로만 사용하도록 조치할 의무'를 그 계약당사자에게 부과하고, (iii) 그 제3자

---

22) 채무불이행의 경우에 민법상 명문의 규정은 없지만 위법성이 있어야 그 책임을 물을 수 있다고 보는 것이 민법학계의 통설이다. 일반적으로는 채권관계상의 의무위반이 인정되는 이상 따로 위법성의 유무를 따질 필요가 없으나 위법성 조각사유가 있는 예외적인 경우에는 채무불이행이 성립하지 않을 수 있다(대법원 2002.12.27. 2000다47361). 본문에서와 같은 상황도 이에 해당할 것이다.
23) 정영철, 전게논문(주 16), 9면.

가 비밀유지계약상의 의무를 위반하는 경우에는 그에게 비밀정보를 제공한 계약
당사자가 그 위반에 대한 책임을 부담하는 조항을 두는 것이 보통이다.[24] 다만
실무상 정보제공자가 아예 인수희망자의 주요 자문역들과도 별도의 기밀유지계
약을 체결하는 경우도 없지 않은 것으로 보인다. 후자와 같은 약정이 없다면 이
들 자문역은 기밀유지계약의 직접 적용은 받지 아니하고, 다만 그들에게 사무를
위임한 계약당사자(주로 인수희망자)와의 계약의 적용을 받게 된다.

6) 기밀유지계약의 종료

기밀유지계약은 (i) 당사자간의 합의, (ii) 계약기간의 만료, (iii) 계약상 의무
불이행에 따른 계약해제, (iv) 계약서에서 정한 종료사유의 발생 등으로 인하여
종료된다. 이 중 계약서에서 정한 종료사유의 가장 대표적인 것이 당사자 간에
기업인수에 관한 본계약(definitive agreement)이 체결되는 경우이다.[25] 본계약이
체결되면 그 때로부터 거래종결(closing) 시까지 필요한 비밀유지의무는 본계약
에서 정하면 되고, 거래종결 이후로는 인수인이 대상회사를 경영하게 되어 더
이상 비밀유지의무가 필요 없기 때문이다.

마. 양해각서의 체결

1) 양해각서의 의의

본격적인 협상이 개시되는 시점에 양 당사자들은 통상 양해각서(memorandum
of understanding: MOU)를 체결한다. 양해각서란 본계약을 최종적으로 체결하기
전까지 당사자 사이에 협상에 관한 내용이나 합의 내용의 골격을 작성하는 문
서[26] 내지 장래의 계약에 대한 일방 또는 쌍방 당사자의 예비적 합의나 양해를
반영하는 문서[27]를 의미한다. 최종 인수계약은 기업실사 등의 결과를 반영하여
다방면에 걸친 복잡한 사항들을 규정하여야 하므로 당사자들은 이러한 세부적인
협상에 들어가기에 앞서 기본적인 합의사항에 대한 상호의 이해를 확인해 둘 필

---

24) 정영철, 전게논문(주 16), 9면.
25) 정영철, 전게논문(주 16), 9면.
26) 류병운, "양해각서(MOU)의 법적 성격,"「홍익법학」제8권 제1호(홍익대학교 법학연구소,
    2007. 2.), 177면.
27) 남유선, "M&A 계약교섭단계에서의 법적 책임에 관한 연구,"「증권법연구」제10권 제1호
    (한국증권법학회, 2009. 6.), 255면.

요가 있는데, 이러한 목적에서 작성되는 문서인 것이다.

그러나 모든 기업인수 거래에서 반드시 양해각서라는 이름의 문서가 작성되는 것은 아니다. 어떤 거래를 추진하고자 하는 당사자들의 의사와 기본적인 합의사항을 서면화한 문서인 의향서(letter of intent: LOI), 잠정적인 계약조건을 대략적으로 기재한 문서인 텀시트(term sheet) 등도 거래 초기 단계에서 유사한 기능을 수행한다. 이들 간의 관계는 거래에 따라 다양하게 나타난다. 의향서 작성후 별도의 양해각서는 체결하지 않기도 하고, 의향서 작성 후에 어느 정도 본격적인 협상이 예견되는 시점에 별도의 양해각서를 체결하기도 하며, 의향서 없이 양해각서만을 체결하기도 한다. 텀시트의 형태로 대략적인 계약조건을 문서화하여 양 당사자가 서명한 뒤 별도의 양해각서나 의향서 없이 협상을 진행하기도 하고, 텀시트를 의향서 또는 양해각서의 일부로 첨부하기도 한다. 또한 앞서 본 기밀유지계약을 별도로 체결하기도 하지만, 양해각서나 의향서에 기밀유지조항을 둔 것으로 만족하기도 한다.

또한 양해각서라는 명칭을 가진 문서라 하더라도 실무상 양해각서의 형태와 내용은 무척 다양하여, 본계약과 거의 차이가 없는 문서부터 장래의 계속적 협상의 기초가 되는 단순한 메모에 이르기까지 폭넓은 스펙트럼에 걸쳐 존재한다.[28] 따라서 양해각서에 관한 법리는 일반이론으로 성립하기는 어렵고, 궁극적으로는 해당 양해각서의 해석의 문제로 귀결될 수밖에 없다. 다만 거래당사자의 시각에서 양해각서의 문언을 효과적으로 작성하려면, 그리고 사후적인 판단자(법원, 중재인)의 시각에서 이를 올바로 해석하려면, 양해각서를 체결하게 되는 취지와 거래계의 일반적인 관행을 이해할 필요가 있다.

2) 양해각서의 내용

전형적인 양해각서에 포함되는 내용은 크게 상사조항(commercial terms)과 법률조항(legal terms)으로 나눠볼 수 있다.[29] 전자에는 (i) 기업인수의 대상 및 인수방법, (ii) 잠정적 인수가격 및 그 조정사유와 조정가능범위, (iii) 그 밖에 그 때까지 잠정적으로 합의된 본계약에 포함될 주요 사항, 예컨대 진술 및 보증,

---

28) 남유선, 상게논문, 258면; 김동훈, "계약의향서(Letter of Intent)에 관한 연구," 「저스티스」 제31권 제1호(한국법학원, 1998. 3.), 60면.
29) 이동진, "교섭계약의 규율 - 기업인수 교섭과정에서 교환된 '양해각서'를 중심으로 -," 「법조」 제665호(법조협회, 2012. 2.), 105~106면.

선행조건, 손해배상 조항의 개요[30] 등이 해당한다. 후자는 향후의 교섭과정을 어떻게 진행하고 규율할 것인지에 관한 일종의 절차적, 형식적 조항으로서, (i) 양수인의 배타적 협상권(exclusivity), (ii) 양수인의 실사기간과 실사범위, (iii) 비밀유지의무, (iv) 준거법, (v) 분쟁해결방법 내지 관할합의, (vi) 양해각서의 유효기간 및 실효조건, (vii) 비용분담 등이 포함된다.[31] 여기서 배타적 협상권 이란 양해각서의 효력이 유지되는 동안 양도인은 양수인 외의 제3자와 대상회사 의 인수에 관한 논의나 협상을 할 수 없다는 것으로서, 법적 구속력 없는 양해 각서에서도 이와 같은 배타적 협상권 조항은 법적 구속력이 있는 것으로 명시하 는 경우가 많다.

우리나라에서 최근 자주 체결되는 구속력 있는 양해각서의 경우에는 이 중 본계약에 포함시킬 주요 조건, 잠정적 인수가격 및 그 조정사유를 매우 상세하 게 규정하는 것이 특징이다. 또한 양해각서의 모든 조항이 법적 구속력이 있음 을 명시하고, 이를 담보하기 위해 이행보증금 납부의무를 규정하는 예가 많다. 이에 관하여는 입찰에 의한 기업인수절차를 설명하면서 후술한다.

3) 양해각서의 효력

원래 의향서 또는 양해각서의 가장 큰 특징은 통상 법적인 구속력이 없다는 점이다.[32] 그 경우에도 비밀유지, 비용분담, 일정기간 동안의 배타적 협상권, 준 거법, 관할합의 또는 중재합의 등 위에서 본 '법률조항(legal terms)'에 관하여는 대체로 법적 효력이 있는 것으로 합의하고, '그 밖의 조항은 구속력이 없다'는 조항 그 자체도 법적인 효력이 인정되는 것은 물론이다.[33] 그러나 이러한 몇몇 조항 이외에는 아직 거래를 성사시킬 의무 같은 것은 발생하지 않고 가격 기타 거래조건 등의 '상사조항(commercial terms)'에 관하여도 구속력이 발생하지 않 도록 규정하는 것이 보통이다. 이와 같은 구속력 없는 양해각서(non-binding MOU)가 양해각서의 본래 개념은 물론 국제적인 관행에도 부합한다.

---

30) 통상 이 단계에서는 진술·보증, 선행조건, 손해배상 조항의 상세는 아직 규정되지 않고 그 대강만이 기재된다. 다만 후술하는 구속력 있는 양해각서의 경우에는 본계약에 준하는 정도 의 상당히 완결적인 형태의 조항이 들어가기도 한다.
31) 양시경·강은주, "M&A거래애서의 양해각서(MOU)에 관하여,"「BFL」제47호(서울대학교 금융법센터, 2011. 5.), 32~33면.
32) 정영철,「기업인수 4G」(박영사, 2010), 765면.
33) 정영철, 상게서, 765면.

다만 우리나라에서 입찰 방식으로 행해지는 기업인수 거래에서는 이른바 '구속력 있는 양해각서(binding MOU)'가 자주 체결되고 그에 관한 분쟁도 적지 않다. 이에 관해서는 뒤에서 입찰에 의한 기업인수절차를 논하면서 살펴본다.

바. 기업실사

1) 기업실사의 의의

기업실사란 기업의 경영상태, 재무상태, 영업활동 등 기업가치에 영향을 미치는 기업의 전반적인 상황을 조사, 검토하는 활동을 말한다. 기업실사는 인수회사 내부인력에 의한 경영실사, 재무자문사에 의한 재무실사, 법무법인에 의한 법률실사, 회계법인에 의한 회계실사 및 세무실사 등으로 이루어지는 것이 보통이고, 그 밖에 경영컨설팅 회사, 환경컨설팅 회사 및 인사컨설팅 회사에 의한 실사가 추가로 이루어지기도 한다. 기업실사의 성격, 범위, 기간, 정도는 그 목적이나 거래의 성격, 규모에 따라 달라지나, 기업인수 거래에서는 필수적인 사전 준비작업으로 인식되고 있다.[34] 실사를 통해 인수인은 대상회사에 관한 상세한 정보를 파악함으로써, 그 가치를 더욱 잘 평가할 수 있게 되고 인수 여부에 관한 최종적인 판단을 내릴 수 있으며 인수 후의 효과적인 경영전략을 수립할 수 있게 된다.

과거에는 관련 서류를 이른바 데이터룸(data room)이라고 하는 물리적 공간에 비치한 후 인수인측이 방문하여 열람, 복사하도록 하는 방식으로 기업실사가 수행되었으나, 최근에는 온라인 상에 접근권한을 가진 자만 열람, 출력할 수 있는 이른바 가상 데이터룸(virtual data room)을 마련하는 것이 관행이다. 국제적으로 가상 데이터룸 서비스를 제공하는 전문업체들도 활동하고 있다. 일단 제공된 자료를 검토한 후 추가적인 요청자료나 질문을 매도인 측에 전달하여 답변을 얻고, 이 과정에서 대상회사 임직원과의 인터뷰를 마련하기도 한다.

2) 정보제공에 따른 법적 문제점

기업실사를 통해 대상회사의 중요한 정보가 인수인을 비롯한 실사주체들에게 광범위하게 제공되는데, 이는 법적인 측면에서는 다음과 같은 문제를 야기한다.

---

34) 정영철, 전게논문(주 16), 11면.

첫째, 대상회사의 영업전략, 고객정보 등 민감한 중요정보가 현실적, 잠재적 경쟁자들에게 유출되어 대상회사에 손해를 입힐 가능성이다. 일각에서는 실제로 기업인수 의사가 별로 없는 경쟁업체가 정보를 확보하려는 목적에서 인수희망자로서 기업실사에 참여하는 경우도 없지 않다는 우려를 제기하기도 한다. 이러한 우려 때문에 특히 경쟁업체 간의 기업인수(즉 수평적 기업결합)에 있어서는 기업실사의 범위 및 제공정보의 양과 질에 관하여 첨예한 의견대립이 발생하기 쉽다. 기업실사에 관여하는 대상회사, 매도인 및 그 변호사들은 기업실사 관련 업무를 수행함에 있어 이러한 가능성을 고려하여야 하고, 필요하다면 기업실사 과정에서의 절차적 통제에 관한 사항을 양해각서에 구체적으로 기재하여 과도한 정보가 경쟁업체인 인수희망자에게 제공되는 것을 제어할 수 있는 장치를 마련하여야 한다.[35]

둘째, 기업실사를 통한 경쟁업체 간의 정보교환이 '독점규제 및 공정거래에 관한 법률'에서 금하는 부당한 공동행위를 용이하게 하거나 또는 그 자체로서 부당한 공동행위의 증거에 해당한다는 혐의를 받을 수 있다는 점이다. 이러한 혐의를 피하기 위해서는 기밀유지계약에 정보제공의 목적과 범위를 제한적으로 기재하고, 가격정보, 고객정보 등 특히 경쟁제한성이 높을 것으로 우려되는 민감한 정보에 관하여는 실사과정에서도 함부로 제공되지 않도록 (예컨대 주요 수치는 가리거나 삭제한 후 제공하는 등) 적절한 통제를 가할 필요가 있다.

셋째, 기업실사를 통한 정보제공이 또 다른 기밀유지약정에 위반할 가능성이다. 예컨대 어떤 계약서에서 그 계약의 내용이나 존재 자체를 제3자에게 공개하는 것을 금하고 있는데 이 계약서를 기업실사를 통해 인수희망자에게 제공한다면, 그 계약상대방에 대한 계약위반에 해당하게 될 것이다. 이를 막기 위해 대상회사 또는 매도인으로서는 실사 대상 문서, 특히 대상회사가 체결한 각종 계약서에 비밀유지약정이 포함되어 있는지를 유의하여야 하고, 필요시 그 계약상대방의 동의를 구하는 등의 조치를 취하여야 할 것이다.

---

35) 예컨대 개별정보 제공 전에 대상회사의 책임 있는 관계자의 사전검토를 반드시 거치도록 하고, 해당 정보에 접근할 수 있는 자의 범위를 제한하고, 특정정보에 대하여는 열람은 허용하되 복사나 출력은 허용하지 않는 등의 조치를 생각해 볼 수 있다. 양해각서에서 "인수자는 실사의 범위, 일정, 실사참여자의 성명을 서면으로 미리 매도인에게 제출하여야 하며 자료의 복사 또는 반출은 매도인 또는 매각주간사의 동의를 득하여야 한다"는 취지로 규정하는 예가 흔히 발견된다.

넷째, 상장회사인 대상회사가 기업실사를 통해 제공하는 정보 중에는 '미공개 중요정보'에 해당하는 것들이 포함되어 있으므로 실사주체가 이를 이용하여 증권 거래를 할 경우 내부자 거래에 해당할 여지가 있고, 이는 대상회사의 주가 및 평판에도 악영향을 미칠 수 있다. 이 역시 기밀유지계약에 금지되는 행위 및 그에 대한 구제수단을 꼼꼼히 규정하고 실사참여자의 범위를 적절히 한정함으로써 대처해야 할 것이다.

다섯째, 상장회사인 대상회사가 기업실사를 통해 특정인에게만 정보를 제공하는 것 자체가 공정공시 의무36)에 반한다고 볼 여지도 있다. 다만 한국거래소 규정인 유가증권시장 공시규정 제18조에서는 공정공시 의무의 적용예외로서 '변호사·공인회계사 등 해당 유가증권시장주권상장법인과의 위임계약에 따른 수임업무의 이행과 관련하여 비밀유지의무가 있는 자', '합법적이고 일상적인 업무의 일환으로 제공된 정보에 대하여 비밀을 유지하기로 명시적으로 동의한 자'에게 제공하는 경우 등을 들고 있으므로, 이러한 자에게만 실사를 통한 정보제공이 이루어지도록 하여야 하고 기밀유지계약 문안 작성시에도 이 점을 유의해야 할 것이다.

여섯째, 기업실사를 통한 정보제공 과정에서 개인정보보호법, '정보통신망 이용촉진 및 정보보호 등에 관한 법률,' '금융실명거래 및 비밀보장에 관한 법률' 등 정보보호에 관한 법령을 위반하는 일이 없도록 주의하여야 한다.

3) 대상회사의 협조에 관한 법적 문제점

기업실사는 대개 양해각서 또는 의향서에 마련된 근거조항에 따라 진행된다. 자산(영업)양수, 신주인수, 합병에 의한 기업인수의 경우에는 대상회사 자체가 각각 양도인, 신주발행인, 합병계약 당사자로서 양해각서 또는 의향서의 당사자가 되므로 별다른 문제가 없다. 그러나 주식양수에 의한 기업인수에 있어서는 대상회사는 기업인수 거래의 직접 당사자가 아니기 때문에 과연 대상회사가 기업실사에 협조할 의무가 있는지가 문제된다.

실무적으로는 (i) 대상회사도 양해각서 또는 의향서에 당사자로 서명함으로

---

36) 공정공시(fair disclosure)란 주권상장법인이 중요정보를 애널리스트와 같은 특정인에게 선별제공하고자 하는 경우에 투자자에게도 동일한 정보를 제공하도록 하는 제도로서, 2002년에 거래소공시규정에서 도입하였다.

써 기업실사는 물론 기업인수 절차 전반에 협조할 의무를 명시적으로 부담하는 경우, (ii) 대상회사는 양해각서 또는 의향서에는 서명하지 않되 별도의 서면으로 기업실사에 협조할 의무를 부담하는 경우, (iii) 대상회사 자체는 어떤 의무도 직접 부담하지 않으나, 주식매도인이 양해각서 또는 의향서에서 "대상회사로 하여금 기업실사에 협조하게 할 의무"를 부담하고 그에 따라 대상회사의 경영진으로 하여금 기업실사에 협조하게 하는 경우, (iv) 아무런 근거조항 없이 오로지 대상회사의 자발적 협조에 따라 기업실사를 진행하는 경우 등이 모두 발견되는 것으로 보인다.

주식양수에 의한 기업인수에서 대상회사는 당사자가 아니므로 기업인수절차에 본격적으로 관여하기는 어려우나, 기업실사에 관한 한 중요정보를 보유하고 있는 대상회사의 협조가 필수적이다. 따라서 주식매도인과 대상회사 경영진 간에 갈등이 있는 경우 실사과정에서의 협조 문제가 실제 민감한 문제로 대두되기도 하고, 경영진 자체는 매도인·매수인에 우호적이거나 중립적이더라도 노동조합 내지 근로자들이 기업실사에 비협조적이거나 심지어 물리적 저지에 나서는 경우도 있다. 이런 문제를 고려하면 매수인 측으로서는 위에서 본 (i) 또는 (ii), 적어도 (iii)과 같은 방법에 의해 실사협조를 구할 계약상의 근거를 마련해 두는 것이 현명하다.

반면 대상회사 경영진 또는 이사로서는 대주주의 주식매도에 무조건 협조하는 것이 경우에 따라서는 대상회사 자체의 이익과 배치될 수도 있다는 점을 인식하여야 한다. 특히 매도인 이외에 다른 소수주주들이 있는 경우는 더욱 그러하다. 대상회사의 이사는 그 회사에 대하여 충실의무 및 선관주의의무를 부담하는 것이지 일부 대주주에 대해 이를 부담하는 것이 아니기 때문이다. 예컨대 인수희망자가 대상회사의 경쟁자여서 중요정보의 제공으로 인한 대상회사의 손해가 우려되는 경우에는, 주식을 매도하고자 하는 열망에서 적극적인 기업실사 협조를 요구하는 대주주와 거래의 완결이나 결렬 이후에도 계속적 기업으로서 영업을 계속해야 하는 대상회사 간에 이해상충이 있을 수도 있다. 이 경우 대상회사의 이사가 대상회사에 미칠 악영향에 대한 고려 없이 만연히 대주주의 지시에 따라 중요정보를 제공하여 대상회사에 손해를 야기하였다면, 대상회사에 대한 선관주의의무 위반에 해당할 경우도 있을 수 있다. 따라서 대상회사의 경영진 또는 이사로서는 위 (i), (ii)와 같은 조치를 취함에 있어 신중을 기해야 하고,

대상회사의 이사회를 개최하여 당해 기업인수에 따른 대상회사에의 영향을 검토하고 실사에의 협조 여부와 그 정도를 결정하는 방안도 고려해야 할 것이다.

사. 본계약 협상 및 체결

기업실사 종료 후 또는 기업실사와 병행하여 본계약의 세부조항에 대해서도 협상이 진행된다. 협상이 완료되면 이러한 합의사항을 기업인수 방식에 따라 자산양수도계약, 영업양수도계약, 주식양수도계약(주식매매계약), 합병계약 등의 형태로 체결하게 되는데, 이를 양해각서 등의 예비적 합의와 대비되는 의미에서 본계약 내지 최종계약(definitive agreement)이라고 칭한다. 본계약을 구성하는 주요 조항의 내용과 법적 쟁점에 관하여는 Ⅲ.에서 후술한다.

아. 거래종결(closing)

통상 본계약 체결(signing)과 그 이행(closing) 사이에는 일정한 시일을 둔다. 그 이유는 여러 가지가 있으나, 대표적으로는 (i) 본계약 체결 이후 인수자금의 본격적인 조달을 위한 시일을 부여하고, (ii) 본계약 체결 이후 각종 인허가, 특히 각국의 경쟁법에 따른 기업결합신고 및 승인을 마칠 수 있는 기간을 부여하기 위함이다.[37] 이와 같은 기간을 둠에 따라 계약체결 이후 거래종결 사이에 대상회사에 발생할 수 있는 여러 가지 사정변경 및 시장상황의 변화를 어떻게 처리할 것인가의 문제가 발생하는데, 이에 관하여는 Ⅲ에서 다룬다.

거래종결은 기업인수방식에 따라 그 양태가 달라진다. 자산(영업)양수도의 경우에는 개별 구성 자산별로 이전등기, 점유이전, 채무자에의 통지, 채권자의 승낙, 계약상대방의 동의 등의 요건을 갖추어야 한다. 주식양수도의 경우에는 주권의 교부 및 주주명부에의 명의개서가 이루어져야 한다. 그 밖에 본계약에서 거래종결일에 각종 서류[38]를 교환하기로 되어 있는 경우 이를 교환하게 된다.

---

37) 최근 각국의 경쟁당국이 경쟁적으로 기업결합에 관한 규제를 강화하고 자국 경쟁법의 역외적용 범위를 확대함에 따라 한국 회사간의 기업인수에 관하여도 한국 공정거래위원회뿐만 아니라 세계 여러 나라 경쟁당국의 승인을 받아야 하는 경우가 적지 않다. 대규모 한국 회사의 경우 해외에서의 매출액이 상당하고 해외에 자회사를 두고 있는 경우가 많기 때문에 각국의 국내법에 따라 그 나라 경쟁당국의 기업결합승인을 받아야 하는 경우가 자주 발생하는 것이다. 국가에 따라서는 이러한 승인에 소요되는 시간이 매우 길기 때문에 기업인수에 관한 일정을 마련함에 있어서는 이 점이 매우 중요한 요소로 고려되어야 한다.

38) 대표적인 예로 진술·보증 사항에 관하여 거래종결일 현재 위반이 없다는 주요 임원의 확

합병의 경우에는 주주총회의 특별결의, 반대주주의 주식매수청구권 행사, 채권자 보호절차 등의 제반절차를 거래종결 이전에 완료한 후 거래종결일에는 합병계약 서에서 정한 서류들을 교환하고 합병등기를 신청하게 된다.

2. 입찰에 의한 기업인수절차의 특수성

가. 개   관

우리나라 기업인수 거래 중에는 회생절차(구 회사정리절차), 기업구조조정촉진 법에 따른 기업구조조정절차, 채권단의 자율협약 등에 의해 관리되던 회사가 그 절차 중에 또는 그 절차가 종료된 후에 새로운 인수인에 의해 인수되는 예가 많다.39)

우선 법원에 의한 회생절차를 보면, 우리나라의 회사정리·회생실무에서는 기업인수(M&A)를 통해 "새 주인"을 찾아주는 것이 회생절차를 종결하는 주된 방안으로 자리 잡아 왔다.40) 도산실무에 기업인수가 본격적으로 도입되기 시작 한 2000년 이후 2010년 경까지는 기업인수를 수반하지 않고 정리계획·회생계 획의 수행을 완료하고 정리절차·회생절차를 종결한 회사는 거의 없을 정도였 고,41) 현재도 대다수의 회생절차가 기업인수를 통하여 종결되고 있다.

다음으로 금융기관에 의한 기업구조조정을 보면, 1997년말 외환위기 이후 수 많은 부실기업에 대한 구조조정이 정부 또는 채권단의 주도하에 진행되면서 금 융기관인 채권단이나 부실채권을 매입한 한국자산관리공사 등은 구조조정기업에 대해 보유한 채권의 많은 부분을 출자전환함으로써 구조조정기업 주식의 상당한

인서, 거래종결일까지 이행하기로 되어 있는 약정사항의 이행을 입증하는 문서, 그 밖에 본 계약에서 거래종결의 선행조건을 열거하고 있는 경우 그러한 조건이 충족되었음을 입증하 거나 확인하는 문서, 각종 영수증 등을 들 수 있다. 이러한 거래종결시의 교환서류(clos- ing deliverables)들에 관하여도 본계약에서 상세한 규정을 두어 다툼의 소지를 없애는 것 이 바람직하다.

39) 2000년대 중반 이후에 거래가 성사된 대표적인 예로는 대우기계공업, LG카드, 동아건설, 한일합섬, 대한통운, 대우건설, 대우인터내셔널, 쌍용자동차, 현대건설, 하이닉스 등을 들 수 있다.

40) 홍성준, "회사정리·회생절차와 M&A," 「BFL」 제20호(서울대학교 금융법센터, 2006. 11.), 55면; 황정수, "회생절차 M&A에 있어서의 실무상 쟁점," 「BFL」 제47호(서울대학교 금융법 센터, 2011. 5.), 16면.

41) 홍성준, 상계논문, 58면; 정석종, "회생절차에 있어서의 M&A의 실무와 전망," (대법원 국 제법률심포지엄 발표논문, 2009)(미간행), 4면.

지분을 보유하게 되었는데, 경영개선작업에 의하여 구조조정기업이 정상화된 후에는 이를 적절한 시기에 매각함으로써 채권의 회수를 도모하게 되었고, 이에 따른 기업인수 거래가 활발하게 이루어지게 되었다.[42]

이런 건들에서는 다음과 같은 몇 가지 특징이 보인다: (i) 매각 관리주체가 법원이거나, 매도인 자체가 예금보험공사, 자산관리공사, 한국산업은행 등 정부의 통제 하에 있는 특수법인이거나 또는 금융당국의 엄격한 감독하에 있는 채권금융기관들인 경우가 많은 까닭에 매각절차의 상당 부분이 법규, 내규 등에 따라 공식적으로 이루어지고, (ii) 특혜나 헐값 매각 시비가 없도록 의사결정의 신속성 내지 매각가치의 극대화보다는 공개입찰 등 절차의 투명성과 공정성을 강조하고,[43] (iii) 매각대금의 극대화 외에 향후 해당기업 나아가 국가 경제, 산업 등에 미칠 영향 등도 매수인 선정의 고려요소가 되며,[44] (iv) 특히 회생절차에서는 해당 기업의 재건을 위해 회사 자체로 자금이 유입되는 신주인수 구조를 취하는 경우가 많다.[45]

나. 입찰에 의한 기업인수절차의 진행순서

이처럼 입찰절차를 거치는 구조조정기업에 관한 기업인수는 대개 다음과 같은 순서를 따르게 된다.[46]

기업매각공고 → 인수의향서 접수 및 예비실사 → 인수제안서 접수 및 우선협상대상자 선정 → 양해각서 체결 → 정밀실사 및 인수대금 조정 → 본계약 체결 → 거래종결(계약이행)

---

42) 장상헌, "금융기관에 의한 기업구조조정과 M&A,"「BFL」제47호(서울대학교 금융법센터, 2011. 5.), 6면.
43) 전국은행연합회가 기업구조조정 추진과정에서 회원은행들이 보유하고 있는 출자전환 주식의 매각에 관하여 제정한 '채권금융기관 출자전환주식 관리 및 매각준칙' 제8조에서도 "주식매각 절차는 매각방법 및 절차의 투명성과 공정성을 확보하기 위하여 매각주간사를 통한 공개경쟁입찰방식으로 추진함을 원칙으로 한다"라고 정하고 있다. 장상헌, 전게논문, 9면.
44) 장상헌, 전게논문, 10면.
45) 황정수, 전게논문, 16면, 19면(회생절차에서의 M&A는 유상증자를 통한 제3자 매각방식에 의한 M&A를 원칙으로 하고 있다고 함). 서울회생법원 실무준칙 제241호 '회생절차에서의 M&A'도 제3자 배정 유상증자 방식을 전제로 절차를 정하고 있다.
46) 회생절차 M&A에 관한 상세한 설명으로 서울회생법원 재판실무연구회,「회생사건실무(하)」(박영사, 2019), 187면 이하 참조.

다만 그 구체적인 절차는 각 거래에서 당사자들의 역학 관계에 따라 달라질
수 있다. 예컨대 매수인들이 경합하여 매도인들의 협상력이 우월한 경우에는 양
해각서에서 거의 본계약과 다름없을 정도로 강력한 의무를 우선협상대상자에게
지우기도 하고, 본계약을 우선 체결한 후에 비로소 기업실사 기회를 부여(이른바
선계약 후실사)하는 경우도 있다.

다. 우선협상대상자 선정

입찰에 의한 기업인수에서는 입찰을 통해 접수된 인수제안서를 심사하여 우
선협상대상자를 선정하는 절차가 필요하다. 이를 위해 매각주체로서는 우선협상
대상자의 선정기준을 미리 정해 놓아야 한다. 최고액을 제시한 자에게 반드시
우선협상대상자의 지위를 부여해야 하는 것은 아니고, 다른 여러 요소를 복합적
으로 판단하는 것도 가능하다. 사적 자치의 원칙상 입찰시행 주체가 사인인 경
우에는 낙찰자의 선정기준, 입찰의 구체적인 요건과 절차, 입찰절차에 의한 계
약체결 여부 등에 관해 폭넓은 재량권을 가진다고 보아야 할 것이고, 법원 역시
그러한 광범위한 재량권을 인정하는 취지로 판시하는 경향이 보인다.[47]

금융기관에 의한 구조조정기업 매각의 경우, 전국은행연합회가 제정한 '채권
금융기관 출자전환주식 관리 및 매각준칙' 제10조에서는 인수의향자가 복수인
경우에는 인수금액을 우선적으로 고려하여 우선협상대상자를 선정하되, 인수의
향자의 재무구조 건전성, 인수자금 조달 가능성, 종업원 고용조건 등 비계량요
소를 평가하여 반영할 수 있도록 하고 있다. 또한 기업인수 이후 단기차익 획득
을 목적으로 하는 재무적 투자보다는 인수회사를 실제로 경영, 발전시킬 의사와
능력이 있는 전략적 투자자를 우대할 수 있도록 규정하고 있다.[48]

회생법원에 의한 회생기업 매각의 경우도 이와 유사하다. 서울회생법원 실무
에 의하면 유상증자 및 기타 인수대금의 규모, 그 조달 가능성, 인수의향자의
재무건전성 등을 고려하되, 가급적 인수 후 채무자 회사를 실제로 경영, 발전시
킬 의사와 능력이 있는 인수의향자를 인수자로 선정하고 있다. 이에 따라 일반
적으로 입찰제안서에 주요 선정기준을 제시하는데, 주된 선정기준은 (i) 인수대

---

47) 양시경·강은주, 전게논문, 39면.
48) 장상헌, 전게논문, 10면.

금의 규모, (ii) 회사채 인수조건, (iii) 자금조달증빙, (iv) 재무건전성, (v) 고용보장, (vi) 인수 후 경영능력, (vii) 종업원 고용승계 및 고용안정에 대한 입장등이다.[49] 회생실무 관행상 직원의 고용보장을 필수적인 요건으로 하고 있다[50]는 점이 특기할 만하며, 회생절차 이외의 기업인수에서도 계약서에 인수인의 고용보장 의무를 규정하는 경우가 많다. 이처럼 기업인수 과정에서 고용보장을 중시하는 점은 기업인수 후 인원감축 등을 통해 생산성을 증진한다는 미국식의 사고방식과 대비되는, 우리나라 기업인수의 한 특징이라고 할 수 있다.

실제 우선협상대상자 선정에 관한 분쟁사례도 있다. 정리회사 관리인이 자금조달증빙이 미비하다는 이유로 최고액을 써낸 입찰자(신청인)의 입찰서를 무효로처리하고 다른 입찰자를 우선협상대상자로 지정하자, 신청인들이 관리인의 우선협상대상자 선정 결과에 불복하여 관리인을 상대로 우선협상대상자로서의 지위를 임시로 정하는 가처분을 신청하였다. 법원은 "입찰시행주체가 사인인 경우에는 입찰에 붙인다는 표시는 원칙적으로 청약의 유인에 지나지 아니하여 입찰시행주체는 낙찰자의 선정기준, 입찰의 구체적인 요건과 절차 및 입찰절차에 의한계약체결 여부 등을 전적으로 자신의 의사에 따라 정하여 시행할 수 있다 할것이고, 입찰자 가운데 가장 유리한 입찰에 대하여도 허부의 자유를 가진다"고판시함으로써, 우선협상대상자 선정에 관한 입찰시행주체의 광범위한 재량을 인정하는 전제 아래 신청을 기각하였고,[51] 항고 및 재항고심에서도 이 결정이 유지되었다.[52]

라. 이른바 '구속력 있는 양해각서' 관련 쟁점

1) 개 관

이와 같은 입찰방식의 기업매각절차에서는 앞서 본 일반적인 수의계약과는달리, 일정한 금액을 '입찰'을 통해 써내는 절차가 추가되고, 입찰을 통해 표시된 인수희망금액 등 인수희망자의 의사를 양해각서를 통해 문서화하게 된다. 따라서 입찰방식에서의 양해각서는, 일반적인 수의계약에서와 같이 단순히 거래의

---

49) 서울회생법원 실무준칙 제241호 제17조 제3항.
50) 황정수, 전게논문, 24면.
51) 인천지방법원 2006.2.17. 2005카합2792(이트로닉스 사건)(미간행); 양시경·강은주, 전게논문, 39면에서 재인용.
52) 서울고등법원 2006.6.1. 2006라327(미간행); 대법원 2006.9.18. 2006마634(미간행).

개요와 양측의 협상의사를 확인하는 문서 이상의 의미를 가지게 되고, 그러한 입찰에 표시된 인수희망자의 의사에 어느 정도 구속력을 부여할 것인지가 문제된다.

매수인 측으로서는 양해각서의 구속력을 인정하지 않음으로써 실사 결과, 경제상황의 변화, 본계약 협상경과에 따라 언제든지 인수 작업을 그만둘(walk-away) 수 있는 유연성을 확보하고 싶어 할 것이다. 반면 매도인으로서는 우선협상대상자가 나중에 태도를 바꾸는 상황이 일어나지 않도록 그 선정시부터 가능한 한 강력한 구속력을 부여하고 싶어 한다. 그렇지 않으면 가장 높은 입찰금액을 써낸 인수희망자를 우선협상대상자로 지정한 취지가 몰각될 수 있기 때문이다.

이러한 매도인 측의 선호가 2000년대 중반 이후 매도인 우위의 시장상황 및 채권금융기관들의 안정지향성과 맞물린 결과, 우리나라에서는 특히 채권금융기관 주도의 구조조정기업 M&A나 법원 주도의 회생회사 M&A에 있어서는 본계약에 준하는 정도의 강한 구속력을 가진 양해각서를 체결하는 관행53)이 2000년대 중반 무렵부터 형성되었다. 그러한 구속력은 다음과 같은 방식으로 확보되고 있다.

첫째, 양해각서에 잠정적 인수대금을 기재한 후 조정사유와 최대 조정한도(인수대금의 하한)를 정하고 정밀실사 후에도 이 범위를 넘는 대금조정을 불허하는 조항을 둔다. 예컨대 잠정적 인수대금과 정밀실사 금액 사이의 차액이 잠정적 인수대금의 5% 이하인 경우에는 대금조정을 불허하고, 그 차액이 5%를 넘는 경우에도 대금조정은 최대 5%를 넘을 수 없다고 규정하는 식이다. 둘째, 우선협상대상자의 양해각서상 의무 이행을 담보하기 위해 낙찰가격의 일정비율(대개 5%)에 해당하는 금원을 이행보증금으로 납입하게 한다. 셋째, 본계약에 포함될 주요 조항을 미리 양해각서에 거의 완결된 상태로 규정한다. 입찰 전에 본계약서 초안을 교부하고 이에 대한 수정의견을 입찰시에 제출하게 한 후 양해각서에서 "입찰시에 제출한 수정 의견 이외에는 본계약 협상의 대상으로 삼을 수 없다"는 취지로 정하기도 한다. 이런 방법으로 본계약에서 정할 주요 조건을 양해각서 단계에서 가능한 한 확정짓는 것이다. 넷째, "본 양해각서는 법적 구속력이 있다"고 명시하는 조항을 둔다.54) 이로써 양해각서 단계에서 사실상 본계약

---

53) 양시경·강은주, 전게논문, 31면, 36면 이하. 이와 같은 현상의 원인에 대한 분석으로 같은 글, 37~39면.

의 내용이 상당 부분 구속력 있는 형태로 확정되며, 양해각서에 정해진 대로 본
계약을 체결할 우선협상대상자의 의무는 양해각서 체결시에 우선협상대상자가
납부하는 이행보증금에 의해 담보된다.

이에 더하여 구조조정 기업에 관한 2000년대 중반 이후의 상당수 양해각서
에서는 매도인측에 비상하게 유리한 조항이 상당수 발견된다. 실무상 발견되는
예로는, (i) 매도인들로 구성된 이른바 주주협의회가 본계약을 승인할지 여부를
최종 결정할 수 있도록 하고, 불승인하는 경우에는 매도인들은 이행보증금과 그
이자 반환의무 외에는 일체의 추가적인 의무가 없다고 함으로써, 매도인들은 본
계약 체결 여부를 자유롭게 결정할 수 있도록 하고, (ii) 우선협상대상자의 의무
위반 없이 양해각서가 해제되면 이행보증금과 그 이자를 반환하되, 그 이외의
책임(예컨대 매도인의 의무위반으로 해제된 경우 이행보증금의 배액배상)은 없는 것
으로 하고, (iii) 심지어 우선협상대상자는 일체의 민형사상 이의를 제기하지 아
니한다는 부제소약정을 하되 매도인들의 제소권은 인정하는, 말하자면 편면적
부제소약정을 두는 경우도 종종 발견된다.[55]

이러한 "구속력 있는 양해각서"란 관행은 국제관행에 비추어 보아 상당히 특
이할 뿐 아니라, 아직 본계약이 체결되지 않고 실사, 협상 등이 남아 있는 상태
에서 본 계약에 준한 구속력을 부여하려다 보니 필연적으로 잦은 분쟁이 발생할
수밖에 없다. 이하의 쟁점들은 이러한 맥락에서 제기되는 대표적인 예들이다.

---

54) 이러한 특징에 관한 설명으로, 양시경·강은주, 전게논문, 33~34면; 이동진, 전게논문(주
   29), 107 ~109면.
55) 서울고등법원 2011.2.15. 2011라154(현대건설 사건)(미간행) 참조. 이 판결에서는 이러한
   편면적 부제소약정의 효력 자체를 부인하지는 않았으나 부제소약정 체결시에 예상했던 범
   위를 넘어서는 분쟁에 대하여는 그 효력이 미치지 않는다는 대법원 판례(대법원 1993.5.14.
   92다21760 등)를 인용하며, 양해각서 해제에 관한 이 사건 분쟁에 대해서는 부제소약정의
   효력이 미치지 않는다고 판시하였다. 그러나 양해각서 해제에 관한 분쟁은 양해각서와 관련
   하여 생각할 수 있는 가장 전형적인 분쟁이므로 이것이 예견할 수 있는 범위를 넘어선다는
   논리는 납득하기 쉽지 않다. 오히려 여기에는 사회적으로 이목이 집중된 사건에서 형식적인
   사유로 본안심리에 들어가지 않고 신청을 각하하는 것이 적절치 않다는 법원의 정책적 판
   단이 영향을 미친 것이 아닌가 추측된다. 실제로 이 판결에서도 '이 사건 부제소특약이 일
   체의 소송을 금지하는 취지라면 국민의 재판을 받을 권리를 침해하여 무효'라고 하여 그러
   한 제한적 해석을 정당화하고 있다. 천경훈, 전게논문(주 8), 70~72면.

2) 이행보증금

가) 거래관행

주식매각을 위한 입찰에서 최고액을 제시한 인수희망자를 우선협상대상자로 선정하고 그와 양해각서를 체결하면서 입찰금액의 일정비율(대개 5%)을 이행보증금으로 납부하게 하는 사례가 많다. 이 경우 양해각서 체결일로부터 일정기간 (예컨대 3영업일) 내에 이행보증금을 매도인측이 지정하는 매도인 명의의 은행계좌에 납부하게 하고, 다만 매도인이 임의로 이를 인출 할 수 없도록 이 이행보증금 및 그에 대한 발생이자에 관하여 매수인을 질권자로 하고 매수인의 이행보증금 반환채권을 피담보채권으로 하는 예금채권질권을 설정하는 것이 통례이다.

이와 같이 납부된 이행보증금은 우선협상대상자가 양해각서에 따른 의무를 이행하고 본계약을 체결하도록 담보하는 역할을 한다. 우선 양해각서에 '우선협상대상자의 책임 있는 사유로 인하여 양해각서가 해제되는 경우에는 이행보증금 및 그에 대해 발생한 이자는 매도인에게 귀속된다'는 취지의 조항을 둔다. 이에 따라 매도인이 양해각서에 정해진 해제사유로 양해각서를 적법하게 해제하면 이행보증금은 매도인에게 귀속된다. 매도인의 협상력이 우월하여 양해각서에 폭넓은 해제사유가 정해져 있다면 본계약 결렬시의 양해각서 해제 및 이행보증금 몰취가 용이해질 것이고, 반대로 양해각서의 해제사유가 제한적이고 엄격하다면 본계약 결렬시에도 양해각서 해제 및 이행보증금 몰취가 쉽지 않을 것이다.

나아가 양해각서와 본계약에 '본계약이 체결되는 경우에는 위 이행보증금은 계약금 일부를 선납한 것으로 본다'는 취지의 조항 및 '매수인의 책임 있는 사유로 인하여 본계약이 해제되는 경우에 계약금은 매도인에게 귀속된다'는 취지의 조항을 둔다. 대체로 이행보증금은 매매대금의 5%로 하는 예가 많고, 본계약 체결시에 같은 금액을 추가로 계약금으로 납부받아서 전체 계약금은 매매대금의 10%로 하는 예가 많다.

나) 분쟁사례

이행보증금에 관한 전형적인 분쟁은, 매도인 측이 우선협상대상자의 양해각서상 의무 불이행 등을 이유로 양해각서를 해제하면서 그에 따라 이행보증금을 몰취하고, 우선협상대상자가 그러한 해제의 효력을 다투면서 이행보증금 전부의 반환을 구하거나 또는 이행보증금의 감액을 주장하면서 일부의 반환을 구하는 형태로 나타난다. 주요한 판결례는 <표 1>에 요약된 바와 같다.

<표 1> 이행보증금·계약금 몰취 관련 판결례[56]

	사건명	계약 단계	몰취대상	몰취금액 (비율)	계약서상 기재	법원이 인정한 법적성질	감액여부	비고
1	건영[57]	양해 각서	이행보증금	100.5억 (5%)	위약벌	위약벌	불가	정리 회사
2	한국리스 여신[58]	양해 각서	이행보증금	55억 (5%)	입찰 보증금	손해배상 액예정	불가	일반
3	하이 닉스[59]	양해 각서	이행보증금	31억 (10%)	위약벌	위약벌	불가	일반
4	쌍용 건설[60]	양해 각서	이행보증금	231억 (5%)	손해배상액 예정	손해배상 액예정	불가	워크 아웃
5	현대 건설[61]	양해 각서	이행보증금	2755억 (5%)	위약금	손해배상 액예정	75%감액 (반환)	워크 아웃
6	대우조선 해양[62]	양해 각서	이행보증금	3150.1억 (5%)	위약벌	손해배상 액예정	40%감액 (반환)	워크 아웃
7	청구[63]	본계약	계약금	122.7억 (10%)	계약금	손해배상 액예정	불가	정리 회사
8	극동 건설[64]	본계약	계약금	281.6억 (10%)	위약금	손해배상 액예정	불가	정리 회사

---

56) 박정제, "기업인수합병과정에서 이행보증금의 법적 성격에 관한 고찰," 「BFL」 제90호 (서울대학교 금융법센터, 2018. 7.), 107면을 기초로 보완하여 천경훈, "기업인수에 관한 법리와 실무," 「BFL」 제100호 (서울대학교 금융법센터, 2020. 1.), 115면에 수록한 것을 전재하였다.
57) 대법원 2008.2.14. 2006다18969.
58) 서울고등법원 2011.1.7. 2010나16009 (확정).
59) 서울중앙지방법원 2006.6.29. 2005가합40834 (항소심에서 11억원 반환하도록 조정성립).
60) 서울고등법원 2012.3.29. 2011나21169 (확정).
61) 대법원 2016.3.24. 2014다3115 (75% 감액한 원심을 승인함).
62) 대법원 2016.7.14. 2012다65973. 구체적인 감액은 파기 후 원심인 서울고등법원 2018.1.11. 2016나10959 (확정).
63) 대법원 2008.11.13. 2008다46906.
64) 대법원 2007.12.13. 2006다29709.

다) 이행보증금의 법적성격

이행보증금이 위약금이라면 손해배상액의 예정으로 추정되므로(민법 제398조 제4항), 그 금액이 부당히 과다한 경우에는 법원이 적당히 감액할 수 있다(같은 조 제2항). 이행보증금이 위약벌이라면 법원의 재량에 의한 감액은 허용되지 않지만, 선량한 사회질서에 반하거나 불공정한 폭리행위에 해당한다고 인정될 정도라면 그 한도에서 민법 제103조, 제104조에 따라 일부무효가 될 수 있다. 즉 이행보증금이 위약벌에 해당하더라도 감액이 전혀 불가능한 것은 아니지만, 법원의 감액 재량을 명시적으로 규정한 손해배상액의 예정에 해당해야 더 용이하게 감액이 인정될 수 있을 것이다.

따라서 이행보증금의 법적 성격이 손해배상액의 예정 또는 위약벌 중 어디에 해당하는지는 상당히 중요한 문제가 된다. 이에 대해서는 계약서의 문구만으로 기계적으로 판단할 것은 아니고, 손해의 전보를 위한 구제수단인지(손해배상액의 예정) 채무이행의 확보를 위한 강제수단에 그치는 것인지(위약벌)를 검토해야 한다는 것이 대체적인 학설과 실무의 태도라고 생각된다.

대법원은 건영 사건에서 별다른 이유를 들지 아니한 채 그 성질을 위약벌로 전제하였으나,[65] 청구사건에서는 (비록 계약금에 관한 것이라는 점에서 사실관계상 다소 차이가 있기는 하나) 손해배상액의 예정에 해당한다는 원심의 판단을 수긍하였다.[66]

그 법적 성질이 본격적으로 다투어진 것은 대우조선해양 사건에서이다. 한화 컨소시엄이 한국산업은행 등으로부터 대우조선해양 주식을 매수하기 위한 이 사건 양해각서에는 "매수인들의 책임 있는 사유로 양해각서가 해제되는 경우 매수인들이 기납부한 이행보증금 및 그 발생이자는 위약벌로 매도인들에게 귀속된다"고 규정되어 있었다. 서울고등법원은 이러한 계약문구를 존중하여 이를 위약벌로 보면서 이 약정이 일반 사회관념에 비추어 현저히 공정성을 잃었다거나 공서양속에 반하여 그 전부 또는 일부가 무효라고 볼 수 없고, 설령 이행보증금의 몰취 조항이 손해배상액의 예정에 해당한다고 하더라도 그 액수가 부당히 과다하다고 할 수 없다고 하여 감액을 부정하였다.[67] 그러나 대법원은 양해각서의

---

65) 대법원 2008.2.14. 2006다18969. 후술하듯이 그 감액을 부정하였다.
66) 대법원 2008.11.13. 2008다46906. 그러나 후술하듯이 그 감액은 부정하였다.
67) 서울고등법원 2012.6.14. 2011나26010.

문언에도 불구하고 이를 손해배상액의 예정으로 인정하였다.[68] 우선 위약금의 법적 성질을 판단하기 위한 일반론을 다음과 같이 설시하였다.

> 위약금은 민법 제398조 제4항에 의하여 손해배상액의 예정으로 추정되므로, 위약금이 위약벌로 해석되기 위해서는 특별한 사정이 주장·증명되어야 하며, 계약을 체결할 당시 위약금과 관련하여 사용하고 있는 명칭이나 문구뿐만 아니라 계약당사자의 경제적 지위, 계약체결의 경위와 내용, 위약금 약정을 하게 된 경위와 교섭과정, 당사자가 위약금을 약정한 주된 목적, 위약금을 통해 이행을 담보하려는 의무의 성격, 채무불이행이 발생한 경우에 위약금 이외에 별도로 손해배상을 청구할 수 있는지 여부, 위약금액의 규모나 전체 채무액에 대한 위약금액의 비율, 채무불이행으로 인하여 발생할 것으로 예상되는 손해액의 크기, 당시의 거래관행 등 여러 사정을 종합적으로 고려하여 위약금의 법적 성질을 합리적으로 판단하여야 한다.

위와 같은 일반론 하에서 위 조항을 양해각서의 다른 조항들과 함께 살펴보면, ① 매수인들의 귀책사유로 양해각서가 해제됨으로써 발생하게 될 모든 금전적인 문제를 오로지 이행보증금의 몰취로 해결하고 기타의 손해배상이나 원상회복청구는 명시적으로 배제하여 매도인들에게 손해가 발생하더라도 매도인들은 이에 대한 손해배상청구를 할 수 없도록 한 것인 점, ② 당사자들이 진정으로 의도하였던 바는 이행보증금을 통하여 최종계약 체결을 강제하는 한편 향후 발생할 수 있는 손해배상의 문제도 함께 해결하고자 하였던 것으로 보이는 점 등을 종합하여, 이 사건 이행보증금은 손해배상액의 예정으로서의 성질을 가진다고 판단하였다.

---

68) 대법원 2016.7.14. 2012다65973. 이 판결에 관한 평석으로, 남유선, "M&A계약에 있어서의 기업실사(due diligence)와 이행보증금에 관한 연구," 「금융법연구」 제14권 제3호(한국금융법학회, 2017) (이행보증금은 기본적으로 채무이행의 강제를 위한 위약벌적 기능이 강조되어야 한다고 하여 판결을 비판하고 M&A 거래실무에 미칠 부정적인 영향을 우려함); 박정제, 전게논문 (당사자의 협상력에 차이가 있어 약정서의 표현에 불공정한 상황이 발생하는 경우에 손해의 공평한 부담이라는 측면에서 그 불공정성을 시정한 판결이라고 평가함); 최승재, "기업인수합병시 이행보증금의 법적 성격과 감액 가능성에 대한 연구: 대법원 2016.7.14. 선고 2012다65973 판결을 중심으로," 「증권법연구」 제17권 제3호(한국증권법학회, 2016) (확인실사를 하지 않도록 한 매도인의 행위를 중요한 감액사유로 들었으므로 향후 확인실사의 중요성을 부각한 판결이라고 평가함).

라) 이행보증금의 감액 여부

이행보증금의 법적 성질을 어떻게 보든, 중요한 것은 과연 그 감액을 어떤 요건 하에서 인정할 것인가의 문제이다. 전술한 것처럼 손해배상액의 예정은 부당하게 과다한 경우 민법 제398조 제2항에 의하여 법원이 감액할 수 있고, 위약벌은 사회질서에 반하거나 불공정한 폭리행위 등에 해당하는 경우 민법 제103조, 제104조에 의하여 그 범위에서 일부무효가 될 수 있다.[69]

종래 각급 법원은 이행보증금을 손해배상액의 예정으로 보든 위약금으로 보든, 대체로 그 감액을 인정하지 않고 전액 몰취를 인정하는 경향을 보이고 있었다. 예컨대 건영 사건에서 대법원은 "이 사건 양해각서의 체결 경위와 목적, 그 내용, 정리회사인 주식회사 건영(…)의 이익을 확보하기 위한 계약이행확보의 필요성, 원고의 위약으로 인하여 건영이 입을 것으로 예상되는 손해, 위약벌의 규모나 전체 인수대금에 대한 비율, 원고를 비롯한 컨소시엄 구성원들의 경제적 지위와 능력 등의 제반 사정을 종합해 보면, 위약벌의 규모가 100억원을 상회한다고 하여 이 사건 위약벌의 약정이 공서양속에 반하여 그 일부 또는 전부가 무효라고 할 수는 없"다고 하였다.[70] 계약금에 관한 것이기는 하지만, 청구사건에서도 대법원은 "계약금을 인수대금의 10%로 정한 것은 [파산법원의] 일반적인 거래관행을 반영한 것이고, […] 애초의 입찰안내 단계에서부터 원고 등의 컨소시엄에게 고지되었고, 양해각서 체결 시에도 약정된 사항인 점, 몰취되는 계약금이 거액이기는 하지만 그것은 계약금의 비율이 부당하게 높게 책정되었기 때문이 아니라 인수대금이 […] 거액이기 때문이고, 투자자는 그와 같은 거액의 거래를 통해 막대한 이익을 얻을 가능성도 가지고 있지만 그에 상응하는 손실의 위험성도 감수하여야 하는 점 등에 비추어 보면, 몰취되는 계약금 자체가 크다는 사유만으로는 이 사건 손해배상의 예정액이 부당히 과다하다고 단정하기는 어렵다"고 하여 25% 감액을 인정한 원심을 파기하였다.[71]

그러나 대우조선해양 사건에서 대법원은 양해각서상 '위약벌'이라는 명문에도 불구하고 그 성질을 손해배상액의 예정으로 해석하면서, 다음과 같은 사정을 고

---

69) 이동진, 전게논문(주 29), 123면(위약벌로 보느냐 손해배상액의 예정으로 보느냐에 따라 감액가능성에 결정적인 차이는 없다고 함). 이와 달리 남유선, 전게논문(주 27), 276면은 위약벌에 관하여는 감액이 인정되지 않는다는 전제에서 설명한다.
70) 대법원 2008.2.14. 2006다18969.
71) 대법원 2008.11.13. 2008다46906.

려하면 3,150여억원에 이르는 이행보증금 전액을 몰취하는 것은 부당하게 과다하다고 판시하였다: ① 워크아웃기업의 경우 협상 단계에서 미처 예상하지 못했던 우발채무가 발생하거나 자산가치가 실제보다 과장된 것으로 드러날 가능성이 있고, 특히 대상회사는 워크아웃절차를 종료한 후 7년이나 지나 기업인수가 추진된 점, ② 이 사건 양해각서에는 대상회사의 자산가치에 대한 진술 및 보장조항이 없고 매수인에 대한 편면적 위약금 규정만이 존재할 뿐인 점, ③ 매수인 측은 막대한 이행보증금을 지급하고도 확인실사의 기회를 전혀 갖지 못한 점, ④ 이 사건 양해각서가 해제되어 최종계약 체결이 무산된 것 자체로 인하여 피고들이 입은 손해는 통상적으로 최종계약이 유효하게 체결될 것으로 믿었던 것에 의하여 입었던 손해, 즉 신뢰이익 상당 손해에 한정된다는 점 등. 즉 계약조항 및 거래절차 전반에 거쳐 지나치게 매도인에게 유리하게 정해져 있었던 점이 오히려 손해배상액 예정액의 부당성(감액 가능성)을 인정하는 사정으로 원용된 것이다.[72] 이에 따라 파기환송심에서는 피고들이 몰취할 수 있는 금액을 이행보증금의 60%로 감액하고, 나머지 40% 상당액의 반환청구를 인용하였다.[73]

이행보증금의 감액 여부는 사실관계에 따라 판단할 문제이므로, 위 판결들이 서로 모순되거나 배척하는 관계에 있다고는 할 수 없다. 기업인수계약의 당사자들은 일반인들과 달리 내외부 전문가들의 도움을 받아 계약조항을 면밀히 검토하고 그 의미를 이해한 상태에서 전략적으로 수용 여부를 결정하는 것이므로, 법원이 '당사자의 보호'를 위해 또는 '구체적 타당성'의 실현을 위해 계약서 문언의 의미를 넘어 지나친 후견적 개입을 하는 것은 원칙적으로 자제하여야 할 것이다.[74] 다만 2000년대 중반 이후 우리나라에서는 매도인 측이 협상에서 강력한 지위를 이용하여 매각절차 전반에 있어 지나치게 매수인에게 불리하고 매도인에게 유리한 계약 내용을 관철하는 관행이 일반화되었는데, 이행보증금의 각

---

72) 담당 재판연구관의 글인 박정제, 전게논문, 117면에서는 피고 산업은행(매도인)이 원고(매수인)와의 관계에서 "수퍼 갑의 지위에 있는 금융기관으로서 양해각서 체결 당시 부당하게 높은 금액의 이행보증금과 확인실사 완료 전 최종계약 체결을 요구하였고, 원고는 이를 수용할 수밖에 없었을 것"이라고 한다. 매도인 측이 압도적인 협상력을 이용하여 불공정한 거래조건을 만들어 냈으므로 법원이 사후적으로 이를 시정할 필요가 있다는 시각이 이 사건 판결에 작용하였음을 추측해 볼 수 있다.

73) 서울고등법원 2018.1.11. 2016나10959(확정).

74) 천경훈, 전게논문(주8), 78면; 양시경·강은주, 전게논문, 45면(이행보증금의 성질을 어떻게 보든 그 감액을 인정하는 데에는 신중하여야 한다고 함).

각 75% 및 40%의 반환청구를 인정한 현대건설 및 대우조선해양 판결은 이에 경종을 울린 것으로 그 의미를 이해할 수 있을 것이다.

한편 이행보증금 약정에 감액을 주장할 수 없다는 취지가 부가되는 경우도 있다.[75] 그러나 민법 제103조, 제104조, 제398조 제2항은 모두 강행규정이므로 이러한 약정은 무효이고, 기껏해야 양해각서 체결시에 당사자들이 이 약정의 의미를 신중히 검토하고 충분히 이해하였으리라는 점에 대한 간접증거로 기능할 수 있을 뿐이다.[76]

3) 자금출처 해명의무

고액의 입찰금액을 제시한 우선협상대상자가 막상 자금조달에 실패하여 거래가 성사되지 아니할 위험을 방지하기 위해 상당수 양해각서에서는 우선협상대상자에게 자금출처를 밝힐 의무를 부과하고 있다. 즉 입찰 당시부터 자금출처에 관한 소명자료를 제출하게 하고,[77] 만약 이 자료가 허위인 것으로 드러나거나 추가적인 소명에 정당한 사유 없이 응하지 아니한 경우에는 양해각서를 해제할 수 있도록 하는 조항을 두는 것이다.

실제로 양해각서 체결 후 자금출처 해명이 부족하다는 이유로 매도인이 양해각서를 해제하자 우선협상대상자가 그러한 해제의 효력을 다투며 '양해각서 해지금지 가처분'을 제기한 사례가 있다(현대건설 사건).[78] 우리 판례는 원칙적으로 이른바 부수의무 위반에 대하여는 해제, 해지권을 인정하지 아니하고 있으므로[79] 과연 자금출처 해명의무가 부수의무에 불과한지는 해제권 발생여부와 관련하여 중요한 의미를 가진다. 현대건설 사건에서 법원은 (i) 양해각서의 문언은 물론 당해 입찰의 본질에 비추어 자금출처 해명의무의 존재를 인정하였고 (ii) 이러한 의무는 양해각서 본래의 목적 달성에 영향을 미칠 수 있는 중대한 의무로서 그 위반은 해제사유가 된다고 보았다.

이에 대하여는, 교섭파탄에 따른 책임을 물음에 있어서는 결국 양당사자 중 누구의 행태가 교섭파탄에 더 결정적이었는지를 따져야 한다는 전제에서, "그러

---

75) 양시경·강은주, 전게논문, 34면.
76) 이동진, 전게논문(주 29), 126면.
77) 자금출처 소명이 부족함을 이유로 최고액입찰자 이외의 자가 우선협상대상자로 선정된 사안으로, 앞서 소개한 인천지방법원 2006.2.17. 2005카합2792(미간행) 참조.
78) 서울고등법원 2011.2.15. 2011라154(미간행).
79) 대법원 1994.12.22. 93다2766.

한 해명의무 위반이 교섭관계의 신의칙에 반하는지, 아니면 오히려 이를 이유로 한 교섭중단이 신의칙에 반하는 것인지 반드시 분명하지 않다"고 하며 법원의 판단에 의문을 제기하는 견해도 있다.[80]

4) 주주협의회의 승인권과 관련한 문제

복수의 채권금융기관이 출자전환으로 보유한 주식을 매각하는 경우, 이들이 주주협의회라는 단체를 구성하고 구성원 중 하나를 주관기관으로 선정하여 매각 협상을 주도하도록 하되, 이 주주협의회가 본계약에 관한 최종 승인권을 갖도록 양해각서에 규정하는 사례가 있다. 이 경우 본계약인 주식매매계약 체결이 주주 협의회에서 불승인되면 양해각서가 실효되고 이행보증금은 매수인에게 반환된다는 취지의 규정이 양해각서에 삽입된다.[81]

위 현대건설 사건에서도 주주협의회의 결의로 인하여 본계약을 체결할 수 없게 되는 경우 이행보증금을 반환하고 양해각서는 실효되는 것으로 양해각서에서 규정하고 있었고, 실제로 주주협의회는 본계약 체결 안건을 부결하고 양해각서 해제 안건을 가결하였다. 인수인 측은 '양해각서 해지금지 가처분'을 구하면서 해제가 위법하다는 논거의 하나로 '주주협의회가 유효하게 체결된 양해각서에 반하는 결의를 할 수는 없다'고 주장하였다. 그러나 법원은 양해각서상의 이러한 조항을 유효한 것으로 보면서, 자금출처에 관한 해명이 제대로 이루어지지 아니 하였다면 주주협의회가 이를 이유로 주식매매계약의 체결을 거절하는 결의를 할 수 있다고 판시하였다.[82]

다만 주주협의회의 불승인 결정이 주관기관의 교섭결과의 추인 여부 판단이 아니라 오직 교섭중단의 수단으로만 이용된 경우에까지 주주협의회의 불승인 결정에 의하여 교섭계약을 해제할 수 있는지 의문을 제기하는 견해도 있다.[83]

---

80) 이동진, 전게논문(주 29), 136~137면.
81) 양시경·강은주, 전게논문, 34면.
82) 서울고등법원 2011.2.15. 2011라154(미간행); 천경훈, 전게논문(주 8), 75~77면 참조.
83) 이동진, 전게논문(주 29), 139면.

Ⅲ. 주식매매계약의 주요 쟁점

1. 일반적인 계약구조

가. 주요조항

앞서 언급하였듯이 기업인수계약은 인수방식에 따라 합병계약, 주식양수도계약(주식매매계약), 자산·영업양수도계약, 신주인수계약 등의 형태를 취하게 된다. 이하에서는 이 중에서 실무상 가장 많이 사용되고 가장 전형적인 요소를 포함하고 있는 주식매매계약을 위주로 서술한다. 그러나 이하에서 설명하는 기본적인 계약구조는 다른 유형의 계약에도 대부분 공통되며, 다만 각각의 인수방식에 특유한 요소가 추가될 뿐이다.

대체로 주식매매계약은 다음과 같은 조항들로 이루어진다. 이는 기본적으로 영미, 특히 미국의 관행에서 유래한 것이나, 오늘날은 주요 대륙법계 국가에서의 기업인수 실무에서도 거의 유사한 구조의 계약이 보편적으로 사용되고 있는 것으로 보인다.[84]

- 목적물, 가격, 대금지급방법
- 진술 및 보증(representation and warranties)[85]
- 손해배상(indemnification)[86]

---

84) 이에 관한 개괄적 설명으로, 송종준, "M&A거래계약의 구조와 법적 의의 – 미국의 계약실무를 중심으로 –," 「이십일세기 상사법의 전개: 하촌 정동윤선생 화갑기념」(법문사, 1999), 201~218면. 일본의 예로, 藤原總一郎(編), 「M&Aの契約實務」(中央經濟社, 2010), 91~92面. 독일의 예로, Kästle/Oberbracht, 「Unternehmenskauf-Share Purchase Agreement」 (2. Aufl.) (Verlag C.H.Beck, 2010), S. 32ff.

85) 일본에서는 表明保證이라는 역어를 주로 사용한다. 국내에서는 실무상 '진술 및 보장', '진술 및 보증', '진술보장', '진술보증' 등의 용어가 모두 사용되고 있다.

86) 상대방이 손해를 입지 않도록 하고 진술·보증에 위반이 없는 것과 같은 상태를 만들어 준다는 취지이다. '면책' 조항이라고 번역하기도 하나 이는 책임면제라는 뜻으로 오해될 수 있다. 현대의 기업인수실무상 indemnification은 영미 보통법상의 전통적인 의미와는 다소 달리 "인수계약의 위반으로 인해 발생하는 모든 손해와 비용을 배상하는 것"을 의미하므로, 아주 엄밀하지는 않지만 손해배상이라는 역어를 사용하는 것이 그 실질적 의미를 무리 없이 전달할 수 있다고 본다. 실무상 국문계약에서는 면책, 보상, 손해배상 등의 용어가 모두 사용되는 것으로 보인다.

- 선행조건(condition precedent)
- 약정사항(covenants)[87]
- 해제(termination)[88]
- 가격조정(price adjustment) 또는 수익할당(earn-out)(필수적인 것은 아님)[89]
- 거래보호조항(deal protection clause) 또는 fiduciary-out 조항(필수적인 것은 아님)[90]

나. 조항별 개관

그 대강을 간추리면 다음과 같다. 우선 기업인수계약에서도 일반적인 매매계약과 동일하게 목적물, 가격, 그 지급조건을 정한다. 다만 기업인수계약에서 매매목적물인 기업 내지 그 주식은 많은 물적 설비와 인적 자원, 법률관계의 총체이므로, 그 가치평가의 전제가 되는 정보의 중요성과 복잡성이 다른 거래에 있어서보다 현저하다. 물론 이러한 정보는 재무제표에도 나타나 있고 기업실사를 통해서도 드러나지만 그것만으로는 매수인이 안심하기에 부족하다. 이에 매도인은 그 기업의 사실적·법률적 상태에 대하여 일정한 진술을 하고 그것이 사실임을 보증하는데, 이를 진술·보증(representations and warranties)이라고 한다.

이러한 진술·보증이 사실과 다르거나 기타 계약에 위반하는 행위가 있는 경우 위반당사자는 상대방 당사자가 입은 손해를 전보하여야 하는데, 이를 정하는 것이 손해배상(indemnification) 조항이다. 후술하듯이 기업인수계약 실무상으로는 손해배상의 범위와 액수를 제한하여 각 당사자가 부담하는 리스크의 예측가능성을 높이고자 하는 취지로 다양한 계약상의 장치가 사용되고 있다.

한편 거래종결일에 각 당사자는 일정한 조건이 충족된 경우에만 각자의 의무

---

87) 확약, 서약, 특약 등으로 번역하는 예도 있다. 일본에서는 주로 誓約이라고 한다.
88) 이에 관한 상세는 김지평·박병권, "M&A계약의 해제조항에 관한 소고,"「BFL」제67호(서울대학교 금융법센터, 2014. 9.), 36~46면.
89) 가격조정 조항 및 수익할당 조항의 개념과 실무적인 유의사항에 관하여는, 정영철, "기업인수시 인수대가 지급수단 및 금액조정에 관한 실무,"「법학연구」제17권 제4호(연세대학교, 2007), 31~58면; 이병기, "M&A계약에 있어서 가격조정,"「BFL」제68호(서울대학교 금융법센터, 2014. 11.), 46~55면.
90) 이에 관하여는, 송종준, "기업인수계약상 거래보호조항의 유효성 – 미국 판례의 태도와 시사점을 중심으로 –,"「인권과 정의」제394호(대한변호사협회, 2009. 6.), 39면 이하; 김병태·이성훈·김수련, "M&A계약상 Fiduciary-Out 조항에 관한 연구,"「BFL」제20호(서울대학교 금융법센터, 2006. 11.), 34면 이하.

를 이행하게 된다. 그러한 조건을 기재한 것이 선행조건(conditions precedent) 조항으로서, 선행조건의 가장 대표적인 예는 '상대방 당사자의 진술·보증이 거래종결일 현재 모두 사실일 것', '상대방 당사자가 거래종결일 현재 본계약을 위반하지 않았을 것', '거래종결일 현재 대상회사에 중대한 부정적인 변화가 없을 것'과 같은 것들이다.

당사자들이 준수해야 할 사항을 정리한 약정(covenant) 조항도 필수적인 요소이다. 계약체결일로부터 거래종결일까지 사이의 기간에 관한 약정(pre-closing covenants)이 주된 것이나, 거래종결일 이후의 약정(post-closing covenants)을 정하는 경우도 있다.

가격산정의 기준시점과 거래종결 시점 사이에는 차이가 있으므로, 계약서에 정해진 가격은 거래종결 시점에서의 기업현실을 정확히 반영하지 못할 수 있다. 이에 당사자들은 미리 계약서에 가격조정(price adjustment) 조항을 두어 가격조정의 방법과 공식을 정해 놓기도 한다. 그 밖에, 가격에 합의하는 과정에서 이견이 있는 경우 양당사자는 '인수 후 기업의 성과가 좋으면 매매대금을 추가로 지급하겠다'는 식의 절충안에 합의할 수 있다. 이를테면 '돈을 벌면 지급하겠다'는 취지인데, 이를 계약문구화한 것이 이른바 수익할당(earn-out) 조항이다.

이 중에서 특히 실무상 많은 분쟁을 야기하고 있는 진술·보증 조항, 손해배상 조항, 선행조건 조항, 약정조항에 관하여 주요한 법적 쟁점을 살펴본다.

2. 진술·보증 조항

가. 의의와 취지

매수인으로서는 계약체결 여부를 결정하고 가격 등 다양한 계약조건에 합의하기 위해 우선 대상회사의 법률적, 경제적 상황을 정확히 파악하여야 한다. 예컨대, 대상회사가 적법하게 설립되었는가, 재무제표에 중요한 누락이나 거짓은 없는가, 재무제표에 반영되지 않은 우발채무가 존재하는가, 그 회사가 중요재산에 대해 적법한 소유권을 가지고 있는가, 당해 기업인수계약을 체결하는 것이 그 회사의 정관 또는 그 회사가 체결한 각종 계약에 위반되지는 않는가, 그 회사가 세금은 모두 납부했는가, 현재 진행 중이거나 예상되는 소송으로는 어떤 것이 있고 규모가 얼마나 되는가 등을 확인할 필요가 있다.

이러한 사항은 계약체결에 앞서 충분한 기업실사를 통해 확인할 수도 있으나, 기업실사만으로 매수인이 만족할 만큼 모든 정보를 파악하기는 어렵다. 따라서 가격 등 계약조건을 정하는 데에 전제가 된 일정한 사항을 매도인으로 하여금 "진술"하게 하고, 그러한 진술이 잘못된 것으로 밝혀진 경우에는 일정한 법률효과가 발생하거나 구제수단을 취할 수 있는 것으로 계약서에 규정하는 조치를 취하게 된다. 이처럼 계약체결에 있어 중요한 전제가 된 사항을 "진술(represent)"하게 하고 그 진실성을 "보증(warrant)"하게 하는 것이 이른바 "진술·보증(representations and warranties)" 조항이다.

이는 원래 영미의 계약관행에서 주로 발전되어온 개념이나, 최근 들어 한국 법인을 당사자로 하는 영문계약에서는 물론 국문계약에서도 자주 사용되고 있으며, 이는 당해 계약의 준거법이 한국법인 경우에도 그러하다. 진술·보증 조항은 이미 거래계에서는 매우 일반적으로 사용되고 있고 실제로 분쟁사례도 적지 않음에도 불구하고[91] 그 한국법상 의미와 효과에 관하여는 아직 뚜렷하게 해명되어 있지 않다.

나. 주요 내용

양도인이 구체적으로 진술·보증하는 내용은 계약서마다 다르고 경우에 따라서는 30~40페이지에 걸쳐 다양한 사항들이 열거되기도 하므로, 여기서 이를 일일이 열거하는 것은 불가능하다. 대체로 소규모의 거래보다는 거래금액이 큰 중요 거래의 경우에 길고 상세한 진술·보증 조항을 두는 경향이 있으나, 당사자들의 성향, 당해 거래에 대해 가지는 협상력(leverage)과 관심의 정도에 따라 달라진다. 그리하여 매수인이 매우 위험회피적이거나 협상력이 강한 경우에는 소규모의 거래에서도 상당히 복잡한 진술·보증 조항을 두게 되고, 반대로 매수인이 덜 위험회피적이거나 협상력이 약한 경우에는 대규모의 거래임에도 간략한 진술·보증 조항을 두기도 한다.

---

91) 다만 특히 외국기업이 당사자로 되어 있는 계약은 그와 관련된 분쟁을 중재로 해결하도록 하고 있는 경우가 많아서 실제 진술·보증 조항을 둘러싼 상당수 분쟁은 국제중재로 처리된다. 진술·보증에 관한 실제 분쟁 수에 비해 판례 형성이 미진한 이유 중 하나이다. 그러나 국제중재로 진행되더라도 계약 준거법이 한국법이라면 여전히 한국법상 진술·보증 조항의 의미와 효과가 판단기준이 된다.

진술·보증 조항은 주식매매계약의 경우 매도인에 관한 사항, 매수인에 관한 사항, 대상회사에 관한 사항으로 대별된다. 신주발행의 경우에는 발행회사에 관한 사항, 신주인수인에 관한 사항의 두 가지로, 자산·영업양수도의 경우에는 양도인에 관한 사항, 양수인에 관한 사항의 두 가지로 대별된다. 이 중 가장 중요하고 이해관계가 첨예하게 대립되는 것은 대상회사(자산·영업양수도의 경우에는 양도회사)에 관한 사항이다. 이하에서는 진술·보증 조항에 흔히 들어가는 대표적인 사항 중 몇 가지만을 간략히 소개한다.[92]

1) 행위능력 및 내부수권에 관한 사항

우선 회사가 적법하게 설립되어 유효하게 존속하고 있을 것, 회사가 당해 기업인수계약의 당사자로 되어 있는 경우에는 그에 관해 법령 및 정관에 따라 필요한 수권을 받았을 것을 요구하게 된다. 예컨대 "회사는 한국법에 의하여 적법하게 설립되어 유효하게 존속하고 있다. 회사는 본건 계약을 체결하고 그에 따른 의무를 이행할 수 있는 권리능력 및 행위능력을 보유하고 있고, 본건 계약의 체결에 필요한 이사회 결의 등 내부적인 수권절차를 모두 거쳤다"는 취지의 조항을 둔다.

2) 기존 계약, 법규 등과의 저촉에 관한 사항

당해 거래가 회사의 정관, 법규는 물론 회사가 체결한 각종 계약에 위반되지 않는다는 점도 중요한 진술·보증의 대상이 된다. 예컨대 "회사가 본 계약을 체결하고 이행하는 것은 회사의 정관과 회사가 체결한 일체의 계약 및 협약의 어느 조항과도 상충되지 않으며, 본 계약서에 명시된 것 이외에 추가로 정부와 공공기관의 승인 또는 그에 대한 신고나 제3자의 동의를 필요로 하지 아니한다"는 취지의 조항을 두게 된다. 만약 회사가 당사자로 되어 있는 기존 계약에 따라 이번 거래가 금지되거나 또는 기존 계약상대방의 동의를 요한다면, 그러한 사정을 계약서 본문 또는 공개목록(disclosure schedule)에 명시하고 그 기존 계약상 대방으로부터 미리 동의 내지 권리포기(waiver)를 받아야 할 것이다.[93]

---

92) 더 상세한 내용은 천경훈, "진술 및 보증조항," 「우호적 M&A의 이론과 실무(제2권)」(천경훈 편저, 소화, 2017), 23~36면 이하 참조.

93) 대표적인 예로, 대상회사가 체결한 영업상 계약(예: 라이센스계약 또는 대리점계약)에 대상회사의 지배주주가 변경될 때에 상대방의 승인을 받도록 하거나 또는 상대방의 계약해제권을 인정하는 이른바 change of control 조항이 있다면, 주식매매를 통한 대상회사의 지배

3) 재무제표에 관한 사항

회사의 재무제표는 재무상황에 관한 정보를 집약한 자료로서 매수인의 의사결정에 가장 기본적인 근거가 된다. 따라서 대부분의 기업인수계약에서는 재무제표가 정당한 회계원칙에 따라 작성되었고 중요한 점에 있어 허위나 누락이 없다는 점을 진술 및 보증하도록 하고 있다. 나아가 재무제표 작성 시점인 최근 회계연도말 이후 회사의 자산, 부채, 수익, 현금흐름 등에 중대하면서 불리한 어떠한 변화도 발생하지 않았음을 진술 및 보증하기도 한다.

4) 회사에 관한 기타 사항

위에서 언급한 사항들 외에 회사의 각종 경영상태 및 법률적 상태에 관하여 다양한 진술·보증 조항을 마련하는 경우가 많다. 구체적으로 다음과 같은 예를 들 수 있으며, 실제 문안은 아래와 같은 취지를 반영하여 훨씬 길고 자세하게 작성하는 것이 보통이다.

- 회사가 그 영업을 수행하는데 필요한 정부 인허가를 모두 적법하게 획득하여 보유하고 있을 것
- 회사 또는 그 임직원을 상대로, 회사의 재무상태나 영업에 중요한 영향을 미칠 수 있는 중대한 소송, 행정처분, 형사소송이 진행되고 있거나 예상되지 아니할 것
- 회사가 세금을 미납한 것이 없고 미납 여부에 관하여 다툼이 없을 것
- 회사가 환경 관련 인허가를 모두 적법하게 보유하고 있고 중요한 환경법규를 준수하고 있으며, 회사의 부지나 시설에서 유해물질 등이 적법하게 관리되고 있고, 회사의 부지에 유해물질이 묻혀 있지 않을 것
- 회사가 소유한 부동산에 대해 적법한 소유권을 가지고 있고, 회사 소유 건물들이 건축법규 및 국토이용계획 관련 법규에 위반되지 않을 것
- 회사가 영업에 영향을 미치는 중요한 법규를 준수하고 있을 것
- 회사가 관련법상 의무적으로 가입하여야 하는 강제보험에 가입하고 있고, 그 밖에 영업상의 위험을 합리적으로 부보할 수 있는 임의보험에 가입하

권 변경이 이에 해당하는지 검토하고 필요시 위 영업상 계약의 상대방의 동의를 받아야 할 것이다.

고 있을 것
• 회사가 근로자들에 대한 임금 및 퇴직금을 미지급한 것이 없고, 근로관계 법령을 준수하고 있을 것

5) 공개목록(disclosure schedule)

이상과 같은 사항을 열거함에 있어 진술·보증의 제공자(매도인 또는 대상회사)는 그 예외에 해당하는 사항이 있으면 이를 따로 명시할 필요가 있다. 예컨대 "… 이외에는 정부 인허가를 필요로 하지 않는다", "… 이외에는 중요한 소송이 진행 중인 것이 없다", "… 이외에는 본 계약 체결로 인하여 회사가 체결한 다른 계약의 위반이 발생하지 않는다"라는 형식을 취하는 것이다. 계약서 작성의 편의상 이러한 예외 사항들을 별도의 부록문서로 작성하게 되는데, 이를 공개목록(disclosure schedule)이라고 한다.

공개목록에 명시된 내용은 그 자체로서 진술·보증의 일부를 구성하므로, 일단 여기에 명시하면 진술·보증 위반에 해당하지는 않게 된다. 따라서 공개목록에 명시된 사유를 이유로 계약을 종결하지 아니하거나 손해배상(indemnification)을 청구할 수는 없고, 원칙적으로 가격 기타 계약조건에 반영할 수 있을 뿐이다. 만약 어떤 사실이 공개목록에 명시되었음에도 불구하고 이를 가격 기타 계약조건에 반영하는 대신 추후 그로 인한 손실이 현실화되는 경우에 별도로 보상을 받고자 한다면, 당사자들의 협상을 통해 이를 계약서에 별도로 명시해야 한다. 이것은 진술·보증의 위반을 이유로 한 손해배상과는 성질을 달리하므로, 소위 "특별손해배상(special indemnification)" 내지 "특정손해배상(specific indemnification)"이라는 이름으로 계약서에 별도 조항을 두거나 "사후 가격조정(post-closing adjustment)" 방법을 정하고 그에 따르게 된다.

예컨대, 매수인이 "회사가 법령을 준수하고 있을 것"이란 진술·보증을 요구하는데 회사에서 담합 혐의로 공정거래위원회의 조사를 받고 있는 건이 있다면, 매도인으로서는 이를 법령준수 진술·보증의 예외로 공개목록에 기재함으로써 진술·보증 위반으로 인한 손해배상의무에서 벗어나려고 할 것이다.[94] 일단 이

---

94) 이 경우 계약서 본문에는 "부록 X에 기재된 것 이외에는 회사는 회사에 중대한 영향을 야기할 수 있는 법령 위반을 하고 있지 아니하다"라는 취지로 기재하고, 부록 X에는 당해 담합 건의 개요를 기술하게 될 것이다.

것이 공개목록에 적절히 기재되고 매수인이 그 공개목록을 포함한 계약서에 서명하였다면, 예컨대 거래종결 후 그 담합 혐의사실에 대해 공정거래위원회의 과징금이 부과되거나 민사상 손해배상청구가 제기되어 대상회사에 손해가 발생하더라도 진술·보증 조항의 위반에는 해당하지 않는다. 당사자들로서는 그 담합건이 대상회사에 초래할 손해의 가능성과 액수를 평가하여 가격에 반영할 수도 있고, 사후 그런 사정이 발생했을 때 특별손해배상 또는 가격조정의 방식으로 해결하기로 합의하여 계약서에 액수산정 방법 내지 공식을 정할 수도 있다.

공개목록에 진술·보증의 예외사실을 적시할 때 어느 정도 구체적으로 기재해야 하는지 문제되는 경우가 있다. 예컨대, 거래종결 후 대상회사를 상대로 제3자가 특허권 침해를 이유로 거액의 소송을 제기하였는데, 당초 주식매매계약상 진술·보증 조항 중에 "회사는 공개목록 별첨 Y에 기재된 것 이외에는 타인의 지적재산권을 침해하였거나 침해한 것으로 다투어지고 있지 아니하다"는 조항이 있었다면, 과연 별첨 Y에 그러한 특허침해 관련 사실이 기재되어 있었는지 여부가 문제될 것이다. 이 때 그러한 사실이 어느 정도까지 구체적으로 기재되어 있어야 충분한 공개(disclosure)가 되어 진술·보증 위반에 해당하지 않는다고 할 것인지 늘 분명한 것은 아니지만, 적어도 당해 사실을 특정하고 필요시 매수인이 그 의미를 추가로 문의 및 조사할 수 있을 정도로는 기술이 되어 있어야 할 것이다. 그러나 공개목록 자체만으로 그 법적 파급효과 및 의미를 남김없이 이해할 수 있을 정도로 상세히 기술되어 있어야만 유효한 공개가 이루어졌다고 볼 수는 없을 것이다.

이른바 공개목록의 갱신(update)에 관하여는 다.3)에서 후술한다.

다. 진술·보증의 기준시점

1) 원칙 – 계약체결시

진술·보증은 후술하는 bring down 조항이 없다면 원칙적으로 계약체결 시점이라는 특정 시점에서의 대상회사의 상태를 나타내는 것이다.[95] 예컨대 주식

---

95) 김홍기, "M&A계약 등에 있어서 진술보장조항의 기능과 그 위반시의 효과," 「상사판례연구」 제22집 제3권(한국상사판례학회, 2009), 80면(진술·보증 위반에 대한 책임은 약정하자담보 책임이라는 전제에서 민법 제579조의 취지에 비추어 매매계약 체결시를 기준으로 보는 것이 타당하다고 함).

매매계약에 "대상회사를 상대로 제기되어 계속 중인 청구금액 1억원 이상의 소송은 없다"는 조항을 두었는데, 계약체결 시점에서는 그런 소송이 없었으나 그 이후 소송이 제기되어 거래종결일 현재 계속 중이라면, 별다른 문구가 없다면 이는 진술·보증 위반이 아니므로 선행조건 미충족 사유에도 해당하지 않고 손해배상 사유에도 해당하지 않는다.

2) 이른바 브링다운 조항

그러나 실제에 있어서는 계약체결시만이 아니라 거래종결시(이행시)에도 여전히 진술·보증이 정확할 것을 요구하는 조항, 이른바 브링다운(bring-down) 조항을 두는 경우가 훨씬 더 일반적인 것으로 보인다. 구체적으로는 다음과 같은 방식이 있을 수 있다.[96]

첫째, 진술·보증 조항 자체에서 그 기준시점이 거래종결시까지 연장됨을 명시하는 것이다. 예컨대 각각의 진술·보증 사항을 열거하기에 앞서 "매도인은 하기의 사항이 이 계약 체결시는 물론 거래종결일에도 모든 중요한 면에서 정확함을 진술 및 보증한다"라는 문구를 두는 방식이다. 이 경우 진술·보증의 기준시점 자체를 거래종결일까지 연장시켰으므로 거래종결일에 이와 다른 사실관계가 존재하면 선행조건 미충족 사유 및 손해배상 사유에도 해당하게 된다.[97]

둘째, 진술·보증 조항 자체에는 이에 관한 언급이 없지만, 선행조건 조항과 손해배상 조항 각각에서 그러한 취지의 조항을 두는 것이다. 이는 첫째 방식과 문구의 위치만 다를 뿐 법적인 효과는 동일하다.

셋째, 선행조건 조항에 관해서만 진술·보증의 기준시점을 거래종결시까지 연장하는 방식이다. 이 경우 어떤 진술·보증 사항이 계약체결시에는 사실이었으나 거래종결 시점에 사실이 아니게 된 경우, 거래종결시에 이를 알았다면 매수인은 선행조건 미충족을 이유로 대금지급을 거절할 수 있으나, 일단 거래가 종결된 이후에는 손해배상청구는 더 이상 가능하지 않게 된다.

넷째, 손해배상 조항에 관해서만 진술·보증의 기준시점을 거래종결시까지로 연장하는 방식이다. 이 경우 어떤 진술·보증 사항이 계약체결시에는 사실이었

---

96) 브링다운 조항에 관한 설명으로, 지창구, "기업인수계약에서 진술 및 보장에 관한 연구"(서울대학교 석사학위논문, 2011), 25~38면.

97) 국내 실무관행상으로는 이 첫째 유형이 가장 많은 것으로 생각된다. 미국의 전미변호사협회(ABA)에서 발간한 표준 주식매매계약서도 첫째 유형의 브링다운 조항을 택하고 있다.

으나 거래종결 시점에 사실이 아니게 된 경우, 이는 거래종결(대금지급)을 거절할 사유는 되지 못하고 다만 일단 거래종결 후 그 손해배상만을 구할 수 있다. 위 각 경우에 있어서, 진술·보증 사항 중 일부에 대해서만 적용이 있는 것으로 제한하는 문구를 두기도 한다.

결국 브링다운 조항의 삽입 여부는 계약체결 시점과 거래종결 시점 사이에 매도인의 귀책사유 없이 발생한 위험을 누구에게 귀속시킬 것인가의 문제이다. 진술·보증의 기준시점을 브링다운 조항을 통해 거래종결시까지 연장하는 것은, 이러한 위험을 매도인에게 귀속시키는 것이다. 주식매매계약 등 기업인수계약을 체결하거나 자문할 때에는 이러한 문구의 차이가 가져올 수 있는 커다란 차이를 인식하여야 한다.

3) 공개목록 갱신권

브링다운 조항이 있는 경우에는, 위에서 본 바와 같이 계약체결 이후 거래종결 전에 진술·보증 사항과 다른 사태가 발생한 경우 진술·보증 위반이 되어, 매수인은 거래종결을 거절하거나 손해배상을 청구할 수 있게 된다. 즉 그로 인한 위험을 오로지 매도인이 부담하는 것이다.

이러한 매도인의 위험을 경감하기 위해, 일단 브링다운 조항을 두되 계약체결 이후 거래종결시까지 상황 변화가 생긴 경우 매도인이 공개목록(disclosure schedule)을 갱신(update)할 수 있는 권리를 가지고, 진술·보증 위반 여부를 판단함에 있어 그와 같이 갱신된 공개목록을 기준으로 하는 조항을 두기도 한다. 계약체결 이후에 생긴 사유들을 공개목록에 추가로 기재함으로써 매도인은 진술·보증 조항 위반을 피할 수 있게 되는 것이다. 결국 브링다운 조항이 있는 상태에서, 공개목록의 갱신을 전혀 허용하지 않으면 계약체결시로부터 거래종결시까지 발생한 사유로 인한 위험을 매도인이 부담하는 셈이고, 공개목록의 갱신을 제한 없이 자유로이 허용하면 그 위험을 매수인이 부담하는 셈이다.[98] 즉 공개목록 갱신권을 광범위하게 인정하면 사실상 브링다운 조항을 무력화하게 된다.

이는 결국 양 당사자의 협상을 통해 결정할 사항인바, 위 조항의 본질이 상

---

98) 허영만, "M&A계약과 진술보장 조항," 「BFL」 제20호(서울대학교 금융법센터, 2006. 11.), 22~23면.

술한 바와 같은 리스크 부담의 문제임을 정확히 이해하고 협상에 임해야 한다.

라. 진술·보증의 제한

매수인은 가능한 한 많은 진술·보증을 얻어내기 위해 노력하는 반면, 매도인은 다양한 방법으로 진술·보증의 범위를 제한하고자 한다. 그 대표적인 것이 매도인의 인식 요건과 중대성 요건이다.

1) 매도인의 인식 요건에 의한 제한

"매도인이 아는 한 … 한 사항이 없다"라고 진술함으로써 자신이 알고도 밝히지 않은 사항에 대해서만 책임을 지도록 규정하는 방식이다. 소위 knowledge qualifier라고 하는 이 문구를 포함하게 되면 매도인은 적어도 자신도 모르고 있던 회사의 부실이나 문제점에 대해 매수인에게 추후에 책임을 지는 일은 상당 부분 피할 수 있다. 그러나 이는 매도인과 매수인 모두가 모르던 문제가 발생할 경우 매수인에게 위험을 부담시키는 결과가 되는바, 매수인으로서는 양자가 모두 모르던 문제에 대해서는 대상회사의 정보 및 경영에 더 가까이 있었던 매도인이 책임을 지는 것이 타당하다고 주장함으로써 인식제한 문구를 두는 데 반대할 것이다.

인식제한 문구를 두는 경우에는, (i) 어떤 진술·보증 사항에 대해 그러한 제한을 둘 것인가, (ii) "알 수 있었던 경우" 내지 "알아야 했던 경우"를 알았던 경우와 동일시할 것인가(즉 과실로 인한 부지를 악의와 동일시할 것인가), (iii) 회사의 어느 직급 이상의 누가 알았던 경우를 "회사가 알았던 경우"로 볼 것이며 그 범위에 퇴직자도 포함할 것인가 등의 문제가 등장한다. 이런 문제를 해결하기 위해 "인식(Knowledge)"의 의미에 대해 상세한 정의규정을 두기도 한다. 이 모든 것이 주식매매계약의 협상 시 다루어질 쟁점이다.

이러한 인식제한 문구의 해석이 문제된 대법원 판결이 있다. 이 사건 주식매매계약에서는 "매도인대표회사의 이사들 및 대우건설 이사들"의 인지 또는 인지가능성을 매도인들의 진술·보증조항 위반에 따른 손해배상책임의 성립요건으로 삼고 있었다. 여기서 매도인대표회사의 이사들 또는 대우건설 이사들 중 어느 한 쪽이라도 이를 인지하였거나 인지할 수 있었으면 손해배상책임이 성립하는지, 아니면 이들이 모두 인지하였거나 인지할 수 있었어야 하는지가 다투어졌다.

대법원은 계약문구 협상과정에 비추어 "및"이라는 용어에도 불구하고 당사자들의 의사는 매도인대표회사 이사들과 대우건설 이사들 중 어느 하나라도 진술·보증조항 위반을 인지하였거나 인지할 수 있었다면 손해배상책임을 지우려고 했던 것으로 해석하였다.[99)]

2) 중대성 요건에 의한 제한

진술·보증의 범위를 줄이는 또 하나의 방법은 소위 중대성 제한(materia- lity qualifier)을 두는 방식이다. 사실 어느 회사도 전혀 법령을 위반한 적이 없다거나, 전혀 타인의 지적재산권을 침해한 바가 없다거나, 전혀 세금을 추가로 추징당할 위험이 없다고 단언하기는 어려울 것이다.[100)]

따라서 많은 매도인들은 진술·보증 조항을 작성함에 있어 그것이 "회사의 경영 및 재무상태에 중대한 영향을 미치는 경우"에만 적용되도록 한정하려고 한다. 진술·보증 조항 첫머리나 손해배상 조항 자체에 그런 문구를 두어 중대성 제한이 진술·보증 사항 전부에 미치도록 하는 경우도 있고, 협상 여하에 따라서는 일부 문제가 되는 개별 사항에만 그러한 중대성 제한을 두기도 한다. 어떤 경우에 중대한 영향이 있다고 볼 것인지를 명확히 하기 위해 계약서에 금액 기타 기준을 정하는 경우도 있다. 계약서에서 금액 또는 비율 등으로 중대성의 기준을 정하였다면 원칙적으로 그러한 합의는 존중되어야 할 것이다.

마. 진술·보증 조항의 구체적 기능과 법률효과

진술·보증 조항 그 자체는 일정한 사실 내지 법률관계를 설명할 뿐이고 그 자체로서 위반시의 법률효과를 명시하고 있지는 않다. 대신 계약서 내의 다른 조항에서 이를 지시하면서 그 위반시의 효과를 명시한다. 표준적인 기업인수계약서에서 진술·보증 위반이 가지는 법률효과는 다음과 같다.

---

99) 대법원 2018.7.20. 2015다207044; 2018.8.1. 2015다209583. 이에 관한 해설로 이영선, "진술 및 보장 위반에 따른 책임의 범위와 제한," 「BFL」 제93호(서울대학교 금융법센터, 2019. 1.), 60~74면.

100) 실제 국내에 통용되는 M&A 계약서들은 "회사는 대한민국 법령을 준수하고 있다"거나 "회사는 관련법상 조세를 모두 납부하였다"는 등 상당히 단호하고 강력한 진술·보증 문구를 두고 있는 경우가 많다. 그러나 조금만 생각해보면 이런 문구가 100% 사실이기는 매우 어렵다는 점을 알 수 있다. 이런 문구의 의미를 음미하지 않고 그대로 둔 채 계약서에 서명하였다가, 나중에 대상회사의 위법 내지 조세체납 사실이 발견되어 매도인이 매수인으로부터 손해배상 청구를 당하는 일이 자주 발생하고 있다.

1) 계약이행의 선행조건

신주인수계약, 주식매매계약, 영업(자산)양수도계약 등 기업인수계약에서는, "진술·보증이 계약체결 당시 및 거래종결일(closing date) 현재 진실할 것"[101]을 거래종결의 선행조건(conditions precedent to closing)의 하나로 하는 것이 일반적이다. 거래종결을 앞두고 당사자들은 계약서에 규정된 여러 가지 선행조건이 충족되었는지를 검토하여야 하는데 그 중 중요한 하나가 진술·보증을 더 이상 진실하지 않게 하는 사유가 발생하지 않았는지 여부이다. 거래종결일 현재 진술·보증의 내용이 여전히 진실하다는 취지의 확인서(certificate)를 상대방으로부터 받는 경우도 있다.

이처럼 진술·보증의 진실성이 선행조건으로 규정되어 있다면, 이는 상대방 당사자의 계약상 의무에 대한 정지조건(민법 제147조 제1항)이 된다. 따라서 선행조건으로서의 진술·보증 조항에 관하여는, 계약을 통해 추단되는 당사자들의 의사에 반하지 않는 범위에서 정지조건에 관한 법리가 적용될 것이다. 예컨대 "조건 있는 법률행위의 당사자는 조건의 성부가 미정한 동안에 조건의 성취로 인하여 생길 상대방의 이익을 해하지 못"하므로(민법 제148조), 각 당사자는 선행조건 충족 전이라도 자신의 거래종결 의무 이행을 해하는 행위를 하여서는 안 된다. 일방이 신의성실에 반하여 자신의 의무이행에 관한 선행조건의 성취를 방해한 경우, 상대방은 그 조건이 성취된 것으로 주장할 수 있다(민법 제150조).

2) 손해배상청구 사유

많은 기업인수계약에서는 진술·보증이 거래종결일 현재[102] 진실이 아니었음이 드러난 경우를 매수인의 매도인에 대한 손해배상청구(indemnification) 사유로 하고 있다. 즉, "매도인의 진술·보증이 진실이 아닌 경우에는 매도인은 그로 인해 매수인이 입은 손해를 배상하고 제3자가 매수인 또는 회사를 상대로 제기한 청구로부터 매수인을 보호하여야 한다"는 취지의 조항이 통상 들어가는 것이다. 예컨대 회사가 공장부지에 대해 적법하고 완전한 소유권을 가지고 있다고 매도인이 진술·보증을 하였는데, 그 후 그 진술·보증이 거래종결 당시 사

---

101) 앞서 본 브링다운 문구가 있음을 전제한 것이다.
102) 앞서 본 브링다운 문구가 있음을 전제한 것이다.

실이 아니었음(즉 공장부지가 제3자 소유였음)이 밝혀지면, 매수인은 매도인을 상대로 자신이 입은 손해의 배상을 청구할 수 있다. 이에 관한 상세는 손해배상 조항 부분에서 후술한다.

3) 진술·보증 조항 자체의 의미 및 효과

간혹 졸렬한 계약문구 작성으로 인해, 진술·보증 조항은 삽입되어 있으나 그와 연계된 손해배상 조항, 선행조건 조항 등이 누락된 경우가 있다. 이 경우 진술·보증 조항 그 자체는 어떠한 의미가 있는가?

진술·보증 조항 자체는 특정한 사실 내지 법률관계를 기술한 것에 불과하다. 물론 영미법상 부실표시(misrepresentation) 법리를 응용하여, 진술·보증에 진실이 아닌 사항이 포함되어 있었다면 계약서상 선행조건 조항이나 손해배상 조항이 없더라도 계약의 취소, 이행거절 또는 손해배상 청구가 가능하다는 주장도 있을 수 있다. 그러나 그 계약의 준거법이 한국법인 이상 계약의 효력에 관한 문제는 한국법상의 일반 법리에 따라 해결되어야지 함부로 영미법을 유추 적용할 것은 아니라고 본다.

먼저 계약의 취소에 관하여 보면, 진술·보증의 위반이 민법 제109조에 의한 착오취소의 요건을 갖출 때에만, 즉 법률행위의 내용의 중요 부분에 착오가 있다고 보일 정도로 중대한 경우에만 취소 사유가 된다고 보아야 한다. 이는 당해 계약에 이르게 된 제반사정을 기반으로 취소를 주장하는 자가 입증할 사항이다.

다음으로, 명시적인 손해배상 조항이 없음에도 진술·보증 위반 효과로서 손해배상 청구권을 인정하는 것이 타당한지도 의문이 있다. 진술·보증 위반에 대한 손해배상 조항을 따로 두는 것이 일반적인 거래관행인 이상, 그러한 조항을 두지 않았다면 당사자 사이에 손해배상의무를 예정하지 않았다고 일응 추단될수 있고, 손해배상의무를 주장하는 쪽에서 그러한 의무의 존재를 입증하여야 할 것이기 때문이다. 물론 경우에 따라 진술·보증의 하자가 매우 중대하다면 명시적인 손해배상약정이 없더라도 불법행위 책임 또는 당해 주식의 매매에 관해 민법에 따른 하자담보책임을 물을 수 있을 것이다.

이와 관련하여 주식매수인이 대상회사의 실제 자산이 대차대조표상 자산에 미치지 못했음을 이유로 주식매도인을 상대로 손해배상을 청구한 사안에서, "이 사건 계약에 의하여 위 주식이 갖추어야 할 성질로서 예정된 소외 회사의 자산

과 실제 자산의 차액은 이 사건 매매대상 주식의 하자라고 할 것이고, 원고는
위 하자로 인하여 이 사건 계약체결시 고려한 이 사건 매매대상 주식의 1주당
순자산가치와 실제 1주당 순자산가치와의 차액만큼의 손해를 입었다"고 인정하
고 하자담보책임으로서의 손해배상의무를 인정한 하급심 판결이 있다.[103] 다만
하자담보책임을 묻는 경우 민법 제580조 제1항 단서에 따라 매수인의 선의, 무
과실이 요구되고 제582조에 따른 단기의 제척기간(그 사실을 안 날로부터 6개월)
이 적용된다.[104]

3. 손해배상 조항(indemnification)

가. 주요 내용

일방 당사자의 진술·보증이 사실과 다르거나 계약에 정해진 약정사항 기타
계약상 의무를 이행하지 아니하고, 그로 인하여 타방 당사자가 손해를 입게 된
경우, 위반 당사자는 그 손해를 배상하여야 한다는 취지의 조항이다. 매도인과
매수인 쌍방에 대해 부과되는 것이 원칙이나, 실제로는 매도인의 매수인에 대한
손해배상의무만이 주로 문제된다.

손해배상 조항에 관하여 당사자들 사이에서는 계약서 협상시 많은 쟁점들이
논의되기 마련이다. 그 대표적인 쟁점으로는 다음과 같은 것들이 있다.[105]

- 거래종결 후 언제까지 손해배상청구를 허용할 것인가(진술·보증의 존속기
  간 문제)[106]
- 손해배상을 유일한 구제수단(exclusive remedy)으로 규정할 것인가

---

103) 서울중앙지방법원 2006.8.24. 2005가합85097(미간행).
104) 서울중앙지방법원 2004.10.14. 2003가합52840(미간행, 항소 및 상고기각으로 확정)은 주
식매매계약이 체결된 후 대상회사가 다른 민사소송에서 패소함으로써 부채가 증가하자 매
수인이 매도인에게 손해배상을 구한 사안인바, 매수인이 여러 가지 청구원인 중 하나로
하자담보책임의 이행을 청구한데 대하여 법원은 민법 제580조 제1항 단서에 따라 매수인
의 선의, 무과실이 요구되는데 원고가 위 소송의 존재를 인식하고 있었으므로 하자담보책
임을 인정할 수 없다고 판시하였다.
105) 이에 관한 상세는 이진국·최수연, "M&A계약상 손해전보조항의 법적 쟁점,"「BFL」제68
호(서울대학교 금융법센터, 2014. 11.), 6~17면, 특히 12~14면 참조.
106) 이 기간을 서울고등법원 2007.1.24. 2006나11182(미간행)은 소멸시효로 보았으나, 이를
제척기간으로 보아야 한다는 견해도 있다(김홍기, 전게논문, 90~92면).

- 손해배상액에 최고액 제한(ceiling)을 둘 것인가, 둔다면 얼마로 할 것인가
- 일정액 미만의 사소한 사유는 배상 대상에서 제외할 것인가(de minimis 또는 per claim deductible 인정 여부)
- 손해액의 합계가 일정액 이상이 되는 경우에만 손해배상을 인정할 것인가 (basket 인정 여부)
- Basket이 있다면 그 금액을 얼마로 할 것이며, 그 금액을 단순한 통과기 준(threshold)로 할 것인가 공제액(deductible)으로 할 것인가

이러한 사항은 당사자들의 합의에 맡겨져 있으므로 시장상황, 대상회사의 상 황, 당사자들의 협상기술과 협상력에 따라 매우 다양한 결과로 나타난다. 즉 쟁 점은 정형화되어 있는 편이지만 그 처리방법은 매우 다양하다.107) 계약 협상에 임하는 자로서는 이러한 손해배상조항의 구조와 함의를 정확히 이해하고 문안 작성에 주의하여야 한다.

나. 진술·보증 위반에 따른 손해배상과 관련한 쟁점

1) 책임의 법적 성질

'진술·보증이 계약일 또는 거래종결일 현재 진실하지 않았을 것'이 손해배상 사유로 정해져 있는 경우, 이러한 손해배상의무의 법적 성격이 무엇인지에 관해 논의가 있다. 이에 대하여는 일본에서는 (i) 위반당사자의 고의, 과실이 필요하 지 아니한 채무불이행 책임이라는 견해,108) (ii) 계약상 의무의 존재 또는 그 불 이행, 고의, 과실이라는 요건을 전제로 하고 있지 않다는 점에서 이를 채무불이 행으로 보기는 곤란하고 특약에 기한 담보책임이라고 보는 견해109) 등이 있다.

국내에서는 (i) 하자담보책임의 일종이나 그 책임은 모든 M&A 거래가 아니 라 진술·보증 조항을 둔 경우에 한하여 성립하기 때문에 '약정하자담보책임'에 해당한다는 견해,110) (ii) 진술·보증 조항은 그 목적물이 갖추고 있어야 하는

---

107) 미국변호사협회(American Bar Association)에서는 이러한 주요 쟁점에 관해 기업인수계 약들이 어떤 입장을 취하고 있는지 매년 조사(survey)를 실시하여 유료로 제공하고 있으 나, 우리나라에서는 이에 관한 통계나 자료는 나와 있지 않은 것으로 보인다.

108) 岡内真哉, "表明保証違反による補償請求に際して, 買主の重過失は抗弁となるか," 「金融・ 商事判例」(2006. 4. 15.), 2~5面.

109) 金田繁, "表明保証条項をめぐる実務上の諸問題 (上) ― 東京地判平18.1.17.を題材として," 「旬刊金融法務事情」第1771号(2006. 5. 25.), 43~50面.

내용을 특약으로 정한 것이므로 목적물이 이에 부합하지 않을 경우에는 매도인이 계약의 내용대로 이행하지 아니한 것이 되어 채무불이행을 구성하므로 이에 대한 책임은 채무불이행책임이라는 견해,[111] (iii) 채무자의 고의·과실과는 무관하다는 점에서 채무불이행책임과는 근본적인 차이가 있고 계약서로 해결이 가능한 진술·보증 문제를 하자담보책임의 논리로 푸는 것도 적절하지 않으므로 진술·보증 위반책임은 약정 또는 특약에 따른 손해배상책임으로 이해하면 그만이라는 견해[112] 등이 있다. 이들 모두 설명방식에 다소 차이가 있을 뿐 그 근거를 계약에서 찾는다는 점에서는 동일하다고 본다.

대법원은 "매도인이 대상회사의 상태에 관하여 사실과 달리 진술·보증을 하고 이로 말미암아 매수인에게 손해를 입힌 경우에는 계약상 의무를 이행하지 않은 것에 해당하므로 일종의 채무불이행 책임이 성립한다"고 하여 그 법적 성질을 채무불이행 책임으로 보았다.[113] 그러나 후술하듯이 채무불이행 책임이라고 하여 반드시 매도인의 고의·과실이 필요하다고 한 것은 아니다.

2) 매도인의 주관적 사정

진술·보증 위반으로 인한 손해배상청구권이 성립하려면 매도인의 고의, 과실 등 주관적 귀책사유가 필요한가? 계약에서 그러한 사유가 필요 없음을 명시하였다면 매도인의 고의, 과실은 불필요하다고 보아야 할 것이다.[114] 반면 계약에서 매도인의 고의 또는 과실이 있는 경우에만 책임이 있는 것으로 정하였다면 그러한 특약 역시 존중되어야 함은 물론이다.[115]

문제는 계약상 매도인의 고의, 과실이 필요한지 여부에 관하여 별다른 정함이 없는 경우이다. 이에 관해서는 (i) 진술·보증 위반으로 인한 손해배상의무의 "본질"이 채무불이행이므로 채무불이행 책임의 "원칙"상 매도인의 고의, 과실이 필요하다는 입장, (ii) 진술·보증 위반으로 인한 책임이 사실상 매도인의 담보

---

110) 김홍기, 전게논문, 78면.
111) 김태진, "M&A 계약에서의 진술 및 보증 조항 및 그 위반,"「저스티스」제113호(한국법학원, 2009. 10.), 49면.
112) 서완석, "미국의 진술 및 보장 조항에 관한 최근 동향,"「선진상사법률연구」제67호(법무부, 2014. 7.), 107면.
113) 대법원 2018.10.12. 2017다6108.
114) 김태진, 전게논문(주 111), 52면.
115) 김홍기, 전게논문, 93~94면.

책임과 유사한 기능을 하는 것인 점에 비추어 매도인의 고의, 과실이 불필요하
다는 입장 등이 있을 수 있다. 그러나 이러한 이론적 접근보다는, (iii) 당사자의
의사에 따라 주관적 귀책사유의 요부를 달리 정할 수 있다는 점을 중시하여 과
연 당사자의 의사가 무엇인지를 탐구하는 것이 옳을 것이다.

그렇다면 당사자의 의사는 무엇일까? 진술·보증 위반시의 손해배상책임은
궁극적으로 양당사자의 가격산정 등 계약조건 합의의 전제가 되었던 사실에 변
경이 발생했을 때 이를 누구의 위험부담으로 처리할 것인가의 문제이므로, 매도
인의 주관적 비난가능성은 크게 의미 있는 요소는 아니다. 양 당사자에게 귀책
사유가 없는 경우에도 계약조건 합의의 전제사실에 변경이 발생한 이상 손해배
상 조항을 통해 그 이해관계를 조정할 필요가 있는 경우가 많을 것이고, 따라서
일반적인 경우에는 매도인의 고의, 과실에 관계없이 진술·보증 위반으로 인한
손해배상을 인정하려는 것이 당사자들의 의도일 것이다. 앞서 보았듯이 협상 과
정에서 매도인의 인식(knowledge) 여부에 따라 진술·보증의 효력범위를 조정
하려는 시도가 자주 이루어지는 것도 이를 반증한다. 즉, 매도인의 고의, 과실
또는 인식이 있는 경우에 한하여 진술·보증 위반으로 인한 손해배상을 부담하
려는 경우에는, 협상을 통해 이 점을 계약서상 명시("매도인이 아는 한 … "이라는
문구 삽입)하려고 하는 것이 일반적 관행인 것이다. 따라서 계약상 별다른 정함
이 없고 계약의 해석으로도 고의, 과실 요부에 관한 결론을 도출하기 어렵다면,
매도인의 고의, 과실은 진술·보증 위반으로 인한 손해배상청구권의 요건이 아
니라고 보아야 할 것이다.[116)]

대법원은 전술하였듯이 진술·보증 조항 위반으로 인한 손해배상책임을 채무
불이행책임이라고 하면서도, "계약서에 진술·보증 조항과 그 위반으로 인한 손
해배상 조항이 함께 있다면 그 조항에 따른 손해배상책임을 인정하여야 하고,
무과실책임인지 아니면 민법 제390조 단서가 적용되는 과실책임인지는 계약 내
용과 그 해석에 따라 결정해야 한다"고 하여 채무자의 과실이 필요한지 여부는
계약의 해석에 따른다고 본다. 다만 "이와 달리 계약서에 진술·보증 조항만 있
고 그 위반으로 인한 손해배상 조항이 없다면 민법 제390조를 비롯한 관련 규

---

116) 허영만, 전게논문, 31면. 일본에서도 표명보증책임은 무과실책임으로서 표명보증자의 고의
　　과실은 책임발생의 요건이 아니라는 것이 일반적인 견해이다. 青山大樹, "英米型契約の日
　　本法的解釈に関する覚書 (下) ― 前提条件, 表明保証, 誓約とは何か," 「NBL」(2008. 12. 15.),
　　78面 및 同所에서 인용하는 문헌 참조(반대 견해 있음).

정들에 따라 채무불이행 책임의 성립 여부를 판단하여야 한다"고 판시하여, 계약서에 손해배상에 관한 정함이 없는 경우에는 과실책임이 원칙일 것임을 시사하였다.[117)]

이와 관련하여 한 하급심 판결[118)]에서는 주식매매계약상 "재무제표가 중요한 부분에서 진실하고 매도인 및 자문기관의 고의 또는 중과실에 의하여 왜곡된 바 없다"는 취지의 진술·보증 약정에도 불구하고 재무제표에 반영되지 아니한 회사의 추가 부채가 발견된 사안에서, 실사 당시 매도인측의 고의, 중과실에 의하여 정보가 누락되거나 왜곡된 정보가 제공되었다는 이유로 매도인의 손해배상책임을 인정하였다. 이 판결은 마치 매도인의 고의, 과실을 요하는 것처럼 읽혀질 수도 있으나, 그것은 이 건에 있어 진술·보증 조항 자체가 "매도인의 고의 또는 중과실에 의하여 왜곡된 바 없을 것"이라고 되어 있기 때문에 그 위반 여부를 가리기 위한 것이었지 일반적으로 매도인의 고의 또는 중과실을 요구한 판결이라고는 볼 수 없을 것이다.[119)]

3) 매수인의 악의, 과실과 손해배상청구권의 성립 여부

매도인의 진술·보증이 사실과 다르다는 것을 매수인이 알면서 계약을 체결하거나, 계약체결 후 거래종결 이전에 이를 알게 되었는데 이행을 완료한 경우, 매도인을 상대로 진술·보증 위반을 이유로 손해배상청구권을 행사할 수 있는지가 문제된다.[120)]

물론 계약서에서 이 점을 명시해 놓을 수도 있다. 즉 진술·보증이 부정확하다는 사실을 매수인이 알고 있었는지 여부에 관계없이 손해배상청구권을 인정하는 이른바 pro-sandbagging 조항, 또는 반대로 매수인이 이를 알고 있었던 경우(또는 알 수 있었거나 알고 있었어야 하는 경우)에는 손해배상청구권을 인정하지 않는 이른바 anti-sandbagging 조항이 있는 경우에는 그에 따라 해결하면 된다.[121)]

---

117) 대법원 2018.10.12. 2017다6108.
118) 서울중앙지방법원 2005.12.22. 2005가합13658(항소심 서울고등법원 2007.1.24. 2006나 11182, 각 미간행). 이에 관한 평석으로 김홍기, 전게논문 참조.
119) 김홍기, 전게논문, 93~94면도 이를 당사자의 약정에 따른 판시로서 타당하다고 본다.
120) 이 쟁점에 관한 일본의 학설 및 미국의 판례에 관하여는 김태진, 전게논문(주 111), 39~ 45면; 지창구, 전게논문, 110~123면 참조. 미국에서의 최근 논의에 대해서는 서완석, 전게논문, 109~116면 참조.

문제는 계약서에 이 점이 명시되지 않은 경우이다. 이에 대해서는 (i) 매수인이 '고의'인 경우에는 손해배상청구권을 부정하고 경과실인 경우에는 인정하되, 중과실인 경우에는 판단을 유보하고 있는 견해,[122] (ii) 진술·보증 조항의 기능이 위험배분에 있음과 당사자들의 의사해석을 근거로 매수인이 악의인 경우에도 손해배상청구권을 인정해야 한다는 견해,[123] (iii) 매도인이 일단 '매수인이 실사 등을 통하여 당해 진술·보증 위반사실을 알았다'는 점만 입증하면, 매수인이 이러한 사유를 계약조건에 어떠한 형태로든 반영시켰을 것으로 추정하여 손해배상청구권을 부정하여야 한다는 견해,[124] (iv) 원칙적으로 악의의 매수인은 손해배상청구를 할 수 없지만, 매도인도 악의인 경우에는 일반적인 악의의 매수인인 경우와 달리 손해배상청구를 할 수 있다는 견해[125] 등이 제시되고 있다.

이 문제는 한화에너지 사건에서 대법원의 판단을 받게 되었다. 매수인인 원고(현대오일뱅크)는 매도인인 피고들(한화케미칼 등)로부터 대상회사인 한화에너지의 주식을 매수하였다. 그 주식매매계약에서 매도인은 "대상회사는 대한민국의 법령을 위반하고 있지 않다"는 취지로 진술·보증하였는데, 실제로는 대상회사가 '독점규제 및 공정거래에 관한 법률'에 위반하여 담합에 참여하였음이 밝혀져 대상회사는 거액의 과징금을 부과받고 민사상 손해배상의무를 부담하게 되었다. 이에 매수인은 매도인에게 진술·보증 위반에 따른 손해배상을 구하였는데, 문제는 매수인 역시 이 담합의 일원이었으므로 악의인 매수인에 해당한다는 점이다.[126] 과연 주식매매계약상 진술·보증이 사실이 아님을 알고 있는 매수인도 매도인의 책임을 물을 수 있을까?

1심 법원은 진술·보증 조항의 위반에 대한 보상은 매수인의 선의·무과실

---

121) 서완석, 전게논문, 110~111면; 이준기, "진술 및 보장 위반에 관한 매수인의 악의의 법적 효과 — 샌드배깅에 관한 고찰 —,"「BFL」제68호(서울대학교 금융법센터, 2014. 11.), 20~25면.

122) 김홍기, 전게논문, 81~83면.

123) 허영만, 전게논문, 33면.

124) 김태진, 전게논문(주 111), 57면. 이는 그러한 추정이 번복되는 경우에는 악의의 매수인도 손해배상청구를 할 수 있다는 점에서 (i)설과 구분된다. 김태진, "M&A계약의 진술 및 보장조항에 관한 최근의 하급심 판결 분석,"「고려법학」제72호(2014. 3.), 450면도 참조.

125) 이동진, "기업인수계약상 진술·보증약정 위반과 인수인의 악의,"「서울대학교 법학」제57권 제1호(2016), 192~194면.

126) 물론 이 사건 주식매매계약을 담당한 매수인 측 담당 임직원이 가격담합 사실을 알았으리라고는 단정하기 어려우나, 매수인 법인 자체에 '인식'이 귀속된다고 보면 결국 악의의 매수인에 해당한다.

을 요건으로 하지 않는다고 보았으나,[127] 2심 법원은 신의칙 및 공평의 이념상 악의의 매수인은 보상청구를 할 수 없다고 보았다.[128] 그러나 대법원은 매수인의 악의 여부에 상관없이 매도인의 손해배상의무를 인정하였다.[129] 그 근거로는 ① 이 사건 계약서에는 원고가 계약체결 당시 이 사건 진술·보증 조항의 위반 사실을 알고 있는 경우에 손해배상책임이 배제된다는 내용이 없는 점, ② "(불확실한 상황에 관한) 경제적 위험의 배분과 주식양수도대금의 사후조정의 필요성은 원고가 피고들의 진술·보증한 내용에 사실과 다른 부분이 있음을 알고 있었던 경우에도 여전히 인정"되는 점, ③ 이에 비추어보면 이 사건 계약서에 나타난 당사자의 의사는, 양수도 실행일 이후에 진술·보증 조항의 위반사항이 발견되고 그로 인하여 손해가 발생하면, 원고가 그 위반사항을 계약체결 당시 알았는지 여부와 관계없이 피고들이 원고에게 손해를 배상하기로 합의한 것으로 봄이 상당하다는 점, ④ 공정거래위원회가 이 사건 담합행위에 대한 조사를 개시한 것은 이 사건 계약에 따른 양수도 실행일 이후여서 계약 체결 당시에는 원고가 거액의 과징금 부과 가능성을 예상하고 있었을 것으로 보기 어렵다는 점 등을 들었다. 나아가 매수인이 악의라 하여 그의 손해배상청구가 공평의 이념 및 신의칙에 반한다고 보기도 어렵다고 판시하였다.

4) 손해배상의 범위

진술·보증 조항에 위반이 있는 경우 손해배상의 범위도 실무상 자주 다투어진다. 계약서상 손해배상의 범위와 금액을 산정하는 방법을 정하고 있는 경우에는 원칙적으로 그에 따라야 하고, 계약서상 그런 정함이 없는 경우에는 '매수인이 소유한 대상회사의 주식가치 감소분' 또는 '매수인이 실제 지급한 매매대금과

---

127) 서울중앙지방법원 2007.12.18. 2002가합54030(미간행).

128) 서울고등법원 2012.6.21. 2008나19678(미간행).

129) 대법원 2015.10.15. 2012다64253. 이 판결에 대한 평석으로, 김연미, "진술 및 보증 조항의 쟁점과 함의: 대법원 2015.10.15. 선고 2012다64253 판결을 중심으로,"「금융법연구」제14권 제3호(2017); 김희중, "악의의 주식양수인이 '진술 및 보증조항' 위반을 이유로 손해배상청구를 할 수 있는지 여부,"「BFL」제76호(서울대학교 금융법센터, 2016. 3.); 정영철, "주식매수인이 악의인 경우 진술과 보장위반을 이유로 한 손해배상청구가 가능한지 여부,"「선진상사법률연구」제73호(법무부, 2016); 최승재, "기업 인수 과정에서의 진술과 보증조항의 의미: 대법원 2015.10.15. 선고 2012다64253 판결을 중심으로,"「경영법률」제26집 제3호(한국경영법률학회, 2016) 등 참조. 한편 이 판결은 손해배상의무의 존부에 관한 것이었고, 같은 사건에서 손해배상의 범위에 관하여는 2018년에 두 번째 대법원 판결이 내려졌다.

진술·보증 위반을 반영하였을 경우 지급하였을 매매대금의 차액'을 산정하는
방법으로 손해배상액을 정해야 할 것이다.[130]

예컨대 전술한 한화에너지 사건의 주식매매계약에서는 진술·보증 조항의 위
반으로 인한 손해배상책임에 관하여 "대상회사 또는 매수인에게 손해가 발생한
경우 현금으로 원고에게 배상한다"고 정하고 있었다. 대법원은 "[이] 문언에 따
르면, 피고들이 진술·보증한 것과 달리 기업지배권이 이전되는 시점 이전의 사
유로 [대상회사]의 우발채무가 발생하거나 부실자산 등이 추가로 발견되면 특별
한 사정이 없는 한 그 금액이 진술·보증 위반으로 원고가 입게 되는 손해이고,
나아가 원고가 직접 비용을 지출하는 등으로 손해를 입었다면 그 또한 손해에
포함된다"고 하면서, 대상회사가 담합행위의 결과로 부담한 과징금, 손해배상,
벌금, 소송비용은 해당 계약서에서 말하는 '대상회사에 발생한 손해'에 해당한다
고 하였다.[131] 다만 일반적으로 매수인의 손해는 대상회사에 발생한 손해 전액
이 아니라 그것에 주식매매계약의 이행으로써 매수인이 취득하게 된 지분율을
곱한 금액이 되어야 할 것이다.

한편 대우건설 사건에서는 대상회사에 "현재 진행 중인 소송이나 분쟁이 없
다"는 진술·보증에도 불구하고 실제로는 일조권 침해 분쟁이 있었던 경우에 매
수인이 청구할 수 있는 손해배상의 범위가 문제되었다. 대법원은 "대상회사에
대한 소송이나 분쟁의 존재는 우발채무에 따른 손실로 이어질 가능성이 있어 진
술·보증의 대상으로 삼는 것"이라고 하면서 "소송 또는 분쟁으로부터 직접 그
리고 자연스럽게 도출되거나 합리적으로 예상 가능한 범위의 손해에 관하여는
매도인이 그에 관한 배상책임을 부담하여야 한다"고 보았다. 그리하여 대상회사
가 시공한 아파트 신축으로 인근 초등학교에 일조권 침해가 문제되고 공사중지
가처분이 제기되자, 그 사건의 항고심에서 대상회사가 초등학교 건물을 전면 재
건축해 주기로 조정이 성립하였다면, 그로 인한 비용지출은 소송으로부터 직접
그리고 자연스럽게 도출된 것이고 합리적으로 예상 가능한 범위 안에 있다고 보

---

130) 대법원 2018.10.12. 2017다6108.
131) 대법원 2018.10.12. 2017다6108. 환송 후 판결에서는 대법원 판결의 취지에 따라 손해배
상액을 계산하면서도, 원고가 한화에너지의 공정거래법 위반 사실을 알고 있었던 점,
1999년 담합행위가 이 사건 주식양수도계약 거래종결일 이후에도 이루어진 점, 원고가 인
수한 주식비율이 38.8%에 불과한 점 등을 근거로 피고들의 손해배상책임을 40% 감액하
였다. 서울고등법원 2019.8.22. 2018나10526.

았다.[132]

5) 매수인의 주식 계속소유 要否

진술·보증 조항 위반에 대한 손해배상청구권을 행사하기 위해 매수인은 계속 주식을 보유하고 있어야 하는가? 진술·보증 조항 위반에 대한 손해배상청구권은 주주의 지위에서 인정되는 것이 아니라 계약당사자의 지위에서 인정되는 것이다. 만약 매도인의 진술·보증 조항 위반으로 대상회사에 손실이 발생하고 그로 인해 매수인이 새로운 매수인에게 책임을 부담하게 되었음에도, 매수인이 주식을 매각하여 주주의 지위에 있지 않다는 이유로 당초의 매도인에게 책임을 물을 수 없는 결과에 이른다면 경제적 위험의 적정한 배분이라는 진술·보증 조항의 목적에 반하게 된다.[133] 따라서 당사자들 사이에 특별한 합의가 없다면 매수인이 대상회사의 주식을 처분하더라도 손해배상청구 및 액수 산정에 별다른 영향을 미치지 않는다.[134]

6) 재무제표의 부실과 손해배상액의 산정 문제

재무제표에 대한 진술·보증된 내용이 사실이 아닌 경우 그로 인한 손해배상액을 어떻게 산정할 것인지 문제된다. 예컨대 "재무제표가 회사의 재무상태를 적정하게 표시하고 있다"는 취지의 진술·보증이 있는데, 실제로는 자산의 과다계상 또는 부채의 과소계상 등으로 인하여 실제 순자산이 재무제표에 기재된 순자산보다 적은 경우가 있다. 이 경우 재무제표에 관한 진술·보증 위반으로 인한 매수인의 손해액이 순자산 부족액(에 매수인의 지분율을 곱한 금액)인지 아니면 그와 같이 감소한 순자산을 전제로 평가한 가치평가액의 감소분(에 매수인의 지분율을 곱한 금액)인지가 문제된다.

예컨대 대상회사의 재무상태표에 나타난 재고자산이 실제보다 10억원만큼 과다계상되고 미지급금이 실제보다 10억원만큼 과소계상되었다면 순자산은 20억원만큼 과다계상된 것이다. 그런데 당초 재무제표에 나타난 정보를 기초로 현금흐름할인법에 따라 계산한 기업가치는 250억원이었는데 실제 상황을 기초로 현금흐름할인법에 따라 계산한 기업가치는 210억원이라고 가정하면, 가치감소액

---

132) 대법원 2018.7.20. 2015다207044.
133) 대법원 2018.7.20. 2015다207044; 2018.8.1. 2015다209583.
134) 대법원 2018.7.20. 2015다207044; 2018.8.1. 2015다209583.

은 40억원에 이른다.[135] 이 때 매수인이 대상회사의 100% 지분을 취득하였다고 가정하면, 매수인의 손해액이 순자산 부족액 20억원인지 아니면 그와 같은 순자산 부족액이 가치평가에 미친 영향인 40억원인지가 문제되는 것이다.

이러한 경우 적어도 순자산감소액 20억원은 재무제표가 진실했더라면 존재했을 이익상태와 실제의 이익상태와의 차이에 해당하므로 차액설에 따른 매수인의 손해로 인정되어야 할 것이다. 나아가 "재무제표에 그와 같은 잘못이 없었더라면 매수인이 40억원만큼 매매가격을 덜 지급했을 것"임이 입증된다면 40억원까지도 차액설에 따른 손해로 인정될 수 있을 것이다. 그러나 후자(40억원)의 사항이 입증되지 않았다고 하여 전자(20억원)의 손해까지 부정되는 것은 아니라고 보아야 할 것이다.

4. 선행조건 조항(condition precedent)

선행조건이란 계약의 이행, 즉 매도인은 주식이나 자산을 이전하고 매수인은 대금을 지급하는 거래종결(closing)이 이루어지기 위해 충족되어야 하는 조건을 말한다. 매도인 및 매수인의 이행의무의 정지조건이라고 할 수 있다.[136]

일반적으로 선행조건으로 규정되는 사항으로는 다음과 같은 것들이 있다.

- 계약의 체결 및 이행을 위하여 필요한 매도인, 매수인, 대상회사의 이사회 승인 등 모든 내부절차를 거쳤을 것
- 계약이행에 필요한 채권자의 동의나 권리포기 또는 필요한 정부기관의 인허가를 모두 얻었을 것
- 계약이행을 제한하거나 금지하는 소송 기타 법적 절차가 진행되고 있지 않고 그러한 우려도 없을 것
- 계약체결 후 상대방 당사자에 의한 (중대한) 계약의 불이행이 없었을 것

---

135) 계속기업으로 존속하는 기업이라면 현금흐름할인법에 따라 계산한 기업가치가 순자산가치보다 큰 것이 원칙이다. 만약 그렇지 않다면 그 기업은 계속기업으로 존속하는 것보다 자산을 처분하여 청산하는 편이 나을 것이다. 따라서 특히 순자산감소가 유동자산의 과다계상 및 유동부채의 과소계상으로 인해 초래된 경우에는, 순자산감소액 그 자체보다 그것이 현금흐름할인법에 따른 기업가치평가액에 미친 부정적 영향이 더 크게 될 수 있다.

136) 선행조건 조항의 계약문구 사례와 실무적 쟁점에 관하여는, 이영민·김태오, "M&A계약의 거래종결 선행조건조항의 쟁점," 「BFL」 제67호(서울대학교 금융법센터, 2014. 9.), 19~35면.

- 상대방 당사자의 약정사항과 진술·보증사항에 (중대한) 위반이 없을 것
- 계약체결 후 회사에 중대하게 부정적인 사정변경(material adverse change: MAC)이 없을 것[137]

이와 같이 합의된 선행조건이 일정한 날짜(이른바 drop-dead date 또는 long stop date)까지 충족되지 않으면 계약이 자동 실효되는 것으로 정하거나 또는 해제할 수 있는 것으로 정하기도 한다. 그 날짜까지 선행조건을 충족하는 것이 불가능하다고 판명되는 경우에는 그 날짜 이전에도 계약의 해제권이 발생한다고 정하는 경우도 있다.

선행조건 중에서 실무적으로는 각국의 기업결합승인을 받아야 한다는 점이 매우 중요하다. 각국 경쟁법의 역외적용 시도로 인해, 하나의 거래는 그 거래가 영향을 미치는 다양한 나라의 경쟁법에 따른 기업결합신고를 하고 승인을 받아야 하는 경우가 많다. 이 때 그 승인은 단순승인 또는 불허가 아니라 일정한 행태적 시정조치(일정한 공장 매각, 가격인상 제한 등)를 수반한 조건부 승인인 경우도 많다.

이러한 조건부 승인 내지 시정조치를 수반한 승인이 내려진 경우에 이를 조건성취로 볼지 여부가 문제될 수 있다. 예컨대 점포가 30개인 유통업체의 주식 전부를 인수하는데 그 중 5개에 대해 매각명령이 나왔다면 이는 조건이 성취된 것인가, 불성취된 것인가? 매각명령이 1개 점포에 대해 나왔다면? 10개 점포에 대해 나왔다면? 이러한 경우에 조건의 성취 여부, 즉 계약 이행의무가 있는지 여부에 관하여 분쟁의 여지를 사전에 없애려면, 매도인과 매수인으로서는 미리 기업결합 승인의 가능성, 예상되는 시정조치 등을 검토하여 조건성취와 불성취를 판단할 구분 기준을 계약서에 정해 놓아야 할 것이다.

---

137) '중대한 부정적 영향(material adverse effect; MAE)' 또는 '중대한 부정적 변화(material adverse change: MAC)' 조항에 관한 국내 M&A계약실무에 있어서의 구체적인 계약문구와 상세한 실무적 쟁점에 관해서는, 신영재·황병훈, "중대한 부정적인 변경조항의 쟁점," 「BFL」 제67호(서울대학교 금융법센터, 2014. 9.), 6∼18면 참조. 이에 관한 미국의 판례와 사례에 관하여는, 정영철, "기업인수계약상 '중대한 악영향' 조항에 관한 실무연구," 「상사법연구」 제26권 제4호(한국상사법학회, 2008), 273∼300면 참조.

5. 약정 조항(covenants)

가. 개   관

약정조항은 특정한 작위 또는 부작위를 약속하는 내용의 조항이다. 매도인과 매수인 모두 일정한 약정을 하지만 매도인의 약정이 주를 이룬다. 진술·보증 조항이 과거나 현재의 사실을 대상으로 하는 데 비하여 약정조항은 장래의 행위를 대상으로 하는 것이다.

약정조항은 상대방의 동의를 얻지 않고는 일정한 행위를 하지 않겠다는 소극적 약정 내지 부작위 약정(negative covenants)와 일정한 행위를 하겠다는 적극적 약정 내지 작위약정(positive covenants)으로 구분된다. 대부분 계약체결시로부터 거래종결시까지의 기간 동안에 관한 것이나, 거래종결 이후의 약정을 일부 포함하는 경우도 있다.

나. 거래종결전 약정

거래종결전 약정(pre-closing covenants)에 포함되는 대표적인 사항으로는 다음과 같은 것들을 들 수 있다.

- 매도인이 거래종결시까지 대상회사를 통상적인 경영(ordinary course of business)을 벗어나지 않는 방법으로 경영하겠다는 약정
- 매도인이 거래종결시까지 일정 규모 이상의 차입이나 신규투자 등 기업가치에 중대한 영향을 미칠 수 있는 행위를 하지 않겠다는 약정
- 실사과정에서 확인된 특정한 문제 사항을 매도인이 해결하겠다는 약정
- 매도인이 매수인에게 기업정보에 대한 접근을 허용하겠다는 약정
- 기업인수계약 거래종결의 선행조건(정부인허가, 이사회승인, 주주총회승인 등)을 매도인이 이행하겠다는 약정
- 거래당사자와 합의한 정관변경, 임원선임 등의 조치를 매도인이 이행하겠다는 약정

이 중 마지막으로 언급한 정관변경, 임원선임 등에 관하여 부연하고자 한다. 일반적으로 매수인이 주식양수 후에 주주총회를 개최하여 정관변경, 임원선임

등을 하면 되므로 굳이 이를 매도인의 약정사항으로 정할 필요가 없다고 생각하기 쉽다. 그러나 다음과 같은 점들에 주의해야 한다.

첫째, 매수인 측 인사를 임원으로 선임하고 필요한 정관변경을 하는 주주총회일이 의도와 달리 거래종결일보다 먼저 도래하게 될 수 있다. 특히 상장회사는 임시주주총회 소집에 최소 6주 이상 소요되므로, 국내외 경쟁당국의 기업결합승인 등 관련 인허가를 모두 마친 다음에 총회 소집절차를 시작하면 매수인 측 인사의 임원선임이 지나치게 지연된다. 따라서 정확한 기업결합승인일과 거래종결일을 아직 확정할 수 없는 상태에서 일단 예측에 기해 총회일을 정하고 총회소집 절차를 시작해야 하는 경우가 있는데, 예측과 달리 아직 필요한 기업결합승인 등을 받지 못해 거래종결을 하지 못한 상태에서 주주총회일이 먼저 도래하는 상황이 발생할 수 있다. 이처럼 거래종결보다 앞선 날짜에 주주총회를 개최하게 되는 경우에는 임원선임 및 정관변경 결의를 하되 거래종결을 조건으로 효력을 발생하도록 하는 실무례가 있다.

둘째, 매도인이 당해 거래종결 뒤에도 대상회사의 주주로 남게 되어 매도인과 매수인 간의 주주간 계약이 필요한 경우가 있다. 이때에는 그 주주간 계약의 내용을 정관에 반영하기 위하여 정관변경이 필요한 경우가 많고, 그 주주간 계약에 따른 임원선임(대개 매수인이 지명하는 일정한 사람을 이사로 추가 선임)도 필요하다. 이것은 매수인의 입장에서 보면 거래종결의 선행조건이지만, 매도인의 입장에서 보면 아직 대금도 지급받지 못했는데 매수인의 이익을 반영한 정관변경 및 임원선임을 미리 마치는 것도 적절하지 않다. 그렇다고 해서 주주총회 결의와 거래종결을 정밀하게 동시에 이행하기도 어렵다. 이에 실무적으로는 거래종결보다 앞선 날짜에 주주총회를 개최하되, 임원선임 및 정관변경 결의는 거래종결을 조건으로 효력을 발생하도록 하는 예가 있다.

셋째, 주주총회가 거래종결 이후에 개최되지만 기준일이 그 전이어서 매도인이 여전히 주주로서의 권리를 갖는 경우인데, 이는 후술한다.

다. 거래종결후 약정

거래종결후 약정(pre-closing covenants)에 포함되는 대표적인 사항으로는 다음과 같은 것들을 들 수 있다.

- 거래종결 후 일정기간 동안 매도인은 대상회사의 영업과 동종 또는 유사의 영업에 종사하지 않겠다는 약정
- 거래종결 후 일정기간 동안 매수인은 대상회사의 임직원을 정리해고하거나 인위적인 인원감축을 시도하지 않겠다는 약정138)
- 이른바 M&A 상여금 지급에 관한 약정139)
- 거래종결 후에 개최되는 대상회사 주주총회의 기준일 현재 주주가 매도인인 경우 주주로서의 권리를 행사하지 않거나 위임하겠다는 약정

이 중 마지막 사항에 관하여 부연하면 다음과 같다. 거래종결 후에 개최되는 주주총회의 기준일이 거래종결일 이전의 날짜여서, 그 날의 주주명부상 주주인 매도인이 의결권을 가지는 경우가 종종 있다. 그 경우 이미 대금지급과 주식의 소유권이전이 완료되었음에도 불구하고 법적으로는 매도인이 주주로서의 권리를 행사할 수 있게 되어 경제적 실질 및 당사자들의 상식적 이해에 반하게 된다. 기준일 변경 등에 의해 이 문제를 사전에 해소할 수 없다면, 주식양수도계약상 약정사항의 하나로 매도인이 매수인의 지시에 따라 의결권을 행사할 것과 그러한 내용의 철회불능 위임장을 매수인에게 미리 교부할 것을 정해야 할 것이다.140)

라. 다른 조항과의 관계

앞서 보았듯이 '타방 당사자가 약정조항을 불이행하지 않았을 것'이 통상 선행조건의 하나로 기재된다. 따라서 일방 당사자(주로 매도인)가 약정조항을 위반한 때에는 상대방 당사자(주로 매수인)는 거래종결일에 계약의 이행을 거절할 수 있음은 물론, 일정 기간 내에 그러한 위반이 치유되지 아니하여 선행조건이 충족되지 않는 때에는 계약서에 정한 바에 따라 해제권을 행사함으로써 자신의 계약상 의무에서 벗어날 수 있다. 또한 약정조항의 위반을 이유로 계약에 따른 손해배상(indemnification)을 청구할 수도 있다. 즉 약정조항의 실효성은 선행조건 조항 및 손해배상 조항에 의해 확보된다고 할 수 있다.

---

138) 이는 앞서 보았듯이 입찰을 통한 기업매각시 고용보장 약정을 우선협상대상자가 되기 위한 필수요건 내지 중요한 배점사유로 하고 있는 것과 일맥상통하는 것으로서, 입찰시에 이루어진 고용보장 약정을 본계약에 반영한 것이다.
139) 이에 관한 상세는 천경훈, 전게논문(주 4), 154~155면.
140) 철회불능 위임장을 받았음에도 불구하고 매도인이 위임을 철회하고 법원이 위임철회의 유효성을 인정할 경우에 대비하여 대금 일부에 대한 질권 설정 등도 해 두는 편이 좋을 것이다.

제 3 절 주식의 포괄적 교환 및 이전

김 태 진*

I. 서   설

1. 도입 배경

1999년 독점규제 및 공정거래에 관한 법률(이하 '공정거래법')의 개정으로 지주회사의 설립이 허용되었다. 그리고 보다 효율적인 경영을 위하여, 신속하고도 원활하게 기업을 구조조정하기 위하여 다양한 형태의 기업결합 및 조직변경제도를 법적으로 허용하여야 한다는 전제 하에 2001년 개정상법은 주식의 포괄적 교환제도 및 포괄적 이전제도를 도입하여 위 공정거래법의 규정에 대응한 상법상 법적 근거를 마련하게 되었다.[1]

주식의 포괄적 교환·이전제도는 기업이 추가 비용 없이(현금 없이) 주식을 발행하는 것만으로 완전한 모회사가 되도록 하는 제도로서 현행 제도들의 절차, 비용의 한계를 극복하면서 기본적으로 기업의 물적 조직은 그대로 둔 채 인적 조직만 이전시켜 완전 모자회사관계인 순수지주회사 설립을 가능하게 해준다이다.[2]

주식의 포괄적 교환이란 A주식회사와 B주식회사 사이에, 인수회사(예컨대, A회사; 이를 완전모회사라 한다)가 대상회사(B회사; 이를 완전자회사라 한다)를 100% 소유하기로 하는 조직법상의 거래이다. A회사와 B회사 사이에 계약(주식교환계

---

 * 고려대학교 법학전문대학원 교수, 변호사
 1) 임홍근, 「한국상법전50년사」, 법문사, 2013, 340면.
 2) 거래계에서는 종종 회사들 사이에 계약으로 서로의 지분(주식)과 지분(주식)을 맞교환하기도 한다(예컨대 2021년 3월경 (주)네이버는 자사주를 신세계그룹 내 이마트와 신세계인터내셔날의 주식과 2,500억 원 상당의 규모로 지분(맞)교환을 하였다). 실무상 '지분 교환'이라고도 하는데 이는 당사자 사이의 지분교환계약일뿐, 상법상 조직법적 규율의 일환인 '주식의 포괄적 교환'과는 전혀 다르다. 이하 본문에 나오는 '주식교환'은 지분 교환을 지칭하는 것이 아니라 '주식의 포괄적 교환'의 약칭으로 이해하면 된다.

약)에 의해 B회사의 주주들이 소유하는 B회사의 주식을 전부 A회사에게 이전하고, A회사는 B회사의 주주들에게 그 대가로 A회사의 주식을 발행하는 형태가 된다. 주식의 포괄적 이전이란 A회사를 신설하여 이러한 거래를 한다는 점만 차이가 있을 뿐 기본적인 구조는 주식교환의 경우와 같다.

주식의 포괄적 교환·이전 제도는 일반적으로 (i) 완전지주회사관계를 창설하는 데에 도움을 주고, (ii) 주식취득형의 기업결합제도로서의 의미를 가지며 (iii) 소수주주 축출제도로 일보 전진하게 된 제도로서 평가받고 있다.[3]

물론 주식의 포괄적 교환·이전 제도가 적극적으로 활용되기 위하여 세무상의 혜택도 따라야 한다. 그러나 아직까지는 이 제도에 대한 기업선호도가 높지 않아[4] 국내에서는 완전지주회사를 창설하는 것 이외에는, 기업결합 측면에서의 활용도는 합병제도만큼 높지는 않다. 오히려 비합법적인 증여 내지 상속의 수단으로 악용될 여지가 있고, 주식물량이 늘어나는 결과 기존 주주들이 피해를 입을 수 있다는 점, 완전지주회사로의 전환에 많은 비용이 소요될 뿐 아니라, 지주회사로의 전환이 일반화할 경우 경제력 집중 현상이 가속화 할 가능성이 있다는 점 등이 관련 문제점으로 지적되기도 한다.

2. 주식의 포괄적 교환·이전이 활용된 사례 및 향후 검토과제

국내에서는 2001년 신한은행이 계열사였던 신한증권, 신한캐피탈, 신한투자신탁운용, e신한, 신한맥쿼리금융자문 등 6개의 금융기관과 함께 주식의 포괄적 이전제도(교환제도와 거의 동일하나 인수하는 주체로서 신설회사를 이용한다는 차이만 있다)를 이용하여 같은 해 9월 신한금융지주회사 및 그 자회사체제로 출범[5]하였고 그 후 2002년 6월 신한카드, 같은 해 7월 신한신용정보, 같은 해 10월 SH&C 생명보험, 신한BNP파리바투자신탁운용 등이 자회사로 편입되었다.

---

3) 노혁준, "주식의 포괄적 교환·이전에 관한 연구," 서울대학교 법학박사학위논문(2002. 8.), 52~54면.

4) 우리나라에서는 기업집단을 형성함에 있어 자회사를 100% 지배하는 형태가 선호되지 않기 때문으로 분석되는바, 국내의 유력한 견해는 자회사에 소액주주가 존재한다는 것이 자회사의 완전한 지배에 그다지 장애가 되지 않기 때문으로 보고 있다: 송옥렬, 「상법강의」 제11판(홍문사, 2021), 1254면.

5) 신한은행이 2001. 6. 28. 금융위원회에 제출한 주식교환·이전 결정 보고서. http://dart.fss.or.kr/dsaf001/main.do?rcpNo=20010628000184

이는 금융지주회사법에 따른 것이기는 하지만 주식의 포괄적 이전을 활용한 국내의 대표적인 사례이기도 하다. 특히 금융지주회사로의 지배구조 개편은 지주회사가 전체 기업전략 결정과 자원배분의 기능을 담당하고 그 아래 다양한 종류의 금융기관들, 예컨대 은행, 증권, 카드, 보험, 캐피탈, 투자회사 등이 자회사 형태로 존재함으로써 금융그룹 전체의 시너지 창출을 도모하고 또 지주회사에 속한 여러 자회사들이 중앙집권적인 통제를 받는 것이 아니라, 독립적인 경영을 통해 자율권을 행사할 수 있다는 장점이 있다.

지주회사 형태를 갖추지 않고 여러 가지 사업으로 다각화를 구축한 일반기업은 상호 순환 형태를 취하고 있으므로 한 축을 이루는 고리가 무너지면 연쇄로 타격을 입는 것과는 달리, 이렇듯 지주회사 본사와 자회사가 독립적인 기업 간 거래관계에 놓이면 각각의 실물 사업부문도 독립적인 기업들로 존재하면서 자신들이 속한 산업 환경에서 보다 빠른 의사결정을 내릴 수 있는 책임경영이 가능하다는 것이다.[6]

다만, 주식의 포괄적 이전 후 10년이 채 경과하기도 전인 2010년 신한금융지주와 사업회사인 신한은행의 두 최고경영자 사이에 갈등 내지는 권력다툼이 발생하였는데, 주식의 포괄적 이전을 통하여 수립된 기업 내 수직적인 지휘, 계통관계 속에서 개별 자회사의 경영판단과 지주회사의 경영판단이 충돌할 때 어느 정도로 자회사의 독립적인 경영이 확보될지, 지주회사 주주들에게 이중대표소송 등을 허용하여 자회사 경영에 대한 경영진의 책임을 물을 수 있는지 등이 앞으로 더 논의되어야 하는 부분이다.

나아가 주식의 포괄적 교환·이전 등을 통해 기업재편이 이루어질 때 기존 주주의 지위가 주식교환·이전을 통해 변동되는데 그로 인해 기업재편 이전 시점에 종전의 주주 지위에서 제기되었던 각종 회사소송에서의 원고적격이 여전히 유지되는지가 문제될 수 있다. 만약 원고적격이 주주 지위 변동으로 인해 상실된다고 보면 경영진이 주도하는 기업구조조정수단으로서의 주식교환·이전이 자칫 주주에 의한 회사소송 자체를 무력화시키는 도구로 악용될 소지도 있기 때문이다.

---

6) 박철순·진문균·신동훈, "기업지배구조로서 지주회사체제의 성공적 도입 및 실행: 신한금융지주회사," 「KBR」 제14권 제1호(2010. 8.), 22~23면.

Ⅱ. 주식의 포괄적 교환·이전 제도

1. 제도적 연혁

주식의 포괄적 교환·이전제도 도입 이전에도 주주간의 주식양수도 거래나 영업의 현물출자 등을 이용하여 지주회사를 설립할 수도 있었다. 그러나 주주간의 주식양수도 거래의 경우는 일방 주주가 원해도 상대방 주주로 하여금 당해 주식양수도 거래에 반드시 응하도록 강제할 방법이 없었고(사적 계약이기 때문에), 또 현물출자의 경우 검사인 선임을 청구해야 하고 나아가 검사인의 조사, 보고절차를 통하여 법원이 변경처분을 할 가능성이 있는 등 법원의 개입으로 인한 불확실성을 배제하기 어렵기 때문에 그다지 활용되지 못하였다.

과반수 지분 확보만으로도 충분히 이사 선임 등 경영상 지배를 할 수 있지만 완전모자회사 관계가 되면 다른 주주와 공존하면서 이해 갈등으로 인해 발생할 수 있는 비용(소수주주권 행사에 대한 방어비용, 영업양도나 합병, 분할 등 사안에서 주식매수청구권을 행사함으로써 발생하는 조직재편의 추가비용, 의사결정 지연에 대한 비용 등)도 줄일 수 있다.[7] 이처럼 자회사에 소수주주가 존재하는 이상 자회사에 대한 경영전략에 유연성이 없어지고 기업의 매수를 주저하게 되는 요인으로 예상되어 주식의 포괄적 교환(이전)을 통해 완전자회사로 편입할 수 있도록 하게 하면 양사 주주 간 이해상충 가능성을 차단하는 동시에, 그룹의 시너지영업 추진 등 전략실행 및 자원배분의 효율성을 제고할 수 있을 것으로 보아 도입된 것이다.[8]

법문상 주식의 '교환'이라는 용어를 사용하여 마치 계약에 의한 주식의 상호 이전을 떠올리게 하지만, 여기서의 교환계약 당사자는 모회사와 자회사이며, 그 효과로서 자회사 주주의 소유주식이 모회사로 이전되고 그 자회사 주주들이 모회사의 주주가 되는 효과가 발생하므로 계약에 의한 효력으로는 설명하기 어렵고 상법에서 정한 조직법적 원인에 의한 권리변동으로 보아야 한다.[9]

---

7) 이철송, 「회사법강의」 제29판(박영사, 2021), 1176면.
8) 이기수·최병규, 「회사법」 제9판(박영사, 2011), 727면.
9) 이철송, 전게서, 1179면.

비교법적으로는 미국(수정모델회사법: RMBCA Sec.11.03) 및 일본(일본 회사법 제767조 이하)의 영향을 많이 받았다. 구체적인 조문의 형태는 특히 일본의 것을 많이 참고하여 입법화하였다. 내용상으로는 주식의 포괄적 교환 및 이전은 회사의 조직변경에 해당한다고 볼 수 있지만, 현행 상법의 편제로는 제4장 제2절 "주식" 부분에 포함되어 있는바 주주와 회사 간의 법률관계를 규정하는 해당 편제와 관련성은 적지만, 주식의 포괄적 교환 내지 이전을 통해 기존 주주의 지위가 변동하므로 이에 착안하여 주식 부분에 위치하게 된 것이다.[10]

그러나 주식의 포괄적 교환 및 이전 제도는 단순히 지주회사 설립수단에 그치는 것이 아니라, 기업결합의 한 방법으로 보아야 하며,[11] 특히 현금이 없이도 다른 기업을 매수할 수 있다는 점에서 우호적인 기업매수(M&A)의 수단으로서 특히 기존의 자회사를 완전자회사로 만들기 위하여 이용될 수 있다는 데에서도 의의를 찾을 수 있다. 모회사와의 합병을 통해 자회사와 지주회사 관계를 설정하거나 삼각합병시 모회사 주식을 합병대가로 교부함으로써 지주회사관계를 설정할 수도 있지만, 합병을 하게 되면 조직의 비대화로 인해 규모의 불경제가 생기는 반면, 주식의 포괄적 교환 및 이전은 당사자 회사의 법적 독립성이 그대로 유지되므로 기업의 위험을 분산할 수 있다는 장점이 있다.[12]

그리고 주식의 포괄적 교환 및 이전은 당사자인 회사의 법인격이 유지되는 상태로 주주만이 교체될 뿐이므로 완전자회사의 법인격이나 재산상태에는 변화가 없다는 점이 합병이나 분할과 다르다.[13]

참고로 2011년 상법 개정을 통하여 합병대가를 유연하게 정할 수 있도록 하여(제523조 제4호) 존속회사의 모회사 주식도 합병대가로 지급할 수 있게 되면서, 주식의 포괄적 교환과 동일한 효과가 있는 삼각합병[14] 또한 위 개정 상법 시행일인 2012. 4. 16.부터 가능하게 되었다. 삼각합병이 있으면 그 결과는 주식의 포괄적 교환이 있는 경우와 동일하게 된다. 더불어 기업구조조정을 유연하게 할 수 있도록 하기 위해 삼각주식교환(제360조의3 제3항 제4호, 제6항) 및 삼

10) 김정호, 「회사법」 제7판(법문사, 2021), 832~833면.
11) 노혁준, 전게논문, 52~53면.
12) 김홍기, 「상법강의」 제6판(박영사, 2021), 487면.
13) 김정호, 전게서, 841면; 홍복기·박세화, 「회사법강의」 제8판(박영사, 2021), 316면 등.
14) 삼각합병이란, A회사가 100% 소유하는 자회사를 설립한 다음, 이 자회사를 B회사와 합병하면서 합병대가로 모회사인 A회사의 주식을 교부하는 것이다. 미국의 델라웨어주 회사법은 주식교환이전 제도 대신에 삼각합병을 채택하고 있다.

각분할합병(제530조의6 제1항 제4호, 제4항)도 도입하였다.[15]

2. 법적 성질

주식의 포괄적 교환 및 이전은 앞서 본 바와 같이 상법의 특수한 조직법적 출자행위이지만, 주식을 현물출자하는 것과 매우 유사하다. 주식의 포괄적 교환과 이전을 굳이 구별한다면 포괄적 교환의 경우는 인수회사에 주식을 현물출자하는 것이고, 포괄적 이전은 주식을 현물출자하여 회사를 설립한다는 차이만 있다.

그러나 현물출자는 출자자와 회사 간의 합의에 의하여 이루어지는데 반하여, 주식의 포괄적 교환 및 이전의 경우에는 반대주주의 주식에 대하여도 완전모회사가 강제적으로 취득하므로 현물출자로 보기 어렵고,[16] 또 신주발행절차가 적용되지 않으므로 현물출자에 의한 신주발행 시 상법상 거쳐야 하는 검사절차를 거치지 않는다.

3. 이해관계자 보호

가. 주주 보호

(1) 주주 보호의 방식

주식의 포괄적 교환·이전을 하기 위하여는 인수회사, 대상회사와 이전회사의 주주총회의 특별결의에 의한 승인을 얻어야 한다(제360조의3 제1항, 제2항, 제360조의16 제1항, 제2항). 주식의 포괄적 교환·이전이 합병과 같은 조직법적인 행위이어서 한꺼번에 주식을 이전시켜야 하므로 개별 주주의 의사와는 상관없이 일단 결의라는 형태로 주주의 집단적인 동의를 구하는 절차를 규정한 것으로 생각된다. 다만 인수회사의 주주총회 특별결의까지 요구한 데에는 비판하는 견해가 있는데 뒤에서 다시 살펴보기로 한다.

반대하는 주주에게는 주식매수청구권이 인정된다(제360조의5, 제360조의22).

---

15) 정찬형, 「상법강의(상)」 제24판(박영사, 2021), 836면.
16) 홍복기·박세화, 전게서, 316면.

(2) 주식교환에서의 반대주주의 주식매수청구권 해석

주식교환은 주식교환계약서에 기재된 주식교환일에 그 효력이 발생한다고 상법에서 명문으로 정하고 있는 이상(상법 제360조의2 제2항), 반대주주의 주식매수청구권이 행사되어 반대주주 중 주식매수가격 협의가 완료되지 않은 반대주주가 있는 경우라 하더라도 주식교환의 효력은 주식교환일에 발생한다고 보아야 한다. 법률에 의해 주식교환일에 완전모자회사관계가 창설되기 때문이다.

반대주주의 주식매수청구권에 관한 종전 판례의 법리에 따라 해석한다고 하더라도, 주식교환의 경우에는 합병이나 영업양도와 달리 상법이 명문의 규정을 통해 주식교환일에 완전모회사가 되는 인수회사가 강제적으로 해당 주식을 취득한다고 정해 둠으로써 법률적 효과의 발생을 의욕하고 있다는 점에 차이가 있다.

소수주주는 여전히 주식매수가격을 협의할 수 있고 또 법원을 통해 주식매수가격결정을 구할 수 있으므로 이로써 소수주주의 권리는 보호받는다.

나. 채권자와의 관계

주식의 포괄적 교환·이전은 합병과 달리 어느 회사도 채권자보호절차를 따로 거치지 않는다. 그것은 대상회사든 인수회사든 모두 주주의 구성만 달라질 뿐, 회사는 여전히 그대로 남아있으므로 채권자의 이해관계는 달라질 것이 없다고 보았기 때문이다.

인수회사의 채권자의 경우는 달리 볼 여지가 있다. 대상회사 주주에게 교환신주를 발행하였다면 인수회사 채권자 입장에서는 증자로 볼 수도 있다. 그런데 현실적으로 유입된 자금은 없고 그 대신 대상회사의 주식을 취득한 셈이 되는데, 만약 그 대상회사의 가치를 과대계상하였다면 그만큼 인수회사의 부가 유출된 셈이 된다. 따라서 이 경우에도 채권자보호절차를 거쳐야 하는 것이 아닌가라는 생각을 할 수 있다.

또한 주식교환의 대가를 금전으로 지급한 경우라면 인수회사의 자산이 유출된 것이고 그만큼 채권자들이 후순위로 된 것이므로 채권자보호절차를 두는 것도 정책상 고려하였어야 했다고 생각한다.

4. 주식교환 및 이전의 구체적인 절차

가. 주식교환계약·주식이전계획 작성 관련

주식교환의 경우 먼저 인수회사와 대상회사 사이에 주식교환계약이 체결된다. 교환계약의 당사자가 되는 모자회사 중 모회사는 성질상 한 개의 회사이어야 하지만 자회사가 되는 대상회사는 수 개의 회사라도 무방할 것이다. 다만 이 경우 주식교환계약은 모회사가 수 개의 자회사 사이에 각별로 체결되는 것이므로 일부 자회사와 모회사 사이의 주식교환계약이 무효가 되거나 주주총회의 승인을 받지 못하더라도 나머지 자회사와의 주식교환에는 영향이 없다.[17]

먼저 인수회사와 대상회사 사이에 주식교환계약이 체결된다. 그러나 주식이전은 상대방이 존재하는 것이 아니고 일방 당사자만 존재하므로 계약이라는 명칭 대신 주식이전계획을 수립한다. 여러 회사가 공동으로 주식을 이전하는 경우에도 주식이전계획은 각 회사별로 정하는 것이고 따로 주식이전계약을 체결하는 것은 아니다. 상법 제360조의3 제3항, 제360조의16 제1항은 교환계약·이전계획에 포함되어야 할 사항을 열거하고 있다.

한편 주식교환계약서(주식이전의 경우는 주식이전계획서)에 대상회사(주식이전의 경우는 이전회사)의 정관변경에 관하여 언급하지 않은 이유는, 주식교환(이전)을 통하여 단지 대상회사의 주주가 변경될 뿐이므로 통상 정관 변경이 필요하지 않기 때문이며, 만약 필요하다고 하더라도 100% 주주가 되는 인수회사(즉 완전모회사)가 주식교환·이전 실행 이후에 언제든지 대상회사의 정관을 변경할 수 있기 때문이다. 물론 대상회사의 상호를 변경하는 경우와 같이 정관 변경이 수반되는 변동사항이 있는 경우에는 이를 미리 주식교환계약서에 넣어둘 수도 있다. 현행 상법상 주식교환·이전의 요건과 정관변경의 요건으로 요구되는 주주총회 결의요건은 모두 주주총회의 특별결의인 이상 주식교환이나 이전시에 함께 정관변경을 하는 데에 큰 어려움은 없다.

위 주식교환계약서(주식이전의 경우는 주식이전계획서)는 주주총회 소집통지와 공고에 기재되어야 하며 주주총회 회일 2주전부터 주식교환의 날 이후 6월이 경과하는 날까지 본점에 비치되어야 한다(제360조의3 제4항, 제360조의4 제1항).

---

17) 이철송, 전게서, 1179면.

이 때 주주들에게 반드시 통지와 공고되어야 하는 사항 중에 주식교환계약서 이외에도 "일방회사의 정관에 주식의 양도에 관하여 이사회의 승인을 요한다는 뜻의 규정이 있고 다른 회사의 정관에 그 규정이 없는 경우 그 뜻"도 포함되어 있다(제360조의3 제4항 제3호 등).

기존 대상회사의 정관에는 주식의 양도에 관하여 이사회 결의를 받게 하는 내용의 제한 규정이 없음에 반하여 인수회사의 정관에는 이러한 제한규정이 있는 경우 대상회사의 주주는 주식교환의 실행으로 말미암아 주식의 양도성에 제한을 받는 불이익을 입게 된다. 원래 이러한 주식의 양도성은 원칙적으로 정관의 규정을 통해서만 이를 제한할 수 있지만(제335조) 주식교환의 결의요건은 정관변경시의 그것과 동일하므로 주식교환으로 인해 발생하는 이러한 불이익이 크게 부당한 것은 아니다. 다만, 대상회사의 주주가 이러한 불이익을 간과하고 주식교환을 승인할 우려가 있으므로 상법은 주주총회의 소집통지시에 일방회사의 정관에 주식의 양도에 관하여 이사회의 승인을 요한다는 뜻의 규정이 있고 다른 회사의 정관에 그 규정이 없는 경우 그 내용을 알리도록 한 것이다(제360조의3 제4항 제3호). 취득회사의 정관에 새로운 양도제한에 관한 규정을 신설하고자 할 때에는 이를 주식교환계약서에 기재하여야 한다(제360조의3 제3항 제1호).

주식이전의 경우에도 피이전회사(인수회사)의 정관에 그러한 양도제한 규정이 있으면 이를 이전회사의 주주에게 통지하여야 할 것이다(제360조의16 제3항, 제360조의3 제4항).

다만 대상회사(이전회사)의 정관에 양도제한의 규정이 있다고 하여도 그것이 주식교환, 주식이전 당사회사의 주주들에 큰 이해관계가 미치는 것은 아니다. 즉 대상회사의 주주들의 경우 이미 이를 알고 있고, 취득회사의 주주들은 자회사 주식에 양도제한이 있어도 이로 인하여 불이익이 발생하는 것은 아니다. 따라서 인수회사의 정관에 주식의 양도제한에 관한 규정이 있고 대상회사의 정관에는 그러한 정함이 없는 때에만 통지 또는 공고하도록 함이 타당하다.

나. 주식교환계약서의 기재사항

아래에서는 실무에서 이용되는 주식교환계약서의 간단한 예를 보면서 기재사항의 내용을 함께 살펴보기로 한다.

실무상 이용되는 주식교환계약서의 예시

순서	제목	주요 내용
1	계약서 표제	주식교환계약서
2	제1조 계약의 목적	본 계약은 "***(완전모회사가 될 회사)" 이외의 "###"의 주주(완전자회사가 될 회사)가 보유하고 있는 ###의 주식을 본 계약 제7조에 따른 주식교환일에 ***에게 이전하고 ***의 신주를 배정받음으로써 ***의 주주가 되고, 그 결과 ***는 ###의 완전모회사가 되고, ###은 ***의 완전자회사가 됨을 목적으로 한다.
3	제2조 신주의 배정	① ***는 주식교환을 위한 주권제출만료일(○○○○년 ○○월 ○○일) ○○:○○ 현재 "주식교환 대상주주"가 보유하는 ###의 기명식 보통주식 1주당 ***의 기명식 보통주식 [ ]주를 배정한다. ② 본 계약 체결일 현재 ***가 보유하고 있는 ###의 주식에 대하여는 주식교환에 따른 신주를 배정, 교부하지 아니한다. ③.***가 주식교환으로 인하여 ###의 주주에게 지급할 주식교환 교부금은 없는 것으로 한다.
4	제3조 신주의 발행	***가 주식교환을 위해 발행할 주식은 기명식 보통주식으로 하며, 발행할 신주의 총수는 주식교환을 위한 주권제출만료일 (○○○○년○○월○○일) ○○:○○ 현재 "주식교환 대상주주"가 보유하는 ###의 기명식 보통주식의 총수에 제2조에 따른 교환비율 [ ]를 곱한 수로 한다.
5	제4조 증가할 자본금과 자본준비금	① ***가 주식교환으로 인해 증가할 자본금의 총액은, 본 계약 제3조에 따라 ***가 발행할 신주의 총수에 *** 보통주식의 액면금액을 곱한 금액으로 한다. 다만, 위 증가할 자본금의 총액은 제7조에 따른 주식교환일 현재 ###의 현존하는 순자산가액에 ###의 위 주식교환일 현재 발행주식 총수에 대한 주식교환 대상주주가 보유하고 있는 ### 주식의 비율을 곱한 금액을 한도로 한다. ② ***가 주식교환으로 인해 증가할 자본준비금은, ***가 주식교환을 통하여 취득하는 ### 주식의 취득원가(기업회계기준에서 정하는 바에 따름)에서 제1항에 의하여 증가되는 자본의 총액을 차감하고 관련 회계기준에서 규정한 금액을 가감하여 결정한다.
6	제5조 주식교환의 승인	① [소규모주식교환의 경우] ###은 상법 제360조의9의 규정에 따라서 상법 제360조의3 제1항의 규정에 의한 주주총회에 갈음하여 이사회의 승인으로 본 주식교환을 실시한다. ② ***는 ○○○○년○○월○○일 주주총회를 개최하고, ###은 ○○○○년○○월○○일 주주총회에 갈음하여 이사회를 개최하여 본 주식교환을 승인한다. 다만, 주식교환절차의 진행상 필요한 경우, 당사자들은 협의하여 위 일자를 변경할 수 있다.

7	제6조 신주의 배당기산일	제3조 및 제4조에 의하여 ***가 ###의 주주들에게 교부하는 주식교환에 따른 신주에 대한 이익배당의 계산은 ○○○○년 1월 1일로부터 기산한다.
8	제7조 주식교환일	본 계약에 따라 실시할 주식교환일은 ○○○○년○○월○○일로 한다.
9	제8조 이사 및 감사위원의 임기	본 주식교환 이전에 취임한 ***의 이사 및 감사위원의 임기는 종전의 임기를 그대로 적용한다.
10	제9조 비용 및 세금의 부담	본 주식교환과 관련한 제반 비용 및 각종 세금은 그와 같은 비용을 발생시키거나 세금이 부과되는 각 당사자가 각각 부담한다.
11	제10조 계약의 효력발생	본 계약은 체결과 동시에 효력을 발생한다. 단, 본 계약은 제5조에 따라 ***의 주주총회 및 ###의 이사회에서 승인을 얻지 못할 경우 그 효력을 상실한다.
12	제11조 본 계약의 변경 및 해제	① 본 계약 체결 후 주식교환일까지 본 계약의 조건과 관련된 사항이 관계법령과 회계기준에 위배되는 경우, 당사자들은 상호 합의하여 관계법령과 회계기준에 적합하게 본 계약을 변경할 수 있다. ② 본 계약 체결 후 주식교환일까지 다음의 하나에 해당하는 사항이 발생한 경우 ***와 ###은 협의하여 본 계약을 해제하거나 변경할 수 있다. 가. 천재지변 기타 *** 또는 ###의 재산 및 경영상태에 중대한 변동이 발생한 경우 나. 정부 또는 관련기관으로부터 주식교환에 필요한 승인을 획득하지 못하거나 주식교환으로 인하여 치유할 수 없는 법령위반의 결과가 초래될 경우 다. 주식교환비율의 불공정 등 기타 계약을 존속시킬 수 없는 사유가 발생한 경우 ③ ***와 ###은 주식교환을 위하여 주기적으로 합의가 필요한 사항에 대하여 별도 협약을 체결할 수 있으며, 이 별도협약은 계약서의 일부로 간주된다.
13	제12조 신의성실의 원칙	***와 ###은 신의성실의 원칙에 입각하여 주식교환을 진행하며, 그 재산 또는 권리의무에 중대한 영향을 미치는 행위를 하는 경우에는 사전에 상호 협의하여 이를 실행하여야 한다.
14	제13조 계약에 정하지 않은 사항	본 계약에 규정된 내용 이외의 주식교환에 필요한 사항은 본 계약의 취지에 따라 당사자들이 상호 협의하여 이를 결정하기로 한다.

15	제14조 준거법 및 분쟁 의 관할	본 계약은 대한민국 법률에 의하여 해석되고 규율되며, 본 계약의 체결, 이행 또는 본 계약의 위반과 관련한 분쟁에 대하여는 [서울 중앙지방법원]을 관할법원으로 한다.
16	맺음말	본 계약체결을 증명하기 위하여 당사자들은 계약서 2부를 작성하 여 각 당사자의 권한 있는 자가 기명날인 또는 서명한 후 각자 1 부씩 보관하기로 한다.
17	계약체결일자	20**년 **월 **일
18	계약당사자의 대 표자에 의한 기 명 또는 서명 날인	*주식교환에서 완전모회사가 될 회사 [주식회사 *** (주소) 대표이사 (성명) (인)] *주식교환에서 완전자회사가 될 회사 [주식회사 ### (주소) 대표이사 (성명) (인)]

1) 교환·이전비율 결정

교환계약 및 이전계획에서는 대상회사 및 이전회사의 주식 1주를 가지고 있는 주주에게 인수회사 내지는 신설회사의 주식 몇 주를 지급할 것인지를 정해야 한다.

교환비율 내지는 이전비율이 주식의 포괄적 교환 내지는 이전에서 주주의 이해관계에 가장 결정적인 영향을 미치는 요소이므로 당사회사 사이에 주로 협상하게 되는 부분도 바로 이 대목이다. 다만 주식의 포괄적 이전에서 한 회사가 단독으로 주식 이전을 하는 경우에는 주주평등이 유지되는 한 주주의 구성에 변동을 가져오지 않기 때문에 지급되는 주식의 수는 중요하지 않으므로 이전비율은 큰 의미가 없다.

상장회사가 포함된 경우에는 자본시장법에서 합병과 마찬가지로 교환 내지는 이전비율을 결정하기 위하여 기업가치 평가방법을 따로 두고 있다(자본시장법 제165조의4 제1항 제3호 및 동 시행령 제176조의6 제2항). 다만, 주식교환 당사회사가 상장회사인 경우 주식교환을 통해 대상회사의 주식을 대상회사 소액주주들의 의사에 반하여 완전모회사가 될 인수회사에게 이전하게 되어 대상회사의 주식은 자동으로 상장 폐지된다는 점에서 대상회사에 존재했던 다수의 소액주주를 포함

한 관련된 이해관계자들의 이해관계를 합리적으로 조율할 필요가 있다.[18]

교환, 이전비율의 불공정은 주식교환, 주식이전 무효의 소의 원인(제360조의
14, 제360조의23)이 된다고 보고 있다.

2) 자기주식

주식의 포괄적 교환의 경우 (i) 인수회사가 보유하던 자기주식은 그대로 보
유할 수 있고 대상회사 주주에게 교환대가로 지급할 수도 있다(제360조의2 제2
항, 제360조의3 제3항 제2호). 다만 자기주식을 교환대가로 지급하는 경우 그 자
기주식은 소규모 주식교환의 요건을 판단함에 있어서는 "주식교환을 위하여 발
행하는 신주"로 취급된다(제360조의10 제1항). (ii) 대상회사가 보유하던 자기주
식의 처리에 대하여는 상법상 규정이 없다. 만약 인수회사의 주식과 교환한다면
대상회사와 인수회사 사이에 상호주가 되므로 처분의무가 발생하게 된다(제342
조의2 제2항). 주식교환은 완전모자회사 관계를 만드는 것이므로 교환계약에서
미리 대상회사의 자기주식을 소각하는 것으로 정하는 방법을 고려할 수 있겠다.
(iii) 인수회사가 보유하던 대상회사의 주식의 경우에는 인수회사의 신주를 발행
할 수 없다(제360조의7 제2항). 인수회사가 나머지 대상회사 주식을 취득하면 되
기 때문이다. (iv) 대상회사가 보유하던 인수회사 주식은 그대로 유지되고 주식
의 포괄적 교환 이후에는 상호주가 되므로 마찬가지로 처분의무가 발생한다(제
342조의2 제2항).

주식의 포괄적 이전의 경우에는 완전모회사는 신설회사이므로 (i), (iii), (iv)
가 발생할 경우는 없으므로 (ii)의 경우만 문제된다.

3) 인수회사 내지는 신설회사의 자본금이 증가할 경우 그 증가한도: 무증
자 주식교환 허용

상법 제360조의7, 제360조의18은 인수회사 내지는 신설회사가 발행하는 신
주의 규모를 대상회사 내지는 이전회사로부터 승계하는 순자산액으로 제한하고

---

18) 상장회사 간 포괄적 주식교환의 실무적 문제점으로서, 주식교환에 수반되는 신주발행이나
자기주식의 교부에 대해 공시규제를 적용할 필요가 있다는 점에서 증권신고서 제출의무와
관련된 청약의 권유 및 청약에 해당하는 절차가 무엇인지 문제 될 수 있고, 그 밖에 정정
공시나 불성실공시 등도 문제 될 수 있다. 상세한 내용은, 이승환·이희웅, "상장회사 간
포괄적 주식교환의 실무적 문제," 「상사법연구」 제33권 제1호(상사법학회, 2014), 73~102
면 참조.

있다. 액면미달발행 또는 현물출자의 과대평가를 금지하는 취지와 같은 맥락이라고 볼 수 있다. 제360조의7 제1항에서 대상회사 주주에게 제공할 금전이나 그 밖의 재산 가액 및 인수회사의 자기주식을 공제하는 것은 신주발행만으로 증가하는 부분을 계산하기 위한 것이고, 같은 조 제2항의 내용은 대상회사의 순자산액 중 인수회사가 이미 취득한 부분과 아직 취득하지 않은 부분은 나누어 계산하기 위한 것이다.[19]

한편, 2015년 상법개정 전에는 주식교환 계약서에 기재하여야 할 사항으로 완전모회사가 되는 인수회사의 증가할 자본금과 자본준비금에 관한 사항을 정하고 있어 자본금 증가가 원칙적인 형태이고 무증자 주식교환은 인정되지 않는 것인지 의문이 있었다. 이에 2015년 상법 개정을 통해 자본금이 증가하는 경우에 한하여 증가할 자본금이나 준비금에 관한 사항을 주식교환 계약서에 기재하도록 법문의 문구를 조정하여 자본금이 증가하지 않는 주식교환이 원칙적인 형태인 것으로 규정함으로써 무증자 주식교환이 인정됨을 명확히 하고 있다(제360조의3 제3항 제3호). 인수회사가 대상회사 주주에게 배정하기에 충분한 자기주식을 보유하고 있는 경우에는 굳이 신주를 발행할 이유가 없기 때문이다.

4) 채무초과회사와의 주식교환 내지는 주식이전

채무초과회사를 대상회사 내지는 이전회사로 하는 주식교환 내지는 주식 이전이 가능한지에 관하여는 논란이 있다.

대상회사 내지는 이전회사가 채무초과상태라면 순자산액이 (−)이므로 이때의 신주발행은 상법 제360조의7, 제360조의18을 위반하게 되어 원칙적으로 이러한 주식교환 내지는 주식이전은 허용될 수 없다고 볼 여지도 있다.

그러나 채무초과회사를 소멸회사로 하는 흡수합병등기신청과 관련하여 채무초과회사인지 여부는 등기관이 심사할 사항이 아니라는 입장으로 상업등기선례가 변경되었으므로 이 점에 비추어 볼 때 채무초과회사와의 주식교환 내지는 주식이전 역시 허용된다고 보아야 한다.[20] 다만, 형식상 채무초과상태이더라도 수

---

19) 송옥렬, 전게서, 1258면.
20) 채무초과회사를 소멸회사로 하는 흡수합병등기신청의 경우, 흡수합병으로 소멸하는 회사가 채무초과회사가 아님을 소명하는 서면(예컨대 소멸회사의 재무상태표 등)은 신청서에 첨부하여야 하는 서면이 아니며, 이러한 서면을 첨부하였다 하더라도 등기관은 소멸회사가 채무초과회사인지 여부를 심사할 수 없다. (2014. 1. 9. 사법등기심의관-174 질의회답) 이 선례에 의하여 상업등기선례 제3-957호, 등기선례 제3-958호, 등기선례 제6-667호는 폐지

익가치나 시너지효과 등 순자산액을 평가한 기업가치가 (＋)로 하여 주식교환 내지는 주식이전을 진행할 수도 있겠다. 이 경우 완전모회사 주주들에게 불측의 손해를 준다고 볼 수도 있겠으나, 반대하는 주주에 대하여는 상법상 주식매수청구권이 보장되므로 이들의 이익을 침해한다고 보기 어렵다.

5) 교환 내지는 이전교부금: 교부금 주식교환·주식이전의 허용

주식교환·이전의 대가로 완전자회사가 되는 회사의 주주에게 주식 외에 현금이나 기타 재산을 제공할 수 있다. 그러나 교환의 대가로 일부 주주에게는 주식교환 교부금, 다른 주주에게는 존속회사의 주식을 교부하는 것은 주주평등의 원칙에 반하여 허용되지 않는다고 보아야 한다.[21]

종전에는 주식교환 내지는 이전에서 대상회사 내지는 이전회사의 주주에게 교부금을 지급하는 것은 단주처리를 위한 경우 등 예외적인 경우에만 허용되었으나, 2015년 상법 개정을 통해 주식교환 등의 대가의 상당 부분 내지는 전부에 대해 교부금을 지급하는, 교부금 주식교환·주식이전의 형태가 가능하게 되었다(제360조의3 제3항 제4호, 제360조의16 제1항 제4호). 이는 기업의 조직재편을 유연하게 하기 위하여 2011년 상법 개정 시 합병의 경우 교부금 합병을 허용한 것(제523조 제4호)과 균형을 맞추기 위해서이다.

다만 주식교환 등의 경우 합병과 달리 채권자 보호절차를 두고 있지 않는 것은 인수회사, 대상회사 모두 주주의 구성만 달라질 뿐, 채권자 입장에서는 종전 상태와 변화된 것이 없어 채권과 보호절차가 불필요하다고 보았기 때문인데, 이와 같이 주식교환 등의 대가를 전부 현금으로 지급한 경우라면 인수회사의 자신이 유출된 것으로 볼 여지가 있고 대가의 산정비율이 부당한 경우에는 완전모회사로 되는 회사의 자산이 감소하거나 부채가 증가하여 재산상태가 악화될 우려가 있다.

이와 같이 주식교환 등의 경우 교부금을 많이 지급하는 방식은 회사 채권자를 해할 가능성이 있음에도 불구하고 채권자 보호절차를 마련하지 않는 데에 대해 비판이 있을 수 있다.[22]

됨(채무초과회사를 소멸회사로 하는 흡수합병의 허용 여부(선례 변경) 제정 2014. 1. 9. [상업등기선례 제2-78호, 시행)
21) 홍복기·박세화, 전게서, 315면.
22) 교부금합병 및 교부금 분할합병의 경우에는 채권자 보호절차가 이미 마련되어 있다(제527

또, 상법 제360조의2 제2항, 제360조의15 제2항이 주식교환 내지는 주식이전 이후 대상회사 내지는 이전회사의 주주는 완전모회사의 주주가 된다는 점을 전제한 기존 입장을 여전히 취하고 있어 교부금 주식교환 등을 허용한 취지와 배치되는 듯 보일 수 있는바, 2015년 상법 개정 시 미처 간과한 부분으로 보인다. 위 상법 개정의 취지에 비추어 볼 때 교부금 주식교환, 교부금 주식이전이 허용되는 범위 내에서는 반드시 이들이 완전모회사의 주주로 남아 있지 않아도 된다는 취지로 해석할 필요가 있다.

6) 교환 내지는 이전을 할 날

상법 제360조의2 제2항은 '완전자회사가 되는 회사의 주주가 가지는 주식은 주식을 교환하는 날에 주식교환에 의하여 모회사에 이전하고 자회사의 주주는 모회사가 주식교환을 위해 발행하는 신주를 배정받음으로써 그 회사의 주주가 된다'고 규정하고 있다. 여기서 '주식을 교환하는 날'이란 주식교환계약서에 기재된 '주식교환을 할 날'(제360조의3 제3항 제6호)'을 의미한다. 법문대로라면 주식교환을 할 날에 자회사의 주식은 자동으로 모회사에 이전되나, 자회사의 주주를 모회사의 주주로 하기 위해서는 모회사에서 별도로 신주를 배정하는 행위가 필요한 것처럼 읽힌다.[23] 그러나 주식교환계약의 체결과 주주총회의 승인결의라는 동일한 법률적 원인에 의해 자회사 주식이 이전됨과 동시에 자회사 주주가 모회사 주주로 되는 법적 효과가 발생하는 것이다.

따라서 주식교환에서는 신주발행에 따른 변경등기가 이루어지지만, 변경등기 자체는 신주발행의 효력과 무관하므로 주식교환을 할 날에 주식교환의 효력이 발생한다. 즉 주식교환계약에서 정한 주식교환일에 자회사의 주주는 별도의 행위를 요하지 않고 당연히 모회사의 주주가 된다.

반면 주식이전의 경우 신설회사의 설립등기는 창설적인 효력을 가지므로 주식이전을 할 날이 아니라 설립등기일에 주식이전의 효력이 발생한다.

한편 주식교환을 위한 이사회 결의가 있는 때에 그 결의에 반대하는 자회사 또는 모회사의 주주가 주주총회 전에 회사에 대하여 서면으로 그 결의에 반대하

조의5; 제530조의11). 한편 일본 회사법상으로도 주식교환에 대해 채권자가 이의를 제기할 수 있는 보호절차를 두고 있다(일본 회사법 제799조 제1항).
23) 이철송, 전게서(각주 7), 1190~1191면

는 의사를 통지하고 주주총회에서 가결된 날로부터 20일 이내에 주식의 종류와 수를 기재한 서면으로 회사에 대하여 자기가 소유하고 있는 주식의 매수를 청구할 수 있다(제360조의5 제1항). 주식매수가액의 결정은 합병, 영업양도의 경우와 같다(제360조의5 제3항, 제374조의2 제2 내지 5항).

그러나 주식교환은 주식교환계약서에 기재된 주식교환일에 그 효력이 발생한다고 상법에서 명문으로 정하고 있는 이상(제360조의2 제2항), 반대주주의 주식매수청구권이 행사되었다고 하더라도 주식교환의 효력은 여전히 주식교환일에 발생한다고 해석해야 한다. 합병, 분할 등이 등기에 의하여, 또 영업양도가 개별자산의 이전행위에 의해 효력이 발생하는 것과 다르기 때문이다. 그러므로 합병, 영업양도 등의 경우와 달리 주식교환일에 즉시 주식교환의 효력은 발생한다.

다. 주주총회의 승인결의: 종류주주의 승인도 필요한지 여부

교환계약 내지는 이전계획은 인수회사, 대상회사, 이전회사 등 관련된 모든 회사에서 주주총회의 특별결의에 의한 승인을 받아야 한다. 그리고 관련된 모든 회사의 반대주주는 주식매수청구권을 가진다.

이 때 종류주식이 발행된 경우 종류주주총회를 거쳐야 하는지가 문제 될 수 있다. 왜냐하면 상법 제436조에 의하면 상법 제344조의 종류주식을 발행하고 있는 경우에 주식교환, 주식이전으로 인하여 어느 종류의 주식에게 손해를 미치게 될 때에는 그 종류주주총회의 승인을 받도록 하고 있기 때문이다.

종류주식이 발행된 경우에는 그 종류주식을 발행할 당시 주식교환이나 이전에 대비한 처리방안을 약정 내용으로 편입시킨 경우는 별론으로 하고(이 경우는 이러한 처리방안을 주식교환계약서나 주식이전계획서에 포함시킬 수 있고 또 종류주주들도 취득시부터 알고 있었으므로 크게 불이익하다고 볼 수 없다),[24] 그러하지 않은 경우라면 어떠한 경우가 손해인지는 개별 사안마다 따져서 어느 종류의 주식에게 손해를 미치게 된다고 판단되면 반드시 그 종류주식에 대한 별도의 종류주주

---

24) 상법 제344조 제3항에 의하면 회사가 종류주식을 발행할 때에는 정관에 다른 정함이 없는 경우에도 주식의 종류에 따라 신주의 인수, 주식의 병합·분할·소각 또는 회사의 합병, 분할로 인한 주식의 배정에 관하여 특수하게 정할 수 있다고 규정하고 있다. 비록 위 조항에서는 '주식의 포괄적 교환, 이전'에 대한 특수한 정함에 대하여 규정하고 있지는 않으나, 이 경우만 달리 보아야 할 아무런 이유가 없으므로 합병의 경우에 준하여 위 조항을 참조해야할 것이다.

총회를 거쳐야 하는 것이 원칙이겠으나, 주식교환이전은 중대한 조직변경을 수반하므로 종류주주총회에 의한 승인을 받을 필요가 있다. 실무를 보더라도, 예컨대 대상회사의 우선주가 인수회사의 보통주로 교환되는 경우 대상회사의 우선주주의 종류주주총회의 승인을 받고 있다.[25]

한편, 2011년 상법 개정으로 각 회사의 주주의 부담이 가중되는 경우에는 그 주주 전원의 동의가 있어야 한다는 규정(제360조의3 제5항, 제360조의16 제4항)이 신설되었는데, 주식교환 내지는 이전으로 주주의 부담이 가중되는 경우는 어떠한 경우를 의미하는지 확실하지 않다. 이 점과 관련하여 인적 회사를 모회사로 하고 주식회사를 자회사로 하여 모회사의 지분과 자회사의 지분을 교환·이전한다면 자회사의 주주의 책임이 변경될 수 있으므로 부담이 '가중'되는 경우라고 볼 수 있지만, 우리 상법상 주식의 포괄적 교환은 주식회사만을 대상으로 하고 있으므로 그러한 상황은 상정하기 어렵다.[26] 참고로, 일본에서는 주식의 포괄적 교환 시 완전모회사가 완전자회사의 주주에게 인적 회사의 지분 등을 교환대가로 지급할 수 있으므로 이 경우 완전자회사 주주 전원의 동의 받도록 하고 있지만(일본 회사법 제783조 제2항), 우리 상법상 교환 대가는 완전모회사인 인수회사의 주식과 교부금으로만 지급할 수 있기 때문에 주주 전원의 동의를 굳이 요구할 이유가 없다.

라. 반대주주의 주식매수청구권

주식교환 및 이전에 반대하는 자회사 또는 모회사의 주주는 주식교환 및 이전에 대한 승인 여부를 결정하는 주주총회 전에 회사에 대하여 서면으로 주식교환, 주식이전에 반대하는 의사를 통지한 후, 주주총회의 결의일부터 20일 이내에 주식의 종류와 수를 기재한 서면으로 회사에 대하여 자기가 소유하는 주식의 매수를 청구할 수 있고, 이에 대하여 회사는 청구를 받은 날로부터 2월 이내에 그 주식을 매수하여야 한다(제360조의5 제1항, 제360조의22, 제374조의2). 이는 주

---

25) 예컨대, 굿모닝신한증권의 우선주를 신한금융지주의 보통주로 교환하기 위하여 별도로 우선주 종류주주총회를 위한 주주확정을 거쳐 우선주 종류주주총회를 개최하여 승인받은 사례가 있다. 2005년 1월 4일 금융감독위원회·한국증권거래소에 제출된 주식교환·이전 종료보고서(굿모닝신한증권(주)) 2면 등.
26) 이철송, 「2011 개정상법 – 축조해설 –」(박영사, 2011), 123면; 이철송, 전게서(각주 7), 1184면.

식교환 및 이전으로 기업의 조직에 큰 변화가 발생하고 소수주주는 그 교환 비율 등에 의하여 불이익을 입을 수 있으므로 합병과 마찬가지로 반대 주주들에게 주식매수청구권을 인정한 것이다.

무의결권 주식에 대하여 주식매수청구권을 인정할 것인지에 관하여는 종전에 논란이 있었으나 2015년 상법 개정을 통해 주식매수청구권을 행사할 수 있는 반대주주의 범위에 의결권이 없거나 제한되는 주주가 포함된다는 뜻을 명문으로 인정함으로써(제360조의5 제1항), 무의결권주주나 의결권이 제한되는 주주의 경우에도 반대주주의 주식매수청구권이 인정된다는 점을 명확히 하였다. 또한 반대주주의 주식매수청구권이 인정되는 사항이 포함된 경우에는 의결권이 없는 주주에게도 반드시 주주총회 소집통지를 하도록 하는 규정을 신설하였다(제363조 제7항 단서). 이로써 분할 또는 분할합병의 경우에는 상법에서 이를 승인하는 주주총회의 결의에 관하여는 의결권이 배제되는 주주도 의결권이 있다고 규정함으로써 결과적으로 주식매수청구권이 인정되고 있음을 명확히 한 것(제530조의3 제3항)과 균형을 맞출 수 있게 되었다. 따라서 반대주주는 승인 주주총회 이전에 서면으로 그 결의에 반대하는 의사를 통지하면 충분하고 총회에 출석하여 직접 반대의사를 표시할 필요는 없다.

매수가격의 결정은 주주와 회사 간의 협의에 의하며 만약 주식매수청구를 받은 때로부터 30일 이내에 협의가 이루어지지 않은 경우 회사 또는 주식의 매수를 청구한 주주는 법원에 매수가액의 결정을 청구할 수 있다(제360조의5 제3항, 제374조의2 제2항 내지 제5항).

회사는 매수의 청구를 받은 후 2월 내에 매수하여야 하고, 매수가격은 영업양도로 인한 매수청구시와 같은 방법으로 한다(제360조의3 제3항; 제374조의2 제2항 내지 제5항).

이와 관련하여 주식교환의 경우에서 반대주주의 주식매수청구권이 행사된 경우와 영업양도, 합병시 주식매수청구권을 행사한 경우는 구별할 필요가 있다.

왜냐하면 주식교환에 있어서 자회사 주주의 소유주식이 이전되는 것은 법률의 규정에 의한 것이므로 주권의 교부(제336조 제1항)와 같은 이전행위를 요하지 않는다.[27] 합병의 경우처럼 효력발생을 위해 등기가 요하는 것도 아니어서 주식

---

27) 이철송, 전게서(각주 7), 1185면.

교환일에 효력이 발생하기 때문이다.

오히려 주식교환은 주식교환계약서에 기재된 주식교환일에 그 효력이 발생한
다고 상법에서 명문으로 정하고 있는 이상(제360조의2 제2항), 반대주주의 주식
매수청구권이 행사되어 반대주주 중 주식매수가격 협의가 완료되지 않은 반대주
주가 있는 경우라 하더라도 주식교환의 효력은 예외없이 주식교환일에 발생한다
고 해석된다.[28] 모회사가 되는 인수회사가 교환대가로 신주를 발행하는 경우에
도 이는 상법 제416조에 따른 통상의 신주발행이 아니고 자회사의 주주들로부
터 이전된 자회사 주식을 재원으로 하여 주식교환일에 자동으로 발행되는 것이
다.[29] 이러한 법리는 교부금 주식교환이라 하여 달리 볼 이유가 없다.

다만 자회사가 되는 대상회사가 주권을 전자등록한 회사인 경우 교부금 주식
교환을 할 때에, 한국예탁결제원은 주식매수가격 협의가 완료되지 않은 반대주
주가 있으면 해당 주주가 주식매수가격 협의 또는 법원의 주식매수가격결정 등
이 이루어져 그에 따라 주식매수대금을 수령하지 않는 한, 소수주주 보호라는
명목으로 주식교환의 효력발생시점 이후에도 여전히 고객관리계좌부에 해당 주
식의 주주로서 기재를 남겨두고 있다. 그 결과 법률의 규정에 따라 자동적으로
주식교환의 효력이 발생하여 이미 완전모자회사관계가 형성되었음에도 불구하고
전자등록주식의 경우 주식 · 사채 등의 전자등록에 관한 법률('전자증권법')상 전
자등록기관인 한국예탁결제원이 아무런 법적 근거 없이 완전모자회사가 성립되
지 않은 듯한 외관을 현출하고 있어 실무상 많은 문제점을 야기하고 있다(완전
자회사가 된 대상회사의 소유자명세를 발행하면 가격조정대상인 반대주주의 주식이 여
전히 처분제한 표시된 상태로 잔존하고 있어 완전자회사가 아닌 외양을 나타낸다).

주식매수청구권의 행사로 매매계약이 체결된 것으로 보아 주주는 회사가 대
금을 지급한 시기에 비로소 주주 지위를 상실한다는 것이 종전의 판례의 입장이
고 통설이지만,[30] 주식교환의 경우에는 합병이나 영업양도와 달리 상법이 명문

---

28) 국내의 많은 교과서들은 주식교환의 경우에도 반대주주의 주식매수청구권 행사시 회사의
   매수의무, 주식의 매수가액 결정 등은 일반 주식매수청구권의 경우와 동일하다고만 설명할
   뿐 이 점에 대한 언급은 없다: 김건식 · 노혁준 · 천경훈, 「회사법」 제5판(박영사, 2021),
   842면 등.
29) 이철송, 전게서(각주 7), 1185면.
30) 대법원 2018.2.28. 2017다270916: 대법원은 대금 수령 이전의 반대주주의 지위를 채권자가
   아니라 주주로 보면서(주주지위설) 주식매수청구권을 행사한 주주도 회사로부터 매매대금을
   지급받지 아니하고 있는 동안에는 주주로서의 지위를 여전히 가지고 특별한 사정이 없는
   한 주주로서의 권리를 행사하기 위하여 필요한 경우에는 회계장부열람등사권도 가진다고

의 규정을 통해 주식교환일에 완전모회사가 되는 인수회사가 강제적으로 해당 주식을 취득한다고 정해 둠으로써 법률적 효과의 발생을 의욕하고 있는 이상 주식교환의 효력발생과 배치되지 않도록 조화롭게 해석, 운용할 필요가 있다. 소수주주 보호의 문제는 소수주주가 여전히 주식매수가격을 협의할 수 있고 또 법원을 통해 주식매수가격결정을 구할 수 있으므로 이로써 그 보호는 어느 정도 충분하다고 볼 여지가 있다.

마. 주식의 교환·이전과 주권 실효

주식교환의 경우 주주총회에서 주식교환이 승인되면 주식을 교환할 날에 대상회사의 주식은 자동적으로 인수회사로 이전된다. 주권의 교부는 필요하지 않다. 따라서 대상회사 주주가 보유하던 주권은 무효가 되므로 주권실효절차를 진행하게 된다(제360조의8). 인수회사의 신주발행도 주식을 교환할 날에 자동적으로 이루어진다. 인수회사가 교환대가로 자기주식을 지급하는 경우에도 주권의 교부와 상관없이 자동적으로 대상회사 주주에게 소유권이 이전된다고 보아야 한다.

주식이전의 경우 이전회사 주식의 이전과 신설회사 주식의 발행이 결합되어 있지만 결국 최종 형태는 신설회사의 설립이 된다. 이전회사의 주식은 신설회사의 설립등기와 동시에 별도의 이전행위 없이 자동적으로 신설회사로 이전되므로 따로 납입절차를 거칠 필요는 없다. 다만 이전회사 주주가 보유하던 주권은 무효가 되므로 실효절차가 필요하다(제360조의19). 신설회사의 신주발행도 따로 청약과 배정 등의 절차가 필요하지 않고 신설회사의 설립등기로 효력이 발생한다.

바. 등 기

주식교환의 경우 명문의 규정은 없지만 신주를 발행하였으므로 자본금이 증가한 경우에는 변경등기를 하여야 할 것이다. 이 때 주의해야 할 점으로 주식교환은 주식을 교환할 날로 정한 그 날에 대상회사 주식이 자동적으로 인수회사로 이전되는 데 비하여(즉 주권 교부 등이 필요 없고 대상회사 주주가 보유하고 있던 주권 역시 무효로 되어 상법 제360조의8에 따라 주권 실효절차를 진행하게 된다), 주식이전의 경우에는 주권 실효절차(제360조의19)와 신설회사의 설립등

판시하였다(김건식·노혁준·천경훈, 전게서, 863면).

기로 주식이전의 효력이 발생한다(제360조의20, 제360조의21).

5. 특수절차

가. 간이교환

자회사가 되는 회사의 총주주의 동의가 있거나 그 회사의 발행주식총수의 100분의 90 이상을 이미 인수회사(완전모회사)가 소유하고 있는 때에는 자회사의 주주총회의 승인은 이사회의 승인으로 갈음할 수 있다(제360조의9 제1항). 간이합병과 같은 취지로 인정된 것이다.

간이주식교환을 할 때에는 자회사는 주식교환계약서를 작성한 날부터 2주내에, 주주총회의 승인을 얻지 아니하고 주식교환을 한다는 뜻을 공고하거나 주주에게 통지하여야 하는데, 총주주의 동의가 있는 때에는 공고를 생략할 수 있다(같은 조 제2항). 자회사 주식 전부를 소유하는 경우가 아닐 수 있으므로 주식교환에 반대하는 주주는 주식매수청구권을 행사할 수 있다.

나. 소규모 주식교환

모회사가 될 인수회사가 주식교환을 위하여 발행하는 신주 및 이전하는 자기주식의 총수가 그 회사의 발행주식총수의 100분의 10를 초과하지 아니하는 경우에는 그 회사에서의 주주총회의 승인은 이사회의 승인으로 갈음할 수 있다(제360조의10 제1항 본문). 이는 소규모합병에서 주주총회 승인이 필요하지 않은 것과 같은 선상에서 이해할 수 있다.[31]

그러나 자회사가 되는 회사의 주주에게 지급할 교부금이 최종 대차대조표에 의하여 모회사에 현존하는 순자산액의 100분의 5를 초과하는 때에는 주주총회의 결의를 생략할 수 없다(같은 항 단서).

---

31) 2012년 상법 개정 시 소규모 합병의 기준만 100분의 5에서 100분의 10으로 완화하여 경제적 기능이나 효과가 실질적으로 동일함에도 불구하고 소규모 주식교환과 소규모 합병 사이에 요건을 달리 설정한 데에 대해 비판이 있었기에 2015년 상법을 개정하면서 소규모 주식교환의 기준도 100분의 5에서 100분의 10으로 완화하여 요건을 동일하게 하였다.

다. 삼각주식교환

2015년 11월 상법 개정을 통해, 기업의 원활한 구조조정 및 투자활동이 가능하도록 다양한 형태의 기업인수·합병 방식을 도입한다는 취지에서 삼각주식교환, 역삼각합병, 삼각분할합병, 간이영업양수도 등 다양한 제도가 도입되었는데 그 중에서 삼각주식교환은 2011년에 도입된 삼각합병과 유사한 기능을 가진 제도로서 삼각합병을 이미 도입한 상황에서 이를 반대할 논리적 이유가 없다는 이유로 큰 논란이 없이 도입되었다.[32]

삼각주식교환이란 주식 교환의 대가로 완전모회사가 되는 인수회사의 모회사 주식을 교부하는 주식의 포괄적 교환을 의미한다.[33] 2015년 개정된 상법은 주식교환의 대가를 유연화하여 그 대가의 전부 또는 일부로서 금전이나 그 밖의 재산을 제공할 수 있도록 허용하였는데(제360조의3 제3항 제4호), 여기에는 완전모회사가 되는 회사의 모회사 주식이 포함된다고 해석된다. 따라서 완전자회사가 되는 회사의 주주에게 제공하는 재산이 완전모회사가 되는 회사의 모회사 주식을 포함하는 경우 완전모회사가 되는 회사는 그 지급을 위하여 그 모회사의 주식을 취득할 수 있다는 규정을 2015년 개정상법에서 별도로 신설하였다(제360조의3 제6항).

종래에 주식의 포괄적 교환, 이전을 위하여 자회사가 모회사 주식을 취득할 수 있다고 규정하기는 하였으나(제342조의2 제1항), 이는 모회사와 자회사가 주식의 포괄적 교환, 이전의 직접 거래당사자인 경우로 한정하여 해석된다는 것이 국내의 다수설이었으므로, 삼각주식교환을 가능하게 하기 위하여 완전모회사가 되는 회사가 자신의 모회사 주식을 취득할 수 있음을 명확히 한 것이다.

그리고 자회사에 의한 모회사 주식의 취득이 예외적으로 허용되는 경우라 하더라도 자회사는 그 주식을 취득한 날로부터 6개월 이내에 모회사의 주식을 처분하여야 한다고 규정하듯이(제342조의2), 완전모회사가 되는 회사가 기취득한 모회사 주식을 주식교환 후에도 계속 보유하고 있다면 주식교환의 효력이 발생하는 날부터 6개월 이내에 그 모회사 주식을 처분하여야 한다는 점 역시 2015

---

32) 법제사법위원회 검토보고서, 10면.

33) 삼각주식교환의 법률관계에 대한 분석은 김홍식, "삼각합병과 삼각주식교환의 법률관계에 관한 연구,"「금융법연구」제11권 제3호(한국금융법학회, 2014), 197~227면 참조.

년 개정상법에서 명확히 하였다(제360조의3 제7항).

삼각주식교환의 경우 모회사(A회사)의 자회사(B회사)가 다른 회사(C회사)와 주식의 포괄적 교환을 하면서 다른 회사(C회사)의 주주들에게 자기회사(B회사)의 주식이 아니라 그의 모회사(A회사)의 주식을 교부하면(제360조의3 제3항 제4호, 제6항), A→B→C로 순차적인 모자회사관계가 성립하게 된다.34) 이와 같이 완전모회사가 되는 회사의 모회사는 삼각주식교환을 통하여 인수대상 회사를 자신이 지배하는 자회사의 완전자회사(손자회사)로 할 수 있는데, 이 경우 인수대상 회사가 기존에 보유한 계약상 지위, 특허권, 상호권 등을 그대로 사용할 수 있는 장점 외에도 모회사 주주총회를 생략할 수 있고, 반대주주의 주식매수청구권도 인정되지 않으므로 절차가 간편하다는 장점이 있다.35)

특히 주식시장의 상승 국면에서 상장회사인 모회사의 자회사가 보유하거나 또는 취득할 예정인 위 모회사 주식의 가격이 상승한다면 상장회사인 모회사의 주식을 이용한 삼각조직재편의 수요는 늘어날 것으로 예상된다. 일본의 경우 이른바 국제적 조직재편의 일환으로서 2008년 1월 외국기업인 씨티그룹이 삼각주식교환을 통해 日興コーディアル를 매수한 사례에서 삼각주식교환 방법이 이용된 이후, 2009년 10월 일본 국내 사례로서 阪神阪急交通社 홀딩스가 阪神에어카고를 주식교환에 의해 완전자회사화하는 데에 삼각주식교환을 이용하여 모회사인 阪神阪急交通社 홀딩스의 주식을 교부한 사례 등이 있다.36)

그 뿐 아니라 삼각주식교환에 의해 B회사가 C회사의 완전모회사가 된 다음 후속절차로서 이번에는 C회사가 B회사를 흡수합병하는 절차를 거치게 되면, 실질적인 면에서 역삼각합병도 가능하게 되었다.37)

---

34) 정찬형, 전게서, 840면.
35) 법제사법위원회 검토보고서, 9~10면.
36) 佐藤正樹, "三角組織再編の活用," 「稅務弘報」(2013. 8.), 31~32면.
37) 삼각주식교환을 한 다음 모회사가 자회사를 통하여 대상회사와 합병하면서 자회사가 대상회사를 흡수하는 형태가 삼각합병이고, 이와 반대로 대상회사가 자회사를 흡수하여 존속회사가 되는 형태가 역삼각합병이다.

6. 주식교환 내지는 이전의 효과

가. 효력발생시기

주식교환에 대해서는 먼저 상법 제360조의2 제2항에 의하면 '자회사의 주주가 가지는 주식은 주식을 교환하는 날에 주식교환에 의하여 모회사에 이전하고 자회사의 주주는 모회사가 주식교환을 위해 발행하는 신주를 배정받음으로써 그 회사의 주주가 된다'고 규정하고 있다. 여기서 '주식을 교환하는 날'이란 주식교환계약서에 기재하는 '주식교환을 할 날'(제360조의3 제3항 제6호)을 의미한다.

그러나 법문대로라면 주식교환을 할 날에 대상회사(자회사)의 주식은 자동적으로 모회사로 이전되나, 대상회사의 주주를 인수회사의 주주로 하기 위해서는 인수회사에서 별도로 신주의 배정이라는 행위를 하여야 하는 것처럼 읽혀진다. 그러나 이와 같이 이해할 경우 대상회사 주식이 이전되는 것과 대상회사 주주가 인수회사 주주로 되는 것 사이에 시차가 발생하므로 논리적으로 타당하지 않다. 따라서 법문에도 불구하고 대상회사 주주가 인수회사의 주주로 되는 것은 주식교환계약과 주주총회의 결의에 의하여 부여한 법적 효과로 이루어지는 것이므로 주식교환계약에서 정한 주식교환을 할 날에 당연히 인수회사(모회사)의 주주가 된다고 해석해야 한다.[38] 이 경우 법문에서 '신주의 배정'이라고 정하고 있지만, 상법 제419조 제1항에 의한 신주의 청약이나 상법 제421조에서 정하고 있는 신주의 배정절차는 필요없다.[39]

합병이나 회사 분할은 등기에 의해 효력이 발생하지만, 주식교환의 경우 회사의 법인격이나 구조에는 변화가 없고 다만 주주의 변동만 있을 뿐이므로 주식교환의 등기도 필요없다. 다만 주식교환의 경우 상법상 명문의 규정은 없지만 신주발행으로 자본금이 증가하였다면 그에 따르는 변경등기는 필요하다.[40]

이에 비해, 주식이전의 경우 신설회사(설립한 모회사)의 본점 소재지에서 2주 이내, 지점 소재지에서 3주 이내에 설립등기를 하여야 하며(제360조의20; 제317조 제2항), 그 설립등기를 함으로써 주식이전의 효력이 발생한다(제360조의21).

---

38) 이철송, 전게서(각주 7), 1190~1191면.
39) 이철송, 전게서(각주 7), 1185면.
40) 송옥렬, 전게서, 1260면.

나. 이사·감사의 임기

인수회사의 이사 및 감사로서 주식교환 전에 취임한 자는 주식교환계약서에 다른 정함이 있는 경우를 제외하고는 주식교환 후 최초로 도래하는 결산기에 관한 정기총회가 종료하는 때에 퇴임한다(제360조의13). 이는 주식교환으로 인하여 인수회사 주주 구성에 변동이 발생하므로 새로이 주주총회에서 이사, 감사를 선임하도록 하기 위함이다. 그러므로 만약 기존 경영진을 그대로 유지하고자 한다면 반드시 주식교환계약서에 그에 관한 정함을 두어야 한다는 점에 유의할 필요가 있다.

다. 사후공시

이사는 소정의 서면을 주식교환의 날부터 6월간 본점에 비치하여야 한다. 비치할 서면은 ①주식교환의 날, ② 주식교환의 날에 완전자회사가 되는 회사에 현존하는 순자산액, ③ 주식교환으로 인하여 완전모회사에 이전한 완전자회사의 주식의 수, ④ 그 밖의 주식교환에 관한 사항이다(제360조의12 제1항). 주주들은 영업시간 내에 이 서면의 열람 또는 등사를 청구할 수 있다(같은 조 제2항; 제391조의3 제3항).

라. 이사의 책임

주식교환·이전 관련하여 이사의 임무해태로 인수회사에 손해가 발생한 경우 이사들은 상법 제399조에 따라 책임을 부담하며, 대상회사의 주주에게 발생한 손해에 관하여는 인수회사 및 대상회사의 이사들이 상법 제401조에 따른 책임을 진다. 인수회사에 손해가 발생한 경우로는 대상회사의 순자산을 초과하여 인수회사의 자본금이 증가된 경우를, 대상회사에 손해가 발생한 경우로는 교환비율이 대상회사 주주에게 현저히 불리한 경우를 생각해 볼 수 있다.[41]

마. 주식교환·이전의 무효

주식의 포괄적 교환 내지는 이전의 효력을 다투는 방법은 소로써만 가능하

---

41) 이철송, 전게서(각주 7), 1191~1192면.

다. 판결의 소급효는 배제되는데 이러한 해석은 주식이전무효의 소는 상법 제
190조 전체를 준용함으로써(제360조의23 제4항), 주식교환무효의 소는 상법 제
431조를 준용하는 데서 도출된다(제360조의14 제4항). 아래에서 별도로 보기로
한다.

Ⅲ. 주식교환·이전의 효력을 다투는 쟁송

1. 회사소송 일반론

주식의 포괄적 교환·이전의 효력을 다투는 방법으로서 상법은주식교환무효
소송(제360조의14), 주식이전무효소송(제360조의23)을 마련하고 있다.

이들 소송은 모두 형성의 소이므로 제소권자, 제소기간, 주장방법 등이 법률
에 의하여 제한된다. 특히 주식교환 내지는 주식이전의 날부터 6월 이내에 소송
으로써만 이를 주장할 수 있음(제360조의14 제1항, 제360조의23 제1항)에 주의할
필요가 있다.

또한 이들 소송은 완전모회사가 되는 회사의 본점소재지의 지방법원의 관할
에 전속한다(제360조의14 제2항, 제360조의23 제2항).[42]

피고는 원고의 청구가 악의임을 소명하여 상당한 담보를 제공하게 할 것을
법원에 청구할 수 있고, 법원은 담보제공을 명할 수 있다(제360조의14 제4항, 제
377조).

2. 제소적격

가. 개   요

소송을 제기할 수 있는 자는 각 당사회사의 주주, 이사, 감사, 감사위원회

---

42) 주식교환·이전의 무효소송은 상법의 규정에 의한 회사관계 소송으로서 비재산권을 목적으
로 하는 소송이므로 소가는 50,000,100원(오천만일백 원)이지만 대법원규칙에 따라 합의부
관할사건으로 분류된다(민사소송 등 인지법 제2조 제4항, 민사소송 등 인지규칙 제15조 제
2항).

의 위원43) 또는 청산인이다. 완전모회사가 되는 인수회사와 완전자회사가 되는 대상회사 모두 주식교환무효의 소의 피고가 된다.44)

나. 주식교환·이전에 의한 주주 지위 변동과 기존 회사소송의 관계

주식의 포괄적 교환·이전 등을 통해 기업재편이 이루어질 때 기존 주주의 지위가 주식교환·이전을 통해 변동되는 것은 주주의 사정이 아니라 회사 측 사정이라고 할 수 있다. 이러한 주주 지위 변동으로 인해 기존의 회사관계소송에서의 원고적격이 유지되는지 여부가 문제될 수 있다.

(1) 주주권 행사를 위한 소송의 원고적격

1주라도 주식을 가진 주주는 단독주주권으로서 각종 소제기권(주주총회 결의취소·부존재 또는 무효확인의 소, 부당결의취소의 소, 설립, 합병, 신주발행, 자본금감소, 분할, 분할합병 무효, 주식교환·이전무효의 소 등)이 있다. 이러한 회사관계 소송 중 예컨대 주주총회결의취소·부존재 또는 무효확인의 소의 경우에 주주 지위가 변동된 경우 종전 회사관계 소송의 원고적격에 관하여 살펴본다.

특히 주주총회결의취소의 소는 법문상 제소권자를 주주, 이사, 감사로 한정하고 있는바 최근 대법원은 외환은행의 소수주주들이 외환은행을 피고로 하여 제기한 배당 관련 주주총회결의 취소의 소를 제기하였다가 그 소송계속 중 하나금융지주를 완전모회사로 하는 주식교환이 실행되어 하나금융지주가 피고회사의 100% 지분을 보유한 주주가 되었고 원고들은 피고회사 주주 지위를 상실한 사안에서 '주주총회결의 취소소송의 계속 중 원고가 주주로서의 지위를 상실하면 원고는 상법 제376조에 따라 소를 구할 당사자적격을 상실하고45) 이는 원고가 자신의 의사에 반하여 주주의 지위를 상실하였다 하여 달리 볼 것은 아니다'라고 당사자적격을 엄격하게 해석하여 판시한 바 있다.46) 따라서 주식교환·이전

43) 상법 제360조의14 제1항은 감사위원회의 위원을 제소권자로 규정하지만, 감사위원회의 위원은 이미 이사의 자격을 가지는 자이므로 굳이 제소권자로 규정할 실익은 없다.
44) 완전모회사만 피고가 된다는 견해도 있다(이철송, 전게서(각주 [7]), 1192~1193면).
45) 대법원 2011.2.10. 2010다87535.
46) 대법원 2016.7.22. 2015다66397. 이 사안에서 원고들은 피고 회사의 제44기(2010. 1. 1.~2010. 12. 31.) 재무상태표, 손익계산서 및 이익잉여금 처분계산서 승인(이익잉여금 처분계산서상의 주당 배당금 원안 580원을 850원으로 수정하여 승인) 안건 등에 대한 주주총회결의의 효력을 다투면서 이러한 주주총회결의 내지는 그에 따른 배당금 지급이 시장 주가에 영향을 주어 교환비율이 결정에까지 영향을 미쳤다고 주장하였으나, 대법원은 이를 받아

에 의해 주주 지위 변동이 발생하게 되면 원칙적으로 기존에 원고들이 대상회사의 주주라는 지위에서 제기한 소송일 경우 원고들은 당사자적격을 상실하게 되고 당해 회사소송은 부적법각하된다.

이에 비해 원고적격을 법문상 반드시 주주의 지위로 제한하지 않은 주주총회결의 무효 확인의 소 또는 부존재 확인의 소의 경우는 제소권자의 제한이 없으므로 주식교환 등으로 인한 주주 지위 변동에도 불구하고 결의의 무효 또는 부존재의 확인에 관하여 정당한 법률상 이익이 있는 자라면 누구나 소송으로써 그 확인을 구할 수 있다.[47] 즉 이 때에는 확인의 소에 있어서 소송요건으로서 '확인의 이익'이 인정되어야 하고, 확인의 이익이라 함은 원고의 권리 또는 법률상의 지위에 현존하는 불안·위험이 있고 그 불안·위험을 제거함에는 확인판결을 받는 것이 가장 유효·적절한 수단일 때에만 인정된다.[48]

이와 관련하여 대법원은 외환은행의 소수주주들이 회사의 주주총회결의 부존재확인을 구한 사안에서 소송계속 중 주식교환에 의해 100% 모회사의 주주가 되어버린 원고가 대상회사에 대해 가지는 이익은 사실상, 경제상의 것에 불과하다고 보아 확인의 이익을 부정한 바 있다.[49] 즉 이 사건 주주총회결의가 부존재하는 것으로 확인이 되어 이 사건 주주총회결의에 근거한 배당액이 모두 피고 회사에게 반환됨으로써 피고 회사의 완전모회사인 하나금융지주에 이익이 된다고 하더라도, 이로 인하여 하나금융지주의 주주인 원고들이 갖는 이익은 사실상, 경제상의 것에 불과하다고 할 것이므로, 원고들은 이 사건 주주총회결의 부존재의 확인을 구할 법률상 이익을 가진다고 할 수 없다고 보았다.

주식회사의 주주는 주식의 소유자로서 회사의 경영에 이해관계가 있지만, 회사의 재산관계에 대해서는 단순히 사실상, 경제상 또는 일반적, 추상적인 이해관계만을 가질 뿐, 구체적 또는 법률상의 이해관계를 가진다고는 할 수 없는 것이 원칙이다.[50]

그러나 회사의 재산관계에 대한 주주의 이해관계 중 구체적 또는 법률상의 것과 단순히 사실상·경제상 또는 일반적·추상적인 것을 구별하는 기준이 무

들이지 않았다.

47) 대법원 1980.10.27. 79다2267 등 참조; 2016.7.22. 2015다66397.
48) 대법원 1991.12.10. 91다14420; 2011.9.8. 2009다67115 등.
49) 대법원 2016.7.22. 2015다66397.
50) 대법원 2001.2.28. 자 2000마7839 등 참조; 2016.7.22. 2015다66397.

엇인지는 명확하지 않다. 대법원은 이 사건에서 다투어졌던 배당 관련 주주총회 결의 내지는 그에 따른 배당금 지급이 그로부터 약 1년 10개월 후의 시장주가에 근거한 이 사건 주식교환비율의 결정에 영향을 미쳤다고 단정하기 어렵다고 보아 여기서의 주주의 회사 재산관계에 대한 이해관계를 사실상·경제상의 것으로 파악한 것으로 보인다. 규범적으로 평가하여야 할 문제인 것은 맞지만, 이러한 대법원의 입장에 대해 위 배당 관련 결의의 부존재확인을 구하는 것이 소수주주들의 구체적, 법률상 이해관계로 해석될 여지도 있다는 지적도 있다.[51]

다만 위 사안에서는 설령 이 사건 주주총회결의가 이 사건 주식교환비율의 결정에 영향을 미쳤다고 하더라도 이 사건 주식교환비율의 불공정 또는 이 사건 주주총회결의 성립과정에서의 위법 등의 사유는 해당 주식교환무효의 소 또는 별도의 손해배상청구의 소를 통하여 직접 다툴 수 있는 것이어서 이 사건 주주총회결의 부존재의 확인을 구하는 것이 이 사건 주식교환비율을 둘러싼 분쟁을 가장 유효·적절하게 해결하는 수단이라고는 보기 어렵다는 점을 고려하여 확인의 이익을 부정한 것으로 이해된다.

(2) 종전에 제기한 대표소송의 원고적격

상법상 대표소송은 남소를 막기 위하여 대표소송을 제기할 수 있는 권한이 단독주주권이 아니라 소수주주권으로 규정되어 있다. 비상장회사의 경우에는 1% 이상, 상장회사의 경우는 6개월 전부터 계속하여 0.01% 이상의 지분을 보유해야 한다(제403조 제1항, 제542조의6 제6항). 그렇다면 완전자회사가 되는 대상회사의 기존 주주가 주식교환 이전에 이미 대상회사의 이사를 상대로 대표소송을 제기하였고 그 소가 아직 소송계속중인 상태에서 주식교환·이전에 의해 대상회사의 주주지위를 상실하게 되었다면 종전에 제기한 대표소송에서의 원고적격이 그대로 유지되는지 여부가 문제된다.[52]

일반적으로 재판상 청구에 의한 소수주주권의 행사시에는 제소시점을 포함하여 소송이 계속되는 동안 위 주식 보유요건을 구비하여야 한다.[53]

---

51) 같은 취지로, 노혁준, 전게논문(각주 32)), 27~28면.
52) 이 점을 지적한 논문으로서, 노혁준, "주주 지위의 변동과 회사소송의 원고적격," 「기업법연구」 제30권 제4호 통권 제67호(한국기업법학회, 2016. 12.), 27~28면.
53) 예컨대 발행주식의 총수의 100분의 3 이상에 해당하는 주식을 가진 주주는 상법 제466조 제1항에 따라 이유를 붙인 서면으로 회계의 장부와 서류의 열람 또는 등사를 청구할 수 있는바, 열람과 등사에 시간이 소요되는 경우에는 열람·등사를 청구한 주주가 전 기간을 통

그러나 대표소송의 경우는 상법 제403조 제5항에서, "…소를 제기한 주주의 보유주식이 제소 후 발행주식총수의 100분의 1 미만으로 감소한 경우(발행주식을 보유하지 아니하게 된 경우를 제외한다)에도 제소의 효력에는 영향이 없다"고 규정하고 있는 문언을 고려하여, 다른 소수주주권과는 달리, 대표소송을 제기할 때 주식보유요건을 갖추면 되고 소 제기 후에는 보유주식의 수가 그 요건에 미달하게 되어도 무방하지만, 대표소송을 제기한 주주 중 일부가 주식을 처분하는 등의 사유로 주식을 전혀 보유하지 아니하게 되어 주주의 지위를 상실하면, 특별한 사정이 없는 한 그 주주는 원고적격을 상실하고 그가 제기한 부분의 소는 부적법하게 된다고 보고 있다.[54] 그리고 대표소송 상의 원고적격은 사실심 변론종결시까지 유지되어야 한다.[55]

대법원은 이 법리를 동일하게 적용하여 외환은행 주주들이 외환은행의 업무집행지시자 또는 이사들을 상대로 임무해태에 따른 손해배상을 구한 주주대표소송 사안에서도, 회사가 행한 주식의 포괄적 교환 내지는 이전으로 인해 대상회사 주식을 전혀 보유하지 않게 된 주주(완전자회사가 되는 대상회사의 기존 주주들)이 소송계속 중에 대상회사의 주식을 전혀 보유하지 아니하게 되어 주주의 지위를 상실하게 되므로 특별한 사정이 없는 한 그 주주는 원고적격을 상실하여 그가 제기한 소는 부적법하게 되고, 이는 그 주주가 자신의 의사에 반하여 주주의 지위를 상실한 경우라 하더라도 동일하게 보아야 한다고 판시하였다.[56] 그 이후에도 대법원은 같은 입장을 견지하고 있다.[57] 주식을 전혀 보유하지 않게 된 원인이 자발적인 것이었는지 여부는 불문하는 이유는 주식을 보유하지 않는 자는 그 대표소송을 진지하게 수행할 인센티브가 없다고 보기 때문이다.[58]

해 발행주식 총수의 100분의 3 이상의 주식을 보유하여야 하고, 회계장부의 열람·등사를 재판상 청구하는 경우에는 소송이 계속되는 동안 위 주식 보유요건을 구비하여야 한다(대법원 2017.11.9. 2015다252037.)
54) 대법원 2013.9.12. 2011다57869.
55) 대법원 2002.3.15. 2000다9086.
56) 대법원 2018.11.29. 2017다35717(이 사건 대표소송 제기 후 외환은행과 하나금융지주 사이에서 주식의 포괄적 교환계약이 체결되고 주식교환이 이루어져 원래 외환은행 주주였던 원고들은 소송계속 중 하나금융지주의 주주가 되었다).
57) 대법원 2019.5.10. 2017다279326; 갑 증권회사 발행주식의 약 0.7607%를 보유한 주주인 을 등이 대표소송을 제기한 후 소송 계속 중 갑 회사와 병 금융지주회사가 주식교환을 완료하여 병 회사가 갑 회사의 100% 주주가 되고 을 등은 갑 회사의 주주로서의 지위를 상실한 사안에서, 대표소송 제기 후 갑 회사의 주식을 전혀 보유하지 않게 된 을 등은 원고적격을 상실하였다고 본 원심판단을 수긍한 사례이다.

(3) 소 결

외환은행과 하나금융지주의 주식교환사례와 관련된 회사관계 소송에서 드러
난 바와 같이 주주 측 사정이 아니라 회사 측 사정으로 말미암아 기존 주주들
이 제기한 회사관계 소송에서 원고적격 흠결로 보아 해당 소를 부적법각하하는
것은 이미 상당 시간 소송이 진행되었음에도 불구하고 이를 해결하지 않고 형식
적인 이유로 분쟁을 외면해버리게 되어 불합리하며 소수주주 보호에도 반하는
측면이 있다. 또 회사가 막대한 손해배상책임을 이사가 지는 것을 면하기 위하
여 주식교환 또는 주식이전을 시도함으로써 의도적으로 원고들의 소송을 무력화
시키는 등 남용될 소지도 있다.

그러므로 주식의 포괄적 교환, 이전 등으로 인하여 완전자회사가 되는 대상
회사의 기존 주주들이 설령 대상회사 주식을 전혀 보유하지 않게 되는 경우라
하더라도 기존에 제기했던 대표소송이나 주주총회 결의의 효력을 다투는 소송
등을 수행하는 데에는 법률상 원고적격을 상실하지 않는 방안을 향후 입법론의
관점에서 검토할 필요가 있다.

참고로, 일본의 경우 주식교환·이전에 의하여 원고가 주주자격을 상실하고
완전모회사의 주주가 된 경우라 하더라도 이미 제기한 대표소송에서 원고적격을
상실하지 않고 그대로 종전의 대표소송을 수행할 수 있고(일본 회사법 제851조
제1항 제1호)[59] 또 이사의 책임원인사실은 이미 발생하였지만 주주가 아직 대표
소송을 제기하지 않은 상태에서 주식교환 등이 이루어져 당해 주주가 완전모회
사 주주가 된 경우라 할지라도 종전의 회사의 이사를 상대로 대표소송을 제기할
수 있음을 명문으로 규정하고 있다(일본 회사법 제847조의2).[60]

---

58) 송옥렬, 전게서, 1107면.
59) 일본의 大和銀行의 주주대표소송사건의 제1심에서 원고 주주들이 승소하였음에도 불구하고
   (東京地判平成 13.3.29. 判例時報1748号 150面) 제2심 단계에서 주식이전에 의하여 大和銀
   行이 大和銀行홀딩스의 완전자회사가 되어버림으로써 원고 주주들이 원고적격을 상실하게
   되어 각하판결을 하여야만 하는 상황이 벌어졌다. 그 결과 제1심에서 인정된 손해배상금액
   보다 훨씬 적은 금액으로 당사자들이 화해하는 것으로써 절차가 종결되었다. 이 점과 관련
   하여 피고 회사가 막대한 손해배상책임을 면하기 위하여 주식이전절차를 개시하였다는 비
   판이 있었고 이러한 비판을 고려하여 명문의 규정을 두어 주식교환·이전의 경우에는 원고
   가 소송계속 중에 주주자격을 상실하고 완전모회사의 주주가 되더라도 원고적격을 상실하
   지 않는다는 명문의 규정을 두게 되었다. 株主代表訴訟制度研究會, "株式交換·株式移轉と
   株主代表訴訟 (1) － 原告適格の継承 －,"「商事法務」No.1680(商事法務研究會, 2003), 5面.
60) 黒沼悦郎,「会社法」(商事法務, 2017), 362~363面.

다. 기존 대표소송과 다중대표소송으로의 전환 문제[61]

종전의 주주대표소송은 주식의 포괄적 교환 (혹은 흡수합병의 경우) 이후에는 원고적격을 유지하지 못한다는 것이 앞서 본 판례의 입장이었으나 입법을 통해 다중대표소송이 도입된 이상 주주대표소송이 자동으로 다중대표소송으로 전환되는지, 다시 말하면 제소원고의 원고적격이 그대로 유지되는지 여부가 문제 될 수 있다.

이에 대해, 2020년 개정으로 다중대표소송이 도입되었으므로 원래 제기된 소송이 다중대표소송으로 (변환되어) 그대로 유지된다고 보는 입장도 있다.[62] 이사를 상대로 회사에게 손해배상을 하라는 내용의 청구라는 점은 변함이 없으므로 일단 대표소송을 제기한 원고는 그대로 원고적격을 유지한다는 것이다.

그러나 다중대표소송제도를 도입했다고 하여 종전에 상법 제403조에 근거하여 제기된 대표소송이 다중대표소송으로 바로 전환되었다고 볼 수 있는지 의문이다.

앞서 본 바와 같이 주식의 포괄적 교환을 통해 해당 이사는 이사 지위를 상실할 수도 있어 소송상황이 바뀔 수 있다. 다중대표소송에서는 대표소송에서 요구하고 있지 않은 모자회사 요건도 요구하고 있다. 또 제소 전 청구절차를 법문상 요구하고 있는데, 분명히 '자회사'에 대해 하도록 규정하고 있다.

종전의 회사에 대해 소제기청구를 한 것이어서 결과적으로 소제기청구를 받은 회사 자체의 법인격은 동일하다고 할 수 있지만 소송절차의 문제이므로 법적 안정성을 위해 엄격하게 해석해야 한다.

다만 제소 원고 입장에서 법원의 허가를 얻어 종전의 대표소송을 취하하고 다시 자회사에 대한 제소전청구 절차를 밟도록 하고, 1개월의 대기기간을 거쳐 상법 제406조의2에 따른 다중대표소송을 다시금 제기하게 하는 것은 절차적으로 번잡할 뿐만 아니라 이미 상당히 변론이 진행된 경우에는 같은 절차를 되풀이하게 한다면 이는 소송경제에도 반한다.

따라서 주식교환 등을 통해 모회사 주주로 전환된 경우 종전에 제기한 대표

---

61) 김태진, "다중대표소송: 상법 제406조의2의 이해," 대법원 제13회 상사실무연구회 발표문, 38~42면에서 발췌인용.
62) 송옥렬, 전게서, 1114면.

소송에 있어 청구의 기초가 바뀌지 아니하였으므로, 변론종결시까지 민사소송법 제262조에 정하여진 바에 따라 청구를 변경하는 절차를 거치면 충분하다고 본다. 이 때 원고가 구하고자 하는 청구취지의 피고와 피고로부터 급부를 받을 상대방(자회사)은 주식교환 이전과 이후에 변하지 않으므로 청구의 원인을 다중대표소송의 형태라는 점을 명시하고 다중대표소송에 필요한 절차를 거쳤음을 명시하는 정도로 충분할 것이다. 그리고 청구변경 절차를 거치도록 한다고 하더라도 종전 대표소송의 소송계속 중에 이루어지는 것인 이상 종전에 대표소송을 제기한 주주의 권리를 침해할 여지도 크지 않을 것이다.

그렇다면 역으로 모회사 주주였다가 자회사의 주주로 변경되는 경우에도 이와 유사하게 볼 수 있을지가 문제된다.[63]

이 경우에도 법적 안정성을 위해 다중대표소송을 제기하였다가 일반대표소송(상법 제403조)으로 자동전환된다고 보기보다는 위와 같이 청구변경절차(민사소송법 제262조)를 통해 일반 대표소송임을 청구원인에서 분명하게 할 필요가 있다.

다만 주식보유요건과 관련하여 주식교환을 통해 혹은 자회사와의 합병을 통해 제소원고의 지분율이 하락하더라도 제소의 효력에는 영향이 없다고 보아야 한다.

원래 재판상 청구에 의한 소수주주권의 행사시에는 제소시점을 포함하여 소송이 계속되는 동안 위 주식 보유요건을 구비하여야 한다. 예컨대 발행주식의 총수의 100분의 3 이상에 해당하는 주식을 가진 주주는 상법 제466조 제1항에 따라 이유를 붙인 서면으로 회계의 장부와 서류의 열람 또는 등사를 청구할 수 있는바, 열람과 등사에 시간이 소요되는 경우에는 열람·등사를 청구한 주주가 전 기간을 통해 발행주식 총수의 100분의 3 이상의 주식을 보유하여야 하고, 회계장부의 열람·등사를 재판상 청구하는 경우에는 소송이 계속되는 동안 위 주식 보유요건을 구비하여야 한다.[64]

그러나 대표소송의 경우는 상법 제403조 제5항에서, "…소를 제기한 주주

---

63) 강경민, "한화에너지 '지배구조 정점' 에이치솔루션 합병," 2021년 8월 12일자 한국경제신문 A15면 기사. 한화에너지가 자사주식 100%를 보유하고 있는 모회사인 에이치솔루션을 흡수합병하였는데, 100% 자회사와의 합병이므로 흡수합병 이후에도 기존 모회사의 주주별 (K1 50%, K2 25%, K3 25%) 지분율 변화는 없었다. 흡수합병의 이유로서, 분리된 사업부문(에이치솔루션이 맡던 투자부문과 한화에너지가 맡던 사업부문)을 통합하여 지배구조를 단순하고 투명하게 개선시킬 목적임을 밝혔다.

64) 대법원 2017.11.9. 2015다252037.

의 보유주식이 제소후 발행주식총수의 100분의 1 미만으로 감소한 경우(발행주식을 보유하지 아니하게 된 경우를 제외한다)에도 제소의 효력에는 영향이 없다"고 규정하고 있는바, 이 점을 고려하여, 다른 소수주주권과는 달리, 대표소송을 제기할 때 주식보유요건을 갖추면 되고 소 제기 후에는 보유주식의 수가 그 요건에 미달하게 되어도 무방하다고 보고 있다. 따라서 이미 대표소송을 제기한 경우라면 설령 주식교환을 통해 모회사에 대한 지분율이 하락하더라도(모회사 발행주식총수의 100분의 1 이상에 해당하는 주식을 보유하지 못하게 되더라도) 이러한 지분율 하락은 당해 소송이 다중대표소송으로 청구가 변경되는 데에 있어 제소의 효력에는 영향이 없다고 해석해야 한다. 물론 이 경우에도 그 대표소송을 제기한 주주가 주식교환 후 새로이 취득한 주식을 전부 처분하는 등의 사유로 주식을 전혀 보유하지 아니하게 된 경우이거나 교부금 주식교환, 교부금 합병 등으로 더 이상 주식을 보유하지 않게 된다면 그 경우에는 원고적격을 상실하고 그가 제기한 소는 부적법하게 된다.

3. 제소 원인

가. 실체법상 원인

실체법상 원인으로는 (i) 주식교환계약서, 주식이전계획서의 내용과 다른 내용으로 주식교환을 하거나, (ii) 주식교환계약서, 주식이전계획서의 내용이 강행법규에 위반하는 경우, (iii) 예컨대 완전모회사 주주와 완전자회사 주주 어느 한쪽에 불공정한 교환비율을 정하는 등 주식교환계약서의 내용이 현저하게 불공정한 경우 등을 고려할 수 있다.

그러나 주식의 포괄적 교환이나 이전에 대하여 반대하는 완전모회사 또는 완전자회사 주주의 주식매수청구권에 회사가 불응하거나 매수가액에 이견을 보인다는 사유만으로는 주식교환무효소송의 원인이 된다고는 볼 수 없다. 이 경우에는 주식매수청구권 행사의 문제이기 때문이다.

나. 절차법상 원인

절차법상 원인으로는 주식교환계약서, 주식이전계획서에 대한 주주총회 승인

결의의 하자를 들 수 있으며 주주총회 결의의 하자 원인은 주주총회 결의에 관한 일반적 하자 사유를 참고하면 된다.

이와 관련하여 공동주식이전계획에 의하여 복수의 회사가 하나의 완전모회사를 설립하고자 할 때 각 회사의 주식별로 정하여진 주식이전계획서에 대하여 일부 회사들은 주주총회 승인을 얻었는데, 다른 회사의 주주총회가 주식이전을 승인하지 않는 경우 나머지 다른 회사의 주식이전에도 무효원인이 있는지가 문제될 수 있다.

주주총회의 승인을 얻은 회사들만으로 완전모회사를 설립할 수 있다고 보는 견해와, 전체 자회사에 대하여 주식이전 무효원인으로 보아야 한다는 견해가 있다. 생각건대, 주식이전비율을 정함에 있어서 일부 회사가 누락되었다면 이 점을 반영하여 완전모회사의 지배구조를 설계해야 할 것이므로 일부 회사가 주주총회 승인을 얻지 못한다면 이는 주식이전무효원인으로 보아야 한다.

4. 쟁송 형태

주식교환이나 이전의 효력 발생 이전에는 주식교환, 이전을 승인한 주주총회의 결의만을 별도로 다툴 수 있겠으나, 주식교환, 이전이 효력을 발생한 이후에는 더 이상 이를 승인한 주주총회결의에 대한 취소소송이나 무효·부존재 확인소송을 별도로 제기할 수 없고 주식교환무효의 소 또는 주식이전무효의 소로써만 다툴 수 있다.

이처럼 주식교환을 승인한 주주총회 결의와 주식교환계약서상 정하여진 주식교환의 날 사이에 시간적 간극이 발생한 경우에는 이론상 위 결의만을 대상으로 취소소송 등을 제기할 수도 있겠으나, 주식교환, 이전의 효력이 발생한 이후에는 종전의 소송은 주식교환무효소송 또는 주식이전무효소송으로 변경하여야 한다. 이 경우 청구기초의 변경이 없으므로 별도의 주식교환 무효의 소를 제기할 필요 없이 원고의 소변경신청에 의하여 주식교환무효의 소로 변경하여 소송을 계속 진행할 수 있을 것이다.

다만, 주식교환무효소송이나 주식이전무효소송은 전속관할에 대한 정함이 있으므로 전속관할인 취득회사의 본점을 관할하는 지방법원으로 이송하는 문제만이 발생한다.[65)]

5. 무효판결의 효력

가. 대세적 효력

주식교환·이전무효판결은 회사설립 무효의 판결과 마찬가지로 제3자에 대하여 효력이 있다(대세효: 제360조의14 제4항, 제360조의23 제4항; 제190조 본문).

나. 판결효력의 불소급

주식교환·이전무효판결의 효력은 불소급하므로 주식교환·이전무효판결이 확정되면 인수회사가 발행한 신주는 장래에 대하여 그 효력을 잃는다(주식교환무효판결의 경우 제360조의14 제4항; 제431조 제1항, 주식이전무효판결의 경우 제360조의23 제4항; 제190조 단서). 주식교환의 경우는 회사 신설이 없이 주식발행만 일어나므로 제190조 단서 대신에 주식의 실효에 관한 규정(제431조 제1항)을 준용한다.

다. 주식교환·이전의 이전 상태로의 복귀

주식교환무효판결이 확정되면 주식교환으로 형성된 인수회사와 대상회사 사이의 모자관계가 주식교환 이전상태로 복귀하고 인수회사는 주식교환을 위하여 발행한 신주 (또는 신주발행에 갈음하여 이전한 자기주식)의 주주에게 대상회사 주식을 이전하여야 한다(제360조의14 제3항). 무효판결 확정 전에 위 주주가 주식교환으로 취득한 인수회사 주식을 타인에게 양도하였다면 판결효력 불소급 원칙에 따라 그 양도행위는 유효하다.[66] 따라서 인수회사가 대상회사 주식을 이전할 때에는 원래의 주주(양도인)가 아니라 무효판결 확정시의 주주(양수인)를 대상으로 하여야 한다. 그 대신 양수인이 취득한 인수회사의 신주는 효력을 상실한다(제360조의14 제4항, 제431조 제1항).[67]

한편 주식이전무효판결이 확정되면 피이전회사의 설립은 무효가 되고 피이전

---

65) 原田晃治, "株式交換等に係る平成11年改正商法解説(上)," 「商事法務」 No.1536(商事法務研究會, 1999), 25面; 노혁준, 전게논문(각주 1)), 150면.
66) 김건식·노혁준·천경훈, 「회사법」 제3판(박영사, 2018), 821면.
67) 만약 인수회사가 대상회사 주식의 일부를 제3자에게 양도하였다면 금전으로 보상하여야 한다: 김건식 외 2인, 상게서, 821면.

회사는 회사설립이 무효나 취소가 된 경우와 마찬가지로 청산을 해야 한다(제
360조의23, 제193조). 이 때 피이전회사가 소멸하므로 원래대로라면 피이전회사
의 주주는 주식을 상실하고 청산 후 잔여재산을 분배받아야 하는데, 상법은 주
식이전무효판결 확정시 주식교환의 경우와 마찬가지로 피이전회사로 하여금 주
식이전으로 취득한 주식을 주주에게 이전하도록 하고 있다(제360조의23 제3항).
그러므로 피이전회사의 채권자가 주주에 비해 불리한 처지에 처할 우려가 있
다.68)

6. 재량기각

주식교환무효의 소가 그 심리 중에 원인이 된 하자가 보완되고 회사의 현황
과 제반사정을 참작하여 주식교환을 무효로 하는 것이 부적당하다고 인정한 때
에는 법원은 그 청구를 기각할 수 있다(제360조의14 제4항, 제189조).

그러나 주식교환무효의 소와 같이 상법 제189조를 준용하고 있는 자본감소
무효소송 사건에서 대법원은 원칙적으로 그 소 제기 전이나 그 심리 중에 원인
이 된 하자가 보완되어야 할 것이나, 그 하자가 추후 보완될 수 없는 성질의 것
인 경우에는 그 하자가 보완되지 아니하였다고 하더라도 회사의 현황 등 제반
사정을 참작하여 재량기각한 바 있으므로69) 주식교환무효소송에서 설령 그 하
자가 보완되지 않았다고 하더라도 법원이 재량기각할 여지가 있다.

Ⅳ. 관련되는 법적 문제점

1. 인수회사 주주총회의 특별결의의 요부(要否)

가. 유사제도와의 비교

앞서 본 바와 같이 2011년 상법 개정으로 삼각합병이 가능하게 되면서 주식
의 포괄적 교환·이전제도와 동일한 경제적 효과를 달성할 수 있는 다른 수단

---

68) 김건식 외 2인, 상게서, 829면.
69) 대법원 2004.4.27. 2003다29616.

사이의 형평성 내지는 제도적인 정합성이 문제된다. A회사가 T회사(Target)를 100% 자회사로 하고 싶을 때 (i) 일반적인 주식 취득 방법, (ii) 공개매수 방법, (iii) 주식의 포괄적 교환(이전), (iv) 삼각합병 등을 고려해 볼 수 있는데, 이 중에서 A회사의 주주총회의 특별결의가 필요한 것은 (iii)의 경우뿐이다. (i)의 경우 대개 주식의 대가로서 현금을 지급하는 형태로서 T회사 주주들과 주식양수도계약 주식양도 또는 양수계약을 체결하여 해결할 수 있는데, 이는 사적인 거래 형태이므로 T회사의 주주총회의 결의를 거치지 않아도 된다.[70] (ii)의 공개매수도 자본시장법에서 정한 요건을 따른다는 것 이외에는 (i)과 큰 차이가 없고, 또 (i)과 마찬가지로 모든 주주들이 반드시 응한다는 보장이 없으므로 완전자회사에 실패할 위험성이 있다. (iv) 삼각합병의 경우에도 모회사인 A회사의 주주총회의 특별결의는 필요하지 않다.

나. 주주총회의 특별결의의 요부

이 점과 관련하여 주식의 포괄적 교환은 자회사 형태로 대상 회사를 지배하는 것이므로 주주총회의 특별결의를 요하는 것 자체가 회사법의 정합성에 어긋난다는 견해가 있는데, ① 회사의 주식을 취득하는 거래는 일반적으로 주주총회의 승인을 요하는 것이 아니고, ② 회사의 주주 구성이 달라진다는 것도 신주발행과 마찬가지로 그 자체로는 반드시 주주총회의 승인이 필요하다고 할 수 없기 때문임을 근거로 하고 있다.[71]

일반적인 신주발행이 이사회 권한으로 진행되는 것에 비추어 볼 때 충분히 타당한 지적이라고 생각한다. 비교법적으로 볼 때 주식교환의 모범이라 할 수 있는 미국의 경우에도 RMBCA 제11.04조(g)에서 주식 교환(share exchange) 시 인수회사(the acquiring company)의 경우는 주주총회 승인이 필요 없음을 밝히고 있듯이[72] 인수회사의 주주총회 승인이 법리상 반드시 필요한 것이라고는 보

---

70) (i), (ii)의 경우에도 만약 T회사 주식에 대한 대가로서 A회사의 주식을 교부한다면(예컨대 교환공개매수) 주식의 포괄적 교환·이전 제도와 매우 유사하게 A회사의 주주의 구성도 바뀌게 된다.

71) 송옥렬, 전게서, 1246면.

72) Section of Business Law, American Bar Association, Model Business Corporaiton Act Annotated (4th ed.) vol. 3, 2008 (이하 'MBCA Annotated (4th ed.) vol.3'라 한다), pp. 11~39.

기 어렵다.

다만, 외국의 경우와 달리 주식의 포괄적 교환(내지는 이전)이 단순히 주주와의 주식교환거래의 집합체에 불과한 것이 아니라 상법에 따라 주식교환일 내지는 신설회사의 설립등기일에 일괄하여 주식이 교환, 이전되는 법적 효과가 발생하는 것이고 우리나라의 특수한 현실에서 주식의 포괄적 교환을 통하여 발생하는 주주 구성의 변화는 지배구조의 중요한 변화를 의미할 수 있으므로 인수회사 주주총회의 특별결의를 요구한 것도 이러한 차원에서 필요성을 수긍할 수도 있겠다.[73] 그러나 인수회사에 대하여서까지 주주총회의 승인을 요구함으로써 오히려 이 제도 자체가 널리 활용되는 데에 걸림돌이 되는 것은 아닌지 우려되고 이 글을 시작하면서 주식의 포괄적 교환 제도가 현실에서 그다지 활용되지 못하는 이유 중의 하나도 실은 과도한 절차적 요건을 요구하는 것이 아닌지 우려된다.

중요한 것은 인수회사의 주주총회 승인이 절차적으로 반드시 필요한지 여부가 아니라, 인수회사의 주주들이 주식의 포괄적 교환에 대한 내용에 대한 정보를 가지고 있어야 한다는 점이다. 상법 제360조의4에 의하면 주주총회 회일 2주 전부터 주식 교환 날 이후 6월이 경과하는 날까지 주식교환계약서, 대상회사의 주주에 대한 주식의 배정에 관하여 그 이유를 기재한 서면, 주주총회 회일 전 6월 이내의 각 당사 회사의 최종대차대조표 및 손익계산서 등을 본점에 비치하도록 규정하고 있다.

2. 채권자보호절차의 요부와 필요성

앞서 본 바와 같이 주식의 포괄적 교환·이전은 합병과 달리 채권자보호절차를 따로 거치지 않는데, 이것은 대상회사, 인수회사든 모두 주주의 구성만 달라질 뿐, 회사 자체는 여전히 존속하기 때문에 채권자 입장에서 종전과 변화된 것이 없다고 보았기 때문이다.

그렇지만 완전자회사가 될 대상회사의 자본잠식상태가 심각한 상황이라고 가정해 보자. 학설상 채무초과상태의 회사를 대상회사로 할 수 있는지에 관하여는 많은 논의가 있지만, 만약 그 대상회사의 가치를 과대계상하여 대상회사 주주에

---

73) 같은 취지로 이철송, 전게서(각주 7), 1158면.

게 교환신주를 발행하였다면 인수회사의 채권자 입장에서는 증자의 외형은 있지만 현실적으로 유입된 자금 대신 대상회사의 주식을 취득한 셈이 되어 그만큼 인수회사의 부가 대상회사의 주주들에게 유출되었다고도 볼 수 있는바, 채권자 보호절차를 거쳐야 할 필요성을 인정할 수도 있지 않을까.

또한 주식교환의 대가의 전부를 금전으로 지급하는 교부금 주식교환의 경우라면 인수회사의 자산이 유출되었으며 채권자들이 후순위로 된 것이므로 채권자 보호절차를 두는 것이 채권자 보호를 위하여 필요하다고 본다.

3. 소규모 주식교환 시 반대주주의 주식매수청구권 인정 여부

간이주식교환의 경우 주식매수청구권을 인정한다(제360조의5, 제360조의9). 그러나 소규모 주식교환의 경우에는 주식매수청구권을 인정하지 않고 있다. 이것은 간이합병과 소규모합병 간의 균형을 고려한 것이라고 한다.[74]

소규모합병이란 존속회사가 발행하는 합병 신주가 존속회사 발행주식 총수의 10% 이하인 경우를 의미한다(제527조의3 제1항). 2011년 상법 개정으로 그 기준이 5%에서 10%로 상향 조정되었다. 소규모합병에서는 존속회사의 기업가치가 소멸회사보다 월등히 크기 때문에 주주의 이해관계에 변화를 주더라도 그 효과가 미미할 것이라는 고려 하에 간이합병과 달리 주주의 이해관계를 무시하고 반대주주의 주식매수청구권도 인정하지 않고 있다. 특히 존속회사는 주주총회를 개최하지 않아도 되고 반대주주의 주식매수청구권 문제도 발생하지 않으므로 전략적으로 소규모합병을 선호할 유인이 매우 크다. 이와 달리 간이합병은 이미 소멸회사의 주식의 90% 이상을 존속회사가 소유하거나 소멸회사 총주주의 동의가 있는 경우를 의미하는데, 이러한 요건을 충족하고 있다는 의미는 이미 소멸회사의 주주총회라고 하는 것은 사실상 형식에 불과하다는 뜻이다. 그럼에도 불구하고, 이 경우에는 소멸회사 주주들이 합병으로 그 이해관계에 중대한 영향을 받기 때문에 주식매수청구권을 인정하고 있다.

제도적인 정합성 측면에서 합병과 균형을 맞추기 위하여 2011년 상법 개정으로 소규모 합병의 요건 기준이 종전 5%에서 10%로 상향 조정되었고, 소극적

---

74) 최준선, "주식의 포괄적 교환과 이전제도의 몇 가지 문제점," 「저스티스」 통권 제67호(한국법학원, 2002. 6.), 87면; 최준선, 「회사법」, 제16판(삼영사, 2021), 807면.

요건으로서의 합병교부금 총액수 기준 요건은 존속회사 순 자산액의 2%에서 5%로 상향조정되었는데, 이러한 점이 2015년 상법 개정으로 주식교환에 반영되었다.

또, 합병과 주식교환의 체제 정합성을 위해 소규모 주식교환에서는 종전부터 상법에서 명문으로 인수회사가 자기주식을 "주식교환을 위하여 발행하는 신주"에 산입하고 있는데 비하여 소규모합병과 관련하여서는 판례가 존속회사가 합병대가로 지급하는 자기주식은 상법 제527조의3 제1항에서 말하는 합병신주에 포함되지 않는다[75]고 하여 이와 배치되는 해석을 하고 있었으나, 2015년 상법 개정을 통해 소규모 주식교환, 소규모합병 모두 발행하는 신주 및 이전하는 자기주식을 동일하게 요건산정에 반영하는 쪽으로 개정되었다(제360조의10 제1항, 제527조3 제1항).

4. 주식교환, 이전비율의 공정성 확보 문제

주식교환 및 이전에 있어서 가장 중요한 부분은 바로 공정한 교환비율, 이전비율의 산정이다. 비율 산정이 불공정하게 되면 당사회사의 주주들 중 일부는 별도의 보상을 받음이 없이 투자의 실질적인 가치를 상실하는 결과가 된다. 따라서 주식교환계약서, 주식이전계획서에 확정비율을 정하고 이후 사정변경에 따라 변경할 수 있도록 유보조항을 둔 경우 그 조항은 원칙적으로 기존 주주의 지분가치의 유지라는 측면에서, 또 민법 제2조의 신의성실의 원칙, 제103조의 반사회질서의 법률행위 금지, 제104조의 불공정한 법률행위 금지, 나아가 헌법상 사유재산제도의 보장에 반하는 것이 되어 무효라고 보아야 하며,[76] 확정비율에 중대한 변동이 발생한 경우에는 다시 주주총회의 결의를 거쳐야 한다.

공정한 가치를 산정하기 위하여 기업가치, 주식가치를 평가하는 방법을 참고할 수 있겠다. 이에 대하여 별도로 객관적인 검사인을 두어 교환비율, 이전비율의 적정성 여부를 심사하도록 해야 한다는 견해도 입법론적으로 제기되고 있다.

주식교환, 이전비율의 공정성 또는 주식평가의 공정성을 간접적으로 담보하

---

75) 대법원 2004.12.9. 2003다69355. 그러나 해당 조문의 입법취지상 합병신주 속에는 자기주식이 포함된다고 보는 것이 타당하므로 이 판결의 결론에는 종전에도 동의하지 않았다.
76) 노혁준, 전게논문(각주 1), 120~121면.

기 위한 제도로서, (i) 각종 정보공시제도(주식교환, 이전 승인 총회의 소집통지 및 공고에 의한 정보공개, 관계서류의 열람 및 등초본 청구권에 의한 정보공개 등)를 둔 점, (ii) 이사의 책임추궁 등을 통한 경영진을 통제할 수 있는 점, (iii) 주식 교환 및 이전 당사회사 주주총회의 승인 결의를 요구한 점, (iv) 주식 교환 및 이전에 대하여 반대주주에게 주식매수청구권을 부여한 점, (v) 기타 주식교환·이전무효의 소 등 사법적 구제수단 등을 들 수 있다.

제 4 절   적대적 기업인수

송 종 준*

Ⅰ. 총   설

1. 적대적 기업인수의 개념

가. 기업인수의 정의

일반적으로 M&A(corporate mergers and acquisitions, corporate take-overs)라 함은 기업의 지배권 또는 경영권의 이전을 수반하는 모든 형태의 행위 또는 거래를 말한다. 그러므로 개인이나 단체, 또는 기업이 다른 기업의 자산을 소유하거나 경영권을 획득함으로써, 그 기업의 지배권(control)을 직접 또는 간접으로 취득하는 하나 또는 수 개의 거래, 또는 일련의 거래의 전부가 M&A의 범위에 든다.[1] 영업양·수도, 공개매수 등 주식취득, 위임장 권유, 주식의 포괄적 교환 또는 이전, 합병, 분할 등이 M&A의 범주에 들어올 수 있는 대표적인 법적 형식이다.

M&A는 기업인수, 기업매수, 기업취득, 기업매수합병, 기업인수합병 등 다양한 용어로 불리고 있다. 미국에서는 M&A를 기업인수(corporate acquisitions)라 축약하여 부르기도 한다.[2] 일본에서는 기업매수라는 용어로서 통일적으로 사용되고 있다.[3] M&A는 위임장 권유와 같이 대가의 지급 없이, 즉 매매 없이도 이

---

* 충북대학교 법학전문대학원 명예교수
1) M.A. Weinberg & M.V. Blank, Take-overs and Mergers(Sweet & Maxwell, 1992), 1-001~1-006.
2) Ronald J. Gilson & Bernard S. Black, The Law and Finance of Corporate Acquisitions(Foundation Press, 1995); Dale A. Oesterle, The Law of Mergers, Acquisitions, and Reorganizations(West Pub. 1991).
3) 奈良輝久 外, 「M&A法制の羅針盤」(靑林書院, 2007), 229面; 渡邊 顯 外, 「敵對的買收と企業防衛」(日本經濟新聞社, 2005), 9面.

루어질 수 있고, 그 본질이 기업의 경영권을 넘겨받기(taken-over) 위한 법률행위이므로 '기업매수'보다는 '기업인수'라는 용어가 보다 적확하다고 본다.[4]

나. 적대적 기업인수의 정의

M&A는 대상회사(target company)의 대응태도에 따라 우호적 기업인수(friendly M&A)와 적대적 기업인수(unfriendly or hostile M&A)로 구분된다. 여기서 대상회사의 대응태도라 함은 지배주주의 의사에 반하는지의 여부라고 볼 수도 있지만 일반적으로는 경영권의 이전에 대한 대상회사의 경영진 또는 이사회의 태도를 의미한다. 이같이 보면, 적대적 기업인수란 대상회사의 경영진 또는 이사회의 의사에 반하여 행하여지는 기업인수를 지칭한다고 본다.[5] 우호적 기업인수방법으로는 영업양·수도와 같은 자산취득형 기업인수, 합병·주식의 포괄적 교환 및 이전·분할합병 등과 같은 구조재편형 기업인수 등이 있다.

적대적 기업인수의 수단으로서는 주식취득과 위임장 권유에 의한 의결권 대리행사와 같이 의결권을 지배하는 의결권지배형 기업인수가 있다. 주식취득은 가장 일반적인 인수수단이며 그 방법은 장외에서는 사적 교섭매수(privately negotiated purchase)와 공개매수(tender offer)가 있고 장내에서는 시장매수(open market purchase)가 있다. 기업인수시 이들 수단은 병행하는 것이 일반적이다. 적대적 기업인수는 대상회사의 소수주주를 상대방으로 하여 주식취득과 위임장 권유를 동시에 활용하는 방식으로 대상회사의 지배권을 취득하여 목적을 달성하는 것이 보편적이다. 적대적 기업인수에 있어서는 대상회사의 이사회에 정당한 방어권을 허용할 수 있는지, 그리고, 허용한다면 그 한계는 무엇인지 하는 문제가 중요한 법률적 쟁점이 되고 있다.

---

4) 기업인수라는 용어를 사용하는 견해로는 정동윤, 「회사법」(법문사, 2001), 855면 이하; 「상법(상)」 제6판(법문사, 2012), 1001면; 송종준, 「적대적 M&A의 법리」(도서출판 개신, 2009), 4면; 김건식·정순섭, 「자본시장법」(두성사, 2009), 204면; 정영철, 「기업인수 4G」(박영사, 2010), 3면; 최기원, 「신회사법론」 제14대정판(박영사, 2012), 1216면 등이 있다. 반면에 기업매수라는 용어를 사용하는 견해로는 김정수, 「자본시장법원론」(SFL그룹, 2012), 733면; 이철송, 「회사법강의」 제29판(박영사, 2021), 487면 등이 있고, 기업인수합병이라는 용어를 사용하되 적대적 M&A는 적대적 기업인수라 표현하는 견해도 있다[김화진·송옥렬, 「기업인수합병」(박영사, 2007), 9면, 59면].

5) 송종준, 「적대적 M&A의 법리」, 4면.

2. 적대적 기업인수의 사회경제적 기능

자본주의 경제체제는 국민에게 자율적인 경제적 이익의 추구를 보장함으로써 국가자원의 최적 활용을 그 근본이념으로 하고 있다. M&A는 이러한 이념을 전제로 회사에 내재된 자본자원(capital resources)의 효율적 활용을 위한 시장메카니즘의 하나로서 그 존재가치가 인정된다.6) 그러나 M&A가 갖는 사회경제적 기능은 양면성을 갖는다. 일반적으로 M&A는 기업지배권시장(market for corporate control)을 통하여 비효율적인 경영진을 교체하여 경영효율을 높이고 이윤을 극대화함으로써 결과적으로 국가의 부(national welfare)를 증대시킬 수 있는 긍정적인 기능을 갖는다. 반면에 M&A는 부의 집중을 초래하여 경쟁을 제한하거나 생산적 투자를 왜곡하고 기업의 재무구조를 악화시키는 등의 부정적인 기능도 가지고 있다. 다만, 우호적인 관계에서 성립하는 M&A보다는 적대적인 관계에서 행하여지는 M&A의 사회경제적 기능은 여전히 논란의 대상이 되고 있다. 적대적 M&A가 국민경제와의 상호관계에서 경제적 부의 향상에 활력적 요소인가 장애적 요소인가에 대한 문제가 그것이다.

이에 대하여는 1980년대 초 미국의 립튼(Lipton) 변호사, 이스터브룩(Easter-brook)과 피쉘(Fischel) 교수들 간의 논쟁이 유명하다. 립튼에 의하면 적대적 M&A는 국민경제를 위협하는 해악으로 파악하고 있다. 즉, 적대적 M&A는 기업의 경영계획을 위태롭게 하고 투기를 조장할 뿐만 아니라, 기업의 생산적 투자의 회피를 가속화함으로써 궁극적으로는 기업의 발전 및 사회·경제의 발전에 장애가 된다는 것이다.7) 경제학자인 쉬라이퍼(Shleifer)와 썸머스(Summers)도 대상회사 주주의 이익 도모는 주주 이외의 이해관계집단, 예컨대 노동자, 공급업자, 지역사회 등에게는 손실을 초래할 수 있기 때문에 적대적 공개매수가 대상회사의 주주에게는 이익을 안겨 주더라도 사회전체로 볼 때에는 해악적 요소가 될 수 있다고 주장한다.8)

---

6) Weinberg & Blank, *op. cit.*, 1-026.

7) Martin Lipton, Takeover Bids in the Target's Boardroom, 35 Bus. Law. 101(1979); Takeover Bids in the Target's Boardroom: An Update after one year, 36 Bus. Law. 1017(1981).

8) Andrei Shleifer & Lawrence Summers, "Breach of Trust in Hostile Takeovers" in Corporate Takeovers: Cause and Consequences, A. J. Auerbach, Ed(Univ. of Chicago

반면에 법경제학자인 이스터 브룩과 피쉘 교수에 의하면 적대적 M&A는 회사 및 국민경제의 장기적 이익을 위해서는 결코 위협적 요소가 아니며, 오히려 주주에게는 물론 국민경제에도 이익을 촉진한다고 주장한다.9) 이러한 견지에서는 회사가 효율적인 장기경영계획을 개발하면 이는 주가의 상승으로 연결되는데 적대적 M&A는 오히려 이러한 현상을 촉진하고 회사지배권시장의 효율성을 증대하는 것이지 투기를 조장하는 것이 아니라고 한다. 그리고 주주에게 지급된 매수대금은 시장메카니즘의 본질상 소비로 끝나는 것이 아니라 새로운 부의 창출을 위해 재투자되므로 생산적 투자의 회피를 가져올 수 없다고 한다. 경제학자인 젠슨(Jensen)과 루벡(Ruback)은 적대적 공개매수는 대상회사의 주주에게는 큰 이익을 주고 인수회사의 주주에게는 낮은 이익을 준다고 보면서도 궁극적으로 부의 창출에 기여해왔다고 결론짓고 있다.10)

한편, 적대적 M&A가 사회경제적으로 기업의 경쟁력, 고용, 투자 등에 어떠한 영향을 미치고 있는지에 관하여 1980년대 미국의 M&A사례를 실증적으로 분석한 결과에 따르면 위의 긍정적 견해가 뒷받침되고 있다.11) 먼저 M&A는 기업의 경쟁력을 감소시키고 소비자가격을 상승케 한다는 우려가 있다. 이 문제에 대하여는 시장지배가 용이한 제한적 시장의 경우(예컨대 국내항공, 가스, 슈퍼마켓 등)가 아닌 한, 적대적 M&A가 아니라 경쟁제한적 M&A를 합리적으로 규제한다면 그러한 부작용은 억제할 수 있다고 한다. 또한, 고용문제에 있어서도 적대적 M&A는 노동자의 신뢰를 깨뜨리고 임금의 감소와 고용감축을 통하여 노동자의 부를 주주에게 이전시키는 결과를 가져오지 않겠는가 하는 의문도 있다. 그러나, 특별한 경우를 제외하고는 적대적 M&A 이후에 실질적인 임금감소가 있었다는 증거는 나타나지 않았다고 한다. 그리고 고용감축은 통상적으로 적대적 M&A에 의한 기업인수 후에 수반되는 것이 보통이지만, 개별적인 대상회사의 관점에서

Press, 1980), pp. 33~38.
9) Frank H. Easterbrook & Daniel R. Fischel, The Proper Role of a Target's Management in Responding to a Tender Offer, 94 Harv. L. Rev. 1161(1981); Takeover Bids, Defensive Tactics and Shareholder's Welfare, 36 Bus. Law. 1733 (1981).
10) Michael Jensen & Richard Ruback, The Market for Corporate Control: The Scientific Evidence, 11 J. Fin. Econ. 5(1983).
11) Andrei Shleifer & Vishny, "The Takeover Wave of The 1980s," 249 Science 745(Aug. 17, 1990); Dale A. Oesterle, op. cit., pp. 7~10; Weinberg & Blank, op. cit., 1-028~1-032.

는 이것이 주목할 만한 것이라도 국민경제 전체의 견지에서 보면 고용감소의 효과는 주주의 부의 증대에 비하면 미미하다는 것이다.

끝으로, 적대적 M&A가 기업의 투자를 감소시킬 것이라는 우려가 가장 중요한 사회적 관심사이다. 그러나 분석결과에 의하면 투자 감소가 적대적 M&A의 동기라거나 결과인 것은 아니고, 오히려 이 문제는 M&A 자체만의 문제가 아니라 회사경영 및 경제정책의 거시적 차원의 시각에서 검토할 문제라고 한다. 요컨대, 적대적 M&A에 대한 이와 같은 우려는 과장된 것이고, 오히려 M&A는 복합기업의 자산을 전문화된 이용자에게 이동시키는 작용을 하며, 이러한 결과는 곧 M&A가 사회경제적으로 유익한 것임을 추정케 한다고 볼 수 있다.

Ⅱ. 적대적 기업인수 규제의 지배원리

국가마다 회사법의 이념, 회사의 본질, 회사지배권시장에 대한 인식차 등으로 인하여 지배원리를 실현하기 위한 그 실천적 법체계에는 다양한 차이가 있지만, 적대적 M&A에 대한 각국의 규제체계를 관통하는 공통적인 지배원리(governing principles)는 부의 이전 통제, 강압성의 통제 및 불공정 경쟁의 통제 등 3가지로 정리할 수 있다.[12]

1. 부의 이전 통제

적대적 기업인수는 노동자, 채권자 등 기업의 구성원이 아닌 이해관계자들(stakeholders)로부터 인수주주(acquiring shareholder)에게 부의 이전(transfer of wealth)을 가져올 수 있다. 예컨대, 경영진 차입매수(MBO)의 경우 회사의 주주는 인수프리미엄을 받으므로 이득을 취하게 되지만 인수자금조달을 위하여 (무담보) 회사채를 발행한 회사가 채무불이행 위험(default risk)에 직면할 경우에 사채권자는 약정상으로는 만기 전에는 투자금을 회수할 수도 없으므로 사채권자는 손실위험에 빠지게 된다. 이러한 현상을 채권자로부터 주주에게로의 부의 이

---

12) 이하는 송종준, "적대적 M&A 규제의 지배원리와 현행 법제의 재검토," 「증권법 연구」 제16권 제1호(한국증권법학회, 2015. 4.), 99~108면의 내용을 발췌한 것임.

전이라 한다.[13)]

적대적 기업인수는 영미계약법상 경영자와 이해관계자 간의 묵시적 계약 (implicit contracts)관계[14)]에서 이해관계자가 갖게 될 인수 후의 지대이익(ex post rents)을 탈취하여 인수자와 대상회사 간에 부를 재분배(wealth redistribution)하는 효과가 있는 것으로 풀이되고 있으며[15)] 그 이득을 일반적으로는 기업인수 프리미엄(takeover premia)이라고 부른다. 일반적으로 외부로부터 대부분의 인수자금을 차입하여 대상회사를 인수하는 레버리지형 기업인수(leveraged buy-outs)에서는 인수 후에 채권자가 갖게 될 이득이 인수주주에게 이전되는 효과는 더욱 증대된다고 할 수 있다.[16)]

또한, 적대적 기업인수는 인수주주로부터 대상회사 주주에게 부가 이전될 수 있다. 적대적 기업인수를 위하여는 대상회사의 주주에게 시가에 대비하여 고가의 인수대금을 지급하는 것이 일반적이기 때문이다. 경제학적으로 인수대금의 과다책정 현상(overbidding)은 대상회사 주주를 위한 것이 아니라 인수회사 주주를 위한 것으로서 대리 비용(agency cost)을 반영한 것이라거나,[17)] 시장효율성에 기초한 합리적 기대이론을 현금흐름이론과 결합시켜 경영자와 주주 간 이해조정 메카니즘의 효율성을 제고할 필요성에 기인한다고 풀이하기도 한다.[18)] 그러나, 적대적 기업인수는 대상회사의 소수주주에게 귀속될 부를 탈취하여 인수

13) William W. Bratton, Corporate Debt Relationships: Legal Theory in a Time of Restructuring, 1989 DUKE L. J. 92, 137(1989).
14) 묵시적 계약관계란 당사자 간에 명시적인 약정을 하지 않았더라도 약정 당시에 당사자가 나중에 문제된 행위를 알았더라면 협상하여 명시하였을 것이라는 점이 계약조건으로부터 명백한 경우에는 명시적인 계약이 없더라도 묵시적인 신의칙 약정(Implied Covenant of Good Faith)을 위반한 것이라는 미국 계약법상의 이론이다. Nancy W. Graml, Bondholder Rights in Leveraged Buyouts in Aftermath of Metropolitan Life Insurance Co. v. RJR NABISCO, Inc., 29 Am. Bus. L.J, 1, 20-21(spring 1991).
15) Andrei Shelfer & Lawrence Summers, Breach of Trust in Hostile Takeovers in Corporate Takeovers: Causes and Consequences, 33-56(1988)
16) 이에 대하여 부의 이전효과는 관념적으로만 존재하는 것일 뿐이지 LBO 등 실제의 기업인수사례를 실증적으로 분석한 결과에 따르면 유의미한 효과는 미미하거나 나타나지 않았다는 점을 들어 이를 중시할 필요가 없다는 견해도 있다. 대표적으로 Ronald J. Gilson & Bernard S. Black, The Law and Finance of Corporate Acquisitions(2d. ed.) (Foundation Press, 1995), pp. 619~634 참조.
17) Robert Morck, Andrei Shleifer & Robert Vishny, Do Managerial Objectives Drive Bad Acquisitions?, 45 J. Fin. Econ. 31(1990).
18) Bernard Black, Bidder Overpayment in Takeovers, 41 Stan. L. Rev., 597, 613-621(1989).

자에게 이전시킬 가능성이 있다는 일반적인 인식이 지배하고 있다. 특히, 기업 인수가 2단계로 구성되어 1단계의 적대적 공개매수에 응모하지 않은 소수주주를 2단계의 합병 등 조직재편과정에서 강제로 축출(freeze out, squeeze out)하는 경우에는 인수 후에 대상회사의 소수주주가 가질 수 있는 결합기업의 장래 시너지 등에 대한 기대이익이 인수주주에게 이전되는 효과가 있다.

한편, 적대적 기업인수로 인하여 이해관계자와 주주, 인수주주와 대상회사 소수 주주 간에 나타나는 부의 이전 현상을 법규범적으로 통제할 당위성이 있는지가 문제일 수 있다. 적대적 기업인수는 대상회사의 채권자와 소수주주의 이해관계에 중대한 변화를 초래할 수 있고 부의 이전은 채권자와 소수주주가 갖는 이익을 희생하는 의미가 있기 때문이다. 이러한 관점에서는 회사법이 기업인수로부터 보호하고자 하는 대상을 주주로만 파악할 것인지, 여기에 주주 이외의 다양한 이해관계자로 볼 것인지의 여부가 핵심이다. 주주자본주의(shareholder capitalism)의 관념에 철저한 회사법 체계에서는 근본적으로는 회사법의 보호대상을 주주이익으로 파악하므로 적대적 기업인수로 인하여 채권자 등 이해관계자로부터 주주에게 부가 이전되는 것을 통제하여야 할 당위성은 낮다. 반면에, 이해관계자 자본주의(stakeholder capitalism)에 입각하고 있는 회사법 체계에서는 이른바 자본유지원칙(capital maintenance rule)에 기초한 법정자본이념이 지배하므로 채권자 보호가 회사법의 중심사상으로 자리 잡고 있고, 따라서 적대적 기업인수로 인한 과다한 부의 이전 현상은 자원의 효율적 배분이나 공정성의 관점에서도 법적인 통제를 받아야 할 당위성은 상대적으로 크다고 할 것이다.[19]

2. 강압성의 통제

적대적 기업인수의 대표적인 수단인 공개매수는 주식매도의 압박(pressure)이라는 본질적 특성 때문에 대상회사의 주주 또는 투자자 보호를 위하여 엄격한 절차적, 실체적 규제가 적용되고 있다. 그런데, 공개매수가 성공한 경우에 지배주주와 소수주주의 관계에서 응모하지 않은 주주는 응모한 주주에 비하여 불리한 취급을 받을 여지가 있다. 이러한 현상은 1단계의 공개매수 후에 2단계에서

---

19) 森本 滋(編著), "企業結合法の綜合的 研究,"「商事法務」(2009), 102~103面.

공개매수자인 지배주주가 현금지급합병, 소수주식 강제매수 등에 의한 상장폐지 등을 실행하는 경우에 특히 현저하다.[20] 그것은 2단계의 합병(two-tier merger) 등에 있어서 비응모주주에게 지급되는 합병가액이나 보상가액이 1단계의 공개매수가격 보다 낮게 책정될 가능성이 크기 때문이다. 이 경우에 대상회사의 소수주주는 공개매수가격이 객관적인 주식가치에 비하여 낮다고 생각하더라도 2단계에서의 불리한 취급을 피하기 위하여 1단계의 공개매수에 응하지 않으면 아니 되는 강압적 요소가 존재하게 된다. 이것을 공개매수의 강압성(coercion)이라 한다.

일반적으로 공개매수의 강압성은 공개매수규제가 부분매수원칙(partial bid rule)에 충실할 경우에는 극대화되지만, 전부매수원칙(mandatory bid rule)을 따르는 규제체계에서는 최소화된다고 할 수 있다. 그리고, 공개매수의 강압성은 공개매수기간의 설정과도 밀접한 관련이 있다. 매수기간은 응모여부의 판단을 위한 숙려기간으로서 그 기간이 짧을수록 주식매도의 압력 또는 강압성은 커지고, 같은 기간이라면 영업일(business day)보다 역일(calendar day) 기준으로 설정할 때에 강압성 효과는 더 크다고 할 수 있다. 또한, 매수기간의 설정에 있어서는 최장기보다는 최단기의 개념이 강압성과 관련하여 보다 중요하다. 실무상으로는 신속한 지배권 취득을 위하여 법정 최단기간을 매수기간으로 정하여 공개매수를 진행하는 것이 보통이다.

3. 불공정 경쟁의 통제

적대적 공개매수는 기업경영의 불안정, 생산적 투자의 회피, 투기의 조장 등과 같은 해악적 요소가 크다고 인식하는 시각[21]도 있지만, 전체적으로는 경영효율의 증대, 회사자원의 최적 활용을 통한 부의 증대에 기여하는 순기능이 훨씬 크다고 보는 것이 일반적이다.[22] 오늘날 대부분의 공매매수법제는 후자의 시각

---

20) 신동찬·유호범·문병순, "상장폐지 목적의 공개매수와 소수주주 보호," 「BFL」 제55호(서울대 금융법센터, 2012. 9.), 70~71면.

21) 대표적으로 Martin Lipton, Takeover Bids in the Target's Boardroom, 35 Bus. Law. 101(1979); Takeover Bids in the Target's Boardroom: An update after one year, 36 Bus. Law. 1017(1981); Twenty Five Years after Takeovers Bids in the Targets Boardroom: Old Battles, New Attacks and the Continuing War, 60 Bus. Law. 1369(Spring 2005); Martin Lipton & Paul K. Rowe, Pills, Polls and Professors: A Reply to Professor Gilson, 27 Del. J. Corp. L. 1(2002).

22) 대표적으로 Frank H. Easterbrook & Daniel R. Fischel, The Proper Role of a Target's

에서 회사지배권시장의 참가자인 주주 또는 투자자를 보호하기 위하여 공개매수 규제의 기본 틀을 구성하고 있다. 여기서 가장 중요한 핵심적 이념은 공정거래 (fair dealing)와 공정경쟁(fair competition)의 원리이다.

이 원리는 이른바 공정한 게임경쟁(level playing field)을 위한 것으로써 공개 매수자와 대상회사 주주 간에는 물론이고, 공개매수자와 대상회사 간에서도 그 중요성이 있다. 나아가, 이 원리는 적대적 기업인수의 활성화를 통한 회사지배권 거래의 경쟁을 촉진하는 것과도 관련되어 있다. 공개매수자와 대상회사 주주 간 의 공정거래면에서 보면, 공개매수청약의 부합계약(contrat d'adhésion)으로서의 성격상[23] 공개매수는 당사자 간의 자유로운 계약에만 맡기는 것이 아니라 다양 한 절차적, 실체적 규제를 통하여 통제하고 있다.[24] 그리고, 절차적 규제에서는 공개매수의 신고와 감독적 규제를 가하는 외에도 공개매수자에 관한 중요한 정 보의 공시를 강제하고 대상회사의 주주가 이 정보를 기초로 응모여부를 결정할 수 있도록 하되 여기에 대상회사 또는 감독기관이 직접 개입할 수 없도록 하여 거래의 공정성과 투명성을 확보하는 것이 핵심이다. 실체적 규제에서는 대상회사 의 주주 또는 투자자 보호를 위하여 대상회사의 모든 주주에게 청약하여야 한다 는 원칙(all holders rule), 모든 응모주주를 평등하게 취급하여야 한다는 원칙 (equal treatment rule), 그리고, 응모주주에게 최고가격을 지급하여야 한다는 원 칙(best price rule)을 반영하여 매수조건과 매수기간 등에 관하여 규제하고 있다.

그리고, 공개매수자와 대상회사 간의 균등취급면에서 보면, 공개매수자와 대 상회사 간에 있어서 공정성은 이사회에 의한 방어와 의견표시의 권한과 의무에 관한 문제이다. 먼저, 전자의 방어와 관련하여 적대적 공개매수에 의한 지배권의 변동가능성과 관련하여 대상회사 이사회의 법적 역할이 중요할 수 있다. 이사회 는 회사의 최대이익(best interests of corporation)을 위하여 신인의무(fiduciary

---

Management in Responding to a Tender Offer, 94 Harv. L. Rev. 1161 (1981); Takeover Bids, Defensive Tactics and Shareholder's Welfare, 36 Bus. Law., 1733 (1981).

23) 공개매수의 청약을 부합계약으로 보는 본질적인 이유는 계약 당사자인 공개매수자와 주주 간에 존재하는 경제적인 불평등 때문이고, 이 불평등은 증권시장의 불완전성으로 초래되고 그 불완전성은 정보의 결여 또는 부족에서 기인한다고 한다. Robert Wtterwulghe, L'offre publique d'acquisition au service d'un marché des sociétés-une Analyse Droit-Economie(La Renaissance du Livre, 1973), p. 61.

24) 이에 대한 상세한 해설은 송종준, 「적대적 M&A의 법리」, 90면 이하 참조.

duty)를 지는데, 여기서 회사의 이익을 단순히 주주이익으로만 볼 것인지, 주주이익과 함께 다양한 이해관계자의 이익도 포함된 것으로 볼 것인지에 따라 그 의무의 이행 여부가 결정되기 때문이다. 오늘날은 국제적으로 이해관계자모델로 통일되었다고 할 수 있고, 이것은 적대적 기업인수의 상황에 따라서는 대상회사의 이사회에 의한 방어권의 정당한 법적 근거를 제공하는 의미가 있다. 다음으로, 후자의 의견표시 문제도 공개매수자와 대상회사 간의 공정한 게임논리와 관련이 있다. 일반적으로 적대적 공개매수에 대하여 대상회사의 이사회에는 공개매수에 대한 찬성, 반대 등의 의견을 표시할 수 있도록 하여 궁극적인 판단은 주주에게 맡기는 추세에 있고, 의견표시의 규제정도에 있어서만 다소 차이가 있을 뿐이다.

한편, 불공정 경쟁의 통제는 적대적 기업인수의 활성화를 통한 지배권거래의 공정한 경쟁을 촉진하는 데에도 실질적인 영향을 미친다. 기업인수의 경쟁촉진은 공개매수규제에 있어서 부분매수원칙을 취하는지 전부매수원칙을 취하는지와 직접적인 관련이 있다. 적대적 기업인수를 조장하여 지배권시장의 경쟁을 촉진하는 데에는 부분매수원칙의 역할이 결정적이라고 할 수 있다. 적대적 기업인수를 통한 대상회사의 경영진 통제기능을 활성화하는 데에는 부분매수원칙의 역할이 크다고 할 수 있다.

Ⅲ. 적대적 기업인수의 규제

1. 서   설

전통적인 회사지배이론 하에서 주식회사의 지배권은 원칙적으로 주주에게 귀속되는 것이고, 경영자의 경영권도 주주의 지배권행사에 의한 이사의 선임에 의하여 결정된다. 소유와 경영이 일치된 지배구조 하에서는 지배권과 경영권은 일치하고, 소유와 경영이 분리된 지배구조 하에서는 지배권과 경영권이 분리되는 것이다. 주식회사에 있어서 소유와 경영의 분리원칙은 현대 회사법의 기본방향이다. 따라서 소유와 경영이 분산된 회사의 경우에는 지배권 또는 경영권질서에 변화가 나타나게 될 가능성이 커지게 된다.

원래 주식회사에서는 주식양도자유의 원칙이 지배하므로 경영권은 그 교체가 언제든지 가능한 것이 원칙이다. 그러나 상법은 정관이 정하는 바에 따라 주식의 양도에 이사회의 승인을 거칠 수 있게 하여(제335조 제1항), 회사의 구성원들이 자율적으로 경영권질서의 안정을 꾀할 수 있도록 하였다. 그런데 이 규정은 소유자에 의한 경영지배구조를 띠고 있는 폐쇄적인 주식회사를 예정하고 둔 것이다. 소유와 경영이 분리된 공개회사 또는 상장회사에서는 실제상으로는 경영권질서의 안정화의 요청은 크지만, 사실상 이 규정은 적용될 수 없기 때문에 경영권질서의 안정화를 위한 특별한 고려가 필요하다. 그러나 경영권은 과도하게 보호되는 경우에 그 남용으로부터 주주, 특히 소수주주의 이익침해라는 부작용이 초래될 수 있으므로 경영권의 보호정도는 최소한으로 제한되어야 할 것이다.

여기서 중요한 것은 경영권의 안정이라는 요청은 경제적인 측면에서 단순히 창업주주 또는 기존 지배주주의 지배권을 보호해야 할 필요성과 일치하는 것은 아니라는 점이다. 주식회사에 있어서 경영권질서의 유지는 좁은 의미에서는 주식회사 내부에 있어서 주주간 합리적인 이해조정을 기하고, 넓은 의미에서는 주식회사제도가 국민경제상 차지하는 기대에 부합하는 면을 종합적으로 고려하여 결정되어야 할 요청이 있다. 상술한 바와 같이 적대적 기업인수규제의 근간이 되는 세 가지의 지배원리는 이러한 요청에서 비롯된다고 볼 수 있고, 따라서 각국의 규제에서도 그 지배원리가 바탕이 되고 있다. 기업인수거래가 활발한 미국의 경우에도 지난 1980년대부터 적대적인 M&A로부터 기업의 경영권을 안정적으로 보호하기 위하여 직접적인 규제입법을 제정하여 시행하고 있고,[25] 2000년대 들어와서는 독일 등 유럽연합 회원국과 일본 등에서도 적대적 M&A에 의한 지배권이전을 합리적인 범위에서 규제하고 있다. 이러한 추세는 회사지배권의 이전에 대한 전통적인 회사지배이론의 한계를 해소하고 상술한 지배원리에 충실하기 위한 것이다.

---

25) Grundfest, Just Vote No: A Minimalist Strategy for Dealing with Barbarians Inside the Gates, 45 Stan. L. Rev. 857, 858-864(1993).

2. 외국의 규제방식

가. 미 국

1) 연방법과 주회사법에 의한 2원적 규제

미국에서 적대적 기업인수는 연방법과 주회사법의 두 가지 시스템에 의하여 규제되고 있다. 연방법은 일반적으로 기업인수를 통한 지배권의 취득에 관하여 중립적인 태도를 취하고 있다. 1933년 증권법과 1934년 증권거래법은 대표적인 연방 M&A법이다. 이들 연방법은 일반적인 주식취득에 대하여는 5%룰(5% rule)을 적용하고 있고, 대표적인 적대적 M&A의 수단으로서 공개매수와 위임장권유에 대하여 상세한 규제를 가하고 있다. 그런데, 연방법은 주식취득, 공개매수 또는 위임장 권유의 거래 자체를 직접 규제하는 것이 아니라, 이들 거래로부터 투자자를 보호하고 지배권시장에서의 공정한 거래질서를 형성하기 위한 시장법으로서의 기능을 발휘한다. 그러나 안보, 공익 등의 보호를 위하여 미국기업을 외국인이 인수하는 행위에 대하여는 연방법이 직접적이고도 광범위한 규제를 가하고 있다.[26]

한편, 주회사법은 연방법과는 달리 기업인수를 직접적으로 억제 또는 규제하거나, 적대적 M&A에 대한 방어를 허용하는 명시적인 법규정을 담고 있는 것이 대부분이다. 이러한 주회사법을 반기업인수법(anti-takeover statutes)이라고 통칭한다. 반기업인수법은 1968년부터 연방증권거래법상 공개매수법(Williams법)이 시행됨에 따라, 공개매수에 의한 각 주 소재 회사의 지배권 또는 경영권을 적대적인 방법으로 취득하는 것을 규제하기 위한 것이다. 1968년부터 1982년까지의 반기업인수법을 제1세대주법(The First Generation Anti-takeover statute), 그 후 오늘에 이르기까지의 반기업인수법을 제2세대주법(The Second Generation Anti-takeover statute)으로 구분하는 이분법이 일반적이다. 그러나 제2세대주법

---

26) 1988년 제정된 엑슨 플로리오법(Exon-Florio Amendment to the Omnibus Trade and Competitiveness Act of 1988)은 미국의 안보관련기업을 외국인이 인수하는 것을 엄격히 통제하고 있다(송종준, 「적대적 M&A의 법리」, 396~400면). 그 밖에도 방송, 통신, 항공, 해운, 금융 등에서 공익보호요청이 큰 산업, 농업, 어업, 자원 관련 산업 등에 의하여 외국인의 M&A를 엄격하게 규제하고 있다[송종준, "외국인 M&A에 대한 규제완화와 그 법적 한계," 「비교사법」 제10권 제3호(한국비교사법학회, 2003. 9.), 432면 이하; 정영철, 「기업인수 4G」, 630면 이하].

을 세분하여 1982년 MITE판결까지의 주법을 제2세대주법, 1987년 CTS판결 이후
의 기업결합제한법을 제3세대주법(The Third Generation Anti-takeover statute)
으로 나누고,[27] 대상회사의 방어를 위해 이사회의 재량권확대를 규정하는 입법
을 제4세대주법(The Fourth Generation Anti- takeover statute)으로 구분하기도
한다.[28]

2) 반기업인수법상 적대적 인수의 규제 유형

반기업인수법은 대표적으로 지배주식의 취득, 의결권행사, 기업결합 등을 제
한하는 방식으로 적대적 기업인수를 규제하고 있다.[29]

가) 지배주식취득제한 유형

공개회사의 지배주식 취득 시 주주총회의 승인을 얻도록 규제하는 입법으로
오하이오, 하와이 주회사법 등이 대표적이며 가장 보편적인 기업인수규제법이다.
대표적으로 오하이오주의 지배주식취득법(1982년 제정, Control Share Acqui-
sition Statutes)에서는 공개매수, 공개시장매수, 사적교섭매수 등을 통해 지배주
식을 취득하기 위하여는 일정한 지분율을 넘을 때마다 대상회사의 주주총회의
승인을 얻도록 규정하고 있다. 즉, 발행주식총수의 1/5 이상 1/3 미만, 1/3 이
상 1/2 미만, 1/2 이상의 3단계로 지배권영역을 나누어 각 단계를 넘어 주식을
취득할 때마다 사전에 대상회사의 주주총회의 승인을 얻어야 한다.[30]

나) 의결권행사제한 유형

지배주식의 취득에 주주총회의 승인을 요구하는 것은 아니지만 주주총회의
승인을 얻지 못하면 의결권을 행사할 수 없게 하는 입법이다. 대표적으로 인디
애나주의 지배주식취득법(1986년 제정)에서는 누구든지 대상회사의 발행주식총수
의 1/5 이상 1/3 미만, 1/3 이상 1/2 미만, 1/2 이상의 단계별 지배권영역에 해
당되는 주식을 취득하고 의결권을 행사하기 위하여는 각 단계 마다 대상회사의

---

27) Lewis D. Solomon & Alan R. Palmiter, Corporations(2nd ed.)(Little, Brown &
　　Company, 1994), §40.4.1.
28) Ronald J. Gilson & Bernard S. Black, The Law and Finance of Corporate
　　Acquisitions(2nd ed.)(Foundation Press, 1995), pp. 1359~1397. 각 세대별 반기업인수
　　법의 변천과 특징에 대하여는 송종준, 「적대적 M&A의 법리」, 45~47면.
29) 주회사법에 대한 상세한 설명은 송종준, 「적대적 M&A의 법리」, 47~50면 참조.
30) Ohio Gen. Corp. Law §1701.01(z)(1).

주주총회에서 총회결의에 이해관계없는 주주가 소유한 주식(취득자, 대상회사의 임원 또는 이사의 주식을 제외한 주식)의 과반수에 의한 승인을 얻어야 한다.[31]

다) 기업결합제한 유형

지배주식의 취득이나 취득한 지배주식의 의결권을 제한하지는 않지만 지배주식취득 후 기업결합에 의하여 소수파주주가 부당하게 축출되는 것을 방지하기 위하여 기업결합에 관련하여 일정한 제한을 가하는 입법유형이다. 여기에는 지배주식취득 후 기업결합시 공정가격을 지급하게 하거나(공정가격지급법, Fair Price Statute), 기업결합결의요건을 가중하는 회사법(메릴랜드, 캘리포니아, 미시간주 회사법 등), 지배주식취득 후 일정기간 기업결합을 제한하는 회사법(기업결합유예법, Business Combination(Moratorium) Statutes, 뉴욕주, 델라웨어주 회사법 등) 등이 있다.

공정가격지급법에서는 1단계의 공개매수에 의하여 회사의 지배권을 취득한 자가 2단계에서 기업결합(합병, 주요자산의 매각, 청산, 자본구조의 재편 등)을 실행하는 경우에 초특별다수결(super majority voting requirement, 사외유통주식총수의 80% 이상 및 이해관계없는 주식의 2/3 이상)에 의한 승인으로 주주총회결의요건을 가중하거나, 기업결합시 지급하는 대가도 최소한 공개매수가격과 동일하게 할 것을 요구하고 있다. 메릴랜드 주 회사법(1983년 제정)이 대표적이다. 기업결합유예법으로서 뉴욕주 회사법에서는 회사의 의결권주식 총수의 20% 이상을 취득한 자(이해관계주주)에게 그 후 5년간 기업결합을 금지하는 것이 원칙이다. 델라웨어주법도 뉴욕주법과 기본적인 흐름은 같으나 기업결합금지기간을 3년으로 하고 있고 3년 후에 기업결합시 공정가격지급규정이 없는 점 등이 다르다.[32]

나. 유럽연합

1) 유럽연합 제13차 공개매수지침

유럽연합에서는 2004년 유럽의회에서 채택된 제13차 공개매수지침(Directive 2004/25/EC of the European Parliament and of the Council of 21 April 2004 on Takeover Bids)은 의무공개매수제도(mandatory bids)를 명시하고 있다. 이 제도

---

31) Ind. Bus. Corp. Law §23-1-42-1, §23-1-42-9(a)(b).
32) Del. Gen. Corp. Law §203.

하에서는 상장회사에 있어서 지배권(control)을 인정할 수 있는 정도로 일정비율 이상의 주식을 취득한 경우에는 대상회사의 발행주식 전부를 공개매수에 의하여 취득할 것을 강제하고 있다.

의무공개매수가 적용되는 일정비율에 대하여 이 지침은 명시하고 있지는 않지만 회원국 국내법에서는 일반적으로 발행주식총수의 30%를 명시하고 있다. 그리하여 유럽에서는 대상회사의 발행주식총수의 30%를 초과하지 않는 경우에는 원칙적으로 부분매수(partial bids)에 의하여 주식을 취득할 수 있다. 그리하여 이 비율 이내에서는 상장회사의 주식을 당사자간 협상을 통하여 취득하거나 증권시장을 통하여 취득할 수 있고 증권시장 외에서 공개매수에 의하여 필요한 수량의 주식을 단기간 내에 취득할 수도 있다.

2) 영국의 기업인수합병에 관한 씨티 코드

영국의 기업인수합병에 관한 씨티 코드(City Code on Takeovers and Mergers, 이하 '씨티 코드'라 함)는 공개회사의 발행주식총수의 30% 이상을 취득하는 경우, 또는 30% 이상 50% 미만의 지분을 보유한 자가 12개월 내에 1% 이상의 주식을 추가로 취득하는 경우에는 잔여주식 전부에 대하여 공개매수청약을 하여야 한다.[33] 씨티 코드에서는 공개회사의 지배권 취득의 기준을 발행주식총수의 30%로 보고 있는데 이 30%의 지분율은 본인 및 공동보유자(persons acting in concert)의 지분을 합산한 개념이다.

그리고 주식의 취득은 사적교섭에 의한 지배주식취득이든 증권시장에서의 취득이든 불문한다. 다만, 의무공개매수의 청약은 그 청약 이전 또는 청약기간 내에 이미 취득했거나 취득하기로 합의된 본인 및 공동보유자의 주식수를 모두 합하여 의결권있는 주식총수의 50% 이상이 승낙(acceptance)하였을 것을 조건으로 하여야 한다.[34] 그리고 의무공개매수는 원칙적으로 공개매수 전 12개월 내에 본인 또는 공동보유자가 같은 종류의 대상회사 주식에 대하여 지급한 최고가격 이상으로 매수가격을 정하여야 하고 매수의 대가는 현금 또는 현금대용물로

---

33) City Code, Rule 9.1. 공개매수의 대상인 잔여주식에는 의결권있는 주식은 물론이고 의결권없는 주식, 전환사채(convertible securities), 신주인수선택권(warrants), 옵션(options) 등과 같은 의결권부 주식연계증권(voting non-equity share capital) 등 대상회사가 발행한 모든 종류의 주식이 포함된다.

34) City Code, Rule 9.3(a).

제한된다.[35] 그러나 회사의 주식을 이미 50% 이상 보유하고 있는 경우에는 공개매수가 의무화되지 않는다.

3) 독일의 기업인수법

독일의 2002년 증권취득 및 기업인수법(Wertpapierwerbs und Ubernahmegesetz, 이하 '기업인수법'이라 함)은 지배권의 취득과 무관한 공개매수, 지배권취득 목적의 공개매수, 그리고 지배권을 취득한 자의 대상회사 잔여주식에 대한 의무공개매수로 나누어 규제하고 있다. 지배권의 취득과 무관한 공개매수에 대하여는 부분매수의 원칙이 적용되지만, 지배권의 취득을 목적으로 대상회사의 의결권있는 주식의 30% 이상을 취득하였거나 이미 30% 이상의 지배권을 취득한 자가 추가로 주식을 취득한 경우에는 잔여주식 전부에 대하여 공개매수에 의하여 매수하여야 한다.[36] 따라서, 30% 이상을 취득한 경우에는 사적 협상매수나 증권시장매수는 허용되지 아니하고 오로지 공개매수에 의하여 잔여주식 전부에 대한 매수청약을 하여야 한다.

기업인수법상 대상회사 주식의 30% 이상을 매수하여 직접 또는 간접으로 지배권을 취득한 자는 7일 이내에 의결권 비율을 표시하여 그 사실을 공시하여야 하며, 대상회사의 지배권을 취득한 사실을 공시한 후 4주 이내에 청약서류(offer document)를 연방감독청에 제출하여야 한다.[37] 연방감독청은 청약서류가 법률규정에 위반하는지를 심사하여 허용한 이후에는 신속하게 그 청약을 공개하며 매수청약자는 그 청약서류를 제출한 후 10 영업일 이내에 매수청약을 하여야 한다.[38] 다만, 이미 공개매수(take-over bid)에 의하여 대상회사의 지배권을 취득한 경우에는 이러한 절차가 따로 적용되지 아니 한다.[39]

다. 일   본

일본의 기업인수에 대한 규제는 대체로 미국의 규제방식과 유사하지만 여기에 유럽형을 가미하는 것이 대부분이고 부분적으로 일본의 고유한 규제방식도

---

35) City Code, Rule 9.5.
36) 기업인수법 제32조, 제39조.
37) 기업인수법 제35조 제1항, 제2항.
38) 기업인수법 제35조 제2항, 제14조 제2항.
39) 기업인수법 제35조 제3항.

있다.40)

먼저, 미국형 규제방식에 가까운 규제로는 5%공개매수제도가 있다. 이 제도 하에서는 60일간에 10인을 초과하는 자로부터 상장회사의 발행주식총수의 5% 를 초과하여 취득하고자 할 경우에는 공개매수에 의한 방법으로 주식을 취득하 여야 한다.41) 이 제도는 전형적인 일반형 강제공개매수에 해당한다. 이와 관련 하여 타인에 의하여 당해 주권에 대하여 공개매수가 행하여지는 동안에 본인과 그 특별관계자의 소유비율을 합산하여 발행주식총수의 1/3을 초과하여 당해 주 권을 소유한 자(당해 주권의 발행회사는 제외)가 6월을 초과하지 않는 범위 내에 서 정령이 정하는 기간(당해 공개매수기간) 내에 정령이 정하는 비율(5%)을 초과 하여 주권을 매수하는 경우에도 공개매수가 강제된다.42) 이러한 경합형 강제공 개매수는 지배권 인수경쟁을 공개매수로 강제하는 의미가 있다.

다음으로, 유럽의 제도를 변형 또는 가미한 제도가 있다. 2006년 6월 제정된 금융상품거래법에서는 공개매수 후에 주권 등의 소유비율이 정령에서 정하는 비 율(발행주식총수의 2/3)을 하회하지 않은 경우에는 공개매수자에 대하여 응모주 권 등의 전부를 매수하도록 의무화하고 있다.43) 이 제도는 영국의 시티 코드와 유럽연합의 제13차 공개매수지침상 공개매수자의 강제매수권제도(compulsory acquisition)와 유사한 것이다. 이 전부매수의무는 공개매수에 의하여 취득한 주 식의 비율이 상장폐지에 이를 정도의 주식소유비율(발행주식총수의 2/3)을 초과 하는 경우에는 일률적으로 응모주권의 전부를 매수케 하고자 한 것이다.44)

그 밖에, 일본은 미국과 유럽형 규제방식과는 전혀 다른 독특한 규제방식을 갖고 있기도 하다. 금융상품거래법상 이른바 1/3강제공개매수제도(one-third rule)가 그것이다. 이 제도는 본인과 특별관계자의 보유지분을 합하여 발행주식 총수의 1/3 이상을 취득하고자 하는 경우에는 반드시 공개매수에 의하여 취득하 도록 강제하는 것이다. 그러나 1/3강제공개매수제도가 적용되는 경우에도 이미

---

40) 이에 대한 상세한 연구로는 송종준, "일본 금융상품거래법상 강제공개매수제도의 제 유형과
   그 법적 시사점,"「상사판례연구」제26집 제2권(한국상사판례학회, 2013. 6.), 146~155면
   참조.
41) 금융상품거래법 제27조의2 제1항 제1호, 동 시행령 제6조의2 제3항.
42) 금융상품거래법 제27조의2 제1항 제5호, 동 시행령 제7조 제5항, 제6항.
43) 금융상품거래법 제27조의13 제4항(동 시행령 제14조의2의2).
44) 金融審議會金融分課 第1部會, 公開買付制度等ワーキング・グループ報告-公開買付制度等
   のあり方について-(2005. 12. 21.), 9面.

발행주식총수의 50%를 초과하여 주식을 보유한 자가 10인 이하의 주주로부터 추가로 주식을 취득하고자 하는 경우에는 공개매수가 강제되지 아니한다. 일본 금융상품거래법상 5%공개매수제도는 60일간에 10인 이상의 자로부터 상장회사의 발행주식총수의 5% 이상을 취득하고자 할 때에는 강제되는 것이지만, 1/3강제공개매수제도는 60일 내에 10인 미만의 자로부터 1/3 이상의 주식을 취득하고자 하는 경우에도 공개매수가 강제되는 것이다.45) 이 제도로 인하여 사적협상 매수에 의한 지배권의 양도에 있어서 전통적으로 양도주주에게 귀속되었던 지배권 프리미엄(control premium)을 대상회사의 모든 주주에게 분배하는 효과가 있게 된다. 또한, 장내 시간외 매수로 발행주식총수의 1/3을 초과하여 취득하고자 하는 경우에도 공개매수가 강제되고,46) 장내외에서 3개월 내에 발행주식총수의 1/3을 초과하는 경우(장내외 매수와 신주배정에 의하여 10%를 초과하고, 장외비공개 매수와 시간외 매수로 5% 이상을 매수하여 발행주식총수의 1/3을 초과하는 경우)에도 공개매수가 강제된다.47)

한편, 2005년 제정된 신회사법에서는 주주총회 특별결의요건의 가중을 입법으로 허용하였다.48) 이에 따라 미국의 반기업인수법 중 공정가격지급조항, 기업결합제한조항, 지배주식취득제한조항 등과 같이 정관 자치에 의하여 적대적 기업인수를 제한하는 효과를 거둘 수 있다. 이러한 입법은 미국의 제2세대 주회사법과 같은 기업인수규제방식을 감안하되 회사의 사적 자치정신을 가미하여 회사의 경영권 보호에 대처할 수 있도록 한 것이다.

3. 우리법상의 규제

상법은 미국과 일본과 같이 지배주식을 취득함에 있어서 주주의 승인을 얻게 하거나 의결권 또는 기업결합 등을 제한하는 것을 허용하는 명문의 규정을 두고 있지 않고, 유럽과 같은 기업인수규제를 가지고 있지도 않다. 다만, 자본시장과 금융투자업에 관한 법률(이하 '자본시장법'이라 함)은 적대적 기업인수에 대한 규제로서 미국법 및 일본법 등 외국법제와 동일 또는 유사하게 대량주식보유보고,

---

45) 금융상품거래법 제27조의2 제1항 제2호, 동 시행령 제6조의2 제3항.
46) 금융상품거래법 제27조의2 제1항 제3호.
47) 금융상품거래법 제27조의2 제1항 제4호, 동 시행령 제7조 제3항, 내각부령 제4조의2 제1항.
48) 회사법 제309조 제2항.

공개매수, 위임장 권유 등을 규제하고 있다.49) 그러나, 우리법상의 규제는 전술한 3가지 지배원리의 관점에서 볼 때에 개선해야 할 사항이 적지 않다.50)

가. 대량주식보유보고의 규제

1) 의 의

대량주식보유보고제도는 1991년 12월 법개정시 미국, 영국, 일본 등의 법제를 도입한 것으로서(구증권거래법 제200조의2, 자본시장법 제147조) 5%룰(5% rule)이라고도 한다. 이 제도는 대량주식의 보유나 변동상황 등과 같은 중요한 정보를 신속하게 공시하여 거래의 투명성을 제고함으로써 은밀한 주식매집 등에 의한 경영권 위협을 방지하고, 일반투자자의 합리적인 투자판단을 보장하기 위한 목적이 있다.51) 아울러, 단기매매차익의 실현 또는 미공개중요정보이용 등과 같은 불공정거래를 감시하는 효과도 있다. 이 보고의무는 주식을 보유하고 난 이후에 이행하여야 할 사후적 공시의무이다.

이 제도는 유가증권상장법인 또는 코스닥 상장법인 등 상장회사가 발행한 의결권있는 주식에 관계되는 주권, 신주인수권을 표시하는 증서, 전환사채권, 신주인수권부사채권, 교환사채권 등(이하 '주식등'이라 함)의 매수등에 대하여 적용되며(자본시장법 제147조 제1항) 그 주식등의 취득방법에는 아무런 제한이 없다. 다만, 위임장의 권유에 의하여 의결권을 대리하는 경우에는 이 의무가 적용되지 아니한다.

이 제도 하에서는 주권상장법인의 주식등을 본인과 그 특별관계자가 보유하게 되는 주식등의 수의 합계가 그 주식등의 총수의 100분의 5 이상 대량보유하게 된 자는 그 날부터 5일 이내에 그 보유상황, 보유목적, 보유주식 등에 관한 주요계약내용 등을 금융위원회와 거래소에 보고하여야 한다. 이것은 신규보고의무제도에 해당한다. 그리고 주식등을 5% 이상 보유한 자가 보유주식총수의 1%

---

49) 이들 규제에 대한 해설은 임재연, 「자본시장법」(박영사, 2012), 459면 이하; 김정수, 「자본시장법원론」(2014), 738면 이하; 송종준, 「적대적 M&A의 법리」, 56면 이하; 김용재, 「자본시장과 법(상)」(고려대학교 출판부, 2011), 515면 이하; 김건식·정순섭, 「자본시장법」, 209면 이하; 변제호·엄세용 외, 「자본시장법」(지원출판사, 2009), 415면 이하에서 상세하게 다루고 있다.
50) 이에 관한 구체적인 검토내용은 송종준, "적대적 M&A 규제의 지배원리와 현행 법제의 재검토," 121면 이하 참조.
51) 임재연, 「자본시장법」(2015), 562면.

이상 변동된 경우에도 그 변동일부터 5일 이내에 그 변동내용을 보고하여야 한다(자본시장법 제147조 제1항). 이것은 변동보고의무이다. 그 밖에도 대량주식보유보고를 한 자가 보유목적이나 보유주식 등에 관한 주요계약내용 등에 변경이 있는 경우에도 5일 이내에 보고하여야 한다(자본시장법 제147조 제4항). 이를 변경보고의무라 한다.

2) 보고의무의 사유와 내용

가) 보고사유

신규보고의무는 주권상장법인의 주식등의 총수 중 5% 이상을 대량보유하는 경우에 발동된다. 여기의 보유는 소유에 준하는 보유를 말하며, 본인과 특별관계자(특수관계인＋공동보유자)의 보유분도 합산한다. 소유에 준하는 보유(시행령 제142조), 특별관계자의 보유, 보유비율의 산정방법(자본시장법 시행령 제147조)은 공개매수의 경우와 같다.

변동보고의무는 주식등을 5% 이상 보유한 자가 보유주식총수의 1% 이상 변동된 경우에 발동되고, 변경보고의무는 대량주식보유 등을 보고한 자가 그 보유목적이나 보유주식등에 관한 주요계약내용 등 시행령이 정하는 중요한 사항[52]의 변경이 있는 경우에 발동된다(자본시장법 제147조 제4항, 동법 시행령 제155조).

나) 보고의무자

본인과 특별관계자는 모두 보고의무자이다. 다만, 업무편의를 위하여 본인과 특별관계자가 함께 보고하는 경우에는 주식 등의 수가 가장 많은 자를 대표자로 선정하여 연명으로 보고할 수 있다(자본시장법 시행령 제153조 제4항). 연명보고에 관한 구체적인 실무지침은 증권발행공시규정이 규정하고 있다(제3-11조).

다) 보고의 내용과 시기

(1) 보고내용

신규보고의 경우에 보고할 내용은 보유상황, 보유목적, 그 보유 주식등에 관한 주요 계약내용, 기타 시행령이 정하는 사항[53](자본시장법 시행령 제153조 제2

---

52) 1. 보유 목적, 2. 보유 주식등에 대한 신탁·담보계약, 그 밖의 주요계약 내용(해당 계약의 대상인 주식등의 수가 그 주식등의 총수의 100분의 1 이상인 경우만 해당한다), 3. 보유 형태(소유와 소유 외의 보유 간에 변경이 있는 경우로서 그 보유 형태가 변경되는 주식등의 수가 그 주식등의 총수의 100분의 1 이상인 경우만 해당한다).

항)이다. 보유목적은 발행인의 경영권에 영향을 주기 위한 목적 여부로서, 임원의 선임·해임 또는 직무의 정지, 기타 일정한 행위[54]를 위하여 회사나 그 임원에 대하여 사실상 영향력을 본인이 하거나 제3자를 통하여 행사하는 것을 말한다(자본시장법 시행령 제154조 제1항). 보유주식등에 관한 주요계약내용은 계약, 의결권 행사와 관련된 계약, 보유지분의 변동이나 보유목적의 변경을 야기할 수 있는 계약 등을 말한다.[55] 변동보고의 경우에는 1% 이상 변동된 내용을, 변경보고의 경우에는 보유목적, 주요계약내용 등의 변경내용을 보고하여야 한다.

(2) 보고시기

대량보유보고(신규보고, 변동보고, 변경보고)는 보고의무 발생일부터 5일 이내에 하여야 한다(자본시장법 제147조 제1항). 5일의 산정에서는 공휴일, 근로자의 날, 토요일은 산입하지 않는다(자본시장법 시행령 제153조 제1항). 보고기준일은 예컨대 발행주권의 상장일, 주식매매계약체결일(장내외), 유상신주대금의 납입일의 다음 날, 흡수합병의 경우 합병을 한 날, 신설합병의 경우 신주상장일, 주식차입계약체결일, 증여의 경우 주식 인도일 등과 같이 대통령령이 구체적으로 정하고 있다(자본시장법 시행령 제153조 제3항).

그리고 대량보고기간 내에 1% 이상 변동보고사유가 발생하면 양자를 함께 보고하여야 한다. 그리고 보고하는 날 전일까지 새로 변동내용을 보고하여야 할 사유(예컨대 추가주식매입 등)가 발생한 경우에는 새로 보고하여야 하는 변동내용을 당초의 보고내용과 함께 (합산)보고하여야 한다(자본시장법 제147조 제3항).

(3) 특 례

보유목적과 보고의무자에 따라 보고내용과 보고시기가 다르다(자본시장법 제147조 제1항 후단). 보유목적이 발행인의 경영권에 영향을 주기 위한 것이 아닌

---

53) 1. 주식등을 대량보유하게 된 자와 그 특별관계자에 관한 사항, 2. 보유 주식등의 발행인에 관한 사항, 3. 변동 사유, 4. 취득 또는 처분 일자·가격 및 방법, 5. 보유 형태, 6. 취득에 필요한 자금이나 교환대상물건의 조성내역(차입인 경우에는 차입처를 포함한다), 7. 제1호부터 제6호까지의 사항과 관련된 세부사항으로서 금융위원회가 정하여 고시하는 사항(증권발행공시규정 3-10조 1항)

54) 이사회 등 회사의 기관과 관련된 정관의 변경, 회사의 자본금의 변경, 회사의 배당의 결정, 회사의 합병, 분할 및 분할합병, 주식의 포괄적 교환과 이전, 영업전부의 양수·양도 또는 금융위원회가 정하여 고시하는 중요한 일부의 양수·양도, 자산 전부의 처분 또는 금융위원회가 정하여 고시하는 중요한 일부의 처분, 영업전부의 임대 또는 경영위임, 타인과 영업의 손익 전부를 같이하는 계약, 그 밖에 이에 준하는 계약의 체결, 변경 또는 해약, 회사의 해산.

55) 임재연, 「자본시장법」(2015), 575~6면.

경우에는 보고의무자가 전문투자자가 아니면 시행령이 정하는 사항(주식등의 보유상황, 대량보유자와 그 특별관계자에 관한 사항, 보유주식등의 발행인에 관한 사항, 취득·처분의 일자·가격·방법, 주식등의 보유기간 동안 경영권에 영향을 주기 위한 행위를 하지 아니하겠다는 확인)만을 보고할 수 있다(자본시장법 시행령 제154조 제3항). 이 경우에 보고시기는 그 보유상황에 변동이 있는 경우 그 변동이 있었던 달의 다음 달 10일까지 보고할 수 있다(자본시장법 시행령 제154조 제3항).

그리고, 보고의무자가 전문투자자 중 국가, 지자체, 한국은행, 기타 금융위가 고시하는 자(자본시장법 시행령 제154조 제2항)인 경우에는 보유상황과 변동내용, 대량보유자와 그 특별관계자, 발행인에 관한 사항을 보고할 수 있고, 보유 또는 변동이 있었던 분기의 다음 달 10일까지 보고할 수 있다(자본시장법 시행령 제154조 제4항).

라) 보고의무의 면제

대량보유보고의무(신규보고)는 면제할 수 있는 경우가 없다. 그것은 대량보유 사실은 경영권 분쟁과 관련이 없더라도 중요한 투자정보이기 때문이다. 그러나 변동보고의무는 1% 이상 변동하더라도 일정한 경우에는 면제된다. 일정한 경우라 함은 주주배정에 따라 신주만을 취득하는 경우, 주주배정에 따라 발행된 신주인수권증서를 취득하는 경우, 자기주식의 취득 또는 처분으로 보유비율이 변동된 경우, 자본감소로 주식등의 보유비율이 변동된 경우, 신수인수권이 표시된 것, 신주인수권부사채권, 전환사채권 또는 교환사채권에 주어진 권리행사로 발행 또는 교환되는 주식등의 발행가격 또는 교환가격 조정만으로 보유 주식등의 수가 증가하는 경우를 말한다(자본시장법 시행령 제153조 제5항). 다만, 변동보고의무가 면제되는 경우라도 총보유비율이 발행주식 등의 총수의 5% 이상으로 되는 경우에는 대량보유보고의무가 있다.[56]

마) 금융위의 조사권 등

금융위원회는 투자자 보호를 위하여 필요한 경우에는 보고서 제출자, 기타 관계인에 대하여 보고 또는 자료의 제출을 명하거나 금융감독원장에게 그 장부·서류, 그 밖의 물건을 조사하게 할 수 있다(자본시장법 제151조 제1항).

---

[56] 대법원 2004.6.17. 2003도7645 전원합의체(전환가액의 조정으로 인하여 보유비율이 처음으로 5% 초과한 경우에도 대량보유보고의무가 발생한다).

아울러 제출된 보고서의 형식을 제대로 갖추지 아니한 경우 또는 그 보고서 중 중요사항의 부실표시 또는 누락시에는 보고서의 정정을 명할 수 있다. 그리고 필요한 때에는 거래를 정지 또는 금지하거나 임원 해임권고, 고발 등 일정한 조치(자본시장법 시행령 제159조)를 할 수 있다(자본시장법 제151조 제1항).

바) 발행인에 대한 송부 및 공시

대량보유, 변동, 변경 등을 보고한 자는 지체 없이 그 사본을 해당 발행인 또는 일정한 자(교환사채권의 경우 교환대상 주식등의 발행인, 파생결합결합증권의 경우 기초자산인 주식등의 발행인, 증권예탁증권의 경우 기초가 되는 주식등의 발행인)에게 송부하여야 한다(자본시장법 제148조, 동 시행령 제156조). 그리고 금융위원회 및 거래소는 제출받은 보고서를 3년간 비치하고 인터넷 홈페이지 등을 이용하여 공시하여야 한다(자본시장법 제149조).

3) 냉각기간

보유목적이 발행인의 경영권에 영향을 주기 위한 것을 보고하는 자는 그 보고사유가 발생하는 날(취득일 또는 보유목적 변경일)부터 보고한 날 이후 5일까지 그 발행인의 주식등을 추가로 취득하거나 보유 주식등에 대하여 의결권을 행사할 수 없다(자본시장법 제150조 제2항). 이 기간을 냉각기간(cooling period)이라 한다. 냉각기간의 설정은 경영진의 방어기회가 박탈되는 것을 막기 위한 것이다. 냉각기간은 신규 또는 추가취득 및 보유목적의 변경보고에 적용되고 보유비율 변동보고의 경우에는 적용되지 않는다.[57]

따라서 보고사유의 발생일부터 보고한 날 이후 5일 사이에 추가취득한 주식의 경우에는 추가 취득분에 대하여, 보유목적을 경영권에 영향을 주기 위한 것으로 변경한 경우에는 5% 이상에 해당하는 주식등에 대하여 의결권을 행사할 수 없다.[58] 그리고 냉각기간 중 추가취득한 주식에 대하여 금융위원회는 6개월 이내의 기간을 정하여 그 추가취득분의 처분을 명할 수 있다(자본시장법 제150조 제3항).

---

57) 금감원, 「기업공시실무안내」(2009. 6.), 284면; 한국거래소, 「증권시장의 불공정거래금지 및 지분공시제도 해설」(2009. 12.), 86면; 서울중앙지법 2010.3.17. 자 2010카합521.
58) 임재연, 「자본시장법」(2015), 582면.

4) 보고의무위반의 효과

가) 사법상 효력

대량보유보고의무에 관한 규정은 효력규정이 아니라 단속규정에 해당하므로 보고의무규정을 위반하더라도 주식취득의 사법상 효력에는 영향이 없다.

나) 의결권 제한과 처분명령

대량주식보유보고의무(변동보고의무, 정정보고의무 포함)를 이행하지 않은 자 또는 대통령령으로 정하는 중요한 사항59)을 거짓으로 보고하거나 대통령령으로 정하는 중요한 사항의 기재를 누락한 자는 대통령령으로 정하는 기간 동안 의결권 있는 발행주식총수의 100분의 5를 초과하는 부분 중 위반분에 대하여 그 의결권을 행사하여서는 아니 된다(자본시장법 제150조 제1항 전단).

의결권 행사는 보고의무규정을 위반한 날부터 5%를 초과하는 위반분에 대하여 자동적으로 금지되고, 그 제한기간은 보고의무위반의 정도에 따라서 차별화되어 있다(자본시장법 시행령 제158조). 즉, 고의나 중과실로 보고하지 아니한 경우 및 허위로 부실기재하여 보고한 경우에는 매수등을 한 날부터 그 보고(정정보고 포함)를 한 후 6개월이 되는 날까지의 기간 동안 의결권 행사가 제한된다. 그러나 대량보유상황(변경, 변동내용 포함)이 이미 신고되었거나 착오로 지연보고를 한 경우에는 매수등을 한 날부터 그 보고를 한 날까지의 기간 동안만 의결권 행사가 제한된다.

그리고 금융위원회는 6개월 이내의 기간을 정하여 그 위반분의 처분을 명할 수 있다(자본시장법 제150조 제1항 후단). 이 처분명령권은 장내매각이나 불특정 다수인에게 매각하도록 행사하는 것이 제도의 실효적 취지에 부합하고, 이러한 방법으로 처분하는 한 보고의무자에게 매수금지명령을 따로 내릴 수는 없을 것이다.

다) 형사책임

대량보유보고의무(변동, 변경의무 포함)를 이행하지 않은 자에게는 3년 이하의 징역 또는 1억원 이하의 벌금에 처한다(자본시장법 제445조 제20호). 보고서류에

---

59) 1. 대량보유자와 그 특별관계자에 관한 사항, 2. 보유 목적, 3. 보유 또는 변동 주식등의 종류와 수, 4. 취득 또는 처분 일자, 5. 보유 주식등에 관한 신탁·담보계약, 그 밖의 주요 계약 내용.

허위기재하거나 누락한 자에게는 5년 이하의 징역 또는 2억원 이하의 벌금에 처한다(자본시장법 제444조 제18호). 그리고 금융위원회의 처분명령이나 조치를 위반한 자에게는 1년 이하의 징역 또는 3천만원 이하의 벌금에 처한다(자본시장법 제446조 제24호, 제26호).

라) 손해배상책임

대량보유보고의무에 관한 규정을 위반한 경우에 주식등을 매매한 일반투자자는 보고의무자에 대하여 민법 제750조의 불법행위책임을 추궁할 수 있을 것이다. 이 경우 책임요건의 성립에 관한 증명책임은 원고에게 있다.

나. 공개매수의 규제

1) 공개매수의 정의

미국의 Williams Act(1968년에 신설된 1934년 증권거래법 제13조 d, e, 제14조 d, e, f의 5개 조항)는 공개매수 개념을 따로 정의하지 아니하고 판례에 맡기고 있다. 미국 판례상 공개매수는 이른바 Wellman test로서 ① 적극적이고 광범위한 권유, ② 발행회사 주식의 상당비율에 대한 권유, ③ 프리미엄부 가격의 제안, ④ 협상여지가 없이 확정적인 조건, ⑤ 최저확정수량 응모 조건부 청약, ⑥ 기간의 제한, ⑦ 피권유자에 대한 압박, 그리고 ⑧ 청약의 공표 등 8요소의 관점에서 정의되고 있다.[60] 예컨대 공개매수의 성공을 조건으로 사전에 공개매수 가격 보다 높은 매매대가를 지급하기로 하는 차별적인 주식매매약정은 공개매수의 필수적 일부라고 판시한 바 있다.[61]

그런데 자본시장법에서는 공개매수(tender offer, take-over bid, TOB)를 불특정다수인에 대하여 주식 등의 매수 또는 교환의 청약을 하거나 매도의 청약을 권유하고, 유가증권시장 및 코스닥 시장 밖에서 당해 주식 등을 매수하는 것으로 정의하고 있다(자본시장법 제133조 제1항). 공개매수의 개념을 법정한 것은 공개매수의 성립범위를 명확히 하여 증권거래에 있어서 법적 안정성을 기하고자 하는 데에 그 취지가 있다. 일본의 금융상품거래법도 우리와 유사한 입법태도를 취하고 있다. 그런데 이와 같이 정의되는 공개매수는 장외에서 6개월 이내에 10

---

60) Wellman v. Dickinson, 682 F. 2d 355(2d Cir. 1982), cert. denied, 460 U.S. 1069 (1983).
61) Epstein v. MCA Corp., 50 F. 3d 644(9th Cir. 1995).

명 이상의 주주로부터 상장주식의 발행주식총수의 5% 이상을 취득하고자 할 경우에는 강제되는 것으로 규정하고 있다(자본시장법 제133조 제3항).

2) 공개매수의 분류

가) 현금공개매수·교환공개매수

지급대가를 현금으로 하는 공개매수를 현금공개매수(cash offer)라 하고 대부분의 공개매수는 이에 해당한다. 주식등 증권과 교환하는 공개매수를 교환공개매수(exchange offer)라 하며, 이것은 대상회사의 주식을 취득하는 대가로서 공개매수회사의 신주나 자기주식, 기타 보유하는 증권을 교환하는 방식이다.62)

나) 전부공개매수·부분공개매수·의무공개매수

전부공개매수(any-and-all offer)는 공개매수에 응한 주식을 전부 매수하여야 하는 공개매수를, 부분공개매수(partial offer)는 응모주식이 매수예정주수를 초과한 경우에 매수예정주수만을 매수할 수 있는 공개매수를 말한다. EU에서는 대상회사의 발행주식총수의 30%(또는 1/3)를 초과하여 취득한 경우에는 잔여주식 전부에 대하여 공개매수를 의무화하고 있다. 이를 의무공개매수(mandatory bid)라 한다. 일본의 경우에는 부분공개매수 외에도 1/3의무공개매수, 전부매수의무제도(2/3의무공개매수) 등을 도입하였다. 그러나 미국을 비롯한 우리나라에서는 부분공개매수원칙으로 일관하고 있다.

다) 2단계 공개매수

2단계 공개매수(two-tier tender offer)는 1단계에서는 상대적으로 높은 매수가격(지배권 프리미엄을 가산)으로 공개매수를 실행하여 대상회사의 지배권을 취득한 다음, 2단계에서 공개매수회사가 대상회사를 합병하면서 1단계 공개매수가격 보다 낮은 가치의 합병대가를 지급하여 합병하는 방식을 말한다. 2단계합병

---

62) 신주를 발행하여 교환하는 경우에는 상법상 현물출자에 대한 법원의 심사 또는 감정인의 감정(제422조 제1항)을 거쳐야 하는 문제가 있다. 2011년 개정 상법에서는 현물출자의 목적인 재산이 거래소의 시세있는 유가증권인 경우 신주발행가격이 대통령령으로 정한 방법으로 산정된 시세(결의일 전 1개월, 1주일, 전일 종가산술평균 금액)를 초과하지 아니하는 경우 등에는 현물출자의 검사절차를 면할 수 있게 함으로써(제422조 제2항), 교환공개매수에 있어서 현물출자심사의 문제는 상당부분 해소된 것으로 볼 수 있다. 노혁준, "주식의 교환공매수에 관한 연구,"「상사법 연구」제23권 제2호(한국상사법학회, 2004), 10면 이하. 그리고 교환가격에 지배권 프리미엄이 가산되는 경우에 현물출자물의 과대평가가 문제될 수 있지만 합리적인 정도이면 공정하다고 보아야 할 것이다.

(two-tier merger)이라고도 한다. 2단계 공개매수에서는 대상회사의 주주들에게 1단계의 공개매수에 응하도록 강제하는 효과(coercion)가 있어서 비난의 대상이 되고, 2단계의 합병에서 합병대가를 현금으로 지급하는 경우에는 소수주주를 사원관계로부터 축출(freeze-out, squeeze-out)시키는 문제가 있다.

라) 자기공개매수

자기공개매수(self-tender offer)는 발행회사가 자기주식을 공개매수의 방법으로 취득하는 형태이다. 이 방법은 일반 공개매수에 관한 절차와 요건에 관한 규정에 따라야 한다. 다만 상환주식에 대한 자기주식취득은 허용되지 않으므로 자기공개매수도 허용되지 않는다(자본시장법 제165조의3 제1항 제1호, 상법 제341조 제1항).

3) 공개매수의 강제와 예외

가) 의 의

장외에서 6개월 이내에 10명 이상의 주주로부터 상장주식의 발행주식총수의 5% 이상을 취득하고자 할 때에는 공개매수가 강제된다. 그리고 본인과 그 특별관계자가 보유하는 주식등의 수의 합계가 그 주식등의 총수의 100분의 5 이상인 자가 그 주식등의 매수등을 하는 경우를 포함한다(자본시장법 제133조 제3항). 공개매수의 강제는 지배권의 변경을 가져올 수 있는 주식거래의 투명성을 높이고 모든 주주들에게 주식의 매각과 지배권 프리미엄의 분배에 있어서 공평한 기회를 부여하기 위한 것이다. 다만 지배권 획득목적과 관계없거나 공개매수를 강제할 필요가 없는 일정한 매수등에는 공개매수가 강제되지 아니한다.

나) 강제요건

(1) 대상증권

매수대상증권은 상장법인이 발행한 증권으로서 의결권 있는 주식에 관계되는 주권, 신주인수권이 표시된 것, 전환사채권, 신주인수권부사채권, 교환사채권, 파생결합증권 등(이하 '주식등')이다(자본시장법 제133조 제1항, 동법 시행령 제139조). 자본시장법은 증권을 포괄적으로 정의하게 됨에 따라 종전에 비하여 공개매수의 대상인 증권의 범위도 확대되었다.

(2) 매수장소와 매수기간

주식등의 매수는 증권시장 밖에서 이루어져야 한다. 여기의 증권시장은 한국거래소가 개설한 유가증권시장과 코스닥시장을 말하며, 이와 유사한 시장으로서 해외에 있는 시장을 포함한다(자본시장법 제133조 제1항). 증권시장에서의 시간외 대량 매매 등 경쟁매매 외의 방법에 의한 주식등의 매수로서 대통령령으로 정하는 매수의 경우에는 증권시장 밖에서 행하여진 것으로 간주된다(자본시장법 제133조 제4항). 매수기간은 당해 주식 등의 매수를 하는 날로부터 과거 6월간을 말한다(자본시장법 시행령 제140조 제1항).

(3) 매수상대방의 수

공개매수가 강제되기 위해서는 매수청약 또는 매도청약의 권유의 상대방의 수가 6개월 이내에 '10인 이상'이어야 한다(자본시장법 시행령 제140조 제2항). '10인 이상'은 주식등의 매매계약이 체결된 상대방의 수가 아니라, 매수청약 또는 매도청약의 권유를 받은 상대방의 수를 뜻한다. '10인 이상'의 수를 산정하는 기준은 주식등의 매수등을 하는 상대방의 수와 당해 주식등을 매수하는 날로부터 과거 6개월간 당해 주식등의 매수등을 하는 상대방의 수를 합한 것이다(자본시장법 시행령 제140조 제2항).

(4) 매수등으로 5% 이상의 보유

증권시장 밖에서 매수등을 한 결과 의결권 있는 발행주식총수 등의 5% 이상을 보유하여야 한다. '매수등'이라 함은 유상의 대가가 지급되는 매수, 교환, 입찰 등을 말한다. '보유'라 함은 소유 기타 이에 준하는 경우로서 대통령령이 정하는 경우(자본시장법 시행령 제142조)[63]를 포함하는 것으로서 실질적인 소유(beneficial ownership)를 의미한다. 5% 이상의 비율은 본인과 특별관계자가 보

---

[63] 1. 누구의 명의로든지 자기의 계산으로 주식등을 소유하는 경우, 2. 법률의 규정이나 매매, 그 밖의 계약에 따라 주식등의 인도청구권을 가지는 경우, 3. 법률의 규정이나 금전의 신탁계약·담보계약, 그 밖의 계약에 따라 해당 주식등의 의결권(의결권의 행사를 지시할 수 있는 권한을 포함한다)을 가지는 경우, 4. 법률의 규정이나 금전의 신탁계약·담보계약·투자일임계약, 그 밖의 계약에 따라 해당 주식등의 취득이나 처분의 권한을 가지는 경우, 5. 주식등의 매매의 일방예약을 하고 해당 매매를 완결할 권리를 취득하는 경우로서 그 권리행사에 의하여 매수인으로서의 지위를 가지는 경우, 6. 주식등을 기초자산으로 하는 법 제5조 제1항 제2호에 따른 계약상의 권리를 가지는 경우로서 그 권리의 행사에 의하여 매수인으로서의 지위를 가지는 경우, 7. 주식매수선택권을 부여받은 경우로서 그 권리의 행사에 의하여 매수인으로서의 지위를 가지는 경우

유한 주식등의 수의 합계가 당해 주식등의 총수의 100분의 5 이상인 것을 말한다. 그 산정방법은 총리령에서 정하고 있다(자본시장법 시행령 제141조 제5항, 동 규칙 제14조 제1항).

특별관계자에는 형식적 기준에 따른 특수관계인과 실질적 기준에 따른 공동보유자가 있다. 특수관계인은 본인과 일정한 친족 또는 출자관계에 있는 개인 또는 법인을 말하며, 그 범위는 구체적으로 명시되어 있다(자본시장법 제9조 제1항 제1호, 동법 시행령 제8조). 그러나 소유하는 주식등의 수가 1,000주 미만인 경우에는 공동보유자에 해당하지 아니함을 소명하면 특수관계인으로 보지 아니한다(자본시장법 시행령 제141조 제3항). 공동보유자란 본인과 합의, 계약 등에 의하여 공동으로 주식등을 취득 또는 처분하거나, 주식등을 공동 또는 단독으로 취득한 후 그 취득한 주식을 상호 양도하거나 양수하는 행위를 하거나, 의결권 또는 의결권의 행사를 지시할 수 있는 권한을 공동으로 행사할 목적이 있는 관계에서 성립한다.

다) 공개매수 강제의 적용제외

매수등의 목적, 유형, 그 밖에 다른 주주의 권익침해의 가능성 등을 고려하여 대통령령이 정하는 매수등의 경우에는 공개매수가 강제되지 아니한다(자본시장법 제133조 제3항 단서, 동법 시행령 제143조). 주식등의 소각,[64] 주식매수청구권의 행사, 신주인수권 등의 권리행사에 따른 주식등의 매수등, 파생결합증권의 권리행사에 따른 주식등의 매수등, 특수관계인으로부터의 매수등, 전자증권중개업무에 의한 주식등의 매수 등이 이에 해당한다.

이와 관련하여 발행주식총수의 95%를 자기의 계산으로 보유하고 있는 지배주주가 10인 이상의 소수주주가 보유하는 주식 5%의 매수를 할 때에 상법상 지배주주에 의한 매도청구권 행사 규정(제360조의24)과 자본시장법상의 공개매수강제 규정 중 어느 것이 우선 적용되어야 하는지가 문제될 수 있다. 공개매수 강제규정이 우선적으로 적용되더라도 소수주주가 응모하지 않으면 지배주주는 잔여주식을 취득할 수 없게 되고, 다시 상법에 의하여 매도청구권을 행사해야 하는 번잡성이 있다.[65] 따라서 이 경우에는 공개매수 강제의 예외로 풀이하는 것

---

64) 상법은 자기주식을 통지와 공고를 하여 균등한 조건으로 취득하거나, 공개매수의 방법으로 취득할 것을 규정하고 있다(제341조 제1항, 시행령 제9조 제1항).
65) 공개매수 강제가 적용되면 매도청구권을 행사할 수 없다는 견해도 있다. 이병기, "개정상

이 합리적이라고 본다.[66)]

4) 공개매수의 절차적 규제

가) 공개매수의 공고

공개매수를 하고자 하는 자는 일정한 일반일간신문 또는 경제분야의 특수일간신문 중 전국을 보급지역으로 하는 2 이상의 신문에 공고하여야 한다(자본시장법 제134조 제1항, 동법 시행령 제145조 제1항).[67)] 공개매수는 공고와 동시에 효력이 발생한다. 공개매수자가 공개매수 정정신고서를 제출한 때에도 지체 없이 그 사실과 변경된 내용(공개매수공고에 포함된 사항에 한한다)을 공고하여야 한다(자본시장법 제136조 제5항). 공개매수의 공고를 위하여 반드시 증권회사인 공개매수사무취급자를 대리인으로서 지정할 의무는 없다. 공고일이 공휴일, 근로자의 날, 토요일 등 금융위원회가 정하여 고시하는 날에 해당하는 경우에는 그 다음 날에 제출할 수 있다(자본시장법 제136조 제5항 단서).

공개매수의 공고에는 공개매수를 하고자 하는 자, 공개매수할 주식 등의 발행인 공개매수의 목적, 공개매수할 주식등의 종류와 수, 공개매수기간·가격·결제일 등 공개매수조건 및 매수자금의 명세, 그 밖에 공개매수자 및 그 특별관계자의 현황, 공개매수사무취급자에 관한 사항, 공개매수의 방법, 공개매수할 주식등의 발행인의 임원 또는 최대주주와의 사전협의가 있는지 여부와 사전협의가 있는 경우 그 협의내용, 공개매수 종료 후 공개매수대상회사에 관한 장래계획 및 공개매수신고서 및 공개매수설명서의 열람 장소 등을 공고하여야 한다(자본시장법 제134조 제1항).

나) 공개매수의 신고

공개매수를 하고자 하는 자는 공고한 날에 금융위원회와 거래소에 공개매수신고서를 제출하여야 한다(자본시장법 제134조 제2항). 이것을 동시신고제라 한다. 신고는 공개매수의 효력발생과는 관계없고 금융위의 심사를 위한 행정절차로서

법상 지배주주에 의한 소수주식 전부취득," 「BFL」 제51호(서울대 금융법센터, 2012. 1.), 136면.
66) 한국증권법학회, 「자본시장법 주석서Ⅰ」 개정판(박영사, 2015), 697면.
67) 자기주식에 대한 공개매수를 하는 경우에는 공개매수를 결의한 이사회 당일 결의내용을 공시하여야 하고, 그 다음 날까지 주요사항보고서를 별도로 제출하여야 한다(자본시장법 제161조 제1항).

의 의미가 있다.[68]

(1) 공개매수신고의 절차

공개매수에 의하여 주식등을 매수하고자 하는 자는 일정한 사항을 기재한 신고서를 공개매수공고를 한 날에 금융위원회와 거래소에 제출하여야 하고, 공개매수공고일이 공휴일(근로자의 날과 토요일 포함)에 해당하는 때에는 그 다음날에 제출할 수 있다(자본시장법 제134조 제2항). 여기에는 일정한 첨부서류를 첨부하여야 한다(자본시장법 제134조 제5항).

그리고 신고서를 제출한 때에는 지체 없이 그 사본을 공개매수할 주식등의 발행인에게 송부하여야 한다(자본시장법 제134조, 제135조). 증권예탁증권, 교환사채권, 파생결합증권을 공개매수하는 경우에도 그 기초가 되는 주식등 또는 교환의 대상이 되는 주식등의 발행인에게 그 사본을 송부하여야 한다(자본시장법 제134조 제1항 제2호, 동법 시행령 제145조 제2항, 제3항).

(2) 공개매수신고서의 기재사항

공개매수신고서에는 공개매수공고에 기재된 내용과 다른 내용을 표시하거나 그 기재사항을 빠뜨려서는 아니 된다(자본시장법 시행령 제146조 제1항). 공개매수자가 신고서에 기재하여 공시하여야 할 정보로는 필수기재사항과 임의기재사항이 있다.

(가) 필수기재사항

필수기재사항으로서 공개매수자 및 그 특별관계자에 관한 사항 등 공개매수에 관한 중요한 정보, 기타 대통령령이 정하는 사항으로서 의무적으로 공시하여야 한다(자본시장법 제134조 제2항, 동법 시행령 제146조 제2항). 공개매수자 및 그 특별관계자에 관한 사항, 공개매수할 주식등의 발행인, 공개매수의 목적, 공개매수할 주식등의 종류 및 수, 공개매수기간·가격·결제일 등 공개매수조건, 공개매수 공고일 이후에 공개매수에 의하지 아니하고 주식등의 매수등을 하는 계약이 있는 경우에는 당해 계약의 내용, 매수자금의 명세, 기타 투자자 보호를 위하여 필요한 사항으로서 대통령령으로 정하는 사항 등이 여기에 해당한다.

---

68) 임재연, 「자본시장법」(2015), 529면.

(나) 임의기재사항

임의기재사항은 예측정보(forward-looking information)에 관한 것으로서 자율적으로 기재할 수 있는 사항이다. 공개매수신고서에는 연성정보(soft information)의 하나로서 공개매수할 주식등의 발행인의 예측정보(forward-looking information)를 기재 또는 표시할 수 있다(자본시장법 제134조 제4항). 예측정보는 주식등의 발행인의 미래의 재무 상태나 영업실적 등에 관한 예측 또는 전망에 관한 사항으로서 자본시장법이 정하고 있는 것을 말한다(자본시장법 제125조 제2항, 제119조 제3항). 예측정보를 기재하는 경우에 공개매수자는 당해 기재 또는 표시가 예측정보라는 사실을 명시하여야 하고, 예측 또는 전망과 관련된 가정 또는 판단의 근거를 명시하여야 하며, 당해 기재 또는 표시에 대하여 예측치와 실제 결과치가 다를 수 있다는 주의문구(bespeaks caution)를 명시하여야 한다(자본시장법 제134조 제4항, 제125조 제2항 제1·2·4호).

(3) 첨부서류

공개매수신고서에는 일정한 서류를 첨부하여야 한다(자본시장법 제134조 제5항). 이 첨부서류는 대체로 공개매수와 관련되는 증빙서류들이다. 그러나 전자정부법에 따른 행정정보의 공동이용을 통하여 첨부서류에 대한 정보를 확인할 수 있는 경우에는 그 확인으로 첨부서류를 갈음할 수 있다(자본시장법 시행령 제146조 제4항).

다) 공개매수설명서의 작성 및 교부의무 등

공개매수설명서는 공개매수에 응하려는 투자자에게 투자판단에 필요한 중요정보를 직접 제공하기 위한 공시서류이다.

(1) 공개매수설명서의 작성·제출·비치·열람공여의무

공개매수자는 공개매수를 하고자 하는 경우에는 공개매수설명서를 작성하여 금융위원회와 거래소에 제출하여야 한다(자본시장법 제137조 제1항 전단). 공개매수사무취급자를 둔 경우에는 그가 제출하여야 한다. 공개매수공고일이 공휴일(근로자의 날, 토요일 포함)에 해당하는 경우에는 그 다음 날에 제출할 수 있다(자본시장법 제137조 제1항 후단, 제134조 제2항 단서). 공개매수설명서는 대통령령이 정하는 방법에 따라 작성하여야 하고, 공개매수설명서에는 법 제134조 제2항이 규정하는 사항을 기재하여야 한다. 다만 공개매수자가 주권상장법인인 경우에는 금융위원회가 정하여 고시하는 사항의 기재를 생략할 수 있다(자본시장법 시행령 제148조). 그리고 공개매수설명서는 공개매수사무취급자의 본점과 지점, 그 밖에 영업소, 금융위원회, 거래소에 비치하고 일반인이 열람할 수 있도록 하여야 한다(자본시장법 제137조 제1항 전단, 동법 시행규칙 제16조).

(2) 공개매수설명서의 부실기재 금지

공개매수설명서에는 공개매수신고서에 기재된 내용과 다른 내용을 표시하거나 그 기재사항을 누락하여서는 아니 된다(자본시장법 제137조 제2항). 공개매수신고서에 허위 기재되거나 누락된 중요사항이 있는 경우에 공개매수정정신고서를 공고·제출하지 아니하고 공개매수설명서에만 정정하여 기재하는 것은 허용되지 아니한다. 공개매수신고서와 다른 내용을 표시하거나 중요사항을 누락한 경우에는 금융위원회는 공개매수를 정지하거나 금지 하는 등의 조치를 내릴 수 있다(자본시장법 제146조 제2항).

(3) 공개매수설명서의 교부 전 매수금지

공개매수자는 공개매수할 주식등을 매도하고자 하는 자에게 공개매수설명서를 미리 교부하지 아니하면 그 주식등을 매수하여서는 아니 된다(자본시장법 제137조 제3항 전단). 이것은 증권의 모집 또는 매출에 있어서 투자설명서를 미리 교부하지 않으면 증권을 취득하게 하거나 매도하여서는 아니 된다는 것(자본시장법 제124조 제1항)과 마찬가지이다. 그러나 공개매수설명서를 금융위원회, 거래소 및 공개매수사무취급자의 본·지점에 비치하였다고 하여 그 설명서가 교부된 것으로 되는 것은 아니다. 공개매수공고와 비치 후 매수하기 전에 그 설명서가 서면이든 전자문서이든 사전에 배포되거나 전달되어야 한다. 공개매수설명서는 전자문서의 방법으로도 교부할 수 있다(자본시장법 제137조 제3항 후단). 전자문서에 의하여 교부하기 위해서는 법이 정한 방법과 절차(자본시장법 제436조)에 따라야 한다.

라) 공개매수 신고사항 등의 공시

공개매수신고서를 제출받은 금융위원회와 거래소는 제출받은 공개매수신고서, 철회신고서, 대상회사의 의견서를 그 접수일부터 3년간 비치하고 인터넷 홈페이지 등을 이용하여 공시하여야 한다(자본시장법 제144조). 아울러 공개매수자는 공개매수설명서를 금융위원회와 거래소, 공개매수사무취급자의 본지점에 비치하여야 한다(자본시장법 제137조 제1항, 동법 시행규칙 제16조).

마) 공개매수신고서의 정정

(1) 금융위원회의 요구에 의한 정정신고

금융위원회가 정정신고서의 제출을 요구할 수 있는 사유는 공개매수신고서의 형식을 제대로 갖추지 아니한 경우, 공개매수신고서 중 중요사항에 관하여 거짓의 기재 또는 표시가 있거나 중요사항이 기재 또는 표시되지 아니한 경우이다(자본시장법 제136조 제1항). 금융위원회가 정정신고서 제출을 요구한 경우 그 공개매수신고서는 그 요구를 한 날로부터 제출되지 않은 것으로 본다(자본시장법 제136조 제2항). 그리고 금융위원회는 정정신고서의 제출이 없으면 투자자 보호를 위하여 필요한 때에는 공개매수를 정지 또는 금지하거나 대통령령이 정하는 조치를 취할 수 있다(자본시장법 제146조 제2항). 그 밖에 공개매수신고서 및 그 정정신고서의 신고인과 그 대리인 등이 정정신고서를 제출하지 않은 경우에는 공개매수신고서에 기재된 공개매수예정총액(공개매수할 주식등의 수량을 공개매수가격으로 곱하여 산정한 금액)의 100분의 3(20억원 한도)을 초과하지 아니하는 범위에서 과징금을 부과할 수 있다(자본시장법 제429조 제2항).

(2) 공개매수자의 자발적 정정신고

공개매수자는 공개매수기간의 종료일까지 이미 공고된 공개매수조건, 기타 신고서의 기재사항을 임의로 정정할 수 있으며, 이 경우 금융위원회와 거래소에 정정신고서를 제출하여야 한다(자본시장법 제136조 제3항). 그리고 공개매수자는 투자자 보호를 위하여 공개매수신고서에 기재된 내용을 정정할 필요가 있는 경우로서 총리령으로 정하는 경우에는 정정할 수 있다(자본시장법 시행규칙 제15조).

공개매수자의 자발적 정정신고는 매수가격의 인상, 매수예정주식등의 수의 증가, 매수대금지급기간의 단축 등 투자자 보호를 위한 것이어야 한다. 그러므로 매수조건 등의 변경이 투자자에게 불리하거나 투자자의 권익을 침해하거나 침해할 소지가 있는 경우에는 정정신고가 허용되지 않는다. 즉, 매수가격의 인하, 매수예정주식등의 수의 감소, 매수대금 지급기간의 연장(정정신고서가 당초 공개매수종료일 전 10일 이내에 해당하는 경우에는 제외), 기타 공개매수기간의 단축, 응모주주에게 줄 대가의 종류의 변경(다만 응모주주가 선택할 수 있는 대가의 종류를 추가하는 경우는 제외), 대통령령에서 달리 제외하지 않는 경우로서 공개

매수 대금지급기간의 연장을 초래하는 공개매수조건의 변경(자본시장법 시행령 제
147조 제1·2·3호)은 허용되지 않으므로 이 경우에는 정정신고도 허용되지 아니
한다(자본시장법 제136조 제3항 단서).

(3) 정정신고서의 공고

정정신고서를 제출한 경우에는 공개매수자는 그 정정내용을 공시하여야 한
다. 즉, 금융위원회의 요구에 따라 정정신고서를 제출하든, 공개매수자의 자발적
의사에 따라 정정신고서를 제출한 경우이든 공개매수자는 정정사실과 정정내용
(공개매수공고에 포함된 사항에 한한다)을 공고하여야 한다(자본시장법 제136조 제5
항 전단). 이 경우 그 공고는 당초의 공고방법에 따른다(자본시장법 제136조 제5
항 후단). 아울러 공개매수자는 지체 없이 정정신고서의 사본을 공개매수할 주식
등의 발행인에게 송부하여야 한다(자본시장법 제136조 제6항).

(4) 정정신고와 공개매수기간의 종료일

정정신고서를 제출한 날이 당초 공고된 공개매수기간의 종료일 전 10일 이
내에 해당하는 경우에는 그 정정신고서를 제출한 날부터 10일이 경과한 날이
공개매수기간의 종료일이 되고, 그 종료일 전 10일 이내에 해당하지 아니하는
경우에는 당초 공고된 공개매수기간이 종료하는 날이 공개매수기간의 종료일이
된다(자본시장법 제136조 제4항).

바) 대상회사의 의견표명

공개매수의 대상회사는 대통령령이 정하는 바에 의하여 공개매수에 관한 의
견을 표명할 수 있다(자본시장법 제138조 제1항). 이 의견표명은 대상회사의 재량
권에 속하므로 대상회사가 공개매수에 대하여 적극적으로 의견을 표시하거나 침
묵을 지키는 것은 자유이고, 대상회사는 공개매수에 대한 찬성, 반대, 중립 의견
중 어느 하나를 선택할 수 있다. 그러나 의견을 표명할 경우에는 광고, 서신, 기
타 문서에 의하여야 하고(자본시장법 시행령 제149조 제1항), 이 의견표명에는 공
개매수에 대한 발행인의 찬성·반대 또는 중립의 의견에 관한 입장 및 그 이유
가 포함되어야 하며, 의견표명 이후 그 의견에 중대한 변경이 있는 경우에는 지
체 없이 광고·서신(전자우편 포함), 기타 문서로서 그 사실을 알려야 한다(자본
시장법 시행령 제149조 제2항).

이와 관련하여 형식적으로는 대상회사에 의견표시의 자유재량을 인정한 것으

로 보이지만 의견표시의 선택은 이사회의 신인의무에 의하여 제한된다고 해석하는 것이 타당하다고 본다. 입법정책적 차원에서는 외국의 범례에 비추어 대상회사의 의견표시를 의무화하는 것이 바람직할 것이다.[69)]

5) 공개매수의 실체적 규제

가) 매수조건의 균일성과 변경

(1) 균일성 원칙의 의의

공개매수는 증권시장 외에서 불특정다수인에 대하여 균일한 조건으로 주식의 매수를 청약하거나 매도의 청약을 권유하여야 한다. 공개매수의 조건은 이와 같은 균일성 원칙에 의하여 유지·존속되어야 하나 그 조건은 변경될 수 있다. 그러나 조건변경이 있는 경우에도 이 균일성 원칙에 따라야 한다.

(2) 매수가격의 균일성과 변경

(가) 매수가격의 균일성

매수조건 중에서 가장 중요한 것은 매수가격이며, 이것은 증권의 교환에 의한 교환공개매수에 있어서는 교환비율을 의미한다. 이 매수가격은 균일하여야 하고(자본시장법 제136조 제3항), 매수가격은 인상할 수만 있다. 또한 교환비율도 주주에게 불리하지 않은 경우에만 그 변경이 허용된다.

(나) 매수가격의 인상과 최고가격지급

공개매수자는 공개매수기간이 종료하는 날까지의 사이에는 언제든지 매수가격을 인상할 수 있다. 매수가격의 인상은 정정신고서의 제출에 의하여야 한다(자본시장법 제136조 제3항). 이 경우 공개매수자는 매수가격의 인상 후에 응모한 주주에게는 물론, 그 전에 응모한 주주에게도 인상된 매수가격을 지급하여야 한다. 이것을 주주평등취급의 원칙(equal treatment rule) 또는 최고가격 지급원칙(best price rule)이라고 한다.

③ 매수가격인하의 금지

공개매수자는 공개매수기간이 종료하기까지는 공개매수자가 신고한 매수가격

---

69) 김정수, 「자본시장법원론」, 936면; 임재연, 「자본시장법」(2015), 546면; 신동찬·유호범·문병순, "상장폐지 목적의 공개매수와 소수주주 보호," 「BFL」 제55호(서울대 금융법센터, 2012. 9.), 78면

을 인하하지 못한다(자본시장법 제136조 제3항 단서).

(3) 기타 매수조건의 변경

(가) 원 칙

공개매수자는 공개매수의 효력이 발생한 후에도 매수가격을 인상할 수 있는 것과 마찬가지로, 매수할 대상인 주식 등의 대가, 매수예정주수, 매수기간 등을 자유로이 변경할 수 있다. 매수조건의 변경은 매수가격의 인하의 경우와 마찬가지로 정정신고서를 제출하는 방법으로 하여야 한다.

(나) 변경의 금지

응모주주에게 불리한 매수조건의 변경은 금지된다. 이것은 투자자보호를 위한 것이다. 변경이 금지되는 것은 매수가격의 인하 이외에도 매수예정주식수의 감소, 매수대금지급기간의 연장, 기타 시행령이 정하는 매수조건이다(자본시장법 제136조 제3항 단서, 동법 시행령 제147조).

구체적으로는 공개매수기간의 단축, 응모주주에게 줄 대가의 변경, 기타 응모주주에게 불리한 공개매수조건의 변경으로서 금융위원회가 정하는 경우 등이다. 다만 응모주주가 선택할 수 있는 대가의 종류를 추가하는 것은 금지되지 아니한다.

나) 매수기간

(1) 최단·최장기 법정주의

공개매수의 유효기간은 공개매수를 공고한 날부터 최단 20일, 최장 60일 사이에서 자유로이 정할 수 있다(자본시장법 제134조 제3항, 동법 시행령 제146조 제3항). 그러나 대상회사 주주에 대한 강압성을 완화하기 위하여 공개매수기간은 국제적인 추세에 맞추어 현행과 같은 역일기준(calendar day)을 영업일(business day) 기준으로 바꾸어 최단기간은 20영업일로 하고, 최장기간은 40 영업일로 조정하는 것이 합리적일 것이다.[70]

---

70) 이에 대하여 주주들은 철회권 행사, 정보활용 등으로 합리적으로 대처할 수 있으므로 공개매수기간이 장기화된다고 하여 주주가 불안정한 상황에 빠진다고 볼 수 없어서 최장기간의 제한을 폐지하여야 한다는 견해도 있다. 박진표, "공개매수규제의 개선에 관한 제언," 「BFL」 제55호(서울대 금융법센터, 2012. 9.), 92면.

(2) 매수기간의 연장

공개매수의 기간은 20일 이상 60일 이내의 기간으로 제한되지만, 그 공개매수기간 중 당해 공개매수에 대하여 대항하는 공개매수(대항공개매수, 경쟁공개매수, competing tender offer)가 있는 경우에는 그 대항공개매수기간의 종료 시까지 그 기간을 연장할 수 있다(자본시장법 시행령 제147조 제3호 다목).

다) 공개매수의 철회 등

(1) 공개매수자의 철회

공개매수자는 공고일 이후에는 원칙적으로 공개매수를 철회할 수 없다(자본시장법 제139조 제1항). 그러나 공개매수자는 일정한 경우에는 공개매수 기간의 말일까지 공개매수를 철회할 수 있다(자본시장법 제139조 제1항 단서). 철회할 수 있는 사유로는 대항공개매수가 있는 경우, 공개매수자가 사망, 해산, 파산한 경우와 그 밖에 투자자 보호를 해할 우려가 없는 경우로서 대통령령이 정하는 경우이다(자본시장법 시행령 제150조).

한편, 공개매수자가 공개매수를 철회하고자 하는 경우에는 철회신고서를 금융위원회와 거래소에 제출하고 그 내용을 공고하여야 한다(자본시장법 제139조 제2항). 공고방법은 공개매수 신고 시의 공고 방법에 따른다(자본시장법 제139조 제2항 후단). 그리고 공개매수자는 철회신고서의 제출 후 지체 없이 그 사본을 공개매수할 주식등의 발행인에게 송부하여야 한다(자본시장법 제139조 제3항).

(2) 응모주주의 취소

공개매수 대상 주식등의 매수의 청약에 대한 승낙 또는 매도의 청약(응모)을 한 자(응모주주)는 공개매수기간 중에는 언제든지 응모를 취소할 수 있다(자본시장법 제139조 제4항 전단). 취소의 방법에 대하여는 규정하고 있지 않으므로 응모주주가 공개매수자 또는 공개매수사무취급자에게 통지하면 된다.

응모의 취소는 공개매수기간이 종료되기 전에만 허용되고 그 기간이 종료된 후에는 허용되지 않는다. 공개매수 정정신고서의 제출로 인하여 공개매수기간이 연장되는 경우(자본시장법 제136조 제4항)에는 그 연장기간 동안에도 취소가 가능하다. 그러나 공개매수자는 취소권을 행사한 응모주주에 대하여 응모의 취소에 따른 손해배상 또는 위약금의 지급을 청구할 수 없다(자본시장법 제139조 제4항 후단).

라) 응모주식의 매수

(1) 전부매수의무와 예외

공개매수자는 원칙적으로 공개매수신고서에 기재한 매수조건과 방법에 따라 응모한 주식의 전부를 공개매수기간이 종료하는 날의 다음 날 이후 지체 없이 매수하여야 한다(자본시장법 제141조 제1항 본문). 이것을 전부매수의 원칙이라고 한다. 공개매수자가 매수예정수량을 정하였더라도 응모주식의 전부 또는 일부를 매수하지 않는다는 조건이 명시되지 않은 경우에는 대상회사의 주주가 응모한 주식의 수량은 매수예정수량을 초과하거나 하회하여도 공개매수자는 원칙적으로 미달주식의 전부 또는 초과한 주식수량을 포함한 응모주식 전부를 매수하여야 한다.

그러나 여기에는 다음과 같은 예외가 있다. 즉, 응모주식등의 총수가 매수예정수량에 미달할 경우에는 그 미달주식의 전부를 매수하지 않는다는 조건을 공고 시 게재하고 공개매수신고서에 기재한 경우에는 공개매수자는 응모주식의 전부를 매수할 의무가 없다(자본시장법 제141조 제1항 제1호).

(2) 안분비례매수

응모주식의 수량이 매수예정수량을 초과하게 되는 경우에 그 초과부분의 전부 또는 일부를 매수하지 않는다는 조건을 공고하고 신고서에 기재한 경우에는 초과 주식등의 전부 또는 일부를 매수할 의무를 면제하고 있다(자본시장법 제141조 제1항 제2호). 이 경우에는 공개매수공고와 공개매수신고서에 매수예정수량의 범위 안에서 개별주주의 응모주식수의 비율에 의하여 매수수량의 배분을 결정할 수 있다는 조건을 명시하고 그 비율에 의하여 응모주식을 매수하여야 한다. 이를 안분비례매수의 원칙(pro rata basis)이라 한다.

마) 대금지급 등 결제

공개매수기간이 종료하면 공개매수자는 매수대금의 지급 또는 교환할 증권의 교부를 지체 없이 행하지 않으면 아니 된다. 공개매수자는 공개매수기간이 종료하는 날의 다음날 이후 지체 없이 응모주식을 매수할 의무가 있고(자본시장법 제141조 제1항 본문), 공개매수신고서에는 공개매수조건으로서 결제일을 기재하도록 하고 있다(자본시장법 제134조 제1항 제5호).

공개매수신고서를 금융위원회에 제출하는 경우에 현금공개매수의 경우에는

'공개매수에 필요한 금액 이상의 금융기관 예금 잔고 기타 자금의 확보를 증명하는 서류'를, 교환공개매수의 경우에는 '공개매수자가 교환의 대가로 인도할 유가증권의 확보를 증명하는 서류'를 첨부하여야 한다(자본시장법 시행령 제146조 제4항 제4호, 제5호). 그리고 "증권의 발행 및 신고 등에 관한 규정"에서는 대금지급조건 등 공개매수신고서의 기재사항을 확인하기 위하여 첨부하여야 할 서류를 명시하고 있다(동 규정 제3-3조).

5) 공개매수에 관련된 행위 규제

가) 별도매수의 금지

(1) 원칙금지

공개매수자는 공개매수를 할 수 있는 날로부터 그 매수기간이 종료하는 날까지 당해 주식등을 공개매수에 의하지 아니하고는 매수등을 할 수 없다(자본시장법 제140조). 장내외를 불문하고 매수등이 허용되지 아니하고, 자기의 계산이라면 타인의 명의로 매수하는 것도 금지된다.[71] 공개매수자와 특별관계에 있는 자 및 공개매수사무취급자의 별도매수도 금지하고 있다(자본시장법 제140조 전단). 그러나 특수관계인에 해당하는 자라도 공개매수자와 주식등을 공동보유하고 있지 않음을 증명하면 특수관계인으로 보지 않으므로 이 경우에는 별도 매수할 수 있다(자본시장법 시행령 제141조 제3항).

(2) 예외 허용

그러나 공개매수에 의하지 아니하고 그 주식등의 매수등을 하더라도 다른 주주의 권익침해가 없는 경우에는 그 예외가 허용된다(자본시장법 제140조 단서, 동법 시행령 제151조). 해당 주식등의 매수등의 계약을 공개매수 공고 전에 체결하고 있는 경우로서, 그 계약체결 당시 공개매수의 적용대상에 해당하지 아니하고, 공개매수공고 및 공개매수신고서에 그 계약사실 및 내용이 기재되어 있는 경우, 공개매수사무취급자가 공개매수자 및 그 특별관계자 이외의 자로부터 해당 주식등의 매수등의 위탁을 받은 경우가 이에 해당한다. 그 밖에 공개매수자가 유상증자(주주배정, 제3자배정, 일반공모증자)로 신주를 배정받는 것은 허용된다.[72]

---

71) 임재연, 「자본시장법」(2015), 549면.
72) 상게서, 550면.

나) 미공개정보의 이용금지

공개매수의 실시 또는 중지에 관한 미공개정보를 그 주식등과 관련된 특정증권등의 매매, 그 밖의 거래에 이용하거나 타인에게 이용하는 것이 금지된다(자본시장법 제174조 제3항). 공개매수의 실시 또는 중지에 관한 미공개정보는 투자자의 투자판단에 중대한 영향을 미칠 수 있는 정보로서 다수인으로 하여금 알 수 있도록 공개하기 전의 것을 말한다(자본시장법 제174조 제2항). 다수인이 알 수 있도록 공개한 정보인가의 판단기준은 따로 정하고 있다(자본시장법 시행령 제201조 제1항).

이용이 금지되는 행위는 공개매수자의 직무와 관련하여 알게 된 정보를 이용하는 행위, 직무수행자로부터 당해 정보를 알게 된 자가 정보를 이용하는 행위, 다른 사람으로 하여금 이용케 하는 행위 등이다(자본시장법 제174조 제2항 각호). 즉, 미공개정보의 이용이 금지되는 자는 공개매수자의 임직원 및 그 대리인, 공개매수자의 주요주주와 그 대리인 · 사용인 · 종업원(법인이면 임직원, 대리인), 공개매수자에 대하여 법령에 의한 허가 · 인가 · 지도 · 감독 기타의 권한을 가지는 자 및 그 대리인 · 사용인 · 종업원, 공개매수자와 계약을 체결한 자 등이다. 그리고 위의 관계자에 해당하지 아니하게 된 날부터 1년이 경과하지 아니한 자도 포함된다(자본시장법 제174조 제2항 제6호).

아울러 공개매수자 또는 이상의 자로부터 미공개의 정보를 받은 자도 그 미공개정보를 그 주식등과 관련된 일정한 증권등의 매매, 그 밖의 거래에 이용하거나 타인에게 이용하게 해서는 아니 된다(자본시장법 제174조 제2항 제6호). 그리고 미공개정보의 이용금지규정을 위반한 자는 해당 특정증권등의 매매, 그 밖의 거래를 한 자가 그 매매, 그 밖의 거래와 관련하여 입은 손해를 배상할 책임이 있다(자본시장법 제175조 제1항). 이 손해배상청구는 위반사실을 안 날부터 1년간 또는 그 행위가 있었던 날부터 3년간 행사하지 않으면 시효 소멸한다(자본시장법 제174조 제2항).

6) 공개매수규제의 위반과 효과

가) 공개매수의 강제요건에 위반한 주식취득의 효과

(1) 사법상의 효력

자본시장법은 공개매수가 강제됨에도 불구하고 공개매수에 의하지 아니하고 주식을 취득한 경우에 그 주식취득의 효력에 대하여 달리 규정하고 있지 않지만 사법상 효력은 인정된다고 본다. 공개매수 강제규정은 단속규정에 해당하기 때문이다.

(2) 의결권행사의 금지

위법하게 취득한 주식등에 대한 의결권은 그 매수의 날로부터 행사할 수 없다(자본시장법 제145조 전단). 의결권행사가 금지되는 주식등은 이와 관련한 권리행사 등으로 취득한 주식도 포함된다. 따라서 신주인수권부사채, 전환사채 또는 교환사채를 매수한 경우에는 신주인수권, 전환권 또는 교환권을 행사하여 인수한 주식에 대한 의결권 행사도 금지된다. 위법하게 매수한 주식등은 의결권만이 행사가 금지될 뿐이므로 그 밖의 공익권과 자익권 등 주주권은 그대로 존속한다. 법문상 의결권행사가 금지되는 주식등은 '그 주식등'이라는 표현을 사용하고 있다. 여기서 '그 주식등'의 범위는 해당 위반행위로 인하여 취득한 주식 전부라고 보는 것이 통설이자 실무의 입장이다. 의결권은 해당 주식등을 위법하게 매수한 날부터(자본시장법 제145조) 당해 주식등의 처분 시까지 행사가 금지된다고 풀이할 것이다.

(3) 처분명령

금융위원회는 6개월 이내의 기간을 정하여 공개매수 강제규정을 위반하여 매수한 주식등의 처분을 명할 수 있다(자본시장법 제145조). 여기서 처분대상은 의결권행사가 금지되는 주식등의 경우와 같이 위법하게 매수한 주식등의 전부라고 본다. 그런데 금융위원회의 처분명령시 그 처분의 방법에 대하여는 법이 달리 규정하고 있지 않다. 따라서 처분명령에 따른 주식등의 처분 방법은 증권시장에서의 매각, 장외매각(상대매각, 공개경쟁매각 등) 등으로 반드시 제한되지는 않는다고 본다. 다만 위법하게 취득한 주식을 공개매수자의 특수관계인에게 매각한다거나, 공동보유관계에 있는 자에게 매각하는 것은 허용되지 아니한다고 본다. 처분명령에 위반한 자는 1년 이하의 징역 또는 3천만원 이하의 벌금에 처한다(자본시장법 제446조).

나) 신고절차의 규제에 위반한 주식취득의 효과

(1) 신고의무를 위반한 주식취득의 사법상 효력

공개매수의 신고의무를 위반하여 주식을 취득한 경우에도 그 주식취득의 사법상 효력은 부인되지 않는다. 신고의무에는 공개매수신고서는 물론이고, 금융위원회의 정정명령에 의한 정정신고서의 제출의무가 포함되고, 공개매수설명서의 작성, 교부, 비치의무와 적법한 공개매수설명서의 사용의무도 포함된다고 본다.

(2) 의결권 제한 및 처분명령

금융위원회는 공개매수의 공고 및 신고를 하지 아니하고 취득한 주식등에 대한 의결권을 그 매수를 한 날부터 행사할 수 없다(자본시장법 제145조). 그리고 금융위원회는 6개월 이내의 기간을 정하여 공개매수의 공고 및 신고를 하지 아니하고 취득한 주식등의 처분을 명할 수 있다(자본시장법 제145조 후단). 그러나 공개매수신고서의 제출의무위반의 경우와는 달리 공개매수설명서의 작성, 교부, 비치의무 등을 위반하여 취득한 주식의 의결권은 명시적 근거가 없으므로 제한되지 아니한다고 본다.

다) 실체적 규제에 위반한 주식취득의 효과

공개매수가 매수가격의 균일성요건에 위반한 경우, 매수가격의 인하금지규정에 위반한 경우, 안분비례매수의 원칙에 위반한 경우, 별도매수금지규정에 위반한 경우에 그 위반에 기한 주식취득의 사법상의 효력은 유효하다고 보아야 할 것이다. 이들 실체적 규제는 단속규정에 해당하기 때문이다.

그리고 실체적 요건에 위반하여 취득한 주식에 대하여는 공개매수에 의하지 아니하고 주식을 취득한 경우에 준하여 취급하는 것이 합당하므로, 자본시장법 제145조를 유추적용하여 위법하게 취득한 주식은 의결권이 제한되며, 금융위원회는 처분명령을 내릴 수 있다고 풀이할 것이다.

라) 부실기재에 따른 손해배상책임

(1) 책임규정

공개매수신고서(그 첨부서류를 포함) 및 그 공고, 정정신고서(그 첨부서류를 포함) 및 그 공고 또는 공개매수설명서 중 중요사항에 관하여 거짓의 기재 또는 표시가 있거나 중요사항이 기재 또는 표시되지 아니함으로써(이하 '부실기재') 응모주주가 손해를 입은 경우에는 공개매수신고서 및 그 정정신고서의 신고인(신고인의 특별관계자를 포함하며, 신고인이 법인인 경우 그 이사를 포함)과 그 대리인, 공개매수설명서의 작성자와 그 대리인은 그 손해에 관하여 배상의 책임을 진다(자본시장법 제142조 제1항).

(2) 책임의 성질

공개매수자의 부실공시로 인한 손해배상책임의 성질은 불법행위책임이다. 이 손해배상책임규정은 피해자인 응모주주를 특별히 보호하기 위해 부실표시의 신뢰에 대한 인과관계의 추정을 명시하고 이러한 원칙이 적용되는 자의 범위를 응모주주로 제한한 것이므로 이 규정은 민법상 일반불법행위책임에 대한 특칙으로서의 성질을 갖는다고 본다. 따라서 공개매수자의 부실공시에 의하여 손해를 받은 "응모주주"에 관한 한 민법 제750조의 일반불법행위책임규정은 그 적용이 배제된다. 그러나 판례는 증권신고서의 부실기재책임의 경우 이를 법정책임으로 파악하여 불법행위책임과의 경합을 인정한다.[73]

(3) 성립요건

(가) 주관적 요건

공개매수자의 부실공시책임은 과실책임이므로 부실공시라는 위법행위를 행함에 주관적 요건으로서 고의 또는 과실이 필요하다. 상당한 주의의 항변에 의한 면책을 예외적으로 규정하고 있는 것(자본시장법 제142조 제1항 단서)은 부실표시에 대한 고의 또는 과실의 존재를 추정하고 있음을 반증하는 것이다.

(나) 인과관계

부실공시와 손해의 발생 사이에는 상당한 인과관계가 존재하여야 한다. 그 인과관계에 대한 증명책임은 응모주주에게 있지 아니하고 공개매수자에게 전환된다. 여기서 말하는 인과관계는 신뢰의 인과관계(또는 거래인과관계, transaction causation)를 뜻한다고 본다. 따라서 공개매수자는 부실표시에 대한 신뢰의 부존재, 즉 부실표시사실에 대한 응모주주의 악의를 증명하여 신뢰인과관계의 존재를 부정하여야 한다.

또한 부실기재와 손해 사이에도 인과관계가 존재하여야 한다. 이것을 손해인과관계(loss causation)라고 한다. 신뢰인과관계의 존재는 자본시장법 제142조 제1항의 규정에 의하여 추정되고, 손해인과관계는 동조 제4항에 의하여 그 존재가 추정된다고 본다. 따라서 신뢰 및 손해의 인과관계의 부존재에 대한 증명책임은 공개매수자 등 부실표시자에게 전환된다.

---

73) 대법원 1999.10.22. 97다26555; 1998.4.24. 97다32215; 1997.9.12. 96다41991.

(다) 손해의 발생

공개매수자가 공개매수신고서상 부실공시로 인하여 응모주주에게 손해를 끼친 때에는 그 손해를 배상하여야 한다(자본시장법 제142조 제1항). 이것은 증권발행인이 증권신고서 상에 부실공시를 함으로써 증권취득자에게 끼친 손해를 배상하도록 하고 있는 규정(자본시장법 제126조 제2항)과 동일한 것이다(자본시장법 제142조 제4항). 그 손해는 부실기재의 전과 후의 주식등의 가격의 차액이라고 추정된다(자본시장법 제142조 제3항).

(4) 손해배상책임의 청구권자와 부담자

(가) 손해배상청구권자

공개매수자의 부실기재로 인한 손해배상청구소송에 있어서는 응모주주만이 특칙상의 손해배상청구권자이다(자본시장법 제142조 제1항). 해석상 비응모주주, 대상회사, 기타 투자자 등은 일반불법행위책임에 있어서 손해배상청구권자가 될 것이다.

(나) 손해배상책임의 부담자

공개매수자 등의 부실공시로 인하여 응모주주에 대하여 부담할 손해배상책임의 주체는 공개매수신고서상의 신고자와 그 대리인 및 공개매수설명서의 작성자와 그 대리인이다(자본시장법 제142조 제1항 제1호, 제2호). 여기서 신고자에는 공개매수자의 특별관계자가 포함되며 신고자가 법인인 경우에는 그 이사도 포함된다. 이들은 공동불법행위자의 관계에 있다고 할 수 있으므로 그 책임은 부진정연대책임의 관계에 있다고 본다.

(5) 손해배상액의 산정

공개매수신고서 등의 부실공시로 인하여 응모주주가 받은 손해를 배상할 금액은 손해배상청구소송의 변론이 종결될 때의 그 주식등의 시장가격 또는 시장가격이 없는 경우에는 추정처분가격에서 응모의 대가로 실제로 받는 금액을 뺀 금액으로 추정한다(자본시장법 제142조 제3항). 이 손해액은 추정되는 것일 뿐이므로 초과손해액은 이를 증명하여 배상을 청구할 수 있다(자본시장법 제142조 제4항).

(6) 손해배상청구권의 소멸

공개매수자 등의 손해배상청구권은 청구권자가 해당 사실(부실기재)을 안 날부터 1년 이내, 또는 해당 주식등에 관한 공개매수공고일로부터 3년 이내에 청구권을 행사하지 아니한 경우에는 소멸한다(자본시장법 제142조 제5항). 이 기간은 제척기간이다.

(7) 면책 및 책임경감

부실공시에 따른 배상책임을 질 자가 상당한 주의를 하였음에도 불구하고 부실공시를 알 수 없었음을 증명하거나(상당한 주의의 항변), 응모주주가 응모 당시에 부실공시의 사실을 안 경우(악의의 항변)에는 손해배상책임을 지지 않는다(자본시장법 제142조 제1항 단서).

또한 손해배상채무자는 손해액의 전부 또는 일부가 부실기재와 인과관계가 없음을 증명(손해인과관계 부존재의 항변)하여 책임을 면제 또는 경감 받을 수 있다(자본시장법 제142조 제4항).

(8) 예측정보의 부실기재책임과 면책

(가) 고의 또는 중과실에 의한 부실기재와 책임

응모주주가 주식등의 응모를 할 때에 예측정보 중 중요사항에 관하여 거짓의 기재 또는 표시가 있거나 중요사항이 기재 또는 표시되지 아니한 사실을 알지 못한 경우(선의)로서 공개매수자 등 책임질 자에게 그 예측정보의 거짓 기재 또는 표시에 관련하여 고의 또는 중대한 과실이 있었음을 증명한 경우에는 손해배상책임을 진다. 고의 또는 중대한 과실의 증명책임은 응모주주에게 있다(자본시장법 제142조 제2항 단서).

(나) 면책특례 등

투자판단상 예측정보가 가지는 유용성 때문에 공개매수자로 하여금 적극적인 예측정보의 공시를 권장하기 위해 면책 특례규정을 두고 있다. 이것을 안전항 면책규정(safe harbor provision)이라고 한다.

법정의 공시서류에 예측정보가 거짓 표시되거나 중요사항의 기재가 누락되었지만 그 부실공시에 따른 손해배상책임을 면하기 위해서는 (i) 당해 기재 또는 표시가 예측정보라는 사실이 밝혀져 있고, (ii) 예측 또는 전망과 관련된 가정 또는 판단의 근거가 밝혀져 있으며, (iii) 예측정보의 기재 또는 표시는 합리적인 근거에 기초하여 성실하게 행하여졌어야 하고, (iv) 당해 기재 또는 표시에 대하여 예측치와 실제 결과치가 다를 수 있다는 주의문구가 밝혀져 있어야 한다(자본시장법 제142조 제2항 단서).

그 밖에 예측정보의 부실기재에 의하여 손해배상책임을 지게 되는 경우 손해배상채무자는 손해액의 전부 또는 일부가 부실기재와 인과관계가 없음을 증명(손해인과관계 부존재의 항변)하여 책임을 면제 또는 경감받을 수 있다(자본시장법 제142조 제4항).

7) 공개매수법제의 과제

가) 2단계합병에서의 축출주주의 보호 등

2단계합병(two-step merger)에서 축출되는 소수주주를 보호하기 위하여 1단계의 공개매수가격 이상으로 합병대가를 산정하도록 입법으로 해결할 필요가 있다.[74] 아울러 자본시장법상 현행과 같은 부분매수원칙 하에서 예컨대, 공개매수자가 상장폐지(going private)를 위하여 대상회사의 유통주식 전부에 대하여 공개매수청약을 하는 경우에는 일부주식이 응모되지 않았더라도 응모주식수가 대부분인 경우(예컨대, 95% 이상)에는 이 단계에서도 공개매수청약자로 하여금 응모하지 않은 잔여소수주식 전부를 강제매수할 수 있게 하는 대안으로서 이른바 공개매수형 강제축출방안(tender offer type freeze-out)을 도입할 필요가 있다.[75]

나) 1/3 의무공개매수제도의 도입

회사법상으로 지배주주에게 회사와 주주에 대한 충실의무가 인정되지 않는 상태에서는 지배주식의 양도로 인한 부의 이전 등 부작용을 통제하여 소수주주를 합리적으로 보호하는 방안도 검토할 필요가 있다. 이와 관련하여 일본 금융상품거래법상의 이른바 1/3 강제공개매수제도는 우리법이 선택할 수 있는 합리적인 대안이라고 본다.[76] 이 제도는 장외에서 6개월 내에 10인 이하의 주주로

---

74) 같은 취지: 越知保見, "株式價格決定に關するMBO型スクイーズアウトとセルアウト型の比較と事例研究,"「早稻田法學」第86卷 第4号(早稻田大學法學會, 2011), 31면.

75) 송종준, "적대적 M&A 규제의 지배원리와 현행 법제의 재검토," 126면; Hyeok-Joon Rho, New Squeeze-out Devices as a Part of Corporate Law Reform in Korea: What Type of Device is Required for a Developing Economy?, 29 B. U. Int'l L. J., 41, 73-75 (Spring 2011)

76) 송종준, "일본 금융상품거래법상 강제공개매수제도의 제 유형과 그 법적 시사점," 169~171

부터 1/3을 초과하여 매수하게 되는 경우에도 공개매수를 강제하는 것이다. 1/3 강제공개매수는 지배주식의 양도 시에 지배권 프리미엄의 지급에 의한 부당한 부의 이전 문제를 합리적으로 통제하여 지배주주와 소수주주 간 이해조정의 효과를 기대할 수 있고, 지배권 거래의 투명성을 제고할 수 있다.

다) 적대적 공개매수에 대한 방어 규범의 정립

외국법제상으로도 방법론의 차이가 있을 뿐 적대적 공개매수에 대한 대상회사의 방어권은 부정되지 않는다. 미국에서는 경영판단원칙으로 방어문제를 해결하고, 일본에서는 방어의 재량폭을 넓게 허용하고 있다. 양자 모두 이사회에 그 권한을 부여한다. EU의 경우에도 원칙적으로 중립의무를 견지하지만 주주총회 결의로 방어가 허용된다. 그런데 우리나라의 경우에 대상회사의 방어권이 일체 부정된다고 풀이할만한 법리상, 정책상의 정당성은 부족하다. 다만 방어권을 허용한다고 할 경우에 이를 대상회사의 이사회에 분배할 것인지, 대상회사의 주주에게 분배할 것인지가 문제라고 본다. 주주는 정보비대칭관계에서 뿐만 아니라, 자신들의 개인적인 이해에 편향성을 가지고 있다고 볼 수 있고, 특히, 단기업적주의에 치중하는 투기적 주주들은 극단적인 편향성을 가질 수 있다는 점에서 주주에게 방어권 행사의 결정권을 부여하는 것은 합리적이지 않은 면이 있다. 반면에 이사회는 지배권 이전에 대하여 자신의 사적 이익과 관련될 수는 있지만, 정보비대칭의 문제는 없다는 점에서 모든 이해관계자의 다양한 이해를 종합적으로 고려할 수 있는 지위에 있다고 보아야 할 것이다. 또한, 주주에게만 방어권을 분배하는 경우, 주주는 회사, 기타 이해관계자에 대하여 아무런 법적 의무도 부담하지 않아 의사결정의 편향적 남용을 사후에 통제할 수단도 없지만, 이사회는 회사에 대하여 신인의무를 지므로 그러한 남용을 규율할 수 있는 규범적 통제수단이 존재하고 있다. 그리하여, 대상회사의 이사회에 원칙적으로 방어권을 인정하되 기업가치는 물론, 주주 일반이익에 반하는 방어를 통제할 수 있도록 규범체계가 정비되어야 한다.[77]

면 참조.
77) 송종준, "일본 금융상품거래법상 강제공개매수제도의 제 유형과 그 법적 시사점," 122면.

다. 위임장권유의 규제

1) 의 의

의결권을 대리행사하기 위해서는 대리인이 대리권을 증명하는 서면을 총회에 제출하여야 한다(제368조 제3항). 이 서면을 위임장(proxy)이라 한다. 이 제도는 규모가 대형화되고 주식이 광범하게 분산되어 있는 상장회사에서 주주총회 결의의 성립을 위하여 그 효용성이 크다. 그런데 미국 등 외국의 경우에는 회사의 지배권 쟁탈을 위하여 지배권자와 이에 대항하는 세력 간에 의결권의 대리행사의 수단으로서 이 위임장 권유가 심각하게 벌어지고 있다. 이러한 현상을 위임장 경쟁(proxy contest) 또는 위임장 쟁탈(proxy fight)이라고 한다.

자본시장법은 상장주식의 의결권행사를 자기 또는 타인에게 대리하도록 권유하기 위해서는 권유자는 피권유자에 대하여 권유에 앞서 의결권의 대리행사에 관하여 법정의 방법에 따라 위임장용지 및 참고서류를 교부하도록 하고 있다(자본시장법 제152조 제1항). 그리고 위임장 용지와 참고서류에는 대통령령이 정하는 필요한 일정한 사항을 기재하도록 규제하고 있다(자본시장법 제152조 제6항).

2) 위임장 권유의 개념과 법적 성질

가) 권유의 개념

자본시장법은 위임장의 권유를 자기 또는 제3자에게 의결권의 행사를 대리시키도록 권유하는 행위, 의결권의 행사 또는 불행사를 요구하거나 의결권 위임의 철회를 요구하는 행위, 의결권의 확보 또는 그 취소 등을 목적으로 주주에게 위임장 용지를 송부하거나, 그 밖의 방법으로 의견을 제시하는 행위 중 어느 하나에 해당하는 행위라고 정의하고 있다(자본시장법 제152조 제2항).

다만 의결권 피권유자의 수 등을 고려하여 일정한 경우에는 의결권대리행사의 권유로 보지 아니하는 경우도 있다(자본시장법 제152조 제2항 단서). 구체적으로는 상장법인 또는 그 임원(특별관계자 포함) 외의 자가 10명 미만의 자에게 권유하는 경우, 신탁 기타 법률관계에 의하여 타인의 명의로 주식을 소유하는 자가 그 타인에 대하여 당해 주식의 의결권의 대리행사를 권유하는 경우 등이다.

나) 위임장 권유의 법적 성질

위임장권유의 법적 성질에 대하여는 이를 투표유인행위라고 보는 견해(투표유인행위설)와 위임계약으로 풀이하는 견해(위임계약설)가 있다. 전자의 견해에서는 위임장의 권유는 총회의 목적사항에 대하여 주주의 찬부를 묻는 투표유인행위이고, 주주가 찬부서면을 반송하는 것이 투표라고 풀이한다. 따라서 이 견해에서는 위임장에 명시되지 않은 총회의 목적사항이나 목적사항이 수정된 경우에 권유자는 대리권을 행사할 수 없게 된다. 후자의 견해에서는 위임장 권유를 주주의 개인적인 수권에 의한 의결권대리행사와 같은 것으로 보고 위임장의 권유는 대리권수여계약의 청약이고 찬반의사를 표시한 서면의 반송은 승낙이라고 풀이한다. 이것이 우리나라의 다수설이다.

한편 위임장 용지의 찬반기재란에 피권유자인 주주가 한 지시에 반해서 의결권을 행사한 경우에 그 의결권 행사의 효력은 어느 견해를 취하는가에 따라 다르다. 먼저, 회사가 위임장을 권유하는 경우에는 위임장 권유를 투표유인행위로 보면 당연무효가 되고, 위임계약으로 보면 피권유자가 추인하지 않는 한 무효가 된다. 어느 관점에서든 지시에 반하는 의결권 행사는 주주총회 결의의 취소 원인이 된다.[78] 그 밖에 피권유자와 의결권 행사의 권유자 사이에는 손해배상책임의 관계가 성립할 수 있다. 반면에 회사 이외의 자가 위임장을 권유하는 경우에는 어느 견해에서나 당사자 간에 손해배상책임의 문제만 있다고 본다.

3) 위임장 권유의 당사자 및 권유방법 등의 규제

가) 권유자의 범위

(1) 권유자의 자격

권유자의 범위 또는 자격을 법령에서 제한하지 아니하므로 회사와의 이해관계 유무와 관계없이 주주, 제3자는 물론이고 회사도 위임장을 권유할 수 있는 주체가 될 수 있다. 회사가 보유한 자기주식은 의결권이 없으므로 누구도 그 의결권대리행사를 위해 권유하는 것은 허용되지 아니한다. 권유자인 대리인의 자격을 주주로 제한하는 정관이 유효한지의 여부에 대한 논란이 있다. 주주총회의 교란방지로 회사이익을 보호할 필요가 있다는 이유로 그 제한은 유효하다는 견

---

78) 임재연, 「자본시장법」(2015), 596면.

해,[79] 의결권 대리행사는 주주의 권리로서 그 제한은 무효라는 견해,[80] 원칙적으로 유효하지만 법인주주주인 경우에는 그 직원을, 개인주주인 경우에는 그 가족을 대리인으로 선임하는 것은 총회교란의 우려가 없다는 이유로 유효하다는 제한적 유효설이 그것이다.[81] 판례는 제한적 유효설을 취하고 있다.[82] 생각건대 원칙적으로는 주주로 그 자격을 제한하는 정관은 유효하지만, 예외적으로 국가, 지방공공단체 또는 주식회사 소속의 공무원, 직원 또는 피용자 등, 개인주주가 그 가족을 대리인으로 선임하여 의결권을 대리행사할 수 있다고 볼 것이다. 그 밖에 외국인 주주로부터 의결권 행사를 위임받은 상임대리인은 제3자에게 그 의결권 행사를 재위임할 수도 있다.[83]

(2) 권유자의 수와 수권범위

권유자의 수에 아무런 제한이 없으므로 수인의 대리인을 선임하는 것을 제한할 수는 없다고 본다. 주주가 수인의 대리인을 선임한 경우에 회사는 1인의 대리인을 대표로 정할 수 있도록 하여야 할 것이다. 다만 증권회사 등이 예탁받은 주식에 관하여 각 주주의 의사에 따라 의결권을 불통일 행사할 경우에는 수인의 대리인에 의한 주주총회 참석이 허용된다고 풀이할 것이다. 그리고 의결권을 대리행사할 경우 판례는 제한 없이 포괄적 위임을 인정하지만,[84] 의결권의 신탁은 허용되지 않으므로 특정한 수회 정도의 주주총회에 관한 포괄적인 대리권을 수여하는 것은 가능하다고 본다. 그러나 의결권 대리행사는 무제한적으로 인정되는 것이 아니고 의결권 대리행사로 말미암아 주주총회의 개최가 부당하게 저해되거나 혹은 회사의 이익이 부당하게 침해될 염려가 있는 등의 특별한 사정이 있는 경우에는 회사는 이를 거절할 수 있다.[85]

(3) 공공적 법인에 대한 특칙

국가기간산업 등 국민경제상 중요한 산업을 영위하는 법인으로서 대통령령이 정하는 상장법인, 즉 공공적 법인의 경우에는 공공적 법인만이 위임장의 권유를

---

79) 손주찬, 「상법(상)」 제15보정판(박영사, 2004), 721면; 정찬형, 「상법강의(상)」 제24판(박영사, 2021), 903면 등.
80) 이철송, 「회사법강의」, 545면 등.
81) 정동윤, 「회사법」 제7판(법문사, 2001), 336면 등.
82) 대법원 2009.4.23. 2005다22701, 22718.
83) 대법원 2009.4.23. 2005다22701, 22718; 2014.1.23. 2013다56839.
84) 대법원 2014.1.23. 2013다56839; 2002.12.24. 2002다54691(7년간의 위임도 유효).
85) 대법원 2001.9.7. 2001도2917.

할 수 있다(자본시장법 제152조 제3항).

나) 피권유자의 범위

위임장의 권유에 있어서 피권유자는 상장법인의 주주이다. 여기서 주주는 의결권 있는 주식을 소유한 자를 말하므로, 의결권 없는 주식을 가진 주주, 자기주식을 소유하고 있는 회사는 피권유자가 될 수 없다. 그리고 주주총회의 목적사항에 대하여 특별이해관계를 가지는 주주는 의결권이 제한되므로 그 주주도 피권유자가 될 수 없다고 본다.

회사 또는 그 임원이 아닌 자가 권유하는 경우에는 주주전원에 대하여 위임장의 권유를 할 필요가 없지만, 회사 또는 임원이 위임장의 권유를 할 경우에는 그 비용부담에 관계없이 주주전원에 대하여 위임장의 권유를 하여야 할 것이다(통설). 그리고 명의주주와 실질주주가 다른 경우에 주주의 결정기준에 대하여 실질주주를 주주로 보는 견해(실질설)에 따르면 실질주주에 대하여 위임장의 권유를 하여야 한다. 그러나 최근 대법원은 주주권 귀속관계의 결정기준을 종래의 실질설에서 형식설로 전환하는 입장을 밝힌 바 있다.[86] 이에 따르면 위임장 권유는 명의주주에게 하여야 한다. 아울러 대법원 전원합의체 판결에서는 주주와 회사 간의 권리행사관계에 있어서 대항력의 의미를 종래의 편면적 구속설에서 쌍면적 구속설로 변경한 바 있다.[87] 따라서 이에 따르면 명의주주만이 위임장 권유에 의하여 의결권이 행사된 주주총회 결의의 하자를 다툴 수 있다.

다) 권유의 방법

(1) 위임장 용지 및 참고서류의 교부

위임장 용지는 주주총회의 목적사항 각 항목에 대하여 의결권 피권유자가 찬부를 명기할 수 있게 하여야 한다(자본시장법 제152조 제4항). 위임장은 의결권대리행사를 증명하는 서면이어야 한다(제368조의3 제1항). 대법원은 위임장의 원본만이 의결권의 대리행사를 증명하는 서면이라고 판시하고 있다.[88] 따라서 사본이나 팩스본 위임장은 의결권 대리행사를 위한 대리권을 증명하는 서면으로서의 효력이 없다.[89]

---

86) 대법원 2017.12.5. 2016다265351.
87) 대법원 2017.3.23. 2015다248342.
88) 대법원 1995.2.28. 94다34579.
89) 대법원 2004.4.27. 2003다29616.

의결권대리행사를 권유하고자 하는 자는 대통령령이 정하는 방법에 따라 위임장용지 및 참고서류를 그 권유의 상대방에게 교부하여야 한다(자본시장법 제152조 제1항). 위임장 용지 및 참고서류는 의결권대리행사 권유 이전에 또는 그 권유와 동시에 피권유자에게 직접 교부하거나, 우편 또는 모사전송, 전자우편, 주주총회 소집통지와 함께 송부하는 방법 중 하나에 해당하는 방법으로 교부되어야 한다(자본시장법 제160조). 이 위임장 용지와 참고서류에 기재할 사항은 대통령령이 따로 정하고 있다(자본시장법 제152조 제6항, 동법 시행령 제163조).

(2) 의결권의 행사

의결권 권유자는 위임장 용지에 나타난 의결권 피권유자의 의사에 반하여 의결권을 행사할 수 없다(자본시장법 제152조 제5항). 이와 관련하여 위임장에 나타나지 않은 사항에 대하여는 위임장 권유를 투표유인행위로 보면 위임장에 명시되지 아니한 총회의 목적사항에 대하여 권유자는 대리권을 행사할 수 없지만, 위임장 권유를 위임계약으로 풀이하면 대리인은 위임의 본지에 반하지 않은 범위에서는 대리권을 행사할 수 있다고 본다.

한편 의결권을 위임받아 의결권을 대리행사하는 경우에는 회사가 다른 회사의 발행주식 총수의 10분의 1을 초과하여 의결권을 대리행사할 권한을 취득하였다고 하여도 주식을 취득한 것이 아니므로 상법 제342조의3에 의하여 다른 회사에 통지할 의무가 없다.[90]

라) 발행인과 권유자와의 관계(발행인의 협력의무)

발행인이 권유자가 아닌 경우에 발행인은 일정한 행위에 대한 권유자의 요구에 협력하여야 할 의무가 있다. 즉, 발행인이 아닌 의결권권유자는 발행인이 의결권 대리행사의 권유를 하는 경우에는 그 발행인에 대하여 발행인이 아닌 의결권권유자에게 주주명부(제316조에 따른 실질주주명부를 포함한다)의 열람·등사를 허용하는 행위 및 발행인이 아닌 의결권권유자를 위하여 그 의결권권유자의 비용으로 위임장 용지 및 참고서류를 주주에게 송부하는 행위를 할 것을 요구할 수 있다(자본시장법 제152조의2 제1항). 그리고 발행인은 그 요구를 받은 날부터 2일(공휴일, 근로자의 날 및 토요일은 제외) 이내에 이에 응하여야 한다(자본시장법 제152조의2 제2항). 발행인이 협력의무를 이행하지 않은 경우에는 5천만원 이하

---

90) 대법원 2001.5.15. 2001다12973.

의 과태료를 부과할 수 있다(자본시장법 제448조 제2항 8의2).

이와 같은 발행인의 협력의무 도입은 주주명부의 확보가 어려워 위임장 권유가 억제되어온 문제점을 해소하여 위임장 권유제도의 활성화를 도모하기 위한 것이다.

4) 위임장 용지 및 참고서류에 의한 공시규제
가) 위임장 용지 및 참고서류의 기재사항
(1) 중요사항의 거짓 기재 또는 누락의 금지

위임장 권유자는 주주들에게 위임장 용지와 함께 참고서류를 교부하도록 하고 있다(자본시장법 제152조 제1항). 의결권 권유자는 위임장 용지 및 참고서류 중 의결권피권유자의 의결권 위임 여부 판단에 중대한 영향을 미칠 수 있는 사항(이하 중요사항이라 함)에 관하여 거짓의 기재 또는 표시를 하거나 의결권 관련 중요사항의 기재 또는 표시를 누락하여서는 아니 된다(자본시장법 제154조). 여기서 중요사항은 의결권 위임 여부 판단에 중대한 영향을 미칠 수 있는지의 여부를 판단기준으로 하는데 이를 중요성 원칙(materiality test)이라 한다. 이 원칙은 미국의 판례에서 형성된 이론이나 우리 자본시장법상 모든 공시규제에 있어서 일반원칙이 되고 있다.

이 원칙과 관련하여 미국의 연방대법원이 1976년 TSC Industries v. Northway Inc.사건에서 내린 판결[91]에 따르면 "누락된 사실에 대하여 합리적인 투자자가 투표의 내용을 결정함에 있어서 중요하다고 생각할 상당한 가능성이 있는 정보가 중요한 정보"라는 것이다. 또한 "생략된 사실이 공시되었더라면 합리적인 주주의 입장에서 보아 그 정보의 전체적 평가를 현저히 변경시켰을 상당한 가능성이 있을 것"이 요구된다. 참고로 위임장 용지에 일정한 사항이 누락된 경우 그 하자를 다투는 자는 누락사항으로 인하여 투표결과에 변동이 생긴 점을 증명할 필요는 없고, 누락 또는 부실기재사항의 중요성과 주주의 투표에 영향을 미칠 가능성만을 증명하면 된다.[92]

(2) 법정기재사항

위임장 용지에는 의결권 대리행사를 위임한다는 내용, 그 위임을 받은 자,

---

91) TSC Industries v. Northway Inc., 426 U.S. 439, 449(1976).
92) Mills v. Electric Auto-Lite Co., 396 U.S. 375, 90 S.Ct. 616, 24 L.Ed. 2d 593(1970).

피권유자가 소유하는 의결권 있는 주식수, 위임할 주식수, 주주총회 목적사항 및 목적사항별 찬반여부, 주주총회시 새로이 상정된 안건이나 변경 또는 수정안건에 대한 의결권 행사의 위임여부 및 위임내용, 위임일자 및 위임시간, 위임자의 성명 및 주민등록번호(법인은 명칭 및 사업자등록번호) 등을 피권유자가 특정할 수 있도록 하여야 한다(자본시장법 제163조 제1항).

그리고 참고서류에 권유자의 성명이나 명칭, 권유자의 소유 주식의 종류 및 수와 그 특별관계자가 소유하는 주식의 종류 및 수, 권유자의 대리인의 성명, 그 대리인이 소유하는 주식의 종류 및 수, 권유자 및 그 대리인과 해당 상장법인과의 관계를 기재하고, 주주총회의 각 목적사항과 의결권 대리행사의 권유를 하는 취지를 기재하여야 한다(자본시장법 제163조 제2항).

나) 위임장 용지 및 참고서류의 정정

금융위원회는 제출받은 위임장 용지 및 참고서류의 형식을 제대로 갖추지 아니한 경우 또는 위임장 용지 및 참고서류 중 의결권 위임관련 중요사항에 관하여 거짓의 기재 또는 표시가 있거나 의결권 위임관련 중요사항이 기재 또는 표시되지 아니한 경우에는 그 이유를 제시하고 위임장 용지 및 참고서류를 정정하여 제출할 것을 요구할 수 있다(자본시장법 제156조 제1항). 금융위원회의 정정요구가 있는 때에는 당초 제출한 위임장 용지 및 참고서류를 제출하지 아니한 것으로 본다(자본시장법 제156조 제2항).

또한 의결권 행사의 권유자가 위임장 용지 및 참고서류의 기재사항을 정정하고자 하는 경우에는 그 권유와 관련된 주주총회일 7일(공휴일, 근로자의 날, 토요일 제외) 전까지 이를 정정하여 제출할 수 있다(자본시장법 제156조 제3항 제1문). 이 경우 대통령령이 정하는 중요한 사항을 정정하고자 하는 경우 또는 투자자 보호를 위하여 그 위임장 용지 및 참고서류에 기재된 내용을 정정할 필요가 있는 경우로서 대통령령이 정하는 경우에는 반드시 이를 정정하여 제출하여야 한다(자본시장법 제156조 제3항 제2문). 여기서 정정의 대상인 중요한 사항은 대통령령이 상세하게 규정하고 있다(자본시장법 시행령 제165조 제2항, 제3항).

다) 권유대상 상장주권 발행인의 의견표명

의결권 대리행사의 권유대상이 되는 상장주권의 발행인은 의결권 대리행사의 권유에 대하여 의견을 표명한 경우에는 그 내용을 기재한 서면을 지체 없이 금융위원회와 거래소에 제출하여야 한다(자본시장법 제155조).

라) 위임장 및 참고서류의 제출

의결권 행사의 권유자는 위임장 용지와 참고서류를 의결권피권유자에게 제공하는 날 2일(공휴일, 근로자의 날, 토요일 제외) 전까지 이를 금융위원회와 거래소에 제출하여야 한다(자본시장법 제153조). 그리고 금융위원회와 거래소는 위임장 용지와 참고서류, 권유대상이 되는 상장주권의 발행인이 의결권대리행사에 관하여 의견을 표명한 경우에는 그 서면, 위임장 용지와 참고서류의 정정내용을 그 접수일부터 3년간 비치하고 인터넷 홈페이지 등을 이용하여 공시하여야 한다(자본시장법 제157조).

마) 금융위원회의 조사 및 조치

금융위원회는 투자자 보호를 위하여 필요한 경우에는 의결권 행사의 권유자, 그 밖의 관계인에 대하여 참고가 될 보고 또는 자료의 제출을 명하거나, 금융감독원장에게 그 장부·서류, 그 밖의 물건을 조사하게 할 수 있다(자본시장법 제158조 제1항).

또한 금융위원회는 위임장 용지 및 참고서류를 피권유자에게 교부하지 않은 경우, 공공적 법인이 아닌 자가 위임장을 권유한 경우, 위임장 용지 및 참고서류의 비치·열람의무를 위반하거나 정당한 위임장 용지를 사용하지 않은 경우, 위임장 용지 및 참고서류에 의결권 위임관련 중요사항에 관하여 거짓의 기재 또는 표시가 있거나 그 중요사항이 기재 또는 표시되지 아니한 경우에는 권유자에 대하여 이유를 제시한 후 그 사실을 공고하고 정정을 명할 수 있다. 그리고 필요한 때에는 의결권 대리행사의 권유를 정지 또는 금지하거나 대통령령으로 정하는 조치를 할 수 있다(자본시장법 제158조 제2항, 동법 시행령 제166조).

바) 부실기재에 따른 민사책임

권유자가 위임장 용지 및 참고서류에 중요사항을 허위로 기재하거나 중요사항을 누락시킨 경우 주주는 부실기재에 대하여 책임이 있는 자에 대하여 손해배상책임을 청구할 수 있는지가 문제될 수 있다. 자본시장법은 이에 관하여 아무런 규정을 두지 않으므로 그 책임추궁에는 민법상 불법행위책임에 관한 규정이 적용된다.[93] 따라서 피권유자인 주주는 부실기재한 자의 고의 또는 과실, 부실기재사항이 중요한 정보라는 사실, 부실기재한 정보에 대한 신뢰에 따라 손해가 발생한 사실(거래인과관계), 그리고 부실기재가 원인이 되어 손해가 발생한 사실(손해인과관계)을 모두 증명하여야 한다.

사) 형사책임

위임장 권유의 규제를 위반한 자는 징역 또는 벌금에 처하고, 징역과 벌금은 병과할 수 있다(자본시장법 제447조 제1항). 위임장 용지 및 참고서류에 중요사항을 거짓기재하거나 누락한 경우에는 5년 이하의 징역 또는 2억원 이하의 벌금에 처하고(자본시장법 제444조 제19호), 위임장 용지 및 참고서류를 교부하지 않고 권유를 하거나, 공공적 법인의 경우 법인 이외의 자가 위임장을 권유한 경우에는 3년 이하의 징역 또는 1억원 이하의 벌금에 처한다(자본시장법 제445조 제21호). 대통령령이 정하는 중요사항에 대하여 정정서류를 제출하지 않은 경우에는 1년 이하의 징역 또는 3천만원 이하의 벌금에 처한다(자본시장법 제446조 제27호).

그리고 법인의 대표자, 법인 또는 개인의 대리인, 사용인 기타 종업원이 그 법인 또는 개인의 업무에 관하여 위와 같은 위반행위를 한 때에는 행위자를 벌하는 외에도 그 법인 또는 개인에 대하여도 각 해당 조의 벌금형을 과한다(자본시장법 제448조).

Ⅳ. 적대적 기업인수에 대한 방어의 규제

1. 방어수단의 종류

적대적 기업인수에 대한 방어수단은 경영진에게 보다 높은 주식매도가격의 확보를 위한 협상력(bargaining power)을 강화하는 기능을 발휘하기도 하지만 적대적 인수를 직·간접적으로 억제하고 경영진의 지위를 보전하는 효과도 있다.[94]

---

93) 임재연, 「자본시장법」(2015), 608면.
94) William J. Carney, Mergers and Acquisitions-cases and materials(Foundation Press, 2002), p. 230.

가. 정관을 이용한 방어

정관 자치에 의하여 적대적 M&A의 시도를 예방하는 일련의 방어수단을 상어격퇴방식(shark repellent)에 의한 반기업인수 정관개정(anti-takeover charter amendments)이라고 한다. 여기에는 다음과 같은 다양한 방법이 있다.

1) 이사의 시차임기제

이사의 시차임기제(staggered board, classified board)란 이사의 임기만료가 서로 시차를 두고 교차되도록 하기 위하여 전체 이사를 몇 개의 그룹으로 나누어 매년 1개 그룹씩만 교체할 수 있도록 하는 방법이다(제382조 제1항). 이 방어책은 임기 중에 있는 이사의 해임을 방지함으로써 적대적 기업인수자가 일시에 경영권을 획득하지 못하도록 하여 이사회의 지배를 지연시키는 효과를 발휘할 수 있다.

2) 이사해임사유의 제한

이것은 이사의 해임사유를 이사의 불법행위에 대한 사법적 조사 등과 같이 특정한 사유가 있는 경우에만 허용하여 이사해임을 제한하는 방법(director removal for cause only)이다(제385조 제1항). 이 방법은 통상 이사의 시차임기제와 병행하여 이용되는 것이 보통이다.

3) 집중투표제의 배제

집중투표제(cumulative voting)(제382조의2 제3항)는 이사회에서 소수파주주의 대표기능을 강화하기 위한 제도이다. 소수파에 의한 이사회 참여의 우려를 사전에 방지하기 위하여 집중투표제를 배제하는 내용의 정관규정을 신설하거나 변경하는 것도 가능하다.

4) 이사의 자격 및 수의 제한

정관에 이사의 자격을 주주로 제한하거나 신분 또는 국적을 제한하는 방법이 있다. 상법상으로는 이사의 자격을 주주로 제한하는 것도 허용된다(제387조). 그리고 시차임기제를 채택하더라도 새로운 이사를 과반수 이상 선임하게 되면 시차임기제가 무의미해 지기 때문에 그 단점을 보완하기 위하여 정관상 이사수의 정원을 제한하는 방법도 있다.

5) 결의요건의 가중

정관에 주주총회의 결의요건을 상법상의 요건보다 가중하거나 초다수결의요건(super-majority voting)으로 정하는 방법이 있다(제368조 제1항, 제434조). 주주총회의 결의요건은 제한 없이 가중할 수 있다는 것이 통설이지만 그 유효성이 다투어질 수 있다. 하급심 판례 중에는 이사의 해임요건을 출석의결권의 75% 이상의 수와 발행주식총수의 1/2 이상으로 정한 정관은 소수파주주에 의한 다수파 주주의 억압 내지 사실상 일부 주주에게 거부권을 주는 것과 동일한 것으로 상법의 취지에 어긋난다거나,[95] 이사·감사의 해임요건을 출석주식의 95% 이상과 발행주식총수의 90% 이상으로 정한 정관은 실질적으로 다수 주주의 이사, 감사 해임을 통한 경영진 감사·감독권 및 정관변경권을 봉쇄하는 한편, 소수의 주주에 의해 경영권 방어 여부가 결정될 수 있게 한 것으로 주주 의결권의 심각한 왜곡현상을 초래하는 것으로서 무효라고 판시한 예[96]도 있다. 그 밖에 공개회사의 경우에는 일정한 한계를 벗어나는 초다수결의요건과 같은 가중방식은 허용될 수 없다는 견해[97]도 있다.

6) 할증퇴직위로금지급계약

회사의 지배권 변동으로 인하여 경영진이 퇴직하게 되는 경우에 퇴직금을 지급하는 외에 특별한 위로금을 지급하기로 규정하는 부가적인 특별보상약정(supplemental special compensation agreement)을 이용할 수 있다(제388조). 이러한 방어방법을 황금낙하산 전략(golden parachute strategy)이라고 한다. 퇴직금의 누진율을 현저히 고율로 정하는 방법도 이에 속한다. 특별위로금 또는 누진금액에는 현금 외에 주식매수선택권(stock option)을 부여하는 방식이 많이 이용된다. 그 밖에 적대적 기업인수 후에 정당한 이유 없이 해고되는 종업원에게 고액의 퇴직위로금을 지급하는 방안도 있다. 이를 양철낙하산전략(tin parachute strategy)이라고 부른다. 할증퇴직위로금의 정도가 회사의 자산과 수익의 규모,

---

95) 인천지방법원 부천지원 2007.4.13. 자 2007카합335.
96) 서울북부지방법원 2008.6.2. 자 2008카합1167.
97) 이에 관한 이론적 분석은 송종준, "초다수결의제의 유효성과 그 법적 한계-주주총회 특별 결의요건을 중심으로," 「인권과 정의」 제388호(대한변협, 2008. 12.), 61~79면 참조.

임직원의 직무수행성과와 비례적인 상관성을 벗어나 과다한 경우에는 이사는 회사에 대하여 배임죄와 손해배상책임을 질 수 있다.[98]

7) 공정가격의 지급

공정가격지급조항(fair price provisions)은 1단계의 공개매수에서 지배권을 장악한 회사가 2단계로 대상회사와 합병 등 기업결합을 시도하여 1단계의 공개매수청약에 응모하지 않은 잔여주주를 축출하고자 하는 경우에 잔여주주의 주식에 대하여 1단계의 공개매수가격 이상의 공정한 가격을 지급하도록 강제하는 취지로 정관에 규정을 두는 것을 말한다. 2011년 개정 상법에서는 현금지급합병제도(cash-out merger, 제523조 제4호)와 지배주주에 의한 소수주식 강제매수제도(right of buy-out, 제360조의24)가 도입됨에 따라 소수주주의 퇴출이 용이해져 공정가격 지급조항의 필요성이 커지게 되었다.

8) 주식의 양도제한

상법상 주식회사는 정관에 규정을 둠으로써 주식의 양도는 이사회의 승인을 얻도록 하여 경영권쟁탈을 사전에 저지할 수 있다(제335조 제1항). 정관에 의한 주식양도의 제한은 원칙적으로 폐쇄회사에 한하여 적용될 것을 예정한 것이다. 상장회사의 경우 주식양도제한 조항은 상장폐지의 사유가 된다.

9) 그린메일지급의 금지

그린메일지급 금지조항(anti-greenmail charter amendment)은 대상회사로 하여금 잠재적 기업사냥꾼(corporate raiders)의 보유주식을 시장가격 이상의 프리미엄을 지급하고 매수할 수 없도록 제한하는 조항, 즉, 특정한 자로부터의 자기주식취득을 금지하는 규정을 말한다(제341조). 실무에서는 지배주주에게 보유주식을 매각하는 방법으로 이러한 조항을 두는 경우가 많지만 이것은 자기주식의 취득에 해당하지 아니한다.

10) 이사회의 재량권확장

이사회의 재량권확장조항(expansion of the board's discretion provisions)은

---

98) 송종준, "Golden Parachute 계약의 적법성과 그 남용의 규제-미국 및 독일에서의 논의와 시사점을 중심으로," 「증권법연구」 제9권 제2호(한국증권법학회, 2008. 12.), 71면 이하.

이사회에 적대적 기업인수에 대항할 수 있는 재량권의 범위를 확장하는 정관상의 규정을 말한다. 상법상 주식회사의 본질과 강행규정에 반하지 않는 한 정관에 의하여 이사회의 권한범위를 확장하더라도 이사 또는 지배주주의 지위 또는 경영권유지를 유일한 목적으로 하지 않는 한 위법의 문제는 없다고 할 것이다.

나. 조직구조의 변경에 의한 방어

1) 방어적 합병

방어적 합병(defensive merger)은 대상회사가 자기에게 우호적인 회사(white knight)와 합병을 시도하여 기업인수를 좌절시키려는 방어방법이다(제522조 이하). 상법상 방어적 합병이 위법한 것은 아니나 이를 실행하기란 용이하지 않을 것이다.

2) 주요자산의 매각 또는 회사의 매각

대상회사가 적대적 인수자가 탐내고 있는 핵심자산을 제3자에게 매각 또는 처분(sale of crown jewel asset)하는 수가 있다(제374조). 이러한 자산을 왕관의 보석(crown jewel)이라고 하며 이 자산을 매각처분하면 대상회사는 사실상 초토화된다고 하여 이를 초토화 방어전략(scorched earth defense)이라고 부른다.

3) 회사의 분할

회사의 분할(spin-off, split-up, spin-up)은 단일 회사의 영업을 둘 이상의 회사로 분리하고, 그 분리된 영업재산을 출자하여 회사를 신설하거나(단순분할) 또는 다른 회사와 합병(분할합병)시키는 상법상의 행위이다(제530조의2 이하). 회사분할은 적대적 M&A의 대상이 될 것에 대비하여 사전에 방위수단으로서 실행할 수 있다.

다. 자본구조의 변경에 의한 방어

1) 신주 또는 잠재주식의 제3자배정

대상회사가 현 경영진 또는 지배주주에 대하여 우호적인 제3자에게 신주를 발행함으로써 공개매수자가 지배권을 취득함에 필요한 주식수량의 매수를 곤란하게 하는 것은 가장 보편적인 방어책이다. 이 제3자를 백기사(white knight) 또

는 백지주(white squire)라고 부른다. 한편, 현물출자를 통하여 신주를 제3자에게
배정하는 것도 유력한 방어수단이다. 다만, 이 경우에는 상법상의 절차와 실질
요건(제416조, 제418조)을 충족하여야 한다.

  그리고, 신주를 발행하지 아니하고 전환사채(CB)와 신주인수권부사채(BW)를
발행하고 전환권이나 신주인수권을 행사하게 하여 경영권을 방어할 수 있다. 이
들 사채를 잠재적 주식 또는 주식연계채권이라고도 한다. 실제로는 제3자배정방
식으로 전환사채 또는 신주인수권부사채를 발행하는 방법을 이용하는 경우가 가
장 흔하다(제513조 제3항, 제516조의2 제4항). 후술하는 바와 같이 신주 또는 잠
재주식의 제3자 배정에 의한 방어가 지배권의 방어 또는 유지에 주된 목적이
있으면 위법하다고 보는 것이 일반적이지만 그렇게 보지 않아야 할 경우도 있다
는 점에서 그 판단기준을 둘러싸고 의론이 많다.

2) 실권주 등의 처리

  지배권의 장악의도가 있는 주주가 자금사정이 어려운 시기를 이용하여 유상
증자를 실행하고 실권주(제419조 제4항, 제423조 제2항)의 발생을 유도한 다음,
이사회가 실권주를 특정한 자에게 배정하여 회사의 지배권을 취득케 하거나 잠
재적 인수자의 지배권탈취시도를 저지할 수 있다. 그 밖에 주식의 병합, 유상증
자, 주식배당 등의 경우에 발생하는 단주를 이사회가 임의로 제3자에게 처분하
여 적대적 M&A에 영향을 미칠 수 있다. 그러나 회사지배권에 변동을 초래하는
것은 허용되지 않는다고 본다.99)

3) 자기주식의 취득 또는 처분

  경영권 분쟁이 현존하거나 앞으로 예상되는 경우에 적대적인 주주의 지배권
취득을 저지하기 위하여 대상회사가 보유하고 있는 자기주식을 취득하거나 자기
주식을 우호적인 제3자에게 처분하는 수가 있다. 2011년 개정상법은 배당가능이
익에 의한 자기주식 취득을 자유화하였으므로 증권시장에서 또는 균등한 조건으
로 주주로부터 자기주식을 취득하여 방어의 수단으로 활용할 수 있게 되었다(제
341조).

---

99) 정동윤, 「회사법」, 525면; 송종준, 「적대적 M&A의 법리」, 163면; 정찬형, 「상법강의(상)」,
    1155면.

그런데, 자기주식의 처분은 신주발행과 경제적인 유사성이 있는 자본거래라는 이유로 제3자에 대한 임의적인 처분은 위법하다는 견해[100]가 있다. 그러나, 손익거래[101]에 해당하는 자기주식의 처분에 신주발행의 법리를 유추 적용할 것은 아니고,[102] 기업회계기준이 자기주식의 처분을 자본거래로 파악하는 것은 회계기법에 불과하므로 이를 기초로 주주의 신주인수권 부여 여부를 판단할 일도 아니라고 본다.[103] 다만, 자기주식의 처분이라는 회사행위로 인하여 경영권 방어의 남용 또는 지배권을 변경하는 등의 결과를 초래하는 것은 회사법상으로 지배권분배질서에 반하여 위법한 처분에 해당한다고 보아야 할 것이다. 2007년도 이후의 하급심 판결은 종전의 태도를 바꾸어 자기주식의 처분을 이사회의 재량권의 하나로서 풀이하고 있다.[104] 2015년 7월 제일모직과 삼성물산의 합병사건에서도 서울고등법원은 삼성물산이 합병결의 이전에 자기주식을 우호주주인 KCC에게 처분하는 것은 적법하다는 이유로 자사주처분금지가처분신청을 기각한 바 있다.[105]

4) 옵션의 부여

옵션(option)의 부여란 특정의 우호적인 자에게 적대적인 기업인수자보다 특

---

100) 안성포, "자기주식취득의 허용에 따르는 법적 쟁점," 「상사법연구」 제30권 2호(한국상사법학회, 2011. 8.), 97~98면; 송옥렬, 「상법강의」 제8판(홍문사, 2018), 870면; 권재열, "개정상법상 주식관련제도의 개선내용과 향후 과제," 「상사판례연구」 제18집 제2권(한국상사판례학회, 2005. 6.), 22~23면. 같은 취지의 하급심 판결: 서울서부지방법원 2006.3.24. 자 2006카합393; 2006.6.29. 2005가합8262.

101) 법인세법상 자기주식의 처분은 손익거래로서 개인법적 거래에 속한다(대법원 1995.4.11. 94누21583). 그러나, 자본감소절차의 일환 내지 회사합병 등으로 인하여 자기주식을 취득하거나 처분하는 것은 자본거래에 속하지만, 그 외의 거래는 자산의 손익거래에 속한다(대법원 2005.6.10. 2004두3755). 최준선, 「회사법」 제16판(삼영사, 2021), 316면.

102) 이철송, "불공정한 자기주식거래의 효력-주식평등의 원칙과 관련하여," 「증권법연구」 제7권 제2호(한국증권법학회, 2006), 22면; 송종준, "자기주식의 처분절차규제에 관한 소고," 「법률신문」 제3504호(2006. 11. 9.), 13면 및 「적대적 M&A의 법리」, 165면; 신우진, "경영권 방어를 위한 자기주식의 제3자에 대한 처분의 법적 문제점," 「기업법연구」 제21권 제1호(한국기업법학회, 2007. 3.), 153면; 임재연, 「회사법 I」(박영사, 2017), 193면; 강희주, "자사주의 취득 또는 처분을 통한 적대적 M&A에 대한 방어전략," 「적대적 기업인수와 경영권 방어」(소화, 2008), 203면.

103) 자기주식을 취득하여 처분한 양도차액은 과세처분의 대상이 되는 유가증권매각이익으로 처리해야 하는 것이지, 자본준비금으로 적립하여야 하는 것은 아니다(대법원 1980.12.23. 79누370).

104) 수원지방법원 성남지원 2007.1.30. 자 2007카합30; 서울중앙지방법원 2007.6.20. 자 2007카합1721; 서울북부지방법원 2007.10.25. 자 2007카합1082 등.

105) 서울고등법원 2015.7.16. 자 2015라20503.

별히 유리한 지위를 부여하기로 하는 옵션 또는 선택권 부여 계약 또는 거래를 말하며 이를 로크 업(lock-ups)이라고도 한다. 여기에는 다양한 형태가 있다.

가) 로크 업 계약

로크 업 계약에는 주식선매권 부여방식과 자산선매권 부여방식이 있다. 주식선매권 부여방식(stock lock-up)은 일정한 경우에 대상회사의 자기주식 또는 수권주식 중 미발행주식에 대한 매수권이나 매수선택권을 우호적인 제3자에게 부여하기로 하는 계약을 말한다. 다만, 지배권쟁탈의 국면에서 대량의 주식에 대한 매수권을 제3자에게 부여하는 것은 현저히 불공정한 방법으로 위법의 문제가 있다.

또한, 자산선매권 부여방식(crown jewel or asset lock-up)은 대상회사의 중요사업 또는 자회사, 기타 주요자산을 기업인수 영역 외에서 특히 유리한 가격으로 매수할 권리나 선택권을 우호적인 제3자에게 부여하는 계약으로서, 영업양도계약이나 주요영업용자산의 매각에 해당한다. 이 선택권은 잠재적인 매수자가 대상회사 주식의 일정비율을 취득하는 것을 조건으로 하여 행사되도록 하는 방법으로 계약하는 것이 보통이다. 실제로 문제가 되는 것은 실질적인 자산의 전부에 해당하는 영업용재산이 선매권의 목적으로 되는 경우이다. "왕관의 보석"에 해당하는 중요자산의 양도계약에는 주주총회의 특별결의가 필요하다(제374조 제1호).

나) 주식매수선택권의 부여

주주의 신주인수권을 제한하여 주식 등을 교부할 목적으로 주식매수선택권(stock option)을 임직원 등의 제3자에게 부여하여(제340조의2 내지 제340조의4, 제542조의3) 적대적 M&A에 대한 방어수단으로 활용할 수 있다.

다) 신주인수선택권(포이즌 필)의 부여

(1) 의 의

신주인수선택권(warrant with stock purchase right)이라 함은 회사가 정관에 따라 주주에게 그가 가진 주식의 종류 및 수에 따라 미리 정한 가액(행사가액)으로 일정한 기간(행사기간) 내에 회사에 대하여 신주의 발행을 청구할 수 있는 권리를 말한다. 포이즌 필(poison pill)이라고도 불린다. 참고로 2010년 상법개정법률안에서는 신주인수선택권제도의 도입을 시도한 바 있다(개정안 제432조의2 이하).[106] 개정안상 포이즌 필은 정관에 의하여 도입하되 모든 주주에게 신주인수선택권을 부여하여야 하지만, 이사회의 특별다수결(총수의 2/3 이상)로 잠재적인 인수자의 신주인수선택권의 행사를 제한할 수 있다. 특히, 신주인수선택권의 행사 또는 회사에 의한 상환은 기업가치 및 주주일반의 이익 유지와 향상에 기여할 수 있는 경우에만 허용된다. 그러나 이러한 개정안은 국회에서 통과되지 못하였다.

(2) 전환·상환형 포이즌 필

전환형 포이즌 필은 대상회사의 이사회가 전환우선주를 배당하고, 정관의 규정에 의하여 적대적 인수자가 대상회사의 지배주식을 취득하는 사유가 발생할 경우에는 전환우선주를 보통주로 전환할 수 있게 하는 형태이다. 이것은 강압적인 2단계 공개매수(coercive two-step tender offer)를 억제하는 데에 주된 목적이 있다. 상환형 포이즌 필은 대상회사의 이사회가 주주에게 상환우선주를 배당하고 상환가액을 인수자의 최고매수가격에 우선주에 지급할 배당금을 가산하여 결정하는 것이 보통이다.

(3) 신주인수선택권(call right plan)부 포이즌 필

이것은 적대적 인수회사가 대상회사의 주식을 일정비율 이상 취득하는 사유가 발생하면 대상회사의 주주에게 보통주를 시가보다 현저히 저렴한 가격으로 인수할 수 있는 선택권을 부여하는 방법(flip-in pill), 인수 후 대상회사(합병회사)의 주식을 시가보다 현저히 저렴한 가격으로 인수할 수 있는 선택권을 부여하는 방법(flip-over pill)이 있다. 이들 방법은 인수회사가 대상회사를 인수한 후 2단계로 합병하는 것을 조건으로 하는 경우에 유용한 방법이다. flip-in pill은 유용성이 커서 가장 일반적인 포이즌 필의 형태로서 활용되고 있다. flip-over pill은 flip-in pill이 무효로 판정되는 경우에 2차적으로 유용성이 있다.

(4) 주식교환·매도선택권(put right plan)부 포이즌 필

이것은 적대적 인수회사가 대상회사의 주식을 일정비율 이상 취득하는 경우에 대상회사의 주주가 보유한 주식을 대상회사의 채무증서 또는 우선주와 교환하거나, 또는 대상회사에게 매도할 수 있는 권리를 부여하는 방식(back-end rights

---

106) 최준선, 전게서, 316면.

plan)이다. 이 수단은 인수회사가 2단계에서 대상회사를 합병하는 것을 조건으로 하지 않는 경우에도 활용할 목적에서 개발되었지만 그 활용도는 미미하다.

(5) 소각제한부 포이즌 필

이것은 신주인수선택권의 소각을 제한하기 위한 조항을 삽입한 포이즌 필을 말한다. 이 방어수단은 인수자가 대상회사의 지배주식수에 미달하는 주식을 취득한 다음, 위임장쟁탈전을 통하여 지배권을 장악하고 필요한 이사를 선임하여 포이즌 필을 소각시키는 경우에는 효용성이 없게 되는 문제가 제기됨에 따라 고안된 것이다. 여기에는 구이사에 의하여 발행된 포이즌 필의 효력(유용성)을 지속시키고 적대적 기업인수 후 새로 선임된 이사(신이사)가 포이즌 필의 권리를 상환하거나 소각하는 것을 제한하는 규정을 두는 방법, 그리고 구이사는 물론 신이사도 이미 발행된 포이즌필의 권리를 상환 또는 소각하는 것을 불가능하게 하는 조항(rights with no hand provision)을 두거나, 일정기간 동안(예컨대 6개월 ~1년) 이를 상환 또는 소각하는 것을 제한하는 조항을 두는 방법이 있다. 전자를 신이사 소각제한조항부 포이즌 필(rights with dead hand provision)이라 하고, 후자를 신구이사 소각제한조항부 포이즌 필(rights with no hand provision)이라 한다. 후자는 구이사 중 다수의 이사가 교체된 경우에는 신이사 소각제한조항부 포이즌 필의 효용성이 감소한다 하여 생겨난 것이다.

(6) 전부매수조건부 권리소멸형 포이즌 필

이것은 적대적 인수자가 일정한 프리미엄을 붙여 대상회사의 발행주식총수를 전액현금으로 공개매수하고자 청약할 경우에 그 공개매수에 대항할 수 있는 이사회의 권한을 소멸시키기로 하는 조항을 두는 포이즌 필(chewable rights plan)을 말한다. 이것은 적대적 기업인수를 반드시 방어해야 한다는 사고에서 후퇴한 절충전략이라고 할 수 있다.

(7) 독립이사회 정기심사형 포이즌 필

이것은 최소한 매 3년마다 포이즌 필이 주주의 최상의 이익에 부합하는지의 여부를 사외이사로만 구성된 독립이사위원회로 하여금 심사케 하는 계획(TIDE rights plan)을 말한다. 독립이사위원회는 포이즌 필이 주주의 최상이익에 부합하지 않는다고 평가하는 경우 원래의 포이즌 필을 수정하거나 소각할 것을 이사회에 권고할 수 있다.

⑧ 일몰형 포이즌 필

이것은 포이즌 필을 도입하였더라도 2년 또는 3년마다 주주총회가 승인하든지 제거하든지를 결정하도록 하거나, 주주총회의 승인이 없는 한 이사회에 의한 포이즌 필은 그 발행 후 2년 또는 3년이 경과하면 자동적으로 소멸한다는 내용의 포이즌 필(sunset rights plan)을 말한다. 이 방식은 주주총회의 승인절차와 연계하여 포이즌 필의 지속적 효력여부를 결정하기 위한 것이다. 이것은 주주의 최상이익과 관계없이 포이즌 필이 남용되는 것을 방지하는 효과가 있다.

5) 차입매수

적대적 기업인수에 대항하기 위한 수단으로서 차입매수전략이 있다. 차입매수(leveraged buy-outs, LBO)는 M&A에 있어서 취득하고자 하는 대상회사의 자산을 직접 또는 간접적인 담보로 하여 기업인수자금을 외부로부터 조달하고 그것을 기초로 회사를 인수하는 M&A기법으로서, 적대적 M&A에 대한 방어수단으로도 활용된다. 차입매수에는 경영진 차입매수(management buy-out, MBO), 종업원 차입매수(employee buy-out, EBO), 경영진·종업원 차입매수(management and employee buy-out, MEBO) 등이 있다. 그리고, 피인수회사의 인수 후 그 자산에 담보 등을 제공하는 형태인 금융지원형 LBO (financial LBO, 담보제공형 LBO)과 피인수회사와 합병하는 합병형 LBO (merger LBO)가 있다.

LBO에 있어서는 이사의 배임죄 성립 여부를 둘러싸고 논란이 첨예하다.[107]

<hr/>

107) 김홍식, "차입매수(leveraged buyout)의 법적 논점에 관한 고찰,"「상사판례연구」제20집 제2권(한국상사판례학회, 2007); 박태현, "차입매수(leveraged buyout)에 있어서의 이사의 신인의무,"「인권과 정의」제369호(대한변호사협회, 2007. 5.); 설민수, "M&A의 한 방법으로서의 LBO에 대한 규제, 그 필요성과 방법, 그리고 문제점: 대법원의 2004도7027 판결에 대한 또 다른 시각 – 미국의 사해행위취소와 한국의 배임죄 규제의 비교,"「사법논집」제45집(법원행정처, 2007); 손영화, "LBO/MBO에 대한 법적 문제 – 이사의 책임 및 소수자주주보호의 관점에서,"「증권법연구」제8권 제2호(한국증권법학회, 2007. 12.); 윤영신, "동양그룹의 합병형 LBO와 배임죄,"「BFL」제36호(서울대 금융법센터, 2009. 7.); 이상돈, "차입매수와 배임죄," 한국증권법학회 세미나(2006. 12. 23.); 이상훈, "LBO와 배임죄(상)(하),"「법조」제619호, 제620호(법조협회, 2008. 4., 2008. 5.); 이창원·이상현·박진석, "LBO의 기본구조 및 사례분석,"「BFL」제24호(서울대 금융법센터, 2007. 7.); 전현정, "LBO와 배임죄 – 손해를 중심으로,"「BFL」제24호(서울대 금융법센터, 2007. 7.); 정영철, "LBO와 배임죄 성부 redu – 부산지방법원 2009.2.10. 2008고합482, 516, 656(병합),"「법조」제634호(법조협회, 2009. 7.); 최문희, "경영자의 배임죄와 회사법상 이사의 의무,"「저스티스」통권 제112호(한국법학원, 2009. 8.); 송종준, "회사법상 LBO의 배임죄 성부와 입법과제 – 신한 및 한일합섬 LBO 판결을 계기로 하여,"「증권법연구」제10권 제2호(한국증권법학회, 2009. 12.); 김병연, "차입매수(Leveraged Buyout)

판례는 담보제공형이냐 합병형이냐에 따라 태도가 갈리고 있다.[108] 그러나, 유상증자 또는 배당방식을 활용한 LBO에서는 배임죄를 부정하였다.[109] 그 밖에 대법원은 "회사 소유의 재산을 주주나 대표이사가 자신의 주식을 매도하는 과정에서 매수인인 제3자의 매수자금조달을 위하여 담보로 제공하는 등 사적인 용도로 임의처분한 것은 그 처분에 관하여 주주총회나 이사회의 결의가 있었는지 여부와는 관계없이 횡령죄를 구성한다"고 판시한 바 있다.[110]

최근에는 LBO의 법적 안정성 문제를 해소할 수 있는 방안이 연구되고 있다. 이를 위하여 제3자의 자사주 취득에 대한 신용공여규제의 틀을 개선하는 방향으로 LBO에 대한 법적 규제의 새로운 방안을 제시하거나,[111] 배임죄로부터 자유로운 합법적 LBO를 위한 가이드라인이 제안되기도 하였다.[112] 아울러, 적절한 비율의 지분투자와 부채에 의존하지 않는 인수자 측의 자체적 펀딩이 인수자금의 상당부분을 구성하는지, 현금흐름의 확보와 착실한 변제에 관한 사전적인 치밀한 분석이 있었는지, 인수자가 일정기간 주식을 보유하고 있었는지, 회생기업 인수의 경우 LBO 거래주체의 자금조달계획, 투자자금의 회수계획, 합병에 관한 계획, 피인수회사의 자금을 이용한 SPC 채무의 변제계획 등에서 인수자로서 적합한지 등을 기준으로 바람직한 LBO인지의 여부를 판단하여야 한다는 견해[113]

와 배임죄의 적용 - 신한 LBO 및 한일합섬 LBO 사례와 관련하여," 「상사법연구」 제29권 제1호(한국상사법학회, 2010. 5.); 최승재, "LBO와 배임죄의 성립 여부 - 판례의 동향을 중심으로," 「증권법연구」 제11권 제3호(한국증권법학회, 2010. 12.); 최승재, "대법원 판례로 보는 차입매수(LBO)와 배임죄 - 대법원 2015.3.12. 선고 2012도9148 판결," 「법과 기업연구」 제5권 제3호(서강대 법학연구소, 2015. 12.), 33면 이하; 이훈종, "온세통신 차입매수판결에 관한 연구 - 대법원 2015.3.12. 선고 2012도9148 판결을 중심으로," 「기업법연구」 제30권 제1호(한국기업법학회, 2016. 3.), 195면 이하.
108) 담보제공형 LBO 사건(신한 LBO사건)에서는 배임죄를 인정하였고(대법원 2006.11.9. 2004도7027; 2008.2.28. 2007도5987; 2012.6.14. 2012도1283), 합병형 LBO(한일합섬 LBO사건)에서는 이를 부정하였다(대법원 2010.4.15. 2009도6634). 그리고 온세통신 사건에서는 피고인이 온세통신 인수자금등 조달과정에서 온세통신의 자산을 담보로 제공하거나 신주인수권부사채를 조기상환함에 있어 유비스타에 이익을 주고 온세통신에 손해를 가하고자 하는 배임죄의 고의가 없다고 하여 100% 완전모자회사관계에 있으면 합병이 아니라도 이를 합병형 LBO와 동일하게 접근하여 배임죄를 부정한 바 있다(대법원 2015.3. 12. 2012도9148).
109) 대법원 2013.6.13. 2011도524(대선주조 LBO사건).
110) 대법원 2005.8.19. 2005도3045(사이어스 LBO사건).
111) 송종준, "LBO 규제체계의 비교분석과 합리적 규제방안의 모색 - 유럽·미국법상 회사의 금융지원규제를 중심으로," 「선진상사법률연구」 통권 제56호(법무부, 2011. 10.), 91면 이하.
112) 김건식·송옥렬·이상원, 「국제적 기준에 부합하는 합법적 LBO 가이드라인 제정방안」, 2011년도 법무부 연구용역 과제보고서(서울대 금융법센터, 2011. 12.).

및 법인이익독립론(법인이익계좌기준)을 강조하는 단체주의적·추상적·관념적 관점으로부터 이해상충의 문제와 구성원의 손익문제에 초점을 맞추어 구체적 타당성을 중시하는 주주이익포함기준으로 전환하여 LBO의 위법 여부를 판단하여야 한다는 견해[114] 등이 제안된 바 있다.

6) 종업원지주제도

적대적 기업인수에 대항하기 위해 종업원지주계획(ESOP)을 이용하여, 우리사주조합원에게 공모주식의 20% 이내에서 우선적으로 주식을 배정할 수 있다(자본시장법 제165조의7). 실제상으로는 적대적 M&A에 직면한 대상회사가 우리사주의 취득에 필요한 자금을 우리사주조합에 대부하여 주고 그 자금으로 우리사주조합이 주식을 취득하여 현경영진에게 우호적인 관계를 유지하는 방법이 주로 이용된다. 그러나 우리사주조합에 대한 자금지원 등은 위법의 문제가 있다.[115]

7) 배당정책

배당정책은 적대적 M&A에 대비한 유용한 방어책이 될 수 있다. 상법은 이익배당으로서 현금배당, 주식배당, 현물배당, 중간배당을 모두 허용하고 있다. 특히, 주식배당은 배당가능이익의 1/2의 범위 내에서(제462조의2 제1항), 상장법인의 경우에는 배당가능이익의 100%까지 허용(자본시장법 제165조의13)되므로 그 유용성이 크다. 배당정책에 의한 M&A방어효과는 분기배당, 중간배당 등을 활성화하여 고주가정책을 실행하는 경우에 극대화될 수 있다.

라. 계약에 의한 방어

1) 잠재적 인수자와의 불가침협약

불가침협약(standstill agreement)이란 잠재적 기업인수를 방어하기 위하여 일정기간 동안 특정주주가 보유할 수 있는 주식수를 제한하고 계약기간 중 기업인수를 금지하기로 하는 약정을 말한다. 이 협약에는 특정주주가 경영진의 사전승

---

113) 최민룡, "바람직한 LBO의 기준," 「기업법연구」 제30권 제1호(한국기업법학회, 2016. 3.), 107면 이하.

114) 이상훈, "LBO 분석 틀의 정립 및 적용," 「기업법연구」 제31권 제1호(한국기업업학회, 2017. 3.), 9면 이하.

115) 대법원 2004.2.13. 2002도996; 1999.6.25. 99도1141; 서울중앙지방법원 2007.11.19. 자 2007카합3341.

인이 없이는 일정기간 동안 일정한 한도를 초과하여 지분율을 높이지 않는다는 취지, 회사에 우선적 거부권(right of first refusal)을 부여하여 주식의 양도를 제한하는 취지, 위임장 경쟁을 금지한다는 취지, 이사선임 등의 의안에 대하여 일정한 방법으로 의결권을 행사하기로 하는 취지 등이 담기게 된다.

2) 채권자와의 계약

금융기관과 대부계약(loan agreement)을 체결하면서 지배권이 변경되는 경우에는 대부금의 회수 또는 대부계약의 취소 권한을 대부자에게 부여하는 조항을 둘 수도 있다. 이러한 조항을 "포이즌 풋"(poison puts)이라고 한다. 이 조항에서는 회사가 적대적으로 인수되거나, 비우호적인 제3자가 일정한 지분율을 초과 보유할 경우에 사채권자에게 사채를 프리미엄을 가산한 가격으로 발행회사에 상환을 청구할 수 있는 권리를 경영진에게 부여하는 것이 보통이다. 이러한 조항을 "제1세대 포이즌 풋" 조항(the first generation poison put provision)이라고 한다.[116] 이와 같이 지배권이 변경되는 경우에 제3자와의 계약을 해지(termination)하거나, 제3자에게 위약금(penalty, break-up fees)을 청구할 수 있는 권리를 부여하는 조항을 두는 수가 있는데 이를 지배권변경조항(change of control provision)이라 한다. 이러한 조항을 제3자와의 계약 내용에 집어넣는다 하여 이를 '계약 속 방어수단'(embedded defenses)이라 하며, 이러한 방어수단이 이용되는 것은 방어수단의 적법성 심사가 어렵기 때문이다.[117]

한편, 제1세대 포이즌 풋 조항은 적대적 기업인수가 발생하는 경우에만 적용되므로, 처음에는 적대적이었던 거래가 나중에 우호적인 거래로 바뀌게 되는 경우에, 또는 자본구조의 재편(recapitalization)에 의한 방어책행사로 사채의 가치가 감소하거나 그 상환이 불투명하게 되면 이 조항은 사채인수인에게 불리하게 되는 문제가 있다. 그리하여 최근에는 "슈퍼 포이즌 풋"(super poison put)이라는 새로운 계약형태가 나타났다. 이것은 기채회사의 레버리지(leverage)를 증가시키고, 따라서 증권의 등급이 하향조정(예컨대 정크 본드(junk bond)로 하향되는 경우)되는 등 다양한 사실이 발생하는 경우에도 적용될 수 있도록 하기 위한 것이

---

116) Martin Lipton & Erica H. Steinberger, Takeovers & Freezeouts, Vol. I (Law Journal Seminars Press, 1990), §6.03[5].
117) 유영일, "미국 M&A법의 최근 동향," 「상사판례연구」 제22집 제2권(한국상사판례학회, 2009. 6.), 3면 이하.

다.118)

3) 주주와의 의결권행사에 관한 계약

가) 의결권계약

의결권계약은 주주들이 각자의 의결권을 일정한 방법으로 행사하기로 미리 약정하는 것을 말한다. 의결권계약은 당사자 간에는 채권적 효력이 있고 그 계약을 위반한 경우에는 손해배상책임을 지게 되므로 경영권 방어수단으로서 유용성이 있다. 그러나 이 계약의 상법상 단체법적 효력은 인정될 수 없다.

나) 의결권신탁계약

의결권신탁계약은 수탁자가 계약에 정해진 기간 동안 합의된 방법으로 의결권을 행사할 권한을 갖되, 이익배당청구권 등 기타의 권리는 주주가 계속하여 보유하기로 약정하고 주주가 그 주식을 의결권수탁자에게 양도하는 것을 말한다. 그러나 상법상으로는 이 계약도 단체법적 효력은 인정되지 않는다고 본다.

다) 의결권행사를 위한 자격양도

의결권행사를 위한 자격양도는 주주가 타인에게 타인의 명의(자격주주)로 의결권을 행사할 수 있는 권한을 수여하는 것이다. 이것은 당사자 간에는 의결권을 양도한 주주가 여전히 주주로서의 지위를 갖지만, 주주명부에는 타인의 명의로 명의개서되므로 회사에 대한 관계에서는 원칙적으로 명의주주인 타인이 주주로서 취급된다. 그러나 이러한 자격양도는 상법상으로는 허용되지 아니한다.

라) 위임장계약

회사 또는 주주는 위임장에 의하여 의결권의 대리행사를 권유할 수 있다. 통상 위임장의 권유에 따른 위임장 교부는 언제든지 철회가 가능하지만, 실제로는 철회하지 않는다는 조건으로 계약을 체결하고 철회할 경우에는 위약금을 지급하기로 약정하는 것이 보통이다. 이 계약은 상법상으로도 허용된다.

---

118) A. Fleischer, Jr. and A. Sussman, Takeover Defense(5th ed.)(ASPEN, 1995), §6.11, 6-59~60.

마. 기타의 방어수단

1) 방어소송

적대적 기업인수가 행하여지는 경우에 대상회사는 기업인수자가 상법, 자본시장법, 공정거래법 등이 규정하는 사항을 위반하고 있는지를 조사하여 그 행위의 중지 또는 유지를 구하는 가처분 소송을 제기할 수 있다. 이와 같은 소송을 방어소송(defensive suit)이라고 한다. 그 밖에 금융위원회, 공정거래위원회에 적대적 M&A의 위법성을 진정하거나 고발함으로써 방어소송과 동일한 효과를 거둘 수도 있다.

2) 경쟁공개매수의 권유

경쟁공개매수(competing tender offer)라 함은 대상회사가 우호적인 관계에 있는 제3자로 하여금 이미 공표된 공개매수와 경합적으로 행하는 공개매수를 말한다. 대항공개매수라고도 한다. 이 방법은 매수가격의 상승을 유인하게 되므로 적대적인 공개매수를 저지할 수 있게 되는 효과가 있다. 이 경쟁공개매수는 대상회사의 주주들에게 이익을 주게 되므로 그 권유는 바람직한 방어책이 될 수 있다. 자본시장법상 경쟁공개매수의 등장은 공개매수자의 공개매수청약의 철회사유에 해당하므로 그 철회를 유도하는 효과도 있다.

3) 역공개매수

이것은 대상회사가 공개매수회사에 대하여 역으로 단행하는 공개매수(먹히기 전에 잡아먹는 방식, pac-man defense)로서 주식의 상호보유방법을 활용한 방어수단의 하나이다. 이것은 공개매수회사가 대상회사의 지배권을 취득하기 전에 대상회사가 공개매수회사의 지배권을 취득하려는 목적을 가지므로 공개매수를 적극적으로 억제하는 효과가 있다.

4) 공개매수에 대한 반대의견의 표시

공개매수 대상회사의 경영자가 공개매수의 개시 이후 공개매수에 대한 반대의견을 신문광고, 서한송부 등의 방법으로 자기회사 주주에게 적극적으로 홍보하는 방법이 있다. 이것은 회사의 주요내용에 관한 정보를 주주에게 제공하고 공개매수에 대한 주식매도의 선택은 주주들 스스로 결정하도록 하는 방법으로서 효과적일 수 있다.

5) 지배권변경에 대한 승인을 요하는 사업의 보유

적대적 기업인수의 대상인 회사가 감독기관의 승인 또는 인·허가를 받아야 하는 사업을 보유하고 있는 경우에 이 방법을 이용할 수 있다. 그 승인이 없이는 지배권을 취득하더라도 사업을 수행하기 어려워 간접적으로 공격을 억제하는 효과가 있기 때문이다.

6) 경영전략적 방어책

투자자관리(investor relations, IR)는 기업과 주주 상호간의 의사소통관계를 뜻하는 것으로서 경영실적, 경영전략, 사업활동과 중장기 사업계획 등에 관한 중요한 정보를 적극적으로 전달하여 투자자와 우호적인 관계를 만들기 위한 전략적인 활동이다. 그 밖에 경영권쟁탈에 대비하여 현 경영진에게 우호적인 주주그룹을 확보하는 것은 매우 효과적이고 직접적인 방어전략이다.[119) 백기사(white knight) 또는 백지주(white squire) 등이 이에 해당한다. 종업원, 임원, 제휴업체, 거래처, 기관투자가 등이 우호적 주주그룹이 되는 것이 보통이지만 지역의 단체나 인사를 우호적인 주주그룹으로 확보하여 적대적 M&A에 대한 반대여론을 조성하는 것도 하나의 방법이 될 수 있다.

2. 방어규제의 변천과 이사의 방어권

가. 방어규제의 변천

1) 회사법

1995년 개정상법에서는 주식양도제한제도(제335조 제1항 단서)를 도입하였지만 이 제도는 상장회사에서는 채택할 수 없고 폐쇄회사에서만 이용할 수 있어서 일반적인 방어수단으로서의 기능은 기대하기 어려웠다. 또한 상법은 다른 회사의 주식을 10% 이상 취득한 회사에게 통지의무를 부과한 바 있지만(제342조의3) 그 자체가 방어수단은 아닌 것이다. 2001년 상법 개정에서는 신주, 전환사채,

---

119) 강희주, "자사주의 취득 또는 처분을 통한 적대적 M&A에 대한 방어전략," 205~207면.

신주인수권부사채의 제3자배정을 통제할 수 있는 엄격한 요건(제418조 제2항, 제513조 제3항, 제516조의2 제4항)을 부가함에 따라 경영상 목적달성에 필요한 경우가 아니면 이들 제도를 방어수단으로 활용하기도 어려웠다. 이같이 볼 때에 2000년 이전까지는 적대적 M&A의 국면에서 방어수단으로 활용할 수 있는 수단은 제3자에 대한 신주, 전환사채 또는 신주인수권부사채의 발행, 자기주식의 취득 및 처분 등으로서 그다지 다양하지 못했고 그 허용도 제한적이었다고 평가할 수 있다.

반면에 2000년대 들어와서는 국제간 자본이동의 자유화 현상과 함께 기업의 경영권변동위험이 적대적인 외부자에게 광범위하게 노출되어 있다는 인식이 확산되자 경영권 방어 수단의 도입을 위한 시도가 이루어졌다. 이러한 사회 경제적 요청에 따라 2011년 5월 개정 상법은 외국에서는 보편화되어 있는 종류주식제도(제344조 내지 제346조)를 도입하였다. 개정 상법상 종류주식제도 중 의결권의 배제 또는 제한에 관한 종류주식, 주식의 상환 또는 전환에 관한 종류주식 등은 경영권 방어에 유용한 수단들이다. 그러나 복수의결권주식이나 동의권부주식 또는 황금주, 임원선·해임권부주식, 포이즌 필 또는 신주인수선택권제도 등을 도입하는 것을 골자로 하는 상법개정안이 2011년 국회에 상정되었지만 통과되지 못하였다.

요컨대, 상법은 외국에 비하면 방어수단의 종류가 제한적이라 할 수 있다. 뿐만 아니라 회사법은 적대적 M&A에 대한 방어를 허용하는 입장인지, 아니면 금지하는 입장인지 명확한 태도를 보여주고 있지 못하다. 회사법의 이러한 태도는 수차례의 법 개정에도 불구하고 변경된 바 없다. 따라서 법상의 방어수단을 실제로 이용한 경우에 경영권 방어의 허용 여부 또는 위법성 여부는 전적으로 해석론에 맡겨져 있다. 일반적으로 그 위법성 여부는 회사법의 개별 규정의 취지에 따라 판단해 왔고, 이 문제는 대부분 판례에 의존하였다. 그러나 후술하는 바와 같이 판례도 그 판단기준에 관하여는 유동적인 태도를 보이고 있다.

2) 자본시장법

자본시장법은 적대적 M&A로부터 경영권을 방어할 수 없도록 금지했던 종전의 법제도를 폐지하고 방어수단을 확충하는 방향으로 변천되어 왔다. 1997년 1월 증권거래법 개정 시에는 공개매수가 진행되는 동안에는 신주발행 등 의결권 있는 주식수의 변동을 초래할 수 있는 일정한 행위를 금지시킨 바 있으나(구증권거래법 제23조 제4항), 2005년 2월 증권거래법 개정 시에는 그러한 금지를 전면적으로 해제한 것이 그 대표적인 예이다. 그리고, 1998년 4월에는 발행주식총수의 1/3까지 자기주식을 취득할 수 있도록 하고, 1999년 5월에는 증권거래법상 자기주식취득의 한도를 폐지하여(구 증권거래법시행령 제84조의2 제1항) 경영권방어를 위한 유용한 수단을 제공한 바 있다. 이 같은 입법태도는 2009년 2월 시행된 자본시장법에도 그대로 승계되고 있다. 그러나 자본시장법이 적대적 M&A로부터 경영권을 보전하기 위하여 방어수단을 활용하는 것의 적법성을 인정하는 것은 아니다.

한편, 자본시장법은 공개매수 이외의 경영권 분쟁에 있어서는 일정한 방어행위를 명시적으로 금지하는 태도를 취하고 있는 것도 특징이다. 자본시장법상 방어가 금지되는 경우로는 공개매수 이외의 경영권 분쟁상황이 있는 때이다. 1997년 3월 상장법인 재무관리규정을 개정하여 공개매수가 아닌 다른 경영권분쟁이 있는 경우에도 그 기간 중에는 사모에 의한 전환사채와 신주인수권부사채의 발행을 금지하였다. 이에 따라 「증권의 발행 및 공시에 관한 규정」은 공개매수 이외의 경영권분쟁의 경우를 명시하여 그 분쟁기간 중의 일정한 방어행위를 금지하고 있다(동 규정 제5-21조). 즉, 소수주주가 당해 상장법인의 임원의 해임을 위하여 주주총회의 소집을 청구하거나 법원에 그 소집의 허가를 청구한 때에는 그 청구 시부터 당해 임원의 해임여부가 결정될 때까지의 기간, 소수주주가 법원에 당해 상장법인의 임원의 직무집행의 정지를 청구하거나 주주총회결의의 무효ㆍ취소 등의 소를 제기하는 등 당해 상장법인의 경영과 관련된 분쟁으로 소송이 진행 중인 기간, 그리고 이상의 두 가지 경우에 준하는 당해 상장법인의 경영권분쟁사실이 신고ㆍ공시된 후 그 절차가 진행 중인 기간에는 모집외의 방법으로, 즉 사모에 의한 제3자배정의 방법으로 전환사채 또는 신주인수권부사채를 발행할 수 없다.

이와 함께 동 규정에서는 상장법인이 전환사채 또는 신주인수권부사채를 발행한 경우에는 공모(국내 및 해외 공모)에 의한 경우에는 그 발행 후 1월이 경과한 후에 전환 또는 신주인수권을 행사할 수 있는 조건으로 발행하도록 제한하고 있다. 그리고 모집 외의 방법 즉 사모의 방법으로 발행하는 경우에는 발행 후 1년이 경과한 후에 전환 또는 신주인수권을 행사할 수 있는 조건으로 발행하도록 규제하고 있다. 이와 같은 전환권 또는 신주인수권 행사의 제한은 기업인수 또는 경영권분쟁이 있는지를 묻지 아니하고 일상적인 회사경영상의 목적으로 발행하는 경우에까지 적용된다.

나. 이사의 방어권

적대적 M&A 또는 경영권 분쟁의 상황에서 대상회사 이사에게 방어권이 있다고 볼 수 있는지, 있다면 그 허용한계는 무엇이고 어떠한 기준(방어권 남용의 판단기준)에 의하여 판단하여야 할지가 최대의 과제이다. 이에 대하여는 국내외적으로 판례의 태도와 해석이 다양하다.

1) 긍정설

이 견해는 대상회사의 이사회는 경영판단사항으로서 적대적 M&A에 대하여 대항할 권리가 있다고 보는 입장이다(경영판단원칙설). 이 견해는 방어권행사의 적법한 근거를 경영판단원칙(business judgment rule)에서 찾고 있다. 경제적으로는 공개매수 등 적대적 M&A가 반드시 주주 및 사회적 복지를 향상시키는 것은 아니고, 주주의 이익측면에서 공개매수에 대한 방어는 매수가격의 상승을 유발하여 주주의 이익을 더욱 증대시킬 수 있으며, 이사는 주주 이외의 비투자자그룹에 대한 의무도 부담한다는 점 등이 그 논거로서 제시되고 있다.[120] 미국의 지배적인 학설이자 판례의 입장이다.

한편, 독일에서는 이사는 회사를 위하여 활동할 의무를 지고 있음을 출발점으로 하여 주주에 의한 의사결정의 영역에 이사의 개입을 인정하여야 하고, 또한 지배권의 장악 또는 회사의 섬멸위험성으로부터 사후적 구제는 불충분하기 때문에 사전의 구제로서 방어책의 행사가 필요하다거나(Martens), 상법상 이사회의 양도제한주식에 대한 양도승인권을 근거로 주주가 누구인지에 따라 회사의 이익을 고려함이 허용되기 때문에 대상회사의 방어조치는 적법하다는 견해(Wiedemann)가 있고 이것이 또한 판례의 태도이기도 한다.[121] 일본에서는 모든 경우에 방어조치를 법적으로 부정하는 경우에는 경영합리성 내지는 구체적 타당

---

120) Martin Lipton, Takeover Bids in the Target's Boardroom, 35 Bus. Law. 101, 104~105(1979).
121) 川浜 昇, "株式會社の支配爭奪と理事の行動の規制(3)," 「民商法雜誌」 제95권 제4호(1987), 486面.

성을 잃을 수 있으므로 방어조치의 적극적 의의를 인정하면서 합리적 이해조정
의 관점에서 그 정당성을 파악해야 한다는 주장122)도 제기되고 있다.

우리나라에서는 적대적 M&A에 대한 경영권방어의 적법성 문제는 법률에서
달리 규정하고 있지 않는 한 주주총회의 권한사항이라고 단언할 수 없고 이는
이사의 경영판단사항에 속한다고 보는 견해가 다수설이다.123) 이에 의하면 전체
주주의 공동자산인 회사의 운명이 달려있는 적대적 M&A의 국면에서 이사는 단
기적인 관점에서 회사의 지배권수호 또는 매각가격의 극대화뿐만이 아니라 장기
적인 견지에서 회사의 경영전략적 이익의 확보 또는 유지를 위하여 제반요소를
종합적으로 고려할 수 있다고 한다. 그리하여 이사는 회사에 관련된 집단적 이
익을 보호하기 위해 유연하고도 합리적인 적절한 방어책을 행사할 권한과 의무
가 있다고 풀이한다.

2) 부정설

이 견해는 적대적 M&A에 대하여 대상회사의 이사는 이를 방어할 권리가
없다고 보는 입장이다(기관간권한분배설). 이러한 입장을 중립의무원칙(rule of
neutrality) 또는 수동성 원칙(rule of passivity)이라고도 한다. 이에 따르면 경제

---

122) 德本 穰,「敵對的企業買收の法理論」(九州大學出版會, 2000), 140面 이하.
123) 유영일,「주식공개매수에 관한 연구」, 법학박사학위논문(서울대, 1994), 247~248면; 김택
    주,「공개매수의 방어에 관한 연구」, 법학박사학위논문(부산대, 1994), 56면; 송종준,
    "M&A에 대한 주요 방어대책,"「상사법연구」제14집 제1호(한국상사법학회, 1995. 8.),
    207면 이하; 박준·허영만, "적대적 M&A의 방어와 관련한 법적 규제,"「인권과 정의」제
    52호(대한변협, 1997), 80면; 노일석, "적대적 기업매수와 회사지배이론,"「상사법연구」
    제17권 제1호(한국상사법학회, 1998. 6.), 270면; 양만식, "적대적 M&A에 있어서의 이사
    의 역할(이사의 행동기준),"「기업법연구」제14집(한국기업법학회, 2003. 9.), 44~45면;
    맹수석, "적대적 M&A와 이사의 역할,"「법학연구」제15권 제1호(충남대 법학연구소,
    2004. 12.), 232면; 권재열, "적대적 M&A에 대한 이사의 방어행위기준," 189면; 이욱래,
    "적대적 M&A에 대응한 이사의 방어행위에 대한 법적 평가,"「BFL」제12호(서울대 금융
    법센터, 2005. 7.), 13면; 정쾌영, "공개매수제도에 관한 고찰 − 적대적 M&A에 대한 방어
    를 중심으로,"「상사법연구」제24권 제3호(한국상사법학회, 2005. 11.), 302면; 정대, "적
    대적 M&A에 대한 대상회사의 방어행위의 적법성 판단기준에 관한 고찰,"「기업법연구」
    제20권 제2호(한국기업법학회, 2006. 6.), 240면; 국중권,「적대적 M&A 방어법제에 관한
    연구」, 법학박사학위논문(성균관대, 2006. 12.) 162면; 김홍식,「적대적 M&A에 있어서 대
    상회사의 방어수단에 관한 법적 연구」, 법학박사학위논문(고려대, 2006. 12.), 82~84면;
    신우진, "경영권방어를 위한 자기주식의 제3자에 대한 처분의 법적 문제점," 167~168면;
    김화진·송옥렬,「기업인수합병」, 377~378면; 김홍식,「M&A개론」(박영사, 2009), 115면;
    이욱래, "적대적 M&A와 이사의 방어행위에 대한 법적 평가,"「BFL」제12호(서울대 금융
    법센터, 2005. 7.), 270~271면.

적으로 공개매수는 경영자의 교체를 통하여 생산적 자산의 효용극대화를 기하는 수단으로 이해하고 이는 곧 사회적 복지의 창출에 기여하는 효과가 있는 것으로 파악한다.[124] 이 견해는 미국의 소수설이다. 독일에서는 이사는 그 권한을 자기의 것으로서 보유하는 것이 아니고 이사의 선임 및 해임방법으로 회사지배가 결정되는 것이므로 현 이사진의 교체의 시비를 판단할 권한은 이사에게는 있지 않으며, 이사가 그것을 방해하는 것은 정당하지 않다는 견해(Mestmäcker)가 있다.[125] 이사는 이사의 교체에 대하여 중립의무를 진다는 것이며, 이는 독일의 다수설이다. 이 견해에 의하면 이사는 경쟁공개매수의 조장, 배당금인상, 제3자에 의한 방어적 합병 등 주주의 결정권을 배제하거나 방해하지 않는 방어행위만이 허용된다고 한다.

한편, 우리나라에서는 주주들의 의사와 무관하게 이루어지는 경영진의 방어행위는 공격 방어의 당사자가 아닌 자가 게임에 개입하여 공정한 게임을 그르칠 우려가 있다는 점에서 이사는 원칙적으로 중립을 취할 의무가 있다고 보거나,[126] 우리나라의 기업은 소유와 경영의 분리 정도가 미미하고 회사의 기존 지배주주와 경영진이 실질적으로 동일체인 경우가 대부분이며, 적대적 M&A과정에서 소수주주나 일반투자자들이 대주주나 경영진의 불합리한 방어행위를 견제할 수 있는 제도적 장치가 미흡하고 이러한 상황에서 이사회가 '경영판단'을 객관적으로 행사하리라고 기대하기 어려우므로 중립의무를 져야 한다는 견해[127]도 있다.

3) 절충설

이 견해도 원칙적으로 적대적 기업인수에 대한 경영자의 방어행위는 부정되지만, 경쟁공개매수의 조장, 배당금 인상, 제3자에 의한 방어적 합병 등과 같은

---

124) Frank H. Easterbrook & Daniel R. Fischel, The Proper Role of a Target's Management in Responding to a Tender Offer, 94 Harv. L. Rev. 1161, 1184 (1981).

125) 川浜 昇, "株式會社の支配爭奪と理事の行動の規制(3)," 488面; 洲崎博史, "不公正な新株發行とその規制(1,2)," 「民商法雜誌」 第95卷 2號 1面, 6號 17面 이하.

126) 이준섭, "공개개수법에 관한 고찰-개정 M&A법의 성찰," 「상사법연구」 제18권 제2호(한국상사법학회, 1999. 11.), 332면; 이철송, 회사법강의, 492면.

127) 김두식, "M&A법제의 개선방안연구," 「상장협」 추계호 제50호(한국상장회사협의회, 2004. 9.), 48면; 유진희, "유럽연합의 기업인수규제 - 공개매수지침을 중심으로," 「기업법연구」 제19권 제3호(한국기업법학회, 2005. 9.), 277면; 양병찬, 「외국자본 M&A의 법적 규제에 관한 연구」, 법학박사학위논문(전북대, 2006. 8.), 156면.

일정한 경우에 한하여 제한적으로 방어행위의 정당성이 인정될 수 있다는 입장이다.[128] 이 견해에서는 보유주식의 처분 및 회사의 장래에 대한 궁극적인 결정권은 주주에게 있다는 점을 전제로 그 결정권을 배제하거나 방해하지 않은 행위만 허용되고, 경쟁공개매수를 조장하는 경우에는 충분한 정보가 제공됨으로써 총주주의 집단적 이익이나 회사의 구조에 있어서 소유와 경영의 분리원칙에 부합하는 투자결정을 할 수 있다고 한다.[129]

4) 사 견

방어조치의 결정여부는 이사의 경영판단사항의 하나라고 보는 것이 옳다고 본다. 이사는 상법상으로 회사를 위하여 선관주의의무와 충실의무를 지고 있기 때문이다. 따라서 이사는 전체 주주의 공동자산인 회사의 운명이 달려있는 적대적 M&A의 국면에서 방어여부를 결정함에 있어서 주가상승에 따른 시세차익, 고배당이익 등과 같은 단기적인 이익뿐만 아니라 장기적인 이익도 함께 고려하는 것이 이사의 직무상 허용된다고 본다.[130] 다만, 경영판단사항의 하나로서 적대적 M&A에 대한 관계에서 이사는 회사와 주주의 이익을 무시하고 기존 지배주주의 지배권유지 또는 자신의 지위유지만을 위하여 방어권을 행사하는 것은 충실의무를 위반한 것으로서 허용되지 않는다고 보아야 할 것이다.[131] 따라서 이러한 견지에서는 방어의 위법성 여부를 판단할 수 있는 일정한 법원칙 또는 방어기준을 찾아내는 것이 앞으로의 과제라고 본다.

---

128) Lucian Bebchuck, The Case of Facilitating Competing Tender Offer, 95 Harv. L. Rev., 1028, 1050(1982); Ronald J. Gilson, A Structural Approach to Corporations - The Case against Defensive Tactics in Tender Offers, 33 Stan. L. Rev., 819, 868~ 870(1981).

129) Lynch & Steinberg, The Legitimacy of Defensive Tactics In Tender Offers, 64 Cornell L. Rev., 901, 927~928(1979).

130) 송종준, "M&A에 대한 주요 방어대책," 206면 이하.

131) Stephan M. Bainbridge, Mergers and Acquisitions(Foundation Press, 2003), pp. 352~ 386. 미국의 델라웨어 법원은 이스터 부룩, 피쉘, 길슨 교수 등의 주장을 받아들이지 않고 방어를 이사의 경영판단사항의 하나로 파악하여 경영판단의 재량을 통제하는 방식으로 방어의 적법성 문제를 해결하고 있다.

3. 방어의 적법성 판단기준

가. 미국법상의 판단기준

1) 주요목적기준

주요목적기준(primary purpose test)은 방어행위의 동기 또는 목적에 적정성이 있어야 한다는 원칙이다. 이것은 Cheff v. Mathes 사건[132]에서 제시된 기준이다. 이 기준 하에서 방어행위가 적법한지를 판단하기 위해서는 이사의 방어행위가 적절한 사업목적을 가지고 있는지, 대상회사에게 이익이 되는지 등의 여부를 고려하여야 하고, 또한 이사는 기업인수가 대상회사의 경영방침과 효율성에 위협이 된다고 신뢰하고 그 신뢰가 선의이고 합리적인 조사에 의한 것이어야 한다. 이에 대한 증명책임은 이사에게 있다. 이 기준은 대상회사에 방어의 재량을 폭넓게 인정하는 효과를 가지지만 현재는 거의 채택하고 있지 않다.

2) 비례성기준

비례성 기준(proportionality test)은 방어의 동기 또는 근거의 합리성(제1기준) 이외에도 방어의 정도에 있어서 합리성(제2기준)이 엄격하게 요구된다는 원칙이다. 이것은 Unocal Corporation v. Mesa Petroleum Co. 사건[133]에서 제시된 기준이다. 균형성 기준 또는 Unocal 기준이라고도 한다. 즉, 방어가 적법하기 위해서는 적대적 기업인수로 인하여 회사의 정책 및 효율성에 대하여 위협(a threat to corporate policy and effectiveness)이 존재한다고 믿을 말한 합리적인 근거가 있어야 하고, 아울러 이사회가 채택한 방어수단이 그 위협과 관련하여 상당하여야 한다(reasonable in relation to the threat posed)는 것이다. 그리고 방어의 동기와 정도의 합리성은 대상회사의 이사가 증명하여야 한다는 것이다.[134] 이 기준은 주요목적기준에 의한 방어의 남용, 즉 경영판단의 권한을 억제하기 위하여 제시된 것이다. 오늘날 미국의 대표적인 적법성 판단기준으로 인정되고 있다. 다만 이 기준에서는 적법한 방어행위로 인정되기 위해서는 방어수

---

132) 41 Del. Ch. 494, 199 A 2d 548(Sup. Ct. 1964).
133) 493 A 2d. 946(Del. 1985).
134) 같은 기준을 적용한 Unitrin 판결[Unitrin, Inc. v. American General Corp., 651 A. 2d 1361(Del, 1995)]에서는 대상회사 이사의 증명책임을 완화시켜준 바 있다.

단의 행사가 주주이익보호에 충실하여야 한다.

3) 가치극대화기준

가치극대화기준(value maximization test)은 회사경영권의 해체(break-up)가 불가피한 경우에는 적대적 M&A에 대하여 이사는 오로지 주주의 이익을 위하여 회사의 매각가격을 최대로 하여야 할 경매인(auctioneer)의 역할에 충실해야 한다는 원칙이다. 이것은 Revlon v. MacAndrews and Forbes Holdings, Inc. 사건[135]에서 제시한 기준이다. 이 기준 하에서 일정한 방어가 적법하기 위해서는 대상회사 주주에 대하여 최대이익을 실현하는 것과 합리적인 관련성이 있어야 한다. 이 기준은 대상회사에 대하여 서로 다른 M&A가 경합하는 경우, 대상회사의 해산 또는 해체가 불가피한 경우, 대상회사의 지배권이 변경된 경우에 적용될 수 있다고 한다.[136] 이 기준은 주요목적기준이나 비례성기준이 적용될 수 없는 특수한 경우의 방어의 적법성을 판단하기 위하여 제시된 것이다.

4) 중간적 기준

중간적 기준(intermediate standard)은 적대적 기업인수가 대상회사에게 주는 위협의 대상을 매수가격에 대한 주주의 이익과 방어행위로부터 얻을 수 있는 장기적인 경영전략이익으로 보고, 후자의 이익에 대한 위협이 존재하는 경우에도 그 위협과 합리적으로 관련되는 방어책을 행사하는 것은 적법하다는 원칙이다. 이것은 Paramount Communications, Inc. v. Time Incorporate 사건[137]에서 제시된 기준이다. 이 기준은 비례성기준만 적용되는 경우에 고려되지 못하는 중요한 요소로서 회사의 장기적 경영방침의 계속성이 침해되거나 훼손될 우려가 있는 특수한 경우에 적용될 수 있는 기준이다. 따라서 이 기준에서는 비례성기준과는 달리 단기적으로 주주이익을 침해하는 방어행위이더라도 적법할 수 있다.

나. 일본법상의 판단기준

일본의 경우에는 경영권 방어의 적법성에 관한 판단기준이 판례를 통하여 형성되어 왔지만, 최근에는 일본 정부가 제시한 방어권고기준을 판례에서 적극적

---

135) 506 A 2d, 173(Del. 1986).
136) Paramount Communications Inc., v. QVC Network Inc., 637 A 2d 34(Del. 1994).
137) 571 A 2d, 1140(Del. 1990).

으로 수용하고 있는 것이 특징이다.

1) 판례법상의 판단기준

가) 주요목적기준

이 기준은 경영권방어에 지배권의 유지와 자금조달의 목적이 모두 존재하는 경우에 후자를 중시하여 방어의 적법 여부를 판단하는 원칙이다. 여기서는 기업인수인에게 그 주요목적이 존재하지 않음을 주장·증명해야 할 책임이 있는 것으로 풀이한다. 이에 의하면 신주발행의 주요목적이 기업인수인의 지주비율을 떨어뜨리고 이사의 지배적 지위를 유지하고자 하는 경우에는 당해 신주발행은 현저히 불공정한 발행에 해당하여 위법하지만, 한편으로 신주발행의 주요목적이 회사의 자금조달을 위한 합리적인 경영목적을 가진 경우에는 당해 신주발행은 공정한 발행으로 취급된다.

판례상 주요목적기준에서 주요목적의 범위는 다양한 상황에서 폭넓게 확장되어 왔다. 지배권 분쟁의 국면에서 업무 및 자본제휴의 목적은 없이 주요주주의 지주비율을 저하시켜 현 경영자의 지배권을 유지할 목적으로 제3자에게 신주를 발행하는 것은 현저히 불공정하여 위법하다고 한 忠実屋 v. 이나게야 사건[138] 및 신주의 제3자배정에 자금조달목적이 있다는 이유로 적법성을 인정한 宮入밸브 사건(주요목적기준1),[139] 지배권의 다툼이 없는 사정에서 이루어진 신주의 제3자배정은 자금조달 목적 등 주요목적을 따질 필요 없이 위법하지 않다고 한 다이소 사건(주요목적기준2),[140] 지배권 유지목적과 주요목적이 병존하는 경우에 회사의 발전이나 업적 향상을 위한 신주의 제3자배정은 위법하지 않다고 한 벨시스템 사건[141](주요목적기준3)의 판결 등이 대표적이다.[142]

나) 비례성기준

이 기준에 의하면 방어에 지배권유지의 목적이 있더라도 이사회의 경영권한에 속하는 다른 사항이라도 특단의 사정이 있는 경우에는 방어의 필요성과 수

---

138) 東京地判 1989.7.25., 判例 タイロス 704號 84面.
139) 東京地決 1989.9.5.(2심사건), 金融·商事判例 828號 22面.
140) 大阪地決 2005.9.27., 金融·商事判例 1204號 6面.
141) 東京高決 2005.8.4., 金融·商事判例 1201號 4面.
142) 이들 판례에 대한 소개 및 평가는 송종준, 「M&A판례노트」(진원사, 2012), 447면 이하 참조.

단의 상당성이 인정되는 한 그 방어가 위법하지 않다는 것이다. 여기서는 방어의 주된 목적이 자금조달의 목적으로 국한될 필요가 없다. 이것은 경영권방어의 적법성을 허용하는 비교교량의 대상기준을 자금조달목적에 한정하지 아니하고 다른 정당한 목적으로까지 확장하는 것으로서 미국의 Unocal기준에 유사한 것이다.

라이브 도어 v. 일본방송 사건143)에서 주주 전체의 이익 보호라는 관점에서 신주예약권의 발행을 정당화하는 특단의 사정이 있는 경우에는 예외적으로 경영지배권의 유지·보호를 주요한 목적으로 하는 발행은 불공정 발행에 해당하지 않는다고 판시한 것이나, 니레코 사건144)에서 주주총회의 결의 또는 주주의 의사가 반영될 수 없는 사정에서 사전에 이사회의 결의만으로 경영권 방어에 대비하여 포이즌필의 발행을 결정한 것은 매수방어책으로서 상당성이 부족하다고 판시한 것은 이 원칙에 기초한 것이다.145)

다) 기업가치 및 주주공동이익 기준

이 기준은 특정 주주의 지배권취득에 수반하여 회사의 존립과 발전이 저해될 우려가 발생하는 등 기업가치가 훼손되어 회사 및 주주공동의 이익이 침해되는 경우에는 이를 방지하기 위해 당해 주주를 차별적으로 취급하는 것이 형평의 이념에 반하지 않거나 상당성을 결하지 않는 한 주주평등의 원칙에 반하지 않는다는 원칙이다.

이것은 스틸파트너스 v. 불독소스 사건146)에서 일본 대법원이 밝힌 입장이다. 이 사건에서는 특정주주의 경영지배권 취득으로 인하여 회사의 존립과 발전이 저해될 위험이 생기는 등 회사의 기업가치가 훼손되고 회사의 이익 내지는 주주공동의 이익이 침해되는 경우에는 이를 막기 위하여 주주를 차별 취급했다고 하여도 그 취급이 형평의 이념에 반하여 상당성을 결하지 않는 한, 이것을 곧바로 주주평등의 원칙에 반한다고 할 수는 없다고 판시하였다.147) 이 판결은 2005년 경제산업성·법무성이 권고한 방어지침에 충실한 것으로 보인다.148) 다

---

143) 東京高決 2006.3.23., 判例 タロス 1173號 125面.
144) 東京高決 2006.6.15., 金融·商事判例 1219號 8面.
145) 이들 판례에 대한 소개 및 평가는 송종준, 「M&A판례노트」, 458면 이하 참조.
146) 最二決 2008.8.7., 金融·商事判例 1279號 19面.
147) 이들 판례에 대한 소개와 평가는 송종준, 「M&A판례노트」, 467면 이하 참조.
148) 권재열, "일본에서의 적대적 M&A에 대한 방어수단의 합리성 판단," 「증권법연구」 제10권

만 이 판지를 방어의 적법성 판단을 위한 일반원칙으로서 삼을 수 있을지에 대해서는 견해차가 있다.[149]

2) 방어지침상의 기준

2005년 일본의 경제산업성 및 법무성은 기업매수방어책에 관한 지침[150](이하 '방어지침'이라 함)을 권고한 바 있다. 이 지침은 흔히 기업가치기준으로 불리며 아래와 같은 3가지의 기준을 주된 내용으로 하고 있다.[151]

가) 기업가치·주주공동이익의 확보·향상의 원칙

이 원칙은 방어수단이 경영자의 지위유지를 목적으로 하여서는 아니 되고 기업가치와 주주공동이익의 확보·향상을 위한 것이어야 한다는 것이다. 매수자가 제시한 조건보다 주주에게 보다 유리한 매수제안을 유도할 목적으로 시간을 확보하고 교섭력을 제고하고자 하는 방어책은 주주공동의 이익을 확보하고 향상시킬 수 있는 방어책으로 취급하고 있다. 그리고 이 지침은 방어가 허용될 수 있는 반기업가치적이고 반주주공동이익적인 기업매수의 유형을 예시하고 있다.

주주공동의 이익을 명백하게 침해하는 기업매수(예컨대 주식을 매집하여 회사에 대하여 고가로 매수할 것을 요구하는 행위, 그린메일, green mail), 회사를 일시적으로 지배하여 회사의 주요자산 등을 저가로 취득하는 등 회사의 희생으로 매수자의 이익을 실현하는 경영을 하는 행위, 기업의 자산을 매수자 기타 그룹회사 등의 채무의 담보 내지는 변제재원으로서 유용하는 행위, 회사경영을 일시적으로 지배하여 회사의 당면관계에 있지 않는 고액자산 등을 처분하거나 그 처분이익을 가지고 일시적인 고액배당을 하거나, 일시적인 고액배당을 주가의 급상승의 기회로 이용하여 고가로 매도하는 행위 등), 1단계에서 응모하지 않은 주주에게 1단계의 매수조건보다 불리한 매수조건을 설정하여 사실상 주주에게 주

제2호(한국증권법학회, 2009), 394면.

149) 森本 滋, "敵對的買收と株主總會 ─ 日本の最近の理論狀況について," 「증권법연구」 제10권 제1호(한국증권법학회, 2009), 389면.

150) 經濟產業省·法務省, "企業價値·株主共同の利益の確保又に向上のための買收防禦策に關する指針"(2005. 5. 27.); 企業價値研究會, 「企業價値報告書」─公正な企業社會のルール形成に向けた提言(2005. 5. 27.).

151) 이 방어지침상 기업가치기준은 자금조달기능이 없는 신주예약권발행에 의한 방어의 적법성 판단에 있어서 주요목적기준의 한계를 극복하고자 한 것으로 평가하는 견해도 있다(松本眞輔, 「新會社法·新證取法における敵對的買收と防衛策」(稅務經理協會, 2005), 16面.

식매각을 강요하는 2단계 기업매수행위 등이 그것이다.

나) 사전공시 및 주주의사의 원칙

사전공시의 원칙은 방어책이 주주나 투자자, 잠재적인 매수자의 예측가능성을 제고하고 주주에게 적정한 선택의 기회를 확보하기 위하여 방어책을 도입할 때에는 그 목적, 구체적인 내용, 효과(의결권의 제한 및 변경, 재산적 권리에의 영향 등을 포함한 이익 또는 불이익) 등을 구체적으로 공시하여야 한다는 것이다. 주주의사의 원칙은 주주의 합리적인 의사에 따라 방어책을 활용하여야 한다는 것이다.

이 원칙은 방어책을 주주총회의 결의로 도입하는 경우와 이사회의 결의로 도입하는 경우를 구분하여 달리 취급하고 있다. 전자의 경우에는 방어책의 경중에 따라 주주총회의 특별결의 또는 보통결의를 거쳐야 한다. 후자의 경우에는 주주총회는 방어의 기동성을 발휘하기 곤란하기 때문에 이사회가 주주공동의 이익을 위하여 방어책을 도입하는 것을 일률적으로 부정하는 것은 타당하지 않으므로 이사회가 방어책을 도입하였더라도 주주의 총체적 의사에 의하여 방어책을 폐지할 수 있는 수단(소극적인 승인을 얻는 수단)을 설정한 경우에는 주주의사의 원칙에 반하지 않는다는 것이다.

다) 필요성 및 상당성 확보의 원칙

이 원칙은 주주를 차별하여 주주평등의 원칙과 재산권에 대한 중대한 위협이 되거나 경영자의 보신(保身)을 위하여 남용되는 것을 방지하기 위하여 방어책은 필요한 상당한 방법에 따라야 한다는 것이다. 따라서 방어책은 법률이 달리 예외를 두고 있지 않는 한, 주주평등의 원칙과 주주의 재산권을 침해하지 않아야 한다. 그리고 방어책이 경영자의 보신을 위해 남용되는 것을 방지하기 위해서는 이사회가 방어책을 발동하는 때에는 주주공동의 이익에 대한 위협이 존재함을 인식한 후에(필요성의 원칙) 당해 위협에 대하여 과잉이 아닌 상당한 내용의 방어책을 발동하여야 한다(상당성의 원칙).

그리고 이사회가 이러한 판단을 하기 위하여는 변호사 기타 금융자문업자 등 외부 전문가의 분석을 거치고, 판단의 전제인 사실인식 등에 중대한 부주의가 있어서는 아니 되는 등 합리적인 판단과정을 거쳐 신중한 검토가 요구된다.[152]

---

152) 방어지침, 7면 주 6.

이러한 검토는 이사회의 자의적 판단을 배제할 가능성을 제고하고 매수방어책의 공정성을 제고하는 효과가 있다는 것이다.

다. 우리법상의 판단기준

1) 판 례

우리 판례상으로는 방어권의 적법성 판단기준이 무엇인지 그 태도가 명확하지 않다.[153] 대체로 방어행위에 지배권 또는 경영권 유지의 목적이 있는지의 여부에 따라 그 위법성을 판단해 왔다고 평가할 수 있다. 판례상으로는 제3자에 대한 사모에 의한 전환사채, 신주인수권부사채, 신주의 발행, 또는 실권주의 배정, 제3자에 대한 자사주 처분, 일반공모증자, 종업원에 대한 자사주매입 지원 등과 같은 방어행위의 위법성 또는 효력이 다투어진 바 있다.

가) 신주 또는 주식연계채권의 사모발행

(1) 한화종금사건

한화종금사건은 경영권을 장악할 목표로 한화종금 주식을 대량매집한 2대주주가 한화종금이 대량의 전환사채를 사모의 방법으로 발행하여 경영권을 방어하려 하자, 전환사채의 전환에 따라 발행될 신주의 의결권행사금지 가처분을 신청한 것이다. 이 사건에서 서울지방법원은 제3자에 대한 전환사채의 발행은 조직법상의 행위가 아니라 거래법상의 행위이고 전환사채는 유통성이 강한 유가증권이므로 주주의 이익보호 이상으로 거래안전의 보호를 중시하여야 할 것이어서 그 발행의 무효사유는 엄격히 보아야 하고, 대외적인 업무집행행위로서 전환사채를 발행한 것을 무효라 볼 수 없다고 판시하였다.[154]

반면에 서울고등법원은 경영권분쟁 상황에서 제3자인 우호세력에게 집중적으로 신주를 배정하기 위한 하나의 방편으로 전환사채를 발행한 것은 사실상 신주발행과 같은 것으로서 주주의 신주인수권을 침해한 위법이 있는 것이고, 전환사채 발행의 주된 목적은 경영권분쟁상황에서 경영권을 방어하기 위한 점 등에 비추어 이것은 현저하게 불공정한 방법에 의한 발행으로서 무효라고 판시하였다.[155]

---

153) 국내 판례를 주요목적기준과 비례성 기준으로 나누어 설명하는 견해로는 임재연, 「회사법 I」, 210~212면.
154) 서울지방법원 1997.2.6. 97카합118.
155) 서울고등법원 1997.5.13. 97라36(재항고).

(2) 미도파 사건

미도파 사건은 미도파가 대량의 전환사채와 신주인수권부사채를 공모 이외의 방식으로 발행하려하자, 경영권을 인수하고자 했던 외국인 투자자가 전환사채 및 신주인수권부사채의 발행 유지 가처분신청을 한 것이다.[156] 이 사건에서 서울지방법원은 주주 외의 자에게 보통주식에 대한 신주인수권을 행사할 수 있는 신주인수권부사채를 공모 이외의 방식으로 발행한다면 이는 경영권분쟁의 향배에 영향을 미치는 것으로서 현저히 불공정한 방법에 의한 사채발행에 해당할 우려가 있다는 논거를 제시한 바 있다.

(3) 삼성전자 사건

이 사건은 삼성전자(주)가 대표이사 회장의 장남과 계열사에 대량의 전환사채를 발행하자, 시민단체가 회사지배권승계의 사익을 위하여 위법하게 발행하였다는 등의 이유로 전환사채의 무효를 구한 것이다.[157] 이 사건에서 대법원은 "전환사채발행의 무효원인은 가급적 엄격하게 해석하여야 하고 그 무효원인을 회사의 경영권 분쟁이 현재 계속 중이거나 임박해 있는 등 오직 지배권의 변경을 초래하거나 이를 저지할 목적으로 전환사채를 발행하였음이 객관적으로 명백한 경우에 한정할 것은 아니고, 법령이나 정관의 중대한 위반 또는 현저한 불공정이 있어 그것이 주식회사의 본질이나 회사법의 기본원칙에 반하거나 기존 주주들의 이익과 회사의 경영권 내지 지배권에 중대한 영향을 미치는 경우로서 전환사채와 관련된 거래의 안전, 주주 기타 이해관계인의 이익 등을 고려하더라도 도저히 묵과할 수 없는 정도라고 평가되는 경우에 한하여 전환사채의 발행 또는 그 전환권의 행사에 의한 주식의 발행을 무효로 할 수 있다"고 판시하였다.[158]

(4) 유비케어 사건

이 사건은 최대주주인 원고 (주)엠디하우스가 피고인 (주)유비케어에 대하여 적대적 인수를 추진하고 있는 상황에서 피고 회사의 대표이사 등 현 경영진이 우호세력인 제3자에게 대량의 신주를 발행하여 지분율을 역전시킴으로써 현존 경영진의 경영권을 방어하자, 원고 회사가 피고 회사의 신주발행의 무효확인을

---

156) 서울지방법원 1997.2.6. 97카합481.
157) 대법원 2004.6.25. 2000다37326.
158) 같은 취지의 하급심 판례로는 서울고등법원 2006.7.19. 2006나24218(세이브 존 사건).

구한 것이다.159) 서울남부지방법원은 "피고 회사의 경영진이 그 특수관계인 및 우호세력과 함께 보유하게 될 주식 지분율은 기존의 지배구조를 역전시키기에 충분한 것이었다 할 것인바, 이는 지배권의 변경을 초래하거나 이를 저지할 목적으로 신주를 발행하였음이 객관적으로 명백한 경우로서 현저히 불공정하게 한 신주발행"이라는 논거에서 무효임을 확인하였다.

(5) 세양선박 사건

이 사건에서는 S&T중공업측이 세양선박의 지분 18%를 매입하여 제2대주주로 부상하자 세양선박은 해외CB발행과 제3자배정유상증자 등으로 대응하였다. 이에 S&T중공업측은 세양선박에 대하여 신주 및 전환사채 효력정지 가처분을 신청하였다.160) 서울중앙지법은 일반론으로서 "자본조달의 목적이 회사의 이익에 부합하지 않고 그 목적달성을 위하여 주주의 신주인수권을 배제할 만한 상당한 사정이 없는 경우에는 제3자신주발행은 무효이고, 전환사채도 주식회사의 본질이나 회사법의 기본원칙에 반하거나 기존 주주들의 이익과 회사의 경영권 내지 지배권에 중대한 영향을 미치는 경우로서 전환사채의 거래와 관련된 거래의 안전, 주주 기타 이해관계인의 이익등을 고려하더라도 도저히 묵과할 수 없는 정도라고 평가되는 경우에는 전환사채의 발행도 무효"라고 설시하였다. 그러나 이 사건에서 제3자에 대한 신주발행과 CB발행은 자금조달이라는 회사경영상의 필요가 있다는 이유로 가처분신청이 기각되었다.

(6) 에이치케이 저축은행 사건

이 사건에서는 금융감독원의 BIS 비율 기준을 맞추어야 하는 다급한 사정에서 가장 신속한 자금조달수단으로서 제3자에게 신주를 배정하여 지분비율에 변동이 생기자 주주가 신주발행 가처분 명령을 신청한 것이다. 이에 대하여 서울지방법원은 "회사의 경영권 분쟁이 발생한 상황에서 신주발행이 회사의 경영목적에 부합하는 면이 있더라도 경영상 필요성으로 인하여 불가피하게 경영권 분쟁이 종결되기도 전에 주주의 신주인수권을 배제할 수밖에 없다는 사정이 존재하여야만 그 신주발행은 유효한데, 이 사건에서의 신주발행은 주주의 신주인수권을 침해하지 아니하고도 자본을 조달할 수 있었음에도 제3자배정을 한 것으로

---

159) 서울남부지방법원 2004.11.25. 2003가합16871.
160) 서울중앙지방법원 2005.11.15. 2005카합3661.

서 무효"라고 판시하였다.[161]

나) 자기주식의 처분

경영권 방어수단으로 자사주를 제3자에게 처분한 경우 그 효력을 둘러싸고 하급심 판례는 무효와 유효의 입장으로 갈리고 있다. 2007년 이전의 하급심 판례는 대체로 무효라고 한 반면, 2007년 이후에는 유효의 입장을 취하고 있다.

(1) 대림통상 사건

대표적으로 대림통상 사건에서는 자사주의 처분을 무효라고 판시하였다. 이 사건에서 서울서부지방법원은 "다른 주주들에게는 자기주식을 매수할 기회를 주지 않은 채 특정주주에게의 일방적인 매도는 주주의 신주인수권을 침해하고 가 기존주주들의 이익과 회사의 경영권 내지 지배권에 중대한 영향을 미치는 경우로서 주식처분과 관련된 거래의 안전, 주주 기타 이해관계인의 이익 등을 고려하더라도 도저히 묵과할 수 없으므로 자기주식의 처분행위는 무효"라고 판시하였다.[162]

(2) SK사건과 파인디지탈 사건

SK사건과 파인디지탈 사건에서는 자사주의 처분을 유효라고 판시하였다. SK 사건에서 소버린이 제3자에 대한 자사주 처분에 대하여 의결권 침해금지가처분을 신청하자, 서울지방법원은 "자사주의 처분이 소버린의 지분희석만으로 자사주처분을 무효라고 볼 수 없고, 자사주 처분의 결의는 이사회의 경영판단으로서 적법하다"고 판시하였다.[163] 또한, 파인디지탈 사건에서 수원지방법원은 "자기주식의 처분은 자기주식의 처분은 제3자와의 거래행위이므로 거래 상대방이 자기주식의 처분이 경영권 방어목적으로 발행되었다는 사실은 알았거나 알 수 있었을 경우에만 무효라고 할 것인 바, 이 사건에서 상대방에게 악의 또는 과실이 있다고 볼 수 있는 증거가 없으므로 무효라는 주장은 이유 없다"고 판시하였다.[164] 이 사건 이후에 다수의 하급심 판례는 이와 동일한 입장을 취하고 있다.[165]

---

161) 서울중앙지방법원 2005.5.13. 2005카합744. 같은 취지: 대법원 2009.1.30. 2008다50776.
162) 서울서부지방법원 2006.3.24. 자 2006카합393; 2006.6.29. 2005가합8262(본안).
163) 서울중앙지방법원 2003.12.23. 2003카합4154.
164) 서울북부지방법원 2007.1.30. 2007카합30.
165) 서울중앙지방법원 2007.6.20. 자 2007카합1721; 서울북부지방법원 2007.10.25. 자 2007카

(3) 제일모직과 삼성물산 합병사건

제일모직과 삼성물산 간의 합병을 위하여 삼성물산의 주주총회에서 합병계약
을 결의하여야 하는 상황에서 삼성물산은 2015. 6. 10. '회사 성장성 확보를 위
한 합병가결 추진 및 재무구조 개선'을 목적으로 자기주식으로 보유하고 있는
보통주식 8,999,557주를 2015. 6. 10. 종가인 주당 75,000원에 장외거래 방식으
로 처분하기로 하는 이사회 결의를 한 다음, 2015. 6. 11. (주)KCC에 이 사건
자기주식을 매도한 후인 2015. 7. 2. 이 사건 주주총회의 소집통지 및 공고를
하였다. 그러자 삼성물산의 소수주주인 미국계 헤지펀드 엘리엇 매니지먼트
(7.12% 소유)는 동 주주총회에 관하여 소집통지 금지, 결의금지, 이 사건 합병계
약서를 승인하는 내용의 결의가 이루어질 경우 그 결의효력정지 및 집행금지 등
을 구하는 가처분을, 그리고 (주)KCC에 대하여는 이 주주총회에서 합병결의를
목적으로 하는 안건에 관하여 의결권금지가처분을 신청하였다. 이러한 신청사항
에 대하여 서울지방법원과 서울고등법원은 원고의 신청을 모두 기각하였다.[166]
특히 자기주식의 처분과 관련하여 동 법원은 개정상법에서는 자기주식 처분방법
에 대하여 특별한 제한이 없으므로 회사가 시장에서 처분하든지 또는 직접거래
에 의하여 처분하든지 이를 자유롭게 처분할 수 있다고 판단하였다.

다) 우리사주조합원에 대한 자사주 매입지원 및 신주배정

(1) 신한종금 사건

신한종금사건에서는 회사가 우리사주조합원에게 우리사주 매입자금을 대출하
여 조합원이 매입한 우리사주를 통하여 신한종금의 경영지배권을 유지한 것이
문제되었다. 이 사건에서 대법원은 "경영지배권을 방어·유지하기 위한 목적으
로 피고인들이 공모하여 우리사주 조합원에 대하여 부당하게 대출하여 준 것은
신한종금에 손해를 가한 것으로써 배임죄가 성립한다"고 판단하여 그 위법성을
인정하였다.[167]

합1082.

166) 서울중앙지방법원 제50민사부 2015.7.1. 자 2015카합80582 및 2015.7.7. 자 2015카합
80597; 서울고등법원 제40민사부 2015.7.16. 자 2015라20485 및 2015.7.7. 자 2015라
20503.

167) 대법원 2004.2.13. 2002도996. 유사한 판례로는 대법원 1999.6.25. 99도1141(기아자동차
사건).

(2) 머니투데이 사건

우리사주조합에 대한 신주배정에 관하여는 머니투데이 사건이 있다. 이 사건에서는 주주간에 지분율이 엄격하게 유지되어야 하는 관계에서 회사가 우리사주조합원에게 제3자배정의 방법으로 신주를 배정한 것은 현저히 불공정하여 무효라는 이유로 의결권행사 금지 가처분 결정(서울중앙지방법원)이 내려진 바 있다.

따라서 주주배정방식으로 유상증자를 추진하면서 자본시장법상 우리사주 우선배정비율의 범위 내에서 우리사주를 배정하려고 하자 우리사주 발행의 유지를 청구한 것이다. 이에 대하여 서울중앙지방법원은 "우리사주 배정이 자본시장법상 적법하더라도 지분율의 배분이 엄격하게 유지되어야 하는 특수한 사정에서 우리사주 조합에 신주를 발행함으로써 지분율 관계를 훼손하고 경영권 다툼이 지속되고 있는 상황에서 다른 자본조달 방법이 있음에도 불구하고 우리사주 조합에 신주를 발행하는 것은 현저히 불공정한 방법에 의한 것으로서 주주가 불이익을 받을 염려가 있는 경우에 해당하여 신주발행의 유지를 청구할 피보전권리가 인정된다"는 취지로 판시하였다.[168]

라) 실권주의 처리

주주에 대한 유상증자시에 발생하는 실권주나 단주의 처리로 경영권을 방어하거나 강화하려는 경우도 있다.

(1) SK텔레콤 사건

SK텔레콤 사건에서 서울지방법원은 "모든 주주들에게 신주인수권이 평등하게 부여되는 유상증자에서 발생한 실권주를 이사회가 일정할 할인율을 적용하여 최대 주주측에 처리한 것이 정관이나 관련 규정을 위배하지 아니하였다면 그 처리로 인하여 약간의 주식지분의 변동이 예상된다 하더라도 유상증자가 현저히 불공정하여 위법하다고 할 수 없다"는 취지로 판시한 바 있다.[169]

(2) 신호제지 사건

신호제지 사건에서는 주주배정방식으로 유상증자를 하는 상황에서 할인율을 낮게 책정하여 신주를 고가로 발행하기로 결정하여 실권주의 발생을 유도하는 것은 현경영진이 우호지분을 늘릴 가능성이 있으므로 그것이 현저히 불공정한

---

168) 서울중앙지방법원 2007.11.19. 자 2007카합3341.
169) 서울지방법원 1999.7.6. 99카합1747.

행위인지 위법 여부가 다투어졌다. 이 사건에서 수원지방법원은 "신주발행이 모든 주주에게 평등하게 이루어지고 있고 정관과 관련 법령에 기한 것인 이상, 현저히 불공정하여 위법하다고 할 수 없고, 또한, 신주발행가격이 실제가치보다 훨씬 고가로 높은 가격이라 할지라도 회사 전체로서는 주식의 실제가치보다 많은 현금이 회사에 유입되는 것이므로 실권주주의 지배권이 감소함으로써 입게 되는 손해가 실권주주의 기존주식의 가치가 상승하여 얻는 이익 보다 반드시 크다고 단정할 수 없고, 채권자들로서는 만약 신주인수를 원하지 않을 경우 상당한 가격에 신주인수권을 제3자에게 양도할 수 있는 이상 이 사건 신주발행이 현저히 불공정한 것이라는 주장도 이유 없다"는 취지로 판시한 바 있다.170)

  (3) 에버랜드 사건

  이 사건에서는 회사가 주주배정방식으로 전환사채를 발행하였으나 실권되자 제3자에게 실권된 전환사채를 주주배정가액과 같은 가액으로 배정하였고 그 결과 회사의 지배권이 변경되었다. 이 사건에서는 이사의 업무상 배임죄 성립여부가 다투어졌는데 대법원 판결에서는 다수의견과 소수의견이 근소한 차이로 나뉘었다. 다수의견은 "상법상 전환사채를 주주 배정방식에 의하여 발행하는 경우에도 주주가 그 인수권을 잃은 때에는 회사는 이사회의 결의에 의하여 그 인수가 없는 부분에 대하여 자유로이 이를 제3자에게 처분할 수 있는 것인데, 단일한 기회에 발행되는 전환사채의 발행조건은 동일하여야 하므로, 주주배정으로 전환사채를 발행하는 경우에 주주가 인수하지 아니하여 실권된 부분에 관하여 이를 주주가 인수한 부분과 별도로 취급하여 전환가액 등 발행조건을 변경하여 발행할 여지가 없다. 주주배정의 방법으로 주주에게 전환사채인수권을 부여하였지만 주주들이 인수청약하지 아니하여 실권된 부분을 제3자에게 발행하더라도 주주의 경우와 같은 조건으로 발행할 수밖에 없고, 이러한 법리는 주주들이 전환사채의 인수청약을 하지 아니함으로써 발생하는 실권의 규모에 따라 달라지는 것은 아니다"라고 판시하였다.171) 그리하여 공정가액에 비하여 현저히 낮은 가액으로 전환사채를 제3자에게 배정하였더라도 회사에는 손해가 없고, 이사에게 업무상 배임죄를 물을 수 없다는 것이다.

  반면에, 이 사건의 판결에서 소수의견은 이에 반대하였다. 소수의견에 의하면

---

170) 수원지방법원 2005.11.17. 2005카합823.
171) 대법원 2009.5.29. 2007도4949 전원합의체.

주주에게 배정하여 인수된 전환사채와 실권되어 제3자에게 배정되는 전환사채를 '동일한 기회에 발행되는 전환사채'로 보아야 할 논리필연적인 이유나 근거는 없다. 실권된 부분의 제3자 배정에 관하여는 다시 이사회 결의를 거쳐야 하는 것이므로 당초의 발행결의와는 동일한 기회가 아니라고 볼 수 있다. 그 실권된 전환사채에 대하여는 발행을 중단하였다가 추후에 새로이 제3자 배정방식으로 발행할 수도 있는 것이므로 이 경우와 달리 볼 것은 아니다. 그리고 주주 각자가 신주 등의 인수권을 행사하지 아니하고 포기하여 실권하는 것과 주주총회에서 집단적 의사결정 방법으로 의결권을 행사하여 의결하는 것을 동일하게 평가할 수는 없는 것이므로 대량의 실권이 발생하였다고 하여 이를 전환사채 등의 제3자 배정방식의 발행에 있어서 요구되는 주주총회의 특별결의가 있었던 것으로 간주할 수도 없다는 것이다. 그리하여 저가에 의한 실권전환사채의 제3자 배정은 회사에 손해를 끼친 것이고, 따라서 이사는 업무상 배임죄를 진다는 것이다.

마) 일반공모증자

경영권 분쟁의 국면에서 공모증자를 추진하여 경영권을 방어하려는 시도도 있다. 현대엘리베이터 사건이 대표적인 사례이다. 이 사건에서는 현 경영진이 (구)증권거래법상 허용되는 일반공모증자방식(구증권거래법 제189조의3, 자본시장법 제165조의6)으로 시가발행을 추진하자 기존 최대주주측이 신주발행금지 가처분명령을 신청하였다.

이 사건에서 수원지방법원 여주지원은 "대상회사의 정관에서 주주의 신주인수권을 배제하는 신주발행의 요건으로 상법 제418조 제2항과 같은 요건을 규정하고 있다면, 특별한 사정이 없는 한 기업취득이 시도되는 상황에서 대상회사의 이사회가 경영권 방어행위로서 하는 주주의 신주인수권을 배제하는 대규모 신주발행행위는 회사의 경영상 필요한 자금조달을 위한 경우에 해당한다고 볼 수 없으므로 비록 그 발행근거가 증권거래법 제189조의3이라 하더라도 허용될 수 없다고 봄이 옳을 것이다"라고 판시하였다.

다만, 동 판결에서는 "그러한 신주발행의 주요목적이 기존 지배주주의 대상회사에 대한 지배권 및 현 이사회의 경영권 방어에 있고, 회사의 경영을 위한 기동성 있는 자금조달의 필요성 및 이를 위한 적합성을 인정하기 어려운 경우라도 적대적으로 기업취득을 시도하는 자본의 성격과 기업취득 의도, 기존 지배주

주 및 현 경영진의 경영전략, 대상회사의 기업문화 및 종래의 대상회사의 사업
내용이 사회경제적으로 차지하는 중요성과 기업취득으로 인한 종래의 사업의 지
속 전망 등에 비추어 기존 지배주주의 지배권 또는 현 경영진의 경영권이 유지
되는 것이 대상회사 및 일반주주에게 이익이 되거나 특별한 사회적 필요가 있다
고 인정되고, 한편, 이러한 신주발행행위가 그 결의 당시의 객관적 사정에 의하
여 뒷받침되고, 그 결의에 이르기까지의 과정에 대상회사의 경영권 분쟁 당사자
인 기존 지배주주가 아닌 일반 주주의 의결과 중립적인 전문가의 조언을 듣는
절차를 거치는 등 합리성이 있는 경우라면 상법 제418조 제2항 및 이와 동일한
규정을 둔 대상회사의 정관규정이 정하는 회사의 경영상 목적을 달성하기 위하
여 필요한 경우에 해당한다고 보아 허용되어야 할 것이다"라는 방론이 제시되기
도 하였다.172)

2) 학 설

우리나라의 학설은 방어권 남용 여부의 판단기준에 대하여 뚜렷한 입장을 보
이고 있는 것 같지는 않다. 이에 관하여 이사의 방어권을 긍정하는 견해와 중립
의무를 전제로 하는 견해로 나누어 그 기본입장을 정리하면 다음과 같다.

가) 이사의 방어권 인정을 전제로 하는 견해

이 견해에서는 구체적인 경우에 방어방법이 이사의 권한남용으로서 충실의무
에 반하는지는 개별적으로 판단하여야 한다고 한다.173) 이 견해에서는 방어권
남용의 판단기준으로서 방어행위의 태양, 방어행위가 주주 및 회사의 이익을 해
치는지 및 그 정도를 고려하여야 하고 방어행위의 경위도 고려되어야 한다고 주
장한다. 그 밖에, 이사의 방어행위와 관련한 여러 가지 목적과 배경 및 주주의
부에 미치는 영향 등을 총체적으로 고려하되 사외이사 내지 기타 전문가등의 조
언과 같이 적정한 절차를 거쳐서 이루어진 의사결정이라면 설령 이사의 방어행
위가 이사의 지위보전에 어느 정도 관련이 있다고 하더라도 이사의 권한 남용으
로 볼 수 없고 지배권에 영향을 주는 것을 주요목적으로 하는 방어방법도 인정
해야 한다는 견해174)도 있다.

---

172) 수원지방법원 여주지원 2003.12.12. 2003카합368.
173) 박준·허영만, 전게 "적대적 M&A의 방어와 관련한 법적 규제," 880면.
174) 권재열, "적대적 M&A에 대한 이사의 방어행위기준," 189면. 그러나 우리법의 해석상으로

한편, 현대엘리베이터 사건에서 법원이 설시한 일반론을 4가지 기준으로 유형화하여 방어권 남용의 판단을 위한 일반원칙을 제시한 견해(이른바 4기준설)175)도 있다. 이 견해에서 제1기준은 방어수단에 해당하는 행위에 대하여 직접 법령이나 대상회사의 정관에 규정된 바가 있으면 그 법령과 정관규정이 허용하는 범위 내인지의 여부에 따라 그 적법성을 결정하여야 한다는 것이다.176) 제2기준은 법령이나 정관에 해당 방어행위를 금지하거나 제한하는 특별한 규정이 없는 경우에는 방어행위의 동기나 목적, 방어 수단의 합리성 등을 종합하여 그 허용 여부가 결정되어야 한다는 것이다. 제3기준은 경영권 방어에 주된 목적을 가진 행위라도 일정한 실체적 요건과 절차적 요건을 갖추면 적법할 수 있다는 것이다. 제3기준은 방어행위가 제1기준 또는 제2기준에 따르면 경영권 방어에 주된 목적이 있어서 위법한 경우에도 경영권을 보호해 주어야 할 절박하고 특별한 사정이 있는 경우에 적용하기 위한 것이다. 이 경우에는 경영지배권이 유지되어야 할 합당한 근거로서 사회적, 경제적 필요성이 인정되어야 하고(실체적 요건), 방어행위를 실행하기 위한 이사회, 주주총회 결의의 객관성, 합리성이 존재하고 이를 확보할 수 있는 공정한 절차로서 중립적인 전문가의 조언을 듣는 것(절차적 요건)이 필요하다는 것이다. 제3기준은 미국의 Unocal 기준, 일본의 방어지침과 유사한 것이다.177) 그리고, 제4기준은 위의 세 가지 기준이 적용되는 것이 합리적이지 않은 특수한 상황으로서 예컨대, 대상회사가 경쟁적 인수의 대상이 되거나, 해산 또는 처분될 수밖에 없는 불가피한 사정에 처한 경우, 회사의 경영구조상 경영진의 교체가 불가피한 경우 등과 같이 대상회사의 경영진에 의한 경영권 유지가 객관적으로 적정하지 않은 경우에는 경영진이 경영권을 방어하는 것은 위법하고 회사의 매각가격을 극대화하여야 할 의무가 있다는 것이다. 이 기준은 미국의 Revlon 판결에서 제시된 가치극대화 기준을 수용한 것이다.

그 밖에 위의 제2기준과 제3기준을 통합하여 3가지 기준을 제시한 견해178)

는 이러한 논리를 도출하기 어렵다는 견해도 있다(이철송, 「회사법강의」, 492~493면).
175) 송종준, "경영권 방어수단 도입의 전제조건," 「기업법연구」 제19권 제4호(한국기업법학회, 2005), 209면 이하.
176) 제1기준은 방어의 적법성을 판단하는 기준으로 가장 많이 사용되어 왔다고 풀이하기도 한다(김정수, 「자본시장법론」, 841면; 김화진·송옥렬, 「기업인수합병」, 391면).
177) 유사한 견해로는 임재연, 「회사법 I」, 212면.
178) 김홍식, 「M&A개론」, 171~172면.

도 있고, 적대적 기업인수가 기업가치에 가한 위협을 기준으로 방어수단의 적정
성과 합리성을 판단해야 한다는 기업가치기준을 제시하는 견해[179)도 있다.

나) 이사의 중립의무를 전제로 하는 견해

이 견해는 적대적 M&A 또는 경영권 분쟁 중 이사는 경영권 방어와 관련해
서는 중립의무가 있다고 보되 일정한 경우에 한하여 예외적으로 방어 조치를 허
용할 수 있다는 입장이다.[180) 그 구체적인 기준으로는 대상회사 주주들이 방어
조치를 승인하는 경우, 인수자의 기업인수가 소수주주들 또는 일반주주들의 이
익이나 회사 전체의 이익을 명백히 침해하는 경우, 그리고 인수자의 주식매집
과정 기타 기업인수과정이 법령의 규정을 심각하게 위반하는 경우 등을 들고 있
다. 특히 이 견해에서는 미국의 경영판단원칙보다 엄격한 기준 하에서 방어에
대한 사법심사가 이루어져야 할 것이라고 주장하고 사외이사가 과반수인 이사회
에서의 결의가 있는 경우에는 이사회의 판단을 존중하여야 한다는 것이다.[181)

다) 사 견

이사의 중립의무를 전제로 하는 견해에서는 이사가 경영권 방어에 나서는 것
자체가 금지된다는 원칙을 견지하면서 달리 예외기준을 두어 방어를 허용할 수
도 있다는 입장이다. 그러나, 예외적으로 방어가 허용되는 경우를 구체적으로
상정하는 것이 용이한 일이 아니고 그 예외적인 범위가 확대되면 방어행위의 금
지원칙이 큰 의미를 갖지 못하게 되는 문제가 있다고 본다. 따라서, 이사의 권
한과 의무 일반론에서 방어의 권한과 의무를 도출하되 그 남용을 억제하는 것이
논리적인 해석이라고 본다.

따라서, 방어권남용의 판단기준을 설정함에 있어서 방어책의 행사가 특정주
주의 이익만을 위하거나 자신의 지배권 유지를 유일한 목적으로 하는 경우에는
이사의 충실의무위반에 해당하는 권한남용행위에 해당하므로 그 자체로서 당연
히 위법한 것으로 보아야 할 것이다. 그러나, 1차적으로 경영권 방어는 대상회
사 주주의 이익을 극대화하는 차원에서 허용되어야 하지만 설혹 경영권의 유지
에 주된 목적이 있더라도 방어권의 행사로 인하여 단기적인 관점에서 주주의 이

---

179) 권종호, "일본의 적대적 M&A 현황과 방어수단에 관한 최근 동향,"「상장협」제52호(한국
    상장회사협의회, 2005), 73~75면.
180) 김두식, "M&A 법제의 개선방안연구," 48~50면.
181) 맹수석, "적대적 M&A와 이사의 역할," 232면.

익만을 중시한 결과 장기적 관점에서 회사의 경영계획에 따른 이익과 주주 이외의 이해관계집단의 이익 등의 집단적 이익이 위협을 받게 되는 경우와 같이 양이익이 상호충돌하게 되는 경우에는 회사의 집단적 이익의 우위성을 존중하는 관점에서 방어권의 남용 여부를 판단하는 것이 합당하다고 본다.

그런데, 이러한 추상적 원칙만으로는 방어의 적법성 판단에 있어서 법적 안정성을 기하기 어렵다는 점에서 구체적인 기준이 필요할 것이다. 이러한 관점에서 제4기준설이 합리적이고 미국과 일본 등에서 인정하고 있는 국제적인 방어기준과도 조화를 기할 수 있다고 본다. 그 밖에 3기준설은 4기준설과 실질적으로 동일한 것이라 할 수 있고, 기업가치기준설은 미국의 Unocal 기준과 이에 터잡은 일본의 방어지침상의 원칙과 유사한 것으로서 4기준설 중 제3기준과 일맥상통한다고 본다.

3) 증명책임

가) 증명책임의 전환

통상적으로 경영권분쟁의 국면에서 이사의 방어행위는 경영진의 교체를 저지하는 직접적인 영향을 주게 된다. 이것은 주주와 회사의 이익, 나아가서는 회사의 집단적 공동이익을 해칠 수 있는 잠재적 위법성을 안고 있다. 그리하여 그 위법성을 다투기 위한 소송이 제기되는데 위법성에 관한 증명책임이 원고와 피고 중 누구에게 귀속되는지는 소송진행상 중요한 문제라고 할 수 있다. 이와 관련하여 일반적으로는 가해자의 위법을 다투는 자(공격자)가 그 위법성을 증명할 책임을 부담하는 것이 원칙이다.[182] 그러나 방어자 측(가해자)이 회사에 관한 중요정보를 독점하고 있는 상황에서 경영권 공격자에게 방어행위의 위법성을 증명하도록 하는 것은 사실상으로 경영권 방어를 무제한적으로 허용하게 될 것이어서 부당하다고 본다. 생각건대, 회사와 경영진 또는 기존 지배주주간의 이해충돌적 상황에서 이루어지는 이사의 방어행위에는 위법성이 추정된다고 보아야 할 것이고, 따라서 이사가 자신의 방어행위의 상당성 및 합리성 등을 증명할 책임이 있다고 풀이하여야 할 것이다.[183]

자기주식의 처분으로 경영권을 방어하려는 것이 문제된 동아제약 사건에서

---

182) 德本 穰, 「敵對的企業買收の法理論」, 19面.
183) 송종준, "M&A에 대한 주요 방어대책," 217면.

법원은 증명책임 분배의 원칙을 위와 같이 밝힌 바 있다. 즉, 이 사건에서 서울
북부지방법원은 "자기주식의 처분을 손익거래로 파악하고 취득하는 제3자가 자
기주식의 처분이 방어권의 남용에 대하여 선의이고 중대한 과실이 없는 경우에
는 그 무효로서 제3자에게 대항할 수 없다"고 설시하면서, "이사의 방어행위는
일응 자신의 경영권 유지 또는 기존 지배주주의 지배권 유지의 목적이 있어서
방어권 남용이 된다고 추정하고, 오히려 방어행위를 한 이사가 그 방어행위의 적
법성을 증명하도록 하여 증명책임을 전환함이 공평하다"고 판시한 바 있다.[184]

나) 증명책임의 정도

증명책임의 전환에 있어서 증명책임의 정도는 경영권을 방어하고자 하는 목
적의 비중에 따라 다르게 요구되어야 할 것이다. 대상회사의 일정한 행위가 경
영권을 방어하는 효과가 있으면서 경영목적에 부합하는 합리성도 아울러 가진
경우에는 그 증명책임의 강도는 낮아야 할 것이다. 반면에 대상회사의 이사가
경영권 방어를 유일한 목적으로 방어책을 행사하는 경우에는 그 증명책임의 정
도는 매우 엄격하게 요구되어야 할 것이다.[185]

아울러, 경영권 방어가 예방적인가 사후적인가에 따라 그 남용의 판단기준을
달리 취급해야 할 것인지, 동일하게 취급해야 할 것인지도 문제이다. 어느 경우
에나 경영권의 변동에 시간적 차이가 있다는 점 이외에 특별한 차별성을 인정할
것은 아니므로 원칙적으로는 예방적 방어와 사후적 방어를 달리 구별하여 그 방
어권남용의 판단기준을 달리할 이유는 없을 것이다. 다만, 이 문제는 경영권방
어 측에 부과하는 증명책임의 정도를 달리하는 방법으로 접근하는 것이 합리적
이라고 본다. 그리하여 예방적 방어의 경우에는 사후적 방어의 경우에 비하여
경영권 또는 지배권의 유지를 위한 방어권의 남용의 가능성이 상대적으로 적다
고 볼 수 있을 것이므로 방어의 정당성에 대한 증명책임의 정도는 완화될 수
있는 반면에 사후적 방어의 경우에는 그 증명책임의 강도는 상대적으로 엄격하
게 요구될 필요가 있다고 본다.[186]

---

184) 서울북부지방법원 2007.10.25. 자 2007카합1082.
185) 송종준, 「적대적 M&A의 법리」, 234면.
186) 송종준, 「적대적 M&A의 법리」, 234~235면; 김택주, "지배권 쟁탈전하에서의 전환사채발
     행의 적법성," 「동아법학」 제25호(동아대 법학연구소, 1999), 218~220면; 국중권, 「적대
     적 M&A 방어법제에 관한 연구」, 법학박사학위논문(성균관대, 2006. 12.), 177면; 김규진
     외, 「포이즌필－경영권 방어수단」(첨단금융출판사, 2007. 12.), 250~251면.

4. 방어의 남용과 이사의 책임

가. 방어와 이사의 의무

이사는 그 직무수행에 있어서 선량한 관리자로서의 주의의무를 진다(제382조 제2항, 민법 제681조). 이 의무는 이사가 회사를 위하여 직무를 집행하는 기관관계적 측면에서 요구되는 의무라고 풀이된다. 그리고 이사는 선관주의의무 이외에도, 법령과 정관의 규정에 따라 회사를 위하여 그 직무를 충실하게 수행하여야 할 의무로서 충실의무를 진다(제382조의3). 이사의 선관주의와 충실의무는 적대적 M&A 국면에서 이사와 주주간의 이해충돌이 잠재하고 있는 경우에는 당연히 이행하여야 할 의무이다.

따라서, 이사는 선관주의의무와 충실의무에 위반하지 아니하는 범위에서 방어책을 행사할 의무를 진다. 구체적으로 어떠한 경우에 선관주의의무 또는 충실의무의 위반이 있다고 볼 수 있을지는 명확하지 않으나, 이사와 회사간에 이해충돌의 관계가 있는지의 여부를 고려하여 종합적으로 판단하여야 할 것이다. 방어의 적법기준에 관한 일반원칙이 명백할수록 그 위반여부를 판단하기는 더욱 용이해 질 것이다.

한편, 이사의 선관주의의무가 적용되는 방어책 행사에 대하여는 경영판단원칙이 적용될 수 있을 것이다. 그러나 이사와 회사간에 이해충돌관계에 있는 방어책의 행사에 대하여는 충실의무가 적용되므로 경영판단원칙이 적용되지 아니하고 엄격한 공정성 기준이 적용되어야 할 것이다. 대부분의 방어책은 이사의 지위보전과 관련되는 이해충돌관계에서 행사될 것이므로 그 방어책 행사에는 절차와 내용의 공정성이 철저히 이행되었는지의 여부가 중요하다.187)

나. 이사의 방어와 민사책임

1) 회사에 대한 책임

이사의 업무집행과 관련하여 이사가 법령 또는 정관에 위반한 행위를 한 경우에 이사는 회사에 대하여 연대하여 손해를 배상할 책임이 있다(제399조 제1

---

187) 김화진·송옥렬, 「기업인수합병」, 378면.

항). 여기서 이사의 행위가 이사회의 결의에 의한 경우에는 그 결의에 찬성한 이사도 연대책임을 진다(제399조 제2항). 또한 이사는 업무집행과 관련하여 법령이나 정관의 규정에 위반하지 않더라도, 임무를 해태한 때에는 그에 따른 손해배상책임을 진다(제399조 제1항).

따라서 적대적 M&A를 저지하기 위하여 이사가 특정주주의 이익을 위하거나 자신의 지위보전을 위하여 방어책을 행사하는 경우에 이것은 신인의무(선관주의의무와 충실의무)를 위반할 소지가 크고 이사의 방어권 남용으로 회사에 대하여 손해배상책임을 질 수 있다.[188) 또한 방어책의 행사에 직접 관여하지 않은 이사도 다른 이사에 대한 감시의무의 위반으로 그에 따른 손해배상책임을 질 수 있다.

2) 제3자에 대한 책임

이사는 그 직무를 수행함에 있어 악의 또는 중대한 과실로 그 임무를 해태하여 제3자에게 손해를 가한 때에는 연대하여 손해를 배상할 책임이 있다(제401조 제1항). 이사의 제3자에 대한 책임체계는 경영권 방어에도 그대로 적용된다. 여기서 손해는 직접손해이든 간접손해이든 불문하고, 제3자에는 회사의 채권자 외에 주주도 포함된다는 것이 통설이다. 그러나, 대법원 판례는 간접손해에 대한 관계에서는 제3자의 범위에 주주가 포함되지 않는다는 확고한 입장[189)을 취하고 있다. 다만, 하급심 판례 중에는 회사 경영진이 일반적으로 기대되는 충실·선관의무를 위배하여 비합리적인 방법으로 기업을 운영하고 이로 인해 회사의 채권자나 주주 등 회사의 이해관계인조차도 도저히 예상할 수 없는 특별한 손실이 발생하여 회사가 도산으로 소멸함으로써 경영진에 대한 손해배상청구를 인정하지 않는다면 주주의 손해 회복이 사실상 불가능한 특별한 사정이 있는 경우에는 주주도 이사에 대하여 직접 손해배상을 청구할 수 있다고 판시한 예[190)도 있다.

3) 증명책임

이사의 일상적인 업무집행으로 회사 또는 제3자에게 손해가 발생하여 이사의 손해배상책임(제399조, 제401조) 여부가 다투어지는 경우에는 그 책임을 추궁하

188) 송종준, 「적대적 M&A의 법리」, 234면; 임재연, 「회사법 Ⅰ」, 212~213면.
189) 대법원 1993.1.26. 91다36093; 2003.10.24. 2003다29661.
190) 서울지방법원 2002.11.12. 2000가합6051.

는 원고가 위법 또는 임무해태 및 손해와의 인과관계 등에 대한 증명책임을 진다. 그러나, 이사의 방어권 행사가 남용되어 손해배상책임이 문제되는 경우에는 방어책 자체의 위법성에 대한 증명책임이 이사에게 전환되는 것과 같은 논리로 접근하여야 할 것이다. 따라서, 회사 및 제3자에 대한 손해배상책임의 추궁에 있어서도 방어권을 행사하는 이사에게 위법이 추정되므로 이사에게 면책을 위한 증명책임이 전환된다고 풀이할 것이다.[191]

---

191) 송종준, "경영권 방어수단 도입의 전제조건," 212~213면; 임재연, 「회사법 I」, 213면; 김홍식, 「M&A개론」, 177~178면.

제5절   지배주주에 의한 소수주식의 전부취득

황 현 영*

Ⅰ. 서   설

1. 의   의

현대 회사법에서는 회사 주식의 대부분을 보유하고 있는 지배주주가 기업 운영의 시너지효과를 거두고 비용을 절감하기 위하여 소수주주를 축출하는 제도가 인정되고 있다. 독일은 2001년 주식법을 개정하여 지배주주에 의한 소수주식의 전부취득을 명문으로 규정하였고(주식법 제327a조 내지 제327f조), 영국에서는 1987년 회사법 개정을 통해 공개매수의 청약이 있는 경우에 한하여 지배주주에 의한 소수주식의 전부취득을 허용하도록 하였으며(회사법 제979조 이하), 일본에서는 2014년 회사법을 개정하여 특별지배주주에 의한 주식매도청구권을 도입하였다(회사법 제179조). 또한 미국에서는 합병의 과정에서 주식 이외의 사채나 금전을 대가로 교부하는 합병절차를 통해 소수주주를 축출할 수 있도록 하고 있다. 이에 따라 우리나라에서도 2011년 상법 개정(이하 '개정상법'이라 함)을 통해 지배주주의 매도청구권을 도입하여 직접적으로 소수주주를 축출할 수 있는 제도적 기반이 마련되었고(제360조의24 내지 제360조의26), 합병대가의 유연화가 도입되어 교부금합병을 통해 합병 과정에서 현금을 교부하고 소수주주를 축출할 수 있는 방안이 마련되었다(제523조 제4호).

상법개정 심사보고서에서는 지배주주에 의한 소수주식의 전부취득 제도의 제안이유에 대하여 다음과 같이 설명하고 있다. 특정 주주가 주식의 대부분을 보

---

* 대법원 재판연구관, 법학박사, 법학박사

유하는 경우에 회사 입장에서는 주주총회 운영 등과 관련하여 관리비용이 들고 소수주주 입장에서는 정상적인 출자회수의 길이 막히게 된다. 따라서 지배주주가 소수주주의 주식을 매수하여 그 동업관계를 해소할 수 있도록 허용할 필요가 있다. 이러한 이유로 개정상법은 발행주식총수의 95% 이상을 보유하는 지배주주가 소수주주의 주식을 공정한 가격에 매수할 수 있도록 하는 한편, 소수주주도 지배주주에게 주식매수청구권을 행사할 수 있게 하여 소수주주 보호방안을 마련하였다. 지배주주에 의한 소수주식의 전부취득 제도를 통하여 회사의 주주 관리비용이 절감되고 경영의 효율성이 향상될 것으로 기대된다.[1]

지배주주에 의한 소수주식의 전부취득에 대한 개정상법을 살펴보면 소수주주 축출시 요구되는 경영상 목적은 미국법을,[2] 축출을 위한 자본참여기준과 절차는 주로 독일 주식법을,[3] 소수주주의 주식매수청구권은 영국 회사법을[4] 수용하여 입법화한 것으로 보인다.[5] 또한 주식의 가격산정기준은 상법상 반대주주의 주식 매수청구권에 적용되는 일반원칙을 반영한 것으로 볼 수 있다.

2. 입 법 례

가. 미   국

미국의 경우 지배주주에 의한 소수주식의 전부취득은 주로 교부금합병절차를 통하여 이루어지고 있다. 교부금합병은 인수회사 또는 인수회사의 완전자회사가 대상회사를 흡수합병하면서, 대상회사의 소수주주에게 인수회사의 주식이 아닌

---

1) 법제사법위원회, 「상법 일부개정법률안 심사보고서」(2011. 3.), 81~82면.
2) 뉴욕 주, 메사추세츠 주, 인디애나 주, 뉴저지 주, 오하이오 주 등은 판례를 통하여 소수주 주축출의 정당성을 판단하는 기준으로 사업목적기준을 요구하고 있다(자세한 판례번호는 각주 8~각주 12 참조).
3) 독일에서는 지배주주가 자본금 대비 95% 이상의 지분을 취득하고 주주총회의 결의가 있을 때 지배주주에 의한 소수주식의 전부취득을 인정하고 있다(주식법 제327a조 제1항).
4) 영국은 공개매수를 통하여 90%의 주식을 취득한 주주에게 나머지 잔여 주주의 주식을 강제로 매수할 수 있는 권한을 주고, 이 때 잔여 주주들에게 주식매수청구권이 인정된다(회사법 제984조).
5) 후술하는 입법례에서는 우리나라 제도와 유사한 내용만 간략히 소개하였고, 자세한 해외 입법례는 다음의 논문을 참고하기 바란다. 황현영, "상법상 강제매수제도에 관한 연구," 「한양대학교 대학원 박사학위논문」(한양대학교, 2012), 김경일, "소수주주축출에 관한 연구," 「서울대학교 박사학위 논문」(서울대학교, 2017), 신연수, "소수주식 매도청구의 경영상 목적," 「기업법연구」 제34권 제4호(한국기업법학회, 2020).

현금을 지급하는 방식으로 이루어지고,6) 결과적으로 소수주주가 축출된다. 1920
년대 중반 플로리다 주, 1950년대 델라웨어 주에서 이러한 교부금합병을 허용한
것을 시작으로, 지금은 대다수의 주들이 교부금합병을 허용하고 있고 이를 활용
하여 소수주주 축출이 가능하게 되었다.7)

소수주주의 축출이 허용되기 위해서는 일정한 공정요건이 충족되어야 하는
데, 이러한 공정성을 판단하기 위하여 뉴욕주에서는 사업목적 기준(business
purpose test)을 채택한 판례가 집적되어 왔다.8) 뉴욕주 외에도 메사추세츠주,9)
인디애나주,10) 뉴저지주,11) 오하이오주12) 등이 사업목적 기준을 채택하고 있다.
그러나 델라웨어 주13)를 비롯하여 캔자스주,14) 미네소타주,15) 웨스트버지니아
주,16) 위스콘신주,17) 메릴랜드주,18) 캔터키주,19) 일리노이주20) 등은 교부금합병
에서 사업목적이 요구되지 않고 오로지 지급대가와 거래절차의 공정성이 충족되
면 소수주주의 축출이 적법하다는 총체적 공정성 기준(entire fairness)을 제시하
고 있다. 한편 최근 델라웨어 주에서는 독립적인 특별위원회와 소수주주의 과반
수가 모두 승인한다면, 교부금합병시 경영판단원칙이 적용될 수 있다고 판단하
였다.21)

나. 독 일

독일은 2001년 주식법을 개정하여 지배주주에 의한 소수주식의 전부취득을

6) 이영선 집필부분, 「주석 상법」 제6판(한국사법행정학회, 2021), 867면.
7) 문기석, "미국 소수주주축출 제도의 최근 동향에 관한 연구: 거래 형태에 따른 상이한 사법
   심사기준의 발달을 중심으로," 「사법」 제19호(사법발전재단, 2012), 32면.
8) 63 NY 2d 557, 473 NE 2d 19, 483 NYS 2d 667 (1984).
9) Coggins v. New England Patriots Football Club, Inc., 492 N.E.2d 1112(Mass. 1986).
10) Gabhart v. Gabhart, 370 N.E.2d 345(Ind. 1977).
11) Berkowitz v. Power/Mate Corp., 342 A.2d 566(N.J. Super. Ct. Ch. Div. 1975).
12) Kelly v. Wellsville Foundry Inc., 2000 Ohio 2667; 2000 Ohio App. LEXIS 6287
    (Ohio App. 2000).
13) Weinberger v. UOP. Ind., 457 A. 2d 701 (Del. 1983).
14) In re Heston Corp., 870 P.2d 17, 43~45(Kan. 1994).
15) Sifferle v. Micom Corp., 384 NW2d 503, 508(Minn.Ct.App. 1986).
16) Persinger v. Carmazzi, 441 SE2d 646(W.Va. 1994).
17) Rosenstein v. CMC Real Estate Corp., 522 NE2d 221, 224~25(Ill.App.Ct. 1988).
18) Lerner v. Lerner Corp., 750 A.2d 709(Md. 2000).
19) Yeager v. Paul Semonin Co., 691 SW2d 227(Ky. Ct. App. 1985).
20) Teschner v. Chicago Title & Trust Co., 322 NE2d 54(Ill. 1974).
21) Kahn v. M&F Worldwide Corp. 88 A.3d 635(Del. 2014).

명문으로 규정하였다(주식법 제327a조 내지 제327f조). 이를 행사하기 위해서는 지배주주가 자본금 대비 95% 이상의 지분을 취득하여야 하고 주주총회결의가 있어야 한다(주식법 제327a조 제1항 제1문). 이때 소수주주는 주주총회결의시 회사의 사정을 고려하여 지배주주가 정하는 현금보상을 받는다(주식법 제327b조 제1항 제1문).[22] 독일에서는 지배주주에 의한 소수주식의 전부취득시 주주총회결의를 상업등기부에 등기함으로써 취득권 행사의 효력이 발생한다.[23] 즉, 등기를 통해 소수주주의 모든 주식이 자동적으로 지배주주의 소유가 되고, 주식의 소유권이전과 동시에 소수주주의 보상청구권이 발생한다(주식법 제327e조 제3항). 소수주주는 지배주주가 확정한 금전보상액이 적정하지 않은 경우 법원에 사후심사를 신청할 수 있고 법원은 적정한 금전보상액을 결정하여야 한다(주식법 제327f조 제1항 제2문).

다. 영 국

영국법상 소수주주축출은 공개매수를 거친 후에 비로소 실행가능하다.[24] 공개매수자에게 소수주식의 전부취득이 인정되기 위해서는 회사 발행주식총수의 90% 이상에 해당하는 주식이 공개매수를 통해 응모되어야 한다(회사법 제979조 제2항). 공개매수자가 90% 이상의 요건을 충족한 이후에 미리 규정된 방식에 의하여 축출대상 주주들에게 소수주식의 전부취득의 실행을 통지하고(회사법 제980조 제1항), 소수주주가 법원에 이의신청을 제기하지 않으면 공개매수자는 청약조건에 따라 기응모주식은 물론 잔여 비응모주주의 주식을 취득할 권리와 의무를 취득한다(회사법 제985조 제2항). 또한 영국 회사법은 1985년 이래 소수주주의 매수청구권(sell-out right)을 인정해 왔다. 이는 대상회사의 주주들이 억압의 가능성이 높은 새로운 지배주주 하에서 주식을 보유하지 않기 위해 불리한 조건의

---

22) 금전 이외의 다른 수단에 의한 보상은 허용되지 않는다(Götz Hueck, Fortgef·Christine Windbichler, Gesellschaftsrecht, 21. Aufl., 2008, S 441; Lambertus Fuhrmann·Stefan Simon, Der Ausschluss von Minderheitsaktionären, WM 2002, S. 1207).

23) 개별적인 주식양도행위는 필요하지 않다고 해석된다(Hueck/Windbichler, S. 441).

24) 1929년에 영국 회사법은 그동안 판례에 의하여 인정되던 지배주주에 의한 소수주식의 전부취득권을 확대 적용하여 모든 형태의 지배권 취득 수단에서 허용하도록 하는 포괄적인 입법을 단행한 바 있다. 그러나 1987년 영국 회사법에서는 지배주주에 의한 소수주식의 전부취득권을 공개매수의 청약이 있는 경우에만 허용하도록 개정하였고, 2006년 회사법 개정에서도 지배주주에 의한 소수주식의 전부취득 부분에 대해서는 이전의 회사법과 동일하게 규정하고 있다.

공개매수청약에 응하는 것을 방지하는 의미도 있다.[25]

라. 일   본

일본의 법무성은 경제관련 기본법 정비 작업의 일환으로 "회사법제의 현대화"를 진행하였고, 그 결과 2005년 회사법[26]을 제정하여 합병대가의 유연화를 실현하였다.[27] 회사법은 합병 등의 조직 재편행위에서 합병대가를 존속회사 등의 주식으로 제한하지 않고 금전 또는 그 외의 재산을 교부하는 것을 허용함으로써, 이를 통해 소수주주의 축출이 가능해졌다(회사법 제749조 제1항 제2호). 그 밖에도 전부취득조항부 종류주식이 있는데(회사법 제108조 제1항 제7호), 이는 실무에서 세금 부담 문제를 해결하기 위하여 주로 이용하는 소수주주의 축출방법이다. 보통주식을 전부취득조항부 종류주식으로 변경한 후, 주주총회의 특별 결의에 의하여 회사가 전부취득조항부 종류주식을 취득함으로써 소수주주를 축출한다.[28]

2015년 5월부터 시행된 개정 회사법은 특별지배주주에 의한 주식매도청구권을 도입하였다(회사법 제179조). 이에 따르면 주식회사 총주주 의결권의 10분의 9 이상을 가진 특별지배주주는 대상회사의 잔여 소수주식에 대해 매도청구를 할수 있다. 이때 대상회사의 주주총회의 결의가 아닌 이사회 승인을 받도록 하고 있고, 소수주주는 매매가격의 결정을 법원에 청구할 수 있다.[29]

---

25) 노혁준, 「주요국가의 기업규제 개혁법제에 관한 비교법적 연구[Ⅲ] - 영국 -」(한국법제연구원, 2008), 122면.

26) 일본 회사법은 상법 및 주식회사의 감사 등에 관한 상법 특례법, 유한회사법 등으로 분산되어 있던 회사관련 조항들을 통합하여 하나의 단행법으로 만든 것으로 2006년 5월에 시행되었으며, 2007년 5월에는 시행이 유보되었던 합병대가 지급수단 관련 조항이 발효됨으로써 전면 시행되었다.

27) 相浮 哲, "合併等対価の柔軟化の実現に至る経緯,"「商事法務」1801号(商事法務研究會, 2007. 6.), 4~7面.

28) 권종호, 「주요국가의 기업규제 개혁법제에 관한 비교법적 연구[Ⅳ] - 일본 -」(한국법제연구원, 2008), 38~39면.

29) 2015년 일본 회사법의 개정에 대한 자세한 내용은, 이효경, "일본 회사법의 최근 동향 - 2014년 개정 회사법을 중심으로,"「기업법연구」제29권 제2호(한국기업법학회, 2015), 92면 이하를 참고하기 바란다.

3. 법리적 검토

가. 소수주주의 재산권 침해 여부

소수주주의 의사에 반하여 축출을 강요하는 것은 재산권의 자유로운 행사를 침해하는 것이기 때문에 지배주주에 의한 소수주식의 전부취득은 소수주주의 재산권의 침해이고, 자기결정권의 제한이며, 지배주주를 불합리하게 우대하여 평등의 원칙에도 반하여 위헌인지 여부가 문제된다.[30] 이에 대해 행정법상 강제수용에 준하여 상법상 지배주주에 의한 소수주식의 전부취득에 대해 공공복리적합성을 인정할 수 있으면 합헌이라는 보는 견해도 있다.[31] 그러나 회사경영의 효율화라는 명목으로 공공복리적합성을 인정할 수는 없을 것이고, 이를 지배주주에 의한 소수주식의 전부취득의 합헌성 근거로 하기는 어렵다.

이에 대해 독일의 논의를 참고할 필요가 있는데, 독일 판례[32]를 정리해 보면, 경제적 권력의 남용과 관련하여 법률상의 구제가 정비되어 있고, 소수주식의 경제적 가치가 완전히 보상되는 한 지배주주에 의한 소수주식의 전부취득은 합헌이라고 한다.[33] 독일 주식법의 입법제안이유서에서도 Feldmühle결정, DAT/Altana결정을 인용하여, 지배주주에 의한 소수주식의 전부취득이 헌법에 위반되지 않는다고 하였다. 그 주요 이유로는 이미 적정한 보상의 지급이 요건으로 되어 있는 것, 주주총회결의가 취소될 가능성이 있는 것, 보상의 적정성이 이의심사절차에서 심사되는 것을 들고 있다.[34]

우리나라에서도 지배주주에 의한 소수주식의 전부취득시 공정한 절차와 적정한 보상이 이루어진다면 이 제도는 위헌이 아니라고 볼 수 있다. 이러한 이유로

---

30) 이철송, 「회사법강의」 제29판(박영사, 2021), 1200면.
31) 육태우, "개정상법상 소수주주축출제도에 관한 연구," 「경영법률」 제22집 제2호(한국경영법률학회, 2012. 1.), 63면; 송종준, "소수주식 전부취득제의 입법의도와 해석방향," 「기업법연구」 제26권 제1호(한국기업법학회, 2012. 3.), 82면.
32) 1962. 6. 7. 연방헌법재판소 Feldmühle결정(BVerfGE 14, 278, 283 "Feldmühle"); 1999. 4.27. 연방헌법재판소 DAT/Altana결정(BVerfGE 100, 289 "Dat/Altana"); 2000. 8. 23. 연방헌법재판소 Moto Meter결정(BVerfGE ZIP 2000, 1673 "Moto Meter").
33) 안성포, "헌법상 소수주주의 재산권보장에 관한 연구," 「기업법연구」 제22권 제4호(한국기업법학회, 2008. 12.), 170면.
34) Begründung zum RegE-WpÜG(Gesetz zur Regelung von öffentlichen Angeboten zum Erwerb von Wertpapieren und von Unternehmensübernahmen), All-Teil, S. 32.

개정상법은 '경영상 목적'과 '주주총회의 결의' 등을 통하여 절차의 공정성을 담보하고, '공정한 가격산정의 협의 또는 법원의 결정'을 통하여 적정한 보상을 실현하고자 하였다.

 지배주주의 매도청구에 관한 사안은 아니나 주식의 포괄적 교환으로 축출된 소수주주가 헌법소원을 제기한 사안에서 헌법재판소는 주식의 포괄적 교환이 소수주주의 재산권을 침해하지 않는다고 판단하였다.[35] 구체적인 논거는 ① 완전지주회사의 기업구조조정을 지원하고자 하는 이 사건 상법 조항들은 그 입법목적이 정당하고 수단의 적정성도 인정되며, ② 주주총회 특별결의에 의한 승인, 완전지주회사의 주식 교부, 반대주주의 주식매수청구권 등 소수주주 보호를 위한 방안들을 규정하여 침해의 최소성의 원칙에 반하지 않고, ③ 소수주주의 제한되는 사익이 보호하려는 공익보다 크다고 할 수 없어 법익의 균형성도 충족된다는 것이다. 이러한 헌법재판소의 판단에 비추어 볼 때, 회사의 경영상 목적을 달성하기 위해 필요한 경우, 이미 95% 이상의 주식을 가진 지배주주가 5% 미만의 소수주주를 대상으로 하되 주주총회 결의를 거쳐야 하고 '공정한 가격산정의 협의 또는 법원의 결정'으로 적정한 보상이 이루어지도록 하는 지배주주에 의한 소수주식의 전부취득 제도 역시 위헌이라고 판단하기는 어려울 것이다. 또한 유사한 제도를 두고 있는 독일과 달리, 우리나라의 경우 5% 미만의 소수주주 역시 지배주주에게 매수청구권을 행사할 수 있도록 하여 법익의 균형성을 충족시키려고 노력하였다는 점도 합헌의 근거가 될 수 있다.

나. 주주평등원칙의 위반 여부

 주식회사는 자본단체로서 그 구성원인 주주는 보유주식의 비율에 따라 회사에 대하여 동일한 관계에서 평등하게 취급되어야 한다. 즉, 회사는 주주와의 법률관계에서 주주를 보유주식의 수와 내용에 따라 평등하게 대우하여야 한다.[36] 이러한 주주평등의 원칙은 다수결의 남용이나 회사경영진의 자의적인 권한행사로부터 소수주주를 보호하는 기능을 갖고 있다고 평가되어 왔다.[37] 지배주주에

35) 헌법재판소 2015.5.28. 2013헌바82, 2014헌바347·356(병합).
36) 대법원 2018.9.13. 2018다9920, 9936.
37) 권기범, 「현대회사법론」제8판(삼영사, 2021), 512면; 김건식·노혁준·천경훈, 「회사법」 제5판(박영사, 2021), 258면; 이기수·최병규, 「회사법」 제11판(박영사, 2019), 240면; 최준선, 「회사법」 제16판(삼영사, 2021), 243면; 홍복기·박세화, 「회사법강의」 제8판(법문사,

의한 소수주식의 전부취득은 소수주주의 의사에 반하여 소수주주를 회사에서 축출할 수 있는 제도로, 자본다수결에 의하여 소수주주의 권리 내용이 변경되는 가장 극단적인 경우라고 할 수 있다.[38] 그러므로 지배주주에 의한 소수주식의 전부취득이 주주평등의 원칙에 위배되는 것은 아닌지 검토하여 볼 필요가 있다.

주주평등의 원칙은 모든 주주에 대하여 동등한 대우를 하는 것이 아닌 그가 가진 주식수만큼 대우하는 것이므로 95%를 가진 지배주주에게 매도청구권을 인정하는 것은 주주평등의 원칙에 반한다 할 수 없다.[39] 다만 지배주주에 의한 소수주식의 전부취득 제도의 적용을 받는 소수주주들 사이에서는 주주평등의 원칙이 적용되어야 한다. 지배주주가 소수주주들로부터 주식을 취득하는 것은 개인법적 거래를 통하여 이루어지는 것이 원칙이나, 상법이 매도를 강제하는 단체법적 수단으로 마련한 것이 매도청구권이다. 그러므로 지배주주가 매도청구를 하려면 지배주주 이외의 소수주주 전원을 상대로 청구하여야 하고,[40] 이 때 지배주주의 매수조건은 소수주주 전원에 대하여 동일하여야 한다.[41] 지배주주가 소수주주의 주식을 매수하는 조건은 주주평등의 원칙에 따라 주주 전원에게 균등하여야 함이 원칙이나, 협의에 의한 가격결정과 법원의 가격결정 청구는 당사자의 자율을 허용해야 할 문제이므로 이 과정을 거치는 동안 주주들 간에 가격이 상이해지더라도 무방하다고 본다.[42]

4. 유사제도와의 비교

가. 주식의 포괄적 교환과 이전

상법상 주식의 포괄적 교환과 이전은 모두 완전모자회사관계를 창설하는 방

2021), 227면.

38) 玉井利幸, "少数株主に対する取締役と支配株主の義務と責任－少数株主の締出を中心に,"「川村正辛先生退任記念論文集(會社法・金融法の新發展)」(中央經濟社, 2009. 3.), 299面.

39) 김건식·노혁준·천경훈, 전게서, 869면.

40) 대법원 2020.6.11. 2018다224699.

41) 이철송, 「2011 개정상법: 축조해설」(박영사, 2011), 130면.

42) 김태진, "일본의 2011년 회사법 개정 중간시안에 관한 연구,"「상사법연구」제31권 제1호(한국상사법학회, 2012. 5.), 180면; 송옥렬, 「상법강의」제11판(홍문사, 2021), 890면; 이병기, "개정상법상 지배주주에 의한 소수주식의 전부취득,"「BFL」제51호(서울대학교 금융법센터, 2012. 1.), 134면; 이철송, 전게서(회사법강의), 1206면.

법이다.43) 주식의 포괄적 교환은 기존 주식회사 A가 다른 주식회사 B의 주주로부터 B회사의 주식 전부를 포괄적으로 취득하여 완전모회사가 되고 그 대가로 A사의 주식을 교부하는 것이다(제360조의2). 주식의 포괄적 이전은 기존 주식회사 B의 주식 전부를 신설하는 회사 A에 포괄적으로 이전하고, 신설회사 A의 설립시에 발행하는 주식을 기존 회사 B의 주주에게 교부함으로써 성립하는 완전모회사의 창설행위를 가리킨다(제360조의15). 이러한 주식의 포괄적 교환과 이전이 있게 되면 완전자회사의 소수주주는 완전자회사의 주식을 잃게 되고, 완전모회사의 주식을 보유하게 된다. 완전자회사의 소수주주 입장에서 보면 자신의 의사와 관계없이 완전자회사의 주주의 지위에서 축출되는 것이기에 소수주주축출제도의 일환이라고 볼 수 있다.

그러나 이때 현금이나 다른 증권을 축출의 대가로 제공하는 것은 허용되지 않고 완전모회사가 신규로 발행한 주식을 대가로 제공하는 것만을 허용하고 있다. 또한 지배주주가 개인이어서 소수주주에게 주식을 제공할 수 없는 경우에 축출이 가능하지 않게 된다.44)

나. 주식병합

주식의 병합이란 회사가 다수의 주식을 합하여 소수의 주식으로 만드는 행위이다. 주식병합을 하게 되면 1주 미만의 주식이 발생하는데, 단주는 경매나 거래소에서의 매각, 기타 법원의 허가를 얻어 다른 방법으로 환가하여 그 대금을 종전의 주주에게 지급하여야 한다(제443조). 주식병합은 자본금 감소의 수단으로 행하는 것이 원칙이기 때문에 소수주주 축출의 수단으로 이용될 여지가 크지는 않으나, 단주의 처리가 소수주주 축출에 이용될 수 있다. 주식병합 비율이 높을수록 단주가 많이 발생하여 강제로 축출되는 소수주주의 비율이 높아진다는 문제가 있다.

주식의 병합은 단주를 발생시킬 뿐만 아니라 주주의 이해관계에 영향을 줄 수 있으므로 자본금 감소(제440조)와 합병(제530조 제2항), 분할(제530조의11 제1항)의 경우에 한하여 인정된다는 견해가 있으나,45) 대법원은 최근 판결에서 자

---

43) 이철송, 전게서(회사법강의), 1174면.
44) 김성용, "Freeze-out의 사회적 효율성," 「성균관 법학」 제19권 제2호(성균관대학교 법학연구소, 2007. 8.) 446면.

본금 감소의 목적으로 이루어졌다고 보기 어려운 주식병합을 그 자체로 위법하지 않다고 판단하였다.[46] 10,000:1의 주식병합으로 인해 주주의 지위를 상실한 소수주주가 자본금감소 무효의 소를 제기한 사안인데, 대법원은 주식병합이 주주평등을 유지하면서 이루어진 이상 단주처리과정에서 소수주주가 지위를 상실하는 것은 상법에서 명문으로 정한 주주평등원칙의 예외이고, 대다수의 소수주주가 찬성하였고 단주의 보상금액이 적절하다는 점에서 신의칙에 위반되지 않았다고 판단하였다. 더욱이 이 사건의 경우 항소심은 지배주주의 매도청구권을 행사할 수 있음에도 주식병합을 통해 소수주주를 축출한 것은 위법하다고 판단하였으나, 대법원은 지배주주 매도청구권과 무관하게 주식병합을 할 수 있고 이로 인해 소수주주가 주주의 지위를 상실했다 할지라도 그 자체로 위법이라고 볼 수는 없다고 판단하였다.[47]

주식병합은 합병이나 공개매수의 절차보다 간단하기 때문에, 폐쇄적으로 운영되는 회사에서 소수주주 축출을 통해 이용될 가능성이 높다.[48] 더욱이 특정 주주의 주식을 소각하거나 자본금 감소로 인하여 대주주의 지분율이 증가하더라도 과점주주의 취득세 과세 문제는 발생하지 아니하므로,[49] 세무적 관점에서 주식병합을 통한 소액주주 축출방법이 유리하게 이용될 수 있다.[50] 그러나 단주의 처리에 있어서 단주에 대하여 발행한 신주를 경매하도록 되어 있으므로(제443조 제1항) 이를 지배주주가 취득할 수 없는 경우에는 소수주주를 축출하고자 하는 의도를 성취할 수 없게 된다.[51] 다만 법원에 임의매각허가를 받아 회사가 매입

---

45) 이철송, 전게서(회사법강의), 463면.
46) 대법원 2020.11.26. 2018다283315. 해당 판결에 대한 자세한 해설은 다음의 논문을 참고하기 바란다. 황현영, "주식병합과 소수주주축출에 관한 연구 - 대법원 2020.11.26. 선고 2018다283315 판결,"「상사판례연구」제33집 제4권(한국상사판례학회, 2020), 3면 이하.
47) 대법원이 소수주식의 강제매수제도를 이용하지 않은 주식병합을 위법하지 않다고 판단한 논거는 다음과 같다. ① 소수주식의 강제매수제도는 지배주주에게 법이 인정한 권리로 반드시 지배주주가 이를 행사하여야 하는 것은 아니고, 우리 상법에서 소수주식의 강제매수제도를 도입하면서 이와 관련하여 주식병합의 목적이나 요건 등에 별다른 제한을 두지 않았다. ② 주식병합을 통해 지배주주가 회사의 지배권을 독점하려면, 단주로 처리된 주식을 소각하거나 지배주주 또는 회사가 단주로 처리된 주식을 취득하여야 하고 이를 위해서는 법원의 허가가 필요한데, 이 때 단주 금액의 적정성에 대한 판단도 이루어지므로 주식가격에 대해 법원의 결정을 받는다는 점은 소수주식의 강제매수제도와 유사하다.
48) 정찬형, 「상법강의(상)」제24판(박영사, 2021), 1195면.
49) 행정안전부 유권해석(지방세정팀-974(2005. 6. 1.)). 참조.
50) 이동건·류명현·이승진, "상법상 소수주주 축출 방안과 관련한 법률상·실무상 쟁점,"「법조」제672호(법조협회, 2012. 9.), 284면.

하는 경우에는 주식병합이 소수주주 축출의 수단으로 활용될 수 있고,[52] 이때 법원이 단주처리방식의 적절성 및 단주 대가의 적정성을 판단하여 주식병합제도가 남용되는 것을 제한해야 할 것이다.

다. 간이합병

주식회사의 흡수합병에 있어 소멸회사의 총주주의 동의가 있거나 존속회사가 소멸회사의 발행주식 100분의 90 이상을 소유하는 경우에는 소멸회사의 주주총회의 승인을 이사회의 승인으로 갈음할 수 있고, 이를 간이합병제도라 한다(제527조의2). 총주주의 동의가 있거나 90%의 주식을 소유한 경우라면 주주총회의 승인이 확실시되므로 이사회의 승인으로 주주총회의 승인에 갈음하는 것이다.[53] 이는 기업의 합병을 신속하고 용이하게 할 수 있다는 장점이 있지만 상대적으로 주주의 지위에는 심각한 영향을 미치는 측면이 있다.[54]

간이합병이 이루어지면 그 과정에서 소수주주에게 합병의 대가로 현금을 지급할 수 있고 소수주주는 회사에서 강제로 축출된다. 이는 일반적인 현금합병의 특수한 유형이지만 자회사의 소수주주에게는 합병에 대한 찬반 의사표시의 기회가 주어지지 않기 때문에 강제축출이라고 할 수 있다. 다만 간이합병절차는 흡수합병시의 소멸회사에만 적용할 수 있고, 신설합병의 경우나 흡수합병시 존속회사에는 적용할 수 없다는 한계가 있다.[55]

라. 교부금합병

교부금합병이란 흡수합병의 경우 소멸회사의 주주에게 합병의 대가로 존속회사의 주식이 아니라 현금, 사채권 등을 지급하는 것으로, 상법은 2011년 개정을 통해 이를 도입하였다(제523조 제4호). 소멸회사의 주주에게 존속회사의 주식이 아닌 현금 등 다른 재산이 제공되는 교부금합병의 경우, 소멸회사의 주주는 합병 이후 존속회사의 주주의 지위를 갖지 못하게 되어 소수주주 축출 효과가 발생하게 된다. 교부금합병은 일반적으로 지배회사와 종속회사 사이에서 이루어지

---

51) 김성용, 전게논문, 447면.
52) 대법원 2012.7.26. 자 2012다40400; 대법원 2020.11.26. 2018다283315.
53) 홍복기・박세화, 전게서, 88면.
54) 이기수・최병규, 전게서, 786면.
55) 이철송, 전게서(회사법강의), 1115면.

는 경우가 많은데, 지배회사가 비공개회사이고 합병 후에도 폐쇄성을 유지하기 원하는 경우에 소수주주를 축출하는 방안으로 활용될 수 있다.[56]

소수주주를 그 의사에 반하여 강제로 축출시키는 거래라는 점에서 교부금합병과 지배주주에 의한 소수주식 전부취득이 유사한 면이 있다. 그러나 교부금합병은 합병이라는 회사의 행위가 있을 때에 이루어진다는 제약이 있는 반면, 지배주주의 소수주식 전부취득은 지배주주가 원하는 시기에 청구함으로써 이루어진다는 큰 차이가 있다.

마. 삼각합병

삼각합병이란 대상회사를 인수할 목적으로 모회사가 자회사를 설립하고, 소멸회사에 대한 합병대가로 모회사 주식을 교부하는 방식을 말한다.[57] 이러한 삼각합병은 미국과 같이 주식의 포괄적 교환제도가 거의 이용되고 있지 아니한 법제[58]에서 그와 동일한 효과를 거두기 위하여 전형적으로 사용하고 있는 것이기도 하다. 상법은 2011년 개정을 통해 삼각합병을 도입하였다(제523조의2). 삼각합병 결과 대상회사의 자산과 책임은 대상회사를 합병한 인수회사의 자회사에 귀속되고, 이때 인수회사 입장에서는 유한책임의 이익을 누리게 된다. 즉, 인수회사의 자산이 대상회사 채권자의 청구대상이 되지 않는다는 것이다. 이러한 이유로 대상회사가 시장에서 제조물책임을 져야 할 때 삼각합병이 이용될 가능성이 있다.[59] 또한 실질적으로는 모회사와 대상회사 간의 합병이 이루어지는 것이지만 형식상으로는 자회사와 대상회사 간 합병형태를 띠고 있어 모회사는 합병에 대한 주주총회의 승인결의를 피할 수 있게 된다.[60]

삼각합병이 있게 되면 대상회사의 소수주주는 대상회사의 주식을 잃게 되고,

---

56) 김효신, "소수주주축출제도의 도입방안에 대한 검토,"「선진상사법률연구」제50호(법무부, 2010. 4.), 45면.

57) 안경봉·박훈, "삼각합병제도와 과세,"「법학논총」제22권 제2호(국민대학교 법학연구소, 2010), 261면.

58) 미국의 수정모범회사법(Revised Model Business Corporation Act)에서는 우리의 주식의 포괄적 교환에 상응하는 'compulsory share exchange'를 인정하고 있으나, 델라웨어주 회사법에서는 이를 인정하고 있지 않다(William W. Bratton, Corporate Finance(5th ed.), Foundation Press, 2003, p. 725).

59) 노일석, "미국법상의 삼각합병과 주식교환,"「성신법학」제3호(성신여자대학교 법학연구소, 2004. 2.), 31면.

60) 안경봉·박훈, 전게논문, 267면.

합병당사회사의 모회사 주식을 보유하게 된다. 이 경우 대상회사의 소수주주 입장에서 보면 자신의 의사와 관계없이 대상회사의 주주의 지위에서 축출되는 것이기에 소수주주축출제도의 일환이라고 볼 수 있다. 이에 대한 문제점은 앞서 설명한 주식의 포괄적 교환 및 이전과 유사함으로 생략한다.

Ⅱ. 지배주주의 매도청구권

1. 의   의

개정상법은 지배주주가 소수주주의 의사에 반하여 소수주주의 주식을 취득할 수 있도록 하였는데(제360조의24), 이른바 지배주주의 매도청구권(squeeze-out right)이다.[61] 회사의 주주가 되면 그 의사에 반하여 주주의 지위를 잃지 않게 하는 것이 지금까지 상법의 태도였다. 그러나 소수의 주주들이 주주로서의 지위를 유지하도록 하기 위하여 회사가 과도한 비용을 지출하고, 구조조정의 유연성을 포기하도록 하는 것은 타당하지 않을 수도 있다. 개정상법은 이 논리를 수용하여 매도청구권을 규정한 것이다.[62]

회사의 발행주식총수의 95% 이상을 자기의 계산으로 보유하는 지배주주는 회사의 경영상 목적을 달성하기 위하여 필요한 경우 주주총회의 승인을 얻어, 나머지 5% 미만의 주식을 보유하는 소수주주의 주식에 대해 매도청구권을 행사

---

61) 영어로는 지배주주에 의한 소수주식 전부취득의 의미로 "freeze-out"과 "squeeze-out"이라는 두 가지 용어가 혼용되고 있다. 두 용어의 차이가 명확한 것은 아니지만, 취득 방식에 따라 주로 사용하는 용어가 다르다. 합병이라는 절차를 통하여 소수주주를 축출하는 미국의 경우, 법으로 명시되거나 판례에 규정된 것은 아니지만 학술적인 용어로 전자를 주로 사용한다. 반면에 소수주주축출제도를 성문법에서 인정하는 유럽의 경우 후자의 용어를 법문에서 사용하고 있다. EU공개매수지침 제15조는 그 제목을 "The right of squeeze-out"이라고 정하고 있고, 영국 회사법 제3장에서도 "squeeze-out"이라는 용어로 지배주주에 의한 소수주식의 전부취득을 설명한다. squeeze-out이 소수주주의 주식을 자신들에게 팔도록 강요하는 지배주주의 권리라면, 이에 대응하여 소수주주가 지배주주들에게 자신의 주식을 사도록 강요하는 소수주주의 권리를 "sell-out"이라고 한다. EU공개매수지침 제15조를 비롯하여 영국 회사법 제3장에서도 "squeeze-out"과 "sell-out"을 함께 규정하고 있다. 따라서 상법 제360조의24가 규정하는 지배주주의 매도청구권은 "squeeze-out," 제360조의25에서 정하고 있는 소수주주의 매수청구권은 "sell-out"이라고 할 수 있다.

62) 김화진, "상장회사를 어떻게 규제할 것인가," 「서울대학교 법학」 제49권 제1호(서울대학교 법학연구소, 2008), 202면.

할 수 있다.63) 지배주주의 매도청구권 행사로 소수주주가 축출되고 나면 지배주
주는 주식회사의 발행주식 전부를 보유하고, 그 결과 해당 회사는 지배주주만의
1인회사로, 지배주주가 주식회사인 경우에는 완전자회사로 된다.64)

2. 매도청구권의 행사요건

가. 지배주주

1) 대상회사

지배주주의 매도청구권을 행사할 수 있는 대상회사는 상장회사와 비상장회사
를 불문한다.65) 이러한 개정상법의 태도에 대해 반대하며 대상회사를 상장회사
에 국한해야 한다는 견해가 있다. 그러나 경영의 효율화를 위해 도입한 제도라
는 입법취지를 고려할 때 대상회사를 상장회사에 국한할 필요는 없으며, 비상장
회사의 경우에도 이 제도가 유용하게 사용될 수 있을 것이다.66)

2) 발행주식총수의 95% 보유

가) 주식보유비율

지배주주가 매도청구를 하기 위해서는 회사 발행주식총수의 100분의 95 이
상을 자기의 계산으로 보유67)하고 있어야 한다(제360조의24 제1항).68) 주식보유
비율을 얼마로 할 것인가에 대해 입법단계에서 많은 논란이 있었는데,69) 상법상

---

63) 지배주주와 소수주주의 용어는 상법 제360조의24 이하에서 규정하는 지배주주에 의한 소
　　수주식 전부취득에 국한하여 사용하는 용어이고, 회사법 전반에 걸쳐 사용할 수 있는 용어
　　는 아님을 주의하여야 한다(이철송, 전게서(2011 개정상법: 축조해설), 126면).
64) 김성용, 전게논문, 445면.
65) 비교법적으로 볼 때 독일, 일본, 미국의 경우 상장회사와 비상장회사를 불문하여 적용하고,
　　공개매수를 전제로 하는 영국의 경우 상장회사에 국한하여 적용한다.
66) 대상회사의 범위에 관한 학자들의 찬반 논의는 황현영, "상법상 강제매수제도에 관한 연
　　구,"「한양대학교 박사학위 논문」(한양대학교, 2012. 2.), 72면을 참조하기 바란다.
67) 자본시장과 금융투자업에 관한 법률(이하 '자본시장법'이라 함)에서는 '보유'라는 용어와 '소
　　유'라는 용어를 구별하고 있지만, 상법에서는 특별히 두 용어를 구별하지 않으므로 여기에
　　서 '보유'는 '소유'와 같은 의미로 해석된다(송옥렬, 전게서, 887면).
68) 비교법적으로 볼 때 독일은 전체주식의 95% 이상을, 영국은 90% 이상을 요구하고 있어서
　　양국의 법제가 크게 다르지 않다고 볼 수 있다. 그러나 영국은 공개매수가 선행되어야 함
　　을 전제로 하고 있는 점이 독일과는 다르다. 반면에 미국에서는 일반적으로 90% 이상의 지
　　분을 보유하고 있는 모자회사간 약식합병의 경우에 현금지급에 의한 소수주주의 축출이 보
　　편적으로 허용된다.

간이합병 기준인 90%로 하자는 견해, 현행 소수주주권인 3%와 균형을 맞추어 97%로 하자는 견해, 독일과 유사하게 95%로 하자는 견해가 주장되었다. 그런데 이미 지배주주가 존재하는 상황에서 95%와 97%는 큰 차이가 없기 때문에, 소수주주에게 주식매수청구권을 인정하는 영국식 sell-out 제도를 도입하는 조건으로 95%로 정해졌다.[70] 발행주식총수의 95%를 요구한 것은 이를 소수주주축출의 사회경제적 효율성과 소수주주의 재산권 침해 사이의 균형점으로 본 것으로 이해할 수 있고, 적절한 기준이라고 본다.

나) 주식보유시점

지배주주의 매도청구권은 95% 이상을 보유하였는지 여부가 행사요건으로 정해져 있어 주식의 보유시점에 대해 견해가 나뉜다. 지배주주가 매도청구권 행사를 위한 주주총회 결의를 위해 이사회의 소집을 청구하는 시점,[71] 주주총회 결의일,[72] 지배주주가 매도청구한 시점[73]을 기준으로 판단하여야 한다는 각기 다른 해석이 있다. 그런데 상법 제360조의24 제4항에서는 주주총회를 소집할 때 지배주주의 매도청구권 행사요건의 충족 여부에 대한 내용을 통지하도록 규정하고 있다. 이러한 규정에 근거하여 지배주주가 회사에 대하여 주주총회의 소집통지를 요구할 시점 즉 이사회 소집을 청구하는 시점에 95% 이상의 주식을 보유하고 있어야 하고 매도청구시점까지 95% 이상의 주식을 보유하는 것이 필요하다고 본다.[74]

---

69) 주식보유비율을 높이면 지배주주 입장에서 도달하기 어려운 기준이 되어 제도의 실효성에 문제가 생기고, 주식보유비율을 낮추면 더 많은 소수주주가 강제로 축출될 수 있어 소수주주보호에 문제가 생길 수 있기 때문이다.

70) 법무부, 「상법개정특별분과위원회 회의록[회사편]」(2006), 397~411면.

71) 이병기, 전게논문, 126면; 정준우, "지배주주의 주식매도청구권에 관한 입법론적 재검토," 「법과 정책연구」 제12집 제2호(한국법정책학회, 2012. 6.), 499~500면.

72) 김건식·노혁준·천경훈, 전게서, 871면; 김화진, "소수주식의 강제매수제도," 「서울대학교 법학」 제50권 제1호(서울대학교 법학연구소, 2009. 3.), 339면.

73) 송종준, 전게논문(소수주식 전부취득제의 입법의도와 해석방향), 86면; 정병덕, "주식강제매수제도와 소수주주의 보호," 「상사판례연구」 제25집 제1권(한국상사판례학회, 2012), 89~90면.

74) 노혁준, "2011년 개정상법상 소수주주의 매수청구권에 관한 연구 - 지배주주의 매도청구권과의 비교를 중심으로 -," 「인권과 정의」 제429호(대한변호사협회, 2012. 11.), 127면.

다) 보유주식의 합산 여부

(1) 자회사 등의 주식

지배주주를 판단할 때 보유주식의 산정과 관련하여, 지배주주가 회사인 경우 모회사와 자회사가 보유한 주식을 합산하도록 하고 있고, 지배주주가 자연인 주주인 경우에는 발행주식총수의 100분의 50을 초과하는 주식을 가진 회사가 보유하는 주식도 그 주주가 보유하는 주식과 합산하도록 하고 있다(제360조의24 제2항). 이는 모회사와 자회사의 관계를 회사가 아닌 개인으로 치환하여도 모자회사와 동일한 법리를 적용하겠다는 것이다. 법문에서 명확하게 모자회사의 주식을 합산하도록 정하고 있으므로, 50% 미만의 주식을 보유한 단순 계열회사나 공통의 지배주주를 가지는 회사의 주식은 합산할 수 없다.[75]

보유주식을 합산한 경우 모회사와 자회사, 해당 회사의 주식을 50% 초과 보유한 주주와 해당 회사 중 누가 매도청구권을 행사할 수 있는 지배주주인지에 대해 세 가지 학설이 제기될 수 있다. 제1설은 모회사 또는 해당 회사의 주식을 50% 초과 보유한 주주를 지배주주로 보는 견해이고,[76] 제2설은 합산한 각 회사 또는 주주 중 자기 계산으로 보유하고 있는 주식이 가장 많은 주주를 지배주주로 보는 견해이고, 제3설은 합산한 각 회사 또는 주주를 모두 지배주주로 보는 견해이다.[77] 법문에서는 합산하라는 규정만 있고, 청구권자에 대한 특별한 제한을 두고 있지 않으므로 3설에 따라 합산한 각 회사 또는 주주는 모두 지배주주의 매도청구권을 행사할 수 있는 주체로 보아야 한다.

법해석상 당연한 이야기지만 정확한 설명을 위해 부연하자면, 지배주주로 인정되기 위해서는 반드시 1주 이상을 보유하여야 한다. 예를 들어 C회사의 주식을 A회사가 95% 보유하고 있고, A회사의 모회사인 B회사는 한 주도 보유하고 있지 않은 경우에 C회사에서 지배주주로 인정받아 매도청구권을 행사할 수 있는 자는 A회사뿐이다. 지배주주의 매도청구권을 행사하기 위해서는 주주총회에서 지배주주가 설명을 해야 하는데, 해당 회사인 C회사의 주식을 한 주도 보유하지 않은 B회사가 지배주주로서 주주총회에 출석해 설명의무 등을 이행하는

---

75) 법무부의 질의회신 참조(상사법무과-270(2013. 1. 25.)).
76) 송옥렬, 전게서, 888면; 김태진, 전게논문, 174~176면.
77) 이병기, 전게논문, 130면; 정준우, "상법상 주식매도·매수청구권에 관한 주요쟁점 검토," 「법학연구」 제22집 제2호(인하대학교 법학연구소, 2019), 335면.

것은 주주의 참석을 전제로 하는 주주총회의 절차상 문제가 있다. 이와 같은 이유로 독일에서도 지배주주가 되는 사람은 적어도 1주 이상을 보유해야 하는 것으로 보고 있다.[78]

(2) 특수관계인의 주식

특수관계인의 주식은 지배주주의 주식에 합산하지 않는다. 입법단계에서 특수관계인을 포함할 것인지 여부에 대한 논의가 있었으나 제도의 위험성을 고려하여 지배주주의 개념을 좁게 해석해야 한다는 의견이 다수여서 특수관계인을 제외하고 1인의 자연인이나 1인의 법인으로 한정하도록 하였다.[79] 따라서 특수관계인의 주식을 포함하지 않고 지배주주가 자기 계산으로 보유하고 있는 주식에 한정된다.[80]

(3) 회사의 자기주식

회사가 자기주식을 보유하고 있는 경우 이를 어떻게 합산할 것인가 문제될 수 있다. 회사가 보유한 자기주식을 분모인 대상회사의 발행주식총수와 분자인 지배주주 보유주식의 수에 합산하는지에 따라 지배주주의 지분비율을 충족할 수 있는지 여부가 달라질 수 있기 때문이다. 이 쟁점에 대해 세 가지 상반된 견해가 존재한다.

먼저 발행주식총수에는 자기주식을 포함하여 계산하지만, 지배주주의 보유주식의 수에는 이를 합산하지 않는다는 견해이다.[81] 상법상 발행주식총수를 계산할 때 자기주식을 제외하지 않고 있고, 특수관계인의 주식도 배제하여 지배주주의 주식보유비율을 엄격하게 해석하는 입법 취지에 비추어 볼 때 회사의 자기주식을 지배주주의 주식에 합산하여 계산하는 것은 바람직하지 않다는 것을 논거로 하고, 법무부에서도 같은 취지로 해석한 바 있다.[82] 두 번째는 자기주식을 발행주식총수와 지배주주의 보유주식수에서 모두 제외하는 견해이다.[83] 이는 독

78) 久保寬展, "少数株主の締出しの正当性と権利濫用," 森本 滋先生 還暦記念論文集「企業法の課題と展望」(商事法務, 2009), 134面.
79) 법무부,「상법개정특별분과위원회 회의록[회사편]」(2006), 411~412면.
80) 법무부의 민원회신 참조(상사법무과-970(2012. 4. 4.)).
81) 송종준, "자회사의 소수주주에 의한 주식매수청구권 행사에 있어서 지배주주의 인정법리와 자기주식의 관계,"「법조」제726호(법조협회, 2017. 12.), 513면 이하.
82) 법무부의 민원회신 참조(상사법무과-1329(2012. 5. 9.)).
83) 김건식·노혁준·천경훈, 전게서, 870면; 송옥렬, 전게서, 889면; 이철송, 전게서(회사법강의), 1203면; 최문희, "지배주주의 매도청구권, 소수주주의 매수청구권의 적용요건의 재고

일 주식법, 영국 회사법 및 일본 회사법이 지분비율 계산 시 대상회사의 자기주
식을 배제하는 것을 참고로 자기주식의 본질을 미발행주식으로 보아야 한다는
것을 근거로 한다. 세 번째는 자기주식을 발행주식총수와 지배주주의 보유주식
에 모두 합산하는 견해이다. 상법은 주주총회 결의요건에 관해 규정하면서 자기
주식은 발행주식총수에 산입하지 않는다고 규정한 반면(제371조 제1항) 매도청구
권에서는 자기주식을 발행주식총수에서 배제하고 있지 않고, 판례는 자기주식의
법적 지위를 자산설로 보고 있으므로 합산하여야 한다는 것을 근거로 한다.[84]

이에 대해 대법원은 소수주주에 의한 매수청구권의 행사요건으로 지배주주의
95% 보유비율을 산정하며,[85] 자회사인 대상회사가 보유한 자기주식은 대상회사
의 발행주식총수에는 물론이고 모회사인 지배주주의 보유주식수에도 합산되어야
한다고 판단하였다.[86] 대법원은 자기주식의 합산 근거로 상법 제360조의24 제1
항에서 발행주식총수의 범위에 제한을 두고 있지 않으며, 제2항에서 모회사와
자회사가 보유한 주식을 합산하도록 규정할 뿐 자회사가 보유한 자기주식을 제
외하도록 규정하고 있지 않다고 하였다.[87]

그런데 이러한 대법원의 판단은 자회사가 배당가능이익으로 취득한 자기주식
을 모회사의 계산이라고 볼 수 없을 뿐 아니라, 특수관계인의 지분율 합산까지

찰 – 지배주주의 요건, 자기주식의 취급을 중심으로 –,"「상사법연구」제36권 제3호(한국
상사법학회, 2017. 12.), 303면 이하.

84) 권기범, 전게서, 291면; 김경일, 전게논문, 211면; 이원석, "지배주주에 의한 소수주식의 전
부 취득에 있어 지배주주의 요건 – 대상판결: 대법원 2017.7.14. 자 2016마230 결정,"「BFL」
87호(서울대학교 금융법센터, 2018), 103면 이하; 이영선 집필부분, 전게서, 98면 이하; 홍
복기·박세화, 전게서, 298면.

85) B회사의 소수주주인 甲과 乙이 A회사(모회사)를 상대로 상법 제360조의25 제1항 소수주주
의 매수청구권을 행사한 사건이다. B회사의 발행주식은 A회사(모회사) 84.96%, B회사
13.14%(자기주식), 甲(소수주주) 0.0414%, 乙(소수주주)이 0.0066%를 각각 소유하고 있었
고, 신청인들은 피신청인(A회사)의 대상회사(B회사)에 대한 지분(84.96%)과 자회사인 대상
회사의 자기주식 지분(13.14%)을 더하면, 피신청인 지분은 98.1%이므로 지배주주 요건(발
행주식총수 95%)을 충족한다고 주장하였다.

86) 대법원 2017.7.14. 자 2016마230.

87) 항소심결정에서는 모회사가 자회사에 대하여 실질적인 지배력을 가지고 영향력을 행사할
수 있다는 점에서 형식상 모회사의 자금으로 취득한 주식이 아닐지라도 모회사가 지배력을
가진 자회사로 하여금 배당가능이익으로 취득하게 한 주식은 모회사의 계산으로 보유하는
것이라고 입법취지를 해석하고, 모회사가 발행주식총수의 5% 이상의 주식이 자회사의 자기
주식으로 보유되더라도 자회사에 대한 지배력을 유지하는 이익을 누리면서 소수주주의 주
식매수청구권 행사를 원천적으로 불가능하게 할 수 있다는 점을 들어 대상회사의 자기주식
도 모회사의 보유주식과 합산대상이라고 설명하였다(서울고등법원 2016.1.25. 자 2015라
418).

엄격하게 제한하여 지배주주의 지분율을 계산하도록 한 지배주주 매도청구권의 입법 취지와도 부합하지 않는다. 본 사건은 소수주주가 회사를 상대로 자신의 주식을 매수해 달라고 청구한 경우여서 소수주주입장에서 유리한 결정이 내려졌으나, 해당 결정은 향후 지배주주가 소수주주를 축출하는 경우에도 동일하게 적용되므로 모회사인 지배주주가 자회사로 하여금 자기주식을 취득하게 한 후 자회사의 소수주주를 축출하는데 악용될 우려가 있다. 따라서 대상회사인 자회사의 자기주식을 지배주주인 모회사 주식과 합산하여 95%의 지분비율을 계산하는 것은 바람직하지 않고 이는 입법론으로 해결하여야 한다.[88]

(4) 의결권 없는 주식

지배주주가 보유한 주식 중에 의결권 없는 주식이 있는 경우에 해당 주식을 포함하여 산정할 것인가 배제할 것인가가 문제될 수 있다. 개정상법은 지배주주를 정의함에 있어 '회사의 발행주식총수의 100분의 95 이상'이라고 명문화 하고 있고 지배주주의 매도청구권 도입 취지가 회사의 경영효율을 위함임을 고려해 볼 때 의결권 없는 주식을 배제할 이유는 없다고 본다.[89] 따라서 무의결권 주식을 발행주식총수에도 포함시키고 지배주주의 보유주식에도 포함시켜 주식보유비율을 산정하여야 한다.[90]

(5) 전환사채 등 주식 관련 사채

회사가 전환사채 또는 신주인수권부 사채를 발행하였으나 아직 전환권과 신주인수권이 행사되지 않아 신주의 발행이 유보되어 있는 경우에 주식의 합산이 문제될 수 있다. 이를 발행주식총수에 합산하여야 한다는 견해가 있으나,[91] 사실상 이는 잠재된 권리로 아직 발행되었다고 보기 힘들고 법문에서는 매도의 대상을 '주식'으로 규정하고 있으므로 이를 배제하고 산정하는 것이 타당하다.[92]

---

88) 정준우, 전게논문(상법상 주식매도·매수청구권에 관한 주요쟁점 검토), 329~331면; 황현영, "최근 판례를 통해 살펴본 지배주주의 매도청구권제도 관련 문제점 및 개정방안," 「상사법연구」 제37권 제3호(한국상사법학회, 2018), 535면 이하.

89) 이병기, 전게논문, 129면; 이영선 집필부분, 전게서, 894면.

90) 송종준, 전게논문(소수주식 전부취득제의 입법의도와 해석방향), 85면; 송옥렬, 전게서, 888면; 임재연, 「회사법Ⅱ」 개정5판(박영사, 2018), 835면; 정병덕, 전게논문, 92~93면; 정준우, 전게논문(상법상 주식매도·매수청구권에 관한 주요쟁점 검토), 328면.

91) 송종준, 전게논문(소수주식 전부취득제의 입법의도와 해석방향), 86면.

92) 정준우, 전게논문(상법상 주식매도·매수청구권에 관한 주요쟁점 검토), 328면; 독일에서도 전환사채 등의 잠재적 주식은 발행주식총수에서 배제하고 있다(최병규, "독일의 squeeze-out제도에 관한 연구," 「한독법학」 제14호(한독법률학회, 2003), 507면).

따라서 이러한 잠재적 주식을 배제하고 산정하여 매도청구권을 행사하여야 하
고, 만약 지배주주가 100%의 주식을 취득한 다음에 전환권의 행사로 주주가 된
소수주주가 생긴다면 지배주주는 다시 매도청구권을 행사하여야 할 것이다.[93]
다만 지배주주가 매도청구권 행사로 100% 주식을 취득한 이후에 전환권과 신주
인수권의 행사로 신주가 발행된다면 지배주주는 다시 매도청구권을 행사하여야
하는 이중 부담을 겪을 수 있다. 따라서 매도청구의 시기를 정할 수 있는 지배
주주가 회사의 주식 및 사채 발행 현황을 고려하여 매도청구권을 행사하는 것이
합리적이다.[94]

입법론적으로는 영국 회사법[95]과 일본 회사법[96]처럼 사채도 매도청구의 대
상이 되는 것으로 규정하는 것이 바람직하고, 독일의 다수설처럼 주식 관련 사
채는 지배주주에게 이전되고 사채권자는 지배주주에게 보상청구권을 보유하게
된다고 해석하는 것이 효율적이라는 견해도 참고할 수 있다.[97]

라) 자기의 계산

지배주주는 해당 주식을 자기의 계산으로 보유하여야 하고, 자기의 계산으로
보유한다는 점은 권리를 행사하는 지배주주가 증명하여야 한다.[98] 지배주주의
계산이면 지배주주의 명의가 아니어도 가능하다.[99] '자기의 계산'으로 보유한다
는 것은 '손익의 귀속주체가 동일함'을 의미한다.[100] 제360조의24 제1항의 '자기
의 계산으로'라는 표현과 제2항의 '모회사나 자회사 보유 지분을 합쳐'라는 표현
에 따라 지배주주에게 종속되어 있는 회사가 보유하는 주식이나 지배주주의 계
산으로 타인이 보유하는 주식 등도 합산의 대상이 된다.

그런데 1, 2대 주주가 공모하여 명의개서 등 형식적으로만 95%의 주식보유

---

93) 송옥렬, 전게서, 884면.
94) 황현영, 전게논문(소수주주축출의 실무상 쟁점과 향후 과제), 5~6면.
95) 영국 회사법에서는 주식으로 전환가능한 증권, 의결권이 있는 사채도 주식처럼 취급하여
    매도청구의 대상이 된다고 명시하고 있다(제989조, 제990조).
96) 일본 회사법에서는 '주식 등'의 매도청구라고 명시하여, 신주예약권부사채와 신주인수권
    등에 대하여도 매도청구를 할 수 있다고 규정하고 있다(제179조 제2항, 제3항).
97) 송옥렬, 전게서, 888면; 최문희, "지배주주의 매도청구권, 소수주주의 매수청구권의 법적
    논점," 「민사재판의 제문제」 제26권(민사실무연구회, 2018), 290면.
98) 이철송, 전게서(회사법강의), 1202면; 정병덕, 전게논문, 90면.
99) 김건식·노혁준·천경훈, 전게서, 870~871면; 송옥렬, 전게서, 887면; 이철송, 전게서(회
    사법강의), 1202면; 정준우, 전게논문(상법상 주식매도·매수청구권에 관한 주요쟁점 검
    토), 333면.
100) 대법원 2011.4.28. 2009다23610.

요건을 충족하고 소수주주를 축출하려 한다면, 이를 입증하기 어려워 제도의 남용이 문제될 수 있다.101) 또한 자기의 명의가 아닌 경우 자기의 계산임을 입증하는 데는 다툼의 소지가 있다. 따라서 입법론적으로는 '자기의 계산'과 '자기의 명의'로 보유한다고 명시하는 것이 바람직하고, 현행 법제에서도 지배주주가 매도청구권을 행사하기 전에 자신의 계산으로 타인이 보유하고 있는 주식 등을 자신의 명의로 이전하는 것이 분쟁의 소지를 줄일 수 있을 것이다.102)

3) 주식의 취득원인

주식취득의 원인이나 동기 또는 방법에 대하여 개정상법은 아무런 제한을 두고 있지 않으므로 일반적인 주식취득이든 공개매수에 의한 주식취득이든 상관없다.103) 즉, 공개매수, 시장매수, 사적 교섭매수,104) 상속, 증여, 합병 등 어느 방법에 의하든 95% 이상의 지분율만 확보하면 매도청구가 가능하다.105) 또한 설립 당초부터 또는 설립 후의 합작계약에 의하여 공동으로 주주가 된 자들 간에도 매도청구는 가능하다.106)

나. 경영상 목적

1) 의 의

지배주주가 매도청구권을 행사하기 위해서는 회사의 경영상 목적을 달성하기 위한 필요성이 인정되어야 한다(제360조의24 제1항). '경영상 목적'을 요건으로 정한 것은 지배주주의 매도청구권이 소수주주를 자신의 의사와 관계없이 회사에서 축출하는 제도라는 점을 고려하여, 제도의 남용을 방지하고 지배주주 개인의 이익이 아닌 회사의 이익을 위해 허용된다는 정당성 확보를 위함이다.107) 이는

---

101) 정병덕, 전게논문, 90면.
102) 황현영, "소수주주축출의 실무상 쟁점과 향후 과제," 「인권과 정의」 제461호(대한변호사협회, 2016. 11.), 5면.
103) 영국, 스위스, 이탈리아 등은 선행하는 공개매수가 존재하는 경우에만 소수주주축출을 허용하고 있는 반면 독일, 일본 등은 우리나라와 같이 주식의 취득원인을 묻지 않는다.
104) 2014년 삼성자산운용의 주식을 5%정도만 보유하고 있던 삼성생명이 계열사 간 지분거래를 통해 15일 사이에 96.27%를 보유한 지배주주가 되었고, 지배주주가 된 직후 지배주주 매도청구권을 행사하였다.
105) 송종준, 전게논문(소수주식 전부취득제의 입법의도와 해석방향), 86면; 주기종, "지배주주에 의한 소수주식의 전부취득에 관한 연구," 「법학연구」 제58호(한국법학회, 2015. 5.), 215면.
106) 이철송, 전게서(회사법강의), 1202면.

미국 판례법상의 '사업목적 기준'(business purpose test)을 도입한 것으로 보인다. 미국의 뉴욕주 등은 교부금합병 등을 통해 소수주주를 축출할 때 정당한 사업목적이 존재할 것을 요구하고 있는 반면, 매도청구권과 같이 명문으로 소수주주축출제도를 규정하고 있는 유사 입법례인 독일 주식법과 영국 회사법, 일본 회사법에서는 경영상 목적을 요구하지 않는다. 그 이유에 대해 독일 연방대법원은 입법자의 결단에 의하여 제도의 정당성이 인정되므로 실질적인 내용통제수단으로서 정당화 요건이 필요한 것은 아니라고 판시하였다.[108]

2) '경영상 목적'의 인정범위

매도청구권 행사시 요구되는 '경영상 목적'이 구체적으로 무엇을 의미하는지에 대해 학설이 나뉘고 있다. 첫 번째는 상법상 신주, 전환사채, 신주인수권부사채를 제3자에게 배정하는 경우에도 '회사의 경영상 목적을 달성하기 위하여 필요한 경우'라는 동일한 표현을 사용하고 있으므로(제418조 제2항, 제513조 제3항, 제516조의2 제4항), 그 의미도 동일하게[109] 해석해야 한다고 한다는 견해이다.[110] 그런데 우리 법원은 제3자 배정과 관련한 경영상 목적을 매우 엄격하게 해석하고 있어, 경영권이나 지배권 방어는 경영상 목적에 해당하지 않는다고 판시하고 있다.[111] 따라서 이 견해에 의할 경우 매도청구권에서 경영상 목적이 인정되는 경우가 상당히 제한될 것으로 예상된다. 두 번째는 주주총회 소집을 위해 주주명부 폐쇄, 소집통지 등 과다한 시간 및 비용이 소요되는 경우, 소수주주가 악의적으로 주주권을 남용하면서 회사의 경영을 방해하고 있는 경우, 합병 등 기업경영의 효율화를 위해 주주구조조정이 필요한 경우와 같이 회사의 이익을 증대할 목적이 있는 경우라면 그 범위를 넓게 해석해야 한다는 견해이다.[112]

---

107) 송종준, 전게논문(소수주식 전부취득제의 입법의도와 해석방향), 87면.

108) BGH Z 80, 69−Süssen=BB 1981, S. 574.

109) 제418조 제2항에서는 신기술의 도입, 재무구조의 개선을 회사 경영상 목적의 예로 들고 있는데, 이외에도 외국자본의 도입, 전후방 연계시장의 확보 등 회사의 발전을 위하여 필요한 경우를 경영상 목적으로 인정할 수 있다(이철송, 전게서(회사법강의), 918면).

110) 정봉진, "2011 개정상법상 소수주식 강제매수제도,"「강원법학」제35권(강원대학교 비교법학연구소, 2012. 2.), 505면.

111) 회사가 자금난을 해결하기 위하여 제3자에게 신주를 발행한 경우에는 경영상 목적이 인정되지만(대법원 2002.9.6. 2002다12697), 경영진의 경영권이나 지배권 방어라는 목적을 달성하기 위한 것은 경영상 목적으로 인정될 수 없다고 보았다(대법원 2009.1.30. 2008다50776).

112) 권기범, 전게서, 261면; 김건식·노혁준·천경훈, 전게서, 871면; 김태진, 전게논문, 173면;

이 견해에 의하면 주주관리비용 절감 및 경영의 효율성 향상을 위한 경우라면 경영상 목적이 인정되고,[113] 합병을 앞두고 상대방 회사가 소수주주의 지분해소를 원하는 경우에도 경영상 목적이 인정될 수 있다.[114] 상법 개정 제안이유서에서 제도의 도입 필요성으로 주주총회 운영 등 주주관리비용의 감소를 예시로 들고 있으므로,[115] 후자의 견해로 해석하는 것이 입법 취지에 부합할 것으로 생각된다.[116] 그러나 이 견해에 따라 해석하는 경우에도, 지배주주의 매도청구권제도가 사유재산권의 침해라는 위헌적 요소가 있음을 의식하여 합리성을 담보하기 위해 들어간 요건이 '경영상 목적'임을 생각할 때 오로지 소수주주의 축출만을 목적으로 하는 경우에는 경영상 목적을 인정할 수 없을 것이다.[117]

이와 관련하여 하급심 판례이기는 하나,[118] 최근 판례에서 경영상 목적에 대한 기준을 판시한 바 있어 이를 검토할 필요가 있다. 법원은 지배주주가 소수주주의 주식을 강제로 매수하여 사적으로 금융이익을 도모하거나 소수주주의 퇴출만을 목적으로 한 경우에는 경영상 목적이 있다고 보기 어려우나, 소수주주의 경영권 방해행위 및 주주권 남용에 의하여 회사의 정상적인 경영이 곤란할 것이라는 적극적 요건까지 필요한 것은 아니라고 판시하였다. 또한 경영상 목적의 달성 여부는 구체적인 사안을 검토하여 소수주주의 재산권 박탈을 정당화 할 수 있는 회사이익의 실질적 증대 존부를 판단하여야 한다고 보았다. 따라서 지배주주 매도청구권 행사에 필요한 경영상 목적은 1인 회사로 전환을 통한 주주관리비용 절감 및 회사 경영효율화를 위한 신속한 의사결정 필요성 등 회사이익의

송옥렬, 전게서, 889면; 송종준, 전게논문(소수주식 전부취득제의 입법의도와 해석방향), 88면; 이병기, 전게논문, 125면; 이영선 집필부분, 전게서, 906면.
113) 이 견해에 따라 실무상 경영상 목적이 인정되는 그 밖의 예시로, 적대적인 소수주주와의 갈등으로 인하여 현재 회사 경영에 어려움이 있거나 장래에 있을 우려가 있다는 점, 소수주주가 지배주주인 회사의 경쟁업체의 지분을 보유하고 있거나 투자를 하고 있다는 등의 사정이 있어 소수주주가 회계장부 열람요청 등을 통하여 회사의 경영상 정보를 외부에 유출할 수 있는 위험성이 상존 한다는 점, 소수주주 축출을 통해 완전모자회사 관계가 형성되게 되면 대상회사에 세무상 또는 기타의 이익이 발생한다고 볼 수 있는 사정 등을 고려해 볼 수 있을 것이다(이동건·류명현·이승진, 전게논문, 262~263면).
114) 송옥렬, 전게서, 889면; 임재연, 전게서, 866면.
115) 법제사법위원회,「상법 일부개정법률안 심사보고서」(2011. 3.), 81~82면.
116) 법무부,「상법 회사편 해설」(2012), 178면.
117) 송종준, 전게논문(소수주식 전부취득제의 입법의도와 해석방향), 88면; 서완석, "상법상의 소수주주축출제도,"「상사법연구」제30권 제2호(한국상사법학회, 2011. 8.), 432면; 육태우, 전게논문, 66면; 홍복기·박세화, 전게서, 298면.
118) 서울중앙지방법원 2015.6.11. 2014가합578720.

증대를 위한 목적이면 족한 것으로 판단된다.[119)

3) '경영상 목적'의 입증책임

매도청구권의 행사가 회사의 경영상 목적을 달성하기 위해 필요한 경우인지 여부는 지배주주가 이를 입증하여야 한다. 그런데 경영상 목적은 매우 추상적인 기준이기 때문에 그 의미가 모호하여 지배주주와 소수주주 양자가 모두 자신의 목적을 위해 이를 남용할 수 있다. 지배주주는 회사의 경영상 목적을 위해 필요하다고 주장하지만, 사실은 오로지 자신의 이익만을 위해 매도청구권을 행사하고자 하는 경우가 있을 수 있다. 이런 경우 우리나라에서는 지배주주의 충실의무를 인정하지 않고 있으므로 지배주주가 적당한 사업목적을 꾸며내기 쉬워 대부분의 거래에서 충족될 수 있다.[120) 또한 소수주주는 회사에서 축출되지 않기 위하여 경영상 목적의 부존재를 주장하며 매수에 응하지 않을 수도 있고, 이 경우 지배주주에 의한 소수주식의 전부취득은 중대한 제한을 받게 될 것이다.[121) 이러한 점에 비추어 볼 때 '경영상 목적' 요건은 지배주주에 의한 소수주식의 전부취득의 공정성 심사기준으로 기능하지 못할 뿐만 아니라 경우에 따라서는 오히려 제도를 활용하는 데 장애요인이 될 수 있으므로 '경영상 목적' 요건에 대한 재검토가 필요하다.[122)

다. 주주총회의 승인

1) 의 의

지배주주가 매도청구권을 행사하기 위해서는 미리 주주총회의 결의에 의한 승인을 받아야 한다(제360조의24 제3항). 독일은 지배주주에 의한 소수주식의 전

---

119) 황현영, 전게논문(소수주주축출의 실무상 재점과 향후 과제), 7면.
120) 육태우, 전게논문, 67면.
121) 김성호, "미국 회사법상 '소수주주축출'의 정당성에 관한 고찰," 「기업법연구」 제21권 제4호(한국기업법학회, 2007. 12.), 175면.
122) 입법론적으로 회사의 경영상 목적의 구체적 예를 조문에서 제시해야 한다는 견해(육태우, 전게논문, 67면)와 '경영상 목적'요건을 삭제해야 한다는 견해(정병덕, 전게논문, 96면), 미국 델라웨어주 법원 등이 채택하고 있는 '총체적 공정성 기준'을 참고하여 '경영상 목적 요건'은 삭제하고 다른 절차적 요건을 강화하여 소수주주들이 공정한 절차에 의해 정당한 보상을 받고 축출되도록 해야 한다는 견해(임재혁, "소수주주 축출제도에 있어 경영의 효율성 제고 및 소수주주 보호 이념의 조화," 「기업법연구」 제35권 제2호(한국기업법학회, 2021), 191면; 황현영, 전게논문(상법상 강제매수제도에 관한 연구), 103~106면)가 있다.

부취득시 절차적 공정성을 확보하기 위하여 주주총회의 결의를 그 요건으로 하고 있고, 주주총회에서의 결의는 등기사항으로 하고 있다. 그러나 미국은 독일과 달리 주주총회의 결의를 강제하는 방식을 취하지 않고 절차적 공정성 판단에 필요한 정보를 공시하도록 하고 있는 점이 특징이다. 영국은 지배주주에 의한 소수주식의 전부취득에서 주주총회의 결의를 요구하고 있지 않지만, 지배주주의 주식보유비율이 90% 이상 될 때까지 소수주주들이 공개매수청약에 응하여야 하므로 주주총회결의에 버금가는 엄격한 승인요건을 갖추고 있다고 볼 수 있다.[123]

지배주주가 이미 95% 이상의 주식을 소유하고 있는 상황에서 주주총회결의는 무의미한 것으로서 불필요한 절차라고 비판하는 견해가 있다.[124] 그러나 주주총회의 결의는 지배주주의 매도청구에 대해 단체법적 구속력을 부여하며,[125] 회사구조를 근본적으로 변경시키는 것에 대하여 정당성을 찾을 수 있는 근거가 된다.[126] 또한 주주총회를 거치는 경우 소수주주 보호에 몇 가지 이점이 있다. 주주총회 준비과정에서 매도청구권 행사 관련 정보가 공개되고,[127] 주주총회에서 경영상 목적 달성 등 소수주주 축출의 정당성에 대한 지배주주의 설명이 있으며,[128] 만약 주주총회결의에 하자가 있는 경우에는 결의의 무효·취소를 주장하여 지배주주에 의한 소수주식의 전부취득을 무효로 할 수 있기 때문이다.[129]

2) 주주총회의 소집

가) 소집통지시 기재사항

지배주주가 매도청구권 행사의 승인을 위한 주주총회의 소집을 통지할 때, 지배주주 매도청구권의 행사요건 충족 여부에 관한 사항(지배주주의 회사주식 보

123) 송종준, "소수주주 강제퇴출법제의 국제적 신조류와 그 입법론적 수용 가능성," 「증권법연구」 제6권 제1호(한국증권법학회, 2005), 32면.
124) 최준선, 「2011 개정상법 회사편 해설」(한국상장회사협의회, 2011), 109면.
125) 김화진, 전게논문(소수주식의 강제매수제도), 393면.
126) 최민용, "지배주주의 주식매도청구권의 운용과 관련된 몇 가지 제언," 「경영법률」 제21집 제4호(한국경영법률학회, 2011. 7.), 372~373면; 김성호, 전게논문(독일 주식법상의 소수주주축출제도와 그 시사점), 104면.
127) 최민용, 전게논문, 374면; 서완석, 전게논문, 433면.
128) 송종준, 전게논문(소수주식 전부취득제의 입법의도와 해석방향), 90면.
129) 김성호, "독일 주식법상의 소수주주축출제도와 그 시사점," 「상사법연구」 제24권 제3호(한국상사법학회, 2005. 11.), 103~104면.

유현황, 매매가액의 지급보증에 관한 사항), 금전대가의 상당성을 설명하는 근거(매매가액의 산정근거와 적정성에 관한 공인된 감정인의 평가), 매도청구의 목적을 소집통지서에 기재하여야 하고, 지배주주는 이를 주주총회에서 설명하여야 한다(제360조의24 제4항). 이를 통해 소수주주는 지배주주의 매도청구권 행사요건의 충족 여부 및 금전보상액의 산정 타당성에 대하여 판단할 자료를 제공받게 된다. 소집통지시 기재해야 하는 내용을 자세히 설명하면 다음과 같다.

(1) 지배주주의 회사 주식의 보유현황

매도청구권을 행사하는 자가 '지배주주'의 자격이 있는지에 대한 사항을 말한다. 지배주주는 회사 발행주식총수의 95% 이상을 자기의 계산으로 보유하고 있음을 입증하여야 하고, 보유주식의 합산 여부 등은 앞에서 설명한 바와 같다.

(2) 매도청구의 목적

매도청구의 목적에 관한 사항은 지배주주의 매도청구권 행사가 어떤 목적으로 이루어지는지에 관한 내용인데, 매도청구권의 요건인 '경영상 목적'을 판단하는 근거자료에 해당한다.

(3) 매매가액의 산정 근거와 적정성에 관한 공인된 감정인의 평가

소수주주에게 지급될 금전대가의 상당성을 입증하기 위해 매매가액의 산정근거와 적정성에 관해 공인된 감정인의 평가를 받아야 한다. 공인된 감정인이 어떤 사람인지에 대해서는 특별한 제한을 두고 있지 않으나 이해상충의 소지가 있는 자[130]는 공인된 감정인이 될 수 없을 것이다.[131]

상법이 변태설립사항에 관하여 공인된 감정인의 감정결과에 대하여 법원에 의한 사후감독절차를 인정하고 청산과 관련하여 감정인의 선정을 법원에 맡기고 있는 반면, 지배주주의 매도청구권에서는 공인된 감정인에 대하여 별도의 감독규정을 두고 있지 않다. 따라서 지배주주가 선임한 감정인이 평가하게 될 것인데, 소수주주가 납득할 만한 감정결과가 나오지 않는다면 소수주주는 이를 받아들이지 않고 법원의 결정을 구하게 될 것이다. 입법론적으로는 독일과 같이 현금보상의 적정성을 검사하는 전문 검사인의 선정을 지배주주의 신청에 의하여

---

130) 대표적인 예로 회사의 재무제표를 감사하거나 증명하는 업무를 수행하는 공인회계사의 경우 관련 계약기간 중에는 해당 회사의 매도청구와 관련하여 공인된 감정인이 될 수 없다(공인회계사법 제21조 제2항 제4호 및 동법 시행령 제14조 제2항).
131) 이병기, 전게논문, 132면.

법원이 선임하도록 하는 것이 바람직하다(주식법 제327c조 제2항 제3문).[132]

(4) 매매가액의 지급보증

지배주주에게 매매가액을 지급할 충분한 자력이 있는지 여부가 소수주주 보호를 위해 중요한 부분이기 때문에 매매가액의 지급보증에 대해서도 주주총회의 소집통지시 기재하도록 정하고 있다. 그런데 여기서 '지급보증'은 지배주주가 예금잔고증명, 대출약정 등을 통하여 매수대금이 충분히 있음을 보이라는 의미로 이해할 수 있을 것이다.[133] 그러나 입법론적으로 독일과 같이 지배주주는 소수주주에게 현금보상을 하기 위하여 주주총회의 결의 이전에 지배주주의 보상의무 이행을 보증하는 금융기관의 보증서를 이사회에 제공하도록 정하는 것이 바람직하다(주식법 제327b조 제3항).

나) 소집 방법

지배주주는 회사의 경영진에게 주주총회를 개최하여 지배주주에 의한 소수주식의 전부취득을 결의할 것을 요구할 수 있다. 주주총회의 소집은 이사회의 결정사항이므로(상법 제362조), 지배주주는 먼저 이사회에 소집을 요청해야 한다. 다만 이사회가 없는 자본금 10억 미만의 회사의 경우 각 이사가 이사회의 기능을 담당하므로, 지배주주는 각 이사에 주주총회 소집을 요청하면 된다(제383조 제6항). 지배주주에 의한 주주총회 소집청구가 있게 되면 이사회(이사회가 없는 소규모 회사의 경우 이사)는 주주총회를 소집하여야 하며, 청구자가 지배주주로서의 지위를 충족하는 한 이를 거부하지 못한다. 이때 이사는 매도청구권 행사 자체의 타당성에 대한 판단을 할 수 없고 형식적인 요건에 대한 검토만 할 수 있다.[134]

3) 주주총회의 결의

가) 지배주주의 설명의무

지배주주는 매도청구권 행사와 관련하여 주주총회 소집통지서에 기재한 내용을 주주총회에서 설명하여야 한다(제360조의24 제4항). 이사가 아닌 지배주주에게 설명의무를 부과한 것은 그 행사주체가 회사가 아닌 지배주주이기 때문이다.

---

132) 최병규, 전게논문, 504면.
133) 김건식 · 노혁준 · 천경훈, 전게서, 872면; 송옥렬, 전게서, 890면.
134) 김성호, 전게논문(독일 주식법상의 소수주주축출제도와 그 시사점), 91면.

나) 결의의 방법

주주총회의 결의가 보통결의인지 특별결의인지 법문상 명확하지는 않으나, 명문의 규정이 없으므로 보통결의로 보아야 할 것이다.[135] 그러나 지배주주가 이미 95% 이상의 주식을 보유하고 있는 상황에서 이루어지는 결의이므로 구별의 실익은 없다.[136]

다) 지배주주의 의결권 행사 여부

주주총회의 승인과 관련하여 지배주주를 특별이해관계인으로 보아 그 의결권을 행사할 수 없도록 제한하는 것이 바람직하다는 견해가 있다.[137] 그러나 영업양도나 합병같은 중대한 조직법적 행위에도 지배주주의 의결권을 박탈하지 않는데, 지배주주에 의한 소수주식의 전부취득을 위한 주주총회에서 지배주주의 의결권을 박탈하면 제도의 실효성이 없을 수 있다. 또한 지배주주에게 매도청구권을 허용한 이상, 특별한 법률의 규정 없이 지배주주를 제외하고 소수주주들만의 주주총회결의를 요건으로 해석하는 것은 입법 취지에 반할 수 있다. 법무부가 발간한 해설서에서도 매도청구를 한 지배주주는 의결권이 배제되는 특별이해관계인이 아니라고 해석하고 있다.[138] 또한 앞에서 살펴본 판례[139]에서도 법원은 지배주주는 매도청구권 행사를 위한 주주총회에서 상법 제368조 제3항의 특별이해관계인에 해당한다고 볼 수 없다고 판시하였다. 법원은 그 논거로 두 가지를 제시하였는데, 하나는 지배주주의 매도청구권 행사에 의해 얻는 지배주주의 이익은 회사이익의 실질적인 증대를 위하여 특정한 주주가 주주의 입장에서 얻는 부수적 이익에 불과하다는 것이다. 또 다른 하나는 지배주주의 매도청구권에 관한 상법개정특별분과위원회 회의록에 의하더라도 지배주주의 의결권 행사가 가능함을 전제로 주주총회 결의의 의미에 대한 논의가 이루어졌다는 것이다. 따라서 지배주주의 매도청구권 행사를 승인하는 주주총회에서 지배주주도 의결권

---

135) 정병덕, 전게논문, 98면; 송종준, 전게논문(소수주식 전부취득제의 입법의도와 해석방향), 90면; 육태우, 전게논문, 68면; 이에 대해 보통결의가 아니라 특별결의로 해석하는 것이 바람직하다는 반대견해가 있다(정봉진, 전게논문, 506면).

136) 김화진, 전게논문(소수주식의 강제매수제도), 339면; 김홍식, "개정상법상 소수주식의 강제매수제도에 관한 연구," 「안암법학」 제36권(안암법학회, 2011), 758면.

137) 서완석, 전게논문, 433~434면; 육태우, 전게논문, 69면.

138) 법무부, 전게서(상법 회사편 해설), 182면.

139) 서울중앙지방법원 2015.6.11. 2014가합578720.

을 행사할 수 있다고 보아야 한다.[140]

라) 주주총회결의의 하자

매도청구권 행사는 주주총회의 결의를 거치므로, 주주총회결의에 하자가 있다면 그 결의에 대한 취소를 청구할 수 있게 된다. 소수주주들에게 지급될 주식보상금액이 제시되지 않거나, 주식가치의 산정의 공정성을 판단하기 위해 필요한 정보가 충분히 제공되지 않은 경우라면 주주총회결의의 취소를 인정할 수 있을 것이다.[141] 그리고 지배주주가 95%의 주식보유비율을 충족하지 못하였거나 자기 계산으로 주식을 보유하고 있지 않은 경우, 경영상 목적이 부존재 하는 경우에는 법에서 정한 매도청구의 요건을 충족하지 못하였으므로 주주총회결의무효 소송의 대상이 된다고 할 것이다.[142] 그러나 법이 정한 절차를 준수한 이상, 단순히 지배주주가 제시한 가격에 이의가 있다고 하여 주주총회의 효력을 다툴 수는 없을 것이다.[143] 이 경우 소수주주는 법원에 가격결정을 청구할 수 있다 (제360조의24 제8항).

라. 공시와 매도청구

1) 매도청구권 행사에 관한 공고 및 통지

가) 의 의

회사 발행주식총수의 95% 이상을 보유한 지배주주가 경영상 목적 달성을 위한 필요성을 가지고 주주총회 승인을 얻으면 매도청구권을 행사할 수 있다. 상법은 소수주주의 보호를 위해 매도청구에 앞서 지배주주에게 일정한 통지의무를 부과하고 있다. 지배주주는 매도청구의 날 1개월 전까지, ① 소수주주는 매매가액의 수령과 동시에 주권을 지배주주에게 교부하여야 한다는 뜻, ② 교부하지 아니할 경우 매매가액을 수령하거나 지배주주가 매매가액을 공탁한 날에 주권이

---

140) 최민용, 전게논문, 373면; 송종준, 전게논문(소수주식 전부취득제의 입법의도와 해석방향), 90면; 정병덕, 전게논문, 98면; 송옥렬, 전게서, 889면; 이병기, 전게논문, 132면; 임재연, 전게서, 841면; 최준선, 전게서(회사법), 818면.
141) 송종준, 전게논문(소수주주 강제퇴출법제의 국제적 신조류와 그 입법론적 수용 가능성), 34면.
142) 정병덕, 전게논문, 100면; 송종준, 전게논문(소수주식 전부취득제의 입법의도와 해석방향), 97면.
143) 최민용, 전게논문, 375면.

무효가 된다는 뜻을 공고하고, 주주명부에 적힌 주주와 질권자에게 따로 그 통지를 하여야 한다(제360조의24 제5항). 이러한 통지와 공고는 지배주주가 매도청구권을 행사하기에 앞서 주주와 질권자들로 하여금 적절히 대응할 기회를 주기 위함이다.[144]

주주명부에 적힌 주주에게 통지하도록 법문에서 정하고 있으므로, 주식을 취득한 상속인을 알 수 없거나 주식의 양도 후 명의개서가 되지 않은 경우에 지배주주는 주주명부상의 주주에게 통지함으로 실질주주에게 대항할 수 있다.[145] 공고 및 통지 후 소수주주가 주식을 제3자에게 양도한 경우에는 새로운 절차를 거칠 필요 없이, 지배주주는 양수인을 상대로 매도청구권을 행사할 수 있다.[146]

나) 시 기

상법은 매도청구를 하기 1개월 전에 매도청구권 행사에 대한 공고 및 통지를 하도록 정하고 있으므로, 지배주주는 주주총회 승인 이후에도 매도청구권 행사까지 1개월의 시간을 기다려야 한다.[147] 이에 대해 공고 및 통지는 그 자체가 매도청구는 아니고, 개별적으로 통지하도록 규정하고 있을 뿐 명시적으로 주주총회 승인을 받은 후에 하도록 정하고 있지 않으므로 주주총회 이전에도 가능하다고 보는 견해가 있다.[148] 반면 매도청구권 행사에서 주주총회결의는 강행적 요건이므로, 매도청구권 행사에 관한 공고와 통지를 주주총회 승인 이후에 하여야 한다는 반대 주장도 있다.[149] 95%의 지배주주가 의결권을 행사하는 이상 주주총회의 결의는 이루어질 가능성이 높으므로 실무상 편의를 고려해 주주총회 소집통지시 매도청구권 행사에 관한 공고 및 통지를 할 수 있도록 해석하여 2주간의 시간을 절약하는 것이 합리적인 것은 사실이다. 그러나 주주총회 승인이라는 매도청구권 행사의 법정요건이 갖추어지지 않은 상태에서 주권을 제출하라는 공고 및 통지를 하는 것은 논리적으로 적절하지 못하고, 매도청구 이전에 별도의 공고 및 통지를 하여 소수주주를 보호하도록 한 입법 취지를 몰각하게 될

144) 송종준, 전게논문(소수주식 전부취득제의 입법의도와 해석방향), 91면.
145) 송종준, 전게논문(소수주식 전부취득제의 입법의도와 해석방향), 92면.
146) 송종준, 전게논문(소수주식 전부취득제의 입법의도와 해석방향), 91면, 이병기, 앞의 논문, 132면.
147) 이병기, 전게논문, 133면.
148) 송옥렬, 전게서, 891면; 임재연, 전게서, 842면; 이병기, 전게논문, 133면; 이영선 집필부분, 전게서, 912면.
149) 송종준, 전게논문(소수주식 전부취득제의 입법의도와 해석방향), 91면.

우려가 있다. 따라서 주주총회 승인 이후에 매도청구권 행사에 관한 공고 및 통지를 하는 것이 타당하다.

2) 매도청구권 행사

가) 의 의

상법은 매도청구 1개월 전까지 매도청구권 행사에 관한 공고 및 통지를 하도록 정하고 있을 뿐, 매도청구의 행사방법 및 시기에 대해서는 언급하고 있지 않다. 그러나 매도청구를 기산점으로 삼아 주식의 매도의무, 매매가액의 협의의무 등이 결정되므로 매도청구의 유무 및 시점이 분명히 인식되어야 한다. 이에 대해 매도청구를 위한 지배주주의 별도의 의사표시를 요하지 않으므로, 매도청구에 관한 공고 및 통지가 있은 후 1개월 후에 매도청구권이 행사된 것으로 해석하여야 한다는 견해가 있고,[150] 이렇게 해석하는 것이 타당하다. 이에 반하여 매도청구의 의사표시는 현실적으로 이루어져야 하고, 공고 및 통지로 이를 갈음할 수 없다는 견해도 있다.[151]

나) 매도청구의 대상

5% 미만의 소수주주가 1인이 아닌 다수일 경우, 지배주주는 이때 모든 소수주주에 대해 매도청구권을 행사하여야 한다.[152] 이때 제시하는 조건도 모든 소수주주에게 동일해야 함은 주주평등의 원칙상 요구되는 바이다.[153] 만약 지배주주가 모든 소수주주가 아닌 일부 소수주주의 주식만 매도청구를 한다면 이는 주주평등의 원칙에도 반하는 것이 될 뿐 아니라 경영상 목적이라는 요건도 충족하지 못한 부적법한 것으로 보아야 할 것이다.[154]

다) 매도청구의 철회

지배주주가 매도청구권을 행사하기 위한 모든 요건을 갖추고 소수주주에게 매도청구도 하였는데, 매매가액의 협의 과정에서 예상치 못하게 과다한 비용이 지출되어 매도청구의 철회를 원하는 상황이 발생할 수 있다. 이에 대해 개정상

---

150) 이철송, 전게서(회사법강의), 1205면; 송종준, 전게논문(소수주식 전부취득제의 입법의도와 해석방향), 92면.
151) 김경일, 전게논문, 220면; 송옥렬, 전게서, 890면.
152) 대법원 2020.6.11. 2018다224699.
153) 이철송, 전게서(회사법강의), 1204면; 송옥렬, 전게서, 890면.
154) 이병기, 전게논문, 131면.

법은 아무런 규정을 두고 있지 않으나, 소수주주의 동의를 얻어야만 철회가 가능하다고 보는 견해와[155] 공고 및 통지를 통해 매도청구가 이루어진 이후에는 철회할 수 없다는 견해가 대립되고 있다.[156] 회사의 경영효율화와 비용절감을 위해 매도청구권을 행사하는 것인데 도리어 비용이 지나치게 지출되어 회사에 더 큰 부담을 주는 경우라면 소수주주의 동의를 얻어 철회할 수 있도록 해석하는 것이 합리적인 것으로 보인다.

3. 매도청구의 효력

가. 소수주주의 매도의무

매도청구를 받은 소수주주는 매도청구 후 2개월 내에 지배주주에게 그 주식을 매도하여야 한다(제360조의24 제6항). 상법은 지배주주가 매도청구를 하면 소수주주에게 매도의무가 발생하도록 정하고 있으므로 매도청구는 형성권으로 보아야 하고, 법문에서 2개월 내에 주식을 매도하라고 명시한 것은 매도의 이행시기를 정한 것으로 보아야 한다. 다만 2개월이 지배주주의 매수대금 지급의무의 이행기라고 해석하는 견해도 있고,[157] 가격협의의 종결을 조건으로 소수주주의 매도의무 이행시기를 정한 것으로 보는 견해도 있으나,[158] 소수주주가 지배주주로부터 주식가액을 받고 주식을 매도해야 한다는 결과는 달라지지 않는다. 그러므로 지배주주가 95%의 주식보유·경영상 목적·주주총회의 승인이라는 요건을 갖추고 소수주주에게 주식의 매도를 청구하면, 소수주주는 자신의 의사와 관계없이 보유주식을 지배주주에게 매도해야 한다.

나. 공정한 금전적 보상

1) 매매가액의 결정 방법

매매가액의 결정은 지배주주의 매도청구권과 관련하여 핵심적인 부분에 해당

---

155) 김태진, 전게논문, 181면.
156) 이철송, 전게서(회사법강의), 1205면.
157) 김건식·노혁준·천경훈, 전게서, 873면; 김화진, 전게논문(소수주식의 강제매수제도), 339면; 송종준, 전게논문(소수주식 전부취득제의 입법의도와 해석방향), 92~93면; 송옥렬, 전게서, 891면.
158) 이철송, 전게서, 1205면.

한다고 볼 수 있다. 개정상법에 따르면 매매가액은 매도청구를 받은 소수주주와 매도를 청구한 지배주주 간의 협의에 의하여 이루어지도록 정하고 있을 뿐(제360조의24 제6항), 협의절차에 관하여는 어떠한 내용도 규정하고 있지 아니하다. 결국 그와 같은 협의는 반대주주의 주식매수청구권과 마찬가지로 지배주주가 주주총회 소집을 위한 통지 및 주주총회에서의 설명을 통하여 일방적으로 조건을 제시하고, 이를 소수주주가 받아들이는 형태로 이루어질 수밖에 없다.

한편 협의가 이루어지지 아니하는 경우, 즉 소수주주가 지배주주가 제시하는 매도가액을 거부하는 경우에는 지배주주 또는 소수주주가 매도청구를 받은 날로부터 30일 내에 법원에 매수가격을 결정해 줄 것을 청구할 수 있다(제360조의24 제8항). 이 청구를 받아 법원이 주식의 매매가액을 결정할 때에는 회사의 재산상태와 그 밖의 사정을 고려하여 공정한 가액으로 산정하여야 한다(제360조의24 제9항). 다만 법원의 주식가격결정에 대한 구체적인 규정은 없으나, 매도청구권의 제도적 취지를 고려할 때 반대주주의 주식매수청구권을 유추하여 비송사건절차법 제86조의2가 적용된다고 본다.[159)]

2) 공정한 매매가액의 산정 기준

가) 주식매수청구권 행사시 매매가액의 산정

상법은 매도청구권 행사시 매매가액의 산정에 관하여 합병결의에 반대하는 주주의 주식매수청구권과 동일하게 정하고 있으므로, 주식매수청구권의 주식가격산정에 관한 논의를 먼저 살펴볼 필요가 있다. 자본시장법에서는 주식매수청구권행사시 주식의 매수가액 산정에 대해 상장회사의 경우 일정기간 동안 증권시장에서 거래된 주식의 가격을 매매가액의 기준으로 하고, 비상장회사의 경우 자산가치, 수익가치, 상대가치를 가중평균하여 산정하도록 정하고 있다.[160)] 주식

---

159) 법원실무제요, 「비송」(법원행정처, 2014), 195면; 이영선 집필부분, 전게서, 916면.

160) 자본시장법에 따르면 주식의 매수가격은 주주와 해당 법인 간의 협의로 결정하지만, 협의가 이루어지지 아니하는 경우의 매수가격은 이사회 결의일 이전에 증권시장에서 거래된 해당 주식의 거래가격을 기준으로 하여 대통령령으로 정하는 방법에 따라 산정된 금액으로 하며, 해당 법인이나 매수를 청구한 주주가 그 매수가격에 대하여도 반대하면 법원에 매수가격의 결정을 청구할 수 있다(자본시장법 제165조의5 제3항). '대통령령으로 정하는 방법'에 대하여는 상장법인의 경우와 비상장법인의 경우를 나누어 상장법인의 경우 이사회결의일 전일부터 2개월, 1개월, 1주간의 시세가격을 실물거래에 의한 거래량을 가중치로 한 가중산술평균가격을 기준으로 하고, 비상장법인의 경우 자산가치와 수익가치를 가중산술평균한 가액과 상대가치의 가액을 산술평균한 가액을 기준으로 한다고 정하고 있다(자본시장법 시행령 제176조의7 제2항 제1호).

매수청구권에 관한 대법원 판례에서는 비상장주식의 경우 시장가치방식, 순자산
가치방식, 수익가치방식 등 여러 가지 평가방법을 활용하되, 회사의 상황이나
업종의 특성 등을 종합적으로 고려하여 비상장주식의 가액을 산정하도록 하고
있다.161) 지배주주의 매도청구권 및 소수주주의 매수청구권에 관한 가격결정사
건에서 법원의 결정은 상증세법에 따라 수익가치와 자산가치를 가중평균한 경
우,162) 현금흐름할인법(DCF)를 이용하여 수익가치를 산정한 뒤 이를 순자산가치
와 산술평균 내지 가중평균한 경우,163) 신청인이 신청한 신청가격이 현금흐름할
인법과 유사 상장회사 비교법을 따른 각 주식평가액 범위에 포함된다는 이유로
신청인의 신청가액을 그대로 인용한 경우164) 등이 있다.165)

나) 매도청구권 행사시 고려해야 할 사항

지배주주는 회사 내 정보를 이용하여 대상회사의 실질적 가치와 시장가치의
차이를 어느 정도 정확하게 예측할 수 있는바, 대상회사의 가치가 저평가 되어
있을 때 자신의 우월적 지위를 이용하여 소수주주를 축출할 수 있다.166) 또한
적극적으로 대상회사의 가치를 일부러 저하시키거나 또는 대상회사의 가치를 높
일 수 있는 기회를 유보시킨 후 소수주주를 축출함으로써 이득을 취하려고 할
수도 있다.167) 소수주주의 축출이 이루어지지 않을 경우에 시장은 회사의 실질

---

161) 회사의 합병 등에 반대하는 주주가 회사에 대하여 비상장주식의 매수를 청구하는 경우,
    그 주식에 대하여 회사의 객관적 가치가 적정하게 반영된 것으로 볼 수 있는 정상적인 거
    래의 실례가 있으면 그 거래가격을 주식의 공정한 가액으로 보아 매수가액을 정하여야 한
    다. 그러나 그러한 거래사례가 없으면 비상장주식의 평가에 관하여 보편적으로 인정되는
    시장가치방식, 순자산가치방식, 수익가치방식 등 여러 가지 평가방법을 활용하되, 회사의
    상황이나 업종의 특성 등을 종합적으로 고려하여 공정한 가액을 산정하여야 한다. 만일
    비상장주식에 관한 거래가격이 회사의 객관적 가치를 적정하게 반영하지 못한다고 판단되
    는 경우에는 법원은 그와 같이 판단되는 사유 등을 감안하여 그 거래가격을 배제하거나
    그 거래가격 또는 이를 합리적인 기준에 따라 조정한 가격을 순자산가치나 수익가치 등
    다른 평가 요소와 함께 주식의 공정한 가액을 산정하기 위한 요소로서 고려할 수 있다.
    (대법원 2018.12.17. 자 2016마272 결정).
162) 서울고등법원 2016.8.26. 자 2015라694 결정, 서울고등법원 2016.1.25. 자 2015라418 결
    정, 대전고등법원 2019.3.11. 자 2018라212 결정, 서울남부지방법원 2018.2.23. 자 2017
    비합100073 결정, 수원지방법원 여주지원 2020.3.20. 자 2019비합1006 결정, 인천지방법
    원 2019.9.3. 자 2018비합546 결정.
163) 서울남부지방법원 2014.6.26. 자 2014비합43결정, 서울서부지방법원 2018.11.27. 자 2018
    비합6 결정, 서울중앙지방법원 2018.2.1. 자 2017비합30017, 2017비합30020, 2017비합
    30030, 2017비합30152, 2017비합30296결정.
164) 전주지방법원 군산지원 2019.6.17. 자 2018비합10007 결정.
165) 이영선 집필부분, 전게서, 916~917면.
166) 송옥렬, 전게서, 892면.

가격이 시장가격보다 낮다고 추정하기 때문에, 지배주주에 의한 소수주식의 전부취득의 가능성으로 인하여 시장가격은 계속 하락할 가능성이 있다.[168] 또한 유동주식수가 5% 미만으로 감소된 경우의 주식가격은 소수주식 할인은 물론 유동성 부족으로 인한 할인을 반영할 수 밖에 없어 공정한 가격이라고 보기 어렵다.[169]

그러므로 주식매수청구권 행사시 주식 가격산정 방식을 매도청구권 행사시에 차용하되, 매도청구권 행사의 경우 시너지 효과, 회사에 대한 기대이익 및 소수파 할인 등을 고려해 산정할 필요가 있다.[170] 매도청구 이전에 선행된 공개매수가 있다면, 공개매수가격을 참고할 수는 있겠으나,[171] 공개매수가격을 매도청구시 공정한 가격으로 동일하게 적용할 필요는 없을 것이다.[172]

3) 매매가액의 차별적 지급 문제

지배주주가 주주총회를 통해 제시하는 주식대가는 모든 소수주주에 대해 동일한 것이지만, 구체적인 매매가액 결정은 지배주주와 소수주주의 협의에 의하도록 하고 있으므로 협의 과정에서 소수주주마다 매매가액이 달라질 수 있다.[173] 뿐만 아니라 협의가 이루어지지 아니한 경우 법원이 매매가액을 결정하게 될 것인데, 이때 소수주주가 각기 소송을 제기했다면 법원에서 정하는 가격 역시 달라질 수 있다. 소수주주가 법원에 매매가액 결정을 청구하는 경우에 법원은 상사비송사건으로 매수가액 결정의 재판을 하게 되는데(비송사건절차법 제86조의2), 이 결정에는 대세적인 효력이 없어 해당 재판의 당사자가 아닌 다른 소수주주에게는 그 효력이 미치지 아니한다.[174] 다만 해당 매도청구권 행사와

---

167) John C. Coates, IV, "Fair Value as an Avoidable Rule of Corporate Law: Minority Discounts in Conflict Transactions," 147 U. Pa. L. Rev, 1999, p. 1316.
168) 김효신, 전게논문, 50면.
169) 김건식·노혁준·천경훈, 전게서, 873~874면. 그러나 법원 결정 중에는 소수주식·유동성 부족 할인을 가치평가에 반영하지 아니한 경우도 있는데, 신청인들이 소수주주에 해당한다거나 비상장 주식으로서 그 유동성에 지약이 있다는 사정은 신청인과 피신청인이 같은 입장이고 주주가치를 달리 취급하는 것은 소유/경영분리 내지 주주평등 이념에 반할 소지가 크다는 것을 이유로 한다(수원지방법원 안산지원 2019.2.21. 자 2017비합40020 결정).
170) 황현영, 전게논문(상법상 강제매수제도에 관한 연구), 125~131면; 육태우, 전게논문, 75~82면.
171) 송종준, 전게논문(소수주식 전부취득제의 입법의도와 해석방향), 96면.
172) 서완석, 전게논문, 436면.
173) 송옥렬, 전게서, 892면; 이철송, 전게서, 1206면.
174) 이병기, 전게논문, 134면.

관련하여 매매가액의 협의나 법원의 결정이 이루어진 선례가 있는 경우, 다른 소수주주들과의 협의와 법원의 결정에 일종의 기준이 될 수 있을 것이다.[175)

4) 주식대가의 현금지급

지배주주가 지급해야 할 주식 대가의 종류에 대해 상법은 정하지 않고 있다. 이에 대해 독일 주식법에서는 금전 이외의 수단은 허용하지 않는 것으로 명시하고 있다(주식법 제327c조 제1항). 현금 이외의 유가증권 기타 재산을 지급대가로 허용하면 가치산정의 문제로 인해 소수주주에게 불이익이 초래될 우려가 있고, 현금 이외의 다른 재산으로의 지급을 허용한다는 명문의 규정이 없으므로 현금으로 지급하는 것으로 해석하는 것이 타당하다.[176)

다. 주식의 이전

1) 주식의 이전시기

매도청구를 받은 소수주주는 주주총회의 승인이 있은 날로부터 2개월 이내에 지배주주에게 그 주식을 매도하여야 한다(제360조의24 제6항). 주식의 이전은 산정된 매매가액을 지배주주가 소수주주에게 지급한 때에 이루어진다고 정하고 있으므로(제360조의26 제1항), 주식의 이전은 대금지급과 동시에 이루어지게 된다.[177)

2) 주식의 이전 방법

가) 주권의 교부

상법은 주식의 이전과 관련하여 이해관계인들의 권리가 침해되는 것을 방지하기 위해, 소수주주는 매매가액의 수령과 동시에 주권을 지배주주에게 교부하도록 정하고 있다(제360조의26 제1항). 따라서 소수주주가 지배주주로부터 결정된 매매가액을 지급받고 주권을 지배주주에게 교부하는 경우 해당 주권이 무효로 되는 것이 아니라 주식이 양도되는 것으로 보아야 한다.[178)

---

175) 김태진, 전게논문, 180면.
176) 송종준, 전게논문(소수주식 전부취득제의 입법의도와 해석방향), 96면.
177) 송옥렬, 전게서, 891면; 송종준, 전게논문(소수주식 전부취득제의 입법의도와 해석방향), 99~100면; 이병기, 전게논문, 135~136면.
178) 이병기, 전게논문, 135면.

그러나 소수주주가 주권을 교부하지 않을 경우에 대비하여, 상법은 소수주주가 매매가액을 수령하거나 지배주주에게 매매가액을 공탁한 날에 주권은 무효가 된다고 정하고 있다(제360조의24 제5항). 이는 주권이 실효됨을 전제로 하고 있으므로[179] 해당 주권은 무효가 되고 주식은 이전된 것으로 본다.[180]

나) 공탁에 의한 주식의 이전

(1) 의 의

상장회사의 경우에는 개별적인 소수주주가 누구인지를 알 수 없는 경우가 많을 것이고, 적법하게 대가가 산정되어도 그 수령을 거부하는 소수주주들이 있을 수 있다. 이러한 경우에 대비하여 개정상법은 지배주주가 그 가액을 공탁할 수 있고, 그 때에 소수주주의 주식이 이전된다고 정하고 있다(제360조의26 제2항). 이때 공탁할 수 있는 금액은 지배주주가 임의로 산정하여 주주총회 소집통지에 기재한 금액이 아니라 법원의 결정에 의한 금액이어야 하고, 매매가액 결정 사건의 법원 관할은 회사의 본점소재지 지방법원 합의부가 관할하는 것으로 보아야 한다.[181] 대법원도 공탁할 수 있는 매매가액은 지배주주가 일방적으로 산정하여 제시한 가액이 아니라 소수주주와 협의로 결정된 금액 또는 법원이 상법 제360조의24 제9항에 따라 산정한 공정한 가액으로 보아야 한다고 판시하였다.[182]

(2) 소수주주를 알 수 없는 경우

주주가 사망하였으나 상속으로 그 주식을 취득한 상속인을 알 수 없는 경우, 주식이 수차례 양도되었으나 명의개서가 이루어지지 아니는 경우에 지배주주는 소수주주를 알 수 없게 된다.[183] 이때 지배주주는 민사소송법상 공시송달의 방법으로 매도청구권을 행사할 수 있는데(민법 제113조), 이 경우 매매가액에 대한 협의가 불가능하다는 문제가 있다. 이러한 문제를 해결하기 위해 상법은 지배주주가 소수주주를 알 수 없는 경우 매매가액을 공탁할 수 있도록 하고, 공탁함으로써 소수주주의 주식이 지배주주에게 이전되는 것으로 본다고 정하고 있다(제

---

179) 이철송, 전게서(2011 개정상법: 축조해설), 133면.
180) 이병기, 전게논문, 136면.
181) 법무부의 질의 회신 참조(상사법무과-83(2014. 1. 8.)).
182) 대법원 2020.6.11. 2018다224699.
183) 이병기, 전게논문, 131면.

360조의26 제2항).

그런데 소수주주를 알 수 없는 경우, 현행 비송사건절차법상 피신청인이 누구인지 알지 못하면 상사비송사건으로 매매가액의 결정을 구하는 소를 제기할 수 없어 매매가액을 결정할 수 없고 따라서 공탁할 수 없게 된다.[184] 입법론적으로는 이 부분을 분명히 하는 것이 필요할 것으로 생각되나, 실무상으로는 다른 소수주주와의 관계에서 법원이 결정한 매매가액에 해당하는 금액을 공탁하여야 할 것이다.[185]

(3) 소수주주가 수령을 거부하는 경우

상법은 소수주주가 수령을 거부하는 경우에도 지배주주가 매매금액을 공탁하고 주식을 이전받을 수 있다고 정하고 있다(제360조의26 제2항). 여기서 소수주주가 수령을 거부하는 경우라 함은 적법하게 산정한 대가의 거부, 즉 법원의 결정에 의해 최종적으로 결정된 대가를 거부하는 것을 의미한다. 협의가 이루어지지 않은 상황에서 지배주주가 일방적으로 제시하는 금액의 수령을 소수주주가 거절한 경우에 공탁을 통해 주식이 강제로 이전된다고 해석하면, 매매가액을 협의하도록 하고 협의가 이루어지지 않을 경우 법원의 결정을 청구하도록 한 입법 취지에 반하게 된다. 또한 소수주주들이 정당한 보상을 지급받지 못하고 축출되어 피해를 입게 되는 경우가 발생할 수 있다. 따라서 이 경우 공탁 금액은 지배주주와 소수주주가 협의한 금액 또는 법원이 결정한 금액으로 해석하여야 한다.[186]

라. 기   타

1) 지연손해금

지배주주가 매도청구를 하는 시점에 매매계약이 체결되고 매매대금의 지급기한은 법문에 따라 매도청구시로부터 2개월 내이다. 만약 2개월 내에 지배주주와 소수주주 사이에 협의가 이루어지지 않아 소수주주에게 매매가액을 지급하지 못하였다면 2개월이 경과한 시점부터 지배주주는 지연손해금을 부담하게 된다. 주

---

184) 김태진, 전게논문, 178면.
185) 송종준, 전게논문(소수주식 전부취득제의 입법의도와 해석방향), 101면.
186) 이에 대해 지배주주가 제시한 금액으로 하여야 한다는 반대 견해가 있다(이동건·류명현·이승진, 전게논문, 263~267면).

식매수청구권에 대한 판례에서 대법원은 2개월의 기간이 경과한 후에 매수가액이 결정된 경우에도 그 2개월이 경과한 시점 이후의 매수대금 지체책임을 회사에 부담시키라는 취지로 판시한 바 있다.[187] 판례의 이러한 법리에 따르면, 지배주주가 매도청구권을 행사하는 경우에도 소수주주와 매매가액 협의가 이루어졌는지 여부와 관계없이 2개월의 기간 경과 이후에는 지배주주가 지체책임을 부담해야 한다. 설령 지배주주가 제시한 금액을 공탁하였다 할지라도, 그 공탁액에 대해서도 지연손해금은 면제되지 아니한다.[188] 이 경우 지연손해금은 상사법정이율인 연 6%가 적용된다.[189]

2) 소수주주의 주주권 행사

주식이 이전되는 시기는 지배주주가 주식의 대금을 소수주주에게 지급하는 때이므로, 매도청구를 하였으나 아직 대금을 지급하지 않고 있다면 소수주주는 여전히 주주로서의 지위를 가지게 된다. 따라서 소수주주는 제3자에게 주식을 양도할 수 있고,[190] 그 주식에 대하여 주주권도 행사할 수 있다.[191] 그러나 지배주주와 소수주주의 매매가액에 대한 협상이 결렬되고 법원의 결정을 구하는 시간이 장기간 소요될 경우, 소수주주 입장에서는 축출되기로 결정된 회사에서 여전히 주주의 지위를 유지하는 불안정한 상태에 놓이게 되고 지배주주 입장에서도 회사경영의 효율화라는 목적 달성에 장애가 될 수 있다. 따라서 입법론적으로 독일과 같은 등기제도 및 사후심사절차제도의 도입을 고려할 필요가 있다.[192]

---

187) 대법원 2011.4.28. 2010다94953.
188) 대법원 2020.4.9. 2016다32582.
189) 매매가액의 결정은 비송사건절차법에 따라 진행되므로 상당한 시일이 소요될 것이고, 지배주주에게 연 6%라는 지연손해금은 상당한 부담이 될 것이기에 지배주주와 소수주주 상호간 이견이 없는 범위 내의 매매가액은 합의하에 일부 변제하는 것을 허용하는 것이 바람직하다는 주장이 있다(이동건·류명현·이승진, 전게논문, 268면).
190) 송옥렬, 전게서, 891면.
191) 이병기, 전게논문, 136면.
192) 독일 주식법에서는 강제매수에 관한 주주총회의 결의를 상업등기부에 등기함으로 강제매수의 효력이 발생하여 주주권이 이전되고(주식법 제327e조), 다만 지배주주가 확정한 금전보상액이 적정하지 않은 경우 소수주주는 법원에 사후심사를 신청할 수 있고 법원은 적정한 금전보상액을 결정하도록 정하고 있다(주식법 제327f조 제1항).

3) 소수주주가 주식을 제3자에게 양도한 경우

소수주주가 자신의 주식을 제3자에게 양도하는 경우에 제3자에게도 매도청구의 효력이 미치는지 여부를 생각해 볼 수 있다. 소수주주가 지배주주로부터 주식에 대한 대금을 지급받기 전에는 자신의 주식을 제3자에게 자유롭게 양도할 수 있으나, 지배주주의 매도청구권은 해당 회사의 소수주주 전원에게 행사하는 것이므로 주식을 양수받은 제3자에게도 매도청구행사의 효력이 미친다고 보아야 할 것이다.

소수주주가 매매가액을 수령한 경우에는 지배주주에게 주식을 이전할 의무를 지게 되는데, 소수주주가 지배주주에게 주권을 교부하지 않고 제3자에게 주식을 양도하는 경우가 발생할 수 있다. 이 경우 손해배상책임은 별론으로 하고 주식을 양수받은 제3자에게도 매도청구권의 효력이 미친다고 보아야 할 것이다. 이는 제3자가 소수주주의 매도의무를 양수하는 것이 아니라 지배주주의 매도청구권은 해당 회사 소수주식 전부에 효력이 미치는 것으로 보아야 하기 때문이다.

Ⅲ. 소수주주의 매수청구권

1. 의   의

개정상법은 지배주주의 소수주주에 대한 매도청구권에 상응하여 소수주주의 매수청구권(sell-out right)을 규정하였다. 지배주주가 있는 회사의 소수주주는 언제든지 지배주주에게 그 보유주식의 매수를 청구할 수 있다(제360조의25). 소수주주는 이러한 권리를 통하여 가능한 높은 가격에 자신의 지분을 지배주주에게 매각하고 투하자본을 회수할 수 있다. 이는 개정상법에 의하여 새로 도입된 소수주주권이고, 이를 행사할 수 있는 소수주주는 지배주주를 제외한 모든 주주이므로 이 권리는 단독주주권이 된다.[193] 지배주주의 매도청구권이 소수주주의 이익을 해할 우려가 있다는 측면에서 소수주주를 보호하고 지배주주와 소수주주 사이에 균형을 맞추기 위하여 도입한 제도이다. 영국의 경우 소수주주의 매수청

---

193) 김화진, 전게논문(상장회사를 어떻게 규제할 것인가), 202면.

구권은 공개매수자로부터 억압을 받지 않도록 소수주주의 탈출권(exit right)을 보장해주기 위하여 만들어졌고,[194] 개정상법은 소수주주를 보호하기 위하여 영국법을 모델로 하여 소수주주의 매수청구권을 입법화하였다.

우리 상법상 정하고 있는 통상의 주식매수청구권(appraisal right)과 소수주주의 매수청구권(sell-out right)은 유사한 듯 보이지만, 전자는 회사에 대한 반대주주의 주식매수청구권이고 후자는 지배주주에 대한 소수주주의 주식매수청구권이라는 점에서 다르다. 먼저 통상의 주식매수청구권은 주주의 이익과 중대한 관계가 있는 법정 사항, 예컨대 주식교환(제360조의5), 영업양도·양수·임대(제374조), 합병 또는 간이합병(제522조의3) 등의 경우에 주주총회의 결의에 반대하는 주주가 자신의 소유 주식을 매수할 것을 회사에 요구할 수 있는 권리이다.[195] 그러나 개정상법 제360조의25에서 정하고 있는 소수주주의 매수청구권은 주주총회의 결의가 없더라도 언제든지 소수주주가 지배주주를 상대로 하여 주식매수청구권을 행사할 수 있다는 차이가 있다.[196] 소수주주의 매수청구가 있으면 지배주주는 이를 거절할 수 없고, 오로지 소수주주와 매수가격을 협의할 의무를 진다.

2. 매수청구권의 행사요건

가. 소수주주

지배주주가 있는 회사의 소수주주는 언제든지 지배주주에게 그 보유주식의 매수를 청구할 수 있다. 여기서 말하는 지배주주는 앞에서 언급한 바와 같이 주식회사에서 발행주식총수의 100분의 95% 이상을 자기의 계산으로 보유하고 있는 자를 말한다. 그러므로 매수청구권을 행사할 수 있는 주체는 회사 주식의 나머지 5% 미만을 보유하고 있는 소수주주들이다.

나. 청구방법

95% 이상의 주식을 보유한 지배주주가 있는 회사의 소수주주는 언제든지 지

---

194) 노혁준, 전게서(주요국가의 기업규제 개혁법제에 관한 비교법적 연구[Ⅲ] - 영국-), 122면.
195) 서완석, 전게논문, 415면.
196) 김효신, 전게논문, 53면.

배주주에게 자신의 주식을 매수해 줄 것을 청구할 수 있다. 그 청구에 경영상 목적을 요하지 않고, 주주총회의 승인을 받을 필요도 없다. 소수주주의 매수청구는 소수주주 각자의 이익을 위한 개별적 행동이므로 일부 주주만이 매수청구를 할 수 있고 다수의 주주가 집단으로 청구할 수도 있다.197) 이는 지배주주의 매도청구권을 행사할 경우 소수주식의 전부에 대하여 매도청구의 효력이 미치는 것과 다른 점이다.198) 소수주주의 매수청구권은 단독주주권으로 행사할 수 있으나, 소수주주가 이 권리를 행사할 때는 자기 주식의 일부만으로 행사할 수 없고 자기주식의 전부에 대한 매수를 청구해야 한다는 점은 유의할 필요가 있다.199)

소수주주가 매수청구권을 행사하는 대상은 지배주주이다. 따라서 회사는 소수주주의 청구가 있으면 지배주주의 주식보유현황 및 주식의 합산 여부 등에 대해서 알 수 있도록 조치를 취하는 것이 필요하다.200)

3. 매수청구의 효력

가. 지배주주의 매수의무

매수청구를 받은 지배주주는 매수를 청구한 날을 기준으로 2개월 내에 매수를 청구한 소수주주로부터 그 주식을 매수하여야 한다(제360조의25 제2항). 지배주주의 매도청구권과 마찬가지로 소수주주의 매수청구권 역시 형성권으로 보아야 한다.201) 그러므로 소수주주가 지배주주에 대하여 매수청구권을 행사하면 지배주주는 이를 거절할 수 없고, 반드시 소수주주의 주식을 매수하여야 한다. 매수청구의 철회는 지배주주의 승낙 없이 소수주주가 임의로 할 수 없다고 보아야 하나,202) 지배주주가 상당기간 매매대금을 지급하지 않는 경우 소수주주는 채무불이행을 이유로 계약을 해제할 수 있다고 보아야 한다.203) 또한 소수주주가 매수청구를 한 다음 제3자에게 주식을 양도한 경우, 제3자는 매수청구를 한 주

---

197) 이철송, 전게서(2011 개정상법: 축조해설), 132면; 이병기, 전게논문, 131면.
198) 송종준, 「적대적 M&A의 법리」(도서출판 개신, 2008), 369~370면.
199) 법무부 민원회신 참조(상사법무과-1486(2012. 5. 22.)).
200) 송종준, 전게논문(소수주식 전부취득제의 입법의도와 해석방향), 97~98면.
201) 이철송, 전게서(2011 개정상법: 축조해설), 132면.
202) 노혁준, 전게논문, 135면.
203) 임재연, 전게서, 881면.

식양도인의 지위를 그대로 계승하고 제3자에게 주권의 교부가 이루어졌으면 지배주주에 대한 관계에서도 적법한 주식양도로 인정된다.[204]

나. 매매가액의 지급절차

매매가액의 결정 절차는 지배주주에 의한 매도청구시 소수주주와 협의가격이 결정되지 아니하는 경우와 동일하다. 소수주주의 매수청구에 따른 매매가격은 소수주주와 지배주주 간의 협의로 이를 결정하고, 매수청구를 받은 날로부터 30일내에 매수가격에 대한 협의가 이루어지지 아니하는 경우에는 법원에 매수가격의 결정을 청구하여야 한다(제360조의25 제3항·제4항). 법원이 주식의 매매가액을 결정하는 경우에는 회사의 재산상태와 그 밖의 사정을 고려하여 공정한 가액으로 산정하여야 한다(제360조의25 제6항). 다만 매매가액의 산정과 관련하여 소수주주의 매수청구권은 자발적인 탈퇴에 해당하므로 주식매수청구권과 동일하게 보아야 한다는 견해가 있다.[205] 매수청구권은 소수주주의 자발적인 의사에 의해 회사의 주주로서 권리를 포기하는 것이므로 시너지 효과나 회사에 대한 기대이익은 고려할 필요가 없겠으나, 소수파 할인은 고려하는 것이 바람직할 것이다.

소수주주에게 매매가액이 지급된 때, 주식이 이전되는 것으로 보는 것도 지배주주의 매도청구권 행사와 동일하다.

---

204) 노혁준, 전게논문, 135면; 이영선 집필부분, 전게서, 921면.
205) 송종준, 전게논문(소수주식 전부취득제의 입법의도와 해석방향), 98면.

제 6 절 조직개편을 위한 영업양도

신 현 탁*

Ⅰ. 서 설

기업은 경영 합리화를 목적으로 또는 기업환경의 변화에 적응하기 위하여 조직을 개편해야 할 경우가 있다.[1] 이때 사경제적·국민경제적 견지에서 일단 조직화된 영업을 개개의 재산이나 물건으로 해체하여 양도해야 하는 불이익을 피하고 기존의 조직가치를 유지하기 위해서 영업양도의 관념이 인정되고 있다.[2] 영업의 전부 또는 일부의 이전에 의하여 기업조직 개편 또는 기업규모의 확대를 도모한다는 취지에서 특히 영업양도와 합병은 유사하며 서로 대체 가능하다. 양자 모두 주주총회 특별결의 사항으로서 반대주주의 주식매수청구권 행사가 고려되어야 하지만 다음과 같은 차이점도 있다. 즉 영업양도의 경우에는 필요한 자산만 특정승계에 의하여 취득하고 우발채무를 제거할 수 있으나 포괄승계가 인정되지 않으므로 거래절차가 복잡하고, 인·허가 재취득 문제가 감안되어야 하는 반면, 합병의 경우에는 일체의 재산 및 인·허가를 포괄 승계받을 수 있으나 우발채무도 승계할 위험이 있고, 채권자보호절차를 실시하여야 하는 부담이 있다.[3] 또한 주식양도 방식에 의하여 영업양도와 동일한 경제적 목적을 달성할 수 있는 경우도 있는데, 영업양도의 경우에는 영업의 주체인 회사가 양도인이

---

* 고려대학교 법학전문대학원 교수, 변호사
1) 강위두·임재호, 「상법강의(상)」 제4전정판(형설출판사, 2011), 161면; 서헌제, 「상법강의(상)」 제2판(법문사, 2007), 148면.
2) 김성태, 「상법[총칙·상행위] 강론」 제2판(법문사, 2002), 344면; 이철송, 「상법총칙·상행위」 제15판(박영사, 2018), 265면; 임홍근, 「상법[총칙·상행위]」(법문사, 2001), 160면.
3) 장경찬, "도산절차에서의 영업양도에 관한 고찰 – 파산절차를 중심으로," 「법학연구」 제50집(한국법학회, 2013), 269~270면(나아가 세제 측면에서는, 영업양수의 경우에는 취득세, 부가가치세, 2차납세의무 등이 문제되는 반면, 합병의 경우에는 합병차익에 대한 익금산입, 피합병회사의 납세의무 승계, 피합병법인의 이월결손금 승계, 등록면허세·취득세·증권거래세 비과세, 피합병법인의 주주에 대한 합병대가의 의제배당, 증여의제 등이 문제됨).

되어 양수인과 계약을 체결하고 양수인은 양도회사와는 별도의 주체로서 양수받은 영업을 영위하는 것이지만, 주식양도의 경우에는 영업 자체가 아닌 영업의 주체에 해당하는 회사의 주식을 양수받는 것이므로 이 경우는 회사의 주식을 소유하고 있는 주주 개인이 양도인이 되는 것이고 영업의 주체인 회사가 양도인이 될 수는 없다는 점에서 계약 체결의 당사자를 달리한다.[4] 따라서 이러한 차이점들을 고려하여 개별 사안별로 가장 적절한 기업조직개편 수단을 선택하게 된다. 공정거래위원회에서 심사한 국내외 기업결합[5] 중에서 전체 영업양도 건수는 2019년 전체 766건 중 81건(10.6%), 2020년 전체 865건 중 96건(11.1%)이 있었다.[6] 특히 결합금액[7]을 기준으로 하여 2020년 국내기업 상위 10대 기업결합 심사 건 중에서는 3건이 영업양도에 의하였다. 한편 영업을 구성하는 개별 자산을 거래의 목적으로 하는 자산양도 방식도 가장 선호받는 방식 중 하나이다.[8] 특히 중요한 자산을 양도할 경우에는 주주총회의 특별결의를 요구하는 회사법상의 영업양도 규정(374조)이 유추적용될 수 있다는 점에서 영업양도와 관련하여 함께 검토할 필요가 있다.

Ⅱ. 회사법상 영업양도의 의의

제3편 제4장(주식회사)에서는 영업의 전부 또는 중요한 일부의 양도를 하거

---

4) 대법원 1996.11.15. 96다31246; 1995.8.25. 95다20904.
5) 자산총액 또는 매출액의 규모가 3천억원 이상인 회사와 자산총액 또는 매출액의 규모가 3백억원 이상인 회사 사이에 영업의 전부 또는 주요부분을 양수하는 경우에는 공정거래위원회에 신고하여야 한다[독점규제 및 공정거래에 관한 법률(법률 제17799호, 2020. 12. 29. 전부개정, 시행 2021. 12. 30., 이하 "공정거래법"이라 한다) 제11조 제1항 제4호 및 동법 시행령 제21조 제1항, 제2항].
6) 공정거래위원회, "2020년도 기업결합 동향 분석," 보도자료(2021. 2. 18).
7) 영업양도의 경우에는 영업을 양도받는 대가로 양도인에게 지급된 금액 및 양수인이 인수하는 부채를 합산하여 결합금액으로 산정한다.
8) 권재열, "개정상법상 기업조직재편제도의 개선내용 및 그 전망 – 상장회사의 현황과 관련하여," 「외법논집」 제35권 제4호(한국외국어대학교 외국학종합연구센터 법학연구소, 2011), 172면. 한편 2009~2010년에 상장법인이 금융감독원 전자공시시스템(DART)에서 기업조직재편과 관련하여 공시한 283개사의 347건을 대상으로 조사한 결과, 자산양도 방식이 211건(60.8%), 합병 방식이 79건(22.8%), 분할 방식이 32건(9.2%), 영업양도 방식이 22건(6.3%), 주식의 포괄적 이전 및 교환 방식이 3건(0.9%)에 해당하였다[한국상장회사협의회, "상장법인의 기업조직재편 실태조사 및 개선과제," 보도자료(2011. 10. 12)].

나(374조 1항 1호), 회사의 영업에 중대한 영향을 미치는 다른 회사의 영업 전부 또는 일부의 양수를 하는 경우에(374조 1항 3호) 주주총회의 특별결의를 거치도록 규정하고 있으며, 제5장(유한회사)에서는 위와 같은 경우에 사원총회의 특별결의를 얻도록 규정하고 있다(576조 1항). 나아가 합명회사 또는 합자회사에 있어서는 영업을 양도하는 경우에 정관변경의 사유가 되므로 총사원의 동의가 필요하다(179조, 204조, 269조). 위 회사법 규정들의 입법 취지는, 영업양도를 할 경우 당초 주주 및 사원들의 출자의 동기가 되었던 목적사업의 수행이 어려워지고 회사의 수익의 원천이 변동함으로 인하여 출자자에게 중요한 이해관계가 변동될 수 있기 때문에 주주총회 내지 사원총회의 특별결의를 요구함으로써 출자자의 권익을 보호하고자 함에 있다.[9] 이러한 규정들은 외국 입법례에서도 쉽게 찾아볼 수 있다.[10]

이때 영업양도란 영업의 동일성을 유지하면서 계약에 의하여 양도인이 양수인에게 영업을 넘겨주는 것을 의미하는데,[11] 구체적으로 상법총칙 제7장에 규정되어 있는 영업양도와 동일한 의미를 갖는지 여부에 관하여 학설의 대립이 있었

---

9) 김병연, "판례를 중심으로 본 영업양도의 개념 및 판단기준," 「일감법학」 제20권(건국대학교 법학연구소, 2011), 532면; 양승규, "주식회사의 중요재산의 처분과 영업양도," 「기업법의 현대적 과제 - 행솔 이태로 교수 화갑기념논문집」(조세통람사, 1992), 95면; 임대화, "영업양도와 주주총회의 특별결의," 「사법논집」 제18집(법원행정처, 1987), 230면; 이철송, 「회사법강의」 제29판(박영사, 2021), 589면; 이철송, 「상법총칙·상행위」, 266면; 임재호, "영업양도의 개념과 판단기준 - 대상판결: 대법원 2005.7.22. 선고 2005다602 판결 -," 「법학연구」 제48권 제1호(부산대학교 법학연구소, 2007), 6면; 조지현, 「주석상법[회사(VII)]」 제5판(한국사법행정학회, 2014), 331면; 손주찬, 「학설판례 주석상법(상)」(한국사법행정학회, 1977), 966면.

10) 일본의 경우 1938년 이전에는 영업양도를 회사의 목적범위 외의 행위로 보아 주주총회의 결의로써도 이를 할 수 없고 영업양도는 무효인 것으로 보았으나, 1938년 (구)상법 제245조에 의하여 "영업의 전부 또는 일부의 양도를 함에는 주주총회의 특별결의에 의할 것을 요한다"고 입법하였고, 이후 본 규정이 우리나라에 계수되었다[권기범, "영업의 일부 양도에 관한 몇 가지 문제점," 「상사판례연구」 제29집 제4호(한국상사판례학회, 2016), 40면; 임대화, 전게논문, 229면]. 현재 일본 신회사법 제467조 제1항 제1호에서 역시 "사업의 전부 또는 중요한 일부를 양도할 경우에는 주주총회의 특별결의를 얻어야 한다"고 규정하고 있다. 독일 주식법 제179 a조 제1항에서는 주식회사의 모든 재산을 양도하는 경우에는 주주총회의 특별결의에 의할 것을 요하는 것으로 규정하고 있다. 미국의 경우 모범회사법(Model Business Corporation Act; MBCA)을 비롯하여 뉴욕, 델라웨어, 캘리포니아 등의 주법 역시, 회사는 자산의 전부 또는 실질적인 전부를 양도할 경우에 이사회가 적절하다고 판단하여 부의한 양도조건에 대하여 주주총회의 결의에 의하여 처분하도록 정하고 있다(MBCA 제12.02조 (a)항; New York Business Corporation Law 제909조; Delaware General Corporation Law 제271(a)조; California Corporations Code 제1001(a)(2)조 등).

11) 양승규, 전게논문, 98면.

다. 회사법상의 영업양도와 상법총칙상의 영업양도의 의미를 동일하게 해석하는
형식설[12])에 따르면 단순한 영업용 재산만을 양도하는 경우에는 그 재산이 매우
중요한 것이어서 사실상 주식회사의 지위 내지 운명에 중대한 영향을 미치는 것
이라 하더라도 영업양도에 해당하지 않게 된다.[13]) 반면 개별적인 법규정에서 영
업의 뜻을 달리 정할 수 있는 것이므로 관련 법조문의 입법목적에 따라서 영업
의 어떤 측면을 규정하고 있는가를 밝혀야 한다는 실질설[14])에 따르면 본 조의
영업은 단순한 개별적 재산의 집합은 아니고 영업의 목적을 위하여 조직화되고
유기적 일체를 이루는 재산, 소위 객관적 의미에 있어서의 재산으로서 이것을
구성하는 개별적 재산의 총화보다도 한층 고도의 가치를 가지는 것이라고 해석
하면 충분하고, 상법총칙상 영업양도를 인정하기 위하여 필요한 '영업적 활동의

12) 형식설의 입장에서는, (i) 같은 법률내의 같은 법률용어는 같은 뜻으로 풀이하는 것이 법해
   석의 통일성, 안정성이라는 관점으로 보아 당연한 것이고, (ii) 단순한 영업용재산의 양도를
   영업양도로 보는 것은 양도회사의 내부적 사정에 의하여 그 양도의 무효여부를 결정하게
   되어서 법률관계의 명확성 내지 거래의 안전을 해칠 우려가 많기 때문에 영업적 활동의 승
   계 및 경업금지의무의 유무를 기준으로 하여 영업양도의 유무를 결정하여야 한다고 주장한
   다[김태진, "영업양도: 거래법의 관점과 조직재편의 관점," 「선진상사법률연구」 제78호(법무
   부, 2017), 147면; 김헌무, "영업양도의 요건," 「상사판례연구」 제9권 제1호(한국상사판례학
   회, 1998), 138면; 김홍기, 「상법강의」 제6판(박영사, 2021), 532면; 송옥렬, 「상법강의」 제
   11판(홍문사, 2021), 81면, 951면; 오성근, 「회사법」 제2판(박영사, 2021), 502면; 이철송,
   「회사법강의」, 589면; 임재연, 「회사법Ⅱ」 개정2판(박영사, 2014), 138면; 임홍근, 전게서,
   166면; 최기원(김동민 보정), 「상법학신론(상)」 제20판(박영사, 2014), 682면, 684면]. 일본
   에서는 일찍이 이 견해가 다수설로 되었고, 판례도 대부분 이에 따르다가 두 차례에 걸친
   최고재판소의 대법정판결의 다수의견이 이에 찬동하고 그 후의 최고재판소 소법정판결도
   이에 따름으로서 판례로서 확립되었다고 할 수 있다(임대화, 전게논문, 232면).
13) 김헌무, 전게논문, 138면.
14) 실질설의 입장에서는, (i) 회사법상의 영업양도는 주주보호를 위한 규정인데 비하여 상법총
   칙에 있어서의 영업양도에 관한 규정들은 양수인 등 제3자의 이익보호를 위한 것이어서 각
   그 법의 영역과 목적을 달리하는 것이므로 이를 동일하게 해석할 것은 아니고 각 별로 타
   당한 해석을 하는 것이 바람직하고, (ii) 회사의 운명에 중대한 영향을 미치는 것이 명백한
   영업용 재산의 양도를 여기에서 제외하여 대표이사의 전권에 맡기는 것은 주주보호를 목적
   으로 하고 있는 본 조의 취지를 몰각시키는 것으로서 구체적 타당성을 무시하는 것으로 되
   고, (iii) 상법상의 경업금지의무는 특약에 의하여 배제될 수 있는 것이므로 그 의무의 부담
   을 영업양도의 필수요건으로 볼 수도 없을 뿐더러, 영업적 활동의 승계여부는 양수인측 사
   정에 따라 결정되는 것이므로 영업양도여부를 이러한 우연한 사정에 따라 결정되도록 하는
   것은 매우 균형이 맞지 않는 것인바, 본래 회사의 영업자체는 양도될 것을 목적으로 하는
   것이 아니고 그 양도는 극히 예외적인 것이므로 여기에 있어 거래의 안전을 특히 강조할
   필요는 없다고 주장한다[김건식·노혁준·천경훈, 「회사법」 제5판(박영사, 2021), 749면;
   김정호, 「회사법」 제7판(법문사, 2021), 886~888면; 서헌제, 전게서, 719~721면; 손주찬,
   「상법(상)」 제15보정판(박영사, 2005), 196면; 정동윤, 「상법(上)」 제6판(법문사, 2012),
   538면, 540면; 정동윤, 「회사법」 제7판(법문사, 2001), 313면; 정승욱, "슈퍼마켓양도와 영
   업양도," 「상사판례연구」 제4권(박영사, 2000), 28면].

승계'나 '경업금지의무의 부담'은 필수적인 요건은 아니라고 한다. 따라서 실질설에 따르면 기업의 유기적 결합을 파괴하는 중요한 재산의 양도는 회사의 운명에 중대한 영향을 초래하므로 주주총회의 특별결의가 필요하다고 한다.[15] 한편 주주 보호의 요청과 거래안전 보호의 조화를 시도하려는 절충설[16]도 등장하였다.[17]

이와 관련하여 우리나라의 대법원 판례는 원칙적으로 형식설의 입장을 취하면서도 일정한 경우에는 영업양도의 법리를 유추적용하는 일관된 입장을 유지하고 있다.[18] 즉, 제374조 제1항 제1호에서 말하는 영업의 양도란 제1편 제7장의 영업양도를 가리키는 것이므로 영업용 재산의 양도에 있어서는 그 재산이 주식회사의 유일한 재산이거나 중요한 재산이라 하여 그 재산의 양도를 곧 영업의 양도라 할 수는 없겠지만, 양도회사의 입장에서 볼 때에는 회사 존속의 기초인 중요한 영업용 재산의 양도는 영업의 폐지 또는 중단을 초래하는 행위이므로 영업의 전부 또는 일부양도의 경우와 하등 차이가 없는 것이기 때문에, 주식회사가 그 존속의 기초인 중요한 영업용 재산을 타에 양도할 때에는 영업의 전부 또는 일부 양도에 준하여 주주총회의 특별결의에 의하지 않으면 그 효력이 없다고 판시한다.[19] 판례의 입장에 의한다면 상법총칙상 영업양도의 개념이 회사법상 영업양도에도 적용되며, 나아가 영업용 재산의 양도가 일정한 요건을 충족하는 경우에는 해석에 의하여 영업양도의 법리를 유추적용할 수 있다는 것이므로, 결과적으로 형식설과 실질설의 구별은 실익이 없게 된다.[20]

---

15) 임대화, 전게논문, 233면.
16) 절충적인 관점에서 소송법적으로 증명책임의 분배에 의하여 해결하려는 견해에서는 본 조의 입법취지를 중시하여 실질설에 따르면서 기본적으로 영업양도에 영업적 활동의 승계나 경업금지의무의 부담은 그 필요요건이 아니라고 하였으나, 거래의 안전과의 조화를 위하여 영업양도 계약시에 양수인이 그 거래가 영업양도에 해당된다는 사실을 알지 못하였거나 그 과정에 중과실이 없는 경우에는 회사는 특별결의가 없는 것으로서 양수인에게 무효를 주장할 수 없다고 하고, 그 악의 또는 중과실에 대한 입증책임은 양도회사측에 있다고 한다[강위두, "회사의 영업용 중요재산의 양도와 주주총회의 특별결의," 「상사판례연구」 제1권(박영사, 1996), 443면; 김용대, "주식회사에 있어서 영업상 중요재산의 양도," 「영산법률논총」 제2권 제1호(영산대학교 법률연구소, 2005), 274면; 임대화, 전게논문, 234~237면].
17) 임대화, 전게논문, 234면.
18) 송옥렬, 「상법강의」, 81면; 현순도, "영업용재산의 양도와 주주총회의 특별결의," 「대법원판례해설」 제9호(법원도서관, 1989), 134면.
19) 대법원 1985.6.11. 84다카963; 1966.1.25. 65다2140, 2141; 1965.12.21. 65다2099, 2100; 1964.7.23. 63다820; 1962.10.25. 62다538; 1958.5.22. 4290민상460.
20) 정동윤, 「상법(上)」, 539면. 한편 2001년 상법개정시 중요한 자산의 처분 및 양도를 이사회

이러한 판례의 입장에 대해서는 형식설을 취한 것으로 보는 견해[21], 실질설을 취한 것으로 보는 견해[22], 절충설을 취한 것으로 보는 견해[23] 등으로 나뉘어져 있다.[24] 그런데 영업용 재산의 양도를 회사법상의 영업양도로 볼 것인지 여부는 형식설과 실질설이 본질적으로 대립하는 쟁점이라 할 수 있다. 만약 판시 문구에 주목하여 판례의 입장이 형식설을 취한다고 가정할 경우 영업양도 관련 규정(374조 1항 1호)을 영업용 재산의 양도에 유추적용한다는 것은 형식설의 본질적 한계를 넘어서는 결과가 되기 때문에 논리적으로는 무리가 있다. 오히려 판례의 실질적 효과를 감안한다면, 실질설과 궤를 같이하는 것으로 이해하는 것이 타당하다.[25]

1. 영업의 개념 및 법적 성질

영업양도의 대상은 '객관적 의의의 영업'을 가리키는 것으로 이해한다. 이는 일정한 영리목적을 위하여 조직화된 재산의 전체를 의미하며, 영업양도의 대상이 되는 영업은 영업주체와 제3자 간에 객관적 평가가 가능한 가치를 지녀야 할 것이기 때문에 위와 같은 객관적 의의를 기초로 한다.[26] 참고로 '주관적 의의의 영업'이란 상인의 영업상의 활동, 즉 영리를 목적으로 계속적·반복적으로 하는 일정 행위의 전체를 의미하는 것이며, 제5조, 제6조, 제8조, 제11조, 제15조, 제46조, 제53조 등의 법률 규정에서 사용된 "영업"의 용례가 이에 해당한다.[27]

의 결의에 의하도록 규정함으로써 이제는 입법적으로 해결된 것이라는 견해도 있다(임재연, 전게서, 138면).

21) 이철송, 「회사법강의」, 593면.

22) 강위두, 전게논문, 441면; 김용철, "체육시설(골프장)의 영업양도와 회원권의 지위," 「자유와 책임, 그리고 동행: 안대희 대법관 재임기념」(사법발전재단, 2012), 91면; 임대화, 전게논문, 234; 정동윤, 「상법(上)」, 539면; 최기원, 전게서, 683면.

23) 정찬형, 「상법강의(상)」 제24판(박영사, 2021), 178, 919~920면.

24) 김헌무, 전게논문, 138면.

25) 신현탁, "영업양도에 관한 분야별 대법원 판례의 비판적 검토," 「상사법연구」 제34권 제4호 (한국상사법학회, 2016), 23면.

26) 김병연, 전게논문, 553면; 서헌제, 전게서, 150면; 안강현, "상법상 영업의 개념과 영업양도 – 판례를 중심으로 –," 「법조」 제47권 제4호(법조협회, 1998), 8면; 양승규, 전게논문, 95면; 이기수·최병규, 「상법총칙·상행위법 [상법강의I]」 제7판(박영사, 2010), 228면; 이철송, 「상법총칙·상행위」, 266면; 정찬형, 전게서, 171면; 안병수, 「학설판례 주석상법(상)」 (한국사법행정학회, 1977), 231면.

'객관적 의의의 영업'의 구성요소는 적극·소극의 재산으로 이루어진 영업용 재산과 재산적 가치가 있는 사실관계라는 것이 통설이다.[28] 적극재산 중 물건으로서는 원재료·상품·현금·기계·기구 등의 동산과 토지·점포·창고·공장·건물 등의 부동산, 권리로서는 지상권·저당권·질권 등의 제한물권, 영업관계에서 생긴 채권, 불법행위·부당이득으로 인한 채권, 특허권·상표권·저작권·실용신안권·의장권·상호권 등의 무체재산권 등이 있으며, 소극재산으로서는 영업에 관련하여 생긴 각종의 채무(거래 등의 법률행위에 터잡은 것 뿐만 아니라 불법행위 등에 의한 것도 포함)가 있다.[29] 또한 '객관적 의의의 영업'에 포함되는 재산적 가치 있는 사실관계란 '영업활동의 결과 이루어진 집적' 또는 '영업활동의 침전물'이라 할 수 있다.[30] 영업양도의 대상이 되는 영업재산은 이를 구성하는 각개의 재산가치의 산술적 합계보다도 높은 가치가 있다고 평가되고 있는데, 그 이유는 위와 같은 사실관계를 포함한 각종의 재산이 일정한 영업목적을 위하여 조직적 구성을 이루고 있기 때문이라고 할 수 있다. 이러한 사실관계의 재산적 가치를 이른바 영업권[31]이라 하여 영업재산의 중요요소로서 높이 평가된다.[32] 재산적 가치있는 사실관계는 영업비밀·영업조직·명예(명성)·고객 관계·지리적 관계·구입처 관계 등 영업의 수익성을 약속하는 모든 사정을 포함하며, 그 침해에 대해서는 불법행위에 의한 손해배상책임을 물을 수 있다.[33]

'객관적 의의의 영업'이 갖는 법적 성질은 다음과 같은 세 가지로 설명할 수 있다.[34] 첫째, 영업에 대하여 사실상의 주체성을 인정할 수 있다. 사회적·경제적으로 보면 상호는 영업의 명칭이며 영업소는 영업의 근간인 것으로 보이고,

---

27) 안강현, 전게논문, 8면; 정찬형, 전게서, 171면.
28) 이철송, 「상법총칙·상행위」, 266면.
29) 안강현, 전게논문, 12면; 조정래, "영업양도와 상호속용 영업양수인의책임 - 대법원 1998.4. 14. 선고 96다8826 판결 -,"「판례연구」제10집(부산판례연구회, 1999), 370면.
30) 안강현, 전게논문, 9면; 양승규, 전게논문, 97면.
31) 영업권이라 함은 "영업을 영위함으로써 쌓아온 기업 또는 영업의 전통, 사회적 신용, 입지조건, 특수한 제조기술 또는 특수거래관계의 존재 및 제조판매의 독점성 등으로 동종의 사업을 영위하는 다른 기업이 올리는 수익보다 큰 수익을 올릴 수 있는 초과수익력이라는 무형의 재산적 가치"라고 할 수 있다(김헌무, 전게논문, 150면; 대법원 1997.5.28. 95누18697; 1993.12.28. 93므409; 1986.2.11. 85누592; 1985.4.23. 84누281).
32) 김성태, 전게서, 346면; 김헌무, 전게논문, 147면; 이기수·최병규, 전게서, 228면; 이철송, 「상법총칙·상행위」, 267면; 임홍근, 전게서, 172면; 안병수, 전게서, 232면.
33) 안강현, 전게논문, 13면, 조정래, 전게논문, 370면.
34) 안강현, 전게논문, 13면; 조정래, 전게논문, 369면.

또 거래의 상대방도 영업주가 누구인가에 대하여 관심을 가지지 않고 거래를 하는 것이 보통인바, 영업은 그 자체로서 영업주와는 독립하여 신용과 명성을 가질 수 있으므로 영업 자체가 독립된 인격과 같은 외관을 나타내게 되는 현상이 발생한다.[35] 다만 영업활동에 의하여 법률상 권리의무를 취득하는 것은 영업주인 상인이며, 영업 그 자체인 것은 아니다. 둘째, 특별재산성을 갖는다. 영업은 그 자체로서 독자적인 교환가치를 가지고 그 자체를 독립하여 양도, 임대차 등 채권계약의 목적으로 삼을 수 있으므로 채권법적 의미에서는 특별재산으로 파악될 수 있다.[36] 셋째, 권리객체성과 관련해서는, 영업재산은 권리객체의 관점에서 기능적으로는 단일체이나 현행법상 통일적인 권리객체로서 취급될 수는 없다. 영업이 물권법적 의미에서 하나의 독립된 특별재산이 될 수는 없으며, 공장저당법과 광업재단저당법과 같은 예외적인 경우를 제외하고 우리 상법상 영업 자체를 일괄하여 소유권, 저당권 등 물권의 대상으로 할 수 없으므로, 영업을 구성하는 각개의 재산에 대하여 각종의 물권이 인정될 뿐이다. 다만 여러 개의 부동산, 유체동산, 그 밖의 재산권에 대하여 일괄하여 강제집행을 할 수 있으므로, 영업재산에 대하여 일괄하여 강제집행이 될 경우에는 영업권도 일체로서 환가하는 것이 가능하다.[37]

2. 영업양도의 개념 및 법적 성질

영업양도의 본질 또는 법적 성질이 무엇인지에 관해서도 많은 논란[38]이 있

---

35) 안병수, 전게서, 233면. 다만 상법은 명의대여자의 책임(제24조), 상호속용 영업양수인의 책임(제42조)에 의하여 이를 보완한다.

36) 김성태, 전게서, 346면; 안병수, 전게서, 233면.

37) 대법원 2015.12.10. 2013다84162.

38) 영업양도의 법적 성질에 관한 학설은 다음과 같다; (1) 영업재산양도설(영업처분설): 영업재산은 물건 또는 권리뿐만 아니라 사실관계를 포함하는 것이고 이러한 재산이 영업의 목적을 위하여 조직화되고 유기적인 일체로서 기능하고 있는 것인데 이러한 조직적이고 유기적인 일체로서의 영업재산의 양도가 영업양도라고 하며, 다만 사회적 존재로서의 영업은 영업활동을 떠나서는 생각할 수 없다고 하더라도 이를 이전의 대상으로 삼는 것은 곤란하기 때문에 법적 고찰의 대상으로서 영업재산은 유형적인 것이 화현하여 특수한 경제가치를 존속시키는 것이어야 한다고 주장한다[강위두·임재호, 전게서, 163면; 김성태, 전게서, 348면; 김정호, 「상법총칙·상행위법」 제4판(법문사, 2021), 160면; 김홍기, 전게서, 107면; 박상조, 「신상법총론」 제2증보판(형설출판사, 1999), 269~272면; 서헌제, 전게서, 150~152면; 손진화, 전게서, 123면; 이기수·최병규, 전게서, 230면; 임홍근, 전게서, 161~263면; 정경영, 「상법학강의」 개정판(박영사, 2009), 111면; 정동윤, 「상법(上)」, 118~119면; 정찬

었으나, 오랜 기간에 걸쳐 대법원 판례가 일관된 이론을 제시하고 있어서 현재
는 학설도 이를 좇아 영업양도를 파악하고 있다.[39] 즉 '물건·권리 및 사실관계
를 포함하는 조직적·기능적 재산으로서의 영업재산 일체(객관적 의의의 영업)'를
양도함에 있어서 '양도인이 이러한 조직적이고 유기적인[40] 일체로서의 영업재산
을 전체로서 그 동일성을 해치지 않고 계약에 의하여 양수인에게 이전하는 것'
으로 정의하는 견해가 통설과 판례[41]의 입장이다.[42] 판례는 영업양도의 판단기
준으로서 (i) 양도의 대상이 되는 것은 조직화된 수익의 원천으로서의 기능적
재산이어야 하며,[43] (ii) 종전의 영업조직이 유지되면서 이전됨으로써 그 조직이

형, 전게서, 172~173면; 최기원, 전게서, 170면]. 이와 유사한 관점에서 영업유기체양도설
(영업재산이 하나의 유기체임을 강조하여, 영업양도는 이러한 유기체의 양도로 이해하거나
혹은 이 유기체로서의 영업 위에 하나의 권리가 성립한다고 하면서 이 권리의 양도가 영업
양도라고 이해하는 견해) 및 영업조직양도설(영업에 고유한 사실관계를 영업의 본체라고 하
며 거기에 영업조직이 존재한다고 하는 점에 특색이 있으며, 사실관계 이외의 영업재산인
물건과 권리는 이러한 영업조직의 종물로서 영업양도에 수반하여 양수인에게 이전하는데 그
치는 것이라는 견해)도 있으나 우리나라에서는 주장된바 없다(이철송, 「상법총칙·상행위」,
269면; 정찬형, 전게서, 173면). (2) 지위교체설: 영업을 주관적으로 파악하여 양도인이 양
수인으로 하여금 영업자의 지위에서 영업활동을 할 수 있도록 영업양도에 의하여 영업자의
지위를 승계하면 이에 수반하여 영업재산도 이전되는 것이라 한다. 현재 우리나라에서 순수
하게 이 설을 취하는 견해는 찾아보기 어렵다(이철송, 「상법총칙·상행위」, 269면; 정찬형,
전게서, 173~174면). (3) 영업자지위 및 영업재산양도설: 양도인이 양수인에게 자기와 자
리를 바꾸어 영업의 경영자의 지위에 있게 할 목적으로써 영업재산을 일괄하여 양수인에게
양도하는 계약이라 한다[서돈각, 「개정상법요론」, 제5보정(법문사, 2000), 52면]. (4) 영업자
체이전설: 영업의 동일성을 유지하면서 영업자체를 이전하는 계약이라 한다. 이전이란 영업
소유의 법적관계에 변동을 생기게 하는 것으로서, 경영관계의 변동만을 생기게 하는 영업의
임대차·경영위임과 구별한다(양승규, 전게논문, 102면).

39) 이철송, "체육시설의 양도와 회원권 승계의 법리 – 관련 판례의 소개를 중심으로 –," 「인
권과 정의」 제372호(대한변호사협회, 2007), 107면.

40) 유기적 결합이란 유기체처럼 많은 부분이 모여 한 개의 것을 만들고 각 부분간에 긴밀한
관련이 있어 부분과 전체가 필연적으로 통일적 관계를 갖는 상태를 의미한다(김헌무, 전게
논문, 140면). 예시: 상인은 영리의 목적을 달성하기 위하여 영업활동을 필요로 하는 것이
고, 영업활동을 하려면 그 전제로서 일정한 영업재산을 필요로 하며, 그것을 기초로 하여야
비로소 영업활동을 할 수가 있다. 또한 영업활동을 함으로써 거기에 영업에 관한 사실상의
관계가 생겨서 재산적 가치가 있는 사실관계가 형성되는 것이다. 따라서 이러한 요소는 각
각 서로 관련성을 가지며, 그것이 일체가 되어 하나의 유기적 생활체가 형성되는 것이다(안
강현, 전게논문, 10면에서 임홍근 교수의 견해 재인용).

41) 대법원 2017.4.7. 2016다47737; 2005.7.22. 2005다602; 1997.6.24. 96다2644; 1996.7.9. 96
다13767; 1995.7.25. 95다7987; 94다20198; 94다54245; 1994.11.18. 93다18938; 1994.6.
28. 93다33173; 1991.8.9. 91다15225; 1968.4.2. 68다185.

42) 김병연, 전게논문, 534면; 김헌무, 전게논문, 139면; 양명조, 「회사법」 제3판(법문사, 2014),
257면; 이동신, "상법상 영업양도의 의미와 그 판단기준 및 이에 관한 사례," 「대법원판례
해설」 제57호(법원도서관, 2006), 381면; 이철송, 「상법총칙·상행위」, 267면; 이철송, 전게
논문, 107면; 임재호, 전게논문, 7면; 조정래, 전게논문, 372면.

전부 또는 중요한 일부로서 기능할 수 있어야 하며,[44] (iii) 양수인이 영업을 함에 있어 무로부터 출발하지 않고 양도인이 하던 것과 같은 영업적 활동을 계속할 수 있어야 한다[45]는 것을 제시하고 있다.[46] 영업양도는 그 성질상 계속기업이 가지고 있는 무형의 가치에 대한 인정이라는 점에서 단순한 재산의 이전으로 볼 것이 아니며,[47] 종전 영업주의 영업상 시설 및 고객 관계·구입처 관계·영업상의 비결·경영조직·영업소의 위치 등 자산적 가치가 있는 사실관계 등에 따른 영업상의 유리한 점 등을 그대로 이용하여 양수인이 양도인의 영업과 동일한 영업활동을 하고자 하는데 의미가 있다.[48]

　이때 영업의 동일성이 유지되는지 여부는 사회통념에 의하여 결정되어야 할 사실인정의 문제이며,[49] 기능적 일체로서의 영업이 갖는 사회적, 경제적 가치를

---

43) 대법원 2005.7.22. 2005다602; 1998.4.14. 96다8826.
44) 대법원 2003.5.30. 2002다23826; 2001.7.27. 99두2680; 1998.4.14. 96다8826; 1989.12.26. 88다카10128. 따라서 판례에 의하면, 영업의 동일성이 인정되는 한 영업에 속하는 재산의 일부를 유보하더라도 상관이 없지만, 영업의 전부를 양도하더라도 그 조직을 해체하여 개별적으로 양도함으로써 종래의 영업이 그대로 기능할 수 없다면 영업양도에 해당되지 않는다(김헌무, 전게논문, 141면; 대법원 1989.12.26. 88다카10128). 또한 영업이 폐지된 이후에 영업을 구성하는 재산을 개별적으로 평가하여 그 가치에 따라 구분하여 인수한 경우는 영업의 동일성을 유지한 채로 인수된 것으로 보기 어려울 것이다(김용철, 전게논문, 95면).
45) 대법원 1997.11.25. 97다35085(슈퍼마켓 양수인이 양도인의 임대차계약상 임차인으로서의 지위를 그대로 승계하였고, 슈퍼마켓 안의 정육점에 대한 양도인의 임대인으로서의 지위도 그대로 승계하였으며, 위 슈퍼마켓 양수대금 112,00,000원은 임차보증금 35,000,000원과 권리금 35,000,000원 및 재고상품대금 52,000,000원으로 구성되어 있고, 내부 시설을 일부 새롭게 단장한 것 외에는 종전의 판매시설과 재고상품을 그대로 인수하여 종전과 똑 같은 형태로 슈퍼마켓 영업을 계속하고 있는 사실 및 종전의 고객관계는 대체로 그대로 유지된다고 볼 수 있고 바로 이러한 점 때문에 권리금이 지급되었다고 보아야 할 것인 점 등에 비추어 보면, 이 사건에서 양도인의 슈퍼마켓 영업이 동일성을 유지하면서 양수인에게 양도되었다고 인정할 수 있다고 판시하였음).
46) 이철송, 전게논문, 108면.
47) 김병연, 전게논문, 532면.
48) 김헌무, 전게논문, 140면.
49) 김헌무, 전게논문, 142면; 안수현, 전게논문, 14면; 대법원 1989.12.26. 88다카10128. 영업재산에 다소간의 증감·변경이 있더라도 반드시 그 동일성을 해치는 것은 아니며, 제42조 및 제44조 등은 양도인의 채권·채무가 승계되지 않는 것을 전제로 하여 규정되었다는 점에서 채권·채무의 승계가 영업양도의 요건에 해당하는 것도 아니다(김헌무, 전게논문, 146면; 이동신, 전게논문, 381면; 대법원 1989.12.26. 88다카10128). 판례는 동일성을 넓게 해석하는 경향이 있다[대법원 2009.9.14. 2009마1136(미용실의 상호·간판·전화번호·비품 등 일체를 인수하면서 시설비와 관리비 명목으로 700만원을 지급한 사안에서, 비록 그 미용실이 특별히 인계·인수할 종업원이나 노하우, 거래처 등이 존재하지 아니하여 이를 인수받지 못하였다 할지라도 양수인은 양도인으로부터 유기적으로 조직화된 수익의 원천으로서의 기능적 재산을 이전받아 종전의 영업적 활동을 계속하고 있으므로 영업양도에 해당한다고 판시하였음)].

보전시키기 위하여 동일성의 유지를 요구하는 것으로 이해한다.[50] 그런데 동일성을 유지하면서 영업활동을 계속할 것('영업의 승계')을 요구하는 것이 상법총칙상 영업양도의 개념에서는 타당하나,[51] 회사법상 영업양도에서는 불필요할 뿐만 아니라 부당하다. 상법총칙상 영업양도에서는 양도 전후의 사정을 종합하여 '영업의 승계' 요건을 충족하는지 여부를 파악할 수 있지만, 회사법상 영업양도에서는 양도 전에 주주총회 결의가 이루어져야 하는바 적용 시점이 다르다는 문제가 있고, 나아가 회사법상 영업양도는 양수인이 동일성을 유지하면서 당해 영업을 계속 영위하는지와 무관하게 주주 보호의 입법 취지가 실현될 필요가 있기 때문이다.[52] 결국 대법원 판례는 제374조의 적용과 관련하여 상법총칙상 영업양도 개념을 원용하고 있음에도 불구하고 '영업의 승계'는 굳이 고려될 필요가 없고 영업용 재산의 양도에 대해서도 제374조가 유추적용된다는 점에서, 제374조의 영업양도 개념은 상법총칙상 영업양도 개념과 그 인정 요건 및 적용 범위를 달리 한다고 볼 것이다.[53]

---

50) 안수현, "영업양도의 동일성 요건 검토 – 대상판결: 대법원 2007.6.1. 선고 2005다5812, 5829, 5836 판결 –,"「상사판례연구」제21집 제2권(한국상사판례학회, 2008), 14면.

51) 제41조에 의하여 인정되는 경업금지의무는 당사자의 의사를 보충하는 효력을 갖는 것에 불과하기 때문에(헌법재판소 1996.10.4. 94헌가5), 동일성이 인정되지 않는 방식으로 영업이 양도된 경우에 대해서도 양도인에게 경업금지의무를 부담시키는 것은 당사자의 의사에 부합하지 않을 것이며 나아가 직업의 자유를 침해할 소지도 있다. 또한 제42조에서 상호속용 양수인의 책임을 인정하는 것은 영업의 외관에 대한 채권자의 신뢰를 보호하려는 취지인바, 영업양도 이후에도 외관상 동일한 영업이 계속되고 있을 경우에 한하여 적용될 수 있다. 결국 상법총칙상 영업양도 관련규정의 법률효과를 인정하기 위하여 판례가 영업양도에 동일성을 갖춘 영업의 승계를 요구하는 것은 필연적인 것으로 볼 수 있다(김태진, 전게논문, 154면; 신현탁, 전게논문, 13~16면).

52) 김태진, 전게논문, 154면; 신현탁, 전게논문, 26~28면.

53) 권기범, "영업의 일부 양도에 관한 몇 가지 문제점," 43~45면(일본에서도 영업활동의 승계를 영업양도의 개념요소로 보는 견해가 통설이었으나 최근에는 이를 제외하는 견해가 점점 더 유력해지고 있다고 분석함); 김재범, "주주총회 동의 없는 영업용 재산(자회사 주식) 양도의 효력과 신의칙의 적용,"「법학논고」제63집(경북대학교 법학연구원, 2018), 379면(판례 역시 양수인의 영업승계가 없더라도 영업용 재산의 양도가 양도회사에 미치는 영향을 더 중시하여 영업양도 여부를 판단한다고 분석함. 예를 들어 대법원 1992.2.14. 91다36062; 1994.5.10. 93다47615; 2004.7.8. 2004다13717); 천경훈, "골프장 부지의 양도와 회원권 승계 – 대법원 2006.11.23. 선고 2005다5379 판결을 중심으로 –,"「민사재판의 제문제」제22권(사법발전재단, 2013), 220~222면(제42조에서는 채권자의 오인을 정당화할 수 있을 정도의 영업 동일성 유무가 관건인 반면, 제374조에서는 동일성을 유지하면서 양도되었는지가 중요한 요소는 아니라고 구별함). 결국 판례가 "제374조 제1호에서 말하는 영업의 양도란 같은 법 제1편 제7장의 영업양도를 가리키는 것"이라고 판시하는 문구는 특별한 의미가 있다고 보기 어렵다(신현탁, 전게논문, 23면).

3. 영업양도 계약

　영업양도 계약은 영업재산의 이전을 목적으로 하는 채권계약을 의미하는바 영업재산을 직접 이전시키는 효력이 발생하는 처분행위는 아니다.[54] 양도가 유상인 경우[55]에는 매매 또는 교환, 무상일 경우에는 증여와 유사한 성질을 가지는 것 외에, 고객관계 등의 사실관계에 있어서는 양도인에게 경업금지의무 등의 채무를 발생시키는 계약이고 영업상 채무에 대하여는 양수인에게 채무의 인수를 발생시키는 계약으로서 대개는 복잡한 내용을 가진 혼합계약으로 해석한다.[56] 다만 영업양도 계약이 반드시 유상양도일 필요는 없으며,[57] 반드시 합병계약서를 작성해야 하는 합병과 달리 영업양도에 있어서는 그 체결방식이 법정되어 있지 않은 불요식 계약이다.[58] 한편 영업양도 계약에는 민법상 의사표시의 법리가 적용되므로 기망이나 강박이 이루어진 경우에 피기망자 등은 당해 의사표시를 취소할 수 있다.[59] 나아가 채권자취소권 행사의 대상이 될 수도 있는 바, 만약 채무자가 영업을 양도함으로써 채무초과상태에 이르거나 이미 채무초과상태에 있는 것을 심화시킨 경우에 채권자는 채권자취소권을 행사할 수 있다.[60]

54) 김헌무, 전게논문, 139면, 143면; 안강현, 전게논문, 20면; 안수현, 전게논문, 14면; 이철송, 전게논문, 108면; 임대화, 전게논문, 237면; 정동윤, 「상법(上)」, 117면; 정찬형, 전게서, 175면.
55) 영업양도에 대하여 금전적 대가를 지급하는 경우에는 매매에 유사한 관계가 발생하기 때문에 하자담보책임과 같은 매매에 관한 규정이 유추적용될 수 있다[김성태, 전게서, 356면; 김헌무, 전게논문, 144면; 이기수, "영업양도의 민법, 상법 및 노동법상의 문제점," 「경영법률」 제5집(한국경영법률학회, 1992), 139면; 이철송, 「상법총칙·상행위」, 275면; 임홍근, 전게서, 166면; 조정래, 전게논문, 373면; 최준선, 「상법총칙·상행위법」 제11판(삼영사, 2019), 232면]. 참고로 독일의 판례 및 학설은 영업을 특수한 물건으로 간주하여 특정물매매의 하자담보책임 규정을 영업양도에 유추적용한다[정병덕, "영업양도계약과 하자담보책임," 「경영법률」 제11집(한국경영법률학회, 2000), 59면].
56) 강위두·임재호, 전게서, 165면; 김정호, 「상법총칙·상행위법」, 160면; 김헌무, 전게논문, 143면; 서헌제, 전게서, 157면; 손진화, 전게서, 125면; 안강현, 전게논문, 21면; 정동윤, 「상법(上)」, 121면; 최기원, 전게서, 171면.
57) 임대화, 전게논문, 238면.
58) 장덕조, 「회사법」(법문사, 2020), 545면; 최준선, 전게서, 221면.
59) 김태진, 전게논문, 183면.
60) 대법원 2015.12.10. 2013다84162(영업양도 후 종래의 영업조직이 전부 또는 중요한 일부로서 기능하면서 동일성을 유지한채 채무자에게 회복되는 것이 불가능하거나 현저히 곤란하게 된 경우, 채권자는 사해행위취소에 따른 원상회복으로 피보전채권액을 한도로 하여 영업재산과 영업권이 포함된 일체로서의 영업의 가액을 반환하라고 청구할 수 있음).

영업양도에는 당사자 사이의 명시적 또는 묵시적 계약[61])이 있어야 한다.[62]) 이에 반하여 대법원 1989.12.26. 88다카10128 판결은 객관적으로 영업의 동일 성이 유지된 채 이전되었는지에 관한 결과적 상태만을 판단할 뿐, 영업양도 계 약을 체결하겠다는 양수인의 주관적 의도가 존재하는지 여부에 대해서는 고려하 지 않았으나 이는 예외적인 판결로 보인다.[63]) 오히려 대법원 2005.7.22. 2005 다602 판결에서는, "영업양도가 인정되기 위해서는 영업양도계약이 있었음이 전 제가 되어야 하는데, 영업재산의 이전 경위에 있어서 사실상, 경제적으로 볼 때 결과적으로 영업양도가 있는 것과 같은 상태가 된 것으로 볼 수는 있다고 하더 라도, 묵시적 영업양도계약이 있고 그 계약에 따라 유기적으로 조직화된 수익의 원천으로서의 기능적 재산을 그 동일성을 유지시키면서 일체로서 양도받았다고 볼 수 없어 상법상 영업양도를 인정할 수 없다"고 판시하였다. 원심은 약 3년간 에 걸쳐 소외 회사와 원고 사이에 이루어진 여러 현상을 전체적으로 관찰하여 실질적인 영업양도가 이루어진 것으로 보았으나, 소외 회사에서 이러한 영업양 도를 하기로 하는 이사회 및 주주총회의 특별결의가 없었음은 물론 소외 회사와 원고 사이에서 처음부터 공장건물과 부지의 양수도가 예정된 것이 아니고 경매 절차 중에 원고가 낙찰받은 것에 불과하였던바, 대법원에서는 묵시적 영업양도 계약이 있었다고 인정할 수 없었던 것이다.[64])

영업양도 계약의 당사자로서 양도인인 회사는 주주총회 내지 사원총회의 특 별결의 또는 인적회사의 경우 총사원의 동의를 거쳐야 하며(374조 1항 1호, 576 조 1항, 179조, 204조, 269조), 이는 영업양도의 효력발생요건이라고 하는 것이

---

61) 묵시적 계약에 의한 영업양도를 인정한 판례는 다음과 같다: 대법원 2005.7.22. 2005다602; 1991.8.9 91다15225.

62) 김정호, 「상법총칙·상행위법」, 175면; 김흥기, 전게서, 106면; 서헌제, 전게서, 156면; 안강 현, 전게논문, 21면; 이철송, 「상법총칙·상행위」, 282면; 이철송, 전게논문, 108면; 임재연, 전게서, 139면; 조정래, 전게논문, 372면; 안병수, 전게서, 236면; 대법원 1997.6.24. 96다 2644.

63) 정승욱, 전게논문, 26면.

64) 김병연, 전게논문, 552면; 이동신, 전게논문, 385면; 임재호, 전게논문, 25면; 천경훈, 전게 논문, 237면. 한편 위 대법원 판례에 대해서는 경매로 인하여 동일성이 유지되지 않은 것으 로 해석하는 관점도 있다. 즉 경매절차에서 영업 전체를 하나의 재화로 평가하는 것이 아 니라 영업상 필수불가결한 재산을 개별적으로 평가하고 기존 영업과 구분하여 매각한 경우 라면 특별한 사정이 없는 한 영업의 동일성이 유지되는 것으로 보기 어렵다고 한다(김용철, 전게논문, 95; 양승규, 전게논문, 99면; 이철송, 「상법총칙·상행위」, 271면. 한편 이에 대한 비판으로는, 김병연, 전게논문, 561면).

통설, 판례이다.[65] 주식회사가 주주의 이익에 중대한 영향을 미치는 계약을 체결할 때에는 주주총회의 특별결의를 얻도록 하여 그 결정에 주주의 의사를 반영하도록 함으로써 주주의 이익을 보호하려는 강행법규에 해당한다.[66] 특별결의는 양도행위 후에 이루어지더라도 관계없다.[67] 영업 전부를 양도한 회사의 경우에도 해산사유가 되지는 않으며(227조, 269조, 517조, 609조), 정관상의 목적을 변경하여 다른 종류의 영업을 할 수 있다.[68]

반면 주주총회의 특별결의를 흠결한 경우에는 회사의 의사 자체가 흠결된 행위이므로 절대 무효이며,[69] 설령 거래상대방이 선의이며 과실이 없다 하더라도 양도행위는 무효이다.[70] 회사가 영업의 전부 또는 중요한 일부를 양도한 후 주주총회의 특별결의가 없었다는 이유를 들어 스스로 그 약정의 무효를 주장하더라도, 주주 전원이 그와 같은 약정에 동의한 것으로 볼 수 있는 등 특별한 사정이 인정되지 않는다면,[71] 위와 같은 무효 주장은 신의성실 원칙에 반하지 않는

---

65) 일본 판례 역시 주주총회의 특별결의가 흠결된 영업양도계약은 원칙적으로 절대적 무효라고 하되, 예외적으로 무효를 주장하는 것이 신의칙에 반할 경우에는 무효의 주장이 제한된다고 한다(황남석, "영업양도에 관한 주주총회 특별결의 흠결의 효과 – 대법원 2003.3.28. 선고 2001다14085 판결 –,"「법조」제57권 제9호(법조협회, 2008), 287면). 한편 독일에서는 주식회사의 모든 재산을 양도하는 경우에 주주총회의 결의가 있을 때까지는 유동적 무효의 상태이며, 주주총회에서 영업양도 계약 승인을 부결하거나 승인을 기대할 수 없게 된 때에 확정적으로 무효가 된다(황남석, 전게논문, 286면).

66) 대법원 2018.4.26. 2017다288757.

67) 임대화, 전게논문, 247면.

68) 안강현, 전게논문, 25면.

69) 이훈종, "영업양도의 개념에 관한 연구 – 중요한 영업용재산을 양도하여 영업이 폐지 또는 중단되는 경우와 중요한 영업용재산을 낙찰받아 취득하는 경우를 중심으로 –,"「경제법연구」제12권 제1호(한국경제법학회, 2013), 207면; 박상조, 전게서, 275면; 정찬형, 전게서, 181면; 황남석, 전게논문, 285~290면(특히 주주총회 결의흠결의 효과에 대한 비교법적 검토를 하였음); 대법원 2004.7.8. 2004다13717; 1969.11.25. 64다569.

70) 김건식·노혁준·천경훈, 전게서, 753면; 송옥렬,「주석상법 [회사(III)]」제5판(한국사법행정학회, 2014), 142면.

71) 대법원 2003.3.28. 2001다14085("비록 원고와 피고 회사 사이에 지하수 개발, 이용권을 포함한 재산양도 약정을 체결함에 있어서 피고 회사의 주주총회의 특별결의를 거치지 않았다고 하더라도 주주 전원이 위와 같은 재산양도 약정에 동의한 것으로 볼 수 있으므로 양도회사측에서 주주총회의 특별결의 흠결을 이유로 재산양도 약정의 무효를 주장하는 것은 신의칙에 반하여 허용되지 않는다"). 위 판례는 98%의 주주가 명시적으로 동의하였고, 2%의 주주는 일정한 대가를 지급받는 것을 조건으로 주주로서의 권리를 포기하고 이의를 제기하지 않겠다는 약정을 한 상태에서 대가를 수령하였기 때문에 확정적으로 권리포기를 한 것으로 판단되어서, 결국 실질적으로 주주 전원의 동의가 있었던 것으로 인정된 사안이다. 반면 형식상 주주총회 결의의 존재를 인정할 수 없더라도, 회사의 외부적 행위를 믿고 거래한 자에 대해서는 주주총회 결의 무효의 주장을 허용하지 않은 판례가 있다(대법원 1993. 9.14. 91다33926).

다.72) 이 때 양도인만이 무효를 주장할 수 있다면 당해 영업양도의 효력은 전적으로 양도인의 주장여부에 좌우되어 양수인은 극히 불안정한 상태에 처하게 되기 때문에 양수인도 무효를 주장할 수 있는 것으로 본다.73) 주주총회 특별결의가 소송상 취소 또는 무효로 되면 양도행위 역시 무효로 되며 이는 대세효 및 소급효를 갖는다.74) 영업양도계약이 무효로 되었을 경우에는 양 당사자에게 원상회복의무가 발생하므로 이미 이전된 영업의 반환이 이루어져야 한다. 양수인은 양수받은 영업이 아니라 현존하는 상태의 영업을 양도인에게 반환하여야 할 의무를 부담하며, 양도인은 양수인에 의해 지급된 매매대금을 반환하여야 한다.75)

Ⅲ. 회사법상 영업양도의 여러 형태

1. 영업의 전부 또는 중요한 일부의 양도

회사는 영업의 전부를 양도할 경우뿐 아니라 중요한 일부를 양도할 때에도 주주총회의 특별결의를 거쳐야 한다(374조 1항 1호). 어떠한 경우에 영업의 중요한 일부로 인정될 것인지에 관하여 학설의 대립이 있다. 먼저 형식설의 입장에서는 '일부' 영업의 양도란 회사가 영위하는 수 개의 영업부문 중 한 부문 또는 수 개의 지점 중 한 지점을 양도하는 경우만을 가리키는 것으로 보는바, 독립적인 영업이 이루어지지 않는 출장소나 분점, 영업용 재산의 양도는 영업의 일부

---

72) 대법원 2018.4.26. 2017다288757("강행법규를 위반한 자가 스스로 그 약정의 무효를 주장하는 것이 신의칙에 위배되는 권리의 행사라는 이유로 그 주장을 배척한다면, 이는 오히려 강행법규에 의하여 배제하려는 결과를 실현시키려는 셈이 되어 입법 취지를 완전히 몰각하게 되므로, 달리 특별한 사정이 없는 한 위와 같은 주장이 권리남용에 해당되거나 신의성실 원칙에 반한다고 할 수 없다"); 2014.9.4. 2014다6404. 이러한 판례의 입장을 비판하며 주주 전원의 동의가 없었더라도 양수인의 신뢰를 우선적으로 보호해야 할 경우를 제시하는 견해가 있다(김재범, 전게논문, 393~394면; 황남석, 전게논문, 294~305면).

73) 서헌제, 전게서, 721면; 이훈종, 전게논문, 208면, 황남석, 전게논문, 307면. 일본에서도 주주총회 특별결의가 흠결된 영업양도계약의 무효를 주장할 수 있는 자에는 제한이 없다는 견해가 통설과 판례의 태도이다(황남석, 전게논문, 306면).

74) 임대화, 전게논문, 247면; 대법원 2021.7.22. 2020다284977(전합)(회사관계소송의 편면적 대세효를 감안하여 필수적 공동소송 방식에 의해야 한다고 판시함).

75) 정병덕, "영업양도계약과 하자담보책임," 49~50면.

의 양도로 보지 않는다.[76) 이때 본 조에서 '중요한'이라는 문구의 의미는 지점이나 지사 등 그 자체가 독립적으로 영업을 할 수 있는 단위 영업 부문을 양도함으로써 이에 따른 영업활동 처분의 효과 내지는 경업금지의무의 부담을 받는 법률적 제약 등에 따라 회사의 원래 상태에 상당한 영향을 미치는 경우만을 의미하는 것으로 해석한다.[77) 반면 실질설의 입장에서는 일부 영업용 재산의 양도로 말미암아 영업의 유기적 결합이 파괴되어 회사의 운명에 큰 영향을 미치는 경우를 의미하는 것으로 해석하는바, 단순히 제조활동만을 하는 공장이라도 그 공장의 양도로 말미암아 기업의 유기적인 결합이 파괴되어 사실상 영업의 지속이나 재개가 곤란하게 되는 경우에는 이를 중요한 영업 일부의 양도로 볼 수 있다고 한다.[78) 다만 우리 대법원의 일관된 입장에 의하면 위와 같이 영업용 재산의 양도에 의하여 영업의 폐지에 이르게 되는 경우에는 회사법상 영업양도 규정을 유추적용하고 있는바, 현실적으로 일부 영업의 양도에 관한 실질설을 취할 실익이 없다.[79) 나아가 회사분할에 의하여 영업의 일부가 이전되는 경우에는 경제적 효과가 영업양도와 유사하므로 관련 규정을 유추적용할 수 있다.[80)

복수 영업 중 일부 영업의 양도가 이루어질 경우에 회사에 중요한 영향을 미치는지 여부를 구체적으로 판단하기 위해서는 일반적으로 다음과 같은 두 가지 기준을 설정해 볼 수 있다.[81) 하나는 회사의 전재산에 대한 양도부문의 가치의 비중이 보다 중요하다고 할 수 있는 것인가라는 양적 측면에서의 기준이고, 다른 하나는 그 양도에 의하여 회사 전체의 운명에 어느 정도의 영향을 미칠 것

---

76) 강위두·임재호, 전게서, 165면; 김성태, 전게서, 363면; 박상조, 전게서, 165면; 이철송, 「상법총칙·상행위」, 279면.

77) 김헌무, 전게논문, 144면; 안강현, 전게논문, 17면; 임대화, 전게논문, 245면; 정동윤, 「상법(上)」, 118면. 반면, 복수의 영업 중 하나의 개별 영업을 양도하는 경우에도 영업의 전부양도에 해당한다는 견해(김태진, 전게논문, 140면)도 있으나, 회사 규모에 비추어 미미한 비중을 갖는 개별 영업을 양도할 때에도 주주총회 특별결의를 요구하게 되는 난점이 있다.

78) 임대화, 전게논문, 245면; 손주찬, 전게서, 966면; 안병수, 전게서, 237면.

79) 신현탁, 전게논문, 24~25면.

80) 이철송, 「상법총칙·상행위」, 275면.

81) 이철송, 「회사법강의」, 590면; 정찬형, 전게서, 920~921면. 참고로 일본에서는 (구)상법 제245조의 해석상 양적·질적 측면에서 '중요한 일부' 여부를 판단하자고 하는 견해가 유력한 바, 양적인 면에서 양도대상인 영업의 가치가 회사의 전영업의 가치에서 차지하는 비중이 얼마나 되느냐와 질적인 측면에서 당해 영업부문의 양도로 회사가 종전의 영업을 큰 축소나 변동없이 계속 유지할 수 있느냐를 종합적으로 고려하여 판단하자고 하는 입장이다[권기범, "영업양도에 대한 주주총회승인결의의 부존재와 회사의 책임," 「상사판례연구」 제1권(박영사, 1996), 498면].

인가라는 질적 측면에서의 기준이다. 이때 본 조의 적용을 회피할 의도로서 계획적으로 여러 차례에 걸쳐 일부분씩 양도하는 경우도 있을 수 있는 점을 함께 고려하여, 과거 및 장래의 요소까지 종합하여 구체적으로 판단할 필요가 있다.[82] 우리 대법원은 "양도대상 영업의 자산·매출액·수익 등이 전체 영업에서 차지하는 비중, 일부 영업의 양도가 장차 회사의 영업규모·수익성 등에 미치는 영향 등을 종합적으로 고려하여 판단한다"고 판시하였다.[83]

한편 자본시장과 금융투자업에 관한 법률에 의하면 수시공시 의무가 발생하는 영업양도[84] 및 외부평가기관의 평가가 필요한 중요한 영업양도[85]는 자산 또는 매출액의 10% 이상인 영업양도에 적용되는 것으로 정하고 있는바, 이를 일응의 양적 기준으로 원용하여 자산 또는 매출액의 20%를 초과하는 경우 즉시 중요한 일부인 것으로 보고, 10%에서 20%에 이르는 구간에서는 회사 전체의 사업에 미치는 영향을 주관적으로 판단하는 질적 기준을 적용할 것을 해결책으로 제시하는 견해가 있다.[86] 그러나 공시의무의 규제 취지는 제374조의 입법목적과 완전히 다르기 때문에 상법은 독자적인 기준을 가질 필요가 있다.[87] 참고로 일본 회사법 제467조 제1항 제2호에서는 "당해 양도에 의하여 양도되는 자산의 장부가액이 당해 주식회사의 총자산에서 차지하는 비율이 20%를 초과하는 경우"를 영업의 중요한 일부의 양도로 규정하여 주주총회 특별결의가 필요한 것

---

82) 양승규, 전게논문, 104면; 임대화, 전게논문, 245면.
83) 대법원 2014.10.15. 2013다38633(본 사안에서는 양도대상인 금융사업부문의 자산가치가 양도회사 전체 자산의 약 33.79%에 달하고 본질가치의 경우 금융사업부문만이 플러스를 나타내고 있는 점, 금융사업부문은 양도회사 내부에서 유일하게 수익 창출 가능성이 높은 사업부문이라는 점 등 제반사정에 비추어 중요한 일부 영업의 양도로 판시하였음); 2014. 9. 4. 2014다6404(본 사안에서는 양도회사의 상시 종업원 41명 중 26명이 강관사업부에 근무하였던 점, 양도회사의 총 매출액 중 약 21.32%, 총 자산 중 약 42%를 강관사업부가 차지하였다는 점, 양도회사의 도어록사업부의 영업손익은 적자를 시현하고 있었지만 강관사업부의 영업손익은 흑자로 꾸준히 증가추세를 보이고 있어서 강관사업부가 양도회사의 수익창출 및 계속기업 유지에 상당한 영향을 끼치고 있었던 점 등을 고려하여, 양도회사가 강관사업부의 부동산·기계·공작물·영업권 등을 양도한 것은 강관사업부 영업의 전부 또는 일부를 양도하거나 폐지하는 것과 같은 결과를 가져오는 경우에 해당한다고 판시하였음). 관련 판례에 대한 상세한 설명은, 정찬형, 전게서, 921면 참조.
84) 자본시장과 금융투자업에 관한 법률 제161조 제1항 제7호 및 동법 시행령 제171조 제2항.
85) 자본시장과 금융투자업에 관한 법률 제165조의4 제1항 제2호 및 동법 시행령 제176조의6.
86) 송옥렬, 「주석상법 [회사(III)]」, 142면; 임재연, 전게서, 141면.
87) 정용상, "상법상 회사의 조직재편에 관한 입법론 – 회사구조조정법의 글로벌화·선진화를 위한 회사재편입법론," 「비교법연구」 제10권 제2호(동국대학교 비교법문화연구소, 2010), 221면.

으로 정하고 있으며,[88] 심지어 미국 모범회사법 제12.02조 (a)항에 의하면 자산
등을 처분한 후에도 최근 영업연도 말을 기준으로 회사가 총자산의 25% 및 수
입 또는 매출의 25%만 유지하고 있으면 중요한 일부 영업을 양도한 것으로 보
지 않으며, 주주의 승인을 요구하지 않는다.[89]

2. 양수회사에게 중대한 영향을 미치는 영업양수

종전에는 영업양수의 경우 '다른 회사의 영업 전부의 양수'인 때에만 양수회
사로 하여금 주주총회의 특별결의를 얻도록 하고 있었으나, 2001년 개정상법은
회사경영의 주요 사항에 대한 주주의 의결권 강화를 위하여 다른 회사의 영업의
일부를 양수하는 것이라도 회사의 영업에 중대한 영향을 미치는 경우라면 주주
총회의 특별결의를 거치도록 하였다(374조 1항 4호). 이때 '다른 회사'의 범위에
는 외국회사도 포함된다고 본다.[90] 다만 회사가 아닌 개인 상인으로부터 영업
을 양수할 경우에는 법문상 주주총회의 특별결의가 필요없기 때문에 보통의 업
무집행방법에 따르면 된다.[91]

다른 회사의 영업 전부 혹은 일부를 양수하지만 그 규모가 양수회사의 영업
에 중대한 영향을 미치지 않는 경우에는 주주총회의 특별결의가 없어도 되며,
주식매수청구권도 인정되지 않는다.[92] 참고로 미국의 뉴저지주의 경우 영업양수
로 인하여 증가되는 주식의 규모가 배당참가주식 총수의 40%를 초과하는 수준
이 아닌 경우에는 주식매수청구권을 인정하지 않고 있다.[93]

---

88) 권기범, "영업의 일부 양도에 관한 몇 가지 문제점," 51면(나아가 형식 기준에 의해 총자산
 의 20%를 초과하더라도 항상 주주총회의 승인 대상이 되는 것은 아니며, 실질 기준에 의해
 서도 중요한 일부에 해당하는 것으로 인정되어야 승인 대상이 되는 것이라고 설명함); 이철
 송, 「회사법강의」, 565면; 정용상, "상법상 회사의 조직재편에 관한 입법론 - 회사구조조정
 법의 글로벌화·선진화를 위한 회사재편입법론," 220면.
89) 김재범, 전게논문, 381면,
90) 김태진, 전게논문, 134면(일본 회사법 제467조 제1항 제3호에서는 '다른 회사'의 범위에 '외
 국회사 기타 법인을 포함'하는 것으로 명시하였음).
91) 안강현, 전게논문, 26면; 오성근, 전게서, 504면. 한편 목적론적 해석에 의하여 개인영업을
 양수할 경우에도 중대한 영향을 미치는 경우에는 예외적으로 적용될 수 있다는 견해(김정
 호, 「회사법」, 893면) 및 입법론으로서 개인영업을 양수하는 경우에도 동일하게 적용해야
 한다는 견해(이철송, 「회사법강의」, 592면)가 있다.
92) 이철송, 「회사법강의」, 602면.
93) 권재열, 전게논문, 180면.

한편 인적회사의 경우에는 영업양수와 관련하여 아무런 규정을 두고 있지 않은데, 물적회사에 대한 규정을 유추적용하여 영업 전부의 양수에는 인적회사에서도 총사원의 동의를 요한다는 견해94) 및 보통의 업무집행방법인 사원 과반수의 결의(제195조 및 민법 제706조 제2항)으로 처리할 수 있다고 보는 견해95)가 대립한다.

3. 중요재산의 양도

회사법상의 영업양도를 상법총칙상의 영업양도와 같은 개념으로 볼 것인지(형식설), 개별적으로 파악할 것인지(실질설)의 논의는 중요재산의 양도에 주주총회 특별결의가 불필요하다고 할 것인지 또는 필요하다고 할 것인지의 논의로 이어진다. 즉, 형식설의 입장을 따르는 결의불요설에 의하면 일정한 영업목적을 위하여 조직화된 유기적 일체로서의 재산이 이전되어 양수인이 영업활동을 승계하고 양도인이 경업금지의무를 부담하는 경우에만 제374가 적용되는 것으로 보기 때문에 단순한 영업용 재산의 양도는 그것이 매우 중요하여 회사의 존립에 영향을 미친다 하더라도 주주총회 특별결의는 필요하지 않은 것으로 파악한다.96) 반면 실질설의 입장을 따르는 결의필요설에 의하면, 제374조는 영업양도를 하는 경우에 주주총회의 특별결의를 받도록 함으로써 주주의 이익을 보호하기 위한 규정인바, 양도회사의 운명에 중대한 영향을 미치는 중요한 영업용 재산의 양도에 관해서는 주주총회 특별결의가 필요하다고 본다.97) 한편 절충설의

---

94) 강위두·임재호, 전게서, 167면; 이철송, 「상법총칙·상행위」, 281면; 최기원, 전게서, 175면.
95) 서헌제, 전게서, 158면; 손진화, 전게서, 127면; 정동윤, 「상법(上)」, 121면; 정찬형, 전게서, 182면; 최준선, 전게서, 225면.
96) 유진희, "기업결합에 관한 회사법 규정," 「서강법학연구」 제1권(서강대학교 법학연구소, 1999), 194면; 이훈종, 전게논문, 211면; 조지현, 전게서, 331면. 결의불요설의 입장에서는, 결의필요설에 의할 경우 법률관계의 명확성을 기대할 수 없고, 주주총회의 결의는 효력요건이라는 점에서 거래의 안전을 해할 우려가 있다고 비판한다. 즉 어떤 재산이 회사에 있어 중요한 것인지의 판단은 상대적인 것이어서 회사의 자산규모나 업종, 목적재산이 차지하는 비중 등을 고려하여 개별적으로 판단하여야 하며, 양수인이 재산을 양수함에 있어서 양도인인 회사의 특별결의를 필요로 하는가를 식별하기 위하여 회사의 전재산을 조사하여야 하고 전재산에 대하여 양수대상인 재산이 점하는 정도를 실질적으로 판단하여야 하기 때문이다(이훈종, 전게논문, 206면).
97) 권기범, "영업양도에 대한 주주총회승인결의의 부존재와 회사의 책임," 500면; 임대화, 전게논문, 237면. 영업의 양도나 폐지를 위해서는 주주총회의 특별결의를 요하는데 중요한 영업용재산을 양도함으로써 사실상 영업을 양도할 때 주주총회 특별결의를 요하지 않는다면 탈

입장에서 기본적으로 주주총회의 특별결의가 필요하지만 양수인이 악의인 경우
에는 양도의 무효를 주장할 수 있다는 견해가 있다.[98]

대법원 판례는 이와 관련하여, 원칙적으로 영업에 해당하지 않는 개별 자산
(영업용 재산)의 양도는 제374조에서 말하는 영업의 양도라 볼 수 없으므로 주주
총회 특별결의를 필요로 하지 않는다는 입장이다.[99] 그러나 "이러한 재산의 양
도가 영업의 폐지나 중단을 초래하는 경우" 또는 "회사의 존속의 기초가 되는
중요재산을 처분하는 경우"에는 영업양도가 이루어지는 것과 동등하게 평가한
다.[100] 이러한 판례의 법리는 재산의 (i) 처분으로 (ii) 인하여 (iii) 영업이 중단
되는 경우에 한하여 적용된다.[101] 즉, (i) 중요재산에 근저당권을 설정하는 등
담보로 제공하는 경우에는 '처분'에 해당하지 아니하여 제374조 제1항이 적용되
지 않으며,[102] (ii) 영업양도 당시에 이미 사실상 영업이 중단된 상태였다면 그
재산의 처분으로 '인하여' 영업이 중단된 것이 아니므로 역시 위 규정의 적용이
없으며,[103] (iii) '영업의 중단'이란 영업의 계속을 포기하고 일체의 영업활동을
중단한 것으로서 영업의 폐지에 준하는 상태를 말하는바 단순히 회사의 자금사

법적인 의사결정이 우려된다는 이유로 결의불요설을 비판한다(이훈종, 전게논문, 207면).

98) 강위두, 전게논문, 443면(주주 보호를 위해서 결의필요설이 타당하지만, 회사의 내부적 사
정을 이유로 거래의 안전을 해할 염려가 있으며, 더욱이 회사의 기관을 신뢰하고 거래한
상대방의 이익을 해하는 것은 금반언의 법리에 반하므로, 주주총회의 특별결의 없이 회사
의 운명에 중대한 영향을 미치는 영업용 재산을 양도한 경우 양도회사는 양수인이 그 재
산의 양도가 회사의 운명에 중대한 영향을 미친다는 사실을 알았다는 것을 입증하여야 결
의의 흠결을 이유로 양수인에게 양도의 무효를 주장할 수 있다고 함).

99) 대법원 1968.4.2. 68다185; 1964.7.23. 63다820. 이 때 영업용 재산의 개념이 재고자산(상
품)을 포함하는 것은 아니다(이철송, 「회사법강의」, 595면).

100) 대법원 2006.6.2. 2004도7112; 2004.7.8. 2004도13717; 1997.4.8. 96다54249, 54256;
1994.5.10. 93다47615; 1992.2.14. 91다36062; 1991.11.8. 91다11148; 1991.1.15. 90다
10308; 1988.4.12. 87다카1662; 1987.5.26. 86다카2478; 1987.4.28. 86다카553; 1969.11.
25. 64다569; 1958.5.22. 4290민상460. 이러한 판례의 입장은 기본적으로 결의불요설을
취하면서도 제374조 제1항 제1호의 적용범위를 유추적용에 의하여 확장한 것으로 볼 수
있다(오성근, 전게서, 506~507면; 이철송, 「회사법강의」, 593면).

101) 송옥렬, 「주석상법 [회사(Ⅲ)]」, 143면.

102) 권기범, "영업의 일부 양도에 관한 몇 가지 문제점," 55면; 대법원 1971.4.30. 71다392.
참고로 매도담보에 관하여 대법원에서는 종래 "환매기간 내에 환매하지 못하면 영업을 폐
지하게 되므로" 주주총회 특별결의가 필요하다고 판시하였으나(대법원 1987.4.28. 86다카
553; 1965.12.21. 65다2099, 2100; 1964.7.23. 63다820; 1962.10.25. 62다538), 가등기담
보법이 시행됨으로써 청산절차를 거쳐야 하는바 매도담보에 관한 위 판례의 입장은 더 이
상 유지될 수 없게 되었다(송옥렬, 「주석상법 [회사(Ⅲ)]」, 144면; 오성근, 전게서, 508면).

103) 대법원 1998.3.24. 95다6885; 1996.10.11. 95다1460; 1992.8.18. 91다14369; 1988.4.12.
87다카1662.

정 등의 악화로 일시적으로 영업활동을 중지한 경우까지 포함하는 것은 아니라
고 판시하였다.[104] 판례가 상당 기간 일관된 논리를 펴 온 탓에 현재는 이에 관
한 학설 역시 판례를 중심으로 정리된 상태이다.[105] 나아가 대법원은 회사가 보
유한 자회사 지분 등의 주식을 양도하는 경우에도 중요재산의 양도로서 제374
조가 적용될 수 있다고 판시하였다.[106]

　　비교법적으로 살펴본다면, 일본에서는 1965년 및 1966년에 내려진 최고재판
소 판결에서 영업양도의 개념을 형식설에 따르면서 영업용재산의 양도의 경우에
는 그것이 아무리 회사의 중요한 재산이라 하더라도 주주총회의 특별결의를 요
하지 아니한다고 판시하였다.[107] 그러나 일본 신회사법 제467조 제1항 제2호에
서는 양도 자산의 장부가액 비중이 총자산에서 20%를 초과하는 경우에 주주총
회 특별결의가 필요한 것으로 정하였고, 2014년 신설된 동항 제2호의2 규정에
서는 자회사 주식 등의 전부 혹은 일부의 양도에서 양도대상인 주식 등의 장부
가액이 모회사 총자산의 20%를 초과하거나, 양도 효력발생시점에 해당 자회사
의결권의 과반수를 보유하지 않을 경우에 주주총회 특별결의가 필요한 것으로

---

104) 대법원 1992.8.18. 91다14369. 이와 관련하여, 주식회사는 일시 폐업상태에 있어도 휴면
회사의 정리절차에 의한 해산의제(520조의2 1항) 또는 청산의제(520조의2 4항)로 정리되
지 않는 한 장차 주주총회의 특별결의에 의하여 영업목적을 변경(정관변경)할 수도 있고
다른 회사와 합병을 할 수도 있으며 또 해산 후에는 회사의 계속을 할 수도 있으므로(519
조) 회사가 일시 폐업상태에 있는 것을 청산의 종결과 동일시할 수는 없는 것이고, 따라
서 회사가 비록 폐업상태에 있어도 청산이 종결될 때까지는 그 양도가 회사의 운명에 중
대한 영향을 미치는 영업용 중요재산을 양도하는 경우에는 주주총회의 특별결의가 있어야
하며, 나아가 영업을 하지 아니하는 청산 중의 회사도 회사의 영업의 전부 또는 중요한
일부를 양도하여 환가처분하는 경우에는 주주총회의 특별결의가 있어야 한다는 견해가 있
다(강위두, 전게논문, 444면). 반면 거래의 안전을 해할 수 있다는 이유로 이에 반대하는
견해로는, 김용대, "주식회사에 있어서 영업상 중요재산의 양도," 영산법률논총 제2권 제1
호(영산대학교 법률연구소, 2005), 28면. 한편 회생절차에서의 영업양도는 주주총회 특별결
의 및 반대주주의 주식매수청구권 규정이 적용되지 않으며(채무자 회생 및 파산에 관한 법
률 제261조 제2항), 파산절차에서도 동일하게 해석할 수 있다(장경찬, 전게논문, 272면).
105) 이철송, 「회사법강의」, 593면.
106) 대법원 2018.4.26. 2017다288757(양도회사는 경영상태 악화로 사실상 부실화되어 있어서
양도회사의 자산 중 약 4분의 1을 차지하는 자회사 지분만이 실질적인 재산적 가치로 인
정되었음. 더구나 의류의 제조 및 판매를 주된 영업으로 하고 있는 양도회사에게 중국 의
류제조 공장을 운영하는 자회사가 없다면 사업에 막대한 차질이 생길 것이므로 자회사 지
분을 전부 매도하는 것은 양도회사의 영업의 전부 또는 중요한 일부를 양도하는 것으로서
주주총회 특별결의가 필요하다고 판시함). 본 판례에서는 특히 양도회사와 자회사 사이에
긴밀한 '영업관련성'이 있었기 때문에 제374조가 유추적용되었을 것으로 해석할 가능성이
있다(김재범, 전게논문, 382~383면).
107) 양승규, 전게논문, 112면.

정하였다. 이때 당해 주식양도는 모회사에 중요한 것이어야 하고, 주식 등의 양
도에 의하여 자회사가 모회사의 직접적인 지배에서 벗어날 수 있는 경우에 한정
된다.[108] 반면 미국에서는 모범회사법(Model Business Corporation Act)을 비롯
하여 많은 주에서 통상의 영업범위를 넘어서는 영업용 재산의 처분에 대해서만
주주총회의 결의에 의하도록 정하고 있다.[109] 이때 개정 모범회사법에 대한 공
식 해설(Official Comment 1, RMBCA §12.01)에 의하면, 수 개의 생산라인 중 한
두개를 남겨 놓고 나머지 전부를 양도하는 경우 등 설령 양도대상 생산라인이
기존 영업의 중요한 부분을 구성한다고 할지라도 일단 위 규정은 적용되지 않는
다고 한다. 다만 잔여 부분만으로는 한시적인 영업만 가능하다거나 또는 주주총
회의 동의요건을 회피하기 위하여 형식상 일부만을 남겨놓은 경우에 불과한 때
에는 마땅히 실질적인 전재산의 양도에 해당한다고 한다.[110] 한편 독일에서는
회사가 보유한 전 재산을 양도할 경우에 주주총회 특별결의가 요구된다(독일 주
식법 제179 a조). 다만 독일의 학설은 본 규정을 확장해석하여 일부 재산이 잔존
하는 경우라도 기존의 영업을 폐지 또는 중단하는 것과 같은 효과를 가져오는
양도라면 주주총회 특별결의가 필요하다고 보는 바, 우리나라 판례의 입장과 유
사하다.[111]

4. 영업을 현물출자한 경우

기존의 영업을 회사의 설립시 또는 신주의 발행시 현물출자 하는 경우에 이
것을 영업양도로 보아야 할지에 관하여 현물출자를 영업양도 그 자체로 보는 견
해[112] 및 영업양도 규정을 유추적용할 수 있다는 견해[113]가 있다. 대법원 역시

---

108) 김성화, "일본 회사법상 모회사에 의한 자회사의 주식양도 제한," 「비교법연구」 제17권 제
     3호 (동국대학교 비교법문화연구소, 2017), 162면.
109) Model Business Corporation Act 제12.01조 (a)항; New York Business Corporation
     Law 제909조; Delaware General Corporation Law 제271 (a)조; California Corporations
     Code 제1001 (a)(2)조.
110) 권기범, "영업양도에 대한 주주총회승인결의의 부존재와 회사의 책임," 499면.
111) 김정호, 「회사법」, 889~890면.
112) 김건식·노혁준·천경훈, 전게서, 752면; 김병연, 전게논문, 555면; 이철송, 「상법총칙·상
     행위」, 275면. 다만 총체적 결합으로서의 영업 그 자체가 평가 가능한 확정성을 가지는지
     의문이며, 또한 출자 당시 그 존부 및 금액이 미확정인 채권·채무가 다수 있을 수 있으
     므로 영업의 현물출자를 인정하는 것은 신중하게 판단하여야 한다는 견해가 있다(조정래,
     전게논문, 378면).

"영업을 출자하여 주식회사를 설립하고 그 상호를 계속 사용하는 경우에는 영업의 양도는 아니지만 출자의 목적이 된 영업의 개념이 동일하고 법률행위에 의한 영업의 이전이라는 점에서 영업의 양도와 유사하며, 채권자의 입장에서 볼 때는 외형상의 양도와 출자를 구분하기 어려우므로, 새로 설립된 법인은 제42조 제1항의 규정의 유추적용에 의하여 출자자의 채무를 변제할 책임이 있다"고 판시하였다.[114] 한편 개정상법 제421조 제2항에 의하면 영업을 양도한 양도회사가 양수회사에 대한 영업양도 대금채권과 신주인수 납입채무를 상계하는 방식으로 출자전환에 의하여 양수회사의 주주가 될 수도 있는데, 이러한 경우에는 영업을 현물출자한 외관을 가지지만 본질적으로 영업양도에 해당한다고 볼 것이다.

5. 간이영업양도

2015년 상법개정에 의하여 간이영업양도 등에 관한 제374조의3 규정이 신설되었다.[115] 즉 영업의 전부 또는 중요한 일부의 양도를 하거나 영업에 중대한 영향을 미치는 다른 회사의 영업의 전부 또는 일부의 양수를 하는 경우에, 당해 회사의 총주주의 동의가 있거나 당해 회사의 발행주식총수의 90% 이상을 거래상대방이 소유하고 있는 경우에는 주주총회의 승인을 이사회의 승인으로 갈음할 수 있다. 간이합병에서는 소멸회사만 주주총회 승인을 이사회 승인으로 갈음할 수 있는 것에 반하여, 간이영업양도에서는 양도회사와 양수회사 모두 각자 위 요건을 충족함으로써 주주총회 승인을 이사회 승인으로 갈음할 수 있다는 것이 간이합병과의 차이점이다.

---

113) 이기수·최병규, 전게서, 251면; 임재연, 전게서, 142면; 손주찬, 전게서, 205면; 정동윤, 「상법(上)」, 126면; 최준선, 전게서, 236면.

114) 대법원 1996.7.9. 96다13767; 1995.8.22. 95다12231; 1989.3.28. 88다카12100. 반면 채권자는 현물출자자의 지분권을 강제집행할 수 있으므로 제42조를 확대적용할 필요가 없다는 비판이 있다(정경영, 전게서, 121면).

115) 종전부터 영업양도에 대해서도 간이영업양도 및 소규모영업양도를 도입하여야 한다는 학설이 대두되었다[이숭희·황현아, "영업양수도의 새로운 쟁점과 개선방안," 「경영법률」 제25권 제1호(한국경영법률학회, 2014), 42~44면; 정용상, "상법상 회사의 조직재편에 관한 입법론 – 회사구조조정법의 글로벌화·선진화를 위한 회사재편입법론," 218~219면(간이영업양도 및 소규모영업양도에 대한 특례를 인정하여 주주총회 특별결의 요건을 면제하는 일본의 신회사법 제468조를 참고할 필요가 있다는 견해)]. 현재 벤처기업육성에 관한 특별조치법 제15조의11에서 간이영업양도에 대한 특례를 규정하고 있는 것 이외에도 동법 제15조의8에서는 소규모영업양도에 대한 특례를 규정하고 있다.

간이영업양도를 하려는 경우에는 계약체결일로부터 2주 이내에 그러한 뜻을 공고하거나 주주에게 통지하여야 한다(동조 2항 본문). 다만 총주주의 동의가 있는 경우에는 공고 또는 통지가 불필요하다(동조 2항 단서). 주주총회가 생략되더라도 반대주주에게는 주식매수청구권이 인정된다. 즉 간이영업양도에 반대하는 주주는 위 공고 또는 통지를 한 날로부터 2주 이내에 회사에 대하여 서면으로 반대의사를 통지하여야 하며, 위 2주의 기간이 경과한 날로부터 20일 이내에 주식의 종류와 수를 기재한 서면으로 회사에 대하여 자기가 소유하고 있는 주식의 매수를 청구할 수 있다(동조 3항).

Ⅳ. 영업양도의 효과

1. 영업의 이전

영업의 양도는 한 개의 채권계약인 영업양도계약에 의하여 이루어지는 것이라도 영업재산의 일괄이전을 가져오는 물권행위 또는 준물권행위는 있을 수 없기 때문에 양도의 대상인 각개의 권리의무에 대해서는 개별적으로 권리이전 또는 채무인수의 절차를 취하고 대항요건을 갖출 필요가 있다.[116] 합병의 경우 권리의무가 합병계약의 효과로서 당연히 포괄승계되고 각개의 권리의무에 대한 개별적인 권리이전절차를 필요로 하지 않는 것과 대조된다.[117]

영업양도 계약의 이행을 위하여 동산은 인도, 부동산 및 상호는 등기, 저작권 및 상표권은 등록, 지명채권은 채무자에 대한 통지 또는 승낙, 지시채권은 배서 또는 교부, 기명주식에 있어서는 명의개서 등 특별한 대항요건을 필요로

---

116) 김정호, 「상법총칙·상행위법」, 164면; 안강현, 전게논문, 21면; 이철송, 「상법총칙·상행위」, 285면; 임홍근, 전게서, 165면; 조정래, 전게논문, 372면; 정찬형, 전게서, 183면; 최기원, 전게서, 176면. 채무의 이전을 위해서는 채권자의 승낙이 필요하기 때문에, 양도인과 양수인 사이에 단순히 영업양도를 합의하였다고 하여 영업채무가 양도대상 범위에 당연히 포함되는 것은 아니지만[이철송, 「상법총칙·상행위」, 267면, 285~286면; 대법원 1989.12.22. 89다카11005(영업양도에 의하여 양도인의 피보증인 지위가 양수인에게 당연히 승계되는 것은 아니라는 이유로 채권자의 양수인에 대한 구상금 청구를 기각함)], 참고로 일본에서는 당사자 사이에 다른 합의가 없는 한 영업상의 채무도 양도대상에 포함된다는 것이 통설·판례의 입장이라고 한다(이철송, 「상법총칙·상행위」, 285면, 각주 16).
117) 이철송, 「상법총칙·상행위」, 273면; 임대화, 전게논문, 237면.

하는 것은 이를 충족하여 주어야 하고, 채무에 대하여는 양수인이 양도인으로
하여금 채무를 면하는데 필요한 행위로서 면책적 채무인수 또는 채무자교체에
의한 경개 등의 행위가 필요하고, 사실관계에 대하여는 사실상 양수인으로 하여
금 그것을 이용할 수 있도록 하기 위하여 필요한 행위를 할 것을 요하는 바, 영
업상 또는 기술상의 비결을 전수하거나 구입선 또는 고객을 소개하는 등[118] 사
실관계의 성질에 따라 거래통념에 부합하는 방법으로 실질적인 이전을 행하여야
한다.[119] 한편 영업양도에 수반하여 계약 당사자 3인의 관여로 계약인수가 이루
어지면 그 계약관계에서 이미 발생한 채권·채무도 이를 인수대상에서 배제하기
로 하는 특약이 있다는 등의 특별한 사정이 없는 한 인수인에게 이전되며, 개별
채권양도에서 필요한 대항요건은 요구되지 않는다.[120]

    이전되는 재산의 범위는 계약에 의하여 이를 제한할 수 있으나 다만 영업의
동일성은 유지되어야 한다.[121] 각각의 영업재산은 계약체결시가 아니라 양도기
일(closing date) 당시에 존재하는 상태로 이전되어야 한다. 이것은 별도의 합의
가 없었다면 계약체결 이후 또는 대차대조표 기준일 이후에 영업재산에 새롭게
성립하거나 다른 권리의 대위로써 성립한 권리들도 양도인이 이전해야 할 재산
에 포함된다는 것을 의미한다.[122] 그렇지만 매매대금의 산정을 위해 기준으로
삼았던 대차대조표 기준일 이후에 발생한 이익과 손실의 분배를 어떻게 해야 할
것인가는 다른 문제이다. 이와 관련하여 민법 제587조에서는 계약체결 후에도
인도하지 아니한 목적물로부터 생긴 과실은 매도인에게 귀속하는 것으로 규정하
고 있는바, 영업이익을 민법상 과실 개념에 포섭하는 것이 이론적으로 가능하다
면 양도인은 양도기일 전에 성립한 이익의 반환청구권을 가지게 될 것이며, 다

---

118) 다만 개인정보보호법 제27조에 의하여, 양도인은 개인정보의 주체에게 영업양도에 의하여
    개인정보가 양수인에게 이전된다는 사실 등을 사전에 알려야 하며, 개인정보의 주체가 이
    전을 원하지 않는 경우 조치할 수 있는 방법 및 절차를 제공하여야 한다.
119) 김성태, 전게서, 355면; 김헌무, 전게논문, 143면; 안강현, 전게논문, 28면; 양승규, 전게논
    문, 100면; 이철송, 「상법총칙·상행위」, 285면; 조정래, 전게논문, 372면; 정동윤, 「상법
    (上)」, 122면; 정찬형, 전게서, 184면.
120) 대법원 2020.12.10. 2020다245958(영업양도에 수반된 근로관계의 인수대상에 피고와의
    근로계약이 포함되었고 피고가 근로계약의 인수를 승낙하였으므로, 인수인인 원고에게 사
    용자 지위가 이전될 뿐만 아니라 그 근로계약관계를 기초로 하여 이미 발생한 손해배상채
    권도 특별한 사정이 없는 한 원고에게 이전되고 개별 채권양도에 관한 대항요건을 별도로
    갖출 필요는 없다고 판시함).
121) 안강현, 전게논문, 28면; 안수현, 전게논문, 30면.
122) 정병덕, "영업양도계약과 하자담보책임," 41면.

른 한편 이 시기에 발생한 손실을 보상해줄 의무도 부담한다는 견해가 있다.[123]

2. 양도회사의 경업금지의무

영업양도에 의하여 양수인은 양도인이 개척한 시장을 활용할 수 있고 축적된 영업기술을 이용함으로써 시행착오를 줄일 수 있고 양도인이 형성한 신용을 활용할 수 있는 이점이 있기 때문에, 영업을 양도할 때에는 영업설비의 시장가액에 더하여 추가의 대가가 지불되는 것이 보통이다. 그런데 양도인의 경업이 허용된다면 양수인은 양도인이 축적한 영업기술과 시장을 양도인과 공유하게 되므로 양수인이 누리는 경제적 이익은 그가 치룬 대가와 균형이 맞지 않게 되기 때문에 상법 제41조에서는 영업양도 계약의 목적을 달성하도록 하기 위하여 양도인의 경업을 일정 기간 제한함으로써 양수인에게 독점의 기회를 부여한다.[124] 즉 '영업의 승계' 요건 등 제41조의 적용요건을 별도로 충족한다면 양도인에게 경업금지의무가 발생할 수 있다. 이 때 경업이 금지되는 대상으로서의 '동종 영업'이란, 영업의 내용·규모·방식·범위 등 여러 사정을 종합적으로 고려하여 볼 때 양도된 영업과 경쟁관계가 발생할 수 있는 영업을 의미한다.[125] 나아가 경업금지의무를 지는 양도인 회사의 사원이 개인적으로 동종영업을 하는 경우 역시 경제적 실질에 의하여 경업이 허용되지 않는다고 보아야 한다.[126] 경업금

---

123) 정병덕, "영업양도계약과 하자담보책임," 44~45면.
124) 김성태, 전게서, 365면; 김헌무, 전게논문, 151~152면; 박상조, 전게서, 281면; 이철송, 「상법총칙·상행위」, 288면; 이철송, 전게논문, 105면; 최기원, 전게서, 177면. 본래 의용상법 제1편 제4장의 상호 부분에 규정되어 있던 영업양도 관련 규정을 1962년 제정 상법에서는 제7장으로 독립하여 규정하면서, 영업양도인의 경업금지 기간을 20년에서 10년으로 단축하였다. 이는 영업양수인의 이익보호와 더불어 그 구속상태를 단축시킴으로써 양도인의 이익도 함께 고려한 것이다[정병덕, "영업양수인의 책임규정의 법적 구조," 「상사법연구」 제20권 제2호(한국상사법학회, 2001), 224면]. 독일에서는 양도인의 경업금지의무에 관한 명문의 규정은 없으나 해석론으로서 신의칙에 근거하여 동의무를 부과하고 있으며(이철송, 「상법총칙·상행위」, 289면, 각주 22; 이철송, 전게논문, 105면), 일본에서는 1899년 상법 제정 당시부터 양도인의 경업금지에 관하여 규정하여 왔다(안수현, 전게논문, 36면).
125) 권기범, "영업의 일부 양도에 관한 몇 가지 문제점," 73면; 대법원 2015.9.10. 2014다80440.
126) 김성태, 전게서, 368면; 박상조, 전게서, 283면; 송옥렬, 「상법강의」, 85면(41조의 양도인은 회사의 대표이사나 지배주주, 또는 이들이 새로 설립한 회사를 모두 포함한다고 함); 안강현, 전게논문, 32면; 이철송, 「상법총칙·상행위」, 294면(대법원 2005.4.7. 2003마473에 관한 해석론 참조); 최준선, 전게서, 231면.

지의무의 발생시기는 영업양도계약이 이행되어서 양수인이 영업활동을 할 수 있는 상태에 이르렀을 때에 발생하는 것으로 본다.[127] 나아가 양수인이 재차 영업을 양도한 경우에는 당초의 양도인이 후속 양수인에게 계속적으로 경업금지의무를 부담한다고 본다.[128] 회사 합병의 경우에는 소멸법인의 경업금지의무가 존속법인 또는 신설법인에게 승계되는 것으로 본다.[129]

경업금지지역으로서의 '동일 지역' 또는 '인접 지역'은 양도된 물적 설비가 있던 지역을 기준으로 정할 것이 아니라 영업양도인의 통상적인 영업활동이 이루어지던 지역을 기준으로 정해지며, 이때 통상적인 영업활동인지 여부는 해당 영업의 내용·규모·방식·범위 등 여러 사정을 종합적으로 고려하여 판단한다.[130] 다만 영업규모와 영업지역을 세분함이 없는 현 상태의 경업금지구역 설정방식은 그 제한의 정도가 비례의 원칙 및 평등권에 어긋난다는 이유로(특히 서울 등) 헌법재판소에 위헌제청이 이루어진바 있었으나 전원재판부 결정에 의하여 "영업양도의 실효성을 높이기 위하여 상법의 후견적 기능으로서 부과하고 있는 것이고 필요한 경우 당사자 사이에 다른 약정을 할 수 있다는 점 등을 들어 입법재량권의 한계를 벗어나 직업선택의 자유를 과잉 침해한 것으로 볼 수 없다. 제41조는 당사자 간에 경업 여부에 관한 약정이 없을 경우에 그 의사를 보충하는 규정으로 보며, 경업금지의무를 과하는 것이 당사자의 합리적 의사라고 본다"며 합헌 결정이 내려진바 있다.[131]

---

127) 이기수·최병규, 전게서, 242면; 정경영, 전게서, 119면; 정찬형, 전게서, 187면; 최준선, 전게서, 231면.

128) 이철송, 「상법총칙·상행위」, 292면.

129) 이철송, 「상법총칙·상행위」, 294면(다만 존속법인이 이미 동종의 영업을 영위하고 있는 경우에는 경업금지의무를 승계하지 않는다고 함).

130) 대법원 2015.9.10. 선고 2014다80440 판결. 본 판례에 대한 비판적인 견해로는, 권재열, "영업양도인의 경업금지의무 – 대법원 2015.9.10. 선고 2014다80440 판결에 대한 평석–," 「사법」 제36호(사법발전재단, 2016), 77~114면.

131) 헌법재판소 1996.10.4. 94헌가5. 이와 관련하여, 행정구역 경계에 소재하지 않는 영업이 양도된 경우에도 제41조 제1항을 제한 없이 적용하여 경업금지의무의 지역적 범위를 인접 행정구역에까지 인정하는 것은 부적절하다고 판시한 하급심 판례(제주지방법원 1998. 6.3. 98가합129; 수원지방법원 2011.2.10. 2010가합14646)가 있다(이철송, 「상법총칙·상행위」, 292면). 한편 인터넷 기반 영업과 같이 전국 단위로 이루어지는 경우에는 경업금지의무를 지역적 구분없이 부과하는 것이 타당하다는 견해[이형규, "인터넷기업의 영업양도·합병과 개인정보의 보호," 「인터넷법률」 제4호(법무부, 2001), 98면; 정병덕, "2015년 상법총칙·상행위법 판례의 동향과 분석," 「상사판례연구」 제29집 제1권(한국상사판례학회, 2016), 168면] 및 사실상 지역적 제한이 아예 없는 것처럼 해석하는 것이 바람직하다는 견해(김태진, 전게논문, 160면) 등 학설의 대립이 있다.

한편 제41조의 영업양도인의 경업금지의무와 관련하여 이를 일부 지점 등 영업의 일부가 양도된 경우에도 적용할 수 있는가 하는 것이 문제된다. 영업의 일부를 양도한 자가 제41조의 일정한 지역 내에 동종의 다른 영업소가 없는 경우에는 이 규정에 따라 경업금지의무를 부담하지만[32] 일정한 지역 내에 동조의 다른 영업소를 가진 경우에도 경업금지의무를 부담한다면 양도인은 그 다른 영업소를 폐지하여야 할 것이므로 이는 당사자의 의사에 부합한다고 볼 수 없다. 그러므로 이와 같은 경우에는 상법 제41조의 적용을 배제하기로 하는 묵시적인 합의가 있었다고 인정될 가능성이 높다.[133]

3. 반대주주의 주식매수청구권

주식매수청구권에 의하여 영업양도 등 주주의 이해관계에 중대한 영향을 미치는 사안에 관한 주주총회 결의가 다수결에 의하여 가결된 경우에 그 결의에 반대한 주주는 자기의 소유주식을 회사가 매수하도록 청구할 수 있다(374조의2). 1982년부터 구 증권거래법 제191조에 의하여 도입되어 상장법인의 영업양도시 인정되던 것을 1995년 상법 개정에 의하여 모든 주식회사에 대하여 인정하게 되었다. 비상장회사의 경우에는 그 주식을 처분할 수 있는 상설시장이 형성되어 있지 않으므로 회사의 구조적 변화에 반대하는 소수주주는 회사에 대하여 주식매수를 청구하는 외에 투자한 자본을 회수할 길이 없기 때문에 주식매수청구권이 인정될 필요성이 있었다.[134]

의결권 없는 주식을 가진 주주도 영업양도에 대하여 중대한 이해관계를 가질 뿐만 아니라, 주주총회에의 참석이나 의결권의 행사는 주식매수청구권을 행사하

---

132) 이철송, 「상법총칙·상행위」, 286면; 정동윤, 「상법(上)」, 118면; 최기원, 전게서, 178면.

133) 권기범, "영업의 일부 양도에 관한 몇 가지 문제점," 72면(특히 양도인이 특정 영업소의 영업만을 양도하는 때에는 이러한 묵시의 특약이 있는 것으로 해석할 가능성이 높다고 함. 예를 들어 대법원 2015.9.10. 2014다80440); 김성태, 전게서, 364면; 김헌무, 전게논문, 145면; 박상조, 전게서, 266면; 이철송, 「상법총칙·상행위」, 280면, 290면. 한편 상법 총칙에서의 영업양도는 영업이 전부 양도된 것을 전제로 하여 양도인에게 경업피지의무를 부담시키고 또 양도인의 채권자 및 채무자를 보호하기 위한 규정을 두고 있는 것이며, 이러한 규정은 성질상 영업의 일부양도에는 적용할 수 없다는 견해가 있다(정찬형, 전게서, 187~188면).

134) 최성근, "기업조직재편제도에 관한 상법개정의 분석 및 평가," 「법학논집」 제29집(청주대학교 법학연구소, 2007), 256면.

기 위한 요건이 아니므로 이들도 주식매수청구권을 갖는다는 학설이 우세하였는 바,[135] 2015년 상법 개정에 의하여 의결권이 없거나 제한되는 주주에게도 주식 매수청구권이 인정되는 것으로 규정되었다. 주식매수청구권을 행사하려는 주주 는 주주총회 전에 당해 회사에 대하여 서면으로 그 결의에 반대하는 의사를 통 지하여야 한다(동조 1항). 이와 같이 통지를 하게 함으로써 회사는 그 의안 제출 여부를 재고하거나 매수 준비를 할 수 있게 된다. 이러한 사전 반대통지는 주주 권의 행사이므로 통지 당시에 주주권을 행사할 수 있는 자만이 할 수 있으며, 이는 주주총회일 이전에 회사에 도달하여야 하고, 통지사실은 주주가 입증하여 야 한다.[136] 회사에 대하여 사전 반대통지를 한 주주는 주주총회의 결의일로부 터 20일 내에 주식의 종류와 수를 기재한 서면으로 회사에 대하여 자기가 소유 하고 있는 주식의 매수를 청구할 수 있다(동항). 물론 반대주주는 일부 권리를 포기하고 그 소유주식 중 일부에 대해서만 매수청구권을 행사할 수도 있다.[137] 이러한 사전 반대통지와 주식의 매수청구는 모두 동일한 주주에 의하여 이루어 져야 한다. 매수청구권자가 사전 반대통지 후 그 소유주식을 양도한 경우, 양도 인의 입장에서는 이미 투하자금을 회수하였고 양수인의 입장에서는 주식매수청 구권까지 양도받았다고 보기가 어렵기 때문이다.[138]

회사는 매수청구기간이 종료하는 날로부터 2월 이내에 그 주식을 매수하여야 한다(동조 2항). 주식매수청구권은 주주의 의사표시로 효력이 발생하는 형성권이 기 때문에 주식매수청구권의 행사에 의하여 당해 주식에 관한 매매계약은 이미 성립한 것이고, 위 규정의 의미는 회사가 2월 이내에 위 계약을 이행(주식대금 지급)해야 한다는 의미로 이해한다.[139] 따라서 대금지급의무를 부담하는 회사는

---

135) 장덕조, 전게서, 263면; 정동윤, 「상법(상)」, 573면; 정찬형, 전게서, 929면.
136) 유진희, 전게논문, 199면.
137) 송옥렬, 「상법강의」, 960면; 유진희, 전게논문, 199면, 정동윤, 「상법(상)」, 573면; 정찬형, 전게서, 930면.
138) 송옥렬, 「상법강의」, 960면; 유진희, 전게논문, 199면, 장덕조, 전게서, 256면; 정찬형, 전 게서, 930면. 반면 반대통지를 한 주주로부터 주식을 인수하였음을 증명할 수 있다면 주 식양수인도 주식매수청구권을 행사할 수 있다는 견해가 있다(김건식·노혁준·천경훈, 전 게서, 862면).
139) 김건식·노혁준·천경훈, 전게서, 862면; 유진희, 전게논문, 200면; 장덕조, 전게서, 257면; 정동윤, 「상법(상)」, 573면(매매가격의 결정을 유보한 매매계약도 적법함); 대법원 2011. 4.28. 2010다94953; 대법원 2011.4.28. 2009다72667. 반면 매수가격이 합의되지 않은 상 태에서 주식매수청구권자의 일방적인 의사표시만으로 매매계약이 체결되었다고 보는 것은 무리라는 이유로 위와 같은 입장에 반대하면서, 2월 이내에 매매가격을 합의결정하여 매

2개월이 도래한 때로부터 지체책임을 진다.[140) 2001년 개정상법은 주식매수청구권의 행사시 주식의 매수가격에 관하여 회사 및 주식매수를 청구한 주주 간에 협의가 이루어지지 아니하는 경우 별도의 절차를 거치지 아니하고 바로 법원에 대하여 매수가격의 결정을 청구할 수 있도록 하였다(동조 4항 및 5항).[141) 주식매수청구권을 대량으로 행사할 경우에는 회사에 상당한 재정적 부담을 유발시키기 때문에 회사 입장에서는 주주들이 납득할 수 있도록 객관적이고 합리적인 거래를 추진해야 할 것인바, 주식매수청구제도에 의하여 거래의 공정성을 제고하는 효과를 기대할 수 있다.[142)

4. 상호 속용 양수인의 채무인수책임

영업양수인이 양도인의 상호를 계속 사용하는 경우에는 양도인의 영업으로 인한 제3자의 채권에 대하여 양수인도 변제할 책임이 있다(제42조 제1항). 즉, 이 경우에도 '영업의 승계' 요건 등 제42조의 적용요건을 별도로 충족한다면 양수인이 채무인수의 책임을 부담할 수 있다. 영업양수인에게 영업상 채무의 변제책임을 인정한 입법 취지에 관한 통설·판례에 의하면 영업양수인이 양도인의 상호를 속용하는 경우에는 종전 영업상 채권자는 영업주의 교체를 알지 못한 채

매계약을 체결하여야 한다는 뜻으로 해석하여야 한다는 견해가 있다(정찬형, 전게서, 931면).
140) 김홍기, 전게서, 538면; 송옥렬, 「상법강의」, 960면; 대법원 2011.4.28. 2010다94953; 2011.4.28. 2009다72667.
141) 1995년 개정상법에서는 주주와 회사 간에 협의가 이루어지지 아니하는 경우 회계전문가에 의하여 산정된 가액을 매수가액으로 하고, 그 산정된 매수가액에 대하여 매수청구주주가 보유한 주식의 100분의 30 이상이 반대하는 경우라야 법원에 매수가액의 결정을 청구할 수 있도록 했었다. 그러나 이러한 방법은 재판청구권을 사실상 제한 내지는 박탈하는 것임은 물론 평등의 원칙과 입법상 명확성의 원칙에 반하는 것으로 위헌의 소지를 안고 있었다(최성근, 전게논문, 272면).
142) 최성근, 전게논문, 256면. 2009~2010년에 금융위원회에 신고된 22건의 영업양수도 중에서 주식매수청구권 행사가 가능했던 경우는 13건(59.1%)이었고, 나머지 9건은 모두 개인사업자와의 거래여서 제374조가 적용되지 않았고, 주식매수청구권도 인정되지 않았다. 주식매수청구권의 과도한 행사는 회사의 부담이 되므로 이를 막기 위한 차원에서 주식매수청구권 행사금액이 일정 한도를 초과하면 영업양도를 무산시킬 수 있도록 그 행사한도를 설정할 수 있는데, 주식매수청구권 행사가 가능했던 위 13개 회사 중 행사한도를 설정한 회사는 9건이었으며, 1사당 평균 한도액은 코스피법인의 경우 287억원, 코스닥법인의 경우 36억원이었다[한국상장회사협의회, "상장법인 기업조직재편 현황 및 개선과제," 보도자료(2011. 10. 12)].

양수인인 현 영업주를 자기의 채무자로 알고 있거나, 영업양도의 사실을 알더라
도 양수인이 채무를 인수한 것으로 생각하여 양수인에 대한 청구가 가능하다고
신뢰하는 것이 일반적이므로 채권자의 외관에 대한 신뢰를 보호하기 위해 변제
책임을 인정한 것이라고 한다.[143) 독일[144)과 일본[145)에서 역시 제3자를 보호하
기 위하여 이와 동일한 규정을 두고 있었고,[146) 독일의 예를 따라서 도입된 일
본 규정들이 우리나라에서도 의용상법 이래로 적용되고 있는 것이다.[147) 한편
미국의 경우에는 영업양도가 채권과 채무의 양도를 수반하는 것은 아니라고 보
는 것이 보통법상의 원칙이지만, 형평법상 사기적인 영업양도 등으로부터 양도
인의 채권자를 보호하기 위해 일정한 경우에 양수인에게 책임(successor liability)
을 인정하는 판례가 확립되어 있다.[148)

　영업양도의 근거가 되는 법적 유형은 문제가 되지 않으며 유상계약으로 제한
되지 않기 때문에 매매, 교환, 증여에 의해서도 가능하며 법률행위에 의한 이전
이면 충분하다.[149) 다만, 양도계약이 무효, 취소된 경우에 본 조가 외관신뢰에

---

143) 권기훈, "영업양수인 책임 요건으로서의 상호의 계속 사용,"「한양법학」제20권 제1집(한
　　 양법학회, 2009), 212면; 이철송, 전게논문, 106면; 정병덕, "영업양수인의 책임규정의 법
　　 적 구조," 234면, 정승욱, 전게논문, 23면; 대법원 1998.4.14. 96다8826; 대법원 1989.12.
　　 26. 88다카10128("상법 제42조 제1항은 일반적으로 영업상의 채권자의 채무자에 대한 신
　　 용을 채무자의 영업재산에 의하여 실질적으로 담보되어 있는 것이 대부분인데도 실제로
　　 영업의 양도가 행하여진 경우에 있어서 특히 채무의 승계가 제외된 경우에는 영업상의 채
　　 권자의 채권이 영업재산과 분리되게 되어 채권자를 해치게 되는 일이 일어나므로 영업상
　　 의 채권자에게 채권추구의 기회를 상실시키는 것과 같은 영업양도의 방법이 채용된 경우
　　 에 양수인에게도 변제의 책임을 지우기 위하여 마련된 규정"이라고 판시함). 이러한 판례
　　 의 입장에 대해서는 책임재산설(영업상의 채무는 그의 영업재산으로 담보되는 것이므로
　　 상호를 계속 사용하는 양수인은 양도받은 재산과 함께 양도인의 채무에 대해서도 책임져
　　 야 한다는 견해) 및 외관책임설(상호가 속용되면 영업의 외형에 변화가 없다는 법외관을
　　 낳게 되고 이러한 법외관은 영업양수인이 양도인의 영업상 채무에 대하여 책임질 것이라
　　 는 신뢰를 불러일으킨다는 견해)의 절충형으로 파악하는 견해가 있다(김정호,「상법총칙·
　　 상행위법」, 173면). 제42조 제1항 책임의 법적 성격에 대한 상세한 학설 설명으로는, 권
　　 기범, "영업의 일부 양도에 관한 몇 가지 문제점," 56~61면.
144) 독일 상법 제25조.
145) 일본 상법 제17조.
146) 정병덕, "영업양수인의 책임규정의 법적 구조," 225~226면.
147) 이철송, 전게논문, 105면.
148) 안수현, 전게논문, 34면(즉, (i) 사실상의 합병에 이르는 경우, (ii) 양수인이 양도인의 단
　　 순한 계속에 불과한 것으로 보여지는 경우, 또는 (iii) 자산의 양도가 양도인의 책임을 회
　　 피하기 위하여 사기적으로 행해진 경우에는 그 양수인에게 양도인의 채권자에 대한 책임
　　 을 인정함).
149) 권기훈, 전게논문, 215면; 조정래, 전게논문, 240~241면; 정병덕, "영업양수인의 책임규정
　　 의 법적 구조," 240~241면. 다만 판례에 의하면, 영업임대차의 경우에 제42조 제1항을

바탕을 두고 있음에 비추어 양수인이 사실상 영업을 계속하고 있는 한 양수인의
변제책임을 인정함이 다수설이다.[150] 이때 양수인이 계속 사용하는 상호는 형식
상 양도인의 상호와 완전히 동일한 것임을 요하지 않고, 법원은 상호의 동일성
에 대하여 명칭·영업목적·영업장소, 이사의 구성이 동일한지 등을 참작하여
판단한다.[151] '속용 기간이 짧았기 때문에 실제로는 채무인수의 외관을 작출하는
데까지는 이르지 아니하였다'는 주장은 인정되지 아니하며, 또한 일단 영업양수
인의 책임이 생긴 이상 나중에 상호 속용을 중지하였다 하더라도 그 책임이 소
멸되는 것은 아니다.[152]

　　양도인의 채권자가 선의이어야 하는지에 대하여 학설의 대립이 있으나,[153]
대법원은 상호를 속용하는 양수인의 책임은 어디까지나 채무승계가 없는 영업양
도에 의하여 자기의 채권추구의 기회를 빼앗긴 채권자를 보호하기 위한 것이라
는 전제하에 '영업양도에도 불구하고 채무인수의 사실 등이 없다는 것'을 알고
있는 악의의 채권자에 대하여는 본 조의 책임이 없다고 한다.[154] 이때 선의의

　　　　그대로 유추적용할 것은 아니며, 이는 영업임대차의 종료로 영업을 반환하는 경우에도 마
　　　　찬가지라고 판시한바 있다(대법원 2017.4.7. 2016다47737; 2016.8.24. 2014다9212).

150)　권기훈, 전게논문, 214면; 손주찬, 전게서, 202면; 이기수·최병규, 전게서, 248면; 이동신,
　　　　전게논문, 387면; 이철송, 「상법총칙·상행위」, 298면, 300면(상호를 무단사용하는 경우에
　　　　도 42조가 적용된다 함); 조정래, 전게논문, 384면; 정병덕, "영업양수인의 책임규정의
　　　　법적 구조," 242면; 최기원, 「상법(上)」, 180면; 최완진, 「상법학강의」(법문사, 2010), 97면;
　　　　최준선, 전게서, 233면. 반면, 물권적 양도행위가 무효이면 이미 문언상으로도 누군가의 영
　　　　업을 양수했다는 제42조 제1항의 요건을 결하게 된다는 점에서 양수인에게 변제책임을 인
　　　　정할 수 없다는 소수설도 있다(정병덕, "영업양수인의 책임규정의 법적 구조," 243면).

151)　송옥렬, 「상법강의」, 87면(판례는 영업양도 전후의 상호가 주요 부분에 있어서 동일하면
　　　　충분한 것으로 일관되게 판시하고 있는 것으로 분석함); 대법원 1989.3.28. 88다카12100
　　　　("양도인의 상호 중 그 기업주체를 상징하는 부분을 양수한 영업의 기업주체를 상징하는
　　　　것으로 상호 중에 사용하는 경우"는 상호속용에 해당한다고 판시함). 나아가 상호가 아닌
　　　　옥호 또는 영업표지를 계속 사용하는 경우에도 제42조 제1항이 유추적용된다(대법원
　　　　2010.9.30. 2010다35138). 반면에 상호의 동일성이란 종전의 거래 상대방이 영업주체의
　　　　변동을 깨닫지 못할 정도를 의미하는 것으로 엄격히 해석해야 한다는 취지에서 판례의 입
　　　　장을 비판하는 견해도 있다(이철송, 「상법총칙·상행위」, 299~300면).

152)　조정래, 전게논문, 388면.

153)　다수설의 입장인 선의필요설은 권리외관설의 일반원칙에서 볼 때 선의가 아닌 자를 보호
　　　　할 필요가 없다고 한다(강위두·임재호, 전게서, 176면; 권기훈, 전게논문, 217면; 김흥기,
　　　　전게서, 116면; 서헌제, 전게서, 167면; 송옥렬, 「상법강의」, 88~89면; 이기수·최병규,
　　　　전게서, 253면; 이철송, 「상법총칙·상행위」, 302면; 정경영, 전게서, 122면; 정병덕, "영
　　　　업양수인의 책임규정의 법적 구조," 247면; 최기원, 「상법(上)」, 183~184면). 반면 선의불
　　　　요설은 채권자로서는 자신이 알지 못하는 사이에 영업양도에 의하여 담보재산을 잃게 되
　　　　어 부당하다고 하며, 독일의 판례와 다수설은 권리외관설을 취하면서도 채권자의 악의는
　　　　문제삼지 않는다고 주장한다(정동윤, 「상법(上)」, 124~125면; 최준선, 전게서, 234면).

의미는 영업양도 사실을 몰랐거나 영업양도 사실은 알았더라도 채무불인수 사실
을 몰랐다는 것으로 해석하기 때문에[155] 본 규정의 적용범위가 상당히 넓어지
는 효과가 있다.

상호를 속용하는 양수인은 양도인의 영업으로 인하여 발생한 모든 거래상의
채무에 대하여 변제할 책임을 부담한다.[156] 이때 회사의 명의로 한 행위는 반증
이 없는 한 모두 영업을 위한 행위로 추정된다.[157] 거래상 채무의 불이행으로
인한 손해배상채무뿐만 아니라 거래와 관련한 부당이득 및 불법행위로 인한 손
해배상채무 등 일체의 채무를 포함하며, 영업양도 계약 당시에 변제기에 도래하
지 않았거나 양수인이 그 존재를 알지 못하였던 채무도 포함한다.[158] 다만 양수
인이 책임지는 제3자의 채권은 영업양도 당시 변제기가 도래할 필요까지는 없다
고 하더라도 그 당시까지 발생한 것이어야 하고, 영업양도 당시로 보아 가까운
장래에 발생될 것이 확실한 채권이라 할지라도 양수인이 책임져야 하는 것은 아
니다.[159]

양수인은 양수한 적극재산의 범위 내에서만 책임을 지는 것이 아니라 일반적
인 책임(인적 무한책임)을 부담하는바,[160] 양도인과 양수인은 부진정연대채무의

---

154) 대법원 1989.12.26. 88다카10128(반면 이러한 판례의 입장에 대한 비판으로는, 정동윤,
「상법(上)」, 125면 및 정승욱, 전게논문, 30면).
155) 강위두·임재호, 전게서, 176면; 김정호, 「상법총칙·상행위법」, 178면; 손진화, 전게서,
132면; 정병덕, "영업양수인의 책임규정의 법적 구조," 247면; 정승욱, 전게논문, 30면.
156) 본 조는 영업양수로 인해 채권회수의 적기를 놓친 채권자를 보호하기 위한 것이므로 영업
과 무관하게 발생한 채권은 제외된다(권기훈, 전게논문, 216면; 대법원 2002.6.28. 2000다
5862).
157) 김홍기, 전게서, 116면(반면에 양도인이 2개 이상의 영업을 하면서 그 중 1개의 영업을
양도한 경우에는 양도인이 부담하는 채무가 양도대상 영업활동으로 인하여 발생하였다고
추정하기가 곤란하므로 이를 주장하는 자가 입증하여야 한다고 함); 최기원, 전게서, 182
면; 대법원 2002.6.28. 2000다5862; 1967.10.31. 67다2064. 다만 회사의 대표이사가 개인
적인 목적으로 회사 명의의 어음을 발행한 경우에는 회사의 영업활동과 무관하므로 어음
소지인은 영업양수인에게 어음금 책임을 물을 수 없다(송옥렬, 「상법강의」, 89면; 대법원
2002.6.28. 2000다5862).
158) 김정호, 「상법총칙·상행위법」, 176면; 서헌제, 전게서, 167면; 손주찬, 전게서, 203면; 이
기수·최병규, 전게서, 253면; 조정래, 389면; 권기훈, 216면; 대법원 1989.3.28. 88다카
12100.
159) 대법원 2020.2.6. 2019다270217. 본 판결에 대한 상세한 분석으로는, 문정해, "2020년 상
반기 상법 관련 대법원 주요 판례 연구," 「법학논집」 제25권 제2호 (이화여자대학교 법학
연구소, 2020), 234~237면.
160) 김정호, 「상법총칙·상행위법」, 178면; 안강현, 전게논문, 37면; 안수현, 전게논문, 32면;
조정래, 전게논문, 389면.

관계에 있다.¹⁶¹⁾ 다만 양도인의 책임에 대해서는 2년의 제척기간 적용되므로 이후에는 양수인만 책임진다.¹⁶²⁾ 제42조 제2항에 의한 면책통지는 반드시 양도인과 양수인이 하여야 하며, 양도인만의 통지는 효력이 없다.¹⁶³⁾

V. 영업양도의 자유의 제한

상법상 영업의 양도는 당사자 합의에 의하여 자유롭게 할 수 있는 것이 원칙이지만, 다음과 같이 특별법의 규정에 의하여 일정한 제한이 이루어지는 경우가 있다.¹⁶⁴⁾

1. 영업양수인의 기업결합신고 의무

공정거래법 제9조에서는 "다른 회사의 영업의 전부 또는 주요 부분의 양수" 및 "다른 회사의 영업용고정자산의 전부 또는 주요 부분의 양수"를 기업결합의 일종인 '영업양수'로 정의하면서, 자산총액 또는 매출액의 규모가 3천억원 이상인 회사와 자산총액 또는 매출액의 규모가 3백억원 이상인 회사 사이에 위와 같은 영업양수를 할 경우에는 공정거래위원회에 영업양수대금의 지급을 완료한 날("기업결합일")로부터 30일 이내에 신고하도록 정하고 있으며,¹⁶⁵⁾ 만약 영업양수의 당사회사 중 하나 이상의 회사가 자산총액 또는 매출액 2조원 이상의 대규모 회사인 경우에는 영업양수계약을 체결한 날부터 기업결합일 전까지의 기간내에 사전신고를 하여야 한다.¹⁶⁶⁾ 공정거래위원회의 심사결과를 통지받기 전까

---

161) 안강현, 전게논문, 38면; 정동윤, 『상법(上)』, 125면; 조정래, 전게논문, 388면; 대법원 2009.7.9. 2009다23696(따라서 채권자가 영업양도인에 대한 채권을 타인에게 양도하였다는 사정만으로 영업양수인에 대한 채권까지 당연히 함께 양도된 것이라고 단정할 수 없고 함께 양도된 경우라도 채권양도의 대항요건은 채무자별로 갖추어야 한다고 판시함).
162) 정병덕, "영업양수인의 책임규정의 법적 구조," 250면.
163) 대법원 1976.4.27. 75다1209, 1210.
164) 김성태, 전게서, 364면; 김홍기, 전게서, 109면; 박상조, 전게서, 277면; 손주찬, 전게서, 198면; 손진화, 전게서, 127면; 이철송, 『상법총칙·상행위』, 283면; 최준선, 전게서, 222면.
165) 공정거래법 제11조 제6항 및 동법 시행령 제21조 제10항 제3호 본문. 다만 영업양수 계약체결일로부터 90일을 경과하여 영업양수 대금의 지급을 완료하는 경우에는 그 90일이 경과한 날을 기업결합일로 한다(동법 시행령 제21조 제10항 제3호 단서).
166) 공정거래법 제11조 제6항 제1호 및 동법 시행령 제21조 제11항 제2호.

지는 영업양수계약의 이행행위를 하여서는 안되며,[167] 이를 위반하여 영업양수를 한 경우에 공정거래위원회는 시정조치를 명할 수 있으며,[168] 시정조치를 이행하지 아니하는 경우에는 이행기한이 지난 날부터 1일당 영업양수 금액의 1만분의 3을 초과하지 않는 범위에서 이행강제금을 부과할 수 있고,[169] 이와 별개로 위법한 기업결합에 대하여 1억원 이하의 과태료를 부과한다.[170]

2. 영업에 관한 인·허가의 승계절차

영업양도의 대상인 해당 영업과 관련하여 행정기관으로부터 인·허가 등을 받았던 경우에는 해당 영업의 양도인 또는 양수인에게 일정한 행위를 요구함으로써 지위를 승계받도록 규정하는 경우가 많이 있다. 즉, 양도인 또는 양수인으로 하여금 영업양도 이전에 사전신고를 하도록 규정하거나,[171] 양수인에게만 사후신고 의무를 부과하기도 하며,[172] 인가받은 영업을 영위하는 영업주체가 영업양도 또는 영업양수를 하려는 경우에는 사전인가를 받도록 규정하기도 한다.[173] 한편 영업의 승계를 인정하는 규정은 두고 있으나, 승계절차에 관하여는 아무런 규정을 두고 있지 아니한 경우에는 당사자 합의에 의하여 그 공법상의 지위를 이전할 수 있을 것이며,[174] 영업의 승계에 관하여 행정관청이 관여하지는 않겠다는 취지로 이해할 수 있다.[175]

영업양도와 관련하여 인가를 받은 뒤 잔대금을 지급한 사안에서 어느 시점에 영업이 양도되었다고 볼 것인지 문제되었는데, 대법원은 주무관청의 인가를 받

---

167) 공정거래법 제11조 제8항.
168) 공정거래법 제14조 제1항 제4호.
169) 공정거래법 제16조 제1항 제3호.
170) 공정거래법 제130조 제1항 제1호.
171) 건설기술진흥법 제29조, 건설산업기본법 제17조, 담배사업법 제11조의3, 부동산개발업의 관리 및 육성에 관한 법률 제11조, 시설물의 안전관리에 관한 특별법 제38조, 자동차관리법 제55조, 전기공사업법 제7조, 전력기술관리법 제16조의2, 정보통신공사업법 제17조, 화물자동차 운수사업법 제16조 등.
172) 먹는 물 관리법 제25조, 유선 및 도선 사업법 제3조의3, 전자문서 및 전자거래 기본법 제31조의14 등.
173) 보험업법 제150조, 신용정보의 이용 및 보호에 관한 법률 제10조, 여객자동차 운수사업법 제14조 제2항.
174) 이철송, 「상법총칙·상행위」, 286면.
175) 손진상, "허가영업의 양도에 따른 영업승계," 「경영연구」 제3권 제1호(안동대학교 경영연구소, 1999), 7면.

아 영업을 개시한 때에 영업이 양도되었으므로 잔대금 지급 이전이라도 경업금
지의무 위반의 책임이 인정된다고 판시한바 있다.[176] 참고로 영업양도계약이 이
루어져 실질적으로 경영지배가 양수인에게 이전되었지만 아직 감독관청의 인허
가 없이 양수인이 상호를 속용하는 경우에 제42조 제1항의 책임이 생기는가에
관하여, 일본의 판례는 "이 단계에서는 본 건 영업양도계약에 기초한 급부행위
는 완료"하지 않은 것을 이유로 제42조 제1항의 적용을 배제한 바 있다.[177]

Ⅵ. 관련 문제

1. 영업양수인의 제2차 납세의무

　회사법상의 영업양도에서는 채권·채무의 양도가 영업양도의 요건이 아닌 반
면 세법상 제2차 납세의무자와 관련된 판례에서는 채권·채무의 양도가 사업양
도의 요건인 것으로 파악하였는바, 회사법상의 영업양도를 받은 모든 양수인이
세법상 제2차 납세의무를 부담하지는 않을 것이다. 즉 "구 국세기본법 제41조
소정의 '영업의 양도·양수가 있는 경우'라 함은 양수인이 양도인으로부터 그 사
업시설 뿐만 아니라 영업권 및 그에 대한 채권·채무 등 일체의 인적·물적 권
리와 의무를 양수함으로써 양도인과 동일시되는 정도로 법률상의 지위를 그대로
승계하는 경우를 가리킨다"라고 하여 채권·채무의 승계가 사업 양수도의 요건
이라고 판시한 바 있다.[178] 위 제도는 사법질서를 어지럽히는 것을 피하면서 그
형식적 권리자에게 보충적으로 납세의무를 부담케 하여 징수절차의 합리화를 도
모하려는 것으로서 사업양수인의 제2차 납세의무는 사업양도 당시에 이미 양도
인에게 부과된 국세이어야 하고 또 그 사업을 영위함에 있어 발생한 것이어야

176) 이철송, 「상법총칙·상행위」, 284면; 대법원 2010.9.30. 2010다35138.
177) 권기훈, 전게논문, 214면.
178) 대법원 1995.9.15. 94누8303. 참고로 헌법재판소는 "구 국세기본법 제41조는 사업양수인
　　으로 하여금 양수한 재산의 가액을 초과해 제2차 납세의무를 지게 하는 범위 내에서 헌법
　　에 위반된다"는 위헌결정을 하였다(헌법재판소 1997.11.27. 95헌바38). 이에 따라 현행
　　국세기본법 제41조 제1항에서는, "사업이 양도·양수된 경우에 양도일 이전에 양도인의
　　납세의무가 확정된 그 사업에 관한 국세 및 강제징수비를 양도인의 재산으로 충당하여도
　　부족할 때에는 대통령령으로 정하는 사업의 양수인은 그 부족한 금액에 대하여 양수한 재
　　산의 가액을 한도로 제2차 납세의무를 진다"고 규정하고 있다.

하는 것이므로 제2차 납세의무자가 이를 부담하려면 사업의 양도·양수시 채권·채무가 모두 이전되어야 한다는 취지에 따른 것이다. 그러므로 국세기본법 제41조에 의한 사업양도의 요건은 상법상의 영업양도 요건과는 차이가 있을 수밖에 없다.179)

2. 영업양도와 근로관계 승계의 관계

현실적으로 영업양도의 당사자인 회사들은 근속기간에 따라 누진되는 퇴직금 부담을 줄인다거나, 구조조정의 필요성, 심지어 노조활동에 적극적인 근로자를 배제할 목적 등 여러 사유로 인하여 근로자들로 하여금 양도기업에 사직서를 제출하여 그때까지의 근속기간에 따른 퇴직금을 수령하게 한 후 양수회사에 신규 입사절차를 밟게 하는 형식을 취하면서 일부 근로자를 신규입사절차에서 탈락시키는 경우가 많다.180) 이와 같이 실질적으로 영업이 양도되었을 경우에 근로관계도 양수인에게 승계되어야 할 것인지에 관하여 학설상 논란181)이 있고, 유럽

---

179) 김헌무, 전게논문, 146면; 천경훈, 전게논문, 222면 및 237면.
180) 최윤성, "판례를 통하여 본 영업양도와 근로관계의 승계,"「법학평론」 제4권(서울대학교 법학평론 편집위원회, 2013), 748면.
181) 영업양도를 할 때 근로관계 승계가 자동으로 승계되는지 여부에 관한 학설은 다음과 같다; (1) 특약필요설: 영업의 개념을 유기적 일체로서의 기능적 재산으로만 파악하고, 근로 관계는 영업의 기본적 요소에 포함되지 않는다는 것을 전제로, 영업양도 당사자 사이에 근로관계의 승계에 관한 명시적이거나 묵시적인 합의가 있고 근로자가 이에 동의하여야만 근로관계가 양수인에게 승계된다고 본다[김지형, "영업양도와 근로관계의 승계,"「민사재 판의 제문제」 제8권(한국사법행정학회, 1994), 1038면; 이상윤, "영업양도와 근로관계,"「 상사판례연구」 제1권(박영사, 1996), 116면; 최윤성, 전게논문, 743면]; (2) 원칙승계설: 영업의 개념을 물적 조직 및 인적 조직이 기능적으로 결합된 유기적 조직체의 개념으로 이해하고, 따라서 영업양도 당사자 사이에 반대의 의사표시가 없는 한 물적 조직 뿐만 아 니라 인적 조직도 영업양도의 대상에 포함되어 있는바 당사자 사이에 반대의 특약이 없는 한 영업양도에 관한 합의 속에 원칙적으로 근로관계를 포괄적으로 승계시키기로 하는 내 용의 합의가 포함된 것으로 사실상 추정된다고 해석한다. 민법 제657조 제1항의 수정해석 을 통하여 근로자의 동의는 요하지 않으나 근로자는 양수인에 대하여 즉시해지권을 갖는 다(안강현, 전게논문, 29면; 이상윤, 전게논문, 116면; 최윤성, 전게논문, 743면). 우리나라 대부분의 학자들이 원칙승계설에 찬성하고 있으며, 대법원 판례도 이러한 해석론에 입각 하고 있는 것으로 보인다[김동욱, "영업양도의 개념 및 그 효과로서 근로관계 승계에 관 한 연구," 고려대학교 법학석사학위논문(고려대학교 대학원, 2011), 74면; 김지형, 전게논 문, 1040~1041면; 최윤성, 전게논문, 744면]; (3) 자동승계설: 영업양도 당사자 사이의 약정 여하에 관계없이 종래의 근로관계가 전체로서 포괄하여 법률상 당연히 양수인에게 승계되는바, 양도 당사자 사이에 근로관계의 일부를 배제하는 특약은 무효라고 한다(김동 욱, 전게논문, 75면; 김지형, 전게논문, 1036면; 이상윤, 전게논문, 115면; 최윤성, 전게논 문, 742면).

연합 국가 등은 영업양도에 의하여 근로관계 역시 자동적으로 포괄승계가 이루어지도록 입법이 되어있다.

우리 대법원은 노동법적으로 근로관계의 승계 여부가 문제되었을 경우에는 영업양도의 개념을 차별적으로 취급하고 있다.[182] 즉 영업양도가 상법적으로 문제가 된 사안에서는 영업양도를 '일정한 영업목적에 의하여 조직화된 유기적 일체로서의 기능적 재산인 영업을 양도하는 당사자 사이의 계약'이라고 판시하는 반면, 해고 등 노동법적으로 문제가 된 사안에서는 일관되게 영업양도를 '일정한 영업목적에 의하여 조직화된 총체 즉 물적·인적 조직을 그 동일성을 유지하면서 일체로서 이전하는 계약'이라고 전제하면서 물적 요소 및 인적 요소가 동일성을 유지하면서 이전되어야 영업양도가 이루어지는바, 인적 요소가 동일성을 유지하면서 이전되지 않는다면 (노동법상의) 영업양도에 해당하지 않는 것으로 판시하였다.[183] 일단 인적 조직까지 동일성을 유지하면서 이전시키는 영업양도로 인정된다면 영업이 포괄적으로 양도되면서 반대의 특약이 없는 한 양도인과 근로자 간의 일체의 근로관계가 원칙적으로 양수인에게 포괄적으로 승계된다는 판례이론이 확립되었다.[184] 포괄승계에 관한 별도의 법적 근거 없이도 이러한

---

182) 김용철, 전게논문, 91면; 이동훈, "대상판례: 대법원 2007.12.27. 선고 2007다51017 판결," 「대법원판례해설」 제72호(법원도서관, 2008. 7.), 300~301면[저자에 의하면, "판례는 영업양도 개념을 상대적으로 파악하여 상법적인 문제가 다투어지는 경우에는 영업양도설(그 중에서도 영업재산양도설)의 입장에서 보고, 노동법적 문제, 즉 근로관계의 승계 여부가 다투어진 사안에서는 인적 조직으로서의 근로관계를 영업의 구성요소로 파악하고 있다. 판례가 제시하는 구별기준을 보면 상법상의 영업양도는 영업양수인이 '① 종전의 기능적 재산을 이전받아 ② 종전과 같은 영업적 활동을 계속하고 있는지'의 여부에 따라 판단되는 반면, 노동법상의 영업양도는 '① 영업상의 조직이 동일성을 유지하면서 이전되었는지' 여부에 따라 판단된다고 할 것이다"라고 비교하여 분석함]; 임재호, 전게논문, 6면; 김태진, 전게논문, 127면; 차두희, "기업인수합병(M&A)에 따른 근로관계 등의 승계,"「법학평론」 제4권(서울대학교 법학평론 편집위원회, 2013), 269면, 286면.
183) 임재호, 전게논문, 12면; 대법원 2005.6.9. 2002다70822; 2001.7.27. 99두2680; 1997.6.24. 96다2644; 1995.7.25. 95다7987; 1995.7.14. 94다20198. 인적조직이 동일성을 유지하면서 양도된다는 것은 양도기업의 인적조직이 앞서 본 기능적 재산과 유기적으로 결합하여 양도 전과 동일한 사업을 수행할 수 있는 기능능력을 보유한 채 조직적으로 양수기업에 인계된다는 것을 의미한다. 따라서 양도기업에 종사하던 근로자 중 일부가 개별적으로 양수기업에 입사하는 경우에는 영업양도에 해당하지 아니한 반면, 인적조직이 그 동일성을 유지한 채 양도되는 이상 양도기업의 모든 근로자들을 대상으로 하지 않고 일부만을 대상으로 하는 영업양도도 성립될 수 있다(최윤성, 전게논문, 747면). 결국 물적 요소와 인적 요소를 모두 포함하여 양도인이 영위하던 영업의 본질적 또는 핵심적 요소가 양도되고 이에 따라 양도행위 전후 영위되는 영업의 모습을 볼 때 동일성이 유지되고 있는지 여부가 고려되어야 할 것이다(김지형, 전게논문, 1049면; 차두희, 전게논문, 282면).
184) 대법원 1995.12.26. 95다41659; 1994.6.28. 93다33173. 이에 대해서는, "영업양도를 인적,

논리가 가능하기 위해서는 인적 조직을 영업양도의 대상에 포함시키겠다는 당사
자 사이의 합의가 있어야만 권리이전의 효과가 발생할 수 있다. 노동법상의 영
업양도에 관한 이러한 판례의 입장에서는 거래당사자 사이에 인적 조직까지 포
괄적으로 승계하려는 영업양도의 합의가 존재하여야 영업양도로 인정될 수 있기
때문에 상법총칙상 인정되는 영업양도의 개념보다 더 좁게 파악하는 결과를 초
래한다.185)

　　영업양도에 의하여 근로관계가 승계되는 경우에는 양도계약 체결일 현재 실
제로 그 영업 부문에서 근무하고 있는 근로자와의 근로관계에 한하여 포괄적으
로 승계된다.186) 따라서 영업양도인과 근로자 사이에 형성된 종전의 근로관계,
즉 근로계약·취업규칙·단체협약 등을 통하여 정하여진 근로조건이 그대로 양
수인에게 승계되며,187) 정당한 이유 없이 해고된 근로자와의 근로관계 역시 원
칙적으로 승계된다.188) 반면 영업양도 당사자 사이에 근로관계의 일부를 승계의
대상에서 제외하기로 한 특약이 있는 경우에는 그에 따라 근로관계의 승계가 이
루어지지 않을 수는 있으나 그러한 특약은 실질적으로 해고와 다름이 없으므로
근로기준법 소정의 정당한 이유가 있어야 유효하고, 영업양도 그 자체만으로 정
당한 이유를 인정할 수는 없다.189) 다만 이 때 근로자는 반대 의사를 표시함으
로써 양수기업에 승계되는 대신 양도기업에 잔류하거나 양도기업과 양수기업 모
두에서 퇴직하고 양수기업에 새로이 입사할 수도 있다.190)

　　　물적 조직적 일체로서의 영업이 포괄적으로 이전하는 것이라고 정의하면서 이러한 영업양
　　　도에 해당하면 양도회사의 소속 근로자는 당연 승계된다고 하면, 근로자가 이전되면 영업
　　　양도이고 이런 영업양도가 이루어지면 근로자도 이전한다는 순환논리에 빠지게 되는 문제
　　　가 생기게 된다"는 비판이 있다(임재호, 전게논문, 11면).

185) 신현탁, 전게논문, 32~34, 39면.
186) 대법원 1996.4.26. 95누1972(계약체결일 이전에 해당 영업 부문에서 근무하다가 해고된
　　　근로자로서 해고의 효력을 다투는 근로자와의 근로관계까지 승계되는 것은 아니라고 할
　　　것이나, 영업양도시에 해고되어 실제로 그 영업부문에서 근무하고 있지 아니한 근로자라
　　　하더라도 그 영업양도 이전에 이미 판결을 통하여 당해 해고가 무효임이 객관적으로 명확
　　　하게 된 경우에는 그 근로관계가 승계된다고 판시함).
187) 최윤성, 전게논문, 760면; 대법원 1997.12.26. 97다17575("영업양도 등에 의하여 근로관계
　　　가 포괄적으로 승계된 경우에는 근로자의 종전 근로계약상의 지위도 그대로 승계되는 것
　　　이므로 승계 후의 퇴직금 규정이 승계 전의 퇴직금 규정보다 근로자에게 불리하다면 근로
　　　기준법 제96조 제1항 소정의 당해 근로자집단의 집단적 의사결정 방법에 의한 동의 없이
　　　는 승계 후의 퇴직금 규정은 적용할 수 없다"고 판시함).
188) 대법원 2020.11.5. 2018두54705.
189) 최윤성, 전게논문, 746면; 대법원 2020.11.5. 2018두54705; 1997.10.28. 96다13415; 1994.
　　　6.28. 93다33173; 1991.8.9. 91다15225.

3. 체육시설 영업양수인의 회원 승계

골프장, 스포츠센터, 스키장 등의 체육시설과 관련하여 일정 비용을 부담하고 체육시설업자와 약정을 체결한 회원을 체육시설의 영업양도에 있어서 일반 채권자보다 좀 더 두텁게 보호함으로써 초기 사업비용 부담이 큰 체육시설사업을 활성화하려는 취지에서, 체육시설의 설치이용에 관한 법률 제27조 제1항에서는 체육시설업자가 그 영업을 양도하는 때에는 그 양수인은 그 체육시설업의 등록 또는 신고에 따른 권리·의무(체육시설업자와 회원 간에 약정한 사항 포함)를 승계한다고 규정하여 영업주의 변동에도 불구하고 회원의 사법적 지위를 특별히 보호하고 있다.[191] 동법에 의하여 보호받을 수 있는 회원은 "소정의 절차에 따라 유효하게 회원의 자격을 취득한 자이어야 할 것이므로 그러한 절차를 거침이 없이 담보조로 회원권을 받은 자는 회원에 해당하지 아니"하나,[192] "대물변제에 따른 합의에 따라 공사대금채권액을 입회금에 갈음하는 방법으로 입회금을 납입하고 골프장 회원권에 관한 회원증을 교부받은 경우에는 적법한 회원"으로 보며,[193] "입회계약을 체결한 후 계약금만 지급하고 입회금을 완납하지 않은 상태에서 체육시설업의 승계가 이루어지기 전에 입회계약을 해제한 회원"도 보호받을 수 있다.[194] 위 조항에 따른 양수인의 기존 회원에 대한 채무인수는 면책적 채무인수에 해당하며, 따라서 양수인이 사업의 인허가와 관련한 공법상의 관리체계와 함께 기존의 회원들에 대한 의무를 승계함과 동시에 양도인은 기존의 회원들에 대한 의무를 면하게 된다.[195] 체육시설업자의 영업상 채무는 영업양도계약이 아닌 법률 규정에 의하여 승계되며, 채권자의 승낙이 필요하지 않다는 점에서 일반적인 영업양도와 구별된다.[196]

나아가 본 규정은 통상의 영업양도에 해당하지 않는 경우에 대해서까지 적용범위를 확장하고 있는바, 2003년에 신설된 동조(구법 제30조) 제2항에서는 민사

---

190) 대법원 2012.5.10. 2011다45217; 2002.3.29. 2000두8455; 2000.10.13. 98다11437.
191) 김용철, 전게논문, 99면; 이철송, 전게논문, 92면. 당해 조항과 관련하여 헌법재판소는 합헌이라고 판단하였다(헌법재판소 2010.7.29. 2007헌바197 및 2010.4.29. 2007헌바40).
192) 대법원 1999.10.22. 99다20513; 2004.10.28. 2004다10213.
193) 대법원 2009.7.9. 2007다52621; 2009.7.9. 2007다72359.
194) 대법원 2016.6.9. 2015다222722.
195) 대법원 2016.5.27. 2015다21967; 2015.12.23. 2013다85417.
196) 김태진, 전게논문, 154면.

집행법에 따른 경매 등 강제환가절차를 통해 체육시설의 '필수시설'[197])을 승계한 자에게도 제1항의 규정을 준용한다. 동조 제2항이 신설되어 적용되기 이전에는, "골프장 부지가 경매에 의하여 이전되었더라도 사회통념상 전체적으로 보아 종전의 영업이 그 동일성을 유지한 채 일체로서 이전한 것과 마찬가지로 볼 수 있는 특별한 사정이 인정되는 경우에는 영업양도에 해당한다"는 판례에 관한 논란이 있었다.[198]) 최근에는 대법원 전원합의체 판결에 의하여 동조 제2항의 적용범위도 넓어지게 되었다. 즉, "체육시설업자가 담보 목적으로 체육필수시설을 신탁법에 따라 담보신탁을 하였다가 채무를 갚지 못하여 체육필수시설이 공개경쟁 입찰방식에 의한 매각('공매') 절차에 따라 처분되거나 공매 절차에서 정해진 공매 조건에 따라 수의계약으로 처분되는 경우" 역시 동조 제2항 제4호의 "그 밖에 제1호부터 제3호까지의 규정에 준하는 절차"에 해당하는 것으로 판단하였는바, "공매나 수의계약으로 체육필수시설이 일괄하여 이전되는 경우에도 동법 제27조의 문언과 체계, 입법 연혁과 그 목적, 담보신탁의 실질적인 기능 등에 비

197) 다만 어떠한 시설이 당초에는 체육필수시설에 해당하였지만, 이를 구성하던 일부 시설이 노후화되거나 철거되는 등 남은 시설로는 본래 용도에 따른 기능을 상실하여 이를 이용해서 종전 체육시설업을 영위할 수 없는 정도에 이르렀고 체육시설의 영업 실질이 남아있지 않게 된 경우에는 그 시설은 더 이상 동법 제27조 제2항에서 정한 체육필수시설에 해당된다고 볼 수 없기 때문에 그 양수인은 기존 체육시설업자의 회원에 대한 권리·의무를 승계하지 않는다(대법원 2019.9.10. 2018다237473).

198) 대법원 2006.11.23. 2005다5379. 본 판례에서는, (i) 양수인이 임의경매가 이루어지기 직전에 골프장 운영을 목적으로 하여 설립하여 바로 골프장 시설 경매에 참여하였고, (ii) 골프장 시설 공정이 90% 진행된 상태로 영업이 실질적으로 가능한 상태였으며, (iii) 임의경매절차에서 골프장 부지를 낙찰받은 그 무렵에 바로 경매에서 제외된 나머지 시설 및 사업권양수도계약을 체결한 사정 등에 비추어 보면, 처음부터 사업권양수인이 체육시설업을 종전 영업자로부터 승계받아 계속하려는 단일한 의도 아래, 영업용 자산의 일부는 임의경매절차에서 낙찰받는 방법으로 취득하는 한편, 나머지 영업용 자산, 영업권 등은 종전 영업자와 사이의 별도의 양도양수 계약에 의하여 잇달아 취득한 것이므로 사회통념상 전체적으로 보아 종전의 영업이 그 동일성을 유지한 채 사업권 양수인에게 이전되었다고 볼 수 있다. 즉, 임의경매나 강제경매를 불문하고 처음부터 양수인이 원사업자의 영업을 인수할 의도로 경매절차에 참여하여 골프장 부지를 경매절차에서 인수하고 그 무렵 원사업자와의 사업양수도계약을 체결하여 나머지 영업용 재산을 양수하였다면 이는 원사업자의 양도 전 영업과 양수인의 양수 후 영업이 동일하다고 보아야 할 것이다. 특히 사업양수도계약을 체결한 이후에 경매절차에서 낙찰대금의 완납이 이루어졌다는 점에서도 사업양수도계약 체결 당시에는 영업 자체는 해체된 것이 아니라 일체성을 이루고 있었던 것으로 해석하는 견해가 있다(김용철, 전게논문, 101면). 한편 본 판례에 대해서는 종전 판례들과 사실관계가 동일함에도 불구하고 차별화시킬만한 특별한 사정이 존재하지 않는다는 이유 및 동조 제3항은 사실상 독자적으로 적용될 상황이 없기 때문에 존재의의가 없다는 비판이 있으며(이철송, 전게논문, 110면), 기본적으로 체육시설 회원에 대한 특별한 보호 자체가 필요없다는 견해도 있다(이훈종, 전게논문, 220면).

추어 체육필수시설의 인수인은 체육시설업자와 회원 간에 약정한 사항을 포함하
여 그 체육시설업의 등록 또는 신고에 따른 권리 · 의무를 승계한다"고 판시하였
다.[199] 다만 이러한 다수의견에 대하여, "담보신탁을 근거로 한 매매는 동법 제
27조 제1항, 제2항에서 열거한 법률행위나 절차와 그 법적 성격이 달라 이들
법률행위나 절차와 구별되어야 한다는 점 등을 이유로, 담보신탁계약에서 정한
공개경쟁입찰방식이나 수의계약 방식에 의한 매매에 따라 체육필수시설을 인수
한 자는 그 체육시설업의 등록 또는 신고에 따른 권리 · 의무를 승계하지 않고,
이와 같은 매매절차는 동법 제27조 제2항 제4호에서 정하는 "그 밖에 제1호부터
제3호까지의 규정에 준하는 절차"에도 해당하지 않는다"는 반대의견이 있었다.

　　또한 동조 제3항에서는 '사업계획승인'을 승계한 경우에도 제1항의 규정을
준용하도록 하였다. 이 때 일련의 판례는 영업재산의 이전 없이 사업계획승인만
승계한 경우에 적용되는 것으로 보지 않고 목적론적으로 해석하여, "체육시설의
설치공사를 완성하여 체육시설업을 등록하기 위하여 조직화된 인적 · 물적 조직
을 그 동일성을 유지하면서 일체로서 이전하는" 영업양도에 수반하여 사업계획
승인을 승계한 경우에 한하여 회원을 승계한다고 판시하고 있다.[200] 한편 동조
제3항에서 제2항을 준용하는 경우, "경매 등을 통하여 체육시설업의 시설기준에
의한 필수시설을 인수한 자는 기존의 사업계획승인권자로부터 사업계획승인권을
양도받는 등의 사업계획승인만의 승계를 위한 별도의 원인이 없이도 위 필수시
설의 인수만으로 사업계획승인을 승계함으로써 기존의 사업계획승인에 기초하여
모집된 회원과의 약정을 포함하는 그 승인에 따른 권리 · 의무를 승계하는 것"으
로 해석한다.[201]

199) 대법원 2018.10.18. 2016다220143(전합). 본 판례에 대한 상세한 분석으로는, 정병덕, "체
　　육시설의 승계와 관련된 판례의 쟁점 연구,"「강원법학」제57권(강원대학교 비교법학연구
　　소, 2019), 171~175면.
200) 대법원 2004.11.26. 2004다19289; 2004.11.11. 2004다31807; 2004.10.28. 2004다10213.
201) 대법원 2009.2.12. 2007두8201. 체육시설의 영업양도로 인해 영업주체가 변경된 경우에는
　　사실상 양도인과 회원의 계약이 양수인에게 강제적으로 이전되는 결과가 발생하는바, 회
　　원의 탈퇴권이 고려되어야 한다는 주장이 있다(정병덕, "체육시설의 승계와 관련된 판례
　　의 쟁점 연구," 176~177면).

제 **8** 장

주식회사의 소멸

제 8 장 주식회사의 소멸

황 남 석*

제 1 절 주식회사의 소멸 원인

주식회사의 종료 또는 소멸은 주식회사의 법인격이 소멸되는 것을 말하는데
주식회사는 해산에 의해서만 종료한다.[1] 주식회사가 종료하는 경우에는 합병,
분할·분할합병, 파산의 경우를 제외하고는 원칙적으로 청산절차를 거치게 된다.
따라서 일반적으로 주식회사의 종료는 해산과 청산의 단계로 진행된다고 할 수
있다.

제 2 절 해   산

I. 의   의

주식회사의 해산은 그 회사의 법인격이 소멸하는 원인이 되는 사실이다. 법
인격은 해산 이후에 진행되는 청산·도산절차가 종료되면 소멸한다.[2] 회사는

---

* 경희대학교 법학전문대학원 교수, 변호사
1) 권기범, 「현대회사법론」 제8판(삼영사, 2020), 279면.
2) 비교법적으로 보면 대륙법계 국가의 경우 회사의 해산 후에 청산절차가 진행되지만(독일주
   식법 제264조 제1항, 독일유한회사법 제66조, 프랑스상법 제237-2조 제1항), 영국법에서는
   회사의 해산(dissolution)은 법인격의 소멸 그 자체를 의미하고 회사는 청산절차(winding-
   up) 후에 해산한다(1986년 영국도산법 제201조 제2항). 미국법에서는 청산 후에 회사가 해
   산하는 주(캘리포니아주 회사법 제1905조 등)와 해산후에 청산이 행해지는 주(델라웨어주

해산에 의하여 영업활동을 중단하지만 청산의 목적범위 내에서는 여전히 권리능력을 가진다. 주주에 대한 잔여재산분배는 청산절차에서만 가능하므로 해산 후에 청산을 행할 법적 주체로서의 청산회사가 필요하기 때문이다.[3] 회사의 법인격이 소멸하는 시기는 청산이 종료하는 때이다(제542조, 제245조).

Ⅱ. 해산원인

주식회사는 다음의 사유가 있는 경우에만 해산한다. 이처럼 해산원인이 한정적인 것은 회사와 법률관계를 맺고 있는 다수의 당사자에게 중대한 영향을 미치기 때문이다.[4] 다음 사유 중 회사의 분할·분할합병 및 주주총회의 해산결의는 주식회사에만 인정되는 해산사유이다.

1. 존립기간의 만료 그 밖의 정관으로 정한 사유

회사가 존립기간을 정해 놓은 경우 존립기간이 만료되면 회사는 당연히 해산된다(제517조 제1호, 제227조 제1호).[5] 따라서 회사는 청산사무만을 할 수 있고 종전의 사업을 그대로 계속할 수는 없다. 종전의 사업을 그대로 계속하려면 후술하는 회사 계속의 결의를 하여야 한다.[6]

2. 합병 및 분할·분할합병

합병은 소멸회사의 관점에서 해산사유에 해당한다(제517조 제1호, 제227조 제4호). 분할 및 분할합병의 경우 분할회사가 소멸하는 소멸분할(합병)의 경우에만 해산사유에 해당한다(제517조 제1의2호).

회사법 제280조, 뉴욕주 제1005조 등)가 있다. 이상, 江頭憲治郎, 「株式會社法」第7版(有斐閣, 2017), 989면.
3) 권기범, 전게서, 279~280면.
4) 권기범, 전게서, 280면.
5) 존립기간은 명확하게 기재되어 있어야 하나 특정할 수 있는 기준이 있으면 충분하고 반드시 특정일자까지 정해져 있어야 하는 것은 아니다. 권기범, 전게서, 281면.
6) 대법원 1968.4.22. 67마659.

3. 파　　산

　　회사는 파산선고를 받으면 해산된다(제517조 제1호, 제227조 제5호). 존속능력
이 없는 회사의 경우에는 그 법인격을 박탈하기 위한 것이다.[7] 이미 해산하여
청산절차가 진행중이라도 잔여재산 분배 이전에는 파산선고를 할 수 있다(제254
조 제4항). 파산절차를 통하여 전체 채권자에게 채무자의 재산을 공평하게 분
배·변제할 필요가 있기 때문이다. 따라서 파산선고를 받은 회사는 즉시 해산하
지만 법인격은 파산의 목적 범위 내에서 존속한다(「채무자 회생 및 파산에 관한
법률」제328조). 이 경우 회사는 파산절차에 의해 청산한다.

4. 주주총회의 해산결의

　　회사는 주주총회의 해산결의에 의해 해산한다(제517조 제2호). 주주들의 자주
적 의사로 해산을 할 수 있도록 하는 것은 정관으로 해산사유를 정할 수 있는
것과 같은 취지이다.[8] 따라서 정관 규정으로도 주주총회의 해산결의를 배제할
수 없다.[9] 해산결의에는 주주총회 특별결의가 요구된다(제518조). 이와 관련하여
조건부 또는 기한부 해산결의가 적법한지 여부가 문제될 수 있는데 현재 합리적
인 범위 내에서는 유효하다고 보는 견해만이 주장되고 있다.[10] 또한 정관에 존
립기간의 정함이 있거나 주주총회에 의한 해산결의를 금지하는 규정이 있더라도
주주총회는 언제든지 해산결의를 할 수 있다고 본다.[11]

　　주주총회의 해산결의에 하자가 있더라도 이미 청산이 종료된 회사는 법인격
이 소멸하므로 이해관계인은 그 하자를 다툴 수 없다.[12]

　　일본의 판결 중에서는 노동쟁의가 격심한 회사가 노동조합의 파괴를 목적으
로 한 해산결의와 관련하여 그 해산결의가 부당노동행위에 해당한다면 목적이
불법한 결의에 속하겠지만 그 해산결의가 회사사업의 존속을 진정하게 단념한

---

　7) 권기범, 전게서, 282~283면.
　8) 권순일,「주석 상법: 회사(5)」제6판(한국사법행정학회, 2021), 340면(김상훈 집필부분).
　9) 최기원,「신회사법론」제14대정판(박영사, 2012), 963면.
　10) 권기범, 전게서, 282면.
　11) 권순일, 전게서, 344면(김상훈 집필부분).
　12) 江頭憲治郞, 전게서, 990면.

결과라면 영업의 자유에 기한 행위로서 무효는 아니라고 판단한 것이 있다. 위 판례는 위 해산이 해산 직후에 동일한 기업집단 내의 다른 회사가 사업을 승계하는 등의 위장해산에 해당한다면 법인격의 남용에 해당하게 되어 그 해산회사의 종업원과 사업을 승계한 다른 회사 간에 고용관계가 존재하는 것으로 볼 수 있다고 한다.13)

5. 법원의 명령 또는 판결

가. 해산명령

1) 의 의

먼저 상법 회사편 통칙은 모든 회사에 공통된 해산사유로서 해산명령을 규정하고 있다(제176조 제1항). 해산명령은 주로 공익적 이유에서 회사의 존속을 허용할 수 없을 때 법원이 그 회사의 해산을 명할 수 있는 제도로서 이해관계인의 청구에 의해서 뿐만 아니라 검사의 청구나 법원의 직권에 의해서도 할 수 있다는 점에 특색이 있다. 회사설립에 관한 준칙주의로 야기되는 회사남설의 폐해를 사후적으로 시정하기 위한 제도이다.14)

2) 해산명령사유

법원은 ① 회사의 설립목적이 불법한 것인 때 ② 회사가 정당한 사유없이 설립후 1년 내에 영업을 개시하지 않거나 1년 이상 영업을 휴지하는 때 ③ 이사 또는 회사의 업무를 집행하는 사원이 법령 또는 정관에 위반하여 회사의 존속을 허용할 수 없는 행위를 한 때에는 회사의 해산을 명할 수 있다(제176조 제1항). 위 해산명령사유는 한정적 열거이다.15)

가) 회사의 설립목적이 불법한 것인 때(제176조 제1항 제1호)

정관에 기재된 목적 자체가 불법한 경우는 물론이고 정관에 기재되지 않았더라도 그 배후의 목적이 불법한 경우도 포함된다.16) 정관에 기재된 목적 자체가

---

13) 토쿄고등재판소 1962(쇼와 37). 12. 4. 高民 15卷 9号 677면 이하; 江頭憲治郎, 전게서, 990면.
14) 이철송, 「회사법강의」 제29판(박영사, 2021), 138면.
15) 권기범, 전게서, 283면; 권순일, 전게서, 332면(김상훈 집필부분).

불법인 경우에는 동시에 설립무효사유에도 해당한다.[17)]

　　나) 회사가 정당한 사유없이 설립 후 1년 내에 영업을 개시하지 않거나 1년
　　　　이상 영업을 휴지하는 때(제176조 제1항 제2호)

　법인격을 취득하고도 장기간 사업을 수행하지 않는 회사에 대하여 계속 법인
격을 유지시킬 이유가 없고 이를 방치할 경우 법인격이 불건전한 목적에 남용될
소지가 있기 때문에 그에 대응하기 위한 사유에 해당한다. 1년 내에 회사의 목
적인 사업자체를 개시하여야 하며 준비행위를 개시하는 것으로는 부족하다. 영
업은 전부를 개시하지 않더라도 중요한 부분을 개시하면 충분하다고 본다.[18)] 문
제는 '정당한 사유'라는 예외가 인정되므로 '정당한 사유'를 어떻게 해석할 것인
지 여부이다. 대법원은 사업용 기본재산에 분쟁이 발생하여 1년 이상 영업을 하
지 못한 사안에서 그 회사가 승소하여 그 이후 영업을 개시하였다면 '정당한 사
유'가 있었다고 보지만 회사가 패소하면 '정당한 사유'가 없다고 보는 듯하다.[19)]
결국 판례는 영업을 위한 의지와 능력이 객관적으로 인정될 수 있다면 정당한
사유가 있는 것으로 해석하는 입장이다. 따라서 사업자금부족이나 주주 사이의
갈등과 같은 내부적인 사정으로 영업을 하지 못한 경우에는 정당한 사유가 있다
고 볼 수 없다.[20)]

　　다) 이사 또는 회사의 업무를 집행하는 사원이 법령 또는 정관에 위반하여
　　　　회사의 존속을 허용할 수 없는 행위를 한 때(제176조 제1항 제3호)

　이사 또는 사원이 기관자격에서 한 경우나 기관의 지위를 남용한 경우가 이
에 해당한다.[21)] 해당 이사나 사원을 교체하여 문제를 해결할 수 있는 때에는
'회사의 존속을 허용할 수 없는' 경우로 볼 수 없다.[22)]

16) 김건식 · 노혁준 · 천경훈, 「회사법」 제3판(박영사, 2018), 883면.
17) 이철송, 전게서, 138면.
18) 최기원, 전게서, 103~104면; 최준선, 「회사법」 제16판(삼영사, 2021), 121면.
19) 대법원 1978.7.26. 78마106(회사가 승소한 사례); 대법원 1979.1.31. 78마56(회사가 패소한
　　사례); 이철송, 전게서, 138~139면.
20) 대법원 2002.8.28. 2001마6947; 김건식 · 노혁준 · 천경훈, 전게서, 883면; 이철송, 전게서,
　　139면; 최기원, 전게서, 104면.
21) 권순일, 전게서, 335면(김상훈 집필부분); 최기원, 전게서, 104면.
22) 김건식 · 노혁준 · 천경훈, 전게서, 883면.

3) 해산명령절차

가) 해산명령의 청구인

법원은 '이해관계인이나 검사의 청구'에 의하여 또는 '직권'으로 회사의 해산을 명할 수 있다(제176조 제1항). 법원은 해산명령의 청구가 있는 경우 해산을 명하기 전이라도 이해관계인이나 검사의 청구에 의하여 또는 직권으로 관리인 선임 그 밖의 회사재산 보전에 필요한 처분을 할 수 있다(제176조 제2항). 해산명령이 내려지면 청산절차가 개시될 것을 예측하여 회사재산을 은닉하는 등의 부정행위가 있을 수 있기 때문이다. 따라서 해산명령이 내리지기 전 뿐만 아니라 내려진 이후에도 청산인이 선임될 때까지는 보전처분이 가능하다는 견해도 있다.[23]

여기서 '이해관계인'의 범위가 문제인데, 대법원은 '회사 존립에 직접 법률상 이해관계가 있는 자'로 해석한다.[24] 대법원은 휴면회사로 인하여 그 회사의 상호를 사용할 수 없더라도 그 상호를 사용하고자 하는 자는 해당 휴면회사의 해산명령을 청구할 수 있는 이해관계인에 해당하지 않는다고 한다.[25]

나) 해산명령을 구하는 재판의 절차

이해관계인의 청구에 의하여 절차가 개시될 때 법원은 회사의 청구에 의하여 그 이해관계인에게 상당한 담보의 제공을 명할 수 있다(제176조 제3항). 이때 회사는 이해관계인의 청구가 '악의'에 기한 것임을 소명하여야 한다(제176조 제4항). 여기서의 '악의'는 해산청구의 요건을 갖추지 못한 것을 알고 있는 것 이외에도 청구에 의해 해당 회사를 해하게 되리라는 것을 아는 것을 의미한다.[26] 해산명령청구사건은 비송사건으로서 비송사건절차법에 따른다. 따라서 관할은 본점소재지의 지방법원 합의부에 속하고(비송사건절차법 제72조 제1항) 그 재판은 이유를 붙인 결정에 의한다(비송사건절차법 제90조 제1항, 제75조 제1항). 법원은 결정을 하기 전에 이해관계인의 진술을 청취하고 검사의 의견을 들어야 한다(비송사건절차법 제90조 제2항). 회사, 이해관계인, 검사는 해산결정에 대하여 즉시항

---

23) 최기원, 전게서, 105면.
24) 대법원 1995.9.12. 95마686.
25) 위 대법원 1995.9.12. 95마686.
26) 이철송, 전게서, 141면.

고할 수 있다. 이 항고는 집행정지의 효력이 없다(비송사건절차법 제91조).

4) 해산명령의 효과

해산명령이 확정되면 회사는 해산한다. 회사의 해산을 명한 재판이 확정되면 법원은 회사의 본점과 지점 소재지의 등기소에 그 등기를 촉탁하여야 한다(비송사건절차법 제93조). 그 이외의 사항은 다른 해산사유에 의해 해산하는 경우와 같지만 법원이 직권으로 또는 검사나 이해관계인의 신청에 의하여 청산인을 선임한다는 점은 차이가 있다(제542조 제1항, 제252조).

일부 규제산업의 경우 주주총회 결의에 의한 해산에 대하여는 감독관청의 인가가 필요하지만(예컨대, 은행법 제55조 제1항 제2호), 법원의 해산명령이 있는 경우에는 인가가 필요하지 않다.[27]

나. 해산판결

1) 의의 및 취지

해산판결은 회사의 존속이 주주의 이익을 해하는 경우 주주의 이익을 보호하기 위하여 소수주주의 청구에 의해 법원이 판결로써 회사의 해산을 명하는 제도이다(제520조 제1항). 주주의 이익을 보호하기 위한 제도라는 점에서 공익목적을 위한 제도인 해산명령과 구별된다.[28] 이 제도는 지분을 처분하기 어려운 폐쇄회사에서 특히 의미가 있다.[29]

2) 청구사유

주식회사의 경우 발행주식 총수의 100분의 10 이상에 해당하는 주식을 가진 주주는 ① 회사의 업무가 현저한 정돈상태를 계속하여 회복할 수 없는 손해가 생긴 때 또는 생길 염려가 있는 때와 ② 회사재산의 관리 또는 처분의 현저한 실정으로 인하여 회사의 존립을 위태롭게 한 때로서 '부득이한 사유가 있는 때'

---

27) 대법원 1980.3.11. 80마68(구 자동차운수사업법 제30조 소정의 교통부장관 인가의 경우); 김건식·노혁준·천경훈, 전게서, 883면.

28) 이창열, "상법 제520조 제1항 제1호의 주식회사 해산청구 요건,"「대법원판례해설」제105호(법원도서관, 2016), 205면.

29) 권기범, 전게서, 276면. 그러나 같은 저자는 공개회사·폐쇄회사 여부를 묻지 않고 소수주주에게 지나치게 강력한 권리를 준다는 점에서 입법론적으로 문제가 있다고 한다. 권기범, 전게서, 286면.

에는 법원에 해당 주식회사의 해산을 청구할 수 있다(제520조 제1항 제1호).[30)] 해산판결의 청구사유를 제한적으로 규정한 것은 이 제도가 주식회사의 본질적 성격－다수결 단체－에 반하여 소수 주주의 이익을 보호하기 위한 것이기 때문이다.[31)] 주식회사의 해산판결 사유는 유한회사에 준용된다(제613조).[32)33)]

가) 회사의 업무가 현저한 정돈상태를 계속하여 회복할 수 없는 손해가 생긴 때 또는 생길 염려가 있는 때

판례는 '회사의 업무가 현저한 정돈상태를 계속하여 회복할 수 없는 손해가 생긴 때 또는 생길 염려가 있는 때'를 이사간, 주주간의 대립으로 회사의 목적사업이 교착상태에 빠지는 등 회사의 업무가 정체되어 회사를 정상적으로 운영하는 것이 현전히 곤란한 상태가 계속됨으로 말미암아 회사에 회복할 수 없는 손해가 생기거나 생길 염려가 있는 경우로 해석하고 있다.[34)35)]

학설은 위 사유의 예로서 '이사들 간의 심각한 불화로 회사업무가 정체된 경우', '이사 간에 분쟁이 있어서 업무가 교착상태에 빠진 경우', '이사 간의 분쟁이 발생하여 경영정체가 발생하거나 주주들이 극단적으로 대립하고 있는 경우'를 들고 있다.[36)]

---

30) 상법 제520조는 일본 구 상법 제406조(현행 일본회사법 제833조)를 계수한 것으로서 일본의 제도도 미국회사법상의 해산판결제도를 모방한 것이다. 미국회사법은 주식회사를 조합계약관계로 보고 있기 때문에 그 귀결로서 해산판결제도를 갖고 있는 것이라고 한다. 이창열, 전게논문, 207면.

31) 이창열, 전게논문, 206~207면.

32) 상법은 인적 회사와 물적 회사의 해산판결 청구사유를 다르게 규정하고 있다. 전자의 경우 합명회사부분에서 해산판결 청구사유를 규정한 후에 합자회사 및 유한책임회사에 이를 준용하고 후자의 경우 주식회사부분에서 해산판결 청구사유를 규정한 후에 유한회사에 이를 준용하고 있다. 물적 회사의 경우 해산판결 청구사유가 인적 회사의 경우보다 엄격하다.

33) 한국과 일본에서의 구체적인 판례 사안에 관하여는 이창열, 전게논문, 212면 이하를 보라.

34) 대법원 2015.10.29. 2013다53175. 위 사안에서는 두 출자자가 합작투자계약을 체결하여 특수목적법인을 설립하였는데 두 출자자간의 분쟁으로 본래 의도한 사업을 위하여 반드시 필요한 토지를 취득할 수 없게 되어 더 이상 본래의 설립 목적인 사업을 할 수 없는 상태가 되었다. 또한 그 중 한 출자자는 특수목적법인으로부터 그 투자자금을 모두 회수하여 실질적으로 합작투자사업에 출자한 것이 전혀 없음에도 과반수 주주의 지위에 있음을 이용하여 다른 출자자를 배제한 채 본래 합의한 사업과는 무관한 다른 사업을 하고 있었다. 대법원은 위와 같은 경우에는 피고인 특정목적법인의 업무가 현저한 정돈상태를 계속하여 그 특정목적법인에게 회복할 수 없는 손해가 생긴 때 또는 생길 염려가 있는 때에 해당한다고 봄이 타당하다고 판시하였다. 위 판결에 관한 평석으로는 김태진, "합작투자 해소와 주식회사 해산판결청구권 － 대법원 2015.10.29. 선고 2013다53175 판결 －,"「법학연구」제28권 제2호(연세대학교 법학연구원, 2018), 119면 이하.

35) 학설 중에는 해산판결이 주주의 이익을 보호하기 위한 제도라는 점에서 '회사의 회복할 수 없는 손해'는 부적절한 요건이라고 비판하는 견해도 있다. 이철송, 전게서, 142면.

나) 회사재산의 관리 또는 처분의 현저한 실정으로 인하여 회사의 존립을
위태롭게 한 때

지배주주나 이사가 중요한 회사재산을 부당하게 유용·유출하거나 제대로 된
대가 없이 처분하는 등 회사의 재무적 기초를 위태롭게 한 경우를 가리킨다.[37]

다) 부득이한 사유

'부득이한 사유'의 의미와 관련하여 대법원은 회사를 해산하는 것 외에는 달
리 주주의 이익을 보호할 방법이 없는 경우를 말한다고 해석하고 있다.[38] 학설
의 견해도 대체로 그와 같이 본다.[39]

따라서 주주의 이익이 침해되었더라도 소수주주권의 행사 등으로 그 주주를
구제할 수 있다면 해산청구사유는 존재하지 않는다.[40] 다만 여기서의 구제수단
은 그 범위가 무제한적인 것이 아니며 공정하고 상당한 수단이어야 한다.[41] 따
라서 해산판결 이외의 구제수단이 존재하더라도 사실상 실현된 전망이 없거나
실현되기가 극히 어려운 경우에는 해산청구사유가 존재하는 것으로 보아야 한
다. 즉 해산판결이 반드시 유일한 수단이어야만 부득이한 사유가 있다고 볼 것
은 아니다.[42]

---

36) 각 학설의 주장자에 관하여는 이창열, 전게논문, 209면의 주18부터 주20까지를 보라.

37) 김건식·노혁준·천경훈, 전게서, 884면; 이철송, 전게서, 142면.

38) 대법원 2015.10.29. 2013다53175. 역시 위 판결에서 대법원은 ① 출자자들이 당초 합의한
합작투자사업에 필요한 토지가 이미 공매 등으로 처분되어 합작투자사업을 위하여 설립된
특수목적법인인 피고가 취득할 수 없게 되었고, 서로 대립하는 두 출자자 중에서 어느 한
출자자측이 특수목적법인의 이사와 대표이사를 선임하여 그 특수목적법인을 단독으로 운영
하고 있는 상황에서 다른 출자자인 원고가 대표소송제기 등 소수주주권 행사를 통하여 그
상태를 타개하고 다시 본래의 목적사업을 추진한다는 것은 사실상 불가능한 점, ② 경영권
을 갖고 있지 못한 출자자가 특수목적법인 이사회에 특수목적법인의 해산을 위한 임시주주
총회소집을 청구하여 주주총회가 개최되더라도 현재 경영권을 장악하고 있는 출자자측이
특수목적법인의 발행주식 과반수를 보유하고 있는 상황에서 특별결의를 요건으로 하는 해
산결의가 성립될 가능성도 사실상 없는 점, ③ 이러한 상황은 경영권을 장악하고 있는 출
자자측이 특수목적법인의 과반수 주주의 지위를 차지하고 있는 한 앞으로도 계속될 것인
점 등을 종합하여 보면, 특수목적법인을 해산하는 것 외에는 달리 출자자인 원고의 이익을
보호할 방법이 없다고 할 것이므로, 경영권을 갖고 있지 못한 출자자가 특수목적법인의 해
산을 청구할 부득이한 사유도 있다고 봄이 타당하다고 판시하였다.

39) 각 학설의 내용 및 주장자에 관하여는 이창열, 전게논문, 209면의 주 22부터 주 25까지를
보라.

40) 서울중앙지방법원 1999.9.7. 99가합17703.

41) 이철송, 전게서, 142~143면. 일본의 판례 중에 같은 취지로 판시한 것으로 일본최고재판소
1986.3.13. 民集 제40권 제2호, 229면, 판례시보 제1190호 115면.

42) 이창열, 전게논문, 211면. 이는 일본 하급심 판결의 취지이기도 하다. 오사카지방재판소

라) 폐쇄회사의 경우

형식은 물적회사이지만 실질은 폐쇄회사로서 인적회사와 다름 없는 경우에도 요건이 가중되어 있는 물적회사의 해산판결 사유에 따를 것인지 문제될 수 있다. 현재 한국에서는 별다른 논의가 없지만 한국과 동일한 법구조를 갖고 있는 일본에서는 폐쇄회사인 물적회사의 경우 해산판결 청구사유를 완화하여 해석하자는 학설이 제시되고 있다.43)

3) 청구권자

해산판결은 주주의 이익을 보호하기 위한 제도이므로 주주만이 청구할 수 있다. 해산판결은 회사의 존속이 회사의 사업목적에 기여할 수 없는 경우에 인정되는 제도이므로 해산청구의 사유에 책임이 있는 주주라도 청구할 수 있다고 본다.44)

4) 절 차

해산판결 청구사건은 해산명령의 경우와 달리 소송사건으로서 그 소는 형성의 소에 해당한다. 해산판결 청구소송은 본점소재지 관할 지방법원이 전속관할을 갖는다(제520조 제2항, 제186조). 해산판결이 확정되면 회사는 해산한다. 원고가 패소한 경우로서 악의 또는 중과실이 있는 때에는 회사에 대하여 연대하여 손해배상책임을 진다(제520조 제2항, 제191조).

6. 해산의제(휴면회사)

가. 의 의

휴면회사는 영업을 폐지하였으나 해산등기를 하지 않아 등기부상으로만 존재하는 회사를 말한다. 상법은 일정한 조건이 충족되면 휴면회사가 해산한 것으로 의제한다.

1960.1.22. 판결.
43) 일본학설의 구체적 내용에 관하여는 이창열, 전게논문, 221면. 한국의 경우에도 폐쇄회사인 물적회사의 경우 해산판결 청구사유를 완화하여 해석할 여지가 있다는 견해로 이창열, 전게 논문, 224면.
44) 이철송, 전게서, 142~143면.

나. 취   지

휴면회사는 등기가 실체와 일치하지 않고 타인의 상호선정에 제약을 가하며 (제22조) 기업범죄수단으로 악용되는 등 여러 문제점이 있다. 이러한 점을 고려하여 1984년 상법 개정시에 휴면회사의 해산의제제도가 도입되었다. 이 제도는 주식회사에 한하여 규정되어 있다.[45]

다. 요건 및 절차

법원행정처장이 최후의 등기후 5년을 경과한 회사에 대하여 그 본점 소재지 관할법원에 아직 영업을 폐지하지 않았다는 뜻의 신고를 할 것을 관보로 공고한 경우로서 그 공고일 현재 이미 최후의 등기후 5년이 경과한 회사로써 공고일로부터 2개월 이내에 대통령령이 정하는 바에 따른 신고를 하지 않은 때에는 그 회사는 신고기간이 만료된 때에 해산한 것으로 본다(제520조의2 제1항). 상법상 이사·감사의 임기는 3년이므로 정상적으로 운영되는 회사라면 최후의 등기로부터 최소한 5년 내에 1회 이상의 등기가 행해졌을 것이라는 점을 전제로 한 것이다.[46]

법원은 법원행정처장의 공고가 있는 경우 해당 회사에 대하여 그 공고가 있었다는 뜻의 통지를 발송하여야 한다(제520조의2 제2항).

영업을 폐지하지 않았다는 뜻의 신고는 서면에 일정한 사항을 기재하고 회사의 대표자 또는 그 대리인이 기명·날인함으로써 한다(상법 시행령 제28조 제1항, 제2항).

라. 효   과

1) 해산의제

공고한 날부터 대통령령이 정하는 바에 따라 신고를 하지 않거나 등기를 하지 않은 회사는 신고기한이 만료된 때에 해산한 것으로 본다(제520조의2 제1항,

---

45) 김홍기, 「상법강의」 제3판(박영사, 2018), 353면; 이철송, 전게서, 1091면; 임재연, 「회사법 1」 개정5판(박영사, 2018), 310면.
46) 이철송, 전게서, 1092면. 여기서의 등기는 상업등기만을 의미한다. 권순일, 전게서, 365면 (김상훈 집필부분).

상법 시행령 제28조). 해산등기는 등기소가 직권으로 행한다(상업등기법 제100조
제1항).

2) 청산의제

해산의제된 회사가 3년 이내에 회사계속의 결의로 회사를 계속하지 않는 한
그 회사는 해산의제일 이후 4년이 경과한 때에 청산을 종결한 것으로 본다(제
520조의2 제3항, 제4항). 따라서 해당 회사의 법인격은 원칙적으로 그 의제시점에
소멸하지만 여전히 회사에 권리관계가 남아 있어 현실적으로 정리할 필요가 있
다면 그 범위 내에서는 법인격이 여전히 소멸하지 않는다.[47] 이 경우 정관에 다
른 정함이 있거나 주주총회에서 별도로 청산인을 선임하지 않는다면 해산의제
당시의 이사가 청산인이 되고 만일 해산 당시의 이사가 청산사무를 집행할 수
없는 사정이 있다면 이해관계인이 법원에 청산인의 선임을 청구하여야 한다.[48]

Ⅲ. 해산등기

대표이사는 해산사유가 있은 날로부터 본점에서는 2주간 내, 지점에서는 3주
간 내에 해산등기를 하여야 한다(제521조의2, 제228조). 해산등기는 제3자에 대
한 대항요건에 불과하고 창설적 효력을 갖지 않는다. 설립등기와 같은 특별규정
이 없기 때문이다.[49] 재판에 의하여 회사가 해산하는 경우에는 법원의 촉탁에
의하여 해산등기를 한다(비송사건절차법 제93조). 해산등기는 제3자에 대한 대항
요건이므로 법인이 해산결의를 하고 사실상 청산절차를 종결하였더라도 해산등
기를 하지 않으면 제3자에 대하여 법인의 소멸을 주장할 수 없다.[50]

---

47) 대법원 2001.7.13. 2000두5333; 1991.4.30. 자 90마672.
48) 대법원 2019.10.23. 2012다46170; 1994.5.27. 94다7607.
49) 대법원 1964.5.5. 63마29.
50) 대법원 1984.9.25. 84다카493; 최기원, 전게서, 965면.

Ⅳ. 해산의 효과

해산사유가 발행하면 그로 인하여 회사는 당연히 해산한다. 해산등기나 그 밖의 절차는 해산의 효력발생요건이 아니다.[51]

해산에 의해 회사의 권리능력은 청산의 목적범위내로 축소된다(제542조 제1항, 제245조). 이사는 회사가 해산한 때, 구체적으로는 해산사유가 발생한 후 지체없이 주주에 대하여 해산의 통지를 하여야 한다(제521조). 파산의 경우에는 법원이 「채무자 회생 및 파산에 관한 법률」에 따라 파산선고를 공고한다(같은 법 제313조). 이사가 통지를 게을리하는 경우의 효과에 관하여는 별다른 규정이 없으며 해산의 효력 자체에는 영향을 미치지 않는다.[52]

회사의 법인격은 해산사유에 의해서만 소멸한다. 따라서 회사가 부채과다로 사실상 파산지경에 있어 업무도 수행하지 아니하고 대표이사나 그 외의 이사도 없는 상태에 있다고 하여도 적법한 해산절차를 거쳐 청산을 종결하기까지는 법인의 권리능력이 소멸한 것으로 볼 수 없다.[53]

Ⅴ. 회사의 계속

1. 의   의

'회사의 계속'이란 해산한 회사가 주주들의 의사에 기하여 다시 해산 전의 상태로 동일성을 유지하면서 복귀하여 존속하는 것을 말한다. 해산사유가 발생하여 청산절차에 들어간 경우에도 사원들이 회사의 존속을 희망하는 경우에는 회사를 다시 설립하도록 하는 것보다는 해산된 회사를 원상회복시키는 것이 바람직하기 때문이다. 이 제도는 기업유지이념을 반영한 것이다.[54]

51) 대법원 1981.9.8. 80다2511; 1964.5.5. 63마29.
52) 권순일, 전게서, 368면(김상훈 집필부분). 다만 이사(집행임원)의 손해배상책임이 문제될 수 있다.
53) 대법원 1985.6.25. 84다카1954; 이철송, 전게서, 1093면.
54) 김홍기, 전게서, 354면; 이철송, 전게서, 144면; 임재연, 전게서, 309면; 권순일, 전게서,

2. 회사의 계속이 가능한 해산사유

주식회사는 존립기간의 만료 그 밖에 정관에 정한 사유의 발생 또는 주주총회 결의에 의하여 해산한 경우에 주주총회의 특별결의로 회사를 계속할 수 있다(제519조). 5년 이상 등기한 사실이 없어 해산간주된 휴면회사도 3년 이내에는 주주총회 특별결의에 의해 계속할 수 있다(제520조의2 제3항). 따라서 회사가 해산명령이나 해산판결에 의하여 해산한 경우에는 계속할 수 없다.

3. 회사 계속의 시기적 제한

회사의 계속은 시간적 제한이 없는지 여부가 다투어진다. 즉 청산절차 중 잔여재산분배가 개시되면 더 이상 회사 계속의 결의를 할 수 없다는 견해와 청산종결시까지는 계속의 결의를 할 수 있다는 견해가 대립한다.[55)

4. 절   차

회사는 회사 계속등기 이전에도 주주총회의 특별결의에 의해서 계속된다.[56) 해산등기가 창설적 효력을 갖지 않는 것처럼 계속등기도 창설적 효력을 갖지 않는다고 해석되기 때문이다.[57) 회사를 계속하는 경우 이미 해산등기가 되어 있다면 본점소재지에서는 2주간 내, 지점소재지에서는 3주간 내에 회사의 계속등기를 하여야 한다(제521조의2, 제229조 제3항).

347면(김상훈 집필부분).
55) 권기범, 전게서, 295면; 이철송, 전게서, 146면; 임재연, 전게서, 310면; 권순일, 전게서, 348-349면(김상훈 집필부분); 최기원, 전게서, 113면; 최준선, 전게서, 831면. 후자의 입장이 다수설이다. 일본회사법 제473조는 명문으로 후자의 입장을 취하고 있다.
56) 권기범, 전게서, 298면.
57) 권순일, 전게서, 350면(정찬형 집필부분). 반대로 대외적인 이해관계가 얽혀 있는 회사법률관계에서는 법률관계를 획일적으로 정하기 위하여 회사 계속등기시에 완전한 권리능력을 회복한다는 견해도 있다. 최준선, 전게서, 832면.

5. 효　　과

　　회사의 계속으로 회사는 법인격을 회복하고 해산 전의 상태로 복귀하여 존립하게 된다. 그러나 해산 후 청산인이 한 청산사무의 효력에는 영향을 미치지 않는다.[58] 회사의 존속기간 만료 후 회사가 일부 주주의 동의로 계속할 경우에는 정관변경을 해야 한다. 이 경우 회사의 계속을 일부 주주의 동의만으로 하는 경우 그 주주들의 동의만으로 정관변경이 가능한지 의문이 있을 수 있다. 대법원은 합자회사의 경우에 이를 긍정하고 있다.[59] 주식회사의 경우에도 달리 볼 이유는 없다.[60]

　　회사가 계속되면 회사의 기관도 부활한다. 그러나 해산시 이사였던 자가 당연히 이사로 복귀하는 것은 아니므로 회사의 계속을 결의하는 주주총회에서 이사를 선임하여야 한다. 다만 감사는 회사가 해산하더라도 지위를 잃지 않으므로 회사가 계속되더라도 지위에 변동은 없다.[61]

제 3 절　청　　산

Ⅰ. 의　　의

　　회사의 청산이란 '합병 · 분할합병 · 분할 또는 파산 이외의 사유로 인하여 해산한 경우에 회사의 법률관계를 정리하고 잔여재산을 주주에게 분배함으로써 회사의 법인격을 소멸시키는 절차'를 말한다.[62] 회사의 청산은 법원의 감독하에 진행된다(비송사건절차법 제118조 제1항).

　　회사가 해산하면 원칙적으로 청산절차를 밟게 된다. 다만 그 예외로서 ① 합

---

58) 이철송, 전게서, 146면.
59) 대법원 2017.8.23. 2015다70341.
60) 이철송, 전게서, 146면.
61) 최준선, 전게서, 832면.
62) 김건식 · 노혁준 · 천경훈, 전게서, 885면; 김홍기, 전게서, 356면.

병 및 (소멸)분할과 ② 파산이 있다. 합병 및 (소멸)분할의 경우 회사가 소멸하면서 그 자산 및 부채가 포괄승계되므로 별도로 청산절차를 거칠 여지가 없고 파산의 경우에는 「채무자 회생 및 파산에 관한 법률」에 따른 파산절차를 거쳐야 한다(「채무자 회생 및 파산에 관한 법률」 제294조). 여기서는 상법에 따른 청산절차만을 다룬다.

II. 절차의 개관

인적회사의 경우 임의청산이 허용되지만(제247조 제1항) 물적회사의 경우 청산인이 법정절차에 의하여 하는 법정청산만이 허용된다(제531조, 제613조 제1항). 다수인이 관련되고 주주가 유한책임을 지기 때문에 채권자보호의 필요성이 있기 때문이다.[63] 청산절차상 청산회사의 권리능력은 청산의 목적범위로 한정된다. 따라서 청산의 목적 외의 행위를 한 경우에는 권리능력 밖의 행위에 해당하여 무효이다.[64]

회사의 청산은 법원의 감독을 받으며 법원은 회사의 업무를 감독하는 관정에 의견의 진술을 요청하거나 조사를 촉탁할 수 있다. 회사의 업무를 감독하는 관청은 그 회사의 청산에 관한 의견을 진술할 수 있다(비송사건절차법 제118조). 주식회사의 청산에 관한 사건은 회사의 본점 소재지의 지방법원 합의부가 관할한다(비송사건절차법 제117조 제2항).

III. 청산회사의 법적 지위

1. 법적 성격

청산회사는 그 목적만 바뀐 것이고 해산 전의 회사와 법적 동일성을 갖는다(동일성설).[65] 해산 전 회사에 적용되는 상법상의 규정들은 청산 목적에 부합하

---

63) 김홍기, 전게서, 356~357면; 이철송, 전게서, 1093면.
64) 대법원 1959.5.6. 4292민재항8; 이철송, 전게서, 1094면.

는 범위 내에서 청산회사에 적용된다.[66]

2. 성립시기

청산회사는 해산사유의 발생과 동시에 성립한다.[67] 해산등기는 제3자에 대한 대항요건에 불과하기 때문이다.

3. 권리능력

청산회사는 청산의 목적 범위 내에서 권리능력을 갖고 상인으로서의 지위도 유지하며 종래의 상호를 계속 사용할 수 있다(동일성설).[68] 청산의 목적 범위에 속하는지 여부는 객관적·추상적으로 판단한다.[69] 새로 영업계약을 체결하는 등 청산의 목적을 벗어나는 행위를 한 경우 권리능력 없는 자의 행위로서 무효이다.[70] 청산회사의 권리능력이 청산의 목적 범위 내로 축소되더라도 현존 사무의 종결을 위하여 필요한 범위내에서는 영리행위를 할 수 있으며 해산 전의 각종 계약관계도 계속된다.[71] 청산회사는 청산을 종결할 때 비로소 권리능력을 잃게 된다.[72]

4. 조직재편의 가능성

청산회사도 일정한 조건 하에서 합병, 분할, 분할합병 등의 조직재편의 당사자가 될 수 있다. 특히 시기적으로는 잔여재산을 분배하기 이전이어야 한다.[73]

---

65) 한국, 일본, 독일에서의 통설이다. 권기범, 전게서, 288면; 최기원, 전게서, 103면; 최준선, 전게서, 829, 833면.
66) 권기범, 전게서, 289-290면.
67) 임재연, 「회사법 1」, 313면.
68) 최기원, 전게서, 964~965면; 최준선, 전게서, 833면.
69) 청산목적과 양립하지 않는 상법상의 규정들(예컨대, 지배인 선임, 지점 설치, 경업금지의무, 이익배당, 신주발행, 사채발행 등)은 원칙적으로 적용되지 않는다. 권기범, 전게서, 289면.
70) 대법원 1959.5.6. 4292민재항8.
71) 일본에서는 청산회사가 상호권자로서 사용폐지청구권을 행사할 수 있는지 여부가 다투어지고 있다.
72) 권기범, 전게서, 292면; 임재연, 전게서, 313~314면.
73) 권기범, 전게서, 290면; 임재연, 전게서, 314면.

경우를 나누어 살펴본다.

가. 합   병

해산 후의 회사는 존립중의 회사를 존속회사로 하면 합병할 수 있다(제174조 제3항).74) 이 경우의 흡수합병은 물론 신설합병도 가능하다고 본다.75)

나. 분할·분할합병

해산 후의 회사는 존립 중의 회사를 존속회사로 하거나 새로 회사를 설립하는 경우에 한하여 분할이나 분할합병을 할 수 있다(제530조의2 제4항).76)

다. 주식의 포괄적 교환·이전

청산회사는 주식의 포괄적 교환·이전의 당사자가 될 수 없다. 주식의 포괄적 교환·이전은 쌍방 당사자 모두 존속 중인 회사일 것을 전제로 하기 때문이다. 따라서 청산회사가 주식의 포괄적 교환·이전의 당사자가 되려면 그 이전에 회사의 계속 절차를 밟아야 한다.77)

라. 영업양도

청산회사도 주주총회 특별결의에 의해 영업양도를 할 수 있다. 다만 이 경우 영업양도에 반대하는 주주에게 주식매수청구권은 인정될 수 없다고 해석된다. 채권자보다 주주가 우선하여 출자환급을 받는 결과가 될 수 있기 때문이다.78)

---

74) 따라서 청산인도 합병무효의 소의 제소권자이다(제529조 제1항, 제2항).

75) 국내에는 이 견해만 주장되고 있다. 청산절차와 합병절차의 취지의 반하지 않기 때문이라고 한다. 임재연, 전게서, 314면. 상업등기선례도 같은 취지이다. 2012.9.18.자 상업등기선례 제201209-2호.

76) 따라서 청산인도 분할 및 분할합병무효의 소의 제소권자이다(제530조의11 제1항).

77) 임재연, 전게서, 314~315면. 일본회사법은 명문의 규정을 두고 있다(일본회사법 제509조 제1항 제3호). 한편 상법은 청산인을 주식의 포괄적 교환무효의 소(제360조의14 제1항), 주식의 포괄적 이전무효의 소(제360조의23 제1항)에 관한 제소권자로 규정하고 있으나 이는 해산 전의 거래에 관한 무효의 소를 제기할 수 있다는 의미라고 한다. 임재연, 전게서, 315면.

78) 임재연, 전게서, 320면.

마. 조직변경

조직변경의 경우 독일법처럼 명문의 규정이 없음을 들어 부정하는 견해만이 주장되고 있다.[79]

바. 실권효의 문제

청산회사가 조직재편의 당사자가 될 수 있는 경우 청산절차 중 채권신고기간 내에 신고를 하지 않아 실권효가 발생한 채권의 효력이 어떻게 될 것인지가 문제될 수 있다. 현재 이런 경우에는 실권효가 실효된다는 견해만이 주장되고 있다.[80]

IV. 청산회사의 기관

청산회사의 기관으로는 해산 전부터 있던 주주총회, 감사와 해산 이후에 성립하는 청산인, 청산인회, 대표청산인이 있다. 청산인, 청산인회, 대표청산인의 지위와 의무에 관하여는 이사, 이사회, 대표이사에 관한 규정이 준용된다(제542조). 즉, 청산시에는 청산인이 이사, 청산인회가 이사회, 대표청산인이 대표이사의 역할을 대신하고 주주총회 및 감사는 그대로 존속한다.[81] 여기서는 해산 이후에 성립하는 기관에 한하여 살펴본다.

1. 청 산 인

가. 의의 및 지위

청산인은 법정청산절차에서 청산회사를 대표하고 청산사무를 집행하는 자를 말한다. 청산인에 대하여는 이사에 관한 여러 규정이 준용된다(제542조 제2항).

구체적으로 살펴보면, 회사와의 위임관계(제382조 제2항), 보수(제388조)[82],

---

79) 권기범, 전게서, 290~291면.
80) 김지평, "주식회사 청산의 실무상 쟁점," 「선진상사법률연구」 제72호(법무부, 2015), 67면.
81) 김홍기, 전게서, 357면.

자기거래(제398조), 유지청구(제402조), 회사와의 소에서의 대표권(제394조), 정관 등의 비치·공시의무(제396조), 대표소송(제403조), 회사 및 제3자에 대한 손해배상책임(제399조, 제401조), 직무집행정지 및 직무대행자 선임(제407조).

다만 청산회사는 영업을 할 수 없으므로 청산인은 회사의 영업을 전제로 하는 경업금지의무(제397조), 회사기회유용금지의무(제397조의2)를 지지 않는다(제542조는 위 두 규정을 준용하지 않는다).[83] 명문의 규정은 없으나 표현대표이사에 관한 제395조가 청산인에 대하여 유추적용된다는 견해도 있다.[84] 감사는 청산인을 겸직할 수 없다(제542조 제2항, 제411조).

「금융산업의 구조개선에 관한 법률」 제15조에 금융기관에 대한 특칙이 규정되어 있다.[85]

나. 선임 및 종임

1) 선 임

가) 원 칙

주식회사의 경우 회사가 해산한 때에는 청산절차를 거치지 않는 경우(합병, 분할, 분할합병, 파산)를 제외하고는 이사가 해산일로부터 청산인이 된다(제531조 제1항 본문). 여기서의 이사에는 법원이 선임한 일시이사(一時理事) 또는 가이사(假理事)도 포함된다.[86] 해산 전에 가처분에 의하여 이사의 직무대행자가 선임된 경우 그 이사의 직무대행자는 해산 후에 당연히 청산인직무대행자가 된다.[87] 이 경우에 청산인이 될 이사의 승낙이 필요한지 여부가 문제될 수 있다. 해당 이사의 승낙이 필요하다고 보는 견해도 있으나[88] 이 경우는 법률의 규정에 의해서 이사 지위가 청산인 지위로 전환되는 것이고 이사 선임시부터 이미 법률의 규정에 의해 잠정적으로 예정되어 있었던 사항이므로 별도의 승낙이 필요하지

---

82) 다만 법원이 선임한 청산인의 보수액은 법원이 결정한다(비송사건절차법 제123조, 제77조).
83) 이상 권순일, 전게서, 666면(구자헌 집필부분). 다만 청산회사가 청산사무의 이행으로 종래의 영업을 계속한다면 청산인도 경업금지의무를 진다는 견해가 있다. 최기원, 전게서, 969면.
84) 정동윤, 「주석 상법: 회사(5)」 제5판(한국사법행정학회, 2014), 517~518면(정찬형 집필부분).
85) 상세는 김지평, 전게논문, 60~61면.
86) 대법원 1991.11.22. 91다22131; 1981.9.8. 80다2511. 또한 상법 제407조 제1항에 의한 직무대행자는 바로 청산인의 직무대행자가 된다(대법원 1991.12.24. 91다4355).
87) 최기원, 전게서, 967면.
88) 상세는 권순일, 전게서, 663면(구자헌 집필부분).

않다고 생각된다.

나) 예 외

위 원칙에도 불구하고 정관에 다른 정함이 있거나[89] 주주총회에서 다른 자를 선임한 경우에는 이사가 아닌 그 다른 자가 청산인이 된다(제531조 제1항 단서).[90] 판례는 청산회사의 주주총회가 이사를 선임하는 결의를 한 경우에는 청산인을 선임한 것으로 보아야 한다고 한다.[91] 이상의 방법으로 청산인이 정해지지 않는 경우에는 이해관계인의 청구에 의하여 법원이 청산인을 선임한다(제531조 제2항).[92]

해산명령이나 해산판결에 의하여 해산하는 경우에는 이사가 청산인이 되는 것이 아니라 주주 등 이해관계인이나 검사의 청구에 의하여, 또는 법원 직권으로 청산인을 선임한다(제42조 제1항, 제252조). 주주총회에서 청산인을 선임하거나 이사가 청산인이 된 경우에는 그 선임결의의 하자가 다투어질 수 있다. 이때 청산인선임결의의 무효 또는 취소 판결이 확정되기 전에도 그 직무집행정지 또는 직무대행자선임의 가처분신청을 할 수 있다(제542조 제2항, 제407조, 제408조).[93]

2) 종 임

청산인의 임기는 퇴임 또는 해임에 의하여 종료한다. 청산인의 퇴임사유는 ① 위임관계 종료(민법 제690조), ② 결격사유의 발생(비송사건절차법 제121조),

---

89) 여기서 다른 정함이라 함은 이사 이외의 제3자를 청산인으로 하거나 복수의 이사들 중 특정 이사를 청산인으로 하는 것 등을 말한다. 그러나 감사나 제3자에게 청산인 선임권을 부여하는 내용의 정관은 허용되지 않는다. 권순일, 전게서, 660~661면(정찬형 집필부분).

90) 사원이 선임한 청산인의 취임등기를 신청하는 경우에는 그 취임승낙을 증명하는 정보를 제공하여야 한다(상업등기규칙 제107조 제2항).

91) 대법원 1989.9.12. 87다카2691.

92) 이 재판에 관하여는 불복할 수 없다(비송사건절차법 제118조).

93) 청산 중인 주식회사의 청산인을 피신청인으로 하여 그 직무집행을 정지하고 직무대행자를 선임하는 가처분결정이 있은 후, 그 선임된 청산인 직무대행자가 주주들의 요구에 따라 소집한 주주총회에서 회사를 계속하기로 하는 결의와 아울러 새로운 이사들과 감사를 선임하는 결의가 있었다고 하여, 그 주주총회의 결의에 의하여 청산인 직무대행자의 권한이 당연히 소멸하는 것은 아니다. 다만 특별한 사정이 없는 한 위 주주총회의 결의에 의하여 위 직무집행정지 및 직무대행자선임의 가처분결정은 더 이상 유지할 필요가 없는 사정변경이 생겼다고 할 것이므로, 위 가처분에 의하여 직무집행이 정지되었던 피신청인으로서는 위 사정변경을 이유로 가처분이의의 소를 제기하여 위 가처분의 취소를 구할 수 있다. 대법원 1997.9.9. 97다12167.

③ 사임(민법 제689조) 등이다. 또한 청산인은 ① 법원에 의해 선임된 경우를 제외하고는[94] 주주총회 보통결의로 언제든지 해임될 수 있고[95] ② 청산인이 그 업무를 집행함에 현저하게 부적임하거나 중대한 임무에 위반한 행위가 있는 때에는 발행주식의 총수의 100분의 3 이상에 해당하는 주식을 가진 주주가 법원에 그 청산인의 해임을 청구할 수 있다(제539조 제2항).[96] 청산인결원시의 처리는 이사결원시의 규정을 준용한다(제542조 제2항, 제386조).

3) 신고 및 등기

청산인은 취임한 날로부터 2주간내에 ① 해산의 사유와 그 연월일, ② 청산인의 성명, 주민등록번호 및 주소를 법원에 신고하여야 한다(제532조). 또한 청산인의 선임과 종임 및 변경은 등기사항이다(제542조 제1항, 제253조 제1항). 이 경우의 등기도 제3자에 대한 대항요건에 불과하다.[97]

다. 정 원

상법상 주식회사의 청산인의 수에 대하여 제한이 없다. 학설상으로는 청산인을 2인 이상 선임하여야 한다는 견해가 통설이라고 하나[98] 판례는 청산인이 1인이어도 상관없으며 그 경우에는 1인 청산인이 당연히 대표청산인이 된다고 해석한다.[99] 청산인이 여러 명인 경우 청산의 직무에 관한 행위는 과반수의 결의에 의한다(제542조 제2항, 제254조 제2항). 청산인이 결원이 되는 경우의 취급은 이사의 결원이 발생한 경우와 같다(제542조 제2항, 제411조).

---

94) 법원이 선임한 경우는 법원이 해임할 수 있다. 이 경우 청산인이 그 업무를 집행할 때 현저하게 부적임하거나 중대한 임무위반행위가 있어야 한다고 한다. 권순일, 전게서, 666면 (구자헌 집필부분).
95) 이사의 경우 해임을 위해서는 주주총회 특별결의가 필요하다.
96) 청산인해임의 소는 청산회사의 본점 소재지 지방법원의 관할에 전속한다(제539조 제3항, 제186조).
97) 대법원 1981.9.8. 80다2511.
98) 임재연, 전게서, 316면. 위 견해는 상법 제542조 제2항이 이사회에 관한 규정을 청산인회에 준용하는 것을 근거로 든다. 학설 중에서 1인만을 선임하여도 무방하다는 견해로 김건식·노혁준·천경훈, 전게서, 886면; 권순일, 전게서, 664면(구자헌 집필부분).
99) 대법원 1989.9.12. 87다카2691.

라. 임   기

청산인은 이사와 달리 임기가 법정되어 있지 않다. 상법 제542조가 제383조를 준용하지 않기 때문이다. 따라서 청산인의 임기는 원칙적으로 선임일부터 청산종결시까지가 된다.[100]

2. 청산인회

청산인회는 이사회에 대응하는 것으로서 청산사무의 집행에 관한 의사결정을 한다(제542조 제2항, 제382조 제2항). 이사회에 관한 규정이 청산인회에 준용된다(제542조 제2항). 따라서 청산인회는 청산회사의 주주총회 소집을 결정한다.

3. 대표청산인

해산 전의 회사의 이사가 청산인이 되는 때에는 종전의 대표이사가 대표청산인이 된다. 법원이 청산인을 선임하는 때에는 법원이 대표청산인을 정한다(제542조 제1항, 제255조). 그 밖의 경우에는 청산인회의 결의로 정한다(제542조 제2항, 제389조 제1항). 대표청산인은 청산인회의 의사결정에 따라 청산사무에 관한 재판상·재판외의 일체의 집행을 담당한다(제542조 제2항, 제389조 제3항, 제209조). 대표이사에 관한 규정이 대표청산인에 준용된다(제542조 제2항, 제389조).

V. 청산사무의 내용

청산인은 일반적으로 현존사무의 종결, 채권의 추심과 채무의 변제, 재산의 환가처분, 잔여재산의 분배 등의 직무를 수행한다(제542조 제1항, 제254조 제1항). 특히 주식회사의 경우 청산인은 이에 더하여 법원에 대한 신고(제532조), 회사재산의 조사보고의무(제533조), 주주총회소집(제542조 제2항), 재무상태표의 제출·

---

100) 권순일, 전게서, 664면(구자헌 집필부분).

감사·비치의무(제534조) 등의 업무를 수행한다. 그 중 중요한 사항을 살펴보면 다음과 같다.

1. 회사재산의 조사·보고

청산인은 취임 후 지체없이 회사의 재산상태를 조사하여 재산목록과 재무상태표를 작성하고 이를 주주총회에 제출하여야 승인을 얻어야 한다. 청산인은 주주총회의 승인을 얻은 재산목록과 재무상태표를 승인 후 지체없이 법원에 제출하여야 한다(제533조).

2. 현존사무의 종결

청산인은 현존사무를 종결해야 한다(제542조 제1항, 제254조 제1항 제1호). 예외적으로 재산환가를 위하여 영업양도를 할 예정인 경우에는 영업의 가치를 유지하기 위하여 영업을 계속할 수 있다고 한다.[101]

3. 회사채권자에 대한 최고

청산인은 취임한 날로부터 2개월 내에 회사채권자에 대하여 일정한 기간 내에 채권을 신고할 것과 그 기간 내에 신고하지 않으면 청산에서 제외된다는 뜻을 2회 이상의 공고로써 최고하여야 한다(제535조 제1항 본문).[102] 신고기간은 2개월 이상으로 하여야 한다(제535조 제1항 단서). 회사가 알고 있는 채권자에 대하여는 각별로 채권신고를 최고하여야 하고 그 채권자가 신고하지 않더라도 청산에서 제외할 수 없다(제535조 제2항).[103] 회사가 알고 있다는 것은 청산회사의 장부 그 밖의 근거에 의하여 회사에 그 성명과 주소가 알려져 있는 것 뿐만 아

---

101) 김건식·노혁준·천경훈, 전게서, 888면. 그러나 대법원 1959.5.6. 4292민재항8은 청산회사는 부동산을 경락받아 취득할 수 없다고 판단하였다. 독일의 판례는 청산의 목적을 위하여 증자나 감자도 가능하다고 본다. 최기원, 전게서, 969~970면.

102) 이때의 최고가 채무의 승인에 해당하여 시효중단의 효력이 있는지 여부에 관하여는 견해 대립이 있다. 권순일, 전게서, 681~682면(구자헌 집필부분).

103) 해산결의 전에 제소한 채권자는 청산회사가 알고 있는 채권자이므로 신고가 없더라도 청산에서 제외할 수 없다(대법원 1968.6.18. 67다2528).

니라 청산인이 개인적으로 알고 있는 것을 포함한다. 물론 구체적인 채권금액까지 알고 있을 필요는 없다.[104]

이처럼 채권자에게 신고를 하도록 하는 것은 회사가 해산한 사실을 채권자에게 알리고 신속하게 채권을 변제받을 수 있게 함과 동시에 청산사무의 지연을 방지하기 위함이다.[105]

조건부채권이나 기한부채권의 채권자에 대하여도 채권신고의 최고를 하여야 한다.[106]

한편 비금전채권도 채권신고의 대상이 되는지 여부에 관하여는 견해의 대립이 있다.[107]

4. 채무의 변제

회사는 채권신고기간 내에는 채권자에게 변제할 수 없다(제536조 제1항 본문).[108] 회사재산으로 모든 채권을 변제할 수 없을 가능성이 있기 때문이다.[109] 예외적으로 소액이며 담보가 제공된 채권[110] 및 그 밖에 변제하더라도 다른 채권자를 해할 염려가 없는 채권은 법원의 허가를 얻어 변제할 수 있다(제536조 제2항). 변제가 금지되더라도 그 채무에 대한 채무불이행 책임을 면할 수는 없다(제536조 제1항 단서). 또한 채권자가 자기의 채권을 소구하거나 그에 기하여 강제집행하는 것은 방해받지 않는다.[111] 대법원은 채무자에 대한 청산절차가 개시되어 청산절차가 진행 중이라는 사정은 전부명령 등의 집행에 장애사유가 되지 않는다고 판시하고 있다.[112]

---

104) 권순일, 전게서, 681면(구자헌 집필부분).
105) 최기원, 전게서, 970면.
106) 최기원, 전게서, 971~972면.
107) 서울고등법원 1981.3.19. 80나4140은 회사에 대한 소유권이전등기청구권은 신고대상 채권에 포함되지 않는다는 입장을 취하였다. 이에 반대하는 견해로 김지평, 전게논문, 71-72면.
108) 회사채권자가 자기의 채권을 자동채권으로 하여 회사에 대하여 상계할 수 있는지 문제가 있는데 현재는 긍정설만 주장되고 있다. 권순일, 전게서, 684면(구자헌 집필부분).
109) 이에 위반할 경우에는 과태료가 부과된다(제635조 제1항 제29호).
110) 담보부채권을 예외로 한 것은 그 우선변제적 효력을 고려한 것이다. 권순일, 전게서, 684면(구자헌 집필부분).
111) 권순일, 전게서, 684면(구자헌 집필부분).
112) 대법원 1999.8.13. 99마2198, 2199.

회사는 채권신고기간이 경과하면 신고한 채권자 및 신고하지 않았으나 회사
가 알고 있는 채권자에게 변제하여야 한다. 회사가 모든 채무를 변제할 수 없는
경우를 제외하고는 변제의 순서는 임의로 정할 수 있다.[113]

회사는 변제기에 이르지 않은 채무도 변제할 수 있는데 이 경우에는 중간이
자를 공제하여야 한다. 조건부채권, 존속기간이 불확정한 채권 기타 가액이 불
확정한 채권에 대하여는 법원이 선임한 감정인의 평가에 의하여 변제하여야 한
다(제542조 제1항, 제259조). 청산인은 회사재산이 채무를 변제하기에 부족한 때
에는 지체없이 파산선고를 신청하여야 한다(제542조 제1항, 제254조 제4항, 민법
제93조).[114]

채권신고기간 내에 신고하지 않은 결과 청산절차에서 제외된 채권자는 뒤에
서 보는 바와 같이 주주에게 잔여재산분배를 하고 남은 재산의 범위에서만 변제
를 청구할 수 있으며(제537조 제1항), 잔여재산분배가 완료되면 권리를 잃는다
(실권효). 이때 일부 주주에 대하여 재산을 분배한 때에는 그와 동일한 비율로
다른 주주에게 분배할 재산은 분배된 것으로 간주하고 남은 재산을 산정한다.
일단 분배가 개시되면 주주가 청산절차에서 제외된 채권자보다 우선한다는 취지
이다.[115] 그러나 신고를 하지 않았더라도 채권 자체가 소멸하는 것은 아니므로
채권자는 분배되지 않은 잔여재산 범위에서 변제청구를 할 수 있고 상계를 할
수도 있다.[116]

5. 잔여재산분배

청산인은 회사의 채무를 완제한 후가 아니면 회사재산을 사원에게 분배할 수
없다. 채무를 완제하고 남는 재산은 주주에게 분배한다(제542조 제1항, 제260조).
다툼이 있는 회사의 채무에 관하여는 그 변제에 필요한 재산을 유보하면 잔여재
산을 분배할 수 있다(제542조 제1항, 제260조 제2문). 잔여재산은 주식평등의 원

---

113) 이철송, 전게서, 1097면.
114) 실무상으로는 청산절차 개시 시점에서 회사의 재산상태를 조사하여 회사재산으로 채무를
    변제할 수 있다는 사실이 확인된 상태에서 채권자 공고절차를 진행하므로 회사재산으로
    채무를 변제하기에 부족한 결과가 되는 경우는 드물다고 한다. 김지평, 전게논문, 77면.
115) 이철송, 전게서, 1097면.
116) 권순일, 전게서, 687면 (구자헌 집필부분).

칙에 따라서 각 주주가 가진 주식의 수에 따라 주주에게 분배하여야 한다(제538조 본문). 그러나 잔여재산분배에 관하여 내용이 다른 종류주식을 발행한 경우에는 그에 따른다(제538조 단서, 제344조 제1항).

잔여재산의 범위 및 분배계획의 확정은 청산인의 고유권한이고 주주총회 승인이 필요하지 않다. 잔여재산의 분배는 금전으로 한다. 문제는 현물로 가능한지 여부이다. 이에 관하여는 가능하다고 보는 견해[117]와 주주들과 청산인간의 합의가 있으면 가능하다는 견해[118]로 나뉜다.

청산인이 법령에 위반하여 위법하게 잔여재산을 분배하면 500만원 이하의 과태료에 처해진다(제635조 제1항 제15호). 위법한 잔여재산분배는 당연무효로서 위법배당을 받은 주주는 그 재산을 부당이득으로 청산회사에 반환할 의무를 부담한다.[119]

6. 재무상태표 등의 제출 등

청산인은 정기총회일로부터 4주간 전에 재무상태표 및 그 부속명세서와 사무보고서를 작성하여 감사에게 제출하여야 한다(제534조 제1항). 감사는 정기총회회일로부터 1주간 전에 위 서류에 관한 감사보고서를 청산인에게 제출하여야 한다(제534조 제2항). 청산인은 다시 정기총회회일의 1주간전부터 위 서류 및 감사보고서를 본점에 비치하여야 한다(제534조 제3항). 주주와 회사채권자는 위 서류 및 감사보고서를 열람할 수 있고 등·초본의 교부를 청구할 수 있다(제534조 제4항, 제448조 제2항). 청산인은 재무상태표 및 사무보고서를 정기총회에 제출하여 그 승인을 요구하여야 한다(제534조 제5항). 여기서 사무보고서는 해산 전의 영업보고서에 해당하는 것이고 위 서류 등의 제출은 청산을 위한 것이므로 이익배당에 관한 의안은 제출할 수 없다.[120]

이와 관련하여 정기총회가 아닌 임시총회에서도 위의 제출과 승인이 가능한지가 문제될 수 있다. 현재 학설상으로는 정기총회와 임시총회간에 권한이나 기능의 차이가 없으며 청산절차의 장기화를 방지하기 위하여 이를 긍정하는 견해

---

117) 김지평, 전게논문, 80~81면; 김홍기, 전게서, 784면.
118) 이철송, 전게서, 1097면; 권순일, 전게서, 690~691면(구자헌 집필부분).
119) 권순일, 전게서, 692면(구자헌 집필부분).
120) 권순일, 전게서, 677면(구자헌 집필부분).

만이 제시되어 있다.[121]

또한 위 재무상태표가 청산재무상태표인지 아니면 결산재무상태표인지 여부에 관하여 견해 대립이 있다.[122]

VI. 청산의 종결

1. 결산보고서 제출 및 승인

청산인은 청산사무를 종료한 때에는 지체없이 결산보고서를 작성하여 각 주주 또는 주주총회에 보고하여 승인을 얻어야 한다(제540조 제1항). 승인을 얻은 때에는 회사는 청산인에 대하여 그 책임을 해제한 것으로 본다. 제3자에 대한 책임은 그렇지 않다. 그러나 청산인의 부정행위에 대하여는 그렇지 않다(제540조 제2항). 이는 상법 제450조에 규정된 이사의 책임해제와 같은 취지의 규정으로 동일하게 해석하면 될 것이다.

2. 청산의 종결시기

청산은 실제로 청산사무를 모두 마친 때에 종결된다. 일반적으로는 주주총회에서 결산보고서를 승인할 때 청산회사의 법인격이 소멸한다.[123] 휴면회사로서 해산간주된 회사의 경우 해산간주일로부터 3년 이내에 주주총회 특별결의에 의하여 회사를 계속하지 않는 경우에는 그 3년이 경과한 때에 청산이 종결된 것으로 본다(제520조의2 제1항, 제4항).

---

121) 권순일, 전게서, 676면(구자헌 집필부분).
122) 권순일, 전게서, 676~677면(구자헌 집필부분).
123) 김건식·노혁준·천경훈, 전게서, 889면. 이와 관련하여 청산 종결시점은 청산사무의 종결
시가 아니라 주주총회의 결산보고서 승인시라고 주장하는 견해도 있으나[정동윤, 전게서,
511면(정찬형 집필부분)] 주주총회의 결산보고서 승인 이후에도 처리하여야 할 청산사무
가 뒤늦게 발견되는 경우도 있을 수 있으므로 타당하지 않다고 본다.

3. 청산종결등기

청산인은 결산보고서를 승인받은 후에 청산종결의 등기를 하여야 한다(제542
조 제1항). 상업등기규칙 제154조 제1항, 제110조에 따르면 청산종결등기를 신
청할 때에는 주주총회의 승인을 받았다는 사실을 증명하는 정보를 제출하여야
한다.[124]

실무상으로는 재무상태표상 부채가 영(0)인 경우에만 청산종결등기를 해 준
다고 한다. 따라서 청산과정에서 회사가 알지 못하는 채권이 신고되어 채권의
존부나 금액이 소송의 대상으로 될 때에는 그 소송에 관한 판결이 확정된 이후
에야 청산종결등기가 가능하게 되어 청산종결이 지연되는 문제가 있다고 한
다.[125]

청산등기를 하였더라도 실제로 청산사무가 종결되지 않았다면 그 범위 내에
서는 법인격(권리능력)이 존속하고[126] 민사·행정·형사소송의 당사자능력을 갖
는다.[127] 청산종결등기에는 창설적 효력이 없기 때문이다.[128] 다만 판례는 청산
종결등기를 하면 법인격이 상실된 것으로 추정된다고 한다.[129] 실무상으로는 청
산종결등기가 마쳐진 이후 회사의 청산사무가 남아 있는 사실이 발견되어 이를
처리하여야 할 경우 그 사실을 소명하여 청산종결등기를 말소하고 회사 등기부
를 부활시킨 후에 잔존사무를 처리하고 다시 청산종결등기를 하는 경우가 많지

---

124) 「주식회사를 설립하였으나 사업을 시작하지 않고 해산결의를 하여 주주 이외 다른 채권채
무가 없다 하더라도, 청산인은 취임한 날로부터 2월 내에 회사채권자에 대하여 일정기간
(2월 이상이어야 함) 내에 그 채권을 신고할 것과 그 기간 내에 신고하지 아니하면 청산
에서 제외된다는 뜻을 2회 이상 공고로써 최고하여야 하며, 따라서 청산종결등기신청은
최고기간이 지나야 하지만 그 등기신청서에는 결산보고서를 승인한 주주총회 의사록을 첨
부하면 되고 채권신고를 최고한 공고문은 첨부할 것이 아니다.」(1997. 4. 3. 등기 3402-
257 질의회답)
125) 반면, 자산의 부에서 재산 환가 및 잔여재산 분배가 완료되지 않더라도 주주총회에서 청
산종결이 승인되면 등기소에서 청산종결등기를 마쳐 주는 경우가 많다고 한다. 이상, 김지
평, 전게논문, 77-78, 82-83면. 특히 그로 인한 실무상의 문제에 관하여는 같은 논문, 78
면.
126) 김홍기, 전게서, 357면.
127) 민사소송의 경우 대법원 1968.6.18. 67다2528, 행정소송의 경우 대법원 2001.7.13. 2000
두5333, 형사소송의 경우 대법원 2021.6.30. 2018도14261; 1986.10.28. 84도693
128) 학설로는 청산종결등기에 창설적 효력을 인정할 수 있다는 견해도 있다. 권순일, 전게서,
698면(구자헌 집필부분).
129) 대법원 1986.10.28. 84도693; 임재연, 「회사법 1」, 321면.

만 청산종결등기를 말소하지 않고 기존의 청산인이 잔존사무를 이행하여도 무방
하다.130) 그러나 청산인에 변경이 있다면 청산종결등기를 말소하고 청산인 변경
등기를 한 후에 변경된 청산인이 잔존사무를 처리하여야 한다.131)

관련하여 청산사무가 실제로 완료되면 청산종결등기를 마치기 전에도 주식회
사의 법인격이 소멸하는가 문제될 수 있다. 이 문제는 청산종결등기에 창설적
효력이 있는지 여부의 문제이기도 하다. 현재 ① 청산종결등기는 설립등기에 대
응하는 것으로서 둘 다 주식회사가 법인으로서 존재하는 시기와 종기를 획일적
으로 정함을 하고 ② 창설적 효력을 부여하지 않으면 법률관계를 객관적·획일
적으로 처리할 수 없으며 ③ 청산회사와 거래하는 제3자의 거래안전을 보호할
필요가 있다는 점에서 청산적 효력을 인정하여야 한다는 견해가 주장되고 있다.
다만 이 견해도 청산종결등기를 한 이후에도 청산사무가 남아 있는 경우에는 거
래안전을 보호하기 위하여 예외적으로 청산종결등기 이후에도 청산사무가 완료
될 때까지 법인격이 소멸하지 않는다고 한다.132)

---

130) 「법인이 청산종결등기가 경료되었다 하더라도 그 청산사무가 종료되었다고 할 수 없는 경
우(예컨데, 그 법인이 근저당권말소등기의 등기의무자인 경우)에는 청산법인으로 존속하게
되는 것이므로, 그 법인의 청산인이 청산사무로서 위 근저당권의 말소등기를 신청할 수
있다.」(1989.8.23. 등기 제1615호).

131) 「국유재산법 제55조, 동법시행령 제60조, 제61조에 의하여 총괄청이 지정한 청산법인에
대한 청산종결등기를 마쳤으나 그 후 잔여재산이 있어 이를 환가 처분하고자 연합청산위
원회에서 청산을 재개하기로 결정하고 1차 청산종결 당시 대표청산인 및 청산인을 해임하
고 새로이 청산인 등을 선임한 경우 그 등기는 다음과 같은 방식으로 행하여 진다. 즉 청
산종결등기가 착오에 의한 것임을 증명하여 청산종결등기의 말소등기를 신청함으로써 폐
쇄된 등기용지를 부활시키고, 연합청산위원회의 청산인, 감사 등에 대한 해임 및 선임 등
기의 신청에 따라 부활된 그 등기용지에 해당 등기가 행해질 것이다(위 등기신청들은 동
시에 행할 수 있음). 다만 이 경우 등기용지의 양식이 바뀌었으므로 등기공무원으로서는
청산종결등기로 인하여 폐쇄된 등기용지를 막바로 부활시키는 대신 폐쇄등기부에 기재된
폐쇄 당시 효력이 있는 등기사항을 신등기용지에 이기하는 방식에 의하여 폐쇄된 등기용
지를 부활시키게 될 것이다.」(1992.5.27. 등기 제1153호 성업공사 대 질의회답). 청산종결
등기를 말소하고 잔존사무를 처리한 후 다시 청산종결등기를 하려면 채권자 공고절차를
다시 밟아야 하는지가 실무상 문제되는데 잔존사무의 처리는 기존의 절차가 진행되었던
시점으로 청산절차가 부활하는 것으로 이해할 수 있으므로 필요하지 않다고 해석하는 것
이 타당할 것이다. 이상, 김지평, 전게논문, 87면.

132) 권기범, 전게서, 293-294면. 이 문제에 관하여 현재 한국의 학설과 판례는 분명한 입장을
취하고 있지 않다. 독일과 일본의 상황에 관하여는 권기범, 전게서, 293면.

4. 서류의 보존

회사의 장부 그 밖에 영업과 청산에 관한 중요한 서류는 본점소재지에서 청산종결의 등기를 한 후 10년간 이를 보존하여야 한다(제541조 본문). 영업과 청산에 관한 중요한 서류는 영업상 또는 청산절차상 작성된 서류와 기록 중 분쟁이 발생할 경우 증거자료로 될만한 중요한 것들을 의미한다고 한다. 또한 여기서의 서류는 반드시 문서로 되어 있을 필요는 없고 마이크로 필름, CD 등의 전산정보처리조직에 의한 것도 포함된다(제33조).[133] 다만, 전표 또는 이와 유사한 서류는 5년간 이를 보존하여야 한다(제541조 단서). 청산 전부터 상법 제33조에 따라 회사가 보존하고 있던 서류 중에서 영업과 청산에 관한 중요서류에 속하는 것은 상법 제33조의 보존기간이 만료하더라도 다시 상법 제541조에 따라 보존하여야 한다.

또한 보존에 관하여는 청산인 그 밖의 이해관계인의 청구에 의하여 법원이 보존인과 보존방법을 정한다(제541조).[134]

한편 과거의 주주 및 채권자 등 이해관계인이 위와 같이 보존되는 서류에 관하여 열람·등사를 청구할 수 있는지 규정하는 조문은 없다. 일본의 경우에도 법조문은 동일한 상황이고 학설이 대립하는데 일본 최고재판소는 명문의 규정이 없음을 들어 부정설을 취하고 있다.[135]

VII. 청산중의 파산

청산인은 청산회사 재산이 그 채무를 완제하기에 부족한 것이 분명하게 되면 지체없이 파산선고를 신청하고 이를 공고하여야 한다. 파산선고가 내려지면 청산인은 파산관재인에게 그 사무를 인계하고 그 임무는 종료된다(제542조 제1항,

---

133) 권순일, 전게서, 700면(구자헌 집필부분).
134) 실무상으로는 청산하는 회사의 국내 계열회사를 문서 보존인으로 정하거나 문서 보전을 전문으로 하는 창고업자와 장기 보관계약을 체결하는 예가 많다고 한다. 김지평, 전게논문, 83면.
135) 일본 최고재판소 2004. 10. 4. 판결(民集 第58卷7号 1771면). 이상, 김지평, 전게논문, 84~86면.

제254조 제4항).136)

Ⅷ. 관련문제: 청산인등의 제2차 납세의무

국세기본법은 제38조는 '청산인 등의 제2차 납세의무'라는 표제로 법인이 해
산한 경우에 그 법인에 부과되거나 그 법인이 납부할 국세·가산금 또는 체납
처분비를 납부하지 않고 청산 후 남은 재산을 분배하거나 인도하였을 때에 그
법인에 대하여 체납처분을 집행하여도 징수할 금액에 미치지 못하는 경우에는
청산인 또는 청산 후 남은 재산을 분배받거나 인도받은 자가 그 부족한 금액에
대하여 제2차 납세의무를 지도록 규정하고 있다. 다만 이 경우의 제2차 납세의
무는 청산인의 경우 분배하거나 인도한 재산의 가액을 한도로 하고, 그 분배 또
는 인도를 받은 자의 경우에는 각자가 받은 재산의 가액을 한도로 한다. 실제
주식회사의 청산 과정에서 주의를 기울일 필요가 있는 세법상 쟁점이다.137)

---

136) 임재연, 「회사법 1」, 321면.
137) 이에 관한 상세는 김완석·박종수·이중교·황남석, 「국세기본법 주석서」 제3판(삼일인포
     마인, 2021), 747면 이하(황남석 집필부분) 참조.

제 **9** 장

상장회사에 대한 특례

제 9 장 상장회사에 대한 특례

김 홍 기*

제1절 총 설

I. 현행 상장법인의 규제체계

상장회사는 회사 전체의 숫자에 비교해서는 소수이지만, 그 경제적 중요성과 파급력을 고려해서 각종 특칙을 두는 것이 일반적이다.

우리나라는 2009년 2월 4일 「자본시장과 금융투자업에 관한 법률」(이하 '자본시장법'이라고 한다)을 시행하면서, 「구 증권거래법」(자본시장법 부칙 제2조로 폐지)상의 상장법인에 대한 특례 중 '회사 지배구조에 관한 규정'들을 상법에 이관하고,[1][2] 회사의 지배구조에 관한 내용들은 상장 또는 비상장을 불문하고 상법 제3편 제4장 제13절 '상장회사에 대한 특례'[3]에서 규정하고 있다. 반면에 상장

---

* 연세대학교 법학전문대학원 교수, 한국 및 미국(뉴욕주) 변호사

1) 2009. 1. 3. 일부개정 상법, 법률 제9362호, 제542조의2 내지 제542조의13.

2) 구 증권거래법상 상장회사에 대한 특례규정은 「자본시장육성에 관한 법률」에서 유래한 것이다. 과거 정부는 상법이 상장회사의 실정에 맞추어 유연하게 개정하기 어려운 현실을 감안하여 특별법인 자본시장육성에 관한 법률에 상장법인에 관한 특례규정을 포함시켰고, 이러한 특례규정은 1997년 자본시장육성에 관한 법률이 폐지되면서 구 증권거래법에 승계되었다. 그러나 시장규제법인 증권거래법에 다수의 회사법 조항을 포함시키는 것은 극히 이례적인 입법례이고, 상법상 비상장회사 규정과의 정합성, 규제목적 등의 측면에서 비판적인 시각이 많았다. 자세한 내용은 김건식·최문희, "증권거래법상 상장법인 특례규정의 문제점과 개선방안," 「BFL」 제23호(서울대 금융법센터, 2007. 5.), 102면; 정준우, "개정상법상 상장법인 특례규정의 적용과 그 한계," 「한양법학」 제22권 제4집(한양법학회, 2011. 11.), 403~409면 참조.

3) 자본시장법에서는 '주권상장법인에 대한 특례'라고 표현하고 있지만, 상법은 '상장회사에 대한 특례'라는 표현을 사용하고 있다. 이 글에서는 상법상의 용어인 '상장회사에 대한 특례' 또는 '상장회사 특례규정'이라는 용어를 사용한다.

회사의 재무에 관한 내용들은 자본시장법 제3편 제3장의2 '주권상장법인에 대한 특례(자본시장법 제165조의2 내지 제165조의20)'에서 규정하고 있다.[4]

위와 같이 우리나라는 상장회사의 지배구조에 관해서는 상법에서 규정하고, 재무구조에 관해서는 자본시장법에서 규정하는데, 이러한 분리 규제방식에는 특별한 법리적 이유가 있는 것이 아니고 상법의 소관부서인 법무부와 자본시장법 소관부서인 금융위원회 간에 합의가 결정적인 영향을 미쳤다. 그러나 지배구조 규정과 재무구조에 관한 규정들이 명료하게 구별되는 것은 아니어서[5] 일반법인 상법(회사편)과 특별법인 자본시장법의 규정 간에 정합성이 문제되고 있으며, 실제로 2020년 8월 5일 이용우 의원 등이 대표발의한 「상장회사에 관한 특례법안」(의안번호 2102725)이 국회에 제출되어 있고, 2020년 9월 2일 김병욱 의원 등이 대표발의한 「상장회사법안」(의안번호 2103458)이 국회에 제출되어 있다.

Ⅱ. 적용대상 상장회사의 범위

상법 제3편 제4장 제13절 상장회사에 대한 특례규정은 '대통령령으로 정하는 증권시장(증권의 매매를 위하여 개설된 시장을 말한다)'에 상장된 주권을 발행한 주식회사(이하 '상장회사'라 한다)에 적용된다(제542조의2 제1항 본문). "대통령령으로 정하는 증권시장"이란 자본시장법 제8조의2 제4항[6] 제1호에 따른 '증권시장'을 말한다(시행령 제29조 제1항).

증권시장에 상장된 주식회사라고 하더라도 '집합투자'를 수행하기 위한 기구로서 '대통령령으로 정하는 주식회사'는 상장회사 특례규정의 적용에서 제외된다(제542조의2 제1항 단서). 제13절 상장회사에 대한 특례규정은 영업을 목적으로

---

4) 2020. 2. 4. 신설된 자본시장법 제165조의20(이사의 성별 구성에 관한 특례)는 체계상으로는 상법 제3편 제13절 상장회사에 대한 특례에서 규정하는 것이 맞지만, 적시에 시행하기 위해서 시장법규인 자본시장법에서 규정하였다.

5) 공개매수규정은 지배구조에 관한 것이지만 자본시장법에 규정이 있다(자본시장법 제133조 이하). 이원적 규제의 문제점으로는 최문희, 권순일 편집대표, "제13절 상장회사에 대한 특례," 주석상법[회사5](제6판)(한국사법행정학회, 2021), 713면 이하 참조.

6) 자본시장법 제8조의2 ④ 거래소시장은 다음 각 호와 같이 구분한다.
   1. 증권시장: 증권의 매매를 위하여 거래소가 개설하는 시장
   2. 파생상품시장: 장내파생상품의 매매를 위하여 거래소가 개설하는 시장

하는 사업회사에 적용되는 것이므로, 투자목적으로 설립되는 집합투자기구에 적용하는 것은 적절하지 않기 때문이다.

상법 제3편 제4장 제13절의 상장회사에 대한 특례 중에서도 일부규정은 일정규모 이상의 상장회사에만 적용된다. 예를 들어, 상장회사는 원칙적으로 이사 총수의 4분의 1 이상을 사외이사로 선임하여야 하지만(제542조의8 제1항 본문), 최근 사업연도말 현재의 자산총액이 2조원 이상인 상장회사의 경우에 사외이사는 3명 이상으로 하되, 이사 총수의 과반수가 되도록 그 기준이 상향되어 있다(제542조의8 제1항 단서, 시행령 제34조 제2항). 같은 맥락에서 준법통제기준의 마련과 준법지원인의 선임의무는 모든 상장회사가 아니라 최근 사업연도 말 현재의 자산총액이 5천억원 이상인 상장회사만이 부담한다(제542조의13 제1항, 시행령 제39조).

Ⅲ. 상장회사 특례규정의 적용순위

1. 상장회사 특례규정과 상법상 일반규정의 적용순위

상법 제542조의2 제2항은 "이 절은 이 장 다른 절에 우선하여 적용한다."고 규정하는데, "우선하여 적용한다"의 문구와 관련하여 제13절의 상장회사의 특례규정이 상법 제3편 회사편 일반조항의 특칙인지, 선택적 규정인지가 논란이 많았고, 실제 하급심 판례도 '선택적적용설'[7][8]과 '특칙설'[9]로 나누어져 있어서 실

---

7) "상법 제542조의6 제1항은 상법 제366조의 적용을 배제하는 특별규정에 해당한다고 볼 수 없고, 상장회사의 주주는 상법 제542조의6 제1항이 정하는 6개월의 보유기간 요건을 갖추지 못한 경우라 할지라도 상법 제366조의 요건을 갖추고 있으면 그에 기하여 주주총회소집청구권을 행사할 수 있다." 서울고법 2011.4.1. 자 2011라123 주총소집허가신청서.
8) "상장회사 주주가 상법 제542조의6 제1항이 정하는 6개월의 보유기간 요건을 갖추지 못한 경우에도 상법 제366조에 따른 주주총회소집청구권을 행사할 수 있는지 여부(적극)" 서울중앙지판 2012.10.5., 2011가합80239,105169 참조.
9) 서울중앙지방법원은 2015. 7. 엘리엇이 삼성물산을 상대로 제기한 유지청구에 대한 결정에서 "상법 제542조의2 제2항은 "이 절은 이 장 다른 절에 우선하여 적용한다"고 규정하고 있다. … "선택적 적용을 하고자 하였다면 굳이 위 조항을 신설할 필요가 없었다고 보이는 바, 위 조항은 개별 특례조항에서 선택적 적용을 긍정하고 있지 않은 한 원칙적으로 선택적 적용을 부정하면서 특례조항이 일반조항에 우선하여 적용된다는 취지의 조항으로 봄이 타당하다."고 하면서, 특칙설의 입장을 취하였다. 서울중앙지결 2015.7.1., 2015카합80582 결의금지등 가처분.

무상 혼란스러운 면이 많았다.

2020년 12월 개정상법 제542조의6 제10항은 "제1항부터 제7항까지는 제542
조의2제2항에도 불구하고 이 장의 다른 절에 따른 소수주주권의 행사에 영향을
미치지 아니한다."고 규정하여, 상장회사의 주주는 상장회사 특례규정에 따른 소
수주주권 행사요건과 일반규정에 따른 소수주주권 행사요건을 선택적으로 주장
할 수 있음을 분명히 하였다. 따라서 상장회사의 주주라고 하더라도 비상장회사
의 소수주주권 행사요건을 갖추었다면 상장회사 특례규정을 적용하여 굳이 6개
월의 보유기간이 요구되지 않는다.

2020년 12월 개정상법 제542조의6 제10항은 "제1항부터 제7항까지는 제542
조의2제2항에도 불구하고 이 장의 다른 절에 따른 소수주주권의 행사에 영향을
미치지 아니한다."고 규정하고 있으므로, 상법 제542조의6 제1항부터 제7항까지
이외의 상장회사 특례규정들은 상법 제542조의2 제2항의 "이 절은 이 장 다른
절에 우선하여 적용한다."는 규정에 따라 일반조항에 우선하여 적용되는 것이
분명해졌다.

상장회사가 제13절의 상장회사에 대한 특례규정과 다른 내용을 정관에 규정
하는 경우에 유효한가? 관련된 상장회사의 특례조항이 강행규정이라면 그에 위
반하는 정관 규정은 허용되지 않지만, 임의규정이라면 사적자치의 원칙상 허용
된다고 볼 것이다.

2. 상장회사 특례규정과 자본시장법의 적용순위

동일한 사항에 관하여 상법상 상장회사 특례규정과 자본시장법이 서로 다르
게 규정하는 경우에는 어느 조항이 우선하여 적용되는가? 이에 대해서는 ① 자
본시장법을 상법의 특별법으로 보아 자본시장법이 우선하여 적용된다는 '자본시
장법 우선적용설'과 ② 자본시장법의 규정은 투자자보호를 위한 것이므로 투자
자에게 유리한 경우에는 상법과 자본시장법의 규정을 선택적으로 적용할 수 있
다는 '선택적 적용설'[10]이 있다.

대법원은 소수주주에 의한 임시주주총회 소집청구와 관련하여, 소수주주가

---

10) 김홍기, 「상법강의」 제3판(박영사, 2018), 788면; 김건식 · 최문희, 전게논문, 105면; 정준우,
전게논문, 416면.

구 증권거래법 제191조의13 제5항이 정하는 6월의 보유기간 요건을 갖추지 못
한 경우라고 할지라도 상법 제366조(소수주주에 의한 소집청구)의 요건을 갖추고
있으면 그에 기하여 주주총회소집청구권을 행사할 수 있다고 한다.[11] 이 판례는
구 증권거래법 하에서의 것이어서 현행 상법 하에서는 그 적용에 한계가 있지
만, 소수주주의 보호를 위해서는 일반법인 상법과 특별법인 자본시장법이 선택
적으로 적용될 수 있다는 취지는 여전히 유효하다.[12] 자본시장법은 투자자 보호
를 위한 것이므로(자본시장법 제1조) 상법의 적용이 오히려 투자자에게 유리하다
면 상법을 적용하는 것이 타당하기 때문이다. 다만, 특별법인 자본시장법의 조
항을 상법에 우선하여 적용하려는 취지가 분명한 경우에는 투자자 보호의 측면
에도 불구하고 자본시장법을 상법에 우선하여 적용할 것이다.

제 2 절 주식매수선택권

Ⅰ. 부여대상자의 확대

1. 관계회사의 임직원 등에 대한 주식매수선택권의 부여

상장회사는 상법 제340조의2(주식매수선택권) 제1항 본문에 규정된 자 외에도
'대통령령으로 정하는 관계회사'의 이사, 집행임원, 감사 또는 피용자에게 주식매
수선택권을 부여할 수 있다(제542조의3 제1항 본문). 비상장회사에서는 회사의 설
립·경영 및 기술혁신 등에 기여하거나 기여할 수 있는 회사의 이사, 집행임원,
감사 또는 피용자에 한정하여 주식매수선택권을 부여할 수 있는데(제340조의2 제

---

11) 대법원 2004.12.10. 2003다41715[주총결의취소].
12) 대전지방법원은 스틸파트너스가 KT&G를 상대로 제기한 소송에서 비슷한 취지로 판시하고
   있다. "상법 및 증권거래법상 주주제안권, 사외이사후보추천위원회제도 등의 입법 경위 및
   그 취지 등에 비추어 볼 때, 상법상 주주제안권과 증권거래법상 주주의 사외이사후보추천권
   은 그 행사요건과 내용 등을 달리하고 있으므로, 소수주주들로서는 주권상장법인의 사외이
   사후보추천을 총회의 의제 또는 의안으로 삼고자 하는 경우에 상법상의 주주제안권 또는
   증권거래법상의 사외이사후보추천권을 선택적으로 행사할 수 있다." 대전지방법원 2006.
   3.14. 자 2006카합242[주주총회결의금지가처분] 확정.

1항 본문), 상장회사의 경우에는 당해 회사뿐만 아니라 '대통령령으로 정하는 관계회사'의 이사, 집행임원, 감사 또는 피용자에게도 주식매수선택권을 부여할 수 있도록 부여대상자가 확대되어 있다.

상법 제542조의3 제1항 본문에서 "대통령령으로 정하는 관계회사"는 ① 해당 회사가 총출자액의 100분의 30 이상을 출자하고 최대출자자로 있는 외국법인(시행령 제30조 제1항 제1호), ② 제1호의 외국법인이 총출자액의 100분의 30 이상을 출자하고 최대출자자로 있는 외국법인과 그 법인이 총출자액의 100분의 30 이상을 출자하고 최대출자자로 있는 외국법인(동항 제2호), ③ 해당 회사가 「금융지주회사법」에서 정하는 금융지주회사인 경우 그 자회사 또는 손자회사 가운데 상장회사가 아닌 법인을 말한다(동항 제3호). 다만, 위 제1호 및 제2호의 법인은 주식매수선택권을 부여하는 회사의 수출실적에 영향을 미치는 생산 또는 판매 업무를 영위하거나 그 회사의 기술혁신을 위한 연구개발활동을 수행하는 경우로 한정한다(시행령 제30조 제1항 단서).

외국의 자회사에서 근무하는 임직원 등의 사기를 진작하기 위해서, 해당 법인이 최대출자자로 있는 외국법인의 임직원 등에 대해서도 주식매수선택권을 부여할 수 있도록 한 것인데, 관계회사의 범위를 지나치게 확대할 경우에는 해당 회사 주주의 권리에 영향을 미칠 수 있고, 대주주 등이 지분의 확대를 위해서 이 제도를 이용할 우려도 있으므로, 관계회사의 범위를 정함에 있어서는 신중한 운용이 필요하다.[13)]

2. 최대주주 등에 대한 주식매수선택권 부여의 제한

상장회사는 상법 제340조의2(주식매수선택권) 제1항 본문에 규정된 자 외에도 '대통령령으로 정하는 관계회사'의 이사, 집행임원, 감사 또는 피용자에게 주식매수선택권을 부여할 수 있지만(제542조의3 제1항 본문), '상법 제542조의8 제2항 제5호의 최대주주 등 대통령령으로 정하는 자'에게는 주식매수선택권을 부여할 수 없다(제542조의3 제1항 단서). 즉, 상장회사가 주식매수선택권의 부여대상자를 확대하는 경우에도 그 대상이 최대주주 등 대통령령으로 정하는 자에 해당하면

---

13) 내국법인을 제외하는 것에 의문을 제기하는 견해도 있다. 최문희, 전게서, 730면.

주식매수선택권을 부여할 수 없다. 그런데 발행주식총수의 100분의 10 이상의 주식을 가진 주주는 상법 제340조의2 제2항 제1호에 의해서 이미 당해 회사의 주식매수선택권을 받을 수 없으므로, 최대주주에 대한 주식매수선택권의 부여 제한은 10% 이내의 주식을 가진 최대주주에 대해서만 사실상 의미가 있을 것 이다.

상법 제542조의3 제1항 단서에서 "제542조의8 제2항 제5호의 최대주주 등 대통령령으로 정하는 자"는 ① 상법 제542조의8 제2항 제5호[14]에 따른 최대주 주 및 그 특수관계인(시행령 제30조 제2항 제1호), ② 상법 제542조의8 제2항 제 6호[15]에 따른 주요주주 및 그 특수관계인을 말한다(동항 제2호). 다만, 해당 회 사 또는 관계회사의 임원(시행령 제30조 제1항)이 됨으로써 특수관계인에 해당하 게 된 자(그 임원이 계열회사의 상무(常務)에 종사하지 아니하는 이사·감사인 경우를 포함한다)는 제외한다(시행령 제30조 제2항 단서).[16] 원래 주식매수선택권을 부여 받을 수 있었는데, 해당 회사 또는 관계회사의 임원이 됨으로써 특수관계인에 해당하게 되었다는 이유로 주식매수선택권의 부여대상에서 배제하는 것은 주식 매수선택권 제도의 취지에 부합하지 않기 때문이다.

Ⅱ. 부여한도의 확대

상장회사는 상법 제340조의2 제3항에도 불구하고 발행주식총수의 100분의 15까지 주식매수선택권을 부여할 수 있다(제542조의3 제2항, 시행령 제30조 제3항 본문). 비상장회사의 경우 주식매수선택권의 부여한도는 발행주식총수의 100분

---

14) 상법 제542조의8 제2항 제5호. 상장회사의 주주로서 의결권 없는 주식을 제외한 발행주식 총수를 기준으로 본인 및 그와 '대통령령으로 정하는 특수한 관계에 있는 자'(이하 '특수관 계인'이라 한다)가 소유하는 주식의 수가 가장 많은 경우 그 본인(이하 '최대주주'라 한다) 및 그의 특수관계인.

15) 상법 제542조의8 제2항 제6호. 누구의 명의로 하든지 자기의 계산으로 의결권 없는 주식을 제외한 발행주식총수의 100분의 10 이상의 주식을 소유하거나 이사·집행임원·감사의 선 임과 해임 등 상장회사의 주요 경영사항에 대하여 사실상의 영향력을 행사하는 주주(이하 '주요주주'라 한다) 및 그의 배우자와 직계 존속·비속.

16) 상법 제542조의3 제1항 단서는 비상장회사에 적용되는 상법 제340조의2(주식매수선택권) 제2항에 추가되는 특칙규정이라고 볼 수 있는데, 양자에 중복되는 규정이 있는지를 검토하 여 정합적으로 규정할 필요가 있다.

의 10을 초과할 수 없는데(제340조의2 제3항), 상장회사의 경우에는 발행주식총수의 100분의 15까지로 확대한 것이다. 이 경우 부여한 주식매수선택권을 산정할 때에는 상법 제542조의3 제3항에 따라 이사회가 해당 회사 및 관계회사의 집행임원·감사 또는 피용자 등에게 부여한 주식매수선택권을 포함하여 계산한다(제542조의3 제2항, 시행령 제30조 제3항 단서).

상장회사의 경우 부여대상자의 확대에 따라서 부여한도가 확대되는 것은 어느 정도 불가피하지만, 대규모 상장회사의 경우 발행주식수가 아주 많은데 발행주식총수의 100분의 15까지 주식매수선택권으로 부여하는 것은 재고할 필요가 있다. 임직원에 대한 인센티브 부여를 위해서 주식매수선택권 제도의 운용이 필요하더라도, 주주의 신주인수권, 회사의 자본충실과 주식매수선택권을 부여받지 못하는 자와의 형평성 등을 고려하면 가능하면 엄격하게 운용하여야 하기 때문이다.

Ⅲ. 이사회 결의에 의한 부여 및 취소

1. 이사회 결의에 의한 주식매수선택권의 부여

상장회사는 상법 제340조의2(주식매수선택권) 제1항 본문에도 불구하고 정관으로 정하는 바에 따라 발행주식총수의 100분의 10의 범위에서 '대통령령으로 정하는 한도'까지 '이사회'가 제340조의3(주식매수선택권의 부여) 제2항 각호의 사항을 결의함으로써 해당 회사의 집행임원·감사 또는 피용자 및 제1항에 따른 관계회사의 이사·집행임원·감사 또는 피용자에게 주식매수선택권을 부여할 수 있다(제542조의3 제3항 전단).

비상장회사의 경우 주식매수선택권은 주주총회의 특별결의로 부여되는데(제340조의3 제2항 본문), 상장회사의 경우에는 주주총회의 소집이 쉽지 않음을 고려하여, 발행주식총수의 100분의 10의 범위에서 '대통령령이 정하는 한도'까지는 정관으로 정하는 바에 따라 '이사회의 결의'에 의하여 임직원 등에게 주식매수선택권을 부여할 수 있도록 하고 있다(제542조의3 제3항 전단).

상법 제542조의3 제3항 전단에서 "대통령령으로 정하는 한도"란 ① 최근 사업연도 말 현재의 자본금이 3천억원 이상인 법인의 경우에는 발행주식총수의 100분의 1에 해당하는 주식 수, ② 최근 사업연도 말 현재의 자본금이 3천억원 미만인 법인의 경우에는 발행주식총수의 100분의 3에 해당하는 주식 수를 말한다(시행령 제30조 제4항).

상법 제542조의3 제3항의 주식매수선택권은 해당 회사의 이사에게는 부여할 수 없고, 해당 회사의 집행임원·감사 또는 피용자 및 관계회사의 이사·집행임원·감사 또는 피용자에게만 부여할 수 있다(제542조의3 제3항). 이사회의 결의에 의하여 부여하는 것이므로 이사들 자신에게 주식매수선택권을 부여하는 것은 타당하지 않기 때문이다.

이사회 결의에 의해서 주식매수선택권을 부여하는 경우 회사는 주식매수선택권을 부여한 후 처음으로 소집되는 주주총회의 승인을 받아야 한다(제542조의3 제3항 단서). 주주총회의 사후승인을 받도록 한 것은 이사회 결의로 주식매수선택권을 부여하게 되면 남용될 소지가 있기 때문이다.

주주총회의 승인은 이사회의 결의에 대해서 포괄적으로 가부를 결정하여야 하는가? 아니면 개별적으로 결정할 수 있는가? 포괄적으로 승인할 수 있지만, 개별적으로도 승인할 수 있다고 본다. 예를 들어, 이사회 결의로 집행임원 甲과 감사 乙에게 주식매수선택권을 부여한 경우 甲은 승인하고 乙은 승인하지 않을 수 있다.[17)]

2. 이사회 결의에 의한 주식매수선택권 부여의 취소

상장회사의 경우 주식매수선택권 부여, 취소, 그 밖에 필요한 사항은 대통령령으로 정할 수 있다(제542조의3 제5항). 비상장회사의 경우에는 주식매수선택권의 부여절차를 상법에서 엄격하게 규정하고 있으나, 상장회사의 경우에는 상장회사는 주주총회의 소집이 쉽지 않으므로 주식매수선택권의 부여뿐만 아니라 취소, 그 밖에 필요한 사항에 대해서도 대통령령으로 정할 수 있도록 하였다.

상장회사는 ① 주식매수선택권을 부여받은 자가 본인의 의사에 따라 사임 또는 사직한 경우(시행령 제30조 제6항 제1호), ② 주식매수선택권을 부여받은 자가

---

17) 주석상법[회사(Ⅴ)] 제5판, 정찬형 집필부분(한국사법행정학회, 2014), 530면.

고의 또는 과실로 회사에 중대한 손해를 입힌 경우(제2호), ③ 해당 회사의 파산
등으로 주식매수선택권 행사에 응할 수 없는 경우(제3호), ④ 그 밖에 주식매수
선택권을 부여받은 자와 체결한 주식매수선택권 부여계약에서 정한 취소사유가
발생한 경우(제4호)에는 '정관에서 정하는 바'에 따라 '이사회 결의'에 의하여 주
식매수선택권의 부여를 취소할 수 있다.

Ⅳ. 2년 이상 재임 또는 재직 요건의 완화

1. 재임기간 요건 완화의 취지

상장회사의 주식매수선택권을 부여받은 자는 상법 제340조의4(주식매수선택권
의 행사) 제1항에도 불구하고 '대통령령으로 정하는 경우'를 제외하고는 주식매
수선택권을 부여하기로 한 주주총회 또는 이사회의 결의일부터 2년 이상 재임하
거나 재직하여야 주식매수선택권을 행사할 수 있다(제542조의3 제4항). 비상장회
사의 경우에 주식매수선택권은 주주총회결의일로부터 2년 이상 재임 또는 재직
하여야 행사할 수 있으나(제340조의4 제1항), 상장회사의 경우에는 '대통령령으로
정하는 경우'에는 그 예외를 정할 수 있도록 한 것이다.

상법 제542조의3 제4항에서 "대통령령으로 정하는 경우"란 주식매수선택권
을 부여받은 자가 '사망'하거나 '그 밖에 본인의 책임이 아닌 사유로 퇴임하거나
퇴직'한 경우를 말한다. 이 경우 '정년에 따른 퇴임이나 퇴직'은 정년은 본인의
책임이 아닌 사유로 보여질 수도 있지만 사전에 정년의 해당 여부를 예측할 수
있다는 점에서 본인의 책임이 아닌 사유에 포함되지 아니한다(시행령 제30조 제5
항). 따라서 정년이 2년 채 남지 않은 상황에서 주식매수선택권을 부여받았다면
2년 이상 재임 또는 재직을 요건으로 하는 주식매수선택권의 행사요건을 충족하
지 못한다(시행령 제30조 제5항).[18]

---

18) 개정전 상법시행령(대통령령 제21839호, 2009. 11. 23, 일부개정) 제9조 제5항은 주식매수
   선택권의 행사요건의 예외사유로 "주식매수선택권을 부여받은 자가 사망하거나 정년이나
   그 밖에 본인의 귀책사유가 아닌 사유로 퇴임 또는 퇴직한 경우"를 규정하고 있었으나 위
   와 같은 이유로 개정되었다. 구승모, "2012년 개정 상법 시행령의 주요내용,"「상사법연구」
   제31권 제1호(한국상사법학회, 2012), 96~97면.

2. 비상장회사에 대한 재임기간 완화 규정의 준용 여부

비상장회사의 임직원 등이 귀책사유없이 '2년 내'에 퇴임 또는 퇴직하는 경우에도 상법 제542조의3 제4항을 준용하여 주식매수선택권을 부여할 수 있는가?

상법 제542조의3 제4항은 "상장회사의 주식매수선택권을 부여받은 자는 제340조의4 제1항에도 불구하고 대통령령으로 정하는 경우를 제외하고는 주식매수선택권을 부여하기로 한 주주총회 또는 이사회의 결의일부터 2년 이상 재임하거나 재직하여야 주식매수선택권을 행사할 수 있다."고 규정하는데, 이는 주식매수선택권을 부여받기 위해서는 상장회사인지 또는 비상장회사인지에 관계 없이 2년의 재임 또는 재직기간이 요구되지만, 정책적인 이유로 상장회사에 한해서는 '대통령령으로 정하는 경우'에는 그 예외를 인정할 수 있다는 뜻이다. 따라서 명시적인 규정이 없는 비상장회사의 임직원 등에 대해서는 상법 제542조의3 제4항을 준용할 수 없다(부정설, 판례[19]).

3. 비상장회사의 정관을 통한 재임기간 제한 완화의 여부

비상장회사에 대해서는 상장회사에 적용되는 상법 제542조의3 제4항을 준용할 수 없다. 그렇다면 비상장회사의 임직원이 2년 이내에 퇴임 또는 퇴직하였으나, 그 퇴직이나 퇴임에 귀책사유가 없다면 주식매수선택권의 행사를 허용하는 정관 규정을 두는 것은 유효한가? 위의 "2. 비상장회사에 대한 재임기간 완화 규정의 준용 여부"는 상장회사에 적용되는 상법 제542조의3 제4항을 비상장회사에 준용할 수 있는지가 쟁점이지만, "3. 비상장회사의 정관을 통한 재임기간 제한 완화의 여부"는 상법 제340조의4의 '2년 이상의 재임기간' 조항이 강행규정인지의 여부가 쟁점이다.

생각건대, 주식매수선택권은 주주의 신주인수권을 제한하는 것이므로 엄격하게 해석해야 하고, 최소한 2년 이상 재임 또는 재직하여야 그 기간 동안의 성과를 평가할 수 있으며, 임직원이 귀책사유없이 퇴임 또는 퇴사하였거나 해임된 경우에는 민법상 손해배상청구가 가능한 것 등을 고려하면, 상법 제340조의4 제

---

19) 대법원 2011.3.24. 2010다85027.

1항의 '2년 재임' 요건은 강행규정으로 볼 것이다. 따라서 비상장회사가 정관에서 2년의 재임기간에 대한 예외 규정을 두는 것은 허용되지 않는다. 판례[20]도 같은 입장이다.

주식매수선택권은 회사의 발전에 공헌이 크거나 능력 있는 임직원에게 근속기간 동안의 노력으로 이룬 성과에 대해서 인센티브를 부여하는 것으로서 그 성과는 일정기간 이상의 근무가 있어야만 알 수 있는데, 비상장회사에 대해서만 더욱 엄격하게 운용할 필요가 있는지가 의문이다. 오히려 다수의 투자자가 관여하는 상장회사에 엄격한 운용이 필요할 수 있다. 상장회사와 비상장회사를 달리 취급할 합리적인 사유는 충분하지 않고, 달리 취급할 사정이 있더라도 그 범위에 대해서는 충분한 논의가 필요하다.

4. 주식매수선택권 행사기간의 추가 부여

주식매수선택권의 행사요건이 충족되었는지를 판단함에 있어서는 재임기간과 행사기간을 구분하여 살펴보아야 한다. 위의 "2. 비상장회사에 대한 재임기간 완화 규정의 준용 여부"와 "3. 비상장회사의 정관을 통한 재임기간 제한 완화의 여부"는 재임기간을 논의한 것으로서 강행규정이고 엄격하게 살펴보아야 한다. 그러나 재임기간을 충족하였다면, 그 다음에 행사기간을 정하는 것은 회사의 자율적인 결정사항이다. 하지만 행사기간이 너무 짧으면 주식매수선택권을 부여받은 임직원이 피해를 볼 수 있다.

상법은 상장회사가 주식매수선택권의 행사기한을 해당 이사·감사 또는 피용자의 퇴임일 또는 퇴직일로 정하는 경우에는 이들이 본인의 책임이 아닌 사유로 퇴임하거나 퇴직하였을 때에는 그 날부터 3개월 이상의 행사기간을 추가로 부여하도록 하고 있다(시행령 제30조 제7항). 상장회사의 주식매수선택권을 부여받은 자는 주식매수선택권을 부여하기로 결정한 주주총회 또는 이사회의 결의일부터

---

20) 원고는 비상장회사인 피고회사의 임직원인데 구조조정 방침에 따라서 피고회사를 퇴직하고 계열사로 이직한 것이고, 상법 제340조의4의 재직기간 요건은 임의규정이므로, 피고회사는 주식매수선택권계약에 따라서 주식을 지급할 의무가 있다고 하면서 소송을 제기한 사례이다. 대법원 2011.3.24. 2010다85027. 이 사건에 대한 자세한 내용은 김홍기, "2011년 상법 중요 판례 평석," 「법률신문」, 2012. 6. 7.자 참조. <https://m.lawtimes.co.kr/Content/Info?serial=64890>

2년 이상 재임하거나 재직하여야 주식매수선택권을 행사할 수 있지만(제542조의
3 제14호), 주식매수선택권의 행사기한을 해당 이사·감사 또는 피용자의 퇴임
일 또는 퇴직일로 정하는 경우에는 이들이 본인의 책임이 아닌 사유로 퇴임하거
나 퇴직하였을 때에는 그 날부터 3개월 이상의 행사기간을 추가로 부여하도록
한 것이다(시행령 제30조 제7항).

제 3 절   주주총회 소집공고 등

I. 주주총회 소집절차

1. 비상장회사의 주주총회 소집절차

주주총회의 소집절차는 주주의 이해관계에 관련되는 단체법상의 문제이므로
강행규정으로 보아야 하고, 1인주식회사와 같은 특별한 사정이 있거나 법률이
허용하는 경우 등을 제외하고는 다른 방법은 원칙적으로 허용되지 않는다.

상법은 비상장회사가 주주총회를 소집할 때에는 주주총회일의 2주 전에 각
주주에게 서면으로 통지를 발송하거나 각 주주의 동의를 받아서 전자문서로 통
지를 발송할 것을 요구하고 있다(제363조 제1항).

소규모의 회사에 대해서는 특례를 두고 있다. 즉, 자본금 총액이 10억원 미
만인 회사가 주주총회를 소집하는 경우에는 주주총회일의 10일 전에 각 주주에
게 서면으로 통지를 발송하거나 각 주주의 동의를 받아 전자문서로 통지를 발송
할 수 있다(동조 제3항).

자본금 총액이 10억원 미만인 회사는 주주 전원의 동의가 있을 경우에는 소
집절차 없이 주주총회를 개최할 수 있고, 서면에 의한 결의로써 주주총회의 결
의를 갈음할 수 있다(동조 제4항 전단).

2. 상장회사의 주주총회 소집절차

상장회사가 주주총회를 소집하는 경우에도 상법 제363조 제1항의 일반적인 주주총회 소집절차가 그대로 적용된다. 즉, 주주총회 소집을 위해서는 주주총회일의 2주 전에 각 주주에게 서면으로 통지를 발송하거나 각 주주의 동의를 받아서 전자문서로 통지를 발송하여야 한다(제363조 제1항). 다만, 상장회사의 경우에는 주주가 많은 것이 보통이므로 상법 제524조의4 제1항은 대통령령으로 정하는 수 이하의 주식을 소유하는 주주에게는 ① 정관으로 정하는 바에 따라 주주총회일의 2주 전에 주주총회를 소집하는 뜻과 회의의 목적사항을 둘 이상의 일간신문에 각각 2회 이상 공고하거나, ② 대통령령으로 정하는 바에 따라 전자적 방법으로 공고함으로써 제363조제1항의 소집통지를 갈음할 수 있도록 하고 있다.

가. 일간신문을 통한 주주총회의 소집공고

상장회사가 주주총회를 소집하는 경우 '의결권 있는 발행주식총수 100분의 1 이하의 주식'을 소유하는 주주에게는 정관으로 정하는 바에 따라 주주총회일의 2주 전에 주주총회를 소집하는 뜻과 회의의 목적사항을 둘 이상 '일간신문에 각각 2회 이상 공고'하거나 대통령령으로 정하는 바에 따라 전자적 방법으로 공고함으로써 상법 제363조 제1항의 소집통지를 갈음할 수 있다(제542조의4 제1항, 시행령 제31조 제1항). 상장회사의 경우에는 많은 소수주주가 있는데, 일일이 소집통지를 함으로써 발생하는 시간과 비용을 절약하기 위하여 '의결권 있는 발행주식총수 100분의 1 이하의 주식'을 소유하는 주주에게는 일간신문의 공고를 통해서 주주총회의 소집통지에 갈음할 수 있도록 한 것이다.

나. 전자적 방법을 통한 주주총회 소집통지

상장회사가 주주총회를 소집하는 경우 '의결권 있는 발행주식총수 100분의 1 이하의 주식'을 소유하는 주주에게는 위 '가'에서 살펴본 일간신문에 각각 2회 이상 공고하는 방법 외에도, '대통령령으로 정하는 바에 따라 전자적 방법으로 공고'[21]함으로써 상법 제363조 제1항의 소집통지를 갈음할 수 있다(제542조의4

제1항, 시행령 제31조 제1항).

상법 제542조의4 제1항에서 대통령령으로 정하는 전자적 방법은 "금융감독원 또는 자본시장법에 따라 허가받은 거래소가 운영하는 전자공시시스템"을 통한 주주총회 소집통지를 가리킨다(시행령 제31조 제2항, 제542조의4 제1항). 상장회사에는 많은 주주가 있는데 그 전부에게 일일이 주주총회의 소집을 통지하는 것은 시간과 비용면에서 부담이 크므로 금융감독원 등 신뢰성 있는 기관의 전자공시시스템을 통해서 주주총회 소집통지를 할 수 있도록 한 것이다.

전자적 방법으로 공고하는 경우에도 둘 이상의 일간신문에 공고하는 경우와 같이 정관에 정하여야 하는가? 주식회사가 공고하는 방법은 정관의 절대적 기재사항이고(제289조 제1항 제7호), 상법 제542조의4 제1항의 전자공고제도는 상장회사의 업무편의와 공지의 신속성을 위하여 도입된 것으로서 정관 정비를 전제로 하고 있으므로, '정관에 전자적 방법에 의한 공고 규정'이 있는 경우에만 주주총회 소집통지에 갈음할 수 있다고 볼 것이다.[22]

II. 이사·감사의 선임방법

1. 비상장회사의 이사·감사의 선임방법

"이사(director)"는 「이사회의 구성원으로서 회사의 업무집행에 관한 의사결정에 참여하고, 다른 이사의 업무집행을 감독할 권한을 가지는 자」이다.

이사는 3명 이상이어야 한다. 다만, 자본금 총액이 10억원 미만인 회사는 1명 또는 2명으로 할 수 있다(제383조 제1항).

이사 선임의 주체 및 정족수는 회사설립의 시점에 따라 차이가 있다. ① 발기설립 방식으로 설립하는 경우에는 '발기인'이 그 의결권의 과반수로 이사를 선임한다(제296조 제1항). ② 모집설립인 경우에는 '창립총회'가 선임하며, 출석한

---

21) 구 증권거래법상 상장회사는 대통령령이 정하는 수 이하의 주식을 소유하는 주주에 대하여는 정관이 정하는 바에 따라 총회일을 정하여 그 2주 전에 총회를 소집하는 뜻과 목적사항을 2 이상의 일간신문에 각각 2회 이상 공고함으로써 주주총회 소집통지에 갈음할 수 있었다(구 증권거래법 제191조의10 제1항). 이 규정이 상법으로 옮겨지면서 일간신문에 공고하는 방법에 더하여 전자적 공고방법이 추가되었다.

22) 서울고등법원 2011.6.15. 2010나120489[주총결의취소청구].

주식인수인의 의결권의 3분의 2 이상이며 인수된 주식총수의 과반수로 이사를
선임한다(제309조). ③ 한편 회사가 설립된 이후에는 '주주총회'가 이사를 선임하
며, 출석주주 의결권의 과반수와 발행주식총수 4분의 1 이상의 찬성으로 이사를
선임한다(제368조 제1항).

이사는 집중투표제를 채택하지 않는 한 단순투표방식에 따라서 선임한다.

이사의 선임은 조직 외부에 있는 자를 새롭게 조직에 편입시키는 행위이므로
회사의 내부결정인 주주총회 선임결의와는 별도로 임용계약의 체결이 필요하다
는 견해(임용계약필요설23))도 있으나, 판례는 "주주총회에서 이사나 감사를 선임
하는 경우, 선임결의와 피선임자의 승낙만 있으면, 피선임자는 대표이사와 별도
의 임용계약을 체결하였는지와 관계없이 이사나 감사의 지위를 취득한다."(임용
계약 불요설)24)고 한다.

감사는 주주총회에서 선임한다(제409조 제1항). 그 숫자는 제한이 없으므로 1
명 이상이면 되고, 이사의 선임에 관한 절차가 준용된다(제415조).

2. 상장회사의 이사·감사의 선임방법

가. 이사·감사 후보자의 성명, 추천인 등을 통지·공고

비상장회사의 주주총회 소집통지서에는 이사 선임의 안건 및 선임되는 이사
의 숫자 정도로 '주주총회의 목적사항'을 기재하면 충분하고(제363조 제2항), 소
집통지 단계에서 선임할 이사 후보를 사내이사·사외이사·기타 비상무이사로
구분하여 통지할 의무는 없다.25)

상장회사가 이사·감사의 선임에 관한 사항을 목적으로 하는 주주총회를 소
집통지 또는 공고하는 경우에는 이사·감사 후보자의 성명, 약력, 추천인, 그 밖
에 '대통령령으로 정하는 후보자에 관한 사항'을 통지하거나 공고하여야 한다(제

---

23) 권재열, "이사·감사 선임을 위한 임용계약의 요부 - 대판 2017.3.23., 2016다251215(전
합) -,"「법조」통권 제723호(법조협회, 2017. 6.), 908, 928면; 김성탁, "주식회사 이사의
임기에 관한 상법 제383조 제2항 및 제3항의 법리와 그 운영상의 법적 쟁점,"「인권과 정
의」통권 421호(대한변호사협회, 2011), 125~126면.
24) 대법원 2017.3.23. 2016다251215(전합).
25) 서울고등법원 2010.11.15. 자 2010라1065. 다만, 비상장회사에서도 정관변경이나 자본금감
소, 회사합병 등 특별결의사항을 다룰 주주총회를 소집할 때에는 의안의 요령을 기재하여야
한다(제433조 제2항, 제438조 제2항, 제522조 제2항).

542조의4 제2항). 상법 제542조의4 제2항에서 "그 밖에 대통령령으로 정하는 후보자에 관한 사항"이란 ① 후보자와 최대주주와의 관계, ② 후보자와 해당 회사와의 최근 3년간의 거래내역, ③ 주주총회 개최일 기준 최근 5년 이내에 후보자가 「국세징수법」 또는 「지방세징수법」에 따른 체납처분을 받은 사실이 있는지 여부, ④ 주주총회 개최일 기준 최근 5년 이내에 후보자가 임원으로 재직한 기업이 「채무자 회생 및 파산에 관한 법률」에 따른 회생절차 또는 파산절차를 진행한 사실이 있는지 여부, ⑤ 법령에서 정한 취업제한 사유 등 이사·감사 결격 사유의 유무를 말한다(시행령 제31조 제3항).

구 증권거래법은 이사후보자의 성명 등만을 기재하도록 요구하고 있었으나(구 증권거래법 제191조의10 제2항), 상법 제542조의4 제2항은 감사후보자의 성명 등도 기재하도록 요구하고 있다. 누가 감사가 되느냐는 주주들의 이해관계가 걸려 있는 중대한 문제이므로 이사 선임과 같은 절차를 요구하는 것이다.

위의 내용은 소수주주가 주주제안의 형식으로 이사·감사 후보자를 추천하는 경우에도 동일하게 적용된다.[26] 다만, 해석상의 다툼을 피하기 위해서는 주주제안권(제363조의2)의 행사에 의한 주주총회 소집공고·통지 시에도 적용된다고 명백히 규정할 필요가 있다.

나. 통지·공고된 후보자 중에서 이사 또는 감사의 선임

상장회사가 주주총회에서 이사 또는 감사를 선임하려는 경우에는 제542조의4 제2항에 따라 통지하거나 공고한 후보자 중에서 선임하여야 한다(제542조의5). 이사회(사외이사후보를 사외이사후보추천위원회의 추천을 받아 선임하여야 하는 회사에 있어서는 그 추천위원회)가 사전에 아무런 통지 없이 총회 회의장에서 이사 또는 감사 후보자를 추천하면, 주주들로서는 짧은 시간에 그 후보자가 적임자인지의 여부를 판단하기가 어렵기 때문이다.[27]

---

26) 정찬형, 전게 주석서, 538면.
27) 김교창, "상장회사의 특례에 관한 2009년 개정상법의 논점," 「인권과 정의」 제396호(대한변호사협회, 2009. 8.), 64~65면.

3. 주주총회 소집절차 위반의 효과

상장회사가 이사·감사의 선임을 위한 주주총회 소집통지 또는 공고절차를 위반한 경우 그 효력이 문제가 된다. 이에 대해서는 상황에 따라서 살펴볼 필요가 있다.

가. 이사·감사 후보자의 통지·공고를 누락한 경우

상장회사는 주주총회를 소집할 때에 그 통지 또는 공고에 이사 또는 감사 후보자의 성명 등을 기재하여야 한다(제542조의4 제2항). 만일 주주총회의 소집통지 또는 공고에서 이사 또는 감사 후보자의 성명 등이 기재되지 아니한 채 주주총회가 소집되고 이사·감사가 선임되었다면 그러한 주주총회결의는 하자있는 결의가 되며 주총결의취소사유에 해당한다.

나. 이사·감사 후보자의 성명 등을 통지·공고하였으나 사망 등 개인적 사정으로 선임할 수 없게 된 경우

상장회사가 주주총회를 소집할 때에 이사·감사 후보자(甲)의 성명, 약력 등을 통지하였으나, 이사·감사 후보자(甲)의 사망, 신병 등 개인적인 사정으로 선임할 수 없게 될 수 있다. 이에 대해서는 상황에 따라서 살펴볼 필요가 있다.

먼저 총회 하루 전이라도 주주들이 받아볼 수 있도록 다른 후보자(乙)의 성명을 통지 또는 공고하고 이러한 후보자(乙)가 주주총회에서 선임된 경우에는 그 절차상의 하자에도 불구하고 주주총회결의를 취소하기는 어려울 것이다. 절차상의 하자가 있다고 하여서 모든 경우에 취소할 수 있다고 해석한다면, 회사는 후일 임시주주총회를 새로이 소집하여 다른 후보자(乙)를 이사·감사로 선임할 수밖에 없는데, 불필요하게 시일과 경비가 소요되고 회사의 업무집행에도 공백이 생길 수 있기 때문이다. 이러한 상황에서는 하자가 있다고 하더라도 법원은 주주총회 결의취소 청구를 재량기각할 가능성이 높다(제379조). 사전통지한 후보자들의 사정으로 부득이하게 다른 후보자를 선임한 점, 늦게라도 후보자의 성명 등을 통지 또는 공고하여 주주에게 적정한 판단을 할 시간을 준 것이 참작될 것이기 때문이다.

총회일에 임박하여 이사 후보자(甲)의 사정으로 선임할 수 없게 되는 경우에는 다른 후보자를 선정하여 통지하거나 공고할 시간이 없다. 그렇지만 이러한 경우에도 무조건 주주총회 소집통지 및 공고절차를 다시 거칠 것을 요구하는 것은 바람직하지 않고 주주의 이익에도 부합하지 않을 수 있다. 회사는 업무 공백이 생기지 않도록 총회 당일 주주들로부터 다른 후보자를 추천받아 이사·감사를 선임하는 것이 바람직하다. 이 경우 선임절차가 법률에 위반되었다는 이유로 주주총회 결의취소의 소가 제기될 수 있는데, 법원은 그 결의 내용 등 제반사정을 참작하여 결의취소사유에 해당한다고 판단할 수도 있고, 재량으로 청구를 기각할 수도 있을 것이다(제379조).[28]

다. 소집절차는 적법하였으나, 주주총회에서 이사 후보자의 선임의안을 부결시키고 다른 이사 등을 선임한 경우

상장회사가 주주총회에서 이사 또는 감사를 선임하는 경우에는 상법 제542조의4 제2항에 따라 통지하거나 공고한 후보자 중에서 선임하여야 한다(제542조의5). 그런데 소집통지 또는 공고된 이사후보자 등의 선임의안이 주주총회에서 부결된 경우에, 주주총회는 통지하거나 공고되지 않은 다른 자를 이사·감사로 선임할 수 있는가?

이와 관련해서는 주주총회장에서 이사나 감사 후보 등의 추천을 허용한다면 주주들의 총회준비를 위한 기회가 박탈되고 악용될 소지도 있어서 엄격히 해석해야 한다는 견해[29]가 있다. 그러나 상법 제542조의4, 제542조의5는 주주들의 의결권행사가 적절하게 이루어지도록 하려는 규정이지, 통지 또는 공고한 이사후보자 외에는 다른 이사나 감사 등을 선임할 수 없다는 내용은 아니다. 지나치게 엄격하게 해석하면 이사 등의 선임권한을 주주총회에서 박탈하는 결과를 가져오기 때문이다.[30] 따라서 주주총회 자리에서는 다른 이사나 감사후보자가 추천될 수 있고, 주주총회는 이들을 이사 또는 감사로 선임할 수 있다고 해석할

---

28) 김교창, 전게논문, 65~66면.
29) 김재범, "2009년 개정상법(회사편)의 문제점," 「법학논총」 제33집(경북대학교 법학연구소, 2010. 6.), 118면.
30) 이러한 측면을 우려하여 동규정은 신설하지 않거나, 신설하는 경우에도 회사 측만을 구속하는 편면적 규정으로 규정하였어야 하며, 입법론적으로는 소집통지, 공고된 후보자 중에서 선임하여야 한다는 규정은 삭제하는 것이 바람직하다는 견해가 있다. 최문희, "2009년 개정 상장회사 특례규정의 검토," 「BFL」 제35호(서울대학교 금융법센터, 2009. 5.), 114~115면.

것이다.[31]

Ⅲ. 사외이사의 활동내역과 보수 등의 공시

1. 주주총회 소집 시 통지 또는 공고할 사항

상장회사가 주주총회 소집의 통지 또는 공고를 하는 경우에는 사외이사 등의 활동내역과 보수에 관한 사항 등을 통지 또는 공고하여야 한다(제542조의4 제3항 본문, 시행령 제31조 제4항). 그 통지 또는 공고할 내용은 다음과 같다.

1. 사외이사 등의 활동내역과 보수에 관한 사항(제542조의4 제3항)

2. 사외이사, 그 밖에 해당 회사의 상무에 종사하지 아니하는 이사의 이사회 출석률, 이사회 의안에 대한 찬반 여부 등 활동내역과 보수에 관한 사항 (제542조의4 제3항, 시행령 제31조 제4항 제1호)

3. 상법 제542조의9(주요주주 등 이해관계자와의 거래) 제3항 각호에 따른 거래내역(제542조의4 제3항, 시행령 제31조 제4항 제2호)[32]

---

31) 김교창, 전게논문, 66면; 이러한 때를 대비하여 예외적인 상황에서는 통지되지 않은 후보자 중에서도 선임할 수 있도록 하여야 한다는 취지의 규정을 두어야 한다는 의견도 있다. 최준선, "상법상 상장회사법규의 개선방향," 「성균관법학」 제23권 제2호(성균관대 법학연구소, 2011. 8.), 332~333면.

32) 상법 제542조의9(주요주주 등 이해관계자와의 거래) ③ 자산 규모 등을 고려하여 대통령령으로 정하는 상장회사는 최대주주, 그의 특수관계인 및 그 상장회사의 특수관계인으로서 대통령령으로 정하는 자를 상대방으로 하거나 그를 위하여 다음 각 호의 어느 하나에 해당하는 거래(제1항에 따라 금지되는 거래는 제외한다)를 하려는 경우에는 이사회의 승인을 받아야 한다.
  1. 단일 거래규모가 자산총액 또는 매출총액을 기준으로 다음 각 호의 구분에 따른 규모 이상인 거래
    (1) 최근 사업연도 말 현재의 자산총액이 2조원 이상인 상장회사가 「금융위원회의 설치 등에 관한 법률」 제38조에 따른 검사 대상 기관인 경우: 해당 회사의 최근 사업연도 말 현재의 자산총액의 100분의 1
    (2) 최근 사업연도 말 현재의 자산총액이 2조원 이상인 상장회사가 「금융위원회의 설치 등에 관한 법률」 제38조에 따른 검사 대상 기관이 아닌 경우: 해당 회사의 최근 사업연도 말 현재의 자산총액 또는 매출총액의 100분의 1
  2. 해당 사업연도 중에 특정인과의 해당 거래를 포함한 거래총액이 다음 각 호의 구분에 따른 규모 이상이 되는 경우의 해당 거래
    (1) 최근 사업연도 말 현재의 자산총액이 2조원 이상인 상장회사가 「금융위원회의 설치 등에 관한 법률」 제38조에 따른 검사 대상 기관인 경우: 해당 회사의 최근 사업연도

4. 영업 현황 등 사업개요와 주주총회의 목적사항별로 금융위원회가 정하는
   방법에 따라 작성한 참고서류(제542조의4 제3항, 시행령 제31조 제4항 제3호)
5. 자본시장법 제159조에 따른 사업보고서 및 주식회사등의 외부감사에 관한
   법률 제23조제1항 본문에 따른 감사보고서(이 경우 해당 보고서는 주주총회
   개최 1주 전까지 전자문서로 발송하거나 회사의 홈페이지에 게재하는 것으로
   갈음할 수 있다)(제542조의4 제3항, 시행령 제31조 제4항 제4호)

상법 제542조의4 제3항 본문은 주주총회의 목적사항에 관계없이 상장회사가
주주총회 소집의 통지 또는 공고를 하는 모든 경우에 사외이사 등의 활동내역과
보수에 관한 사항, 사업개요 등을 통지 또는 공고하도록 하고 있다. 그러나 모
든 경우에 사외이사의 활동내역, 사업개요 등을 통지·공고하도록 하는 것이 타
당한지는 의문이다.[33]

2. 홈페이지 게재 등을 통한 열람

위와 같이 상장회사가 주주총회 소집의 통지 또는 공고를 하는 경우에는 사
외이사 등의 활동내역과 보수 등을 통지 또는 공고하여야 한다. 다만, 상장회사
가 그 사항을 '대통령령으로 정하는 방법'으로 일반인이 열람할 수 있도록 하는
경우에는 그러하지 아니하다(제542조의4 제3항 단서).

상법 제542조의4 제3항 단서에서 "대통령령으로 정하는 방법"이란 통지 또
는 공고하여야 하는 서류를 ① 회사의 인터넷 홈페이지에 게재하고, ② 상장회
사의 본점 및 지점, 명의개서대행회사, 금융위원회, 거래소에 갖추어 두어 일반
인이 열람할 수 있도록 하는 방법을 말한다(시행령 제31조 제5항).

말 현재의 자산총액의 100분의 5
 (2) 최근 사업연도 말 현재의 자산총액이 2조원 이상인 상장회사가 「금융위원회의 설치
   등에 관한 법률」 제38조에 따른 검사 대상 기관이 아닌 경우: 해당 회사의 최근 사
   업연도 말 현재의 자산총액 또는 매출총액의 100분의 5
33) 사외이사에 대한 통제가 지나치다는 주장이 있다. "이사회 의안에 대한 찬반 여부"는 사외
   이사에게 커다란 압력으로 작용하여 사외이사의 소신 있고 합리적인 의사결정을 방해하는
   요인이 될 수 있고, "보수에 관한 사항"은 보수의 격차가 사외이사의 의욕 저하로 연결되는
   등 부작용을 초래할 소지가 있다고 한다. 최준선, 전게논문, 331~332면; 비슷한 취지의 주
   장으로는 송양호, "상장회사 특례 규정 및 동시행령에 관한 검토 및 개선방안," 「기업법연
   구」 제26권 제1호(한국기업법학회, 2012. 3.), 155~156면.

제4절 소주주주권에 관한 특례

I. 주주총회 소집청구권, 검사인 선임청구권

1. 6개월의 주식보유기간

6개월 전부터 계속하여 상장회사 발행주식총수의 1천분의 15 이상에 해당하는 주식을 보유한 자는 상법 제366조(소수주주에 의한 소집청구, 제542조에서 준용하는 경우를 포함한다) 및 상법 제467조(회사의 업무, 재산상태의 검사)에 따른 주주의 권리를 행사할 수 있다(제542조의6 제1항).

비상장회사의 경우에 주주총회를 소집할 수 있는 소수주주는 '발행주식총수의 100분의 3 이상'에 해당하는 '주식을 가진' 주주인데(제366조 제1항), 상장회사의 경우에는 '6개월 전부터 계속하여' '발행주식총수의 1천분의 15 이상'에 해당하는 '주식을 보유'한 자이다. 즉, 상장회사의 주주가 주주총회의 소집을 청구하거나 회사의 업무나 재산상태의 검사를 청구함에 있어서는 주식보유비율은 100분의 3 이상에서 1천분의 15 이상으로 완화하고 그 대신 남용을 방지하기 위하여 6개월의 보유기간이 새로이 추가되었다.

상장회사는 정관에서 상법 제542조의6 제1항부터 제6항까지 규정된 것보다 단기의 주식보유기간을 정하거나 낮은 주식보유비율을 정할 수 있다(제542조의6 제8항).

2. 발행주식총수의 1천분의 15 이상의 주식의 보유

상법 제542조의6 제1항은 '발행주식총수의 1천분의 15 이상'에 해당하는 주식을 보유한 자의 주주총회 소집청구 등을 인정하고 있는데, 의결권 없는 주식을 발행주식총수에 포함할 것인지가 문제된다.

연혁적으로 상법 제542조의6 제1항은 구 증권거래법상 상장회사의 지배구조에 관한 규정을 상법으로 이관하면서 구 증권거래법 제191조의13 제5항 후단[34]

의 "이 경우 「상법」 제366조에서 규정하는 주주의 권리를 행사할 때에는 의결권 있는 주식을 기준으로 한다."는 문구를 삭제한 것인데, 후단의 문구를 삭제한 이유가 의결권 없는 주식을 제외하고 의결권 있는 주식만으로 1천분의 15를 산정하는 것이 당연하기 때문인지, 아니면 의결권 없는 주식을 포함하여 전체 발행주식총수를 기준으로 1천분의 15를 산정하기 위한 것인지지가 분명하지 않다.

상법 제542조의6 제2항의 주주제안권을 비롯한 다른 소수주주권에서는 의결권 없는 주식을 제외한 발행주식총수를 기준으로 하고자 할 때에는 "의결권 없는 주식을 제외한 발행주식총수의 (00분의 0)"이라는 문구를 명시적으로 사용하고 있고, 원래 존재하던 "이 경우 「상법」 제366조에서 규정하는 주주의 권리를 행사할 때에는 의결권 있는 주식을 기준으로 한다."(구 증권거래법 제191조의13 제5항 후단)는 문구를 삭제하였다는 것은 전체 발행주식총수를 기준으로 산정하겠다는 취지로 해석해야 하므로, 명시적인 제외 규정이 없는 상법 제542조의6 제1항의 "발행주식총수"는 문리해석의 원칙상 '의결권 없는 주식을 포함한 전체 발행주식총수의 1천분의 15 이상'을 의미한다고 읽어야 할 것이다. 입법론으로는 의결권이 없거나 행사할 수 없는 주식을 소수주주권 행사 시 발행주식총수에 포함시킬 것인지에 대해서는 상법의 전반적인 검토가 필요하다.

상법 제542조의6 제1항부터 제6항까지 및 상법 제542조의7 제2항에서 "주식을 보유한 자"란 주식을 소유한 자, 주주권 행사에 관한 위임을 받은 자, 2명 이상 주주의 주주권을 공동으로 행사하는 자를 말한다(제542조의6 제9항).

Ⅱ. 주주제안권

6개월 전부터 계속하여 상장회사의 의결권 없는 주식을 제외한 발행주식총수의 1천분의 10(최근 사업연도 말 현재의 자본금이 1천억원 이상인 상장회사의 경우에는 1천분의 5) 이상에 해당하는 주식을 보유한 자는 상법 제363조의2(주주제안

---

34) "6월 전부터 계속하여 주권상장법인 또는 코스닥상장법인의 발행주식총수의 1천분의 30(대통령령이 정하는 법인의 경우에는 1천분의 15) 이상에 해당하는 주식을 대통령령이 정하는 바에 의하여 보유한 자는 「상법」 제366조 및 제467조에서 규정하는 주주의 권리를 행사할 수 있다. 이 경우 「상법」 제366조에서 규정하는 주주의 권리를 행사할 때에는 의결권 있는 주식을 기준으로 한다."(구 증권거래법 제191조의13 제5항).

권, 제542조에서 준용하는 경우를 포함한다)에 따른 주주의 권리를 행사할 수 있다 (제542조의6 제2항, 시행령 제32조).

비상장회사의 경우에 주주제안권을 행사할 수 있는 소수주주의 주식보유비율은 의결권 없는 주식을 제외한 발행주식총수의 100분의 3 이상인데(제363조의2 제1항), 상장회사의 경우에는 '6개월 전'부터 계속하여 상장회사의 '의결권 없는 주식을 제외한 발행주식총수의 1천분의 10'(최근 사업연도말 자본금이 1천억원 이상인 상장회사는 1천분의 5) 이상을 보유하여야 한다. 주식보유비율은 100분의 3 이상에서 1천분의 10 이상(최근 사업연도말 자본금이 1천억원 이상인 상장회사는 1천분의 5)으로 완화하는 대신에, 권한의 남용을 방지하기 위하여 6개월의 보유기간을 추가한 것이다.

Ⅲ. 이사·감사·청산인의 해임청구권

6개월 전부터 계속하여 상장회사 발행주식총수의 1만분의 50(최근 사업연도말 현재의 자본금이 1천억원 이상인 상장회사의 경우에는 1만분의 25) 이상에 해당하는 주식을 보유한 자는 상법 제385조(해임, 제415조에서 준용하는 경우를 포함한다) 및 상법 제539조(청산인의 해임)에 따른 주주의 권리를 행사할 수 있다(제542조의6 제3항, 시행령 제32조).

비상장회사의 경우에는 법원에 이사·감사·청산인의 해임을 청구할 수 있는 소수주주의 주식보유비율은 발행주식총수의 100분의 3 이상인데(제385조 제2항, 제415조, 제539조 제2항), 상장회사의 경우에는 '6개월 전'부터 계속하여 '발행주식총수의 1만분의 50'(최근 사업연도말 현재의 자본금이 1천억원 이상인 상장회사는 1만분의 25) 이상을 보유하여야 한다(제542조의6 제3항, 시행령 제32조). 주식보유비율은 100분의 3 이상에서 1만분의 50 이상(최근 사업연도말 자본금이 1천억원 이상인 상장회사의 경우에는 1만분의 25)으로 완화하는 대신에, 권한의 남용을 방지하기 위하여 6개월의 보유기간을 추가하고 있다.

IV. 회계장부 열람청구권

6개월 전부터 계속하여 상장회사 발행주식총수의 1만분의 10(최근 사업연도말 현재의 자본금이 1천억원 이상인 상장회사의 경우에는 1만분의 5) 이상에 해당하는 주식을 보유한 자는 상법 제466조(주주의 회계장부열람권, 제542조에서 준용하는 경우를 포함한다)에 따른 주주의 권리를 행사할 수 있다(제542조의6 제4항, 시행령 제32조).

비상장회사의 경우에는 회계장부 열람청구권을 행사할 수 있는 소수주주의 주식보유비율은 발행주식총수의 100분의 3 이상인데(제466조 제1항), 상장회사의 경우에는 '6개월 전'부터 계속하여 '발행주식총수의 1만분의 10'(최근 사업연도말 자본금이 1천억원 이상인 상장회사는 1만분의 5) 이상에 해당하는 주식의 보유가 요건이다(제542조의6 제4항, 시행령 제32조).

V. 이사의 위법행위에 대한 유지청구권

6개월 전부터 계속하여 상장회사 발행주식총수의 10만분의 50(최근 사업연도말 현재의 자본금이 1천억원 이상인 상장회사의 경우에는 10만분의 25) 이상에 해당하는 주식을 보유한 자는 상법 제402조(유지청구권, 제408조의9 및 제542조에서 준용하는 경우를 포함한다)에 따른 주주의 권리를 행사할 수 있다(제542조의6 제5항, 시행령 제32조).

비상장회사의 경우에는 이사의 위법행위에 대하여 유지청구권을 행사할 수 있는 소수주주의 주식보유비율은 발행주식총수의 100분의 1 이상인데(제402조), 상장회사의 경우에는 '6개월 전'부터 계속하여 '발행주식총수의 10만분의 50'(최근 사업연도말 자본금이 1천억원 이상인 상장회사는 10만분의 25) 이상에 해당하는 주식의 보유가 요건이다(제542조의6 제5항, 시행령 제32조).

VI. 대표소송권

6개월 전부터 계속하여 상장회사 발행주식총수의 1만분의 1 이상에 해당하는 주식을 보유한 자는 상법 제403조(제324조, 제408조의9, 제415조, 제424조의2, 제467조의2 및 제542조에서 준용하는 경우를 포함한다)에 따른 주주의 권리를 행사할 수 있다(제542조의6 제6항).

비상장회사의 경우에는 이사 등에 대하여 대표소송을 제기할 수 있는 소수주주의 주식보유비율은 발행주식총수의 100분의 1 이상인데(제403조 제1항, 제324조, 제415조, 제424조의2, 제467조의2, 제542조), 상장회사의 경우에는 '6개월 전'부터 계속하여 '발행주식총수의 1만분의 1' 이상에 해당하는 주식을 보유하도록 하고 있다(제542조의6 제6항).

대표소송을 제기하는 상장법인의 소수주주들은 제소 시에 그들의 보유주식수 합계가 6월 전부터 계속하여 발행주식총수의 1만분의 1 이상이면 제소 후 보유주식수가 그 이하로 감소한 경우에도 제소의 효력에는 영향이 없다. 다만, 발행주식을 보유하지 아니하게 된 경우는 제외한다(제403조 제5항).[35]

VII. 기 타

1. 상장회사 특례규정과 일반규정의 적용순위

상장회사의 주주는 비상장회사에 적용되는 상법 제366조(소수주주에 의한 소집청구) 등과 상장회사에 대한 특례규정인 상법 제542조의6(소수주주권) 중 어느 하나의 요건만 갖추면 소수주주권을 행사할 수 있는가?[36]

2020. 12. 상법개정 전까지는 상법 제542조의2 제2항의 "이 절은 이 장 다

---

35) 서울고등법원 2011.6.16. 2010나70751[손해배상].
36) 이 내용은 비상장회사에 적용되는 상법 제363조의2(주주제안권), 제385조(해임), 제466조(주주의 회계장부열람권), 제402조(유지청구권), 제403조(주주의 대표소송)와 상장회사에 대한 특례규정인 상법 제542조의6 간의 관계에서도 동일하게 적용된다.

른 절에 우선하여 적용한다."는 문구와 관련하여 제13절의 상장회사의 특례규정이 상법 제3편 회사편 일반조항의 특칙인지, 선택적 규정인지가 논란이 많았고 실제 하급심 판례도 '선택적적용설'[37][38]과 '특칙설'[39]로 나뉘어 있어서 실무상 혼란스러운 면이 많았다.

2020. 12. 개정상법 제542조의6 제10항은 "제1항부터 제7항까지는 제542조의2제2항에도 불구하고 이 장의 다른 절에 따른 소수주주권의 행사에 영향을 미치지 아니한다."고 규정하여, 상장회사의 주주는 상장회사 특례규정에 따른 소수주주권 행사요건과 일반규정에 따른 소수주주권 행사요건을 선택적으로 주장할 수 있음을 분명히 하였다. 따라서 상장회사의 주주라고 하더라도 비상장회사의 소수주주권 행사요건을 갖추었다면 상장회사 특례규정을 적용하여 굳이 6개월의 보유기간이 요구되지 않는다.

2. 보유의 개념

비상장회사에 적용되는 상법 제363조의2 주주제안권, 상법 제366조의 소수주주에 의한 소집청구 등에서는 '주식을 가진'이라는 문구를 사용하는데, 상법 제542조의6에 규정된 상장회사의 소수주주권 행사요건을 살펴보면 '주식을 보유한 자'로 규정하고 있어서 서로 다른 문구를 사용하고 있음을 알 수 있다.

그렇다면 상법 제363조의2 주주제안권 등에서 사용하는 '주식을 가진'이라는 문구와 상법 제542조의6에서 사용하는 '주식을 보유한 자'라는 문구에는 어떠한

---

37) "상법 제542조의6 제1항은 상법 제366조의 적용을 배제하는 특별규정에 해당한다고 볼 수 없고, 상장회사의 주주는 상법 제542조의6 제1항이 정하는 6개월의 보유기간 요건을 갖추지 못한 경우라 할지라도 상법 제366조의 요건을 갖추고 있으면 그에 기하여 주주총회소집청구권을 행사할 수 있다." 서울고법 2011.4.1. 자 2011라123 주총소집허가신청서.

38) "상장회사 주주가 상법 제542조의6 제1항이 정하는 6개월의 보유기간 요건을 갖추지 못한 경우에도 상법 제366조에 따른 주주총회소집청구권을 행사할 수 있는지 여부(적극)" 서울중앙지판 2012.10.5., 2011가합80239,105169 참조.

39) 서울중앙지방법원은 2015. 7. 엘리엇이 삼성물산을 상대로 제기한 유지청구에 대한 결정에서 "상법 제542조의2 제2항은 "이 절은 이 장 다른 절에 우선하여 적용한다"고 규정하고 있다. … "선택적 적용을 하고자 하였다면 굳이 위 조항을 신설할 필요가 없었다고 보이는 바, 위 조항은 개별 특례조항에서 선택적 적용을 긍정하고 있지 않은 한 원칙적으로 선택적 적용을 부정하면서 특례조항이 일반조항에 우선하여 적용된다는 취지의 조항으로 봄이 타당하다."고 하면서, 특칙설의 입장을 취하였다. 서울중앙지결 2015.7.1., 2015카합80582 결의금지등 가처분.

차이가 있는가? 상법 제542조의6에서는 보유에 대해서 명시적인 정의 규정을 두
고 있지 않아서 분명하지 않으나,[40] 상장회사 특례규정에서 '주식의 보유'의 개
념을 별도로 규정한 취지를 고려하면, 상법 제363조의2 주주제안권 등에서 사용
하는 '주식을 가진'은 원칙적으로 주식의 소유를 의미하고, 상법 제542조의6에서
사용되는 주식의 보유는 소유 외에도 위임장 취득, 공동행사를 포괄하는 개념으
로 볼 것이다. 자본시장법은 주식의 보유의 개념을 명시적으로 규정하고 있어서
혼란이 없는데(자본시장법 제133조 제3항, 동법시행령 제142조), 상법도 자본시장법
에서처럼 명시적인 보유의 개념을 정의할 필요가 있다.

3. 소수주주권 행사요건의 통일 필요성

비상장회사에 비교하여 상장회사의 주식은 널리 분산되어 있으므로 소수주주
권의 행사에 요구되는 주식비율을 낮춘 것은 타당하다. 그러나 명확한 기준이
없이 소수주주권의 종류에 따라서 행사요건을 지나치게 세분화하여 그 의미를
알기 어렵다. 지나치게 세분화된 지분요건을 몇 가지로 정리하여 요건을 간소화
하고 지분율이 적정한지를 검토할 필요가 있다.[41]

---

40) 상장회사의 사외이사의 결격사유와 관련하여 상법시행령 제34조 제5항 제5호는 "해당 상장
   회사의 발행주식총수의 100분의 1 이상에 해당하는 주식을 '보유(자본시장법 제133조 제3
   항에 따른 보유를 말한다)'하고 있는 자(제5호)"로 규정하면서, "보유"란 자본시장법 제133
   조 제3항에 따른 보유을 의미한다고 규정하고 있다.
41) 비슷한 취지의 주장으로는 김건식·최문희, 전게논문, 105~106면; 최준선, 전게논문, 33
   5~336면; 김교창, 전게논문, 68면; 임재연, "상장회사 특례규정에 관한 상법개정시안 검
   토,"「인권과 정의」제373호(대한변호사협회, 2007. 9.), 132면; 정찬형, "2009년 개정상법
   중 상장회사에 대한 특례규정에 관한 의견,"「상사법연구」제28권 제1호(한국상사법학회,
   2009), 288면; 이철송,「회사법강의」제29판(박영사, 2021), 315면 등 참조.

제 5 절 집중투표에 관한 특례

I. 집중투표 청구기간의 특례

상장회사에 대하여 상법 제382조의2에 따라 집중투표의 방법으로 이사를 선임할 것을 청구하는 경우에는 주주총회일(정기주주총회의 경우에는 직전 연도의 정기주주총회일에 해당하는 그 해의 해당일) 6주 전까지 서면 또는 전자문서로 회사에 청구하여야 한다(제542조의7 제1항).

비상장회사의 경우에는 소수주주가 집중투표의 방법으로 이사를 선임할 것을 주주총회일의 7일 전까지 서면 또는 전자문서로 하여야 하는데(제382조의2 제2항), 상장회사의 경우에 이 시점은 이미 주주총회의 통지, 공고 및 위임장 교부가 종료한 이후이고 주주들이 서면표결을 진행하고 있는 도중으로서, 회사로서는 집중투표 청구가 있는 경우에 처리 방법이 마땅치 않았다. 따라서 상장회사의 경우에는 '주주총회 6주 전까지'는 집중투표를 청구하도록 하여 회사가 주주총회 소집 통지, 공고문과 위임장 용지를 작성함에 있어서 이를 반영하여 준비할 수 있도록 하였다(제542조의7 제1항).

상장회사의 경우에 '주주총회 6주 전까지' 서면 또는 전자문서로 집중투표의 방법으로 이사를 선임할 것을 청구하더라도 이는 총회일자가 미리 정해진 정기주주총회에서만 의미가 있다. 회사가 주주총회를 소집할 때에는 주주총회일의 2주 전에 서면으로 통지를 발송하거나 각 주주의 동의를 받아서 전자문서로 발송하여야 하고(제363조 제1항) 주주는 이러한 통지를 통해서 주주총회의 목적사항을 알 수 있는데, 회사 사정에 밝지 않은 소수주주가 임시주주총회의 개최사실과 그 목적을 미리 알고서, 주주총회일의 6주 전까지 집중투표의 방법으로 이사선임을 청구하는 것을 상정하기가 어렵기 때문이다. 소수주주의 집중투표청구가 임시주주총회에서도 의미를 가지려면 상장회사의 주주총회 소집통지기간과 상충되지 않도록 집중투표 청구기간을 규정하여야 할 것이다.[42]

---

42) 동지: 정찬형, 전게논문, 288면; 최준선, 전게논문, 336~337면.

Ⅱ. 집중투표 청구비율의 특례

최근 사업연도 말 현재의 자산총액이 2조원 이상인 상장회사의 의결권 없는 주식을 제외한 발행주식총수의 100분의 1 이상에 해당하는 주식을 보유한 자는 상법 제382조의2에 따라 집중투표의 방법으로 이사를 선임할 것을 청구할 수 있다(제542조의7 제2항, 시행령 제33조).

비상장회사의 경우 집중투표를 청구할 수 있는 소수주주의 주식보유비율은 의결권 없는 주식을 제외한 발행주식총수의 100분의 3 이상인데(제382조의2 제1항), 자산총액이 2조원 이상인 상장회사인 경우에는 그 비율을 의결권 없는 주식을 제외한 발행주식총수의 100분의 1 이상으로 완화하고 있다(제542조의7 제2항, 시행령 제33조).

상법 제542조의7은 소수주주에 의한 총회소집청구(제542조의6 제1항), 주주제안권(542조의6 제2항) 등 다른 소수주주권 규정들과는 달리 6개월의 보유기간 요건을 두고 있지 않다. 즉, 자산총액 2조원 이상인 상장회사의 소수주주가 의결권 없는 주식을 제외한 발행주식총수의 100분의 1 이상의 주식을 보유하였다면, 그 보유기간에 관계없이 집중투표의 방법으로 이사의 선임을 청구할 수 있다(제542조의7 제2항). 행사시점 당일에 이 지분을 갖추어도 무방하다.[43] 소수주주의 이사 선임에 대한 의결권 행사가 실질적인 의미를 가질 수 있도록 보유기간 규정을 두지 않은 것이다.

Ⅲ. 집중투표 배제를 위한 정관변경절차의 특례

최근 사업연도 말 현재의 자산총액이 2조원 이상인 상장회사가 정관으로 집중투표를 배제하거나 그 배제된 정관을 변경하려는 경우에는 의결권 없는 주식을 제외한 발행주식총수의 100분의 3을 초과하는 수의 주식을 가진 주주는 그 초과하는 주식에 관하여 의결권을 행사하지 못한다. 다만, 정관에서 이보다 낮

---

43) 최문희, 전게서, 774면.

은 주식 보유비율을 정할 수 있다(제542조의7 제3항, 제2항). 자산총액 2조원 이상인 상장회사가 집중투표를 배제하거나 그 배제된 정관을 변경하려는 의안을 상정하려는 경우에는 그 밖의 사항의 정관변경에 관한 의안과 별도로 상정하여 의결하여야 한다(동조 제4항).

비상장회사에서는 '정관에서 달리 정하는 경우'에는 집중투표제도를 배제할 수 있을뿐만 아니라, 집중투표를 배제하려는 경우에도 대주주의 의결권을 제한하지 않는데(제382조의2), 최근 사업연도말 현재의 자산총액이 2조원 이상인 상장회사의 경우에 '정관에서 달리 정하는 경우'에는 집중투표제도를 배제할 수 있는 것은 비상장회사와 동일하지만, 집중투표를 배제하거나 그 배제된 정관을 변경하기 위하여 주주총회 결의를 하려는 경우에는 대주주의 의결권을 제한하고(제542조의7 제3항), 집중투표를 배제하거나 그 배제된 정관을 변경하려는 의안을 상정하려는 경우에는 그 밖의 사항의 정관변경에 관한 의안과 별도로 상정하여 의결하도록 한 것이다(제542조의7 제4항, 시행령 제33조). "그 밖의 사항의 정관변경에 관한 의안과 별도로 상정하여 의결"하여야 하므로, 발행주식총수나 이사의 숫자 등 정관변경에 관한 안건이라도 다른 의안과는 별도로 상정하여 의결하여야 한다.

상장회사가 집중투표를 배제하거나 그 배제된 정관을 변경하려는 경우에 대주주의 의결권을 제한하는 이유는 집중투표제도가 처음 도입될 무렵 많은 상장회사가 정관에 집중투표를 배제하는 규정을 두어서 집중투표제도의 실효성이 크게 감소되었기 때문이다.[44]

이와 관련하여 우리상법상 주주의 의결권을 제한하는 경우는 감사의 선임의 경우뿐인데(제409조 제2항, 제3항) 비록 일부 상장회사를 대상으로 하는 것이지만 정당한 이유 없이 지배주주의 의결권을 제한하는 것은 형평에 어긋난다는 비판[45]이 있다.

---

44) 2010. 3월말 현재 유가증권시장 상장법인 713개사 중 649개사(91%)가 집중투표제도를 배제하고 있다. 최준선, 전게논문, 336~337면.
45) 정찬형, 전게논문, 289면; 최준선, 전게논문, 336~337면.

제6절 사외이사의 선임에 관한 특례

Ⅰ. 상장회사의 사외이사 선임의무

1. 사외이사 선임의무

상장회사는 자산규모 등을 고려하여 '대통령령으로 정하는 경우'를 제외하고는 이사 총수의 4분의 1 이상을 사외이사로 하여야 한다(제542조의8 제1항 본문).46) 다만, 최근 사업연도 말 자산총액이 2조원 이상인 상장회사의 사외이사는 3명 이상으로 하되, 이사 총수의 과반수가 되도록 하여야 한다(제542조의8 제1항 단서, 시행령 제34조 제2항).

비상장회사에서는 사외이사의 선임이 강제되지 않으며(제382조 제3항), 그 대신에 정관으로 감사위원회를 설치하는 경우에는 3명 이상의 이사로 구성하고 그중 3분의 2 이상은 사외이사로 하도록 되어 있다(제415조의2 제2항). 이에 비교하여 상장회사는 이사 총수의 4분의 1 이상을 사외이사로 선임하되, 최근 사업연도 말 자산총액이 2조원 이상인 상장회사의 경우에는 사외이사를 3명 이상으로 하되 이사 총수의 과반수가 되도록 하고 있다(제542조의8 제1항, 시행령 제34조 제2항).

상장회사는 사외이사의 사임·사망 등의 사유로 인하여 사외이사의 수가 그 구성요건에 미달하게 되면 그 사유가 발생한 후 처음으로 소집되는 주주총회에서 요건에 합치되도록 사외이사를 선임하여야 한다(제542조의8 제3항).

2. 사외이사 선임의무가 면제되는 상장회사

상장회사라고 하여도 자산규모 등을 고려하여 '대통령령으로 정하는 경우'에는 사외이사를 선임할 의무가 없다(제542조의8 제1항 본문). 사외이사의 선임의무

---

46) 사외이사 중심의 이사회 제도를 효율적으로 유지하기 위해서는 집행임원 제도를 강제적으로 두어야 한다는 주장이 있다. 정찬형, 전게논문, 292면.

가 면제되는 경우는 다음 각 호와 같다(시행령 제34조 제1항).

1. 벤처기업육성에 관한 특별조치법에 따른 벤처기업 중 최근 사업연도 말 현재의 자산총액이 1천억원 미만으로서 코스닥시장 또는 코넥스시장에 상장된 주권을 발행한 벤처기업인 경우(시행령 제34조 제1항 제1호)

2. 채무자 회생 및 파산에 관한 법률에 따른 회생절차가 개시되었거나 파산선고를 받은 상장회사인 경우(제2호)

3. 유가증권시장, 코스닥시장 또는 코넥스시장에 주권을 신규로 상장한 상장회사(신규상장 후 최초로 소집되는 정기주주총회 전날까지만 해당한다)인 경우. 다만, 유가증권시장에 상장된 주권을 발행한 회사로서 사외이사를 선임하여야 하는 회사가 코스닥시장 또는 코넥스시장에 상장된 주권을 발행한 회사로 되는 경우 또는 코스닥시장 또는 코넥스시장에 상장된 주권을 발행한 회사로서 사외이사를 선임하여야 하는 회사가 유가증권시장에 상장된 주권을 발행한 회사로 되는 경우에는 그러하지 아니하다(제3호)

4. 부동산투자회사법에 따른 기업구조조정 부동산투자회사인 경우(제4호)

5. 해산을 결의한 상장회사인 경우(제5호)

상장회사는 그의 규모·업종 등에 따라 사정이 다양하므로 모든 상장회사에 대하여 사외이사를 의무적으로 두도록 하는 것은 바람직하지 않다. 따라서 대통령령으로 정하는 일정한 경우에 사외이사 선임의무를 부여하지 않는 것은 타당하다.[47]

Ⅱ. 상장회사 사외이사의 결격사유 확대

1. 비상장회사의 사외이사의 결격사유

비상장회사의 경우에 사외이사의 선임이 강제되지는 않지만, 만일 사외이사

[47) 사외이사제도가 도입된지 10여년이 되었지만 이 제도가 기능을 하지 못하고 있다는 것이 일반적인 평가이다. 심인숙, "상법상 사외이사 제도 개선방안에 관한 소고,"「선진상사법률연구」통권 제56호(법무부 상사법무과, 2011. 10.), 31면 이하; 최준선, 전게논문, 338~340면.

를 선임하는 경우에 그 사외이사는 상법 제382조 제3항 각호48)의 어느 하나의 사유에 해당하지 아니하여야 한다(제382조 제3항). 비상장회사 사외이사의 결격 사유는 다음과 같다.

1. 회사의 상무에 종사하는 이사·집행임원 및 피용자 또는 최근 2년 이내에 회사의 상무에 종사한 이사·감사·집행임원 및 피용자(제382조 제3항 제1호)

2. 최대주주가 자연인인 경우 본인과 그 배우자 및 직계 존속·비속(제2호)

3. 최대주주가 법인인 경우 그 법인의 이사·감사·집행임원 및 피용자(제3호)

4. 이사·감사·집행임원의 배우자 및 직계 존속·비속(제4호)

5. 회사의 모회사 또는 자회사의 이사·감사·집행임원 및 피용자(제5호)

6. 회사와 거래관계 등 중요한 이해관계에 있는 법인의 이사·감사·집행임원 및 피용자(제6호)

7. 회사의 이사·집행임원 및 피용자가 이사·집행임원으로 있는 다른 회사의 이사·감사·집행임원 및 피용자(제7호)

2. 상장회사의 사외이사의 결격사유

가. 상법 제542조의8 제2항

상장회사는 이사 총수의 4분의 1 이상을 사외이사로 선임하되, 최근 사업연도 말 자산총액이 2조원 이상인 상장회사는 사외이사를 3명 이상으로 하되 이사 총수의 과반수가 되어야 한다(제542조의8 제1항, 시행령 제34조 제2항).

상장회사의 사외이사는 상법 제382조(이사의 선임, 회사와의 관계 및 사외이사) 제3항 각 호 뿐만 아니라 다음 각 호의 어느 하나에 해당하지 아니하여야 하며,

---

48) 상법 제382조 제3항이 규정하는 사외이사의 결격사유에는 ① 회사의 상무에 종사하는 이사·집행임원 및 피용자 또는 최근 2년 이내에 회사의 상무에 종사한 이사·감사·집행임원 및 피용자, ② 최대주주가 자연인인 경우 본인과 그 배우자 및 직계 존속·비속, ③ 최대주주가 법인인 경우 그 법인의 이사·감사·집행임원 및 피용자, ④ 이사·감사·집행임원의 배우자 및 직계 존속·비속, ⑤ 회사의 모회사 또는 자회사의 이사·감사·집행임원 및 피용자, ⑥ 회사와 거래관계 등 중요한 이해관계에 있는 법인의 이사·감사·집행임원 및 피용자, ⑦ 회사의 이사·집행임원 및 피용자가 이사·집행임원으로 있는 다른 회사의 이사·감사·집행임원 및 피용자가 있다(제382조 제3항 제1~7호).

이에 해당하게 된 경우에는 그 직을 상실한다(제542조의8 제2항).

1. 미성년자, 피성년후견인 또는 피한정후견인(제542조의8 제2항 제1호) 미성년자·피성년후견인·피한정후견인은 비상장회사에도 타당하기 때문에 이사의 선임에 관한 일반규정인 상법 제382조에 두어야 한다는 주장이 있다.49)

2. 파산선고를 받고 복권되지 아니한 자(제2호)
   파산선고를 받은 자의 법률행위에 대해서는 일정한 제한이 있으므로(채무자회생법 제329조 제1항 등) 상장회사의 사외이사가 될 수 없도록 한 것이다.

3. 금고 이상의 형을 선고받고 그 집행이 끝나거나 집행이 면제된 후 2년이 지나지 아니한 자(제3호)
   금고 이상의 형의 선고는 확정판결을 의미한다. 무죄 추정의 원칙 이외에도 형이 확정되지 아니한 이상 불이익을 주는 것은 곤란하기 때문이다.

4. 대통령령으로 별도로 정하는 법률을 위반하여 해임되거나 면직된 후 2년이 지나지 아니한 자(제4호)
   '대통령령으로 정하는 법률'에는 은행법·보험업법·자본시장법 등 28개 법률이 규정되어 있다(시행령 제34조 제3항).

5. 상장회사의 주주로서 의결권 없는 주식을 제외한 발행주식총수를 기준으로 본인 및 그와 대통령령으로 정하는 특수한 관계에 있는 자("특수관계인")50)51)가 소유하는 주식의 수가 가장 많은 경우 그 본인("최대주주") 및 그의 특수관계인(제5호)

6. 누구의 명의로 하든지 자기의 계산으로 의결권 없는 주식을 제외한 발행

---

49) 최준선, 전게논문, 340면.
50) 상법 제542조의8 제2항 제5호에서 최대주주의 특수관계인을 사외이사의 결격사유로 규정한 것은 그들이 사실상 최대주주와 경제적인 동일체이기 때문이지만, 현대의 가족관계와 친족관계 그리고 경제적인 측면을 고려할 때 그 범위가 지나치게 넓다. 특히, 특수관계인의 배우자에는 사실상의 혼인관계에 있는 사람을 포함하는 등(시행령 제34조 제4항 제1호 가목) 그 폭이 너무 넓다. 최준선, 전게논문, 340~341면; 심인숙, 전게논문, 34면.
51) 상법시행령은 특수관계인의 범위에 집행임원을 추가하였다. 2011년 개정된 상법 회사편에서 집행임원제도를 도입함에 따라(제317조 제2항 제8호 등), 이사·감사 등 회사의 중요직책에 있었던 자를 규제하는 취지에 '집행임원'을 반영할 필요가 있었기 때문이다(시행령 제34조 제4항 제1호 라~마목, 2호 각목, 제5항 제1호).

주식총수의 100분의 10 이상의 주식을 소유하거나 이사·집행임원·감사
의 선임과 해임 등 상장회사의 주요 경영사항에 대하여 사실상의 영향력
을 행사하는 주주("주요주주"52) 및 그의 배우자와 직계 존속·비속(제6호)

7. 그 밖에 사외이사로서의 직무를 충실하게 수행하기 곤란하거나 상장회사
의 경영에 영향을 미칠 수 있는 자로서 '대통령령으로 정하는 자'(제7호)

나. 상법시행령 제34조 제5항

법 제542조의8 제2항 제7호에서 "대통령령으로 정하는 자"란 다음 각 호의
어느 하나에 해당하는 자를 말한다(시행령 제34조 제5항).

1. 해당 상장회사의 계열회사의 상무에 종사하는 이사·집행임원·감사 및
   피용자이거나 최근 2년 이내에 계열회사의 상무에 종사하는 이사·집행
   임원·감사 및 피용자였던 자(시행령 제34조 제5항 제1호)

2. 다음 각 목의 법인 등의 이사·집행임원·감사 및 '피용자'53)이거나 최근
   2년 이내에 이사·집행임원·감사 및 피용자였던 자(제2호)54)

   가. 최근 3개 사업연도 중 해당 상장회사와의 거래실적의 합계액이 자산
       총액(해당 상장회사의 최근 사업연도 말 현재의 대차대조표상의 자산총액

---

52) 상법 제542조의8 제2항 6호의 주요주주에 대해서는 다음과 같은 문제가 있다. 첫째, 동조
는 "… 이사·집행임원·감사의 선임과 해임 등 상장회사의 주요 경영사항에 대하여 사실
상의 영향력을 행사하는 주주("주요주주")"라고 규정하는데 그 의미가 명확하지 않다. 자본
시장법은 "임원의 임면(任免) 등의 방법으로 법인의 중요한 경영사항에 대하여 사실상의 영
향력을 행사하는 주주로서 대통령령으로 정하는 자"로 규정하면서(자본시장법 제9조 제1항
제2호 나목, 동법 시행령 제9조), 대통령령으로 주요주주의 범위를 한정하고 있다. 둘째,
"누구의 명의로 하든지 자기의 계산으로" 의결권 있는 발행주식총수의 10% 이상을 소유한
경우로 규정하는데, 명의에 관계없이 발행주식총수의 10% 이상을 소유하는지 여부에 대한
입증이 쉽지 않으며 이에 대해서도 분명한 규정이 없다.

53) "피용자"가 '사목'에 따른 법무법인, 법무법인(유한), 법무조합, 변호사 2명 이상이 사건의
수임·처리나 그 밖의 변호사 업무수행 시 통일된 형태를 갖추고 수익을 분배하거나 비용
을 분담하는 형태로 운영되는 법률사무소, 합작법무법인, 외국법자문법률사무소의 경우에는
해당 법무법인 등에 소속된 변호사, 외국법자문사를 말한다(시행령 제34조 제5항 제2호 본
문 괄호).

54) 상법시행령 제34조 제5항 제2호는 해당 상장회사와 거래계약을 체결하거나 해당 상장회사
에 출자하거나, 해당 상장회사의 감사인으로 선임된 회계법인, 주된 법률자문 등의 자문계
약을 체결하고 있는 일정한 법인 등의 이사·집행임원·감사 및 피용자이거나 최근 2년 이
내에 이사·집행임원·감사 및 피용자였던 자를 사외이사의 결격사유로 하고 있다. 그런데
이러한 결격사유는 그 폭이 지나치게 넓어서 사외이사의 선임 폭을 지나치게 제한하고 있
다. 이에 상법시행령은 은행 등의 법인인 기관투자자 및 이에 상당하는 외국금융회사는 제5
항에 해당하는 자에서 제외하고 있다(시행령 제34조 제6항).

을 말한다) 또는 매출총액(해당 상장회사의 최근 사업연도 말 현재의 손익
계산서상의 매출총액을 말한다)의 100분의 10 이상인 법인(시행령 제34
조 제5항 제2호 가목)

나. 최근 사업연도 중에 해당 상장회사와 매출총액의 100분의 10 이상의
금액에 상당하는 단일의 거래계약을 체결한 법인(동호 나목)

다. 최근 사업연도 중에 해당 상장회사가 금전, 유가증권, 그 밖의 증권
또는 증서를 대여하거나 차입한 금액과 담보제공 등 채무보증을 한
금액의 합계액이 자본금(해당 상장회사의 최근 사업연도 말 현재의 대차
대조표상의 자본금을 말한다)의 100분의 10 이상인 법인(동호 다목)

라. 해당 상장회사의 정기주주총회일 현재 그 회사가 자본금(해당 상장회
사가 출자한 법인의 자본금을 말한다)의 100분의 5 이상을 출자한 법인(
동호 라목)

마. 해당 상장회사와 기술제휴계약을 체결하고 있는 법인(동호 마목)

바. 해당 상장회사의 감사인으로 선임된 회계법인(동호 바목)

사. 해당 상장회사와 '주된 법률자문·경영자문 등'의 자문계약을 체결하
고 있는 법무법인, 법무법인(유한), 법무조합, 변호사 2명 이상이 사건
의 수임·처리나 그 밖의 변호사 업무수행 시 통일된 형태를 갖추고
수익을 분배하거나 비용을 분담하는 형태로 운영되는 법률사무소, 합
작법무법인, 외국법자문법률사무소, 회계법인, 세무법인, 그 밖에 자문
용역을 제공하고 있는 법인(동호 사목)

"해당 상장회사와 법률자문·경영자문 등의 자문계약"의 해석과 관련
하여 일회성 사건의 수임 및 처리를 포함하는지의 여부를 두고 논란
이 있었다. 특히 대기업의 경우에는 다수 법무법인과 극히 적은 자문
료만으로 고문관계를 유지하면서 중요사건은 개별 건별로 다시 특정
법무법인 등에게 수임하는 경우가 많은데 이러한 경우까지 모두 그
소속 법무법인의 모든 변호사들이 사외이사가 되지 못하도록 하는 것
은 문제이다. 이에 상법시행령은 해당 상장회사의 일반적 업무에 관
하여 "주된" 자문계약을 체결한 경우만으로 한정됨을 분명히 하였다
(시행령 제34조 제5항 제2호 사목). 미국 ALI 기업지배구조원칙 제1.34
조(a)(5)에서도 "primary legal advisor"이라고 표현하여 같은 취지로

한정하고 있다.[55)

3. 해당 상장회사 외의 2개 이상의 다른 회사의 이사·집행임원·감사로 재임 중인 자(제3호)[56)

상법시행령 제34조 제5항 제3호는 사외이사들이 여러 회사의 이사를 겸직하면서 사외이사 업무에 전념하지 못하고 '거수기' 역할만 하는 등 회사간 이해충돌이 발생할 수 있다는 점을 우려한 것이다. 다만 시행령 개정으로 인하여 이미 선임되어 있는 사외이사가 결격사유에 해당되어 갑자기 사외이사 공석사태가 발생하는 것을 방지하기 위하여 부칙 제4조에 경과규정을 두어서, 시행령 개정으로 인한 혼란을 방지하였다.

4. 해당 상장회사에 대한 회계감사 또는 세무대리를 하거나 그 상장회사와 법률자문·경영자문 등의 자문계약을 체결하고 있는 변호사(소속 외국법자문사를 포함한다), 공인회계사, 세무사, 그 밖에 자문용역을 제공하고 있는 자(제4호)

5. 해당 상장회사의 발행주식총수의 100분의 1 이상에 해당하는 주식을 '보유(자본시장법 제133조 제3항에 따른 보유를 말한다)'하고 있는 자(제5호)

자본시장법상 "보유"란 주식등의 소유나 보유 등을 통해서 대상회사에 대하여 실질적인 지배권을 획득할 수 있는 경우를 포괄하는 개념이다. 자본시장법은 ①누구의 명의로든지 자기의 계산으로 주식등을 소유하는 경우(자본시장법 제133조 제3항, 동법시행령 제142조 제1호),[57) ② 법률 규정이나 매매, 그 밖의 계약에 따라 주식등의 인도청구권을 가지는 경우(동법시행령 제142조 제2호),[58) ③ 법률의 규정이나 금전의 신탁계약·담보계약, 그 밖의 계약에 따라 해당 주식등의 의결권(의결권의 행사를 지시할 수 있는 권한을 포함한다)을 가지는 경우(동법시행령 제142조 제3호),[59) ④ 법률

---

55) 구승모, 전계논문, 101면.
56) 구승모, 전계논문, 101~102면.
57) 명의상으로는 소유자가 아니더라도 해당 주식등에 대한 계산주체로서 실질적으로 소유하는 경우를 말한다. 즉, 주식등을 차명으로 소유하더라도 자기에게 손익이 귀속되는 경우에는 제1호에 해당한다. 금융감독원, 「기업공시 실무안내」(2020. 12), 361, 382면.
58) 현재 주식등을 소유하고 있지는 않으나 법률이나 계약 등을 통해서 해당 주식등에 대한 인도청구권을 가지는 경우를 말한다. 매매계약을 체결하였으나 아직 이행기가 미도래한 경우가 대표적이다. 금융감독원, 「기업공시 실무안내」(2020. 12), 361면.
59) 집합투자기구의 자산운용사가 특정금전신탁을 통하여 주식등을 취득하는 경우에는 위탁자가 그 의결권을 행사한다는 내용이 약관에 명시되어 있으므로 그 위탁자가 주식등을 보유

의 규정이나 금전의 신탁계약·담보계약·투자일임계약, 그 밖의 계약에 따라 해당 주식등의 취득이나 처분의 권한을 가지는 경우(동법시행령 제142조 제4호),[60] ⑤ 주식등의 매매의 일방예약을 하고 해당 매매를 완결할 권리를 취득하는 경우로서 그 권리행사에 의하여 매수인으로서의 지위를 가지는 경우(동법시행령 제142조 제5호),[61] ⑥ 주식등을 기초자산으로 하는 옵션을 가지는 경우로서 그 행사에 의하여 매수인으로서의 지위를 가지는 경우(동법시행령 제142조 제6호),[62] ⑦ 주식매수선택권을 부여받은 경우로서 그 권리의 행사에 의하여 매수인으로서의 지위를 가지는 경우(동법시행령 제142조 제7호)[63] 등을 열거하고 있다.

6. 해당 상장회사와의 거래(약관규제법 제2조 제1호의 약관에 따라 이루어지는 해당 상장회사와의 정형화된 거래는 제외한다) 잔액이 1억원 이상인 자(제6호)

7. 해당 상장회사에서 6년을 초과하여 사외이사로 재직했거나 해당 상장회사 또는 그 계열회사에서 각각 재직한 기간을 더하면 9년을 초과하여 사외이사로 재직한 자(제7호)

다. 예시적인 열거인지, 제한적인 열거인지의 여부

상법 제542조의8 제2항 제7호의 "그 밖에 사외이사로서의 직무를 충실하게 수행하기 곤란하거나 상장회사의 경영에 영향을 미칠 수 있는 자로서 대통령령으로 정하는 자"의 문구가 상장회사 사외이사의 결격사유를 제한적으로 열거한 것인지, 예시적으로 열거한 것인지가 문제된다.

"그 밖에 사외이사로서의 직무를 충실하게 수행하기 곤란하거나 상장회사의

하는 것으로 보아야 한다.

60) 제3호는 의결권을 가지는 경우이고, 제4호는 처분권한을 가지는 경우이다. 대법원 2002.7. 22. 2002도1696. A금고가 대출금의 담보로 주식을 제공받으면서 채무를 변제하지 못하면 담보주식의 소유권을 A금고에게 귀속시키거나 이를 처분하여 충당하기로 약정한 사안에서, 대법원은 계약서의 형식적인 문언에도 불구하고 A금고가 주식의 소유권을 취득하였고 그렇지 않다 하더라도 담보계약에 의하여 의결권을 가지는 경우로서 법에서 정한 증권의 '보유'에 해당한다고 보고 대량보유보고의무를 인정하였다.

61) 제5호는 일반적인 형태라고 할 수는 없으나 주식등을 장외에서 거래하는 경우에 매매예약 완결권을 부여하는 경우를 상정한 것이다.

62) 제6호는 콜옵션의 행사에 의하여 매수인으로서의 지위를 가지는 경우이다. 제5호와 다르지 않으나 옵션 거래에 한정되어 적용된다.

63) 제7호는 주식매수선택권 행사로 신주 또는 자기주식을 교부받는 경우이다. 다만, 행사가격과 시가와의 차액을 현금으로 교부받기로 한 경우는 제외된다.

경영에 영향을 미칠 수 있는 자"라는 문구는 추상적·포괄적인 개념이므로 예시적인 열거라고 볼 수도 있겠지만, 상법이 "… 대통령령으로 정하는 자"라는 제한을 두고 상법시행령을 통해서 사외이사의 결격사유를 열거하고 있음을 고려하면 제542조의8 제2항 제7호는 사외이사의 결격사유를 제한적으로 열거한 것으로 볼 것이다.

라. 결격사유의 정비 필요성

상장회사 사외이사의 결격사유는 비상장회사 사외이사 결격사유(제382조 제3항)보다 훨씬 확대되어 있다. 상장회사 사외이사의 결격사유를 대폭 확대한 것은 사외이사의 독립성을 확보하기 위한 것이지만, 그 결격사유는 너무 포괄적이고 복잡하다.

이와 관련하여 상장회사 사외이사의 결격사유는 거래소 상장규정 등에서 규율하는 것이 바람직하다는 견해[64]도 있으나, 2007년 세계적인 금융위기 이후에 사외이사의 독립성이 중시되면서, 사외이사의 구체적인 자격요건을 법률에 규정하는 것이 일반적인 경향이고, 이에 따라 우리나라의 「금융회사의 지배구조에 관한 법률」도 종전에 각 금융업권별 모범규준에서 규율하던 금융회사 사외이사의 자격요건을 법률에 이관하여 통일적으로 규율하고 있음에 비추면, 상장회사의 사외이사 자격요건을 상법에서 통일적으로 규정하는 것도 유용한 방법이라고 생각한다.

Ⅲ. 사외이사 후보추천위원회의 설치

최근 사업연도말 자산총액이 2조원 이상인 상장회사는 3명 이상의 사외이사를 두되, 이사 총수의 과반수가 되도록 하고(제542조의8 제1항 단서), 이에 더하여 '사외이사 후보추천위원회'를 설치하여야 한다. 사외이사 후보추천위원회는 사외이사가 총위원의 과반수가 되도록 구성하여야 한다(제542조의8 제4항, 제1항 단서, 제398조의2).

---

64) 심인숙, 전게논문, 34면.

최근 사업연도말 자산총액이 2조원 이상인 상장회사가 주주총회에서 사외이사를 선임하려는 때에는 사외이사 후보추천위원회의 추천을 받은 자 중에서 선임하여야 한다. 사외이사 후보추천위원회가 사외이사 후보를 추천할 때에는 주주제안권(제363조의2 제1항, 제542조의6 제1항·제2항)을 행사할 수 있는 요건을 갖춘 주주가 주주총회일(정기주주총회의 경우 직전 연도의 정기주주총회일에 해당하는 해당 연도의 해당일)의 6주 전에 추천한 사외이사 후보를 포함시켜야 한다(제542조의8 제5항).

사외이사를 '사외이사 후보추천위원회'가 추천한 후보 중에서만 선임되도록 한 것은 사외이사의 독립성을 확보하기 위한 것이다. 그렇다면 사외이사 후보추천위원회가 추천한 후보 중에서 사외이사를 선임하면 그러한 사외이사는 회사의 대주주(경영진)로부터 독립적이 될 수 있을까? 우리나라 상장회사의 현실을 보면 사외이사 후보추천위원회의 위원 역시 대부분 대주주나 회사 임원의 추천에 의하여 선임되므로, 사외이사 후보추천위원회의 추천을 받더라도 실질적으로 독립적인 사외이사의 선임이 이루어지는 것은 어렵다. 사외이사의 독립성을 높이기 위해서는 사외이사 후보추천기관의 독립성을 보장하고,[65] 기관투자자,[66] 소수주주, 채권자 등의 이익을 대변할 수 있는 자를 사외이사 후보추천기관에 참여시켜야 할 것이다. 사외이사 인력풀을 운영하고 있는 전문적 기관에 사외이사후보를 추천하도록 의뢰하는 것도 하나의 방법이 될 것이다.

제 7 절   주요주주 등 이해관계자와의 거래

상장회사의 경우 주요주주 등 이해관계자와의 거래에 대해서는 거래유형에 따라 차별적인 규제가 이루어지고 있다. (1) 주요주주 등 이해관계자에 대한 신

---

65) 사외이사 위주로 추천위원회를 구성하고, 사외이사가 추천위원회의 의장을 맡는 방안 등이 논의될 수 있을 것이다.
66) 김승유 하나금융그룹 회장은 2012. 2. 17. 국민연금에 사외이사 파견을 요청하면서 "국민연금이 직접 경영에 참여하기보다는 감사위원회 등에서 감시와 견제기능을 하며 주주를 대표해야 한다고 본다."는 입장을 표명하였다. 조선비즈, "김승유 외환은행 해외영업망 재건 주력," 2012. 2. 17.자.

용공여 행위는 원칙적으로 금지되고('금지되는 신용공여 행위'), (2) 복리후생을 위한 이사·집행임원 또는 감사에 대한 금전대여 등 대통령령으로 정하는 신용공여는 예외적으로 허용되며('복리후생 등 허용되는 신용공여 행위'), (3) 주요주주 등 특수관계인과의 일정한 거래는 이사회 승인을 받고 주주총회에 보고하여야 한다('이사회의 승인과 주주총회의 보고가 필요한 거래'). 아래에서는 이를 살펴본다.

Ⅰ. 금지되는 신용공여 행위

1. 신용공여의 금지대상자

상장회사는 ① 주요주주 및 그의 특수관계인, ② 이사(제401조의2 제1항 각 호의 어느 하나에 해당하는 자를 포함한다) 및 집행임원, ③ 감사 중 어느 하나에 해당하는 자를 상대방으로 하거나 그를 위하여 '신용공여'를 하여서는 아니 된다(제542조의9 제1항). 주요주주 등 이해관계자에 대한 신용공여를 통해서 주요주주 등에게 부당한 이익을 제공하고, 회사와 소수주주, 채권자 등에게 불이익을 줄 우려가 있기 때문이다.

상법 제542조의9에 규정된 신용공여 금지대상자의 범위가 지나치게 넓다는 비판이 많다. 이사등의 자기거래를 금지하는 상법 제398조에 비교하면 상법 제542조의9의 규제대상에는 감사가 포함되어 있으며(제542조의9 제1항 제3호), 주요주주 및 특수관계인의 범위도 매우 넓다(동항 제1호).[67] 외국의 경우 인근 혈족만을 특수관계인으로 포섭하고 있고, 6촌의 혈족과 4촌의 인척을 포함하는 예는 찾아보기 어렵다. 그 밖에 이사의 범위에 업무집행지시자도 포함하고 있는데(동항 제2호 괄호), 업무집행지시자는 사실상 업무집행을 지시한 자를 사후에 이사에 준하여 책임을 묻는 제도이므로 사전에 신용공여 금지대상자에 포함하여 규제하는 형식이 가능한지도 의문이다.

상장회사가 주요주주나 이사 등을 직접상대방으로 신용공여를 하지 않고, 간접적 또는 실질적으로 신용공여를 하는 경우에도 금지대상에 포함되는가? 상법 제542조의9는 상장회사의 건전한 재정상태를 유지함으로써 투자자들의 이익을

---

67) 상법 제542조의8 제2항 제6호, 동법시행령 제30조 제2항, 제34조 제4항.

보호하기 위한 취지에서 마련되었다. 이와 더불어 주요주주 등을 "상대방으로 하거나 그를 위하여"하는 신용공여행위도 금지하고 있는 것을 고려하면, 동조가 금지하는 신용공여행위에는 주요주주나 이사 등을 직접 상대방으로 신용공여를 하는 경우뿐만 아니라, 신용공여로 인한 경제적 이익이 상장법인의 이사 등에게 귀속하는 경우와 같이 그 행위의 실질적인 상대방을 상장법인의 이사 등으로 볼 수 있는 경우도 포함된다고 볼 것이다.[68]

2. 금지되는 신용공여의 범위

금지되는 "신용공여"란 ① 금전 등 경제적 가치가 있는 재산의 대여, ② 채무이행의 보증, ③ 자금 지원적 성격의 증권 매입, ④ 그 밖에 거래상의 신용위험이 따르는 직접적·간접적 거래로서 '대통령령으로 정하는 다음 각 호의 어느 하나에 해당하는 거래'를 말한다(제542조의9 제1항 괄호, 시행령 제35조 제1항).[69] 그 내용은 다음과 같다.

1. 금전 등 경제적 가치가 있는 재산의 대여(제542조의9 제1항 괄호)
2. 채무이행의 보증(제542조의9 제1항 괄호)
3. 자금 지원적 성격의 증권 매입(제542조의9 제1항 괄호)
4. 담보를 제공하는 거래(제542조의9 제1항 괄호, 시행령 제35조 제1항 제1호)
5. 어음(전자어음을 포함한다)[70]을 배서(어음법 제15조 제1항에 따른 담보적 효력이 없는 배서는 제외한다)하는 거래(제542조의9 제1항 괄호, 시행령 제35조 제1항 제2호)
6. 출자의 이행을 약정하는 거래(제542조의9 제1항 괄호, 시행령 제35조 제1항

---

68) 대법원 2013.5.9. 2011도15854[특가법위반(횡령) 등].

69) 구 증권거래법은 거래의 성격과 규모를 불문하고 일률적으로 주요주주등 이해관계자와의 거래 금지대상을 규정하였으나(구 증권거래법 제191조의19 제1항), 현행 상법은 거래의 성격과 규모에 비추어 금지대상으로 삼을 필요가 없을 때도 있으므로 신용공여의 금지대상을 상법시행령에 위임하였다(제542조의9 제1항). 구 증권거래법 제191조의19 제1항은 단순한 단속규정으로써 그에 위반하더라도 사법상의 효력은 유효하다. 서울중앙지방법원 2009.6.2. 2009가합414[근저당권설정등기말소등기].

70) 개정전 상법시행령(대통령령 제21839호, 2009. 11. 23, 일부개정) 제14조 제1항에서는 그 금지되는 신용공여 행위의 종류를 정하고 있었으며, 동항 제2호는 "어음을 배서하는 거래"를 규정하고 있었다. 현행 상법시행령은 전자어음이 포함됨을 명확히 규정하였다(시행령 제35조 제1항 제2호).

제3호)

7. 주요주주등에 대한 신용공여의 제한을 회피할 목적으로 하는 거래로서 자
본시장법 시행령 제38조 제1항 제4호 각 목의 어느 하나에 해당하는 거
래(제3자와의 계약 또는 담합 등에 의하여 서로 교차하는 방법으로 행하는 거래
또는 장외파생상품거래・신탁계약・연계거래 등을 이용하는 거래를 말한다)(제
542조의9 제1항 괄호, 시행령 제35조 제1항 제4호)

8. 자본시장법시행령 제38조 제1항 제5호[71]에 따른 거래(제542조의9 제1항 괄
호, 시행령 제35조 제1항 제5호)

3. 상법 제398조 이사 등의 자기거래와의 관계

회사가 대출 등을 통해서 주요주주 등 이해관계자에게 신용을 공여하는 행위
를 금지하는 상법 제542조의9(주요주주 등 이해관계자와의 거래)의 내용은 회사와
이사 등의 거래를 금지하는 상법 제398조(이사 등과 회사 간의 거래)[72]는 중복되
는 측면이 많아서, 양자를 중복하여 적용할 것인지가 논란이 된다.

생각건대, 주주의 보호를 위해서 마련된 상법 제542조의9의 취지[73][74]를 제
대로 살리기 위해서는 상법 제542조의9는 상법 제398조와 중복하여 적용된다고
볼 것이다(중첩적 적용설[75]). 다만, 회사의 규모나 업종 등에 관계없이 모든 상

---

71) ① 채무의 인수, ② 자산유동화회사 등 다른 법인의 신용을 보강하는 거래, ③ 그 밖에 대
주주의 지급불능 시 이로 인하여 금융투자업자에 손실을 초래할 수 있는 거래를 말한다(자
본시장법 시행령 제38조 제1항 제5호, 금융투자업규정 제3-72조).

72) 2011년 상법 회사편의 개정으로 상법 제398조의 이사의 자기거래 규제가 강화되었다. 개정
전보다 수범자 범위가 '이사'에서 '이사, 주요주주 및 그 특수관계인'으로 확대되었고, 미리
중요사실을 밝히고 이사회의 승인을 받아야 하며, 이사 3분의 2 이상의 찬성 및 거래 내용
의 공정성 등 이사회 승인요건이 강화되었다(제398조).

73) 상법 제542조의9는 상장회사는 주식이 분산되어 있고 경영진에 대한 견제장치가 작동하기
어려운 특성을 고려해서 상장회사 소수주주의 보호를 위해서 마련된 것이다.

74) 2002년 미국의 엔론사태를 계기로 사베인옥슬리법이 제정되고 한국에서도 SK글로벌의 대
규모 분식회계 사건 등 회계부정이 사회경제적 문제가 되자, 정부는 주요주주 및 임원 등
의 과다한 회사자금 차입으로 인한 이해상충 문제와 이를 은닉하기 위한 분식회계의 위험
성을 낮추기 위하여, 2003년 주요주주 등 이해관계자에 대한 신용공여 금지조항을 구 증권
거래법 제191조의19에 도입하였다. 이 조항은 상장회사에 관한 특례규정이 2011년 상법으
로 이관되면서 상법 제542조의9에 규정되었다.

75) 상장회사 특례규정이 모든 경우에 상법상 일반규정에 우선하여 적용된다고 해석하는 것은
적절하지 않아 보인다. 즉 선택적이거나 중첩적인 적용이 가능하다. 중첩적으로 적용될 경
우 상법 제398조의 이사 등의 자기거래규정과 제542조의9의 주요주주 등과의 거래규제간

장회사에 대해서 주요주주 등 이해관계자와의 거래를 금지하는 것은 상장회사의
거래와 영업의 자유를 지나치게 박탈하는 측면이 있어서, 상법 제398조 이사 등
자기거래의 금지 규정과의 정합성을 모색하고 지나친 중복규제의 우려는 줄일
필요는 있다.

비상장회사에서는 회사와 이사 등의 자기거래는 이사회의 승인을 받으면 허
용되지만(제398조), 상장회사는 주요주주 및 그의 특수관계인 등을 상대방으로
하거나 그를 위하여 '신용공여'를 하여서는 아니 된다(제542조의9 제1항).

II. 복리후생 등 허용되는 신용공여 행위

상장회사는 주요주주 등에 대한 신용공여 금지조항에도 불구하고 ① 복리후
생을 위한 이사·집행임원 또는 감사에 대한 금전대여 등으로서 '대통령령으로
정하는 신용공여'(제542조의9 제2항 제1호), ② 다른 법령에서 허용하는 신용공여
(제2호), ③ 그 밖에 상장회사의 경영건전성을 해칠 우려가 없는 금전대여 등으
로서 '대통령령으로 정하는 신용공여'(제3호)는 할 수 있다(제542조의9 제2항). 허
용되는 신용공여 행위는 다음과 같다.

1. 복리후생을 위한 신용공여

복리후생을 위한 이사·집행임원 또는 감사에 대한 금전대여 등으로서 '대통
령령으로 정하는 신용공여'는 허용된다(제542조의9 제2항 제1호).

상법 제542조의9 제2항 제1호에서 "대통령령으로 정하는 신용공여"란 학자
금, 주택자금 또는 의료비 등 복리후생을 위하여 회사가 정하는 바에 따라 3억
원의 범위에서 금전을 대여하는 행위를 말한다. 개정전 상법 시행령에서는 학자
금, 주택자금 또는 의료비 등 복리후생을 위하여 회사가 이사 또는 감사에게
금전대여할 수 있는 한도를 1억원으로 규정하고 있었으나 그 동안의 물가상승

에 적용범위와 요건에 차이가 있어 규제공백을 해소할 수 있다는 이점도 기대할 수 있다.
안수현, "상장회사특례규정상의 주요주주 등 이해관계자와의 거래에 관한 규제 재검토," 「선
진상사법률연구」 제58호(법무부 상사법무과, 2012. 4.), 12면.

등을 고려하여 3억원으로 상향하였다(시행령 제35조 제2항).

2. 다른 법령에서 허용하는 신용공여

다른 법령에서 주요주주, 이사, 감사 등을 위하여 허용하는 신용공여는 가능하다(제542조의9 제2항 제2호). 이러한 경우에는 상법규정 보다는 해당 법령에서 주요주주 등에 대한 신용공여를 허용하는 특칙이 우선하기 때문이다.

3. 경영건전성을 해칠 우려가 없는 신용공여

그 밖에 상장회사의 경영건전성을 해칠 우려가 없는 금전대여 등으로서 '대통령령으로 정하는 신용공여'는 할 수 있다(제542조의9 제2항 제3호).

상법 제542조의9 제2항 제3호에서 상장회사의 경영건전성을 해칠 우려가 없는 금전대여 등으로서 "대통령령으로 정하는 신용공여"란 ① '회사의 경영상 목적을 달성하기 위하여' 필요한 경우로서 ② '다음 각 호의 자'를 상대로 하거나 그를 위하여 ③ '적법한 절차'에 따라 이행하는 신용공여를 말한다(시행령 제35조 제3항). 아래에서는 요건들을 차례로 살펴본다.

가. 회사의 경영상 목적을 달성하기 위하여

상법시행령 제35조 제3항은 "경영상 목적을 달성하기 위한 경우"에 신용공여를 할 수 있도록 하는데 경영상 목적을 달성하기 위한 경우의 내용이 명확하지 않다. 상법 제418조 제2항 신주의 제3자 발행시에 요구되는 '경영상 목적'과 비슷하게 해석하면 될 것이다.

상법 제398조 이사의 자기거래도 원칙적으로 허용되지 아니하나, 이사회의 승인을 얻은 경우에는 이를 할 수 있듯이, 경영상 목적을 달성하기 위한 경우라는 애매한 표현을 사용하기보다는 주요주주 등 이해관계자와의 거래도 이사회의 승인을 얻어서 이를 할 수 있도록 하는 것이 타당하다.

나. 다음 각 호의 자를 상대로 하거나 그를 위하여

회사의 경영상 목적을 달성하기 위하여' 필요한 경우로서 '다음 각 호의 자'

를 상대로 하거나 그를 위하여 적법한 절차에 따라 이행하는 신용공여는 허용된
다(시행령 제35조 제3항).

1. 법인인 주요주주(시행령 제35조 제3항 제1호)

   상법은 개인인 주요주주에 대해서는 신용공여를 금지하는 반면에(제542조
   의9 제1항 제1호), 법인인 주요주주에 대한 신용공여는 허용하고 있다(시
   행령 제35조 제3항 제1호). 이는 계열사간 거래가 많은 한국의 기업현실을
   고려한 것으로써, 법인인 주요주주에 대한 신용공여는 주주의 사적인 이
   익이 아니라 경영에 필요한 목적으로 이루어진다는 전제를 바탕으로 한
   것이다.

2. 법인인 주요주주의 특수관계인 중 회사(자회사를 포함한다)의 출자지분과
   해당 법인인 주요주주의 출자지분을 합한 것이 개인인 주요주주의 출자
   지분과 그의 특수관계인(해당 회사 및 자회사는 제외한다)의 출자지분을 합
   한 것보다 큰 법인(제2호)

   2004년부터 주요주주 등 이해관계자에 대한 신용공여가 금지되면서, 지
   배주주가 모든 계열사를 통솔하고 있는 우리의 기업현실상 기업에서는
   "개인인 주요주주의 법인인 특수관계인"에 대한 신용공여 허용 필요성이
   많았을 것으로 추정된다. 그런 이유에서였는지 실무에서는 금융위원회 등
   감독당국의 유권해석에 따라서 '거래상대방이 법인인 경우'에는 별다른
   제약 없이 신용공여가 허용되는 것으로 운영되었다. 그러나 이러한 해석
   에 따르면 "개인인 주요주주의 법인인 특수관계인"에 대한 신용공여가 허
   용되어서, 개인인 주요주주가 개인 자격으로는 회사로부터 신용공여를 받
   을 수 없으나, 회사를 설립하여서는 얼마든지 회사로부터 신용공여를 받
   을 수 있는 결과가 초래되고, 결과적으로 법률의 입법취지가 시행령 및
   해석에 의해서 몰각되는 문제가 있었다. 상법 시행령 제35조 제3항 제2
   호는 이를 절충하여, "개인인 주요주주의 법인인 특수관계인"에 대해서는
   신용공여를 금지하고, 그 대신 "법인인 주요주주의 법인인 특수관계인"에
   대해서는 예외적으로 신용공여가 허용됨을 명확히 하였다. 구체적으로 법
   인인 주요주주의 특수관계인 중 회사(자회사 포함)의 출자지분과 해당 법
   인인 주요주주의 출자지분을 합한 것이 개인인 주요주주의 출자지분과

그의 특수관계인(해당 회사 및 자회사는 제외한다)의 출자지분을 합한 것보
다 큰 법인에 한정하여 신용공여가 허용된다(시행령 제35조 제3항 제2
호).76)77)

3. 개인인 주요주주의 특수관계인 중 회사(자회사를 포함한다)의 출자지분과
   제1호 및 제2호에 따른 법인의 출자지분을 합한 것이 개인인 주요주주의
   출자지분과 그의 특수관계인(해당 회사 및 자회사는 제외한다)의 출자지분
   을 합한 것보다 큰 법인(제3호)

다. 적법한 절차에 따라

상법시행령 제35조 제3항은 '적법한 절차'에 따라 신용공여를 행하도록 하고
있는데, 여기서 '적법한 절차'란 이사회의 승인을 의미하는가? 보통은 이사회의
승인이 있으면 적법한 절차를 거쳤다고 볼 수 있을 것이나, 신용공여의 규모가
크거나 이사회 구성원이 이해관계가 있는 등 이사회의 판단이 적절하지 않은 경
우가 있을 수 있으므로 일률적으로 말하기는 어렵고, 해당 신용공여의 내용에
따라 적법한 절차를 거쳤는지를 판단할 것이다.

Ⅲ. 이사회의 승인과 주주총회 보고가 필요한 거래

1. 이사회의 승인

최근 사업연도 말 현재의 자산총액이 2조원 이상인 상장회사는 ① 최대주주,
그의 특수관계인 및 그 상장회사의 특수관계인으로서 대통령령으로 정하는 자

---

76) 자세한 내용은 구승모, 전게논문, 105~109면 참조.
77) 당초 입법예고된 상법시행령 개정령안에서는 특수관계인은 '법인인 주요주주'에 한정된다고
   규정되어 있었다. 우리나라 상장회사 주요주주 및 신용공여 현황을 보면 자본금 5,000억원
   미만 회사들의 경우가 개인주주의 계열사에게 신용공여를 하는 비중이 더 높고, 상당한 수
   준의 신용공여가 개인주주의 법인계열사에게 지급되는 실정을 고려한 것이다. 그러나 국무
   회의에서 확정된 최종 개정령안에서는 법인의 주요주주의 특수관계인 중 일정한 요건을 충
   족하는 법인(제35조 제2호)과 개인의 특수관계인이 법인인 경우 일정한 요건(즉 개인인 주
   요주주의 특수관계인이 법인인 경우 여하간 당해 회사의 출자지분이 높은 한)을 충족하는
   경우 신용공여 등이 허용되었다(동조 제3호). 개정과정에 대한 비판은 안수현, 전게논문, 20
   ~27면 참조.

(상법 시행령 제34조 제4항의 특수관계인을 말한다)를 상대방으로 하거나 그를 위하여 ② 다음 각 호의 어느 하나에 해당하는 거래(제1항에 따라 금지되는 거래는 제외한다)를 하려는 경우에는 ③ '이사회의 승인'을 받아야 한다(제542조의9 제3항, 시행령 제35조 제4항, 제5항). 아래에서는 요건들을 자세하게 살펴본다.

가. 최대주주, 그의 특수관계인 및 그 상장회사의 특수관계인

자산총액이 2조원 이상인 상장회사는 '최대주주, 그의 특수관계인 및 그 상장회사의 특수관계인으로서 대통령령으로 정하는 자'를 상대로 하거나 그를 위하여 다음 각 호의 어느 하나에 해당하는 거래를 하려는 경우에는 이사회의 승인을 받아야 한다(제542조의9 제3항).

"최대주주", "그의 특수관계인"에 대해서는 앞의 "Ⅱ.2.상장회사 사외이사의 결격사유"에서 제542조의8 제2항 제5호를 설명하면서 살펴보았다.

"그 상장회사의 특수관계인으로서 대통령령으로 정하는 자"는 상법시행령 제34조 제4항의 특수관계인을 말한다(시행령 제35조 제5항). 이 경우에는 본인이 법인(상장회사)이므로 그 이사·집행임원·감사, 계열회사 및 그 이사·집행임원·감사 등이 특수관계인이 된다(시행령 제35조 제5항, 제34조 제4항 제2호).

상법 제398조 이사 등의 자기거래 규제와의 정합성을 고려한다면 최대주주 외에 주요주주와의 거래에 대해서도 이사회의 승인을 요구할 필요가 있다는 견해[78]가 있다.

나. 다음 각 호의 어느 하나에 해당하는 거래

자산총액이 2조원 이상인 상장회사는 최대주주, 그의 특수관계인 및 그 상장회사의 특수관계인으로서 대통령령으로 정하는 자를 상대로 하거나 그를 위하여 '다음 각 호의 어느 하나에 해당하는 거래'를 하려는 경우에는 이사회의 승인을 받아야 한다(제542조의9 제3항).

1. 단일 거래규모가 '대통령령으로 정하는 규모' 이상인 거래(제542조의9 제3항 제1호). 상법시행령 제35조 제6항은 그 기준을 다음과 같이 정하고 있다.

---

78) 안수현, 전게논문, 28~38면.

① 자산총액 또는 매출총액을 기준으로 자산총액이 2조원 이상인 상장회사가 「금융위원회의 설치 등에 관한 법률」 제38조에 따른 검사 대상 기관인 경우: 해당 회사의 최근 사업연도 말 현재의 자산총액의 100분의 1(시행령 제35조 제6항 제1호)

② 자산총액 또는 매출총액을 기준으로 자산총액이 2조원 이상인 상장회사가 「금융위원회의 설치 등에 관한 법률」 제38조에 따른 검사 대상 기관이 아닌 경우: 해당 회사의 최근 사업연도 말 현재의 자산총액 또는 매출총액의 100분의 1(시행령 제35조 제6항 제2호).

2. 해당 사업연도 중에 특정인과의 해당 거래를 포함한 거래총액이 '대통령령으로 정하는 규모' 이상이 되는 경우의 해당 거래(제542조의9 제3항 제2호)

① 자산총액 2조원 이상인 상장회사가 「금융위원회의 설치 등에 관한 법률」 제38조에 따른 검사 대상 기관인 경우: 해당 회사의 최근 사업연도 말 현재의 자산총액의 100분의 5(시행령 제35조 제7항 제1호).

② 자산총액 2조원 이상인 상장회사가 「금융위원회의 설치 등에 관한 법률」 제38조에 따른 검사 대상 기관이 아닌 경우: 해당 회사의 최근 사업연도 말 현재의 자산총액 또는 매출총액의 100분의 5(시행령 제35조 제7항 제2호).

다. 이사회의 승인

자산총액이 2조원 이상인 상장회사는 최대주주, 그의 특수관계인 및 그 상장회사의 특수관계인으로서 대통령령으로 정하는 자를 상대로 하거나 그를 위하여 다음 각 호의 어느 하나에 해당하는 거래를 하려는 경우에는 '이사회의 승인'을 받아야 한다(제542조의9 제3항).

이사회의 승인에 대해서는 따로 정족수를 규정하고 있지 않으므로 일반적인 이사회의 결의방법인 '이사 과반수의 출석과 출석이사 과반수의 찬성'으로 한다(제391조 제1항).

2. 주주총회 보고

상법 제542조의9 제3항에 의하여 상장회사와 최대주주 등 특수관계인과의 거래에 대해서 이사회의 승인을 받는 경우 상장회사는 이사회의 승인 결의 후 처음으로 소집되는 정기주주총회에 '① 해당 거래의 목적, ② 상대방, ③ 거래의 내용, 날짜, 기간 및 조건, ④ 해당 사업연도 중 거래상대방과의 거래유형별 총거래금액 및 거래잔액'을 보고하여야 한다(제542조의9 제4항, 시행령 제35조 제8항).

주주총회에의 보고절차는 주주에게 중요정보를 제공하고 투자자의 판단에 기여하며, 거래의 공정성을 담보하는 역할을 한다. 다만, 대규모 상장회사의 경우에 한하여 주주총회 보고를 요구하고 있으며, 그것도 정기주주총회에 보고하도록 하고 있어 1년에 1회 정보가 제공되는데 그치는 문제가 있다.[79)]

3. 승인과 보고를 요구하지 아니하는 거래

상법 제542조의9 제3항에 의하여 최대주주 등 특수관계인과의 거래에 대해서 이사회의 승인이 요구되는 경우에도 불구하고, 상장회사가 경영하는 '업종에 따른 일상적인 거래'로서 다음 각 호의 어느 하나에 해당하는 거래는 이사회의 승인을 받지 아니하고 할 수 있다. 그중 제2호에 해당하는 거래는 그 거래내용을 주주총회에 보고하지 아니할 수 있다(제542조의9 제5항).

'업종에 따른 일상적인 거래'는 성질상 빈번히 이루어지는 점에서 엄격하게 규제할 경우 기업의 효율적인 운영을 저해할 가능성이 있음을 고려한 것이다.

1. 약관에 따라 정형화된 거래로서 '대통령령으로 정하는 거래'(제542조의9 제 5항 제1호)

   약관에 따라 정형화된 거래로서 "대통령령으로 정하는 거래"란 약관규제 법 제2조 제1호의 약관에 따라 이루어지는 거래를 가리킨다(제542조의9 제5항 제1호, 시행령 제35조 제9항). 약관에 의한 거래라고 해서 항상 이사 회 승인이 면제되는 것은 아니고, 업종에 따른 일상적인 거래가 아닐 경 우에는 이사회의 승인을 얻어야 한다. 또한 약관에 의한 거래라고 하여도 정형화된 거래이어야 하므로 거래조건이 당사자의 협상에 따라서 구체적 으로 정하여지는 경우에는 이사회의 승인을 얻어야 한다.[80)]

---

79) 안수현, 전게논문, 28~38면 참조.

2. '이사회에서 승인한 거래총액의 범위 안에서 이행하는 거래'(제2호)

　　이사회에서 승인한 거래총액의 범위 안에서 이행하는 거래는 이미 이사
회의 승인을 받은 것이므로 따로 이사회의 승인이 요구되지 않으며, 그
거래내용을 주주총회에 보고하지 아니할 수 있다(제542조의9 제5항 후단).
이사회에서 승인한 거래총액의 범위 안에서 '이행하는 거래'이므로 새로
이 계약을 체결하는 거래는 이에 해당하지 않는다.

제 8 절 　 상근감사에 관한 특례

Ⅰ. 상근감사 설치의무

1. 1천억 원 이상인 상장회사의 상근감사 설치의무

　　최근 사업연도 말 현재의 자산총액이 1천억원 이상인 상장회사는 주주총회
결의에 의하여 회사에 상근하면서 감사업무를 수행하는 감사("상근감사")를 1명
이상 두어야 한다(제542조의10 제1항, 시행령 제36조 제1항). 회사의 사정에 따라
다르겠지만 아무래도 감사가 비상근으로 근무하면 감사에 대한 집중도가 떨어질
수 밖에 없다. 이를 반영하여 상법은 감사 제도의 실효성을 확보하기 위해서,
자산총액 1천억 원 이상인 상장회사는 상근감사를 반드시 1인 이상 두도록 하
고 있다.

　　상법 제542조의10 제1항은 '주주총회 결의'에 의하여 상근감사를 둘 것을 요
구하고 있으나, 어차피 감사는 주주총회에서 선임하므로(제409조 제1항) 주주총
회의 결의에 의해서 상근감사를 두어야 한다는 규정에 큰 의미가 있는 것은 아
니다. 여러 명의 감사를 주주총회에서 선임할 때 누구는 상근이고 누구는 비상
근인지를 구별하여 선임하여야 한다는 의미는 가질 수 있다.

---

80) 안수현, 전게논문, 28~38면; 최문희, 전게논문, 126면.

2. 감사위원회를 두는 경우 상근감사의 설치의무 면제

상장회사가 이 절 및 다른 법률에 따라 감사위원회를 설치한 경우(감사위원회 설치 의무가 없는 상장회사가 이 절의 요건을 갖춘 감사위원회를 설치한 경우를 포함)에는 상근감사를 두지 않아도 된다(제542조의10 제1항 단서). 이 조문은 언 뜻보면 평범하지만, 상법이 제415조의2에서는 일반적인 감사위원회의 요건을 규정하고 있고, 제542조의11에서는 자산총액 2조원 이상인 상장회사에 요구되는 감사위원회의 요건을 별도로 규정하고 있어서 그 적용이 혼란스러운데 아래와 같이 해석할 것이다.

첫째, 자산총액 2조원 이상인 상장회사가 상법 제542조의11에 따라서 의무적으로 설치가 요구되는 감사위원회를 설치한 경우에는 자산총액 1천억원 이상인 상장회사라고 하더라도 상법 제542조의10에서 요구하는 상근감사를 두지 않아도 된다. 상법은 감사위원회를 설치한 경우에는 감사를 둘 수 없도록 하고 있을뿐 아니라(제415조의2 제1항 후문), 상법 제542조의11에 따른 감사위원회는 그 요건이 훨씬 엄격하기 때문이다.

둘째, 자산총액 1천억원 이상이고 2조원 미만인 상장회사가 상법 제542조의11에 따라 자산총액 2조원 이상인 상장회사에 설치가 요구되는 감사위원회를 설치한 경우에는 상법 제542조의10에서 요구하는 상근감사를 두지 않아도 된다. 자산총액 1천억원 이상인 상장회사는 상법 제542조의10에 따라서 원래 상근감사를 반드시 두어야 하지만, 감사위원회 설치의무가 없는 상장회사가 "이 절 및 다른 법률에 따라 감사위원회를 설치한 경우에는 그러하지 아니하(므로)"(제542조의10 제1항 단서) 상근감사의 설치의무가 면제된다.

셋째, 자산총액 1천억원 이상이고 2조원 미만인 상장회사가 상법 제415조의2에 따른 일반적인 감사위원회를 설치한 경우에도 상근감사를 설치의무가 면제되는가? 이 경우에는 상근감사를 별도로 두어야 할 것이다. 상법 제542조의10 제1항 단서는 "다만, 이 절 및 다른 법률에 따라 감사위원회를 설치한 경우에는 그러하지 아니하다."고 규정하면서, 상법 제3편 제4장 제13절 상장회사에 대한 특례에 따라 감사위원회를 설치한 경우에만 예외를 두고 있는데, 상법 제415조의2에 따른 감사위원회는 이 절(상법 제3편 제4장 제13절)에 따른 감사위원회가 아닐뿐더러, 그 요건도 상법 제542조의11에 따른 감사위원회보다 완화되어 있기 때문이다. 규모가 큰 회사에 대해서는 보다 엄격한 지배구조가 요구되고,[81) 상근감사 설치의무를 면하려면 보다 그에 준하는 요건 하에 감사위원회가 구성되어야 한다.[82) 종래 재정경제부도 같은 입장을 취한 바 있다.[83)

넷째, 자산총액 1천억원 미만인 상장회사에 대해서는 상법 제542조의10 제1항 본문의 상근감사의 설치의무가 적용되지 않으므로, 동항 단서의 상근감사의 설치의무의 면제에 관한 규정도 적용되지 않는다. 자율적인 판단에 따라 상근감사와 감사위원회의 설치 여부를 결정하면 될 것이다.

II. 상장회사 상근감사의 결격사유

상법은 비상장회사에서는 "감사는 회사 및 자회사의 이사 또는 지배인 기타의 사용인의 직무를 겸하지 못한다."(제411조)고 하고 있을뿐 감사의 자격에 대해서는 따로 규정하고 있지 않은데, 자산총액 1천억원 이상인 상장회사에서는 "다음 각 호의 어느 하나에 해당하는 자는 상근감사가 되지 못하며, 이에 해당하게 되는 경우에는 그 직을 상실한다."(제542조의10 제2항)고 하면서, 사외이사에 준하여 상근감사의 결격사유를 규정하고 있다. 상근감사의 결격사유는 다음과 같다.

1. 제542조의8 제2항 제1호부터 제4호까지 및 제6호에 해당하는 자(제542조의10 제2항 제1호)

    상법 제542조의8 제2항 각 호는 사외이사의 결격사유를 규정하고 있는데, 상법은 상근감사에 대해서 이를 준용하고 있다.

---

81) 최문희, 전게논문, 121면.
82) 자산총액 1천억원 이상 2조원 미만인 상장회사는 효율성 있는 감사업무를 수행하기 위해서는 감사위원회 보다는 상근감사를 두는 것이 타당하고, 상법 제542조의10 제1항 단서를 삭제할 필요가 있다는 견해가 있다. 정찬형, 전게논문, 297면.
83) 현행 상법 제542조의10 제1항 단서는 구 증권거래법 제191조의12 제1항 단서의 "다만, 이 법 또는 다른 법률에 의하여 감사위원회를 설치한 경우에는 그러하지 아니하다"는 규정을 이전한 것이다. 이 규정의 해석에 관하여 종래 재경부에서는 상법 제415조의2에 의하여 선임되는 감사위원회를 포함시키지 않고, 구 증권거래법 제191조의11의 엄격한 요건 하에서 구성되는 감사위원회만을 의미한다고 해석하였고 실무에서도 이에 따라 운영되어 왔다.

구체적인 결격사유에는 ① 미성년자, 피성년후견인 또는 피한정후견인(제
542조의8 제2항 제1호), ② 파산선고를 받고 복권되지 아니한 자(제542조
의8 제2항 제2호), ③ 금고 이상의 형을 선고받고 그 집행이 끝나거나 집
행이 면제된 후 2년이 지나지 아니한 자(제542조의8 제2항 제3호), ④ 대
통령령으로 별도로 정하는 법률을 위반하여 해임되거나 면직된 후 2년이
지나지 아니한 자(제542조의8 제2항 제4호), ⑤ 누구의 명의로 하든지 자
기의 계산으로 의결권 없는 주식을 제외한 발행주식총수의 100분의 10
이상의 주식을 소유하거나 이사·집행임원·감사의 선임과 해임 등 상장
회사의 주요 경영사항에 대하여 사실상의 영향력을 행사하는 주주(이하
"주요주주"라 한다) 및 그의 배우자와 직계 존속·비속(제542조의8 제2항
제6호)이 있다.

2. 회사의 '상무(常務)에 종사하는' 이사[84]·집행임원 및 피용자 또는 최근 2
   년 이내에 회사의 상무에 종사한 이사·집행임원 및 피용자. 다만, 이 절
   에 따른 감사위원회위원으로 재임 중이거나 재임하였던 이사는 제외한다
   (제542조의10 제2항 제2호)

   회사의 "상무(常務)에 종사하는" 이사 등은 상근감사가 될 수 없다. 상무
   에 종사한다는 말은 회사의 '일상업무'를 상시적으로 집행한다는 뜻이다.
   회사의 일상업무를 총괄하여 집행하는 대표이사가 대표적이고, 대표이사
   의 지시를 받아 회사의 일상업무를 분담하여 집행하는 이사들도 상무에
   종사하는 이사에 해당한다.

   "일상업무(日常業務)"인지는 업무의 내용에 따라서 구분하며, 업무집행의
   형태인 '상근' 여부와는 무관하다. 그러므로 비상근으로 재택 근무하는 이
   사도 회사의 일상업무를 집행하면 상무에 종사하는 이사에 해당할 수 있
   고, 상근감사가 될 수 없다.

   일상업무가 아닌 업무를 담당하는 이사는 상무에 종사한다고 보기는 어
   렵다. 감사위원회, 위험관리위원회 등 특별한 상황이 있는 경우에만 업무
   에 참여하여 수행하는 이사가 이에 해당한다.[85] 다만, 회사가 위험관리위

---

84) 2011년 개정상법은 이사를 사내이사, 사외이사, 그 밖에 상무에 종사하지 아니하는 이사
   ('비상무이사')로 구분하여 등기하도록 하였다(제317조 제2항). 개정상법의 시행으로 사외이
   사를 제외한 이사 중 상무에 종사하는 이사만 사내이사로 칭하고, 상무에 종사하지 아니하
   는 이사는 비상무이사로 칭하게 되었다. 김교창, 전게논문, 63면.

원회 등을 일상업무에 준해서 상시적으로 운영하는 경우라면 상무에 종
사한다고 볼 것이다.

상법 제542조의10 제2항 제2호 단서는 "다만, 이 절에 따른 감사위원회
위원으로 재임 중이거나 재임하였던 이사는 제외한다."고 하면서 감사위
원회위원으로 재임 중이거나 재임하였던 이사는 상근감사로 선임할 수
있도록 하는데, 감사위원회위원으로 재임 중인 이사가 상근감사로 선임될
수 있도록 하는 것이 적절한지는 의문이다. 감사위원회위원으로 재임 중
인 이사는 사내이사가 대부분일텐데, 상근감사까지 겸임한다면 그 독립성
이 훼손될 우려가 있기 때문이다.

3. 제1호 및 제2호 외에 회사의 경영에 영향을 미칠 수 있는 자로서 '대통령
령으로 정하는 자'(제542조의10 제2항 제3호)

상법 제542조의10 제2항 제3호에서 "대통령령으로 정하는 자"란 ① 해당
회사의 상무에 종사하는 이사·집행임원의 배우자 및 직계존속·비속(시
행령 제36조 제2항 제1호), ② 계열회사의 상무에 종사하는 이사·집행임
원 및 피용자이거나 최근 2년 이내에 상무에 종사한 이사·집행임원 및
피용자(제2호) 중 어느 하나에 해당하는 자를 말한다.

Ⅲ. 감사선임 의안의 별도 상정

상장회사가 주주총회의 목적사항으로 감사의 선임 또는 감사의 보수결정을
위한 의안을 상정하려는 경우에는 이사의 선임 또는 이사의 보수결정을 위한 의
안과는 별도로 상정하여 의결하여야 한다(제542조의12 제5항). 감사의 독립성을
확보하기 위하여 상장회사 감사의 선임 또는 감사의 보수결정을 위한 의안은 이
사의 그것과 분리하여 별도로 상정하도록 한 것이다.

상법 제542조의12 제1항은 감사위원회위원의 선임에 관한 권한도 주주총회
에 부여하고 있으므로, 상법 제542조의12 제5항에서 이사의 선임 등과 별도로
상정하여 의결할 사항에는 감사선임 등의 의안뿐만 아니라 감사위원회위원 선임

---

85) 김교창, 전게논문, 63~64면.

등의 의안도 포함하였어야 할 것이다.

제 9 절 감사위원회에 관한 특례

Ⅰ. 감사위원회의 설치의무

1. 비상장회사

비상장회사는 선택에 따라 감사위원회의 설치 여부를 결정할 수 있다(제415조의2). 상법 제415조의2는 감사위원회의 요건 등을 정해두고 있다.

비상장회사가 감사위원회를 설치할 경우, 감사위원회는 3명 이상의 이사로 구성한다. 다만, 사외이사가 위원의 3분의 2 이상이어야 한다(제415조의2 제2항).

감사위원회는 그 결의로 위원회를 대표할 자를 선정하여야 한다. 이 경우 수인의 위원이 공동으로 위원회를 대표할 것을 정할 수 있다(제415조의2 제4항).

상법 제415조의2의 감사위원회는 자산총액 2조원 이상인 상장회사에 설치가 요구되는 상법 제542조의11의 감사위원회보다는 그 요건이 완화되어 있다. 물론 비상장회사가 그 요건이 보다 엄격한 상법 제542조의11의 감사위원회를 설치하는 것도 가능하다.

2. 자산총액 2조원 미만인 상장회사

자산총액 2조원 미만인 상장회사는 따로 특칙이 없으므로, 비상장회사와 마찬가지로 회사의 선택에 따라서 감사위원회의 설치 여부를 결정할 수 있다(제415조의2).

상법 제415조의2의 감사위원회를 설치할 것인지, 상법 제542조의11의 감사위원회를 설치할 것인지도 선택할 수 있다.

3. 자산총액 2조원 이상인 상장회사

최근 사업연도말 현재의 자산총액이 2조원 이상인 상장회사는 감사위원회를 설치하여야 한다(제542조의11 제1항, 시행령 제37조 제1항 본문). 다만, 다음 각 호의 어느 하나에 해당하는 상장회사는 제외한다(시행령 제37조 제1항 단서).

1. 「부동산투자회사법」에 따른 부동산투자회사인 상장회사(시행령 제37조 제1항 제1호)
2. 「공공기관의 운영에 관한 법률」 및 「공기업의 경영구조 개선 및 민영화에 관한 법률」을 적용받는 상장회사(제2호)
3. 「채무자 회생 및 파산에 관한 법률」에 따른 회생절차가 개시된 상장회사(제3호)
4. 유가증권시장 또는 코스닥시장에 주권을 신규로 상장한 상장회사(신규상장 후 최초로 소집되는 정기주주총회 전날까지만 해당한다). 다만, 유가증권시장에 상장된 주권을 발행한 회사로서 감사위원회를 설치하여야 하는 회사가 코스닥시장에 상장된 주권을 발행한 회사로 되는 경우 또는 코스닥시장에 상장된 주권을 발행한 회사로서 감사위원회를 설치하여야 하는 회사가 유가증권시장에 상장된 주권을 발행한 회사로 되는 경우는 제외한다(제4호)

자산총액 2조원 이상인 상장회사는 사외이사 위주로 이사회가 구성되므로,[86] 업무집행기관에 대한 감독기능을 충실히 하기 위해서 이사회 내 위원회로 감사위원회를 의무적으로 설치하도록 한 것이다. 감사위원회를 설치한 경우에는 상근감사를 두지 않아도 되므로 비용절감의 효과도 있다(제542조의10 제1항).

II. 감사위원회 구성요건의 강화

최근 사업연도말 현재의 자산총액이 2조원 이상인 상장회사는 의무적으로 감

---

[86] 자산총액 2조원 이상인 상장회사는 사외이사는 3인 이상으로 하되, 이사 총수의 과반수가 되도록 하여야 한다(제542조의8 제1항 단서).

사위원회를 설치하여야 하는데, ① 상법 제415조의2의 일반적인 감사위원회의 요건(제542조의11 제2항 본문, 제415조의2 제2항) 외에 ② 그 위원 중 1명 이상은 대통령령으로 정하는 회계 또는 재무전문가일 것(제542조의11 제2항 제1호), ③ 감사위원회의 대표는 사외이사일 것(제542조의11 제2항 제2호), ④ 사외이사가 아닌 감사위원회위원은 결격요건이 없을 것(제542조의11 제3항)의 요건을 추가적으로 갖추어야 한다.

비상장회사 및 자산총액 2조원 미만인 상장회사가 설치 가능한 상법 제415조의2의 일반적인 감사위원회는 3명 이상의 이사로 구성하고 사외이사가 위원의 3분의 2 이상이어야 한다는 요건(제415조의2 제2항)밖에 없는데, 자산총액 2조원 이상인 상장회사가 설치하여야 하는 감사위원회는 그 구성요건이 강화되어 있다.

1. 3인 이상의 이사로 구성하고 그중 사외이사가 3분의 2 이상일 것(제542조의11 제2항 본문, 제415조의2 제2항)

이 요건은 상법 제415조 제2항의 일반적인 감사위원회의 구성요건이다. 일반적인 이사회내 위원회는 2인 이상의 이사로 구성하도록 하고 있으나 (393조의2 제3항), 감사위원회는 이사회내 위원회의 일종이지만 3인 이상의 이사로 구성하도록 하고 있다.

2. 위원 중 1명 이상은 '대통령령으로 정하는 회계 또는 재무전문가'일 것(제542조의11 제2항 제1호)

상법 제542조의11 제2항 제1호에서 "대통령령으로 정하는 회계 또는 재무 전문가"란 ① 공인회계사의 자격을 가진 사람으로서 그 자격과 관련된 업무에 5년 이상 종사한 경력이 있는 사람(시행령 제37조 제2항 제1호), ② 회계 또는 재무 분야에서 석사학위 이상의 학위를 취득한 사람으로서 연구기관 또는 대학에서 회계 또는 재무 관련 분야의 연구원이나 조교수 이상으로 근무한 경력이 합산하여 5년 이상인 사람(제2호), ③ 상장회사에서 회계 또는 재무 관련 업무에 합산하여 임원으로 근무한 경력이 5년 이상 또는 임직원으로 근무한 경력이 10년 이상인 사람(제3호), ④ 금융사지배구조법 시행령 제16조 제1항 제4호, 제5호의 기관 또는 한국은행법에 따른 한국은행에서 회계 또는 재무관련 업무나 이에 대한 감독업무에 근무한 경력이 합산하여 5년 이상인 사람(제4호), ⑤ 금융사지배구조법 시행령 제16조 제1항 제6호에 따라 금융위원회가 정하여 고시하는 자격을 갖춘 사람(제5호) 중 어느 하나에 해당하는 사람을 말한다.

3. 감사위원회의 대표는 사외이사일 것(제542조의11 제2항 제2호)

　　감사위원회의 대표는 사외이사일 것을 요구하는 것이 타당한지 의문이다. 감사위원회의 독립성을 뒷받침할 수 있을지 확실하지가 않고 회사의 업무 파악이 충분치 못하여 감사의 효율성도 문제될 수 있기 때문이다.

4. 감사위원회위원은 결격요건이 없을 것(제542조의11 제3항)

　　이 요건에 대해서는 아래 "Ⅲ. 감사위원회위원의 결격사유"에서 따로 살펴본다.

Ⅲ. 감사위원회위원의 결격사유

1. 사외이사가 아닌 감사위원회위원의 결격사유

　　상법 제542조의10제2항 각 호의 어느 하나에 해당하는 자는 최근 사업연도 말 현재 자산총액 2조원 이상인 상장회사의 사외이사가 아닌 감사위원회위원이 될 수 없고, 이에 해당하게 된 경우에는 그 직을 상실한다(제542조의11 제3항). 즉, 상법은 자산총액 1천억원 이상인 상장회사에 요구되는 상근감사의 결격사유에 관한 상법 제542조의10 제2항 각 호의 결격사유를 자산총액 2조원 이상인 상장회사가 설치하는 감사위원회위원 중 '사외이사가 아닌 감사위원회위원'에 대해서도 동일하게 적용하고 있다. 즉, 사외이사가 아닌 감사위원회위원의 성격을 상근감사와 비슷하게 보는 것이다.

　　상법 제542조의11 제3항의 '사외이사가 아닌 감사위원회위원의 결격사유'는 자산총액 2조원 이상인 상장회사가 상법 제542조의11의 감사위원회를 설치하는 경우에 적용되는 것이지만, 비상장회사 또는 자산총액 2조원 미만인 상장회사가 임의로 상법 제542조의11의 감사위원회를 두는 경우에도 준용된다. 비상장회사 또는 자산총액 2조원 미만인 상장회사가 감사위원회를 설치하면서 '사외이사가 아닌 감사위원회위원의 결격사유'에 관한 규정을 준수하지 않으면 상법 제542조의11의 요건에 부합하는 감사위원회를 설치하였다고 볼 수 없다.

2. 사외이사인 감사위원회위원의 결격사유

상법 제542조의11은 사외이사인 감사위원회위원의 자격에 대해서는 따로 규정하고 있지 않다. 그러나 사외이사인 감사위원회위원은 사외이사에 해당하므로 앞서 "제6절 사외이사의 선임에 관한 특례"에서 살펴본 사외이사의 자격요건이 적용된다.

Ⅳ. 감사위원회 구성요건 흠결 시 보충의무

상장회사는 감사위원회위원인 사외이사의 사임·사망 등의 사유로 인하여 사외이사의 수가 감사위원회의 구성요건에 미달하게 되면 그 사유가 발생한 후 처음으로 소집되는 주주총회에서 그 요건에 합치되도록 하여야 한다(제542조의11 제4항 본문).

이 경우 최근 사업연도말 현재의 자산총액이 2조원 이상인 상장회사에 적용되는 감사위원회를 설치한 상장회사는 상법 제542조의11 제2항의 감사위원회 구성요건에 맞추어야 하고(제542조의11 제4항 제1호), 상법 제415조의2 제1항에 따른 일반적인 감사위원회를 설치한 상장회사는 상법 제415조의2 제2항의 요건에 따른 요건에 합치되도록 하여야 한다(동항 제2호).

Ⅴ. 감사위원회위원의 선임과 해임의 절차

1. 자산총액이 2조원 미만인 상장회사

가. 이사회결의에 의한 선임

자산총액 2조원 미만인 상장회사는 따로 특칙이 없으므로, 비상장회사와 마찬가지로 회사의 선택에 따라서 감사위원회의 설치 여부를 결정할 수 있다(제

415조의2). 상법 제415조의2의 감사위원회를 설치할 것인지, 상법 제542조의11
의 감사위원회를 설치할 것인지도 선택할 수 있다.

여기에서는 자산총액 2조원 미만인 상장회사가 상법 제415조의2의 감사위원
회를 두는 것을 전제로 설명한다.

자산총액 2조원 미만인 상장회사가 상법 제415조의2에 따른 감사위원회를
설치하는 경우, 이사회내 위원회의 일종으로 감사위원회를 설치할 수 있고, 이
경우 그 구성원인 감사위원회위원은 이사회결의에 의해서 선임 또는 해임된다
(제393조의2).

감사위원회의 위원의 해임에 관한 이사회결의는 이사 총수의 3분의 2 이상
의 결의로 하여야 한다(제415조의2 제2항).

나. 주주총회결의에 의한 선임

위와 같이 자산총액 2조원 미만인 상장회사가 상법 제415조의2의 감사위원
회를 설치하는 경우에, 감사위원회의 구성원인 감사위원회위원은 이사회결의에
의하여 선임 또는 해임되지만, 최고기관으로서 주주총회의 속성을 고려하면 회
사는 '정관으로' 감사위원회위원을 주주총회에서 선임하거나 해임하도록 규정할
수 있다(제361조).

자산총액 2조원 미만인 상장회사가 상법 제415조의2의 감사위원회를 설치하
면서도, 정관으로 주주총회에서 감사위원회위원을 선임하도록 정한 경우에는,
자산총액 2조원 이상인 상장회사가 주주총회에서 감사위원을 선임할 때에 적용
하는 상법 제542조의12 제2항과 같은 특칙(일괄선임. 다만, 감사위원 1명 이상은
분리선임)이 없으므로, 이사회는 일괄선임 또는 분리선임의 방식 중 하나를 선택
하여 주주총회에 상정할 수 있다.[87]

---

87) 대전지방법원은 스틸파트너스가 KT&G를 상대로 제기한 주총결의금지가처분사건에서 "주
   권상장법인의 사외이사 선임에 있어 종래 실무상 운용되고 있는 분리선임 방식과 일괄선임
   방식에 대하여 현행 상법 및 증권거래법의 해석상 위 두 가지 방식이 주주총회결의 방법으
   로 모두 가능하고 그 가운데 어느 방식을 취할 것인지에 대한 결정권한은 별도의 주주제안
   이 없는 이상 이사회에 있다"고 하였다. 대전지방법원 2006.3.14. 자 2006카합242 결정[주
   주총회결의금지가처분] 확정.

2. 자산총액이 2조원 이상인 상장회사

가. 주주총회결의에 의한 일괄선임

최근 사업연도말 현재 자산총액 2조원 이상인 상장회사가 상법 제542조의11의 감사위원회를 설치하는 경우에는 감사위원회위원을 선임하거나 해임하는 권한은 이사회가 아니라 '주주총회'에 있다(제542조의12 제1항). 감사위원회는 이사회내 위원회이므로 그 구성원인 감사위원회위원은 원래 이사회에서 선임하여야 하지만(제393조의2), 자산총액 2조원 이상인 상장회사에 대해서는 감사위원회위원의 독립성을 높이고 주주총회에서 선임하는 감사와 균형을 맞추기 위하여 주주총회에서 선임하도록 한 것이다.

감사위원회위원을 주주총회에서 선임하는 경우에도, 주주총회에서 이사를 선임한 후 선임된 이사 중에서 감사위원을 선임하여야 한다(제542조의12 제2항 본문). 즉, 감사위원회위원 후보인 이사를 선임할 때에는 일반이사와 구분하지 않고서 주주총회에서 일괄하여 선임하고, 선임된 감사위원회위원 후보 중에서 감사위원을 선임하는 주주총회 결의를 다시 한 번 한다(제542조의12 제2항 본문, 이른바 '일괄선임방식'). 예를 들어, 주주총회에서 甲·乙·丙을 이사로 선임하고(1단계), 이사로 선임된 甲·乙·丙 중에서 다시 감사위원회위원을 선임하는 절차(2단계)를 거친다.

나. 감사위원회위원 중 1명은 분리선임

위와 같이 감사위원을 일괄하여 선임하는 경우에는 이미 첫 번째 결의에서 대주주의 의사가 반영되어 감사위원회위원 후보가 선임되므로 두 번째 결의에서 3% 의결권을 제한하더라도 사실상 의미가 없을 수 있다. 원래 일괄선임방식을 채택한 것은 집중투표제를 채택한 회사가 분리선임을 하면 소수주주가 지원하는 이사 후보의 이사회 진입이 어려운 사정을 고려한 것이었으나, 해당 상장회사가 정관에서 집중투표제를 배제하였다면, 1단계에서 이사로 선임된 甲·乙·丙 모두 대주주의 의사가 반영된 자이므로, 2단계인 감사위원회위원 선임절차에서 3% 초과주식의 의결권을 제한하더라도 실효성이 없게 된다. 누가 감사위원회위원으로 선임되든지 대주주가 원하는 자이기 때문이다.

이를 반영하여 2020년 12월 개정상법은 감사위원회위원 중 1명(정관에서 2명 이상으로 정할 수 있으며, 정관으로 정한 경우에는 그에 따른 인원으로 한다)은 다른 이사들과 분리하여 선임하도록 하고 있다(제542조의12 제2항 단서, 이른바 '분리선임'). 이 경우에는 처음부터 다른 이사들과 분리하여 선임하므로 감사위원회위원의 선임 여부에 관하여 한 번의 주주총회 결의를 거치는 것으로 충분하다. 물론 3%를 초과하는 주주의 의결권은 제한된다.

상법 제542조의12 제1항 단서는 "감사위원회위원 중 1명(정관에서 2명 이상으로 정할 수 있으며, 정관으로 정한 경우에는 그에 따른 인원으로 한다)"고 규정하고 있어서, 2명 이상을 분리 선임하는 것은 정관에 규정이 있는 경우에 한하여 할 수 있도록 하고 있는데, 1명에 대해서는 분리 선임을 의무화하고, 그 이상에 대해서는 회사의 선택에 따르도록 하면 되는 것이지 2명 이상을 분리 선임하는 경우에는 굳이 정관으로 정해두어야만 가능하도록 하는 것이 타당한지는 의문이다. 금융사지배구조법 제19조 제5항은 "금융회사는 감사위원이 되는 사외이사 1명 이상에 대해서는 다른 이사와 분리하여 선임하여야 한다."고만 규정하고, 상법 제542조의12 제2항 단서의 괄호 "(정관에서 2명 이상으로 정할 수 있으며, 정관으로 정한 경우에는 그에 따른 인원으로 한다)"와 같은 문구는 두고 있지 않다.

다. 감사위원회위원의 해임

상법 제542조의12 제1항에 따른 감사위원회위원은 상법 제434조에 따른 주주총회의 특별결의로 해임할 수 있다(제542조의12 제3항 본문). 상법 제385조의 이사의 해임 규정과 균형을 맞추어 특별결의에 의하여 해임할 수 있도록 한 것이다. 다만, 상법 제542조의12 제2항 단서에 따라서 분리 선임된 감사위원회위원이 해임의 대상인 경우에는 감사위원회위원의 지위뿐만 아니라 이사로서의 지위도 상실한다(제542조의12 제3항 단서). 즉, 일괄선임된 감사위원회위원을 주주총회 특별결의로 해임한 경우에는 특별한 사정이 없는한 감사위원회위원의 지위만을 상실하고 이사의 지위는 상실하지 않지만, 분리선임된 감사위원회위원을 주주총회 특별결의로 해임한 경우에는 감사위원회위원의 지위뿐만 아니라 이사로서의 지위도 상실한다. 물론 회사는 주주총회 특별결의로 이사를 해임할 수 있으므로(제385조 제1항), 일괄선임된 감사위원회위원이라고 하더라도, 주주총회의 특별결의에 감사위원회위원의 지위를 박탈한다는 내용뿐만 아니라 이사로서의 지위까지 박탈한다는 내용까지도 포함되어 있다면 이사의 지위도 상실한다고 보아야 한다.

Ⅵ. 감사위원회위원의 선임과 해임 시 의결권 제한

1. 감사위원회위원의 선임과 해임 시에 3% 제한

2020년 12월 개정상법 제542조의12 제4항은 "최근 사업연도 말 현재 자산총액이 2조원 이상인 상장회사의 경우에 감사위원회위원을 선임 또는 해임할 때에는 의결권 없는 주식을 제외한 발행주식총수의 100분의 3(정관에서 더 낮은 주식 보유비율을 정할 수 있으며, 정관에서 더 낮은 주식 보유비율을 정한 경우에는 그 비율로 한다)을 초과하는 수의 주식을 가진 주주(최대주주인 경우에는 사외이사가 아닌 감사위원회위원을 선임 또는 해임할 때에 그의 특수관계인, 그 밖에 대통령령으로 정하는 자가 소유하는 주식을 합산한다)는 그 초과하는 주식에 관하여 의결권을 행사하지 못한다."고 하고 있다.

2020년 12월 개정전상법 제542조의12 제4항은 "… 상장회사의 의결권 없는 주식을 제외한 발행주식총수의 100분의 3을 초과하는 수의 주식을 가진 주주는 그 초과하는 주식에 관하여 사외이사인 감사위원회위원을 선임할 때에 의결권을 행사하지 못한다. 다만, 정관에서 이보다 낮은 주식 보유비율을 정할 수 있다."고 하고 있어서, '사외이사인 감사위원회위원'을 선임하는 경우에는 3% 초과주식에 대한 의결권 제한 규정이 있었으나, 사외이사가 아닌 감사위원회위원에 대해서는 의결권 제한 규정이 없었고, 선임 시와는 달리 해임 시에는 3% 제한이 없어서 혼선이 있었는데, 2020년 12월 개정상법 제542조의12 제4항은 감사위원회위원이 사내이사인지 또는 사외이사인지에 관계 없이, 그리고 감사위원회위원의 선임과 해임에 관계 없이 발행주식총수의 3% 초과주식에 관해서는 모든 주주에 대해서 그 의결권을 제한하고 있다.

상법 제542조의12 제4항이 모든 상장회사에 적용되는지 논란이 있으나, "제1항에 따른 감사위원회위원을 선임 또는 해임할 때에는"이라고 규정하고 있는 점을 고려하면, 최근 사업연도 말 현재의 자산총액이 2조원 이상인 상장회사에 대해서만 적용된다. 상법 제542조의12 제1항은 2조원 이상인 상장회사를 적용대상으로 하고 있기 때문이다.

2. 사외이사인지의 여부에 관계 없이 3% 제한

2020년 12월 개정전상법 제542조의12 제4항은 "발행주식총수의 100분의 3을 초과하는 주식을 가진 주주는 그 초과하는 주식에 관하여 사외이사인 감사위원회위원을 선임할 때에 의결권을 행사하지 못한다."고 하고 있어서 '사외이사가 아닌 감사위원'에 대해서도 3% 의결권 제한 규정이 적용되는지에 대해서 논란이 있었으나, 2020. 12. 개정상법 제542조의12 제4항은 "감사위원회 위원을 선임 또는 해임할 때에는 … 의결권 없는 주식을 제외한 발행주식총수의 100분의 3을 초과하는 주식을 가진 주주는 … 의결권을 행사하지 못한다."고 규정함으로써 선임대상이 '사외이사인 감사위원회위원' 또는 '사외이사가 아닌 감사위원회위원'인지에 관계 없이 모두 3% 초과 주식의 의결권을 제한하고 있다(제542조의12 제4항).

3. 최대주주에 대한 추가적인 의결권 제한

위와 같이 최근 사업연도말 현재 자산총액 2조원 이상인 상장회사의 경우에 주주총회에서 감사위원회위원을 선임하거나 해임하고(제542조의12 제1항), 모든 주주가 3%를 초과하여 보유하는 주식의 의결권이 제한되지만, 주주총회에서 선임 또는 해임하는 대상이 '사외이사가 아닌 감사위원회위원'인 경우에는 최대주주와 그의 특수관계인, 그 밖에 '대통령령으로 정하는 자'[88]가 소유하는 주식을 합산하여 그 3%를 초과하는 주식의 의결권이 제한된다(제542조의12 제4항 괄호). 즉, '사외이사가 아닌 감사위원회위원'을 선임 또는 해임할 때에는 최대주주의 의결권이 더욱 엄격하게 제한된다.

비상장회사의 감사선임에 있어서는 100분의 3을 초과하는 모든 대주주의 의

---

88) 상법 제542조의12 제4항에서 "대통령령으로 정하는 자"란 ① 최대주주 또는 그 특수관계인의 계산으로 주식을 보유하는 자, ② 최대주주 또는 그 특수관계인에게 의결권(의결권의 행사를 지시할 수 있는 권한을 포함한다)을 위임한 자(해당 위임분만 해당한다)의 어느 하나에 해당하는 자를 말한다(시행령 제38조 제1항).

결권 행사가 제한되지만, 자산총액 2조원 이상인 상장회사에서는 최대주주와 그의 특수관계인 등의 의결권은 추가로 제한되므로 최대주주에 대한 부당한 역차별의 우려가 있다. 상법 제542조의12 제4항에 의하면, 최대주주는 그의 특수관계인, 그 밖에 대통령령으로 정하는 자가 소유하는 주식을 합산하여 100분의 3을 초과하는 주식에 대하여 의결권 제한을 받지만, 제2대 내지 제3대 주주는 자신의 주식에 한정하여 3% 의결권 제한을 받고, 그의 특수관계인 등은 3%까지는 따로 의결권을 행사할 수 있기 때문이다. 이처럼 최대주주의 의결권만을 추가로 제한하는 것은 1주1의결권 원칙에 위반되고 그 긍정적인 효과도 분명하지 않다. 오히려 적대적 M&A의 경우에 경영권을 위협하는 세력이 연합하여 감사를 선임하는 상황이 발생할 가능성도 있다. 대규모 상장법인의 경우 최대주주와 제2대, 제3대 주주간의 보유 지분에 커다란 차이가 없고, 기형적인 지배구조가 생겨서 당해 회사가 경영 교착의 상태에 빠질 수도 있다.

최대주주등을 판단함에 있어서는 실제주주를 기준으로 판단하여야 한다는 견해도 있으나, 주주명부상의 주주를 기준으로 판단할 것이다. 회사에 대한 관계에서는 주주명부상의 주주가 감사선임을 포함하여 의결권 등 주주권을 행사하는 것이 타당하기 때문이다.[89]

4. 감사의 선임 또는 보수 의안의 별도상정

상장회사가 주주총회의 목적사항으로 감사의 선임 또는 감사의 보수결정을 위한 의안을 상정하려는 경우에는 이사의 선임 또는 이사의 보수결정을 위한 의안과는 별도로 상정하여 의결하여야 한다(제542조의12 제5항).

구 증권거래법은 감사의 선임 및 보수결정에 관한 별도상정을 명문으로 규정하고 있었다. 실무상으로도 별도 상정하고 있으므로 상법이 주의적인 규정에 불과하다는 견해도 있지만, 명확한 해결을 위해서는 상법과 같이 명문의 규정을 두는 것은 타당하다.

---

89) 대법원 2017.3.23. 2015다248342.

5. 감사에 대한 준용

비상장회사는 주주총회에서 감사를 선임하고 감사를 '선임'할 때에는 3% 초과 주식의 의결권은 제한되지만(제409조 제1항, 제2항), 감사를 '해임'할 때에는 주주총회 특별결의로 언제든지 해임할 수 있다고만 정하고 있을뿐(제415조, 제385조 제1항) 의결권을 제한하는 규정은 없다.

상장회사가 감사를 '선임'할 때에는 비상장회사의 감사선임 시 3% 의결권 제한에 관한 상법 제409조 제2항이 여전히 적용되므로 상장회사의 주주가 보유하는 3% 초과주식의 의결권은 모두 제한된다(제409조 제1항, 제2항).

상법 제542조의12 제7항은 상장회사의 경우에 상법 제542조의12 제4항에 따른 감사위원회위원의 선임과 해임 시 3% 초과주식의 의결권 제한 규정을 상장회사가 감사를 선임하거나 해임할 때에도 준용하고 있다(제542조의12 제7항 전단). 따라서 상장회사에서는 감사를 선임할 때뿐만 아니라 해임할 때에도 3% 초과주식의 의결권이 제한된다. 이 경우 최대주주에 대해서는 그의 특수관계인, 그 밖에 대통령령으로 정하는 자가 소유하는 주식을 합산하여 의결권을 제한하므로(제542조의12 제7항 후단) 비상장회사에 비교하여 의결권이 엄격하게 제한되어 있다.

상법 제542조의12 제7항이 자산총액 2조원 이상의 상장회사에 대해서만 적용되는지 여부에 대해서 논란이 있을 수 있으나, 동조 제7항은 "제4항은 상장회사가 감사를 선임하거나 해임할 때 준용한다"(제542조의12 제7항 전단)고 하면서 그 적용대상을 자산규모에 따라 구분하지 않고 있고, 자산규모에 따라 그 적용을 달리할 이유도 없으므로 모든 상장회사에 적용된다고 볼 것이다.

상법 제542조의11의 감사위원회는 자산총액 2조원 이상의 상장회사에 의무적으로 적용되는 조항이지만, 그에 이은 상법 제542조의12의 감사위원회의 구성 등에 관한 규정은 자산총액 2조원 이상의 상장회사에 대해서만 적용되는지, 아니면 상법 제415조의2에 따른 감사위원회를 설치한 상장회사에 대해서도 적용되는지가 분명치 않은 내용들이 많다. 상법개정을 통해서 그 적용대상과 범위를 분명하게 할 필요가 있다.

6. 정족수 요건의 완화

2020년 12월 개정상법 제542조의12에서는 감사위원회의 구성요건이 엄격하게 정비되고, 감사위원회위원의 선임과 해임 시 의결권 제한이 강화되면서, 감사위원회위원의 선임 시에 발행주식총수의 과반수 출석을 요구하는 주주총회 보통결의 정족수(제368조 제1항)를 채우지 못할 수 있다는 우려가 제기되었다.

이를 반영하여 2020. 12. 개정상법 제542조의12 제8항은 "회사가 제368조의4제1항에 따라 전자적 방법으로 의결권을 행사할 수 있도록 한 경우에는 제368조제1항(총회의 결의방법과 의결권 행사)에도 불구하고 출석한 주주의 의결권의 과반수로써 제1항에 따른 감사위원회위원의 선임을 결의할 수 있다."는 특칙을 규정하였다. 즉, 주주총회에서 감사위원회위원을 선임할 때에는 발행주식총수의 4분의 1 이상의 요건을 갖추지 못하더라도 출석주주 의결권의 과반수만으로 감사위원회위원을 선임할 수 있도록 한 것이다. 이는 전자투표를 통한 소수주주의 주주총회 참석을 활성화하기 위한 것이지만, 전자투표 제도만 채택하면 발행주식총수의 4분의 1 이상을 채우기 위하여 회사가 노력할 필요가 없게 되므로, 오히려 소수주주의 주주총회 참석이 줄어들 가능성도 있다. 소수주주의 총회 참여율을 높일 수 있는 추가적인 조치가 병행되어야 할 것이다.

상법 제542조의12 제8항은 상법 제542조의11의 감사위원회를 설치한 회사에 적용된다. 따라서 자산총액 2조원 이상인 상장회사가 상법 제542조의11의 감사위원회를 의무적으로 설치한 경우에 적용대상이 되지만, 비상장회사 또는 2조원 미만인 상장회사가 상법 제542조의11의 감사위원회를 자율적으로 설치한 경우에도 적용된다고 볼 것이다.

7. 감사기간의 연장

상장회사의 감사 또는 감사위원회는 제447조의4(감사보고서) 제1항에도 불구하고 이사에게 감사보고서를 주주총회일의 1주 전까지 제출할 수 있다(제542조의12 제6항).

비상장회사의 경우에 이사는 정기총회회일의 6주간전에 감사에게 관련서류를 제출하여야 하고(제447조의3), 감사는 서류를 받은 날로부터 4주 내에 감사보고서를 이사에게 제출하여야 하는데(제447조의4 제1항, 즉 주주총회 2주 전까지 제출하면 된다), 상장회사의 경우에는 감사보고서를 주주총회일의 1주 전까지 제출할 수 있도록 한 것이다(제542조의12 제6항). 상장회사의 재무제표는 비상장회사의 재무제표 보다 더 복잡할 것이므로 상장회사의 감사기간을 4주간에서 사실상 1주일 연장한 것이다.

[표] 감사 및 감사위원회의 구성과 권한

구분		비상장 회사	상장회사		
			1천억 미만	1천억 이상 2조 미만	2조원 이상(자산총액 기준)
감사기관 설치		감사위원회 임의 설치 (감사위원회 설치시 감사 설치 불가)(415조 의2①)			감사위원회 의무 설치 (542조의11①)
				상근감사 의무 설치 (542조의10①)	
감사위원회 구성		415조의2의 감사위원회: ① 3인 이상의 이사로 구성, ② 사외이사가 감사위원의 3분의 2 이상일 것(415조의2②) 542조의11의 감사위원회(자산 2조 이상 상장회사): 위의 ①,②의 요건에 추가하여, ③ 위원 중 1명 이상은 대통령령으로 정하는 회계 또는 재무전문가일 것, ④ 감사위원회의 대표는 사외이사일 것, ⑤ 사외이사가 아닌 감사위원회위원은 결격요건이 없어야 함(542조의11②,③)			
선임	감사	비상장회사 감사는 주총 보통결의(409조①) • 3% 제한(409조②) 상장회사의 감사는 주총 보통결의(409조①) • 3% 제한(409조②, 542조의12⑦,④) • 최대주주에 대해서는 그 특수관계인 등의 주식을 합산하여 3% 제한(542조의12⑦)			해당 없음 (감사위원회 의무 설치)
	감사 위원	(감사위원회 설치 시) 이사회 결의로 선임(415조의2①, 393조의2) • 기본적으로 이사회내 위원회에 해당하기 때문 주총에서 감사위원 선임 시 • 정관으로 주총선임결정 가능(해석론, 판례) • 일괄선임 또는 분리선임(일괄선임 규정 542조의12② 없음)			(감사위원회 의무 설치) 주주총회 보통결의(542조의12①) • 주주총회에서 일괄선임(동조 ②) • 1명은 주총 분리선임(동조② 단서) • 3% 제한(542조의12④) • 최대주주가 '사외이사가 아닌 감사위원' 선임 시에는 특수관계인 합하여 3% 제한(542조의12④괄호)

		비상장회사의 감사는 주총 특별결의(415, 385조) • 3% 제한 없음 상장회사의 감사는 주총 특별결의(415, 385조) • 3% 제한(542조의12⑦,④) • 최대주주에 대해서는 그 특수관계인 등의 주식을 합산하여 3% 제한(542조의⑦)		해당 없음 (감사위원회 의무 설치)
	감사			
해임	감사위원	(감사위원회 설치 시) • 이사회 특별결의(이사 2/3 이상)(415조의2③)	(감사위원회 설치 시) • 2조 이상 상장회사와 같음(542조의10① 단서)	(감사위원회 의무 설치) 주총 특별결의(542조의12③) • 분리선임 감사위원은 이사로서의 지위도 상실(542조의12③단서) • 3% 제한(542조의12④) • 최대주주, '사외이사가 아닌 감사위원' 특수관계인의 주식을 합산하여 3% 제한(542조의④괄호)
전문성요건	감사	해당사항 없음(409조)		해당 없음(감사위원회 의무 설치)
	감사위원	해당사항 없음(415조의2)	(감사위원회 설치 시) • 2조 이상 상장회사와 같음(542조의10①단서)	• 감사위원 중 1명 이상은 회계 또는 재무 전문가일 것 • 감사위원회의 대표는 사외이사일 것(542조의11②)

제10절　준법통제기준 및 준법지원인에 관한 특례

I. 준법지원인 설치회사의 기준

최근 사업연도 말 현재의 자산총액이 5천억원 이상인 상장회사는 법령을 준수하고 회사경영을 적정하게 하기 위하여 임직원이 그 직무를 수행할 때 따라야 할 준법통제에 관한 기준 및 절차(이하 '준법통제기준'90)이라 한다)를 마련하여야 한다(제542조의13 제1항, 시행령 제39조). 상법은 2011년 4월 준법지원인 제도를 도입할 때에 준법통제기준의 적용대상에 관해서 전체 상장회사에 적용하는 방안, 또는 자산총액 2조원 이상인 상장회사에 적용하는 방안 등을 논의하였지만 이를 절충하여 자산총액 5천억원 이상인 상장회사에 적용하기로 하였다.

자본시장법 등 다른 법률에 따라 내부통제기준 및 준법감시인을 두어야 하는 상장회사는 그 적용대상에서 제외된다(시행령 제39조).[91][92]

II. 준법지원인의 의의와 기능

1. 준법지원인의 의의

최근 사업연도말 현재의 자산총액이 5천억원 이상인 상장회사는 준법통제기준의 준수에 관한 업무를 담당하는 사람("준법지원인")[93]을 1명 이상 두어야 한다(제542조의13 제2항).

---

90) 상법은 자본시장법 등에서 사용하는 내부통제기준이라는 용어를 사용하지 않고 준법통제기준이란 용어를 사용하는데, 이는 법률위험 관리가 준법통제기준의 주된 취지임을 밝히는 것이다. 박세화, "준법지원인제도의 안정적이고 효율적인 운용을 위한 법적 과제,"「상사법연구」제30권 제2호(한국상사법학회, 2011), 277면.

91) 순수지주회사는 직원 수가 적고 자회사의 주식만을 보유하고 있으므로 준법지원인제도의 적용에서 제외하여야 한다는 경제계의 요청이 있었다. 그러나 지주회사 이사의 업무집행으로 인하여 손해를 받을 염려가 있는 자회사 주주의 보호장치가 충분치 않고, 자산총액이 5천억원 이상인 지주회사는 상당수가 있으나 이들의 자회사, 손자회사, 증손회사는 대부분 비상장회사로 되어 있어서 지주회사의 주주 입장에서는 비상장회사의 준법경영이 중요한 상황이라는 점이 고려되어 적용제외 사유로 규정하지 아니하였다. 구승모, 전게논문, 115면.

92) 한국전력공사, 한국가스공사, 한국지역난방공사 등의 공공기관이면서 상장회사인 회사에 대해서 준법지원인 및 준법통제기준 설치의무를 면제하여 달라는 요청도 있었다. 그러나 한국전력공사 등은 공공기관의 운영에 관한 법률 제39조 제3항과 '공기업·준정부기관 회계사무규칙' 제21조에 따라 내부통제책임자를 임명하고 있으나, 상법 제542조의13의 취지에 미치지 못하고, 한국전력공사 등은 거대상장기업으로써 국민경제에 미치는 영향이 지대하다는 점을 고려하여, 적용제외 사유로 규정하지 아니하였다. 구승모, 전게논문, 115~116면.

93) 준법지원인제도는 감사나 감사위원회의 기능이 중복되고, 모델이 되었던 미국에서도 상근 감사제도가 없어서 금융기관이나 의료기관 등 고도의 규제산업에 한하여 도입된 것으로 우리나라와 같이 전반적으로 준법지원인제도를 도입하는 것에 대해서 비판하면서, 임의적 준법지원인 제도로 변경하자는 주장이 있다. 윤성승, "개정 상법상 준법지원인 제도의 문제점과 개선방안,"「기업법연구」제25권 제4호(한국기업법학회, 2011. 12.), 157~161, 167면; 준법지원인제도의 필요성에 대해서는 최정식, "준법통제와 준법지원인에 대한 고찰,"「숭실대학교 법학논총」제27집(숭실대학교 법학연구소, 2012. 1.), 13~15면 참조.

준법지원인은 준법통제기준의 준수 여부와 그 결과를 이사회에 보고하고(제542조의13 제3항), 이사회에 의하여 선임·해임되며(제542조의13 제4항), 회사에 대하여 선관주의의무를 부담하는(제542조의13 제7항) 등에 비추어, 업무집행기관을 감사하는 감사 및 감사위원회와는 차이가 있고, 이사회를 보좌하며 집행임원에 준하는 지위에 있다.

2. 준법지원인과 이사의 겸직 여부

준법지원인은 집행임원에 준하는 지위를 가진다. 이와 관련하여 준법지원인이 이사를 겸직할 수 있는가? 이사가 준법지원인의 지위를 겸직할 경우 준법지원인의 독립성 약화를 우려하여 반대하는 견해가 있으나, 법령에 명시적인 규정이 없다면 겸직할 수 있다고 본다(긍정설).

경영진에 대한 감시와 견제를 담당하는 감사와는 달리 준법지원인은 회사의 업무를 담당하는 집행임원에 준하는 지위에 있고, 이사가 준법지원인의 지위를 겸직할 경우 준법지원인의 지위가 강화되어 실질적인 준법지원업무를 수행할 수 있으며, 양자의 겸직을 금지하는 규정이 없다면 원칙적으로 허용하는 것이 옳기 때문이다. 준법지원인의 이사 겸직으로 인한 긍정적 또는 부정적 효과는 각 회사에 따라서 다를 것이므로 개별회사가 겸직의 여부를 판단하여 결정하면 된다. 다만, 준법지원인이 이사의 지위를 겸직하더라도 자신의 업무수행에 영향을 줄 수 있는 영업관련업무를 담당하여서는 아니 된다(시행령 제42조).

3. 준법지원인과 감사 또는 감사위원회와의 관계

감사 또는 감사위원회를 준법지원인의 상급기관으로 보아야 하는가? 준법지원인은 준법통제기준의 준수 여부를 점검하여 직접 이사회에 보고하는 점에 비추면, 집행임원에 준하는 이사회의 하부조직이지 감사의 하부조직으로 보기는 어렵다. 따라서 준법지원인은 이사회에 보고하면 원칙적으로 그 의무를 이행한 것이 된다. 감사위원회는 이사회내 위원회이므로 감사위원회를 통하여 이사회에 보고하는 것도 가능하고,[94] 회사의 내규에서 준법지원인을 감사에 소속하거나

---

94) 윤성승, 전게논문, 162면; 정대, "글로벌 스탠더드로서의 내부통제: 상장회사의 준법지원인

감사에게도 보고를 요구하는 경우에는 이를 따라야 할 것이다.

준법지원인이 감사의 지위를 겸직할 수 있는가? 감사는 회사 및 자회사의 이사 또는 지배인 기타의 사용인의 직무를 겸하지 못하는데(제411조), 준법지원인은 이사에 준하는 집행임원 또는 사용인에 해당하므로 감사의 지위를 겸하지 못한다.[95] 회사지배구조의 측면에서도 준법지원인은 회사내부에서 임직원이 업무를 수행하기 이전에 그 행위가 관련법규에 위반하였는지의 여부 등을 점검하는 역할을 하고, 감사는 주주를 대리하여 업무집행기관이 수행한 업무 및 회계 등의 적법성 여부를 사후에 감사하는 차이가 있으므로 준법지원인은 감사와는 상호독립적일 수밖에 없다.

이와 관련하여 자본시장법상 준법감시인은 감사 또는 감사위원회에게 보고하도록 규정하고 있고(자본시장법 제28조 제2항), 상법은 자본시장법 등 다른 법률에 따라 내부통제기준 및 준법감시인을 두는 경우에는 상법상 준법지원인의 설치의무를 면제하고 있어서(시행령 제39조 단서), 상법상 준법지원인과 자본시장법상 준법감시인 양자 사이의 관계에 혼란이 생기고 있다. 장기적으로는 입법을 통해 통일시킬 필요성이 있다.[96]

Ⅲ. 준법지원인의 선임·해임

1. 준법지원인의 선임

준법지원인을 임면하려면 이사회 결의를 거쳐야 한다(제542조의13 제4항). 준법지원인의 임면을 위한 이사회의 결의는 이사 과반수의 출석과 출석이사의 과반수로 한다. 다만, 정관으로 그 비율을 높게 정할 수 있다(제391조 제1항).

제도,"「법학연구」제43집(한국법학회, 2011), 290면.

95) 법무부·상장협, 상장회사 표준준법통제기준(2012. 4.) 제11조 [참고] 부분; 이와는 대조적으로 준법지원인과 감사의 역할이 비슷함을 중시하고, 준법지원인이 이사의 지위를 겸하는 것에는 반대하고, 감사의 지위를 겸하는 것에는 찬성하는 견해가 있다. 윤성승, 전게논문, 170면.

96) 남유선, "개정상법 및 시행령상 기업지배구조 변화에 관한 연구,"「기업법연구」제26권 제1호(한국기업법학회, 2012. 3.), 65~66면.

2. 준법지원인의 해임

상법은 준법지원인의 임기는 3년으로 하고, 상근으로 하고 있으나(제542조의 13 제6항), 임기 중 해임에 관해서는 명확한 규정을 두고 있지 않다. 이사와 감사의 경우에는 상법 제434조의 주주총회의 특별결의로 해임할 수 있고 정당한 이유없이 임기만료 전에 해임한 경우에는 그 해임으로 인한 손해를 회사에 청구할 수 있도록 규정하여(제385조 제1항, 제415조), 임기 내 해임 가능 여부와 해임으로 인한 손해배상을 명확히 하고 있는 사실과도 비교된다.

상법 제542조의13 제4항은 준법지원인을 임면하려면 이사회 결의를 거쳐야 한다고 되어 있어서, 이사회 결의만 있다면 임기 중 언제든지 준법지원인을 해임할 수 있는 것으로 해석될 소지가 있다. 그러나 자유롭게 준법지원인을 해임할 수 있다고 해석하면 준법지원인의 독립성이 훼손되고 그 임기를 보장하는 준법지원인제도의 취지가 몰각될 위험이 있다. 이사나 집행임원의 경우에는 회사의 경영상의 판단에 따른 자유로운 해임을 보장할 필요성이 높음에도 임기 중에 해임을 함에는 주주총회의 특별결의를 거치도록 하고, 정당한 사유가 없는 경우에는 그 손해를 배상하도록 하는 것과도 대비된다. 따라서 준법지원인 제도의 취지를 살리기 위해서는 이사회가 준법지원인을 해임할 수 있도록 하되(제542조의13 제4항), 그 해임에는 정당한 사유가 있어야 하고, 만일 정당한 사유가 없이 해임한 경우에는 손해를 배상하도록 할 것이다. 준법지원인이 근로기준법상 지휘종속의 관계에 있어서 근로자로 간주된다면 해고의 요건을 별도로 갖추어야 한다.

해석상의 혼란을 방지하기 위해서는 상법에 준법지원인의 해임에 관한 명시적인 규정을 두는 것이 필요하다.[97) 구체적으로는 이사회가 준법지원인을 해임할 수 있는 사유를 제한적으로 규정하고, 그 이외의 경우에는 해임을 제한하는 방법을 고려해 볼 수 있다.[98)

---

97) 윤성승, 전게논문, 169면.
98) 남유선, 전게논문, 66~67면.

Ⅳ. 준법지원인의 자격

준법지원인은 다음 각 호의 사람 중에서 임명하여야 한다(제542조의13 제5
항). 준법지원업무의 성격과 전문성을 감안하여 그 자격을 제한하는 취지이다.

1. 변호사 자격을 가진 사람(제542조의13 제5항 제1호)

   법 제542조의13 제5항 제1호는 '변호사 자격을 가진 사람'[99])에게 준법지
   원인의 자격을 부여하고 있다. 이와 관련하여 변호사의 자격 외에는 관련
   된 업무경력을 요구하지 않고 있는데, 자본시장법상 준법감시인의 적극적
   요건 및 상법 제542조의13 제5항 제2호(법률학 조교수 이상의 직에 5년 이
   상 근무한 사람)의 요건과는 균형을 잃은 규정이다. 자본시장법은 변호사
   의 자격을 가진 자도 자격과 관련한 업무에 5년 이상 종사한 경력을 요
   구하고 있다(자본시장법 제28조 제4항 제1호 다목). 변호사로 일한 경력이
   없이 바로 준법지원인에 선임되는 경우에는 실질적으로 독립적인 준법지
   원업무를 수행하기 어려울 수 있으므로, 변호사 자격을 취득한 후 3년 또
   는 5년 정도의 경력을 요구할 필요가 있다.

2. 「고등교육법」 제2조에 따른 학교에서 법률학을 가르치는 조교수 이상의
   직에 5년 이상 근무한 사람(제2호)

3. 그 밖에 법률적 지식과 경험이 풍부한 사람으로서 '대통령령으로 정하는
   사람'(제3호)

   상법 제542조의13 제5항 제3호는 법률적 지식과 경험이 풍부한 사람으로
   서 '대통령령으로 정하는 사람'에게 준법지원인의 자격을 부여하고 있다.
   그렇다면 준법지원인의 직무수행에 있어 요구되는 법률적 지식과 경험이
   무엇이고 이에 대한 판단은 어떤 방식으로 이루어져야 하는가? 준법지원
   인의 주요업무는 법규 및 회사정관, 내부규칙의 준수여부를 판단하고 시

---

99) 우리나라의 기업에서 활동하고 있는 외국변호사에게도 준법지원인의 자격을 부여할 것인지
   도 문제가 된다. 상법시행령을 만드는 과정에서는 외국변호사의 경우 인정 가능한 국가범위
   를 설정하는데 현실적 어려움이 있고, 법률시장개방 등 여러 외부적 요인과 맞물려 판단해
   야 할 사안이라는 점을 고려하여 외국변호사는 자격만으로는 준법지원인 자격을 인정하지
   않기로 하였다. 구승모, 전게논문, 125면.

정조치를 집행 또는 건의하는 것과 준법여부점검 절차나 내부고발절차
통 준법통제시스템을 정교하게 만드는 절차를 수립하고 운용하는 것이므
로, 이 같은 직무를 수행할 수 있는 정도의 법률적 지식과 경험을 의미한
다고 해석할 수 있을 것이다.

상법 시행령은 상법 제542조의13 제5항 제3호에서 "대통령령으로 정하는
사람"이란 ① 상장회사에서 감사·감사위원·준법감시인 또는 이와 관련
된 법무부서에서 근무한 경력이 합산하여 10년 이상인 사람(시행령 제41
조 제1호),[100] ② '법률학 석사학위' 이상의 학위를 취득한 사람으로서 상
장회사에서 감사·감사위원·준법감시인 또는 이와 관련된 법무부서에서
근무한 경력이 합산하여 5년 이상인(제2호) 사람 중 어느 하나에 해당하
는 사람을 말한다.

상법 시행령 제41조 제1호의 '법률학 석사학위'와 관련하여, 외국변호사
가 외국에서 받은 법률학석사 학위를 가지고 있는 경우에 준법지원인이
될 수 있는가? 고등교육법시행령 제70조 제2항에 의하면, 국내 대학을 졸
업한 자와 동등한 학력이 있다고 인정되는 자는 대학을 졸업한 자와 동
등한 학력이 있다고 간주하고 있으므로, 외국대학의 법학석사 학위를 가
지고 있는 외국변호사는 국내 상장회사 법무부서에서 5년 이상 근무경력
이 있으면, 준법지원인이 될 수 있다고 볼 것이다.[101]

V. 준법지원인의 임기

준법지원인의 임기는 3년으로 하고, 준법지원인은 상근으로 한다(제542조의13
제6항). 다른 법률에서 준법지원인의 임기를 3년보다 단기로 정하고 있는 경우
에는 제6항을 다른 법률에 우선하여 적용한다(제542조의13 제11항 단서).

이와 관련하여 "… 제6항을 다른 법률에 우선하여 적용한다."는 규정이 법적

---

100) 법무부는 당초 상법시행령 제41조 1호를 규정하면서 '법률학 학사학위 이상의 소지' 요건
    을 두었으나(2011. 12. 28. 법무부 상법시행령 입법예고문, 법무부공고 제2011~215호),
    실제 인력풀이 많지 않으며 금융관계법상 준법감시인에 비하여 자격요건이 엄격하다는 지
    적 등이 고려되어 법률학 학사 학위 요건은 삭제되었다. 구승모, 전게논문, 123~124면.
101) 구승모, 전게논문, 125면.

용의 일반원칙에도 반하는 것이 아닌가라는 의문이 있을 수 있다. 상법은 민법 등을 제외하고는 다른 법률에 대해서 일반법이기 때문이다. 그러나 상법 제542 조의13의 준법통제기준 및 준법지원인 규정은 준법통제기준의 준수를 위한 강행규정이고, 이러한 취지는 최근 사업연도말 자산총액이 5천억원 이상이라면 자본시장법 등 특별법의 적용을 받는 상장회사에 대해서도 동일하게 적용될 것이므로 제542조의13 제11항 단서 규정은 유효하다고 볼 것이다.

준법지원인의 임기 중 해임에 대해서는 앞서 논의한 바와 같다.

VI. 준법지원인의 의무와 책임

1. 준법지원인의 의무

준법지원인은 보고의무, 선관주의의무, 영업비밀준수의무 등을 부담한다. 구체적으로 준법지원인은 준법통제기준의 준수 여부를 점검하여 그 결과를 이사회에 보고하고(제542조의13 제3항), 선량한 관리자의 주의로 그 직무를 수행하며(제7항), 재임 중 뿐만 아니라 퇴임 후에도 직무상 알게 된 회사의 영업상 비밀을 누설하여서는 아니된다(제8항).

준법지원인은 자신의 업무수행에 영향을 줄 수 있는 영업관련업무를 담당하여서는 아니 된다(시행령 제42조). 이는 준법지원인이 회사의 영업상 이익을 위해서 준법지원인 본연의 업무를 소홀히 할 가능성이 있기 때문이다.

준법지원인은 회사의 영업을 담당하는 이사 또는 사용인의 지위를 겸직하는 것이 포괄적으로 금지된다는 견해가 있을 수 있으나, 모든 영업관련 업무가 금지되는 것이 아니고 '준법지원인의 업무수행에 영향을 줄 수 있는 영업관련업무'를 담당하는 것이 금지되므로, 준법지원인의 업무수행에 영향을 주지 않는다면 이사 또는 사용인의 지위를 겸직하는 것이 가능하다.[102] 다만, 준법지원인의 업

---

102) 원칙적으로 준법지원인은 준법통제업무만 담당하는 것이 바람직하나, 중소기업에서는 준법통제기준 업무만 담당하는 것이 인력관리상 비효율적일 수 있으므로, 준법지원인 직무수행의 독립성이 훼손되거나 과중한 업무 부담이 되지 않는 범위 내에서 다른 영업관련업무를 수행하는 것을 허용할 필요가 있다. 그러나 영업관련업무가 본연의 준법지원업무에 영향을 주어서는 아니되므로 준법지원인은 '자신의 업무수행에 영향을 줄 수 있는 영업관련업무 담당하여서는 아니된다'고 규정하였다. 구승모, 전게논문, 126~127면.

무수행에 영향을 줄 수 있는 영업관련업무의 개념과 범위는 여전히 불명확하므로 판례를 통해서 기준이 축적되어야 할 것이다.

상법 시행령 제42조는 준법지원인에게 겸직금지의무를 부과하는 것임에도 불구하고 시행령에 규정되어 있어서 법체계상 타당하지 않다. 보고의무, 선관주의의무 등에 준해서 상법에 규정할 것이다.

2. 준법지원인의 책임

상법은 준법지원인의 책임에 대해서 명확한 규정을 두고 있지 않다. 준법지원인은 원칙적으로 집행임원에 준하는 지위를 가지고 있다고 볼 것이므로, 준법지원인이 의무를 위반한 경우에는 집행임원에 준하여 회사 및 제3자에 대해서 책임을 부담한다고 볼 것이다.

준법지원인의 제3자에 대한 책임에 대해서는 여러 가지의 해석론과 입법론이 제기될 수 있으나, 현행 상법에서는 일단 집행임원이나 준법지원인이 모두 이사회의 업무를 위임받아 수행하는 기관이고, 준법지원인의 임무해태가 회사나 제3자에 미치는 영향이 집행임원의 경우보다 과소평가될 수 없다는 측면에서 집행임원에 준하여 책임을 인정할 필요가 있다.[103]

Ⅶ. 준법지원인과 관련한 회사의 의무

1. 자료나 정보제출에 응할 의무

회사는 준법지원인이 그 직무를 독립적으로 수행할 수 있도록 하여야 하고, 임직원은 준법지원인이 그 직무를 수행할 때 자료나 정보의 제출을 요구하는 경우 이에 성실하게 응하여야 한다(제542조의13 제9항). 금융투자회사의 준법감시인에 대하여도 이와 유사하게 규정되어 있다(자본시장법 제28조 제6항, 제8항).

---

103) 박세화, 전게논문, 285면.

2. 인사상 불이익의 금지

회사는 준법지원인이었던 사람에 대하여 그 직무수행과 관련된 사유로 부당한 인사상의 불이익을 주어서는 아니 된다(제542조의13 제10항). 상법이 위와 같은 규정을 둔 것은 준법지원인의 독립성과 업무의 효율성을 위한 것으로 볼 수 있는데, 이의 위반에 따른 제재규정이 없어 그 실효성이 의문이다.

제 10 장

외국회사

제10장 외국회사

김 연 미*

제 1 절 서   설

상법 제3편 '회사'는 제6장으로 '외국회사'라는 독립된 장(章)의 제614조부터 제621조까지 9개의 조문을 두고 있는데, 9개의 조문 중 대부분은 외국회사가 우리나라(대한민국)에서 영업활동을 하는 경우를 규제하는 내용으로 구성되어 있다. 실제로 제614조에 따라 우리나라에 영업소 등기를 한 외국회사의 수도 상당하며,[1] 국내 등기 여부와 관계없이 많은 수의 외국기업, 특히 다국적기업이 우리나라에 자회사를 설치하거나 우리나라의 대리상 등 기업보조자를 이용하지 아니하고 직접 우리나라 거래당사자들을 상대로 영업을 영위하고 있다. 더 나아가 자산유동화나 프로젝트 파이낸싱을 포함한 여러 가지 금융거래 또는 투자거래나 기업집단의 구조에서 외국 국적의 법인격이 이용되는 경우도 빈번하게 볼 수 있다. 이러한 외국기업의 행위와 관련하여 국내에서의 과세문제나 특수한 영업영역에 대한 규제[2]에 대하여는 상법 이외의 법률로 규율되고 있다. 상법의 외국회사에 대한 규정은 외국회사가 한국에서 자회사나 기업보조자를 이용하지 아니하고 직접 영업을 하는 경우 국내 영업활동을 규제·감독하기 위한 규정이다.[3]

---

* 성균관대학교 법학전문대학원 부교수, 변호사
1) 2021년 8월말 현재 우리나라에 등기되어 있는 외국회사의 수는 5,743개이다. 합명회사 9개, 합자회사 12개, 유한책임회사 136개, 주식회사 4,579개, 유한회사 1,007개이다. 대한민국법원 등기정보광장(https://data.iros.go.kr)/등기현황/법인등기/상법법인 현황(외국법인).
2) 예컨대, 영업에 인허가가 필요한 금융업 등을 규율하는 법에서 외국기업이 국내영업을 하기 위한 인허가에 대하여도 규정을 두고 있다. 자본시장 및 금융투자업에 관한 법률(자본시장법) 제12조 및 제18조에서는 외국 금융투자업자가 국내에 지점 또는 영업소를 설치하여 영업을 영위하는 경우 인가를 받거나 등록을 하도록 요구하고 있으며, 제100조에서는 국내에 지점 또는 영업소를 설치하지 아니하고 국외에서 통신수단 등을 이용하여 투자자문업 및 투자일임업을 영위하는 경우의 요건에 대하여 규정하고 있다.

제 2 절 상법 제3편 제6장의 적용대상인 외국회사

Ⅰ. 외국회사의 의의

1. 외국회사의 판단기준

상법에서는 외국회사의 장(章)을 두면서도, 그 적용대상이 되는 외국회사에 대한 정의규정을 두고 있지 아니하다. 외국회사를 어떻게 규정할 것인지에 관하여 주소지주의, 설립준거법주의, 설립지주의, 사원의 국적주의, 설립행위지주의 등 다양한 기준이 있을 수 있으나, 국제사법학계와 입법례 중에는 주소지주의 중 하나인 본점소재지주의와 설립준거법주의가 가장 유력하다.[4] 우리나라 상법 학자들은 대부분 설립준거법(設立準據法)에 따라 외국회사 여부를 결정하여야 한 다고 보고 있다.[5] 상법 제617조에서 "외국에서 설립된 회사"라는 표현을 사용 하고 있는 점 및 외국회사의 등기에 있어 설립준거법을 등기사항으로 정하고 있 는 점(제614조 제3항)에 비추어보면 상법의 태도는 설립준거법주의를 택한 것으 로 해석될 수 있다.[6] 설립준거법주의는 설립당사자들의 의사에도 부합하고 법적 안정성의 면에서도 우수하다.[7] 설립준거법주의에 의하면, 회사 설립에 있어 준 거법으로 선택한 법이 그 회사의 속인법(屬人法; lex societatis)이고 그 속인법으

---

3) 권순일 편집대표·천경훈 집필, 「주석 상법[회사(6)]」 제6판(한국사법행정학회, 2021), 495면.

4) 석광현, 「국제사법과 국제소송」 제2권(박영사, 2001), 196면; 석광현, "한국에서 주된 사업 을 하는 외국회사의 법인격과 당사자능력: 유동화전업 외국법인에 관한 대법원 판결과 관련 하여," 「선진상사법률연구」 통권 제90호(법무부, 2020. 4.), 35면.

5) 정동윤 편 「주석상법[회사(Ⅶ)]」 제5판(한국사법행정학회, 2014), 34면; 이철송, 「회사법강 의」 제29판(박영사, 2021), 1235면; 정찬형, 「상법강의(上)」 제24판(박영사, 2021), 1369면; 홍복기·박세화, 「회사법강의」 제8판 (법문사 2021) 821면; 천경훈, "상법상 외국회사 규정 의 몇 가지 문제점: 2011년 개정의 분석과 비판을 겸하여," 「상사법연구」 제32권 제4호 (한국상사법학회 2014. 2.), 239면; 김연미, "상법상 외국회사의 지위," 「BFL」 제42호(서울 대학교 금융법센터, 2010. 7.), 10면.

6) 정찬형, 상게서, 1369면.

7) 「주석 상법[회사(6)]」 496면.

로 내국회사와 외국회사를 구별하게 된다.[8]

2. 국제사법의 규정

국제사법 제30조[9]는 '법인과 단체'라는 표제 아래 "법인 또는 단체는 그 설립의 준거법에 의한다. 다만, 외국에서 설립된 법인 또는 단체가 대한민국에 주된 사무소가 있거나 대한민국에서 주된 사업을 하는 경우에는 대한민국 법에 의한다"고 규정하여, 원칙적으로 설립준거법설을 채택하고 있다. 이는 설립준거법설에 의하는 경우 속인법이 고정되고 확인이 용이하여 법적 안정성을 확보할 수 있기 때문이다.[10] 더 나아가 설립준거법설을 따를 경우 발생할 수 있는 내국거래의 불안정을 예방하기 위하여 외국법을 준거법으로 설립된 경우에도 일정한 경우에는 한국법에 의하도록 하는 예외를 국제사법 제30조 단서로 마련하였다.

그런데 기업에 관한 법률관계에 있어서 속인법(屬人法)을 어떻게 결정하는가는 국제사법의 문제이고, 특정 기업이 상법상 외국회사에 해당한다는 것을 전제로 우리 상법이 외국회사에 대하여 어떤 경우 어떻게 적용되는가는 외인법(外人法)의 문제로, 논리적으로는 '준거법의 결정'과 '실질법의 적용'이라는, 서로 성질을 달리하는 것이다.[11] 그러나 위에서 본 바와 같이 상법은 외국회사에 대한 자체적인 정의규정을 두고 있지 아니하며, 상법 학자들은 국제사법 제30조 본문에서 정한 기준과 마찬가지로 설립준거법설을 따라 외국회사를 구분하고 있다. 또한 상법 제617조에서는 '유사외국회사'라는 개념을 도입하여 외국에서 설립된 회사에 대하여 한국법이 적용되는 경우를 예정하고 있는데, 이는 국제사법 제30조 단서와 동일한 효과를 가져온다.[12] 이와 같이 현행 상법과 국제사법의 내용이 충돌되지 않으므로, 속인법과 외인법의 구별은 실질적으로 큰 차이를 가져오

---

8) 석광현, 「국제사법과 국제소송」 제2권, 96면.
9) 2022. 1. 4. 법률 제18670호로 전부개정되어 2022. 7. 5.부터 시행되는 국제사법에 의하며, 개정전의 제16조와 동일한 내용이다.
10) 석광현, 「국제사법해설」 (박영사, 2013), 203면.
11) 이철송, 전게서, 1235∼1236면. 권순일·천경훈, 「주석 상법[회사(6)]」, 499면에서는 이에 대한 예시로 미국 델라웨어 주법에 따라 설립되어 뉴욕주에 본점을, 중국에 공장을 두고 한국거래소에 상장된 회사를 가정하고 '이 회사의 법률관계를 규율하는 법은 어느 나라의 법인가'는 속인법의 문제이고, 속인법이 한국법이 아닌 경우 '이 회사에 한국법을 어느 정도로 어떻게 적용할 것인가'는 외인법의 문제라고 설명한다.
12) 석광현, 「국제사법과 국제소송」 제2권, 204면.

는 것은 아니다.[13]

3. 내부관계와 외부관계의 구별

회사의 속인법을 결정한 이후에는, 어느 범위에서 속인법이 적용되는지의 문제가 있다. 회사의 속인법은 회사의 내부사항, 즉 조직법상의 문제에만 적용된다는 견해도 있으나,[14][15] 내부관계와 외부관계의 구분이 항상 분명한 것은 아니라는 점에서 비판을 받는다.[16] 일반적으로 회사의 조직, 즉 회사와 이사, 임원, 주주들 사이의 관계를 규율하는 것은 내부사항이며, 회사와 제3자와의 관계에 관한 사항은 내부사항이 아니라고 구분하고 있다. 그러나 주주에 관한 사항이라 하더라도 명의개서는 주주들 사이의 계약관계를 회사에 대하여 실현하는 것이므로 내부관계가 아니라고 볼 수 있으며, 우선주주에 대한 우선배당은 우선주주에 대한 약정의 이행이므로 내부사항이 아니고, 주주나 채권자의 회계장부열람 역시 내부사항이 아니라고 볼 여지가 있다.[17] 이러한 불확실성을 이유로, 최근 국제사법의 입장은 내부사항과 외부사항을 구분하지 아니하고 일원적으로 연결하여 속인법이 적용된다는 것이다.[18]

---

13) 그러나 속인법과 외인법은 개념적으로 차이가 있고 어떤 견해를 취하는가에 따라 적용되는 한국법의 범위가 달라질 수 있다. 석광현(「선진상사법률연구」), 54면.
14) 법무부 편, 「국제화 시대의 섭외사법 개정방향」 법무자료 제226집(법무부, 1999), 258면.
15) 미국에서는 회사의 임원, 주주 등 간의 내부적 관계에 대하여는 설립지법이 배타적으로 적용되다는 내부 사정 원칙(internal affairs doctrine)으로 논의되고 있다. 황남석, "유사외국회사에 관한 고찰," 「법학논총」 제39권 제2호(전남대학교 법학연구소, 2019. 5.), 178면.
16) 석광현, 「국제사법과 국제소송」 제2권, 201면.
17) 김연미, 전게논문, 9~10면.
18) 석광현, 「국제사법과 국제소송」 제3권(박영사, 2004), 584면. 또한 대법원 2018.8.1. 2017다246739에서는 국제사법 제16조 본문의 적용 범위를 법인의 설립과 소멸, 조직과 내부관계, 기관과 구성원의 권리와 의무, 행위능력 등 법인에 관한 문제 전반을 포함한다고 하였다. 따라서 법인의 구성원이 법인의 채권자에 대하여 책임을 부담하는지, 만일 책임을 부담한다면 그 범위는 어디까지인지 등에 관하여도 해당 법인의 설립 준거법에 따라야 한다는 것이다.

Ⅱ. 외국회사의 범위

설립준거법설을 따르는 경우에도, 외국법을 준거법으로 설립된 단체 중 어느 범위의 단체를 상법의 적용에 있어 외국회사로 볼 것이냐의 문제가 남아 있다.

1. 영 리 성

우리 상법에 따르면 회사는 '영리성'을 요건으로 하는데(제169조), 상법상 외국회사도 내국회사와 마찬가지로 영리성을 요구해야 하는지, 영리성이 인정되지 않는 외국기업은 상법상 외국회사로 볼 수 없는 것인지의 문제가 있다. 설립준거법설에 따라 설립국의 법에서 회사의 성립에 영리성이 요구되지 않는다면, 그와 같이 적법하게 설립된 회사를 우리 법에서 인정하지 않을 이유가 없다.[19] 특히 외국회사에 대한 우리 상법 제614조 내지 제621조는 대체로 외국회사가 국내에서 영업을 하는 경우를 규율하기 위한 조항이므로, 비영리회사라고 하더라도 국내에서 영업활동을 하는 이상 상법 적용을 배제할 필요는 없어 보인다.[20]

2. 법 인 성

우리 상법에서는 회사를 모두 '법인'으로 인정하지만(제171조 제1항), 법인격이 인정되지 않는 종류의 회사를 허용하는 국가도 있다. 예컨대, 독일상법에 따른 합명회사(offene Handelsgesellschaft)와 합자회사(Kommanditgesellschaft), 미국법상 Partnership이나 Limited Partnership은 법인격이 인정되지 않는다.[21] 외국기업의 국내 영업활동을 규율할 필요성은 법인격 유무와 관계없이 인정되는 것이므로, 법인성이 인정되지 않는 회사의 경우에도 상법 제3편 제6장의 외국회사로 규율될 수 있다.[22]

---

19) 「주석 상법[회사(6)]」, 501면.
20) 「주석 상법[회사(6)]」, 501면.
21) 「주석 상법[회사(6)]」, 501면.
22) 「주석 상법[회사(6)]」, 502면; 정찬형, 전게서, 1370면.

또한 상법상 외국회사로 인정되려면 회사의 형태가 상법에 따른 국내회사와 유사해야만 하는지의 문제가 있다. 외국회사의 국내 영업소 설치등기는 국내에서 설립되는 동종의 회사 또는 가장 유사한 회사와 동일하게 이루어져야 하며(제416조 제2항), 실제로 외국회사의 등기부는 국내의 동종회사 또는 가장 유사한 회사의 등기기록의 예에 의하여 편성되는데(상업등기규칙 제11조 제1항), 그렇다면 외국회사가 국내에서 영업을 하기 위하여 등기를 하는 경우에는 상법상 인정되는 5개의 회사(합명회사, 합자회사, 주식회사, 유한회사, 유한책임회사) 중 하나의 예에 의하여 등기할 수밖에 없다. 설립지법에 따라 독립한 기업형태로 인정됨에도 불구하고 우리 상법으로는 회사에 유사한 것으로 인정되기 어려운 것도 있는데,23) 이러한 기업도 국내에서 영업을 하는 경우에는 상법에 의하여 규율할 필요가 있을 것으로 보이나, 현실적으로는 등기를 하는 데에 어려움이 있을 수 있다.24) 2011년 상법 개정으로 합자조합이 신설되어 합자조합의 등기가 가능하게 되었으니, 외국법에 의한 Partnership 또는 조합과 유사한 기업이 국내에서 영업을 하기 위하여 등기를 하고자 하는 경우에는 합자조합 등기기록의 예에 의할 수 있을 것이다.

Ⅲ. 외국회사의 지위

제621조는 "외국회사는 다른 법률의 적용에 있어서는 법률에 다른 규정이 있는 경우 외에는 대한민국에서 성립된 동종 또는 가장 유사한 회사로 본다"고 규정하고 있다. 이는 상법은 일반적으로 외국회사에 적용한다는 명시적인 규정 없이는 외국회사에 적용되지 않지만, 그 이외의 법률은 특별한 적용배제규정이 없는 이상 외국회사에도 내국회사와 동일하게 적용하겠다는 뜻으로, 상법 이외의 법률의 외인법적 문제에 있어 내외법인(內外法人) 평등주의를 선언한 것이다.25) 다른 법률에서 명시적으로 외인법적 해결을 해 두고 있는 경우에는 그러한 내용에 따르게 되므로,26) 이 조항은 명시적인 외인법적 규정을 두지 아니한

---

23) 예컨대, 미국에서는 business trust의 형태도 영리사업을 하는 주체로 인정이 되는데, 이에 대하여는 우리 상법에서 유사한 회사의 종류를 찾을 수 없다.
24) 김연미, 전게논문, 11면.
25) 「주석 상법[회사(6)]」, 556면; 이철송, 전게서, 1236면; 정찬형, 전게서 1370면.

법률의 경우에 적용된다. 또한 상법 중 회사편 이외의 규정들, 특히 상호나 상업장부, 상업등기 등의 공익적 감독규정은 상법 제621조에 따라 외국회사에의 적용을 인정하여야 한다고 본다.[27]

외국회사의 일반적 권리능력은 설립준거법에 의하여 결정되나, 우리나라 법률의 적용에 있어 어떤 범위의 능력을 인정할 것인지는 상법 제621조에 따라 내국회사와 동일하게 취급된다.[28] 그런데 위 II. 2.에서 살펴본 바와 같이 조합이나 신탁 등 우리 법에서 회사로 인정되지 아니하는 기업형태에 대하여 외국회사로 인정하는 경우에는, 다른 법령의 적용에 있어 회사로 볼 것인지, 아니면 조합이나 신탁 등의 계약관계로 인정할 것인지의 문제가 있을 수 있다. 설립준거법에서도 법인격이 인정되지 않는 기업형태라면 상법 제3편 제6장의 외국회사에 해당한다고 하더라도 우리 법상 법인격을 인정할 수는 없을 것이며, 그러한 외국회사가 국내 영업과 관련하여 법률행위를 하는 경우에는 설립준거법에 따라 의무부담자를 결정하여야 할 것이다.[29]

IV. 유사외국회사

제617조는 "외국에서 설립된 회사라도 대한민국에 그 본점을 설치하거나 대한민국에서 영업할 것을 주된 목적으로 하는 때에는 대한민국에서 설립된 회사와 같은 규정에 따라야 한다"고 하여, 국제사법 제30조 단서와 동일한 효과를 가져오는 규정을 두고 있다. 이 조항은 외국회사의 범위를 정하기 위한 것으로 해석될 여지도 있으나, 그보다는 우리나라 회사법제의 적용을 회피하기 위하여 고의로 외국법에 따라 회사를 설립하는 일종의 탈법적 행위를 방지하기 위한 것으로 해석하고 있다.[30]

유사외국회사에 해당하는지 여부는 문제가 되는 거래 또는 사건이 발생한 때를 기준으로 판단하고, 회사설립시점에만 판단하는 것이 아니라 회사설립 이후

---

26) 예컨대, 민사소송법 제57조는 외국단체의 소송능력에 대하여 정하고 있다.
27) 「주석 상법[회사(6)]」, 557면.
28) 정찬형, 전게서, 1370면.
29) 석광현, 「국제사법과 국제소송」 제2권, 202면.
30) 「주석 상법[회사(6)]」, 532면.

에 제617조 적용요건을 갖추는 경우에도 적용된다.[31]

상법 제617조의 "대한민국에서 설립된 회사와 같은 규정"에 의한다는 의미에 대하여 ① 상법의 설립에 관한 규정을 포함하는 것이고, 이에 따라 해당 기업이 내국회사로서 다시 설립되지 않으면 외국회사로서의 존재도 인정하지 않는다는 견해와 ② 상법의 설립에 관한 규정은 다시 적용되지 않는다는 견해가 있을 수 있다.[32] 상법의 회사 설립규정을 포함하는 것으로 해석하면 외국법을 기초로 한 유사외국회사의 설립행위 자체를 부인하는 것이며, 유사외국회사가 설립준거법에 따라 설립절차를 거친 후 행하여 온 모든 행위를 부정하는 결과가 된다.[33] 그 결과 이러한 유사외국회사와 거래를 한 거래상대방의 이익을 해하는 결과가 초래될 수 있다.

그런데 합법적인 조세절감이나 여러 가지 이유로 여러 단계, 여러 국적의 법인격이 이용되는 경우가 많고, 그러한 이용이 모두 위법하거나 부정한 법률의 회피로 판단될 것은 아니다. 예컨대 대한민국 내에서 영업을 실제로 영위하는 자회사 또는 Joint Venture로 설립된 합작법인 등 국내회사를 관리하기 위한 holding company 또는 지주회사를 해외에 두는 경우, 대한민국의 부동산이나 증권, 기타 투자상품에 투자하기 위한 해외투자기구의 경우, 대한민국 자산의 유동화를 위하여 해외에서 특수목적기구를 설립하는 경우,[34] 한국에서의 프로젝트 파이낸싱을 위하여 해외에 회사를 설립하는 경우, 특정 국가의 거래소 상장을 위하여 해외에 특수목적기구를 설립하는 경우[35] 등 사업의 주된 내용이 대

---

31) 「주석 상법[회사(6)]」, 533면; 황남석, 전게논문 184면.

32) 「주석 상법[회사(6)]」, 533면.

33) 석광현, 「국제사법과 국제소송」 제2권, 204면.

34) 자산유동화에 관한 법률 제2조 제1호 가목에서는 자산유동화를 위한 특수목적기구인 유동화전문회사를 외국법에 따라 설립하는 것을 허용하고 있다. 이러한 유동화전업 외국법인의 경우 자산유동화에 관한 법률의 적용 이외에 유사외국회사에 해당하여 상법 규정들이 적용되어야 하는지에 대하여는 의문이 있을 수 있다. 대법원 2018.12.13. 2016다49931의 사안은 유동화전문 외국법인이 당사자로, 상법 제617조 적용 여부가 문제될 수 있었으나 당사자들이 주장하지 아니하였고 법원도 이에 대하여 아무런 판단을 내리지 아니하였다. 석광현 (「선진상사법률연구」), 45면은 유동화전업 외국법인이 한국 내 보유하는 자산을 기초로 해외에서 유동화증권을 발행하는 경우 자산 보유만으로 한국에서 주된 사업을 하는 것은 아니나, 구체적인 사업의 태양에 따라서는 한국에서 주된 사업을 하는 것으로 인정될 수 있으며, 2016다49931의 사안은 유사외국회사로 규율되어야 한다고 보고 있다. 한편, 일본에서는 유동화를 위해 해외에서 설립된 회사를 유사외국회사로 규율하면 자산유동화의 실무가 위축되므로 이러한 해석을 자제해야 한다고 하고, 우리도 자산유동화와 관련하여서는 유사외국회사 규정의 운용의 묘를 살려야 한다는 견해가 있다. 황남석, 전게논문 176면, 182면.

한민국과 관련된 법적 실체(entity)를 외국법을 준거법으로 설립하는 경우가 많은데, 문제된 법적 실체들의 성립을 모두 부인하는 것이 어떤 법익을 보호하는 기능을 수행하는지는 분명하지 아니하다.[36]

이러한 문제의 해결은, 위 ①의 견해를 따르되 유사외국회사로 규율되는 요건인 본점의 국내설치 또는 국내 영업을 주된 목적으로 하는 것의 의미를 국내 회사법제의 적용을 피하기 위하여 외국법에 따라 설립절차를 진행하는 고의적인 탈법행위로 한정하는 것으로 해석하고, 단순한 대한민국 자산의 취득과 보유, 담보권의 취득이나 실행, 독립적인 국내 보조상을 통한 국내영업 등은 상법 제617조의 적용대상이 아닌 것으로 제한적으로 해석함으로써 이루어질 수 있다.[37] 또는 위 ②의 견해를 채택하여 상법 제617조에 따라 적용되는 상법규정을 설립에 관한 규정을 제외하고 이해관계자의 보호에 필요한 조항으로 한정하여 해석함으로써, 법적 안정성과 명확성을 해치지 않으면서 이해관계자를 보호하는 방식도 가능할 것이다.[38] 장기적으로는 2005년 일본 회사법과 같이 상법 제617조의 적용효과를 분명하게 규정하는 방식으로 제617조를 개정하는 방안도 고려하여야 할 것이다.[39]

---

35) 2021년 2월 국내 전자상거래업체인 쿠팡이 뉴욕증권거래소 상장을 위해 쿠팡 주식회사의 지분 100%를 보유한 델라웨어주 유한책임회사인 Coupang, LLC의 주식에 대하여 미국에서 공모절차를 진행하였다. 이러한 Coupang, LLC가 유사외국회사에 해당하는지에 대하여 석광현, "쿠팡은 한국 회사인가 – 쿠팡의 뉴욕 증시 상장을 계기로 본 국제회사법,"「법률신문」(2021. 2. 25.)은 국제사법 제16조 단서에 해당하는 사안이나 미국내 설립회사의 지위를 인정하는 '대한민국과 미합중국간의 우호·통상 및 항해조약'에 따라 국제사법 제30조 단서가 적용되지 않는다고 보았다.

36) 김연미, 전게논문, 16∼17면.

37) 김연미, 상게논문, 14면 각주 42). 천경훈, 전게논문 264면에서는 국내에 영업소를 두는 경우 가급적 상법에 따라 설립을 하도록 유도하되, 이미 외국법에 따라 설립하여 거래관계를 맺은 유사외국회사는 설립을 부정하기 보다는 한국법을 준수하도록 하는 것이 입법취지에 부합한다고 본다. 다만 현행 법규정의 내용에 비추어 이러한 해석은 무리가 있다는 지적이 있다. 석광현(「선진상사법률연구」), 46면; 황남석, 전게논문, 181면.

38) 김연미, 상게논문, 17면. 특히, 상법 중 실체적·절차적 요건을 위반한 회사의 행위의 효력을 부인함으로써 거래상대방을 희생시키는 조항들은 적용되어서는 안된다는 견해가 있다. 천경훈, 전게논문, 267면.

39) 2005년 개정된 일본 회사법은 우리 상법 제617조와 동일한 기존의 유사외국회사에 관한 규정을 삭제하고 다음과 같이 제821조를 규정하였다.
제821조 ① 일본에 본점을 두거나 일본에서 사업을 행하는 것을 주된 목적으로 하는 외국회사는 일본에서 거래를 계속하지 못한다. ② 전항의 규정에 위반하여 거래를 한 자는 상대방에 대하여 외국회사와 연대하여 당해 거래에 의하여 발생한 채무를 변제할 책임을 진다. 일본에서의 개정과정에서의 논의에 대하여는 황남석, 전게논문 참조.

각 주의 회사법이 상이한 미국과, 각 회원국의 회사법이 상이한 유럽연합 (EU)에서는 설립지 쇼핑이 많이 일어나고 있으며, 이에 따라 상법 제617조 및 국제사법 제30조 단서에서 규정하는 유사외국회사와 동일한 문제가 많이 논의되고 있는데, 유럽사법법원(European Court of Justice)은 자국의 유사외국회사 규정을 이용하여 실제 영업을 영위하는 회원국의 법을 적용하는 데에 소극적인 태도를 보이고 있다.[40] 거래상대방을 보호하기 위하여도 유사외국회사 규정은 매우 제한적으로 적용하여야 할 것이다.

제3절 외국회사의 등기와 국내 영업

I. 외국회사의 국내 영업의 요건

1. 개정 상법 제614조와 상법 제616조

2011년 개정상법 제614조 제1항은 "외국회사가 대한민국에서 영업을 하고자 하는 때에는 대한민국에서의 대표자를 정하고 대한민국 내에 영업소를 설치하거나 대표자 중 1명 이상이 대한민국에 그 주소를 두어야 한다"고 요구하고 있다. 또한 제616조 제1항에서는 "외국회사는 그 영업소의 소재지에서 제614조의 규정에 의한 등기를 하기 전에는 계속하여 거래를 하지 못한다"고 규정하고 있다. 이러한 규정형식에 의하면 외국회사가 대한민국 내에서 영업을 하기 위해서는 ① 대한민국 내에 영업소를 설치하고 대한민국에서의 대표자를 정한 후 이를 등기하거나, ② 영업소 설치 없이 대표자 중 최소한 1명이 대한민국에 주소를 두고 이를 등기하여야 한다. 2011년 상법 개정 이전에는 외국회사 국내 영업의 요건으로 위 ①의 방식만을 규정하여 반드시 국내에 영업소를 설치하여야 했으

---

40) 대표적으로는 Centros 사건, Überseeing 사건, Inspire Art 사건 등이 있다. Case C-212/97, Centros Ltd. v. Erhvervs-og Selbskabsstyrelsen, 1999 E.C.R. I-1459; Case C-208/00, Überseering BV v. Nordic Constr. Co. Baumanagement GmbH (NCC), 2002 E.C.R. I-9919; Case C-167/01, Kamer van Koophandel en Fabrieken voor Amsterdam v. Inspire Art Ltd., 2003 E.C.R. I-10155.

나, 2011년 상법 개정으로 국내영업소를 설치하지 않아도 되는 ②의 방식이 도
입되었다. 이는 일본 신회사법의 내용과 동일하며, 외국기업의 국내 영업에 대
한 불합리한 진입장벽을 제거하는 것이 국제적 추세이고, 전통적인 장소 개념인
영업소 없이 영업이 이루어지는 경우가 늘어나고 있는 점을 고려한 입법으로 생
각된다.[41]

외국회사의 국내 영업에 국내 영업소 또는 최소한 국내 주소를 가진 대표자
1명을 요구하는 이유는, 외국회사의 국내 영업을 용이하게 함과 동시에 외국회
사에 대한 법집행의 실효성을 확보하기 위한 것이다.[42] 국제 추세에 따라 국내
영업소 요건을 폐지한다면 외국회사의 법위반에 대하여 송달이나 과태료 통지가
불가능하게 되므로, 송달이나 과태료 통지를 할 수 있는 최소한의 국내 연결점
으로 대표자의 주소가 국내에 있을 것을 요구하는 것이다.[43]

2. 등기의무

외국회사의 경우 회사설립의 준거법과 대한민국에서의 대표자의 성명과 주소
를 등기하며, 그 이외의 사항은 대한민국에서 설립되는 동종의 회사 또는 가장
유사한 회사의 지점과 동일한 등기를 하여야 한다(제614조 제2항, 제3항). 외국회
사의 등기기록은 상법상 인정되는 동종의 회사 또는 가장 유사한 회사의 등기기
록의 예에 의하여 편성되기 때문에, 상법상 국내회사의 등기사항은 외국회사의
등기의 경우에도 등기하여야 하지만, 국내회사의 등기사항이 아닌 사항은 등기
할 수 없다.[44] 또한 등기된 사항이 변동된 때에는 변경등기를 하여야 하는데,
등기사항이 외국에서 생긴 경우에는 등기기간의 연장을 인정하여 "그 통지가 도
달한 날"로부터 등기기간을 기산한다(제615조). 여기서의 통지는 국내 대표자가
등기변경사항을 통지받는 것을 의미하는데, 등기를 위하여 해당 서류를 국내 외

41) 김연미, 전게논문, 12면.
42) 최준선, 「2011 개정상법 회사편 해설」(한국상장회사협의회), 258면.
43) 동일한 취지에서, 자본시장법 제100조에서는 국내에 사무소를 두지 않고 국외에서 통신수
단 등을 이용하여 국내에서 투자자문업 및 투자일임업을 영위하는 역외 투자자문업자/투자
일임업자에 대하여 감독당국이나 투자자의 연락 편의를 위하여 국내 연락책임자를 두도록
요구하고 있다.
44) 법원공무원교육원 편, 「2011 상업등기실무」(법원공무원교육원 2011), 793면; 대법원 2001.
8. 25. 등기 3402-595 질의회답.

국영사에게 인증받아야 하는 경우에는 인증까지 마친 때를 기산점으로 본다.[45]

한편, 영업소를 설치하지 아니하는 경우에도 국내 대표자의 성명과 주소, 설립준거법 등 일정한 정보를 국내 거래상대방에게 제공할 수 있도록 제616조에 따라 등기를 하여야 할 것이다. 상법 제614조 제2항에서는 영업소의 설치의 경우에만 등기를 하여야 하는 것처럼 규정하고 있고, 현재의 외국회사 등기제도도 국내 영업소 설치를 기준으로 마련되어 있어, 국내영업소를 설치하지 아니하는 경우 등기가 가능한지에 대한 의문이 있을 수 있으나, 상법 제616조는 외국회사가 등기를 하기 전에는 계속 거래를 할 수 없다고 규정하여 국내영업소 설치와 관계없이 등기의무를 명시하고 있다. 상법 제614조 제1항의 개정에 따라 국내영업소를 설치하지 아니하는 경우의 등기제도를 마련하여야 할 것이다.

II. 외국회사의 국내대표자

1. 국내대표자의 자격

국내에서 영업을 하려는 외국회사에게 대한민국 내의 대표자를 정하고 등기하도록 하는 취지는, 국내에서의 거래마다 본국 대표자를 경유하는 불편을 피하기 위한 것으로 인식되고 있다.[46]

누가 외국회사의 대한민국에서의 대표자로 등기될 수 있는 자격을 가진 자인지에 관하여는, 반드시 당해 외국회사의 속인법에 따라 대표이사 또는 지배인과 같은 기관 내지 사용인으로서의 법정대리권을 갖는 자임을 요구하는 것은 아니며, 대한민국에서의 영업활동에 관한 권한을 인정할 수 있는 자이면 족하다고 보고 있다.[47] 한편, 외국회사의 본국 대표자를 해당 외국회사의 대한민국 내 대표자로 하여 등기를 신청하는 경우가 많은데, 이에 대하여는 본점과 독립된 영업활동의 장소인 국내 영업소의 독립성을 해하고 국내 대표자를 두도록 한 규정

---

45) 권남혁, "외국회사의 국내법상의 지위," 「회사법상의 제문제(하)」, 재판자료 제38집(법원행정처, 1987), 507면.
46) 최형래, "외국회사의 대한민국에서의 대표자 선정 및 그 주소지에 관하여," 「한·일 등기관 상호연수 11회(2009)」(법원공무원교육원, 2010), 81면.
47) 조선고등법원 1917.10.24. 결정; 최형래, 상게논문, 81면에서 재인용.

을 회피하기 위한 것으로서 허용하여서는 아니된다는 견해가 있으나,[48] 법원은 그러한 제한을 인정하지 않고 등기신청을 수리하고 있다.[49]

2. 국내대표자의 권한

외국회사의 대한민국에서의 대표자는 영업에 있어서 재판상 또는 재판외의 모든 행위를 할 권한을 가진 것으로 보며, 이에 대하여 합명회사의 대표사원의 권한에 관한 규정이 준용되고 있으나(제614조 제4항, 제209조, 제210조), 실제로는 국내영업소의 지배인에 더 가까운 개념으로 생각된다. 외국회사의 국내대표자의 권한은 국내의 모든 영업소에 미치며, 외국회사가 국내에 여러 개의 영업소를 설치하는 경우에도 영업소별로 국내대표자를 정하는 것은 허용되지 않지만, 국내대표자와 별도로 영업소별로 지배인을 선임하는 것은 허용된다.[50]

대한민국에서의 대표자의 대표권한이 해당 외국회사의 한국에서의 영업 전반에 미치는 것은 분명하다. 더 나아가 ① 국내대표자의 대표권한이 외국의 본지점의 모든 영업에 미친다는 견해[51]와, ② 국내대표자의 대표권한은 해당 외국회사의 한국에서의 영업행위에 한정된다는 견해[52]가 나뉘고 있다. 한국 내 대표자의 대표권한을 넓게 인정하면 국내 거래상대방이 더 두텁게 보호되는 것으로 기대할 수 있을지 모르나, 세계 각국에서 영업을 하는 기업의 한국 영업소의 대표자가 우리나라 영업과 전혀 무관한 본점 또는 다른 해외지점의 영업에 관하여 권한이 있다고 거래상대방이 기대한다는 것이 오히려 합리적이지 않다.[53] 반면, 재판상의 행위에 대하여는 대한민국 법원에 관할이 인정되는 사건에 대하여 대한민국 내 대표자가 모든 권한을 행사할 수 있으면 편리하다는 점이 있으며, 상법에서 외국회사에 준용하는 제209조의 문구에도 국내대표자의 권한을 제한하지 않고 있다는 이유로 국내대표자의 권한이 외국에 있는 본·지점의 모든 영업에 미친다고 해석하기도 한다.[54] 그러나 법원의 실무는 대한민국에서의 대표

---

48) 최형래, 상게논문, 81면.
49) 최형래, 상게논문, 81면; 법원행정처, 「상업등기실무 Ⅱ」(법원행정처, 2011), 701면.
50) 대법원 1988.4.14. 등기선례 219호.
51) 손주찬·정동윤 편·손주찬 집필, 「주석 상법[회사(Ⅵ)]」 제4판(한국사법행정학회, 2003), 46면.
52) 권남혁, 전게논문, 505면.
53) 「주석 상법[회사(6)]」, 522면; 김연미, 전게논문, 13면.

자는 외국회사의 대한민국 내에서의 영업에 관하여만 권한을 가지는 것으로 보고 있다.55)

3. 국내대표자의 주소

2011년 상법개정 이전에는 대한민국 내 대표자의 주소에 대하여 아무런 제한이 없었으나, 실제로는 외국회사에 대한 감독의 실효성과 각종 과태료사건의 집행 등을 위하여 국내에 주소를 두어야 한다고 해석되고 있었으며, 이를 위반한 등기신청은 신청서가 방식에 적합하지 아니하다는 이유로 각하되어야 한다는 것이 등기실무의 견해였다.56) 다만, 국내 대표자를 복수로 정한 경우에는 그 중의 한 사람만 국내에 주소를 두면 된다고 보고 있었다.57)

2011년 상법 개정으로 국내영업소 설치 의무의 대안으로 대한민국 내 대표자의 주소를 국내에 두도록 명시한 것은 이러한 실무의 태도를 입법화한 것으로 보인다.

국내외를 불문하고 영업소의 실체 없이 영업을 하는 경우가 늘어나고 있는 추세에 비추어 볼 때, 국내에 주소를 가진 개인을 대표자로 선정하는 것 이외에, 국내에서의 감독과 집행의 연결점이 될 수 있는 대한민국 내의 다른 회사, 다른 기관이나 기타 상인을 국내 영업에 대한 대리인으로 선정하는 것도 입법적으로 고려해볼 수 있을 것이다.58)

---

54) 「주석 상법[회사(Ⅵ)]」, 46면.
55) 2011 상업등기실무, 791면.
56) 전계원, "비송: 상업등기 문답(13)," 「사법행정」 제49권 제3호 통권 제567호(한국사법행정학회, 2008. 3.), 32~33면.
57) 전계원, 전계논문, 33면.
58) 김연미, 전계논문, 13면. 참고로, 미국의 Model Business Corporation Act에서는 외국회사(Foreign Corporation)에게 영업을 하는 주(州) 내에 registered office와 registered agent를 두도록 요구하고 있는데, 그 주된 취지는 각종 송달(service of process)을 할 수 있도록 하기 위한 것이며, registered agent는 개인뿐만 아니라 다른 domestic corporation을 지정하는 것도 가능하다. 자본시장법 제100조에 따른 역외투자자문업자 등에게 요구되는 국내 연락책임자는 은행, 특수은행, 금융투자업자, 증권금융회사, 종합금융회사, 상호저축은행 등 금융기관과, 변호사법에 따른 법무법인이나 법무조합 등, 공인회계사법에 따른 회계법인 중에서 지정할 수 있다(시행규칙 제11조).

Ⅲ. '국내영업'의 의미

제614조에서 말하는 외국회사가 "대한민국 내에서 영업을 하고자 하는 때"의 의미와, 제616조에서 말하는 '계속하여 거래'의 의미는 동일한 것으로 이해되고 있었다.[59] '계속'이라는 표현에 비추어 볼 때, 제614조 및 제616조의 적용이 되는 외국회사의 국내 영업은 어느 정도 계속성·반복성을 가지는, 기본적 상행위 또는 준상행위에 해당하는 거래를 예정한 것으로 볼 수 있다.[60]

그러나 구체적으로 국내영업으로 인정되는 행위가 무엇인지는 항상 분명하지는 않다. 일례로, 대한민국 내의 자산에 투자하기 위한 해외투자기구 또는 특수목적기구의 경우에도 국내영업을 하는 것으로 보아야 하는지의 문제가 있다. 이러한 투자기구 또는 특수목적기구의 목적이 오로지 대한민국 내에 소재하는 일정한 자산에 대한 투자인 이상 형식적으로는 국내영업을 영위하는 것으로 보일 여지가 있으나, 투자에 대한 국내 법령에서 규정하는 제한 이외에, 이러한 투자의 경우까지 국내 영업소를 설치하거나 국내에 대표자를 두고 상법에 따른 감독을 받아야 하는지는 의문이 있다.[61]

Ⅳ. 위반의 효과

외국회사가 영업소 설치등기 또는 국내 주소를 둔 국내대표자 선정 등의 요건을 갖추지 아니하고 국내에서 거래를 한 경우에도 그러한 거래의 사법상의 효과가 부인되는 것은 아니다.[62] 다만, 이러한 위반의 경우에는 국내에 외국회사의 연결점이 없어 외국회사에 대한 직접적인 책임 추궁이 어려울 수 있으므로,

---

59) 『주석 상법[회사(Ⅵ)]』, 47면. 2011년 제614조 개정으로 동일한 의미를 가질 수 있게 되었다는 견해로, 『주석 상법[회사(6)]』, 525～526면.
60) 김연미, 전게논문, 14면.
61) 김연미, 상게논문, 14면. 한편, 석광현(『선진상사법률연구』), 45면은 자산유동화법에 따른 유동화전업 외국법인의 경우 외국에서 다른 사업을 할 수 없으므로 한국에서 주된 사업을 하는 경우가 많을 것이라고 보고 있다.
62) 『주석 상법[회사(6)]』, 526면.

외국회사를 위하여 실제로 거래를 한 자가 그 거래에 대하여 외국회사와 연대하여 책임을 지도록 하고 있다(제616조 제2항).

그 외에 등기의 해태에 대하여는 외국회사의 대한민국 내 대표자에게 과태료를 부과할 수 있고(제635조 제1항 제1호), 등기 전 거래를 한 자에 대하여도 과태료를 부과할 수 있으나(제636조 제2항), 국내 대표자 자체를 정하지 않은 상태이거나 국내 대표자 또는 실제 거래를 한 자가 국내에 소재하지 아니하는 경우에는 실제로 과태료를 부과하기는 어려울 것으로 보인다.[63)]

V. 재무정보의 공고

2011년 개정상법은 제616조의2를 신설하여, 국내에서 등기를 한 외국회사 중 주식회사의 등기 예에 의하는 경우에는 상법 제449조에 따른 정기주주총회의 재무제표등 승인과 같은 종류의 절차 또는 이와 비슷한 절차가 종결된 후 지체 없이 대차대조표 또는 이에 상당하는 것으로서 대통령령으로 정하는 것을 대한민국에서 공고하도록 요구하고 있다(제616조의2 제1항). 상법 시행령은 대차대조표에 상당하는 자료를 "복식부기의 원리에 의하여 해당 회사의 재무상태를 명확히 하기 위하여 회계연도 말 현재의 모든 자산·부채 및 자본의 현황을 표시한 서류로서 대차대조표에 상당하는 형식을 갖춘 것"으로 규정하고 있다(시행령 제43조).

이러한 재무정보의 공고방식에는 주식회사의 공고방법에 관한 제289조 제3항 내지 제6항이 준용된다(제616조의2 제2항). 따라서 원칙적으로 관보 또는 시사에 관한 사항을 게재하는 일간신문에 공고하여야 하지만, 정관으로 정한 경우에는 외국회사의 인터넷 홈페이지에 전자적 방법으로 공고할 수 있다. 재무정보의 공고방식은 등기사항이다(상업등기법 제74조).

외국회사가 공고하여야 하는 재무정보는 정기주주총회 승인 등 외국회사의 설립준거법에 따라 이루어지는 절차에서 승인받은 정보를 말한다. 재무정보는 해당 외국회사와 거래를 하는 국내 거래상대방에게 회사의 책임재산 일반이나

---

63) 김연미, 전게논문, 14면.

재무상황 등을 알려주는 기능을 하기 때문에, 본·지점 단일체의 법리상 외국회사의 법인격을 중심으로 대차대조표 기타 재무정보를 작성, 공시하여야 한다.[64]

외국회사의 설립준거법에서 영업을 하는 국가별로 재무정보를 작성하거나 승인받는 절차를 인정하지 않고 있다면, 상법에서 해당 외국회사에게 국내 영업에 관한 재무정보를 별도로 작성하여 주주총회 등의 승인을 받도록 요구하는 것은 무리가 있다. 따라서 설립준거법에 따라 주주총회 등의 승인을 받은 재무정보를 공시하면 충분하다고 해석하여야 할 것이다.[65]

제 4 절   외국회사의 국내 증권 발행·유통

I . 상법 제618조의 규정

제618조 제1항은 대한민국에서의 외국회사의 주권 또는 채권의 발행과 그 주식의 이전이나 입질 또는 사채의 이전에 관하여, 제335조(주식의 양도성), 제335조의2 내지 제335조의7(정관으로 주식의 양도를 제한한 경우의 양도방법 등), 제336조(주식의 양도방법), 제337조(기명주식의 이전의 대항요건), 제338조(기명주식의 입질), 제340조 제1항(기명주식의 등록질), 제355조(주권발행의 시기), 제356조(주권의 기재사항), 제356조의2(주식의 전자등록), 제478조 제1항(사채전액 납입 요구), 제479조(기명사채의 이전), 제480조(기명식, 무기명식 사채 사이의 전환)의 규정을 준용한다고 규정하고 있다. 그리고 이러한 조항의 적용과 관련하여서는 대한민국에 설치한 영업소를 본점으로 본다고 규정하여, 주권이나 사채와 관련된 연락을 외국회사 본점이 아닌 대한민국 내 영업소에 할 수 있도록 하고 있다(제618조 제2항).

이러한 주식 또는 사채에 대한 상법 규정을 준용하는 이유는, 외국회사가 발

---

64) 「주석 상법[회사(6)]」, 529면. 국내 채권자가 책임을 추궁하기 쉬운 국내자산 등 국내 영업에 대한 정보를 제공하는 기능을 하므로 국내 영업부문에 대한 정보를 공시대상으로 한다는 견해로는 김연미, 전게논문, 15면.
65) 김연미, 전게논문, 15면.

행한 주권 또는 채권의 유통시장이 한국인 경우 이해관계자의 이익을 보호하기 위한 것이라고 한다.[66]

Ⅱ. 주권·사채의 준거법과 상법 제618조의 적용범위

제618조는 해당 조문들을 "대한민국에서의 외국회사의 주권 또는 채권의 발행과 … 이전이나 입질"에 적용한다고 규정하고 있으나, 실제로 열거된 조문들이 적용되는 경우가 명백하지는 않다. 유가증권의 발행 장소가 어디인지는 항상 명백하게 구분되는 개념이 아니며, 대한민국에서 주권이나 사채가 발행되고 그와 같이 국내 발행된 주권이나 사채가 다시 국내에서 이전되거나 입질되는 경우에만 적용되는 것인지, 아니면 해외에서 발행된 주권 또는 사채라도 국내에서 이전되거나 입질되는 경우에는 해당 상법 조문이 적용된다는 것인지도 분명하지 않다.[67] 유가증권의 이전이나 약정담보설정에 대하여 유가증권 소재지법을 따르는 국제사법의 원칙에 의하면, 해외에서 발행된 주권 또는 사채라도 다시 국내에서 이전되거나 입질되는 경우에는 상법의 적용을 받게 되는 것이 옳다고 볼 수 있겠으나, 이 경우에도 이미 발행된 유가증권에 화체된 권리를 상법 규정을 적용하여 변경하여서는 아니될 것이다.[68]

또한 제618조에서 준용하는 내용 중 상당수는 증권의 준거법에서 결정될 내용으로, 대한민국에서 증권이 발행되거나 유통된다는 사정만으로 상법 규정을 적용하는 데에는 무리가 있다. 이러한 이유로 제618조의 적용범위를 합리적으로 해석할 필요가 있는데, 우선 ① 제614조 또는 제616조에 따라 국내에 등기를 한 외국회사가 국내에서 증권을 발행하는 경우에만 제618조가 적용되는 것으로 적용범위를 좁히는 견해가 있을 수 있다.[69] 반면, ② 대한민국 내에서 주권이나

---

66) 정찬형, 전게서, 1372면.
67) 김연미, 전게논문, 17~18면.
68) 석광현, 「국제사법과 국제소송」 제3권, 26~27면. 국제사법 제35조는 "무기명증권에 관한 권리의 취득·상실·변경은 그 원인된 행위 또는 사실의 완성 당시 그 무기명증권의 소재지법에 따른다"고 규정하고, 제37조는 "채권·주식, 그 밖의 권리 또는 이를 표창하는 유가증권을 대상으로 하는 약정담보물권은 담보대상인 권리의 준거법에 따른다. 다만, 무기명증권을 대상으로 하는 약정담보물권은 제35조에 따른다"고 규정한다.
69) 「주석 상법[회사(Ⅵ)]」, 54면.

채권을 발행하는 것 자체가 제614조 및 제616조에 의한 외국회사의 국내영업 활동으로 인정되기 때문에, 국내에서 주권이나 채권을 발행하려면 먼저 국내에 등기를 해야 하고 제618조도 당연히 적용된다는 극단적인 해석도 있을 수 있는데, 영업자금을 조달하기 위한 증권의 발행 자체를 영업활동으로 인정하는 것은 옳지 않다고 생각된다. 또한 ③ 제618조를 문구 그대로 적용하여 국내 등기 및 국내 영업과 무관하게 국내에서 증권이 발행되거나 유통이 되는 경우 적용된다는 해석도 가능하다.[70]

그러나 이러한 해석들은 모두 주권이나 채권의 준거법을 무시하고 상법 규정을 적용하는 문제가 있다. 주권에 화체된 주식의 내용은 발행회사의 속인법에 의하여 정해져야 하며, 그러한 주식의 내용에는 주식의 양도나 입질의 방법과 이를 회사에 대항하기 위한 절차 등이 포함되므로, 제618조에서 준용하도록 규정하는 주식의 양도 및 입질에 관련된 상법 조항들을 적용하는 경우 발행회사의 속인법과 충돌이 생긴다. 사채의 경우에도 증권에 화체된 금전채권의 준거법은 당사자가 지정한 법으로 결정되고,[71] 사채 발행회사의 속인법에서 사채의 발행 절차 기타 발행과 관련하여 부과하는 제한이나 의무는 사채의 준거법이나 발행지·유통지에 관계없이 발행회사의 속인법이 적용되는 영역이므로,[72] 제618조에서 준용하는 사채발행에 대한 제한이나 양두에 관련된 상법 조항들과 충돌하게 된다.

따라서 제618조의 합리적인 해석은, 외국회사가 상법을 준거법으로 국내에서 발행하는 증권에 한정하여 해당 조문들을 적용하는 것이라고 생각된다.

Ⅲ. 외국기업 국내 상장과 관련된 문제점

최근 우리 자본시장의 국제화가 최종단계로 접어들면서, 외국기업이 국내에서 지분을 공모하고 한국거래소에 상장하는 경우가 늘고 있다.[73] 외국기업의 국

---

70) 「주석 상법[회사(6)]」, 543면.
71) 석광현, 「국제사법과 국제소송」 제3권, 588면.
72) 석광현, 「국제사법과 국제소송」 제3권, 587면.
73) 2021. 5월 기준 현재 24개의 외국회사가 한국거래소에 상장되어 있다. 2007년 첫 상장이 시작된 이후 38개 기업이 상장했으며 14개 기업이 상장폐지되었다. "증권시장 1%는 외국

내 상장은 증권예탁증권(DR)의 형태로 이루어지기도 하지만, 직접 주식 형태로 상장하는 경우가 더 많다.[74]

외국기업이 국내에서 공모를 하는 경우 증권의 공모에 관한 자본시장 및 금융투자업에 관한 법률에 따른 규제가 적용되는 것은 당연하다.[75] 반면, 국제사법상 외국기업의 속인법은 설립준거법이므로, 외국기업이 국내에 상장한다고 하여 상법이 바로 적용되는 것은 아니다. 문제는 상법 제3편 제6장 제13절에서 규정하고 있는 상장회사에 대한 특례규정들이 외국기업이 국내에 상장되는 경우에 적용되는지 여부이다. 제524조의2 제1항은 상장회사 특례규정의 적용범위를 "증권시장에 상장된 주권을 발행한 주식회사"로 규정하고 있는데, 상법에 따라 설립된 주식회사만을 의미하는지, 제621조에 따라 주식회사로 취급되는 외국회사도 적용대상인지에 의문이 있을 수 있다.

① 상법의 상장회사 특례규정이 외국회사에는 적용되지 않는다는 견해는 (i) 상장회사 특례규정이 대부분 지배구조에 대한 것으로 원칙적으로 속인법이 규율할 사항이며, (ii) 특례규정의 취지는 상법의 일반규정이 적용되는 것을 전제로 상장회사가 되면 예외를 인정하는 것인데, 외국회사는 상법의 일반규정이 적용되지 않으므로 전제부터 성립하지 않는다는 논거를 들고 있다.[76] 반면 ② 이러한 특례규정은 주권이 국내에 상장되어 유통되는 점에 주목하여 유통시장에서의 투자자 보호를 위하여 인정되는 것이므로, 국내에 상장된 외국회사에 대하여도 적용을 하는 것이 옳다는 견해도 있다.[77] 상법의 상장회사 특례규정 중 일부는 국내상장된 외국회사에도 적용할 필요성이 인정될 수도 있으나, 현재 상법의 구

기업 차지"(머니투데이 2021. 5. 25.)

74) 천창민, "전자증권의 국제사법적 쟁점," 「BFL」 제96호(서울대학교 금융법센터, 2019. 7.), 99면.

75) 외국인이 국내상장을 위하여 발행하는 주식과, 이를 기초로 하는 증권예탁증권은 모두 자본시장법에서 정하는 증권에 해당된다. 증권감독당국은 외국기업의 국내 상장에 대해 기본적으로 '동등주의' 원칙에 따라 국내기업과 동등한 규제를 하고 있다. 장영수, "외국 기업의 국내 공모 및 상장에 따른 제반 법률문제," 「BFL」 제42호(서울대학교 금융법센터, 2010. 7.), 66면; 김연미, "외국기업 국내상장에 대한 국내법 적용," 「국제사법연구」 제20권 제2호(한국국제사법학회, 2014. 2.), 17면.

76) 석광현, "상장회사에 관한 상법특례규정과 국제사법적 사고의 빈곤," 「법률신문」 제3895호, 2010. 12. 9.

77) 김연미, 전게논문, 9면. 한편, 자본시장법에 규정된 상장회사 특례규정들에 대하여는 재무관리기준과 그에 대한 제재규정만 외국회사에 적용하고 다른 특례는 명시적으로 적용을 배제하고 있다(제165조의2 제1항).

조로는 바로 국내상장된 외국회사에 적용된다고 해석하기에는 무리가 있다. 한국거래소는 상법의 상장회사에 관한 특례규정 등을 반영한 정관개정요구사항을 국내상장을 희망하는 외국기업에게 요구하고 있는데,[78] 이는 한국거래소의 상장정책에 기반한 것으로, 국내 투자자 보호를 위해 필요한 내용을 외국회사에 요구하기 위한 적법한 방식이라 할 것이다.[79] 다만 국내에 상장하는 외국회사에게 상법의 규정을 어디까지 따를 것을 요구할 것인지는, 해당 기업의 속인법을 존중하면서 국내 투자자 보호에 필요한 정도를 넘지 않는 범위에서 결정되어야 할 것이다.

다음으로, 국내에 외국증권이 상장되는 경우 국내 전자등록 및 결제시스템을 이용하여야 하는데, 그러한 증권의 발행 및 유통방법을 발행자인 외국회사의 속인법에서 인정할 것인지의 문제가 있다. 국내에 상장하는 외국법인 등의 속인법이 전자등록방식에 의한 증권발행을 인정하지 않는 경우에 대비하여 주식·사채 등의 전자등록에 관한 법률(전자등록법) 제67조 제2항에서는 실물증권을 발행하여 해외에 보관하고 이를 근거로 전자등록의 형태로 발행하는 방식을 예정하고 있다.[80] 전자등록법 제67조 제2항에 따르는 경우에도 국제사법은 전자등록과 같은 '간접보유방식'에 따른 증권의 유통을 규율하는 법의 결정에 대하여 원칙을 제시하지 못하고 있다.[81] 주식의 경우 전자등록에 대한 제356조의2가 상법 제618조를 통하여 준용되고 있으나, 사채의 경우 전자등록에 대한 제478조 제3항이 준용되지 않는 점은 입법의 미비로 볼 수 있다. 계좌소재지인 대한민국의 증권 전자등록에 관한 법령을 적용한다면 상법 제618조를 통하지 아니하고도 증권의 국내 유통에 대하여 전자등록법을 적용할 수 있다.

---

78) 장영수, 전게논문(주 74), 78면.
79) 이철송, 전게서, 1238면.
80) 천창민, 전게논문, 98면. 다만 전자등록법 부칙 제3조 제1항에 따라 이미 상장된 외국기업의 주식에 대하여도 전자등록으로 일괄 강제전환되는데, 이 경우 전자등록법 제67조 제2항에 따른 특례가 적용되는지에 대하여는 명시적인 규정이 없는 문제가 있다.
81) 장영수, 전게논문(주 74), 66면; 천창민, 전게논문 94~97면.

제5절 외국회사의 영업소 폐쇄와 청산

Ⅰ. 영업소 폐쇄명령

1. 영업소 폐쇄명령제도

제619조는, 외국회사가 대한민국에 영업소를 설치한 경우에 (i) 영업소의 설치목적이 불법한 것인 때, (ii) 영업소의 설치등기를 한 후 정당한 사유없이 1년 내에 영업을 개시하지 아니하거나 1년 이상 영업을 휴지한 때 또는 정당한 사유없이 지급을 정지한 때, (iii) 회사의 대표자 기타 업무를 집행하는 자가 법령 또는 선량한 풍속 기타 사회질서에 위반한 행위를 한 때에는 법원이 이해관계인 또는 검사의 청구에 의하여 그 영업소의 폐쇄를 명할 수 있다고 규정하고 있으며, 회사의 해산명령에 대한 규정을 준용하고 있다. 이에 따라 법원은 외국회사의 국내영업소 폐쇄를 명하기 전이라도 이해관계인이나 검사의 청구에 의하여 또는 직권으로 관리인의 선임 기타 회사재산의 보전에 필요한 처분을 할 수 있으며(제176조 제2항), 이해관계인이 영업소 폐쇄명령을 청구한 때에는 회사의 청구에 의하여 상당한 담보를 제공할 것을 명할 수 있는데(동조 제3항), 회사가 담보제공명령을 청구하려면 이해관계인의 청구가 악의임을 소명하여야 한다(동조 제4항).

외국법을 준거법으로 외국에서 설립된 외국회사에 대하여는 법원이 해산명령을 내릴 권한이 없으므로, 이에 갈음한 제도로 국내영업소 폐쇄명령을 마련한 것이다.[82] 영업소 폐쇄명령의 대상이 되는 영업소는 등기하기 전의 사실상의 영업소도 포함한다.[83] 그런데 2011년 상법개정으로 외국회사가 국내에 영업소를 설치하지 아니하고도 국내영업을 할 수 있도록 제도가 변경되었으므로, 국내에 영업소 설치를 하지 아니한 경우의 강제수단을 마련하여야 할 것이다. 참고로, 일본에서는 영업소를 설치하지 아니한 외국회사에 대하여 법원이 '거래계속 금

---

82) 정찬형, 전게서, 1372면; 「상업등기실무 Ⅱ」, 715면.
83) 손주찬·정동윤, 「주석 상법[회사(Ⅵ)]」, 60면.

지명령'을 내릴 수 있도록 규정하고 있다.[84]

2. 폐쇄명령 사유

폐쇄명령의 사유는 다음과 같이 국내회사 해산명령 사유와 차이를 보인다.

(i) 영업소의 설치목적이 불법한 것인 때에 대하여는, "회사의 설립목적이 불법한 것인 때"를 해산명령사유(제176조 제1항 제1호)로 한 국내회사와 달리 외국회사 자체의 설립목적과는 무관하며, 적법한 목적으로 설립된 외국회사라도 국내 영업소 설치를 통하여 이룩하려는 구체적인 목적이 불법한 것이면 폐쇄명령 사유가 된다.[85]

(ii) 1년 내에 영업 불개시 또는 1년 이상 영업 휴지는 국내회사의 해산명령 사유로도 열거되어 있지만(제176조 제1항 제2호), 지급정지는 국내회사의 해산명령사유가 아니다. 다만 국내회사의 경우에는 지급정지가 파산의 원인이 되는 지급불능을 추정하는 사유가 된다(채무자 회생 및 파산에 관한 법률 제305조). 그런데 외국회사의 주된 영업지에서 파산절차가 개시되었는지 여부에 관계없이 외국회사에 대하여 채무자 회생 및 파산에 관한 법률에 따른 파산절차를 진행할 수 있게 되었으므로,[86] 지급정지를 이유로 영업소 폐쇄명령을 신청하는 것은 적절하지 않게 되었다.

(iii) 회사의 대표자 기타 업무를 집행하는 자의 법령 또는 선량한 풍속 기타 사회질서 위반은, 국내회사의 해산명령사유로도 열거되어 있다(제176조 제1항 제3호). 국내회사는 이에 더하여 정관위반행위까지 해산명령사유로 열거되어 있으나(제176조 제1항 제3호), 외국회사의 정관에 대하여는 속인법에서 규율할 사항이므로 국내영업소 폐쇄명령 사유로는 들어있지 않다.

---

84) 일본 신회사법 제827조.
85) 손주찬·정동윤, 「주석 상법[회사(VI)]」, 57면.
86) 제강호·이재한, "외국 회사의 파산 관련 제문제," 「BFL」 제42호(서울대학교 금융법센터, 2010. 7.), 40면.

II. 한국에 있는 재산의 청산

1. 외국회사의 국내 재산의 청산

제620조는, 법원이 영업소 폐쇄명령을 내린 경우 또는 외국회사가 스스로 영업소를 폐쇄한 경우 법원이 이해관계인의 신청에 의하여 또는 직권으로 청산인을 선임하고 대한민국에 있는 그 회사재산의 전부에 대한 청산의 개시를 명할 수 있도록 규정하고 있다.

우리나라에 있는 외국회사의 영업소가 폐쇄되거나 외국회사의 거래가 중단되는 경우에는, 그러한 외국회사와의 채권채무관계를 정리할 필요가 있는데, 국내 거래상대방이 직접 외국회사를 상대로 제소를 하고 집행을 하는 등의 절차를 거쳐야만 권리행사를 할 수 있다면 비용과 효율 등의 면에서 권리구제에 곤란한 점이 있을 수 있으며, 외국회사의 국내 재산이 반출되어 버린 후에는 국내 거래 상대방의 권리행사가 어렵게 된다.[87] 이러한 취지에서 대한민국에 존재하는 외국회사의 재산만을 청산하는 속지청산(屬地淸算)제도를 마련한 것이다.[88]

또한 은행법과 자본시장법에서는 외국은행 또는 외국 금융투자업자의 본점이 파산한 경우 외국은행의 국내 지점 또는 대리점, 외국 금융투자업자의 국내 지점 기타 영업소에 관하여, 상법상 청산절차에 의하여 청산할 것을 규정하고 있다.[89]

2. 청산의 대상

청산의 대상이 되는 재산이 국내에 있는 영업소에 속하는 재산에 한정되는지의 여부, 혹은 국내에 있는 해당 외국회사의 모든 재산이 청산의 대상이 되는지의 여부는 분명하지 않다.[90] 국내 재산이 국내 영업소의 재산인지 아닌지를 채

---

87) 김석범, "외국회사에 관한 상법규정 및 최근 논의에 대한 고찰," 서울대학교 석사학위논문 (2004), 58면.
88) 김연미, 전게논문, 19면.
89) 제강호·이재한, 전게논문, 34면.
90) 제강호·이재한, 상게논문, 37면.

권자가 구분하기 어렵다는 점을 고려하여, 국내에 있는 외국회사의 재산 전부가 청산의 대상이 되어야 한다고 보기도 하는데,[91] 외국회사의 파산절차에서 모든 국내재산을 처분하는 경우에 비추어 적절한 해석으로 생각된다.

외국회사의 국내 자산은 외국회사의 일반채권자들 모두를 위한 책임재산이 되므로, 국내 채권자들이 이에 우선적으로 권리를 행사할 수는 없다. 그러나, 외국회사에 대하여 외국에서도 청산절차가 진행되는 경우에는, 최소한 국내 채권자들이 충분한 보호를 받을 때까지 해당 외국회사의 국내 자산을 해외청산인에게 인도하지 아니할 수 있어야 할 것이다.[92] 한편, 은행법에 따라 설치된 외국은행의 국내 지점 또는 대리점의 청산 또는 파산에 관련하여, 그 자산, 자본금, 적립금, 그 밖의 잉여금을 국내 채권자에 대한 채무변제에 우선 충당하여야 하며(은행법 제62조 제2항), 자본시장법에 따라 설치된 외국 금융투자업자의 국내 지점 기타 영업소의 청산 또는 파산에 있어서는, 그 국내에 두는 자산을 국내 채권자에 대한 채무변제에 우선 충당하여야 한다고 명시하여(자본시장법 제65조 제3항), 국내 채권자 우선보호조항이 마련되어 있다.[93]

3. 청산절차

청산절차에 대하여는 성질상 적용을 허하지 않는 경우 이외에는 주식회사의 청산에 관한 규정이 적용된다(제620조 제2항). 즉, 상법 제535조에 따라 채권자에 대하여 채권신고를 할 것을 최고하여야 하며, 제536조에 따라 채권신고기간 내에는 법원의 허가 없이는 변제를 할 수 없고, 제537조에 따라 청산에서 제외된 채권자는 분배되지 아니한 잔여재산에 대하여서만 변제를 청구할 수 있는데, 일부 주주에 대하여 재산분배를 한 경우에는 그와 동일한 비율로 다른 주주에게 분배할 재산을 잔여재산에서 공제한다. 또한 제542조가 준용되어, 합명회사의 청산에 관한 제245조, 제252조 내지 제255조, 제259조, 제260조와 제264조의 규정이 성질이 허하는 범위내에서 적용된다(제542조 제1항). 청산인의 직무와 권한에 대하여는 해산 전 주식회사의 이사·이사회·대표이사에 관한 제362조, 제

---

91) 손주찬·정동윤, 전게서, 60면.
92) 김연미, 전게논문, 19면.
93) 제강호·이재한, 전게논문, 38~39면.

363조의2, 제366조, 제367조, 제373조, 제376조, 제377조, 제382조제2항, 제386
조, 제388조 내지 제394조, 제396조, 제398조 내지 제408조, 제411조 내지 제
413조, 제414조제3항, 제449조제3항, 제450조와 제466조의 규정이 준용된다(제
542조 제2항).

Ⅲ. 외국회사에 대한 국내 파산절차

외국회사에 대하여 민법 제93조가 준용되므로, 외국회사의 국내 재산이 그
채무를 완제하기에 부족한 것이 분명한 경우에는 청산인은 파산선고를 신청하여
야 한다(제620조 제2항, 제542조 제1항, 제254조 제4항, 민법 제93조).

한편, 채무자 회생 및 파산에 관한 법률에서는 외국회사의 본점에서 주절차
가 개시되었는지 여부에 관계없이 국내에서 외국회사에 대하여 도산절차를 진행
할 수 있도록 하고 있다.[94] 다만 해당 외국회사의 국내재산으로 국내 채권자들
에 대하여 변제하는 속지청산방식을 채택한 상법상 청산제도와 달리, 채무자 회
생 및 파산에 관한 법률에 의한 도산절차는 하나의 법인격체로서 본점과 지점을
포함하는 외국회사에 대하여 진행되는 것이고 국내 영업소에 대하여 독립적인
파산적격을 인정하지는 않는다.[95]

채무자 회생 및 파산에 관한 법률에서는 외국 도산절차의 승인과 지원에 관
한 규정도 마련하고 있다.[96]

---

94) 제강호 · 이재한, 상게논문, 40면.
95) 제강호 · 이재한, 상게논문, 41면.
96) 제강호 · 이재한, 상게논문, 43면.

제 11 장

벌 칙

제11장 벌 칙

제1절 서 설

Ⅰ. 의 의

상법 제3편(회사) 제7장은 벌칙이라는 제목 아래 회사 관련 범죄의 구성요건 및 형벌의 내용과, 행정벌인 과태료의 부과요건 및 그 부과·징수절차를 규정하고 있다. 상법은 규제를 본질로 하는 법이 아님에도 불구하고 특히 과태료 부과에 그치는 상법의 다른 편 위반행위[1]와는 달리 상법 회사편 위반행위의 경우 형사처벌 규정까지 두는 이유는 그만큼 회사제도가 사회·경제 상 차지하는 비중이 무겁기 때문이다. 특히 주식회사 등 물적회사의 유한책임, 소유와 경영의 분리 등의 회사제도를 오·남용하는 경우에는 그로 인한 회사의 주주·채권자·종업원 및 거래처 등 이해관계인의 피해가 광범위하고 사회·경제에 미치는 파급효과도 크다. 그럼에도 불구하고 회사 내부에서 벌어지는 불법·부정행위에 대한 감시가 용이하지 않고, 복잡한 회사법상의 규제위반 행위를 형법상의 일반 형사처벌 규정만으로 대처하기에는 미흡하다. 그러므로 회사의 건전한 운영을 확보하고 회사제도의 오·남용으로 인한 피해를 예방하기 위하여, 회사제도의 기본질서를 어지럽히고 국가 형벌로 견제하지 않으면 안 될 불법행위에 대하여 상법 회사편에 벌칙규정을 두게 된 것이다.

---

* 성균관대학교 법학전문대학원 교수, 변호사
1) 예컨대, 상호를 부정사용하거나, 합자조합 업무집행조합원 등이 등기를 게을리하는 경우에는 과태료를 부과하고 있을 뿐이다(상법 제28조, 제86조의9, 이하 '상법' 표기는 생략함).

Ⅱ. 연   혁

상법 회사편의 벌칙 규정은 1962. 1. 20. 상법(법률 제1000호) 제정 당시 의용상법(즉, 당시 일본 상법)의 회사편 벌칙 규정을 약간 수정하였을 뿐 거의 그대로 계수한 것이다.[2] 그 후 1962. 12. 12. 법률 제1212호로 개정할 당시 제631조의 범죄구성요건, 제635조의 과태료 부과요건을 수정하였고, 1984. 4. 10. 법률 제3724호로 개정에서는 각 벌금액 및 과태료액을 증액하고 제625조의2, 제634조의2를 신설하였으며, 제635조의 과태료 부과요건을 수정ㆍ추가하였다. 1995. 12. 29. 법률 제5053호로 개정에서는 각 벌금액 및 과태료액을 증액하고 제634조의2 징역 법정형을 상향조정하였으며, 제635조의 과태료 부과요건을 수정ㆍ추가하였다. 1998. 12. 28. 법률 제5591호로 개정에서는 제625조, 제630조, 제631조의 범죄구성요건을 수정하고 제635조의 과태료 부과요건을 수정ㆍ추가하였다. 1999. 12. 31. 법률 제6086호로 개정에서는 회사편의 감사위원회제도 신설 등을 반영하여 제622조, 제626조, 제631조, 제634조의2의 범죄구성요건을 수정하였고, 제635조의 과태료 부과요건을 수정하였다. 2009. 1. 30. 법률 제9362호로 개정에서는 제624조의2(주요주주 등 이해관계자와의 거래 위반죄), 제634조의3(양벌규정), 제637조의2(과태료의 부과ㆍ징수)를 신설하였으며, 제635조의 과태료 부과요건을 수정ㆍ추가하였다. 2011. 4. 14. 법률 제10600호로 개정에서는 집행임원제도, 준법통제기준 및 준법지원인제도의 신설과 건설이자제도 폐지 등 회사편 개정에 따라 제622조, 제625조, 제625조의2, 제626조, 제629조, 제631조, 제634조의2 각 범죄구성요건, 제634조의3 양벌규정 단서 내용 및 제637조 법인에 대한 벌칙 적용요건을 수정하였고, 제635조의 과태료 부과요건을 수정ㆍ추가하였다.

이러한 벌칙 규정의 개정과정을 살펴보면, 일부 규정의 신설과 범죄구성요건 및 법정형의 수정이 있었음에도 불구하고, 상법 회사편의 회사제도 개편에 따른 입법이거나 화폐가치의 하락에 따라 벌금액 또는 과태료액을 소액 상향조정한

---

2) 박길준, "상법상의 벌칙규정에 대한 입법론적 고찰 – 일본법과의 비교를 중심으로 –," 「연세행정논총」 제15집(연세대학교 행정대학원, 1990), 144면.

것일 뿐 벌칙 규정의 기본적인 틀은 상법 제정 당시 모델로 삼은 의용상법의 내용에서 크게 벗어나지 못하고 있다.[3] 따라서 벌칙 규정을 해석함에 있어서는 의용상법 즉 일본 상법의 유사 규정에 관한 해석론이나 판례 기타 운용실태도 참고할 필요가 있다.

Ⅲ. 구   조

벌칙규정은 회사 관련 일정한 법익침해행위를 범죄로 규정하고 이에 대한 법률효과로서 형벌을 가하는 회사범죄에 관한 규정과, 회사의 원활한 조직과 운영을 위하여 부과하는 각종 의무를 위반한 행위에 대하여 행정질서벌인 과태료를 부과하는 규정으로 대별할 수 있다. 제622조 내지 제634조의3, 제637조 규정이 형벌을 부과하는 회사범죄에 관한 규정이고, 나머지 제635조, 제636조, 제637조의2는 과태료 부과에 관한 규정이다. 형벌은 형사소송절차에 따라 법원이 선고하고 검사의 지휘에 따라 집행하지만, 과태료는 법무부장관이 상법 시행령 제44조의 절차에 따라 부과·징수하고, 과태료 부과처분에 불복하는 경우의 과태료 재판은 비송사건절차법 제4편 보칙 규정에 따라 법원이 재판한다. 벌칙규정 중 과태료에 처할 행위의 내용에 관하여는 다른 장에서 설명하는 개별 회사제도의 내용에서 살펴볼 수 있으므로, 아래에서는 벌칙 규정 중 형벌이 부과되는 회사범죄의 내용을 중심으로 살펴보고, 행정질서벌에 관하여는 과태료의 부과·징수절차만 살펴본다.

벌칙규정 중 형벌이 부과되는 회사범죄에는 특별한 규정이 없으면 형법총칙 규정이 적용된다(형법 제8조). 형법총칙 규정상 과실범은 법률에 특별한 규정이 있는 경우에만 처벌할 수 있는데(형법 제14조), 벌칙규정 중 회사범죄는 과실행위를 처벌하는 규정이 없으므로 모두 객관적 범죄구성요건에 대한 고의가 필요하다. 미수범의 처벌도 그 처벌 규정이 있어야 처벌할 수 있는데, 벌칙규정의 회사범죄 중에는 특별배임죄의 미수범을 처벌하는 규정(제624조) 외에는 미수범

---

3) 벌칙 규정의 해석상 문제점의 원인을 의용상법, 즉 일본 상법의 무비판적 계수에서 찾고, 이러한 연유로 초래된 우리나라 형법 등 형벌법규와의 불균형, 인적회사나 유한회사에 대한 배려 부족, 과도한 범위의 범죄주체 등의 문제점을 지적하는 견해(박길준, 전게논문, 144, 145면)가 있다.

처벌규정이 없다. 따라서 특별배임죄 외에는 범죄행위가 기수에 이르지 않으면 처벌할 수 없다.

　법인의 범죄능력을 인정할 것인지 여부는 모든 회사범죄의 경우에 일반적으로 검토해 볼 수 있는 문제이지만, 특히 회사범죄의 범죄구성요건에서 회사를 행위주체로 예정하고 있는 범죄의 경우에 그 논의의 실익이 크다고 할 수 있다. 입법론 또는 해석론상 법인의 범죄능력을 인정할 것인지 여부에 관해서는 학설이 대립하고 있으나,[4] 판례는 양벌규정의 처벌규정이 있는 경우가 아닌 한 법인의 범죄능력을 부인하고 있다.[5] 상법은 법인의 범죄능력을 인정하지 않는 것을 원칙으로 하여, 제622조, 제623조, 제625조, 제627조, 제628조 또는 제630조 제1항에 규정된 자가 법인인 경우에는 그 행위를 한 이사, 집행임원, 감사, 그 밖에 업무를 집행한 사원[6] 또는 지배인[7]에게 그 벌칙 규정을 적용함을 명시하고 있다(제637조).[8] 다만, 회사범죄 중 이해관계자에 대한 신용공여죄(제624조의

---

4) 법인의 범죄능력을 부정하는 견해로는 박상기·전지연, 「형법학」(집현재, 2018), 46면; 손동권·김재윤, 「새로운 형법총론」(율곡출판사, 2011), 108~109면; 배종대, 「형법총론」(홍문사, 2020), 144면; 정영일, 「형법총론」(학림, 2020), 106면 등이고, 법인의 범죄능력을 긍정하는 견해로는 정성근·박광민, 「형법총론」(성균관대학교 출판부, 2020), 86~88면; 김일수, "법인에 대한 형법적 규율(상)," 「법률신문」 제1675호(1987. 3. 16.), 14면 등이 있다. 이에 대하여 범죄능력 부정설 입장이지만 양벌규정에 따라 법인을 형사처벌 하는 경우에는 법인의 범죄능력을 인정한 것으로 보는 범죄능력 부분적 긍정설로는 신동운, 「형법총론」(법문사, 2021), 71면; 임웅, 「형법총론」(법문사, 2019), 100면; 조국, "법인의 형사책임과 양벌규정의 법적성격," 「서울대학교 법학」 제48권 제3호(서울대학교 법학연구소, 2007), 68면; 오영근, 「형법총론」(박영사, 2019), 95면; 한석훈, 「비즈니스범죄와 기업법」(성균관대학교 출판부, 2019), 63면 등이 있다. 김성돈, 「형법총론」(성균관대학교 출판부, 2021), 169~170면은 입법론으로는 범죄능력을 긍정할 여지가 있지만 해석론으로는 범죄능력 부정설 입장에 설 수밖에 없고 양벌규정에서의 법인처벌은 자연인의 행위와 책임을 법인에게 귀속시키는 귀속규범 형태로 보는 입장이다.

5) 대법원 1984.10.10. 82도2595 전원합의체("형법 제355조 제2항의 배임죄에 있어서 타인의 사무를 처리할 의무의 주체가 법인이 되는 경우라도 법인은 다만 사법상의 의무주체가 될 뿐 범죄능력이 없는 것이며 그 타인의 사무는 법인을 대표하는 자연인인 대표기관의 의사결정에 따른 대표행위에 의하여 실현될 수밖에 없어 그 대표기관은 마땅히 법인이 타인에 대하여 부담하고 있는 의무내용 대로 사무를 처리할 임무가 있다 할 것이므로, 법인이 처리할 의무를 지는 타인의 사무에 관하여는 법인이 배임죄의 주체가 될 수 없고 그 법인을 대표하여 사무를 처리하는 자연인인 대표기관이 바로 타인의 사무를 처리하는 자 즉 배임죄의 주체가 된다.").

6) 이는 그 내용 및 체계상 합명·합회사의 무한책임사원, 유한책임회사의 업무집행자 등 법인을 대표하는 자를 의미하는 것으로 보아야 할 것이다.

7) 지배인은 회사를 대표하는 자는 아니지만, 회사의 영업에 관한 재판상 또는 재판외 모든 행위를 할 수 있는 포괄대리권을 가진 자이므로(제11조 제1항), 구체적인 행위주체에 포함시킨 것으로 보아야 할 것이다.

8) 다만, 이 규정에는 회사가 행위주체인 범죄 중 제624조의2, 제625조의2, 제629조가 제외되

2)만은 회사의 업무에 관하여 그 위반행위를 한 대표자나 대리인, 사용인, 그 밖의 종업원을 처벌하는 것 외에 그 회사에도 벌금형을 부과하는 양벌규정(제634조의3)을 두고 있는데, 이는 예외적으로 법인의 범죄능력을 인정하고 있는 규정으로 보아야 할 것이다.[9]

제 2 절 특별배임죄[10]

Ⅰ. 의   의

회사의 발기인, 이사, 집행임원, 지배인, 청산인 등 회사 내 일정한 지위에 있는 자가 그 임무에 위배한 행위로 재산상 이익을 취득하거나 제3자로 하여금 이를 취득하게 하여 회사에 손해를 가한 때에는 10년 이하의 징역 또는 3천만 원 이하의 벌금에 처한다(제622조, 이하 '회사임원등 특별배임죄'라 함). 또한 사채권자집회의 대표자 등이 그 임무에 위배한 행위로 재산상 이익을 취득하거나 제3자로 하여금 이를 취득하게 하여 사채권자에게 손해를 가한 때에는 7년 이하의 징역 또는 2천만 원 이하의 벌금에 처한다(제623조, 이하 '사채권자집회 대표자 등 특별배임죄'라 함). 각 징역과 벌금은 병과할 수 있고(제632조), 위 각 특별배임죄의 미수범도 처벌한다(제624조). 이들을 일괄하여 상법상 특별배임죄라 할 수 있다(이하 '특별배임죄'란 상법상 특별배임죄를 말함).

형법에서는 타인의 사무를 처리하는 자가 그 임무에 위배하는 행위로 재산상 이익을 취득하거나 제3자로 하여금 이를 취득하게 하여 본인에게 손해를 가한 때에는 5년 이하의 징역 또는 1,500만 원 이하의 벌금에 처하고(이하 '형법상 배임죄'라 함), 업무상 임무에 위배하여 그 행위를 한 때에는 10년 이하의 징역 또

어 있으나, 이는 입법의 불비로 보인다.
9) 한석훈, 전게 「비즈니스범죄와 기업법」, 71면.
10) 이하 특별배임죄 부분부터 말미의 과태료 부분까지의 서술은 집필자의 단행본 저서[전게 「비즈니스범죄와 기업법」 및 그 기초가 된 「기업범죄의 쟁점 연구」(법문사, 2013)]와 집필자가 학술지에 게재한 논문들 중 해당 부분을 토대로 실무주석서에 적합하게 첨삭·재구성하거나 내용을 인용하였다. 다만, 번잡함을 피하기 위하여 인용표시는 중요한 부분에만 하였다.

는 3천만 원 이하의 벌금에 처하고 있다(이하 '형법상 업무상배임죄'라 함). 그런데 회사임원 등의 임무는 업무상 임무에 해당하는데, 형법상 업무상배임죄와 비교하여 행위주체가 회사 내 일정한 신분자이고 피해자가 회사인 점만 제외하고 나머지 범죄구성요건은 동일하며, 법정형은 징역과 벌금을 병과할 수 있다는 점에서 특별배임죄가 다소 높을 뿐이다. 사채권자집회 대표자등 특별배임죄는 형법상 배임죄와 비교하여 행위주체가 사채권자집회의 대표자나 그 결의를 집행하는 자인 점만 제외하고 나머지 범죄구성요건은 동일하고, 법정형은 형법상 배임죄보다 높다.

특별배임죄와 형법상 배임죄나 업무상배임죄와의 상호관계가 문제된다(이하 이들 배임 범죄를 일괄하여 '배임죄'라 함).[11] 양 죄는 위법성 및 유책성의 본질이 같지만 행위주체의 신분 차이에 따라 특별배임죄를 가중처벌 하는 것일 뿐이라는 견해(가중적 신분범설)와 상호 위법성 및 유책성이 본질적으로 상이한 독립된 범죄라는 견해(독립범죄설)가 대립한다. 가중적 신분범설 입장에서는 특별배임죄를 부진정신분범, 독립범죄설 입장에서는 특별배임죄를 진정신분범으로 보게 된다. 독립범죄설은 특별배임죄의 행위주체인 이사 등은 선관주의의무 외에도 충실의무를 부담하는 특수한 신분자인 점을 논거로 들거나, 특별배임죄는 '화이트 칼라범죄'로서의 독자적인 규범적 의미가 있다고 하면서 형법상 배임죄나 업무상배임죄의 단순한 가중적 신분범이 아닌 특수한 신분범죄라고 주장한다.[12] 이러한 견해는 이사 등이 부담하는 신인의무가 민법상 수임인 등 타인 사무처리자의 선관주의의무와는 본질적으로 다르다고 보는 입장을 전제로 하고 있다. 이에 대하여 가중적 신분범설은 특별배임죄는 그 배임행위의 내용, 즉 범죄의 본질이 재산의 보호나 관리를 위임한 타인의 신뢰를 배반하는 범죄(배신설)라는 점, 행

---

11) 이러한 문제는 상법상 특별배임죄 외 상호저축은행법 제39조 제2항 제2호의 죄 등 여러 특별법에 규정된 특별배임죄와 형법상 (업무상)배임죄와의 관계에서도 발생하는데, 이곳에서의 설명과 마찬가지로 보면 될 것이다.

12) 임중호, "회사범죄와 그 대책방안," 「법학논문집」 제15집(중앙대학교 법학연구소, 1990), 76, 77면; 송호신, "상법상의 회사관련범죄에 대한 연구 – 벌칙조항의 활성화 방안을 중심으로 –," 한양대학교박사학위논문(한양대학교, 2002)(이하 '전게 학위논문'이라 함), 39, 48면; 前田信二郞, 「会社犯罪の硏究 – 經營者背任の性格と類型 –」(有斐閣, 1970), 44面에서도 일본의 특별배임죄에 관하여 "특별배임죄는 행위주체가 신인관계상 독자적 판단과 행동을 하는 백지위임적 권한행사의 모습을 보이는 점에서 형법상 배임죄의 민법적 신뢰관계상 의무위반과는 성격이 다르므로, 양자의 구성요건을 성립시키는 방법이 같다고 하더라도 그 실체의 의미내용이 다르고 위법성의 본질이나 책임비난의 판단방법도 다르다"고 주장하고 있다.

위주체의 신분 외에는 범죄구성요건의 차이가 없다는 점에서 형법상 배임죄나 업무상배임죄와 본질적으로 다르지 않음을 논거로 하며 판례[13] 및 다수설[14]의 입장이다. 생각건대 특별배임죄와 형법상 업무상배임죄 또는 배임죄는 행위주체가 가지는 권한의 포괄성 등 권한범위에 양적 차이가 있을 뿐, 재산의 보호나 관리를 위임한 자의 신뢰를 배반하는 배신성에 있어서 질적 차이가 있다고 할 수는 없으므로, 특별배임죄를 가중적 신분범으로 보고 형법상 업무상배임죄나 배임죄와의 관계에서 부진정신분범으로 보는 전자의 견해가 타당하다고 본다.

이와 관련하여 사채권자집회 대표자등 특별배임죄가 형법상 업무상배임죄의 특칙규정임을 전제로, 특칙규정의 법정형이 업무상배임죄보다 가벼우므로 입법의 모순이라고 주장하는 견해[15]가 있다. 그러나 사채권자집회 대표자 등의 사무는 일반적으로 특정적·일시적 사무로서 계속·반복하는 업무로서의 성격을 지니지 아니할 뿐만 아니라 전체 사채권자의 동의나 법원 인가를 거친 결의나 결정을 집행하는 제한된 사무임을 감안하여 사채권자집회 대표자등 특별배임죄는 형법상 배임죄보다는 형을 가중하고 형법상 업무상배임죄보다는 형을 감경하는 특칙규정을 둔 것으로 보아야 할 것이다.[16] 그러므로 사채권자집회 대표자 등의 사무가 업무로서의 성격을 지니는 경우라 할지라도 형법상 업무상배임죄로 의율할 것은 아니다. 따라서 특별배임죄는 형법상 배임죄나 업무상배임죄와는 가감(加減)적 신분범 관계에 있다고 함이 정확한 표현이다.

이처럼 특별배임죄는 형법상 업무상배임죄나 배임죄의 특별규정이므로[17] 특

---

13) 대법원 1997.12.26. 97도2609(구 상호신용금고법상 특별배임죄를 형법상 배임죄 또는 업무상배임죄의 가중적 신분범으로 판시).

14) 강동욱, "배임죄의 본질과 주체에 관한 고찰 – 상법상의 특별배임죄와 관련하여 –,"「법과정책연구」제10집 제1호(한국법정책학회, 2010. 4.), 235면; 박길준, 전게논문, 145면; 최준선, "상법상 특별배임죄규정의 개정방향,"「경제법연구」제11권 2호(한국경제법학회, 2012. 12.), 99면; 고재종, "회사법상 이사 등의 특별배임죄 성립 여부,"「한양법학」(한양법학회, 2010. 11.), 80면; 한석훈, "상법 벌칙규정의 개정과제 – 회사임원 등의 특별배임죄 규정을 중심으로 –,"「기업법연구」제27권 제2호(한국기업법학회, 2013. 6.), 283~285면; 落合誠一 外 編,「会社法コンメンタル(21) 雑則[3]·罰則」(商事法務, 2011)[이하「会社法コンメンタル(21)」라 함], 59面도 일본의 특별배임죄를 형법상 배임죄의 가중유형인 加重的身分犯으로 파악하고 있음.

15) 박길준, 전게논문, 146면.

16) 한석훈, 전게「비즈니스범죄와 기업법」, 135면.

17) 강동욱, "형사상 배임죄의 입법례와 주체에 관한 고찰,"「법학논총」제37권 제1호(단국대학교 법학연구소, 2013), 154면; 손동권, "회사 경영자의 상법상 특별배임행위에 대한 현행법 적용의 문제점과 처벌정책을 둘러싼 입법논쟁,"「형사정책」(한국형사정책학회, 2013),

별배임죄의 범죄구성요건을 해석함에 있어서는 형법상 업무상배임죄 및 배임죄
에 관한 해석론을 원용할 수 있다.

회사편에 이러한 특별배임죄에 관한 규정을 두는 이유는 회사임원 등 회사
관련 일정한 지위에 있는 자의 권한은 대단히 일반적·포괄적임에도 불구하고
그 배임행위로 인한 피해의 규모는 보통의 배임행위로 인한 경우보다 매우 크고
광범위한 경우가 많고, 오늘날 회사제도의 사회·경제적 중요성이 크다는 점 등
에 비추어, 그 배임행위를 가중처벌함으로써 회사나 회사제도를 보호할 필요가
있기 때문이다.[18)19)]

Ⅱ. 배임행위의 본질 및 보호법익

무엇을 임무에 위배한 행위, 즉 배임행위로 볼 것인가 하는 문제가 형법상
배임죄의 본질론인데, 이러한 논의는 특별배임죄의 배임행위를 규명하는 데에도
해당하는 문제이다. 이에 관하여 현재 우리나라에서는 배신설과 사무처리의무위

18) 강동욱, 전게 "배임죄의 본질과 주체에 관한 고찰 – 상법상의 특별배임죄와 관련하여 –,"
    234, 235면; 前揭「会社法コンメンタル(21)」, 60面.
19) 일본에서는 형법에 배임죄는 있으나 업무상배임죄가 없기 때문에 형법상 배임죄와 비교하
    여 회사법상 회사임원 등에 대한 특별배임죄가 가중적 신분범으로서 규정하는 의미가 있으
    나, 우리나라의 경우에는 형법의 업무상배임죄가 징역과 벌금의 병과형 규정이 없는 것만
    제외하고는 특별배임죄와 같은 법정형으로 규정되어 있으므로 가중처벌의 의미가 별로 없
    다. 또한 형법상 배임죄나 업무상배임죄의 범죄행위로 인한 이득액이 5억 원 이상인 경우
    에는 특정경제범죄가중처벌 등에 관한 법률(이하 '특정경제범죄법'이라 함) 제3조가 적용되
    어 3년 이상의 유기징역부터 무기징역형까지 처할 수 있다. 그러므로 가중처벌을 위하여
    굳이 회사임원등 특별배임죄로 의율할 필요가 없게 되어, 실무상 회사임원등 특별배임죄에
    해당하더라도 형법상 업무상배임죄나 배임죄로 의율하여 특정경제범죄법위반(배임)죄로 처
    벌하는 경우가 대부분이다. 입법적 검토가 필요한 부분이다. 이에 대하여 상법상 특별배임
    죄 폐지론(박길준, 전게논문, 147면)도 있고 실제로 1965년경 특별배임죄를 폐지하여 형법
    상 배임죄로 의율하도록 입법조치를 한 독일 주식법의 선례도 있다(상세한 폐지경위는 강
    동욱, 전게 "형사상 배임죄의 입법례와 주체에 관한 고찰," 156면). 그러나 상법뿐만 아니
    라 상호저축은행법 등 여러 특별법에 특별배임죄를 두어 가중처벌하고 있는 것은 회사의
    이사·집행임원·지배인 등과 같이 일반적·포괄적 권한을 수여받은 자의 배임행위는 다른
    일반 업무자들보다 비난가능성이 높고, 경영진의 배임행위가 적지 아니한 우리나라의 기업
    운영 실태에 비추어 보면 특별배임죄는 상법 기타 특별법의 입법목적을 관철하기 위한 형
    사정책적 규정이라는 점(한석훈, 전게논문, 286면), 회사제도의 사회·경제적 비중이 커지
    고 있는 점 등에 비추어 폐지론에 반대하는 견해도 있다(이러한 입법론의 상세한 검토에
    관하여는 한석훈, 전게논문, 285~287면).

반설이 주장되고 있다. 사무처리의무위반설은 배임행위란 민사법상 타인의 사무를 처리해야 할 의무 있는 자의 그 의무위반행위라고 하는 견해이다. 이 견해는 다시 의무의 범위에 관하여 민법 등 법적 의무 위반행위로 한정하는 견해[20]와 그러한 의무뿐만 아니라 신임관계에서 현실적으로 맡은 임무까지 포함하는 견해[21]로 분류할 수 있다. 전자의 견해는 배임행위를 법적 의무 위반행위로 제한해야 할 이유가 없다는 비판이 있고,[22] 후자의 견해는 후술하는 배신설의 결론과 다르지 않게 된다. 통설인 배신설은 재산의 보호나 관리를 위임한 자의 신뢰를 배반하는 행위가 배임행위라는 입장이다.[23] 따라서 이러한 견해에 따르면 법률행위든 사실행위든, 대외적 대리행위든 대내적 행위든 배임죄가 성립할 수 있다. 판례도 "배임죄에 있어서 타인의 사무를 처리하는 자라 함은 **양자간의 신임관계에 기초를 둔 타인의 재산보호 내지 관리의무가 있음**을 그 본질적 내용으로 하는 것이므로, 배임죄의 성립에 있어 행위자가 대외관계에서 타인의 재산을 처분할 적법한 대리권이 있음을 요하지 아니한다."고 판시하고 있어[24] 배신설 입장이다. 배신설을 따를 경우에는 해석에 따라서는 민사적 배신행위까지 배임행위로 보는 등 배임죄의 성립범위가 광범위해질 우려가 있으므로 형벌의 최후수단성에 비추어 배임행위의 성립범위를 제한하는 노력이 필요할 것이다.[25]

배임죄의 보호법익은 피해자의 전체 재산권으로 파악하고 있음이 통설·판례이다.[26] 그러므로 특별배임죄의 보호법익도 회사임원등 특별배임죄의 경우에는

---

20) 강동욱, 전게 "형사상 배임죄의 입법례와 주체에 관한 고찰," 164, 169면.
21) 허일태, "배임죄에서의 행위주체와 손해의 개념," 「비교형사법연구」 제6권 제2호(한국비교형사법학회, 2004), 143면.
22) 이재상·장영민·강동범, 「형법각론」(박영사, 2019), 421면 각주 1.
23) 박상기·전지연, 전게 「형법학」, 684면; 이재상·장영민·강동범, 전게 「형법각론」, 421면; 손동권·김재윤, 「새로운 형법각론」(율곡출판사, 2013), 468면; 정성근·박광민, 「형법각론」(성균관대학교 출판부, 2019), 420~421면; 김일수·서보학, 「새로쓴 형법각론」(박영사, 2016), 385면; 오영근, 「형법각론」(박영사, 2019), 374면(다만, 범죄구성요건의 이득을 포함하는 의미에서 배신·이득설이 적절한 용어라고 주장); 배종대, 「형법각론」(홍문사, 2020), 441면.
24) 대법원 1999.9.17. 97도3219; 1976.5.11. 75도2245.
25) 강동욱, 전게 "형사상 배임죄의 입법례와 주체에 관한 고찰," 166면.
26) 손동권·김재윤, 전게 「새로운 형법각론」, 460면; 임웅, 「형법각론」(법문사, 2019), 524면; 오영근, 전게 「형법각론」, 372면; 김성돈, 「형법각론」(성균관대학교 출판부, 2021), 468면; 김일수·서보학, 전게 「새로쓴 형법각론」, 384면; 정성근·박광민, 전게 「형법각론」, 421면; 대법원 2005.4.15. 2004도7053(배임죄의 구성요건 중 '손해'를 '전체적 재산가치의 감소'로 보고 있음).

회사의 전체 재산권이고, 사채권자집회 대표자등 특별배임죄의 보호법익은 사채
권자의 전체 재산권이다.

　그 보호의 정도에 관하여는 학설·판례가 대립하고 있다.[27] 위험범설은 실제
로 손해가 발생하지 않더라도 전체 재산권에 대한 손해발생의 위험만 있어도 배
임죄가 성립한다고 보는 견해[28]이고, 침해범설은 범죄구성요건 중 '손해를 가한
때'라는 명문 규정이 있음에 비추어 전체 재산권에 대한 침해, 즉 현실적 손해
가 발생한 경우에만 배임죄가 성립한다고 보는 견해[29]이다. 판례는 "배임죄나
업무상배임죄에서 '재산상의 손해를 가한 때'란 현실적인 손해를 가한 경우뿐만
아니라 재산상 실해 발생의 위험을 초래한 경우도 포함되고, 재산상 손해의 유
무에 대한 판단은 법률적 판단에 의하지 아니하고 경제적 관점에서 파악해야 한
다."고 판시하고 있으므로[30] 위험범설 입장이다. 또한 판례는 '재산상 실해발생
의 위험'을 '피해자 재산가치의 감소로 볼 수 있는 재산상 손해의 위험이 발생한
경우'[31] 또는 '구체적이고 현실적인 위험이 발생한 경우'[32] 등에 한하여 인정하
고 있으므로 구체적 위험범설 입장이다.[33] 배임행위는 종료하였으나 그로 인한
손해의 발생에는 장기간을 요하는 경우가 있고 다른 원인이 복합적으로 작용하
여 그 손해의 확인이 어려운 경우도 있으며, 배임죄의 구성요건으로 '손해를 발
생하게 한 때'가 아니라 '손해를 가한 때'라고 규정하고 있을 뿐이므로, 구체적

27) 이는 형법상 업무상배임죄나 배임죄의 보호법익에 관한 학설·판례의 대립이기는 그대로
　　특별배임죄에도 해당된다.
28) 박상기·전지연, 전게 「형법학」, 683면; 이재상·장영민·강동범, 전게 「형법각론」, 419면;
　　배종대, 전게 「형법각론」, 461면.
29) 임웅, 전게 「형법각론」, 524면; 정성근·박광민, 전게 「형법각론」, 421면; 김성돈, 전게 「형
　　법각론」, 469면; 손동권·김재윤, 전게 「새로운 형법각론」, 460면; 오영근, 전게 「형법각론」,
　　373면; 일본에서도 침해범설을 따르는 견해가 있고, 위험범설을 따르면 특별배임의 미수
　　시기가 애매하게 된다는 점을 논거로 들기도 한다[前田信二郞, 「会社犯罪の硏究 - 經營者背
　　任の性格と類型 -」(有斐閣, 1970), 82面].
30) 대법원 2011.4.28. 2009도14268; 2009.6.25. 2008도3792; 2007.6.15. 2005도4338; 2006.
　　6.2. 2004도7112; 2005.7.29. 2004도5685; 일본 판례의 입장이기도 하다(日 最判 1954.11.
　　5. 刑集 第8卷 第11号, 1675面).
31) 대법원 2000.11.24. 99도822.
32) 대법원 2015.9.10. 2015도6745.
33) 오영근, 전게 「형법각론」, 372면; 구체적 위험범설을 지지하는 입장으로는 박상기·전지연,
　　전게 「형법학」, 683면; 이 점에 관하여 우리나라의 판례와 유사한 일본 판례의 평가에서도,
　　"판례가 마치 배임죄를 형식범 또는 추상적위험범으로 평가하는 듯한 인상을 주고 있지만,
　　구성요건으로 실해의 발생을 요구하고 있기 때문에 구체적위험범으로 평가하고 있는 것으
　　로 보아야 한다"고 평가하고 있다(前田信二郞, 前揭 「会社犯罪の硏究 - 經營者背任の性格と
　　類型 -」, 81~82面).

위험범설을 취하는 판례의 입장이 타당하다고 본다. 다만, 구체적이고 현실적인 위험의 발생 여부를 파악함에 있어서는 개개 사안별로 신중하게 파악함으로써 배임죄의 확대적용을 제한하고 형벌의 보충성 원칙을 유지할 필요가 있을 것이다. 특별배임죄는 회사편 벌칙에 규정된 회사범죄 중 유일하게 미수범을 처벌하고 있는 범죄인데, 이러한 보호정도에 관한 견해의 차이에 따라 특별배임죄의 기수시기도 달라지게 된다.

III. 행위주체

1. 총   설

특별배임죄는 회사와 관련된 일정한 지위에 있는 자만이 행위주체가 될 수 있으므로 신분범이다. 앞의 'I. 의의' 부분에서 설명한 것처럼 특별배임죄와 형법상 업무상배임죄의 관계에서 가중적 신분범설을 따르는 판례·다수설 입장에서는 특별배임죄는 형법상 업무상배임죄와 비교하여 행위주체의 신분과 그에 대응하는 피해자를 제외한 나머지 범죄구성요건이 동일하므로 행위주체의 신분에 따라 형벌이 가중되는 이른바 부진정신분범으로 보게 된다. 그러므로 그러한 신분관계 없는 자가 특별배임죄의 공범이 된 경우에는 형법 제33조 본문 규정에 의하여 특별배임죄의 공범으로 의율하되, 같은 조 단서 규정에 의하여 형이 가벼운 형법상의 배임죄나 업무상배임죄에 정한 형으로 처벌한다(판례).[34]

이러한 신분은 배신성의 판단요소이므로 배임행위 당시 존재하면 되고 그 결과인 손해의 발생시까지 필요한 것은 아니다.[35] 마찬가지 이유로 배임행위시 그 신분이 존재하지 아니하고 손해의 발생시 비로소 신분자가 된 경우에는 이 죄가 성립하지 않는다.[36]

---

34) 대법원 1997.12.26. 97도2609; 이에 반하여 독립범죄설에 따르면 특별배임죄를 진정신분범으로 보게 되므로, 형법 제33조 분문 규정에 의하여 신분관계 없는 공범도 특별배임죄의 형으로 처벌하게 된다.
35) 주강원, "상법상 특별배임죄에 대한 연구,"「법학연구」(연세대학교 법학연구소, 2008), 368면; 日 大判 1933.12.18. 刑集 12卷 2360面도 같은 입장임.
36) 일본 판례도 같은 견해임(日 神戸地判 1959.5.6. 下刑集 第1卷 第5号, 1178面).

제622조 및 제623조에 기재된 행위주체, 즉 신분자의 개념은 회사편의 조직법적 해석에 따를 것인지, 아니면 법의 이념이 상이한 이상 민사법과 형사법상 개념이 일치해야 하는 것은 아니므로 달리 볼 수도 있는 것인지 여부에 대하여는 견해가 대립할 수 있다. 그러나 같은 법 안에서 사용하는 법적 개념은 가급적 통일적으로 파악하는 것이 입법자의 의도에 부합하는 것이므로, 행위주체의 개념은 상법 회사편의 조직법적 해석에 따르는 것이 원칙이다. 다만, 예외적으로 상법 벌칙 규정의 입법취지를 감안하거나, 헌법 및 형사법의 대원칙인 죄형법정주의나 그 파생원칙인 명확성 원칙, 유추해석금지 원칙 등에 따라 회사법상 개념과 달리 해석할 수 있음은 물론이다.

행위주체가 법인인 경우에는 제637조 규정에 따라 그 행위를 한 이사, 집행임원, 감사, 그 밖에 업무를 집행한 사원 또는 지배인을 특별배임죄로 처벌해야 한다.

2. 발 기 인

발기인은 실질적으로는 주식회사의 설립시 정관의 작성 등 설립사무에 종사하는 자이지만, 통설은 상법 제289조 제1항의 '발기인'을 그 문언에 따라 형식적으로 파악하여 주식회사의 설립시 정관을 작성하고 그 정관에 기명날인 또는 서명을 한 자라고 한다.[37] 그러므로 실제로 회사의 설립사무에 종사하더라도 정관에 발기인으로 기명날인이나 서명을 하지 아니한 자는 발기인이 아니며, 실제로 회사의 설립사무에 종사하지 않아도 정관에 발기인으로 기명날인이나 서명을 한 자는 발기인으로 본다. 따라서 특별배임죄의 행위주체인 '발기인'도 마찬가지로 형식적으로 파악해야 한다. 이에 대하여, 실제로 회사설립에 능동적으로 관여한 자는 정관을 작성하지 않더라도 행위주체가 될 수 있다는 견해[38]가 있으나, 이러한 해석은 죄형법정주의의 명확성 원칙에 반한다.[39]

---

37) 정동윤, 「상법(上)」 제6판(법문사, 2012), 380면; 정찬형, 「상법강의(상)」 제24판(박영사, 2021), 659면; 최준선, 「회사법」 제16판(삼영사, 2021), 148면; 이철송, 「회사법강의」 제29판(박영사, 2021), 229면; 이기수·최병규, 「회사법」(박영사, 2019), 156면; 김건식·노혁준·천경훈, 「회사법」 제5판(박영사, 2021), 90면; 김정호, 「회사법」 제7판(법문사, 2021), 90면.
38) 김성탁, "주식인수금의 가장납입에 대한 상법상의 형사처벌조항," 「기업법연구」 제8집(한국기업법학회, 2001), 570면.

발기인은 서면에 의하여 주식을 인수해야 하므로(제293조), 1주라도 인수하지 아니한 발기인은 행위주체에 포함되지 않는 것인지 문제가 될 수 있다. 그러나 회사법상 발기인의 주식인수는 법적 의무일 뿐 자격요건이라 할 수는 없으므로, 특별배임죄의 행위주체인 발기인도 주식의 인수 여부와는 무관하게 인정된다.[40]

제327조는 주식청약서 기타 주식모집에 관한 서면에 성명과 회사설립에 찬조하는 뜻을 기재할 것을 승낙한 유사발기인을 발기인과 동일한 책임이 있는 것으로 규정하고 있다. 이러한 유사발기인이 특별배임죄의 행위주체가 될 수 있는지 문제가 될 수 있다. 회사임원등 특별배임죄는 회사의 사무를 처리하는 자 중 어느 정도 포괄적 권한을 가진 자의 임무위배 행위를 처벌하는 제도이다. 그런데 유사발기인은 회사의 사무를 처리할 수 있는 직무권한을 가진 자가 아니므로 회사에 대한 임무위배 행위가 있을 수 없고 이 죄의 행위주체가 될 수도 없다. 또한 위와 같은 상법상 유사발기인의 책임은 거래의 안전을 위하여 외관주의나 금반언 법리에 따라 회사나 제3자에 대한 법정·무과실 민사책임을 특별히 인정한 것일 뿐이다.[41] 따라서 법익보호를 입법목적으로 하고 엄격한 책임주의에 바탕을 두어야 하는 형사상 책임까지 인정할 수는 없으므로[42] 유사발기인은 특별배임죄의 행위주체가 될 수 없다.[43]

3. 업무집행사원

'업무집행사원'은 합명회사나 합자회사의 업무집행사원을 말하는데, 이들을 특별배임죄의 행위주체에 포함하는 것은 사원의 인적 신용이 회사신용의 기초가 되고 소규모 인적결합을 중시하는 인적회사의 특성을 무시한 것이므로 부당하다는 견해[44]가 있다. 그러나 이러한 인적회사의 조합으로서의 실질을 참작하더라

---

39) 일본 판례도 같은 입장이다(日 大判 1932.6.29. 民集 第11卷, 1257面).

40) 前揭 「会社法コンメンタル(21)」, 62面.

41) 정동윤, 전게서, 429면.

42) 이에 반하여, 일본에서는 유사발기인도 회사에 손해를 끼칠 가능성은 발기인과 마찬가지라는 점을 논거로 특별배임죄의 행위주체에 포함해야 한다는 견해가 있다[前揭 「会社法コンメンタル(21)」, 62面]. 그런데 유사발기인의 책임을 규정한 일본 会社法 제103조 제2항은 유사발기인을 '발기인으로 간주하여' 발기인의 책임에 관한 규정을 적용하고 있으므로, 우리나라 상법 규정과는 표현이 다르다.

43) 김성탁, 전게논문, 570, 571면.

44) 박길준, 전게논문, 148면.

도, 독립된 법인격이 인정되는 회사의 사회적 기능이나 영향력을 감안해 보면 인적회사의 업무집행사원을 특별배임죄의 행위주체에 포함시킨 것을 부당하다고 볼 것은 아니다.[45] 판례는 인적결합으로서의 특성이 더욱 강한 단체인 조합 대표자의 조합에 대한 업무상배임죄도 인정하고 있다.[46]

유한책임회사의 업무집행자(제287조의3 제4호)도 행위주체에 포함시킬 것인지는 명문 규정이 없으므로 문제가 된다. 회사임원등 특별배임죄의 행위주체에 주식회사나 유한회사와 같은 물적회사의 이사 등은 물론, 회사재산 이외에 무한책임사원의 개인 재산도 회사의 신용을 구성하는 인적회사의 업무집행사원도 포함하고 있는 이상, 유한책임사원으로만 구성된 유한책임회사의 업무집행자를 배제할 이유가 없다. 2011. 4. 14.자 상법 개정으로 유한책임회사 제도 및 주식회사의 집행임원 제도를 신설하면서 제622조 제1항에 특별배임죄의 행위주체로 '집행임원'만 추가하였을 뿐 유한책임회사의 업무집행자를 추가하지 아니한 것은 이를 같은 항의 '업무집행사원'에 포함된 것으로 보았기 때문이라고 해석할 수 있다.[47] 그러나 유한책임회사 업무집행자의 직무대행자(제287조의5 제5항, 제287조의13)는 제622조 제1항에 행위주체로 명시되지 아니한 이상 행위주체가 될 수 없다.

4. 이사, 집행임원, 감사위원회 위원, 감사, 일시이사, 일시감사 및 이사·감사의 직무대행자

'이사, 집행임원, 감사위원회 위원, 감사'(이하 임원으로 통칭)는 주주총회나 이사회에서 상법 및 정관에 따라 적법한 선임결의가 있고 그 선임된 사람이 이를 승낙하였으면 그 때 행위주체가 되는 것이고, 그에 따라 회사와 임용계약을 체

---

45) 특히 IT산업이나 벤처기업이 큰 비중을 차지하는 오늘날 소규모 인적회사이지만 매출액이 크고 대출채권자 등 여러 이해관계인이 관계하는 경우도 얼마든지 있으므로, 인적회사라고 하여 배임으로 인한 피해가 경미하다고만 할 수는 없다. 다만, 현행 일본 회사법 제960조는 특별배임죄의 피해자를 주식회사로 제한함으로써 인적회사의 업무집행사원 등 주식회사를 제외한 회사의 임직원 등은 특별배임죄의 행위주체에서 제외하고 있다.
46) 대법원 2011.4.28. 2009도14268.
47) 다만, 유한책임회사의 업무집행자는 회사의 구성원인 사원(社員)이 아닌 경우도 있으므로, 죄형법정주의의 명확성 원칙에 비추어 볼 때 제622조 제1항의 특별배임죄 행위주체에 유한책임회사의 '업무집행자'를 추가하는 입법이 필요하다.

결하였는지 여부나[48] 법인등기부에 그 선임등기를 마쳤는지 여부는 불문한다.[49]

임원을 선출한 주주총회나 이사회의 결의가 부존재하거나 무효인 경우에는 비록 그 결의에 기하여 임원 선임등기가 경료되었더라도 그 임원은 특별배임죄의 행위주체가 될 수 없다(판례).[50] 이에 대하여, 회사임원등 특별배임죄의 행위주체를 원용하고 있는 납입가장죄의 행위주체에 관한 주장이기는 하지만, 주주총회 선임결의의 부존재나 무효 확인판결의 경우에도 그 판결확정 전까지는 제622조 1항의 행위주체에 해당한다고 보는 반대견해[51]도 있다. 그러나 임원 선임의 총회결의에 부존재나 무효 사유가 있는 경우에는 그 하자를 다투는 소송의 법적 성질은 확인의 소로 파악함이 판례·다수설[52]의 입장이다. 또한 주주총회 결의가 결의내용의 법령위반으로 무효이거나 총회의 소집절차나 결의방법에 결의의 존재를 인정할 수 없을 정도의 중대한 하자가 있는 경우에는 그 무효·부존재 확인판결이 확정되기 전일지라도 그 결의에 따라 선임된 임원에게 회사업무를 처리해야 할 임무가 있다고 볼 수 없으므로 회사와의 신임관계를 인정하기

48) 대법원 2017.3.23. 2016다251215 전원합의체("주주총회에서 이사나 감사를 선임하는 경우, 그 선임결의와 피선임자의 승낙만 있으며, 피선임자는 대표이사와 별도의 임용계약을 체결하였는지 여부와 관계없이 이사나 감사의 지위를 취득한다고 보아야 한다").

49) 上柳克郎 外 11人 編, 「新版 注釈会社法(13)」(有斐閣, 2002)[이하 「新版 注釈会社法(13)」이라 함], 559面; 前揭 「会社法コンメンタル(21)」, 63面; 김성탁, 전게논문, 571면은 제622조 제1항의 행위주체를 원용하고 있는 납입가장죄의 행위주체에 관하여 같은 취지로 주장하고 있다.

50) 대법원 2006.4.27. 2006도1646[납입가장죄에 관한 판례이기는 하나, 주주가 아닌 1인 주주가 개최한 주주총회에서의 이사 선임결의나 그 결의에서 선임된 이사들에 의하여 개최된 이사회에서의 대표이사 선임결의가 모두 무효(위 주주총회 결의는 부존재로 보아야 할 것임)이므로, 비록 이사 또는 대표이사 선임 등기가 경료 되어 있더라도 제622조 제1항의 행위주체로 인정하지 아니한 사안]; 대법원 1986.9.9. 85도218("특별배임죄의 주체는 상법상 회사의 적법한 이사나 대표이사의 지위에 있는 자에 한하고, 주주총회나 이사회가 적법하게 개최된 바도 없으면서 마치 결의한 사실이 있는 것처럼 결의록을 만들고 그에 기하여 이사나 대표이사의 선임등기를 마친 경우, 그 결의는 부존재한 결의로서 효력을 발생할 수 없고, 따라서 그와 같은 자는 회사의 이사나 대표이사의 지위에 있는 자로 인정할 수 없으므로 특별배임죄의 주체가 될 수 없다"고 판시); 대법원 1978.11.28. 78도1297(이사 및 대표이사 선임등기는 있었으나, 그 선임결의를 위한 임시주주총회나 이사회가 적법하게 개최된 바 없으므로 각 선임결의가 부존재하여 특별배임죄의 행위주체로 인정하지 아니한 사안).

51) 김성탁, 전게논문, 571면; 주주총회의 무효확인의 소 또는 부존재확인의 소의 법적 성질에 관한 형성소송설 입장에서 취할 수 있는 견해이다. 형성소송설은 상법이 무효·부존재 확인판결에 대세적 효력(제380조, 제190조 본문)을 인정하고 있음을 논거로 하고 있다(이철송, 전게 「회사법」, 628~630면).

52) 대법원 1992.9.22. 91다5365; 정찬형, 전게 「상법강의(상)」, 938, 942면; 최준선, 전게 「회사법」, 435, 446면; 김건식·노혁준·천경훈, 전게 「회사법」, 351, 352면.

도 어렵다. 따라서 주주총회의 선임결의가 무효나 부존재인 경우에는 그 무효·부존재를 확인받기 전일지라도 처음부터 특별배임죄의 행위주체가 될 수 없다고 보는 것이 타당하다.

그런데 법령상 결격사유 있는 사외이사를 선임하여 그 선임등기까지 경료한 경우처럼 주주총회의 결의내용이 법령에 위반하여 무효이지만, 그 이사의 행위로 인하여 표현대표이사 등 표현 법리에 의한 회사의 책임이 인정되어 회사에 손해를 가한 경우에도 그 이사를 특별배임죄의 행위주체로서 인정할 수 있는 것인지 문제가 된다.[53] 배임죄의 본질에 관한 배신설에 따르면 배임행위의 주체는 신의성실 원칙상의 내부적 신임관계에 기초하여 타인의 재산을 보호·관리하는 지위에 있는 자이더라도 무방하고, 표현대표이사도 사실상 행사하는 권한범위는 대표이사와 다를 바 없으므로, 선임 결의가 무효이더라도 회사와의 신임관계를 인정할 수 있는 표현대표이사라면 특별배임죄의 행위주체가 될 수 있다는 견해 (긍정설)[54]가 있을 수 있다. 그러나 죄형법정주의 원칙에 충실하게 제622조 제1항의 '이사'를 상법상 회사의 이사로 적법하게 선임된 자로 한정하는 판례 입장에서는 표현대표이사는 형법상 배임죄나 업무상배임죄의 행위주체가 될 수는 있지만 특별배임죄의 행위주체가 될 수는 없게 된다. 선임 결의가 부존재하는 표현대표이사의 경우에도 회사의 손해가 발생하였다면 특별배임죄의 행위주체가 된다는 견해[55]도 있으나, 선임결의가 존재한다고 볼 수 없을 정도로 중대한 절차상 하자가 있는 경우에는 회사와의 신임관계조차 인정하기 어려운 경우가 대부분일 것이다.[56]

통설·판례에 따르면 임원을 선임한 주주총회 결의가 취소된 경우에 취소 확정판결의 소급효는 인정하지만,[57] 주주총회결의 취소의 소는 주주총회결의 무효

---

53) 이 경우 특별배임죄의 행위주체를 인정하는 견해: 前揭 「会社法コンメンタル(21)」, 62面.

54) 천경훈, 「주석 상법 [회사(Ⅶ)]」 (한국사법행정학회, 2014), 102, 103면에서는 "이사 선임결의가 무효나 부존재이지만 표현대표이사 법리에 따라 회사의 책임이 인정되어 회사의 손해가 발생한 경우에 특별배임죄가 성립하지 않는다면 유효한 이사 선임이었다면 당연히 지게 되었을 죄책을 그 선임에 하자가 있다는 이유로 면책해 주는 결과가 되어 부당하다."는 점을 논거로 긍정설을 취하고 있다.

55) 천경훈, 상게서 102, 103면.

56) 한석훈, 전게 「비즈니스범죄와 기업법」, 170면.

57) 대법원 2004.2.27. 2002다19797; 정찬형, 전게 「상법강의(상)」, 944면; 이철송, 전게 「회사법강의」, 641면; 최준선, 전게 「회사법」, 426면; 이에 대하여 "회사 내부관계에서는 소급효가 있으나, 외부관계 중 회사재산의 매매나 사채의 발행 등과 같이 상법상 총회 결의를 유효요건으로 하지 아니한 행위는 정관으로 이를 총회 결의사항으로 하더라도 총회결의의 취

또는 부존재 확인의 소와는 달리 형성의 소로 파악하고 있다.[58] 이에 따라 주주총회의 선임결의 취소 판결이 확정되기 전까지는 적법한 임원으로서의 지위를 지니는 것이므로 그 취소판결 확정 전 배임행위 당시에는 특별배임죄의 행위주체가 된다. 비록 조직법상 취소판결이 소급하여 효력을 발생한다고 하더라도 이미 성립한 범죄가 소급하여 소멸하는 것은 아니므로, 주주총회의 선임결의 취소판결 확정 전에 배임행위를 한 경우에는 특별배임죄의 행위주체가 될 수 있다.

상법 제401조의2 제1항에 규정한 업무집행지시자 등(이하 '실질상 이사'라 함), 즉 회사에 대한 자신의 영향력을 이용하여 이사에게 업무집행을 지시하거나(즉, 업무집행지시자) 이사의 이름으로 직접 업무를 집행한 자(즉, 무권대행자),[59] 또는 이사가 아니면서 명예회장·회장·사장·부사장·전무·상무·이사 기타 회사의 업무를 집행할 권한이 있는 것으로 인정될 만한 명칭을 사용하여 회사의 업무를 집행한 자(표현이사)도 회사임원 등 특별배임죄의 주체가 될 수 있는지 여부에 대해서는 제622조의 행위주체 중 명문 규정이 없어서 문제가 된다.[60] 2011. 4. 14. 개정 상법(법률 제10600호, 이하 '2011년 개정상법'이라 함)에서는 제622조 제1항의 행위주체에 집행임원을 포함함으로써 종전 실질상 이사(이른바 '비등기이사')에 해당하는 자 중 이사회에서 집행임원으로 선임된 자는 집행임원으로서 행위주체가 될 수 있지만 그 밖의 경우에는 문제가 된다. 이에 관하여 판례는 "제622조 제1항의 '이사'란 상법상 회사의 적법한 이사나 대표이사의 지위에 있는 자를 의미하고, 회사의 대주주로서 회사 경영에 상당한 영향력을 행사해 오다가 그 증자과정을 지시·관여한 업무집행지시자는 그 행위주체로 볼 수 없다."고 판시하여 부정설 입장에 있다.[61] 부정설은 명문 규정이 없음에도

소로 인하여 아무런 영향을 받지 않는다."고 해석하는 견해[최기원·김동민, 「상법학신론(상)」(박영사, 2014), 744면]도 있다.

58) 대법원 1987.4.28. 86다카553; 최기원·김동민, 전게 「상법학신론(상)」, 734면; 정찬형, 전게 「상법강의(상)」, 945면; 이철송, 전게 「회사법강의」, 618면; 최준선, 전게 「회사법」, 424면.

59) 상법 제401조의2 제1항 제2호에는 '이사의 이름으로 직접 업무를 집행한 자'라고만 기재되어 있으나, 입법취지에 비추어 회사에 대한 자신의 영향력을 이용하여 이러한 행위를 하는 자로 보아야 한다(대법원 2009.11.26. 2009다39240; 이철송, 전게 「회사법강의」, 827면).

60) 제401조의2 규정은 제408조의9 규정에 의하여 집행임원의 경우에도 준용되고 있으므로, 실질상 집행임원의 경우에도 마찬가지의 문제가 생기지만, 실질상 이사의 경우와 동일하게 볼 수 있다.

61) 대법원 2006.6.2. 2005도3431(납입가장죄의 행위주체에 관한 판결이지만, 납입가장죄의 행위주체를 '상법 제622조 제1항에 규정된 자'로 규정하고 있기 때문에 이를 특별배임죄의 행

불구하고 해석상 실질상 이사를 특별배임죄의 행위주체에 포함시키는 것은 죄형법정주의 원칙에 위배되는 점, 실질상 이사에게는 위배할 법적 임무가 없음을 논거로 든다.[62] 이에 대하여 긍정설은 무권대행자나 표현이사의 경우에는 회사 조직법상 지위를 갖지 않는 이상 회사에 대한 임무위배가 있을 수 없으므로 특별배임죄로 의율할 수 없으나, 업무집행지시자(제401조의2 제1호)의 경우에는 회사에 대한 영향력을 행사하는 만큼 강한 법적 책임도 인정되어야 한다는 이유로 특별배임죄의 행위주체로 삼을 수 있다고 주장한다.[63] 이 견해는 업무집행지시자가 자신의 이익을 위하여 회사에 대한 영향력을 이용하여 이사에게 업무집행을 지시하였고, 그에 따라 이사가 임무에 위배하여 업무를 집행함으로써 회사에 손해를 가한 경우에는 특별배임죄의 행위주체가 될 수 있다는 것이다.[64] 입법론으로는 특별배임죄의 행위주체에 실질상 이사도 포함할 수 있겠지만,[65] 해석론으로는 제622조 제1항에서 특별배임죄의 행위주체에 실질상 이사가 제외되어 있는 이상 죄형법정주의 원칙에 비추어 부정설이 타당하다. 다만, 이들이 이사의 배임행위에 대한 교사범이나 공모공동정범 등 공범의 요건을 충족하는 경우에 공범으로 처벌할 수 있음은 물론이다.

특별배임죄의 행위주체에 감사위원회 위원 또는 감사를 포함시킨 점에 관하여, 이들은 회사의 업무집행에 직접 관여하는 자가 아니라는 이유로 입법론상 부당하다는 견해[66]가 있다. 그러나 감사위원회 위원이나 감사도 회사와 이사 사이의 소송에서는 회사를 대표하는(제394조 제1항, 제415조의2 제7항) 등 회사의 업무집행에 직접 관여할 경우가 있을 뿐만 아니라, 배임행위는 업무집행행위 외에 비밀유지의무(제415조, 제382조의4)를 위반하거나 업무감사 임무를 수행하는 과정에서도 발생할 수 있기 때문에 감사나 감사위원회 위원을 제외시킬 필요는 없을 것이다.[67] 다만, 감사위원회 위원이나 감사로서의 지위와 무관한 행위인

위주체에 관한 해석론으로 볼 수도 있다).

62) 최준선, 전게논문, 101면; 이상돈, "경영실패와 경영진의 형사책임," 「법조」 제560호(법조협회, 2003. 5.), 80면; 강동욱, 전게 "배임죄의 본질과 주체에 관한 고찰 – 상법상의 특별배임죄와 관련하여 –," 242면; 한석훈, 전게 「비즈니스범죄와 기업법」, 171면; 천경훈, 전게 「주석 상법(회사–Ⅶ)」, 103면; 前揭 「会社法コンメンタル(21)」, 64面.

63) 송호신, 전게 학위논문, 100, 101면.

64) 송호신, 전게 학위논문, 99면.

65) 한석훈, 전게 「비즈니스범죄와 기업법」, 172면.

66) 송호신, 전게 학위논문, 89면.

67) 현행 일본 会社法 제960조 제1항에서도 특별배임죄의 행위주체에 우리나라의 감사에 해당

경우에 이 벌칙 규정을 적용할 수 없음은 물론이다.[68]

주식회사나 유한회사의 경우에 법률 또는 정관에 정한 이사의 인원수를 결한 경우에는 임기만료나 사임으로 인하여 퇴임한 이사(이하 '퇴임이사'라 함)는 새로 선임된 이사가 취임할 때까지 이사의 권리의무가 있으므로(제386조 제1항, 제567조), 당연히 제622조 제1항의 '이사'로서 행위주체가 된다.[69] 이 경우에 법원은 필요하다고 인정할 때에는[70] 이해관계인의 청구에 의하여 일시 이사의 직무를 행할 이사(즉 임시이사, 一時理事 또는 假理事, 이하 '일시이사'라 함)를 선임할 수 있다(제386조 제2항, 제567조). 이 규정은 이사 결원으로 인한 회사의 업무중단을 방지하기 위한 것으로서[71] 주식회사나 유한회사 감사의 경우에도 준용된다(제415조, 제570조, 이하 '퇴임감사' 및 '일시감사'라 함). 그 중 퇴임이사나 퇴임감사는 각기 이사나 감사와 동일한 권리의무를 갖는 자이므로 제622조 제1항의 '이사'나 '감사'로서 행위주체가 되는 것으로 해석하더라도 무방하다. 그리고 제622조 제1항은 주식회사의 일시이사('제386조 제2항')도 행위주체에 포함하고 있다. 그런데 제622조 제1항은 행위주체를 "회사의 … 이사, 집행임원, … , 감사 또는 제386조 제2항, 제407조 제1항, 제415조 또는 제567조의 직무대행자, …"라고 규정하고 있어서 그 행위주체에 주식회사의 일시감사,[72] 유한회사의 일시이사[73]

하는 監査役을 포함하고 있다.

68) 前揭 「会社法コンメンタル(21)」, 64面.

69) 前揭 「会社法コンメンタル(21)」, 65面.

70) 통설·판례는 입법취지에 비추어, 임기만료나 사임에 한정하지 않고 해임·사망 등으로 법률·정관 규정상의 이사 정원수를 결하게 되거나, 이사가 중병으로 사임하거나 장기간 부재중인 경우 등과 같이 퇴임이사로 하여금 이사로서의 권리의무를 가지게 하는 것이 불가능하거나 부적당한 경우를 모두 일시이사의 선임사유에 포함한다(대법원 2000.11.17. 2000마5632; 1964.4.28. 63다518; 이철송, 전게 「회사법강의」, 678면, 최준선, 전게 「회사법」, 472면).

71) 이철송, 전게 「회사법강의」, 678면.

72) 천경훈, 전게 「주석 상법(회사-Ⅶ)」, 105면에서는 주식회사의 일시감사도 당연히 제622조 제1항의 '제415조'에 포함되는 것으로 파악하고 있으나, 제415조는 주식회사의 감사에게 일시이사에 관한 제386조 제2항 및 이사 직무대행자에 관한 제407조를 준용하고 있으므로, 만약 제622조 제1항을 '제415조 …의 직무대행자'로 해석할 경우에는 주식회사의 일시감사는 제외된다.

73) 천경훈, 상게서, 104, 105면에서는 제622조 제1항에 제567조를 행위주체로 명시하고 있고 같은 조는 제386조 제2항을 유한회사의 이사에게 준용하고 있어서 유한회사의 일시이사가 포함되므로 특별배임죄의 행위주체에 유한회사의 일시이사도 명시되어 있다고 주장하고 있다. 그러나 제567조는 제386조 제2항뿐만 아니라 이사 직무대행자 선임에 관한 제407조도 준용하고 있어서 유한회사의 일시이사와 직무대행자를 모두 포함하고 있고, 일시이사와 직무대행자는 그 법률상 명칭이나 권한범위에서 명백히 구분되는 개념인데, 제622조 제1항의

및 일시감사를 포함하고 있는지 여부가 불분명하다. 제622조 제1항의 행위주체에 주식회사의 감사 직무대행자를 포함하면서 주식회사의 일시감사를 배제할 이유가 없고, 유한회사의 이사 직무대행자를 포함하면서 유한회사의 일시이사를 배제할 이유가 없다. 일시이사나 일시감사는 직무대행자와 비교하여 법원에 의해 선임되는 점은 마찬가지이고, 그 권한범위는 같거나 직무대행자보다 더 넓기[74] 때문이다. 그러므로 제622조 제1항 중 위 "제386조 제2항, 제407조 제1항, 제415조 또는 제567조의 직무대행자"의 '직무대행자'를 '직무를 대신 행하는 자'로 해석하여 주식회사의 일시감사는 감사 직무대행자와 함께 위 '제415조'에, 유한회사의 일시이사는 이사 직무대행자와 함께 위 '제567조'에 포함되는 것으로 해석하더라도 무방할 것이다.[75] 그러나 유한회사의 일시감사는 그에 관한 규정인 제570조가 제622조 제1항의 행위주체에 누락되어 있으므로 죄형법정주의 원칙상 그 행위주체에 포함시킬 수 없다.[76]

　주식회사나 유한회사의 이사 또는 감사에 대한 선임결의의 무효나 취소 또는 해임의 소가 제기되었거나 그 제기 전에 법원은 당사자의 신청에 의하여 해당 이사·감사의 직무집행정지 가처분을 할 수 있다(제407조 제1항, 제415조, 제567조, 제570조). 이러한 가처분으로 인하여 직무집행정지기간 중에 있는 이사나 감사는 회사와의 신임관계를 인정할 수 없으므로 그 배임행위를 인정할 수 없고 특별배임죄의 행위주체가 될 수 없다.[77] 이러한 경우에는 법원이 선임한 그 직무대행자가 특별배임죄의 행위주체가 된다. 이사 직무대행자는 퇴임이사나 일시이사와는 달리 회사의 상무에 속하지 아니한 행위를 하지 못하는 것이 원칙이지만(제408조 제1항 본문), 직무대행자가 그 임무에 위배하는 행위를 한 경우에도 회사는 손해를 입을 수 있다. 따라서 이러한 직무대행자의 행위도 특별배임죄를

　행위주체는 '제567조의 직무대행자'라고 기재하여 문언상 직무대행자만 언급하고 있을 뿐이므로 유한회사의 일시이사를 포함하고 있는지 여부는 불분명하다.

74) 이사 직무대행자의 권한범위는 가처분명령에 다른 정함이 없는 한 회사의 상무로 제한된다(제408조 제1항 본문).

75) 다만, 주식회사의 일시감사나 유한회사의 일시이사를 제622조 제1항의 행위주체로 명확히 표현하는 것이 죄형법정주의의 명확성 원칙에 부합할 것이다.

76) 한석훈, 전게 「비즈니스범죄와 기업법」, 176면; 천경훈, 전게 「주석 상법(회사-Ⅶ)」, 105면; 다만, 유한회사의 일시감사나 감사 직무대행자도 그 임무위배 행위를 처벌할 필요가 있음은 다른 행위주체와 다르지 않으므로, 이들도 제622조 제1항의 행위주체에 추가하는 입법조치가 필요하다.

77) 前揭 「新版 注釈 会社法(13)」, 559面.

구성할 수 있다.[78] 그런데 제622조 제1항은 위와 같이 주식회사의 이사 직무대행자('제407조 제1항'), 감사 직무대행자('제415조') 및 유한회사의 이사 직무대행자('제567조의 직무대행자')만 명시하고 있으므로, 유한회사의 감사 직무대행자(제570조, 제407조 제1항)는 그 행위주체로 보기 어렵다.[79] 집행임원의 경우에도 법원이 마찬가지 사유로 직무대행자를 선임할 수 있는데(제408조의9, 제407조), 제622조 제1항은 집행임원 직무대행자에 관한 제408조의9를 행위주체로 명시하고 있지 아니하므로 죄형법정주의 원칙상 그 행위주체에서 제외된 것으로 해석할 수밖에 없다.[80]

요컨대 주식회사의 일시이사, 이사 직무대행자, 일시감사, 감사 직무대행자, 유한회사의 일시이사, 이사 직무대행자는 행위주체에 포함되지만, 주식회사의 집행임원 직무대행자, 유한회사의 일시감사, 감사 직무대행자는 행위주체에 포함되지 않는다.

5. 지 배 인

회사의 '지배인'은 회사에 갈음하여 그 영업에 관한 재판상 또는 재판 외 모든 행위를 대리할 수 있는 포괄적 대리권을 가진 자로서(제11조 제1항) 회사와는 고도의 신임관계에 있으므로 행위주체에 포함된 자이다. 위와 같은 포괄적 대리권을 가진 자라면 지배인에 해당되므로 그 명칭이나 등기 여부는 불문한다. 표현지배인도 제622조 제1항의 '지배인'에 포함된다는 견해[81]가 있다. 그러나 이 규정이 '지배인'이라고만 명시하고 있는 이상 제10조의 지배인에 한정해야 할 것이고, 사법(私法)관계의 거래 안전을 위하여 인정하고 있는 제14조의 표현지배

---

78) 前揭 「会社法コンメンタル(21)」, 65面.

79) 그러나 유한회사의 경우에도 주식회사와 같이 감사를 제622조 제1항의 행위주체에 포함하면서 유한회사의 감사 직무대행자만 주식회사의 감사 직무대행자와 달리 행위주체에서 제외할 이유가 없으므로 이를 제622조 제1항의 행위주체에 포함시키는 입법조치가 필요하다(한석훈, 전게 「비즈니스범죄와 기업법」, 176면 각주 189); 천경훈, 전게 「주석 상법(회사-Ⅶ)」, 105면).

80) 그러나 주식회사의 이사나 감사의 경우 그 직무대행자까지 제622조 제1항의 행위주체에 포함하면서 집행임원의 경우에만 그 직무대행자를 행위주체에서 배제할 이유가 없으므로 집행임원 직무대행자도 제622조 제1항의 행위주체에 포함시키는 입법조치가 필요하다.

81) 납입가장죄의 행위주체에 관한 주장으로서 김성탁, 전게논문, 572면; 곽동효, "회사법상의 납입가장죄," 「회사법상의 제문제(하)」 재판자료 제38집(법원행정처, 1987), 546면 등이 있음.

인까지 포함하는 것으로 해석하는 것은 죄형법정주의 원칙에 위배되므로 표현지배인은 특별배임죄의 행위주체가 될 수 없다.[82]

6. 기타 회사영업에 관한 어느 종류 또는 특정한 사항의 위임을 받은 사용인

'기타 회사 영업에 관한 어느 종류 또는 특정한 사항의 위임을 받은 사용인'이란 회사의 임원, 지배인 등 회사의 영업에 관한 포괄적 대리권이 있는 자들과 함께 특별배임죄의 행위주체로 열거된 점, 형법상 업무상배임죄 외에 특별배임죄를 특별히 처벌하는 입법취지 및 표현된 문언 등에 비추어 보면, 상법 제15조의 부분적 포괄대리권을 가진 사용인을 말하는 것으로 보아야 한다. 즉, 적어도 회사 영업의 특정 종류 또는 특정 사항에 관하여 대외적으로 회사를 대리할 수 있는, 부분적이기는 하나 포괄적 대리권을 가진 자만을 말하고, 회사 영업의 구체적 사항의 대리권만 위임받은 사용인은 해당하지 않는다고 보는 것이 타당하다(판례).[83] 이러한 부분적 포괄대리권을 가진 사용인의 경우에는 당연히 배임행위도 그 대리 권한과 관련하여 행한 경우라야만 특별배임죄가 성립한다.[84]

이러한 지배인이나 부분적 포괄대리권을 가진 사용인이 되기 위해서 회사와

---

82) 일본의 유력설이다(前揭「会社法コンメンタル(21)」, 65面).
83) 대법원 1978.1.24. 77도1637; 주강원, 전게논문, 371면; 천경훈, 전게「주석 상법(회사-Ⅶ)」, 106면; 이에 대하여 제16조에 규정된 물건판매점포의 사용인도 포함된다고 보는 견해[양동석·박승남, "회사법상의 특별배임죄,"「기업법연구」제28권 제1호(한국기업법학회, 2014), 194면]가 있다. 그러나 이는 제622조 제1항의 문언에 반하는 해석일 뿐만 아니라, 위 물품판매점포의 사용인은 지배인이나 부분적 포괄대리권을 가진 사용인과는 달리 그 판매권한의 수권(授權)행위 유무와 무관하게 거래안전을 위하여 대리권이 의제되는 자로서[최준선, 「상법총칙·상행위법」제12판(삼영사, 2021), 154면] 회사와의 신임관계를 인정할 수 없으므로, 이를 특별배임죄의 행위주체에 포함하는 것은 부당하다.
84) 입법론으로, 지배인이나 부분적 포괄대리권을 가진 사용인은 상인의 보조자에 불과하고 그 권한범위가 이사 등 경영진에 비하여 협소하여 대부분 경영진의 명령을 받아 행위를 한다는 점에 비추어, 이들을 특별배임죄의 행위주체로 보는 것은 부당하다는 견해(송호신, 전게 학위논문, 89~91면; 前田信二郎, 前揭「会社犯罪の研究 - 經營者背任の性格と類型 -」, 45, 46面)가 있다. 그러나 지배인이나 부분적 포괄대리권을 가진 사용인도 그 권한범위 내에서는 이사 등 경영진의 구체적인 지시를 받지 않고 권한을 행사하는 자이고, 이들에 대한 회사의 신임관계를 특별히 보호할 필요가 있으므로, 이들을 특별배임죄의 행위주체에 포함시키는 것은 특별배임죄의 입법취지에 부합하는 것이다. 현행 일본 会社法 제960조 제6호, 제7호에서도 '지배인'은 물론 '사업에 관한 어느 종류 또는 특정 사항의 위임을 받은 사용인'도 특별배임죄의 행위주체에 포함하고 있다.

고용관계가 있어야 하는지 여부에 관하여는 상법 총칙상 그 선임행위의 법적 성질에서도 문제가 되지만 특별배임죄 규정의 해석상으로도 문제된다. 각 선임행위는 회사 등[85]의 대리권 수여행위일 뿐 고용계약을 필요로 하는 것은 아니다(다수설).[86] 회사와의 신임관계를 특별히 보호하고자 하는 특별배임죄의 입법취지에 비추어 보면, 포괄적 대리권을 가지고 회사의 지휘감독 아래 지속적이고 종속적으로 회사 영업을 담당하는 자인 이상, 그 밖에 회사와 고용계약을 맺거나 회사로부터 보수를 지급받고 있는지 여부는 문제가 되지 않는다.[87]

형법상 배임죄나 업무상배임죄의 행위주체인 타인의 사무를 처리하는 자란 "고유의 권한으로 그 사무를 처리하는 자에 한하지 않고 그 자의 보조기관으로서 직접 또는 간접으로 그 처리에 관한 사무를 담당하는 자도 단순히 상급자의 지시에 따른 소극적 업무처리에 그친 것이 아니라면 포함할 수 있다."는 것이 판례이다.[88] 이러한 입장에서는 특별배임죄의 경우에도 제622조, 제623조에 열거된 행위주체의 보조기관에 대하여 마찬가지로 해석할 수 있는지 문제가 된다. 그러나 특별배임죄의 경우에 신분적 가중처벌을 하는 이유는 형법상 배임죄나 업무상배임죄의 행위주체보다 그 권한이 포괄적이라는 점에 있는데, 그러한 포괄적 권한이 없는 보조기관까지 행위주체에 포함시키는 것은 입법취지나 죄형법정주의 원칙에 반하는 해석이므로 부당하다.[89] 원래 비신분자도 신분범의 공동정범이 될 수 있으므로(형법 제33조), 보조기관의 경우에는 사무처리권한자(즉, 특별배임죄의 경우에는 제622조, 제623조에 열거된 행위주체)의 공동정범 등 공범으로 인정할 수 있는 경우에 공범의 법리에 따르면 충분할 것이다.

7. 청산인, 청산인 직무대행자 및 설립위원

회사는 해산 후 청산 목적범위 내에서 존속하고 청산회사의 업무집행기관으로서 청산업무를 집행하는 청산인의 직무는 청산사무라는 일시적 사무이고 그

---

85) 부분적 포괄대리권을 가진 사용인은 회사나 지배인이 그 권한을 수여할 수 있다[제11조 제2항, 이철송, 「상법총칙·상행위」 제15판(박영사, 2018), 136면].
86) 최준선, 전게 「상법총칙·상행위법」, 138, 152면; 이철송, 전게 「상법총칙·상행위」, 114, 115, 136면.
87) 같은 취지: 日 最決 2005.10.7. 刑集 59卷 8号 1086面.
88) 대법원 2000.4.11. 99도334; 1999.7.23. 99도1911; 1982.7.27. 81도203.
89) 한석훈, 「기업범죄의 쟁점 연구」(법문사, 2013), 82면.

권한범위도 제한되므로 제622조 제2항에서 별도로 특별배임죄의 행위주체로 규
정하고 있다. 청산인도 청산회사와 위임관계에 있어서 선량한 관리자의 주의로
업무를 처리해야 할 임무가 있으므로 형법상 배임죄나 업무상배임죄의 범죄구성
요건 중 타인의 사무를 처리하는 자에 해당하지만, 청산회사 관련 업무의 중대
성에 비추어 제622조 제2항에 특별규정을 두어 가중처벌하려는 것이다. 또한 회
사의 합병으로 신설회사를 설립하는 경우에 정관의 작성 기타 그 설립사무를 담
당하는 설립위원도 회사의 비상상황 아래 제한된 권한범위 내에서 일시적으로
회사 관련 사무를 집행하는 점은 청산인과 유사하므로 제622조 제2항의 행위주
체에 포함하고 있다. 상법 회사편의 회사종류, 즉 합명·합자·유한책임·주
식·유한회사의 청산인이나 설립위원은 모두 해당된다.

청산주식회사나 청산유한회사에서 청산인이 임기만료나 사임으로 정관90)에
정한 청산인 인원수를 결하게 되는 경우에 새로 선임되는 청산인이 취임할 때까
지 계속하여 청산인의 권리·의무가 인정되는 퇴임청산인(제542조 제2항, 제386
조 제1항, 제613조 제2항)은 청산인과 달리 취급할 이유가 없으므로 제622조 제2
항의 '청산인'에 포함된다.

제622조 제2항에서 특별배임죄의 행위주체로 언급한 '제542조 제2항의 직무
대행자'에는 청산중 주식회사의 경우에 청산인 선임결의의 무효나 취소의 소 또
는 청산인해임청구의 소 제기와 관련하여 법원이 선임하는 청산인 직무대행자
(제542조 제2항, 제407조 제1항)를 말한다.91) 그런데 청산주식회사에서 청산인의
임기만료나 사임 등으로 정관92)에 정한 청산인 인원수를 결한 경우에 법원에
의하여 일시 청산인의 직무를 행할 자로 선임되는 일시청산인(제542조 제2항, 제
386조 제2항, 이하 '일시청산인'이라 한다)이 제622조 제2항의 행위주체에 포함되

---

90) 법률에 의하여 청산인의 수를 제한하고 있지는 아니하므로 청산인 수가 법률상 정원수를
　결하는 경우는 발생하지 않을 것이다.
91) 이와 관련하여 입법론으로 유한회사의 청산인 직무대행자도 제622조 제2항의 행위주체에
　포함함이 타당하다는 견해(천경훈, 전게「주석 상법(회사-Ⅶ)」, 107면)가 있다. 그러나 제
　622조 제2항은 권한범위가 제한적이고 일시적 사무를 처리하는 자를 행위주체로 하지만,
　그 사무의 중대성에 비추어 권한범위가 포괄적이고 계속적 사무를 처리하는 제622조 제1항
　의 이사 등 회사임원의 배임행위에 준하여 엄히 처벌하고자 하는 것이므로 그 행위주체를
　제한함이 타당하다. 이러한 입법취지에서 그 행위주체를 회사 합병시의 설립위원 외에는 다
　수의 이해관계자가 관여할 수 있는 주식회사의 청산인 직무대행자로 제한하여 규정한 것으
　로 보아야 할 것이다.
92) 법률에 의하여 청산인의 수를 제한하고 있지는 않다.

는지 여부는 불분명하다. 그 행위주체에 청산인 직무대행자를 포함하면서 그보다 권한범위가 넓거나 같고 법원에 의하여 선임되는 점도 마찬가지인 일시청산인을 제외할 이유가 없을 것이다. 또한 제542조 제2항에서 일시이사에 관한 제386조 제2항을 청산인에게도 준용하여 일시청산인을 포함하고 있으므로 제622조 제2항의 '제542조 제2항의 직무대행자'를 '제542조 제2항의 직무를 대신 행하는 자'로 해석하여 일시청산인도 그 행위주체에 포함되는 것으로 해석하여도 무방할 것이다.[93)]

8. 사채권자집회의 대표자 및 그 결의를 집행하는 자

사채권자집회는 대표자를 선임하여 그 결의할 사항의 결정을 위임할 수 있다(제500조). 또한 사채권자집회는 그 결의사항의 집행을 사채관리회사에 맡길 수 있고, 사채관리회사를 정하지 아니한 경우에는 위 대표자로 하여금 집행하게 하거나 따로 집행자를 정하는 결의를 할 수도 있다(제501조). 이러한 사채권자집회의 대표자 또는 그 결의를 집행하는 자는 사채권자집회의 구성원인 전체 사채권자와 위임관계에 있고, 사채관리회사는 제484조의2 제2항에 의하여 전체 사채권자에 대하여 선량한 관리자의 주의로 사무를 처리할 임무를 부담한다. 그러므로 사채권자집회의 대표자 또는 사채권자집회의 결의를 집행하는 자를 제623조 특별배임죄의 행위주체로 한 것이다.

사채의 종류별로 이루어지는 사채권자집회의 결의는 그 종류 사채권자 전원의 동의가 없는 한 법원의 인가를 받아야 효력이 발생하는데(제498조 제1항), 사채권자집회의 대표자가 사채권자집회로부터 그 결의할 사항을 위임받아 한 결정도 마찬가지로 보아야 한다. 이렇게 사채권자집회의 대표자나 그 결의를 집행하는 자는 그 권한이 회사임원 등에 비하여 제한적이어서 그 남용·오용의 위험이 적거나 담당하는 사무가 특정적이거나 일시적인 경우가 대부분이므로 형법상 배임죄의 가중적 신분범으로 규정하고 법정형도 형법상 배임죄보다는 높게, 형법상 업무상배임죄나 상법상 회사임원등 특별배임죄보다는 낮게 규정한 것으로

---

93) 현행 일본 회사법 제960조 제2항 제3호에서는 특별배임죄의 행위주체에 '一時淸算人'도 포함하는 것으로 명시하고 있다. 우리나라에서도 제622조 제2항의 행위주체로 주식회사의 일시청산인을 명시하는 것이 죄형법정주의의 명확성 원칙에 부합할 것이다.

보아야 한다.94)95)

사채관리회사가 사채권자집회 결의의 집행을 맡게 될 경우에는 제637조 규정에 따라 실제 행위를 한 그 회사의 이사, 집행임원, 감사, 지배인 등이 제623조의 행위주체가 된다.

다만, 실무상으로는 배임행위로 인한 이득액이 5억 원 이상인 경우에는 형법상 배임죄나 업무상배임죄로 의율하여 특정경제범죄법위반(배임)죄로 공소제기할 수 있다.

Ⅳ. 위반행위

특별배임죄의 위반행위는 앞에서 말한 행위주체가 그 임무에 위배한 행위로써 재산상 이익을 취득하거나 제3자로 하여금 이를 취득하게 하여 회사나 사채권자(이하 '피해자'로 통칭)에게 손해를 가하는 행위이다. 이를 분설하면 아래와 같다.

1. 임무위배행위

배임죄의 본질에 관한 통설·판례의 입장인 배신설에 따르면, 임무위배행위 즉 배임행위란 재산의 보호나 관리를 위임한 피해자의 신뢰를 배반하는 행위이고, 그것이 법률행위든 사실행위든, 대외적 대리권한을 유월·남용한 경우든 대내적 신임관계 위반의 경우든, 작위 행위든 부작위 행위든 가리지 않는다. 무엇이 신뢰를 배반하는 행위인지에 대하여, 통설은 구체적 사정을 고려하여 법률규정, 계약내용 또는 신의성실원칙에 비추어 통상의 사무집행범위를 일탈한 행위

---

94) 前揭 「会社法コンメンタル(21)」, 98~99面에서도 일본 회사법 제961조에 규정된 대표사채권자 또는 결의집행자의 특별배임죄 규정은 형법상 배임죄의 가중처벌 규정인데, 그 법정형이 이사 등의 특별배임죄에 관한 제960조만큼 가중되지 아니한 이유는 사채권자집회 결의가 법원 인가를 받지 아니하면 효력이 발생하지 않고 주로 특정결의를 집행하는 사무일 뿐이므로 그 권한남용 위험이 적기 때문이라고 한다.

95) 이에 대하여 사채권자집회 대표자등 특별배임죄는 원래 형법의 업무상배임죄에 해당함을 전제로 법정형이 업무상배임죄보다 낮은 특별 처벌규정을 둘 필요가 없으므로 폐지함이 타당하다는 견해(천경훈, 전게 「주석 상법(회사-Ⅶ)」, 122면)가 있으나, 사채권자집회 대표자등 특별배임죄의 입법취지에 비추어 볼 때 찬성하기 어렵다.

이면 이에 해당한다고 한다.[96] 판례도 마찬가지 입장에서 "임무에 위배하는 행위란 사무의 성질·내용 등 구체적 상황에 비추어 법률규정, 계약내용 또는 신의성실원칙에 비추어 당연히 할 것으로 기대되는 행위를 하지 않거나 당연히 하지 않아야 할 것으로 기대되는 행위를 함으로써 피해자와의 신임관계를 저버리는 일체의 행위"이고, 어떠한 행위가 이러한 임무위배행위에 해당하는지 여부는 "그 사무의 성질·내용, 사무집행자의 구체적 역할과 지위 등 행위 당시의 구체적 상황에 따라 그 행위가 신의성실원칙에 비추어 통상의 업무집행 범위를 일탈하였는가 여부에 따라 판단하여야 한다"고 판시하고 있다.[97] 따라서 신의성실원칙에 비추어 통상의 업무집행범위를 일탈하였다면, 비록 이사회 또는 주주총회의 결의 등 내부적 절차를 거쳤다고 하더라도 배임행위가 성립할 수 있다.[98] 예컨대 이사나 집행임원이 회사와의 자기거래 행위에 대하여 이사회의 사전승인을 받았다 하더라도, 거래의 내용이 회사에 재산상 손해를 가하는 경우라면 배임행위가 된다.

원래 이사는 법령, 회사정관 또는 내부지침에 따라야 할 의무가 있으므로, 그러한 내부적 절차에 위배하였는지 여부나 법령·정관 또는 내부지침에 위배하였는지 여부는 통상 배임행위 여부를 가리는 데에 중요한 기준이 된다. 다만, 법령·정관·사무처리규칙 또는 계약에 따르지 않았다고 하여 곧 배임행위라고 일반적으로 말할 수 있는 것은 아니다.[99] 이 죄는 재산죄이므로 피해자의 재산에 대한 위험정도를 감안하여 행위주체가 피해자에 대하여 부담하는 의무(선관주의의무나 충실의무 등)를 위반하였는지 여부를 기준으로 실질적으로 임무위배 여부를 판단해야 하기 때문이다.[100] 이사는 법령·정관 규정에 따라 회사를 위하

---

96) 김성돈, 전게 「형법각론」, 477면; 배종대, 전게 「형법각론」, 454면; 정성근·박광민, 전게 「형법각론」, 428면.

97) 대법원 2010.10.28. 2009도1149; 2010.4.29. 2009도13868; 1998.2.10. 96도2287.

98) 대법원 2005.10.28. 2005도4915; 2000.5.26. 99도2781; 1989.10.13. 89도1012; 이에 대하여 회사 이사회의 결의는 회사의 의사라는 이유로 피해자의 승낙이 있었다고 보는 견해 [강동욱, "이사 등의 경영행위에 대한 배임죄의 성립범위 – 객관적 구성요건의 해석을 중심으로 –," 「한양법학」 제24권 제1집(한양법학회, 2013. 2.), 8면]가 있으나, 이사와 회사 사이의 임무위배 문제에서는 이사회의 의사를 회사의 의사로 볼 수는 없을 것이고, 오히려 이사회에서 이사의 행위를 승인한 이사들의 공모가담 여부를 문제삼아야 할 것이다.

99) 前揭 「会社法コンメンタル(21)」, 68面(예컨대 회사의 돈으로 뇌물을 주는 행위는 법령위반 행위이지만, 그러한 행위로 회사가 관청과의 계약을 확보한다거나 인·허가를 받게 된 경우라면 임무위배 행위라 할 수 없다는 것이다).

100) 前揭 「会社法コンメンタル(21)」, 68面; 日 最判 2004.9.10. 刑集 第58卷 第6号, 524面.

여 그 직무를 충실히 수행해야 할 의무가 있지만(제382조의3), 만약 법령준수의무
와 회사의 이익이 충돌하는 경우에 회사의 이익을 따라 법령을 위반하였다고 하
여 배임행위가 된다고 할 수는 없을 것이다. 다만, 판례는 이사의 법령준수의무
의 '법령'은 "이사로서 임무를 수행함에 있어서 준수해야 할 의무를 개별적으로
규정하고 있는 상법 등의 제 규정과 회사가 기업활동을 함에 있어서 준수해야
할 제 규정"으로 보고 있다.[101] 그러므로 판례는 뇌물수수의 경우처럼 회사가
기업활동을 함에 있어서 준수해야 할 법령을 위반한 행위이면 임무위배행위로
봄에 적극적인 입장이라 할 수 있다.[102]

회사임원등 특별배임죄에서 주주 전원의 승낙이 있는 경우에 배임행위를 인
정할 수 있는지 문제가 된다. 회사는 주주와는 별개의 독립된 인격체임을 이유
로 1인 회사의 경우에 1인 주주의 배임행위 및 배임죄의 성립을 인정하는 판례
의 입장[103]에서는 주주 전원의 승낙이 있다고 하더라도 배임행위가 인정될 것
이다.

회사의 이사 등과 같이 행위주체의 임무내용이 민법·상법 등 민사법 규정에
따라 정해지는 경우에는 임무위배 여부도 그에 따라야 할 것인지도 문제가 된
다. 상법과 형법은 겸억성, 보충성 면에서 차이가 있으므로 이사의 신임의무나
충실의무 위반이 중대한 경우에만 배임행위가 될 수 있다는 견해[104]가 있다. 유
사한 입장으로서 민사책임과 형사책임은 추구하는 목적이 달라서 상법상 이사
등의 책임은 소수주주, 회사 채권자 등 이해관계자들의 이해조정을 목적으로 하
므로 이사 등의 임무해태 여부를 판단하는 기준은 형벌권 행사가 목적인 배임죄
의 임무위배 여부 판단의 기준보다 개방적이고 유연하게 해석되어야 한다고 보
는 견해[105]도 있다. 그러나 배임죄는 재산의 보호나 관리를 위임한 자의 신뢰를
배반하는 행위를 처벌하는 죄이고(배신설) 이사 등의 경우 회사에 대한 신뢰 배

---

101) 대법원 2005.10.28. 2003다69638.
102) 한석훈, 전게 「비즈니스범죄와 기업법」, 187면; 대법원 2013.4.25. 2011도9238(회사의 이
    사 등이 회사 자금으로 뇌물을 공여하여 업무상횡령죄로 기소된 사안에서 유죄를 인정한
    사례임).
103) 대법원 1983.12.13. 83도2330 전원합의체.
104) 이승준, "합병형 차입매수(LBO)의 배임죄 성부 판단," 「형사정책연구」(한국형사정책연구
    원, 2013), 97면.
105) 안수현, "회사법이론에서 본 LBO거래의 가벌성," 「이화여자대학교 법학논집」 제14권 제3
    호(이화여자대학교 법학연구소, 2010. 3.), 60면.

반 여부를 판단하는 기준은 민·상법상 이사 등에게 부여된 임무를 게을리한 것인지 여부를 기준으로 함이 마땅하다.106) 이와 별도로 형법에 고유한 임무위배 개념을 상정하는 것은 법체계의 혼란을 야기할 우려도 있다. 또한 같은 상법에 규정된 '임무에 위배한 행위'(제622조 제1항, 제623조)나 '임무를 게을리한 경우'(제399조 제1항)의 문언은 특별한 사정이 없는 이상 통일적으로 파악해야 함이 원칙이다. 그러므로 특별배임죄의 이사 등의 '임무위배' 개념을 상법 등 민사상 '임무를 게을리한 경우'의 개념과 달리 파악할 필요는 없다. 다만, 배임죄는 고의범으로서 그 고의의 인식 대상에 임무위배행위를 포함하고 있으므로 이사 등의 회사에 대한 임무해태 행위(제399조 제1항, 제414조 제1항 등) 중 고의로 임무를 게을리한 경우에만 배임죄의 구성요건에 해당하게 될 것이다.107)

계열회사에 대한 자금지원 행위의 경우에도, 기업집단 전체의 이익이나 손해에 앞서 자금지원 회사의 이익이나 손해를 중심으로 그 회사 경영진의 배임행위 여부를 가리는 것이 판례의 입장이다. 즉, "회사의 이사 등이 계열회사에 회사 자금을 대여할 때에 계열회사가 이미 채무변제능력을 상실한 상태임에도 불구하고 충분한 담보를 제공받는 등 상당하고도 합리적인 채권회수 조치를 취하지 아니한 채 대여한 경우에는, 계열그룹 전체의 회생을 위한다는 목적에서 이루어진 행위로서 그 행위의 결과가 일부 해당 회사를 위한 측면이 있다 하더라도 배임행위가 성립할 수 있다"는 것이다.108)

사무의 성격상 그 사무처리의 손익 여부가 매우 불분명한 모험적 거래의 경우에는 본인의 동의 아래 통상의 사무집행범위 안에서 허용되거나,109) 사전동의가 없었더라도 그 거래의 내용이 통상의 거래관행 범위 안에서 이루어진 때에는 본인의 추정적 승낙을 인정하여 배임행위에 해당하지 않는다고 본다.110)

그러나 구체적인 사안에서 배임행위를 인정할 것인지 여부를 가리는 것은 쉽

---

106) 같은 취지: 최승재, "LBO와 배임죄의 성립 여부,"「증권법연구」제11권 제3호(한국증권법학회, 2011), 304면.
107) 윤영신, "동양그룹의 합병형 LBO와 배임죄,"「BFL」제36호(서울대금융법센터, 2009. 7.), 35면; 판례도 "피고인에게 임무위배의 인식과 그로 인하여 자기 또는 제3자가 이익을 취득하고 본인에게 손해를 가한다는 인식이 있었거나 이에 대한 미필적 인식이 있었다고 볼 수밖에 없으므로, 배임의 고의를 인정하기 충분하고 …"라고 설시하고 있으므로(대법원 2004.7.22. 2002도4229 등) 같은 입장이라고 말할 수 있다.
108) 대법원 2012.7.12. 2009도7435.
109) 김일수·서보학, 전게「형법각론」, 390면; 정성근·박광민, 전게「형법각론」, 430면.
110) 배종대, 전게「형법각론」, 455면.

지 않고, 특히 후술하는 것처럼 경영판단 문제에 있어서는 특별한 고려가 필요한 것인지도 문제가 되고 있다.

배임행위의 증명책임은 검사가 부담하는 것이지만, 판례에 따르면 회사임원 등이 회사의 자금을 회사를 위하여 지출한 것처럼 위장하였음에도 불구하고 그 돈을 회사를 위하여 사용한 대강의 지출내역조차 주장하지 못하고 있고, 회사의 재산상태나 경영실적에 비추어 감추어진 상여나 이익배당으로서 적정규모라 할 수도 없다면 배임행위를 인정할 수 있다고 한다.[111]

배임죄의 고의를 가지고 배임행위를 개시한 때에는 배임죄의 실행에 착수한 것으로 보게 된다. 배임행위의 완성에 필요한 상급자의 결재나 이사회의 결의 등 내부적 절차를 거치지 않았다고 하더라도 무방하다.[112] 배임죄의 실행에 착수한 후에는 기수에 이르지 못하였더라도 미수범으로 처벌된다(제624조).

2. 재산상 이익 취득

배임행위로 인하여 행위주체가 재산상 이익을 취득하거나 제3자로 하여금 '재산상 이익'을 취득하게 하여야 한다. 제3자란 행위주체와 피해자 외의 모든 자를 말한다. 배임행위와 재산상 이익 취득 사이에는 인과관계가 있어야만 한다. 배임행위로 인하여 피해자에게 손해를 가하였을지라도, 그 배임행위로 인하여 행위주체나 제3자가 재산상 이익을 취득한 사실이 없다면 배임죄는 성립할 수 없다.

'재산상 이익'이란 재산적 가치를 증가시키는 이익이면 적극적 이익이든 소극적 이익이든 무방하고, 그 이익의 취득은 경제적 관점에서 실질적으로 판단할 뿐 법률적 효력은 문제되지 않는다(판례·통설).[113] 현금 유동성의 증가와 같은 무형의 이익도 거래의 주된 목적인 현금 유동성 증가에 있다고 볼 수 있는 특별한 사정이 있으면 재산상 이익으로 볼 수 있다(판례).[114] 따라서 음식향응을

111) 대법원 1989.10.10. 87도966.
112) 대법원 1966.9.27. 66도912.
113) 대법원 2009.12.24. 2007도2484; 손동권·김재윤, 전게 「새로운 형법각론」, 470면; 김성돈, 전게 「형법각론」, 482면; 배종대, 전게 「형법각론」, 461면; 이재상·장영민·강동범, 전게 「형법각론」, 430면.
114) 대법원 2005.4.29. 2005도856(회사 대표이사가 대주주 소유의 다른 비상장주식을 매수한 사안에서 "비상장주식의 실거래가격이 시가와 근사하거나 적정한 가격으로 볼 수 있는 범

받는 것은 재산상 이익 취득에 해당하지만 재산상 이익이 따르지 않는 단순한 사회적 지위나 직책상 이익은 포함되지 않는다.

배임죄의 보호법익에 비추어 볼 때 재산상 이익의 취득은 후술하는 '손해'의 경우와 마찬가지로 전체 재산가치의 증가를 의미한다. 그러므로 회사의 대표이사가 계약을 이행하지 아니하여 회사가 계약 상대방에게 그로 인한 손해배상금이나 위약금을 지급한 때에는 계약 상대방에게 재산상 이익을 취득하게 한 경우에 해당하지 않는다.[115)]

재산상 이익의 취득 사실이 인정되는 경우에는 비록 재산상 이익의 가액이 확정되지 않더라도 무방하다. 다만, 재산상 이익의 가액이 5억 원 이상인 때에는 형법상 배임죄나 업무상배임죄의 가중처벌 범죄인 특정경제범죄법위반(배임)죄로 의율할 수 있는데, 이때 그 이득액이 5억 원 이상인 사실을 증명하지 못한다면 특정경제범죄법위반(배임)죄로 의율할 수는 없고 특별배임죄나 형법상 배임죄 또는 업무상배임죄로 의율할 수밖에 없다.

3. 손해를 가한 때

배임행위로 인하여 본인에게 손해를 가한 때 범죄가 성립하는데, 이때 '손해'란 재산상 손해를 말하고 배임행위와 재산상 손해 사이에는 인과관계가 인정되어야 한다. 배임죄의 보호법익에 비추어 볼 때 재산상의 손해를 가한다는 것은 본인의 전체 재산가치의 감소를 가져오는 것을 말하고(전체계산 원칙), 재산상 손해의 유무에 대한 판단은 '재산상 이익'과 마찬가지로 법률적 판단에 의하지 아니하고 경제적 관점에서 파악해야 한다는 것(경제적 재산개념)이 통설·판례의 입장이다.[116)] 그러므로 재산상 손실을 야기한 배임행위가 동시에 그 손실을 보

위 내에 속하는 것으로 보여 실거래가격과의 차액 상당의 손해가 있다고 할 수 없는 경우에 있어서도, 그 거래의 주된 목적이 비상장주식을 매도하려는 매도인의 자금조달에 있고 회사가 그 규모 및 재정 상태에 비추어 과도한 대출을 일으켜 그 목적달성에 이용된 것에 불과하다고 보이는 등의 특별한 사정이 있는 경우라면 그와 같이 비상장주식을 현금화함으로써 매도인에게 유동성을 증가시키는 재산상의 이익을 취득하게 하고 반대로 회사에 그에 상응하는 재산상의 손해로서 그 가액을 산정할 수 없는 손해를 가한 것으로 볼 수 있다."고 판시하였다.)

115) 대법원 2009.6.25. 2008도3792; 2007.7.26. 2005도6439.
116) 대법원 2011.4.28. 2009도14268; 1999.6.22. 99도1095; 1995.12.22. 94도3013; 김일수·서보학, 전게 「형법각론」, 393면; 손동권·김재윤, 전게 「새로운 형법각론」, 471면; 정성

상할 만한 재산상 반대이익을 준 경우, 즉, 배임행위로 인한 급부와 반대급부가
상응하고 다른 현실적 재산상 손해나 그 손해발생의 위험도 없는 때에는 전체
재산가치의 감소, 즉 재산상 손해가 있다고 할 수 없다. 손해는 적극적으로 재
산상 손해를 발생시킨 경우든지 소극적으로 발생할 수 있는 재산상 이익을 취득
할 수 없게 한 경우든지 불문한다.[117) 또한 채무부담 행위가 회사에 대해서는
무효인 경우일지라도 재판에서 회사가 패소할 위험 등 재산감소의 구체적 위험
이 있다고 할 수 있는 경우에는 손해의 발생이 인정된다.[118)

따라서 행위주체의 배임행위로 발생한 손해에 대하여 그 행위가 법률상 무효
또는 취소할 수 있다거나 손해배상청구권과 같은 사법(私法)적 구제수단이 있는
지 여부는 문제가 되지 않는다. 다만, 그 행위가 채무부담 행위로서 대표권 남
용의 법리 등에 의하여 법률상 무효이고, 그로 인하여 피해자가 사용자책임, 불
법행위책임 등 사법(私法)상 책임을 부담한다거나 소송상 다툼 등 현실적 실해
발생의 위험조차 인정되지 않는 경우에는 손해의 발생을 인정할 수 없다(판
례).[119) 판례는 회사의 대표이사가 배임행위로 약속어음을 발행하였고 그 발행
이 대표권 남용으로 그 수취인 사이에도 무효인 경우에, 종전에는 "어음이 제3

근·박광민, 전게 「형법각론」, 431면; 배종대, 전게 「형법각론」, 461면; 김성돈, 전게 「형
법각론」, 482면.

117) 같은 취지: 대법원 2004.7.9. 2004도810("업무상배임죄에 있어서 본인에게 손해를 가한다
함은 총체적으로 보아 본인의 재산상태에 손해를 가하는 경우를 말하고, 이러한 손해에는
장차 취득할 것이 기대되는 이익을 얻지 못하는 경우도 포함된다 할 것인바, 금융기관이
금원을 대출함에 있어 대출금 중 선이자를 공제한 나머지만 교부하거나 약속어음을 할인
함에 있어 만기까지의 선이자를 공제한 경우 금융기관으로서는 대출금채무의 변제기나 약
속어음의 만기에 선이자로 공제한 금원을 포함한 대출금 전액이나 약속어음 액면금 상당
액을 취득할 것이 기대된다 할 것이므로 배임행위로 인하여 금융기관이 입는 손해는 선이
자를 공제한 금액이 아니라 선이자로 공제한 금원을 포함한 대출금 전액이거나 약속어음
액면금 상당액으로 보아야 하고, 이러한 법리는 투신사가 회사채 등을 할인하여 매입하는
경우라고 달리 볼 것은 아니다"라고 판시).

118) 神山敏雄 外 3人 編, 「新経済刑法入門」(成文堂, 2008), 161面.

119) 대법원 2012.5.24. 2012도2142[주식회사의 대표이사가 자신의 채권자들에게 회사 명의의
금전소비대차 공정증서 등을 작성해 주었다고 하여 특경법위반(배임)죄로 기소된 사안에
서, "피고인의 행위는 대표권 남용으로서 상대방들도 이를 알았거나 알 수 있었으므로 무
효이고, 그로 인하여 회사에 재산상 손해가 발생하였다거나 재산상 실해발생의 위험이 초
래되었다고 볼 수 없다"고 판시]; 2011.7.14. 2011도3180; 2010.9.30. 2010도6490("법인
의 대표자 또는 피용자가 그 법인 명의로 한 채무부담행위가 관련 법령에 위배되어 법률
상 효력이 없는 경우에는 그로 인하여 법인에게 어떠한 손해가 발생한다고 할 수 없으므
로, 그 행위로 인하여 법인이 민법상 사용자책임 또는 법인의 불법행위책임을 부담하는
등의 특별한 사정이 없는 한 그 대표자 또는 피용자의 행위는 배임죄를 구성하지 아니한
다"고 판시).

자에게 유통되지 않는다는 특별한 사정이 없는 한 경제적 관점에서는 회사에 대
한 재산상 실해발생의 위험은 발생한 것"이라고 판시하여 왔으나,[120) "실제로
제3자에게 그 어음이 유통되기 전에는 재산상 구체적·현실적 위험이 초래되었
다고 할 수 없으므로 기수에 이른 것으로 볼 수 없고 미수죄로 처벌할 수 있을
뿐이다."라고 판시하여 종전 판례를 변경하였다.[121)

특별배임죄의 기수시기는 범죄구성요건을 충족하게 되는 '재산상 손해를 가
한 때'이다. 그런데 '재산상 손해를 가한 때'의 의미에 관하여는 앞에서 살펴본
배임죄 보호법익의 보호정도에 관한 견해에 따라 그 해석을 달리하고 있다. 이
러한 견해의 차이는 특별배임죄의 기수시기뿐만 아니라 손해액을 정함에도 영향
을 미치게 된다. 침해범설은 '손해를 가한 때'라는 문언의 해석상 피해자의 재산
에 대한 현실적 손해가 발생한 때 기수가 되고, 그 현실적 손해의 액이 피해액
이 된다고 한다.[122) 그러나 위험범설에 의하면 '재산상의 손해를 가한 때'란 직
접적으로 현실적인 손해를 가한 경우뿐만 아니라 재산상 실해발생의 위험을 초
래한 경우라면 실제로는 손해가 발생하지 않더라도 무방하다고 한다.[123) 앞의
보호법익 부분에서 설명한 것처럼 판례는 구체적 위험범설을 따르는데,[124) 이때
손해발생의 위험이란 '회사(피해자) 재산 가치의 감소로 볼 수 있는 재산상 손해
의 위험이 발생한 경우',[125) 또는 '경제적 관점에서 볼 때 재산상 손해발생과 같
이 평가할 수 있는 정도의 구체적·현실적인 위험이 발생한 경우'[126)라야만 한

---

120) 대법원 2013.2.14. 2011도10302; 2012.12.27. 2012도10822.
121) 대법원 2017.7.20. 2014도1104 전원합의체.
122) 김일수·서보학, 전게 「새로쓴 형법각론」, 395면; 정성근·박광민, 전게 「형법각론」, 431
    ~432면(다만, 침해범설 입장이면서도 '손해를 가한 때'를 행위의 태양으로 보고 배임죄의
    기수시기를 파악하는 견해이다. 이 견해는 실제 손해가 발생한 경우는 물론 재산권 실행
    을 불가능하게 할 상태를 초래한 경우도 '손해를 가한 때'로 보아 기수로 파악하고 손해
    발생의 단순한 위험만 있고 손해발생이 없는 때에는 미수로 본다.); 손동권·김재윤, 전게
    「새로운 형법각론」, 471면[다만, '현실적 손해'에는 사실상 손해(즉, 경제적 손해)도 포함
    하므로 법적으로는 손해의 위험에 불과할 수도 있다고 함].
123) 박상기·전지연, 전게 「형법학」, 683면; 이재상·장영민·강동범, 전게 「형법각론」, 431면.
124) 판례가 배임죄의 경우 '재산상 실해발생의 위험을 초래한 경우'도 '손해를 가한 때' 구성요
    건을 충족하는 것으로 설시하고는 있지만 판례상 실해발생 위험을 초래한 경우로 본 사례
    는 대부분 손해가 발생하였다고 평가할 수 있는 경우이고 단지 손해를 확정하기 곤란한
    경우에 위와 같은 표현을 하고 있을 뿐이라는 이유로 판례가 위험범설 입장에 있다고 단
    정하기 어렵다고 보는 견해[전현정, "LBO와 배임죄," 「BFL」 제24호(서울대금융법센터,
    2007. 7.), 89면]도 있다.
125) 대법원 2000.11.24. 99도822; 1998.2.24. 97도183.
126) 대법원 2015.9.10. 2015도6745(甲은행 지점장인 피고인이 업무상 임무에 위배하여 물품대

다. 이러한 재산상 손해발생의 위험이 있는 때 기수가 되고 그 손해 가능액이
피해액이 된다. 예컨대 은행 지점장이 담보가 부실한 대출을 하여 대출 은행에
손해발생의 위험을 발생시켰으나, 그 후 그 담보물을 양수한 제3자에 의하여 대
출금이 대위변제 되었거나 담보물인 부동산의 시가가 다른 경제적 요인으로 폭
등하여 실제 손해는 발생하지 아니한 경우에도, 부실대출 행위로 손해발생 위험
이 생긴 때 은행의 재산가치는 이미 감소하였다가 사후에 다른 요인으로 피해가
회복된 것으로 평가해야 할 것이다.[127] 그러므로 그 부실대출금을 지급한 때 배
임죄의 기수를 인정할 수 있다.

위험범설을 따르는 판례는 부실대출의 손해액 산정에서 "담보물의 가치를 초
과하여 대출한 금액이나 실제로 회수가 불가능하게 된 금액만을 손해액으로 보
는 것이 아니라, 재산상 권리의 실행이 불가능하게 될 염려가 있거나 손해발생
의 위험이 있는 대출금 전액을 손해액으로 보아야 한다"고 판시하고 있다.[128]
그러나 사회통념상 확실한 담보가 제공된 대출금액 부분은 실해발생의 위험조차
없는 것이므로, 보호법익을 피해자의 전체 재산으로 본다면 손해발생 위험액은
대출금액에서 제공된 담보물의 가치를 공제한 차액으로 보아야 할 것이다(차액
설).[129] 이자 수입이 예상되는 금융기관 부실대출의 경우에는 대출금의 예상되

금지급보증서를 발급한 후 乙회사의 거래처인 丙회사에 건네줌으로써 甲은행에 손해를 가
하였다고 하여 특경법위반(배임)죄로 기소한 사안에서, 丙회사는 지급보증서가 정상적으로
발급된 것이 아님을 확인하고 乙회사를 통하여 물품을 주문하였던 사람들에게 물품을 공
급하지 않음으로써 乙회사가 丙회사에 대하여 아무런 물품대금 채무를 부담하지 않게 된
사정 등에 비추어, 피고인이 甲은행을 대리하여 乙회사가 丙회사에 대해 장래 부담하게
될 물품대금 채무에 대하여 지급보증을 하였더라도, 丙회사가 乙회사와 거래를 개시하지
않아 지급보증 대상인 물품대금 지급채무 자체가 현실적으로 발생하지 않은 이상, 보증인
인 甲 은행에 경제적인 관점에서 손해가 발생한 것과 같은 정도로 구체적인 위험이 발생
하였다고 평가할 수 없다고 판시).

127) 한석훈, 전게「비즈니스범죄와 기업법」, 218, 219면; 위험범설을 따르는 일본 판례 중에도
신용보증협회의 지소장이 도산에 이른 채무자의 채무를 신용보증 한 사안에서 "채무가 아
직 불이행 단계에 이르지 아니하여 현실적 손해가 발생하지 않았다 하더라도 경제적으로
는 위 협회의 재산적 가치는 감소한 것으로 볼 수 있다."고 판시하였다(日 最決
1983.5.24. 刑集 第37卷 第4号, 437面).

128) 대법원 2006.4.27. 2004도1130; 2000.3.24. 2000도28; 1996.7.12. 95도1043; 1989.4.11.
88도1247.

129) 이주원,「특별형법」제7판(홍문사, 2021), 405면에서는 배임으로 인한 재산상 위험발생액
과 그 위험으로 인해 실제 발생한 이득액(특정경제범죄법 제3조의 '이득액')의 개념을 구
분하는 입장에서 부실대출의 경우 재산상 손해발생 위험액은 대출금 전액이지만, 배임으
로 인한 이득액은 대출금액에서 제공된 (물적)담보가치를 공제한 차액이라고 주장하고 있
다. 그러나 판례는 위험발생액을 위 이득액으로 파악하고 있다.

는 이자액 중 미수령금도 소극적 손해로 추가할 수 있을 것이다.[130]

그 밖에 손해발생 여부 및 손해액 산정에 관한 판례의 입장을 정리하면 다음과 같다.

부동산 이중매매가 배임죄로 되는 경우 "그 배임행위로 인한 손해액 및 이득액은 이중매매한 부동산의 가액이지만, 그 가액 산정시 부동산에 아무런 부담이 없는 때에는 부동산 시가 상당액이 곧 가액이라고 볼 것이고, 부동산에 근저당권 설정등기가 경료되어 있거나 압류 또는 가압류 등이 이루어진 때에는 특별한 사정이 없는 한 아무런 부담이 없는 상태의 부동산 시가 상당액에서 근저당권의 채권최고액 범위 내에서의 피담보채권액, 압류에 걸린 집행채권액, 가압류에 걸린 청구금액 범위 내에서 피보전채권액 등을 뺀 실제 교환가치를 부동산 가액으로 보아야 한다."[131] 채권자에 대하여 부동산 근저당권설정 의무를 부담하는 채무자가 제3자에게 근저당권을 설정하여 준다거나, 부동산 또는 동산의 이중담보권 설정 또는 채무자의 담보 제공물 임의처분의 경우에 종전 판례는 배임죄가 성립하는 것으로 보았지만, 2020년도 전원합의체 판결에서 이러한 경우 모두 배임죄가 성립하지 않는 것으로 판시하고 이에 배치되는 종전 판례를 모두 폐기하였다.[132] 판례는 그 이유에 관하여 "채무자가 금전채무를 담보하기 위한 저당권설정계약에 따라 채권자에게 그 소유의 부동산에 관하여 저당권을 설정할 의무를 부담하게 되었다고 하더라도, 이를 들어 채무자가 통상의 계약에서 이루어지는 이익대립관계를 넘어서 채권자와의 신임관계에 기초하여 채권자의 사무를 맡아 처리하는 것으로 볼 수 없다. 채무자가 저당권설정계약에 따라 채권자에 대하여 부담하는 저당권을 설정할 의무는 계약에 따라 부담하게 된 채무자 자신의 의무이다. 채무자가 위와 같은 의무를 이행하는 것은 채무자 자신의 사무에 해당할 뿐이므로, 채무자를 채권자에 대한 관계에서 '타인의 사무를 처리하는 자'라고 할 수 없다. 따라서 채무자가 제3자에게 먼저 담보물에 관한 저당권을 설정하거

---

130) 일본 판례는 이러한 부실대출의 경우에 소극적 손해인 대출금의 이자액도 손해액에 포함하고 있다(日 大判 1922.9.27. 刑集 第1卷 483面).

131) 대법원 2011.6.30. 2011도1651.

132) 대법원 2020. 10. 22. 2020도6258 전원합의체(채무자가 「자동차 등 특정동산 저당법」에 따라 자동차에 저당권을 설정한 후 임의로 제3자에게 처분한 사안); 2020.6.18. 2019도14340 전원합의체(채무자가 부동산에 근저당권을 설정해 주기로 약정한 후 임의로 제3자에게 근저당권을 설정한 사안); 2020.2.20. 2019도9756 전원합의체(채무자가 동산을 양도담보에 제공하기로 약정한 후 임의로 제3자에게 처분한 사안).

나 담보물을 양도하는 등으로 담보가치를 감소 또는 상실시켜 채권자의 채권실
현에 위험을 초래하더라도 배임죄가 성립한다고 할 수 없다."고 판시하고 있
다.133)

타인의 불법행위로 인하여 근저당권이 소멸된 경우 근저당권자로서는 근저당
권이 소멸하지 않았더라면 그 실행으로 피담보채무를 변제받았을 것임에도 근저
당권의 소멸로 말미암아 그 변제를 받을 수 있는 권능을 상실하게 되는 것이므
로, "그 근저당권의 소멸로 인하여 근저당권자가 입게 되는 손해는 근저당 목적
물인 부동산의 가액 범위 내에서 채권최고액을 한도로 하는 피담보채권액이고,
이러한 법리는 근저당권 외에 다른 담보권의 경우에도 마찬가지로 적용된
다."134)

일반적으로 새마을금고와 같은 금융기관이 동일인 대출한도 초과대출을 하였
더라도 그것만으로 금융기관의 재산상 손해발생 위험이 있다고 단정할 수는 없
고, "대출 당시의 대출채무자의 재무상태, 다른 금융기관으로부터의 차입금, 기
타 채무를 포함한 전반적인 금융거래상황, 사업현황 및 전망과 대출금의 용도,
소요기간 등에 비추어 볼 때 채무상환능력이 부족하거나 제공된 담보의 경제적
가치가 부실해서 대출채권의 회수에 문제가 있는 것으로 판단되는 경우"에 재산
상 손해발생 위험을 인정할 수 있다.135)

금융기관이 채무자의 기존 대출금에 대한 원리금 등 변제에 충당하기 위하여
채무자에게 신규대출을 해주는 대환(貸環)대출에 관하여, 판례는 "형식상 신규대
출을 한 것처럼 서류상 정리하였을 뿐 실제로 채무자에게 대출금을 교부한 것이
아니라면 그로 인하여 금융기관에 어떤 새로운 손해가 발생하는 것은 아니라고

---

133) 대법원 2020.6.18. 2019도14340 전원합의체.
134) 대법원 2013.1.24. 2012도10629; 1997.11.25. 97다35771.
135) 대법원 2008.6.19. 2006도4876 전원합의체[새마을금고의 동일인 대출한도 제한규정은 새
    마을금고 자체의 적정한 운영을 위하여 마련된 것이지 대출채무자의 신용도를 평가해서
    대출채권의 회수가능성을 직접적으로 고려하여 만들어진 것은 아니므로 동일인 대출한도
    를 초과하였다는 사실만으로 곧바로 대출채권을 회수하지 못하게 될 위험이 생겼다고 볼
    수 없고, 구 새마을금고법(2007. 5. 25. 법률 제8485호로 개정되기 전의 것) 제26조의2,
    제27조에 비추어 보면 동일인 대출한도를 초과하였다는 사정만으로는 다른 회원들에 대한
    대출을 곤란하게 하여 새마을금고의 적정한 자산운용에 장애를 초래한다는 등 어떠한 위
    험이 발생하였다고 단정할 수도 없다. 따라서 동일인 대출한도를 초과하여 대출함으로써
    구 새마을금고법을 위반하였다고 하더라도, 대출한도 제한규정 위반으로 처벌함은 별론으
    로 하고, 그 사실만으로 특별한 사정이 없는 한 업무상배임죄가 성립한다고 할 수 없다고
    판시].

할 것이므로 따로 업무상배임죄가 성립한다고 할 수 없다"고 판시하였다.[136] 그러나 대환대출의 경우에도 금융기관이 실제로 채무자에게 대출금을 새로 교부한 경우라면 "채무자가 그 대출금을 임의로 처분할 수 없다거나 그 밖에 어떠한 이유로든 그 대출금이 기존 대출금의 원리금으로 상환될 수밖에 없다는 등의 특별한 사정이 없는 한, 비록 새로운 대출금이 기존 대출금의 원리금으로 상환되도록 약정되어 있다거나 실제로 신규 대출금 중 일부를 기존 대출금 상환에 사용하였다고 하더라도 그 대출과 동시에 이미 손해발생의 위험은 발생하였다고 보아야 할 것이므로 업무상배임죄가 성립한다"고 판시하였다.[137] 이러한 법리는 특별배임죄에도 그대로 적용할 수 있다.[138]

행위주체가 피해자에게 재산상 손해를 가한 사실이 인정된다면, 그 손해액이 확인되지 않거나 불확정적이라 하더라도 특별배임죄의 성립에 지장은 없다.[139]

그러나 특정경제범죄법위반(배임)죄의 경우에는 5억 원 이상 또는 50억 원 이상이라는 '이득액'이 범죄구성요건 요소가 된다. 그런데 위험범이라고 하여 그 위험에 대응하는 이익액을 곧 특정경제범죄법상 이득액으로 볼 근거는 없으므로 죄형균형 원칙의 입장에서 그 이득액은 현실적으로 발생한 손해에 대응하는 이익의 가액으로 해석해야 한다는 견해[140]가 있다. 그러나 판례는 특정경제범죄법위반(배임)죄도 일반 배임죄와 마찬가지로 위험범으로 보고 손해발생 위험이 있는 거래가액 전액을 손해액으로 보고 그에 대응하는 이득액이 위 가액 이상일 경우에는 특정경제범죄법위반(배임)죄로 의율하고 있다.[141] 특정경제범죄법 제3조 제1항도 "형법 제355조, 제356조의 죄를 범한 자는 그 범죄행위로 취득하거나 제3자로 하여금 취득하게 한 재물 또는 재산상 이익의 가액이…"라고 규정

---

136) 대법원 2000.6.27. 2000도1155.

137) 대법원 2010.1.28. 2009도10730.

138) 일본에서도 부실대출에 의한 배임행위가 성립한 후 대출액을 상회하는 추가 대출을 하여 그 중 일부 금액을 기존 대출금의 변제에 충당한 경우에는, 자금의 현실적 이동 여부를 기준으로 새로운 대출이 단순히 장부상 조작에 불과한 경우에는 재산상 손해의 발생을 부정하고, 추가 대출금이 실제로 채무자의 예금계좌에 입금된 경우에는 그 시점에서 추가 대출금에 대한 변제가능성의 부족상태가 발생하였기 때문에 배임행위의 기수로 보아야 한다는 견해가 다수설이다[前揭「会社法コンメンタル(21)」, 81~82面].

139) 피해자의 재산상 손해가 추상적으로 적시되어 있어도 배임죄가 성립할 수 있다는 취지의 판례(대법원 1983.12.27. 83도2602); 손해가 불확정 상태일지라도 배임죄가 성립할 수 있다는 취지의 판례(日 大判 1933.12.4. 刑集 12卷 2196面).

140) 이주원, 전게서, 405면.

141) 대법원 2000.4.11. 99도334.

하여 형법상 배임죄나 업무상배임죄가 성립하면 그 재물이나 재산상 이익의 가액을 기준으로 가중처벌하고 있을 뿐이다. 그러므로 특정경제범죄법위반(배임)죄의 이익 또는 손해의 개념을 형법상 배임죄나 업무상배임죄와 달리 해석할 이유는 없을 것이다.

주식회사의 주식이나 유한회사의 출자지분이 형식상 또는 사실상 1인 주주나 1인 사원에게 귀속된 소위 1인회사의 경우에, 회사의 (대표)이사가 1인 주주(또는 1인 사원, 이하 '주주'로 통칭함)와 동일하다거나 또는 그 의사에 따라 회사에 재산상 손해를 발생하게 한 경우에, 그 1인 주주와 별도의 회사 손해를 인정할 수 있는지, 그 임무위배행위를 인정할 수 있는지 문제가 된다. 만약 1인 주주와 별도로 회사의 손해를 인정할 수 있다면 그 임무위배행위도 인정되고 1인 주주의 배임죄 행위주체로서의 지위도 인정할 수 있게 되지만, 그렇지 아니한 경우에는 회사의 손해는 물론 임무위배행위나 그 행위주체성도 인정할 수 없게 된다. 그러므로 이는 주주와 별도로 회사의 독자적 손익 개념을 인정할 수 있는지 여부의 문제이고, 곧 회사의 본질에 관한 주주지상주의와 이해관계자주의의 대립과 관계된다.

주주지상주의는 회사가 주주의 이익만을 위하여 존재하고 경영진은 전체 주주의 이익을 위해서만 활동해야 한다고 보는 입장이므로, 1인회사에서는 1인 주주의 손익과 별도의 회사 손익을 인정할 수 없음은 물론 1인 주주의 의사에 따라 하는 행위를 임무위배행위라고 볼 수도 없게 된다. 반면에 이해관계자주의나 법인이익독립론 입장에서는 회사가 주주의 이익만이 아니라 채권자·경영진·근로자·소비자·지역사회 등 회사의 모든 이해관계자들의 이익 또는 현재나 미래의 다양한 이해관계자들의 이해관계가 결합된 회사 자체의 이익을 위하여 존재하고, 경영진은 주주들의 이익만이 아니라 이러한 이해관계자들 또는 회사 자체의 이익을 위하여 활동해야 한다고 보는 입장이다. 그러므로 1인 주주의 행위이거나 1인 주주의 의사에 따른 행위라 할지라도 1인 주주와 별도의 회사 손해 및 회사에 대한 배임행위를 인정할 수 있게 된다. 판례는 1인 회사의 경우에 "1인 주주와 피해자인 회사는 분명히 별개의 인격이고, 그 회사에 재산상 손해가 발생하였을 때 배임죄는 기수가 되는 것이므로, 그 손해가 궁극적으로 1인 주주의 손해가 된다고 하더라도(또 주식회사의 손해가 항시 주주의 손해와 일치한다고 할 수도 없다) 배임죄는 성립할 수 있다."고 판시하고 있다.[142] 이러한 입장에서는 1인회사가 아닌 경우에 이사가 주주총회의 동의를 받아 행위를 하였다는 것 만으로는 배임죄의 성립을 부정할 수 없다고 보아야 함은 물론이다.[143)

그런데 1인회사에서 법인격 형해화 또는 법인격의 남용이 인정되는 경우에는 법인격이 부인되어 법인 배후의 실체인 1인 주주가 회사채무에 대한 민사상 책 임을 부담하게 되는데(판례),[144) 이때 1인 주주의 손실과 별도로 회사의 손해발 생을 인정할 수 없으므로, 회사에 대한 배임죄도 성립할 수 없다고 보는 견 해[145)가 있다. 그러나 법인격 부인론이란 법인의 법인격을 전면적으로 소멸시키 는 것이 아니라 해당 사안에 한하여 1인 주주의 회사 채권자에 대한 민사상 책 임을 인정할 뿐이고, 이 경우 회사의 책임이 소멸하는 것도 아니다.[146) 그러므 로 이해관계자주의나 법인이익독립론의 입장에서는 1인 주주가 회사 채권자에 대하여 민사상 책임을 부담한다고 하더라도 회사의 실해발생 위험이 없다고 할 수는 없고, 1인 주주의 배임행위도 인정된다.[147)

Ⅴ. 주관적 구성요건

1. 고   의

배임죄는 주관적 범죄구성요건으로서 앞에서 설명한 객관적 범죄구성요건 사 실 모두에 대한 고의가 필요하다. 즉 자신이 위 행위주체에 해당하는 자로서 그 임무에 위배하는 행위를 하여 자기나 제3자에게 재산상 이익을 취득하게 하고 회사에 손해를 가한다는 사실에 대한 인식과 적어도 이를 용인(容認)[148)하는 경

---

142) 대법원 1983.12.13. 83도2330 전원합의체(1인회사인 주식회사에 관한 판례); 대법원 2011.3.10. 2008도6335(1인회사인 유한회사에 관한 판례로서 "유한회사와 그 사원은 별 개의 법인격을 가진 존재로서 동일인이라 할 수 없고 유한회사의 손해가 항상 사원의 손 해와 일치한다고 할 수도 없으므로, 1인 사원이나 대지분을 가진 사원도 본인인 유한회사 에 손해를 가하는 임무위배행위를 한 경우에는 배임죄의 죄책을 진다."고 판시).
143) 같은 취지: 노명선, 「회사범죄(Ⅰ)」(도서출판 성민, 2002), 183면.
144) 대법원 2016.4.28. 2015다13690.
145) 前揭 「会社法コンメンタル(21)」, 69面.
146) 최준선, 전게 「회사법」, 74면.
147) 한석훈, 전게 「비즈니스범죄와 기업법」, 212면.
148) 범죄의 성립에 고의를 요구하는 규정인 형법 제13조는 범죄의 성립요소인 사실을 '인식'할 것만 요구하고 있으나, 판례는 미필적 고의도 고의에 포함하면서 "고의의 일종인 미필적

우라야만 범죄가 성립한다. 상법 기타 특별법상 특별배임죄의 경우에도 형법 제
8조 규정에 따라 범죄의 성립에 범의(즉 고의)를 요구하는 형법 제13조가 적용
되므로 특별한 규정이 없는 한 이러한 주관적 요소를 구비해야 하는 것은 마찬
가지이다. 이러한 인식은 미필적 인식으로도 족하고(판례),[149] 인식과 용인 외에
본인에게 재산상 손해를 가하려는 적극적인 의사나 자기 또는 제3자에게 재산상
이익을 취득하게 하려는 목적까지 요구하지는 않는다.[150]

　　고의를 부인하는 경우의 판단기준에 관하여 판례에 따르면 "피고인이 고의를
부인하는 경우에는 사물의 성질상 고의와 상당한 관련성이 있는 간접사실(또는
정황사실)을 증명하는 방법에 의하여 증명할 수밖에 없고, 무엇이 상당한 관련성
이 있는 간접사실에 해당할 것인지 여부는 정상적인 경험칙에 바탕을 두고 치밀
한 관찰력이나 분석력에 의하여 사실의 연결상태를 합리적으로 판단하는 방법에
의하여야 한다."[151] 재산상 가해의 고의를 인정함에 있어서는 일부 본인의 이익
을 위한다는 인식이 미필적으로 있었을지라도 이러한 인식은 부수적일 뿐 자기
또는 제3자의 재산상 이익 취득 및 본인에 대한 가해의 의사가 주된 것이라면
배임의 고의를 인정할 수 있다(판례).[152]

　　기업의 경영판단과 관련하여 경영자에게 배임의 고의나 불법이득의사가 있었
는지 여부를 판단하는 경우에도 판례는 일반적인 업무상배임죄와 마찬가지의 법
리가 적용된다고 하면서, 다만 "기업 경영에 내재된 속성을 고려하여, 문제된
경영상의 판단에 이르게 된 경위와 동기, 판단대상인 사업의 내용, 기업이 처한
경제적 상황, 손실발생의 개연성과 이익획득의 개연성 등 제반 사정에 비추어
자기 또는 제3자가 재산상 이익을 취득한다는 인식과 본인에게 손해를 가한다는

　　　고의는 중대한 과실과는 달리 범죄사실의 발생 가능성에 대한 인식이 있고 나아가 범죄사
　　실이 발생할 위험을 용인하는 내심의 의사가 있어야 한다. 행위자가 범죄사실이 발생할
　　가능성을 용인하고 있었는지는 행위자의 진술에 의존하지 않고 외부에 나타난 행위의 형
　　태와 행위의 상황 등 구체적인 사정을 기초로 일반인이라면 범죄사실이 발생할 가능성을
　　어떻게 평가할 것인지를 고려하면서 행위자의 입장에서 그 심리상태를 추인하여야 한다."
　　(대법원 2017.1.12. 2016도15470; 2004.5.14. 2004도74); 용인을 '의욕'으로 표현하기도
　　한다[신동운, 「형법총론」(법문사, 2019), 209면].
　149) 대법원 2012.7.12. 2009도7435; 2011.7.28. 2010도965; 前田信二郎, 前揭「会社犯罪の研
　　　究－經營者背任の性格と類型－」, 81面.
　150) 대법원 2007.11.15. 2007도6075; 2004.7.9. 2004도810; 1983.12.13. 83도2330 전원합의체.
　151) 대법원 2017.1.12. 2016도15470; 2004.7.9. 2004도810.
　152) 대법원 2012.7.12. 2009도7435; 2010.12.23. 2008도8851; 2009.7.23. 2007도541; 2009.2.
　　　26. 2008도522.

인식(미필적 인식을 포함)하의 의도적 행위"임이 인정되어야 한다고 판시하고 있
다.[153]

2. 불법이득의사

배임죄의 주관적 구성요건요소로서 자기 또는 제3자에게 재산상 이익을 취득
하게 하려는 의사인 불법이득의사가 필요하다는 것이 판례·통설의 입장이다(불
법이득의사 필요설).[154] 이는 상법 기타 특별법상 특별배임죄의 경우에도 마찬가
지이다. 배임죄의 구성요건으로 피해자에게 손해를 가하는 것뿐만 아니라 자기
또는 제3자에게 재산상 이익을 취득하게 하는 것을 요구하고 있고, 그 보호법익
을 타인의 재산 또는 전체 재산으로 보는 데 근거하는 듯하다. 이에 대하여 이
익취득 의사도 고의의 내용에 포함되는 이상 고의 외에 불법이득의사를 요구할
필요가 없다고 보는 견해[155]가 있다.

불법이득의사가 필요하다고 보는 견해 중에서도 불법이득의사의 내용 및 그
체계상 지위에 대하여는 견해가 일치하지 않는다. 불법이득의사의 내용을 '이익
취득의 불법성에 대한 인식'과 '소유자 지위 배제의 지속성에 대한 의사'로 보고
그 체계상 지위를 고의의 내용을 초과하는 초과 주관적 구성요건요소로 보는 견
해가 있다.[156] 그러나 통설·판례는 불법이득의사의 내용을 고의의 대상인 '자
기 또는 제3자를 위한 재산상 이익 취득 의사'로 보고 고의의 내용에 포함되는
것으로 파악하고 있다.[157]

---

153) 대법원 2015.3.12. 2012도9148; 2010.4.29. 2009도13868; 2009.6.11. 2008도4910; 2004.
    7.22. 2002도4229.
154) 박상기·전지연, 전게 「형법학」, 692면; 김일수·서보학, 전게 「형법각론」, 395면; 대법원
    2013.9.27. 2013도6835는 "고의 내지 불법이득의사가 인정된다."고 판시하는 등 '불법이
    득의사'를 '고의'와 별개로 표현하고 있음.
155) 정성근·박광민, 전게 「형법각론」, 434면.
156) 손동권·김재윤, 전게 「새로운 형법각론」, 473~474면.
157) 대법원 2013.9.27. 2013도6835; 2011.10.27. 2009도14464; 2007.11.15. 2007도6075; 1983.
    7.26. 83도819; 박상기·전지연, 전게 「형법학」, 692면; 김일수·서보학, 전게 「형법각론」,
    395면; 김성돈, 전게 「형법각론」, 488면.

VI. 공 범

특별배임죄에도 형법 제8조에 따라 공범에 관한 형법 총칙 규정(형법 제30조 내지 제34조)이 적용되므로, 제622조, 제623조의 행위주체가 될 수 있는 신분자가 아닌 자일지라도 형법 제33조에 따라 특별배임죄의 공동정범, 교사범, 종범 등 공범으로 의율하여 처벌할 수 있다.

이 경우 특별배임죄 규정을 형법상 배임죄나 업무상배임죄의 가중처벌규정으로 본다면 특별배임죄는 신분관계로 인하여 형의 경중이 있는 부진정신분범이 된다. 이러한 입장에서는 특별배임죄의 행위주체로서의 신분이 없는 자가 그 신분자와 공모하는 등 공범으로 특별배임죄를 범한 경우에는 형법 제33조의 적용에 관한 판례의 입장에 따라 그 신분이 없는 자에 대해서는 형법 제33조 본문에 따라 특별배임죄의 공범으로 의율하되, 형법 제33조 단서에 따라 업무상배임죄(또는 배임죄)에 정한 형으로 처벌해야 한다.158) 반면에 특별배임죄를 형법상 업무상배임죄 또는 배임죄와 독립하여 성립하는 범죄로 보는 입장에서는 특별배임죄를 상법상의 특수한 신분범인 진정신분범으로 파악한다. 이러한 입장에서는 신분관계 없는 자에 대해서는 형법 제33조 본문에 따라 특별배임죄의 공범으로 처벌하게 될 것이다. 그러나 특별배임죄를 가중적 신분범으로 파악하는 것이 판례의 입장임은 앞에서 설명하였다.

정범과 공범의 구별기준에 관한 통설·판례의 입장인 행위지배설에 의하면, 수인이 배임죄에 관여한 경우에 형법 제30조의 공동정범으로 인정하기 위해서는 공동가공의 의사와 그 공동의사에 기한 기능적 행위지배를 통한 범죄의 실행

---

158) 대법원 1999.4.27. 99도883(이 판례는 형법상 업무상배임죄의 신분관계가 없는 자가 그 신분관계 있는 자와 공모하여 형법상 업무상배임죄를 저질렀다면, 그 신분관계 없는 자에 대해서도 형법상 업무상배임죄가 성립하되 형법 제33조 단서에 의하여 형법상 배임죄에 정한 형으로 처단해야 한다는 취지이지만, 특별배임죄의 경우에도 마찬가지 법리가 적용될 것임); 신동운, 전게 「형법총론」, 726~727면은 형법 제33조가 본문·단서 형식으로 공범과 신분에 관한 규정을 두고 있는 점, 형법 제33조 단서는 부진정신분범의 경우에 "중한 형으로 벌하지 아니한다."고 규정하고 있음을 근거로 판례의 입장을 따른다. 이에 대하여 이러한 판례의 해석은 부진정신분범의 경우에 죄명과 과형이 분리되는 결과가 되어 부당하다는 이유로, 부진정신분범의 경우에는 그 신분관계 없는 자에 대하여 형법 제33조 단서에 따라 신분관계 없는 범죄의 공범으로 범죄가 성립한다는 견해(박상기·전지연, 전게 「형법학」, 315면)가 있다.

이라는 주관적·객관적 요건을 충족해야 한다.159) 여기서 '기능적 행위지배'란 분업적 역할분담에 따라 전체계획의 수행에 필요불가결한 부분을 분업적으로 수행하는 것을 의미한다.160) 또한 공범자들 상호간에 직접 모의한 적이 없었다 하더라도 순차적으로 또는 암묵적으로 범죄를 공동 실현하려는 의사의 결합이 이루어지면 공모관계의 성립이 인정되고, 이러한 공모가 이루어진 이상 실행행위에 직접 관여하지 아니한 자라도 그 공모에 기한 기능적 행위지배가 인정된다면 다른 공모자의 행위에 대한 공동정범, 즉 공모공동정범이 인정된다(판례).161) 다만, 이를 위해서는 전체 범죄에서 그가 차지하는 지위, 역할 또는 범죄경과에 대한 지배·장악력 등을 종합해 볼 때, 단순한 공모자에 그치는 것이 아니라 범죄에 대한 본질적 기여를 통한 기능적 행위지배가 존재하는 것으로 인정되는 경우라야만 한다는 것이 판례의 입장이다.162)

판례에 따르면 회사임원 등 신분자의 배임행위에 의한 거래상의 상대방 수익자나 그와 유사한 밀접한 관련이 있는 제3자를 배임행위의 공동정범이나 방조범 등 공범으로 인정하기 위해서는 그 수익자 등이 신분자의 행위가 배임행위에 해당한다는 사실을 인식하고 거래를 하였다는 사실만으로는 부족하다는 것이다. 거래 상대방으로서는 신분자와는 별개의 이해관계를 가지고 반대편에서 독자적 판단에 따라 거래에 임한다는 점을 감안하면, 신분자의 배임행위를 인식하고 있었다고 하더라도 신분자의 회사 등 피해자를 위하여 거래를 포기해야 할 이유가 없으므로, 배임행위를 알고 거래에 응하였다는 것만으로 공동가공의사나 방조의사를 인정할 수 없기 때문이다(판례).163) 이러한 경우에 수익자 등을 공동정범으로 인정하기 위해서는 수익자 등이 신분자의 행위가 피해자에 대한 배임행위에 해당한다는 점을 인식함은 물론, 나아가 신분자의 배임행위를 교사하거나 그 배임행위의 전 과정에 관여하는 등으로 배임행위에 적극 가담할 것이 필요하다는 것이 판례의 입장이다.164)

159) 대법원 2010.4.29. 2009도13868.
160) 박상기·전지연, 전게 「형법학」, 247면; 정성근·박광민, 「형법총론」, 전정3판(성균관대학교 출판부, 2020), 439면; 김성돈, 「형법총론」 제7판(성균관대학교 출판부, 2021), 598면; 손동권·김재윤, 「새로운 형법총론」(율곡출판사, 2011), 503, 504면.
161) 대법원 2010.4.29. 2009도13868.
162) 대법원 2007.11.15. 2007도6075.
163) 대법원 2005.10.28. 2005도4915.
164) 대법원 2010.9.9. 2010도5972; 2009.9.10. 2009도5630; 2008.7.24. 2008도287; 2003.10.

VII. 죄 수

특별배임죄와 형법상 배임죄 또는 업무상배임죄와의 관계는 특별배임죄가 특별관계의 범죄에 해당하는 법조경합 관계이다.[165] 구체적으로 회사임원등 특별배임죄는 업무상배임죄의 구성요건을 모두 포함하면서 행위주체가 회사임원 등 특별한 신분자일 것을 요구하고 있다. 사채권자집회 대표자등 특별배임죄도 배임죄의 구성요건을 모두 포함하면서 행위주체가 사채권자집회의 대표자 또는 그 결의를 집행하는 자라는 특별한 신분자일 것을 요구하고 있다. 이러한 특별관계에서는 특별법이 일반법에 우선한다는 원리에 따라 특별배임죄가 우선 적용되는 것이 원칙이다.[166] 그런데 실무에서는 특정경제범죄법 제3조의 가중처벌 대상 범죄에 특별배임죄가 포함되어 있지 않으므로, 특별배임죄에 해당하는 사안일지라도 배임행위로 인한 재산상 이익의 가액(이하 '이득액'이라 함)이 5억 원 이상인 경우에는 특정경제범죄법위반(배임)죄로 처벌하기 위하여 형법 제356조(업무상배임) 또는 제355조 제2항(배임죄) 위반으로 의율하고 있다.[167] 만약 사채권자집회 대표자 등의 배임행위가 업무상 임무에 위배되는 경우라면 형법 제356

30. 2003도4382.

165) 강동욱, 전게 "배임죄의 본질과 주체에 관한 고찰 – 상법상의 특별배임죄와 관련하여 –," 230면; 이상돈, 「경영과 형법」(법문사, 2011), 17면; 한석훈, 전게 「비즈니스범죄와 기업법」, 225면.

166) 손동권, 전게 "회사 경영자의 상법상 특별배임행위에 대한 현행법 적용의 문제점과 처벌정책을 둘러싼 입법논쟁," 269면; 최승재, "배임죄 판례분석을 통한 경영자의 배임죄 적용에 있어 이사의 적정 주의의무 수준에 대한 고찰: 대법원 2013.9.26. 선고 2013도5214 판결을 중심으로," 「KERI 정책제언」 14–12(한국경제연구원, 2014), 10면에서는 판례가 회사임원등 특별배임죄도 형법상 배임죄와 같이 신임관계 위반을 내용으로 하는 범죄로 보고 있음을 논거로 양 범죄를 일반법과 특별법 관계로 보고 있다.

167) 이러한 실무 처리례에 대하여는 "특별법은 일반법에 우선한다"는 법 적용의 대원칙에 반하고, "피고인에게 유리하게 법 적용을 하여야 한다"는 죄형법정주의 정신에 반하므로 부당하다고 비판하는 견해[손동권, 전게 "회사 경영자의 상법상 특별배임행위에 대한 현행법 적용의 문제점과 처벌정책을 둘러싼 입법논쟁," 269, 270면; 강동욱, 전게 "형사상 배임죄의 입법례와 주체에 관한 고찰," 155면; 최준선, "경영 판단의 원칙과 배임죄에 대한 고찰," 「상장협연구」 제69호(한국상장회사협의회, 2014. 4.), 158~160면]가 있다. 특별배임죄 규정은 일반법인 형법상 업무상배임죄 또는 배임죄의 가중처벌 규정이므로 형이 보다 중한 특정경제범죄법 제3조로 의율하더라도 입법취지에 반하는 것은 아니다(한석훈, 상게서, 226면). 그러나 특정경제범죄법 제3조는 특별배임죄의 특별법은 아니므로 이러한 실무례는 특별법 우선 원칙에 반하는 관행이고, 특별배임죄의 입법취지를 무색하게 하는 문제가 있으므로 입법조치가 필요하다(한석훈, 상게서, 226면).

조를 사채권자집회 대표자등 특별배임죄의 특별법으로 보아서 형이 무거운 형법상 업무상배임죄로 처벌할 수 있는지는 문제가 된다. 앞에서 설명한 것처럼 사채권자집회 대표자등 특별배임죄를 형법상 배임죄보다는 형을 가중하고 형법상 업무상배임죄보다는 형을 감경하는 특칙규정으로 본다면, 오히려 특별관계의 범죄에 해당하는 사채권자집회 대표자등 특별배임죄로 의율함이 특별법 우선 원칙에 맞는 해석이다. 다만, 이 경우에도 위 실무례에 따르면 그 배임행위로 인한 이득액이 5억 원 이상인 경우에는 특정경제범죄법위반(배임)죄로 의율할 수 있겠지만, 이러한 실무례는 특별법 우선 원칙이나 사채권자집회 대표자등 특별배임죄의 입법취지에는 맞지 않는 것이므로 이를 합리적으로 조정하는 입법조치가 필요하다.[168)]

수 개의 배임행위가 있더라도 피해법익이 단일하고 범죄의 태양이 동일하며 단일한 범의에 기한 일련의 행위라고 볼 수 있는 경우에는 그 수 개의 배임행위는 포괄하여 일죄를 구성한다(판례).[169)] 예컨대 그룹 회장이 그룹 산하 부실회사의 부도를 막기 위하여 다른 계열회사들의 대표이사와 공모하여 각 계열회사로 하여금 일정기간 동안 계속 반복하여 부실회사에 유사한 형태의 자금지원을 하게 한 것이 배임행위가 되는 경우에는 피해법익이 다른 각 지원 계열회사별로 포괄일죄가 된다(판례).[170)]

임무위배 행위가 동시에 회사에 대한 기망행위를 포함하는 경우, 예컨대 회사의 이사가 그 임무에 위배하여 회사의 담당직원을 기망하여 회사와 제3자 사이에 계약을 체결하게 함으로써 제3자에게 재산상 이익을 취득하게 하고 회사에 손해를 가한 경우에 특별배임죄와 사기죄의 관계는 문제가 된다. 판례는 업무상 배임죄와 사기죄는 각 구성요건을 달리하는 별개의 범죄이고 형법에서도 각 별개의 장(章)에 규정되어 있으므로, 1개의 행위가 사기죄와 업무상배임죄의 각 구성요건이 모두 구비하는 때에는 양 죄를 법조경합관계가 아닌 상상적 경합관계로 보는 입장이다.[171)] 통설도 판례가 거시하는 위 이유 이외에 업무상배임죄

---

168) 특별배임죄와 특정경제범죄법 제3조의 관계와 관련된 입법 개선책으로는 한석훈, 상게서, 139, 140면 참조.
169) 대법원 2011.8.18. 2009도7813; 2009.7.23. 2007도541; 2004.7.9. 2004도810.
170) 대법원 2009.7.23. 2007도541.
171) 대법원 2002.7.18. 2002도669 전원합의체 판결(신용협동조합의 전무인 피고인이 조합의 담당직원을 기망하여 예금인출금 또는 대출금 명목으로 금원을 교부받은 사안). 그리고 이 사안은 피기망자인 담당직원의 교부행위가 있는 경우이지만, 만약 회사의 대표이사가

가 보호하려는 신임관계는 사기죄가 보호하는 일반적 신뢰와는 구분해야 함을 이유로 같은 입장을 따르고 있다.[172] 특별배임죄와 사기죄의 관계도 마찬가지로 보아야 할 것이다. 이에 대하여 배임행위는 사기행위에 흡수되는 것이므로 사기 죄만 성립한다고 보는 견해도 있다.[173] 그러나 사기행위의 불법성이 배임행위의 불법성을 당연히 포함하는 것으로 볼 수는 없으므로, 흡수관계로 보는 것은 무 리이다.

개별차주나 동일차주에 대한 대출한도 초과대출 행위로 인하여 상호저축은행 에 손해를 가함으로써 상호저축은행법위반죄[174]와 업무상배임죄가 모두 성립하 는 경우에는 각 죄의 보호법익이 다르고 한 개의 행위가 수 개의 죄에 해당하 므로 양 죄는 형법 제40조의 상상적 경합관계가 된다(판례).[175]

특별배임죄와 업무상횡령죄(또는 횡령죄, 이하 같음)는 회사 등 타인과의 신임 관계를 침해하는 범죄라는 점에서 유사한 범죄이다. 따라서 어떠한 행위가 양 죄에 모두 해당할 수 있는 경우에도 업무상횡령죄만 성립하는 것으로 보는 점에 는 이론(異論)이 없다.[176] 즉, 양 죄는 재물죄인 업무상횡령죄가 특별관계의 범 죄인 법조경합 관계에 있으므로 특별배임죄(또는 업무상배임죄나 배임죄)는 별도 로 성립하지 않는다.[177] 그러나 어떠한 행위가 배임에 그치지 않고 업무상횡령 죄를 구성하는 것인지 여부가 명확한 것은 아니다. 배임죄의 본질에 관한 통 설·판례의 입장인 배신설 입장에서는 배임죄나 횡령죄는 모두 타인의 신임관계 를 위배한다는 점에서 본질은 같지만, 횡령죄의 객체는 재물이고 배임죄의 객체 는 재물을 포함한 재산상 이익인 점에서 다를 뿐이므로 특별관계에 해당하고 행

필요한 이사회의 승인을 기망수단으로 받아내어 회사에 손해를 발생시키는 처분행위를 한 경우라면, 기망으로 인한 교부행위가 없었기 때문에 사기죄는 성립하지 않는 것으로 보아 야 할 것이다.

172) 정성근·박광민, 전게 「형법각론」, 437~438면; 이재상·장영민·강동범, 전게 「형법각론」, 440면; 박상기·전지연, 전게 「형법학」, 698면; 손동권·김재윤, 「새로운 형법각론」, 475, 476면.

173) 오영근, 전게 「형법각론」, 392면; 일본 판례도 같은 입장이다(日 大判 1914.12.22. 刑錄 20輯 2596面).

174) 상호저축은행은 개별차주나 동일차주에게 일정 한도를 초과하여 신용공여 하는 것을 금지 하고, 이를 위반한 경우에는 1년 이하의 징역 또는 1천만 원 이하의 벌금에 처하거나 이 를 병과할 수 있다(상호저축은행법 제39조 제5항 제6호, 제7항, 제12조 제1항, 제2항, 제3 항).

175) 대법원 2012.6.28. 2012도2087.

176) 같은 취지: 芝原邦爾, 「經済刑法」(岩波新書, 2007), 16面.

177) 이재상·장영민·강동범, 전게 「형법각론」, 439면.

위의 객체가 재물인지 여부에 따라 양 죄를 구분할 수 있다고 설명한다.[178] 생각건대 이러한 기준이 일응의 구분기준은 될 수 있겠지만, 배임행위의 객체에 재물도 포함되는 이상 횡령죄를 배임죄와 구분하기 위해서는 또 다른 구분기준이 필요하다. 그러므로 양 범죄의 본질적 차이에 착안하여 행위의 객체뿐만 아니라 행위가 배임행위인지 횡령행위인지 여부도 중첩적 기준으로 삼아야 할 것이다. 배임행위는 타인의 사무를 처리하는 자가 그 사무수행상 임무에 관한 타인의 신뢰를 배반하는 사무수행 관련 행위이다. 이에 대하여 횡령행위는 위탁받아 보관 중인 타인 재물의 소유권 등 본권을 불법영득의사로 침해하는 행위로서 사무수행과 무관한 행위이다. 즉, 배임행위는 사무수행 관련 행위인 반면, 횡령행위는 그 객체가 재물일 뿐만 아니라 사무수행과 무관한 행위이므로, 행위의 객체가 재물인 경우에는 그 범죄행위가 사무수행 관련 행위인지 여부에 따라 구분할 수 있을 것이다(사무수행기준설).[179] 이때 사무수행 관련 행위인지는 행위의 규범적 의미를 규명하는 문제이므로 행위자의 주관적 인식만으로 판단할 것이 아니라 행위의 성질 및 내용에 따라 객관적으로 판단해야 할 것이다.[180]

VIII. 관련문제

1. 경영판단원칙과 배임

가. 의   의

특별배임죄의 행위주체인 이사·집행임원 등 회사의 경영자가 수행한 사무가 경영판단 문제인 경우에 그 사무수행의 배임 여부를 판단함에 있어서는 특별한 고려가 필요한 것인가? 기업의 경영판단은 경영자의 전문 영역에 속하므로 경영

---

178) 이재상·장영민·강동범, 전게 「형법각론」, 439면.
179) 한석훈, 전게 「비즈니스범죄와 기업법」, 357면.
180) 한석훈, 상게서, 357면; 前田信二郎, 前揭「会社犯罪の研究 － 經營者背任の性格と類型 －」, 36~40面에서는 행위의 객체가 재물이더라도 위임받은 사무의 일반권한 범위 내 배신적 행위이면 배임죄로 의율해야 하고, 그 사무와 무관하거나 그 사무의 권한범위를 일탈하여 한 행위이면 횡령죄로 의율해야 한다고 주장하고 있으나(권한범위기준설), 이 견해는 배임죄의 성립범위를 지나치게 좁히게 되어 부당하다.

의 전문성이 없는 법관에 의한 심사에 한계가 있을 뿐만 아니라, 경영판단은 수시로 변화하는 기업의 내외 환경에서 불확실한 장래의 예측 아래 이루어지는 것이지만, 배임에 관한 수사나 재판은 경영실패에 이른 다음에 사후심사를 하는 것이므로 사후심사의 편견을 방지할 필요가 있기 때문이다.[181] 이러한 특별한 고려를 하기 위하여 미국을 중심으로 한 영미법계에서는 18세기 중엽부터 경영자의 회사에 대한 임무위배로 인한 손해배상책임[182]을 판단함에 있어서 '경영판단원칙(business judgment rule)'이 발달하여 왔다.[183] 그런데 우리나라에서는 경영자의 회사에 대한 임무위배행위가 경영자의 손해배상책임뿐만 아니라 배임죄도 구성하기 때문에 민사 재판에서는 물론 배임죄에 관한 형사재판에서도 경영판단원칙 또는 경영판단이 자주 문제가 되고 있다.

경영판단원칙이란 경영자가 주관적으로 기업의 최대이익을 위하여 성실하게 경영상 판단을 하였고 절차상으로도 그 판단과정에 불공정을 의심할 만한 절차상 미비점이나 이해관계가 없이 독립적인 판단을 하였다면, 그 결과 기업에 손해가 발생하였다고 하더라도 경영자가 임무수행시 요구되는 주의의무를 다한 것으로 인정하는 법리이다.[184] 이 원칙은 주로 미국의 판례법을 통하여 경영자의 직무상 선관주의의무(duty of care)위반 판단기준으로 발달해 온 것이지만,[185] 독일에서는 2005년 주식법 개정시 입법에 반영하여 "기업가적 결정이 적절한 정보에 근거하여 회사의 이익을 위하여 한 것으로 합리적으로 인정될 수 있는 경우이면 이사의 의무위반은 없는 것이다."란 규정을 두게 되었다.[186] 또한 우리나라나 일본의 판례에서도 이 법리가 반영되는 등 경영판단원칙은 오늘날 글로벌 스탠더드(global standard)로 자리잡아 가고 있는 추세이다.

---

181) 한석훈, "경영판단행위의 형사규제 - 경영판단원칙의 입법화 방안을 중심으로 -,"「상사법연구」제35권 제1호(한국상사법학회, 2016. 5.), 11, 12면.
182) 미국의 경우에는 일반적인 배임죄 처벌 규정이 없으므로, 민사책임에 관한 원칙으로만 발달해 온 것이다.
183) 한석훈, 전게「비즈니스범죄와 기업법」, 233면.
184) 이러한 개념정의는 미국 판례법상 개념이라고 볼 수 있다. 원래 이 원칙은 주로 미국 판례법을 통하여 그 개념이 확립되어 왔고, 우리나라의 학설·판례도 미국 판례법상 경영판단원칙의 도입 여부를 중심으로 논의하거나 유사한 내용으로 파악하고 있으므로, 미국 판례법상 개념을 전제로 논의를 전개하는 것이 타당하다고 본다.
185) 권재열, "경영판단의 원칙 - 도입여부에 관한 비판적 검토 -,"「비교사법」통권 제10호(한국비교사법학회, 1999. 6.), 19면; 곽병훈, "미국 회사법의 경영판단원칙,"「재판자료」제98집(외국사법연수논집),(법원행정처, 2002. 12.), 127면.
186) Aktiengesetz §93(1).

나. 내   용

경영판단원칙은 미국을 중심으로 판례법으로 발달하여 온 법리이고 시대상황
에 따라 확장되거나 위축되면서 진화하고 있으므로 그 내용이 명확한 것은 아니
다.187) 이 원칙의 내용을 구체적으로 정리한 것으로 평가받고 있는 미국법률협
회(American Law Institute)의 「회사지배의 원칙: 분석과 권고」(Principles of
Corporate Governance: Analysis and Recommendations, 이하 'ALI원칙'이라 함)에
따르면 다음과 같다. 경영자가 기업을 경영함에 있어서는 '보통의 신중한 경영자
에게 같은 위치와 상황에서 합리적으로 기대할 수 있는 주의'로, 기업에 최대이
익이 되는 판단이라고 합리적으로 믿는 대로 성실하게(in good faith) 직무를 수
행해야 할 주의의무(duty of care)가 있다.188) 그런데 직무의 대상이 경영판단
문제인 경우에는 그 경영판단 내용을 존중하여 '보통의 신중한 경영자에게 같은
위치와 상황에서 합리적으로 기대할 수 있는 주의'의 구체적 내용을 절차적 내
용으로 제한함이 타당하다는 것이다. 그러므로 경영판단 대상과 이해관계가 없
이, 경영자라면 그 상황에서 적절하다고 합리적으로(reasonably) 믿을 수 있는
정도로 경영판단 대상에 관한 정보를 수집하고, 회사에 최대이익이 되는 경영판
단이라고 합리적으로(rationally) 믿은 경우라면 그 주의의무를 이행한 것이 된
다.189) 이러한 절차적 사항 중에도 적절한 정보의 수집이 중요한데, 그 정보수
집의 정도는 경영판단의 중요성, 정보수집에 이용 가능한 시간, 정보제출자의
신용, 회사의 영업상태, 판단의 부정적 측면 등을 감안하여 현실적으로 판단해
야 한다.190) 이러한 경영판단원칙의 요건[즉, ALI원칙 §4.01(a)(c)]은 이미 갖추어
진 것으로 추정되고, 그 주의의무위반을 주장하는 자가 위 절차적 사항 중 하나
라도 위반하는 등 주의의무를 위반한 사실 및 그로 인하여 회사에 손해를 발생
시킨 사실을 증명해야 할 책임을 부담한다.191)

이때 경영자가 경영판단 대상과 이해관계 있었음이 증명된 때에는, 경영자는

---

187) 원동욱, "경영판단 원칙의 최근 동향과 향후 전망 — 미국의 사례를 중심으로 —,"「상사법
  연구」제29권 제3호(한국상사법학회, 2010. 11.), 86~87면.
188) ALI원칙 §4.01(a).
189) ALI원칙 §4.01(c).
190) American Law Institute, Principles of Corporate Governance: Analysis and
  Recommendations, The American Law Institute (2012), 177-178.
191) ALI원칙 §4.01(d).

그럼에도 불구하고 회사를 위하여 공정(fair)하고 합리적인(reasonable) 판단을 한 사실을 증명해야 하고, 그 증명이 되면 책임이 없다.[192] 또한 경영자가 경영 판단 당시 적절한 정보수집을 하지 아니한 사실이 증명된 때에는, 경영자가 그 럼에도 불구하고 회사를 위하여 충분히 공정성(entire fairness)을 갖춘 판단을 한 사실을 증명해야 하고, 그 증명이 되면 책임이 없다.[193] 경영판단원칙은 이 처럼 증명책임을 쌍방에게 탄력적·합리적으로 배분하게 된다.[194]

이러한 경영판단원칙은 위법적(violate the law) 경영판단에는 적용되지 아니하며,[195] 외부의 부적절한 영향을 받지 아니한 채 독자적이고 의식적인 판단 (conscious exercise of judgment) 아래 이루어진 경영판단의 경우에만 적용된다.[196]

위와 같이 경영판단원칙은 경영판단의 주의의무 위반이 문제되는 경우에 경영자의 경영판단을 존중하여 그 판단내용의 심사를 자제하고 1차적 심사대상을 절차적·주관적 사항으로 한정함으로써 경영자에게 안전항(safe harbor)을 제공하는 기능을 수행한다.[197]

다. 경영판단원칙의 도입론

경영판단원칙을 우리나라에 도입할 것인지, 어떠한 내용으로 도입할 것인지는 그 동안 학계에서 입법론이나 해석론으로 논란이 되어 왔다. 우선 이사 등 경영자의 임무해태로 인한 손해배상책임을 묻는 민사판결에서는 2007년 대우 부당자금지원 사건 판례[198] 이래 경영자의 선관주의의무 위반 여부를 판단함에 있어 절차적·주관적 사항을 중시하고 있다는 점에서 이 원칙을 많이 도입하고 있는 입장이다.[199] 다만, 위 판례는 "회사의 이사가 합리적으로 이용가능한 범

---

192) American Law Institute, supra note 189, at 176-177.

193) Cinerama, Inc. v. Technicolor, Inc. 663 A. 2d 1156, 1162-1164 (Del. Supr. 1995); Smith v. Van Gorkom, 488 A. 2d 858, 873 (Del. Supr. 1985).

194) 권재열, 전게논문, 23~24, 36면; 곽병훈, 전게논문, 128~147면; 한석훈, "경영진의 손해 배상책임과 경영판단 원칙,"「상사법연구」제27권 제4호(한국상사법학회, 2009. 2.), 135~138면.

195) American Law Institute, supra note 189, at 174.

196) Aronson v. Lewis, 473 A. 2d 805, 813(Del. 1984).

197) American Law Institute, supra note 189, at 173.

198) 대법원 2007.10.11. 2006다33333.

199) 한석훈, 전게 "경영진의 손해배상책임과 경영판단 원칙," 148~150면.

위 내에서 필요한 정보를 충분히 수집・조사하고 검토하는 절차를 거친 다음, 이를 근거로 회사의 최대 이익에 부합한다고 합리적으로 신뢰하고 신의성실에 따라 경영상의 판단을 내렸고, 그 내용이 현저히 불합리하지 않은 것으로서 통상의 이사를 기준으로 할 때 합리적으로 선택할 수 있는 범위 안에 있는 것이라면, 비록 사후에 회사가 손해를 입게 되는 결과가 발생하였다 하더라도 그 이사의 행위는 허용되는 경영판단의 재량범위 내에 있는 것이어서 회사에 대하여 손해배상책임을 부담한다고 할 수 없다."고 판시하고 있어서 절차적・주관적 사항뿐만 아니라 경영판단 내용의 현저한 불합리 여부까지 심사하고 있고, 그 후의 판례도 대부분 이러한 입장을 유지하고 있다. 이는 경영판단에 관하여 1차적 심사대상을 절차적・주관적 사항으로 한정함으로써 경영자에게 안전항을 제공하거나 법관의 사후심사의 편견을 방지하고자 하는 경영판단원칙의 주요 기능을 관철함에는 미흡하지만, 최근 판례의 경향은 실제로는 그 내용심사의 경우에도 절차적・주관적 사항을 중시하고 있는 점에서 이 원칙의 법리를 많이 차용한 것으로 평가되고 있다.[200]

그런데 우리나라에서는 경영자의 선관주의의무 위반시 배임행위가 성립할 수 있으므로 경영자에 대한 배임죄의 판단에 경영판단원칙을 도입할 것인지 여부도 논의되고 있다. 이 원칙의 형사상 도입을 긍정하는 견해로는, 위험이 상존하는 경영판단 영역에 대한 국가 형벌권의 과도한 개입을 막아 적극적 경영활동을 보장하기 위해서는 이 원칙을 적용하여 배임죄의 처벌범위를 줄일 필요가 있다는 견해[201], 경영판단과 법적판단의 성질상 차이를 근거로 그 도입을 긍정하는 견해[202]가 있다.

이에 대하여 경영판단원칙을 형사상 도입할 필요가 없다는 견해로는, "소유

---

200) 한석훈, 전게 「비즈니스범죄와 기업법」, 244면.
201) 이규훈, "업무상 배임죄와 경영판단," 「형사판례연구(13)」(형사판례연구회, 2005), 328면; 이경렬, "경영판단의 과오와 업무상배임죄의 성부," 「법조」 통권 제603호(2006. 12.), 156면; 최준선, 전게 "경영 판단의 원칙과 배임죄에 대한 고찰," 171면에서는 경영판단에 관한 법관의 자의적 판단을 막기 위하여 경영판단원칙을 상법 제382조 제2항(회사와 이사의 관계)에 명시하고 제622조(회사임원 등의 특별배임죄)에 "경영상의 판단으로 판단되는 경우에는 벌하지 아니한다"는 규정을 신설하자는 입법론을 주장하고 있다.
202) '위험감수원칙이 지배하는 사전적・목적합리적 경영판단과 위험회피원칙이 지배하는 사후적・가치합리적 법적판단의 본질적 차이'를 근거로 그 간극을 메우기 위하여 이 원칙의 도입을 주장하는 견해[이상돈, "경영실패와 경영진의 형사책임," 「법조」 통권 제560호(법조협회, 2003. 5.), 88~98면; 이정민, "경영판단원칙과 업무상 배임죄," 「형사정책연구」 제18권 제4호(한국형사정책연구원, 2007년 겨울), 166면].

와 경영의 분리가 잘 이루어져 전문경영인에 의한 경영판단이 행하여지는 미국
과는 달리, 지배주주에 의한 폐쇄기업이 대부분인 우리나라에 이를 도입하여 경
영자의 형사책임을 완화할 경우에는 경영실패로부터 소액주주나 회사 채권자를
보호하기 어렵다"는 논거를 드는 견해,[203] 배임죄의 구성요건인 '임무위배행위'
나 '재산상 이익,' '고의' 등을 합리적으로 해석하면 배임죄의 불명확성으로 인한
적용확대를 해소할 수 있으므로 굳이 이 원칙을 도입할 필요가 없다는 견해[204]
가 있다.

라. 형사판례

배임죄에 대한 형사판례에서는 '경영판단' 또는 '경영상 판단'이란 용어를 자
주 사용하기는 하지만 민사판례의 경우와는 달리 '경영판단원칙'이라는 용어는
사용하지 않고 있다.[205] 다만, 판례는 경영판단이 문제되는 경우에 "기업의 경
영에는 원천적으로 위험이 내재하여 있어서 경영자가 아무런 개인적 이익을 취
할 의도 없이 선의에 기하여 가능한 범위 내에서 수집된 정보를 바탕으로 기업
의 이익에 합치된다는 믿음을 가지고 신중하게 결정을 내렸다 하더라도 그 예측
이 빗나가 기업에 손해가 발생하는 경우가 있을 수 있는바, 이러한 경우에까지
고의에 관한 해석기준을 완화하여 업무상배임죄의 형사책임을 묻고자 한다면,
이는 죄형법정주의 원칙에 위배되는 것은 물론이고 정책적 차원에서 볼 때에도
영업이익의 원천인 기업가 정신을 위축시키는 결과를 낳게 되어 당해 기업뿐만
아니라 사회적으로도 큰 손실이 될 것이므로, … 문제된 경영상 판단에 이르게

203) 김기섭, "법인대표의 경영상의 판단과 업무상배임죄,"「판례연구」제18집(서울지방변호사
회, 2005. 1.), 10면.
204) 조기영, "배임죄의 제한해석과 경영판단의 원칙 - 경영판단 원칙 도입론 비판 -,"「형사
법연구」제19권 제1호(한국형사법학회, 2007년 봄), 106, 107면; 노명선, "회사범죄에 관
한 연구 - 주식회사 임·직원의 형사책임을 중심으로 -,"「법조」제48권 제10호(법조협
회, 1999), 155, 156면; 손동권, 전게 "회사 경영자의 상법상 특별배임행위에 대한 현행법
적용의 문제점과 처벌정책을 둘러싼 입법논쟁," 280면; 임정호, "형법상 배임죄에 있어서
경영판단원칙에 대한 재검토 - 형법 규정과 신인의무의 간극 -,"「법학연구」제23권 제2
호(연세대학교 법학연구원, 2013. 6.), 81면; 조국, "기업범죄 통제에 있어서 형법의 역할
과 한계 - 업무상 배임죄 배제론에 대한 응답 -,"「형사법연구」제19권 제3호(한국형사
법학회, 2007년 가을), 184면(배임죄를 침해범으로 파악하고, 배임행위를 중대한 임무위반
행위로 한정하여 범죄구성요건을 엄격하게 해석하면 충분하다고 보는 견해임).
205) 대법원 2015.3.12. 2012도9148; 2013.12.26. 2013도7360; 2012.6.14. 2012도1283; 2011.7.
28. 2008도5399 등.

된 경위와 동기, 판단대상인 사업의 내용, 기업이 처한 경제적 상황, 손실발생의 개연성과 이익획득의 개연성 등 제반 사정에 비추어, 자기 또는 제3자가 재산상 이익을 취득한다는 인식과 회사에게 손해를 가한다는 인식(미필적 인식을 포함) 하의 의도적 행위임이 인정되는 경우에 한하여 배임죄의 고의를 인정하는 엄격한 해석기준은 유지되어야 할 것이고, 그러한 인식이 없는데 단순히 본인에게 손해가 발생하였다는 결과만으로 책임을 묻거나 주의의무를 소홀히 한 과실이 있다는 이유로 책임을 물을 수는 없다."라고 판시하였고,206) 그 후 현재까지 경영상 판단이 문제가 된 사안에서는 예외 없이 같은 내용을 전제로 판시하고 있다.207)

　이러한 판례의 입장에 대하여, 판례가 경영판단 문제에 관해서는 배임죄의 임무위배행위에 대하여 적어도 미필적 고의를 넘는 의도성을 요구하는 것으로 보는 견해208)가 있다. 그러나 판례는 경영판단 문제라고 해서 배임죄의 고의에 관한 해석기준을 완화해서는 안되고, '경영상 판단에 이르게 된 경위와 동기, 판단대상인 사업의 내용, 기업이 처한 경제적 상황, 손실발생의 개연성과 이익획득의 개연성 등 제반 사정에 비추어' 고의 여부를 판단해야 한다는 취지일 뿐이다. 그러므로 경영판단의 내용까지 심사대상으로 하는 입장이라고 보아야 할 것이다. 즉 그 심사대상을 경영판단의 절차적·주관적 측면으로 제한하는 취지가 아니므로, 판례가 형사상 경영판단원칙을 도입한 것이라고 말할 수는 없을 것이다.209)210)

　그리고 동일 기업집단 내 계열회사 사이의 경영판단에 따른 지원행위가 배임

---

206) 대법원 2004.7.22. 2002도4229.
207) 대법원 2017.11.9. 2015도12633; 2015.3.12. 2012도9148; 2013.12.26. 2013도7360; 2012. 6.14. 2012도1283; 2011.7.28. 2008도5399; 2010.4.29. 2009도13868; 2010.1.14. 2007도 10415.
208) 이규훈, 전게논문, 344면; 조기영, 전게논문, 95면; 이경렬, 전게논문, 140면.
209) 한석훈, "형사책임에 대한 경영판단원칙의 적용," 「성균관법학」 제22권 제2호(성균관대학교 법학연구소, 2010. 8.), 366~368면.
210) 일본의 형사판례[日 最判 2009.11.9. 平18(あ)2057号 「判例タイムズ」 1317号 142面]에 대해서도 경영판단 문제에서 특별배임죄의 임무위배 행위를 인정하기 위해서는 경영판단의 '현저한 합리성 결여'를 요구하는 점이 다를 뿐, 판단의 대상을 절차적·주관적 측면으로 제한하는 것은 아니므로, 경영판단원칙을 도입한 것으로 평가받지 못하고 있다[靑水眞・阿南剛, "取締役の責任に關する上級審判例と經營判斷の原則(3)," 「旬刊商事法務」 1897号(商事法務研究會, 2010.4.25.), 25~31面; 弥永眞生, "会社法判例速報 特別背任と經營判斷原則," 「ジュリスト」 第1392号(有斐閣, 2010.1.1.), 178~179面].

죄가 될 것인지를 판단함에 있어서, 판례는 "기업집단의 공동목표에 따른 공동이익의 추구가 사실적·경제적으로 중요한 의미를 갖는 경우라도 그 기업집단을 구성하는 개별 계열회사는 별도의 독립된 법인격을 가지고 있는 주체로서 각자의 채권자나 주주 등 다수의 이해관계인이 관여되어 있고, 사안에 따라서는 기업집단의 공동이익과 상반되는 계열회사의 고유이익이 있을 수 있다. 이와 같이 동일한 기업집단에 속한 계열회사 사이의 지원행위가 기업집단의 차원에서 계열회사들의 공동이익을 위한 것이라 하더라도 지원 계열회사의 재산상 손해의 위험을 수반하는 경우가 있으므로, 기업집단 내 계열회사 사이의 지원행위가 합리적인 경영판단의 재량 범위 내에서 행하여졌는지 여부는 신중하게 판단하여야 한다. 따라서 동일한 기업집단에 속한 계열회사 사이의 지원행위가 합리적인 경영판단의 재량 범위 내에서 행하여진 것인지 여부를 판단하기 위해서는 앞서 본 여러 사정들(즉, 문제 된 경영상 판단에 이르게 된 경위와 동기, 판단대상인 사업의 내용, 기업이 처한 경제적 상황, 손실발생의 개연성과 이익획득의 개연성 등 제반 사정)과 아울러, 지원을 주고받는 계열회사들이 자본과 영업 등 실체적인 측면에서 결합되어 공동이익과 시너지 효과를 추구하는 관계에 있는지 여부, 이러한 계열회사들 사이의 지원행위가 지원하는 계열회사를 포함하여 기업집단에 속한 계열회사들의 공동이익을 도모하기 위한 것으로서 특정인 또는 특정회사만의 이익을 위한 것은 아닌지 여부, 지원 계열회사의 선정 및 지원규모 등이 당해 계열회사의 의사나 지원능력 등을 충분히 고려하여 객관적이고 합리적으로 결정된 것인지 여부, 구체적인 지원행위가 정상적이고 합법적인 방법으로 시행된 것인지 여부, 지원을 하는 계열회사에 지원행위로 인한 부담이나 위험에 상응하는 적절한 보상을 객관적으로 기대할 수 있는 상황이었는지 여부 등까지 충분히 고려하여야 한다. 위와 같은 사정들을 종합하여 볼 때 문제된 계열회사 사이의 지원행위가 합리적인 경영판단의 재량 범위 내에서 행하여진 것이라고 인정된다면 이러한 행위는 본인에게 손해를 가한다는 인식하의 의도적 행위라고 인정하기 어려울 것이다."라고 판시하였다.[211] 즉 판례는 개별 계열회사별로 독립된 법인격이 있으므로 기본적으로는 기업집단 전체가 아니라 각 계열회사별로 배임죄 여부를 판단하되, 계열회사들의 공동이익을 도모하기 위한 것인지 여부도 감안해야 한다는 입장이다.[212]

---

211) 대법원 2017.11.9. 2015도12633.

마. 경영판단원칙의 도입 여부 검토

배임죄의 성립에 경영판단원칙을 도입하기 위해서는 우선 이를 배임죄의 범죄체계상 어떠한 요건과 관련된 문제로 볼 것인지를 검토해야 한다. 우리나라에서는 이 원칙을 주장하는 것은 배임의 고의를 부인하는 주장이 된다고 보는 견해가 있다.[213] 그 논거가 분명하지는 않으나 아마도 경영판단원칙의 내용 중 '회사에 최대이익이 되는 경영판단이라고 합리적으로 믿은 경우'라는 주관적 사항을 의식하였기 때문일 것이다. 이러한 견지에서 이 원칙을 도입함으로써 임무위배행위에 대하여 미필적 고의를 넘는 확정적 고의가 필요하다는 주장[214]을 하기도 한다. 이에 대하여 경영판단원칙은 경영자의 주의의무 위반 판단에 관한 원칙이므로 배임죄의 구성요건 중 임무위배행위의 판단에 관한 문제로 보는 견해[215]가 있다. 그 밖에 주의의무위반, 즉 임무위배 여부가 배임의 고의 판단에서 함께 이루어진다고 주장하는 견해[216]도 있고, 경영판단원칙의 주장을 경영자의 업무행위로서 위법성조각사유인 정당행위의 주장으로 보는 견해[217]도 있다. 판례는 위와 같이 경영판단을 주로 고의의 판단과 관련하여 언급하고 있지만, 경영상 판단으로서 임무위배행위를 인정할 수 없는 경우에 "임무위배행위에 해당한다거나 배임의 고의가 있었다고 단정하기 어렵다."고 판시하고 있기도 하므로[218] 판례가 경영판단 문제를 '고의' 판단문제로만 파악하고 있는 것으로 보기도 어렵다.

위법성조각사유는 구성요건해당성이 인정되는 것을 전제로 논할 실익이 있는

---

212) 한석훈, 전게 「비즈니스범죄와 기업법」, 248, 249면.
213) 이규훈, 전게논문, 343면; 이경렬, 전게논문, 142면; 최승재, "경영판단의 항변과 기업경영진의 배임죄의 성부," 「법률신문」 제3308호(2004. 10. 21.), 15면; 손동권, 전게 "회사 경영자의 상법상 특별배임행위에 대한 현행법 적용의 문제점과 처벌정책을 둘러싼 입법논쟁," 279면; 최승재, 전게 "배임죄 판례분석을 통한 경영자의 배임죄 적용에 있어 이사의 적정 주의의무 수준에 대한 고찰: 대법원 2013.9.26. 선고 2013도5214 판결을 중심으로," 19면에서는 판례도 경영판단원칙과 고의를 결부하는 입장이라고 주장하고 있다.
214) 안경옥, "경영판단행위에 대한 배임죄처벌의 가능성," 「경희법학」, 제41권 제2호(경희대학교, 2006), 427면.
215) 한석훈, 전게 "형사책임에 대한 경영판단원칙의 적용," 370면; 정성근·박광민, 전게 「형법각론」, 429면.
216) 김병연, "차입매수(Leveraged Buyout)와 배임죄의 적용 - 신한LBO 및 한일합섬LBO 사례와 관련하여 -,"「상사법연구」 제29권 제1호(한국상사법학회, 2010. 5.), 230면.
217) 이정민, 전게논문, 172면.
218) 대법원 2004.7.22. 2002도4229.

것이다. 그러므로 경영판단원칙의 적용으로 범죄구성요건 자체가 성립하지 않는다면 나아가 이를 위법성조각사유로 다시 검토할 필요는 없게 될 것이다. 또한 범죄구성요건 중 '고의'의 인식 대상은 모든 객관적 구성요건 사실이므로, 고의는 객관적 구성요건 사실이 존재하는 것을 논리적 전제로 한다. 따라서 배임죄의 고의가 인정된다는 것은 그 대상인 객관적 구성요건 요소인 임무위배행위가 인정됨을 전제로 한다. 임무위배행위란 앞에서 살펴본 것처럼 사무의 내용 등 구체적 상황에서 법률·계약·신의칙상 임무에 위배하는 행위로서 본인과의 신임관계를 위배하는 일체의 행위를 말하는 것이므로, 경영자로서 준수해야 할 주의의무 위반행위란 곧 임무위배행위를 말한다.[219] 그리고 경영판단원칙은 앞에서 살펴본 것처럼 경영자의 경영판단 관련 임무 수행시의 주의의무 위반 판단기준에 관한 법리이므로, 배임죄의 경우에 이 원칙의 도입 여부는 임무위배행위 여부 판단기준에 관한 문제로 봄이 타당하다. 즉 경영판단원칙의 적용으로 경영자의 상법상 주의의무위반이 인정되지 아니하여 임무해태행위(제399조 제1항)로 볼 수 없는 것은 형사상 임무위배행위도 구성할 수 없다고 보아야 한다.[220] 이렇게 파악하면 과실범이 문제되지 아니하는 배임죄에 주의의무 위반 여부에 관한 이 원칙을 적용함에 무리가 없게 된다.[221]

위와 같이 경영판단원칙을 임무위배행위 판단에 관한 문제로 보더라도, 앞에서 살펴본 것처럼 학설 중에는 '임무위배행위'란 요건을 적절히 해석함으로써 충분하고 별도로 경영판단원칙을 도입할 필요가 없다고 보는 견해[222]가 있다. 그러나 경영판단원칙은 경영판단사항에 관한 임무위배행위 여부를 판단함에 있어서 1차적 심사대상을 절차적·주관적 사항에 한정함으로써 경영자에게 경영판단의 안전항을 제공하고, 법관에 의한 사후심사의 편견을 배제하려는 법리이다. 따라서 이 원칙을 도입한다면 경영판단에 관한 임무위배행위 여부가 문제되는

---

219) 한석훈, 전게 「비즈니스범죄와 기업법」, 263면.
220) 그러나 상법상 이사 등 경영자의 임무해태행위가 당연히 형사상 임무위배행위를 구성하는 것은 아니다. 상법상 임무해태행위 중 고의적인 임무해태행위만이 형사상 임무위배행위를 구성하는 것이기 때문이다.
221) 독일 주식법 §93(1)에서도 경영판단원칙의 절차적·주관적 사항을 갖춘 경우에는 주의의무 위반이 아닌 것으로 규정하고 있고, 일본 판례도 경영판단문제를 임무위배행위의 판단문제로 보고 판시하고 있다[日 最判 2009.11.9. 平18(あ)2057号 「判例タイムズ」 1317号 142面].
222) 조기영, 전게논문, 97면.

경우에 그 심사대상을 판단내용의 당부(當否)가 아니라 판단의 절차적·주관적 사항으로 제한하게 된다는 점에서 의미가 없을 수 없다. 다만, 우리나라는 임무위배행위를 포함하여 배임죄의 범죄구성요건 모두에 대한 증명책임이 검사에게 있고, 증명책임의 탄력적 분배가 허용되지 않는다. 그러므로 경영판단원칙의 내용 중 증명책임의 탄력적 분배는 애당초 문제될 여지가 없으므로, 이 원칙을 우리나라에 어떠한 내용으로 도입하는 것이 경영자에게 경영판단의 안전항을 제공하고, 법관에 의한 사후심사의 편견을 배제할 수 있는 길인지는 앞으로 해석론 또는 입법론으로 검토해야 할 과제이다. 생각건대 성문법 국가인 우리나라에서는 해석론만으로 경영판단의 내용을 심사대상 사항에서 배제하기는 어려우므로, 경영판단을 존중하여 기업 경영의 활력을 제고하고 배임죄의 남용을 방지하기 위해서는 독일 주식법과 유사한 입법조치가 필요하다고 본다.[223)]

---

223) 이를 위한 입법론으로서, 최준선, 전게 "상법상 특별배임죄규정의 개정방향," 115~117면에서는 상법 제382조 제2항(이사와 회사의 관계)에 "이사가 충분한 정보를 바탕으로 회사의 이익을 위하여 합리적으로 경영상의 판단을 한 경우에는 의무의 위반으로 보지 않는다."고 경영판단원칙을 명시하고, 제622조 제1항(임원등의 특별배임죄)에 "다만, 경영상의 판단에 대하여는 벌하지 아니한다"는 규정을 명시하자는 제안을 하고 있다. 그리고 필자는 한석훈, 전게 「비즈니스범죄와 기업법」, 262면 각주 458)에서 이사 또는 집행임원의 주의의무 위반에 관한 상법 제399조 제1항, 제401조 제1항, 제408조의8 제1항, 제2항에 각 제2문으로 "이사(또는 집행임원)가 그 상황에서 적절하다고 합리적으로 믿을 수 있는 정도로 정보를 수집하고, 회사의 이익을 위하여 이해관계 없이 정당한 절차에 따라 독자적으로 성실하게 경영판단을 한 경우에는 그 임무를 게을리한 것이 아니다."란 문언을 추가하고, 그 밖의 특별법상 법인의 임원에 대해서는 그 경영판단을 보호할 필요가 있는 경우에만 위와 같이 기재한 상법 제399조 제1항 제2문을 준용하거나 별도의 동일한 규정을 추가하자는 제안을 하였다. 그러나 이러한 입법이 이루어지더라도 공판단계에서는 유·무죄 판단을 위하여 배임죄의 성립요건 일체가 증명의 대상이 되고 검사에게 모든 범죄성립요건의 증명책임이 있으므로, 특히 경영판단원칙 중 주관적 사항(즉, 회사의 최대이익을 위한 성실한 직무수행 여부)의 판단을 위해서는 경영판단의 내용까지 심사하지 않을 수 없을 것이다. 다만, 경영판단의 내용심사에 앞서서 경영판단의 절차적·주관적 사항 중 하나라도 흠결 있음이 증명되어야 할 것이다. 그러나 수사단계는 공소제기를 위한 증거수집 절차일 뿐이므로 위와 같은 입법을 근거로 경영판단원칙을 반영한 수사지침의 수립이 가능할 것이다(한석훈 전게 "상법 벌칙규정의 개정과제 – 회사임원 등의 특별배임죄 규정을 중심으로 –," 296, 297면). 경영판단원칙의 절차적·주관적 사항은 이미 갖추어진 것으로 추정되는 것이므로, 수사대상인 경영자가 회사의 최대이익을 위해 성실하게 직무수행을 하였다고 주장하는 이상 수사기관은 경영판단을 존중하여 경영판단원칙의 절차적 사항만 조사하되, 그 중 하나라도 불비한 사실을 증명하지 못한다면 더 이상 경영판단의 내용에 대한 수사를 함이 없이 증거부족 등을 이유로 무혐의로 종결하게 하는 수사지침을 수립할 수 있게 된다.

2. 자본금 증감과 배임

가. 주식회사 자본금 증감의 문제점

주식회사의 자본금은 원칙적으로 발행주식의 액면총액이다(제451조 제1항). 무액면주식을 발행하는 경우에도 무액면주식 발행가액의 2분의 1 이상 금액 중 이사회나 주주총회가 자본금으로 계상하는 금액이다(제451조 제2항). 그러므로 주식회사는 자본금을 증액하기 위하여 주로 신주를 발행하거나 전환사채나 신주 인수권부사채 등을 발행하게 된다. 이 경우 이사 등 경영자가 신주의 발행가액 이나 전환가액을 주식의 시가 등 적정가격보다 저가로 발행하는 것이 회사나 기 존 주주들에게 손해를 가하는 임무위배행위가 되어 배임죄를 구성하는 것인지 문제가 된다. 반대로 액면주식 발행회사에서 유상으로 회사의 자본금을 감소시 키는 경우에는 이사 등 경영자가 주주들에 대한 1주당 감자(減資) 환급금(주금액 환급금이나 주식의 소각·병합 시의 환급금)을 적정가격보다 고가로 환급해 주는 것이 회사에 손해를 가하는 임무위배행위가 되어 배임죄를 구성하는지도 문제가 된다. 만약 배임죄가 된다면 주식의 적정가격을 어떻게 평가할 것인지도 문제가 된다.

자본금의 증감 사유로는 그 밖에도 자기주식의 취득과 소각, 주식배당, 상환 주식의 상환, 회사합병, 주식회사의 분할·분할합병 및 주식의 포괄적 교환·이 전의 경우도 있다.

그 중 자기주식의 취득과 소각의 경우에는 이사회 결의만으로 자기주식의 취 득가액 및 처분가액이 결정될 수 있으므로[224] 자기주식의 취득가액을 적정가격 보다 고가로 취득하는 경우에는 배임죄가 성립할 수 있다. 자기주식의 취득은 그 취득가액 총액이 배당가능이익을 초과하지 않는 범위[225]에서, 거래소 시세가 있는 주식(상장주식)은 거래소에서 취득해야 하고, 거래소 시세가 없는 주식(비상

---

[224] 상법 제341조, 제342조에 의하면 회사는 그 발행 자기주식을 배당가능이익의 한도 내에 서 주주총회 결의에 따르거나, 정관 규정에 따른 이사회 결의에 따라 취득할 수 있고, 이 사회 결의에 따라 자기주식을 처분할 수 있다.
[225] 직전 결산기의 대차대조표상 순자산액에서 상법 제462조 제1항 각 호의 금액을 뺀 금액 을 초과하지 않고, 해당 영업연도 결산기에 대차대조표상 순자산액이 상법 제462조 제1항 각 호 금액의 합계액에 미치지 못할 우려가 없는 범위를 말한다(상법 제341조 제1항 각 호 외 부분, 제3항).

장주식)은 상환주식을 제외하고 주주평등 원칙에 따라 각 주주가 가진 주식수에 따라 균등한 조건으로 취득하는 방법으로서 상법 시행령 제9조, 제10조에 규정된 취득방법으로 취득할 수 있다(상법 제341조 제1항). 또한 자기주식을 취득하려는 회사는 미리 취득할 수 있는 주식의 종류 및 수, 취득가액의 총액한도, 1년을 초과하지 않는 범위에서 자기주식을 취득할 수 있는 기간을 주주총회의 결의(정관에 이사회 결의로 이익배당을 할 수 있다고 정한 회사는 이사회의 결의)로 결정해야 한다(상법 제341조 제2항). 이사회는 이러한 결정에 따라 구체적으로 자기주식 취득의 목적, 취득할 주식의 종류 및 수, 주식 1주의 취득대가로 교부할 금전이나 그 밖의 재산의 내용 및 그 산정방법 등을 결의해야 한다(상법 시행령 제10조 제1호). 그러므로 비상장회사가 자기주식을 취득하는 이사회 결의를 함에 있어서 주식 1주의 취득대가를 시가 등 적정가격보다 고가로 취득하기로 한 경우에 이사의 배임죄가 성립하는지 문제될 수 있다. 이에 대해 하급심 판례 중에는 위와 같은 상법의 제한범위 내에서 상법상 절차에 따라 자기주식을 취득한 경우에는 자본금충실 원칙이나 주주평등 원칙을 침해하지 않으며, 배당가능이익을 재원으로 주주에게 배당하는 경우에는 대가 없이 주주에게 현금 등을 지급할 수도 있는 점과의 균형을 감안하면 이사들의 임무위배를 인정할 수 없다는 이유로 무죄로 판시한 바 있다.226) 그러나 자기주식의 취득은 자본거래가 아니므로 다른 자산을 매수하는 경우와 마찬가지로 취득가액과 적정가격(또는 공정가격)과의 차액만큼 회사의 자산이 유출되는 손해가 발생한다. 따라서 이사들이 그러한 공정가격을 초과하는 취득가액으로 자기주식 취득의 이사회 결의를 하는 것은 임무위배행위가 될 수 있을 것이다(배임죄설).

주식배당의 경우에는 주주총회의 결의에 따라 기존 주주들에 대하여 이루어지는 것이고, 신주의 발행가액은 주식의 권면액으로 하도록 법정되어 있으므로(제462조의2), 신주의 발행가액과 관련하여 배임 문제는 발생할 여지가 없다. 상환주식의 상환도 그 상환가액은 정관 규정에 따르도록 법정되어 있으므로(제345조 제1항, 제3항) 배임 문제는 발생할 여지가 없다. 자본금 감소, 회사합병, 주식회사의 분할·분할합병, 주식의 포괄적 교환·이전의 경우에는 주주총회의 특별결의 등 엄격한 내부절차를 거쳐야 하므로, 주식의 가액 평가와 관련한 배임 문

---

226) 서울고등법원 2020.11.25. 2019노2099.

제는 발생할 여지가 적다. 따라서 주식의 가액평가와 관련한 배임 문제는 주로 유상증자인 경우에 발생하므로 이를 중심으로 검토한 다음, 최근 문제가 되었던 자본금 감소에서의 배임 문제도 검토한다.

만약 회사의 대표이사 등 경영자가 회사 소유의 자사주(自社株)를 타인에게 시가 등 적정가격 보다 저가로 양도하는 경우에는 그 차액만큼 회사에 손해를 가한 것이므로 임무를 위배한 행위로 인정함에 어려움이 없을 것이고,227) 전환사채나 신주인수권부사채의 경우에도 마찬가지이다. 그런데 경영자가 자본금 증가를 위한 신주 발행시의 신주 발행가액, 전환사채 발행시의 전환가액, 또는 신주인수권부사채 발행시의 신주인수권 행사가격(즉, 신주의 발행가액)을 시가 등 적정가격 보다 저가로 발행하는 경우에는 회사 법인격 인정의 의미나 자본금의 본질을 어떻게 볼 것인지 여부에 따라 회사의 손해발생 여부 및 경영자의 임무위배 여부가 달라질 수 있다. 이에 관한 법리는 신주발행, 전환사채나 신주인수권부사채의 발행 등 광의의 유상증자 모두에 공통된 내용이므로, 아래에서는 설명의 편의상 신주발행 유상증자를 중심으로 설명하기로 한다.

나. 손해발생 여부

유상증자시 신주의 발행가액을 적정가격보다 저가로 정한 경우에는, 우선 회사가 그 차액 상당을 받지 못하는 소극적 손해를 입게 된 것인지, 아니면 기존 주주들이 고가의 구주와 저가의 신주가 동등하게 평가됨으로써 발생하는 이른바 주가의 희석화228) 현상으로 인한 주가하락의 손해를 입게 되었을 뿐인지 문제가 된다. 이러한 자본거래의 경우에는 회사로서는 재산이 증가되는 것일 뿐 회사의 손해란 있을 수 없고 단지 기존 주주들의 손해만 있을 수 있다는 견해가 있다(주주 손해설 또는 자본거래설). 그 논거로서 회사란 주주의 이윤추구를 위한 사업의 법적 형태이고, 자본이란 그 사업을 위한 물적 기초를 구축하기 위하여 주주가 출연하는 재산에 불과하므로, 주식을 몇 주로 하고 자본금을 얼마나 증가시킬 것인지 여부를 판단하는 자본거래의 문제는 기존 주주들의 투자판단 문

---

227) 대법원 2008.5.15. 2005도7911.
228) 주식 1주의 가치는 회사가 보유하는 순자산을 보유 주식수로 나눈 것이므로, 저가 발행된 주식의 적정가격과의 차액만큼 구 주식의 가치가 하향되는 현상을 '주가의 희석화'라 한다.

제에 불과할 뿐 회사로서는 손익을 따질 문제가 아니라는 것이다.229) 이에 대하
여 회사는 독립된 법인격이 있기 때문에 권리·의무의 주체로서 재산상 손해를
입을 수 있고, 주주배정 방식이든 제3자배정 방식이든 신주의 저가발행은 적정
가격과 발행가액과의 차액만큼 회사에 들어올 수입이 감소된 금액만큼 직접적으
로 회사에 소극적 손해를 발생시킨 것으로 보는 견해230)가 있다(회사 손해설 또
는 차액설). 대법원 2009.5.29. 선고 2007도4949 전원합의체 판례(이하 '전원합의
체 판례'라 함)231)는 그 절충적 견해로서 신주를 주주배정 방식으로 발행하는 경
우에는 자본거래의 본질상 회사의 손해를 인정할 수 없으나, 제3자배정 방식으
로 저가발행을 하는 경우에는 적정가격과 발행가액과의 차액만큼 회사에 들어올
수입이 감소되는 소극적 손해를 회사에 발생시킨 것으로 보고 있다(구분설).232)
    이러한 견해의 대립은 회사의 본질과 회사에 법인격을 인정하는 의미에 관한
시각 차이에서 비롯된 것으로 볼 수 있다. 회사의 본질, 즉 회사는 누구의 이익
을 위하여 존재하며 경영자는 누구의 이익을 위하여 권한을 행사하여야 하고 누
구에 대하여 의무를 부담하는 것인가 하는 점은 회사지배구조 전체에 영향을 미
치는 중요한 문제이다. 이에 관해서는 일찍이 1931년경 미국에서 전개된 'Berle

---

229) 이철송, "자본거래와 임원의 형사책임,"「인권과 정의」통권 제359호(대한변호사협회,
    2006. 7.), 105~106면. 이 논문에서는 회사의 본질에 관하여 "회사란 법적 편의성을 위
    해 인격의 주체로 의제된 데 지나지 않고, 실질적으로는 주주의 소유재산으로서 회사와
    주주는 이해의 동질성을 갖는 바이니 형식적인 법인격론만으로 회사의 독립적인 보호법익
    을 인정하기 어렵다"고 한다(이는 법인의제설 입장으로 보임). 다만 "주주의 유한책임제로
    인해 회사재산은 회사채권자를 위한 유일한 책임재산을 이루므로 … 배임행위로 문의된
    행위에 의해 주주나 회사채권자 중 아무에게도 피해가 없다면 이를 과연 회사의 손실로
    보아야 할 것이냐는 의문이 제기될 수 있다"고 설명하고 있다.
230) 장덕조, "전환사채의 저가발행과 회사의 손해,"「법조」제601호(법조협회, 2006. 10.), 20,
    24면; 이상돈, "전환사채의 저가발행을 통한 경영권 승계의 배임성,"「형사정책연구」제23
    권 제2호(한국형사정책연구원, 2012), 31면에서는 "배임죄는 권리나 처분의 자유를 보호
    하는 데 중점이 있지 않고, 재산상태의 보호, 바꿔 말해 전체재산으로서의 경제적 가치의
    총량의 감소를 막는 데 중점이 있다"는 경제적 손해개념설을 논거로 같은 결론을 내리고
    있다.
231) 전원합의체 판례와 같은 날 선고된 대법원 2009.5.29. 2008도9436 판결도 같은 취지임.
232) 기본적으로는 이 견해와 같은 입장을 취하면서도 주주배정 방식으로 신주를 발행하는 경
    우 중 경영권 방어, 회사 지배권 이전 등의 목적으로 하는 경우에는 자금조달 등 재무적
    목적으로 하는 경우처럼 이사가 회사의 자금조달, 투자자 수요 등을 고려하여 유연하게
    발행할 수 있다는 논거는 더 이상 유효할 수 없음을 논거로 이사는 시가 등 공정한 가액
    으로 발행가액을 정할 의무가 있다고 보는 견해[김홍기, "현행 주식가치평가의 법적 쟁점
    과 '공정한 가액'에 관한 연구,"「상사법연구」제30권 제1호(한국상사법학회, 2011. 5.),
    192, 193면]도 있다.

과 Dodd의 논쟁' 이래 주로 영미법계 국가의 전통적 이론인 주주지상주의(株主
至上主義, shareholder primacy theory)와 독일을 중심으로 주로 대륙법계 국가에
서 따르는 이해관계자주의(利害關係者主義, stakeholder theory)가 대립하고 있다.
주주지상주의에 따르면 회사는 주주의 이익을 위하여 존재하고 경영자는 전체
주주의 이익을 위해서만 활동해야 한다.233) 이해관계자주의에 따르면 회사는 주
주·채권자·경영진·근로자·소비자·지역사회 등 모든 이해관계자의 이익을
위하여 존재하므로 경영자는 주주의 이익만이 아닌 회사의 이익을 위하여 활동
해야 하고 회사에 대한 선관주의의무를 부담한다.234) 이때 회사의 이익이란 '이
해관계자의 일시적이거나 단기적인 손익이 아니라 법인의 계속적 존속을 전제로
현재 및 미래의 다양한 이해관계자들의 변동할 수 있는 모든 이해관계가 결합된
독자적인 손익'을 말하므로, 이해관계자주의는 법인의 독자적인 이익 개념을 인
정하는 법인이익독립론으로 이어진다.235) 회사를 둘러싼 이해관계자들의 개별적
이해관계는 다양하고 상이한 경우가 대부분일 것이므로 법인이익독립론으로 이
어지지 아니하는 이해관계자주의는 회사의 존재의의를 밝히고 이사 등 경영자의
행위규범을 정하는 회사의 본질론으로서는 무의미하기 때문이다. 이에 대하여
이해관계자주의가 곧 법인이익독립론으로 연결되는 것은 아니라는 견해236)가
있다. 그 중에는 이해관계자의 범위를 주주와 회사 채권자에 국한하여 파악하는
견해도 있다. 이 견해는 현행 상법 회사편 규정에는 후술하는 주주지상주의의
논거와 같이 주주의 이익을 보호하기 위한 규정과 채권자보호절차 등 회사 채권
자의 이익을 보호하기 위한 규정만 있을 뿐이므로, 그 밖의 근로자 기타 이해관
계자의 이익 보호는 회사편의 규율범위를 넘는 것이라는 논거를 들고 있다.237)
　　주주지상주의는 회사가 주주들의 출자에 의하여 이루어진 것이므로 주주들의
소유라는 점, 다른 이해관계자들은 계약에 따른 보호를 받는 관계이지만, 주주
들은 투자위험을 부담함으로써 잔여재산분배를 받는 관계이므로 회사의 경영성

---

233) Adolf A. Berle Jr., "Corporate Powers as Powers in Trust," 44 Harv. L. Rev. 1049,
　　　1074 (1931).
234) E. Merrick Dodd, "For Whom are Corporate Managers Trustees?," 45 Harv. L. Rev.
　　　1145, 1163 (1932).
235) 송종준, "회사법상 LBO의 배임죄 성부와 입법과제," 「증권법연구」 제10권 제2호(한국증
　　　권법학회, 2009), 339, 340면.
236) 최민용, "LBO와 손해," 「상사법연구」 제29권 제2호(한국상사법학회, 2010. 8.), 337면.
237) 윤영신, 전게논문, 31면.

과에 직접적 이해관계가 있다는 점을 주된 논거로 한다. 그 밖에도 상법에서 인
정되는 주주총회의 이사 선임·해임권(제382조 제1항, 제385조), 이사의 보수 결
정권(제388조), 중요사항에 관한 주주총회의 결의 제도(제361조, 제374조, 제375조
등), 주주의 대표소송 제도(제403조) 및 각종 소수주주권은 물론 주식매수선택권
(stock option) 제도도 회사가 주주의 이익을 위하여 존재하기 때문에 규정하고
있는 주주지위 보호제도라는 점을 논거로 들고 있다.[238] 그 밖에도 이해관계자
주의에서 말하는 이해관계자의 범위가 명확한 것이 아니라는 점, 채권자의 경우
에는 주주들과 달리 그 이해관계가 단일하지 않고 상충될 수도 있고, 이해관계
자를 위한 활동의 구체적 내용이 모호하기 때문에 경영진에게 지나친 재량 여지
를 남길 수 있다는 점, 회사에 독립된 법인격을 인정하는 의미는 회사가 권리·
의무의 귀속주체가 됨으로써 법률관계를 간명하게 처리하고, 회사재산을 주주
등의 재산과 구분하여 회사의 채권자를 보호하기 위한 수단일 뿐 그것만으로 주
주와 독립된 회사의 이익을 인정해야 하는 것은 아니라는 점을 논거로 이해관계
자주의나 법인이익독립론을 비판하기도 한다.[239] 주주지상주의의 입장에서는 이
사 등 경영자의 선관주의의무도 회사가 아니라 주주들에 대하여 부담하는 의무
로 보게 된다.

  이해관계자주의나 법인이익독립론은 그 논거로 현대와 같이 사채 등 다양한
투자수단이 발달한 상황에서는 더 이상 회사가 주주들의 출자만에 의하여 이루
어진 것이라고 말할 수는 없고, 유한책임을 부담하는 주주들은 주식수에 따른
제한된 경영참여권과 재산적 권리를 가질 뿐이라고 주장한다.[240] 이러한 점에서
회사는 주주들의 개인 재산과 독립된 법인재산이라는 개념을 인정받고 독립된
법인격을 부여받은 것이므로 경영자는 주주만이 아닌 회사의 이익을 위하여 활

---

238) 이상훈, "LBO와 배임죄(하) – 손익관계와 출자환급적 성격 및 법익이익독립론을 중심으
    로 –," 「법조」 통권 제620호(법조협회, 2008. 5.), 223~227면(이 논문에서는 주식매수선
    택권 제도도 stock option을 부여받은 임·직원의 이해관계를 주주의 이해관계와 일치시
    킴으로써 임·직원이 주주의 입장에서 행위를 하도록 하기 위한 것이므로, 주주이익 보호
    제도 중 하나로 봄).
239) 이철송, 전게논문, 106면; 최문희, "주식회사의 법인격의 별개성 再論 – '에버랜드 판결'에
    대한 비판적 고찰을 통하여 –," 「한양법학」 제20권 제4집(한양법학회, 2009. 11.), 34, 37
    면; 최민용, 전게논문, 336~337면; 윤영신, 전게논문, 27면은 법률행위의 귀속, 채무의 책
    임재산의 경우 문제되는 독립된 법인격과 회사가 행위를 하는 경우에 추구해야 할 회사의
    이익은 별개 차원의 문제라는 이유로 법인이익독립론을 비판한다.
240) 장덕조, "전환사채의 저가발행과 회사의 손해, 그리고 주주의 손해," 「법조」 제632호(법조
    협회, 2009. 5.), 90~93면.

동해야 하는 것으로 보게 된다.[241] 특히 우리나라에서는 상법에서 회사가 법인임을 명시하고 있을 뿐만 아니라(제169조), 이사의 선관주의의무나 충실의무도 회사에 대한 것이며,[242] 주주들의 정관자치가 제한되고, 회사채권자 보호를 위한 자본금충실원칙 등 법정자본금제도가 유지되고 있으며,[243] 사용인의 우선변제권(제468조) 등 근로자의 이익을 보호하는 규정도 있고, 이사의 회사에 대한 책임 규정(제399조)을 비롯하여 이사의 경업금지의무(제397조), 회사 기회 및 자산의 유용금지의무(제397조의2), 자기거래 금지의무(제398조), 특별배임죄(제622조), 회사재산을 위태롭게 하는 죄(제625조)를 비롯한 회사편 대부분의 규정이 회사 자체의 이익을 보호하기 위한 규정이라는 점에서 이해관계자주의 중 법인이익독립론의 입장으로 보아야 할 것이다.[244] 판례도 명의상 또는 실질상 주주가 1인인 1인회사의 경우에 회사의 독립된 법인격을 논거로 배임죄 또는 횡령죄의 성립을 인정하고 있고,[245] 이사의 선관주의의무의 대상은 회사일 뿐 주주나 채권자에 대해서는 직접 선관주의의무를 부담하는 것이 아니라고 판시하고 있는 점[246] 등에 비추어 법인이익독립론의 입장으로 보인다.[247]

따라서 유상증자시 신주의 발행가액을 적정가격보다 저가로 정한 경우에, 회사의 본질에 관한 주주지상주의 입장에서는 회사의 이익이나 손해란 개념을 인정할 수 없기 때문에 주주손해설을 따르게 되고, 법인이익독립론 입장에서는 이해관계자들의 이익 모두의 총체로서의 회사의 이익이나 손해를 인정할 수 있으므로 회사손해설을 취하거나, 여기에 자본거래의 본질을 감안하여 구분설을 취하게 되는 것이라고 평가할 수 있다.

그런데 법인이익독립론에 따르더라도 유상증자는 주주들이 출자하는 자본금액을 증가시키는 문제이므로, 기존 주주들의 투자판단 문제인 유상증자의 본질에 비추어 보면 회사의 손해 여부는 주주배정 방식인지 제3자배정 방식인지 여

241) 송종준, 전게논문, 339면.
242) 김건식, "회사법상 충실의무법리의 재검토," 『21세기 한국상사법학의 과제와 전망(심당 송상현 선생 화갑기념 논문집)』(2002), 163면; 장덕조, 전게논문, 98, 99면.
243) 송종준, 전게논문, 338, 339면.
244) 한석훈, 전게 『비즈니스범죄와 기업법』, 211면.
245) 대법원 1983.12.13. 83도2330; 2006.6.16. 2004도7585.
246) 대법원 2009.5.29. 2007도4949 전원합의체; 2004.6.17. 2003도7645 전원합의체; 1990.5.25. 90도6.
247) 안수현, 전게논문, 64면.

부에 따라 구분하는 구분설(전원합의체 판례)이 타당하다고 본다. 즉 기존 주주들에게 신주를 우선 배정하는 주주배정 방식의 경우에, 신주의 발행가액을 얼마로할 것인지 여부는 기존 주주들의 투자판단에 속하는 것이므로 회사의 독립된 법인성을 인정하더라도 회사의 손해를 인정할 수 없을 것이다.[248] 이때 신주를 인수하는 주주들은 경영자의 신주 발행가액 결정에 동의한 것으로 볼 수 있고, 신주인수권을 포기하는 주주들은 자신의 포기로 인하여 대신 신주를 배정받는 자가 그 신주 발행가액에 인수하는 데 동의한 것으로 볼 수 있을 것이다.[249] 이경우 회사의 다른 이해관계자들은 주주들의 이러한 투자판단을 존중할 수밖에없는 것이다. 그러나 기존 주주들이 아닌 제3자에게 신주인수권을 부여하는 제3자배정 방식이나 일반공모 방식의 경우에는 신주 발행가액에 대하여 기존 주주들의 동의를 받는 과정이 없었던 만큼 이를 기존 주주들의 투자판단으로 볼 수는 없다.[250] 그러므로 그로 인하여 기존 주주들의 주가가 희석화되는 것은 경영자의 임무위배로 인한 손해로 볼 수 없을지라도, 회사에 유입될 수 있었던 자본금이 덜 유입된 만큼 회사의 소극적 손해 발생을 인정할 수 있을 것이다.[251]

---

248) 대법원 2009.5.29. 2007도4949 전원합의체에서는 그 논거로서 "주주(우선)배정 방식으로 유상으로 신주, 전환사채, 신주인수권부사채(이하 '신주등'이라 함)을 발행하는 경우에는, 회사로서는 그 인수대금만큼 자본 및 자산이 증가하지만 주주들의 지분비율에는 영향이 없이 보유주식수만 늘어나는 것이므로, 실질적으로는 기존 주식의 분할과 주주들의 추가출자가 동시에 이루어지는 셈이다. 그런데 주주에게 추가출자의무가 없고 준비금의 자본전입이나 주식배당의 경우에는 무상으로 신주를 발행하기도 하는 점 등에 비추어, 주주배정 방식으로 신주등을 발행하는 경우에는 발행가액을 반드시 시가에 의해야 하는 것은 아니다. 그러므로 이사가 주주배정 방식으로 신주 등을 발행하는 경우에는 원칙적으로 액면가를 하회해서는 아니 된다는 제약 외에는 주주 전체의 이익과 회사 자금조달의 필요성 및 급박성 등을 감안하여 경영판단에 따라 자유로이 발행조건을 정할 수 있다."고 설명하고 있다.

249) 한석훈, 전게「비즈니스범죄와 기업법」, 286면.

250) 한석훈, 상게서, 286면.

251) 대법원 2009.5.29. 2007도4949 전원합의체에서는 그 논거로서 "제3자배정 방식의 경우에는, 제3자는 신주등을 인수함으로써 회사의 지분을 새로 취득하게 되므로, 제3자에게 시가보다 현저하게 낮은 가액으로 신주등을 발행하는 경우에는 회사에게 적정가격과의 차액(즉, 회사법상 공정한 발행가액과 실제 발행가액과의 차액에 발행주식수를 곱하여 산출된 금액) 상당의 회사자산을 증가시키지 못하게 하는 손해를 가한 것으로 보아야 한다. 그렇기 때문에 상법은 신주등 발행의 경우에 제3자가 이사와 통모하여 현저하게 불공정한 가액으로 주식을 인수한 경우 회사에 대하여 공정한 발행가액과의 차액에 상당한 금액을 지급할 책임을 인정하고 있다. 그러므로 현저하게 불공정한 가액으로(이는 회사의 재무구조, 영업전망과 그에 대한 시장의 평가, 주식의 실질가액, 금융시장의 상황, 신주의 인수가능성 등 여러 사정을 종합적으로 고려하여 판단) 제3자배정 방식에 의하여 신주등을 발행하는 행위는 이사의 임무위배행위에 해당한다."고 설명하고 있다(대법원 2001.9.28. 2001도3191도 같은 취지).

전원합의체 판례에 의하면 주주배정 방식과 제3자배정 방식을 구별하는 기준
은 회사가 주주들에게 그 지분비율에 따라 신주 등을 우선적으로 인수할 기회를
부여하였는지 여부에 따라 객관적으로 결정되어야 하고, 주주들이 그 인수권을
실제로 행사하여 신주 등을 배정받았는지 여부에 좌우되는 것은 아니다. 또한
이 판례의 취지에 따르면 주주배정 방식의 경우에 주주가 청약일까지 인수청약
을 하지 아니하여 신주인수권을 상실하면 이사회 결의로 자유로이 신주를 제3자
에게 처분할 수 있고, 이때 신주 발행가액의 변경은 허용되지 않는다.[252] 이에
대하여 주주배정 방식으로 신주 등을 발행하였으나 대량으로 실권된 부분은 신
주 등의 제3자 배정에 관한 상법규정을 준용하여 주주총회의 특별결의를 거쳐야
하는 것으로 해석하여야 하고, 이를 위반한 경우에는 임무위배행위를 구성하는
것으로 보아야 한다고 주장하는 견해[253]도 있다.[254]

회사의 손해 발생을 인정하더라도, 판례는 구체적인 손해액을 산정함에 있어
서 적정가격과 공정가격의 개념을 분리하여 정의하고 있다. 즉 유상증자시 신주

---

[252] 위 전원합의체 판례는 전환사채의 주주배정 방식 저가발행 사안으로서 주주가 청약일까지
인수청약을 하지 아니하여 전환사채 인수권을 상실하면 이사회 결의로 자유로이 전환사채
를 제3자에게 처분할 수 있고, 이때 전환사채의 발행가액은 "사채의 유통성·공중성·집
단성 등의 성질이나 사채권자평등의 원칙에 비추어 단일 기회에 발행되는 전환사채의 발
행조건은 동일해야 하므로 실권되어 제3자에게 발행하는 전환사채의 전환가액 등 발행조
건을 변경할 수는 없다."고 판시하였다. 이에 대하여 같은 판결의 소수의견은 주주배정 방
식으로 전환사채를 발행하였으나 주주가 인수하지 아니함으로써 실권되어 제3자에게 배정
되는 전환사채는 다시 이사회 결의를 거쳐 배정해야 하는 것이므로, 당초의 발행과 동일
한 기회에 발행한 것으로 볼 수는 없다고 비판하고 있다.

[253] 이상돈, 전게논문, 25, 26, 29면.

[254] 생각건대 주주배정 방식 유상증자의 경우에 실권주나 실권된 전환사채·신주인수권부사채
에 대하여 명문 규정 없이 제3자 배정에 관한 상법규정을 준용할 근거는 없지만, 다시 이
사회 결의로 이를 제3자에게 배정함에 있어서 그 발행가액이나 전환가액이 주주배정의 경
우와 같지 않으면 안된다고 보는 위 판례의 다수의견은 의문이다. 실권 후 최초 발행과
마찬가지의 이사회 결의로 재배정하는 것을 동일 기회의 발행으로 보기도 어렵지만, 신주
의 발행가액이나 전환사채의 전환가액에 차별이 있다고 하더라도 신주나 사채의 유통성·
공중성·집단성에 반하는 것으로 볼 수도 없으며, 주주가 스스로 우선 인수권을 포기한
신주나 사채를 제3자에게 재배정함에 있어 그 발행가액이나 전환가액을 공정가액으로 달
리 정하는 것을 주주평등 원칙이나 사채권자평등 원칙에 반하는 것으로 볼 수도 없기 때
문이다. 따라서 이 경우 이사회에서 실권된 주식이나 사채를 제3자에게 재배정함에는 회
사의 이익을 위하여 주주배정시의 발행가액이나 전환가액과 무관하게 공정가액으로 정해
야 할 의무가 있다고 본다(한석훈, 전게 「비즈니스범죄와 기업법」, 288, 289면). 송옥렬,
"삼성 전환사채 저가발행과 배임죄의 성부," 「BFL」 제36호(서울대학교 금융·법센터, 2009.
7.), 20면에서는 신주 발행시 주주 보호를 위하여 인정되는 신주인수권은 주주에게 자력
이 없는 등의 사정이 있는 경우에는 그 보호가 불완전하기 때문에 이사의 주의의무에 기
한 보호가 추가로 요청된다는 이유로 같은 결론을 제시하고 있다.

의 발행가액을 현저하게 낮은 가액으로 발행함으로써[255] 회사가 입은 손해액은 1주당 공정한 가격과 실제 발행가액의 차액에 유상증자로 인하여 발행할 주식수를 곱하여 산출된 액수에 의하여 산정해야 한다는 것이다. 그리고 이 경우 공정한 가격이라 함은 기존 주식의 시가 또는 주식의 실질가액을 반영하는 적정가격과 더불어 회사의 재무구조, 영업전망과 그에 대한 시장의 평가, 금융시장의 상황, 신주의 인수가능성 등 여러 사정을 종합적으로 고려하여 합리적으로 인정되는 가격을 의미한다.[256]

그리고 위와 같은 방법으로 공정한 가격이 산정되더라도, 그 가격이 실제 가격보다 현저히 저가인 경우에만 경영진의 임무위배를 인정할 수 있는데, 그 현저한 저가의 범위에 관하여 그 판례의 파기환송심인 서울고등법원의 판례는 특별한 사정이 없는 한 실제 가격이 공정한 가격의 2/3 미만에 불과한 경우로 보았으나 그 근거는 제시하지 못하고 있다.[257]

다. 임무위배 여부

앞에서 살펴본 신주의 저가발행으로 인한 손해발생 여부에 관한 견해 중 회사의 손해발생을 인정하는 입장에서는 이사 등 경영자가 회사재산의 보호 의무를 위반하였다고 평가하여 배임죄의 구성요건인 임무위배행위를 인정할 여지가 있게 된다. 전원합의체 판례의 입장(구분설)에 따라 신주의 발행가액을 공정가격보다 저가로 정한 유상증자시 제3자배정의 경우에만 회사의 소극적 손해 발생을 인정할 수 있다고 하더라도, 대표이사 등 경영자의 배임죄가 성립하기 위해서는 경영자가 유상증자시 공정가격으로 신주의 발행가액을 정할 임무가 있음에도 불구하고 그 임무를 위배하였음이 인정되어야 한다. 이사·집행임원 등 경영자는 회사와 위임관계에 있으므로(제382조 제2항, 제408조의2 제2항) 회사에 대하여 선량한 관리자로서의 주의의무가 있다. 그 선관주의의무의 내용으로서 경영자는 회사의 최대이익을 위하여 성실하게 판단해야 할 의무가 있음은 앞의 1.의 나.항 기재 부분에서 살펴보았다. 그러므로 제3자배정의 경우에 그 신주의 발행가

액을 정함에 있어서도 경영자는 회사가 최대이익을 취득할 수 있도록 공정가격
으로 신주를 발행해야 할 임무가 있다. 그리고 상법은 회사의 이사가 주식인수
인과 통모하여 현저하게 불공정한 발행가액으로 신주를 인수하게 한 경우에는
통모 인수인이 공정한 발행가액과의 차액을 회사에 지급할 의무가 있음은 물론,
이사도 회사나 주주에 대하여 그로 인한 손해를 배상할 책임이 있다고 규정하고
있다(제424조의2).[258] 이러한 민사책임에 관한 상법 규정에 비추어 볼 때, 이사
등 경영자는 신주 발행시 적어도 현저히 불공정한 발행가액으로 발행해서는 안
될 임무가 있다고 할 수 있고, 이를 위배한 경우에만 임무위배행위를 한 것으로
평가할 수 있다는 것이 판례의 입장이다.[259]

이에 대하여 손해발생에 관한 주주손해설(자본거래설) 입장에서 주주배정 방
식이든 제3자배정 방식이든 자본이란 주주가 출연하는 책임재산을 의미할 뿐이
므로 그 발행가액을 얼마로 할 것인지 여부는 주주의 경영정책적 투자판단에 속
하는 문제이고, 이사에게 최대한 높은 발행가액을 정할 의무를 부여할 수는 없
다는 비판이 있다.[260] 그러나 이러한 견해는 회사설립시 처음 주식을 발행하거
나 주주배정 방식의 유상증자인 경우에는 타당할 수 있으나, 제3자배정 방식 유
상증자의 경우에는 구체적인 신주 발행가액에 기존 주주들의 동의를 받는 과정
이 없었던 만큼 이를 주주들의 투자판단으로 볼 수가 없다는 점을 간과하고 있
다. 또한 회사의 본질에 관한 법인이익독립론의 입장을 따르거나 현행 상법 규
정(제382조 제2항)에 의하면[261] 이사의 선관주의의무는 주주를 비롯한 이해관계
자들의 이익 모두를 포괄하는 회사에 대한 의무이지 주주들에 대한 의무가 아니
므로 신주의 발행가액을 주주들의 판단사항으로만 볼 수도 없다.

한편 통모인수인의 차액반환 의무규정(제424조의2)은 신주의 저가발행으로 인
한 기존 주식의 희석화로 입게 되는 기존 주주들의 손해와 통모 주식인수인 사
이의 법률관계를 조정하기 위한 규정임을 전제로, 이를 제3자배정 방식 유상증
자의 경우 경영자의 회사에 대한 임무위배를 인정하는 논거로 드는 것은 부당하

---

258) 이 규정은 전환사채나 신주인수권부사채 발행의 경우에도 준용된다(제516조 제1항, 제516
조의11).
259) 대법원 2009.5.29. 2007도4949 전원합의체; 2009.5.29. 2008도9436.
260) 이철송, 전게논문, 20면.
261) 이사의 선관주의의무에 관한 제382조 2항은 '회사와 이사의 관계'라고 명시하고 있고, 한
편 이사의 충실의무에 관한 제382조의3도 '회사를 위하여'라고 기재하여 그 의무의 대상
을 명시하고 있다.

다는 견해[262]가 있다. 그러나 이 규정은 직접적으로는 회사의 자본금충실을 위한 규정이므로(통설)[263] 회사에 대한 이사의 임무위배 여부를 판단하기 위한 근거규정으로 볼 수 없는 것은 아니다. 다만, 통모인수인의 차액반환의무 발생요건을 '현저하게 불공정한 발행가액'으로 제한한 것은 신주 인수인에게 유한책임원칙에 반하는 이례적인 추가출자 의무를 부과하는 것이므로 그 요건을 엄격하게 하기 위한 것일 뿐이다.[264] 따라서 '현저하게 불공정한 발행가액'이 되어야만 이사 등 경영자의 임무위배를 인정하는 전원합의체 판례의 판단기준은 설득력이 약하다고 볼 수밖에 없다.[265]

라. 유상감자와 배임죄 성립 여부

주주가 출자금을 회수하는 수단으로 유상감자를 이용하는 경우에 이사회에서 주주들에 대한 1주의 감자 환급금을 시가 등 적정가격(또는 공정가격)보다 고가로 환급 결의하는 사례가 있는데, 그것이 회사에 손해를 가하는 임무위배행위가 되어 배임죄를 구성하는 것인지 문제가 된다. 유상감자에 따른 주금의 환급은 신주발행과 마찬가지로 자본거래에 속하고, 주금의 환급은 주주들에 대하여 주식수에 비례하여 이루어질 뿐이므로 마치 주주배정 방식의 신주발행의 경우와 마찬가지의 견해 대립이 있을 수 있다.

앞에서 살펴본 신주의 저가발행에 관한 주주 손해설 입장에서는 유상감자에 따른 고가의 주금 환급으로 과다하게 회사자금이 유출되더라도 주식회사의 본질상 회사의 손해는 주주들에게 지분적으로 귀속되는 것일 뿐 주주들의 손해 외에 회사의 손해를 인정할 수 없게 된다. 따라서 그러한 이사회 결의는 배임행위에 해당하지 않게 된다(무죄설). 이에 대하여 신주의 저가발행에 관한 회사 손해설 입장에서는 회사는 독립된 법인격체로서 손해의 주체가 될 수 있으므로 주주에 대한 환급금과 시가 등 적정가격 또는 공정가격과의 차액만큼 회사자금이 과다하게 유출되는 회사의 손해가 발생하는 것이고, 그러한 이사회 결의는 배임행위가 된다(배임죄설).

262) 대법원 2009.5.29. 2007도4949 전원합의체의 소수의견 중 별개의견의 논거이기도 함; 최문희, 전게논문, 24면.
263) 최준선, 전게 「회사법」, 661면; 이철송, 전게 「회사법강의」, 943면.
264) 한석훈, 전게 「비즈니스범죄와 기업법」, 292면.
265) 한석훈, 상게서, 292면.

또한 신주의 저가발행에 관한 판례²⁶⁶⁾의 입장(구분설)에서는 유상감자의 경우 주주들에게 시가 등 적정가격(또는 공정가격)보다 고가의 감자환급금이 지급되더라도 자본거래의 본질상 원칙적으로 기존 지분비율에는 아무런 영향이 없고, 회사의 재산감소와 주주들에 대한 투하자금 환급의무의 감소에 대응하여 주주들의 보유 주식수와 주식가치의 감소가 있을 뿐 회사의 손해를 인정할 수 없게 된다(무죄설). 유상감자에 관하여 최근 하급심 판례도 신주발행에 관한 위 판례와 마찬가지 입장의 판시를 하였다. 즉, 회사가 주주배정 방식(주주가 가진 주식 수에 따라 신주를 배정하는 방식)으로 신주를 발행하는 경우에 회사의 이사로서는 원칙적으로 액면가를 하회해서는 안 된다는 제약 외에는 경영판단에 따라 자유로이 그 발행조건을 정할 수 있다는 법리는 고가의 주금 환급금을 정한 유상감자의 경우에도 마찬가지로 적용할 수 있다고 판시하고 있다.²⁶⁷⁾

3. 차입매수 기업인수와 배임

가. 의의 및 문제점

차입매수(Leveraged Buyout: LBO) 방식 기업인수(이하 '차입매수'라 함)란 타인으로부터 인수자금을 차입하여 기업인수(즉 인수대상 기업이 주식회사인 경우에는 그 주식 매수로 인한 경영권 취득)를 하면서 인수대상 기업(이하 '대상회사'라 함)으로 하여금 그 차입금 채무의 담보를 제공하게 하거나 그 채무를 부담하게 하

---

266) 대법원 2009.5.29. 2007도4949 전원합의체.
267) 서울고등법원 2020.11.25. 2019노2099("유상감자를 통하여 회사재산이 감소하더라도 동시에 주주의 회사에 대한 지분의 가치 내지 주주에 대한 회사의 투하자본 환급의무도 함께 감소한다. … 회사의 이사가 주주평등 원칙에 따라 주주들에게 주식 수에 따른 비율로 유상감자의 기회를 부여하고, 유상감자 절차를 적법하게 모두 거친 경우에는 시가보다 높게 1주당 감자 환급금을 정하였다고 하더라도 그 점만으로 배임죄의 구성요건인 임무위배행위에 해당한다고 볼 것은 아니다. 그러나 회사의 재정상황에 비추어 감자 환급금 규모가 지나치게 커 과도한 자금이 유출된다면 회사의 존립 자체가 위태로워질 수 있다. 신주발행의 경우에는 자본충실의 원칙을 지키기 위한 최소한의 신주 발행 금액(액면가)을 정하고 있지만, 유상감자에 있어서는 자본충실의 원칙을 지키기 위한 감자가액의 상한 내지 감자비율에 대한 제약이 없다. 결국 유상감자로 인한 배임 여부를 판단할 때에는 회사의 재정상황에 비추어 과도한 자금이 유출되어 회사가 형해화되거나 그 존립 자체에 현저한 지장이 초래되었는지 여부 등을 고려하여 임무위배행위 여부를 판단해야 한다. … 유상감자로 인해 회사의 재정상황에 비추어 과도한 자금이 유출되어 회사가 형해화되었다거나 그 존립 자체에 현저한 지장이 초래되었다고 볼 증거가 없다."고 판시하면서 무죄 선고).

는 방식의 기업인수를 말한다. 차입매수는 대상회사의 자산을 기업인수의 지렛대로 활용한 셈이 될 뿐만 아니라, 대상회사 부채비율(자기자본에 대한 부채의 비율)의 증가 자체가 대리인 비용을 감소시키는 요인이 되고 그 차입금의 이자는 법인세법상 손비로 처리되어 그만큼 법인세 부담이 감소하고 세후 순이익이 증가하는 지렛대 역할을 하게 된다(재무 레버리지 효과[268]-Financial Leverage Effect). 인수인은 대상회사의 가치와 자신의 신용을 활용하여 조달한 자금으로 대상회사의 경영권을 취득함으로써 경영성과를 통해 차입금을 상환하기 위하여 대상회사에 대한 구조조정 등 효율성 증대 조치를 하고 재무구조·경영 개선을 위하여 노력하게 되는 순기능을 갖게 된다. 반면에 대상회사의 부채비율이 지나치게 과다할 경우에는 대상회사를 파산에 이르게 할 수도 있고, 기업경영에는 관심이 없이 기업매각을 통한 전매차익 등 개인적 이득만 취하려는 인수인에 의한 차입매수의 남용 등 역기능도 예상할 수 있다.[269] 이러한 차입매수는 1980년대부터 미국에서 M&A 기법의 하나로 발달한 것이지만,[270] 독일에서는 독일 주식법에서 회사가 타인에게 그 회사의 주식취득을 위한 선급금·대출금을 지급하거나 담보를 제공하는 행위를 무효로 하는 명문규정을 두고 있으므로 담보제공형 차입매수가 금지되고 있다.[271]

차입매수는 실질적으로 인수인이 인수자금을 조달하는 것이 아니라 대상회사의 자산이나 가치를 담보로 인수자금을 조달하는 것이므로, 이에 응하는 대상회사의 경영진이 인수인 측으로 하여금 그만큼 이익을 취득하게 하고 대상회사에 손해를 가하는 배임죄가 성립하는 것인지 및 인수인의 공모가담 등이 문제가 된다. 배임행위의 성립 여부에 관해서는 차입매수로 인하여 대상회사에 손해 또는 손해발생위험을 초래한 것인지 여부가 주요 쟁점이 된다. 또한 차입매수는 인수인이 대상회사의 기존 주주들과의 합의 아래 이루어지는 경우가 많은데, 대상회사의 주주들을 배임죄의 피해자로 볼 수 있는지도 문제가 된다.

---

268) 최민용, 전게 "LBO와 손해," 321면.
269) 한석훈, 전게 「비즈니스범죄와 기업법」, 317, 318면.
270) 윤영신, 전게 "동양그룹의 합병형 LBO와 배임죄," 23면.
271) Aktiengesetz §71a (1).

나. 차입매수의 유형

차입매수의 구체적인 유형은 매우 다양할 수 있지만, 크게 담보제공형, 합병형, 환급형 및 이들 유형이 결합된 복합형으로 분류할 수 있다. 담보제공형은 인수인(인수인이 회사인 경우도 있음) 또는 인수인이 설립한 특수목적회사(Special Purpose Company, 약칭 'SPC')가 인수자금을 차입하여 대상회사의 주식 취득을 통하여 경영권을 취득하고 대상회사의 자산을 그 차입금의 담보로 제공하거나 대상회사로 하여금 보증하게 하는 유형이다. 합병형은 인수인이 대상회사 주주들과의 기업인수 합의를 거쳐 SPC를 설립한 후 SPC로 하여금 인수자금을 차입하여 대상회사의 주식이나 채권을 취득하게 하고 그 주식이나 채권을 차입금의 담보로 제공하며, 그 후 SPC를 합병한 인수인이나 SPC가 대상회사를 합병함으로써(역으로 대상회사가 SPC를 합병하는 경우도 있음) 실질적으로 대상회사도 차입금 채무를 부담하게 하는 유형이다.[272] 환급형(즉 감자형[273] 또는 자산인출형[274])은 인수인 또는 인수인이 설립한 SPC가 인수자금을 차입하여 대상회사의 주식 취득을 통하여 경영권을 취득하고 대상회사로 하여금 유상감자나 이익배당을 실시하게 하여 그 환급금이나 배당이익으로 차입금을 상환하는 유형[275]이다. 그 밖에 후술하는 온세통신 LBO사건[276]과 같이 담보제공형에서 SPC가 그 담보제공을 받은 후 대상회사와 합병하는 유형을 복합형으로 분류하기도 하지만,[277] 후술하는 것처럼 위 판례가 무죄를 선고한 것은 담보제공형과 합병형의 무죄선고 사유에 해당한다고 보았기 때문일 뿐이므로 이를 별도의 유형으로 분류할 필요는 없을 것이다.[278] 차입매수는 인수인의 신용 등 역량을 활용하여 자금을 차

---

272) 이상훈, "LBO와 배임죄(상) – 손익관계와 출자환급적 성격 및 법인이익독립론을 중심으로 –," 「법조」통권 제619호(법조협회, 2008. 4.), 109면; 김병연, 전게 "차입매수(Leveraged Buyout)와 배임죄의 적용 – 신한LBO 및 한일합섬LBO 사례와 관련하여 –," 220면; 최민용, 전게논문, 320면.

273) 이승준, 전게 "합병형 차입매수(LBO)의 배임죄 성부 판단," 88면.

274) 원창연, "차입매수(LBO)와 배임죄의 성부," 「YGBL」제5권 제1호(연세대학교 법학연구원 글로벌비즈니스와 법센터, 2013), 94면.

275) 대법원 2013.6.13. 2011도524(대선주조 LBO사건).

276) 대법원 2015.3.12. 2012도9148(온세통신 LBO사건).

277) 원창연, 전게논문, 95면; 김재윤, "차입매수(LBO)에 대한 형사책임," 「법학연구」제53집(한국법학회, 2014), 202면.

278) 한석훈, 전게 「비즈니스범죄와 기업법」, 320면.

입하는 것이므로, 위 각 유형의 경우에 인수인이나 SPC 등 인수회사(이하 인수인이나 SPC를 '인수회사'로 통칭)도 차입금 채무를 부담하거나 그 채무에 대한 보증을 하는 경우가 있다.

차입매수는 대상기업의 자산이나 부채를 지렛대로 하여 기업의 경쟁력을 회복하고 기업의 효율성을 제고시키는 유용한 기능이 있는 반면, 그 남용의 가능성 및 그로 인한 피해규모도 크기 때문에, 위와 같이 미국 등 외국의 규제 및 대응방식도 다양하고[279] 우리나라에서도 실무 및 학계에서 그 배임죄 성립 여부에 관하여 많은 논란을 야기하고 있다.

다. 배임죄 성립 여부

1) 담보제공형 차입매수의 경우

담보제공형 차입매수의 경우에 인수회사가 인수자금의 차입금을 변제하지 못할 위험이 있는 상태임에도 대상회사가 아무런 반대급부 없이 회사자산을 담보로 제공하는 것이 인수회사에게는 재산상 이익을 취득하게 하고 대상회사에 대하여는 손해 또는 손해발생의 위험을 초래하는 것으로 볼 것인지 여부에 따라 배임죄의 성립 여부가 좌우된다.

판례(이하 '신한 LBO사건'이라 함)[280]는 손해발생의 위험을 초래한 경우도 배임죄의 성립요건인 '손해를 가한 때'에 포함된다는 위험범설의 입장에서, 인수회사가 대상회사의 담보제공으로 인한 위험부담에 상응하는 반대급부를 제공하지 아니한 이상, 그 담보제공시 담보가치에 상응하는 재산상 손해발생의 위험을 가한 것이라고 판시함으로써 배임죄의 성립을 긍정하였다. 신한 LBO사건에서는

---

279) 미국과 유럽의 규제 및 대응방식에 관하여는 송종준, "LBO 규제체계의 비교분석과 합리적 규제방안의 모색 - 유럽·미국법상 회사의 금융지원규제를 중심으로 -,"「선진상사법률연구」 통권 제56호(법무부, 2011. 10.), 93~112면.

280) 대법원 2006.11.9. 2004도7027(피고인이 회사정리절차 진행 중인 대상회사를 인수하기 위하여 설립한 SPC가 인수자금을 대출받아 대상회사의 신주, 구주 및 정리채권을 인수하여 66.2% 보유 모회사가 되고, 피고인은 대상회사의 대표이사로 취임하고 회사정리절차 종결 결정을 받은 후 대상회사의 부동산과 예금을 위 대출금의 담보로 제공하였으며, 대상회사는 그 신주의 주금납입금으로 회사채무를 변제하는 등 경영정상화에 노력한 결과 대상회사의 채무가 상당부분 감소하고 비약적 성장을 이룩한 사안으로서, 검사는 피고인이 대상회사의 대표이사로서 SPC의 인수자금 대출금의 담보로 대상회사의 부동산과 예금을 담보제공한 행위를 배임죄로 기소하였다.); 2012.6.14. 2012도1283 등 그 후에도 담보제공형 차입매수의 경우에 같은 취지의 일관된 판결을 하고 있음.

인수회사인 SPC의 인수자금은 대상회사의 신주 납입금으로 대상회사에 입금되
어 회사의 채무변제에 사용되거나 대상회사의 채무를 인수하는 데에 사용되었지
만 SPC의 인수자금 대출로 인한 직접적 이득은 대상회사에 귀속된다고 할 수
없고 SPC의 이익을 위한 행위로서 위 담보제공의 반대급부로 볼 수 없다고 판
시하였다.[281] 만약 인수회사가 차입금이 상환될 때까지 인수 주식·채권 등을
대출 금융기관이나 대상회사에 별도의 담보로 제공한 경우라 하더라도 마찬가지
라는 것이다.[282] 신한 LBO사건의 경우 인수인인 피고인이 대상회사의 대표이
사로서 한 대상회사 재산 담보제공 행위는 대상회사와는 이해충돌이 되는 자기
거래이므로 엄격한 공정성이 요구되는데, 담보제공과 등가성 있는 반대급부가
제공되지 않는 이상 공정성이 없어 이사로서의 충실의무에 위배된 것이라는 이
유로 판례 입장을 지지하는 견해[283]도 있다.

이에 대하여 배임죄를 침해범으로 보는 입장에서 대상회사에 구체적 손해가
발생하여야 배임죄가 성립하는데, 차입매수는 단순히 자금만 차입하는 것이 아
니라 기존 채무의 소멸, 경영정상화 등 다양한 경제적 효과를 수반하는 일련의
거래이므로, 그 손해발생 여부는 차입매수 거래의 전 과정에 걸쳐 회사 전체의
가치평가를 하여 판단해야 한다고 주장하면서 위 판례를 비판하는 견해[284]가
있다(전과정평가설). 이러한 입장에서는 차입매수시 대상회사가 그 자산을 차입
금의 담보로 제공하는 경우(담보제공형)는 물론, 나아가 그 대출채무를 부담하는
경우(합병형의 경우도 포함)에도 아래와 같은 논거로 차입매수를 대상회사에 손해
를 발생시키는 배임행위로 볼 수 없다고 한다.

첫째, 차입매수로 인하여 대상회사의 부채가 증가하더라도 그 차입금이 대상
회사의 주식매수대금으로 사용되고 주식의 실질가치가 그만큼 감소한 것이므로,

281) 또한 신한 LBO사건의 경우 대상회사가 인수자금의 담보로 제공한 부동산에는 원래 인수
자금 대출 금융기관의 종전 근저당권, 전세권 및 가처분 등기가 경료 되어 있었던 것을
SPC가 대상회사를 인수하면서 그 등기를 모두 말소하였지만, 판례는 이를 인수회사 측의
반대급부 제공으로 보지 않았다.
282) 대법원 2008.2.28. 2007도5987(이 판결은 신한 LBO사건의 파기환송심 판결에 대한 상고
심 판결임).
283) 송종준, 전게 "회사법상 LBO의 배임죄 성부와 입법과제," 344, 345면.
284) 김병연, 전게논문, 239~241면; 김홍식, "차입매수(Leveraged Buyout)의 법적 논점에 관
한 고찰," 「상사판례연구」 제20집 제2권(한국상사판례학회, 2007), 254면; 이상돈, 전게
「경영과 형법」, 347, 348면; 김진욱, "차입매수(LBO/MBO)거래의 규제와 패러다임의 변
화 – 상장회사에 적용되는 규제의 문제점과 함께 –," 「상사판례연구」 제25집 제1권(한국
상사판례학회, 2012), 285, 286면.

마치 주주에게 유상감자·배당·자사주취득 등 출자환급을 한 경우와 같게 된
다는 것이다.[285] 이러한 경우에는 회사의 자산이 유출될 수 있지만 주주에게는
손해가 없기 때문에, 앞에서 유상증자와 배임죄의 성립 여부에서 살펴본 것처럼
회사의 본질론에 따라 그 결론을 달리하게 된다. 따라서 이해관계자주의 또는
법인이익독립론을 따르면 차입매수로 인하여 회사자산의 유출이라는 손해가 발
생하므로, 차입매수는 배임행위가 된다고 볼 수도 있을 것이다. 그러나 주주지
상주의를 따르면 회사는 주주의 이익을 위하여 존재하고 경영진은 전체 주주의
이익을 위해서 활동해야 하는 것이므로, 차입매수로 인하여 주주에게 손해가 발
생하지 않는 이상 대상회사의 담보제공이나 채무부담만으로는 배임행위가 될 수
없다는 결론에 이르게 된다.[286] 둘째, 회사의 본질론에 관한 입장 차이를 불문
하고 담보제공행위나 합병으로 인한 대상회사의 채무부담 행위는 차입매수의 한
과정일 뿐이므로, 담보제공이나 채무부담을 포함하여 차입매수 전체 과정에 걸
쳐 대상회사의 재무적 분석, 거래계획, 채무변제, 자산 재분배나 구조조정 등을
통한 경영정상화 과정, 수익창출 여부와 그 사용내역, 인수인의 경영능력 등의
상황을 감안하여 반대급부의 유무 및 정도를 살펴 손해발생이나 배임행위 여부
를 판단해야 한다는 것이다.[287] 그러므로 차입매수시의 담보제공이나 채무부담
만으로 손해발생으로 보거나 배임행위가 된다고 평가하려면, 차입매수로 인하여
적어도 지급불능 상태에 빠진 정도가 되어야 한다는 것이다.[288]

2) 합병형 차입매수의 경우

합병형 차입매수에 관하여 판례(이하 '한일합섬 LBO사건'이라 함)[289]는 다음과

---

285) 이상훈, 전게 "LBO와 배임죄(상)," 125, 126면; 이상훈, "LBO에 대한 개정상법의 영향과 바람직한 규제의 방향,"「증권법연구」제13권 제2호(한국증권법학회, 2012. 9.), 67, 68면.
286) 이상훈, 전게 "LBO와 배임죄(하)," 227, 228면.
287) 최민용, 전게논문, 341면; 김병연, 전게논문, 239~241면; 김홍식, "차입매수(Leveraged Buyout)의 법적 논점에 관한 고찰,"「상사판례연구」(한국상사판례학회, 2007), 254면; 김진욱, 전게논문, 285, 286면; 한석훈, 전게「비즈니스범죄와 기업법」, 324면.
288) 최민용, 전게논문, 343면.
289) 대법원 2010.4.15. 2009도6634(1심 판결: 부산지방법원 2009.2.10. 2008고합482, 2008고합516(병합), 2008고합656(병합), 2심 판결: 부산고등법원 2009.6.25. 2009노184). 이 판례의 사안은 다음과 같다. D그룹의 지주회사인 인수회사가 설립한 SPC는 인수자금을 대출받아 회사정리절차 진행 중인 대상회사의 신·구주 91.5%를 취득하고 회사채를 인수한 후 대상회사의 회사정리절차 종결 결정을 받고, 각 회사의 주주총회 등 합병절차를 거쳐 먼저 인수회사가 SPC를 합병하고 다시 대상회사를 합병하였다. 그 합병을 마친 날 대상회사가 보유하고 있던 현금 1,800억 원과 인수회사가 보유하고 있던 현금 867억 원 합계

같이 판시하고 있다. 즉 합병의 본질 및 효력상 합병으로 인하여 대상회사는 인수회사와 인격적으로 합일하여 일체가 되는 것이고 합병 후에는 대상회사가 존속회사와 별도로 존재하는 것이 아니므로, 원래 대상회사가 보유하였던 자산으로 차입금 채무를 부담하게 하더라도 대상회사의 손해라는 관념이 성립할 수 없다. 이러한 경우에는 인수회사의 재무구조가 매우 열악하여 합병을 하게 되면 대상회사의 재산잠식이 명백히 예상됨에도 합병을 실행하여 그로 인한 재산잠식 등의 재산상 손해가 발생한 경우이거나, 합병비율이 부당하다거나, 그 밖에 합병의 실질이나 절차상 하자가 있는 경우에는 그 합병행위를 배임행위로 의율할 수 있을 뿐이라는 것이다. 이러한 판례와 마찬가지 입장이지만 합병의 하자사유에 관하여, 주주총회의 합병결의를 거치고 채권자보호절차를 거친 것만으로 합병에 관한 이사의 임무를 다한 것으로 볼 수 없으므로, 합병비율이 적절하지 않거나, 합병 후 회사의 채무상환이나 회사의 자본적 기초 또는 존속에 악영향을 미치는 사유가 있는 경우를 합병의 하자로 보고 배임죄가 성립할 수 있는 것으로 보는 견해,[290] 합병으로 대상회사가 손해를 입고 인수회사가 이익을 취득한 경우를 합병의 하자로 보고 배임죄가 성립할 수 있는 것으로 보는 견해[291]가 있다.

나아가 한일합섬 LBO사건과 같이 특히 인수회사가 SPC가 아닌 일반사업회사인 경우에는 인수회사와 대상회사의 법인격이 합일되어 인수회사의 재산도 대상회사의 채무를 위한 책임재산으로 제공되었다는 점에서 대상회사의 채무부담 결과에 대한 인수회사의 반대급부가 없었다고 볼 수 없다는 이유로 배임죄가 성립하지 않는 것으로 보는 견해[292]가 있다. 그리고 회사의 손익이란 주주나 회사 채권자의 손익을 의미하고 이사는 주주와 회사 채권자의 이익을 위하여 사무를

2,667억 원으로 남아있던 위 대출금을 모두 변제하였다. 검사는 D그룹 회장과 대상회사의 이사가 공모하여 먼저 인수회사가 인수자금을 대출받은 후 대상회사와 합병하고 대상회사의 현금성 자산을 그 대출금 변제에 사용하게 함으로써 대상회사에게 그 보유중인 현금 1,800억 원 및 법인격 소멸에 따른 현금유동성 상실의 손해를 가하고 인수회사에 그에 상응하는 이익을 취득하게 하였음을 공소사실로 배임죄로 기소하였다).

290) 신희강·류경진, "LBO거래의 실행과 법적 문제," 「BFL」 제24호(서울대학교 금융법센터, 2007. 7.), 31면; 안수현, 전게 "회사법이론에서 본 LBO거래의 가능성," 69면; 이승준, 전게논문, 105면.
291) 최승재, "LBO와 배임죄의 성립 여부," 「증권법연구」 제11권 제3호(한국증권법학회, 2011. 1.), 307, 308면.
292) 원창연, 전게논문, 114, 115면.

집행하여야 할 임무가 있음을 전제로 인수회사가 일반사업회사가 아닌 SPC라 할지라도 합병의 경우에는 반대주주의 주식매수청구권, 채권자보호절차 등 주주와 회사 채권자를 보호하는 제도가 있는 이상 주주나 회사 채권자의 손해가 있을 수 없으므로 대상회사의 손해나 이사의 임무위배도 있을 수 없는 것으로 보는 견해[293]도 있다.

이에 대하여 합병형 차입매수는 담보제공형 차입매수와 비교하여 그 형식이나 절차상 차이가 있을 뿐 실질적으로 차입금 채무의 변제를 위하여 대상회사의 자산을 이용하는 점에서는 차이가 없는 것으로 보는 견해[294]가 있다. 이러한 입장에서는 담보제공형 차입매수의 경우처럼 등가성 있는 반대급부의 제공이 없는 한 배임죄가 성립하게 된다.

그러나 합병형 차입매수처럼 실질적으로 대상회사의 자산을 차입금 채무의 변제에 이용하기 위하여 합병하게 된 것이라는 합병의 주관적 동기에 따라 합병의 법적 효과를 달리 보는 것은 납득하기 어렵다. 그러므로 합병의 본질 및 법적 효과에 따라 대상회사의 손해발생 여부를 판단하는 판례의 입장이 기본적으로는 타당하다.[295] 다만, 합병비율의 불공정을 합병으로 인한 대상회사의 손해로 보는 견해가 판례 및 일부 학설의 입장이지만, 합병비율의 불공정은 소멸회사인 대상회사 주주의 손해가 되어 합병무효 소송의 원인이 될 수 있을 뿐 소멸회사인 대상회사의 손해가 될 수는 없는 것이다.[296] 또한 법령이나 정관에 위배된 행위가 곧 임무위배행위가 되는 것은 아니므로 주주총회의 합병결의나 채권자보호절차 등 합병절차상 하자가 있다고 하여 곧 임무위배행위가 된다고 할 수도 없다.[297] 결국 합병으로 대상회사의 재산잠식을 초래하게 되는 등 합병행

---

293) 윤영신, 전게논문, 38, 39면.
294) 송종준, 전게 "회사법상 LBO의 배임죄 성부와 입법과제," 345, 346면; 이승준, 전게논문, 89면.
295) 한석훈, 전게 「비즈니스범죄와 기업법」, 327면; 김병연, 전게논문, 233면.
296) 회사의 본질론에 관하여 주주지상주의나, 주주 및 채권자를 이해관계자로 보는 이해관계자주의 입장에서는 합병비율의 불공정은 대상회사의 손해가 될 수 있지만, 합병절차상 주주가 합병결의에 찬성하거나 주식매수청구권을 행사하지 아니한 경우, 회사 채권자가 채권자이의를 하지 아니한 경우에는 주주나 채권자에게 충분한 정보를 제공하고 공정한 절차에 따른 이상 피해자 스스로 그 손해감수에 동의한 것이므로 피해자승낙 이론에 따라 배임죄로 처벌할 수 없는 것으로 해석하게 된다(윤영신, 전게논문, 40면). 그러나 일반적인 이해관계자주의 및 법인이익독립론 입장에서는 주주와 독립하여 회사의 손해를 파악하게 되므로 합병비율의 불공정은 소멸회사인 대상회사 주주의 손해가 될 수 있을 뿐 소멸회사인 대상회사의 손해가 될 수는 없다(한석훈, 전게 「비즈니스범죄와 기업법」, 327면).

위 자체로 대상회사에 손해를 가하거나 손해발생의 위험을 야기하고 인수회사에 이익을 취득하게 한 것인지 여부를 기준으로 손해발생 여부 및 임무위배 여부를 판단해야 할 것이다.[298] 이 경우 대상회사의 재산잠식이 있더라도 합병 당사회사의 자산구조, 현금흐름, 고객관계 및 미래가치나, 합병으로 인한 절세, 경영효율 개선, 기타 시너지 효과 등도 감안하여 대상회사의 재산상 손해 또는 손해발생 위험 발생 여부를 판단해야 할 것이다.[299]

담보제공형 차입매수 중 인수회사가 그 담보제공을 받은 후 대상회사와 합병한 사안에서 무죄판결이 선고된 사례(이하 '온세통신 LBO사건'이라 함)[300]가 있다. 이 사안은 인수 후 대상회사의 자산을 인수회사가 인수 전 차입한 인수자금의 담보로 제공하게 한 점, 인수 후 대상회사가 대출받은 자금으로 인수회사가 그 인수를 위하여 발행받은 대상회사의 회사채를 조기상환하여 인수자금 상환에 사용케 함으로써 대상회사가 실질상 인수자금의 채무자가 되게 한 점에서는 기본적으로는 담보제공형 차입매수이다. 그런데 이어서 인수회사가 대상회사를 흡수합병 함으로써 실질상 대상회사로 하여금 차입금 채무를 부담하게 한 점에서는 합병형 차입매수와 유사한 점도 있으므로, 담보제공 후 합병한 유형이라는 의미에서 담보제공형 차입매수와 사후합병형 차입매수의 복합형이라 할 수 있다.[301]

---

297) 윤영신, 전게논문, 42면; 한석훈, 전게 「비즈니스범죄와 기업법」, 328면.

298) 한석훈, 전게 「비즈니스범죄와 기업법」, 328면.

299) 한석훈, 상계서, 328면; 이승준, 전게논문, 105면에서도 한일합섬LBO 사건에서 대상기업에 재산상 손해가 발생하였는지 여부를 판단함에 있어서 "합병으로 인한 부채비율, 자산유출정도, 경영효율성 증대분, 세후 자본수익률의 증대라는 레버리지 효과, 법인세 감소의 조세효과 등에 대한 종합적인 검토"가 미흡하였다고 비판하고 있다.

300) 대법원 2015.3.12. 2012도9148(코스닥 등록업체인 인수회사가 회사정리절차 진행 중인 온세통신을 인수하기 위하여 전환사채 발행, 대출 등으로 마련한 인수자금으로 온세통신의 구주를 전량 소각하고 신주 및 회사채를 인수하여 그 주식 100%를 보유하고 회사정리절차가 종결된 다음, 인수회사의 대표이사인 피고인이 온세통신의 대표이사가 되어 온세통신의 매출채권과 부동산 등 자산 587억 원 상당을 위 회사채와 인수자금 대출금의 담보로 제공하였고, 온세통신의 자산을 담보로 제공하고 대출받은 대출금으로 위 회사채 834억 원을 조기상환하였으며, 인수회사는 그 조기상환 받은 자금으로 자신의 인수자금 대출금을 변제하였다. 인수회사는 온세통신 인수당시 그 매수자금 1,544억 원을 마련하기 위하여 위 자금조달 외에도 전환사채 280억 원 상당 발행, 유상증자금 222억 원, 내부자금 71억 원을 마련하여 그 중 330억 원 정도를 온세통신 신주인수대금 710억 원의 일부로 조달하였고, 처음부터 온세통신과의 합병을 전제로 인수계약을 논의하였으며, 실제로 그 인수 후 온세통신을 흡수합병한 사안이다. 피고인이 위와 같이 온세통신의 자산을 인수회사의 인수자금 담보로 제공한 행위와 인수회사에게 발행한 회사채를 조기상환한 행위가 배임죄로 기소되었다).

온세통신 LBO사건에서 항소심은 ① 인수회사가 전환사채 발행, 유상증자 및 내부자금으로 마련한 자체자금도 인수자금으로 투입하였으므로 인수를 위한 상당 정도의 반대급부 제공이 있었던 점, ② 인수회사가 대상회사의 구주를 전부 소각하고 신주 100%를 취득하여 1인 주주가 됨으로써 경제적 이해관계가 일치하게 된 점, ③ 인수회사는 대상회사와 인수를 위한 투자계약을 체결할 당시부터 대상회사와의 합병을 전제로 인수계약을 논의하였고, 실제로 대상회사를 흡수합병하여 합병의 효과로 인수회사와 대상회사의 재산은 혼연일체가 되고 합병 전에 대상회사의 담보제공으로 인한 부담이나 손해는 인수회사에게 귀속된 점, ④ 대상회사의 회사채 조기상환은 대상회사에게도 부채비율 감소로 재무구조가 개선되고 이자비용이 절감되는 등 전체적으로 손해로 보기 어렵고, 이는 경영자의 경영판단에 속하는 것인 점, ⑤ 인수회사는 대상회사를 인수할 경영상 필요가 있었고, 실제로 인수 후 대상회사 건물에 200억 원 상당의 설비투자를 한 점 등에 비추어, 인수회사의 대표이사로서 대상회사의 대표이사가 된 피고인이 업무상 임무에 위배하여 대상회사의 자산을 담보로 제공하거나 회사채를 조기상환함으로써 인수회사에게 이익을 취득하게 하고 대상회사에 손해를 가한 것으로 볼 수 없고, 피고인에게 배임의 범의를 인정할 수도 없다는 이유로 무죄를 선고하였다.302) 이에 대하여 대법원은 "배임죄의 성립 여부는 차입매수가 이루어지는 과정에서의 행위가 배임죄의 구성요건에 해당하는지 여부에 따라 개별적으로 판단되어야 한다."는 종전 입장을 전제로 "원심이 설시한 이유 중 다소 미흡한 부분이 없지 아니하나, 원심이 위와 같은 사정을 종합하여 피고인이 인수자금 조달과정에서 대상회사의 자산을 담보로 제공하거나 회사채를 조기상환함에 있어 인수회사에 이익을 주고 대상회사에 손해를 가하고자 하는 배임죄의 고의가 있었다고 볼 수 없다고 판단한 것은 정당하다."고 판시하였다. 이 사안은 대상회사가 인수자금의 담보제공이나 채무부담에 대한 충분한 반대급부를 받은 경우가 아니다. 그럼에도 불구하고 무죄 선고를 한 이유는 인수회사가 대상회사를

---

301) 한석훈, 전게 「비즈니스범죄와 기업법」, 346면; 이에 대하여 대상회사의 대출금으로 그 회사채를 조기 상환한 것을 자산인출형(즉, 환급형)으로 보고 담보제공형, 합병형 및 자산인출형의 복합형으로 보는 견해(원창연, 전게논문, 104면)도 있으나, 위 대출금은 대상회사의 대출채무 부담에 따른 것이므로 적극자산이 아니라 담보제공과 같은 소극자산이라는 점에서 찬성하기 어렵다.

302) 서울고등법원 2012.7.5. 2012노268.

흡수합병함으로써 양 회사의 재산이 혼연일체가 되고 합병의 효력으로 합병 전
대상회사의 담보제공으로 인한 부담이나 손해가 인수회사에게 귀속된 점, 인수
회사가 처음부터 그러한 합병을 전제로 인수계약을 체결한 것이고, 인수회사가
대상회사를 인수할 경영상 필요가 있었으며, 실제로 인수 후 대상회사 건물에
200억 원 상당의 설비투자를 한 점 등을 감안한 것이다. 따라서 이 판례는 충분
한 반대급부가 없었던 담보제공형 차입매수의 경우에도 일련의 차입매수 과정
전체를 종합적으로 평가하여(전과정평가설 입장), 그 밖에도 인수회사와 대상회사
의 경제적 이해관계가 일치하고, 처음부터 합병을 전제로 인수를 추진하여 실제
로 인수 후 합병을 하였으며, 인수회사가 대상회사를 인수해야 할 경영상 필요
도 있었고, 인수 후 대상회사에 상당한 투자도 하였던 경우에는 임무위배행위나
배임의 고의를 인정할 수 없다고 본 판례라는 점에서 종전 담보제공형 차입매수
에 관한 판례의 입장에 전과정평가설을 반영한 진일보한 판례로 보아야 할 것이
다.303)

　　그런데 온세통신 LBO사건과 비교할 만한 사건으로 하이마트 LBO사건304)을
들 수 있다. 이 사건은 사모투자회사(PEF)가 100% 지분을 가진 SPC를 설립하
여 전자제품 유통회사 하이마트를 인수하기 위해 SPC로 하여금 그 인수자금 등
2,550억 원을 차입하게 하였는데, 피인수회사인 하이마트의 대표이사인 피고인
이 다른 이사들과 공모하여 대주(貸主)에게 그 차입금 채무를 담보하기 위해 하
이마트 소유의 223개 토지·건물에 근저당권을 설정해 준 행위가 배임죄가 되
는지 문제된 사안이다. 그 대출 당시 하이마트도 인수회사의 요청에 따라 위 대
주로부터 2,170억 원을 차입하기로 하고 채권최고액을 6,136억 원으로 한 근저
당권을 설정한 것인데, 하이마트가 차입을 예정한 대출금 중 일부는 위 SPC의
하이마트 인수자금 대출금의 대환을 위한 이른바 리파이낸싱(re-financing) 목적
의 대출이었다. 위 SPC는 차입한 인수자금으로 피고인을 포함한 하이마트의 주
주들로부터 주식을 매수하거나 포괄적 주식교환을 통해 하이마트 주식 100%를
보유한 다음, 1~2년 후 하이마트에 흡수합병 되어 소멸되었다. 위 SPC는 위 차
입금 2,550억 원의 대출계약을 하면서 그 담보로 대주에게 SPC가 장래 취득할
하이마트 주식, 보유예금, 인수회사인 사모투자회사가 다른 특수목적법인을 통해

303) 한석훈, 전게 「비즈니스범죄와 기업법」, 345면.
304) 대법원 2020.10.15. 2016도10654.

보유하는 위 SPC 주식 전부에 관한 근질권설정계약서를 제출하기로 약정했으나 충분한 담보는 되지 못했다. 이 사건도 인수회사가 피인수회사로부터 담보제공을 받은 후 피인수회사와 합병한 사례이므로 담보제공형 차입매수와 사후합병형 차입매수의 복합형이라 할 수 있을 것이다. 그러나 이 사례에서는 "하이마트가 인수절차가 진행되기 전에 비해 채무원리금 변제의 부담이 크게 증가하고 미변제 시 보유 부동산을 상실할 위험이 발생하는 등 전체적으로 재산상 손해만 입었을 뿐, 이를 상쇄할 만한 다른 반대급부를 인수회사 등으로부터 제공받지 못하였다."는 이유로 피고인에 대해 배임죄를 인정하였다.

3) 환급형 차입매수의 경우

환급형 차입매수에 관하여 판례(이하 '대선주조 LBO사건'이라 함)[305]는 다음과 같이 판시하고 있다. 유상감자로 인하여 회사재산이 감소한다고 하더라도 동시에 주주의 회사에 대한 지분의 가치 내지 주주에 대한 회사의 투하자본 환급의무도 함께 감소하게 되므로, 유상소각이 되는 주식의 가치를 실질상의 그것보다 높게 평가하여 감자 환급금을 지급하는 등으로 주주에게 부당한 이익을 취득하게 함으로써 결국 회사에도 손해를 입히는 등의 특별한 사정이 인정되어야만 배임죄를 인정할 수 있다. 또한 주주가 법령과 정관에서 정한 바에 따라 이익배당이나 중간배당을 받는 것은 주식회사에서 주주가 투하자본을 회수할 수 있는 정당한 권리이므로, 결국 이익배당이나 중간배당이 법령과 정관에 위반하여 이루어지는 위법배당으로 주주에게 부당한 이익을 취득하게 하고 회사에 손해를 입히는 등의 특별한 사정이 인정되어야만 배임죄를 인정할 수 있다는 것이다.

환급형 차입매수의 경우에는 자본금의 환급이나 이익배당을 하는 경우이므로 담보제공형 차입매수와는 달리 손해발생의 위험만으로 배임죄가 성립하는지 여부나 차입매수의 전과정을 평가해야 할 것인지 여부는 문제가 되지 않는다.[306] 다만, 회사의 자산이 유출되지만 주주들에게는 손해가 없기 때문에, 회사의 본질론에 관한 입장에 따라 그 결론이 달라질 수 있다. 주주지상주의 입장에서는 회사는 주주의 이익을 위하여 존재하고 경영자는 전체 주주의 이익을 위하여 활

305) 대법원 2013.6.13. 2011도524(원심인 부산고등법원 2010.12.29. 2010노669 판결이유를 그대로 원용).
306) 한석훈, 전게 「비즈니스범죄와 기업법」, 328면.

동하면 되는 것이므로, 유상감자나 이익배당으로 인하여 주주들에게 손해가 발생하지 않는 이상 손해발생이나 임무위배행위를 인정할 수 없게 된다. 그러나 이해관계자주의 또는 법인이익독립론 입장에서는 유상감자나 이익배당으로 인하여 회사의 손해가 발생할 수 있으므로 배임죄의 손해발생이나 임무위배행위를 인정할 수 있게 된다.[307] 즉 유상감자 등 자본금 환급의 경우에는 차입매수로 인하여 주주에게 회사자산이 유출되어 회사에 손해를 발생하게 할 수 있으므로, 유상소각 되는 주식의 가치를 실제의 주식가치보다 높게 평가하여 감자 환급금을 지급하는 등으로 주주에게 부당한 이익을 취득하게 하였다면 회사에 대한 배임죄가 성립할 수 있다. 또한 이익배당이나 중간배당의 경우에는 원래 주주들에게만 배당하는 것이므로 법령과 정관이 정한 바에 따라 배당가능이익 범위 내에서 적법절차에 따라 배당이 이루어진 이상 배당금액을 어떻게 정하든 이를 경영자의 임무위배행위로 볼 수 없다. 따라서 이와 같은 취지의 판례는 이해관계자주의 및 법익이익독립론 입장의 판례로 볼 수 있다.[308]

제 3 절   신용공여죄

I. 의   의

「자본시장과 금융투자업에 관한 법률」(이하 '자본시장법'이라 함)이 2009. 2. 4. 시행됨에 따라 폐지되는 구 「증권거래법」 중 상장법인의 지배구조에 관한 특례규정은 상법 회사편에 포함되었다. 이때 구 증권거래법 제191조의19 규정내용은 신설된 상법 제542조의9 규정으로 옮겨와 종전 규정과 거의 같은 내용으로 상장회사의 주요주주·이사·감사 등에 대한 신용공여를 제한하게 되었다. 또한 구 증권거래법 제191조의19 제1항 규정을 위반하여 신용공여를 한 자에 대하여 5년 이하의 징역 또는 3천만 원 이하의 벌금에 처하는 같은 법 제207조의3 제7

---

307) 한석훈, 전게 「비즈니스범죄와 기업법」, 329면.
308) 한석훈, 상게서, 329면.

호 벌칙 규정은 신설된 상법 제624조의2 규정으로 옮겨와 상법 제542조의9 제1항 규정을 위반하여 신용공여한 자를 처벌하는 규정을 두게 되었다. 즉 상장회사가 상법 제542조의9 제1항 규정을 위반하여 주요주주, 그의 특수관계인, 이사·집행임원·감사 등 상장회사의 이해관계자를 상대방으로 하거나 그를 위하여 신용공여를 한 경우에 그 행위자에 대하여 5년 이하의 징역 또는 2억 원 이하의 벌금에 처한다(제624조의2). 위 징역형과 벌금형은 병과할 수 있고(임의적 병과, 제632조),[309] 회사의 대표자나 대리인, 사용인, 그 밖의 종업원이 그 회사의 업무에 관하여 제624조의2 위반행위를 하면 그 행위자를 벌하는 외에 그 회사에도 위 벌금형을 과한다(제634조의3 본문). 다만, 회사가 제542조의13(준법통제기준 및 준법지원인)에 따른 의무를 성실히 이행하는 등 그 위반행위를 방지하기 위하여 해당 업무에 관하여 상당한 주의와 감독을 게을리하지 아니한 경우에는 회사를 처벌할 수 없다(제634조의3 단서).[310]

II. 보호법익

주요주주나 이사 등 일정한 자를 위한 신용공여는 상장회사의 경영건전성(즉 재무건전성)을 침해함으로써 나아가 상장회사의 자본금충실을 해치고[311] 일반투자자의 기대이익을 해칠 우려가 크기 때문에 이를 금지하고 이를 위반하는 행위를 처벌하는 것이다. 제542조의9 제2항 제3호 규정도 예외적으로 신용공여를 허용할 수 있는 경우로서 '그 밖에 상장회사의 경영건전성을 해칠 우려가 없는 금전대여 등'이라고 표현하고 있다. 판례도 구 증권거래법 제207조의3 제7호, 제191조의19 제1항의 입법취지에 관하여 "상장법인의 건전한 경영을 도모하고 이를 통하여 일반투자자들을 보호하려는 것"이라고 판시하였다.[312] 그런데 상장회사의 건전한 경영을 통하여 일반투자자도 보호받게 되겠지만 이 죄에 관한 규정이 일반투자자 보호를 이념으로 하는 종전 증권거래법에서 기업의 유지강화를

---

309) 구 증권거래법 제214조 제1항에서도 징역형과 벌금형의 임의적 병과규정을 두고 있었다.
310) 상법 제634조의3 본문 규정은 양벌규정에 관한 구 증권거래법 제215조를 그대로 옮겨 온 것이지만, 상법 제634조의3 단서 규정은 상법에 추가된 것이다.
311) 이철송, 전게 「회사법강의」, 788면.
312) 대법원 2013.5.9. 2011도15854.

이념으로 하는 상법으로 옮겨 온 이상 일반투자자 보호를 이 죄의 직접적 보호
법익으로 볼 수는 없을 것이다. 따라서 이 죄의 보호법익은 상장회사의 경영건
전성(또는 재무건전성)으로 보아야 할 것이다.[313] 다만 상장회사의 경영건전성을
보호함으로써 상장회사의 자본금충실을 기하고 일반투자자도 보호하려는 것이
이 죄의 입법취지라 할 수 있을 것이다.

　　범죄구성요건상 경영건전성의 현실적 침해나 그 침해 위험의 발생을 요구하
는 것으로 볼 수는 없으므로, 그 보호의 정도는 일반적·추상적 위험으로 구성
요건이 충족되는 추상적 위험범으로 보아야 할 것이다.[314]

Ⅲ. 행위주체

　　벌칙 규정(제624조의2)에는 행위주체를 '제542조의9 제1항을 위반하여 신용
공여를 한 자'라고 규정하고 있고, 제542조의9 제1항은 신용공여의 주체를 상장
회사로 규정하고 있으므로, 범죄행위의 주체는 일응 신용공여를 한 상장회사라
고 할 수 있다. 그런데 원칙적으로 법인의 범죄능력을 부정하는 판례에 따르면
회사가 행위주체인 이러한 범죄의 경우에도 회사는 사법(私法)상 의무의 주체가
될 수 있을 뿐 범죄능력은 없으므로, 제634조의3 양벌규정을 두어 원칙적으로
그 법인의 업무를 처리하는 실제 행위자를 처벌하고 회사는 벌금형에 처하고 있
다. 즉, 상장회사의 대표자(즉 대표이사)나 대리인, 사용인, 그 밖의 종업원이 그
회사의 업무에 관하여 제542조의9 제1항을 위반하여 신용공여를 한 경우에는
그 실제 행위자를 처벌할 뿐만 아니라 그 회사에도 제624조의2에 규정한 벌금
형을 부과하는 양벌규정을 두었다(제634조의3 본문).[315] 다만 상장회사가 준법통

---

313) 한석훈, 전게 「비즈니스범죄와 기업법」, 464면; 또한 경영건전성을 통하여 회사재산도 보
　　호하는 결과가 되겠지만, 회사의 재산상 손해발생을 범죄구성요건으로 하지 않는 이상 회
　　사의 재산권을 직접적 보호법익으로 보기는 어렵다.
314) 한석훈, 상게서, 464면.
315) 그런데 이 죄의 보호법익을 상장회사의 경영건전성 또는 재무건전성으로 보면 상장회사는
　　이 죄의 피해자가 되는데, 대표이사·사용인·종업원 등의 신용공여행위로 경영건전성 또
　　는 재무건전성이 침해되는 피해를 입게 된 상장회사를 재산형의 양벌규정으로 처벌하는
　　것은 모순이다. 이는 상법 벌칙과는 보호법익이나 입법취지가 다른 구 증권거래법상의 양
　　벌규정을 만연히 상법 벌칙으로 옮긴 결과 발생하는 문제이다. 따라서 이러한 양벌규정은
　　폐지하고 그 대신 제637조(법인에 대한 벌칙의 적용)의 적용범위에 이 죄를 포함시키는

제에 관한 기준 및 절차를 마련하고 준법지원인을 두도록 한 제542조의13에 따른 의무를 성실히 이행하는 등 그 위반행위를 방지하기 위하여 해당 업무에 관하여 상당한 주의와 감독을 게을리하지 아니한 경우에 그 회사는 처벌을 면한다(제634조의3 단서).

Ⅳ. 위반행위

상장회사가 주요주주[316] 및 그의 특수관계인,[317] 이사(제401조의2 제1항 각 호의 어느 하나에 해당하는 실질상 이사 포함), 집행임원, 감사(이하 '주요주주 등'이라 함)를 상대방으로 하거나 그를 위하여 신용공여[318]를 하는 행위가 범죄구성요건에 해당하는 행위이다(제624조의2, 제542조의9 제1항). 주요주주 등을 상대방으로 신용공여를 한다는 것은 주요주주 등이 직접 신용공여의 거래 상대방이 된다는 의미이다. 주요주주 등을 위하여 신용공여를 하는 행위가 무엇인지는 문제가 된다. 이를 주요주주 등의 계산으로 거래하는 자에게 회사가 신용공여를 하는 행위라고 보는 견해[319]가 있다. 주요주주 등의 계산으로 거래한다고 함은 그 거래의 경제적 손익이 주요주주 등에게 귀속된다는 의미이다. 이는 주요주주 등과 거래 상대방 사이에 거래의 경제적 손익이 주요주주 등에게 귀속되는 위탁관계 등 법률관계가 있을 것을 전제로 하는 개념이다. 그러나 이러한 법률관계가

입법이 필요할 것이다(한석훈, 전게 「비즈니스범죄와 기업법」, 464면).

316) 주요주주란 누구의 명의로 하든지 자기의 계산으로 의결권 없는 주식을 제외한 발행주식 총수의 100분의 10 이상의 주식을 소유하거나, 이사·집행임원·감사의 선임과 해임 등 상장회사의 주요 경영사항에 대하여 사실상의 영향력을 행사하는 주주를 말한다(제542조의8 제2항 제6호).

317) 특수관계인이란 배우자(사실상 혼인관계 포함), 6촌 이내의 혈족, 4촌 이내의 인척, 100분의 30 이상 출자하거나 주요 경영사항에 대하여 사실상 영향력을 행사하고 있는 법인 또는 단체와 그 이사·집행임원·감사 등 상법 시행령 제34조 제4항 각 호의 어느 하나에 해당하는 자를 말한다(제542조의8 제2항 제5호).

318) 신용공여란 금전 등 경제적 가치가 있는 재산의 대여, 채무이행의 보증, 자금 지원적 성격의 증권 매입, 그 밖에 거래상의 신용위험이 따르는 직접적·간접적 거래로서 담보제공, 담보적 효력이 있는 어음배서, 출자이행약정의 거래, 신용공여 제한을 회피할 목적으로 하는 거래로서 자본시장법 시행령 제38조 제1항 제4호 각 목의 어느 하나에 해당하는 거래, 같은 시행령 제38조 제1항 제5호에 따른 거래를 말한다(제542조의9 제1항, 상법 시행령 제35조 제1항).

319) 이철송, 전게 「회사법강의」, 788면.

없을지라도 회사가 주요주주 등을 위하여 주요주주 등과 일정한 신분관계가 있는 자에게 신용공여를 할 수도 있고, 이러한 경우까지 포함시키는 것이 상장회사의 경영건전성을 확보하고자 하는 보호법익에 비추어 타당할 것이다. 따라서 주요주주 등을 위하여 신용공여를 하는 행위란 주요주주 등의 계산으로 하는 거래는 물론 그 밖에 신용공여로 인한 경제적 이익이 실질적으로 주요주주 등에게 귀속되는 경우를 모두 포함하는 것으로 해석해야 한다.[320]

그러나 상장회사의 신용공여라 할지라도, 회사의 경영건전성을 해칠 우려가 없어서 상법이 허용하거나 또는 다른 법령에서 허용하는 행위인 경우에는 법령에 의한 행위 또는 업무로 인한 행위 기타 사회상규에 위배되지 아니하는 정당행위에 해당하므로 위법성을 조각한다. 즉 이사, 집행임원 또는 감사에 대하여 학자금, 주택자금 또는 의료비 등 복리후생을 위하여 회사가 정하는 바에 따라 3억 원의 범위에서 금전을 대여하는 경우(제542조의9 제2항 제1호, 상법 시행령 제35조 제2항), 다른 법령에서 허용하는 신용공여의 경우(제542조의9 제2항 제2호), 회사의 경영건전성을 해칠 우려가 없고 경영상 목적을 달성하기 위하여 필요한 경우로서 법인인 주요주주 등 일정한 자[321]를 상대로 하거나 그를 위하여 적법한 절차에 따라 신용공여를 하는 경우 등이다(제542조의9 제2항 제3호, 상법 시행령 제35조 제3항).

---

320) 대법원 2013.5.9. 2011도15854(이 죄의 종전 규정인 구 증권거래법 제207조의3 제7호, 제191조의19 제1항의 해석에 관하여 "그 금전 등의 대여행위로 인한 경제적 이익이 실질적으로 상장법인의 이사 등에게 귀속하는 경우"도 포함한다고 판시하면서, 피고인이 상장회사로 하여금 동일 기업집단 내에 있는 비상장법인이나 개인 명의로 상장회사의 자금을 대여하게 한 다음 상장회사의 이사가 그 비상장법인이나 개인으로부터 다시 그 자금을 대여받게 한 사례, 상장회사의 대표이사가 일단 동일 기업집단 내의 비상장법인 명의로 대출받은 다음 피고인이 상장회사로 하여금 타인에게 상장회사의 자금을 대여하게 하여 그 자금으로 위 대출금 채무를 대신 변제하게 한 사례에서 모두 이 죄의 성립을 인정하고 있음); 한석훈, 전게 「비즈니스범죄와 기업법」, 467면.
321) ① 법인인 주요주주, ② 법인인 주요주주의 특수관계인 중 회사(자회사를 포함한다)의 출자지분과 해당 법인인 주요주주의 출자지분을 합한 것이 개인인 주요주주의 출자지분과 그의 특수관계인(해당 회사 및 자회사는 제외한다)의 출자지분을 합한 것보다 큰 법인, ③ 개인인 주요주주의 특수관계인 중 회사(자회사를 포함한다)의 출자지분과 제1호 및 제2호에 따른 법인의 출자지분을 합한 것이 개인인 주요주주의 출자지분과 그의 특수관계인(해당 회사 및 자회사는 제외한다)의 출자지분을 합한 것보다 큰 법인을 말한다(상법 시행령 제35조 제3항 제1, 2, 3호).

V. 죄수관계

대표이사 등의 주요주주 등에 대한 신용공여로 회사에 손해를 가한 경우에는 특별배임죄 또는 업무상배임죄가 성립할 수 있으므로, 동일한 신용공여행위가 이 죄에도 해당하고 특별배임죄 또는 업무상배임죄의 구성요건도 충족하는 경우의 죄수관계가 문제된다. 1개의 행위가 수죄에 해당하는 것이므로, 양 죄를 상상적 경합관계로 보거나 아니면 법조경합관계로 보는 견해가 있을 수 있다.

이 죄의 신용공여행위는 동시에 배임행위가 될 수 있고, 배임죄는 그 밖에도 재산상 이익의 취득 또는 회사의 손해발생 등 추가적인 범죄구성요건을 요구하고 있는 점, 특별배임죄 또는 업무상배임죄의 법정형이 이 죄보다 높은 점 등에 비추어, 신용공여죄는 특별배임죄 또는 업무상배임죄가 성립하지 않는 경우에 적용할 수 있는 보충관계인 법조경합관계로 보는 견해가 있을 수 있다. 그러나 이 죄의 보호법익인 상장회사의 경영건전성은 상장회사의 자본금충실뿐만 아니라 일반투자자의 보호도 목적으로 하고 있으므로 단순히 배임죄의 보호법익인 회사재산을 보호하기 위한 수단으로서의 성격만 띠고 있다고 할 수는 없다. 또한 배임죄의 구성요건은 신용공여에 의한 임무위배행위 외에도 재산상 이익 취득 및 회사의 손해발생 등의 범죄구성요건을 더 요구하고 있다. 그러므로 이 죄와 특별배임죄 또는 업무상배임죄는 1개의 행위로 수죄를 범한 경우인 상상적 경합관계로 보아야 할 것이다.[322]

---

322) 원창연, 전게논문, 117면 각주 68에서도 "이 죄는 구성요건 측면에서 배임죄와 달리 자기 또는 제3자의 이익 취득, 본인인 회사의 손해발생, 불법영득의사를 요건으로 하지 않고 이사회의 승인 등 적법한 절차를 거치지 않을 것까지 구성요건으로 하고 있다는 점"을 이유로 상상적 경합관계로 보고 있다. 다만 이사회의 승인 여부는 제542조의9 제3항 위반시 문제될 뿐이므로(제542조의9 제3항 위반은 제635조 제3항 제4호의 과태료 부과 사안임) 제542조의9 제1항을 위반한 이 죄의 성립 여부와는 무관하다; 참고로 상호저축은행의 대주주 등에 대한 신용공여죄(현재의 상호저축은행법 제39조 제1항 제3호, 제4호, 제37조)와 업무상배임죄의 죄수관계를 상상적 경합관계로 판시한 사례(서울고등법원 2013.6.13. 2012노4016 → 대법원 2013.10.24. 2012도7473 판결로 확정)가 있다.

제4절   회사재산을 위태롭게 하는 죄

Ⅰ. 의   의

회사재산을 위태롭게 하는 죄는 주식 또는 출자의 인수·납입 등에 관한 부실보고 또는 사실은폐 행위(제625조 제1호, 이하 '출자관련 부실보고죄'라 함), 자기주식·지분 취득제한 위반행위(제625조 제2호, 이하 '자기주식·지분 취득죄'라 함), 위법배당행위(제625조 제3호, 이하 '위법배당죄'라 함), 영업범위 외 투기행위(제625조 제4호, 이하 '투기행위죄'라 함)를 그 내용으로 하고 있다. 이러한 행위를 한 때에는 5년 이하의 징역 또는 1,500만원 이하의 벌금에 처하고(제625조 각 호 외 부분) 위 징역형과 벌금형은 병과할 수 있다(제632조). 이 죄는 1962년 상법제정 당시 종전 의용상법 규정[323]을 모델로 규정된 이래 수차례 개정을 통하여 행위주체 및 범죄구성요건을 다소 수정하고 벌금액의 법정형을 다소 상향조정한 것 외에 큰 변화는 없었다.

Ⅱ. 보호법익

회사재산을 위태롭게 하는 죄에 관한 규정은 회사의 자본금충실을 침해하거나 회사재산 보호를 위한 상법상 절차나 제한 규정의 위반행위를 처벌하려는 것이다. 자본금충실 원칙은 회사운영의 효율성 확보를 위하여 완화되고 있는 추세이지만, 유한책임을 본질로 하는 물적회사에서는 여전히 회사채권자의 보호를 위한 회사신용의 기초로서 그 의의가 있다.[324] 이 죄는 제625조 각 호의 행위별로 위반행위의 내용이 달라 별개의 범죄가 성립하는 것이므로 그 보호법익도

---

323) 일본 商法 제489조 및 일본 구 有限会社法 제78조와 같은 내용이다. 이 규정은 2005년 일본 会社法이 商法에서 분리·제정되고 有限会社法은 폐지되면서 일본 会社法 제963조로 옮겨 규정되어 있다.

324) 한석훈, "가장납입의 효력과 형사책임 ─ 회사 자본금 제도의 특성과 범죄의 보호법익을 기초로 ─," 「기업법연구」 제29권 제1호(한국기업법학회, 2015. 3.), 176면.

각 호의 범죄별로 살펴볼 필요가 있다.

출자관련 부실보고죄는 회사설립 또는 증자를 하는 경우에 자본금이나 순자산에 영향을 미치는 사항에 관한 부실보고나 사실은폐 행위를 규제하여 회사의 자본금을 확정하고 자본금충실을 기하려는 것이므로 그 보호법익은 회사의 자본금확정 및 자본금충실이다.325) 자기주식·지분 취득죄는 회사가 자기 발행 주식이나 지분을 취득하는 것은 실질적으로 출자환급이 되어 회사채권자에 대한 책임재산이 감소하고 회사의 자본금충실을 해칠 수 있는 것이므로 그 보호법익은 회사의 자본금충실이다.326) 위법배당죄의 경우에도 이익배당 규제의 목적이 회사의 자본금충실뿐만 아니라 주식회사의 주주나 유한회사 사원의 고유권인 이익배당청구권의 보호도 포함하는 것이지만, 위법배당죄를 회사재산을 위태롭게 하는 죄의 한 유형으로 규정하고 있음에 비추어 그 보호법익은 회사의 자본금충실로 보아야 할 것이다.327) 투기행위죄의 경우에는 그 규제 목적이 회사 경영상 위험으로부터 회사재산을 보호하려는 것이고 '회사재산의 처분'을 범죄구성요건으로 하고 있으므로, 그 보호법익은 회사의 경영건전성 및 회사의 재산으로 보아야 할 것이다.328)

위 각 죄는 범죄구성요건의 해석상 각 보호법익의 현실적 침해나 구체적 실해발생 위험을 요구하는 것으로 볼 수는 없다. 그러므로 그 보호의 정도는 구체적 위험발생을 요구하지 않고 일반적·추상적 위험만으로 범죄가 성립하는 추상적 위험범으로 보아야 한다.329) 판례도 자기주식·지분 취득죄 사안에서 추상적 위험범임을 전제로 판시하였다.330)

---

325) 한석훈, 전게 『비즈니스범죄와 기업법』, 478면; 이에 대하여 출자 관련 부실보고죄(제625조 제1호) 및 후술하는 조직변경 부실보고죄(제626조)의 보호법익을 '회사자본확정의 공신력확보'로 보는 견해(송호신, 전게 학위논문, 107면)가 있다.
326) 한석훈, 상게서, 484면.
327) 한석훈, 상게서, 495면; 일본 会社法 제963조 제5항 제2호 위법배당죄의 보호법익에 관해서도 마찬가지로 보고 있다[前揭 『会社法コンメンタル(21)』, 107面].
328) 한석훈, 상게서, 505면.
329) 송호신, 전게 학위논문, 107면; 前揭 『新版 注釈会社法(13)』, 575面; 前揭 『会社法コンメンタル(21)』, 101面.
330) 대법원 1993.2.23. 92도616.

Ⅲ. 행위주체

회사재산을 위태롭게 하는 죄의 행위주체는 회사임원등 특별배임죄의 행위주체 중 제622조 제1항에 규정된 자(즉, 회사의 발기인, 업무집행사원, 이사, 집행임원, 감사위원회 위원, 감사, 일시이사, 주식회사 또는 유한회사 이사의 직무대행자, 주식회사 감사의 직무대행자, 지배인, 기타 회사영업에 관한 어느 종류 또는 특정한 사항의 위임을 받은 사용인), 검사인, 회사설립경과를 조사·보고하는 제298조 제3항, 제313조 제2항의 공증인(인가공증인의 공증담당변호사 포함, 이하 벌칙 규정에서는 같음), 변태설립사항을 조사·보고하는 제299조의2, 제310조 제3항의 공증인·감정인 및 신주발행의 경우 현물출자에 관한 사항을 조사하는 제422조 제1항의 감정인이다. 제625조의 이러한 행위주체에 관한 규정은 각 위반행위를 포괄하여 규정한 것이므로, 제625조 각 호의 범죄별로 그 행위주체를 검토할 필요가 있다.331)

Ⅳ. 위반행위의 유형과 구체적 행위주체

1. 출자관련 부실보고죄

가. 의의 및 적용범위

주식회사, 유한회사와 같은 물적회사는 주주나 사원의 유한책임 원칙상 회사의 자본금 및 순자산이 회사활동의 물적기초이자 회사채무의 유일한 책임재산이다. 그런데 이러한 회사설립에도 준칙주의를 따르고 수권자본제도에 따라 이사회 결의만으로 신주발행이 허용된 결과 회사설립이나 신주발행의 남용으로 회사의 자본금충실이나 회사채권자의 이익을 해칠 우려가 있다. 특히 물적회사의 성격이 강한 주식회사의 경우에는 회사설립시 주식의 인수나 납입, 변태설립사항,

---

331) 현행 일본 회사법 제963조는 개개의 위반행위별로 행위주체를 특정하여 범죄구성요건의 명확성을 기하고 있다. 이는 죄형법정주의의 명확성 원칙에 부합하는 입법형식이므로 우리나라의 입법에도 참고할 수 있을 것이다.

신주발행시 현물출자에 관한 사항 등 자본금이나 순자산의 규모에 영향을 미치는 사항에 관하여 조사·보고하는 절차를 세세히 마련하고 있다. 제625조 제1호에 유한회사의 '출자', '제544조'를 명시하고 있으므로 유한회사의 경우에도 이 죄가 성립할 수 있음은 의문이 없다.

그런데 무한책임사원만 존재하는 합명회사나 무한책임사원 및 유한책임사원으로 구성되는 합자회사의 경우에는 무한책임사원이 있는 이상 출자에 관한 엄격한 규제를 할 필요가 없고, 출자의 인수·납입 등에 관하여 법원 등에 보고하는 절차도 없으므로, 출자관련 부실보고죄 규정이 적용되지 않는다고 해석해야 할 것이다.[332] 2011. 4. 14. 개정 상법에 신설된 유한책임회사의 경우에 이 벌칙 규정을 적용할 것인지는 문제가 된다. 회사재산을 위태롭게 하는 죄의 행위주체로 명시한 '제622조 제1항에 규정된 자'에는 유한책임회사의 업무집행자나 직무수행자(법인이 업무집행자인 경우)도 포함되는 것으로 해석할 수 있고(특별배임죄의 행위주체 부분 참조), 유한책임회사도 유한책임사원으로만 구성되어 회사의 자본금이나 순자산이 회사채무의 유일한 책임재산이 되는 점은 주식회사나 유한회사와 다르지 않다. 그러므로 유한책임회사의 업무집행자 등이 사원총회 등에 출자 관련 부실보고를 하는 경우에도 이 죄가 성립한다는 견해가 있을 수 있다. 그러나 유한책임회사는 인적회사의 경우처럼 '업무집행자가 아닌 사원'에 의한 감시권 등에 의하여 통제될 뿐(제287조의14, 제287조의18) 출자의 인수 및 납입 등에 관하여 법원·총회 등에 보고하는 절차가 없고, 위 유한회사의 '제544조'처럼 특별히 범죄구성요건에 유한책임회사의 경우를 포함하는 명문 규정도 없으므로, 출자관련 부실보고죄는 유한책임회사에 적용되지 않는 것으로 해석함이 죄형법정주의 원칙에 부합하는 해석이다.[333]

나. 행위주체 및 위반행위

출자관련 부실보고죄의 위반행위는 주식 또는 출자의 인수나 납입, 현물출자의 이행, 주식회사나 유한회사 설립시의 변태설립사항(제290조, 제544조), 신주발행의 경우 현물출자에 관한 사항(제416조 제4호)에 관하여 법원·총회 또는 발기인에게 부실한 보고를 하거나 사실을 은폐하는 행위이다(제625조 제1호). '부실한

---

332) 한석훈, 전게 「비즈니스범죄와 기업법」, 479면.
333) 한석훈, 상게서, 479면.

보고'란 보고의 목적에 비추어 중요한 사항에 관하여 적극적으로 진실과 달리 보고하는 것이다.[334] '사실을 은폐하는 행위'란 보고 목적에 비추어 밝혀야 할 중요사항 중 전부나 일부를 소극적으로 밝히지 않는 경우를 뜻한다.[335] 위 중요 사항이란 입법취지에 비추어 회사의 자본금확정 또는 자본금충실을 위태롭게 할 정도의 사항으로 해석하여야 할 것이다.[336] 이에 대하여 '부실한 보고'란 '내용 이 충실하지 못한 보고'이고, '사실을 은폐하는 행위'란 '한걸음 더 나아가 사실 의 일부 또는 전부를 덮어서 숨기는 행위'로 해석하는 견해[337]가 있다. 그러나 형법 제228조의 공정증서원본불실기재죄 등에 기재된 '부실'의 의미도 통설·판 례는 "권리의무관계에 중요한 의미를 갖는 사항이 객관적 진실에 반하는 것"을 의미하는 것으로 보고 있고,[338] 죄형법정주의 원칙상 불명확한 범죄구성요건은 엄격히 제한해석을 할 필요가 있으므로 부실보고의 의미를 위와 같이 제한적으 로 해석하는 것이 타당하다. 또한 '사실을 은폐하는 행위'도 부실보고 개념과 균 형 있게 해석할 필요가 있고, 적극적인 허위보고로 인한 사실은폐는 부실보고행 위에 포함할 수 있으므로 위와 같이 소극적인 행위로 한정하여 해석하는 것이 타당하다.[339]

주식회사의 경우에, 이사·감사가 회사설립에 관한 사항의 법령·정관 위반 여부를 조사하여 발기인(발기설립의 경우) 또는 창립총회(모집설립의 경우)에 하는 보고(제298조 제1항, 제313조 제1항),[340] 검사인, 공증인 또는 감정인이 변태설립 사항, 현물출자 이행을 조사 또는 감정하여 법원(발기설립의 경우) 또는 창립총회 (모집설립의 경우)에 하는 보고(제298조 제4항, 제299조 제1항, 제299조의2, 제310조 제2항, 제3항). 발기인이 모집설립의 경우 주식의 인수·납입, 변태설립사항 등 창립에 관한 사항에 관하여 창립총회에 하는 서면보고(제311조) 등에서 주로 문

334) 前揭「新版 注釈会社法(13)」, 576面.
335) 前揭「会社法コンメンタル(21)」, 103~104面.
336) 한석훈, 전게「비즈니스범죄와 기업법」, 482면; 前揭「新版 注釈会社法(13)」, 576面.
337) 송호신, 전게 학위논문, 112면.
338) 대법원 2013.1.24. 2012도12363; 정성근·박광민, 전게「형법각론」, 608면; 이재상·장영 민·강동범, 전게「형법각론」, 605면.
339) 한석훈, 전게「비즈니스범죄와 기업법」, 482면; 천경훈, 전게「주석 상법(회사-Ⅶ)」, 127 면.
340) 일본의 경우에 창립총회에서 선임된 이사·감사가 발행주식총수의 납입이 없었음에도 불 구하고 창립총회에 전액 납입되었다는 취지로 허위보고를 하는 사례가 많았다고 한다(前 揭「会社法コンメンタル(21)」, 102面; 日 大判 1935.8.1. 刑集 14巻 855面).

제가 될 수 있다.

　발기설립의 경우에 검사인이 변태설립사항 또는 현물출자의 이행에 관한 조사보고서에 사실과 다른 사항을 기재한 경우에는 발기인은 이에 대한 설명서를 법원에 제출할 수 있다(제299조 제4항). 이러한 설명서의 제출도 보고절차의 일부를 구성하는 것이므로 설명서에 부실기재를 한 경우에는 위반행위가 된다.341)

　이러한 위반행위에 비추어 보면, 주식회사의 경우 구체적 행위주체는 발기인, 이사(감사위원회 위원 포함), 감사, 검사인, 공증인, 감정인, 일시이사(제386조 제2항), 일시감사(제415조, 제386조 제2항), 이사 직무대행자(제407조 제1항) 및 감사 직무대행자(제415조, 제407조 제1항)가 해당되고, 그 밖에 집행임원, 지배인, 부분적 포괄대리권을 가진 사용인도 위와 같은 보고사무에 관여할 경우에는 행위주체가 될 수 있을 것이다.342) 이에 대하여 위 행위주체에게 영향력을 행사하는 실질상 이사(제401조의2)도 행위주체에 포함해야 한다는 견해343)가 있다. 그러나 실질상 이사는 제625조에서 이 죄의 행위주체로 명시되지 않았고 출자의 인수 및 이행에 관한 보고의무가 있거나 보고절차에 관여하는 자도 아니므로 죄형법정주의 원칙상 그 행위주체에 포함시킬 수는 없고, 위 행위주체와의 공범으로 의율할 수 있을 뿐이다.344)

　유한회사에서는 변태설립사항이 정관의 상대적 기재사항이지만 설립이나 증자시 현물출자를 포함하여 출자의 인수 및 이행에 관하여 법원·총회 등에 대한 조사·보고절차가 없다. 그 대신 사원, 이사 및 감사에 대하여 재산실가전보책임(제550조, 제593조), 출자미필액전보책임(제551조)으로 자본금충실을 담보하고 있을 뿐이다.345) 그럼에도 불구하고 제625조 제1호는 '출자'의 인수나 납입, '제544조에 규정된 사항'에 관한 부실보고행위를 범죄구성요건에 포함하여 유한회사에도 적용하는 것을 전제하고 있다. 따라서 유한회사의 이사, 감사, 일시이사(제567조, 제386조 제2항), 이사 직무대행자(제567조, 제407조 제1항), 지배인 및 부분적 포괄대리권을 가진 사용인이 출자의 인수나 납입, 현물출자의 이행, 변태설립사항에 관하여 사원총회에 임의로 부실보고를 한 경우에도 이 죄가 성립

341) 한석훈, 전게 「비즈니스범죄와 기업법」, 482면.
342) 한석훈, 상게서, 481면.
343) 송호신, 전게 학위논문, 112면.
344) 한석훈, 상게서, 481면.
345) 최준선, 전게 「회사법」, 제898면.

할 수 있다.

회사설립 무효 판결의 효력은 소급하지 아니하고 해산의 경우에 준하여 준청산 절차가 개시되는 것이므로(제190조 단서, 제193조) 자본금충실은 필요하고, 출자 관련 부실보고 행위가 회사설립 무효에 영향을 주기도 하는 것이므로, 회사설립 부존재로 볼 수 있는 경우가 아닌 한 회사설립이 무효인 경우에도 이 죄는 성립할 수 있다.346)

2. 자기주식·지분 취득죄

가. 의의 및 적용범위

회사가 자기 발행 주식이나 출자지분(이하 '주식·지분'이라 함)을 취득하는 것은 출자를 환급하는 결과가 되어 회사채권자에 대한 책임재산이 감소하고 회사의 자본금충실을 해칠 수 있다. 또한 회사가 자기 발행 주식이나 지분을 질권의 목적으로 받는 것은 자기주식·지분 취득 금지의 탈법수단으로 악용할 우려가 있고 회사의 재산상태가 악화될 경우 담보가치의 하락을 초래할 수 있으므로347) 회사의 자본금충실을 위하여 규제할 필요가 있다. 그러나 무한책임사원이 있는 인적회사인 합명회사나 합자회사의 경우에는 자본금충실을 요구할 필요가 없기 때문에 회사가 자기의 출자지분을 취득하는 것을 금지할 필요가 없다. 따라서 자기주식 또는 자기지분의 취득제한 제도는 회사의 사원이 유한책임만 부담하는 주식회사, 유한회사 및 유한책임회사의 경우에만 존재하므로 이러한 물적 회사의 경우에만 이 범죄가 성립한다.

나. 행위주체

원래 자기 주식·지분을 취득하는 자는 그 발행 회사이다. 다만, 원칙적으로 법인의 범죄능력을 인정하지 않는 현행 법제에서 회사는 이 죄의 행위주체가 될 수 없고 오히려 그 피해자라 할 수 있으므로, 이 죄의 행위주체는 실제로 회사를 대표하거나 대리하여 행위를 한 주식회사의 이사·집행임원, 유한회사의 이

---

346) 같은 취지: 日 大判 1936.10.28. 刑集 第15卷 1391面.
347) 최준선, 전게「회사법」, 제309면.

사, 주식회사나 유한회사의 일시이사(제386조 제2항, 제567조) 및 이사 직무대행자(제407조 제1항, 제567조), 유한책임회사의 업무집행자(제287조의19 제1항)나 직무수행자(제287조의15 제1항), 주식·유한·유한책임회사의 지배인[348] 및 부분적 포괄대리권을 가진 사용인이다.[349] 만약 이들이 법인인 경우[350]에는 제637조에 따라 실제로 그 행위를 한 이사·집행임원·지배인 등이 행위주체가 된다.[351]

감사는 회사를 대표하거나 대리하여 자기의 주식이나 지분을 취득하는 경우가 없기 때문에 이 죄의 행위주체로 되는 경우가 없을 것이다.

발기인이 설립중 회사의 계산으로 주식을 인수하는 경우처럼 주식회사의 발기인이 행위주체가 될 수 있는지 문제가 된다. 설립중 회사의 경우에는 영업을 하기 전이므로 배당가능이익이 존재할 수 없어서 적법하게 자기주식을 취득할 수 없고 자기주식 취득이 허용되는 예외적인 상황(제341조의2 각 호)도 갖출 수가 없기 때문이다. 이에 관하여 발기인의 자기주식 취득행위는 가장납입이 되므로 이 죄는 성립할 수 없는 것으로 보는 견해[352]가 있다. 그러나 발기인의 자기주식 취득이 가장납입으로 되더라도 납입가장죄 외에 자기주식 취득죄가 성립할 수 없는 것은 아니다. 다만, 제625조 제2호의 범죄구성요건은 '회사'의 계산으로 그 '주식'을 취득하거나 질권의 목적으로 받은 경우로 한정하고 있고, 위 '회사,' '주식'은 모두 회사설립등기 이후에 성립하는 개념이고 발기인은 회사설립등기와 동시에 소멸하는 존재임에 비추어 보면, 발기인이 설립중 회사의 계산으로 주식을 인수하는 경우에는 이 죄가 성립할 수 없는 것으로 봄이 죄형법정주의 원칙에 충실한 해석이다.[353] 그러므로 발기인은 이 죄의 행위주체에서 제

---

348) 지배인은 자기주식의 취득을 결정하는 자가 아니므로 이 죄의 행위주체로 볼 수 없다는 견해(송호신, 전게 학위논문, 199면)가 있다. 그러나 지배인은 회사의 영업에 관한 재판상·재판외 모든 행위를 포괄적으로 대리할 수 있는 권한이 있기 때문에(제11조), 자신의 판단에 따라 자기회사의 주식·지분 취득 행위를 대리할 수 있을 것이다(한석훈, 전게「비즈니스범죄와 기업법」, 485면).
349) 한석훈, 상게서, 484면.
350) 다만, 유한책임회사의 직무수행자는 유한책임회사의 업무집행자가 법인인 경우에 이 죄의 행위주체가 된다.
351) 천경훈, 전게「주석 상법(회사-Ⅶ)」, 129면.
352) 송호신, 전게 학위논문, 199면.
353) 천경훈, 전게「주석 상법(회사-Ⅶ)」, 129면에서는 제625조에 규정된 행위주체에 발기인이 있음을 이유로 발기인도 당연히 자기주식 등 취득죄의 행위주체에 포함하고 있으나, 제625조의 행위주체 규정은 제1호 내지 제4호의 각 죄의 행위주체를 포괄적으로 규정하고 있으므로 해석상 행위주체를 선별할 필요가 있다; 회사재산을 위태롭게 하는 죄 중 자기주식취득 행위에 관한 일본 会社法 제963조 제5항 제1호에서는 발기인은 그 행위주체에

외된다.354)

다. 위반행위

이 죄의 위반행위는 누구 명의로 하거나 회사 계산으로 부정하게 그 주식·
지분을 취득하거나 질권의 목적으로 이를 받는 행위이다(제625조 제2호). 이 벌
칙 규정에서 '취득'이란 회사재산을 위태롭게 하는 죄의 성격에 비추어 무상취득
은 제외된다. 그 취득이나 질취 당시 이미 회사 자본금충실의 추상적 위험은 발
생한 것으로 볼 수 있기 때문에 그 취득이나 질취의 효력 여하와는 무관하게
범죄는 성립한다.355)

'회사의 계산으로'란 주식·지분의 취득 또는 질권설정의 자금이 회사의 출연
에 의한 것으로 볼 수 있고 그 경제적 손익이 회사에 귀속되는 법률관계인 경
우를 말한다.356) '부정하게'란 상법 등 사법상 자기주식이나 자기지분의 취득 또
는 질권설정이 허용되지 않는 위법한 경우라는 뜻이다.357) 상법상 배당가능이익
등 취득금액 한도를 위반하거나 주주총회나 이사회 결의 등 취득절차나 방법을
위반한 경우(제341조 제1항부터 제3항까지), 발행주식총수의 20분의 1을 초과하여
자기주식을 질취한 경우(제341조의3 본문)가 이에 해당할 것이다. 판례는 '부정하
게'의 의미를 사법상 위법할 뿐만 아니라 실질적 위법성도 있는 경우를 뜻하는
것으로 해석하여 "상법 제625조 제2호가 자기주식취득행위를 처벌하는 가장 중
요한 이유는 자사주를 유상취득하는 것은 실질적으로는 주주에 대한 출자환급이
라는 결과를 가져와 자본금충실 원칙에 반하고 회사재산을 위태롭게 한다는 데
있고, 사법상의 위법과 형법상의 위법이 반드시 일치하는 것은 아니므로 외형적
으로는 사법상 금지되는 자기주식취득의 경우라도 자기주식취득의 위법상태가
바로 해소되는 것을 예정하고 취득한 때와 같이 회사재산에 대한 추상적 위험이

서 제외하고 있다.

354) 한석훈, 전게 「비즈니스범죄와 기업법」, 486면.

355) 前揭 「新版 注釈会社法(13)」, 577面; 前揭 「会社法コンメンタル(21)」, 105面; 日 最決
1958.4.25. 刑集 第12巻 第6号, 1221面.

356) 판례도 "회사가 직접 자기 주식을 취득하지 아니하고 제3자 명의로 회사 주식을 취득하였
을 때 그것이 상법 규정에서 금지하는 자기주식의 취득에 해당한다고 보기 위해서는, 주
식취득을 위한 자금이 회사의 출연에 의한 것이고 주식취득에 따른 손익이 회사에 귀속되
는 경우이어야 한다."고 판시하고 있다(대법원 2011.4.28. 2009다23610); 前揭 「会社法コ
ンメンタル(21)」, 105面.

357) 前揭 「新版 注釈会社法(13)」, 578面; 前揭 「会社法コンメンタル(21)」, 106面.

없다고 생각되는 경우 형법상으로는 실질적 위법성이 없으므로 '부정하게' 주식을 취득한 경우에 해당하지 않아 자기주식취득죄로 처벌할 수 없으나, 그러한 경우에 해당하지 않는 사법상 금지되는 자기주식취득은 본죄로 처벌할 수 있다."고 판시하였다.358) 적대적 주식매수의 대상이 된 회사의 경영진이 이를 방어하기 위하여 일단 자기주식을 취득한 후 바로 호의적인 주주에게 양도하는 경우에도 마찬가지로 보게 될 것이다. 그러나 '부정하게'란 용어가 범죄구성요건 요소로 규정되어 있는 이상 이는 객관적 범죄구성요건을 한정하는 의미를 갖는 것이고, 추상적 위험범의 경우에는 범죄구성요건을 충족하는 이상 추상적 위험은 이미 발생한 것이며, 나아가 구체적 위험까지 발생하여야 범죄가 성립하는 것은 아니다. 그러므로 자기주식취득의 위법상태가 바로 해소되는 것을 예정하고 취득한 때에도 자기주식취득 제한의 요건과 절차를 갖추지 않았다면 '부정하게' 주식을 취득한 것으로 보아야 하고, 그것이 회사재산을 위태롭게 하지 아니한 경우로서 정당행위에 해당하여 실질적 위법성이 없다고 볼 것인지는 위법성 평가의 문제로 보아 신중하게 판단해야 할 것이다. 따라서 자기주식취득의 위법상태가 즉시 해소될 것을 예정하고 있는 경우라 할지라도, 일단 자기주식을 위법하게 취득한 상태에서 회사재산을 위태롭게 하는 추상적 위험은 발생한 것으로 보아 '부정하게' 취득한 것으로 보아야 할 것이다.359) 이와 다른 위 판례의 입장은 자기주식 취득이 엄격히 금지되던 시절에 회사의 자본금충실 여부와 무관하게 경영권방어 등 목적으로 일시적으로 자기주식을 취득하는 것을 허용할 필요에 부응하기 위한 것일 뿐이므로 자기주식 취득이 폭넓게 허용된 현행 상법

---

358) 대법원 1993.2.23. 92도616(주식회사의 대표이사가 회사의 자금으로 주주 8명으로부터 주식을 액면가에다 그 동안의 은행금리 상당의 돈을 덧붙여 주식대금을 지급하고 자사주를 취득한 경우, 그 취득 경위가 주주 아닌 자에게 주식을 양도하지 않기로 하는 주주총회의 결의로 인하여 다른 자에게 양도할 수 없게 된 주주의 요구에 따라 부득이 취득하게 된 것이라 하더라도, 취득 후 1년이 지난 뒤에 대표이사 자신이 회사가 지급한 주식대금보다 많은 돈을 회사에 지급하고 자사주를 양수하였다면, 자기주식취득의 위법상태가 바로 해소되는 것을 예정하고 있는 때에 해당한다고 볼 수 없으므로 회사재산 침해의 추상적 위험인 실질적 위법성이 인정되어 자기주식취득죄에 해당한다고 한 사례); 일본에서도 외형상 자기주식취득에 해당할지라도 자기주식취득의 위법상태가 즉시 해소될 것을 예정하고 있는 경우이거나, 실질적으로 회사재산에 손해를 끼칠 염려가 없는 행위인 경우에는 '부정하게' 취득한 경우가 아니라고 보는 견해[前揭「会社法コンメンタル(21)」, 106面; 伊藤栄樹 外 2人 編, 「注釈特別刑法(5のⅠ)」(立花書房, 1986), 162面]가 있다.

359) 일본에서도 이 죄가 추상적 위험범이라는 점을 논거로 같은 취지의 견해가 있다[前揭「新版 注釈会社法(13)」, 579面; 前揭「会社法コンメンタル(21)」, 107面].

아래에서는 법원칙에 충실한 해석을 할 필요가 있다.[360]

주식회사나 유한회사는 회사합병, 다른 회사 영업전부의 양수, 권리실행의 목적달성을 위하여 필요한 경우 외에는 자기의 주식·지분을 발행주식·지분 총수의 20분의 1을 초과하여 질권의 목적으로 받지 못한다(제341조의3, 제560조 제1항). 그러므로 주식회사나 유한회사의 이사, 지배인 등이 이러한 제한을 초과하여 회사의 계산으로 자기주식·지분에 질권을 설정받은 때에는 이 범죄가 성립할 수 있다. 그러나 유한책임회사는 자기지분의 전부나 일부를 양수할 수 없도록 금지하고 있을 뿐(제287조의9), 자기지분에 대한 질권 설정을 제한하고 있지 않다. 그러므로 유한책임회사의 경우에는 업무집행자나 지배인이 회사의 계산으로 자기 회사의 지분을 취득한 때에만 이 죄가 성립할 수 있고, 자기지분에 질권을 설정받은 경우에는 범죄가 성립하지 않는다.

신주발행의 경우에 명문 규정은 없으나 자기주식·지분 취득죄의 입법취지에 비추어 보거나 회사의 자기주식·지분 취득 제한규정이 신주발행의 경우에도 적용되는 점(판례)[361]에 비추어 위반행위인 '취득'에는 신주발행으로 인한 원시취득도 포함되는 것으로 보아야 할 것이다.[362] 이에 대하여 신주발행의 경우에는 자기주식취득 제한 규정과 무관하게 납입가장 행위로서 금지된다는 견해[363]가 있다. 그러나 자기주식취득 행위가 모두 납입가장 행위가 되는 것이 아님은 앞의 발기인의 행위주체 여부 판단 부분에서 살펴보았다. 따라서 회사 계산에 의한 신주의 인수가 납입가장 행위로 되더라도 자기주식취득 행위도 경합하게 되는 것으로 보아야 한다.[364]

회사가 자기의 주식·지분을 양도담보를 설정받기 위하여 양도받은 경우에 자기주식 등의 '취득'에 해당하는지, 자기주식 등을 '질권의 목적으로 받은 때'에 해당하는지는 문제가 된다. 양도담보 중 강한 의미의 양도담보(대내외적 이전형)나 매도담보의 경우에는 대내외적으로 자기주식·지분의 취득과 같다고 보게 되므로, 이 죄의 '취득' 행위에 해당함에 의문이 없다. 그런데 약한 의미의 양도담

보(외부적 이전형)의 경우에는 자기주식을 '질권의 목적으로 받은 때'에 해당하는 것으로 보는 견해365)가 있다. 이에 대하여 「가등기담보 등에 관한 법률」이 적용되지 않는 주식 등 양도담보의 법적 성질에 관한 통설·판례인 신탁적양도설(즉 신탁적 소유권이전설)366)에 의하면 약한 의미의 양도담보인 경우에도 대외적으로는 주주권 또는 사원권이 이전되어 양도담보권자가 주주나 사원으로 취급되는 것이므로,367) 회사가 주식·지분을 '취득'한 경우로 보아야 한다는 견해368)가 있다. 원래 기업금융의 편의를 위하여 자기주식·지분의 질취 제한을 그 취득 제한보다 완화하고 있지만,369) 2011년 개정상법에서 종전 자기주식 취득 금지 제도는 대폭 완화하면서 자기주식의 질취 금지는 종전 규정을 그대로 존치한 이유는 소유권 취득 형식이 아닌 한 자기주식 취득 제한 제도에 포섭할 필요가 없었기 때문이다. 즉 상법은 그 권리이전 형식의 차이에 따라 자기주식·지분에 대한 취급을 달리하고 있는 것이므로 자기주식·지분에 약한 의미의 양도담보를 설정하는 것은 후자의 견해에 따라 회사가 주식·지분을 '취득'한 경우로 보아야 할 것이다.370)

라. 기수시기

미수범 처벌규정이 없으므로 범죄의 성립시기가 곧 기수시기인데, '주식 또는 지분을 취득하거나 질권의 목적으로 이를 받은 때' 이 죄가 성립한다. 주권이 발행된 경우에는 단순히 그 소유권 양도의 합의 또는 질권설정의 채권계약을 한 것만으로는 아직 범죄가 성립하지 아니한 것이다. 이에 대하여 주식 등의 소유권 취득을 목적으로 채권계약을 한 때에도 범죄가 성립한 것으로 보아야 한다는 견해371)가 있으나, 주식양도는 준물권계약임에도 불구하고 주식취득의 의미를 이와 같이 확대해석하는 것은 죄형법정주의 원칙에 반한다. 주식의 양도나 질권

365) 정찬형, 전게 「상법강의(상)」, 826면; 최준선, 전게 「회사법」, 336면; 일본에서도 양도담보권은 담보권이므로 자기주식의 질취에 해당한다고 보는 견해[前揭 「新版 注釈会社法(13)」, 577面; 前揭 「会社法コンメンタル(21)」, 105面]가 있다.
366) 곽윤직·김재형, 「물권법」(박영사, 2015), 574면; 송덕수, 「신 민법강의」 제13판(박영사, 2020), 700면.
367) 대법원 1993.12.28. 93다8719.
368) 이철송, 전게 「회사법강의」, 408면; 최기원, 「신회사법론」(박영사, 2012), 406면.
369) 최기원, 전게 「신회사법론」, 406면.
370) 한석훈, 전게 「비즈니스범죄와 기업법」, 492면.
371) 송호신, 전게 학위논문, 200면.

설정의 경우에는 원칙적으로 그 효력발생요건인 주권의 교부(제356조의2 규정에
따른 전자등록이 된 주식의 경우에는 전자등록부에의 전자등록)가 있을 때 이 죄가
성립한다.[372]

주권발행 전 주식양도가 허용되는 경우(제335조 제3항)에 그 주식의 양도는
지명채권 양도방식에 따라야 하고(통설·판례),[373] 이 경우 당사자간 주식양도의
합의시 양도의 효력은 발생하는 것이므로 이 때 기수에 이르는 것으로 보아야
한다.[374] 양도의 효력만 발생하면 '취득'이라 할 수 있는 것이므로, 나아가 회사
에 대한 양도인의 통지나 회사의 승낙과 같은 양도의 대항요건 구비 여부는 문
제가 되지 않는다.

회사가 자기주식에 관한 신주인수권증서(제420조의2)나 신주인수권부사채의
신주인수권증권(제516조의5)을 취득하거나 질취한 경우에는 아직 주식을 취득하
거나 질권을 설정받은 것이 아니므로 범죄가 성립한 것이 아니다.[375] 신주발행
시 회사의 계산으로 자기주식을 인수하는 경우이거나 회사가 보유하는 자기주식
신주인수권증서에 의한 신주청약의 경우에는 납입기일 다음날부터(제423조 제1
항) 신주발행의 효력이 발생하므로, 이 때 신주를 취득한 것이 되고 범죄가 성
립한다.[376] 회사가 자기의 전환사채, 신주인수권부사채 또는 신주인수권증권을
취득한 경우에는 전환권이나 신주인수권을 행사하여 그 신주발행의 효력이 발생
한 때 범죄가 성립한다. 그러므로 전환권을 행사하는 경우에는 전환청구를 한
때 신주발행의 효력이 발생하고, 신주인수권을 행사하는 경우에는 발행가액 전
액을 납입한 때 신주의 주주가 되는 것이므로(제516조의10 제1문) 이때 이 죄도
성립한다.[377]

유한책임회사나 유한회사의 자기지분 취득 또는 질권설정의 경우에는 사원권
을 표창하는 유가증권이 없으므로 그 양도 또는 질권설정 합의를 한 때 그 지

---

372) 한석훈, 전게 「비즈니스범죄와 기업법」, 493면; 기명주식의 등록질을 설정하는 경우에는
    주주명부에의 기재가 질권설정의 효력발생요건이기는 하지만, 질권설정의 합의와 주권교
    부만 있고 주주명부에 아직 기재하지 아니한 경우에도 약식질로서의 효력은 발생하는 것
    이기 때문에 이때 범죄가 성립함에는 차이가 없다.
373) 최준선, 전게 「회사법」, 298면.
374) 한석훈, 상게서, 493면.
375) 한석훈, 상게서, 493면.
376) 한석훈, 상게서, 493면.
377) 한석훈, 상게서, 493면.

분양도 또는 질권설정의 효력이 발생하는 것이므로 이 때 이 죄도 성립한다.[378] 나아가 지분의 양도 또는 질권설정의 대항요건 구비 여부 또는 사원명부에의 기재 여부는 범죄의 성립에 영향이 없다.

3. 위법배당죄

가. 의의 및 적용범위

주식회사 및 유한회사의 경우에는 유한책임사원으로만 구성되어 회사재산만이 영업활동의 기초이자 회사채무의 유일한 책임재산이므로, 영업활동을 위한 자본금충실과 회사채권자의 보호를 위하여 영업이익의 분배를 엄격히 규제할 필요가 있다. 그러므로 회사재산의 부당한 유출을 방지하기 위하여 이익배당의 요건과 절차를 엄격히 규제하고, 이를 위반한 경우에 위법배당죄로 처벌하는 것이다.

이에 대하여 합명회사, 합자회사와 같은 인적회사는 무한책임사원이 있어 회사신용의 기초가 사원 개개인이라고 할 수 있으므로 사원들의 이익분배를 규제할 필요가 없다.

유한책임회사는 유한책임사원으로만 구성된 물적회사에 속하지만, 내부적으로는 업무집행자들이 조합처럼 자유롭게 운영하고 사원의 지분양도에 다른 사원의 동의를 받아야 하는 등 사원의 개성이 중요한 인적회사로서의 성격도 지니고 있다. 또한 주식회사나 유한회사와는 달리 이익배당이란 용어 대신 잉여금의 분배라는 용어를 사용하고 있다(제287조의37). 그러므로 유한책임회사의 잉여금 분배가 법령 또는 정관에 위반한 경우에도 이 죄가 성립하는 것인지 여부는 문제가 될 수 있다. 유한책임회사도 대차대조표상 순자산액으로부터 자본금액을 뺀 잉여금을 한도로 사원에게 분배할 수 있도록 규제하고 있고, 이를 위반하여 분배한 경우에는 회사채권자가 그 잉여금을 분배받은 자에 대하여 회사에 반환할

---

378) 한석훈, 상게서, 493, 494면; 이와 관련하여, 유한회사가 지분양도를 제한하는 정관 규정 (제556조 단서)을 위반하여 자기지분을 취득한 경우, 유한책임회사가 다른 사원의 동의 (제287조의8 제1항)를 받지 아니하고 자기지분을 취득한 경우에는 지분양도의 합의만으로는 아직 회사재산에 위험이 발생하였다고 볼 수 없으므로 이 죄의 성립에 의문을 제기하는 견해(천경훈, 전게 「주석 상법(회사-Ⅶ)」, 132면)가 있다. 그러나 이 죄는 추상적 위험범으로서 자기지분 취득 또는 질취의 사법상 효력 여부와는 무관하게 성립하는 것이다.

것을 청구할 수 있다(제287조의37 제1항, 제2항). 그러나 유한책임회사는 주식회사나 유한회사의 이익배당처럼 자본금 결손보전을 위한 법정준비금의 적립, 이익배당에 관한 주주총회나 사원총회의 승인절차 등의 엄격한 규제는 없다. 유한책임회사는 유한책임사원이 업무집행자가 될 수 있고, 이러한 사원의 개성이 회사운영이나 대외적 신용에 중요하다는 점에서 인적회사로서의 특성도 지니고 있기 때문이다. 그러므로 상법도 '이익배당'이란 표현 대신 '잉여금의 분배'란 용어를 사용하고 있다. 그런데 제625조 제3호에 규정된 위법배당죄의 구성요건에는 '이익배당'에 적용하는 것으로 명시하고 있다. 따라서 죄형법정주의 원칙에 비추어 유한책임회사에는 이 규정이 적용되지 않는 것으로 보는 것이 타당하다.379)

나. 행위주체

이익배당은 주주총회나 사원총회의 정기총회 결의로 정하게 되고, 주식회사의 경우 정관에 재무제표의 승인을 이사회 결의사항으로 정한 경우에는 이사회 결의로 최종 결정을 하게 한다(제449조의2 제1항, 제462조 제2항 단서). 이를 위하여 이사나 집행임원은 이익잉여금 처분계산서가 포함된 재무제표를 작성하여 감사(또는 감사위원회)의 감사(監査)를 받은 다음 주주총회(또는 이사회)나 사원총회에 제출하고, 승인받은 이익배당안에 따라 이익배당을 하게 된다(제464조, 제464조의2 제1항, 제580조). 그러므로 위법배당죄의 행위주체가 될 수 있는 자는 주식회사의 이사·집행임원, 유한회사의 이사, 주식회사나 유한회사의 일시이사(제386조 제2항, 제567조) 또는 이사 직무대행자(제407조 제1항, 제567조)이다. 주식회사의 경우에 이사회 결의시 위법배당안에 찬성한 이사는 이익배당을 집행하는 자가 아니므로 공범으로 볼 수 있는 경우가 아니라면 위법배당죄의 행위주체에 포함되지 않는다.

이익배당의 경우에 감사의 조사절차를 거친다는 이유로 감사도 위법배당죄의 행위주체가 될 수 있다고 보는 견해380)가 있다. 그러나 감사나 감사위원회 위원은 이익잉여금의 처분이 법령·정관 및 회계원칙에 맞는지 여부를 감사하는 자일 뿐(제447조의4 제2항, 제579조 제3항) 이익배당 행위를 하는 자라고 볼 수는 없으므로 이 죄의 행위주체가 되는 것은 아니다.381) 다만, 감사(또는 감사위원회

---

379) 한석훈, 전게 「비즈니스범죄와 기업법」, 496면.
380) 송호신, 전게 학위논문, 118면.

위원), 지배인, 집행임원 등은 그 관여정도에 따라 이사 등 행위주체가 범하는 이 죄의 공범이 될 수 있을 뿐이다.

다. 위반행위

범죄구성요건이 되는 위반행위는 법령 또는 정관에 위반한 이익배당이다(제625조 제3호). 이익배당이란 회사의 영업활동으로 인하여 발생한 이익을 주주 등 사원에게 분배하는 것이다. 주식회사 및 유한회사의 이익배당은 제462조 제1항에 따라 산정한 배당가능이익을 한도로(제462조, 제583조 제1항, 상법 시행령 제19조), 주주총회나 사원총회의 승인결의(제462조 제2항 본문, 제583조 제1항)나 이에 갈음하는 이사회의 승인결의(제449조의2, 제462조 제2항 단서)에 따라 이익배당을 해야 한다. 또한 이익배당에 관하여 내용이 다른 종류주식이 있거나 유한회사의 정관에 다른 정함이 없는 이상 각 주식수 또는 출자좌수에 따라 배당해야 한다(제464조, 제580조). 그러나 이러한 법률이나 정관에 위반한 이익배당이라 하더라도 그것이 이 죄의 보호법익인 자본금충실을 해치고 회사재산을 위태롭게 한 경우에만 범죄구성요건인 이익배당으로 보아야 할 것이다. 그러므로 배당가능이익을 초과한 이익배당, 주주총회(또는 이에 갈음하는 이사회)나 사원총회의 승인결의 없는 이익배당 등 법령이나 정관에 위반한 이익배당으로 자본금충실을 침해하는 경우에는 이 죄가 성립한다.

년 1회의 결산기를 정한 주식회사나 유한회사는 영업년도 중 1회에 한하여382) 정관 규정에 따라 중간배당을 할 수 있는데(제462조의3 제1항, 제583조 제1항), 이러한 중간배당도 이익배당의 일종이므로 이 죄가 성립할 수 있다.383)

이 죄의 보호법익은 주주나 사원의 이익배당청구권이 아니라 회사의 자본금충실이므로, 주주의 주식수(또는 이익배당에 관하여 내용이 다른 종류주식이 있는 경우에는 그 내용 및 주식수)나 사원의 출자좌수에 따라 배당하지 않더라도 그것이 회사재산을 위태롭게 하는 경우가 아닌 한 이 죄가 성립하지는 않는다.384)

---

381) 한석훈, 전게 「비즈니스범죄와 기업법」, 497면.
382) 주권상장법인의 경우에는 정관으로 정하는 바에 따라 분기배당도 할 수 있다(자본시장법 제165조의12).
383) 같은 취지: 최준선, 전게 「회사법」, 757면; 노명선, 전게 「회사범죄(Ⅰ)」, 225면; 송호신, 전게 학위논문, 122, 123면.
384) 한석훈, 전게 「비즈니스범죄와 기업법」, 499면; 우리나라와 유사하게 회사재산을 위태롭게 하는 죄의 한 유형으로서 위법배당죄를 규정하고 있는 일본 会社法 제963조 제5항 제2호

이에 대하여 법령 또는 정관 규정을 위반하여 이익배당을 하는 모든 경우에 위법배당죄가 성립한다고 보는 견해[385])에 따르면 이 경우에도 위법배당죄가 성립한다고 볼 수 있을 것이나, 이는 위법배당죄를 회사재산을 위태롭게 하는 죄로 규정한 입법취지나 위법배당죄의 보호법익에 반하는 해석이다.

주주총회(또는 이사회)나 사원총회는 배당가능이익이 있더라도 배당결의시 배당 여부나 배당비율을 자유롭게 정할 수 있으므로 과소배당이 되더라도 이를 위법배당이라고 할 수는 없을 것이다. 그런데 이사가 이익배당의 기초가 되는 재무제표 등 회계 관련 장부를 역분식한 결과 배당할 수 없거나 적은 배당이 되도록 한 경우에는, 주주가 은닉된 재산에 관하여 이익배당을 받을 수 없고 은닉재산이 주가에 영향을 미칠 수도 없으므로 주주의 재산권을 침해하는 행위가 되어 이 죄가 성립한다는 견해[386])가 있다. 그러나 회사와 주주의 이익을 구분하는 이해관계자주의나 법인이익독립론 입장에서는 회사의 자본금충실이라는 이 죄의 보호법익을 침해하는 배당행위가 있었다고 볼 수는 없을 것이다. 또한 역분식으로 인하여 주주총회 결의를 거치지 않거나 회사의 회계규정에 반하여 이익을 처분하는 것은 그때까지 이루어진 분식결산을 메우기 위한 목적으로 행하여지거나, 역분식으로 장부 외에 은닉된 회사재산이 장래에 임의처분 될 여지가 있게 되므로, 전체적으로 보아 회사재산에 위험이 발생한 것이므로 이 죄에 해당한다고 보는 견해[387])도 있다. 그러나 이러한 견해는 역분식 행위 자체가 아니라 그 목적이나 동기를 범죄구성요건 해당과 동일시하는 것이므로 부당하다. 역분식 행위 자체로는 회사재산을 위태롭게 하는 행위가 아니므로 회사의 자본금충실을 해치는 배당이라 할 수 없을 것이다.[388]) 회사는 배당가능이익이 있더라도 그 범위 내에서 자유롭게 배당할 수 있음을 이유로 같은 결론을 내리는 견해[389])도 있다.

의 해석에 관하여, 前揭「会社法コンメンタル(21)」, 107面에서도 위법배당죄는 위법한 배당을 하여 회사재산을 유출시키는 행위가 자본금충실 원칙에 반하고 회사재산을 위태롭게 하는 행위가 되기 때문에 처벌하는 것이라고 설명하고 있다.

385) 임중호, 전게 "회사범죄와 그 대책방안," 80, 81면.

386) 송호신, 전게 학위논문, 121면.

387) 神山敏雄 外 3人 編, 前揭「新経済刑法入門」, 163面.

388) 한석훈, 전게「비즈니스범죄와 기업법」, 500면; 이 견해가 일본의 통설이다[前揭「新版 注釈会社法(13)」, 580面; 前揭「会社法コンメンタル(21)」, 107, 108面; 伊藤栄樹 外 2人 編, 前揭「注釈特別刑法(5のⅠ)」, 166면].

389) 천경훈, 전게「주석 상법(회사-Ⅶ)」, 134, 135면.

　이익배당의 실질적 요건, 즉 배당가능이익이 없음에도 불구하고 주주 전원이 그 사정을 알면서 이익배당에 동의하거나 주주총회에서 승인결의를 하더라도 이 죄는 성립한다.[390] 이해관계자주의나 법인이익독립론 입장에서는 독립된 법인인 회사의 재산은 주주뿐만 아니라 회사채권자 등 이해관계자들 모두를 위한 책임재산이 되는 것이므로 주주가 임의로 이를 처분할 수 없기 때문이다.[391]

　이익배당을 함에 필요한 절차 중 주주총회 전 이사회 결의(제447조) 또는 감사나 감사위원회의 조사・보고절차(제447조의4, 제415조의2 제7항, 제579조)를 거치지 아니한 경우에도 이 벌칙 규정이 적용되는지 문제가 될 수 있다. 이익배당을 결정하는 절차는 주주총회 결의(또는 이에 갈음하는 이사회 결의)나 사원총회의 결의이며, 그 전의 위 절차는 이익배당 결정을 보조하거나 준비하는 절차에 불과하다. 그러므로 이익배당에 관한 주주총회나 사원총회의 결의가 유효하게 성립한 이상 그 준비절차를 거치지 않았다고 하여 위법배당이라 할 수는 없을 것이다.[392] 따라서 절차위반의 경우에는 제625조 제3호의 '법령 또는 정관에 위반하여'란 주주총회나 사원총회의 결의와 같은 중요한 절차위반으로 한정해야만 할 것이다.[393]

　주식회사에서는 주주총회의 결의로 이익배당할 금전에 갈음하여 회사가 발행하는 신주로 이익배당을 할 수 있다(제462조의2 제1항). 이러한 주식배당도 이익배당의 일종으로서[394] 배당가능이익이 있어야 하고, 이익배당총액의 2분의 1에 상당하는 금액[395]을 초과하지 못한다. 또한 주식배당으로 신주를 발행하는 것이므로 발행예정주식총수 범위 내에서 발행하는 등 일반적인 신주발행 요건도 갖추어야 한다. 주식배당을 하는 경우에 발행하는 신주의 발행가액은 주식의 권면액으로 하고, 종류주식을 발행한 때에는 각각 그와 같은 종류의 주식으로 배당

---

390) 神山敏雄 外 3人 編, 前揭書, 163面.
391) 한석훈, 전게 「비즈니스범죄와 기업법」, 500면.
392) 前揭 「会社法コンメンタル(21)」, 108面.
393) 한석훈, 상게서, 501면; 이에 대하여 이사회의 동의나 감사의 조사를 거치지 아니하고 주주총회가 배당결의한 경우에도 중대한 절차에 위배한 경우이므로 위법배당죄가 성립한다는 반대견해(송호신, 전게 학위논문, 122면)도 있다.
394) 주식배당의 법적 성질을 이익배당의 일종으로 보는 견해가 통설이다(정찬형, 전게 「상법강의(상)」, 1233~1234면; 최준선, 전게 「회사법」, 747면; 이철송, 전게 「회사법강의」, 1018면; 이기수・최병규, 전게 「회사법」, 738면; 권기범, 「현대회사법론」 제8판(삼영사, 2021), 1259면).
395) 주권상장법인은 주식의 시가가 권면액에 미치지 못하는 경우가 아니면 이익배당총액에 상당하는 금액까지 주식배당을 할 수 있다(자본시장법 제165조의13).

할 수 있다(제462조의2 제2항). 그런데 이러한 주식배당의 제한을 위반한 주식배당을 한 경우에 위법배당죄가 성립하는지 다툼이 있다. 주식배당을 하면 그로 인하여 회사재산이 사내에 유보되고 무상신주의 발행에 의한 자본금 증가로 배당가능이익 범위가 줄어들어 회사재산의 유출방지 및 회사채권자 보호 효과가 있어서 회사재산을 위태롭게 하는 것이 아니라는 이유로 위법배당죄가 성립하지 않는 것으로 보는 견해[396]가 있다. 그러나 배당가능이익이 없음에도 주식배당을 하거나 배당가능이익을 초과하여 주식배당을 하여 이익배당요건을 위반한 경우에는 발행된 신주만큼 자본금이 증가하지만 주금액에 상응하는 회사재산의 증가는 이루어지지 아니하므로 자본금충실 원칙에 위배된다.[397] 이러한 주식배당으로 회사재산의 유출이 이루어지는 것은 아니지만, 주식배당으로 증가된 자본금의 외형에 상응하는 회사재산이 보유되고 있지 못한 상태이므로 자본금 규모를 신뢰한 회사채권자 등 이해관계자의 이익을 침해할 수 있다. 따라서 자본금충실 원칙에 반하는 이러한 주식배당의 경우에는 위법배당죄가 성립하는 것으로 보아야 할 것이다.[398] 또한 주식배당시 발행하는 신주의 발행가액을 주식의 권면액보다 저가로 정하여 주식배당 요건을 위반한 경우에도 주금액에 상응하는 회사재산 증가가 이루어지지 않은 상태라면 자본금충실 원칙을 위배하는 것이므로[399] 위법배당죄가 성립할 수 있다.[400] 그러나 이익배당총액의 2분의 1에 상당하는 금액을 초과하여 주식배당을 하는 경우, 주식배당시 발행하는 신주의 발행가액을 주식의 권면액보다 고가로 정하는 경우, 정관상의 발행예정주식 총수를 초과하여 주식배당을 하는 경우[401]에는 자본금충실 원칙을 침해하는 것은 아니므로 위법배당죄는 성립할 수 없다.[402]

---

396) 천경훈, 전게 「주석 상법(회사-Ⅶ)」, 133면.
397) 이 경우 신주발행의 효력은 자본금충실 원칙에 위배되어 무효이므로 신주발행무효 소의 원인으로 보는 견해가 통설이다[최준선, 전게 「회사법」, 751면; 이철송, 전게 「회사법강의」, 1022면; 임홍근, 「회사법」(법문사, 2000), 731면; 정찬형, 전게 「상법강의(상)」, 1240면; 권기범, 전게서, 1164면; 이기수·최병규, 전게 「회사법」, 734면].
398) 한석훈, 전게 「비즈니스범죄와 기업법」, 502면.
399) 최준선, 전게 「회사법」, 748면.
400) 한석훈, 상게서, 502, 503면.
401) 이 경우에는 후술하는 주식초과발행죄가 성립할 수 있을 뿐이다.
402) 한석훈, 상게서, 503면; 이에 대하여 주식배당도 이익배당의 한 방법이라는 이유로, 배당가능이익이 없음에도 주식배당을 하는 경우에는 물론, 정관상 발행예정주식 총수를 초과한 주식배당, 주주총회 결의가 없거나 하자 있는 경우의 주식배당의 경우에도 위법배당죄가 성립한다는 견해(노명선, 전게 「회사범죄(Ⅰ)」, 225면)도 있다.

주식회사가 취득한 자기주식은 이익배당청구권이 인정되지 않는다는 견해가 통설이다.403) 그럼에도 불구하고 회사가 자기주식에 대하여 이익배당을 한 경우에는 위법배당죄가 성립하는 것으로 보는 견해404)가 있다. 그러나 자기주식에 대한 이익배당은 회사재산이 외부로 유출되는 것이 아니고 회사의 자본금충실을 침해할 위험도 없으므로 위법배당죄가 성립하지 않는다.405)

라. 기수시기

주주총회(정관 규정에 따라 재무제표의 승인을 이사회에서 하는 주식회사의 경우에는 이사회)나 사원총회에서 이익배당 승인결의를 하면 주주나 사원은 그 총회가 종결된 때부터 구체적인 배당금지급청구권을 취득하고,406) 회사는 주주나 사원에 대하여 구체적인 배당금 지급의무를 부담한다. 중간배당의 경우에는 이사회(유한회사는 이사 과반수)의 배당결의가 있을 때 주주나 사원은 구체적인 중간배당금 지급청구권을 취득하고, 회사의 주주나 사원에 대한 구체적인 배당금 지급의무가 발생한다.407) 주식배당을 받은 주주는 주식배당 결의가 있는 주주총회가 종결된 때부터 신주의 주주가 된다(제462조의2 제4항 제1문). 이렇게 회사가 배당으로 인한 구체적인 배당금지급의무를 부담하거나 주식배당의 효력이 발생하면 자본금충실이 침해될 위험은 발생한 것이므로 위법배당죄는 기수에 이른다.408) 이에 대하여 이익배당에 관한 주주총회 등의 승인결의 후 현실적으로 배당금을 지급한 때 기수가 되는 것으로 보는 견해409)도 있으나, 이러한 해석은 추상적 위험범인 이 죄의 성질에 맞지 않는다.

다만, 주주총회(또는 이사회)나 사원총회의 승인결의(또는 중간배당시 이사회 등의 배당결의) 없이 이익배당이 이루어진 경우에는 실제로 배당금을 지급한 때 기

---

403) 최준선, 전게 「회사법」, 314면; 이철송, 전게 「회사법강의」, 425면; 최기원, 전게서, 360면; 임홍근, 전게서, 260면; 정찬형, 전게 「상법강의(상)」, 784~785면.

404) 노명선, 전게 「회사범죄(Ⅰ)」, 226면

405) 한석훈, 전게 「비즈니스범죄와 기업법」, 503면; 송호신, 전게 학위논문, 124면.

406) 그 승인결의가 있을 때 주주나 사원의 구체적인 배당금지급청구권이 발생한다는 견해가 통설이다(최기원, 전게서, 928면; 정찬형, 전게 「상법강의(상)」, 1225면; 최준선, 전게 「회사법」, 742면; 이철송, 전게 「회사법강의」, 1012면).

407) 최준선, 전게 「회사법」, 755~756면.

408) 한석훈, 상게서, 504면; 임중호, 전게 "회사범죄와 그 대책방안," 81면; 일본의 통설이다 [前揭 「会社法コンメンタル(21)」, 108面].

409) 송호신, 전게 학위논문, 127면.

수로 되고,410) 그 전에 회사가 주주나 사원에게 지급 의사를 표시하는 경우에는 그 시기에 구체적 이익배당금 지급청구권이 발생하므로 기수에 이르게 된다.411)

4. 투기행위죄

가. 의 의

위반행위는 회사 영업범위 외의 투기행위를 하기 위하여 회사재산을 처분하는 행위이다(제625조 제4호). 회사는 정관으로 정한 설립목적 범위 내에서 권리의무의 주체가 되므로(제169조, 민법 제34조) 영리법인인 회사의 업무를 집행하는 이사, 지배인 등은 회사의 설립목적 범위 내에서 사회통념상 용인되는 방법으로 회사의 영리를 추구하여야 할 임무가 있다. 만약 이러한 임무를 위반하여 회사재산을 운용한다면 회사의 재산을 침해할 위험이 있으므로, 투기행위죄는 이러한 위험으로부터 회사의 재산을 보호하려는 것이다.

이러한 입법취지에 비추어 이 죄는 회사의 종류를 불문하고 모든 회사에 적용되는 것으로 보아야 하겠지만, 회사재산을 위험한 투기행위로부터 보호할 필요성은 소유와 경영이 분리되고 회사의 재산만이 회사채권자의 책임재산이 되는 물적회사의 경우에 클 것이다.

나. 위반행위

'회사의 영업범위'는 위 입법취지에 비추어 회사의 설립목적 범위와 같은 뜻으로 해석해야 한다.412) 그런데 회사의 설립목적 범위를 회사의 목적에 의한 권리능력 제한 범위와 같은 것으로 보는 견해413)가 있다(구분불요설). 회사의 목적에 의한 권리능력의 제한을 인정할 것인지 여부에 관해서는 무제한설이 통설이고,414) 판례는 제한설이지만 거의 무제한설에 가까운 해석을 하고 있다.415) 이

---

410) 임중호, 전게 "회사범죄와 그 대책방안," 81면; 송호신, 전게 학위논문, 127면.
411) 한석훈, 전게 『비즈니스범죄와 기업법』, 504, 505면; 前揭 『会社法コンメンタル(21)』, 108面.
412) 일본의 경우에도 2005년 개정 전 商法에서는 우리나라의 상법과 같이 '영업범위 외'라고 표현하고 있었으나, 현행 会社法 제963조 제5항 제3호는 '주식회사의 목적범위 외'라고 명확하게 표현하고 있다.
413) 송호신, 전게 학위논문, 128면.
414) 정찬형, 전게 『상법강의(상)』, 486~487면; 이철송, 전게 『회사법강의』, 79면; 김정호, 『회

러한 입장에서 구분불요설을 따르면 '회사의 영업범위 외'로 볼 수 있는 경우가 거의 없게 된다. 더군다나 회사의 목적 수행에 필요한 행위인지 여부는 행위자의 주관적·구체적 의사에 따라 판단하는 것이 아니라 행위의 객관적 성질에 따라 추상적으로 판단하는 것이다(판례).416) 그러므로 구분불요설 입장에 선다면 투기행위죄는 거의 성립할 여지가 없이 유명무실한 범죄로 전락하게 될 것이다. 원래 회사의 대외적인 권리능력 범위와 이사 등 경영자의 대내적 활동범위를 동일한 기준으로 판단해야 하는 것은 아니다. 따라서 경영상 위험으로부터 회사의 재산을 보호하기 위한 투기행위죄에서 말하는 '회사 영업범위'란 거래안전이 중시되는 사법상의 권리능력 제한 범위와는 구별해야 한다(구분필요설). 사법상으로는 거래의 안전을 위하여 회사의 목적범위 외로 볼 수 없더라도 투기행위죄의 범죄구성요건인 '회사의 영업범위 외' 행위는 될 수 있을 것이다.417) 판례는 " '회사의 영업범위 외'라고 함은 회사의 정관에 명시된 목적 및 그 목적을 수행하는 데 직접 또는 간접적으로 필요한 통상적인 부대업무의 범위를 벗어난 것을 말하는 것으로서, 목적 수행에 필요한지 여부는 행위의 객관적 성질에 따라 추상적으로 판단할 것이지 행위자의 주관적·구체적 의사에 따라 판단할 것은 아니다."라고 판시하고 있다.418) 회사의 목적 수행에 필요한 '모든 행위'가 아니라 '통상적인 부대업무의 범위'로 제한하고 있는 점에 비추어 판례도 구분필요설 입장이라 할 수 있다.419)

'투기행위'의 개념에 관하여 판례는 "거래시세의 변동에서 생기는 차액의 이득을 목적으로 하는 거래행위 중에서 사회통념상 회사의 자금운용방법 또는 자산보유수단으로 용인될 수 없는 행위를 말하는 것으로, 구체적으로 회사 임원

사법」 제7판(법문사, 2021), 75면; 손진화, 「상법강의」(신조사, 2016), 372면; 최완진, 「신회사법요론」(한국외국어대학교출판부, 2012), 30면; 김홍기, 「상법강의」 제6판(박영사, 2021), 316면.

415) 판례는 회사의 설립목적에 의한 권리능력 범위에 관하여 목적사업수행에 직접·간접으로 필요한 행위를 모두 포함하는 것으로 넓게 해석하고, 이를 판단함에 있어서도 행위의 객관적 성질에 따라 추상적으로 판단하여야 하는 것으로 본다(대법원 2009.12.10. 2009다63236; 1988.1.19. 86다카1384 등).

416) 대법원 2009.12.10. 2009다63236.

417) 前揭 「会社法コンメンタル(21)」, 111面.

418) 대법원 2007.3.15. 2004도5742.

419) 임중호, 전게논문, 82면에서는 '영업범위란 회사의 정관 소정의 사업목적과 그 목적수행에 필요한 부수적 업무로서 회사의 통상의 경제활동의 범위'라고 해석하고 있는바, 판례와 같은 취지의 견해이다.

등의 회사재산 처분이 투기행위를 하기 위한 것인지를 판단함에 있어서는 당해 회사의 목적과 주된 영업내용, 회사의 자산규모, 당해 거래에 이르게 된 경위, 거래 목적물의 특성, 예상되는 시세변동의 폭, 거래의 방법·기간·규모와 횟수, 거래자금의 조성경위, 일반적인 거래관행 및 거래 당시의 경제상황 등 제반 사정을 종합적으로 고려해야 한다."고 판시하고 있다.[420] 회사 영업범위 외에서 투기행위를 위하여 회사재산을 처분하였다면, 그 재산처분 목적이 회사의 이익을 위한 것이었는지 여부는 불문한다. 그러나 회사재산의 처분은 회사의 계산으로 해야만 이 죄가 성립하고,[421] 회사재산을 이용하여 자기의 계산으로 투기행위를 한 경우에는 업무상횡령죄가 문제될 수 있을 뿐이다.

다. 행위주체

투기행위죄의 행위주체는 회사재산을 처분할 수 있는 지위에 있는 자라야만 할 것이다. 그러므로 회사의 업무집행사원, 이사, 집행임원, 지배인, 부분적 포괄대리권을 가진 사용인, 유한책임회사의 업무집행자, 주식회사 또는 유한회사 이사의 직무대행자, 일시이사 등이다. 이러한 영업범위 외 투기행위는 주로 이사 등 경영자의 임무수행 과정에서 발생하는 것이므로 경영판단에 해당하는 경우에는 경영판단원칙이 적용될 여지도 있을 것이다.

V. 죄수관계

회사재산을 위태롭게 하는 죄와 회사임원등 특별배임죄 또는 형법상 업무상배임죄와의 죄수관계에 관하여 상상적 경합설과 법조경합설이 대립한다.

상상적 경합설은 회사재산을 위태롭게 하는 죄를 독자적인 범죄구성요건으로 규정하고 있는 이유는 주식회사나 유한회사의 자본단체적 성격상 제625조에 열거된 행위들을 특별히 엄격하게 규제할 필요가 있기 때문이므로, 회사재산을 위태롭게 하는 행위가 동시에 배임죄에 해당하는 경우에는 상상적 경합관계로 보아야 한다는 것이다(상상적 경합설).[422] 그러나 회사재산을 위태롭게 하는 죄의

---

420) 대법원 2007.3.15. 2004도5742.
421) 같은 취지: 前揭 「会社法コンメンタル(21)」, 112面.

보호법익은 회사의 자본금충실이거나 회사의 경영건전성 및 회사재산이고, 배임죄의 보호법익도 피해자 즉 회사의 전체 재산이다. 회사의 자본금충실이나 경영건전성은 회사의 재산권을 보호하기 위한 수단일 뿐이므로 배임죄의 보호법익은 회사재산을 위태롭게 하는 죄의 보호법익을 포괄하는 셈이다. 또한 회사재산을 위태롭게 하는 죄의 범죄구성요건 행위는 회사의 사무를 처리하는 자가 그 직무상 신뢰를 배반하는 행위에 속한다는 점에서 배임죄의 범죄구성요건인 임무위배행위에 포함된다. 배임죄의 범죄구성요건은 나아가 행위주체 자신이나 제3자에게 재산상 이익을 취득하게 하고 타인 즉 회사에 손해를 가할 것 등을 추가로 요구하고 있을 뿐이다. 따라서 회사재산을 위태롭게 하는 죄는 배임죄가 성립되지 아니하는 경우에 보충적으로 적용되는 보충관계인 법조경합 관계로 보아야 할 것이다(법조경합설).423) 법조경합설 입장에서는 배임죄가 성립하는 경우에는 회사재산을 위태롭게 하는 죄는 성립하지 않는다.424) 판례도 보충관계의 법조경합범으로 보고 있다.425) 다만, 배임죄에 해당할 경우에도 증명의 어려움을 감안하여 회사재산을 위태롭게 하는 죄로 공소제기할 수는 있을 것이다.426)

제 5 절   모회사주식 취득제한위반죄

I. 의   의

1984. 4. 10. 구 상법(2001. 7. 24. 법률 제6488호로 개정되기 전의 것) 제342

---

422) 박길준, 전게 "상법상의 벌칙규정에 대한 입법론적 고찰 – 일본법과의 비교를 중심으로 –," 153면.
423) 한석훈, 전게 「비즈니스범죄와 기업법」, 509면.
424) 노명선, 전게 「회사범죄(I)」, 228면; 神山敏雄 外 3人 編, 前揭書, 162面; 前揭 「新版 注釋 会社法(13)」, 575面; 전게 「会社法コンメンタル(21)」, 101面; 伊藤栄樹 外 2人 編, 前揭書, 170면.
425) 대법원 2007.3.15. 2004도5742(제625조 제4호 영업범위 외 투기행위 사안에서 "상법 제625조는 회사 임원 등의 특별배임죄를 규정한 상법 제622조 및 일반적인 업무상배임죄를 규정한 형법 제356조의 보충규정으로서, 특별배임죄 또는 업무상배임죄가 성립하는 경우에는 별도로 상법 제625조 위반죄가 성립하지 않는다."고 판시).
426) 같은 취지: 日 最大判 2003.4.23. 刑集 57卷 4号 467面.

조의2(자회사에 의한 모회사주식의 취득 금지) 규정을 신설하면서, 그 금지규정의 이행을 강제하기 위하여 벌칙규정인 제625조의2(2015. 12. 1. 법률 제13523호로 개정되기 전의 것) 규정(이하 '모회사주식 취득제한위반죄'라 함)을 신설하였다. 처음에는 제625조의2에 범죄의 행위주체를 '제635조 제1항에 게기한 자'로 규정하였으나 2011년 개정상법에서 위 행위주체 부분은 삭제하고 "제342조의2 제1항 또는 제2항을 위반한 자"로 규정하였다. 그 후 2015. 12. 1. 상법 개정시 삼각주식교환, 역삼각합병, 삼각분할합병 제도를 새로 도입하여 2011년 개정상법 당시 도입한 삼각합병 제도를 보완하면서, 그 지원을 위하여 예외적 취득이 허용된 모회사 주식을 일정기간 내에 처분해야 할 의무를 부과하게 되었다. 이때 그 처분의무 위반에 대한 처벌규정으로 제625조의2 규정에 각 호의 위반행위 규정을 추가하였다. 그 위반행위에 대한 법정형은 이 죄의 신설 당시부터 2천만 원 이하의 벌금이다.

　원래 자회사에 의한 모회사주식의 취득을 금지하는 이유는 자기주식취득을 제한하는 이유와 마찬가지로 모회사와 자회사가 주식을 상호 보유하게 되면 그만큼 우회적으로 모회사와 자회사의 자본금에 비하여 회사채무의 책임재산이 감소되어 자본금충실을 해칠 수 있고, 주주총회 결의가 왜곡될 수 있기 때문이다.427) 다만, 주식을 상호 보유할 경우의 의결권 행사는 제한되고 있으므로(제369조 제3항) 이 죄의 보호법익은 회사(즉 모회사 또는 자회사)의 자본금충실이다.428) 또한 범죄구성요건의 해석상 그 보호법익의 현실적 침해나 구체적 실해 발생 위험을 요구하는 것으로 볼 수는 없으므로 보호법익의 보호정도는 추상적 위험범에 해당한다.429)

Ⅱ. 행위주체

　이 죄는 위반행위 및 행위주체에 관하여 '다음 각 호의 어느 하나에 해당하는 자'라고 규정하고, 그 제1호에 '제342조의2 제1항 또는 제2항을 위반한 자',

---

427) 최준선, 전게 「회사법」, 305면; 이철송, 전게 「회사법강의」, 428면.
428) 한석훈, 전게 「비즈니스범죄와 기업법」, 512면.
429) 한석훈, 상게서, 512면.

제2호에 '제360조의3 제7항을 위반한 자', 제3호에 '제523조의2 제2항을 위반한 자', 제4호에 '제530조의6 제5항을 위반한 자'라고 규정하고 있다. 위 각 조항은 주식회사에서 자회사가 모회사주식을 취득할 수 없도록 제한하거나(제342조의2 제1항), 회사가 예외적으로 취득한 모회사주식을 일정기간 내에 처분하여야 할 의무를 부과한 규정(제342조의2 제2항, 제360조의3 제7항, 제523조의2 제2항, 제530조의6 제5항)이다. 그러므로 그 위반행위의 주체는 각 유형별로 자회사, 주식의 포괄적 교환시 완전모회사가 되는 회사, 흡수합병시 존속회사, 분할합병시 분할승계회사이다.[430] 따라서 회사가 행위주체인 범죄이므로 법인 범죄능력 부정설(판례)에 따라 회사를 대표하여 위반행위를 한 회사의 이사, 집행임원 등이 행위주체이다.[431] 또한 이러한 자회사가 모회사의 주식을 취득하는 것은 대개 모회사의 지시 내지 영향력 아래 이루어지므로 이 죄의 행위주체를 자회사가 아닌 모회사로 보아야 한다는 견해[432]가 있다. 그러나 이는 상법의 명문 규정에 반하는 해석이 되어 부당하다. 다만, 모회사의 이사나 집행임원이 자회사 이사 등이 범한 이 죄의 공동정범이나 교사범 등 공범이 될 수 있음은 물론이다.

그리고 자회사의 지배인도 회사의 영업에 관한 재판상·재판외 모든 행위를 할 수 있는 자이므로, 자신의 판단 아래 자회사의 영업에 관하여 모회사의 주식을 취득한 경우에는 이 죄의 행위주체가 될 수 있을 것이다.

---

430) 모회사주식 취득제한위반죄는 회사가 행위주체가 되는 범죄이므로, 제637조(법인에 대한 벌칙의 적용)가 적용되는 죄 중에 포함시키는 것이 적절하였을 것임에도 이를 누락한 것은 입법의 불비이다.

431) 안동섭, "기업임원의 상법위반책임," 「경원논총」 제9집(단국대학교 경영대학원, 1989), 109면; 한석훈, 전게 「비즈니스범죄와 기업법」, 513면; 이에 대하여 모회사주식 취득제한위반죄의 법정형으로 벌금형만 규정되어 있고, 그 행위주체가 자회사인 법인으로 규정되어 있음에도 불구하고 제637조 규정이 이 죄를 그 적용범위에서 제외하고 있는 것은 이 죄에 한하여 법인의 범죄능력을 인정한 것으로 해석할 수 있다는 견해[천경훈, 전게 「주석 상법(회사-VII)」, 141, 142면]가 있으나, 다른 벌칙규정과 달리 이 죄의 경우에만 행위주체인 법인을 처벌하는 것으로 해석해야 할 이유가 없고, 만약 회사를 행위주체로 처벌한다면 보호법익에 비추어 보호대상에 속하는 회사에 오히려 피해를 주게 되는 해석이 되어 부당하다는 점에서 납득하기 어렵다.

432) 송호신, 전게 학위논문, 212면.

Ⅲ. 위반행위

자회사는 일정한 사유(이하 '예외적 취득사유'라 한다)가 있는 경우 외에는 모회사 주식을 취득할 수 없고, 이를 위반하여 모회사 주식을 취득한 때 이 죄가 성립한다(제625조의2 제1호, 제342조의2 제1항). 이 경우 모(母)회사란 다른 회사 발행주식 총수의 100분의 50을 초과하는 주식을 가진 회사이고, 그 다른 회사는 자(子)회사가 된다. 다른 회사(孫회사) 발행주식 총수의 100분의 50을 초과하는 주식을 모회사 및 자회사 또는 자회사가 가지고 있는 경우 그 다른 회사(孫회사)는 이 법의 적용에 있어 그 모회사의 자회사로 의제되므로(제342조의2 제3항), 마찬가지로 모회사(孫회사로서는 祖母회사) 주식의 취득이 금지된다. 나아가 증손(曾孫)회사의 증조모(曾祖母)회사 주식취득 및 그 아래 회사의 경우에도 금지되는 것인지 여부에 관하여 학설대립이 있으나, 적어도 이 벌칙규정의 적용에 있어서는 죄형법정주의 원칙상 범죄구성요건 내용에 포함할 수 없을 것이다.433) 이 죄의 범죄구성요건 중 '취득'이란 이 죄의 입법취지에 비추어 소유권을 유상으로 승계취득하는 경우를 말하고, 취득자 명의가 누구이든 자회사의 계산으로 취득하는 것을 의미한다.434) 취득과 질취는 구분해야 할 것이므로 자기주식 질취의 경우에는 죄형법정주의 원칙상 적어도 이 벌칙규정은 적용되지 않는다.435) 그러나 양도담보의 설정으로 자회사가 모회사 주식을 취득하는 경우에는 대외적으로는 양도담보권자가 주주로 취급되는 것이므로 모회사 주식을 취득하는 행위에 해당하고 이 죄의 범죄구성요건에 해당한다.436)

그리고 예외적 취득사유가 있는 경우에 자회사는 그 취득한 모회사 주식을 다음과 같이 일정기간 내 처분해야 할 의무가 있음에도 이를 위반한 행위도 이 죄의 범죄구성요건에 해당한다. 첫째, 주식의 포괄적 교환·이전, 회사합병, 다

---

433) 이철송, 전게 「회사법강의」, 431면 각주 1.
434) 이철송, 상게서, 432면.
435) 최준선, 전게 「회사법」, 307면; 한석훈, 전게 「비즈니스범죄와 기업법」, 514면; 이에 대하여 자회사가 모회사 주식에 질권 설정을 받는 것은 자기주식의 질취와 동질적이라는 이유로 자기주식 질취제한에 관한 제341조의3 규정이 적용된다고 주장하는 소수설(이철송, 전게 「회사법강의」, 432면)도 있다.
436) 한석훈, 상게서, 515면.

른 회사 영업전부의 양수로 인한 때(제342조의2 제1항 제1호), 회사의 권리를 실행함에 있어 그 목적을 달성하기 위하여 필요한 때(제342조의2 제1항 제2호) 자회사는 모회사 주식을 취득할 수 있는데, 자회사는 이 때 취득한 모회사 주식을 그 취득일부터 6개월 이내에 처분하여야 할 의무가 있는데, 이를 위반하는 행위이다(제625조의2 제1호, 제342조의2 제2항). 둘째, 주식의 포괄적 교환에 의한 완전모회사 설립시 완전자회사가 되는 회사의 주주에게 그 대가로 제공하는 재산이 완전모회사가 되는 회사의 모회사 주식을 포함하는 경우에 완전모회사가 되는 회사는 그 지급을 위하여 그 모회사 주식을 예외적으로 취득할 수 있고(제360조의3 제6항), 완전모회사가 되는 회사는 이 때 취득한 모회사 주식을 주식교환 후에도 계속 보유하고 있는 경우 주식교환의 효력이 발생하는 날부터 6개월 이내에 그 주식을 처분해야 할 의무가 있는데, 이를 위반하는 행위이다(제625조의2 제2호, 제360조의3 제7항). 셋째, 흡수합병시 소멸하는 회사의 주주에게 그 합병대가로 존속하는 회사의 모회사 주식을 지급하는 경우에 존속하는 회사는 그 지급을 위하여 그 모회사 주식을 취득할 수 있고(제523조의2 제1항), 존속회사는 이 때 취득한 모회사 주식을 합병 후에도 계속 보유하고 있는 경우 합병의 효력발생일부터 6개월 이내에 그 주식을 처분해야 할 의무가 있는데, 이를 위반하는 행위이다(제625조의2 제3호, 제523조의2 제2항). 넷째, 분할합병시 분할승계회사가 분할회사의 주주에게 그 대가로 분할승계회사의 모회사 주식을 제공하는 경우에 분할승계회사는 그 지급을 위하여 그 모회사 주식을 취득할 수 있고(제530조의6 제4항), 분할승계회사는 이 때 취득한 모회사 주식을 분할합병 후에도 계속 보유하고 있는 경우 분할합병의 효력발생일부터 6개월 이내에 그 주식을 처분하여야 할 의무가 있는데, 이를 위반하는 행위이다(제625조의2 제4호, 제530조의6 제5항).

Ⅳ. 기수시기

제342조의2 제1항 위반행위는 주식취득행위로서 작위범이므로 그 기수시기는 자기주식·지분 취득죄의 경우와 마찬가지로 볼 수 있다. 따라서 모회사 주식의 소유권(또는 양도담보권)을 취득한 때 기수로 되고 범죄가 성립하는 것이므

로 단순히 주식취득의 채권계약만 한다거나 모회사 주식에 관한 신주인수권증서 또는 신주인수권증권을 취득한 것만으로는 범죄가 성립하지 않는다.[437] 주식을 '취득한 때'란 주권 발행 회사의 주식인 경우에는 주식양도의 효력발생요건인 주권의 교부(전자등록된 주식의 경우에는 전자등록)가 있는 때를 의미한다. 주권 미발행 회사의 경우에는 지명채권 양도방법에 따르므로 주식양도 합의시 범죄가 성립한다.[438] 신설되는 모회사의 신주 또는 증자되는 신주를 취득하는 경우에는 회사설립등기시 또는 신주 납입기일 다음날부터 각 신주발행의 효력이 발생하므로, 이 때 범죄가 성립한다.[439] 모회사의 전환사채나 신주인수권부사채를 취득하는 경우에도 전환권이나 신주인수권을 행사하여 신주발행효력이 발생한 때 범죄가 성립하므로, 전환청구를 한 때 또는 신주인수권을 행사하여 발행가액 전액 납입시 범죄가 성립한다.[440]

제625조의2 제1호 중 제342조의2 제2항 위반행위와 제625조의2 제2호, 제3호, 제4호 위반행위는 모회사 주식 처분의무를 이행하지 아니한 부작위범이므로 모회사 주식을 처분해야 할 의무기간인 6개월이 경과한 때 기수로 되어 범죄가 성립한다.

제 6 절   조직변경 부실보고죄

I. 의   의

상법은 회사가 법인격의 동일성을 유지하면서 다른 종류의 회사로 변경하는 조직변경을 허용하되, 회사의 자본금이나 순자산이 회사성립의 기초이자 회사채권자의 유일한 담보가 되는 물적회사의 경우에는 조직변경으로 자본금충실 원칙의 침해가 없도록 규제하고 있다. 특히 주식회사와 유한회사의 경우에는 조직변

---

437) 한석훈, 전게 「비즈니스범죄와 기업법」, 516면.
438) 한석훈, 상게서, 516, 517면.
439) 한석훈, 상게서, 517면.
440) 한석훈, 상게서, 517면.

경시 발행하는 주식의 발행가액 총액이나 유한회사의 자본금 총액이 회사의 순
재산액[441])을 초과하지 않도록 엄격히 규제하고 있다(제607조 제2항, 제604조 제2
항). 그런데 회사의 이사·집행임원 등이 이러한 순재산액에 관하여 법원 또는
총회에 부실보고를 하거나 사실을 은폐한 경우에는 5년 이하의 징역 또는 1,500
만 원 이하의 벌금에 처하며(제626조, 이하 '조직변경 부실보고죄'라 함), 징역형과
벌금형을 병과할 수도 있다(제632조).

2011. 4. 14. 개정 상법에서 유한책임회사 제도를 신설하면서 유한책임회사
와 주식회사 상호간의 조직변경을 허용하면서 유한회사와 주식회사 상호간의 조
직변경에 관한 규정을 준용하고 있다. 이에 따라 유한책임회사와 주식회사 상호
간의 조직변경시 발행하는 주식의 발행가액 총액이나 유한책임회사의 자본금 총
액이 회사의 순재산액을 초과하지 않도록 엄격히 규제하였다(제287조의44, 제607
조 제2항, 제604조 제2항). 그럼에도 불구하고 이 경우 유한책임회사의 업무집행
자나 주식회사의 이사 등이 이러한 순재산액에 관하여 부실보고나 사실은폐 행
위를 한 경우의 처벌 규정이 없는 것은 입법의 불비이다.[442])

Ⅱ. 보호법익

조직변경 부실보고죄는 회사재산을 위태롭게 하는 죄 중 출자관련 부실보고
죄와 마찬가지로 조직변경 과정에서 회사의 자본금충실을 위한 상법상 규제를
해할 위험이 있는 행위를 처벌하려는 것이다. 다만, 출자에 관한 행위가 아니라
조직변경한 회사의 주식 발행가액 총액이나 자본금 총액에 관한 행위라는 점만
다를 뿐이다. 따라서 이 죄의 보호법익은 조직변경된 회사의 자본금충실로 보아
야 할 것이다.[443]) 범죄구성요건상 회사 자본금충실의 현실적 침해나 구체적 실
해발생 위험을 요구하는 것은 아니므로, 그 보호의 정도는 추상적 위험범에 해

---

441) 상법 제626조의 "순재산액'이란 유한회사의 계산에서 사용하는 '순자산액'(제583조 제1항,
　　　제462조 제1항)을 의미하는 것으로 보인다. 이처럼 같은 법률에서 사용하는 용어는 동일
　　　한 용어로 통일할 필요가 있으나, 여기에서는 벌칙규정의 표현에 따라 순재산액으로 표기
　　　한다.
442) 한석훈, 전게 「비즈니스범죄와 기업법」, 519면.
443) 한석훈, 상게서, 519면.

당한다.

Ⅲ. 범죄구성요건

행위주체는 주식회사의 경우에는 이사, 집행임원, 감사위원회 위원, 감사, 일시이사, 이사 직무대행자, 감사 직무대행자이고, 유한회사의 경우에는 이사, 감사, 일시이사, 이사 직무대행자이다.[444]

위반행위는 주식회사를 유한회사로 조직변경하거나 유한회사를 주식회사로 조직변경하는 경우에 회사에 현존하는 순재산액에 관하여 법원 또는 주주총회(또는 사원총회)에 부실한 보고를 하거나 사실을 은폐하는 행위이다. 이 경우 '부실한 보고'란 조직변경 목적에 비추어 중요한 점에 관하여 적극적으로 진실과 달리 보고하는 것이고, '사실을 은폐하는 행위'란 보고의 목적에 비추어 밝혀야 할 중요한 사항에 관하여 소극적으로 그 전부나 일부를 밝히지 않는 것을 말한다.[445]

주식회사를 유한회사로 조직변경 하는 경우에 총주주의 일치에 의한 주주총회 결의로 유한회사의 정관 기타 조직변경에 필요한 사항을 정하여 유한회사로 변경할 수 있다. 이 때 유한회사의 자본금 총액은 회사에 현존하는 순재산액보다 많은 금액으로 하지 못한다(제604조 제1항 내지 제3항). 조직변경을 위한 주주총회에서는 유한회사의 자본금 총액을 정하기 위하여 주식회사의 순재산액에 관한 보고가 포함되어야 한다. 그런데 이 보고를 하는 이사, 일시이사, 이사 직무대행자 또는 집행임원이나, 주주총회에 제출할 의안 및 서류를 조사하여 주주총회에 그 의견을 진술하여야 하는 감사위원회 위원, 감사 또는 감사 직무대행자(제415조의2 제7항, 제413조, 제415조, 제407조 제1항)가 주주총회에 회사의 순재산액에 관하여 부실보고를 하거나 사실을 은폐한 경우에 이 죄가 성립한다.

---

444) 조직변경 부실보고죄의 행위주체에 주식회사의 집행임원 직무대행자(상법 제408조의9, 제407조 제1항) 및 유한회사의 감사 직무대행자(제570조, 제407조 제1항)는 포함되어 있지 않다. 그러나 주식회사의 집행임원 및 유한회사의 감사는 행위주체에 포함하고 있으면서 그 직무대행자만 제외할 이유가 없으므로 입법의 불비에 해당한다[천경훈, 전게 「주석 상법(회사-Ⅶ)」, 143면도 유한회사의 감사 직무대행자에 관하여 같은 견해임].
445) 한석훈, 전게 「비즈니스범죄와 기업법」, 520면.

유한회사를 주식회사로 조직변경 하는 경우에는 총사원의 일치 또는 정관 규정에 따른 특별결의에 의한 사원총회 결의로 주식회사의 정관 기타 조직변경에 필요한 사항을 정하여 주식회사로 변경할 수 있다(제607조 제1항, 제5항, 제604조 제3항). 그 조직변경시 발행하는 주식의 발행가액 총액은 회사에 현존하는 순재산액을 초과하지 못한다(제607조 제2항). 조직변경을 위한 사원총회에서는 조직변경시 발행하는 주식의 발행가액 총액을 정하기 위하여 유한회사의 순재산액에 관한 보고가 포함되어야 하는데, 그 보고를 하는 이사, 일시이사 또는 이사 직무대행자나, 사원총회에 제출할 의안 및 서류를 조사하여 사원총회에 그 의견을 진술해야 하는 감사가 사원총회에 회사의 순재산액에 관하여 부실보고를 하거나 사실을 은폐하는 경우에 이 죄가 성립한다. 이러한 조직변경은 법원의 인가를 받지 않으면 효력이 없는데(제607조 제3항), 유한회사의 이사, 일시이사 또는 이사 직무대행자가 법원에 조직변경 인가를 신청하면서 순재산액에 관하여 부실보고를 하거나 사실을 은폐한 경우에도 이 죄가 성립한다.

Ⅳ. 기수시기

이 죄의 기수시기는 조직변경의 효력발생시기와는 관계없이 객관적 범죄구성요건인 위반행위를 완료한 때이다. 따라서 조직변경 등기와는 관계없이 회사의 순재산액에 관하여 총회나 법원에 부실보고를 한 때 또는 사실을 은폐하여 보고한 때 기수에 이르고 범죄가 성립한다.

제 7 절   부실문서행사죄

Ⅰ. 의   의

주식 또는 사채의 모집·매출은 다수의 일반투자자를 대상으로 하므로 모집·매출에 관한 정보를 속이거나 부실하게 알린 경우 이를 신뢰한 일반투자자들에게 피해를 입힐 위험이 있다. 이에 발기인, 이사, 집행임원, 주식·사채의 모집위탁을 받은 자 등이 주식·사채를 모집함에 있어서 중요한 사항에 관하여 부실한 기재가 있는 청약서, 사업계획서, 모집광고, 기타의 문서를 행사하거나, 주식·사채를 매출하는 자가 그 매출에 관한 문서로서 중요한 사항에 관하여 부실기재가 있는 문서를 행사한 때에는 5년 이하의 징역 또는 1,500만 원 이하의 벌금에 처한다(제627조, 이하 '부실문서행사죄'라 함). 또한 그 징역형과 벌금형은 병과할 수도 있다(제632조).

부실문서행사죄는 1962년 상법 제정 당시 종전 의용상법 규정446)을 따라 규정하게 된 것인데, 원래 의용상법에 이 죄를 신설하게 된 이유는 그 행위로 일반 공중이 피해를 입게 되더라도 사기죄의 증명 곤란으로 처벌할 수 없는 경우에 대비하려는 것이었다.447)

II. 보호법익

부실문서행사죄는 주식 또는 사채의 모집·매출시 일반투자자에게 그 투자판단 자료로 제공되는 정보 중 중요사항에 관한 허위나 오류를 방지하여 정확을 기함으로써 회사 주식·사채 모집·매출의 공정성과 투명성을 보장하기 위한 것이다(판례).448) 따라서 이 죄의 보호법익은 주식 또는 사채의 모집·매출에 관한 문서의 진정에 대한 일반투자자의 신용이다.

그 보호의 정도는 범죄구성요건상 일반투자자의 신용이 현실적으로 침해되거나 구체적 실해발생 위험이 발생할 것을 요구하고 있지는 않으므로 추상적 위험범에 해당한다.

---

446) 일본 商法 제490조와 같다. 이 규정은 그 후 2005년 일본 会社法이 商法에서 분리·제정되면서 현재 일본 会社法 제964조로 옮겨와 규정되어 있다.

447) 前揭「会社法コンメンタル(21)」, 113面.

448) 대법원 2003.3.25. 2000도5712.

Ⅲ. 행위주체

부실문서행사죄에 관한 제627조는 모집과 매출의 경우를 구분하여 행위주체를 규정하고 있다.

주식·사채 모집의 경우에는 제622조 제1항(회사임원등 특별배임죄)에 게기한 자, 외국회사의 대표자, 주식 또는 사채의 모집위탁을 받은 자가 행위주체이다(제627조 제1항). 제622조 제1항에 게기한 자 중 '기타 회사영업에 관한 어느 종류 또는 특정한 사항의 위임을 받은 사용인'이란 회사임원등 특별배임죄의 행위주체 부분에서 설명한 것처럼 회사 영업의 어떤 종류 또는 특정 사항에 관하여 대외적으로 회사를 대리할 수 있는 포괄적 대리권을 가진 자, 즉 상법 제15조에 규정된 부분적 포괄대리권을 가진 사용인을 뜻하는 것으로 보아야 한다.[449] 그러나 감사위원회 위원, 감사 및 감사 직무대행자는 주식·사채의 모집에 관한 문서를 행사하는 자가 아니므로 이 죄의 행위주체라 할 수 없다.[450] 그 밖에 '제622조 제1항에 게기한 자'의 범위는 회사임원등 특별배임죄의 행위주체 부분에서 설명한 내용과 같다. 다만, 주식이나 사채를 발행할 수 있는 회사는 주로 주식회사이지만, 그 밖의 회사는 사채를 발행할 수 있는 경우에만 이 죄가 적용되므로 '제622조 제1항에 게기한 자' 중 이 죄의 행위주체로 되는 자의 범위에도 영향을 미치게 된다. 제600조 제2항 및 제604조 제1항, 제287조의44 규정은 유한회사나 유한책임회사가 사채를 발행할 수 없음을 전제하고 있으므로 유한회사 및 유한책임회사는 사채를 발행할 수 없으나 합명회사나 합자회사는 사채를 발행할 수 있다는 견해가 통설이다.[451] 예외적으로 유한회사 중 「자산유동화에 관한 법률」에 따라 설립되는 유동화전문회사는 사채를 발행하는 경우가 있다(자산유동화에 관한 법률 제2조 제4호, 제17조 제1항, 제31조).

---

449) 이에 대하여 '지배인' 및 '기타 회사영업에 관한 어느 종류 또는 특정한 사항의 위임을 받은 사용인'은 회사 기관의 도구에 불과하다는 이유로 이 죄의 행위주체에서 제외해야 한다는 견해(송호신, 전게 학위논문, 171면)가 있다. 그러나 회사의 영업에 관한 일체의 대리권이 있는 지배인은 물론, 부분적 포괄대리권을 가진 사용인도 그 위임받은 특정 종류나 특정 사항에 관하여는 포괄적 대리권을 행사하는 자로서 자신의 판단 아래 행위를 하는 자이므로, 명문 규정에 반하여 이러한 실제 행위자를 처벌대상에서 제외할 이유가 없다.

450) 송호신, 전게 학위논문, 170면.

451) 이철송, 전게 「회사법강의」, 1040면.

'주식 또는 사채의 모집의 위탁을 받은 자'란 주식 또는 사채의 발행회사로부터 사실상 그 모집의 위탁을 받아 모집행위를 한 자를 말하므로[452] 주식이나 사채의 모집 위탁을 받을 수 있는 자가 법령에 따라 제한되는 경우[453] 이를 위반하여 그 모집 위탁을 받은 자도 이 죄의 행위주체에 포함된다.[454]

주식 또는 사채의 매출에 관한 행위주체는 그 매출행위를 하는 자이다(제627조 제2항).

위 각 행위주체가 법인인 경우에는 실제 행위를 한 이사, 집행임원, 업무를 집행한 사원 또는 지배인이 행위주체가 된다(제637조).[455]

Ⅳ. 위반행위

모집의 경우에는 주식 또는 사채를 모집함에 있어서 중요한 사항에 관하여 부실한 기재가 있는 주식청약서나 사채청약서, 사업계획서, 주식·사채 모집에 관한 광고 기타의 문서를 행사하는 행위(제627조 제1항), 매출의 경우에는 매출에 관한 문서로서 중요한 사항에 관하여 부실한 기재가 있는 것을 행사하는 행위(제627조 제2항)가 위반행위이다. 상법에서 말하는 '모집'이나 '매출'이란 사모(연고모집)도 포함하는 개념이므로,[456] 50인 이상 투자자에 대한 공모만을 의미하는 자본시장법상 모집·매출 개념과 일치하는 것은 아니다.[457] 따라서 이 죄의 범죄구성요건 중 '모집'이란 주식이나 사채를 새로 발행하는 회사가 투자자에게 그 주식이나 사채 취득의 청약을 권유하는 것이고, '매출'이란 이미 발행된 주식이나 사채를 투자자에게 매도 청약을 하거나 매수 청약을 권유하는 것을 말

---

452) 前揭「会社法コンメンタル(21)」, 114面.
453) 상법(법률 제1000호) 부칙 제6조는 은행·신탁회사 또는 증권회사가 아니면 사채 모집의 위임을 받을 수 없도록 제한하고 있고, 자본시장법은 타인의 계산으로 증권의 모집·매출을 하는 투자중개업 등은 금융위원회의 인가를 받은 금융투자업자만이 할 수 있도록 제한하고 있다(자본시장법 제6조, 제8조, 제11조).
454) 伊藤栄樹 外 2人 編, 前揭書, 174面.
455) 이 경우에도 감사는 업무의 내용상 실제 행위주체가 될 수 없을 것이다(한석훈, 전게「비즈니스범죄와 기업법」, 527면).
456) 상법 제301조, 제474조, 제475조, 제476조 등 상법 규정에서의 '모집'은 공모(公募)는 물론 사모(私募)도 포함하는 개념이다.
457) 자본시장법 제9조 제7항, 제8항, 제9항 참조; 천경훈, 전게「주석 상법(회사-Ⅶ)」, 147면.

한다.[458]

위 '중요한 사항'이란 이 죄의 보호법익에 비추어 볼 때, 주식 또는 사채의 모집·매출에 있어 일반투자자의 투자판단에 중요한 자료로 제공되는 사항을 말한다(판례).[459] 판례도 이러한 입장에서 "한국증권업협회(현, 한국금융투자협회) 등록 및 신주모집 과정에서 신주의 인수조건, 시장조성 여부, 발행회사의 자금사정에 관하여 부실기재한 유가증권신고서 및 그 첨부서류 등을 제출·행사한 행위는 이 죄에 해당한다."고 판시하였다.[460] 위 '부실한 기재'란 적극적으로 진실과 달리 기재하거나 당연히 기재해야 할 중요사실을 기재하지 아니하는 경우를 말한다.[461] 다만, 이 죄의 입법취지나 보호법익에 비추어 볼 때 단순한 과대표시나 예측 기재는 부실한 기재로 볼 수 없을 것이다.[462]

'광고'란 이 죄의 표제나 범죄구성요건 및 보호법익에 비추어 볼 때 문서로 하는 광고만을 의미한다.[463] 또한 '문서'란 형법 제20장 '문서에 관한 죄'에서의 '문서' 개념에 비추어, 문자 또는 이를 대신할 수 있는 가독적 부호로 계속적으로 물체상에 기재된 의사 또는 관념의 표시인 원본,[464] 또는 이를 전자복사기, 모사전송기 기타 이와 유사한 기기를 사용하여 복사한 사본(형법 제237조의2)을 말한다.[465] 그러므로 입간판에 의한 광고는 위 '문서'에 포함되지만, 컴퓨터 모니터 화면상의 이미지 파일은 포함되지 않는다. 그리고 형법에서의 문서 개념처럼 '권리·의무 또는 사실증명에 관한 문서'일 것을 요구하지는 않으므로 문서의

---

458) 한석훈, 전게 「비즈니스범죄와 기업법」, 527면. 이는 상법에 그 개념정의 규정이 없으므로 자본시장법 제9조 제7항, 제9항의 모집·매출 개념을 참조하되, 50인 이상의 투자자에 대한 공모는 물론 그렇지 아니한 사모도 포함하기 위한 개념정의이다.

459) 대법원 2003.3.25. 2000도5712; 한석훈, 상게서, 527면; 일본에서는 '중요한 사항'의 개념에 관하여, 일반투자자는 물론 주식이나 사채의 모집 또는 매출에 응하는 상대방 투자자가 만약 그 진실을 알았다면 투자하지 않았을 사항이라는 주관적인 요소도 필요한지 여부에 대한 견해대립이 있다(前揭 「会社法コンメンタル(21)」, 116面). 이를 긍정하는 견해로는 神山敏雄 外 3人 編, 前揭書, 165面.

460) 대법원 2003.3.25. 2000도5712.

461) 한석훈, 상게서, 528면; 현행 일본 会社法 제964조는 종전 '부실기재'라는 표현 대신 '허위기재'라고 표현하고 있으나 학설은 마찬가지 의미로 해석하고 있다[前揭 「会社法コンメンタル(21)」, 116~117面].

462) 한석훈, 상게서, 528면; 前揭 「新版 注釈 会社法(13)」, 586面; 前揭 「会社法コンメンタル(21)」, 117面.

463) 송호신, 전게 학위논문, 176면; 한석훈, 상게서, 529면.

464) 형법상 문서 위·변조죄에 관한 판례(대법원 2008.4.10. 2008도1013; 2006.1.26. 2004도788)에서의 '문서' 개념 참조.

465) 한석훈, 상게서, 529면.

내용이 '법률상, 사회생활상 주요사항에 관한 증거로 될 수 있는 것'일 필요는 없다.466)

제627조 제1항의 '기타의 문서'에 자본시장법상 주식 또는 사채의 모집·매출시 발행회사가 금융위원회에 제출해야 할 의무가 있는 증권신고서, 일괄신고 추가서류, 정정신고서, 투자설명서(자본시장법 제119조, 제122조, 제123조) 등의 문서가 포함되는지 여부에 관해서는 견해가 대립할 수 있다. 우리나라의 판례는 이러한 문서도 포함하는 포함설 입장에서 판시하고 있다.467) 이에 대하여 이러한 문서는 일반투자자에게 직접 행사하는 문서가 아닌 점, 자본시장법 제444조 제13호에서는 이러한 문서 중 중요사항에 관하여 거짓된 기재 또는 표시를 하거나 중요사항을 기재하거나 표시하지 아니한 자에 대하여 5년 이하의 징역 또는 2억 원 이하의 벌금에 처하거나 그 징역형과 벌금형을 병과할 수 있어서(자본시장법 제447조 제2항) 더욱 엄하게 처벌하고 있는 점을 근거로 불포함설을 취할 여지가 있다.468) 그러나 부실문서행사죄와 자본시장법위반죄는 보호법익이나 범죄구성요건이 상호 다르고, 제627조 제1항의 '기타의 문서'라는 문언에 비추어 위 주식청약서 등은 예시적 규정에 불과하므로, 위와 같은 경우에 부실문서행사죄도 성립하고 양 범죄는 후술하는 것처럼 실체적 경합 관계로 파악해야 할 것이다.469)

Ⅴ. 기수시기

주식 또는 사채의 모집이나 매출에 관한 문서로서 중요사항에 관하여 부실기재된 문서를 행사한 때 객관적 범죄구성요건 행위는 종료되어 기수로 되고 범죄가 성립한다. 그 기수시기인 '행사'란 교부, 비치, 우송, 반포 등 어떠한 방법이든 상대방이 그 문서를 인식할 수 있는 상태에 이른 때를 말한다. 증권신고서

---

466) 한석훈, 전게 「비즈니스범죄와 기업법」, 529면.
467) 판례는 포함설 입장에서 유가증권신고서(현재의 증권신고서) 및 그 첨부서류를 금융감독원(구 증권감독원)에 제출한 행위에 대하여 부실문서행사죄를 적용하였다(대법원 2003.3. 25. 2000도5712).
468) 일본에서는 이 경우 불포함설을 취하여 부실문서행사죄의 성립을 부정하는 견해[前揭 「会社法コンメンタル(21)」, 116面; 神山敏雄 外 3人 編, 前揭書, 165面]가 있다.
469) 한석훈, 상게서, 533면; 천경훈, 전게 「주석 상법(회사-Ⅶ)」, 147면.

등을 금융위원회에 제출하는 경우에는 금융위원회가 그 문서를 인식할 수 있는 상태가 이에 해당할 것이다.

Ⅵ. 죄수관계

같은 모집 또는 매출 기회에 단일한 범의 아래 시간·장소·대상을 달리하여 다수인에게 같은 내용의 문서를 행사한 경우에는 이 죄의 보호법익에 비추어 범죄구성요건을 1회 충족하는 것이므로 포괄일죄로 평가된다.[470]

사기의 범의 아래 중요한 사항에 관하여 부실 기재한 주식청약서 등 문서를 주식 또는 사채의 모집이나 매출시 행사하여, 이에 속은 투자자로부터 그 대금을 편취한 경우에 부실문서행사죄와 사기죄의 죄수관계가 문제 될 수 있다. 양 죄의 보호법익이 다르고 1개의 행위가 부실문서행사죄와 사기죄에 해당하는 경우이므로 상상적 경합관계로 보아야 할 것이다.[471]

위와 같이 금융위원회에 제출하는 증권신고서, 일괄신고추가서류, 정정신고서, 투자설명서 중 중요사항에 관하여 거짓된 표시 또는 기재를 하거나 중요사항의 기재나 표시를 하지 아니한 경우에 자본시장법위반죄(자본시장법 제444조 제13호, 제447조 제2항)와 부실문서행사죄가 성립한다면 그 죄수관계도 문제가 된다. 자본시장법위반죄의 보호법익은 금융투자상품 거래의 공정성 및 유통의 원활성 확보라는 사회적 법익이고,[472] 문서에 부실한 기재나 표시를 한 때 범죄가 성립한다. 이에 대하여 부실문서행사죄의 보호법익은 주식 또는 사채의 모집·매출에 관한 문서의 진정에 대한 일반투자자의 신용이고, 부실한 기재가 있는 문서를 행사한 때 기수에 이른다. 그러므로 양 죄가 모두 성립하고 각 위반행위도 하나의 행위로 볼 수 없으므로 양 죄는 실체적 경합관계로 보아야 할 것이다.[473]

470) 한석훈, 전게「비즈니스범죄와 기업법」, 531면.
471) 한석훈, 상게서, 532면.
472) 대법원 2011.10.27. 2011도8109.
473) 한석훈, 상게서, 533면; 서울형사지방법원 1992.6.10. 92고단3525.

제 8 절 납입가장 범죄

I. 의   의

유한책임사원으로만 구성된 물적회사에서 자본금은 회사 성립의 기초일 뿐만 아니라 다수의 투자자나 회사 채권자를 위한 대외적 신용의 담보가 되는 것이므로 자본금을 형성하는 출자의 이행을 강행법규로 엄격하게 요구하고, 이러한 출자의 이행을 확보하기 위하여 납입가장 범죄를 규정하고 있다. 즉 제622조 제1항에 게기한 자가 납입 또는 현물출자의 이행을 가장하는 행위(이하 '가장납입행위'라 함)를 한 때에는 5년 이하의 징역 또는 1,500만 원 이하의 벌금에 처하거나 징역형과 벌금형을 병과할 수 있고(제628조 제1항, 제632조, 이하 '납입가장죄'라 함), 가장납입행위에 응하거나(제628조 제2항 전단, 이하 '응납입가장죄'라 함) 이를 중개하는 행위(제628조 제2항 후단, 이하 '납입가장중개죄'라 함)도 같은 법정형에 처한다(납입가장죄, 응납입가장죄 및 납입가장중개죄를 포괄하여 '납입가장 범죄'라 함).

납입가장 범죄는 1962년 상법 제정 당시 일본 상법 제491조의 예합죄(預合罪) 및 응예합죄(応預合罪)를 참고하여 규정한 이래 벌금액을 상향 조정하는 개정이 있었을 뿐, 범죄구성요건에는 변화가 없었다.

제628조 제1항은 납입가장죄의 행위주체에 관하여 물적·인적회사를 가리지 않고 폭넓게 규정하고 있다. 그러나 가장납입행위의 규제는 출자 당시의 자본금 충실을 위한 것인데, 자본금충실 원칙은 물적회사에서 요구되는 것일 뿐 무한책임사원이 있는 인적회사에서는 요구되지 않는다. 또한 제628조 제1항은 '납입'을 가장하는 행위를 구성요건으로 하는데, 출자의 '납입'이란 표현은 주식회사, 유한회사 및 유한책임회사의 경우에만 사용하고 있다(제287조의4 제3항, 제287조의23 제2항, 제295조, 제305조, 제421조 제1항, 제548조 제1항, 제590조). 따라서 납입가장 범죄의 적용범위는 물적회사인 주식회사, 유한회사 및 유한책임회사에 한정되는 것으로 보아야 한다.[474]

Ⅱ. 보호법익

우리나라는 법정자본금제도 아래 자본금충실 원칙을 유지하고 있으며, 납입가장 범죄는 회사의 설립이나 증자 등 출자 당시 출자의 납입을 가장하는 범죄로서 회사의 자본금에 상응하는 현실적인 출자를 확보하려는 데 입법취지가 있으므로 그 보호법익은 출자시 회사의 자본금충실이다.[475] 자본금충실이란 회사가 자본금에 상당하는 현실적인 재산을 항상 보유하고 있어야 한다는 것으로서, 자본금충실은 결국 회사의 재산을 확보하고 회사의 대외적 신용을 유지하기 위한 것이므로 개인적 법익에 속한다.[476] 범죄구성요건상 자본금충실의 현실적 침해나 그 구체적 실해발생의 위험을 요구하는 것은 아니므로, 그 보호의 정도는 추상적 위험범에 해당한다.

Ⅲ. 행위주체

제628조 제1항의 납입가장죄는 그 행위주체를 특별배임죄의 행위주체인 제622조 제1항에 게기한 자로 제한하고 있으나(진정신분범),[477] 제628조 제2항의 응납입가장죄나 납입가장중개죄는 그 행위주체를 제한하고 있지 않다.

납입가장죄의 행위주체는 제622조 제1항에 게기한 자(구체적으로는 회사임원

---

474) 한석훈, 전게 「비즈니스범죄와 기업법」, 536면; 일본에서는 우리나라 상법이 제정되는 1962년 당시에는 일본 商法 제491조 및 有限會社法 제79조에서 주식회사와 유한회사의 預合罪 및 応預合罪를 규정하고 있었으나[前揭 「新版 注釈 会社法(13)」, 588面], 그 후 有限會社法은 폐지되어 현재는 일본 商法 제491조를 이어받은 일본 会社法 제965조에서 주식회사의 預合罪 및 応預合罪만 규정하고 있다.

475) 한석훈, 전게 "가장납입의 효력과 형사책임," 179면.

476) 이에 대하여 이 죄의 보호법익을 '회사의 자본금충실 및 회사채권자나 주주의 이익'이라고 보고, 자본금충실은 사회적 법익, 회사채권자나 주주의 이익은 개인적 법익이라고 설명하는 견해[김성탁, "주식인수금의 가장납입에 대한 상법상의 형사처벌조항," 「기업법연구」 제8집(한국기업법학회, 2001), 568면]도 있다. 그러나 자본금충실은 '인간 공동생활의 기초가 되는 사회생활에서의 일반적 법익'을 의미하는 사회적 법익(이재상·장영민·강동범, 전게 「형법각론」, 490면)이라 할 수는 없고, 회사채권자나 주주의 이익은 회사의 자본금충실에 따른 부수적 이익에 불과하므로 이를 별개의 보호법익으로 볼 필요도 없다.

477) 대법원 2011.7.14. 2011도3180; 2010.7.15. 2010도3544.

등 특별배임죄의 행위주체 부분에서 살펴본 자) 중 이 죄의 적용대상인 주식회사, 유한회사 및 유한책임회사에 속하는 자로서 그 직무와 관련하여 납입가장 행위를 할 수 있는 지위에 있는 자로 보아야 할 것이다. 즉 주식회사의 발기인·집행임원, 주식회사 또는 유한회사의 이사·일시이사·이사직무대행자, 주식회사, 유한회사 또는 유한책임회사의 지배인 및 부분적 포괄대리권을 가진 사용인뿐만 아니라, 주식회사의 감사위원회 위원, 주식회사 또는 유한회사의 감사,478) 주식회사의 일시감사·감사직무대행자, 유한책임회사의 업무집행자·직무수행자 등이다.479) 제401조의2 제1항의 실질상 이사는 이 죄의 행위주체에 포함되지 않는 것으로 판시한 판례480)가 있음은 회사임원등 특별배임죄의 행위주체에서 살펴보았다.

다만, 위 행위주체에 해당할지라도 그 지위가 설립업무 또는 증자업무와 관련이 있고,481) 그 업무에 관한 행위인 경우에만 이 벌칙 규정을 적용할 수 있을 것이다.

그리고 위 행위주체로서의 신분이 없는 자도 그 신분 있는 자의 범행에 가담한 경우에는 공동가공의 의사와 그 공동의사에 기한 기능적 행위지배를 통한 범죄의 실행이라는 주관적·객관적 요건이 충족된다면 공범으로 처벌할 수 있다(판례).482) 그러나 이미 가장납입을 하기로 마음먹고 있는 회사 이사 등에게 가장납입에 사용할 돈을 차용하는 것임을 알면서 그 돈을 빌려주었을 뿐, 가장납입을 하도록 범의를 유발한 자가 아니라면 위와 같은 기능적 행위지배를 인정할 수 없으므로 공동정범으로 처벌할 수 없다(판례).483)

---

478) 감사는 이사와 함께 주식회사의 설립시 회사 설립에 관한 모든 사항이 법령 또는 정관 규정에 위반하는지 여부를 조사하여 발기인이나 창립총회에 보고해야 하고(제298조 제1항, 제313조 제1항), 주식회사의 감사위원회 위원이나 주식회사 및 유한회사의 감사는 이사 등의 직무집행을 감사하는 자이다. 그러므로 주식회사의 감사위원회 위원이나 주식회사 또는 유한회사의 감사는 그 직무와 관련하여 납입가장 행위를 할 수 있는 지위에 있다.
479) 각 행위주체에 대한 상세한 해설은 한석훈, 전게 「비즈니스범죄와 기업법」, 536~540면 참조.
480) 대법원 2006.6.2. 2005도3431.
481) 김성탁, 전게논문, 573면.
482) 대법원 2011.7.14. 2011도3180.
483) 대법원 2011.7.14. 2011도3180(이 경우 납입가장죄에 대한 공동정범으로서의 죄책을 물을 수 없을 뿐만 아니라, 나아가 가장납입 후의 증자 등기 신청으로 인한 공전자기록불실기재 및 그 행사죄에 대해서도 공동정범으로서의 기능적 행위지배가 있었다고 볼 수 없다는 이유로 무죄를 선고한 원심을 지지하였음).

Ⅳ. 위반행위

1. 납입가장죄

가. 행위 유형

'납입 또는 현물출자의 이행을 가장하는 행위'란 처음부터 진실하게 납입하거나 현물출자를 이행하여 회사자금을 확보할 의사가 없이 형식상 또는 일시적으로 납입하거나 현물출자를 이행한 것과 같은 외형을 갖추는 행위를 말한다.[484] 납입가장행위는 주로 대표적 물적회사인 주식회사에서 주식 인수가액의 납입에 관하여 발생하고, 그 유형으로는 통모가장납입, 위장납입(보통의 가장납입), 회사 자금에 의한 가장납입 및 그 절충형태가 있다.

통모가장납입은 주식 발행 회사(이하 '발행회사'라 함)의 주식인수대금(이하 '주금'이라 함) 납입사무를 담당하는 발기인·이사 등이 주금납입 담당 금융기관(즉 제318조 제1항의 납입금 보관 금융기관, 이하 '납입은행'이라 함)의 임·직원과 통모하여 납입을 가장하는 것이다.[485] 발기인, 이사 등이 납입은행으로부터 납입자금을 대출받아 주금납입 처리하되, 그 대출금을 변제할 때까지는 납입금을 인출하지 아니할 것을 약정하는 것이 전형적인 형태이다. 이때 납입은행은 비록 통모 회사와 대출금 변제시까지 납입금의 인출을 제한하는 약정을 하였더라도 회사설립 또는 신주발행 등기(이하 '출자등기'라 함)에 필요한 납입금보관증명서를 발급해야 하고,[486] 그 증명한 보관금액에 대해서는 납입의 부실 또는 보관금 반환에 제한이 있다는 이유로 회사에 대항하지 못한다(제318조). 이러한 규제로 인하여 납입은행이 그 통모에 응하기 어려우므로 통모가장납입은 거의 이용되지 않고 있다.[487]

---

484) 대법원 1993.8.24. 93도1200.

485) 이러한 유형의 가장납입을 일본에서는 예합(預合)이라고 한다. 가장납입에 관하여 일본 会社法 제965조는 '주식발행에 관한 불입을 가장하기 위하여 예합(預合)을 한 때'에만 형사처벌을 하고 있는데, 판례는 '예합'이란 발기인 또는 취체역(이사) 등이 불입취급기관(납입은행)의 임직원과 통모하여 불입을 가장하는 일체의 행위로 해석하고 있다(日 最決 1960.3.28. 刑集 第15卷 第3号 590面).

486) 다만 자본금 총액 10억 원 미만인 소규모회사의 발기설립의 경우에는 납입금보관증명서를 금융기관의 잔고증명서로 대체할 수 있다(제318조 제3항).

위장납입은 발기인·이사 등이 납입은행과 통모하지는 않지만 처음부터 진실한 납입의사가 없이 타인으로부터 납입자금을 차용하여 주식 인수가액을 실제로 납입은행에 납입하여 출자등기를 마친 후 즉시 그 납입금을 인출하여 위 차용채무를 변제하는 것이다.488) 위장납입은 외형상으로는 정상적인 납입 형식을 갖추고 있으므로 위장납입이 되는 '가장'행위인지 여부는 행위자의 주관적 의사와의 관계에서 판단할 수밖에 없다. 행위자의 주관적 의사를 판단하기 위해서는 회사 설립 또는 증자 절차와 납입금 인출시까지의 간격, 그 인출금을 회사를 위하여 사용하였는지 여부 등이 일응의 판단기준이 될 수 있다(판례).489) 만약 납입금을 인출하여 일부 발행회사를 위하여 사용하였다면 그 부분만큼은 회사의 자본금충실을 해친 것이라 할 수 없으므로 발행회사를 위하여 사용한 그 금액을 공제한 나머지 금액 부분만 납입가장죄로 의율해야 한다(판례).490) 위장납입의 경우에는 실제 납입이 있었으므로 가장납입한 자도 주주로서의 지위를 갖게 되고, 발행회사는 해당 주주에게 그 가장납입금을 무상으로 대여하였거나 일시차입금으로 주금을 체당 납입한 것으로 볼 수 있다(판례).491) 만약 주주가 납입된 주금을 인출하면서 이를 장부상 회사로부터 차용하는 것으로 정리하고, 그 주식을 회사에 보관시켜 이를 매도한 대금으로 회사에 대한 위 차용채무를 변제하게 하였다고 할지라도, 이는 범행의 수단 내지 범행 후 정황에 불과한 것으로서 납입가장죄가 성립하는 점에는 변함이 없다(판례).492)

회사자금에 의한 가장납입이란 회사가 신주발행시 제3자에게 주금 상당금을 대여하고 제3자는 그 대여금으로 주금을 납입하는 유형으로서 처음부터 회사가 제3자에 대하여 그 대여금 채권을 행사하지 않기로 약정하는 등 대여금을 실질적으로 회수할 의사가 없었고 제3자도 그러한 회사의 의사를 전제로 주식인수청약을 하였다면 가장납입이 된다(판례).493)

---

487) 이철송, 전게 「회사법강의」, 267면.
488) 우리나라에서 가장 많이 이용되는 형태이다. 일본에서는 견금(見金)으로 불리는 유형으로서 납입가장죄로 처벌하지 않는다[노명선, 전게 「회사범죄(Ⅰ)」, 260면].
489) 대법원 1993.8.24. 93도1200; 1986.9.9. 85도2297; 1982.4.13. 80도537.
490) 대법원 2004.6.17. 2003도7645 전원합의체.
491) 대법원 2007.8.23. 2005두5574; 2001.3.27. 99두8039; 1997.5.23. 95다5790; 1994.3.28. 93마1916; 1985.1.29. 84다카1823; 1983.5.24. 82누522.
492) 대법원 1993.8.24. 93도1200.
493) 대법원 2003.5.16. 2001다44109.

절충형태란 통모가장납입과 위장납입의 절충형태로서 발기인·이사 등이 납입은행과 통모하여 출자자로 하여금 납입은행으로부터 납입자금을 대출받아 출자자가 인수한 주식의 주금납입에 충당하게 하되, 출자등기 후 즉시 발행회사가 그 납입금을 인출하고 출자자에게 대여하여 납입은행에 그 대출금을 변제하게 하는 것이다.494)

'현물출자의 이행을 가장하는 행위'란 현물출자의 이행을 실제로 하지 않았음에도 불구하고 외형상 그 이행을 위장하는 행위이다.495) 주식회사의 경우 현물출자의 이행은 납입기일에 출자의 목적인 재산을 인도하고, 등기·등록 기타 권리의 설정 또는 이전을 요할 경우에는 이에 관한 서류를 완비하여 교부해야 한다(제295조 제2항, 제305조 제3항, 제425조 제1항). 현물출자의 이행을 가장하는 행위란 이러한 재산의 인도나 권리의 설정·이전 서류의 교부를 하지 아니한 채 현물출자를 완료한 것처럼 위장하는 행위를 말한다. 그런데 현물출자의 이행은 실제로 하였으나 그 출자재산을 부당하게 저가로 평가한 경우에는 자본금충실 원칙에 반하므로 가장납입행위로 볼 것인지 문제가 될 수 있다. 이 경우에도 출자의 이행은 있었으므로 출자재산의 부당평가행위를 처벌하는 명문 규정이 없는 이상 가장납입행위에는 해당하지 않는 것으로 보는 것이 죄형법정주의에 맞는 해석이다.496)

나. 출자인수 및 주금납입의 효력

가장납입이라 하더라도 주식회사의 주식인수인은 모집설립시 발기인에 의한 실권절차(제307조 제1항, 제2항)를 거치거나 유상증자시 납입기일에 납입이행이 없었던 경우(제423조 제2항) 외에는 주식의 인수 자체가 무효인 것은 아니다.497) 또한 주식회사 유상증자의 경우에는 가장납입으로 인하여 주식인수가 무효인 경우에도 출자등기가 있은 후이므로 이사들이 주식을 공동인수한 것으로 의제된다(제428조 제1항).498)

---

494) 최준선, 전게 「회사법」, 192면; 일본에서는 예합죄만 있을 뿐 견금은 처벌규정이 없으므로 이러한 절충형태도 예합죄로 의율하고 있으나, 우리나라는 가장납입행위로 의율할 수 있다(한석훈, 전게 "가장납입의 효력과 형사책임," 181면).
495) 한석훈, 전게 「비즈니스범죄와 기업법」, 540면.
496) 곽동효, 전게 "회사법상의 납입가장죄," 547면.
497) 한석훈, 전게 "가장납입의 효력과 형사책임," 182면; 이에 대하여 가장납입시 주금납입이 무효이면 주식인수도 당연히 무효로 보는 견해(이철송, 전게 「회사법강의」, 267면)가 있다.

통모가장납입의 경우에는 실질적인 납입이 없었으므로 자본금충실 원칙과 강행법규(제318조 제2항, 제425조 제1항)에 위배된다는 논거로 그 납입의 효력을 무효로 보는 견해가 통설이다.[499] 그러나 납입금 보관증명서 제도를 마련함에 따라 주식회사의 납입금 사용이 제한되지 않다는 점, 납입을 무효로 본다면 회사채권자가 납입은행에 대한 회사의 납입금 인출 채권에 대한 권리행사를 할 수 없게 되어 오히려 자본금충실 원칙이 추구하는 회사채권자 보호 취지에 반하는 결과가 된다는 점에서 납입의 효력을 유효로 보아야 할 것이.[500]

위장납입의 효력에 관하여 판례는 일관되게 납입유효설 입장을 견지하고 있다. 그 논거로 금원의 이동에 따른 주금의 현실적인 납입이 있었다는 점, 납입을 가장하는 발기인·이사 등의 주관적 의도 보다는 발행회사의 설립이나 증자와 같은 집단적 절차의 단체법적 성격을 중시해야 한다는 점을 들고 있다.[501] 이러한 논거뿐만 아니라 발행회사는 위장납입을 한 주주에 대하여 대여금 또는 체당금 반환청구권이 있고, 가장납입에 관여한 발기인·이사 등에 대한 손해배상청구권도 있는 이상 주금납입을 유효로 보더라도 어느 정도 자본금충실을 기할 수 있다는 점을 논거로 판례를 지지하는 견해(소수설)[502]도 있다. 이에 대하여 실질적인 주금납입이 없었으므로 납입을 유효로 보는 것은 자본금충실 원칙에 반한다는 점, 주금납입을 가장한 주식인수인이 주주 지위를 향유하는 것은 부당하다는 점 등을 논거로 주금납입을 무효로 보는 납입무효설(다수설)[503]이

---

498) 김태진, "가장납입에 관한 새로운 해석론 – 자본시장법 제178조의 부정거래로서 포섭 –," 「상사법연구」 제32권 제1호(한국상사법학회, 2013. 5.), 312면; 한석훈, 상게논문, 183, 184면.

499) 최준선, 전게 「회사법」, 193면; 서태경, "납입가장행위에 대한 형사책임," 「한양법학」(한양법학회, 2007), 367면; 정찬형, 전게 「상법강의(상)」, 689면은 통모가장납입의 납입효력이 무효임을 전제로 절충형태의 가장납입도 무효로 파악하고 있다; 일본의 경우에도 会社法 제64조에서 우리나라 상법 제318조 제1항, 제2항과 같은 내용으로 납입은행의 납입금 보관증명서 제도를 두고 있지만, 그럼에도 불구하고 預合의 경우에 납입의 효력은 무효로 보고 있다[前揭 「会社法コンメンタル(21)」, 121面].

500) 한석훈, 상게논문, 185면; 일본에서도 2005년 회사법 제정 이후 회사채권자의 회사 납입금 인출채권에 대한 대위청구권 행사 등 회사채권자 보호를 위하여 예합시 납입의 효력을 유효로 보아야 한다는 견해(川崎友巳, "資本制度の変容と出資行為の規律としての罰則規定," 「法律時報」 第84卷 第11号(2012. 10.), 28面; 行澤一人, "仮装払込と資本充実原則," 「法學教室」 3月号(有斐閣, 2013), 103面)가 제기되고 있다.

501) 대법원 2001.3.27. 99두8039; 1997.5.23. 95다5790.

502) 정찬형, 전게 「상법강의(상)」, 689면.

503) 허일태, "가장납입과 형사책임," 「형사법연구」 제23호(한국형사법학회, 2005), 284면; 최준선, 전게 「회사법」, 194면; 이철송, 전게 「회사법강의」, 267면; 권기범, 전게서, 465면;

대립하고 있다. 생각건대 회사설립시에는 주식인수의 실권절차가 없는 발기설립의 경우뿐만 아니라 모집설립의 경우에도 가장납입시 주식인수인에 대한 실권절차를 밟을 기회가 없을 것이므로 납입무효설을 따르더라도 주식인수의 효력은 유효하게 된다. 따라서 그 발행 주권은 유효하므로 그 주식의 유통으로 집단적 법률관계가 불안정하게 될 우려는 없다. 다만, 유상증자의 경우에는 납입무효설에 따라 주금납입이 무효라고 한다면 비록 그 주식인수인의 실권으로(제423조 제2항) 이사의 인수담보책임에 의하여 이를 이사들이 공동으로 인수한 것으로 보게 되더라도(제428조 제1항) 실권된 주식인수인에게 발행된 주권은 무효이므로,504) 무효인 주권의 유통으로 인하여 거래의 안전이나 주식 관련 집단적 법률관계의 안정을 해칠 수 있다. 또한 유상증자의 경우에 납입무효설을 취하면 회사는 인수담보책임을 부담하는 이사에게만 주금납입 청구권을 보유하게 될 뿐, 주식인수인에 대한 주금납입 청구권은 존재하지 않는다. 그런데 납입유효설을 따르면 회사는 이사에 대해서는 가장납입으로 발생한 손해에 관하여 이사의 임무해태로 인한 손해배상을 청구할 수 있을 뿐만 아니라, 주식인수인에 대해서는 발행가액 상당의 체당금 반환채권이나 주금인출금 상당의 대여금 채권을 보유하게 된다. 따라서 회사 입장에서는 납입유효설을 따르는 것이 이사와 주식인수인 모두에 대하여 청구권을 행사할 수 있는 결과가 되어 더욱 자본금충실을 기할 수 있게 된다.505) 따라서 납입유효설이 납입가장죄의 입법취지인 자본금충실이나 주식과 관련된 집단적 법률관계의 안정 및 거래의 안전에 기여하는 결과가 되므로 타당하다.506)

회사자금에 의한 가장납입의 경우에, 판례는 발행회사가 주주에 대한 대여금을 실질적으로 회수할 의사가 없었던 이상 실질적으로 제3자가 인수한 주식의 액면금액에 상당하는 발행회사의 자본금이 증가되었다고 할 수 없으므로 그 주금납입은 무효라고 판시하였다.507) 학설은 이처럼 발행회사 대여금의 반환가능성이 없는 경우에는 자본금충실 원칙상 주금납입이 무효라는 납입무효설508)과,

---

일본 판례도 견금(見金)의 주금납입 효력에 관하여 납입무효설 입장이다(日 最判 1963.12. 6. 民集 第17卷 第12号, 1633面).

504) 주권은 회사가 진정한 주주에게 주권을 교부한 때에만 유효하다는 교부시설이 다수설·판례의 입장이다(최준선, 전게 「회사법」, 256면).

505) 한석훈, 전게 "가장납입의 효력과 형사책임," 187~188면.

506) 한석훈, 전게 「비즈니스범죄와 기업법」, 549면.

507) 대법원 2003.5.16. 2001다44109.

이 경우에도 주금의 형식적 납입이 있었던 점, 이사 등의 주관적 의도에 따라 증자와 같은 집단적 절차의 일환인 주금납입의 효력을 좌우함이 부당함은 위장납입의 경우와 다를 바 없으므로 주금납입이 유효라는 납입유효설[509])이 대립하고 있다. 생각건대 발행회사가 주식인수인에 대하여 주금납입을 위한 대여금을 회수하지 않기로 약정한 경우에는 회사의 채권자가 주식인수인에 대하여 그 회사의 대여금 채권을 대위행사하거나 강제집행할 여지가 없으므로 주금납입을 무효로 보고 발행회사는 인수담보책임을 부담하는 이사에 대하여 납입청구 채권을 보유하는 것으로 보는 납입무효설이 자본금충실원칙에 부합할 것이다. 그러나 위 판례의 사안처럼 발행회사가 주식인수인에 대하여 사실상 대여금 회수의사가 없을 뿐이라면 회사 채권자가 회사의 그 대여금 채권에 대한 대위행사나 강제집행이 가능하므로 위장납입의 경우와 다를 것이 없다. 그러므로 이러한 경우에는 위장납입의 경우와 같은 이유로 납입유효설이 타당할 것이다(구분설).[510]

절충형태의 경우에, 통모가장납입의 납입효력을 무효로 보는 입장에서는 절충형태는 실질적으로 통모가장납입의 변형으로서 통모가장납입을 방지하기 위한 상법 규정의 탈법행위라는 이유로 그 주금납입을 무효로 보는 납입무효설을 취한다(통설).[511] 그러나 절충형태는 납입은행과 납입금 인출에 관한 제한약정을 한 것이 아니므로 통모가장납입에 적용되는 제318조 제2항을 적용할 여지가 없고, 납입은행으로부터 대출받은 자금으로 주금납입을 한 후 출자등기 직후 그 주금 인출금을 발행회사로부터 대여받아 납입은행에 대한 대출금을 변제하는 것이므로 위장납입의 경우와 같은 구조로 보아야 할 것이다.[512] 따라서 통모가장납입과 같이 볼 것이 아니라 위장납입과 같이 봄이 타당하고, 위장납입의 납입효력에 관하여 납입유효설을 따르면 절충형태의 주금납입도 납입유효설을 취함이 타당할 것이다.[513]

---

508) 권기범, 전게서, 465면.
509) 송옥렬, 「상법강의」 제11판(홍문사, 2021), 754, 773면; 김태진, 전게논문, 324면.
510) 한석훈, 전게 "가장납입의 효력과 형사책임," 189면.
511) 최준선, 전게 「회사법」, 192면; 정찬형, 전게 「상법강의(상)」, 689면.
512) 한석훈, 전게 "가장납입의 효력과 형사책임," 190면.
513) 한석훈, 전게 「비즈니스범죄와 기업법」, 551면.

다. 주금납입의 효력과 납입가장죄의 관계

가장납입시 주금납입의 효력에 관하여 납입유효설을 따른다면 발행회사의 자본금도 증가하는 것이므로 실질적 자본금 증가가 없음을 전제로 납입가장죄로 처벌하는 것은 모순이라는 주장[514]이 있다. 그러나 납입가장죄의 성립 여부는 보호법익인 출자시 회사의 자본금충실을 침해할 위험 있는 행위의 가벌성과 형벌의 일반예방 효과를 기준으로 판단할 문제이고, 주금납입의 효력은 주식인수인, 회사, 회사 채권자, 주식양수인 등 사인간의 이해관계를 조정해야 하는 민사문제로서 그 판단기준이 다르다. 따라서 주금납입의 효력을 자본금충실 원칙이 추구하는 회사채권자 보호 요청, 집단적 법률관계의 안정 등을 이유로 유효로 보더라도 실질적으로 자본금충실을 해칠 위험이 있는 가장납입행위에 대하여 그 일반예방을 위하여 납입가장죄로 형사처벌을 하는 것은 모순이 아니다.[515] 따라서 주금납입이나 주식인수의 민사상 효력과 상관없이 가장납입행위가 있다면 납입가장죄는 성립한다.

라. 가장납입행위가 아닌 경우

가장납입과 유사하지만 납입가장죄가 성립하지 않는 경우가 있다. 즉 발행회사가 회사 채권자에게 신주를 발행하면서 납입은행으로부터 그 주금 상당금을 대출받되 추후 증자절차를 마친 즉시 변제하기로 하는 약정 아래 대출받아 회사 채권자에 대한 차용채무를 변제하고, 회사채권자는 그 돈을 주금납입에 충당한 경우에는, 증자로 인하여 회사 채무를 감소시킨 결과가 되어 자본금충실 원칙에 반하지 않으므로 가장납입으로 볼 수 없다. 그러므로 주금납입은 유효하고 납입가장죄도 성립하지 않는다(일본 판례).[516]

전환사채나 신주인수권부사채의 인수 과정에서 그 사채대금의 납입을 가장하는 행위는 납입가장죄의 구성요건에 해당하지 않는다. 전환사채의 전환권 행사나 신주인수권부사채의 신주인수권 행사 전에는 아직 발행회사의 자본금을 구성

---

514) 김태진, 전게논문, 341면; 이정민, "회사설립시 최저자본금제도 폐지와 납입가장죄의 재검토," 「고려법학」 제73호(고려대학교 법학연구원, 2014. 6.), 157면.
515) 한석훈, 전게 "가장납입의 효력과 형사책임," 190, 191면.
516) 日 最判 1967.12.14. 刑集 21卷 10号 1369面.

하는 것이 아니고, 전환권이나 신주인수권은 사채권자의 권리이지 의무는 아니어서 그 권리를 행사하지 않을 수도 있기 때문이다(판례).517) 그러나 전환사채나 신주인수권부사채의 발행이 주식 발행의 목적을 달성하기 위한 수단으로 이루어졌고 실제로 그 목적대로 곧 전환권 또는 신주인수권이 행사되어 주식이 발행됨에 따라 실질적으로 신주인수대금의 납입을 가장하는 편법에 불과하다고 평가될 수 있는 등의 특별한 사정이 있다면, 그 사채대금의 가장납입 및 전환청구권 또는 신주인수권의 행사가 일련의 주금 가장납입행위로서 납입가장죄를 구성할 수는 있을 것이다.518) 다만, 위와 같이 사채발행이 납입가장죄를 구성하지 않더라도 사채발행 업무를 담당하는 자가 사채 인수대금의 납입을 가장함으로써 전환사채 인수인으로 하여금 실질적으로 인수대금을 납입함이 없이 전환사채나 신주인수권부사채를 취득하게 하였다면, 업무상 임무를 위배하여 그 사채인수인에게 인수대금 상당의 이익을 취득하게 하고 발행회사에 같은 금액의 손해를 입게 한 것이 되어 회사임원등 특별배임죄나 업무상배임죄가 성립할 수 있다(판례).519)

만약 가장납입 유상증자 사안에서 신주발행의 절차적·실체적 하자가 극히 중대하여 신주발행의 실체가 존재한다고 할 수 없고 신주발행으로 인한 변경등기, 즉 신주발행의 외관만이 존재하는 이른바 신주발행 부존재 상태의 경우에는 이 죄가 성립하지 않는다(판례).520) 처음부터 신주발행의 효력이 없으면 주식인수인들의 주금납입 의무도 발생하지 않고, 증자로 인한 자본금충실 문제도 생기지 않으므로 납입의 '가장'이 문제될 여지가 없기 때문이다.

2. 응납입가장죄

가장납입행위의 상대방은 납입은행이고 실제로 가장납입행위에 응하는 자도 납입은행의 임·직원이므로 그가 가장납입행위임을 인식하고 이에 응하는 행위

517) 대법원 2008.5.29. 2007도5206(전환사채에 관한 판례).
518) 한석훈, 전게 「비즈니스범죄와 기업법」, 555면.
519) 대법원 2015.12.10. 2012도235[전환사채의 인수대금 가장납입행위에 대하여 특정경제범죄 법위반(배임)죄를 인정한 사례].
520) 대법원 2006.6.2. 2006도48(주주가 아니면서도 위조된 주권을 소유한 자들이 대다수 참석하여 개최된 주주총회에서 이사들이 새로 선임되고, 그 이사들로 구성된 이사회의 결의에 의하여 신주발행이 이루어진 사안에서, 신주발행의 절차적·실체적 하자가 극히 중대하여 신주발행의 실체가 존재하지 않아 신주인수인의 주금납입의무도 발생하지 않았다고 볼 여지가 있다는 이유로 납입가장죄도 성립하지 않는다고 판시).

가 응납입가장죄의 구성요건이다. 판례도 같은 취지로 판시하고 있다.[521] 이에 대하여 응납입가장의 행위주체는 주식인수인이거나 주식인수의무 있는 발기인이라는 견해[522]가 있다. 그러나 이들은 납입가장죄의 공범이 될 수 있을 뿐, 응납입가장죄의 행위주체는 될 수 없다.[523]

통모가장납입이나 절충형태의 경우에는 통모한 납입은행 임·직원의 응납입가장죄도 성립할 수 있겠지만, 납입은행과의 통모가 없는 위장납입이나 회사자금에 의한 가장납입 등의 경우에는 어떠한 행위가 응납입가장행위인지 문제가 될 수 있다. 이 경우에도 납입은행의 임·직원이 가장납입 사정을 알면서 그 납입금 수납업무 및 납입금보관증명서 발급업무를 해주기로 발행회사 측 행위자와 통모한 경우에는 응납입가장죄가 성립할 수 있다(판례).[524] 이 경우 이미 가장납입을 하기로 마음먹고 있는 발행회사 임원 등에게 그 납입자금을 대여해 준 것에 불과한 제3자는 가장납입을 하기 위해 돈을 빌린다는 것을 알고 돈을 빌려주었다고 하더라도 응납입가장행위라 할 수 없고, 공동정범으로서의 기능적 행위지배가 있었다고 볼 수도 없는 이상 납입가장죄에 대한 공동정범으로서의 죄책도 물을 수 없다(판례).[525]

응납입가장죄는 범죄구성요건상 대향범인 납입가장죄와 함께 범죄구성요건을 실현할 것으로 예정되어 있는 필요적 공범이다. 따라서 납입가장죄가 성립하지 않는 경우에는 응납입가장죄도 성립하지 않는다.[526]

---

521) 대법원 2004.12.10. 2003도3963("상법 제628조 제2항에서 규정하는 '제1항의 행위에 응한다'라는 것은 주금납입취급기관으로 지정된 금융기관의 임직원이 발기인이나 이사 등 회사 측 행위자의 부탁을 받고 주금의 입출금 및 주금납입증명서 발급업무를 해주는 것을 의미하는 것"이라고 판시).

522) 송호신, "가장납입의 유효성에 대한 비판과 상법 제628조의 해석," 「한양법학」(한양법학회, 2007), 454면.

523) 한석훈, 전게 「비즈니스범죄와 기업법」, 556면.

524) 대법원 2004.12.10. 2003도3963("주금납입취급기관의 임직원이 회사측 행위자가 제3자로부터 차용한 돈으로 주금을 납입하여 주금납입증명서를 발급받은 다음 즉시 주금을 인출하여 차용금의 변제에 사용하는 방식으로 납입을 가장한다는 사정을 알면서 그 주금의 입출금 및 주금납입증명서 발급업무를 해주기로 회사 측 행위자와 통모한 경우에도 상법 제628조 제2항의 응납입가장죄가 성립한다."고 판시); 안동섭, 전게 "기업임원의 상법위반책임," 106면도 같은 취지임.

525) 대법원 2011.7.14. 2011도3180.

526) 한석훈, 상게서, 557면; 前揭 「会社法コンメンタル(21)」, 122面.

1186 제11장 벌   칙

3. 납입가장중개죄

납입가장중개죄의 구성요건은 응납입가장죄와 함께 제628조 제2항에서 "제1항의 행위(즉 납입가장죄의 가장납입행위)에 응하거나 이를 중개한 자"라고 규정하고 있으므로, 그 문맥으로 보아 가장납입행위와 응납입가장행위를 중개하는 행위를 말한다.[527] 예컨대 가장납입행위를 하려는 자에게 납입은행 담당자를 알선하는 행위가 이에 해당할 것이다. 그런데 실무에서는 이를 폭넓게 해석하여 위장납입 등 가장납입행위를 하려는 자에게 사채업자 등 납입자금을 대여할 수 있는 자를 소개·알선한 자도 납입가장중개죄로 의율하고 있다(하급심 판례).[528] 그러나 이러한 경우에는 납입가장죄의 방조죄로 의율해야 할 것이다.[529]

V. 기수시기

통모가장납입의 경우에는 가장납입 행위자가 납입은행과 통모납입 약정을 한후, 이에 기하여 납입은행으로부터 대출금의 주금납입계좌 이체처리와 함께 납입금보관증명서를 교부받아 출자등기를 하게 된다. 이러한 일련의 과정 중 제628조 제1항의 '납입의 이행을 가장하는 행위를 한 때'란 납입은행의 주금납입계좌 이체처리가 있은 때이므로, 이때 납입가장죄는 기수가 되고 범죄가 성립한다.[530]

위장납입의 경우에는 제3자로부터의 납입자금 차용행위, 주금 납입행위, 납입은행으로부터 납입금보관증명서를 교부받아 출자등기를 하는 행위, 납입금 인출행위 및 제3자에 대한 차용금 변제행위로 이어진다. 이러한 일련의 과정 중 납입금 인출행위시를 기수시기로 보는 견해[531]가 있다. 그러나 위 '납입의 이행

---

527) 일본 회사법에서는 이러한 중개행위를 별도로 처벌하는 규정을 두고 있지 않다(일본 会社法 제965조).
528) 서울지방법원 2003.2.18. 2002고합1197, 2003고합12(병합), 2003고합13(병합), 2003고합59(병합); 곽동효, 전게논문, 546면.
529) 한석훈, 전게 「비즈니스범죄와 기업법」, 557, 558면.
530) 한석훈, 상게서, 542, 543면; 일본에서도 예합(預合) 행위로 인한 납입가장죄의 기수시기를 '가장납입이 된 때'로 봄에 이설이 없다[前揭 「会社法コンメンタル(21)」, 121面].
531) 김성탁, 전게논문, 578, 579면.

을 가장하는 행위를 한 때'란 가장납입의 의사로 납입행위를 한 때를 말하므로, 주금 납입행위를 한 때 기수에 이른 것으로 보아야 할 것이다.[532] 그 후의 납입금 인출행위, 회사설립 또는 증자 절차와 그 납입금 인출시까지의 간격, 그 인출금을 회사를 위하여 사용하였는지 여부 등은 위와 같은 가장납입 행위자의 가장납입 고의를 판단하는 기준이 되는 것일 뿐이다. 회사자금에 의한 가장납입의 경우에도 그 행위과정이 위장납입의 경우와 유사하므로 그 기수시기는 위장납입의 경우와 마찬가지로 가장납입의 의사로 납입행위를 한 때이다.[533]

절충형태의 경우의 기수시기는 주금 납입행위를 한 때로 볼 수 있는 시기이므로 납입은행이 대출금을 주금납입에 충당한 때이다.[534]

'현물출자의 이행을 가장하는 행위'의 경우에는 재산를 인도하거나 권리의 설정·이전에 필요한 서류를 교부하지 아니한 채 마치 현물출자를 완료한 것처럼 위장한 때 기수에 이른다.[535]

VI. 죄수관계

가장납입행위는 자본금의 증가에 상응하는 순자산의 증가는 없이 출자등기를 수반하기 때문에, 납입가장행위에 따른 회사설립등기나 증자등기를 한 것이 발행주식총수, 자본금 등에 관한 공정증서원본불실기재죄 및 불실기재공정증서원본행사죄(형법 제228조, 제229조, 이하 '공정증서원본불실기재죄등'이라 한다)에 해당하는지, 발기인·이사 등의 납입된 주금의 인출 및 처분행위가 횡령죄나 배임죄를 구성하는 것인지 문제가 된다. 또한 이러한 죄가 성립하는 경우의 죄수관계도 검토할 필요가 있다. 이 문제는 앞에서 살펴본 주금 인수·납입의 효력에 관한 입장과도 관련이 있다.

위장납입의 경우에 판례는 그 주금납입의 효력에 대해서는 납입유효설 입장

---

532) 서태경, 전게논문, 373면; 한석훈, 전게 「비즈니스범죄와 기업법」, 544면; 곽동효, 전게논문, 550면; 안경옥, "주금납입가장행위에 대한 형사처벌," 「형사법연구」 제24호(한국형사법학회, 2005. 12.), 153면은 납입가장죄는 현실적 손해발생을 요하지 아니함을 논거로 같은 결론에 이르고 있다.
533) 한석훈, 상게서, 544면.
534) 한석훈, 상게서, 545면.
535) 한석훈, 상게서, 540면.

이지만 '위장납입은 등기를 위하여 납입을 가장하는 편법에 불과하고 실질적으로 회사의 자본금이 늘어난 것이 아님'을 이유로 납입가장죄와 함께 공정증서원본부실기재죄등이 성립할 뿐 배임죄나 횡령죄는 성립하지 않는 것으로 판시하였다. 즉 가장납입이란 처음부터 납입 및 등기 후 지체 없이 주금을 인출할 것을 예정한 것이어서 "납입 및 인출의 전과정에서 회사의 자본금에는 실제 아무런 변동이 없다고 보아야 할 것이므로 회사의 돈을 임의로 유용한다는 불법영득의 사가 있다고 보기 어렵다."는 이유로 횡령 범죄가 성립하지 아니하고, "주금의 납입 및 인출 전과정에서 회사의 자본금에는 실제 아무런 변동이 없다고 보아야 할 것이므로, 불법이득 의사가 있다거나 회사에 재산상 손해가 발생한다고 볼 수 없다."는 이유로 업무상배임죄도 성립하지 않는 것으로 판시하고 있다(이하 '레이디 가장납입사건'이라 함).536) 주금납입의 효력을 유효로 보면서도 형사책임에 있어서는 실질적 자본금 증가가 없다고 보는 이유에 관하여, 위 판례는 "납입을 가장한 경우에도 상법상 주금납입의 효력을 인정하는 것은 단체법질서의 안정을 위하여 주금의 가장납입을 회사의 설립이나 증자의 효력을 다투는 사유로 삼을 수 없게 하고, 그로 인하여 발행된 주식의 효력이나 그 주권을 소지한 주주의 지위에 영향이 미치지 않게 하려는 배려에서 나온 것일 뿐이므로, 이러한 주금납입의 효력을 횡령 범죄나 배임죄와 같은 개인의 형사책임을 인정하는 근거로 삼을 수는 없다."는 것이다. 이처럼 납입가장죄와 공정증서원본불실기재죄등이 성립하는 경우에는, 주금 납입행위를 한 때 납입가장죄는 기수가 되고 공정증서원본불실기재등의 행위는 그 후에 성립하는 것이므로, 납입가장죄, 공정증서원본불실기재죄 및 불실기재공정증서원본행사죄는 수 개의 행위에 의한 수 개의 죄를 구성하는 것이 되어 각 실체적 경합관계가 된다(판례).537)

---

536) 대법원 2004.6.17. 2003도7645 전원합의체(이 판결에서 반대의견은 주금납입을 유효하다고 보는 한 납입이 완료된 것은 진실이고, 이에 따라 발행주식총수, 자본금액이 증가한 것이므로, '허위신고'를 하여 '불실의 사실의 기재'를 하게 한 경우에 해당한다고 할 수 없어 공정증서원본불실기재죄등이 성립할 여지가 없고, 주금납입과 동시에 그 납입금은 회사의 자본금이 되는 것이기 때문에 회사의 기관이 이를 인출하여 자신의 개인채무 변제에 사용하는 것은 회사에 손해를 가하는 것이 될 뿐만 아니라 불법영득의사의 발현으로서 업무상횡령죄가 성립한다고 주장하였다.); 그 후의 판례도 위 전원합의체 판결과 같은 취지로 일관하고 있다(대법원 2011.9.8. 2011도7262; 2006.9.22. 2004도3314; 2004.12.10. 2003도3963).

537) 서울고등법원 2005.8.23. 2004노161320, 04노1990(위 대법원 2004.6.17. 2003도7645 전원합의체 판결의 환송 후 판결); 서태경, 전게논문, 375면; 일본에서는 預合의 경우에만 납입가장죄가 성립하므로 위장납입에 해당하는 見金의 경우에는 납입가장죄가 성립하지는

이에 대하여 주금납입의 효력에 관하여 납입무효설을 취한다면 위 판례의 결론이 타당하겠지만, 판례의 입장과 같이 주금납입의 효력에 관하여 납입유효설을 취한다면 공정증서원본불실기재죄등의 '불실(不實)'에 관하여 민사실체법상 권리관계에 부합되는지 여부를 기준으로 판단하는 판례입장538)과 모순된다는 비판이 있다. 즉 주금납입이 유효한 이상 그 주금납입에 따른 출자등기를 불실의 등기로 볼 수 없으므로 공정증서원본불실기재죄등은 성립하지 아니하고, 일단 회사에 납입된 주금은 회사 소유의 재물이므로 이를 임의로 인출하는 행위는 횡령 범죄가 성립하는 것으로 보아야 한다는 견해(다수설)539)가 있다.

통모가장납입이나 회사자금에 의한 가장납입의 경우에는 주금납입의 효력에 관하여 통설·판례(회사자금에 의한 가장납입의 경우의 판례)가 납입무효설 입장에 있으므로, 위장납입의 경우와 같은 견해의 대립은 없다. 따라서 납입가장죄와 공정증서원본불실기재죄등이 성립하고, 그 밖에 횡령 범죄나 배임죄는 성립하지 않는 것으로 보아 왔다.540)

생각건대 공정증서원본불실기재죄등의 성립 여부는 공정증서원본인 법인등기부의 등기사항인 자본금액, 발행주식총수, 각종 주식의 내용과 수 등(제317조 제2항, 제4항, 제183조)의 불실 여부를 검토해야 할 문제이다. 그 중 자본금액은 액면주식 발행회사의 경우 발행주식수의 액면총액임이 원칙이므로(제451조 제1항) 발행주식수와 관련되고, 무액면주식 발행회사의 경우에는 주식 발행가액 2분의 1 이상 금액 중 이사회나 주주총회에서 정한 금액이다(제451조 제2항). 결국 등기사항의 불실 여부는 주금납입 효력과는 무관하고 주식인수의 효력이나 회사의 이사회나 주주총회에서 자본금으로 정한 금액과 관련이 있을 뿐이다.541) 그런데 가장납입행위가 있는 경우에는 앞에서 살펴본 것처럼 주금납입이 무효이더라도

않으나, 판례는 그 주금납입의 효력을 무효로 보는 납입무효설 입장이므로 공정증서원본불실기재죄등에 해당하는 것으로 판시하고 있다(日 最判 1972.1.18. 刑集 第26卷 第1号, 1面; 日 最判 1966.10.11. 刑集 第20卷 第8号, 817面).

538) 판례는 "당사자들의 합의 없이 경료된 소유권이전등기라고 하더라도, 그것이 민사실체법상의 권리관계에 부합하는 유효한 것이라면 이를 불실의 등기라고 할 수 없다."고 판시하고 있다(대법원 1980.12.9. 80도1323).

539) 조국, "위장납입의 형법상 죄책," 「법률신문」(2005. 11. 7.); 위 대법원 2004.6.17. 2003도 7645 전원합의체 판결의 소수의견(반대의견); 안경옥, 전게논문, 154, 155면; 서태경, 전게논문, 374~376면.

540) 일본의 통설·판례도 같은 입장이다[前揭 「会社法コンメンタル(21)」, 121面; 日 仙台高判 1970.5.12. 高刑集 第23卷 第3号, 411面].

541) 한석훈, 전게 "가장납입의 효력과 형사책임," 194면.

1190 제11장 벌 칙

주식인수는 유효하거나 인수담보책임을 부담하는 이사가 대신 인수한 것으로 의제되고, 무액면주식의 경우에도 이사회 등의 자본금액 지정에 변동이 있는 것은 아니다. 그러므로 가장납입에 불구하고 발행주식총수 및 그에 기해 산정되거나 이사회 등이 정하는 자본금액 등 등기사항에는 아무런 변동이 없다. 따라서 어느 유형의 가장납입이든 납입가장죄는 인정되지만 법인등기부에 불실의 사실을 기재하였다고 할 수 없으므로 공정증서원본불실기재죄등은 성립하지 않는 것으로 보아야 할 것이다.542)

그리고 횡령 범죄는 타인(회사)의 재물에 관한 소유권 등 본권을 보호법익으로 하고(판례),543) 횡령행위란 타인(회사) 소유 재물을 보관하는 자가 그 위탁취지에 반하여 자기나 제3자의 이익을 위하여 권한 없이 그 재물을 자기 소유인 것처럼 처분하는 불법영득의사의 실현행위이다(통설·판례).544) 이 경우 타인 소유 재물인지 여부는 민사문제로서 민사상 법률관계에 따라야 하는데,545) 주금납입이 유효하다면 납입된 주금은 발행회사 소유임이 분명하므로 납입유효설을 따르면서 납입금이 발행회사 소유가 아니라는 판례의 논거는 모순이다. 그러나 가장납입은 발행회사를 대표하는 이사나 발기인이 주금납입을 받을 당시부터 나중에 출자등기 직후 주금을 인출하여 주식인수인에게 반환하기로 하는 가장납입에 관한 합의를 전제로 수령한 것이므로, 이사나 발기인은 발행회사로부터 주금의 보관을 위탁받으면서 처음부터 위와 같은 반환을 전제로 위탁받은 셈이다.546) 그러므로 이사나 발기인이 주금 인출금을 위와 같은 원래의 위탁취지대로 주식인수인에게 반환한 것을 발행회사의 위탁취지에 반하는 처분으로 볼 수는 없을 것이다. 따라서 이사나 발기인의 불법영득의사나 횡령행위를 인정할 수 없으므로 횡령 범죄는 성립하지 않는 것으로 보아야 할 것이다.547) 더군다나 통모가장납입이나 회사자금에 의한 가장납입의 경우에는 주금의 인출, 즉 재산처분행위가 없으므로 횡령죄의 처분행위조차 인정할 수 없을 것이다.548) 따라서 어느 유

---

542) 한석훈, 상게논문, 195면.
543) 대법원 2013.2.21. 2010도10500 전원합의체.
544) 대법원 2004.10.27. 2003도6738; 2004.3.12. 2004도134; 손동권·김재윤, 전게「새로운 형법각론」, 443, 447면; 한석훈, 전게「비즈니스범죄와 기업법」, 413면.
545) 손동권·김재윤, 상게서, 430면.
546) 한석훈, 전게논문, 196면.
547) 한석훈, 전게 "가장납입의 효력과 형사책임," 196면.
548) 한석훈, 상게논문, 196면.

형의 가장납입이든 횡령죄는 성립할 수 없다.

그런데 배임죄의 성립 여부를 검토해 보자면 다음과 같다. 가장납입의 주금납입 효력에 관한 납입유효설을 따르면 일단 발행회사에 납입된 주금은 회사의 재산을 구성하는 것이다. 그러므로 위장납입의 주금납입 효력에 관하여 납입유효설을 따르면서 그 주금의 인출로 발행회사에 재산상 손해가 발생한 것이 아니라는 판례의 논거는 적절치 않다. 따라서 위장납입 및 절충형태의 경우에 주금납입의 효력에 관한 납입유효설을 따른다면 가장납입으로 회사재산이 증가한 이상 주금의 인출로 인한 재산상 이익의 취득과 회사에 대한 손해발생도 인정할 수 있다. 또한 이사나 발기인은 발행회사의 사무처리시 가장납입과 같이 회사의 자본금충실을 침해하는 행위를 하지 말아야 할 법령상의 임무가 있으므로 가장납입행위는 이사나 발기인으로서의 임무위배행위가 되어 배임죄가 성립할 수 있을 것이다.549) 이 경우 납입가장죄는 주금의 납입행위시 기수로 되어 그 범죄가 성립하고 배임죄는 그 후 주금을 인출할 때 실행에 착수하여 주식인수인에게 지급할 때 기수로 되는 것이므로 납입가장죄와 배임죄는 실체적 경합관계가 된다. 통모가장납입이나 회사자금에 의한 가장납입의 경우에는 주금납입의 효력에 관한 납입무효설 입장에서는 물론, 납입유효설 입장에 서더라도 주금의 인출행위가 없으므로 발행회사의 재산에 손해를 가한 것으로 볼 수 없게 되어 배임죄가 성립하지 않는다.550)

출자관련 부실보고죄(제625조 제1호)와 납입가장죄가 경합하는 경우, 즉 납입가장행위가 주금납입에 관한 부실보고나 사실은폐를 수반할 수 있는데, 이때 양죄의 죄수관계가 문제 된다. 양 죄의 보호법익이 회사의 자본금충실이란 점에서 같고, 가장납입행위는 출자 관련 부실보고 또는 사실은폐행위를 포함하며, 법정형도 동일하다는 점에서 출자관련 부실보고죄가 성립하는 경우에는 납입가장죄는 성립하지 않는 것으로 보는 견해(법조경합설)551)가 있다. 그러나 양 죄의 행위내용 및 기수시기가 다르고, 가장납입행위가 반드시 출자 관련 부실보고나 사

---

549) 한석훈, 상계논문, 198면; 김태진, 전게논문, 340면 및 양기진, "가장납입의 효력에 관한 법적 검토,"「법학논집」제21권 제2호(이화여자대학교 법학연구소, 2016), 127면에서는 위장납입 유형에서 주금납입 유효설을 따른다면 주금 인출행위를 배임죄나 횡령죄로 의율함이 타당하다는 견해이다.
550) 한석훈, 상계논문, 198면.
551) 김성탁, 전게논문, 583면.

실은폐 행위를 수반하는 것도 아니며, 양 죄의 보호법익이 일치하는 것도 아니므로, 양 죄는 별개의 행위가 수개의 죄에 해당하는 실체적 경합관계로 보아야 할 것이다.[552)

제 9 절 납입책임면탈죄

Ⅰ. 의 의

자본금이 회사 성립의 기초이자 다수의 투자자나 회사채권자를 위한 대외적 신용의 담보가 되는 물적회사에 대해서는 자본금을 형성하는 출자의 이행을 확보하기 위해 납입가장 범죄를 규정하는 한편, 출자의 납입책임 자체를 면탈하는 행위를 방지하기 위하여 납입책임면탈죄를 규정하고 있다. 즉 납입의 책임을 면하기 위하여 타인 또는 가설인 명의로 주식 또는 출자를 인수한 자에 대하여 1년 이하의 징역 또는 300만 원 이하의 벌금에 처하고 있다(제634조, 이하 '납입책임면탈죄'라 함). 납입책임면탈죄도 납입가장 범죄와 마찬가지로 1962년 상법 제정 당시 입법이 된 이래 벌금액을 상향 조정하는 개정만 있었다.

납입책임면탈죄의 입법취지는 회사설립 또는 증자의 경우 출자의 인수책임자를 분명히 함으로써 출자의 이행과 함께 그에 상응하는 회사재산을 확보하려는 것이므로[553) 무한책임사원이 있는 인적회사까지 이를 규제할 필요는 없을 것이다. 또한 이 죄는 구성요건으로 '납입' 책임을 면하기 위한 목적이 있을 것을 요구하고 있는데, 출자의 '납입'이란 표현은 주식회사, 유한회사 및 유한책임회사의 경우에만 사용하고 있는 점(제287조의4 제3항, 제287조의23 제2항, 제295조, 제305조, 제421조 제1항, 제548조 제1항, 제590조)에 비추어 볼 때, 이 죄의 적용범위는 납입가장죄와 마찬가지로 물적회사인 주식회사, 유한회사 및 유한책임회사에 한정되는 것으로 보아야 할 것이다.[554)

---

552) 한석훈, 전게 「비즈니스범죄와 기업법」, 567, 568면.
553) 한석훈, 상게서, 570면.
554) 한석훈, 상게서, 570, 571면; 유한책임회사 제도가 없었던 개정 전 상법 아래에서 이 죄의

타인 또는 가설인 명의로 주식이나 출자를 인수하는 행위는 주로 불특정 다수의 투자자로부터 출자를 받는 주식회사의 경우에 문제가 될 수 있다. 그러나 주식회사가 모집설립이나 신주발행시 모집 주주로부터 청약을 받을 때에는 청약증거금을 받게 된다. 이때 주권상장법인 등 대부분의 회사는 청약증거금으로 인수가액 전액을 납입시킨 후 납입기일에 이를 납입금에 충당하는 것이 상례이므로, 실제로는 납입책임 면탈이 문제되는 경우가 거의 없다.[555)

II. 보호법익

납입책임면탈죄의 입법취지는 회사설립이나 유상증자의 경우에 출자의 인수책임자를 분명히 함으로써 출자의 이행과 함께 그에 상응하는 회사재산과 사원을 확보하려는 것이므로, 이 죄의 보호법익은 회사의 자본금충실 및 사원확정이다(중첩적 보호).[556) 범죄구성요건상 자본금충실의 현실적인 침해나 구체적 실해발생 위험을 요구하는 것으로 볼 수는 없으므로 그 보호의 정도는 추상적 위험범에 해당한다.

III. 범죄구성요건

이 죄의 행위주체는 제한이 없다. 누구든지 타인 또는 가설인 명의로 주식또는 출자를 인수한 자는 행위주체가 된다.

행위주체에게 '납입'책임을 면할 목적이 있어야 한다(목적범). 따라서 객관적 구성요건인 '타인 또는 가설인 명의로 주식 또는 출자를 인수한 행위'에 대한 인식 및 의욕 외에도 납입책임을 면할 목적[557)이 있어야만 이 죄가 성립한다.

적용범위를 주식회사 및 유한회사로 보는 견해(안동섭, 전게 "기업임원의 상법위반책임," 108면)도 마찬가지 입장이다.

555) 최준선, 전게 「회사법」, 655면; 이기수·최병규, 전게 「회사법」, 133면; 주식을 타인 또는 가설인 명의로 인수한 자도 납입책임을 부담하는 것이므로(제332조) 형벌의 보충성 원칙에 비추어 납입책임면탈죄는 폐지할 필요가 있다[한석훈, 전게 「비즈니스범죄와 기업법」, 570면; 천경훈, 전게 「주석 상법(회사-VII)」, 182면].
556) 한석훈, 상게서, 570면; 천경훈, 상게서, 181면.

상법은 '납입'이라는 용어를 금전납입에만 사용하고 그 밖의 재산 등 현물출자의 경우에는 출자의 '이행'이라는 용어를 사용하고 있다(제287조의4 제3항, 제287조의23 제2항, 제295조, 제305조, 제421조 제1항, 제548조 제1항, 제590조, 제628조 제1항). 그러므로 금전출자 외에 재산이나 현물출자의 경우에도 이 죄가 성립하는 것인지 문제가 된다.[558] 이 죄의 존재의의는 동의 없이 타인 명의로 주식 또는 출자를 인수하거나 가설인 명의로 이를 인수하고 그러한 행위를 한 실질주주가 누구인지도 파악할 수 없어서 회사의 자본금충실이 위협받게 되는 경우에 대비하려는 데 있다. 그런데 재산 등 현물출자의 경우에는 그 실질주주를 파악할 수 없는 경우는 드물 것이므로, 이 죄는 금전출자의 경우에만 적용하기 위해 '납입' 책임을 면하기 위한 경우만으로 제한하여 규정한 것으로 봄이 타당하고, 이러한 해석이 죄형법정주의에도 부합하는 해석이다.[559]

이 죄의 구성요건 중 '타인 … 명의로 주식 또는 출자를 인수한' 경우란 타인의 동의·승낙 여부나 상법상 주금납입 책임을 부담하는지 여부를 불문한다.[560]

IV. 기수시기 및 죄수관계

이 죄의 기수시기는 범죄구성요건 행위의 완료시기인 주식 또는 출자를 인수한 때이다.[561] 주식회사의 경우에는 주식청약서나 신주인수권증서를 회사에 제출하여 신주를 배정받은 때이다. 그 후 납입기일에 주식 인수가액이나 출자액을 납입하지 아니한 때에 납입책임을 면하기 위한 목적이 분명해지겠지만, 이는 범죄성립 후 정황에 불과하다.

납입기일에 납입을 가장하여 납입가장죄가 성립하는 경우에는 상호 범죄구성요건 행위 및 행위시기가 달라 별개의 행위가 수개의 죄에 해당하는 경우이므로 납입책임면탈죄와 납입가장죄가 실체적 경합관계로 성립한다.[562]

---

557) 이러한 목적은 초과 주관적 구성요건요소이다(김성돈, 전게 「형법총론」, 259면).
558) 김성탁, 전게논문, 584면 중 각주 46번.
559) 한석훈, 전게 「비즈니스범죄와 기업법」, 572면; 천경훈, 전게 「주석 상법(회사-Ⅶ)」, 182면.
560) 한석훈, 상계서, 572면; 김성탁, 전게논문, 584면.
561) 한석훈, 상계서, 572면; 천경훈, 전게 「주석 상법(회사-Ⅶ)」, 183면.
562) 김성탁, 전게논문, 585면.

납입책임을 면하기 위하여 타인 명의의 주식청약서 등 관련 문서를 위조·행사하여 그 명의로 주식 또는 출자를 인수한 경우에 주식청약서 등에 관한 사문서위조죄·위조사문서행사죄와 납입책임면탈죄의 죄수관계는 문제가 된다. 이 경우 위반행위를 하나의 행위로 본다면 상상적 경합관계가 되지만 별개의 행위로 본다면 실체적 경합관계가 될 것이다. 사문서를 위조·행사하여 금품을 사취한 경우 사문서위조죄, 위조사문서행사죄 및 사기죄의 실체적 경합관계로 보는 판례의 입장[563]에서는 실체적 경합관계로 보게 될 것이다.[564]

발기인은 주식회사의 설립사무를 담당하는 자로서 자신은 물론 주식인수인에 대하여 주식인수가액 전액을 납입시켜야 할 임무가 있고(제295조 제1항, 제305조 제1항), 신주발행사무를 담당하는 (대표)이사도 같은 임무를 부담한다(제421조 제1항). 발기인 또는 이사가 이러한 임무에 위배하여 납입책임을 면할 목적으로 타인 또는 가설인 명의로 주식을 인수하고 회사에 손해를 가한 때에는 배임죄가 성립할 수 있다. 이때 양 죄는 법조경합관계가 되어 납입책임면탈죄는 성립하지 않는 것으로 보는 견해[565]가 있다. 그러나 양 죄는 그 보호법익과 범죄구성요건이 다르므로 별개의 범죄이다. 따라서 1개의 행위가 수개의 죄에 해당하는 상상적 경합관계로 보아야 할 것이다.[566]

제10절   주식초과발행죄

Ⅰ. 의   의

주식회사는 정관에 기재된 '회사가 발행할 주식의 총수' 범위 내에서만 주식을 발행할 수 있다(제289조 제1항 제3호). 이 규정은 회사설립이나 신주발행시 준수해야 할 강행규정이므로 발행예정주식 총수를 초과하여 주식을 발행하려면

---

563) 대법원 1991.9.10. 91도1722.
564) 김성탁, 전게논문, 584면; 한석훈, 전게 「비즈니스범죄와 기업법」, 573면.
565) 송호신, 전게 학위논문, 144면.
566) 한석훈, 상게서, 574면; 천경훈, 전게서, 183면.

주주총회의 특별결의에 의한 정관변경절차를 거쳐야만 한다(제433조 제1항, 제
434조). 또한 수권자본제도의 도입으로 회사설립시에는 회사가 발행할 주식의
총수 중 일부만 발행하고 나머지 신주의 발행권한은 원칙적으로 이사회에 부여
하고 있다(제416조). 따라서 그 발행권한의 남용을 방지하기 위하여 주식초과발
행죄를 규정하게 되었다. 즉 회사의 발기인, 이사, 집행임원, 제386조 제2항(일
시이사) 또는 제407조 제1항의 직무대행자(이사 직무대행자)가 회사가 발행할 주
식의 총수를 초과하여 주식을 발행하는 경우에는 5년 이하의 징역 또는 1,500
만 원 이하의 벌금에 처하고(제629조), 그 징역형과 벌금형을 병과할 수도 있다
(제632조).

이 죄는 1962년 상법 제정 당시 입법이 된 후 벌금액만 상향 조정하는 개정이
있었고, 2011년 개정상법에서 행위주체에 '집행임원'을 추가하는 개정을 하였다.

Ⅱ. 보호법익

주식회사의 자본금 규모는 발행주식수의 규모에 비례함이 원칙이므로(제451
조 제1항, 제2항), 발행주식수의 변경은 주식회사의 규모에 영향을 미치게 된다.
그런데 수권자본제도 아래에서 이사회가 실제로 발행하는 주식수를 결정하더라
도 '회사가 발행할 주식의 총수'(이하 '발행예정주식 총수'라 함)의 범위 안에서만
허용되고, 발행예정주식 총수의 변경은 주주총회의 특별결의를 요하는 정관변경
사항으로 정하고 있음(제434조, 433조 제1항, 제289조 제1항 제3호)은 주주들이 회
사의 규모를 정함에 있어서 신주발행권한을 가진 이사회를 통제하는 의미를 갖
는 것이다.[567] 주식초과발행죄는 이러한 주주의 공익권을 침해하는 행위를 처벌
하려는 것이므로, 이 죄의 보호법익은 자본금 등 회사규모 결정에 관한 주주의
공익권이다.[568] 주주총회의 정관변경 절차를 거침이 없이 발행예정주식 총수를
초과한 주식을 발행하면 그 발행 자체가 주주의 공익권을 침해하는 행위이므로
그 보호의 정도는 침해범에 해당한다.[569] 이사회가 실제로 발행하는 주식수를

---

567) 이철송, 전게 「회사법강의」, 243면.
568) 한석훈, 전게 「비즈니스범죄와 기업법」, 576면.
569) 한석훈, 상게서, 576면.

발행예정주식 총수 중 일정 비율 이상이 되어야 한다는 제한이 없어서 회사는 미리 정관에 발행예정주식 총수를 충분히 정할 수 있으므로, 이 죄로 의율된 사례는 아직 보이지 않는다.[570)]

Ⅲ. 행위주체

주식초과발행죄는 진정신분범으로서 주식회사의 발기인, 이사, 집행임원, 일시이사(제386조 제2항), 이사 직무대행자(제407조 제1항)만이 행위주체가 될 수 있다. 이들 행위주체가 법인인 경우가 있을 수 있는데,[571)] 이러한 경우에는 법인의 일반적 범죄능력이 인정되지 않고 있으므로 실제 행위를 한 그 법인의 이사 등을 처벌할 수밖에 없을 것이다. 제637조는 법인이 행위주체인 경우에 실제 행위자를 처벌하기 위한 규정이면서 그 적용대상에 이 죄를 포함하지 아니한 것은 입법의 불비이다.[572)]

Ⅳ. 위반행위

범죄구성요건 행위는 위 행위주체가 '회사가 발행할 주식의 총수를 초과하여 주식을 발행한 경우'이다. 여기서 '회사가 발행할 주식의 총수'란 이 죄의 입법취지나 제289조 제1항 제3호의 문언과 동일한 점에 비추어 볼 때 정관에 규정된 발행예정주식 총수를 뜻한다.[573)] 발행예정주식 총수를 초과하는 주식 발행인지

---

570) 주식초과발행죄의 모델이 된 일본 商法 제492조의2 규정도 1950년 상법개정 당시 수권자본제도의 도입에 따른 위험에 대비하여 추가하게 된 것이지만 실제 적용사례가 없어서, 위 규정을 이어받은 현행 일본 会社法 제966조에 대하여 계속 형사처벌 대상으로 존속시킬 것인지 여부는 재검토할 필요가 있다는 주장이 일본에서도 제기되고 있다(前揭「会社法コンメンタル(21)」, 123面).
571) 법인도 발기인이 될 수 있다는 것이 통설(최준선, 전게「회사법」, 148면; 이기수·최병규, 전게「회사법」, 156면)이고, 이사가 될 수 있는지 여부에 관하여는 학설이 대립하고 있다[긍정설: 정경영,「상법학쟁점」(박영사, 2016), 87면].
572) 일본의 경우에도 과거 주식초과발행죄에 관한 商法 벌칙규정에는 이러한 입법의 불비가 있었으나, 현행 会社法 제972조는 법인이 주식초과발행죄의 행위주체인 경우에는 실제 행위를 한 취체역(이사), 집행역(집행임원) 등을 처벌하는 명문 규정을 두어 입법적 해결을 하였다[前揭「会社法コンメンタル(21)」, 125面].

여부는 발행예정주식 총수에서 회사가 이미 발행한 주식수는 물론, 전환주식·전환사채·신주인수권부사채 등 일정한 행사기간 내 발행을 유보하여 둔 주식수(제346조 제4항, 제516조 제1항, 제516조의11)도 모두 공제한 범위를 초과하는지 여부를 기준으로 해야 한다.[574] 이 죄의 입법취지나 규정 문언에 비추어 볼 때 정관으로 정한 종류주식수(제344조 제2항)를 초과하여 종류주식을 발행하게 되더라도 전체 발행예정주식 총수 범위 이내라면 이 죄가 성립하지 않는다.[575]

주식을 '발행'한다는 것은 상법상 주식발행절차에 따라 주식을 발행함으로써 주주 지위를 취득하게 하는 것을 말한다(주주지위 취득설).[576] 발기인·이사 등이 그런 절차를 거침이 없이 주권만 발행한 경우에는 작성권한 유무에 따라 허위유가증권작성죄나 유가증권위조죄에 해당하거나 기망행위가 있는 경우에는 사기죄를 구성할 수 있을 뿐이다.[577] 이에 관하여 일본에서는 주권을 작성하여 주주에게 교부한 때 발행이 확정적으로 되는 것이므로 그 주권 교부시에 '발행'된 것으로 보는 견해(주권교부시설)[578]가 있다. 그러나 상법상 주식은 발행하더라도 주권은 아직 발행하지 아니한 주식회사도 존재하고 주식의 발행과 주권의 발행은 구별되는 개념인데 규정 문언은 '주식'의 발행이라고 명시하고 있으며, 그 밖에도 수권자본제도의 도입에 따라 주식의 초과발행을 규제하고자 한 이 죄의 입법취지에 비추어 보면 주권의 교부를 요건으로 하는 것은 아니라고 해석함이 타당하다.[579]

주식의 발행이라면 유상의 신주발행은 물론, 준비금의 자본금전입에 의한 무상의 신주발행(제461조)도 자본금의 규모에 영향을 미치는 일이므로 당연히 포함된다.[580]

---

573) 임홍근, 전게서, 965면.
574) 한석훈, 전게 「비즈니스범죄와 기업법」, 578면; 천경훈, 전게 「주석 상법(회사-Ⅶ)」, 163면; 神山敏雄 外 3人 編, 前揭書, 167面; 前揭 「会社法コンメンタル(21)」, 123面.
575) 한석훈, 상게서, 540면; 前揭 「会社法コンメンタル(21)」, 123~124面; 奧島孝康 外 編, 「新基本法コンメンタール 会社法(3)」(日本評論社, 2009), 549面.
576) 한석훈, 상게서, 578면; 神山敏雄 外 3人 編, 前揭書, 167面.
577) 한석훈, 상게서, 578면; 임홍근, 전게서, 965면; 송호신, 전게 학위논문, 188면; 神山敏雄 外 3人 編, 前揭書, 167面.
578) 일본의 유력설이다[戸田修三 外 編, 「注解会社法(下)」(靑林書院, 1987), 1024面].
579) 前揭 「会社法コンメンタル(21)」, 124面.
580) 한석훈, 상게서, 578면.

Ⅴ. 기수시기

발행예정주식 총수를 초과하여 주식을 발행한 때 기수가 되어 범죄가 성립하고, 그 후의 주권발행 여부, 주주명부 기재 여부는 물론, 회사설립무효판결 또는 신주발행무효판결이 확정되더라도 범죄의 성립에는 영향이 없다.[581] 주식을 발행한 때란 위와 같이 주식발행절차에 따라 주식을 발행하여 주주 지위를 취득하게 한 때를 뜻하므로, 회사설립시에는 회사설립등기를 한 때, 신주발행시에는 주금납입기일 다음날(제423조 제1항), 전환사채 발행시에는 전환권을 행사한 때(제516조 제2항, 제350조 제1항), 신주인수권부사채 발행시에는 신주의 발행가액 전액 납입시(제516조의10) 기수에 이르러 범죄가 성립한다.[582]

제11절 독 직 죄

Ⅰ. 의   의

특별배임죄의 행위주체, 검사인, 공증인, 감정인과 같이 회사 관련 사무를 처리하는 자가 그 직무에 관하여 부정한 청탁을 받고 재산상 이익을 수수·요구 또는 약속한 때에는 5년 이하의 징역 또는 1,500만 원 이하의 벌금에 처하거나 그 징역형과 벌금형을 병과할 수 있다(제630조 제1항, 제632조, 이하 '독직수재죄'라 함). 또한 그 이익을 약속·공여하거나 공여의사를 표시한 자도 마찬가지로 처벌하고 있다(제630조 제2항, 제632조, 이하 '독직증재죄'라 하고, 독직수재죄와 함께 '독직죄'라 함).[583] 그리고 독직수재죄의 경우에는 범인이 수수한 이익은 몰

---

581) 임홍근, 전게서, 965면; 前揭「新版 注釈 会社法(13)」, 595면; 前揭「会社法コンメンタル (21)」, 124面; 平野龍一 編, 「注解特別刑法(4の1) 商法(罰則)」第2版(青林書院, 1991), 82면; 伊藤栄樹 外 2人 編, 前揭書, 199面.

582) 한석훈, 전게「비즈니스범죄와 기업법」, 579면.

583) 이 벌칙 규정이 모델로 삼은 일본 商法의 경우에 처음 일본 商法 제493조에서는 우리의 경우처럼 독직수재죄와 독직증재죄의 법정형을 동일하게 규정하고 있었으나, 위 규정을

수하고, 그 전부 또는 일부를 몰수할 수 없는 때에는 그 가액을 추징한다(제633 조, 필요적 몰수·추징).

독직수재죄는 형법상 배임수재죄(형법 제357조 제1항)의, 독직증재죄는 형법상 배임증재죄(형법 제357조 제2항, 이하 배임수재죄와 배임증재죄를 일괄하여 '배임수증재죄'라 함)의 각 구성요건을 포함하면서 특별히 구성요건을 추가하고 가중처벌 하려는 데 그 입법취지가 있으므로, 독직죄는 배임수증재죄의 특별관계에 있는 법조경합관계로 보아야 한다.[584] 따라서 독직죄의 해석에는 배임수증재죄의 해 석 및 판례를 참고할 필요가 있다.

Ⅱ. 보호법익

독직죄의 보호법익에 관해서는 배임수증재죄의 경우처럼 견해의 대립이 있 다. 독직죄가 회사에 재산상 손해를 가할 것을 범죄구성요건으로 하지 않는 점 에 비추어 회사의 사회적 중요성을 감안하여 공공의 이익을 보호하기 위하여 공 무원에 준하여 회사임원 등 직무집행의 충실성 또는 공정성을 보호하기 위한 죄 로 보고, 그 보호법익을 '회사임원 등 회사사무를 처리하는 자의 직무집행의 충 실성 또는 공정성'으로 파악하는 견해[585]가 있다. 독직죄의 입법취지가 회사의 건전한 운영을 특별히 보호하기 위하여 회사 관련 사무를 처리하는 자의 배임수 증재 행위의 처벌을 강화하여 그 직무집행의 공정성을 확보하려는 데 있음은 분 명하다. 그러나 독직죄를 영리법인인 회사의 경우에만 적용되는 회사범죄로 규 정되어 있는 것은 회사재산의 손해를 야기할 위험이 있는 직무수행행위를 금지

이어받은 현행 会社法 제967조에서는 독직수재죄는 5년 이하의 징역 또는 500만 엔 이하 의 벌금에 처하고 있으나, 독직증재죄는 3년 이하의 징역 또는 300만 엔 이하의 벌금에 처하고 있다. 우리나라의 경우에도 독직증재죄의 법정형은 독직수재죄와 차등을 두어야 한다는 입법론(박길준, 전게논문, 161면; 송호신, 전게 학위논문, 157면)이 있다.

584) 한석훈, 전게 「비즈니스범죄와 기업법」, 674면.

585) 송호신, 전게 학위논문, 145면; 천경훈, 전게 「주석 상법(회사-Ⅶ)」, 165면; 일본에서도 会社法 제967조(이사 등의 증수뢰죄)는 회사에 대한 회사임원 등의 지위가 국가에 대한 공무원의 지위와 같이 그 사회적 지위와 책임이 중하다는 점에서 입법하게 된 것이라는 입법경위, 회사의 재산상 손해를 요구하지 않는 점에 비추어 이 죄의 보호법익을 직무집 행의 공정성으로 보는 견해[神山敏雄 外 3人 編, 前揭書, 169면; 前揭 「新版 注釈会社法 (13)」, 597面; 前揭 「会社法コンメンタル(21)」, 125面]가 있다.

하려는 데에도 그 입법취지가 있다고 보아야 할 것이다. 그러므로 독직죄는 회사 관련 사무를 처리하는 자의 직무집행의 공정성을 확보하여 회사재산을 보호하려는 범죄로 보아야 할 것이다. 독직죄의 입법취지와 범죄의 성격을 이렇게 파악한다면 이 죄의 보호법익은 '회사의 재산 및 회사직무집행의 공정성'으로 보아야 할 것이다.[586] 판례는 처음에는 독직죄의 성격에 관하여 "회사의 직무에 당하는 자들의 수뢰적 행위를 단속하려는 죄"라고 판시하였으나,[587] 그 후에는 "임원 등 직무의 엄격성 확보를 위한다고 하기보다는 회사의 건전한 운영을 위하여 그들의 회사에 대한 충실성을 확보하고 사리사욕을 위해서 회사에 재산상 손해를 끼칠 염려가 있는 직무위반행위를 금압하려는 데 그 취지가 있다"고 판시하고 있으므로,[588] 마찬가지 입장으로 볼 수 있다.

독직죄의 보호법익을 회사의 재산 및 회사직무집행의 공정성으로 파악한다면, 직무에 관한 부정한 청탁을 받고 재산상 이익을 수수·요구 또는 약속하기만 그 보호법익의 침해나 침해의 구체적 위험이 발생하지 않더라도 범죄가 성립하는 것이므로 그 보호의 정도는 추상적 위험범에 해당한다.[589]

Ⅲ. 행위주체

독직수재죄의 행위주체는 발기인·이사·청산인 등 제622조의 행위주체, 사채권자집회의 대표자 등 제623조의 행위주체, 일정한 사항의 조사·보고를 위하여 법원이 선임하는 검사인, 주식회사의 설립에 관한 일정한 사항을 조사·보고하기 위하여 선임하는 공증인(제298조 제3항, 제299조의2, 제310조 제3항, 제313조 제2항), 주식회사의 설립에 관한 일정한 사항 또는 신주발행시 현물출자에 관한 사항을 조사·보고하기 위하여 선임하는 감정인(제299조의2, 제310조 제3항, 제422조 제1항)이다. 상법 제401조의2 제1항의 실질상 이사도 이 죄의 행위주체에 포함되어야 한다는 견해[590]가 있다. 그러나 회사임원등 특별배임죄의 행위주체

---

586) 한석훈, 전게 「비즈니스범죄와 기업법」, 674면.
587) 대법원 1971.4.13. 71도326.
588) 대법원 1980.2.12. 78도3111.
589) 한석훈, 상게서, 677면.
590) 송호신, 전게 학위논문, 148면.

에서 설명한 것처럼 명문 규정이 없이 이들을 포함시키는 것은 죄형법정주의에 반하는 해석이므로 부당하다.[591] 독직수재죄의 행위주체가 법인인 경우에는 실제 행위를 한 이사, 집행임원, 감사, 그 밖에 업무를 집행한 사원 또는 지배인에게 벌칙규정이 적용된다(제637조).

독직증재죄의 행위주체에는 제한이 없다.

IV. 위반행위

1. 독직수재죄

독직수재죄의 구성요건행위는 위 행위주체가 '그 직무에 관하여' '부정한 청탁을 받고' '재산상 이익'을 '수수·요구 또는 약속'하는 행위이다.

'직무'란 위 행위주체가 회사 내 지위에 수반하여 그 권한사항으로 담당하는 일체의 사무로서[592] 재산상 직무에 한정되지 않는다. 일반적 권한범위 내에 있다면 현재 구체적으로 담당하고 있는 사무가 아닐지라도 무방하고,[593] 그 권한범위는 법령·정관뿐만 아니라 사내규칙·관행 등에 의하여 결정될 수도 있으며,[594] 위임·고용 등 계약에 의하여 정해질 수도 있다.[595] 원래 담당하는 직무의 준비행위, 자기의 직무상 영향력을 이용하여 다른 임·직원의 직무에 영향을 미치는 행위 등 직무와 밀접한 연관이 있는 행위도 포함한다.[596] 그러나 다른 임직원의 권한사항에 관하여 알선하는 것은 포함되지 않는다.[597] 부정한 청

---

591) 한석훈, 전게 「비즈니스범죄와 기업법」, 678면.

592) 日 最判 1953.10.27. 刑集 第7卷 第10号, 1971面.

593) 日 最判 1962.5.29. 刑集 第16卷 第5号, 528面.

594) 前揭 「新版 注釈会社法(13)」, 598面; 前揭 「会社法コンメンタル(21)」, 127面.

595) 한석훈, 상게서, 679면.

596) 日 最決 1957.12.19. 刑集 第11卷 第13号, 3300면; 前揭 「新版 注釈会社法(13)」, 599面; 前揭 「会社法コンメンタル(21)」, 128面; 伊藤栄樹 外 2人 編, 前揭書, 203面; 형법상 배임수재죄의 '임무에 관하여'의 의미에 관하여, 판례는 "타인의 사무를 처리하는 자가 위탁받은 사무를 말하는 것이나, 이는 그 위탁관계로 인한 본래의 사무뿐만 아니라 그와 밀접한 관계가 있는 범위 내의 사무도 포함되는 것"으로 해석하고 있다(대법원 2010.9.9. 2009도10681; 2006.11.23. 2006도906).

597) 대법원 1999.1.15. 98도663(배임수재죄에 관한 같은 취지의 판례임); 神山敏雄 外 3人 編, 前揭書, 169面.

탁을 받을 당시 담당하고 있던 직무를 그 수재 당시에는 현실적으로 담당하고
있지 않더라도 그 재산상 이익의 수수가 부정한 청탁과 관련하여 이루어진 것이
라면 독직죄가 성립할 수 있다.598)

'그 직무에 관하여'란 재산상 이익이 그 직무의 대가, 즉 직무 권한범위 내이
거나 그것과 밀접한 관련이 있는 사항에 관한 행위의 대가로서 제공되는 것을
말한다.599) 그러나 실제로 청탁받은 직무행위를 하였는지 여부는 이 죄의 성립
에 아무런 영향이 없다.600)

'청탁'이란 그 직무에 관하여 장래 일정한 행위를 하거나 하지 않는 것을 의
뢰하는 것을 말한다.601) 청탁은 명시적이든 묵시적이든 불문하지만, 특정 직무
에 관한 부탁인 이상 어느 정도 구체성이 있어야 할 것이므로 단순히 "앞으로
잘 부탁한다"고 말하는 것만으로는 청탁이라고 할 수 없다.602)

'부정'이란 법령을 위반한 경우뿐만 아니라 회사의 사무처리규칙 중 중요한
사항에 위반한 경우도 포함되고,603) 이사나 집행임원처럼 법령상 회사에 대하여
선량한 관리자의 주의의무나 충실의무를 부담하는 자가 그 의무에 위배하는 경
우도 포함된다.604) 또한 업무상 배임의 내용이 되는 정도에 이르지 않더라도
사회상규나 신의성실 원칙에 반하는 경우도 포함된다(판례).605) 이 경우 사회상

---

598) 형법상 배임수재죄에 관하여 판례는 "배임수재죄는 그 임무에 관하여 부정한 청탁을 받고
재물을 수수함으로써 성립하고 반드시 수재 당시에도 그와 관련된 임무를 현실적으로 담
당하고 있음을 그 요건으로 하는 것은 아니므로, 타인의 사무를 처리하는 자가 그 임무에
관하여 부정한 청탁을 받은 이상 그 후 사직으로 인하여 그 직무를 담당하지 아니하게 된
상태에서 재물을 수수하게 되었다 하더라도, 그 재물 등의 수수가 부정한 청탁과 관련하
여 이루어진 것이라면 배임수재죄가 성립한다."고 판시하고 있는데(대법원 1997.10.24. 97
도2042), 이러한 법리는 독직수재죄에도 그대로 적용할 수 있을 것이다.
599) 한석훈, 전게 「비즈니스범죄와 기업법」, 680면; 前揭 「新版 注釈会社法(13)」, 598面.
600) 대법원 1991.8.27. 91도61(배임수재죄 관련 판례).
601) 日 最判 1952.7.22. 刑集 6卷 7号 927面.
602) 한석훈, 상게서, 680면; 東京高判 1953.7.20. 高刑 6卷 9号 1210面; 前揭 「新版 注釈会社
法(13)」, 599面.
603) 대법원 1971.4.13. 71도326(은행원이 부동산 매입자금 대출을 할 수 없도록 규정한 금융
통화위원회규칙 및 상업은행내규를 위반한 부동산 매입자금 대출 청탁을 받은 사안에서
부정한 청탁에 해당한다고 판시).
604) 송호신, 전게 학위논문, 150면.
605) 대법원 2013.11.14. 2011도11174(배임수재죄 관련 판례); 2011.8.18. 2010도10290(배임
수재죄 관련 판례); 2006.11.23. 2006도5586(주식회사의 대표이사가 유상증자시 실권주를
인수하여 경영권을 확보하기 위하여 실권주의 처리를 결정할 이사회의 일원인 이사에게
실권주를 자신이 인수할 수 있게 도와달라는 취지의 부탁을 하면서 1억 원을 공여한 독직
수·증재죄 사안에서, 이러한 부탁은 사회상규 또는 신의성실 원칙에 반하는 부정한 청탁

규나 신의성실 원칙에 반하는 것인지 여부를 판단함에 있어서는 청탁의 내용 및 이와 관련되어 교부받거나 공여한 재물의 액수·형식 및 보호법익 등을 종합적으로 고찰해야 한다.[606] 재량권한 범위 내의 행위라면 일반적으로는 '부정'에 해당하지 않겠지만, 그러한 재량권한 범위 내의 행위라도 현저히 부당한 때에는 부정한 청탁에 포함될 수도 있다.[607] 청탁의 내용이 단순히 규정이 허용하는 범위 안에서 최대한의 선처를 바란다는 내용에 지나지 않는 경우에는 사회상규에 어긋난 부정한 청탁이라고 할 수 없다.[608]

'청탁을 받고'란 부탁을 받아 이를 승낙하는 것을 의미하고, 승낙은 묵시적 승낙일지라도 무방하다.[609]

'재산상 이익'이란 금전적 가치로 환산할 수 있는 이익을 의미한다.[610] 재산상 이익에는 금전, 유체동산, 부동산 등 재물에 해당하는 것뿐만 아니라, 채무면제, 지급유예, 금전대여, 보증 또는 담보 제공, 유상 서비스의 무상제공, 향응제공 등도 포함한다.[611] 그러나 지위의 제공이나 정욕의 만족 그 자체는 재산상 이익이 아니다.[612] 따라서 형법상 뇌물죄의 뇌물 개념보다는 좁은 개념이다.[613] 재산상 이익은 직무행위의 대가임은 물론 부정한 청탁과 대가관계에 있어야 한다.[614] 수재자와 증재자의 관계, 재산상 이익의 수수 동기·경위·규모, 기타

에 해당한다는 원심의 판단을 타당하다고 판시); 다만, 대법원 1980.2.12. 78도3111(주식회사의 대표이사가 차량을 지입하고자 하는 차주들로부터 차량을 지입하게 하여 달라는 청탁을 받고 그 대가로 돈을 받은 독직수재죄 사안) 판결에서는 "단지 감독청의 행정지시에 위반한다거나 사회상규에 반하는 것이라고 해서 곧 부정한 청탁이라고 할 수 없다"고 하면서, "지입차주의 선택은 피고인의 정당한 직무재량권한에 속하는 사항으로서 위와 같은 청탁만으로서는 그것이 곧 부정한 청탁이라 할 수 없다"고 판시.

606) 대법원 2013.11.14. 2011도11174; 2011.9.29. 2011도4397; 2010.9.9. 2009도10681; 1996. 10.11. 95도2090(각 배임수재죄 관련 판례).

607) 前揭「新版 注釈会社法(13)」, 599面; 前揭「会社法コンメンタル(21)」, 128面; 伊藤栄樹 外 2人 編, 前揭書, 204面.

608) 대법원 1982.9.28. 82도1656(배임수재죄 관련 판례).

609) 한석훈, 전게「비즈니스범죄와 기업법」, 681면; 日 最判 1954.8.20. 刑集 第8巻 第8号, 1256面; 前揭「新版 注釈会社法(13)」, 599面; 前揭「会社法コンメンタル(21)」, 128面; 배임수재죄에 관한 같은 취지의 견해[정성근·박광민, 전게「형법각론」, 442면]가 있다.

610) 前揭「新版 注釈会社法(13)」, 599面; 前揭「会社法コンメンタル(21)」, 129面; 伊藤栄樹 外 2人 編, 前揭書, 204面.

611) 한석훈, 상게서, 682면.

612) 前揭「新版 注釈会社法(13)」, 600面; 前揭「会社法コンメンタル(21)」, 129面.

613) 飯尾滋明, "利益供与罪 − その序論的考察 −,"「神山敏雄先生 古稀祝賀論文集 第二巻 經濟刑法」(成文堂, 2006), 226面.

614) 대법원 1982.7.13. 82도874(배임수재죄 관련 판례).

사정 등에 비추어 단순한 사교적 의례의 범위에 속하는 경우에는 그 대가관계가 부정되거나 위법성이 인정되지 아니할 것이다.[615]

'수수'란 재산상 이익을 소유의 의사로 현실적으로 취득하는 것을 말한다.[616] 따라서 금품을 반환할 의사로 일시적으로 보관하는 것은 '수수'에 해당하지 않지만, 일단 소유의 의사로 수수한 금품을 나중에 반환하였다고 하더라도 수수행위는 성립한다. 수수란 자기가 수수하는 경우를 말하므로, 제3자에게 재산상 이익을 공여하게 하는 경우에는 수수에 해당하지 않는다.[617] 다만, 제3자에게 공여하게 하는 경우일지라도 실질적으로는 자신이 수령한 것으로 인정되는 경우에는 '수수'에 해당한다.[618] '요구'란 재산상 이익의 공여를 구하는 의사표시이다.[619] 상대방이 그 요구를 현실적으로 인식할 필요는 없고, 상대방이 인식할 수 있는 상태이면 충분하다.[620] '약속'이란 장래에 재산상 이익을 수수하기로 쌍방이 합의하는 것을 말하지만, 그 이행기가 확정되어 있을 필요는 없다.[621]

'수수 · 요구 · 약속'은 부정한 청탁의 결과로 이루어져야 한다.[622] 따라서 먼저 직무에 관한 부정행위를 한 후 그 대가로 재산상 이익의 수수 · 요구 · 약속 행위가 있더라도 이 죄는 성립하지 않는다.[623] 부정한 청탁을 받아 부정행위를 한 후 재산상 이익을 수수한 경우에는 독직죄가 성립한다.[624]

2. 독직증재죄

독직증재죄의 구성요건행위는 부정한 청탁을 하여 재산상 이익을 약속 · 공여

---

615) 한석훈, 전게 「비즈니스범죄와 기업법」, 682면; 대법원 1996.12.6. 96도144(금융기관 임직원의 뇌물 수수에 관한 특정경제범죄법 제5조 위반 사안에서 사교적 의례 여부를 뇌물성 판단 여부의 문제로 보고 있음).

616) 前揭 「会社法コンメンタル(21)」, 129面.

617) 이 경우에는 '제3자로 하여금 재물 또는 재산상 이익을 취득하게 한 때'도 처벌하는 규정이 신설된 형법 제357조 제1항의 배임수재죄로 처벌할 수 있을 것이다(한석훈, 상게서, 682면).

618) 前揭 「会社法コンメンタル(21)」, 129面.

619) 한석훈, 상게서, 683, 645면.

620) 日 大判 1936.10.9. 刑集 第15卷, 1281面.

621) 日 大判 1932.7.1. 刑集 第11卷, 999面.

622) 한석훈, 상게서, 683, 645면.

623) 前揭 「新版 注釈会社法(13)」, 600面; 前揭 「会社法コンメンタル(21)」, 130面.

624) 前揭 「新版 注釈会社法(13)」, 600面; 前揭 「会社法コンメンタル(21)」, 130面; 伊藤栄樹 外 2人 編,, 前揭書, 205面.

또는 공여의사를 표시하는 행위이다.

'공여'란 상대방으로 하여금 재산상 이익을 현실적으로 취득하게 하는 것을 말한다.625) 공여에 의한 독직증재죄와 수수에 의한 독직수재죄는 필요적 공범(대향범) 관계이다.626) 독직죄도 고의범이므로 재산상 이익이 직무에 관한 부정한 청탁의 대가라는 점과 부정한 청탁이라는 점에 관한 인식 및 인용이 필요한데, 수재자가 그러한 인식의 결여로 인하여 독직수재죄가 성립하지 않는 경우에는 공여행위도 성립하지 않고, 따라서 공여의사를 표시한 자로서의 독직증재죄가 성립할 뿐이라는 견해가 있을 수 있다.627) 이러한 견해에서는 반대로 공여자에게 위와 같은 인식의 결여로 인하여 독직증재죄가 성립하지 않는 경우에는 수재자의 수재행위도 성립하지 않고, 따라서 요구행위를 한 자로서의 독직수재죄가 성립할 수 있을 뿐이라고 한다.628) 그러나 필요적 공범이란 법률상 범죄실행에 다수인의 협력을 필요로 하는 것을 의미하므로 그 범죄성립에 행위의 공동(즉 고의·과실 등 주관적 요건을 제외한 객관적 행위의 공동)을 필요로 하는 것에 불과할 뿐 반드시 공동행위자 모두에게 형사책임이 인정되어야 하는 것은 아니다(판례).629) 그러므로 위와 같이 공동행위자 일방에게 독직수재죄가 성립하지 않더라도 상대방에게는 공여로 인한 독직증재죄가 성립할 수 있고(판례),630) 그 반대의 경우도 마찬가지로 보아야 할 것이다.631)

'공여의 의사표시'란 상대방에게 재산상 이익을 제공하겠다고 하는 일방적 의

---

625) 한석훈, 전게 「비즈니스범죄와 기업법」, 683면.
626) 대법원 2006.11.23. 2006도5586; 前揭 「会社法コンメンタル(21)」, 130面.
627) 神山敏雄 外 3人 編, 前揭書, 169~170面; 日 最判 1962.4.13. 判時 315号 4面.
628) 前揭 「会社法コンメンタル(21)」, 130面; 다만 공여자에게 부정한 청탁이라는 인식의 결여로 인하여 독직증재죄가 성립하지 않는 경우에는, 수재자 입장에서도 부정한 청탁을 받았다고 할 수 없으므로 재산상 이익의 수수나 약속 행위는 물론 요구 행위도 성립하지 않는 것으로 보는 견해[前揭 「新版 注釈会社法(13)」, 601面]도 있다.
629) 대법원 2008.3.13. 2007도10804("뇌물공여죄와 뇌물수수죄는 필요적 공범관계에 있으나, 필요적 공범이라는 것은 법률상 범죄의 실행이 다수인의 협력을 필요로 하는 것을 가리키는 것으로서 이러한 범죄의 성립에는 행위의 공동을 필요로 하는 것에 불과하고 반드시 협력자 전부가 책임이 있음을 필요로 하는 것은 아니므로, 오로지 공무원을 함정에 빠뜨릴 의사로 직무와 관련되었다는 형식을 빌려 그 공무원에게 금품을 공여한 경우에도 공무원이 그 금품을 직무와 관련하여 수수한다는 의사를 가지고 받아들이면 뇌물수수죄가 성립한다"); 1987.12.22. 87도1699["뇌물공여죄가 성립되기 위하여서는 뇌물을 공여하는 행위와 상대방측에서 금전적으로 가치가 있는 그 물품 등을 받아들이는 행위(부작위 포함)가 필요할 뿐이지 반드시 상대방측에서 뇌물수수죄가 성립되어야만 하는 것은 아니다].
630) 대법원 2006.11.23. 2006도5586(원심: 서울중앙지방법원 2006.7.19. 2005노3756).
631) 한석훈, 상계서, 685면.

사표시이므로632) 상대방의 거절 여부는 문제가 되지 않는다. 재산상 이익을 상대방이 수령할 수 있는 상태에 있을 것도 요구되지 않는다.633) 다만, 상대방이 공여의 의사표시를 요지(了知)하지는 않더라도, 의사표시의 일반원칙상 그 의사표시가 상대방에게 도달하여 상대방이 수령할 수 있는 객관적 상태에 있을 것은 필요하다.634)

재산상 이익을 수수하기로 '약속'하는 경우에는 약속하는 쌍방이 필요적 공범(대향범)관계에 있게 된다.635)

V. 기수시기

범죄구성요건 행위가 종료하는 때인 재산상 이익의 수수·요구 또는 약속을 한 때 기수에 이른다. 부정한 청탁의 실행 여부는 범죄구성요건이 아니므로, 부정한 청탁을 받고 재산상 이익을 수수·요구 또는 약속한 후 부정행위를 한 경우에도 그 수수·요구 또는 약속을 한 때 기수가 된다.636)

독직죄는 배임수증재죄와는 달리 재산상 이익의 취득 또는 공여 외에 재산상 이익의 요구나 공여의 의사표시 또는 약속도 범죄구성요건으로 하고 있다. 그러므로 비록 배임수증재죄와 같은 미수범 처벌규정(형법 제359조, 제357조)은 없지만 취득 또는 공여의 미수에 해당하는 경우의 대부분은 요구, 약속 또는 공여의 의사표시에 해당하게 될 것이다.

독직수재죄 중 수수행위의 주관적 구성요건요소로 영득의사가 필요하다는 견해637)가 있으나, 독직수재죄의 '수수'를 재산상 이익을 소유의 의사로 현실적으로 취득하는 것으로 보는 이상, 수수행위에 대한 고의 외에 영득의사를 별도로 요구할 필요는 없다.

---

632) 송호신, 전게 학위논문, 156면.
633) 日 大判 1933.11.9. 刑集 12卷 1950面.
634) 한석훈, 전게 「비즈니스범죄와 기업법」, 647면; 神山敏雄 外 3人 編, 前揭書, 170面.
635) 한석훈, 상게서, 685면.
636) 한석훈, 상게서, 686면.
637) 송호신, 전게 학위논문, 152면.

Ⅵ. 죄수관계

재산상 이익의 요구·약속·수수 행위가 일련의 행위로 이어진 경우에는 요구·약속행위가 수수행위를 목표로 결합하여 1개의 독직수재죄를 구성하는 경우이므로 포괄일죄가 된다.638)

독직수재죄는 이사 등 회사 관련 사무를 처리하는 자가 그 직무에 관하여 부정한 청탁을 받고 재산상 이익을 수수·요구 또는 약속한 때 성립하고, 배임죄처럼 임무위배행위나 회사에 손해를 가한 것을 요건으로 하지 않는다. 따라서 배임죄와는 보호법익, 행위의 태양·시기 등이 다른 별개의 독립된 범죄이므로, 부정한 청탁을 받고 재산상 이익을 수수·요구 또는 약속을 한 후 배임행위까지 한 경우에는 독직수재죄와 배임죄를 별개의 행위로 범한 경우로서 실체적 경합관계에 해당한다.639)

이사 등 회사 사무를 처리하는 자가 타인에게 자신의 직무에 관한 부정한 청탁을 하도록 협박하고 재산상 이익을 취득한 경우에, 그 직무집행의 의사가 없었거나 직무처리와 대가관계 없이 타인을 공갈한 경우라면 공갈죄만 성립한다. 이 경우 재산상 이익을 공여한 자가 공갈에 외포되어 공여한 것이라면 그는 공갈죄의 피해자일 뿐, 독직증재죄는 성립할 수 없다.640) 만약 그 청탁의 대가로 직무를 행할 의사가 있었다면 독직수재죄와 공갈죄가 성립하고, 양 죄는 1개의 행위가 수 개의 죄에 해당하는 경우이므로 상상적 경합관계가 된다.641) 이사 등 회사 사무를 처리하는 자가 타인을 기망하여 자신의 직무에 관한 부정한 청탁을 하게 하고 재산상 이익을 취득한 경우에도 위 공갈 사례의 경우와 마찬가지로 해석할 수 있다.642)

형법상 배임수증재죄의 보호법익을 통설·판례는 타인의 사무를 처리하는 자

---

638) 前揭「会社法コンメンタル(21)」, 130面.
639) 대법원 1984.11.27. 84도1906(형법상 배임수재죄와 업무상배임죄의 죄수에 관한 판례).
640) 한석훈, 전게「비즈니스범죄와 기업법」, 687면; 뇌물공여죄에 관한 유사 판례: 대법원 1994. 12.22. 94도2528.
641) 한석훈, 상게서, 687, 688면; 日 福岡高判 1969.12.18. 刑月 第1卷 第12号, 1110面; 前揭「新版 注釈会社法(13)」, 601面; 前揭「会社法コンメンタル(21)」, 131面.
642) 한석훈, 상게서, 688면; 日 大判 1940.4.22. 刑集 19卷 227面.

의 '거래(또는 사무처리)의 청렴성(또는 공정성)'으로 파악하지만,[643] 배임죄와 같은 장(章)에 배임죄의 보충적 처벌규정으로 규정되어 있음에 비추어 그 보호법익은 '타인의 재산 및 사무처리의 공정성'으로 보는 견해가 타당하다.[644] 어느 견해를 따르더라도 배임수증재죄를 독직죄의 보호법익 및 구성요건과 비교해 볼 때, 독직죄의 입법취지는 배임수증재죄의 구성요건 및 불법을 포함하고 있으면서 회사의 건전한 운영을 특별히 보호하기 위해 범죄구성요건을 추가하고 그 처벌을 강화하려는 것이다.[645] 따라서 독직죄는 배임수증재죄의 행위주체 중 회사 관련 사무를 처리하는 자의 직무에 한하여 보다 엄격한 책임을 규정한 특별규정으로서 양 죄는 특별관계의 법조경합관계에 해당한다.[646]

제12절 권리행사방해 증수뢰죄

Ⅰ. 의   의

제631조(이하 '권리행사방해 증수뢰죄'라 함)는 주주총회의 총회꾼 방지를 위하여 1962년 상법 제정 당시부터 규정된 것이지만,[647] 주주의 발언이나 의결권 행사뿐만 아니라, 사채권자, 유한회사 사원 등의 발언이나 의결권 행사, 상법 회사편에 있는 각종 소의 제기, 소수주주권, 유지청구권의 행사 등 회사 관련자에게 인정된 각종 권리의 적정행사를 위하여 폭넓게 규율하고 있다.[648] 이러한

---

643) 대법원 2016.10.13. 2014도17211; 한석훈, 상게 「비즈니스범죄와 기업법」, 650면.
644) 한석훈, 상게서, 651면.
645) 한석훈, 상게서, 676면.
646) 한석훈, 상게서, 674면; 박재윤, 「주석 형법」 제4판 각칙(6)(한국사법행정학회, 2006), 503, 504면; 송호신, 전게 학위논문, 146면; 다만, 독직죄에 해당하더라도 검사가 배임수증재죄로 의율하여 기소하는 경우에는 배임수증재죄로 처리함이 실무 처리례이다(대법원 1975.6.24. 70도2660).
647) 이 죄의 입법 모델이 된 일본 商法 제494조는 1938년 商法 개정 당시 총회꾼에게 주주총회에서 다른 일반 주주의 발언이나 의결권 행사를 협박 등으로 방해할 것을 청탁하고 그 대가로 금전을 수수하는 행위를 처벌하기 위하여 신설하게 된 것이라고 한다[前揭 「会社法コンメンタル(21)」, 133面].
648) 일본 商法 제494조를 이어받은 현행 일본 会社法 제968조는 주식회사의 주주 · 사채권

각종 권리행사에 관하여 부정한 청탁을 받고 재산상 이익을 수수·요구 또는 약속한 자에 대하여 1년 이하의 징역 또는 300만 원 이하의 벌금에 처하거나 그 징역형과 벌금형을 병과할 수 있고(제631조 제1항, 제632조, 이하 '권리행사방해 수뢰죄'라 함), 그 이익을 약속·공여 또는 공여의 의사를 표시한 자에 대하여도 같은 법정형으로 처벌하고 있다(제631조 제2항, 제632조, 이하 '권리행사방해 증뢰죄'라 함).649) 또한 권리행사방해 수뢰죄의 경우에는 범인이 수수한 이익은 몰수하고, 그 전부 또는 일부를 몰수하기 불능한 때에는 그 가액을 추징한다(제633조, 필요적 몰수·추징).

권리행사방해 증수뢰죄는 권리행사에 관한 부정한 이익을 수수하는 행위를 처벌하는 유형의 범죄라는 점에서 증수뢰형 범죄이므로 현실적으로 권리행사가 방해될 것을 요구하지는 않지만, 권리행사에 관한 부정한 청탁을 받고650) 그 권리행사자와 상대방 사이에 재산상 이익의 수수·요구·약속·공여 또는 공여 의사표시가 있을 것이 요구된다.651) 그러므로 예컨대 총회꾼인 주주에게 다른 주주의 권리행사를 주주총회 중 발언으로써 제압하여 소기의 의안대로 의사진행이 되도록 협력하여 줄 것을 청탁하고 재산상 이익을 공여하고 상대방이 이를 수수한다면, 이는 총회꾼인 주주의 권리행사에 관한 증수뢰이므로 이 죄에 해당할 것이다.652) 그러나 이 사례에서 총회꾼인 주주에게 주주총회에서의 발언이 아닌 방법으로 다른 주주를 폭행·협박하여 소기의 의안대로 의결권을 행사하게 해 달라고 청탁한 것이라면, 그 폭행·협박이 주주총회 내외에서 행하여진 것인지 여부를 불문하고 총회꾼인 주주 자신의 주주권 행사에 관한 청탁이라고 할

자·채권자·신주예약권자·신주예약권부사채권자의 권리행사에 한정하여 규제하고 있다.

649) 일본 商法 제494조에는 권리행사방해 증수뢰죄 모두 법정형을 '1년 이하의 징역 또는 5만 엔 이하의 벌금'으로 규정하고 있었으나, 1997년 商法 개정시 그 법정형을 '5년 이하의 징역 또는 200만 엔 이하의 벌금'으로 대폭 상향하였으며, 현행 일본 会社法 제968조는 법정형을 '5년 이하의 징역 또는 500만 엔 이하의 벌금'으로 규정하고 있음에 비추어 보면, 우리나라의 경우에는 권리행사방해 증수뢰죄의 법정형이 지나치게 가벼워 이를 상향 조정할 필요가 있다(같은 의견: 송호신, 전게 학위논문, 160면).

650) 이렇게 '부정한 청탁'을 요건으로 규정한 이유에 관하여, 주주권의 행사는 주주의 자유로운 선택에 맡겨진 것이므로 주주가 재산상 이익을 받고 주주로서의 공익권 행사를 방기하더라도 위법한 것으로 볼 수는 없으나, 부정한 청탁까지 있었다면 가벌성이 있다고 볼 수 있기 때문이다. 따라서 이 죄의 본질은 '부정한 청탁에 기한 의결권 등 공익권의 매수'로 파악되고 있다(神山敏雄 外 3人 編, 前揭書, 171面).

651) 前揭 「会社法コンメンタル(21)」, 134面.

652) 같은 취지: 日 最決 1969.10.16. 刑集 第23卷 第10号, 1359面(이하 '동양전기 칼라텔레비전 사건'이라 함).

수 없으므로 이 죄는 성립하지 않는다.[653] 이에 대하여, 다른 주주의 권리행사를 폭행·협박 등의 위법·부당한 수단을 사용하여 방해하거나 봉쇄할 것을 청탁한 경우에도 이 죄에 해당한다는 견해[654]가 있으나, 이는 이 죄를 증수뢰형 범죄로 규정한 입법취지에 반하는 해석이다.[655]

그런데 이 죄의 구성요건 중 '부정한 청탁'은 추상적·개방적 구성요건으로서 그 증명이 용이하지 않으므로, 그 동안 우리나라에서는 총회꾼 등에 대하여 실제로 이 죄를 적용하여 처벌한 사례가 거의 없었다.

Ⅱ. 보호법익

이 죄는 창립총회, 사원총회, 주주총회, 또는 사채권자집회에서의 발언 또는 의결권의 행사, 상법 회사편상 소의 제기, 일정 지분비율 이상 주주·사채권자·사원의 권리행사, 유지청구권의 행사와 같은 공익권의 적정 행사를 보호함으로써 회사의 건전한 운영을 보호하려는 데 그 입법취지가 있다. 그러므로 이 죄의 보호법익은 '회사의 건전한 운영을 위한 권리행사의 적정'으로 볼 수 있다.[656]

범죄구성요건상 위 권리행사가 현실적으로 방해를 받거나 그 방해의 구체적 위험발생을 요구하는 것은 아니므로, 그 보호의 정도는 추상적 위험범에 해당한다.[657]

---

653) 前揭 「会社法コンメンタル(21)」, 134面.
654) 송호신, 전게 학위논문, 158면; 前揭 「新版 注釈会社法(13)」, 605面.
655) 한석훈, 전게 「비즈니스범죄와 기업법」, 582면.
656) 한석훈, 상게서, 584면; 천경훈, 전게 「주석 상법(회사-Ⅶ)」, 173면; 일본에서도 이 죄의 입법취지는 주식회사에서 주주권의 적정행사를 보호하여 주주총회에서 주주들의 공정한 토의와 결의를 보장하는 등 주식회사의 이익을 보호하려는 데 있다고 보고, 그 보호법익을 '주주권 등의 적정행사'로 보는 입장이 일반적이다[前揭 「会社法コンメンタル(21)」, 133面].
657) 한석훈, 상게서, 584면.

Ⅲ. 행위주체

권리행사방해 수뢰죄의 행위주체는 특별히 명시하고 있지는 않지만 제631조 제1항 제1호 내지 제3호의 권리를 행사할 수 있는 자가 행위주체로 될 수 있다.

제631조 제1항 제1호의 행위주체는 창립총회(주식회사), 사원총회(유한회사), 주주총회(주식회사) 또는 사채권자집회(주식회사)에서의 발언 또는 의결권행사를 할 수 있는 주주, 유한회사 사원, 주식회사의 사채권자 또는 이들의 대리인658) 등이다. 의결권이 없더라도 주주총회 등에서의 발언권이 있으면 행위주체가 될 수 있다. 유한책임회사의 경우 사원총회를 임의로 설치할 수는 있으나659) 이는 상법이 예정하고 있는 기관이 아니므로 이 규정의 '사원총회'에 포함되지는 않는 것으로 해석함이 죄형법정주의에 부합하는 해석이다.660)

제631조 제1항 제2호의 행위주체는 상법 회사편에 정하는 모든 종류의 회사 관련 소의 제기, 발행주식총수 100분의 1 또는 100분의 3 이상에 해당하는 주식을 가진 주주, 사채총액 100분의 10 이상에 해당하는 사채를 가진 사채권자 또는 자본금 100분의 3 이상에 해당하는 출자좌수를 가진 사원661)의 권리에 관하여 그 권리행사를 할 수 있는 자이다. 제631조 제1항 제3호의 행위주체는 제402조 또는 제424조에 정하는 권리, 즉, 이사662)의 법령·정관 위반행위에 대하여 유지청구권을 행사할 수 있는 자와 신주발행 유지청구권을 행사할 수 있는

---

658) 상법 제631조 제1항 제1호와 유사한 규정인 일본 会社法 제968조 제1항 제1호의 해석과 관련하여, 일본에서도 당연히 대리인을 포함하는 것으로 해석함이 일반적이다[前揭 「新版 注釈会社法(13)」, 603面; 前揭 「会社法コンメンタル(21)」, 133面].

659) 최준선, 전게 「회사법」, 885면.

660) 한석훈, 전게 「비즈니스범죄와 기업법」, 585면.

661) '자본금' 개념은 유한회사 및 유한책임회사에서도 인정되는 개념이지만, '출자좌수' 개념은 유한회사에서만 인정되므로(제543조 제2항 제4호) 유한회사의 사원만 뜻하고, 유한책임회사의 사원은 제외된다.

662) 2011. 4. 14. 개정 상법에서 신설된 집행임원의 위법행위에 대한 유지청구에 관해서도 상법 제402조를 준용하고 있으나(제408조의9), 권리행사방해 증수뢰죄에 관한 제631조 제1항 제3호에 408조의9 규정을 포함하지 않고 있으므로, 죄형법정주의에 비추어 감사의 집행임원에 대한 위법행위 유지청구권 행사의 경우는 포함할 수 없을 것이다. 그러나 이 경우를 제외할 이유가 없으므로 이는 입법의 불비로 보인다. 다만, 발행주식총수 100분의 1 이상에 해당하는 주식을 가진 주주가 집행임원에 대하여 위법행위 유지청구권을 행사하는 경우에는 제631조 제1항 제2호의 권리행사에 해당하는 것으로 해석할 수 있다.

주주이다. 그런데 제631조 제1항 제2호 및 제3호의 행위주체는 '권리의 행사'를 하는 자이므로 주주, 출자 사원, 회사채권자 및 사채권자 등 **권리**를 가진 자가 이에 해당됨에는 의문이 없으나, 이사, 감사, 감사위원회 위원, 청산인, 유한책임회사의 업무집행자의 상법 회사편상 제소권과, 감사, 감사위원회 위원의 제402조 유지청구권 행사와 같은 **권한** 행사의 경우에도 그 행위주체에 포함할 수 있는 것인지 문제가 된다. 이러한 권한 행사를 하는 자도 제631조 제1항 제2호 또는 제3호의 행위주체에 포함되는 것으로 해석하는 견해(포함설)663)도 있다. 그러나 이러한 회사 임원이 위 권한행사와 관련하여 직무상 부정한 청탁을 받고 재산상 이익을 수수 · 요구 · 약속하는 행위는 독직수재죄(제630조 제1항)로 의율할 수 있는 이상 그보다 형이 가벼운 권리행사방해 수뢰죄로 의율할 필요가 없고, 제631조 제1항 제2호 또는 제3호에 '권리의 행사'로 명시하고 있음에 비추어 위 회사 임원의 권한 행사에는 권리행사방해 증수뢰죄가 적용되지 않는 것으로 보아야 할 것이다(불포함설).664)

이러한 행위주체가 법인인 경우에 법인의 실제 행위자인 이사, 집행임원, 감사, 그 밖에 업무를 집행한 사원 또는 지배인에게 이 죄를 적용할 수 있는지 여부에 관해서는 제637조와 같은 명문 규정이 없다.665) 법인의 일반적 범죄능력을 인정하지 않는 입장(판례)에서는 해석상 실제 행위를 한 그 법인의 이사 등을 행위주체로 보고 처벌할 수밖에 없다.666)

권리행사방해 증뢰죄의 행위주체는 특별한 제한이 없으므로 누구든지 그 행위자가 될 수 있다.

---

663) 천경훈, 전게 「주석 상법(회사- Ⅶ)」, 174면.
664) 한석훈, 전게 「비즈니스범죄와 기업법」, 587면.
665) 이는 입법의 불비이다. 이에 관하여 일본에서도 우리나라 상법 제637조와 유사한 규정인 일본 会社法 제972조의 적용범위에 같은 법 제968조의 경우를 누락하고 있는데, 제972조의 해석상 행위주체가 법인인 경우에는 그 법인의 이사(取締役), 집행임원(執行役), 기타 업무를 집행하는 사원(役員) 또는 지배인에게 제968조를 적용하는 것으로 해석하고 있다 [前揭 「会社法コンメンタル(21)」, 136面].
666) 한석훈, 상게서, 588면; 천경훈, 전게 「주석 상법(회사- Ⅶ)」, 175면.

IV. 위반행위

권리행사방해 수뢰죄는 제631조 제1항 각 호의 권리 행사에 관하여 부정한 청탁을 받고 재산상 이익을 수수·요구 또는 약속하는 행위이다.

이 죄는 증수뢰형 범죄이므로 위 '제631조 제1항 각 호의 권리행사에 관하여'란 그 권리행사를 하는 행위주체의 권리 행사·불행사와 재산상 이익은 대가관계에 있어야만 한다는 의미이다.[667]

'부정한 청탁'이란 권리의 행사·불행사에 관하여 위법하거나 현저히 부당한 부탁을 말한다.[668] 주주총회에서의 발언을 통하여, 다른 주주를 협박 또는 위압하여 정당한 발언을 중지하게 하거나, 그러한 수단을 사용하지 않더라도 주주총회의 의사진행을 혼란하게 할 것을 부탁하더라도 다른 주주의 정당한 권리행사를 방해하도록 부탁하는 것이기 때문에 부정한 청탁에 해당한다.[669] 주주로서 주주총회에서 권리를 행사함에 있어서 협박 또는 위압 수단이 아닌 술책 등으로 다른 주주의 정당한 발언을 봉쇄할 것을 부탁한다거나, 회사에 유리한 발언이나 의결권을 행사하도록 부탁하는 것은 그것이 회사임원의 범죄행위 기타 위법행위를 실현하기 위한 방법이라거나, 경영진의 경영상 중대한 실책으로 인한 책임추궁을 회피하기 위한 경우처럼 현저히 부당한 결과를 실현하기 위한 수단이라는 등 특별한 사정이 있는 경우에 한하여 부정한 청탁에 해당한다.[670] 단순히 주주총회에서 의안에 대한 찬성 또는 반대의 발언이나 의결권 행사를 부탁한다거나, 주주총회의 원활한 의사진행에 협력하도록 부탁함에 그치는 것은 부정한 청탁에

---

667) 한석훈, 전게 「비즈니스범죄와 기업법」, 588면; 前揭 「新版 注釈会社法(13)」, 604面; 前揭 「会社法コンメンタル(21)」, 136面.

668) 송호신, 전게 학위논문, 158면; 한석훈, 상게서, 588면; 神山敏雄 外 3人 編, 前揭書, 171面; 前揭 「新版 注釈会社法(13)」, 604面; 前揭 「会社法コンメンタル(21)」, 137面.

669) 한석훈, 상게서, 589면; 前揭 「新版 注釈会社法(13)」, 606面; 前揭 「会社法コンメンタル(21)」, 137面.

670) 송호신, 전게 학위논문, 158면; 前揭 「新版 注釈会社法(13)」, 606面; 前揭 「会社法コンメンタル(21)」, 137面; 앞에서 인용한 일본 '동양전기 칼라텔레비전 사건' 판례에서도 같은 취지로 판시(주식회사의 임원이 회사의 신제품인 칼라텔레비전 개발에 관한 경영상 실책에 관하여 주주총회에서의 책임추궁이 예상되는 상황에서 총회꾼인 주주 또는 그 대리인에게 보수를 주어 주주총회에서 다른 주주들의 발언을 제압하여 의안을 회사의 원안대로 가결되도록 의사진행을 하여 줄 것을 부탁하는 것은 '부정한 청탁'에 해당한다고 판시).

해당하지 않는다.[671] 주주로서의 정당한 권리 행사를 할 의도가 없이 주주총회의 의사진행을 방해하려는 자에 대하여 주주총회에 출석하지 않거나 출석하더라도 방해하는 발언을 하지 않도록 부탁하는 것은 이견이 있을 수는 있으나, 권리남용을 하지 않을 것을 부탁하는 것이므로 부정한 청탁에 해당하지 않는다고 보는 견해가 많다.[672]

권리행사방해 증뢰죄는 제631조 제1항의 재산상 이익을 약속·공여 또는 공여 의사표시를 하는 행위이다.

'재산상 이익,' '수수, 요구, 약속' 및 '공여, 공여 의사표시'의 의미는 독직죄 부분에서 설명한 내용과 마찬가지이다. 수수와 공여, 또는 상호 약속하는 행위는 필요적 공범(대향범)관계에 해당하므로, 증뢰자에게 부정한 청탁의 고의가 있었지만 수뢰자에게는 그러한 인식이 없었던 경우에 증뢰자에게 공여에 의한 권리행사방해 증뢰죄가 성립할 수 있는지 여부나, 그 반대의 경우에 수뢰자에게 수수에 의한 권리행사방해 수뢰죄가 성립할 수 있는지 여부는 견해대립이 있을 수 있지만, 독직죄 부분에서 설명한 바와 마찬가지이다.

V. 죄수관계

독직수재죄(제630조 제1항)나 권리행사방해 수뢰죄는 각 구성요건이 부정한 청탁을 받고 재산상 이익을 수수·요구·약속하는 행위인 점은 동일하지만 부정한 청탁의 대상과 보호법익은 상이하다. 이때 독직죄와 권리행사방해 증수뢰죄의 죄수관계는 두 가지 유형으로 구분하여 살펴볼 필요가 있다. 첫 번째 유형은 회사의 이사 등 임원이 상법 회사편상 소의 제기 또는 유지청구권 행사 등 그 직무상 권한 행사에 관하여 부정한 청탁을 받고 재산상 이익을 수수하는 경우이다. 회사 임원의 권한 행사의 경우에는 권리행사방해 증수뢰죄가 성립하지 않는 것으로 보는 불포함설 입장에서는 독직죄만 성립한다. 그러나 이때 권리행사방해 증수뢰죄가 성립하는 것으로 보는 포함설 입장에서는 양 죄의 보호법익

671) 한석훈, 전게 「비즈니스범죄와 기업법」, 589면; 前揭 「会社法コンメンタル(21)」, 138面.
672) 송호신, 전게 학위논문, 158면; 한석훈, 상게서, 589면; 前揭 「新版 注釈会社法(13)」, 606面; 前揭 「会社法コンメンタル(21)」, 138面.

과 범죄구성요건을 비교해 볼 때 그 권한의 행사는 직무수행의 일환이고 권한 행사의 적정은 회사 직무집행의 공정성을 구성한다는 점에서 권리행사방해 증수 뢰죄의 불법과 책임내용은 독직죄의 그것에 포함되는 것으로 볼 수 있다. 따라 서 독직죄가 권리행사방해 증수뢰죄를 흡수하는 법조경합관계가 되는 것이므로 독직죄가 성립하는 경우에는 권리행사방해 증수뢰죄는 성립하지 않는다.673) 두 번째 유형은 예컨대 주주 자격을 겸하는 감사가 주주총회 결의취소의 소(제376 조)나 이사에 대한 위법행위 유지청구(제402조)에 관하여 부정한 청탁을 받고 재 산상 이익을 수수하는 경우이다. 이러한 경우에는 하나의 행위가 주주로서의 권 리 행사에 관한 부정한 청탁도 되고 감사의 직무에 관한 부정한 청탁도 되어 권리행사방해 증수뢰죄와 독직죄가 모두 성립하게 된다. 그러나 이때 주주로서 의 권리 행사는 감사 직무수행의 일환이 아니므로, 주주 권리행사에 관한 부정 한 청탁과 감사 직무에 관한 부정한 청탁은 각 불법과 책임내용이 상호 별개이 다. 따라서 이러한 경우에는 하나의 행위가 권리행사방해 증수뢰죄와 독직죄를 구성하게 되는 상상적 경합관계에 해당한다.674)

제13절 이익공여죄·이익수수죄·
제3자이익공여죄

I. 의   의

이른바 총회꾼 방지를 위해서는 원래 제631조의 권리행사방해 증수뢰죄가 규정되어 있었지만, 그 구성요건인 '부정한 청탁'을 증명하기가 용이하지 않고, 증수뢰형 범죄로서 수수된 재산상 이익이 그 수뢰자의 권리행사 대가가 아닌 경 우에는 의율할 수 없어서 그 실효를 거두지 못하자, 1984년 상법개정시 '부정한 청탁'을 범죄구성요건으로 하지 않고 증수뢰형 범죄도 아닌 제634조의2를 신설

---

673) 한석훈, 전게 「비즈니스범죄와 기업법」, 591면; 前揭 「新版 注釈会社法(13)」, 606面.
674) 한석훈, 상계서, 592면.

하게 되었다. 이 규정은 주식회사의 이사·집행임원·사용인 등이 주주의 권리 행사와 관련하여 회사의 계산으로 재산상 이익을 공여한 경우에는 1년 이하의 징역 또는 300만 원 이하의 벌금에 처한다(제634조의2 제1항, 이하 '이익공여죄'라 함). 그리고 그 이익을 수수한 자(이하 '이익수수죄'라 함)나 제3자에게 공여하게 한 자(이하 '제3자이익공여죄'라 함)도 같은 형에 처한다(제634조의2 제2항). 이 죄는 그 규정 형식에 비추어 볼 때 재산상 이익을 수단으로 한 권리행사방해를 규제하는 범죄라는 점에서 권리행사방해형 범죄라 할 수 있다.[675]

II. 보호법익

이 죄의 보호법익을 어떻게 파악할 것인지는 여러 쟁점과 관련된 중요한 문제로서 아래와 같이 견해가 대립하고 있다.

제1설은 **회사자산 낭비 방지에 의한 회사의 경영건전성 확보**를 보호법익으로 보는 견해이다. 이 견해는 '회사의 계산으로' 재산상 이익을 공여할 것을 범죄구성요건으로 하고 있는 점, 이익공여금지 규정을 위반하여 공여된 재산상 이익의 반환의무를 규정하고 있는 점(제467조의2), 독직죄(제630조)나 권리행사방해 증수뢰죄(제631조)와는 달리 회사임원 등을 행위주체로 한 이익공여죄를 제1항에 규정함으로써 제2항 이익수수죄의 성립 여부와 무관하게 성립할 수 있는 기본적 범죄유형으로 하고 있는 점, 증수뢰형 범죄인 권리행사방해 증수뢰죄와는 달리 몰수·추징 규정(제633조)이 없는 점 등을 논거로 들고 있다.[676]

제2설은 **회사자산 낭비 방지**를 보호법익으로 보는 견해이다. 이 견해는 위 제1설의 논거뿐만 아니라, 회사의 이사 등 행위주체가 자기의 계산으로 주주의 권리행사와 관련하여 이익을 공여하는 것은 금지되지 않는 점, 주주의 실제적인

---

675) 이 죄는 1981년 개정된 일본 商法 제497조를 모델로 규정하게 된 것인데, 이 일본 商法 규정은 그 후 2005년 제정된 현행 일본 会社法 제970조에서 이어받아 규정하고 있다.
676) 박길준, 전게논문, 162면; 송호신, 전게 학위논문, 161면; 정준우, "상법상 이익공여금지규정의 주요쟁점 검토," 「상사판례연구」 제30권 제2호(한국상사판례학회, 2017), 19면; 정쾌영, "이익공여 금지 위반과 주주총회 결의 취소 − 대법원 2014.7.11. 자 2013마2397 결정을 중심으로 −," 「기업법연구」 제29권 제1호(한국기업법학회, 2015), 121면; 일본의 다수설이다[前揭 「新版 注釈会社法(13)」, 614面; 神山敏雄 外 3人 編, 前揭書, 173面; 飯尾滋明, 前揭書, 226面].

1218 제11장 벌　칙

권리행사를 범죄구성요건으로 하고 있지 않는 점 등을 논거로 들고 있다.[677]

제3설은 **주주 권리행사의 적정**을 보호법익으로 보는 견해이다. 이 견해는 권리행사방해 증수뢰죄가 총회꾼에 대한 대책으로 실효를 거두지 못하고 있는 점을 개선하기 위하여 이 죄를 규정하게 된 입법경위, '주주의 권리행사와 관련하여' 재산상 이익을 공여하는 것이 범죄구성요건인 점 등을 논거로 들고 있다.[678]

제4설은 **회사자산 낭비 방지에 의한 회사의 경영건전성 확보**와 **주주 권리행사의 적정** 모두를 중첩적 보호법익으로 보는 견해로서 위 각 학설에서 근거로 들고 있는 입법경위 및 규정내용 모두를 논거로 들고 있다.[679] 이 죄는 이익공여금지 규정(제467조의2)의 실효성을 확보하기 위한 것이다. 그런데 이익공여금지 규정은 그 금지행위의 주체가 회사이고,[680] 민법의 비채변제나 불법원인급여 법리와 상충될 수 있음에도 불구하고 공여받은 자에게 회사 앞으로의 이익반환의무를 부과하고 대표소송까지 허용하고 있으며, 이익공여죄의 구성요건으로서 '회사의 계산으로' 이익공여하는 경우로 제한하고 있고, 몰수·추징 규정을 두지 않고 있음은 '회사자산 낭비 방지'를 보호법익으로 하고 있기 때문이다. 그런데 그 회사자산의 낭비가 '주주의 권리행사'와 관련하여 행하여지는 경우에만 이 죄가 성립하는 것이므로 '주주 권리행사의 적정'도 중첩적 보호법익으로 보아야 할 것이다.[681] 다만, 회사자산 낭비 방지나 주주 권리행사의 적정은 모두 회사의 경영건전성 확보를 목적으로 하는 것이므로, 이 죄의 보호법익은 **회사자산 낭비 방지 및 주주 권리행사의 적정을 통한 회사의 경영건전성 확보**로 표현함이 상당하다.[682] 주주의 권리행사와 관련한 재산상 이익공여일지라도 상당한 대가

---

677) 권재열, "상법상 이익공여죄에 관한 소고," 「법학연구」(연세대학교 법학연구소, 2008), 133면; 최준선, "주주권 행사와 관련한 이익공여금지 소고,"「성균관법학」 제27권 제1호 (성균관대학교 법학연구소, 2015. 3.), 198면.
678) 芝原邦爾,「經濟刑法研究 (上)」(有斐閣, 2005), 156面.
679) 이철송, 전게 「회사법강의」, 1035면; 천경훈, 전게 「주석 상법(회사-Ⅶ)」, 185면; 양동석·김현식,「기업범죄」(법영사, 2014), 82면; 강대섭, "주주권 행사에 관한 이익공여와 주주총회결의의 효력 - 대법원 2014.7.11. 자 2013마2397 결정 -,"「상사법연구」 제34권 제1호(한국상사법학회, 2015), 243, 244면; 前揭「会社法コンメンタル(21)」, 143, 144面.
680) 이익공여를 회사가 하는 경우에만 금지한 이유는 주주권이 사적 권리인 점을 감안하여 회사자산 낭비를 수반하는 이익공여인 경우에만 가벌성이 있다고 보았기 때문이다[前揭「会社法コンメンタル(21)」, 142面의 일본 이익공여금지 규정 입법경위 참조].
681) 한석훈, 전게 「비즈니스범죄와 기업법」, 599면.
682) 한석훈, 상게서, 599면.

를 지급하는 등 회사자산의 낭비가 발생하지 아니하는 경우에 위 제3설에 의하면 이 죄가 성립할 수 있지만, 위 제1설, 제2설, 제4설에 의하면 이 죄가 성립하지 않는다. 또한 공여자로서는 주주의 권리행사와 관련하여 재산상 이익공여를 하였지만 그 수수자가 주주가 아닐 뿐만 아니라 주주에게 영향을 미칠 수도 없어서 주주권의 행사 또는 불행사에 영향을 미칠 객관적 개연성조차 없는 경우에 위 제1설, 제2설에 의하면 이 죄가 성립할 수 있지만, 위 제3설, 제4설에 의하면 주주 권리행사의 적정을 침해할 위험이 없으므로 이 죄가 성립하지 않는다.683)

범죄구성요건상 회사자산의 낭비, 주주 권리행사의 적정 또는 회사의 경영건전성이 현실적으로 침해되거나 그 구체적 위험의 발생을 요구하는 것으로 볼 수는 없으므로, 그 보호의 정도는 추상적 위험범으로 보아야 할 것이다.684)

Ⅲ. 행위주체

이익공여죄는 행위주체의 제한이 있는 신분범이다. 주식회사의 이사, 집행임원, 감사위원회 위원, 감사, 일시이사(제386조 제2항), 지배인, 그 밖의 사용인, 그리고 이사 또는 감사에 대한 선임결의의 무효나 취소 또는 해임의 소가 제기되었거나 제기되기 전에 법원에 의하여 선임된 그 직무대행자(제407조 제1항, 제415조)만이 행위주체가 될 수 있다(진정신분범). 위 행위주체의 해석에 관해서는 특별배임죄에서의 설명과 마찬가지이지만, 사용인의 범위에 제한이 없는 점은 특별배임죄의 경우와 다르다.

사용인은 독자적인 의사결정으로 이익공여를 한 경우에만 행위주체에 포함된다는 견해685)가 있으나, 사용인이 이사 등 임원의 지시에 따라 행위를 하였다

683) 한석훈, 전게 「비즈니스범죄와 기업법」, 598, 599면; 前揭 「会社法コンメンタル(21)」, 147面; 中森喜彦, "利益供与罪の新設," 「判夕」 471号(1982), 2面.
684) 한석훈, 상게서, 599면.
685) 김선정, "주주의 권리행사에 관한 이익공여금지 – 소위 총회꾼의 횡포에 대한 법적 대응 –," 「개발논총」 제2집(동국대학교, 1992), 26면; 권재열, 전게 "상법상 이익공여죄에 관한 소고," 135면; 이영철, "상법상 주주의 권리행사에 관한 이익공여의 죄의 성립 여부에 대한 판단기준 – 대법원 2018.2.8. 선고 2015도7397 판결 –," 「법조」 제67권 제4호(법조협회, 2018. 8.), 513면.

고 하여 그 행위주체성을 부인할 근거는 없다. 그러한 경우에는 사용인도 이 죄의 행위주체로서 이사 등 임원과 함께 공동정범이 될 수 있을 것이다.686) 다만 상사의 강요에 의한 행위인 경우에는 형법 제12조가 적용되어 책임조각사유가 될 수 있을 뿐이다.

위 행위주체가 법인인 경우에는 법인의 실제 행위자인 이사나 업무집행사원, 집행임원, 감사 또는 지배인 등에게 이 죄를 적용할 수 있는지 여부에 관하여 제637조에 명문 규정이 없다. 법인의 일반적 범죄능력을 인정하지 않는 판례의 입장에서는 해석상 실제 행위를 한 그 법인의 이사 등을 처벌할 수밖에 없을 것이다.687)

이익수수죄나 제3자이익공여죄의 행위주체는 제한이 없으므로 누구든지 행위주체가 될 수 있다(제634조의2 제2항).

Ⅳ. 위반행위

1. 이익공여죄

이익공여죄의 위반행위는 위 행위주체가 같은 회사 주주의 권리행사와 관련하여 회사의 계산으로 재산상 이익을 공여하는 행위이다.

재산상 이익의 공여가 '주주의 권리행사와 관련하여' 이루어져야 한다. 주주의 권리행사와 '관련하여'는 '주주의 권리행사에 영향을 미치기 위한 것'을 의미하고(통설·판례),688) 상대방의 인식과는 무관하게 공여자의 주관적 의도만으로 인정할 수 있는 요건으로 보아야 한다(통설·판례).689) 상법은 회사가 특정 주주

686) 한석훈, 전게 「비즈니스범죄와 기업법」, 600면.
687) 이는 입법의 불비이다. 일본에서는 우리나라 상법 제637조와 유사한 규정인 일본 会社法 제972조에 명문규정을 두어 우리나라의 상법 제634조의2 제1항에 해당하는 会社法 제970조 제1항의 행위주체가 법인인 경우에는 그 법인의 이사(取締役), 집행임원(執行役), 기타 업무를 집행하는 사원(役員) 또는 지배인에게 그 벌칙규정을 적용하고 있다.
688) 대법원 2017.1.12. 2015다68355, 68362; 최기원, 「신회사법론」(박영사, 2012), 958, 959면; 강대섭, 전게논문, 250면.
689) 대법원 2014.7.11. 자 2013마2397; 최기원, 전게서, 959면; 우홍구, "주주의 권리행사와 관련한 이익공여의 금지," 「법대논총」 제3집(건국대학교, 1994), 40면; 강대섭, 전게논문, 245면; 前揭 「新版 注釈会社法(13)」, 618面; 伊藤栄樹 外 2人 編, 前揭書, 229面; 野村

에 대하여 무상으로 재산상 이익을 공여하거나 반대급부가 현저히 적은 유상의 재산상 이익 공여를 한 경우에는 주주의 권리행사와 관련하여 공여한 것으로 추정하는 규정(제467조의2 제2항)을 두고 있다. 이 추정규정은 이 죄의 '주주의 권리행사와 관련하여'를 판단함에도 적용된다는 견해[690]가 있다. 그러나 이러한 추정규정은 상법(제467조의2 제3항) 등 사법(私法)상 책임에 관한 규정이므로, 범죄구성요건의 증명책임이 검사에게 있는 형사상 책임에 적용할 것은 아니다.[691]

'주주의 권리'란 '법률과 정관에 따라 주주로서 행사할 수 있는 모든 권리'를 의미하므로,[692] 자익권이든 공익권이든 불문하고, 주주총회에 불출석하거나 출석하더라도 질문이나 발언 등 주주권을 행사하지 않기로 하는 것도 주주의 권리행사와 관련된 것으로 볼 수 있다.[693] 주주권의 행사·불행사뿐만 아니라 그것과 밀접한 행위도 포함된다.[694] 주주의 의결권 행사와 관련하여 주주총회의 원활한 진행에 협력하는 것에 대한 대가를 공여하는 경우와 같이 주주 권리행사의 내용이 위법하지 않더라도 무방하다. 나아가 주주총회에 참석한 주주들에게 선물을 공여하는 경우처럼 구체적인 청탁이 없더라도 무방하다.[695] 주주권 행사와 관련된 재산상 이익의 공여라면, 이를 특정 주주에게만 공여하였든 주주 전원에게 공여하였든 불문한다.[696] 다만, '회사에 대한 계약상의 특수한 권리'는 위

稔,「經濟刑法の論点」(立花書房, 2002), 112, 113面.

690) 송호신, 전게 학위논문, 163면.
691) 대법원 2018.2.8. 2015도7397 판결은 원심이 상법 제467조의2 제2항 전문을 적용하여 무상의 이익공여 사실로 주주의 권리행사와 관련한 이익공여를 추정한 원심판단을 부적절한 이유설시로 보고 "피고인이 재산상 이익을 공여한 사실은 인정하면서도 주주의 권리행사와 관련 없는 것으로서 그에 대한 범의도 없었다고 주장하는 경우에는, 상법 제467조의2 제2항, 제3항 등에 따라 회사가 특정 주주에 대해 무상으로 또는 과다한 재산상 이익을 공여한 때에는 관련자들에게 상당한 법적 불이익이 부과되고 있음을 감안해야 하고, 증명을 통해 밝혀진 공여행위와 그전후의 여러 간접사실들을 통해 경험칙에 바탕을 두고 치밀한 관찰력이나 분석력에 의하여 사실의 연결상태를 합리적으로 판단하여야 한다."고 판시하고 있는데, 이는 상법 제467조의2 제2항의 추정 규정을 직접 적용할 수는 없지만 '주주 권리행사와의 관련성'이나 그 범의를 폭넓게 인정할 수 있는 근거 중 하나로 설시하고 있는 것으로 해석할 수 있다; 神山敏雄 外 3人 編, 前揭書, 173面; 前揭「新版 注釈会社法(13)」, 619面.
692) 대법원 2017.1.12. 2015다68355, 68362.
693) 최준선, 전게「회사법」, 415면; 이철송, 전게「회사법강의」, 1036면.
694) 우홍구, 전게논문, 39면; 정쾌영, 전게논문, 123면.
695) 前揭「会社法コンメンタル(21)」, 146面.
696) 이에 대하여 주주 전원에게 이익공여를 하는 것은 주주평등원칙에 위배되지 않으므로 이익공여에 해당하지 않는 것으로 보는 견해(정쾌영, 전게논문, 123면)가 있으나, 이익공여 금지 규정이나 이익공여죄는 주주평등 원칙 위반 여부를 불문하고 적용되는 것이다.

'주주의 권리'에 포함되지 않는다(판례).[697]

근로복지기본법에 따른 우리사주조합의 자사주 취득을 위하여 회사가 그 조합에게 취득자금 또는 물품을 출연하거나 그 취득자금의 융자 또는 융자보증 등 지원행위를 하는 경우에(근로복지기본법 제36조 제1항 제1호, 제42조 제1항 내지 제3항), 이를 '주주의 권리행사와 관련하여' 재산상 이익을 공여한 것으로 볼 수 있는지 문제가 될 수 있다. 그 지원행위가 근로자에 대한 복리후생제도의 내용으로서 합리적인 범위 이내인 경우에는 이에 해당하지 않는다고 하는 견해[698]가 있다. 이러한 점도 하나의 판단기준은 될 수 있겠지만, 궁극적으로는 공여자의 주관적 의도에 비추어 주주권 행사와의 관련성을 판단할 문제로 보는 견해[699]가 타당하다. 이에 대하여 주주권 행사와의 관련성이 인정되더라도 법령에 의한 정당행위(형법 제20조)로서 위법성이 조각되는 것으로 보는 견해[700]가 있으나, 우리사주를 제도의 목적에 반하여 경영자의 우호지분 확보에 활용하는 등 주주의 권리행사에 영향을 미치기 위하여 이용한다면 이를 정당행위로 보기는 어려울 것이다.

이익 공여의 상대방은 주주로 한정할 필요가 없고 이익공여를 받는 자의 주

697) 대법원 2017.1.12. 2015다68355, 68362(甲주식회사가 운영자금을 조달하기 위해 A와 체결한 주식매매 계약에서 A가 甲회사의 주식을 매수하고 甲회사에 돈을 대여하기로 하면서 A가 '甲회사의 임원 1명을 추천할 권리'를 가지고 甲회사는 그 임원에게 상근임원에 해당하는 보수를 지급하기로 약정하였다가, 그 직후 A가 임원추천권을 행사하지 아니하는 대신 甲회사가 A에게 매월 일정 금액의 돈을 지급하기로 하는 추가약정을 체결한 사안임. 원심은 위 임원추천권을 A가 주주제안권을 행사하여 임원 후보를 추천하는 것으로 보고 이러한 주주의 권리를 행사하지 않는 대가로 돈을 지급하기로 추가약정을 한 것은 상법 제467조의2 제1항의 이익공여금지 규정에 위배된다고 판시하였다. 그러나 대법원은 이때 A가 가지는 임원추천권은 위 주식매매 계약상의 특수한 권리일 뿐이므로 이를 주주 자격에서 가지는 상법 제467조의2 제1항의 '주주의 권리'로 볼 수 없고, 따라서 위 추가약정은 A가 甲회사에 운영자금을 조달하여 준 것에 대한 대가를 지급하기로 한 것일 뿐 주주의 권리행사에 영향을 미치기 위하여 돈을 공여하기로 한 것이라고 할 수 없으므로, 상법 제467조의2 제1항에 위배되지 않는다고 판시); 정준우, 전게논문, 20면; 황남석, "주주에 대한 이익공여금지 규정의 적용범위 - 대법원 2017.1.12. 선고 2015다68355, 68362 판결 -,"「법조」제66권 제2호(법조협회; 2017. 4.), 770면.
698) 권재열, 전게 "상법상 이익공여죄에 관한 소고," 140면; 강대섭, 전게논문, 251면.
699) 한석훈, 전게「비즈니스범죄와 기업법」, 605면; 김선정, 전게논문, 38,39면에서도 "이 제도(우리사주조합 지원제도)는 법령에 따라, 개별종업원의 주주권 행사와는 무관하게 일률적으로 운용되는 것이므로 적법하다고 보아야 하지만, 회사가 종업원의 주주권 행사에 관하여 어느 정도 구체적 언질을 하고 급부가 이루어지거나, 종업원의 복리후생제도로서의 상당성 있는 범위를 초과하여 지원금을 지급한 경우에는 주주의 권리행사에 관한 이익공여로 볼 수 있다"고 한다.
700) 천경훈, 전게「주석 상법(회사-Ⅶ)」, 190~191면.

주권 행사에 한정되는 것도 아니지만,[701] 이익공여가 주주의 권리행사와 관련하여 이루어질 것은 필요하다. 예컨대 주주가 아닌 자에게 다른 주주로 하여금 총회에서 발언하지 않도록 설득해 줄 것을 부탁하는 등 다른 주주의 권리행사에 영향력을 행사하도록 부탁하고 재산상 이익을 공여하는 경우에도 주주의 권리행사와 관련한 이익공여가 된다.[702] 현재는 주주가 아니지만 장래 주주가 될 자에게 장래 주주로서 행사할 수 있는 권리에 관하여 이익공여를 하는 경우도 포함된다.[703] 주식의 양도·양수나 불양도 자체는 주주의 권리행사와 관련된 것으로 볼 수 없지만, 주식을 양도함으로써 주주의 권리행사를 하지 않기로 하고 그 대가로 이익공여를 하거나 타인에게 그 주식을 양수하기 위한 대가를 공여하는 것은 포함된다.[704] 주주가 아닌 자에게 앞으로 회사의 주식을 취득하지 않을 것을 전제로 재산상 이익을 공여하는 경우도 주주의 권리불행사를 조건으로 하는 것이므로 주주의 권리행사와 관련된 재산상 이익공여로 보아 포함될 수 있다.[705][706]

'회사의 계산으로'의 의미는 재산상 이익의 공여가 회사의 부담으로 되어 그 경제적 손익이 회사에 귀속되는 것을 말한다. 누구의 명의로 이익공여가 되었는지 여부는 문제가 되지 않는다. 따라서 회사의 임원이 자기 돈으로 이익공여를 하는 형식을 취하였더라도 회사가 미리 임원 수당의 인상 등으로 그 자금을 부담한 것이라면 회사의 계산으로 이익공여를 한 것이다.[707] 나아가 '회사의 계산으로'란 개념에 회사에 재산상 손해가 발생하거나 적어도 그 손해발생의 위험이 있어야 한다는 의미가 포함되는 것인지 여부[708]는 이 죄의 보호법익에 관한 견

---

701) 강대섭, 전게논문, 244, 245면.
702) 같은 취지: 日 東京地判 1988.6.29. 資料版商事法務 第70号, 44面; 前揭「新版 注釈会社法 (13)」, 618面; 前揭「会社法コンメンタル(21)」, 146, 149面.
703) 前揭「会社法コンメンタル(21)」, 146面.
704) 前揭「新版 注釈会社法(13)」, 618面; 前揭「会社法コンメンタル(21)」, 147面.
705) 같은 취지: 권재열, 전게 "상법상 이익공여죄에 관한 소고," 138면; 우홍구, 전게논문, 40면; 강대섭, 전게논문, 249면; 神山敏雄 外 3人 編, 前揭書, 173面; 前揭「会社法コンメンタル(21)」, 146面.
706) 이에 대해서는 주주의 회사에 대한 권리가 기명주식의 경우 명의개서 후에야 발생하는 것임을 이유로 이 죄의 성립을 부정하는 견해(김선정, 전게논문, 27면)도 있으나, 이익공여를 수단으로 주식을 취득하지 못하게 함으로써 회사자산의 낭비와 장래의 주주 권리행사의 적정을 침해할 수 있으므로 이러한 경우도 포함해야 할 것이다.
707) 김선정, 전게논문, 25면; 前揭「新版 注釈会社法(13)」, 619面.
708) 이는 주주의 권리행사와 관련하여 회사의 재산을 공여하더라도 그 대가가 있는 등 경제적 효과가 회사에 귀속되어 회사의 재산에 손해가 발생하지 않고 그 손해발생의 위험조차 없

해에 따라 달라진다. 주주 권리행사의 적정을 보호법익으로 보는 견해는 포함되지 않는 것으로 해석하게 되지만,709) 보호법익에 관한 나머지 견해를 따르면 회사자산 낭비의 방지도 보호법익에 포함되므로 포함설 입장을 취하게 된다.710)

자회사로부터 염출한 자금을 모회사 주주의 권리행사와 관련하여 공여한 경우에도 모회사의 계산으로 이익공여를 한 것으로 볼 것인지 문제가 된다. 그러한 이익공여가 간접적으로 모회사의 부담이 되는 것으로 보거나 염출한 자금이 일단 모회사에 귀속되는 것으로 보아서 이를 긍정하는 견해711)가 있을 수 있다. 그러나 자회사는 모회사와 별개의 법인격을 가진 회사이므로, 죄형법정주의 원칙에 비추어 볼 때 '회사의 계산으로'라는 개념에 이러한 간접적인 부담까지 포함하는 것으로 해석하거나 분명한 법적 근거 없이 위와 같이 회계처리를 의제할 수는 없을 것이다.712)

'재산상 이익'이란 금전적 가치로 환산할 수 있는 경제적 이익을 말한다(통설).713) 거래상 유리한 기회가 재산상 이익인지 여부는 다툼이 있을 수 있다. 예컨대 종전에 다른 청소업체에 맡겨 온 회사 건물의 청소작업을 총회꾼이 운영하는 청소업체에 맡기는 용역계약을 체결한 경우에 재산상 이익을 공여한 것인지 여부가 문제될 수 있다. 이에 관하여 그 대가가 통상의 거래상 합리적인 범위내로서 정당한 거래의 대가로 볼 수 있는 한 회사자산의 낭비 우려가 없기 때문에 거래상 유리한 기회를 부여한 것만으로는 재산상 이익에 해당하지 않는 것으로 보는 견해714)가 있다. 그러나 '재산상 이익'을 금전적 가치로 환산할 수 있는 이익을 의미한다고 보는 이상 거래 자체가 경제적 이권(利權)이 되는 경우에는

는 경우에도 이 죄가 성립할 것인지 여부의 문제이다.

709) 前揭「会社法コンメンタル(21)」, 144面.

710) 권재열, 전게 "상법상 이익공여죄에 관한 소고," 135면 각주 29에서는 보호법익에 관한 회사자산 낭비 방지설 입장에서 회사가 공정한 거래를 하는 경우에는 이 죄의 구성요건에 해당하지 않는 것으로 해석하고 있다.

711) 같은 입장: 日 東京地判 1988.6.23. 資料版商事法務 第59号, 29面(자회사로부터 염출한 자금을 뒷돈으로 사용하여 총회꾼에게 공여한 사안에서 이 죄의 성립을 인정하였음). 현행 일본 会社法 제970조 제1항은 '자회사의 계산으로 재산상 이익을 공여한 때'에도 이익공여죄의 성립을 인정하는 명문 규정을 두고 있다. 입법적으로 검토할 필요가 있다.

712) 한석훈, 전게「비즈니스범죄와 기업법」, 608, 609면; 우홍구, 전게논문, 38면; 김선정, 전게논문, 40면도 같은 취지이나, 자회사가 모회사의 주주에게 지급한 이익을 모회사가 자회사에게 전보(塡補)해 준 때에는 모회사의 이익공여 행위가 될 수 있다고 한다.

713) 권재열, 전게 "상법상 이익공여죄에 관한 소고," 135면; 정쾌영, 전게논문, 122면; 강대섭, 전게논문, 245면; 한석훈, 상게서, 609면.

714) 우홍구, 전게논문, 43면; 前揭「会社法コンメンタル(21)」, 148, 149面.

거래기회의 제공 자체가 재산상 이익의 공여에 해당하는 것으로 보아야 할 것이다.715) 다만, 위 사례의 경우에는 회사에 소극적 손해가 발생할 수 있고, 그러한 현실적 손해가 발생하지 않았더라도 회사자산 낭비의 위험이 있는 경우가 있을 수 있다. 그러므로 이 문제는 그 거래계약의 체결로 인하여 회사의 재산상 손해 발생이나 손해발생 위험이 있어서 '회사의 계산으로' 이루어진 행위로 볼 것인지 여부의 문제로 보아야 할 것이다. 그러한 위험이 있는 경우라면 '회사의 계산으로' 재산상 이익을 공여한 행위가 되어 범죄가 성립하지만, 그 위험도 없다면 앞의 '회사의 계산으로'의 의미 부분에서 설명한 것처럼 보호법익에 관한 견해에 따라 결론을 달리하게 될 것이다.716)

이익공여죄는 증수뢰형 범죄와는 달리 공여죄를 기본적 범죄유형으로 규정하고 있고 그 이익의 수수행위를 전제로 하고 있지 않으므로, '공여'란 상대방의 소득으로 귀속하게 할 의사로 재산상 이익을 수여하는 것을 말하고, 공여된 이익이 실제로 상대방의 소득으로 귀속되었는지 여부는 불문한다.717) 이익공여의 의사표시와는 구분해야 하므로, 그 의사표시만 있을 뿐 실제로는 재산상 이익의 수여행위가 없었던 경우에도 '공여'에 해당하지 않는다.718) 이익을 수수하는 자에게 주주권의 행사와 관련하여 회사의 계산으로 이익을 공여하는 것이라는 사실에 대한 인식이 없어서 이익수수죄가 성립하지 않더라도 이익공여죄가 성립할 수 있음은 물론이다.719)

2. 이익수수죄 및 제3자이익공여죄

이익수수죄의 구성요건행위는 이익공여죄 규정(제634조의2 제1항)의 재산상

---

715) 한석훈, 전계 「비즈니스범죄와 기업법」, 609, 610면; 강대섭, 전계논문, 246면.
716) 한석훈, 상계서, 610면.
717) 송호신, 전게 학위논문, 164면; 前揭 「新版 注釈会社法(13)」, 620面(나아가 공여자가 공여하는 이익이 상대방에게 종국적으로 귀속되지 않을 가능성을 알고 있었던 경우라도 이익공여가 된다고 함); 神山敏雄 外 3人 編, 前揭書, 173面; 前揭 「会社法コンメンタル(21)」, 149面; 즉, 독직중재죄나 권리행사방해 증뢰죄의 경우처럼 상대방으로 하여금 그 이익을 현실적으로 수수하게 해야 하는 것은 아니다.
718) 이영철, 전계논문, 514면.
719) 김선정, 전계논문, 36면; 前揭 「会社法コンメンタル(21)」, 147, 150面; 伊藤栄樹 外 2人 編, 前揭書, 229面; 이에 대하여 일본에서는 이 죄를 이익공여죄와의 필요적 공범으로 보는 견해(神山敏雄 外 3人 編, 前揭書, 174面)도 있다.

이익을 수수(收受)한 행위이고, 제3자이익공여죄의 구성요건행위는 제3자에게 그 재산상 이익을 공여하게 한 행위이다(제634조의2 제2항). 이 죄의 행위주체는 제한이 없으므로 주주나 총회꾼은 물론 누구든지 그 행위주체가 될 수 있다.[720] '수수'란 재산상 이익을 소유의 의사로 실제로 취득하는 것을 말한다.[721]

이익공여죄의 성립을 전제로 그 이익을 받는 자도 회사자산의 낭비 및 주주권리행사의 적정을 침해하는 데 가담한 자로서 가벌성이 있다고 보고 처벌하려는 것이 이익수수죄 및 제3자이익공여죄의 입법취지이다. 그러므로 공여되는 이익이 주주권의 행사와 관련하여 회사의 계산으로 공여되는 것이라는 사실을 인식하고 이를 받거나 제3자에게 공여하게 한 경우에만 범죄가 성립하는 것으로 보아야 할 것이다.[722][723] 따라서 이익공여죄가 성립하지 않는다면 이익수수죄나 제3자이익공여죄도 성립하지 않는다.[724] 예컨대 재산상 이익을 수수하는 자가 그 이익이 주주권의 행사와 관련하여 회사의 계산으로 공여하는 것으로 알고 수수하였다고 하더라도, 정작 이익공여자에게 그러한 의도가 없었다면 이익공여죄는 물론 이익수수죄도 성립하지 않는다. 그러므로 이익공여죄는 필요적 공범이 아니지만 이익수수죄나 제3자이익공여죄는 필요적 공범(대향범)으로 보아야 한다.[725]

V. 위 법 성

주주들에 대하여 사회통념상 합리적 범위 내의 명절선물 또는 경조금품을 지원하거나, 주주총회에 참석한 주주들에게 다과 또는 간소한 기념품을 제공하거나, 장시간의 회의에 필요한 식사, 회사 내 주차비 등의 제공은 주주의 권리행

---

720) 최준선, 전게 「회사법」, 415면; 이철송, 전게 「회사법강의」, 1037면; 이영철, 전게논문, 516면.
721) 한석훈, 전게 「비즈니스범죄와 기업법」, 611면.
722) 이 죄와 유사한 규정인 일본 회사법 제970조 제2항은 '情을 알고 전항의 이익을 공여받거나 제3자에게 공여하게 한 자'라고 규정함으로써 이를 분명히 하고 있다.
723) 그러나 이익을 수수하는 자에게 공여자의 기대나 의뢰에 따라 행위를 할 의사가 있을 것은 요건이 아니다[前揭 「会社法コンメンタル(21)」, 150面].
724) 한석훈, 상게서, 611면; 천경훈, 전게 「주석 상법(회사-Ⅶ)」, 192면; 前揭 「新版 注釈会社法(13)」, 621面.
725) 한석훈, 상게서, 611면.

사와 관련한 재산상 이익공여로 볼 수 없어서 범죄구성요건에 해당하지 않거나, 사회상규에 위배되지 아니한 정당행위(형법 제20조)로서 위법성이 없다고 보아야 할 것이다(통설).726) 판례도 이익공여가 의례적인 것이라거나 불가피한 특별한 사정이 있는 경우에는 형법 제20조의 '사회상규에 위배되지 아니하는 행위'에 해당하는 것으로 보고 있다.727) 이때 그러한 특별한 사정이 있는지 여부는 "이익공여의 동기, 방법, 내용과 태양, 회사의 규모, 공여된 이익의 정도 및 이를 통해 회사가 얻는 이익의 정도 등을 종합적으로 고려하여 사회통념에 따라 판단해야 한다."고 판시하고 있다.728)

그러나 고가의 기념품은 물론 일당·여비를 지급하는 것은 허용되지 않는 것으로 보아야 한다.729) 주주총회의 참석은 주주로서 자신의 권리를 행사하기 위한 것이므로 그 소요비용은 주주 자신이 부담하는 것이 당연하고, 이를 총회개최장소의 다과나 주차권 제공과 같은 총회개최비용과는 구분해야 하기 때문이다.730) 마찬가지 이유로, 주주인 회사직원의 근무시간 중 주주총회 참석을 유급휴가로 처리할 수도 없다.731) 이에 대하여 이러한 경우에 취업규칙에 따른 유급휴가는 허용할 수 있는 것으로 해석하는 견해732)도 있으나, 강행규정인 이익공여금지 규정(제467조의2)에 반하는 취업규칙은 무효이므로 취업규칙에 허용 규정을 두었는지 여부에 따라 달리 해석할 이유는 없을 것이다.733)

Ⅵ. 죄수관계

재산상 이익의 공여가 회사에 대한 배임행위가 되어 회사에 손해를 발생시킨

---

726) 김선정, 전게논문, 28면; 이철송, 전게 「회사법강의」, 1038면.
727) 대법원 2018.2.8. 2015도7397("주주의 권리행사와 관련된 재산상 이익의 공여라 하더라도 그것이 의례적인 것이라거나 불가피한 것이라는 등의 특별한 사정이 있는 경우에는, 법질서 전체의 정신이나 그 배후에 놓여 있는 사회윤리 내지 사회통념에 비추어 용인될 수 있는 행위로서 형법 제20조에 정하여진 '사회상규에 위배되지 아니하는 행위'에 해당한다." 고 판시).
728) 대법원 2018.2.8. 2015도7397.
729) 한석훈, 전게 「비즈니스범죄와 기업법」, 613면; 정쾌영, 전게논문, 123면.
730) 한석훈, 상게서, 613면.
731) 한석훈, 상게서, 613면.
732) 김선정, 전게논문, 28면.
733) 한석훈, 상게서, 613면.

경우 이익공여죄와 배임죄의 죄수관계는 이익공여죄의 보호법익을 어떻게 파악하는지 여부에 따라 결론을 달리하게 된다. 앞의 보호법익에 관한 제1설 및 제2설에 의하면 회사자산 낭비 방지라는 이익공여죄의 보호법익은 피해자인 회사의 전체 재산이라는 배임죄의 보호법익에 포함되고, 이익공여 행위는 배임행위의 수단이 되는 것이다. 그러므로 이익공여죄는 그보다 형벌이나 죄질이 중한 배임죄를 보충하는 관계에 있는 법조경합관계로서 배임죄만 성립하게 된다.734) 이에 대하여 주주 권리행사의 적정을 보호법익으로 보는 제3설에 의하면 양 죄는 별개의 보호법익을 침해하는 독립된 범죄이므로 1개의 행위로 수 개의 죄를 범하는 상상적 경합관계가 된다.735) 보호법익에 관한 제4설(회사자산 낭비 방지 및 주주 권리행사의 적정을 통한 회사의 경영건전성 확보를 중첩적 보호법익으로 보는 견해)의 입장에서도 배임죄의 보호법익과 일치하는 것이 아니므로 제3설과 마찬가지로 파악할 수 있다.736)

주주의 권리행사에 관하여 부정한 청탁을 하면서 회사의 계산으로 재산상 이익을 공여하고 상대방이 이를 수수한 경우에는 이익공여죄와 권리행사방해 증뢰죄의 관계, 또는 이익수수죄 및 제3자이익공여죄와 권리행사방해 수뢰죄의 관계가 문제 되는데, 이 경우의 죄수관계도 보호법익에 관한 입장에 따라 결론을 달리하게 된다. 보호법익에 관한 위 제3설의 입장에서는 그 보호법익을 주주 권리행사의 적정으로 보고 있으므로 '회사의 건전한 운영을 위한 권리행사의 적정'을 보호법익으로 하는 권리행사방해 증수뢰죄와는 보호법익이 다르지 않다. 그러므로 이익공여죄는 권리행사방해 증뢰죄의 보충규정, 이익수수죄 및 제3자이익공여죄는 권리행사방해 수뢰죄의 보충규정이 되는 법조경합관계로 파악하고, 권리행사방해 증수뢰죄로만 처벌하게 된다.737) 나머지 위 제1설, 제2설 및 제4설의 입장에서는 권리행사방해 증수뢰죄와는 그 보호법익이 상이하므로 1개의 행위로 수개의 죄를 범하는 상상적 경합관계로 파악한다.738)

이익수수죄 또는 제3자이익공여죄와 공갈죄의 죄수관계도 문제가 된다. 예컨

---

734) 前揭「会社法コンメンタル(21)」, 144, 150面.
735) 前揭「新版 注釈会社法(13)」, 622面.
736) 한석훈, 전게「비즈니스범죄와 기업법」, 614면.
737) 前揭「会社法コンメンタル(21)」, 138面.
738) 김선정, 전게논문, 37면; 임중호, 전게 "회사범죄와 그 대책방안," 85면; 권재열, 전게 "상법상 이익공여죄에 관한 소고," 143면; 前揭「新版 注釈会社法(13)」, 606, 607面; 前揭「会社法コンメンタル(21)」, 144, 145, 150面.

대 총회꾼이 주주의 권리행사와 관련하여 회사의 이사를 공갈하여 재산상 이익을 수수하거나 제3자에게 공여하게 한 경우에 이익수수죄 또는 제3자이익공여죄와 공갈죄의 관계도 이익수수죄 또는 제3자이익공여죄의 보호법익에 관한 견해에 따라 달리 파악하게 된다. 이익수수죄 또는 제3자이익공여죄의 보호법익에 관한 위 제1설 및 제2설에 의하면 피해자인 회사의 자산낭비 방지를 보호법익으로 보고 있으므로, 이는 피해자의 재산과 의사결정의 자유를 보호법익으로 하는 공갈죄의 보호법익739)에 포함된다. 또한 이익수수나 제3자이익공여는 공갈행위에 수반되는 것인 이상 별도의 위법성이나 가벌성 평가대상으로 보기 어렵다. 따라서 이익수수죄나 제3자이익공여죄는 형벌이 중한 공갈죄에 흡수되는 법조경합관계로서 별도의 범죄로 성립하지 않는다.740) 위 제3설 및 제4설에 따르면 이익수수죄 또는 제3자이익공여죄와 공갈죄는 상호 보호법익이 일치하는 것이 아니므로 상상적 경합관계가 된다.741) 그리고 위 사례에서 회사의 이사에게 이익공여죄가 성립할 것인지도 문제가 된다. 이 경우 이사에게 이익공여를 결정할 자유가 남아있는 한 이익공여죄가 성립한다는 견해742)가 있다. 그러나 공갈에 의하여 외포상태에 있는 피해자에게 가벌성 있는 이익공여를 인정하기는 어려울 것이므로, 이익공여 행위를 인정할 수 없거나 형법 제12조의 강요된 행위로서 책임이 조각되어 이익공여죄가 성립할 수 없을 것이다.743)

---

739) 통설은 공갈죄의 보호법익을 1차적으로는 피해자의 재산, 2차적으로는 피해자의 의사결정의 자유로 파악하고 있다(이재상·장영민·강동범, 전게 「형법각론」, 378면; 정성근·박광민, 전게 「형법각론」, 372면; 손동권·김재윤, 전게 「새로운 형법각론」, 409면).

740) 한석훈, 전게 「비즈니스범죄와 기업법」, 616면.

741) 前揭 「新版 注釈会社法(13)」, 622面; 前揭 「会社法コンメンタル(21)」, 150面.

742) 前揭 「新版 注釈会社法(13)」, 622면.

743) 한석훈, 상게서, 616면.

제14절 과 태 료

I. 의의 및 법적 성질

과태료는 법령상 질서를 유지하기 위하여 법령상 의무를 위반한 자 등 법령위반자에 대하여 금전지급의무를 강제적으로 부과하는 제재이다. 과태료는 질서벌의 일종으로서 형벌인 벌금이나 과료(科料)와는 법적 성질이 다르다. 상법은 회사편상 부과된 의무를 이행하지 않는 등 상법위반 행위자 중 회사제도, 상호 및 상업등기 제도의 질서유지를 위하여 필요한 경우에 제28조, 제86조의9, 제635조, 제636조에서 과태료 부과의 요건 및 기준을 정하고, 제637조의2에서 부과·징수 절차의 특례를 규정하고 있다. 과태료 부과금액은 상장회사에 대한 특례 규정(다만, 그 중 일부 특례규정 위반은 제외)을 위반한 경우에는 5천만 원 이하(제635조 제3항) 또는 1천만 원 이하(제635조 제4항)이고, 회사설립등기 전 영업행위나 국내 영업소 설치등기 전 계속거래 행위에 대해서는 그 등록세의 배액이며(제636조), 그 밖의 일반적 과태료 부과사안의 경우에는 500만 원 이하(제86조의9, 제635조 제1항, 제2항) 또는 200만 원 이하(제28조)이다.

과태료는 범죄에 대하여 부과하는 형벌이 아니므로, 형법의 총칙규정이 적용되지 아니하고, 그 부과·징수 절차에는 형사소송법이 적용되지 아니하며, 헌법 제13조 제1항 후단의 일사부재리 원칙(이중처벌금지 원칙)이 적용되지 않는다(판례).[744] 그러나 과태료는 상법위반죄의 경우에 부과되는 형벌(일종의 행정형벌)과는 목적과 기능이 중복되는 면도 일부 있으므로, 동일한 행위를 대상으로 형벌을 부과하면서 아울러 행정질서벌로서의 과태료까지 부과한다면 그것은 이중처벌금지의 기본정신에 배치되어 국가 입법권의 남용으로 인정될 여지가 있음을 부정할 수 없다(판례).[745] 제635조 제1항, 제2항의 과태료 사안의 경우 그 행위에 대하여 형을 과할 때에는 과태료를 부과하지 않는다고 규정한 것(제635조 제

---

744) 대법원 1992.2.11. 91도2536.
745) 헌법재판소 1994.6.30. 92헌바38 전원재판부(이 헌법재판례는 건축법위반행위에 관한 것임).

1항 단서, 제2항)은 이러한 점을 감안한 것으로 보인다. 따라서 범죄가 성립하더라도 형을 과하지 아니할 때에는 과태료를 부과할 수 있는 것으로 해석해야 한다.[746]

과징금도 법령상의 질서를 유지하기 위하여 법령상 의무를 이행하지 않는 등 법령위반 행위자에 대하여 금전지급의무를 강제적으로 부과하는 제재라는 점에서는 과태료와 유사하나, 과징금은 행정질서벌이 아니라 침해적 행정행위에 속하고, 위반행위로 인한 경제적 이익을 환수하기 위한 것이라는 점에서 그 법적 성질과 제재의 목적이 과태료와 다르다. 따라서 과징금 부과처분은 과태료 부과처분과는 달리 행정절차법의 적용대상이고 항고쟁송의 대상이 된다.[747]

Ⅱ. 과태료 부과요건

과태료 부과대상이 되는 행위주체나 위반행위의 구체적 내용에 관하여는 제28조, 제86조의9, 제635조, 제636조에 규정하고 있다. 그 부과요건의 상세한 설명은 이 책의 다른 집필부분에서 제도 등의 내용을 설명하면서 상술하였을 것이므로 여기에서는 특별히 강조할 점이나 문제점만 검토하기로 한다.

회사가 아니면서 상호에 회사임을 표시하는 문자를 사용한 자(제20조, 회사의 영업을 양수한 경우를 불문함), 부정한 목적으로 타인의 영업으로 오인할 수 있는 상호를 사용한 자(제23조 제1항)에 대하여 200만 원 이하의 과태료에 처한다(제28조). 합자조합의 업무집행조합원, 업무집행조합원의 직무대행자, 청산인이 합자조합에 관한 상법 제2편 제4장의2에서 정한 등기를 게을리한 경우에는 500만 원 이하의 과태료를 부과한다(제86조의9). 그 밖에는 회사에 관한 상법 제3편 규정 위반자에 대하여 과태료를 부과하고 있다.

제635조 제1항 제1호에서는 '회사편에서 정한 등기를 게을리한 경우'에 과태료를 부과한다. 회사의 등기는 법령에 다른 규정이 있는 경우를 제외하고는 회사의 대표자가 신청의무를 부담하므로(상업등기법 제17조), 등기해태 당시 회사의 대표자가 과태료 부과 대상자가 된다. 회사의 등기사항에 변경이 있는 때에는

---

746) 한석훈, 전게 「비즈니스범죄와 기업법」, 619면; 前揭 「会社法コンメンタル(21)」, 169面.
747) 한석훈, 상게서, 619면; 박균성, 「행정법론(상)」 제9판(박영사, 2010), 547면.

본점 소재지에서는 2주간 내, 지점 소재지에서는 3주간 내에 변경등기를 해야 하는데(제183조), 본점소재지와 지점소재지의 관할 등기소가 동일하지 아니한 때에는 그 등기도 각각 신청해야 하므로, 그 등기해태에 따른 과태료도 본점소재지와 지점소재지의 등기해태 여부에 따라 각각 부과된다. 만약 회사의 등기 해태기간이 지속되는 중에 대표자의 지위를 상실한 경우에는 대표자의 지위에 있으면서 등기를 해태한 기간에 대해서만 과태료 책임을 부담한다(판례).[748]

이사가 임기의 만료 또는 사임에 의하여 퇴임함에 따라 법률 또는 정관에 정한 이사의 원수(최저인원수 또는 특정한 인원수)를 채우지 못하게 되는 결과가 된 경우에, 그 퇴임한 이사는 새로 선임된 이사가 취임할 때까지 이사로서의 권리의무가 있고(제386조 제1항) 대표이사의 경우에도 마찬가지이다(제389조 제3항). 이러한 경우에는 이사의 퇴임등기를 해야 하는 2주 또는 3주의 기간은 일반의 경우처럼 퇴임한 이사(또는 대표이사)의 퇴임일부터 기산하는 것이 아니라 후임 이사(또는 대표이사)의 취임일부터 기산하는 것으로 보아야 하며, 후임 이사(또는 대표이사)가 취임하기 전에는 퇴임한 이사(또는 대표이사)의 퇴임등기만을 따로 신청할 수는 없다(판례).[749]

제635조 제1항 제8호에서는 법률 또는 정관에서 정한 이사 또는 감사의 인원수에 결원이 생긴 경우에 그 선임절차를 게을리하면 과태료를 부과한다. 이 규정은 법률 또는 정관에 정한 이사 또는 감사의 인원수를 결여한 경우에 그 선임을 위한 총회소집절차를 밟아야 할 지위에 있는 자에 대하여 과태료의 제재를 가하고 있지만, 여기서 선임절차의 대상이 되는 '이사'에 '대표이사'는 포함되지 않는다. 그러므로 대표이사가 퇴임하여 법률 또는 정관에 정한 대표이사의 수를 채우지 못함으로 말미암아 퇴임한 대표이사에게 후임 대표이사가 취임할 때까지 대표이사로서의 권리의무가 있는 기간 동안에 후임 대표이사의 선임절차를 해태하였다고 하여 퇴임한 대표이사를 과태료에 처할 수는 없다(판례).[750]

회사는 성립 후 또는 신주의 납입기일 후 지체 없이 주권을 발행해야 하고(제355조 제1항) 그 이전에는 주권을 발행하지 못하며(제355조 제2항), 이러한 규정은 우리나라에서의 외국회사 주권 발행에도 준용된다(제618조). '제355조 제1

748) 대법원 2009.4.23. 2009마120.
749) 대법원 2007.6.19. 2007마311; 2005.3.8. 2004마800 전원합의체.
750) 대법원 2007.6.19. 2007마311.

항·제2항 또는 제618조를 위반하여 주권을 발행한 경우'에는 과태료를 부과한
다(제635조 제1항 제19호). 그런데 회사의 성립 후 또는 신주의 납입기일 후 지
체 없이 주권을 발행하지 아니한 경우도 위 과태료 부과사유에 해당하는 것인지
문제가 된다. '주권을 발행한 경우'가 아니므로 문언해석상 과태료 부과사유가
될 수 없다고 보는 견해751)가 있다. 그러나 주권발행의 작위의무를 부과하는 제
355조 제1항 위반도 과태료 부과사유로 규정한 것은 그 의무위반인 주권 미발
행의 경우도 과태료 부과사유로 포함시킨 것으로 해석해야 하고, 과태료는 죄형
법정주의에 따른 엄격한 해석기준이 적용되는 형벌과는 달리 입법취지에 따른
다소 유연한 해석도 허용되는 것이므로 회사 성립 후 또는 신주 납입기일 후
지체 없이 주권을 발행하지 아니한 경우도 제635조 제1항 제19호의 과태료 부
과사유에 포함되는 것으로 해석해야 할 것이다.752)

  과태료를 부과하는 경우에는 형법 제13조(범의) 규정이 적용 또는 유추적용
되지 않기 때문에, 과태료 부과 대상 행위에 대한 행위주체의 고의가 있어야 하
는 것은 아니다. 그러나 명문 규정은 없지만 책임주의 원칙에 비추어 적어도 과
실과 같은 귀책사유가 필요한 것인지 여부에 대해서는 논란이 있다. 귀책사유
필요설은 과태료도 제재인 이상 책임주의 원칙상 고의·과실과 같은 귀책사유가
없어 비난가능성이 없는 행위에 대하여는 과태료도 부과할 수 없고, 책임주의
원칙을 따르는 공법관계의 질서위반행위753)와 상법위반과 같은 사법관계의 질
서위반행위를 책임주의 원칙의 적용에서 구별하여 취급할 이유가 없다는 점을
논거로 들고 있다.754) 이에 대하여 과태료 부과사유별로 고의·과실이 필요한
경우와 그렇지 아니한 경우로 구분하는 견해755)도 있다(구분설). 판례는 질서위
반행위규제법이 제정된 2007. 12. 21.(2008. 6. 22.자 시행) 이전의 판례이기는

---

751) 천경훈, 전게 「주석 상법(회사-Ⅶ)」, 216면.
752) 한석훈, 전게 「비즈니스범죄와 기업법」, 623면.
753) 질서위반행위규제법 제7조는 "고의 또는 과실이 없는 질서위반행위는 과태료를 부과하지
    아니한다."는 명문규정을 두고 있고, 판례는 이 규정을 과태료 부과에 있어서 책임주의 원
    칙을 채택한 것으로 평가하고 있다(대법원 2011.7.14. 2011마364).
754) 한석훈, 상게서, 625면; 천경훈, 전게 「주석 상법(회사-Ⅶ)」, 203면; 前揭 「会社法コンメ
    ンタル(21)」, 167,168面(다만, 이 견해는 객관적인 위반행위가 인정되면 행위주체에게 구
    책사유가 있는 것으로 사실상 추정되는 것으로 본다).
755) 前揭 「新版 注釈会社法(13)」, 629面; 예컨대 상법 제635조 제1항 제1호처럼 '등기를 게으
    리한 경우'라는 과태료 부과사유는 문언상 적어도 미등기에 대한 과실을 필요로 한다고
    보는 것이다.

하지만, 종전에는 "과태료와 같은 행정질서벌은 행정질서유지를 위하여 행정법규위반이라는 객관적 사실에 대하여 과하는 제재이므로 반드시 현실적인 행위자가 아니라도 법령상 책임자로 규정된 자에게 부과되고 또한 특별한 규정이 없는 한 원칙적으로 위반자의 고의·과실을 요하지 아니한다."는 입장이었다(귀책사유 불필요설).[756] 그러나 그 후에는 "과태료와 같은 행정질서벌은 행정질서유지를 위한 의무의 위반이라는 객관적 사실에 대하여 과하는 제재이므로 반드시 현실적인 행위자가 아니라도 법령상 책임자로 규정된 자에게 부과되고 원칙적으로 위반자의 고의·과실을 요하지 아니하나, 위반자가 그 의무를 알지 못하는 것이 무리가 아니었다고 할 수 있어 그것을 정당시할 수 있는 사정이 있을 때 또는 그 의무의 이행을 그 당사자에게 기대하는 것이 무리라고 하는 사정이 있을 때 등 그 의무 해태를 탓할 수 없는 정당한 사유가 있는 때에는 이를 부과할 수 없다."고 판시하여 다소 책임주의 원칙에 입각한 견해를 보이고 있다(수정설).[757] 생각건대 책임주의 원칙은 형벌 외에 재산상 불이익을 가하는 제재에도 적용되어야 함이 헌법 제10조에 부합하는 해석[758]임에 비추어 볼 때 상법상 과태료 사안에서도 명문 규정은 없지만 고의나 적어도 과실은 필요한 것으로 보는 귀책사유 필요설이 타당하다. 귀책사유 필요설 입장에서도 고의·과실 귀책사유의 증명책임이 과태료 처분의 효력을 다투는 자에게 전환되는 것으로 보는 견해[759]가 있으나, 과태료도 질서벌인 제재수단이므로 제재를 부과하는 측에게 그 부과요건을 증명할 책임을 부과함이 일반원칙에 부합한다. 달리 증명책임 전환에 관한 명문규정이나 그에 준하는 특별한 사유가 없이 증명책임이 전환된다고 해석함은 부당하다. 다만, 과태료 부과의 실효를 제고하기 위하여 과태료 부과 사유에 해당하는 위반행위가 있으면 그 행위주체의 귀책사유는 사실상 추정되는 것으로 봄이 타당하다.[760]

　　과태료 부과는 범죄에 대하여 형벌을 가하는 경우가 아니므로 형법 제16조(법률의 착오) 규정도 적용 또는 유추적용 되지 않는다. 따라서 행위주체가 위법

---

756) 대법원 1994.8.26. 94누6949.
757) 대법원 2000.5.26. 98두5972.
758) 책임주의 원칙은 헌법 제10조로부터도 도출된다(신동운, 전게 「형법총론」, 374면; 헌법재판소 2007.11.29. 2005헌가10 전원재판부).
759) 천경훈, 전게 「주석 상법(회사-Ⅶ)」, 203면.
760) 한석훈, 전게 「비즈니스범죄와 기업법」, 626면.

성의 착오로 인하여 상법위반이 아니라고 믿었고 그 오인에 정당한 이유가 있더라도 과태료를 부과할 수 있는지 문제가 될 수 있다.[761] 질서위반행위규제법 제8조는 "자신의 행위가 위법하지 아니한 것으로 오인하고 행한 질서위반행위는 그 오인에 정당한 이유가 있는 때에 한하여 과태료를 부과하지 아니한다."고 규정하고 있지만, 이는 질서위반행위가 아닌 상법상 의무위반으로 과태료를 부과하는 경우에는 적용되지 않는다(질서위반행위규제법 제2조 제1호 가.목). 그러나 헌법 제10조에 근거를 두고 있는 책임주의 원칙에 비추어 보면 상법위반으로 과태료를 부과하는 경우에도 자신의 행위가 위법하지 않은 것이라고 믿었고 그 오인에 정당한 이유가 있는 자에 대해서는 과태료를 부과할 수 없을 것이다.[762] 위와 같이 판례도 질서위반행위규제법이 제정되기 이전에 행정질서위반 과태료 부과사안에서 "위반자가 그 의무를 알지 못하는 것이 무리가 아니었다고 할 수 있어 그것을 정당시할 수 있는 사정이 있을 때 또는 그 의무의 이행을 그 당사자에게 기대하는 것이 무리라고 하는 사정이 있을 때 등 그 의무 해태를 탓할 수 없는 정당한 사유가 있는 때에는 과태료를 부과할 수 없다."고 판시하여[763] 위법성 착오에 대한 책임주의의 도입을 해석상 인정할 수 있음을 보여주고 있다.

제635조 각 항은 일정한 행위주체를 규정하고 있으므로 그 중 해당 의무나 책임을 부담하는 자로서 실제 행위자로 평가할 수 있는 자를 과태료 부과대상자로 볼 수 있다. 만약 그 밖의 자가 실제로 각 위반행위를 한 경우에는 그 실제 행위자를 감독하는 자 중 위 행위주체에 해당하는 자에 대하여 과태료를 부과한다.[764] 그러나 이 경우에도 책임주의 원칙상 그에게 실제 행위자에 대한 선임·감독상의 과실은 존재해야 할 것이다.[765]

과태료 부과에는 형법 총칙의 경합범 규정이 적용되지 않기 때문에, 위반행위가 여러 개인 경우에는 그 수만큼 각각의 과태료가 부과된다.[766]

---

761) 예컨대, 행정청의 질의회신이나 행정지도 또는 법원의 판례를 믿고 자기 행위가 위법하지 않다거나 의무위반이 아니라고 믿었던 경우를 들 수 있다.

762) 한석훈, 전게 「비즈니스범죄와 기업법」, 628면; 천경훈, 전게 「주석 상법(회사-Ⅶ)」, 203, 204면.

763) 대법원 2000.5.26. 98두5972.

764) 한석훈, 상게서, 620면; 前揭 「会社法コンメンタル(21)」, 173面.

765) 前揭 「会社法コンメンタル(21)」, 173面; 平野龍一 編, 前揭書, 127, 128面.

766) 법원행정처, 「법원실무제요(소년·비송)」 제2판(2000), 477, 478면.

Ⅲ. 과태료 부과절차

제28조(상호 부정사용에 대한 제재), 제86조의9(합자조합 章에서 정한 등기를 게을리한 경우) 및 제635조 제1항 제1호(회사편에서 정한 등기를 게을리한 경우)에 따른 과태료 부과의 경우에는 과태료에 처할 자의 주소지 지방법원이 과태료 부과 결정을 한다(제637조의2 제1항 괄호 내용, 비송사건절차법 제247조, 제248조, 제250조). 등기관은 그 직무상 과태료 부과대상이 있음을 안 때에는 지체 없이 그 사건을 관할 지방법원 또는 지원에 통지해야 하는데(상업등기규칙 제113조), 이에 따라 과태료 부과절차가 개시되는 경우가 많다. 이 경우 법원은 당사자의 진술과 검사의 의견을 듣고 결정으로써 과태료 재판을 해야 한다(비송사건절차법 제248조 제1항, 제2항). 만약 법원이 과태료 부과가 타당하다고 인정하면 당사자의 진술을 듣지 않고 과태료 부과 결정을 할 수 있다(약식결정). 이 결정에 대해서는 당사자와 검사가 그 결정을 고지받은 날부터 1주일 내에 이의신청을 할 수 있는데, 이 경우 약식결정은 효력을 잃고 법원은 당사자의 진술을 듣고 다시 결정으로써 과태료 재판을 해야 한다(비송사건절차법 제250조).

나머지 제635조 및 제636조 과태료 부과사안의 경우에는 법무부장관이 상법 시행령 제44조의 절차에 따라 부과·징수한다(제637조의2 제1항). 법무부장관이 과태료를 부과하려는 경우에는 10일 이상의 기간을 정하여 과태료 처분 대상자에게 말 또는 서면(전자문서를 포함한다)으로 의견을 진술할 기회를 주어야 한다(상법 시행령 제44조 제2항). 과태료는 국고금 관리법령의 수입금 징수에 관한 절차에 따라 징수한다(상법 시행령 제44조 제4항). 법무부장관의 과태료 부과처분에 불복하는 자는 그 처분을 고지받은 날부터 60일 이내에 법무부장관에게 이의를 제기할 수 있다(제637조의2 제2항). 그 이의제기시 법무부장관은 지체 없이 관할 법원에 그 사실을 통보해야 하고, 통보를 받은 법원은 비송사건절차법 제4편 보칙 규정에 따라 과태료 재판을 한다(제637조의2 제3항). 위 이의제기기간 내 이의를 제기하지 아니하고 과태료도 납부하지 아니한 때에는 국세 체납처분의 예에 따라 징수한다(제637조의2 제4항). 법무부장관에게 과태료 부과 권한이 있는 사안에 대해서는 법원이 법무부장관의 과태료 처분 이전에 직권으로 과태료 재

판을 할 수는 없다(판례).[767]

위와 같이 법원이 과태료 재판을 하게 되면 그 후의 절차는 동일하다. 당사자와 검사는 과태료 재판에 대하여 즉시항고를 할 수 있고, 이 항고는 집행정지의 효력이 있다(비송사건절차법 제248조 제3항). 과태료 재판은 검사의 명령으로써 집행하고, 그 명령은 집행력 있는 집행권원과 같은 효력이 있다(비송사건절차법 제249조 제1항). 과태료 재판의 집행절차는 「민사집행법」의 강제집행절차에 따라 실시한다(비송사건절차법 제249조 제2항 본문).

---

767) 대법원 2013.6.14. 2013마499.

판례색인

1242 판례색인

[헌법재판소]

[하급심]

사항색인

株式會社法大系 III [제4판]

2013년 2월 20일 초판 발행
2016년 2월 15일 제2판 발행
2019년 2월 25일 제3판 발행
2022년 3월 15일 제4판 1쇄 발행

편저자 한 국 상 사 법 학 회
발행인 배   효   선

발행처 도서
출판 **法 文 社**

주 소 10881 경기도 파주시 회동길 37-29
등 록 1957년 12월 12일/제2-76호(윤)
전 화 (031)955-6500~6 FAX (031)955-6525
E-mail (영업) bms@bobmunsa.co.kr
(편집) edit66@bobmunsa.co.kr
홈페이지 http://www.bobmunsa.co.kr

조 판 법 문 사 전 산 실

정가 270,000원(I·II·III권)   ISBN 978-89-18-91281-3